DICIONÁRIO BÁSICO

ESPANHOL - PORTUGUÊS
PORTUGUÊS - ESPANHOL

Título original: Dicionário Moderno de Espanhol-Português/
Português-Espanhol,
ISBN 978-972-0-05755-6
1ª edição, Global Editora, São Paulo 2011
2ª reimpressão, 2019

Jefferson L. Alves – diretor editorial
Dulce S. Seabra – gerente editorial
Flávio Samuel – gerente de produção
Thereza Pozzoli – assessoria de revisão
Fábio Adriano de Lima – consultoria em língua espanhola
Adriana R. T. Oliveira, Agnaldo Alves, Andréa Cozzolino, Beatriz Chaves, Enymilia Guimarães, Salvine Maciel, Sandra Regina de Souza, Vera Lucia da Costa – revisão
Luana Alencar – capa
Porto Editora – projeto gráfico e editoração eletrônica

Obra atualizada conforme o
NOVO ACORDO ORTOGRÁFICO DA LÍNGUA PORTUGUESA

Dados Internacionais de Catalogação na Publicação (CIP)
(Câmara Brasileira do Livro, SP, Brasil)

Dicionário básico espanhol-português,
português-espanhol. – São Paulo : Global, 2011.

ISBN 978-85-260-1585-2

1. Espanhol - Dicionários - Português 2. Português - Dicionários - Espanhol.

11-13315 CDD-463.69
-469.36

Índices para catálogo sistemático:

1. Espanhol : Dicionários : Português 463.69
2. Espanhol : Português : Dicionários 463.69
3. Português : Dicionários : Espanhol 469.36
4. Português : Espanhol : Dicionários 469.36

global editora e distribuidora ltda.
Rua Pirapitingui, 111 – Liberdade
CEP 01508-020 – São Paulo – SP
Tel.: (11) 3277-7999
e-mail: global@globaleditora.com.br
www.globaleditora.com.br

Nº de Catálogo: **1982**

Impressão e acabamento: A.R. Fernandez

Índice

Como usar o dicionário

a entrada é a palavra a traduzir

categoria gramatical

tradução

transcrição fonética da entrada

o sinônimo é indicado em itálico, entre parênteses, e no mesmo idioma da entrada

a área de conhecimento é indicada antes da respectiva tradução

as preposições que acompanham o verbo são assinaladas em parênteses curvos

o contexto em que se usa a palavra é indicado entre parênteses e em português

o exemplo ilustra o uso da entrada

introduz expressões e locuções no final do verbete

os números destacam diferentes sentidos da entrada

bajada [ba'xaδa] *s.f.* **1** *(descenso)* descida, diminuição, queda; ***bajada de las temperaturas*** queda/baixa das temperaturas; ***bajada de tensión*** queda de pressão **2** (preços) baixa, diminuição **3** *(declive)* descida, declive*m.* ◆ (táxi) **bajada de bandera** bandeirada

bajamar [baxa'mar] *s.f.* baixa-mar, maré baixa

bajar [ba'xar] *v.* **1** *(descender)* descer; ***bajar en ascensor*** descer de elevador **2** *(disminuir)* baixar, descer, diminuir; ***los impuestos han bajado*** os impostos baixaram **3** (maré, rio) baixar, descer **4** *(descender)* descer; ***bajar las escaleras*** descer as escadas **5** *(inclinar hacia abajo)* baixar, abaixar; ***bajar la cabeza*** baixar/abaixar a cabeça **6** *(dejar más abajo)* descer, abaixar; ***bajar las persianas*** fechar/descer as persianas **7** (valor, quantia) baixar, reduzir; ***el gobierno ha bajado los precios del gasoil*** o governo baixou os preços do óleo diesel **8** (som, voz) baixar; ***¡baja el volumen de la radio!*** baixa o volume do rádio!; ***bajar la voz*** baixar a voz **9** INFORM. baixar*col.*, fazer download; ***este programa lo puedes bajar de Internet*** podes baixar este programa da Internet ■ **bajarse** descer (de, de), sair (de, de); ***bajarse del autobús/coche/tren*** sair do ônibus/carro/trem; ***bajarse del caballo*** descer do cavalo

bajeza [ba'xeθa] *s.f.* baixeza, vileza

bajial [ba'xjal] *s.m.* [PER.] lugar baixo

bajista [ba'xista] *adj.,s.2g.* baixista

bajo ['baxo] *adj.* **1** (altura) baixo, pequeno **2** (preço) baixo, barato **3** (posição) inferior, de baixo; ***pisos bajos*** andares de baixo **4** (som, voz) baixo **5** *pej.* baixo, desprezível, vil ■ *s.m.* **1** (edifício) térreo **2** (roupa) bainha*f.* **3** (pessoa, voz) baixo **4** (instrumento) baixo; ***tocar el bajo*** tocar baixo ■ *adv.* baixo; ***¡habla más bajo!*** fala mais baixo! ■ *prep.* **1** (posição) debaixo de, sob; ***el libro está bajo la mesa*** o livro está debaixo da mesa **2** (período de tempo) sob; ***bajo su gobierno*** sob o seu governo **3** (estado, condição) sob; ***bajo presión*** sob pressão

bajón [ba'xon] *s.m.* queda*f.*, diminuição*f.*

bajorrelieve [baxore'ljeβe] *s.m.* ART.PL. baixo-relevo

bala ['bala] *s.f.* **1** bala; ***a prueba de balas*** à prova de bala **2** *(paquete)* fardo*m.*, pacote*m.* ◆ *col.* **como una bala** como uma bala

balacera [bala'θera] *s.f.* [AM.] tiroteio*m.*

balada [ba'laδa] *s.f.* balada

balance [ba'laŋθe] *s.m.* balanço; ***hacer balance de*** fazer o balanço de

balancear [balaŋθe'ar] *v.* balançar

balancín [balaŋ'θin] *s.m.* **1** *(subibaja)* gangorra*f.* **2** *(mecedora)* cadeira*f.* de balanço **3** *(columpio)* balanço **4** (com cobertura) balanço com toldo **5** (equilibristas) vara*f.*

balanza [ba'laŋθa] *s.f.* balança ◆ **balanza comercial** balança comercial; **balanza de pagos** balança de pagamentos

moldar *v.* **1** (material, peça) moldear **2** (metal) fundir **3** *fig.* adaptar, amoldar ■ **moldar se** amoldarse

o registro, ou nível de uso da palavra, aparece de forma abreviada e em itálico

molde *s.m.* **1** molde **2** (vestuário) patrón **3** *fig.* modelo

moldura *s.f.* **1** (espelho, fotografia, quadro) marco*m.* **2** ARQ. moldura

o gênero da tradução é indicado quando diferente

mole *adj.2g.* **1** (objeto) blando, tierno **2** *fig.* (pessoa) flojo **3** *fig.* (pessoa) sensiblero **4** vago, indolente

molecada *s.f.* **1** *col.* (grupo) muchachería, chiquillería **2** *col.* chiquillería, muchachada

molécula *s.f.* molécula

moleira *s.f.* (bebê) fontanela

molenga *adj.,s.2g.* perezos|o, -a*m.f.*, remol|ón, -ona*m.f.*

indicação de desinências de masculino e feminino

moleque *s.m.* **1** niño **2** niño de la calle

molestar *v.* **1** (dor) molestar **2** molestar, ofender

moletom *s.m.* (tecido) muletón

moleza *s.f.* **1** blandura, elasticidad **2** *fig.* apatía **3** *fig.* indolencia, vagancia, galbana

molhar *v.* mojar ■ **molhar-se** mojarse ♦ *fig.* **molhar a mão** sobornar

introduz verbos pronominais

molho[1] /ô/ *s.m.* **1** salsa*f.*; *molho picante* salsa picante **2** remojo; *pôr o bacalhau de molho* poner a/en remojo el bacalao ♦ (pessoa) **estar/ficar de molho** estar/quedarse enfermo

os algarismos elevados distinguem palavras com a mesma grafia

ortoépia: indica a pronúncia das vogais de palavras homógrafas entre barras oblíquas

molho[2] /ô/ *s.m.* **1** (de palha, cereais) gavilla*f.* **2** (de lenha) haz **3** (de papéis) fajo **4** (de objetos) manojo; *um molho de chaves* un manojo de llaves

molusco *s.m.* molusco

momentâneo *adj.* momentáneo

momento *s.m.* **1** momento, instante **2** momento, ocasión*f.* ♦ **a todo momento** a cada momento; **até o momento** hasta ahora; **no momento** por el momento; **de um momento para o outro** de un momento a otro; de golpe; **num momento** en un momento

as expressões e as locuções figuram no final do verbete

Mônaco *s.m.* Mónaco

monarca *s.m.* monarca

monarquia *s.f.* monarquía

monárquic|o, -a *adj.,s.m.,f.* monárquic|o, -a

forma feminina da entrada

forma feminina da tradução

monarquismo *s.m.* monarquismo

monarquista *s.2g.* monárquic|o, -a*m.f.*

monção *s.f.* MET. monzón

monetário *adj.* monetario

monge *s.m.* ⟨*f.* monja⟩ **1** monje **2** *fig.* ermitaño

o plural e as formas de particípio passado ou do feminino indicam-se entre parênteses angulares

mongoloide *adj.2g.* **1** mongoloide **2** mongólico ■ *s.2g.* mongólic|o, -a*m.f.*

monitor, -a *s.m.,f.* monitor, -a ■ **monitor** *s.m.* **1** monitor **2** INFORM. monitor, pantalla*f.*

separa diferentes categorias gramaticais

monitoramento *s.m.* monitorización*f.*

monitorar *v.* monitorizar

monitorizar *v.* monitorizar

monogamia *s.f.* monogamia

Abreviaturas

adj.	adjetivo	*num.*	numeral
adv.	advérbio	*pess.*	pessoal
art.	artigo	*pl.*	plural
comp.	comparativo	*poss.*	possessivo
conj.	conjunção	*p.p.*	particípio passado
contr.	contração	*prep.*	preposição
def.	definido	*pret.*	pretérito
dem.	demonstrativo	*pron.*	pronome
f.	feminino	*rel.*	relativo
ger.	gerúndio	*s.*	substantivo
ind.	indicativo	*sing.*	singular
indef.	indefinido	*sj.*	subjuntivo
inf.	infinitivo	*superl.*	superlativo
interj.	interjeição	*v.*	verbo
interr.	interrogativo	*2g.*	2 gêneros (m. e f.)
m.	masculino	*2n.*	2 números (invariável)

Variantes

AM.	América	EQU.	Equador
AM.C.	América Central	ESP.	Espanha
AM.S.	América do Sul	LUS.	Lusitanismo
AM.M.	América Meridional	MÉX.	México
ARG.	Argentina	PER.	Peru
BOL.	Bolívia	P.RIC.	Porto Rico
C.RIC.	Costa Rica	R.DOM.	República Dominicana
CH.	Chile	URUG.	Uruguai
COL.	Colômbia	VEN.	Venezuela
CUB.	Cuba		

Domínios

AERON.	aeronáutica
AGR.	agricultura
ANAT.	anatomia
ARQ.	arquitetura
ARQUEOL.	arqueologia
ART.PL.	artes plásticas
ASTROL.	astrologia
ASTRON.	astronomia
BIOL.	biologia
BOT.	botânica
CIN.	cinema
CUL.	culinária
DIR.	direito
ECON.	economia
ELETR.	eletricidade
ESPOR.	esporte
FARM.	farmácia
FIL.	filosofia
FÍS.	física
FISIOL.	fisiologia
FOT.	fotografia
GEOG.	geografia
GEOL.	geologia
GEOM.	geometria
HIST.	história
INFORM.	informática
LING.	linguística
LIT.	literatura
MAT.	matemática
MEC.	mecânica
MED.	medicina
MET.	meteorologia
MIL.	militar
MIN.	mineralogia
MIT.	mitologia
MÚS.	música
NÁUT.	náutica
POL.	política
PSIC.	psicologia
QUÍM.	química
RÁD.	rádio
REL.	religião
TAUR.	tauromaquia
TEAT.	teatro
TIP.	tipografia
TV.	televisão
VET.	veterinária
ZOOL.	zoologia

Registros

ant.	antiquado	indica vocabulário quase em desuso em contextos atuais
cal.	calão	indica vocabulário usado por grupos restritos ou marginais, geralmente de caráter expressivo, humorístico e/ou transgressor
col.	coloquial	indica vocabulário usado em situações informais
fig.	figurado	indica sentidos não literais
gír.	gíria	indica vocabulário próprio de grupos socioprofissionais
infant.	infantil	indica vocabulário próprio das crianças, bem como o que os adultos utilizam quando falam com elas
irôn.	irônico	indica sentidos opostos ao que geralmente uma palavra significa
lit.	literário	indica sentidos que apenas se encontram na literatura
pej.	pejorativo	indica sentidos com uma conotação desfavorável ou negativa
pop.	popular	indica vocabulário próprio do povo
téc.	técnico	indica vocabulário de áreas técnicas ou especializadas
vulg.	vulgarismo	indica vocabulário grosseiro ou obsceno

Símbolos

▪	separa diferentes categorias gramaticais e introduz formas verbais pronominais
♦	introduz expressões em que a entrada se combina com outras palavras
⇒	remete para a palavra onde se encontra a tradução
1, **2**, ...	separam diferentes sentidos de uma palavra
[ ]	delimitam a transcrição fonética da entrada, explicações e regências
( )	delimitam contextos e complementos
( )	os parênteses em itálico delimitam os sinônimos
⟨ ⟩	delimitam informações de flexão e de análise morfológica
/	indica um elemento alternativo
//	delimita a ortoépia
|	separa a parte comum das letras de uma entrada
-	indica a terminação da forma feminina ou a ausência de tradução
®	identifica uma marca registrada

Fonética espanhola

Símbolo	Exemplo em espanhol	Exemplo em português/inglês
a	madre, acá	saco
e	elegir, bidé	medo
i	piso, ahí	rico
o	ojo, jamón	moço
u	luna, tabu	luta
b	bala, vaca, watt	bata
β	cabo, clave	abelha
θ	cine, zumo, pez	think (inglês)
k	casa, acción, kilo, queda	copa, queijo
tʃ	mucho	tchau
d	dato, ondular	data
δ	dedo	dado
f	faro	faca
g	gol, guerra	gata
γ	laguna, hoguera	agora
x	jamón, gente	carro [ʀ] (uvular)
l	labio	mala
l̪	alto, molde	além
l̻	alzar, dulce	wall (inglês)
l^j	colcha	foil (inglês)
ʎ	calle	malha
m	mal	mãe
ɱ	anfibio	infame
n	nabo	cana
n̪	antes, mundo	antes
n̻	anzuelo	anzol
n^j	ancho	ancorar
ɲ	niño	manhã
ŋ	banco, hongo, ángel	king (inglês)
p	pato	pata
ɾ	cero	aro
r	ruta, perro	murro, mar
s	sabor, frasco, xilófono	saco, essa, doce, ciclo, caça
z	mismo	mesa
t	té	taco
dʒ	yerno	malho, velho
ʝ	mayo	age (inglês)
j	aire, idioma	pai
w	auto, supuesto, cigüeña	pau

ˈ Antecede a sílaba tônica, como em [aˈβaxo] na entrada **abajo**.

Espanhol-Português

A

a[1] ['a] *s.f.* (letra) a *m.*

a[2] ['a] *prep.* **1** (direção) a; para; ***ir a casa de alguien*** ir à casa de alguém; ***voy a casa*** vou para casa **2** (lugar) à; ***a la entrada*** à entrada **3** (tempo) a; ***a las doce de la noche*** à meia-noite **4** (distância) a; ***a 15 kilómetros de Río de Janeiro*** a 15 quilômetros do Rio de Janeiro **5** (modo) à; ***a la francesa*** à francesa **6** (instrumento) à; ***hecho a mano*** feito à mão **7** (preço) a; ***a un real el kilo*** a um real o quilo **8** (medida) a; ***ir a 120 kilómetros por hora*** ir a 120 quilômetros por hora **9** (sucessão) a; ***día a día*** dia a dia; ***poco a poco*** pouco a pouco **10** (frequência) a; por; ***dos veces al día*** duas vezes ao/por dia **11** (complemento indireto) a; ***les he escrito una carta a mis padres*** escrevi uma carta aos meus pais **12** (complemento direto animado) -; ***he visto a Pedro*** vi o Pedro **13** (como imperativo *a+inf.*) -; ***¡a callar!*** calem-se!; ***¡a comer!*** vamos comer! **14** (*v.*+a+*inf.*) a; -; ***aprender a nadar*** aprender a nadar; ***voy a salir*** vou sair

ábaco ['aβako] *s.m.* ábaco

abad [a'βaδ] *s.m.* (*f.* abadesa) abade

abadesa [aβa'δesa] *s.f.* (*m.* abad) abadessa

abadía [aβa'δia] *s.f.* abadia

abajo [a'βaxo] *adv.* **1** (lugar) embaixo; ***ahí abajo*** aí embaixo; ***estoy abajo*** estou lá embaixo **2** (direção) abaixo; para baixo; ***calle abajo*** rua abaixo; ***escaleras abajo*** pelas escadas abaixo; ***vamos abajo*** vamos lá para baixo ■ *interj.* abaixo! ♦ (pessoa) **abajo firmante** abaixo-assinado; **de abajo** de baixo; ***vivo en el piso de abajo*** moro no andar de baixo; **de arriba abajo** de cima a baixo; **hacia abajo** para baixo; **irse/venirse abajo** ir/vir abaixo

abalanzarse [aβalan'θarse] *v.* lançar se (sobre, sobre), atirar se (sobre, sobre); ***se abalanzó sobre la víctima*** lançou se sobre a vítima

abalorio [aβa'lorjo] *s.m.* miçanga *f.*

abanderad|o, -a [aβande'raδo] *s.m.,f.* **1** porta-bandeira *2g.*, porta estandarte *2g.* **2** *fig.* defensor, -a

abanderar [aβande'rar] *v.* **1** (navio) matricular, registrar, embandeirar **2** *fig.* defender

abandonado [aβando'naδo] *adj.* **1** abandonado **2** *(dejado)* desleixado, desmazelado

abandonar [aβando'nar] *v.* abandonar ■ **abandonarse** desleixar-se, desmazelar se

abandono [aβan'dono] *s.m.* **1** abandono **2** *(dejadez)* desleixo, desmazelo

abanicar [aβani'kar] *v.* abanar ■ **abanicarse** abanar-se (con, com); ***se abanicaba con el sombrero*** se abanava com o chapéu

abanico [aβa'niko] *s.m.* **1** leque, abano **2** *fig.* leque, conjunto; ***un abanico de opciones*** um leque de opções

abaratamiento [aβarata'mjento] *s.m.* (preço) baixa *f.*, diminuição *f.*, barateamento

abarcar [aβar'kar] *v.* **1** abarcar **2** [AM.] açambarcar, monopolizar

abarquillar [aβarki'ʎar] *v.* empenar, encurvar

abarrotado [aβaro'taδo] *adj.* abarrotado, cheio, repleto

abarrotamiento [aβarota'mjento] *s.m.* superlotação *f.*, sobrelotação *f.*

abarrotar [aβaro'tar] *v.* abarrotar, encher completamente

abastecedor, -a [aβasteθe'δor] *adj.,s.m.,f.* abastecedor, -a, fornecedor, -a

abastecer [aβaste'θer] *v.* abastecer (de, de), fornecer (de, de) ■ **abastecerse** abastecer-se (de, de); ***la aldea se abastece de víveres*** a aldeia se abastece de mantimentos

abastecimiento [aβasteθi'mjento] *s.m.* abastecimento, fornecimento

abasto [a'βasto] *s.m.* abastecimento, provisão *f.*; ***mercado de abastos*** mercado abastecedor ♦ **dar abasto** chegar, bastar, ser suficiente; **no dar abasto** não dar vazão

abatible [aβa'tiβle] *adj.2g.* reclinável; ***asientos abatibles*** assentos reclináveis

abatimiento [aβati'mjento] *s.m.* abatimento, desânimo

> Não confundir com a palavra em português **abatimento** (*rebaja*).

abatir [aβa'tir] *v.* **1** *(derribar)* abater, derrubar **2** *(matar)* abater, matar **3** (cama, mesa) abrir, armar; (banco) rebater **4** *fig.* abater, deprimir, desanimar ■ **abatirse** abater-se

abdicación [aβδika'θjon] *s.f.* abdicação, renúncia; ***abdicación en favor de*** abdicação em favor de

abdicar [aβδi'kar] *v.* **1** (cargo, dignidade) abdicar (-, de), renunciar (-, a); ***abdicar el trono en su hijo*** abdicar do trono em favor do filho; ***abdicar la corona*** abdicar da coroa; ***el rey abdicó*** o rei abdicou **2** (opinião, crença) abdicar (de, de), abandonar (de, -)

abdomen [aβ'δomen] *s.m.* abdômen, abdome

abdominal [aβδomi'nal] *adj.2g.* abdominal ■ **abdominales** *s.m.pl.* abdominais; ***hacer abdominales*** fazer abdominais

abecé [aβe'θe] *s.m.* **1** *(abecedario)* abc, á bê cê **2** *fig.* abc, á bê cê, bê á bá, noções *f. pl.*

abecedario [aβeθe'δarjo] *s.m.* **1** *(alfabeto)* abecedário, alfabeto **2** (livro) abecedário, cartilha *f.*

abeja [a'βexa] *s.f.* abelha; ***abeja obrera*** abelha-operária; ***abeja reina*** abelha-rainha, abelha-mestra

abejón [aβe'xon] *s.m.* **1** abelhão **2** *(zángano)* zangão

abejorro [aβe'xoro] *s.m.* **1** abelhão **2** besouro

aberración [aβera'θjon] *s.f.* aberração

aberrante [aβe'rante] *adj.2g.* aberrante
abertura [aβer'tura] *s.f.* *(agujero)* abertura, buraco*m.*; *(grieta)* fenda, racha
abiertamente [a'βjerta'mente] *adv.* abertamente, francamente; ***hablar abiertamente*** falar abertamente
abierto [a'βjerto] (*p.p. de* abrir) *adj.* **1** aberto; ***abierto al público*** aberto ao público; ***abierto de par en par*** aberto de par em par; ***con los brazos abiertos*** de braços abertos **2** (pessoa) aberto, franco, sincero **3** (mentalidade) aberto, tolerante, liberal **4** (cabelo) espigado; ***puntas abiertas*** pontas duplas ■ *s.m.* ESPOR. aberto ♦ **estar abierto a** estar aberto a; ***estar abierto a nuevas sugerencias*** estar aberto a novas sugestões
abismar [aβiz'mar] *v.* **1** abismar **2** *fig.* confundir
abismo [a'βizmo] *s.m.* abismo ♦ **estar al borde del abismo** estar à beira do abismo
ablandamiento [aβlanda'mjento] *s.m.* **1** amolecimento **2** abrandamento
ablandar [aβlan'dar] *v.* **1** amolecer **2** abrandar **3** *fig.* comover, abrandar
abnegación [aβneγa'θjon] *s.f.* abnegação
abnegar [aβne'γar] *v.* abnegar, renunciar ■ **abnegarse** abnegar-se, sacrificar se
abobado [aβo'βaδo] *adj.* abobado
abocado [aβo'kaδo] *adj.* **1** destinado (a, a), condenado (a, a); ***es un proyecto abocado al fracaso*** é um projeto condenado ao fracasso **2** (vinho) suave
abochornado [aβotʃor'naδo] *adj.* embaraçado, envergonhado
abochornar [aβotʃor'nar] *v.* **1** (calor) abafar, sufocar **2** *(avergonzar)* embaraçar, envergonhar ■ **abochornarse** embaraçar-se, envergonhar-se
abofetear [aβofete'ar] *v.* esbofetear
abogacía [aβoγa'θia] *s.f.* advocacia
abogad|o, -a [aβo'γaδo] *s.m.,f.* advogad|o, -a ♦ *col.* **abogado del diablo** advogado do Diabo
abogar [aβo'γar] *v.* advogar (por, por), interceder (por, por); ***abogar por alguien*** interceder por alguém
abolengo [aβo'lengo] *s.m.* ascendência*f.*; ***de abolengo noble*** com/de ascendência nobre
abolición [aβoli'θjon] *s.f.* abolição
abolicionismo [aβoliθjo'nizmo] *s.m.* abolicionismo
abolicionista [aβoliθjo'nista] *adj.,s.2g.* abolicionista
abolir [aβo'lir] *v.* abolir
abolladura [aβoʎa'δura] *s.f.* amolgadura, amolgadela, amassadela, mossa
abollar [aβo'ʎar] *v.* amolgar, amassar
abollón [aβo'ʎon] *s.m.* amolgadela*f.*, mossa*f.*
abombar [aβom'bar] *v.* abaular, empenar ■ **abombarse 1** abaular, empenar **2** [AM.] embebedar se
abominable [aβomi'naβle] *adj.2g.* abominável ♦ **el abominable hombre de las nieves** o abominável homem das neves
abominación [aβomina'θjon] *s.f.* abominação
abominar [aβomi'nar] *v.* abominar, detestar, odiar
abonad|o, -a [aβo'naδo] *s.m.,f.* assinante*2g.*, subscritor, -a; ***estar abonado a una revista*** ser assinante de uma revista
abonar [aβo'nar] *v.* **1** (terra) adubar, estrumar **2** *(depositar)* abonar, afiançar **3** (dívida) pagar ■ **abonarse** (publicação, serviço) assinar (a, -), subscrever (a, -); ***me voy a abonar a una revista de informática*** vou assinar uma revista de informática
abono [a'βono] *s.m.* **1** adubo, estrume, fertilizante **2** *(pago)* pagamento **3** (espetáculos) ingresso para uma época **4** (publicação, serviço) assinatura*f.*, subscrição*f.*
abordaje [aβor'δaxe] *s.m.* abordagem*f.*
abordar [aβor'δar] *v.* abordar
aborigen [aβo'rixen] *adj.,s.2g.* aborígine, aborígene
aborrecer [aβore'θer] *v.* detestar, odiar, abominar; ***aborrezco los lunes*** detesto as segundas feiras
aborrecible [aβore'θiβle] *adj.2g.* detestável, abominável, insuportável
aborrecimiento [aβoreθi'mjento] *s.m.* **1** *(repugnancia)* aversão*f.*, repugnância*f.* **2** *(antipatía)* aversão*f.*, antipatia*f.*, ódio
abortar [aβor'tar] *v.* **1** (gravidez) abortar **2** (missão, plano) abortar, interromper, frustrar **3** *fig.* abortar, fracassar **4** INFORM. abortar
abortivo [aβor'tiβo] *adj.,s.m.* abortivo
aborto [a'βorto] *s.m.* **1** aborto **2** *fig., pej.* aborto, monstro ♦ **aborto de la naturaleza** aborto da natureza
abotinado [aβoti'naδo] *adj.* (sapato) abotinado
abotonar [aβoto'nar] *v.* abotoar ■ **abotonarse** abotoar, apertar
abracadabra [aβraka'δaβra] *s.m.* abracadabra
abrasador [aβrasa'δor] *adj.* abrasador
abrasar [aβra'sar] *v.* **1** *(quemar)* queimar, abrasar **2** (planta) secar, ressequir **3** (comida, bebida) queimar, escaldar, abrasar
abrasivo [aβra'siβo] *adj.,s.m.* abrasivo
abrazadera [aβraθa'δera] *s.f.* braçadeira ♦ MED. **abrazadera hinchable** braçal, braçadeira (inflável)
abrazar [aβra'θar] *v.* **1** (pessoa) abraçar; ***abrazar a alguien*** abraçar alguém **2** *fig.* (ideia, doutrina) abraçar, seguir, adotar ■ **abrazarse** abraçar-se
abrazo [a'βraθo] *s.m.* abraço; ***dar un abrazo a alguien*** dar um abraço em alguém ♦ (carta, mensagem) **un (fuerte) abrazo** um (forte/grande) abraço
abrebotellas [aβreβo'teʎas] *s.m.2n.* abridor de garrafas
abrecartas [aβre'kartas] *s.m.2n.* abridor de cartas
abrelatas [aβre'latas] *s.m.2n.* abridor de latas
abreviación [aβreβja'θjon] *s.f.* abreviação
abreviar [aβre'βjar] *v.* **1** abreviar **2** despachar-se, apressar se ♦ (assunto) **para abreviar** resumindo
abreviatura [aβreβja'tura] *s.f.* abreviatura
abridor [aβri'δor] *s.m.* **1** *(abrelatas)* abridor de latas **2** *(abrebotellas)* abridor de garrafas
abrigar [aβri'γar] *v.* **1** *(arropar)* agasalhar, abrigar **2** *(cobijar)* abrigar, resguardar **3** *fig.* (esperanças, ilusões) acalentar, alimentar, nutrir ■ **abrigarse**

1 *(arroparse)* agasalhar-se 2 *(cobijarse)* abrigar se (de, de), resguardar-se (de, de)

abrigo [a'βriγo] *s.m.* 1 casaco; sobretudo; ***abrigo de piel(es)*** casaco de pele(s); ***ponerse el abrigo*** vestir o casaco/sobretudo 2 agasalho; ***ropa de abrigo*** agasalho 3 (lugar) abrigo, refúgio ♦ **al abrigo de** ao abrigo de

abril [a'βril] *s.m.* abril ■ **abriles** *s.m.pl. fig.* (idade) primaveras*f.*; ***tiene quince abriles*** tem quinze primaveras

abrillantar [aβriʎan̪'tar] *v.* 1 dar brilho 2 polir, lustrar

abrir [a'βrir] *v.* 1 abrir; ***abrir el paraguas*** abrir o guarda-chuva; ***abrir la cremallera*** abrir o zíper; ***abrir los ojos*** abrir os olhos; ***abrir paso*** abrir caminho 2 (negócio) abrir, iniciar, inaugurar; ***van a abrir un café en la plaza*** vão abrir um café/bar na praça 3 (atividade, prazo) abrir, começar; ***abrir el curso*** começar o ano 4 (fruto) abrir, partir, cortar 5 (torneira, gás) abrir, ligar; (luz) acender, ligar 6 (buraco, passagem) abrir, cavar 7 (estrada, túnel) abrir, construir 8 *(encabezar)* encabeçar 9 (tempo) abrir, desanuviar ■ **abrirse** 1 abrir-se 2 (flor) abrir, desabrochar 3 *fig.* abrir-se (a, com), desabafar (a, com); ***se abrió a su madre*** abriu se com a mãe

abrochar [aβro'tʃar] *v.* (roupa) abotoar, apertar ■ **abrocharse** 1 (roupa) abotoar, apertar 2 (cinto) apertar

abrumador [aβruma'ðor] *adj.* 1 *(cansado)* cansativo, pesado 2 *(aplastante)* esmagador, avassalador

abrupto [a'βrupto] *adj.* 1 (terreno) abrupto, íngreme, escarpado 2 (pessoa) áspero, rude, abrupto

ABS *sigla* (sistema antibloqueo de frenos) ABS (sistema antibloqueio de frenagem)

absceso [aβs'θeso] *s.m.* abcesso

absentismo [aβsen̪'tizmo] *s.m.* absentismo

absolución [aβsolu'θion] *s.f.* absolvição

absolutamente [aβsoluta'men̪te] *adv.* absolutamente, totalmente

absolutismo [aβsolu'tizmo] *s.m.* absolutismo

absolutista [aβsolu'tista] *adj.,s.2g.* absolutista

absoluto [aβso'luto] *adj.* absoluto ♦ **en absoluto** de maneira nenhuma, de modo nenhum

absolver [aβsol'βer] *v.* absolver

absorbente [aβsor'βen̪te] *adj.2g.* 1 absorvente; ***pañal absorbente*** fralda absorvente 2 *fig.* (pessoa) absorvente, monopolizador 3 *fig.* (trabalho) absorvente, envolvente ■ *s.m.* absorvente

absorber [aβsor'βer] *v.* 1 (líquidos) absorver, embeber 2 (gases, fumos) absorver, aspirar 3 *fig.* (atenção, tempo) absorver, ocupar

absorción [aβsor'θjon] *s.f.* absorção

absorto [aβ'sorto] *adj.* 1 absorto (en, em), imerso (en, em); ***estar absorto en el trabajo*** estar absorto no trabalho 2 *(pasmado)* admirado, pasmado

abstemi|o, -a [aβs'temjo] *adj.,s.m.,f.* abstêmi|o, -a

abstención [aβsten̪'θjon] *s.f.* abstenção

abstenerse [aβste'nerse] *v.* 1 abster-se (de, de), privar se (de, de); ***abstenerse de hacer algo*** privar se de fazer alguma coisa 2 (eleições) abster-se (de, de); ***se abstuvieron de votar*** abstiveram-se de votar

abstinencia [aβsti'nen̪θja] *s.f.* abstinência

abstracción [aβstrak'θjon] *s.f.* abstração

abstracto [aβs'trakto] *adj.* abstrato ♦ **en abstracto** de modo abstrato

abstraer [aβstra'er] *v.* abstrair ■ **abstraerse** abstrair-se (de, de); ***es difícil abstraerse de todo esto*** é difícil abstrair-se de tudo isso

abstraído [aβstra'iðo] *adj.* abstraído (en, em), absorto (en, em)

absuelto [aβ'swel̪to] (*p.p. de* absolver) *adj.* absolvido

absurdo [aβ'surðo] *adj.* absurdo ■ *s.m.* absurdo, disparate

abuchear [aβutʃe'ar] *v.* vaiar, apupar, assobiar

abucheo [aβu'tʃeo] *s.m.* vaia*f.*, apupo, assobio

abuel|o, -a [a'βwelo] *s.m.,f.* 1 av|ô, -ó 2 *col.* velh|o, -a ♦ *col.* **¡cuéntaselo a tu abuela!** conta outra!; não me venhas com histórias!; *col.* **¡éramos pocos y parió la abuela!** só me faltava essa!; *col.* **no tener abuela** ser um convencido, se achar (o máximo)

abultar [aβul̪'tar] *v.* 1 inchar 2 *fig.* exagerar 3 ser volumoso; ocupar

abundancia [aβun̪'dan̪θja] *s.f.* abundância, fartura ♦ **en la abundancia** em abundância; ***nadar en la abundancia*** nadar em dinheiro; ***vivir en la abundancia*** viver na abundância

abundante [aβun̪'dan̪te] *adj.2g.* abundante

abundar [aβun̪'dar] *v.* 1 abundar 2 (quantidade) ser rico (en, em) 3 *fig.* concordar (en, com)

aburrid|o, -a [aβu'riðo] *s.m.,f.* chat|o, -a ■ *adj.* chato, maçante, aborrecido

aburrimiento [aβuri'mjen̪to] *s.m.* tédio, chatice*f.*, maçada*f.*, aborrecimento

aburrir [aβu'rir] *v.* chatear, aborrecer, maçar ■ **aburrirse** 1 aborrecer-se, entediar-se; ***me aburro solo en casa*** aborreço me sozinho em casa 2 *(hartarse)* cansar se (de, de); ***se ha aburrido de esperar*** cansou se de esperar

abusar [aβu'sar] *v.* abusar (de, de); ***abusar del tabaco*** abusar do tabaco; ***abusar de menores*** abusar de menores

abusivo [aβu'siβo] *adj.* abusivo

abuso [a'βuso] *s.m.* abuso; ***abuso de confianza*** abuso de confiança; ***abuso de menores*** abuso de menores; ***abusos sexuales*** abusos sexuais

abusón [aβu'son] *adj. col.* abusador

abyección [aβyek'θjon] *s.f.* abjeção, vileza, baixeza

a. C. (*abreviatura de* antes de Cristo) a.C. (*abreviatura de* antes de Cristo)

acá [a'ka] *adv.* 1 (lugar) cá; aqui; ***acá y allá*** aqui e ali; ***de acá para allá*** de cá para lá; ***ven acá*** vem cá/aqui 2 (tempo) cá; até agora; ***de ayer acá*** de ontem até agora; ***de entonces acá*** de lá para cá

acabado [aka'βaðo] *adj.* 1 acabado, concluído, terminado 2 *fig.* (pessoa) acabado, envelhecido ■ *s.m.* acabamento

acabar [aka'βar] *v.* 1 acabar, concluir, terminar 2 *(finalizar)* acabar, terminar 3 (namorado) acabar, terminar, romper **4** *(destruir, matar)* acabar (con, com), destruir (con, -), dar cabo (con, de); ***acabó con los enemigos*** acabou com os inimigos **5** (configuração) acabar (en, em); ***el cuchillo acaba en punta*** a faca acaba em ponta **6** *(perjudicar)* acabar (con, com); ***el rumor acabó con su reputación*** o boato acabou com a reputação dele **7** (ação, processo) acabar (con, com), terminar (con, com); ***la historia acaba con una boda*** a história acaba com um casamento **8** *(resultar)* acabar (en, em), resultar (en, em); ***eso va a acabar en discusión*** isso vai acabar em discussão ▪ **acabarse** acabar; ***se acabó la leche*** acabou o leite ♦ **acabar** [+*ger.*] acabar por [+*inf.*]; ***acabé comprándome su coche*** acabei comprando o carro dele; **¡acabáramos!** ah!; finalmente!; até que enfim!; **acabar bien/mal** acabar bem/mal; **acabar de** [+*inf.*] acabar de [+*inf.*]; ***acabó de llegar*** acabou de chegar; **acabar por** [+*inf.*] acabar por [+*inf.*]; ***acabé por ir al cine*** acabei indo ao cinema; **cuento/historia de nunca acabar** conto das mil e uma noites; **no acabar de** [+*inf.*] não conseguir [+*inf.*]; ***por más que lo intente, no acabo de entenderlo*** por mais que tente, não consigo entendê-lo; **¡se acabó lo que se daba!** acabou se (o que era doce)!; **y san se acabó** e ponto-final

acabose [aka'βose] ♦ *col.* **ser el acabose** ser a gota-d'água

acacia [a'kaθja] *s.f.* BOT. acácia

academia [aka'ðemja] *s.f.* **1** academia; ***academia de policía*** academia de polícia **2** (ensino) escola, instituto*m.*; ***academia de idiomas*** curso de idiomas, escola de línguas

académic|o, -a [aka'ðemiko] *s.m.,f.* acadêmic|o, -a, membro*m.* de uma academia ▪ *adj.* **1** acadêmico **2** (ano) letivo, escolar

acaecer [akae'θer] *v.* acontecer, ocorrer, suceder

acaecimiento [akaeθi'mjento] *s.m.* acontecimento, ocorrência*f.*, sucesso

acallar [aka'ʎar] *v.* **1** silenciar, calar, fazer calar **2** *fig.* acalmar, aplacar, sossegar

acalorado [akalo'raðo] *adj.* **1** (debate, discussão) acalorado, impetuoso, inflamado, aceso **2** (pessoa) acalorado

acaloramiento [akalora'mjento] *s.m.* **1** ardor, calor **2** *fig.* paixão*f.*

acampada [akam'paða] *s.f.* acampamento*m.*; ***ir de acampada*** ir acampar

acampanado [akampa'naðo] *adj.* com boca de sino; ***pantalones acampanados*** calças com boca de sino

acampar [akam'par] *v.* acampar

acantilado [akanti'laðo] *s.m.* falésia*f.*

acantilar [akanti'lar] *v.* encalhar

acaparar [akapa'rar] *v.* **1** (mercadoria) açambarcar, acumular **2** (atenção, carinho) absorver, monopolizar

acaramelar [akarame'lar] *v.* caramelizar, caramelar ▪ **acaramelarse** acariciar-se

acariciar [akari'θjar] *v.* **1** acariciar, afagar **2** *fig.* roçar, tocar levemente **3** *fig.* (ideia, projeto) acalentar, nutrir

ácaro ['akaro] *s.m.* ácaro

acarrear [akare'ar] *v.* **1** acarretar, transportar **2** *fig.* (problemas, dificuldades) acarretar, ocasionar, causar

acarreo [aka'reo] *s.m.* transporte (de um lugar para outro)

acaseramiento [akasera'mjento] *s.m.* [PER.] hábito de comprar na mesma loja

acaserarse [akase'rarse] *v.* [PER.] tornar-se freguês

acaso [a'kaso] *adv.* **1** (frases interrogativas) por acaso; ***¿acaso no lo has visto?*** por acaso não o viste?; *irôn.* ***¿acaso te he pedido algo?*** por acaso te pedi alguma coisa? **2** *(quizá)* talvez; ***acaso esté en casa*** talvez esteja em casa ♦ **por si acaso** por via das dúvidas; **por si acaso** [+*ind.*] para o caso de [+*inf.*]; se por acaso [+*sj.*]; **si acaso 1** se por acaso **2** em todo caso

acastañado [akasta'ɲaðo] *adj.* amarronzado, acastanhado

acatamiento [akata'mjento] *s.m.* (ordem, regulamento) acatamento, cumprimento, obediência*f.*

acatar [aka'tar] *v.* (ordem, regulamento) acatar, cumprir, obedecer

acatarrarse [akata'rarse] *v.* resfriar se

acaudalado [akawða'laðo] *adj.* abastado, endinheirado, rico

acaudalar [akawða'lar] *v.* (bens, dinheiro) acumular, reunir, juntar

acceder [akθe'ðer] *v.* **1** *(consentir)* aceder (a, a), aquiescer (a, a); ***acceder a una petición*** aceder a um pedido **2** (lugar) ter acesso (a, a), dar acesso (a, a); ***por esta puerta se accede al primer piso*** esta porta dá acesso ao primeiro andar **3** (cargo, posição) aceder (a, a), alcançar (a, -); ***acceder al poder*** chegar ao poder

accesibilidad [akθesiβili'ðað] *s.f.* acessibilidade

accesible [akθe'siβle] *adj.2g.* **1** (lugar) acessível **2** (pessoa) acessível, sociável **3** *(inteligible)* acessível, compreensível, inteligível

acceso [a(k)'θeso] *s.m.* **1** acesso **2** acessibilidade*f.* **3** hit ♦ **acceso a Internet** acesso à Internet; INFORM. **acceso directo** atalho; INFORM. **vía de acceso** porta de conversão, porta de ligação, gateway

accesorio [akθe'sorjo] *adj.* acessório, secundário ▪ *s.m.* acessório

accidentad|o, -a [akθiðen'taðo] *s.m.,f.* acidentad|o, -a, sinistrad|o, -a ▪ *adj.* **1** (pessoa) acidentado **2** (terreno) acidentado, irregular **3** *fig.* acidentado, agitado, atribulado

accidental [akθiðen'tal] *adj.2g.* **1** *(casual)* acidental, casual, imprevisto **2** *(secundario)* secundário **3** (cargo) provisório

accidentarse [akθiðen'tarse] *v.* sofrer um acidente

accidente [akθi'ðente] *s.m.* acidente ♦ **accidente de carretera** acidente viário; **accidente laboral** acidente de trabalho; **por accidente** por acaso

acción [ak'θjon] *s.f.* **1** *(acto)* ação; ***hacer una buena/mala acción*** fazer uma boa/má ação **2** *(efecto)* ação, efeito*m.*; ***la acción de una medicina*** o efeito de um medicamento **3** ECON. ação, título*m.* de crédito; ***acciones cotizables en Bolsa*** ações cotadas na Bolsa **4** DIR. ação **5** (filme, romance) ação, enredo*m.*, intriga ♦ REL.

acción de gracias ação de graças; **entrar en acción** entrar em ação

accionar [akθjo'nar] *v.* **1** (mecanismo) acionar, ativar **2** (discurso, fala) gesticular; mexer

accionario [akθjo'narjo] *adj.* acionista, acionário

accionista [akθjo'nista] *s.2g.* acionista, acionário*m.*

acebuche [aθe'βutʃe] *s.m.* zambujeiro, oliveira-brava*f.*

acechar [aθe'tʃar] *v.* **1** *(vigilar)* espreitar, espiar, vigiar **2** *(amenazar)* ameaçar, espreitar

acecho [a'θetʃo] *s.m.* espreita*f.* ♦ **al acecho** à espreita

acedar [aθe'ðar] *v.* azedar

aceite [a'θejte] *s.m.* **1** óleo; *aceite de girasol* óleo de girassol **2** azeite; *aceite de oliva* azeite; *aceite virgen* azeite virgem **3** (máquinas, motores) óleo **4** (pele) óleo; *aceite de almendras* óleo de amêndoas doces; *aceite solar* óleo solar ♦ *col.* **perder aceite** ser homossexual

aceitera [aθej'tera] *s.f.* galheta (do azeite, óleo) ▪ **aceiteras** *s.f.pl.* galheteiro*m.*

aceitero [aθej'tero] *adj.* azeiteiro

aceitoso [aθej'toso] *adj.* **1** oleoso **2** *(grasiento)* gorduroso

aceituna [aθej'tuna] *s.f.* azeitona

aceituno [aθej'tuno] *s.m.* oliveira*f.*, oliva*f.*

aceleración [aθelera'θjon] *s.f.* aceleração

acelerado [aθele'raðo] *adj.* **1** acelerado, rápido **2** (curso) intensivo **3** *col.* (pessoa) acelerado

acelerador [aθelera'ðor] *s.m.* acelerador; *pisar el acelerador* pisar no acelerador ♦ FÍS. **acelerador de partículas** acelerador de partículas

acelerar [aθele'rar] *v.* acelerar; *acelerar a fondo* pisar fundo; *acelerar el paso* acelerar o passo ▪ **acelerarse** *col.* ficar nervoso

acelerón [aθele'ron] *s.m.* aceleração*f.* brusca

acelga [a'θelɣa] *s.f.* acelga

acento [a'θen̪to] *s.m.* **1** (sinal gráfico) acento; *llevar acento en* levar acento em **2** *(pronunciación)* sotaque, pronúncia*f.*, acento; *acento extranjero* sotaque estrangeiro **3** *fig.* acento, destaque, ênfase*f.*; *poner el acento en* pôr o acento em

acentuación [aθen̪twa'θjon] *s.f.* acentuação

acentuado [aθen̪'twaðo] *adj.* **1** (palavra) acentuado **2** *fig.* acentuado, pronunciado, marcado

acentuar [aθen̪'twar] *v.* **1** (palavra) acentuar **2** *fig.* acentuar, realçar, destacar ▪ **acentuarse** acentuar-se

acepción [aθep'θjon] *s.f.* acepção, significado*m.*

aceptable [aθep'taβle] *adj.2g.* aceitável

aceptación [aθepta'θjon] *s.f.* **1** aceitação, receptividade, acolhimento*m.*; *tener buena/mala aceptación* ter boa/má aceitação **2** DIR. aceite*m.*

aceptado [aθep'taðo] *adj.* aceito

aceptar [aθep'tar] *v.* **1** aceitar; *aceptar un regalo* aceitar um presente **2** (letra de câmbio) aceitar, obrigar se a pagar ♦ **aceptar que** [+*sj.*] aceitar que [+*sj.*]; *no puedo aceptar que vayas de esta manera* não posso aceitar que vás embora desta maneira

acequia [a'θekja] *s.f.* acéquia

acera [a'θera] *s.f.* **1** passeio*m.* **2** calçada ♦ *col., pej.* **ser de la acera de enfrente/otra acera** ser bicha/veado

acerbo [a'θerβo] *adj.* acerbo

acercamiento [aθerka'mjen̪to] *s.m.* aproximação*f.*

acercar [aθer'kar] *v.* chegar (a, a/para), aproximar (a, de); *acerca la silla a la mesa* chegue a cadeira para perto da mesa; *acércame el agua, por favor* me passe a água, por favor ▪ **acercarse 1** *(aproximarse)* aproximar-se **2** *(llevar)* levar, dar carona **3** *(ir)* ir; dar um salto (-, a); *había pensado acercarme a tua casa esta noche* tinha pensado em dar um pulo em sua casa hoje à noite

acero [a'θero] *s.m.* aço; *acero inoxidable* aço inoxidável, inox ♦ **de acero** de aço; *nervios de acero* nervos de aço

acertado [aθer'taðo] *adj.* acertado, correto, certo

acertar [aθer'tar] *v.* **1** *(dar con lo cierto)* acertar **2** (objetivo, alvo) acertar, atingir **3** (adivinha, enigma) acertar, adivinhar **4** (concurso, loteria) acertar, ganhar **5** *(atinar)* descobrir (con, -), encontrar (con, -); *no acerté con el hotel* não encontrei o hotel ♦ *col.* **acertar a** [+*inf.*] calhar de [+*inf.*]; *acerté a verlo allí* calhou de vê-lo ali; **no acertar (ni) una** não acertar uma, não dar uma dentro

acertijo [aθer'tixo] *s.m.* **1** adivinha*f.* **2** *fig.* enigma

acervo [a'θerβo] *s.m.* acervo

acetona [aθe'tona] *s.f.* acetona

achacar [atʃa'kar] *v.* (culpa, delito) atribuir, imputar; *achacar la culpa a alguien* atribuir a culpa a alguém

achacoso [atʃa'koso] *adj.* sujeito a achaques

achaque [a'tʃake] *s.m.* achaque, indisposição*f.*, mal-estar, doença*f.* ♦ **con achaque de** com a desculpa de, a pretexto de; **en achaque de** em matéria de

achares [a'tʃares] *s.m.pl. col.* ciúmes*pl.*; *dar achares a alguien* fazer ciúmes a alguém

achatar [atʃa'tar] *v.* achatar ▪ **achatarse** achatar-se

achicar [atʃi'kar] *v.* **1** (tamanho) diminuir **2** (água) tirar, remover **3** (roupa) encolher **4** *fig.* intimidar, acovardar ▪ **achicarse 1** (roupa) encolher **2** *fig.* intimidar se, acovardar se

achicharrar [atʃitʃa'rar] *v.* esturricar

achicoria [atʃi'korja] *s.f.* chicória

achocolatado [atʃokola'taðo] *adj.* achocolatado

achuchado [atʃu'tʃaðo] *adj.* **1** *col.* teso **2** *col.* difícil, duro, complicado

achuchar [atʃu'tʃar] *v.* **1** *col.* abraçar **2** *col.* empurrar **3** *col.* pressionar **4** *col.* esmagar

achuchón [atʃu'tʃon] *s.m.* **1** *col.* empurrão **2** *col.* apertão, aperto **3** *col.* abraço

acicalarse [aθika'larse] *v.* arrumar-se

acicate [aθi'kate] *s.m.* **1** acicate **2** *fig.* incentivo, estímulo, acicate

acidez [aθi'ðeθ] *s.f.* **1** (sabor) acidez **2** *fig.* acidez, aspereza **3** QUÍM. acidez ♦ **acidez de estómago** azia

ácido ['aθiðo] *adj.* **1** (sabor) ácido, azedo **2** *fig.* (pessoa, caráter) áspero, azedo, desabrido **3** QUÍM. ácido ▪ *s.m.* ácido

acierto [a'θjerto] *s.m.* **1** acerto **2** *(habilidad)* habilidade*f.* **3** *(tino)* acerto, tino
aclamación [aklama'θjon] *s.f.* aclamação ♦ **por aclamación** por aclamação; *elegido por aclamación* eleito por aclamação
aclamar [akla'mar] *v.* **1** *(aplaudir)* aclamar, aplaudir **2** (cargo, função) aclamar, proclamar, eleger
aclaración [aklara'θjon] *s.f.* esclarecimento*m.*
aclarar [akla'rar] *v.* **1** (cabelo, cor) aclarar, clarear **2** (líquido, substância) diluir **3** (assunto, ideia, dúvida) esclarecer, explicar, aclarar **4** *(enjuagar)* enxaguar, desensaboar; passar por água **5** (tempo) clarear, desanuviar, abrir **6** *(amanecer)* clarear, amanhecer **7** *fig.* melhorar ▪ **aclararse 1** *(entender)* entender **2** *(explicarse)* explicar-se
aclimatar [aklima'tar] *v.* aclimatar (a, a), adaptar (a, a) ▪ **aclimatarse** aclimatar-se (a, a), adaptar-se (a, a)
acné [ak'ne] *s.m./f.* acne*f.*
acobardar [akoβar'ðar] *v.* acovardar, amedrontar ▪ **acobardarse** acovardar-se
acogedor [akoxe'ðor] *adj.* **1** (lugar) acolhedor, agradável, confortável **2** (pessoa) acolhedor, hospitaleiro
acoger [ako'xer] *v.* **1** *(admitir)* acolher **2** *(recibir)* acolher, receber ▪ **acogerse 1** colocar-se/pôr-se ao abrigo (a, de) **2** valer-se (a, de)
acogida [ako'xiða] *s.f.* **1** acolhimento*m.*; *centro de acogida* centro de acolhimento **2** *(aceptación)* aceitação
acogimiento [akoxi'mjento] *s.m.* acolhimento, recepção*f.*, hospitalidade*f.*; *tener buena acogida* ter bom acolhimento
acolchado [akolʲ'tʃaðo] *adj.* acolchoado ▪ *s.m.* [ARG., URUG.] edredom
acolchar [akolʲ'tʃar] *v.* acolchoar, estofar, forrar
acometer [akome'ter] *v.* **1** *(embestir)* acometer, atacar **2** *(iniciar)* começar, abrir **3** *(emprender)* empreender **4** (doença, sono) atacar; dar
acometida [akome'tiða] *s.f.* **1** *(ataque)* investida, ataque*m.* **2** (água, gás, luz) conexão
acomodación [akomoða'θjon] *s.f.* acomodação ♦ **acomodación visual** acomodação visual
acomodadizo [akomoða'ðiθo] *adj.* (pessoa) acomodado
acomodado [akomo'ðaðo] *adj.* **1** *(adinerado)* abastado, rico **2** *(conveniente)* conveniente **3** (preço) razoável, moderado **4** *(adaptado)* acomodado, adaptado
acomodador, -a [akomoða'ðor] *s.m.,f.* (salas de espetáculo) lanterninha
acomodar [akomo'ðar] *v.* acomodar ▪ **acomodarse 1** *(instalarse)* acomodar se (en, em) **2** *(adaptarse)* acomodar se (a/con, a/com)
acompañamiento [akompaɲa'mjento] *s.m.* **1** *(comitiva)* acompanhamento, comitiva*f.*, séquito **2** CUL. acompanhamento, guarnição*f.* **3** MÚS. acompanhamento
acompañante [akompa'ɲante] *adj.,s.2g.* acompanhante
acompañar [akompa'ɲar] *v.* **1** (pessoa) acompanhar; *acompañar a alguien a casa* acompanhar alguém a casa **2** (comida, bebida) servir para acompanhar (con, -); *acompañar la leche con galletas* servir bolachas com/para acompanhar o leite ♦ **le acompaño en el sentimiento** os meus sentimentos/pêsames
acomplejado [akomple'xaðo] *adj.* (pessoa) complexado
acondicionado [akondiθjo'naðo] *adj.* condicionado; *aire acondicionado* ar condicionado
acondicionador [akondiθjona'ðor] *s.m.* **1** (aparelho) condicionador; *acondicionador de aire* ar-condicionado **2** (cabelo) condicionador
acondicionar [akondiθjo'nar] *v.* **1** acondicionar, dispor, preparar **2** (temperatura) climatizar
aconsejable [akonse'xaβle] *adj.2g.* aconselhável
aconsejar [akonse'xar] *v.* aconselhar; *aconsejar a alguien/algo* aconselhar alguém/alguma coisa ▪ **aconsejarse** aconselhar (de/con, com); *debes aconsejarte de/con un buen abogado* deves aconselhar te com um bom advogado
acontecer [akonte'θer] *v.* acontecer, suceder, ocorrer
acontecimiento [akonteθi'mjento] *s.m.* acontecimento, evento, sucesso
acoplar [ako'plar] *v.* **1** *(ajustar)* acoplar, ajustar **2** *(adaptar)* adaptar **3** (animais) acasalar ▪ **acoplarse 1** *(colocarse)* acomodar se (en, em); *los turistas se acoplaron en el autobús* os turistas se acomodaram no ônibus **2** *(adaptarse)* adaptar-se (a, a); *se han acoplado muy bien al nuevo jefe* adaptaram se muito bem ao novo chefe **3** (animais) acasalar-se
acordar [akor'ðar] *v.* **1** *(conciliar)* concordar, acordar, pôr de acordo, conciliar **2** *(decidir)* combinar, resolver **3** MÚS. afinar ▪ **acordarse** lembrar-se (de, de); *no me acuerdo de ella* não me lembro dela
acorde [a'korðe] *adj.2g.* afim, conforme; *ideas acordes* ideias afins ▪ *s.m.* MÚS. acorde ♦ **acorde con** de acordo com
acordeón [akorðe'on] *s.m.* acordeão
acorralar [akora'lar] *v.* encurralar
acortar [akor'tar] *v.* **1** encurtar **2** (caminho) cortar ▪ **acortarse** encurtar
acosar [ako'sar] *v.* **1** acossar, perseguir **2** *fig.* importunar, incomodar, perturbar; *acosar a preguntas* bombardear com perguntas
acoso [a'koso] *s.m.* **1** assédio **2** perseguição*f.* ♦ **acoso moral/sexual** assédio moral/sexual
acostar [akos'tar] *v.* **1** deitar **2** NÁUT. acostar ▪ **acostarse 1** *(tumbarse)* deitar-se **2** *(irse a dormir)* deitar-se **3** *col.* dormir (con, com), ter relações sexuais (con, com)
acostumbrado [akostum'braðo] *adj.* **1** acostumado (a, a); *está acostumbrado a acostarse temprano* está acostumado a deitar se cedo **2** *(usual)* habitual, usual; *es lo acostumbrado* é o costume
acostumbrar [akostum'brar] *v.* **1** acostumar (a, a), habituar (a, a); *acostumbra a tus hijos a decir la verdad* habitua os teus filhos a dizer a verdade **2** costumar; *acostumbra (a) levantarse temprano* costuma levantar se cedo ▪ **acostumbrarse** acostumar-se (a, a), habituar se (a, a); *acostumbrarse a algo* acostumar se a alguma coisa

acre ['akre] *adj.2g.* **1** acre, azedo **2** *fig.* áspero, desabrido ■ *s.m.* acre
acrecentar [akreθen'tar] *v.* aumentar
acreditación [akreðita'θjon] *s.f.* acreditação
acreditado [akreði'taðo] *adj.* **1** *(prestigioso)* acreditado, conceituado **2** (diplomata) acreditado
acreditar [akreði'tar] *v.* **1** *(demostrar)* acreditar, provar, garantir **2** (representante) acreditar, designar ■ **acreditarse** ganhar fama
acreedor, -a [akree'ðor] *s.m.,f.* ECON. credor, -a ■ *adj.* merecedor (a, de), digno (a, de); *ser acreedor a muchos premios* ser merecedor de muitos prêmios
acribillar [akriβi'ʎar] *v.* **1** crivar **2** *fig.* incomodar, importunar; *acribillar a preguntas* bombardear com perguntas
acrílico [a'kriliko] *adj.* acrílico
acristalar [akrista'lar] *v.* envidraçar
acrobacia [akro'βaθja] *s.f.* acrobacia ♦ **acrobacia aérea** acrobacia aérea
acróbata [a'kroβata] *s.2g.* acrobata ♦ **acróbata aéreo** aeróbata
acrobático [akro'βatiko] *adj.* acrobático
acromático [akro'matiko] *adj.* acromático
acronimia [akro'nimja] *s.f.* acronímia
acrónimo [a'kronimo] *s.m.* acrônimo
acrópolis [a'kropolis] *s.f.2n.* acrópole
acta ['akta] *s.f.* ata; *hacer constar en acta* fazer constar em ata; *levantar acta* lavrar ata
actinio [ak'tinjo] *s.m.* actínio
actitud [akti'tuð] *s.f.* atitude ♦ **en actitud de** [+*inf.*] pronto a [+*inf.*]; *vino en actitud de agredirme* veio pronto a agredir-me
activa [akti'βa] *s.f.* LING. (voz) ativa ♦ *col.* **por activa y por pasiva** de todas as formas possíveis
activación [a(k)tiβa'θjon] *s.f.* ativação
activar [akti'βar] *v.* ativar
actividad [aktiβi'ðað] *s.f.* atividade ♦ **en actividad** em atividade; *un volcán en actividad* um vulcão em atividade; **estar en plena actividad** estar em plena atividade
activismo [akti'βizmo] *s.m.* ativismo
activista [akti'βista] *s.2g.* ativista
activo [ak'tiβo] *adj.* ativo ■ *s.m.* ECON. ativo; *activo y pasivo* ativo e passivo ♦ (funcionário) **en activo** na ativa
acto ['akto] *s.m.* ato ♦ **acto de contrición** ato de contrição; **acto de habla** ato de fala; **acto electoral** ato eleitoral; **acto reflejo** reflexo; **acto seguido** ato contínuo; **en el acto** no momento, na hora; **hacer acto de presencia** fazer ato de presença, marcar presença
actor [ak'tor] *s.m.* (*f.* actriz) ator; *actor secundario/de reparto* ator secundário; *primer actor* ator principal
actriz [ak'triθ] *s.f.* (*m.* actor) atriz
actuación [aktwa'θjon] *s.f.* atuação ■ **actuaciones** *s.f.pl.* DIR. processo*m.*
actual [ak'twal] *adj.2g.* atual
actualidad [aktwali'ðað] *s.f.* atualidade ♦ **en la actualidad** na atualidade; **estar de actualidad** estar na moda
actualización [aktwaliθa'θjon] *s.f.* **1** atualização **2** INFORM. upgrade*m.*
actualizar [aktwali'θar] *v.* atualizar
actuar [ak'twar] *v.* **1** *(obrar)* atuar (como, como), agir (como, como); *este té actúa como calmante* este chá atua como calmante **2** (cargo, profissão) trabalhar (de, como); *actuó de secretario del presidente* trabalhou como secretário do presidente **3** (ator) atuar, representar
acuarela [akwa'rela] *s.f.* (tinta, técnica, pintura) aquarela
acuario [a'kwarjo] *s.m.* aquário (grande) ■ *adj.,s.2g.* ASTROL. aquarian|o, -a*m.f.*
Acuario [a'kwarjo] *s.m.* ASTROL., ASTRON. Aquário
acuartelamiento [akwartela'mjento] *s.m.* **1** aquartelamento **2** *(cuartel)* quartel, aquartelamento
acuático [a'kwatiko] *adj.* aquático
acuchillar [akutʃi'ʎar] *v.* **1** esfaquear **2** (superfície) aplainar
acuciante [aku'θjante] *adj.2g.* urgente, premente
acuciar [aku'θjar] *v.* **1** (pessoa) apressar **2** *(desear)* desejar
acudir [aku'ðir] *v.* **1** *(venir)* comparecer, acudir; *acudir a una cita* comparecer a um encontro **2** *(ser atraído)* acudir, acorrer, afluir; *las moscas acuden a la miel* as moscas acorrem ao mel **3** *(ayudar)* socorrer, acudir; *gritaba pero nadie le acudía* ele gritava, mas ninguém o socorria **4** *(recurrir)* recorrer (a, a), valer-se (a, de); *acude a sus amigos cuando necesita dinero* recorre aos amigos quando precisa de dinheiro ♦ **acudir a la memoria** vir à memória; **acudir al médico** consultar/ir ao médico
acueducto [akwe'ðukto] *s.m.* aqueduto
acuerdo [a'kwerðo] *s.m.* **1** *(pacto)* acordo, pacto; *acuerdo amistoso* acordo amigável; *llegar a un acuerdo* chegar a um acordo **2** (documento) acordo; *firmar un acuerdo* assinar um acordo **3** *(decisión)* decisão*f.* ♦ **¡de acuerdo!** está bem!; de acordo!; OK!; **de acuerdo con** de acordo com, segundo; **de común acuerdo** de comum acordo; **estar de acuerdo con** estar de acordo com, concordar com
acuitar [akwi'tar] *v.* afligir, atormentar
acullá [aku'ʎa] *adv. lit.* acolá, além
aculturación [akultura'θjon] *s.f.* aculturação
acumulación [akumula'θjon] *s.f.* acumulação
acumular [akumu'lar] *v.* acumular, amontoar ■ **acumularse** acumular-se, amontoar se
acumulativo [akumula'tiβo] *adj.* acumulativo
acunar [aku'nar] *v.* (criança) embalar
acuñación [akuɲa'θjon] *s.f.* cunhagem
acuñar [aku'ɲar] *v.* **1** (moeda) cunhar **2** (objeto) acunhar, pôr uma cunha **3** *fig.* (palavra, expressão) criar, inventar
acuosidad [akwosi'ðað] *s.f.* aquosidade
acupuntor, -a [akupun'tor] *s.m.,f.* acupunturista*2g.*
acupuntura [akupun'tura] *s.f.* acupuntura

acupunturista [akupuntu'rista] *s.2g.* ⇒ **acupuntor**
acurrucarse [akuru'karse] *v.* encolher-se
acusación [akusa'θjon] *s.f.* acusação
acusad|o, -a [aku'saðo] *s.m.,f.* acusad|o, -a ■ *adj.* **1** acusado, incriminado **2** *fig.* acentuado, marcado
acusar [aku'sar] *v.* **1** *(echar la culpa)* acusar, culpar, incriminar **2** (carta, encomenda) acusar, avisar, notificar; ***acusar recibo de*** acusar a recepção de **3** *fig.* indicar, mostrar, revelar ■ **acusarse** acusar-se (de, de), declarar se culpado (de, -); ***se acusó del crimen*** declarou se culpado
acuse [a'kuse] *s.m.* (carta, encomenda) ***acuse de recibo*** aviso de recebimento
acusica [aku'sika] *adj.2g. infant.* dedo-duro
acústica [a'kustika] *s.f.* acústica
acústico [a'kustiko] *adj.* acústico
adagio [a'ðaxjo] *s.m.* **1** *(aforismo)* adágio; aforismo; provérbio **2** MÚS. adágio
adaptable [aðap'taβle] *adj.2g.* adaptável (a, a)
adaptación [aðapta'θjon] *s.f.* adaptação
adaptador [aðapta'ðor] *s.m.* adaptador
adaptar [aðap'tar] *v.* adaptar ■ **adaptarse** adaptar-se (a, a)
adecuación [aðekwa'θjon] *s.f.* adequação
adecuado [aðe'kwaðo] *adj.* adequado, conveniente, apropriado, próprio
adecuar [aðe'kwar] *v.* adequar (a, a), adaptar (a, a) ■ **adecuarse** adequar-se (a, a), adaptar-se (a, a)
adefesio [aðe'fesjo] *s.m.* **1** *col.* extravagância*f.* **2** *pej.* (pessoa) espantalho
adelantado [aðelan'taðo] *adj.* **1** adiantado **2** (veículo) ultrapassado ♦ **por adelantado** antecipadamente
adelantamiento [aðelanta'mjento] *s.m.* **1** antecipação*f.* **2** (veículo) ultrapassagem*f.*
adelantar [aðelan'tar] *v.* **1** (evento, relógio) adiantar **2** (notícia) antecipar, avançar **3** (veículo) ultrapassar, fazer uma ultrapassagem **4** (dinheiro) adiantar, pagar com antecipação ■ **adelantarse** adiantar-se, antecipar se
adelante [aðe'lante] *adv.* **1** (espaço) adiante, à frente; ***puedes pasar adelante*** podes passar à frente **2** (tempo) adiante; ***conversaremos sobre eso más adelante*** conversaremos sobre isso mais adiante ■ *interj.* **1** adiante! **2** (à entrada) entre! ♦ **en adelante** em diante; doravante; ***de hoy en adelante*** de hoje em diante; **llevar adelante** levar adiante/avante; **sacar adelante** levar adiante/para a frente
adelanto [aðe'lanto] *s.m.* **1** *(avance)* avanço, progresso **2** (tempo) antecipação*f.*, avanço; ***llegó con una hora de adelanto*** chegou uma hora adiantado **3** (dinheiro) adiantamento
adelgazamiento [aðelγaθa'mjento] *s.m.* emagrecimento
adelgazante [aðelγa'θante] *adj.2g.,s.m.* emagrecedor
adelgazar [aðelγa'θar] *v.* emagrecer, adelgaçar
ademán [aðe'man] *s.m.* gesto, sinal ■ **ademanes** *s.m.pl.* modos*pl.*, maneiras*f. pl.* ♦ **en ademán de** com intenção de, como se
además [aðe'mas] *adv.* **1** além disso; ***me encantaría, además, aprender otras lenguas*** adoraria, além disso, aprender outras línguas **2** ainda por cima, além do mais; ***no me apetece y, además, está lloviendo*** não me apetece e, ainda por cima, está chovendo ♦ **además de** além de, para além de; ***además del cine, me gusta hacer deporte*** além de cinema, gosto de praticar esporte
adentro [a'ðentro] *adv.* **1** dentro; para dentro; ***vamos adentro*** vamos para dentro **2** [depois de s.] adentro; ***mar adentro*** mar adentro ■ *interj.* para dentro!
adept|o, -a [a'ðepto] *s.m.,f.* adept|o, -a
aderezar [aðere'θar] *v.* **1** (alimento) temperar, condimentar **2** *(adornar)* enfeitar, adornar ■ **aderezarse** enfeitar-se
aderezo [aðe'reθo] *s.m.* **1** (alimento) tempero **2** *(condimento)* tempero, condimento **3** *(adorno)* enfeite, adorno, adereço
adeudar [aðew'ðar] *v.* **1** (dinheiro) dever **2** (conta bancária) debitar ■ **adeudarse 1** dever **2** *(endeudarse)* endividar se
adherencia [aðe'renθja] *s.f.* aderência
adherente [aðe'rente] *adj.2g.* aderente ■ *s.m.* cola*f.*
adherir [aðe'rir] *v.* colar, aderir ■ **adherirse 1** *(estar de acuerdo)* concordar (a, com) **2** (causa, grupo, doutrina) aderir (a, a), juntar-se (a, a); ***adherirse a un partido*** aderir a um partido **3** (clube, sociedade) filiar-se (a, em), inscrever-se (a, em)
adhesión [aðe'sjon] *s.f.* adesão
adhesivo [aðe'siβo] *adj.* adesivo; ***cinta adhesiva*** fita adesiva, durex ■ *s.m.* autocolante
adicción [aðik'θjon] *s.f.* **1** *(dependencia)* dependência; ***adicción a las drogas*** dependência de drogas **2** *(drogadicción)* toxicodependência
adición [aði'θjon] *s.f.* **1** adição **2** MAT. adição, soma
adicional [aðiθjo'nal] *adj.2g.* adicional
adicionar [aðiθjo'nar] *v.* adicionar
adict|o, -a [a'ðikto] *s.m.,f.* **1** (droga, álcool) dependente*2g.*; ***adicto a las drogas*** dependente de drogas **2** (atividade) viciad|o, -a; ***adicto al juego*** viciado em jogo **3** (doutrina, ideia) partidári|o, -a
adiestramiento [aðjestra'mjento] *s.m.* **1** (pessoa) treino **2** (animal) adestramento
adiestrar [aðjes'trar] *v.* **1** (pessoa) treinar, adestrar **2** (animal) adestrar, amestrar, treinar
adinerado [aðine'raðo] *adj.* endinheirado, abastado, rico
adiós [a'ðjos] *interj.* adeus! ■ *s.m.* **1** adeus; ***decir adiós a alguien*** dizer adeus a alguém **2** *(despedida)* adeus, despedida*f.*; ***llegó la hora del adiós*** chegou a hora do adeus ♦ *col.* **decir adiós a algo** dizer adeus a alguma coisa
adiposidad [aðiposi'ðað] *s.f.* adiposidade
adiposis [aði'posis] *s.f.2n.* adipose, obesidade
adiposo [aði'poso] *adj.* adiposo
aditivo [aði'tiβo] *s.m.* aditivo; ***aditivo alimenticio*** aditivo alimentar
adivinación [aðiβina'θjon] *s.f.* adivinhação

adivinanza [aðiβi'naṇθa] *s.f.* adivinha ♦ (fórmula) **adivina, adivinanza** o que é, o que é?

adivinar [aðiβi'nar] *v.* adivinhar

adivin|o, -a [aði'βino] *s.m.,f.* adivinh|o, -a

adjetivo [aðxe'tiβo] *s.m.* adjetivo

adjudicar [aðxuði'kar] *v.* (concurso, leilão) adjudicar, conceder, atribuir ▪ **adjudicarse** (prêmio desportivo) conquistar, vencer

adjuntar [aðxuṇ'tar] *v.* (carta, mail) anexar; enviar junto

adjunt|o, -a [að'xuṇto] *s.m.,f.* **1** adjunt|o, -a **2** (universidade) assistente*2g.* ▪ *adj.* **1** anexo, adjunto, junto; *el documento adjunto al mensaje* o documento anexo à mensagem **2** (professor) assistente

administración [aðministra'θjon] *s.f.* administração ♦ (medicamento) **admnistración por vía oral** administração por via oral; **administración pública** função pública

administrador, -a [aðministra'ðor] *s.m.,f.* administrador, -a

administrar [aðminis'trar] *v.* **1** (negócio, serviço) administrar, dirigir, gerir **2** (medicamento) ministrar, administrar ▪ **administrarse** (dinheiro) poupar, economizar

administrativo [aðministra'tiβo] *adj.* administrativo

admirable [aðmi'raβle] *adj.2g.* admirável

admiración [aðmira'θjon] *s.f.* **1** *(estimación)* admiração, consideração, estima **2** *(sorpresa)* surpresa, admiração, espanto*m.* **3** (sinal gráfico) ponto*m.* de exclamação

admirador, -a [aðmira'ðor] *s.m.,f.* admirador, -a

admirar [aðmi'rar] *v.* **1** *(estimar)* admirar, ter em grande consideração **2** *(sorprender)* admirar, espantar, surpreender ▪ **admirarse** admirar-se, surpreender-se, espantar-se

admisible [aðmi'siβle] *adj.2g.* admissível

admisión [aðmi'sjon] *s.f.* (escola, instituição) admissão, ingresso*m.*, entrada ♦ **reservado el derecho de admisión** reservado o direito de admissão

admitir [aðmi'tir] *v.* **1** *(aceptar)* admitir, aceitar **2** *(permitir)* admitir, permitir; *no se admiten animales* proibida a entrada a animais **3** *(reconocer)* admitir, reconhecer **4** (local) aguentar, ter capacidade para

ADN *sigla* (ácido desoxirribonucleico) DNA (ácido desoxirribonucleico)

adobar [aðo'βar] *v.* **1** (alimento) temperar, condimentar, marinar **2** (pele) curtir

adolescencia [aðoles'θeṇθja] *s.f.* adolescência

adolescente [aðoles'θeṇte] *adj.,s.2g.* adolescente

adonde [a'ðoṇde] *adv.* aonde, onde; *la ciudad adonde estuviste* a cidade onde estiveste

adónde [a'ðoṇde] *adv.* aonde, para que lugar; *¿adónde vamos?* aonde vamos?

adondequiera [a'ðoṇde'kjera] *adv.* aonde/onde quer que; *te seguiré adondequiera que vayas* te seguirei aonde quer que vás

adopción [aðop'θjon] *s.f.* **1** (princípio, ideia) adoção, aceitação **2** (lei, medida) adoção, aprovação, aplicação **3** (criança) adoção, perfilhação

adoptar [aðop'tar] *v.* **1** (princípio, ideia) adotar, aceitar **2** (medida, lei) adotar, aprovar **3** (criança) adotar, perfilhar

adoptivo [aðop'tiβo] *adj.* adotivo; *hijo adoptivo* filho adotivo

adoquín [aðo'kin] *s.m.* **1** (rua) calçamento, paralelepípedo **2** *col., pej.* calhau*fig.*, idiota*2g.*; *ser burro como un adoquín* ser burro como uma porta

adorable [aðo'raβle] *adj.2g.* adorável

adoración [aðora'θjon] *s.f.* adoração

adorar [aðo'rar] *v.* **1** (divindade) adorar, venerar, idolatrar **2** (pessoa, coisa) adorar, gostar muito (-, de)

adormecer [aðorme'θer] *v.* **1** (pessoa) adormecer **2** *fig.* (dor, sofrimento) adormecer, acalmar ▪ **adormecerse 1** *(quedarse dormido)* adormecer **2** (parte do corpo) adormecer, ficar dormente

adormilarse [aðormi'larse] *v.* dormitar, cochilar

adornar [aðor'nar] *v.* enfeitar, adornar

adorno [a'ðorno] *s.m.* enfeite, adorno; *adornos de Navidad* enfeites de Natal ♦ **de adorno** de adorno

adosado [aðo'saðo] *adj.* geminado; *chalés adosados* casas geminadas

adosar [aðo'sar] *v.* encostar (a, a); *adosar el mueble a la pared* encostar o móvel na parede

adquirir [aðki'rir] *v.* adquirir

adquisición [aðkisi'θjon] *s.f.* aquisição

adquisitivo [aðkisi'tiβo] *adj.* aquisitivo; *poder adquisitivo* poder de compra/aquisitivo

adrede [a'ðreðe] *adv.* de propósito, intencionalmente; *lo has hecho adrede* tu fizeste de propósito

adrenalina [aðrena'lina] *s.f.* adrenalina

adriático [a'ðrjatiko] *adj.* adriático

Adriático [a'ðrjatiko] *s.m.* Adriático

ADSL *sigla* (línea digital asimétrica de usuario) ADSL (linha digital assimétrica para assinantes)

aduana [a'ðwana] *s.f.* alfândega

aduaner|o, -a [aðwa'nero] *s.m.,f.* fiscal*2g.* aduaneiro, -a ▪ *adj.* alfandegário, aduaneiro; *derechos aduaneros* direitos alfandegários

aducir [aðu'θir] *v.* (razões, provas) aduzir, expor, apresentar

adueñarse [aðwe'ɲarse] *v.* apropriar-se (de, de), apoderar se (de, de), apossar se (de, de)

adulador, -a [aðula'ðor] *adj.,s.m.,f.* adulador, -a, bajulador, -a

adular [aðu'lar] *v.* adular, bajular, lisonjear

adulteración [aðuḷtera'θjon] *s.f.* adulteração

adulterar [aðuḷte'rar] *v.* **1** (substância) adulterar, alterar **2** *(falsear)* adulterar, falsificar, deturpar

adulterio [aðuḷ'terjo] *s.m.* adultério

adúlter|o, -a [a'ðuḷtero] *adj.,s.m.,f.* adúlter|o, -a

adult|o, -a [a'ðuḷto] *adj.,s.m.,f.* adult|o, -a

advenimiento [aðβeni'mjeṇto] *s.m.* advento, chegada*f.*, vinda*f.*

adverbial [aðβer'βjal] *adj.2g.* adverbial

adverbio [að'βerβjo] *s.m.* advérbio

adversari|o, -a [aδβer'sarjo] *adj.,s.m.,f.* adversári|o, -a, rival*2g.*

adversativo [aδβersa'tiβo] *adj.* adversativo

adversidad [aδβersi'δaδ] *s.f.* **1** *(contrariedad)* adversidade, contrariedade **2** *(infortunio)* adversidade, infortúnio*m.*

adverso [aδ'βerso] *adj.* **1** *(opuesto)* adverso, oposto, contrário **2** *(desfavorable)* adverso, desfavorável

advertencia [aδβer'teṇθja] *s.f.* advertência, aviso*m.*

advertir [aδβer'tir] *v.* **1** *(avisar)* advertir, avisar **2** *(darse cuenta)* dar se conta, notar, reparar

adyacencia [aδja'θeṇθja] *s.f.* adjacência, contiguidade

adyacente [aδja'θeṇte] *adj.2g.* adjacente (a, a), contíguo (a, a)

aéreo [a'ereo] *adj.* aéreo

aeróbic [ae'roβik], **aerobic** [aero'βik] *s.m.* aeróbica*f.*

aerobio [ae'roβjo] *adj.* BIOL. aeróbio

aerobús [aero'βus] *s.m.* airbus

aeroclub [aero'kluβ] *s.m.* (*pl.* aeroclubs, aeroclubes) aeroclube

aerodinámica [aeroδi'namika] *s.f.* aerodinâmica

aerodinámico [aeroδi'namiko] *adj.* aerodinâmico

aeródromo [ae'roδromo] *s.m.* aeródromo

aeroespacial [aeroespa'θjal] *adj.2g.* aeroespacial

aeromotor [aeromo'tor] *s.m.* aeromotor

aeromoza [aero'moθa] *s.f.* [AM.] aeromoça*col.*, comissária de bordo

aeronauta [aero'nawta] *s.2g.* aeronauta

aeronáutica [aero'nawtika] *s.f.* aeronáutica

aeronáutico [aero'nawtiko] *adj.* aeronáutico

aeronaval [aerona'βal] *adj.2g.* aeronaval

aeronave [aero'naβe] *s.f.* aeronave

aeroplano [aero'plano] *s.m.* aeroplano

aeropuerto [aero'pwerto] *s.m.* aeroporto

aerosol [aero'sol] *s.m.* aerossol

aerostática [aeros'tatika] *s.f.* aerostática

aerostático [aeros'tatiko] *adj.* aerostático; ***globo aerostático*** balão aerostático

aeróstato [ae'rostato], **aerostato** [aeros'tato] *s.m.* aeróstato

aerovía [aero'βia] *s.f.* aerovia

afabilidad [afaβili'δaδ] *s.f.* afabilidade

afable [a'faβle] *adj.2g.* afável

afamado [afa'maδo] *adj.* afamado, famoso

afán [a'fan] *s.m.* **1** *(ahínco)* afã, afinco **2** *(anhelo)* afã, anseio, desejo ▪ **afanes** *s.m.pl.* afã, trabalho

afanar [afa'nar] *v. col.* afanar, surripiar ▪ **afanarse** esforçar-se, empenhar se

afección [afek'θjon] *s.f.* afecção

afectación [afekta'θjon] *s.f.* afetação

afectado [afek'taδo] *adj.* **1** afetado **2** *(aparente)* fingido

afectar [afek'tar] *v.* **1** *(simular)* afetar, aparentar, fingir **2** *(impresionar)* afetar, abalar **3** *fig.* afetar, dizer respeito (-, a) **4** *(perjudicar)* prejudicar (a, -), afetar (a, -); ***el huracán ha afectado a la economía*** o furacão prejudicou a economia

afectividad [afektiβi'δaδ] *s.f.* afetividade

afectivo [afek'tiβo] *adj.* **1** afetivo **2** (pessoa) emotivo

afecto [a'fekto] *adj.* afeto (a, a); ***un ministro afecto al gobierno*** um ministro dedicado ao governo ▪ *s.m.* afeto, afeição*f.*, carinho; ***cobrar afecto*** ganhar afeto; ***sentir afecto por alguien*** sentir afeto por alguém

afectuoso [afek'twoso] *adj.* afetuoso, carinhoso, meigo

afeitadora [afejta'δora] *s.f.* máquina de barbear

afeitar [afej'tar] *v.* **1** barbear, fazer a barba **2** (cabelo, pelo) rapar **3** (touro) cortar as pontas dos cornos ▪ **afeitarse** barbear-se, fazer a barba

afelpado [afel'paδo] *adj.* de felpo, felpudo

afeminado [afemi'naδo] *adj. pej.* (homem) efeminado

aféresis [a'feresis] *s.f.2n.* LING. aférese

aferrar [afe'rar] *v.* agarrar, segurar, aferrar ▪ **aferrarse** (ideia, opinião) aferrar-se (a, a); ***aferrarse a una idea*** aferrar se a uma ideia

Afganistán [afγanis'tan] *s.m.* Afeganistão

afgan|o, -a [af'γano] *adj.,s.m.,f.* afeg|ão, -ã

afianzar [afjaṇ'θar] *v.* **1** *(avalar)* afiançar, ficar por fiador **2** *(sujetar)* segurar, firmar **3** (relação) consolidar ▪ **afianzarse 1** (relação) consolidar se **2** *(convencerse)* convencer-se (en, de); ***afianzarse en sus convicciones*** convencer-se das suas convicções

afiche [a'fitʃe] *s.m.* [AM.S.] cartaz, pôster

afición [afi'θjon] *s.f.* **1** *(inclinación)* gosto*m.*, interesse*m.*, inclinação **2** *(pasatiempo)* passatempo*m.*, hobby*m.* **3** *(hinchada)* torcida ♦ **por afición** por gosto; ***hace bordados para amigos por afición*** faz bordados para amigos por gosto

aficionad|o, -a [afiθjo'naδo] *s.m.,f.* **1** *(entusiasta)* aficionad|o, -a, entusiasta*2g.*; ***es un aficionado al surf*** é um aficionado do surfe **2** *(amateur)* amador, -a **3** (competição, espetáculo) torcedor, -a; fã*2g.*

aficionar [afiθjo'nar] *v.* incutir o gosto (a, por) ▪ **aficionarse** tomar o gosto (a, por)

afijación [afixa'θjon] *s.f.* afixação

afijo [a'fixo] *s.m.* afixo

afilador, -a [afila'δor] *s.m.,f.* amolador, -a ▪ **afilador** *s.m.* afiador

afilalápices [afila'lapiθes] *s.m.2n.* apontador

afilar [afi'lar] *v.* **1** (objeto cortante) afiar, amolar **2** (lápis) fazer (a) ponta ▪ **afilarse** (dedos, nariz, rosto) afilar se, adelgaçar se

afiliación [afilja'θjon] *s.f.* filiação

afiliar [afi'ljar] *v.* filiar, afiliar ▪ **afiliarse** filiar-se (a, em), afiliar se (a, a); ***afiliarse a un partido*** filiar se a um partido

afín [a'fin] *adj.2g.* afim; ***ideas afines*** ideias afins ▪ *s.2g.* afim, parente por afinidade

afinación [afina'θjon] *s.f.* afinação

afinador, -a [afina'δor] *s.m.,f.* afinador, -a ▪ **afinador** *s.m.* afinador

afinar [afi'nar] *v.* **1** afinar **2** ser afinado **3** (motor, mecanismo) afinar, pôr no ponto, regular **4** *fig.* afinar, aperfeiçoar, aprimorar

afinidad [afini'ðað] *s.f.* afinidade ♦ **por afinidad** por afinidade

afirmación [afirma'θjon] *s.f.* afirmação

afirmar [afir'mar] *v.* **1** afirmar, dizer que sim **2** *(aseverar)* afirmar, sustentar, asseverar **3** *(poner firme)* firmar, reforçar, consolidar ■ **afirmarse** manter (en, -); *se afirma en su opinión* mantenha a sua opinião

afirmativa [afirma'tiβa] *s.f.* afirmativa

afirmativo [afirma'tiβo] *adj.* afirmativo

aflicción [aflik'θjon] *s.f.* aflição

aflictivo [aflik'tiβo] *adj.* aflitivo

afligido [afli'xiðo] *adj.* aflito

afligir [afli'xir] *v.* afligir, angustiar ■ **afligirse** afligir-se, angustiar se

aflojar [aflo'xar] *v.* **1** afrouxar **2** (cinto) desapertar **3** (tempestade, vento) abrandar, amainar **4** *col.* (dinheiro) dar ■ **aflojarse** afrouxar

aflorar [aflo'rar] *v.* aflorar

afluencia [a'flwenθja] *s.f.* **1** (pessoas) afluência, concorrência; *afluencia a las urnas* afluência às urnas **2** (coisas) afluência, abundância

afluente [a'flwente] *s.m.* (rio) afluente

aflujo [a'fluxo] *s.m.* **1** *(afluencia)* afluxo, afluência*f.* **2** MED. fluxo, afluxo

afonía [afo'nia] *s.f.* afonia

afónico [a'foniko] *adj.* afônico; *quedarse afónico* ficar afônico

aforo [a'foro] *s.m.* lotação*f.*; *aforo completo* lotação esgotada

afortunado [afortu'naðo] *adj.* **1** (pessoa) afortunado, sortudo **2** (coincidência, encontro) afortunado, feliz **3** *(oportuno)* acertado

afrecho [a'fretʃo] *s.m.* farelo

afrenta [a'frenta] *s.f.* afronta, ofensa

afrentar [afren'tar] *v.* afrontar, ofender

África ['afrika] *s.f.* África ♦ **África del Sur** África do Sul

africanismo [afrika'nizmo] *s.m.* africanismo

africanista [afrika'nista] *s.2g.* africanista

african|o, -a [afri'kano] *adj.,s.m.,f.* african|o, -a

afroamerican|o, -a [afroameri'kano] *adj.,s.m.,f.* afro--american|o, -a

afrodisíaco [afroði'siako], **afrodisiaco** [afroðisi'ako] *adj.,s.m.* afrodisíaco

afrontar [afron'tar] *v.* (problema, situação difícil) enfrentar, encarar

afta ['afta] *s.f.* afta

aftershave [after'ʃeif] *s.m.* loção*f.* pós-barba, loção para depois de barbear

aftoso [af'toso] *adj.* aftoso; *fiebre aftosa* febre aftosa

afuera [a'fwera] *adv.* **1** fora, lá fora; *hay mucha gente afuera* tem muita gente lá fora; *por afuera* por fora **2** para fora, lá para fora; *de puertas afuera* da porta para fora; *vamos afuera a hablar* vamos lá para fora conversar ■ *interj.* fora!

agachar [aγa'tʃar] *v.* abaixar; *¡agacha la cabeza!* abaixa a cabeça! ■ **agacharse** agachar-se, abaixar--se, baixar se

agalla [a'γaʎa] *s.f.* **1** (de peixe) guelra, brânquia **2** (de árvore) bugalho*m.*, galha ■ **agallas** *s.f.pl. col.* coragem, valentia; *tener agallas* ter coragem

agarrada [aγa'raða] *s.f. col.* briga, pega, discussão

agarradera [aγara'ðera] *s.f.* cabo*m.*, asa, pega ♦ **tener buenas agarraderas** ter boas cunhas

agarradero [aγara'ðero] *s.m.* **1** cabo, asa*f.*, pega*f.* **2** *fig.* desculpa*f.*

agarrado [aγa'raðo] *adj. col.* (pessoa) agarrado, forreta, sovina

agarrador [aγara'ðor] *s.m.* pega*f.* (para tirar os recipientes do fogo)

agarrar [aγa'rar] *v.* **1** *(coger)* agarrar, segurar, pegar **2** *(pillar)* agarrar, prender, apanhar **3** *(conseguir)* agarrar, aproveitar **4** (planta) pegar, criar raízes **5** *col.* (doença) pegar **6** *col.* (bebedeira, porre) tomar ■ **agarrarse 1** *(asirse)* agarrar se **2** (comida) esturricar, colar se ao fundo da panela **3** *col.* engalfinhar-se (con, com) ♦ **¡agárrate!** ouve bem isto!, presta atenção!

agarrón [aγa'ron] *s.m.* puxão

agasajar [aγasa'xar] *v.* (pessoa) acolher, receber; tratar com amabilidade

agasajo [aγa'saxo] *s.m.* *(regalo)* presente

agencia [a'xenθja] *s.f.* **1** (empresa) agência; *agencia de noticias* agência noticiosa/de notícias; *agencia de seguros* agência de seguros; *agencia de valores* corretora; *agencia de viajes* agência de viagens; *agencia inmobiliaria* imobiliária **2** *(sucursal)* agência, sucursal; (de banco) balcão*m.*

agenda [a'xenda] *s.f.* **1** (livro) agenda; *agenda telefónica* agenda telefônica **2** (reunião) agenda, ordem de trabalhos ♦ **agenda electrónica** agenda eletrônica

agente [a'xente] *s.m.* **1** agente **2** LING. agente da passiva ■ *s.2g.* agente; *agente comercial* vendedor; *agente de bolsa* corretor; *agente de policía* policial, agente da polícia, polícia; *agente de seguros* agente de seguros; *agente de tráfico* sinaleiro; *agente inmobiliario* agente imobiliário; *agente secreto* agente secreto

ágil ['axil] *adj.2g.* ágil

agilidad [axili'ðað] *s.f.* agilidade

agilizar [axili'θar] *v.* agilizar

agiotaje [axjo'taxe] *s.m.* agiotagem*f.*, especulação*f.*

agiotista [axjo'tista] *adj.,s.2g.* agiota

agitación [axita'θjon] *s.f.* agitação

agitado [axi'taðo] *adj.* **1** agitado, sacudido **2** (mar) agitado, revolto **3** *(ajetreado)* agitado, inquieto, excitado

agitador, -a [axita'ðor] *s.m.,f.* agitador, -a

agitar [axi'tar] *v.* **1** agitar, abanar, sacudir **2** *fig.* agitar, inquietar, excitar

aglomeración [aγlomera'θjon] *s.f.* aglomeração

aglomerado [aγlome'raðo] *s.m.* aglomerado (de madeira, cortiça, etc.)

aglomerar [aɣlome'ɾar] *v.* aglomerar, reunir, amontoar ▪ **aglomerarse** aglomerar-se, reunir-se, amontoar se

aglutinación [aɣlutina'θjon] *s.f.* aglutinação

agobiante [aɣo'βjan̪te] *adj.2g.* **1** (calor) sufocante, asfixiante **2** (sensação) angustiante **3** *(cansado)* cansativo

agobiar [aɣo'βjar] *v.* **1** *(angustiar)* afligir, angustiar, agoniar **2** (trabalho) sobrecarregar **3** (calor, roupa) sufocar, asfixiar **4** (corpo) vergar, curvar ▪ **agobiarse** afligir-se, angustiar se, agoniar-se

agobio [a'ɣoβjo] *s.m.* ansiedade*f.*, angústia*f.*, aflição*f.*

agonía [aɣo'nia] *s.f.* agonia ♦ [ESP.] *col.* **ser un agonías** ser um pessimista

agonizante [aɣoni'θan̪te] *adj.2g.* agonizante, moribundo

agonizar [aɣoni'θar] *v.* agonizar

agorero [aɣo'ɾeɾo] *adj.* agourento, agoirento

agosto [a'ɣosto] *s.m.* agosto ♦ *col.* **hacer su agosto** fazer um bom negócio

agotador [aɣota'ðor] *adj.* esgotante, extenuante

agotamiento [aɣota'mjen̪to] *s.m.* **1** *(gasto)* esgotamento **2** *(cansacio)* esgotamento, exaustão*f.*

agotar [aɣo'tar] *v.* esgotar ▪ **agotarse** esgotar-se

agraciado [aɣɾa'θjaðo] *adj.* **1** *(hermoso)* engraçado, bonito **2** (condecoração, prêmio) agraciado, condecorado, contemplado

agradable [aɣɾa'ðaβle] *adj.2g.* **1** agradável **2** (pessoa) agradável, amável

agradar [aɣɾa'ðar] *v.* agradar; *agradar a alguien* agradar a alguém; *eso no me agrada* isso não me agrada

agradecer [aɣɾaðe'θer] *v.* agradecer; *agradecer algo a alguien* agradecer alguma coisa a alguém ♦ **soy yo el que agradece** obrigad|o, -a eu; eu é que agradeço

agradecido [aɣɾaðe'θiðo] *adj.* grato, agradecido, reconhecido; *le estoy muy agradecido* estou lhe muito grato ♦ **¡agradecido!** obrigado!

agradecimiento [aɣɾaðeθi'mjen̪to] *s.m.* agradecimento, manifestação*f.* de gratidão

agrado [a'ɣɾaðo] *s.m.* **1** agrado; *ser del agrado de* ser do agrado de **2** *(amabilidad)* amabilidade*f.*; *(simpatía)* simpatia*f.*

agrandamiento [aɣɾan̪da'mjen̪to] *s.m.* aumento, ampliação*f.*

agrandar [aɣɾan̪'dar] *v.* aumentar, ampliar, engrandecer

agrario [aɣɾa'ɾjo] *adj.* agrário

agravamiento [aɣɾaβa'mjen̪to] *s.m.* agravamento

agravante [aɣɾa'βan̪te] *adj.2g.* agravante ▪ *s.f.* (circunstância) agravante

agravar [aɣɾa'βar] *v.* agravar, piorar ▪ **agravarse** agravar-se, ficar pior

agraviar [aɣɾa'βjar] *v.* ofender ▪ **agraviarse** ofender-se

agravio [a'ɣɾaβjo] *s.m.* **1** *(ofensa)* agravo, ofensa*f.*, insulto **2** *(perjuicio)* agravo, prejuízo, dano

agredir [aɣɾe'ðir] *v.* agredir, atacar; *agredir de palabra* insultar

agregación [aɣɾeɣa'θjon] *s.f.* agregação

agregad|o, -a [aɣɾe'ɣaðo] *s.m.,f.* **1** (funcionário) adido*m.*; *agregado cultural* adido cultural **2** (professor universitário) agregad|o, -a, associad|o, -a

agregar [aɣɾe'ɣar] *v.* **1** *(añadir)* agregar, acrescentar, anexar **2** (ao falar) acrescentar **3** (funcionário) destacar

agresión [aɣɾe'sjon] *s.f.* agressão ♦ **no agresión** não agressão

agresividad [aɣɾesiβi'ðað] *s.f.* agressividade

agresivo [aɣɾe'siβo] *adj.* agressivo

agresor, -a [aɣɾe'sor] *s.m.,f.* agressor, -a

agreste [a'ɣɾeste] *adj.2g.* **1** agreste **2** *fig.* agreste, rude

agriar [a'ɣɾjar] *v.* azedar ▪ **agriarse** azedar(-se); *agriarse la leche* azedar o leite

agrícola [a'ɣɾikola] *adj.2g.* agrícola

agricultor, -a [aɣɾikul̪'tor] *s.m.,f.* agricultor, -a

agricultura [aɣɾikul̪'tura] *s.f.* agricultura

agridulce [aɣɾi'ðul̪θe] *adj.2g.* agridoce

agrietar [aɣɾje'tar] *v.* rachar, gretar ▪ **agrietarse** rachar(-se), gretar(-se)

agrimensura [aɣɾimen'sura] *s.f.* agrimensura

agrio ['aɣɾjo] *adj.* **1** azedo, ácido **2** *fig.* azedo, áspero

agroalimentario [aɣɾoalimen̪'tarjo] *adj.* agroalimentício

agronomía [aɣɾono'mia] *s.f.* agronomia

agronómico [aɣɾo'nomiko] *adj.* agronômico

agrónom|o, -a [a'ɣɾonomo] *s.m.,f.* agrônom|o, -a

agropecuario [aɣɾope'kwarjo] *adj.* agropecuário

agrupación [aɣɾupa'θjon] *s.f.* **1** *(agrupamiento)* agrupamento*m.* **2** *(asociación)* associação, grupo*m.*, agrupamento*m.*

agrupamiento [aɣɾupa'mjen̪to] *s.m.* agrupamento

agrupar [aɣɾu'par] *v.* agrupar ▪ **agruparse** agrupar-se

agua ['aɣwa] *s.f.* água; *agua bendita* água benta; *agua con/sin gas* água com/sem gás; *agua del grifo* água da torneira; *agua destilada* água destilada; *agua dulce* água doce; *agua mineral* água mineral; *agua potable* água potável; *agua salada* água salgada; *aguas residuales* águas residuais ♦ **agua de colonia** água-de colônia; **agua es blanda y la piedra dura, pero gota a gota hace cavadura** água mole em pedra dura tanto bate até que fura; **agua oxigenada** água oxigenada; *col.* **como agua de mayo** vir mesmo a calhar; **hacérsele la boca agua** dar água na boca; **llevar el agua a su molino** levar a água ao seu moinho; **nadar entre dos aguas** não tomar partido; *col.* **quedar en agua de borrajas** ficar a ver navios; **más claro que el agua** claro como água; (parto) **romper aguas** rebentar/romper as águas; **ser agua pasada** ser águas passadas

aguacate [aɣwa'kate] *s.m.* **1** (árvore) abacateiro **2** (fruto) abacate

aguacero [aɣwa'θeɾo] *s.m.* aguaceiro

aguado [a'ɣwaðo] *adj.* aguado

aguafiestas [aɣwa'fjestas] *s.2g.2n.* *col.* desmancha-prazeres

aguafuerte [aɣwa'fwerte] *s.m./f.* água-forte*f.*

aguamarina ['aɣwama'rina] *s.f.* água-marinha

aguanieve [aɣwa'njeβe] *s.f.* chuva misturada com neve

aguantar [aɣwan'tar] *v.* **1** *(contener)* conter **2** *(sostener)* segurar, suster, sustentar **3** *(soportar)* aguentar, suportar, aturar ■ **aguantarse 1** *(contenerse)* conter se **2** *(resignarse)* resignar se **3** *(conformarse)* aguentar-se, conformar-se

aguante [a'ɣwante] *s.m.* **1** *(paciencia)* paciência*f.*; *(tolerancia)* tolerância*f.* **2** *(fuerza)* resistência*f.*, força*f.*

aguar [a'ɣwar] *v.* **1** (bebida) aguar **2** *fig.* estragar; *aguar la fiesta* estragar a festa

aguardar [aɣwar'ðar] *v.* aguardar, esperar (-, por); *aguardar el autobús* esperar o ônibus

aguardentoso [aɣwarðen'toso] *adj.* (voz) rouco, áspero

aguardiente [aɣwar'ðjente] *s.m.* aguardente*f.*; *aguardiente de caña* aguardente de cana, cachaça

aguarrás [aɣwa'ras] *s.m.* aguarrás*f.2n.*

agudeza [aɣu'ðeθa] *s.f.* **1** agudeza **2** *fig.* agudeza, perspicácia, astúcia **3** MED. acuidade; *agudeza auditiva/visual* acuidade auditiva/visual

agudizar [aɣuði'θar] *v.* agudizar ■ **agudizarse 1** agudizar-se **2** (doença) agravar se, piorar

agudo [a'ɣuðo] *adj.* **1** (objeto) agudo, afiado, cortante **2** (dor) agudo, intenso **3** *fig.* (inteligência) agudo, perspicaz, esperto **4** *fig.* (sentido) aguçado, apurado **5** GEOM. (ângulo) agudo **6** LING. (palavra) agudo, oxítono; (acento) agudo **7** MÚS. (som) agudo, alto

agüero [a'ɣwero] *s.m.* agouro, agoiro ♦ **de buen/mal agüero** de bom/mau agouro

aguerrido [aɣe'riðo] *adj.* aguerrido, corajoso, valente

aguijón [aɣi'xon] *s.m.* **1** *(pincho)* aguilhão **2** (insetos) ferrão, aguilhão **3** *fig.* aguilhão, estímulo, incentivo

águila ['aɣila] *s.f.* águia ♦ **águila real** águia-real

aguileño [aɣi'leɲo] *adj.* aquilino; *nariz aguileña* nariz aquilino

aguilucho [aɣi'lutʃo] *s.m.* **1** filhote de águia **2** gavião

aguinaldo [aɣi'naldo] *s.m.* **1** *(regalo)* presente **2** *(paga extra)* gratificação*f.*

aguja [a'ɣuxa] *s.f.* **1** (costura) agulha; *aguja de gancho/ganchillo* agulha de crochê; *aguja de punto* agulha de tricotar **2** (relógio) ponteiro*m.*, agulha **3** (seringa) agulha; *aguja hipodérmica* agulha hipodérmica ♦ **aguja de marear/de bitácora** agulha de marear, bússola; **buscar una aguja en un pajar** procurar uma agulha num palheiro; **conocer/saber manejar la aguja de marear** saber desenrascar-se

agujereado [aɣuxere'aðo] *adj.* **1** esburacado **2** furado

agujerear [aɣuxere'ar] *v.* **1** esburacar **2** furar

agujero [aɣu'xero] *s.m.* **1** buraco; *hacer un agujero en la tierra* fazer um buraco na terra **2** furo; *tengo un agujero en el calcetín* tenho um furo na meia **3** *fig.* (dinheiro) buraco, rombo ♦ **agujero (en la capa) de ozono** buraco (na camada) de ozônio; **agujero negro** buraco negro

agujetas [aɣu'xetas] *s.f.pl.* dores*pl.* musculares

agur [a'ɣur] *interj. col.* adeus!

aguzar [aɣu'θar] *v.* **1** (lápis, lâmina) aguçar, afiar **2** (entendimento, sentido) aguçar, afinar **3** (orelhas) arrebitar **4** *fig.* aguçar, incitar, estimular

ah ['a] *interj.* ah!

ahí [a'i] *adv.* aí; *ahí viene* aí vem ele; *está ahí* está aí ♦ **¡ahí es nada!** nada mau!; **ahí mismo** logo aí/ali, aí; *vivo ahí mismo* moro logo ali; **de ahí** daí; **de ahí que** daí que, por isso; **he ahí** eis; **por ahí 1** (lugar) por aí **2** *(aproximadamente)* por aí, mais ou menos; *vamos por ahí* vamos por aí

ahijad|o, -a [ai'xaðo] *s.m.,f.* afilhad|o, -a

ahijar [ai'xar] *v.* **1** (pessoa) adotar, perfilhar **2** *fig.* atribuir, imputar

ahínco [a'iŋko] *s.m.* afinco

ahogadilla [aoɣa'ðiʎa] *s.f.* mergulho*m.* forçado (mantendo a cabeça debaixo de água), caldo

ahogad|o, -a [ao'ɣaðo] *s.m.,f.* afogad|o, -a ■ *adj.* **1** (pessoa) afogado **2** (calor) sufocado, asfixiado, afogado **3** (som, voz) abafado **4** (lugar) abafado, mal ventilado

ahogar [ao'ɣar] *v.* **1** (na água) afogar **2** (por calor) asfixiar, sufocar **3** (planta) encharcar **4** (fogo) apagar, extinguir **5** (motor) encharcar **6** (sentimentos, revolução) reprimir ■ **ahogarse 1** (na água) afogar-se **2** (por calor) sufocar, asfixiar **3** (motor) encharcar

ahogo [a'oɣo] *s.m.* **1** sufoco **2** *fig.* aflição*f.*

ahondar [aon'dar] *v.* **1** afundar, aprofundar **2** (buraco, cavidade) cavar, escavar **3** (assunto, tema) aprofundar (en, -); *ahondaremos en este asunto* aprofundaremos este assunto

ahora [a'ora] *adv.* **1** *(en este momento)* agora; *ahora no puedo* agora não posso **2** *(hace un momento)* agora mesmo; *ha llegado ahora* chegou agora mesmo **3** *(actualmente)* agora, atualmente; *ahora las cosas son diferentes* agora as coisas são diferentes **4** *(enseguida)* já; *ahora voy* já vou ■ *conj.* agora, mas, porém ♦ **ahora bien** agora, mas; **ahora mismo** agora mesmo; **ahora o nunca** agora ou nunca; **de ahora en adelante** de agora em diante; **¡hasta ahora!** até já!; **por ahora** por agora/enquanto, por ora

ahorcad|o, -a [aor'kaðo] *adj.,s.m.,f.* enforcad|o, -a

ahorcar [aor'kar] *v.* **1** (pessoa) enforcar **2** (profissão, atividade) abandonar, deixar ■ **ahorcarse** enforcar-se ♦ **a la fuerza ahorcan** não há outra solução, não há outro remédio

ahorrador [aora'ðor] *adj.* (pessoa) poupado, econômico

ahorramiento [aora'mjento] *s.m.* poupança*f.*

ahorrar [ao'rar] *v.* **1** (dinheiro) poupar, economizar **2** (energia) poupar **3** (trabalho, dever) evitar

ahorrativo [aora'tiβo] *adj.* (pessoa) poupado, econômico

ahorro [a'oro] *s.m.* poupança*f.*, economia*f.*, aforro ■ **ahorros** *s.m.pl.* economias*f. pl.*, poupanças*f. pl.*, pé-de meia

ahuecar [a(ɣ)we'kar] *v.* **1** (cavidade) escavar **2** (mão) colocar em concha **3** (voz) engrossar **4** (almofada, colchão) afofar, bater **5** *fig., col.* ir embora, desandar ■ **ahuecarse** *fig.* envaidecer se

ahumado [au'maðo] *adj.* **1** fumado; ***cristales ahumados*** vidros fumês **2** (alimento) defumado; ***salmón ahumado*** salmão defumado
ahumar [au'mar] *v.* **1** (casa, quarto) enfumaçar, encher de fumaça **2** (alimento) defumar **3** fumegar, lançar fumaça ▪ **ahumarse 1** *(ennegrecer)* enegrecer-se **2** (cozinhado) ficar com sabor de fumaça **3** *fig., col.* embebedar-se
ahuyentar [aujeṇ'tar] *v.* afugentar, enxotar
aikido [aj'kiðo] *s.m.* aiquidô
airado [aj'raðo] *adj.* **1** (pessoa) irado, irritado **2** *(licencioso)* airado, leviano; ***vida airada*** vida airada
airamiento [ajra'mjeṇto] *s.m.* ira*f.*, cólera*f.*
airbag ['erβaγ] *s.m.* (automóvel) airbag
aire ['ajre] *s.m.* **1** ar; ***aire comprimido*** ar comprimido; ***al aire libre*** ao ar livre; ***aire puro*** ar puro **2** *(viento)* ar, aragem*f.*, brisa*f.*; ***hacer un aire fresco*** soprar uma aragem fresca **3** *(gracia)* elegância*f.*; ***camina con mucho aire*** ela caminha com muita elegância **4** *fig.* ar, aspecto, aparência*f.* ◆ **aire acondicionado** ar condicionado; **cambiar de aires** mudar de ares; **coger aire** pegar um resfriado; **darse aires** dar-se ares; (rádio, televisão) **estar en el aire** estar no ar; **tomar el aire** tomar ar; *col.* **¡vete a tomar (el) aire!** vai tomar ar!, desaparece!
airear [ajre'ar] *v.* **1** arejar, ventilar **2** *fig.* (assunto) divulgar ▪ **airearse** arejar, tomar ar
airoso [aj'roso] *adj.* **1** (pessoa) airoso, elegante **2** (lugar, tempo) ventoso ◆ **salir airoso** sair-se bem
aislacionismo [ajslaθjo'nizmo] *s.m.* isolacionismo
aislacionista [ajslaθjo'nista] *adj.,s.2g.* isolacionista
aislado [ajs'laðo] *adj.* isolado
aislamiento [ajsla'mjeṇto] *s.m.* isolamento
aislante [ajs'laṇte] *adj.2g.* isolador, isolante; ***cinta aislante*** fita isolante ▪ *s.m.* isolante
aislar [ajs'lar] *v.* **1** isolar, separar **2** *téc.* isolar ▪ **aislarse** isolar-se (de, de), afastar se (de, de)
ajá [ax'a] *interj.* isso mesmo!
ajardinado [axarði'naðo] *adj.* ajardinado
ajedrez [axe'ðreθ] *s.m.* xadrez; ***jugar al ajedrez*** jogar xadrez
ajedrezado [axeðre'θaðo] *adj.* (padrão, tecido) axadrezado
ajeno [a'xeno] *adj.* alheio ◆ **meterse en lo ajeno** meter se na vida alheia
ajetreado [axetre'aðo] *adj.* atarefado
ajetreo [axe'treo] *s.m.* roda viva*f.*, agitação*f.*, confusão*f.*; ***llevar mucho ajetreo*** andar numa roda viva
ajo ['axo] *s.m.* **1** alho **2** *cal.* dose*f.* de LSD ◆ *col.* **¡ajo y agua!** paciência!; *col.* **estar en el ajo** estar a par, estar por dentro
ajuar [a'xwar] *s.m.* enxoval
ajustable [axus'taβle] *adj.2g.* ajustável
ajustado [axus'taðo] *adj.* **1** (roupa) justo, apertado **2** (preço, orçamento) apertado
ajustar [a'xustar] *v.* **1** *(ceñir)* ajustar, apertar **2** *(adaptar)* ajustar, adaptar, adequar **3** (preço, contrato) ajustar, combinar **4** (contas) acertar **5** (dívida) liquidar, saldar ▪ **ajustarse** ajustar-se
ajuste [a'xuste] *s.m.* **1** ajuste **2** (máquina) afinação*f.* **3** *(acuerdo)* ajuste, acordo, acerto ◆ **ajuste de cuentas** acerto de contas
al ['al] *contr. prep.* a + *art.def.m.* el ao; ***ir al cine*** ir ao cinema ◆ (valor temporal al [+*inf.*]) **al abrir la puerta** ao abrir a porta
ala ['ala] *s.f.* **1** (ave, inseto, avião) asa **2** (chapéu, mesa, telhado) aba **3** (edifício) ala, lado*m.* **4** MIL.,ESPOR.,POL. ala ◆ *col.* **ahuecar el ala** bater as asas; ESPOR. **ala delta** asa-delta; **cortarle las alas a alguien** cortar as asas de alguém; **darle alas a alguien** dar asas a alguém
alabanza [ala'βaṇθa] *s.f.* elogio*m.*, louvor*m.*; ***hacer grandes alabanzas*** tecer grandes elogios
alabar [ala'βar] *v.* elogiar, gabar, louvar ▪ **alabarse** gabar-se (de, de), vangloriar-se (de, de)
alabastro [ala'βastro] *s.m.* alabastro
alacena [ala'θena] *s.f.* (armário) despensa
alacrán [ala'kran] *s.m.* lacrau, escorpião
alado [a'laðo] *adj.* alado
alagar [ala'γar] *v.* alagar, encharcar, inundar
alambrada [alam'braða] *s.f.* cerca de arame
alambre [a'lambre] *s.m.* arame; ***alambre de espino/púas*** arame farpado
alambrera [alam'brera] *s.f.* rede de arame (que serve como proteção)
alambrista [alam'brista] *s.2g.* aramista, equilibrista
alameda [ala'meða] *s.f.* alameda
álamo ['alamo] *s.m.* álamo
alarde [a'larðe] *s.m.* alarde, ostentação*f.*; ***hacer alarde de*** fazer alarde de
alardear [alarðe'ar] *v.* alardear (de, -), gabar-se (de, de), fazer alarde (de, de)
alargadera [alarγa'ðera] *s.f.* extensão
alargador [alarγa'ðor] *s.m.* extensão*f.*
alargamiento [alarγa'mjeṇto] *s.m.* **1** alongamento **2** aumento
alargar [alar'γar] *v.* **1** alongar **2** (tempo) prolongar, alargar **3** (corpo) estender, esticar, alongar; ***alargar el brazo*** estender o braço **4** (salário) aumentar **5** *(retardar)* adiar ▪ **alargarse 1** alongar-se **2** (assunto, tema) alargar se (en, em), estender se (en, em)
alarido [ala'riðo] *s.m.* grito
alarma [a'larma] *s.f.* alarme*m.*; ***dar la alarma*** dar o alarme; ***falsa alarma*** alarme falso
alarmante [alar'maṇte] *adj.2g.* alarmante
alarmar [a'larmar] *v.* alarmar ▪ **alarmarse** alarmar-se
alarmista [alar'mista] *adj.,s.2g.* alarmista
alazán [ala'θan] *adj.* (cavalo) alazão
alba ['alβa] *s.f.* alvorada, alva
albahaca [alβa'aka] *s.f.* **1** BOT. alfavaca **2** BOT. manjericão*m.* **3** BOT. manjerico*m.*
alban|és, -esa [alβa'nes] *adj.,s.m.,f.* alban|ês, -esa
Albania [al'βanja] *s.f.* Albânia
albañal [alβa'ɲal] *s.m.* esgoto

albañería [alβa'ɲeria] s.f. ant. alvenaria
albañil [alβa'ɲil] s.m. pedreiro
albañilería [alβaɲile'ria] s.f. alvenaria
albaricoque [alβari'koke] s.m. **1** (árvore) damasqueiro, alperceiro **2** (fruto) damasco, alperce
albaricoquero [alβariko'kero] s.m. damasqueiro, alperceiro
albatros [al'βatros] s.m.2n. albatroz
albedrío [alβe'ðrio] s.m. arbítrio ♦ **al albedrío de** ao arbítrio de, ao gosto de, à vontade de; **libre albedrío** livre-arbítrio
alberca [al'βerka] s.f. **1** alverca, tanque*m.*, reservatório*m.* **2** [MÉX.] piscina
albérchigo [al'βertʃiγo] s.m. **1** (árvore) alperceiro **2** (fruto) alperce
albergar [alβer'γar] v. **1** *(alojar)* albergar, alojar, hospedar **2** *(contener)* conter, encerrar **3** *fig.* (sentimento) abrigar; (esperança) acalentar ▪ **albergarse** albergar-se (en, em), alojar-se (en, em), hospedar-se (en, em)
albergue [al'βerγe] s.m. **1** albergue **2** *fig.* guarida*f.*, proteção*f.* ♦ **albergue juvenil** albergue da juventude
alberguista [alβer'γista] adj.,s.2g. alberguista
albinismo [alβi'nizmo] s.m. albinismo
albin|o, -a [al'βino] adj.,s.m.,f. albin|o, -a
albo ['alβo] adj. *(blanco)* alvo, branco
albóndiga [al'βon̪diγa] s.f. almôndega
albondiguilla [alβon̪di'γiʎa] s.f. **1** almôndega **2** col. meleca
albor [al'βor] s.m. **1** (luz) alvor, alvorada*f.* **2** *(blancura)* alvura*f.*, alvor, brancura*f.* **3** lit. alvor, começo, princípio
alborada [alβo'raða] s.f. **1** alvorada, crepúsculo*m.* matutino **2** LIT. alba **3** MIL. alvorada, toque*m.* militar
alborear [alβore'ar] v. alvorecer
albornoz [alβor'noθ] s.m. roupão (de banho)
alborotador, -a [alβorota'ðor] adj.,s.m.,f. arruaceir|o, -a, agitador, -a
alborotar [alβoro'tar] v. **1** alvoroçar, agitar **2** causar alvoroço
alboroto [alβo'roto] s.m. alvoroço
alborozar [alβoro'θar] v. alvoroçar, entusiasmar
alborozo [alβo'roθo] s.m. alegria*f.*
albricias [al'βriθjas] s.f.pl. alvíssaras*pl.*
albufera [alβu'fera] s.f. *(laguna)* albufeira, lagoa
álbum ['alβum] s.m. **1** álbum; ***álbum de fotografías/sellos*** álbum de fotografias/selos **2** (discos) álbum; ***álbum en directo*** álbum ao vivo
alcachofa [alka'tʃofa] s.f. **1** alcachofra **2** (banheira) manete; (regador) crivo*m.*
alcahuet|e, -a [alka'(γ)wete] s.m.,f. **1** (relação amorosa) alcoviteir|o, -a, intermediári|o, -a **2** *(cotilla)* alcoviteir|o, -a, bisbilhoteir|o, -a, coscuvilheir|o, -a
alcaide [al'kajðe] s.m. **1** diretor (de uma prisão) **2** HIST. alcaide
alcaldada [alkal̪'daða] s.f. abuso*m.* de poder
alcalde [al'kal̪de] s.m. (f. alcaldesa) presidente*2g.* da câmara municipal
alcaldesa [alkal̪'desa] s.f. (m. alcade) presidente*2g.* da câmara municipal
alcaldía [alkal̪'dia] s.f. **1** (cargo) presidência da câmara municipal **2** (edifício) câmara municipal **3** (território) circunscrição administrativa
alcalinidad [alkalini'ðað] s.f. alcalinidade
alcalino [alka'lino] adj. alcalino
alcance [al'kan̪θe] s.m. **1** alcance; ***al alcance de*** ao alcance de; ***a mi alcance*** ao meu alcance; ***estar fuera del alcance*** estar fora do alcance **2** (arma) alcance, distância*f.*; ***misiles de largo alcance*** mísseis de longo alcance **3** *fig.* alcance, importância*f.*, repercussão*f.* ♦ **dar alcance a alguien** alcançar alguém; col. (pessoa) **de pocos alcances** limitado
alcanfor [alkam̪'for] s.m. cânfora*f.*
alcantarilla [alkan̪ta'riʎa] s.f. **1** *(conducto)* esgoto*m.*, cano*m.* de esgoto **2** *(boca)* abertura de esgoto
alcantarillado [alkan̪tari'ʎaðo] s.m. esgotos*pl.*, rede*f.* de esgotos
alcanzable [alkan̪'θaβle] adj.2g. alcançável
alcanzar [alkan̪'θar] v. **1** (pessoa) alcançar **2** *(pasar)* passar, chegar, pegar; ***alcánzame la sal*** me passa o sal **3** *(obtener)* atingir, conseguir; ***alcanzar los objetivos*** conseguir os objetivos **4** *(entender)* entender, compreender **5** *(ser suficiente)* chegar (para, para), bastar (para, para); ***tu sueldo no alcanza para eso*** o teu salário não chega para isso ♦ **alcanzar a** [+ *inf.*] conseguir [+ *inf.*]; ***con tanto ruido no alcanzo a escucharte*** com tanto barulho não consigo ouvir-te
alcaparra [alka'para] s.f. alcaparra
alcaparrón [alkapa'ron] s.m. alcaparra*f.*
alcaucil [alkaw'θil] s.m. alcachofra*f.*
alcázar [al'kaθar] s.m. alcácer, fortaleza*f.*
alcista [al̪'θista] adj.2g. altista
alcoba [al'koβa] s.f. alcova, quarto*m.* de dormir
alcohol [alko'ol] s.m. álcool ♦ **alcohol etílico** álcool etílico; (bebida) **sin alcohol** sem álcool; ***cerveza sin alcohol*** cerveja sem álcool
alcohólic|o, -a [alko'oliko] s.m.,f. alcoólatra*2g.*, alcoólic|o, -a ▪ adj. alcoólico
alcoholímetro [alkoo'limetro] s.m. alcoolímetro
alcoholismo [alkoo'lizmo] s.m. alcoolismo
alcoholizado [alkooli'θaðo] adj. alcoolizado
alcoholizar [alkooli'θar] v. alcoolizar ▪ **alcoholizarse** tornar-se alcoólatra
alcohómetro [al'koometro] s.m. alcoolímetro
Alcorán [alko'ran] s.m. (livro) Alcorão
alcornoque [alkor'noke] s.m. sobreiro ▪ adj.2g. fig., pej. (pessoa) cepo, ignorante
aldea [al̪'dea] s.f. aldeia ♦ **aldea de vacaciones** complexo turístico; **aldea global** aldeia global
aldean|o, -a [al̪de'ano] adj.,s.m.,f. alde|ão, -ã
aleación [alea'θjon] s.f. liga (de metais) ♦ **aleación ligera** liga leve; ***llantas de aleación ligera*** rodas de liga leve

aledaños [ale'ðaɲos] *s.m.pl.* imediações*f. pl.*, arredores*pl.*

alegar [ale'ɣar] *v.* **1** (fatos, argumentos) alegar, mencionar, invocar **2** [AM.] discutir, altercar

alegoría [aleɣo'ria] *s.f.* alegoria

alegórico [ale'ɣoriko] *adj.* alegórico

alegrar [ale'ɣrar] *v.* **1** *(causar alegría)* alegrar **2** (luz, fogo) avivar ■ **alegrarse 1** alegrar-se (de, por), estar/ficar contente (de, por); *me alegro de que hayas venido* estou contente por teres vindo; *me alegro de verte* estou contente por te ver **2** *col. (achisparse)* ficar alegre*fig.*

alegre [a'leɣre] *adj.2g.* **1** alegre **2** (cor) alegre, vistoso, vivo **3** *col. (achispado)* alegre

alegría [ale'ɣria] *s.f.* alegria

alejamiento [alexa'mjento] *s.m.* afastamento, distanciamento

alejar [ale'xar] *v.* afastar ■ **alejarse** afastar-se (de, de)

aleluya [ale'luya] *s.m./f.* aleluia*f.* ■ *interj.* aleluia!

alem|án, -ana [ale'man] *adj.,s.m.,f.* alem|ão, -ã ■ **alemán** *s.m.* (língua) alemão

Alemania [ale'manja] *s.f.* Alemanha

alentar [a'lentar] *v.* **1** alentar, animar **2** *fig.* (esperança, sonho) acalentar, alimentar, alentar

alergia [a'lerxja] *s.f.* alergia; *tener alergia al polvo* ter alergia ao pó

alérgico [a'lerxiko] *adj.* **1** alérgico **2** (pessoa) alérgico (a, a); *soy alérgico a los gatos* sou alérgico a gatos

alero [a'lero] *s.m.* (telhado) beiral, aba*f.*

alerta [a'lerta] *adv.* alerta; *hay que estar siempre alerta* é preciso ficar sempre alerta ■ *adj.2g.* alerta, atento, vigilante; *de oído alerta* de ouvido alerta ■ *s.f.* alerta*m.*; *dar la alerta* dar (o sinal de) alerta; *en estado de alerta* em estado de alerta ■ *interj.* alerta!

alertar [aler'tar] *v.* alertar

aleta [a'leta] *s.f.* **1** (peixes) barbatana, nadadeira **2** (mergulho, natação) pé*m.* de pato, nadadeira **3** (nariz) aleta, asa **4** (veículo) para-lama*m.2n.*

aletargar [aletar'ɣar] *v.* causar letargia ■ **aletargarse** cair em letargia

alfa ['alfa] *s.f.* (letra grega) alfa*m.* ♦ **alfa y omega** alfa e ômega

alfabético [alfa'βetiko] *adj.* alfabético; *por orden alfabético* por ordem alfabética

alfabetización [alfaβetiθa'θjon] *s.f.* alfabetização

alfabetizar [alfaβeti'θar] *v.* alfabetizar

alfabeto [alfa'βeto] *s.m.* alfabeto, abecedário

alfalfa [al'falfa] *s.f.* alfafa

alfarería [alfare'ria] *s.f.* olaria

alférez [al'fereθ] *s.2g.* alferes*2n.*

alfil [al'fil] *s.m.* (xadrez) bispo

alfiler [alfi'ler] *s.m.* **1** alfinete **2** (roupa) pregador **3** (joia) broche, alfinete ♦ **alfiler de corbata** alfinete de gravata; [AM.] **alfiler de gancho/seguridad** alfinete de fralda

alfombra [al'fombra] *s.f.* tapete*m.* ♦ **alfombra de pasillo** passadeira

alga ['alɣa] *s.f.* alga

algarabía [alɣara'βia] *s.f.* algazarra, algaraviada, gritaria, berreiro

algazara [alɣa'θara] *s.f.* algazarra, alarido*m.*

álgebra ['alxeβra] *s.f.* álgebra

algo ['alɣo] *pron.indef.* algo, alguma*f.* coisa; *ibas a decir algo* ias dizer algo; *¿quieres algo más?* queres mais alguma coisa? ■ *adv.* um pouco, um tanto, algo; *estoy algo cansada* estou um pouco/algo cansada; *anda algo distraído* ele anda um pouco/algo distraído ♦ **algo así** mais ou menos isso, aproximadamente; **algo es algo** já é alguma coisa; **por algo** por alguma razão, por algum motivo

algodón [alɣo'ðon] *s.m.* **1** (fibra) algodão **2** (planta) algodoeiro ♦ **algodón dulce/de azúcar** algodão-doce; *algodón en rama* algodão em rama; *algodón hidrófilo* algodão hidrófilo; **entre algodones** com muito cuidado

alguacil [alɣwa'θil] *s.m.* oficial de justiça/diligências

alguien ['alɣjen] *pron.indef.* alguém; *¿hay alguien?* tem alguém aí? ♦ **ser alguien (en la vida)** ser alguém (na vida)

algún [al'ɣun] *adj.indef.* algum ♦ **algún tanto** um tanto/pouco

> Antes de substantivos masculinos no singular usa-se **algún**: *algún día* algum dia.

algun|o, -a [al'ɣuno] *adj.indef.* **1** algum, -a; *¿conociste a alguna persona?* conheceste alguma pessoa?; *hay algunos ordenadores* há alguns computadores **2** [depois de *s.*] algum, -a, nenhum, -a; *¿no leíste periódico alguno?* não leste nenhum jornal?; *no queda duda alguna* não resta dúvida nenhuma ■ *pron.indef.* algum, -a; *se acabaron mis cigarrillos, ¿tienes alguno?* acabaram-se os meus cigarros, tens algum? ♦ **alguno que otro** um(a) por outro(a); *col.* **hacer alguna** fazer/aprontar alguma; **no tener interés alguno** não ter nenhum interesse

alhaja [a'laxa] *s.f.* **1** joia **2** *fig.* preciosidade ♦ *irôn.* **¡buena alhaja!** rica peça!

alhelí [ale'li] *s.m.* aleli

aliad|o, -a [a'ljaðo] *adj.,s.m.,f.* aliad|o, -a

alianza [a'ljanθa] *s.f.* **1** *(unión)* aliança, união **2** *(pacto)* aliança, acordo*m.*, pacto*m.* **3** *(anillo)* aliança; *llevar alianza* usar aliança

aliar [a'ljar] *v.* aliar ■ **aliarse** aliar-se

alias ['aljas] *adv.* conhecido por ■ *s.m.2n.* **1** *(apodo)* apelido **2** *(sobrenombre)* sobrenome **3** INFORM. nickname

Alicante [ali'kante] *s.m.* Alicante

alicates [ali'kates] *s.m.pl.* alicate

aliciente [ali'θjente] *s.m.* **1** *(atractivo)* atrativo, aliciante **2** *(incentivo)* estímulo, incentivo

alienígena [alje'nixena] *adj.,s.2g.* alienígena

aliento [a'ljento] *s.m.* **1** *(vaho)* hálito, bafo; *mal aliento* mau hálito **2** *(respiración)* alento, fôlego, respiração*f.*; *cobrar el aliento* recuperar o fôlego; *sin aliento* sem fôlego **3** *fig.* alento, ânimo, vigor ♦ **quitar el aliento** ficar impressionado

aligerar [alixe'rar] *v.* **1** (peso, carga) aliviar, aligeirar **2** *(aliviar)* aligeirar, aliviar **3** *(acelerar)* aligeirar, apressar; ***aligerar el paso*** apressar o passo
alijo [a'lixo] *s.m.* carregamento (de contrabando)
alimaña [ali'maɲa] *s.f.* animal*m.* daninho
alimentación [alimen̪ta'θjon] *s.f.* alimentação
alimentar [alimen̪'tar] *v.* alimentar ▪ **alimentarse** alimentar-se (de, de); ***algunos animales se alimentan de raíces*** alguns animais alimentam se de raízes
alimento [ali'men̪to] *s.m.* alimento
alineación [alinea'θjon] *s.f.* **1** alinhamento*m.* **2** ESPOR. escalação do time
alineado [aline'aðo] *adj.* alinhado
alinear [aline'ar] *v.* **1** alinhar, enfileirar **2** (jogador) selecionar ▪ **alinearse** alinhar-se
aliñar [ali'ɲar] *v.* **1** (alimento) temperar, condimentar **2** *(adornar)* enfeitar, adornar
aliño [a'liɲo] *s.m.* **1** (alimento) tempero, condimento **2** (pessoa) alinho, asseio
alisar [ali'sar] *v.* **1** alisar **2** (cabelo) alisar, pentear ▪ **alisarse** alisar; ***se alisó el pelo*** alisou o cabelo
alisios [a'lisjos] *s.m.pl.* (ventos) alísios*pl.*
alistamiento [alista'mjen̪to] *s.m.* alistamento
alistar [alis'tar] *v.* **1** alistar **2** prevenir
alistarse [alis'tarse] *v.* **1** (lista) inscrever-se (en, em) **2** (exército) alistar se (como/en, como/em); ***alistarse como voluntario*** alistar se como voluntário; ***alistarse en el ejército*** alistar se no exército
aliviar [ali'βjar] *v.* **1** (carga, peso) aliviar, aligeirar **2** (dor) aliviar, atenuar, mitigar **3** *(consolar)* aliviar, consolar
alivio [a'liβjo] *s.m.* alívio; ***respirar con alivio*** respirar de alívio
allá [a'ʎa] *adv.* **1** (lugar) lá; ***el río está allá abajo*** o rio fica lá embaixo **2** (tempo passado) lá; ***allá por 1986*** lá por 1986 ♦ **allá por** lá para; **allá tú** o problema é teu; **el más allá** o além; **más allá de** para lá de; **no estar muy allá** não estar muito bom; **no ser muy allá** não ser grande coisa
allanamiento [aʎana'mjen̪to] *s.m.* **1** (terreno) aplanamento, nivelamento **2** (casa) invasão*f.*; ***allanamiento de morada*** invasão de domicílio/propriedade
allanar [aʎa'nar] *v.* **1** (terreno) aplanar, nivelar **2** (casa) invadir **3** (dificuldade, obstáculo) superar, vencer ▪ **allanarse** conformar-se
allegad|o, -a [aʎe'ɣaðo] *s.m.,f.* pessoa*f.* chegada ▪ *adj.* (pessoa) chegado; ***pariente allegado*** parente chegado
allegar [aʎe'ɣar] *v.* **1** (meios, recursos) juntar, reunir **2** *(acercar)* aproximar ▪ **allegarse 1** concordar **2** filiar se
allí [a'ʎi] *adv.* **1** ali; ***allí abajo*** ali embaixo; ***allí arriba*** ali em cima; ***está allí*** está ali; ***por allí*** por ali **2** lá; ***estaré allí a las dos*** estarei lá às duas **3** (tempo) ali; ***hasta allí todo iba bien*** até ali tudo ia bem ♦ **de allí 1** (lugar) dali **2** (tempo) dali; ***de allí en adelante*** dali em diante; ***viene de allí*** ele vem dali
alma ['alma] *s.f.* alma ♦ **alma en pena** alma penada; **alma gemela** alma gêmea; **con todo el alma** de corpo e alma; **entregar el alma (a Dios)** entregar a alma (ao Criador); **estar con el alma en un hilo** estar com o coração nas mãos; (espaço, lugar) **no haber ni un alma** estar às moscas; **vender el alma al Diablo** vender a alma ao Diabo
almacén [alma'θen] *s.m.* **1** (mercadorias) armazém, depósito **2** (local) armazém ♦ **grandes almacenes** grandes armazéns/superfícies
almacenaje [almaθe'naxe] *s.m.* armazenagem*f.*
almacenamiento [almaθena'mjen̪to] *s.m.* armazenamento
almacenar [almaθe'nar] *v.* **1** (mercadoria) armazenar, recolher, guardar **2** *(guardar)* armazenar, guardar
almacenista [almaθe'nista] *s.2g.* armazenista
almádena [al'maðena] *s.f.* marreta (para quebrar pedras)
almanaque [alma'nake] *s.m.* almanaque
almeja [al'mexa] *s.f.* amêijoa
almendra [al'men̪dra] *s.f.* amêndoa
almendrado [almen̪'draðo] *adj.* **1** amendoado **2** (olhos) amendoado
almendro [al'men̪dro] *s.m.* amendoeira*f.*
almíbar [al'miβar] *s.m.* calda*f.*; ***melocotones en almíbar*** pêssegos em calda
almidón [almi'ðon] *s.m.* **1** QUÍM. amido **2** (roupa) goma*f.*; ***dar almidón*** engomar
almidonar [almiðo'nar] *v.* (roupa) engomar
almirante [almi'ran̪te] *s.m.* almirante
almizcle [al'miθkle] *s.m.* almíscar
almohada [almo'aða] *s.f.* **1** almofada **2** *(funda de almohada)* fronha, travesseiro*m.* ♦ **consultar con la almohada** consultar o travesseiro
almohadilla [almoa'ðiʎa] *s.f.* **1** *(cojín)* almofada pequena **2** (alfinetes, agulhas) pregadeira, alfineteira **3** (carimbo) almofada
almohadón [almoa'ðon] *s.m.* **1** almofadão **2** *(funda de almohada)* fronha*f.*, travesseiro
almóndiga [al'mondiɣa] *s.f.* ⇒ **albóndiga**
almoneda [almo'neða] *s.f.* almoeda, leilão*m.*
almorranas [almo'ranas] *s.f.pl.* hemorroidas*pl.*
almorzar [almor'θar] *v.* almoçar
almuerzo [al'mwerθo] *s.m.* **1** almoço **2** refeição*f.* ligeira (no meio da manhã)
alocado [alo'kaðo] *adj.* aloucado
alojamiento [aloxa'mjen̪to] *s.m.* **1** alojamento, hospedagem*f.*; ***buscar alojamiento*** procurar alojamento **2** (lugar) alojamento
alojar [alo'xar] *v.* alojar, hospedar ▪ **alojarse 1** *(hospedarse)* alojar-se (en, em), hospedar-se (en, em); ***alojarse en un hotel*** alojar-se num hotel **2** (bala) alojar (en, em); ***la bala se alojó en la cabeza*** a bala alojou se na cabeça
alondra [a'lon̪dra] *s.f.* cotovia
alpargata [alpar'ɣata] *s.f.* alpercata
Alpes ['alpes] *s.m.pl.* Alpes
alpinismo [alpi'nizmo] *s.m.* alpinismo
alpinista [alpi'nista] *s.2g.* alpinista
alpino [al'pino] *adj.* alpino

alpiste [al'piste] *s.m.* **1** alpiste*f.* **2** *col.* bebida*f.* alcoólica

alquilar [alki'lar] *v.* alugar ♦ **se alquila** aluga-se; ***se alquilan pisos*** alugam se apartamentos

alquiler [alki'ler] *s.m.* aluguel; ***pagar el alquiler*** pagar o aluguel; ***alquiler de coches*** aluguel de carros ♦ **de alquiler** de aluguel

alquimia [al'kimja] *s.f.* alquimia

alquimista [alki'mista] *adj.,s.2g.* alquimista

alquitrán [alki'tran] *s.m.* alcatrão

alrededor [alreðe'ðor] *adv.* ao/em redor; ***mirar alrededor*** olhar em redor ♦ **alrededor de 1** por volta de; ***salimos alrededor del mediodía*** saímos por volta do meio-dia **2** em volta de; ***alrededor de la casa*** em volta da casa

alta ['alta] *s.f.* **1** (paciente) alta (médica) **2** (associação, clube) ingresso*m.*, entrada, admissão **3** (trabalhador) inscrição ♦ (associação, sindicato) **dar(se) de alta** inscrever(-se)

altanero [al̪ta'nero] *adj.* (pessoa) altaneiro, altivo, orgulhoso

altar [al̪'tar] *s.m.* altar; ***altar mayor*** altar mor ♦ **llevar a alguien al altar** levar alguém ao altar

altavoz [al̪ta'βoθ] *s.m.* alto-falante

alteración [al̪tera'θjon] *s.f.* alteração

alterar [al̪te'rar] *v.* alterar ■ **alterarse 1** *(cambiarse)* alterar se, modificar-se **2** *(enfadarse)* alterar se, zangar se

altercado [al̪ter'kaðo] *s.m.* altercação*f.*, discussão*f.*

alternador [al̪terna'ðor] *s.m.* alternador

alternancia [al̪ter'nan̪θja] *s.f.* alternância

alternar [al̪ter'nar] *v.* **1** alternar, revezar **2** alternar **3** (pessoa) relacionar-se (con, com)

alternativa [al̪terna'tiβa] *s.f.* alternativa, opção, escolha; ***no tener alternativa*** não ter alternativa

alternativo [al̪terna'tiβo] *adj.* alternativo

alteza [al̪'teθa] *s.f.* alteza; ***Su/Vuestra Alteza*** Sua/Vossa Alteza

altibajos [al̪ti'βaxos] *s.m.pl.* **1** *col.* irregularidades*f. pl.* **2** *col.* altos*pl.* e baixos, reveses*pl.*; ***los altibajos de la vida*** os altos e baixos da vida

altiplanicie [al̪tipla'niθje] *s.f.* planalto*m.*

altiplano [al̪ti'plano] *s.m.* ⇒ **altiplanicie**

altitud [al̪ti'tuð] *s.f.* altitude

altivez [al̪ti'βeθ] *s.f.* altivez, orgulho*m.*

altivo [al̪'tiβo] *adj.* altivo, orgulhoso

alto ['al̪to] *adj.* alto ■ *s.m.* **1** *(parada)* paragem*f.*; ***hice un alto en el trabajo*** fiz uma parada no trabalho **2** *(altura)* altura*f.*; ***mide dos metros de alto*** tem dois metros de altura ■ *interj.* alto! ■ *adv.* alto; ***no hables tan alto*** não fales tão alto ♦ **alto el fuego** cessar-fogo; **de alto** de altura; **por alto** por alto; **por todo lo alto** em grande estilo

altorrelieve [al̪tore'ljeβe] *s.m.* alto relevo

altozano [al̪to'θano] *s.m.* alto, outeiro

altruismo [al̪'truizmo] *s.m.* altruísmo

altruista [al̪tru'ista] *adj.,s.2g.* altruísta

altura [al̪'tura] *s.f.* altura ♦ **a estas alturas** nesta altura, neste momento; **estar a la altura de** estar à altura de; ***estar a las alturas de las circunstancias*** estar à altura das circunstâncias

alubia [a'luβja] *s.f.* feijão*m.*

alucinación [aluθina'θjon] *s.f.* alucinação

alucinante [aluθi'nan̪te] *adj.2g.* alucinante, impressionante

alucinar [aluθi'nar] *v.* **1** alucinar, produzir alucinações; ***la droga hace alucinar*** a droga causa alucinações **2** *fig.* seduzir, fascinar; ***tú alucinas con cualquier cosa*** deixas te fascinar com qualquer coisa **3** *col.* enganar-se, estar bem enganado; ***si piensas eso, tú alucinas*** se pensas isso, estás bem enganado

alucinógeno [aluθi'noxeno] *adj.,s.m.* alucinógeno

alud [a'luð] *s.m.* alude, avalancha*f.*

aludir [alu'ðir] *v.* aludir (a, a), fazer alusão (a, a), referir-se (a, a)

alumbrado [alum'braðo] *adj.* iluminado ■ *s.m.* iluminação*f.* (pública)

alumbrar [alum'brar] *v.* **1** alumiar, iluminar **2** *fig.* iluminar, ilustrar **3** dar à luz ■ **alumbrarse** *col.* ficar alegre*fig.*

aluminio [alu'minjo] *s.m.* alumínio

alumnado [alum'naðo] *s.m.* corpo discente

alumn|o, -a [a'lumno] *s.m.,f.* alun|o, -a

alunado [alu'naðo] *adj.* (pessoa) lunático, aluado

alunizaje [aluni'θaxe] *s.m.* alunagem*f.*

alusión [alu'sjon] *s.f.* alusão, referência; ***hacer alusión a*** fazer alusão a

alusivo [alu'siβo] *adj.* alusivo (a, a), referente (a, a)

aluvión [alu'βjon] *s.m.* aluvião*f.*

alvéolo [al'βeolo], **alveolo** [alβe'olo] *s.m.* **1** ANAT. alvéolo **2** (colmeia) alvéolo

alza ['al̪θa] *s.f.* **1** *(subida)* alta **2** (calçado) alça **3** (arma de fogo) alça ♦ **estar en alza** estar em alta; **jugar al alza** jogar na alta

alzar [al̪'θar] *v.* **1** (preço, mão, voz) alçar, levantar, elevar **2** (edifício, monumento) alçar, edificar **3** (baralho de cartas) partir ■ **alzarse 1** *(levantarse)* levantar-se, erguer se **2** *(sublevarse)* revoltar-se, rebelar-se **3** *(sobresalir)* sobressair, destacar se ♦ **alzar el vuelo** decolar

a.m. (*abreviatura de* ante merídiem (antes del mediodía) a.m. (*abreviatura de* ante meridiem (antes do meio dia)

AM (*sigla de* Modulación de Amplitud) AM (*sigla de* Amplitude Modulada)

ama ['ama] *s.f.* dona, patroa, ama ♦ **ama de casa** dona de casa; **ama de cría/leche** ama de leite; **ama de llaves** governanta; **ama seca** ama-seca

amabilidad [amaβili'ðað] *s.f.* amabilidade

amable [a'maβle] *adj.2g.* amável

amador, -a [ama'ðor] *s.m.,f.* amador, -a, amante*2g.*

amaestrar [amaes'trar] *v.* (animal) amestrar, domar, treinar

amainar [amaj'nar] *v.* **1** (tempestade, ira) amainar, acalmar, serenar **2** (vela) amainar, arriar

amalgama [amal'γama] *s.f.* **1** amálgama*m./f.* **2** *fig.* amálgama*m./f.*, mistura

amamantar [ama'mantar] *v.* amamentar, dar de mamar

amancebarse [amanθe'βarse] *v.* amancebar-se (con, com), juntar-se (con, com)

amanecer [amane'θer] *v.* amanhecer ■ *s.m.* amanhecer, aurora*f.*, alvorecer ♦ **al amanecer** ao amanhecer

amanerado [amane'raδo] *adj.* **1** amaneirado, afetado **2** *pej.* (homem) efeminado

amansar [aman'sar] *v.* **1** (animal) amansar, domar, domesticar **2** *fig.* (pessoa) amansar, sossegar, apaziguar ■ **amansarse** amansar-se

amante [a'mante] *s.2g.* amante

amapola [ama'pola] *s.f.* papoula

amar [a'mar] *v.* amar

amargar [amar'γar] *v.* **1** amargar **2** *fig.* amargurar, angustiar **3** *(estropear)* estragar ■ **amargarse 1** ficar amargo **2** *fig.* amargurar-se, angustiar-se

amargo [a'marγo] *adj.* **1** (sabor) amargo **2** *fig.* (experiência) amargo, penoso ■ *s.m.* amargor

amargura [amar'γura] *s.f.* amargura, dissabor*m.*, angústia

amarillento [amari'ʎento] *adj.* (cor) amarelado

amarillo [ama'riʎo] *adj.* **1** (cor) amarelo **2** (imprensa) sensacionalista **3** *fig.* (pessoa) amarelo, pálido ■ *s.m.* amarelo; *amarillo claro* amarelo-claro; *amarillo oscuro* amarelo-escuro; *amarillo tostado* amarelo-queimado

amarra [a'mara] *s.f.* amarra ♦ **soltar las amarras** soltar as amarras; **tener buenas amarras** ter bons contatos

amarrar [ama'rar] *v.* **1** *(atar)* amarrar, prender **2** (embarcação) amarrar, atracar

amasar [ama'sar] *v.* **1** (substância) amassar **2** (dinheiro, bens) reunir, acumular **3** *fig.*, *col.* cozinhar

amateur [ama'ter] *s.2g.* amador, -a*m.f.*

amatista [ama'tista] *s.f.* ametista

amazona [ama'θona] *s.f.* amazona

Amazonas [ama'θonas] *s.m.* Amazonas

ámbar ['ambar] *s.m.* âmbar

ambición [ambi'θjon] *s.f.* ambição

ambicionar [ambiθjo'nar] *v.* ambicionar

ambicioso [ambi'θjoso] *adj.* ambicioso

ambidextro [ambi'δekstro], **ambidiestro** [ambi'δjestro] *adj.* ambidestro

ambientador [ambjenta'δor] *s.m.* ambientador

ambiental [am'bjental] *adj.2g.* **1** ambiental **2** (música) ambiente

ambientalista [ambjenta'lista] *adj.,s.2g.* ambientalista

ambientar [ambjen'tar] *v.* ambientar ■ **ambientarse** (pessoa) ambientar se (a, a), adaptar se (a, a)

ambiente [am'bjente] *adj.2g.* ambiente; *temperatura ambiente* temperatura ambiente ■ *s.m.* ambiente ♦ **medio ambiente** meio ambiente

ambigüedad [ambiγwe'δaδ] *s.f.* ambiguidade

ambiguo [am'biγwo] *adj.* **1** ambíguo **2** (nome) que pode ser usado como masculino ou como feminino

ámbito ['ambito] *s.m.* âmbito

amb|os, -as ['ambos] *adj.indef.* amb|os, -as; *por ambos lados* de ambos os lados ■ *pron.indef.* amb|os, -as, os dois/as duas, um, -a e outr|o, -a; *me gustan ambas* gosto de ambas

ambulancia [ambu'lanθja] *s.f.* ambulância; *llamar una ambulancia* chamar uma ambulância

ambulante [ambu'lante] *adj.2g.* ambulante

ambulatorio [ambula'torjo] *adj.* ambulatório ■ *s.m.* centro de saúde, posto médico, caixa*f.*

ameba [a'meβa] *s.f.* ZOOL. ameba, amiba

amedrentar [ameδren'tar] *v.* amedrontar, assustar ■ **amedrentarse** amedrontar-se, assustar-se

amén [a'men] *interj.* amém! ♦ *col.* **decir amén a todo** dizer amém a tudo; *col.* **en un decir amén** num abrir e fechar de olhos

amenaza [ame'naθa] *s.f.* ameaça; *amenaza de muerte* ameaça de morte

amenazador [amenaθa'δor] *adj.* ameaçador

amenazar [amena'θar] *v.* ameaçar (con, -); *está amenazando con llover* está ameaçando chuva; *lo han amenazado con el despido/despedirle* ameaçaram despedi lo ♦ **amenazar de muerte** ameaçar de morte

amenidad [ameni'δaδ] *s.f.* amenidade

amenizar [ameni'θar] *v.* amenizar

ameno [a'meno] *adj.* ameno, agradável

amenorrea [ameno'rea] *s.f.* amenorreia

América [a'merika] *s.f.* América ♦ **América Central** América Central; **América del Norte** América do Norte; **América del Sur** América do Sul; **América Latina** América Latina

americana [ameri'kana] *s.f.* blazer*m.*

american|o, -a [ameri'kano] *adj.,s.m.,f.* american|o, -a

americio [ame'riθjo] *s.m.* amerício

amerindi|o, -a [ame'rindjo] *adj.,s.m.,f.* ameríndi|o, -a

ametralladora [ametraʎa'δora] *s.f.* metralhadora

amianto [a'mjanto] *s.m.* amianto

amiba [a'miβa] *s.f.* ⇒ **ameba**

amigable [ami'γaβle] *adj.2g.* amigável

amígdala [a'miγδala] *s.f.* amídala

amigdalitis [amiγδa'litis] *s.f.2n.* amidalite

amig|o, -a [a'miγo] *s.m.,f.* **1** amig|o, -a; *amigo del alma* amigo do peito; *col.* *amigo de lo ajeno* amigo do alheio; *amigo por correspondencia* correspondente; *ser amigo de alguien* ser amigo de alguém **2** *col.* amante*2g.* ■ *adj.* amigo ♦ **falsos amigos** falsos amigos

amilanar [amila'nar] *v.* intimidar, amedrontar ■ **amilanarse** intimidar-se, amedrontar-se

aminoácido [amino'aθiδo] *s.m.* aminoácido, aminácido

aminorar [amino'rar] *v.* **1** *(disminuir)* minorar, diminuir **2** (velocidade) reduzir, abrandar

amistad [amis'taδ] *s.f.* amizade ■ **amistades** *s.f.pl.* amizades*pl.*, relações*pl.*; *romper las amistades* cortar relações

amistoso [amis'toso] *adj.* **1** *(amigable)* amistoso, amigável **2** (competição) amistoso; *partido amistoso* jogo amistoso

amnesia [am'nesja] *s.f.* amnésia
amniocentesis [amnjoθen'tesis] *s.f.2n.* amniocentese
amniótico [am'njotiko] *adj.* amniótico
amnistía [amnis'tia] *s.f.* anistia
amo ['amo] *s.m.* **1** *(dueño)* amo, dono, senhor **2** *(jefe)* amo, patrão, chefe*2g.* ♦ **ser el amo del cotarro** ser a alma do negócio
amodorrarse [amoðo'rarse] *v.* ficar com sono
amojonar [amoxo'nar] *v.* (terreno) demarcar, delimitar, balizar
amolar [amo'lar] *v.* **1** amolar, afiar **2** *fig., col.* incomodar, amolar
amoldar [amol'dar] *v.* amoldar ▪ **amoldarse** adaptar se (a, a), amoldar-se (a, a)
amonarse [amo'narse] *v. col.* embebedar-se, embriagar se
amonestación [amonesta'θjon] *s.f.* admoestação ▪ **amonestaciones** *s.m.pl.* proclamas*m. pl.*, banhos*m. pl.*
amonestar [amones'tar] *v.* **1** admoestar **2** REL. publicar (os proclamas) **3** ESPOR. advertir
amoniacal [amonja'kal] *adj.2g.* amoniacal
amoníaco [amo'niako], **amoniaco** [amo'njako] *s.m.* amoníaco
amontonar [amonto'nar] *v.* amontoar, empilhar ▪ **amontonarse** amontoar-se, empilhar se
amor [a'mor] *s.m.* amor; ***amor a primera vista*** amor à primeira vista; ***amor propio*** amor-próprio ♦ **amor con amor se paga** amor com amor se paga; *col.* **con/de mil amores** de bom grado, com prazer; **de mil amores** com muito gosto; **hacer el amor** fazer amor; *col.* **por amor al arte** por amor à arte; *col.* **por amor de** por amor/causa de; **¡por el amor de Dios!** pelo amor de Deus!
amoral [amo'ral] *adj.2g.* amoral
amordazar [amorða'θar] *v.* amordaçar
amorío [amo'rio] *s.m.* namorico, amorico
amoroso [amo'roso] *adj.* amoroso
amortiguador [amortiγwa'ðor] *s.m.* amortecedor
amortiguar [amorti'γwar] *v.* **1** amortecer **2** (som) abafar
amortizar [amorti'θar] *v.* (dívida) amortizar
amotinamiento [amotina'mjento] *s.m.* amotinação*f.*, motim, tumulto
amparar [ampa'rar] *v.* amparar, proteger, ajudar ▪ **ampararse** amparar-se (en, em)
amparo [am'paro] *s.m.* **1** *(protección)* amparo, proteção*f.*, ajuda*f.*; ***estar al amparo de*** estar sob a proteção de **2** *(refugio)* abrigo, refúgio
ampliación [amplja'θjon] *s.f.* ampliação
ampliar [am'pljar] *v.* ampliar
amplificador [amplifika'ðor] *s.m.* amplificador
amplio ['ampljo] *adj.* **1** *(espacioso)* amplo, espaçoso **2** *(lato)* amplo, lato; ***en sentido amplio*** em sentido amplo **3** *(holgado)* folgado, amplo
amplitud [ampli'tuð] *s.f.* amplitude
ampolla [am'poʎa] *s.f.* **1** (pele) bolha **2** (recipiente) ampola
amputación [amputa'θjon] *s.f.* amputação
amputar [ampu'tar] *v.* amputar
amueblar [amwe'βlar] *v.* mobilar
amuleto [amu'leto] *s.m.* amuleto, talismã
anacardo [ana'karðo] *s.m.* caju
anaconda [ana'konda] *s.f.* anaconda
ánade ['anaðe] *s.m./f.* pato*m.*
anagrama [ana'γrama] *s.m.* anagrama
anal [a'nal] *adj.2g.* anal
analfabetismo [analfaβe'tizmo] *s.m.* analfabetismo
analfabet|o, -a [analfa'βeto] *adj.,s.m.,f.* analfabet|o, -a
analgésico [anal'xesiko] *adj.,s.m.* analgésico
análisis [a'nalisis] *s.m.2n.* análise*f.* ♦ MED. **análisis de sangre** exame de sangue; LING. **análisis morfológico** análise morfológica
analista [ana'lista] *s.2g.* analista
analítico [ana'litiko] *adj.* analítico
analizar [anali'θar] *v.* analisar
analogía [analo'xia] *s.f.* analogia ♦ **por analogía** por analogia
analógico [ana'loxiko] *adj.* analógico
ananás [ana'nas] *s.m.* [AM.] abacaxi, ananás
anaquel [ana'kel] *s.m.* prateleira*f.*
anaranjado [anaran'xaðo] *adj.* alaranjado
anarquía [anar'kia] *s.f.* anarquia
anárquico [a'narkiko] *adj.* anárquico
anarquismo [anar'kizmo] *s.m.* anarquismo
anarquista [anar'kista] *adj.,s.2g.* anarquista
anarquizar [anarki'θar] *v.* anarquizar
anatomía [anato'mia] *s.f.* anatomia
anatómico [ana'tomiko] *adj.* anatômico
anca ['anka] *s.f.* **1** (animal) anca, quadril*m.* **2** (rã) coxa
ancestral [anθes'tral] *adj.2g.* ancestral
ancho ['anʲtʃo] *adj.* **1** largo; ***carretera ancha*** estrada larga **2** (roupa) largo, folgado; ***pantalones anchos*** calças largas **3** *fig.* convencido; vaidoso, orgulhoso ▪ *s.m.* largura*f.*; ***5 metros de ancho*** 5 metros de largura ♦ INFORM. **ancho de banda** largura de banda; *col.* **a sus anchas** à vontade
anchoa [anʲ'tʃoa] *s.f.* CUL. anchova
anchura [anʲ'tʃura] *s.f.* largura ♦ **anchura de banda** largura de banda
ancian|o, -a [an'θjano] *s.m.,f.* **1** idos|o, -a **2** anci|ão, -ã ▪ *adj.* (pessoa) idoso
ancla ['ankla] *s.f.* âncora
anclar [an'klar] *v.* ancorar
Andalucía [andalu'θia] *s.f.* Andaluzia
andaluz, -a [anda'luθ] *adj.,s.m.,f.* andaluz, -a
andamio [an'damjo] *s.m.* andaime
andanzas [an'danθas] *s.f.pl.* andanças*pl.*, aventuras*pl.*
andar [an'dar] *v.* **1** *(caminar)* andar, caminhar; ***solía andar por las calles*** costumava andar pelas ruas **2** *(moverse)* andar, movimentar-se; ***los coches andaban de un lugar a otro*** os carros andavam de um lado para o outro **3** (distância) andar, percorrer; ***anduve 10 km por los caminos*** andei 10 km pelos cami-

nhos **4** (mecanismo) andar, trabalhar, funcionar; *el reloj no anda* o relógio não anda **5** (tempo) andar, passar, correr **6** *(hallarse)* estar, andar, ir; *¿cómo andas?* como estás? **7** *(desarrollarse)* andar, ir, progredir; *las cosas andan muy mal por aquí* as coisas andam muito mal por aqui **8** *(hurgar, revolver)* bisbilhotar; *siempre está andando en mis papeles* anda sempre a bisbilhotar os meus papéis **9** *(llevarse)* andar (con, com); *anda con gente rara* anda com gente estranha **10** *(mezclar)* andar (en, em), meter-se (en, em); *siempre anda metido en jaleos* anda sempre metido em confusões **11** (idade, temperatura) andar (por, por); *andará por los cincuenta* deve andar pelos cinquenta (anos) ▪ **andarse** agir (con, com), atuar (con, com); *andarse con cuidado* agir com cuidado ♦ **¡anda! 1** caramba!; *¡anda, si estás aquí!* caramba, ainda estás aqui! **2** oh!; *¡anda, no digas tonterías!* oh, não digas bobagem! **3** que bom, que maravilha!; *he tenido un mes de vacaciones, ¡anda!* tive um mês de férias, que bom!; **andar** [+*ger.*] andar a [+*inf.*]; *anda echando broncas a todos* anda dando bronca em todos; **dime con quién andas y te diré quién eres** diga-me com quem andas, e eu te direi quem és; **ir andando** ir a pé; **no andarse con rodeos** não estar com rodeios; **no andarse por las ramas** não ter papas na língua, ir direto ao assunto; **todo se andará** tudo se vai resolver

andas ['andas] *s.f.pl.* andor*m.*

andén [an'den] *s.m.* cais*2n.*, plataforma*f.*, gare*f.*

Andorra [an'dora] *s.f.* Andorra

andorran|o, -a [ando'rano] *adj.,s.m.,f.* andorran|o, -a

andrajoso [andra'xoso] *adj.* **1** (roupa) esfarrapado **2** (pessoa) andrajoso, esfarrapado

androide [an'drojðe] *s.m.* androide

andropausia [andro'pawsja] *s.f.* andropausa

anécdota [a'nekðota] *s.f.* episódio*m.*; curiosidade; historieta; anedota

anecdótico [anek'ðotiko] *adj.* anedótico

anegadizo [aneɣa'ðiθo] *adj.* alagadiço

anegar [ane'ɣar] *v.* alagar, inundar ▪ **anegarse** alagar se, inundar se ♦ **anegarse en lágrimas** desfazer se em lágrimas

anejo [a'nexo] *adj.* anexo; *documentación aneja* documentação anexa ▪ *s.m.* **1** (edifício) anexo **2** (texto, documento) anexo, suplemento ♦ **llevar anejo** acarretar

anemia [a'nemja] *s.f.* anemia

anémic|o, -a [a'nemiko] *adj.,s.m.,f.* anêmic|o, -a

anémona [a'nemona], **anemona** [ane'mona] *s.f.* anêmona ♦ **anémona de mar** anêmona-do mar, actínia

anestesia [anes'tesja] *s.f.* anestesia; *anestesia epidural* anestesia epidural; *anestesia general* anestesia geral; *anestesia local* anestesia local

anestesiar [aneste'sjar] *v.* anestesiar

anestésico [anes'tesiko] *adj.,s.m.* anestésico

anestesista [aneste'sista] *s.2g.* anestesista

aneurisma [anew'rizma] *s.m./f.* aneurisma*m.*

anexionar [aneksjo'nar] *v.* (país, região) anexar, incorporar ▪ **anexionarse** (país, região) anexar se (a, a)

anexo [a'nekso] *adj.* anexo; *documentos anexos* documentos anexos ▪ *s.m.* anexo

anfetamina [aɱfeta'mina] *s.f.* anfetamina

anfibio [aɱ'fiβjo] *adj.,s.m.* anfíbio

anfiteatro [aɱfite'atro] *s.m.* **1** (edifício, sala) anfiteatro **2** (teatro) balcão

anfitri|ón, -ona [aɱfi'trjon] *s.m.,f.* anfitri|ão, -ã

angarillas [aŋga'riʎas] *s.f.pl.* padiola

ángel ['aŋxel] *s.m.* anjo; *ángel custodio* anjo custódio; *ángel de la guarda* anjo da guarda ♦ (conversa) **pasar un ángel** fazer-se silêncio

angelical [aŋxeli'kal] *adj.2g.* angelical

angélico [aŋ'xeliko] *adj.* angélico

angina [aŋ'xina] *s.f.* angina, amigdalite ♦ **angina de pecho** angina de peito

anglicanismo [aŋglika'nizmo] *s.m.* anglicanismo

anglican|o, -a [aŋgli'kano] *adj.,s.m.,f.* anglican|o, -a

angloamerican|o, -a [aŋgloameri'kano] *adj.,s.m.,f.* anglo-american|o, -a

anglosaj|ón, -ona [aŋglosa'xon] *adj.,s.m.,f.* anglo-sax|ão, -ã ▪ **anglosajón** *s.m.* (língua) anglo-saxão

Angola [aŋ'gola] *s.f.* Angola

angoleño, -a [aŋgo'leɲo] *adj.,s.m.,f.* angolan|o, -a

angosto [aŋ'gosto] *adj.* (caminho, rua) estreito

anguila [aŋ'gila] *s.f.* enguia

angula [aŋ'gula] *s.f.* cria de enguia

ángulo ['aŋgulo] *s.m.* **1** (figura) ângulo **2** *(rincón)* canto, ângulo **3** *fig.* ângulo, ponto de vista

angustia [aŋ'gustja] *s.f.* **1** angústia, aflição **2** (condição física) mal estar*m.*

angustiar [aŋgus'tjar] *v.* angustiar, afligir ▪ **angustiarse** angustiar-se (con/por, com/por), afligir-se (con/por, com/por)

anhelar [ane'lar] *v.* ansiar, almejar, desejar

anhelo [a'nelo] *s.m.* ânsia*f.*, anseio, almejo

anidar [ani'ðar] *v.* **1** (ave) fazer ninho **2** *fig.* (sentimento) morar, habitar, reinar

anilina [ani'lina] *s.f.* anilina

anilla [a'niʎa] *s.f.* **1** argola **2** anilha ▪ **anillas** *s.f.pl.* ESPOR. argolas*pl.*

anillo [a'niʎo] *s.m.* anel; *anillo de boda* aliança (de casamento); *anillo de compromiso* anel/aliança de noivado ♦ **como anillo al dedo** como uma luva; **venir como anillo al dedo** vir a calhar

ánima ['anima] *s.f.* alma ▪ **ánimas** *s.f.pl.* toque*m.* das almas

animación [anima'θjon] *s.f.* animação

animado [ani'maðo] *adj.* animado

animador, -a [anima'ðor] *adj.,s.m.,f.* animador, -a

animal [ani'mal] *s.m.* animal; *animal de carga* animal de carga; *animal de compañía* animal de estimação; *animal doméstico* animal doméstico; *animal salvaje* animal selvagem ▪ *adj.2g.* **1** animal **2** *fig., pej.* (pessoa) animal, grosseiro, bruto

animar [ani'mar] *v.* animar ▪ **animarse** animar-se

anímico [a'nimiko] *adj.* anímico

ánimo ['animo] *s.m.* **1** *(espíritu)* ânimo, espírito **2** *(intención)* intenção*f.*; ***sin ánimo de ofender*** sem intenção de ofender **3** *(valor)* ânimo, coragem*f.* ■ *interj.* ânimo!; força!
animosidad [animosi'ðað] *s.f.* animosidade, aversão
aniñado [ani'ɲaðo] *adj.* ameninado, acriançado, infantil, pueril
aniquilación [anikila'θjon] *s.f.* aniquilação, destruição
aniquilar [aniki'lar] *v.* aniquilar, destruir
anís [a'nis] *s.m.* (planta, bebida) anis
aniversario [aniβer'sarjo] *s.m.* (evento) aniversário; ***aniversario de boda*** aniversário de casamento
ano ['ano] *s.m.* ânus*2n.*
anoche [a'notʃe] *adv.* ontem à noite; ***te llamé anoche*** te telefonei ontem à noite
anochecer [anotʃe'θer] *v.* anoitecer, escurecer ■ *s.m.* anoitecer, noitinha*f.* ♦ **al anochecer** ao anoitecer
anomalía [anoma'lia] *s.f.* anomalia
anómalo [a'nomalo] *adj.* anômalo
anonimato [anoni'mato] *s.m.* anonimato
anónimo [a'nonimo] *adj.* anônimo ■ *s.m.* carta*f.* anônima
anorak [ano'rak] *s.m.* anoraque
anorexia [ano'reksja] *s.f.* anorexia
anoréxico, -a [ano'reksiko] *adj.,s.m.,f.* anoréxic|o, -a
anormal [anor'mal] *adj.2g.* anormal ■ *s.2g.* deficiente
anormalidad [anormali'ðað] *s.f.* anormalidade
anotación [anota'θjon] *s.f.* anotação, apontamento*m.*
anotar [ano'tar] *v.* **1** *(apuntar)* anotar, apontar **2** (texto) anotar **3** (gol, pontos) marcar
ansia ['ansja] *s.f.* **1** *(deseo)* ânsia, anseio*m.* **2** *(ansiedad)* ansiedade, ânsia; *(angustia)* angústia, aflição ■ **ansias** *s.f.pl.* náuseas*pl.*, enjoo*m.*
ansiar [an'sjar] *v.* ansiar, desejar, almejar
ansiedad [ansje'ðað] *s.f.* ansiedade
ansiolítico [ansjo'litiko] *adj.,s.m.* ansiolítico
ansioso [an'sjoso] *adj.* **1** *(deseoso)* ansioso (de/por, por); ***estoy ansiosa de/por verla*** estou ansiosa por vê-la **2** *(intranquilo)* ansioso, inquieto, preocupado
antagónico [anta'γoniko] *adj.* antagônico, contrário, oposto
antagonismo [antaγo'nizmo] *s.m.* antagonismo
antaño [an'taɲo] *adv.* outrora, antigamente ♦ **de antaño** doutrora
antártico [an'tartiko] *adj.* antártico
ante ['ante] *prep.* ante, diante de, perante; ***ante el espejo*** diante do espelho; ***estamos ante un grave problema*** estamos perante um grave problema ■ *s.m.* **1** (pele) camurça*f.*; ***botas de ante*** botas de camurça **2** (animal) alce ♦ **ante todo** antes de mais nada; acima de tudo
anteanoche [antea'notʃe] *adv.* anteontem à noite
anteayer [antea'jer] *adv.* anteontem
antebrazo [ante'βraθo] *s.m.* antebraço
antecedente [anteθe'ðente] *adj.2g.* antecedente, precedente, anterior ■ *s.m.* antecedente, precedente ■ **antecedentes** *s.m.pl.* antecedentes; ***tener antecedentes penales*** ter antecedentes criminais ♦ **estar en antecedentes** estar informado dos antecedentes; **poner en antecedentes** informar acerca dos antecedentes
anteceder [anteθe'ðer] *v.* anteceder, preceder
antecesor, -a [anteθe'sor] *s.m.,f.* antecessor, -a
antecocina [anteko'θina] *s.f.* copa (de cozinha)
antelación [antela'θjon] *s.f.* antecedência
antena [an'tena] *s.f.* antena; ***antena colectiva*** antena coletiva; ***antena de televisión*** antena de televisão; ***antena parabólica*** antena parabólica ♦ (rádio, televisão) **en antena** no ar
anteojo [ante'oxo] *s.m.* telescópio ■ **anteojos** *s.m.pl.* **1** *(gafas)* óculos*pl.* **2** *(prismáticos)* binóculos*pl.*
antepasad|o, -a [antepa'saðo] *s.m.,f.* antepassad|o, -a ■ *adj.* anterior; ***la semana antepasada*** na semana anterior
antepecho [ante'petʃo] *s.m.* **1** (janela) peitoril **2** *(pretil)* parapeito
antepenúltimo [antepe'nultimo] *adj.* antepenúltimo
anteponer [antepo'ner] *v.* antepor (a, a); ***anteponer una cosa a otra*** antepor uma coisa a outra
anteportada [antepor'taða] *s.f.* (livro) anterrosto*m.*
anterior [ante'rjor] *adj.2g.* anterior
anterioridad [anterjori'ðað] *s.f.* anterioridade
antes ['antes] *adv.* **1** (tempo) antes; ***ha llegado antes que yo*** chegou antes de mim; ***unos días antes*** alguns dias antes **2** *(antiguamente)* antes, antigamente, dantes; ***antes no había nada de eso*** antes não havia nada disso **3** (preferência) antes; ***antes hubiese comprado un móvil*** antes tivesse comprado um celular ■ *conj.* pelo contrário, antes ■ *adj.* anterior; ***el día antes*** no dia anterior ♦ **antes bien** pelo contrário; **antes de** antes de; ***antes de tiempo*** antes do tempo; **antes de ayer** anteontem; **antes de nada** antes de tudo/de mais nada; **antes (de) que** antes que; ***antes de que empiece*** antes que comece; **lo antes posible** o mais depressa possível
antesala [ante'sala] *s.f.* antessala
antevíspera [ante'βispera] *s.f.* antevéspera
antiácido [an'tjaθiðo] *s.m.* antiácido
antiadherente [antjaðe'rente] *adj.2g.* (produto) antiaderente
antiaéreo [antja'ereo] *adj.* antiaéreo; ***refugio antiaéreo*** abrigo antiaéreo
antialérgico [antja'lerxiko] *adj.* antialérgico
antiarrugas [antja'ruγas] *adj.2g.2n.* antirruga
antibaby [anti'βejβi] *s.m.2n.* pílula*f.*
antibacteriano [antiβakte'rjano] *adj.* antibacteriano
antibalas [anti'βalas] *adj.2g.2n.* à prova de bala; ***chaleco/cristal antibalas*** colete/vidro à prova de bala
antibiótico [anti'βjotiko] *s.m.* antibiótico
antibloqueo [antiβlo'keo] *adj.2g.2n.* (sistema de freio) antibloqueio
anticaspa [anti'kaspa] *adj.2g.2n.* anticaspa
anticiclón [antiθi'klon] *s.m.* anticiclone
anticientífico [antiθjen'tifiko] *adj.* anticientífico

anticipación [aṇtiθipa'θjon] *s.f.* antecipação
anticipadamente [aṇtiθipaδa'meṇte] *adv.* antecipadamente
anticipar [aṇtiθi'par] *v.* **1** *(adelantar)* antecipar, adiantar **2** (dinheiro) adiantar ▪ **anticiparse** antecipar-se
anticipo [aṇti'θipo] *s.m.* (dinheiro) adiantamento
anticonceptivo [aṇtikoṇθep'tiβo] *adj.* contraceptivo, anticoncepcional; *píldora anticonceptiva* pílula anticoncepcional ▪ *s.m.* contraceptivo, anticoncepcional; *anticonceptivo oral* contraceptivo oral
anticonstitucional [aṇtikonstituθjo'nal] *adj.2g.* anticonstitucional
Anticristo [aṇti'kristo] *s.m.* Anticristo
anticuado [aṇti'kwaδo] *adj.* antiquado, ultrapassado
anticuari|o, -a [aṇti'kwarjo] *s.m.,f.* antiquári|o, -a ▪ **anticuario** *s.m.* antiquário, loja*f.* de antiguidades
antideslizante [aṇtiδezli'θaṇte] *adj.2g.* (pneus, piso) antiderrapante
antidopaje [aṇtiδo'paxe] *adj.2g.2n.* antidoping; *control antidopaje* controle antidoping
antidoping [aṇti'δopiŋ] *adj.2g.2n.* ⇒ **antidopaje**
antídoto [aṇ'tiδoto] *s.m.* antídoto
antidroga [aṇti'δroγa] *adj.2g.2n.* antidroga
antifascista [aṇtifas'θista] *adj.,s.2g.* antifascista
antifaz [aṇti'faθ] *s.m.* máscara*f.*
antiguamente [aṇtiγwa'meṇte] *adv.* antigamente, antes
antigüedad [aṇtiγwe'δaδ] *s.f.* antiguidade ▪ **antigüedades** *s.f.pl.* antiguidades*pl.*; *tienda de antigüedades* loja de antiguidades
antiguo [aṇ'tiγwo] *adj.* antigo ♦ **a la antigua** à antiga
antihigiénico [aṇti(i)'xjeniko] *adj.* anti-higiênico
antiinflamatorio [aṇti(i)ɱflama'torjo] *adj.,s.m.* anti--inflamatório
antillan|o, -a [aṇti'ʎano] *adj.,s.m.,f.* antilhan|o, -a
Antillas [aṇ'tiʎas] *s.f.pl.* Antilhas
antílope [aṇ'tilope] *s.m.* antílope
antimonio [aṇti'monjo] *s.m.* antimônio
antipatía [aṇtipa'tia] *s.f.* antipatia
antipático [aṇti'patiko] *adj.* antipático
antípodas [aṇ'tipoδas] *s.m.pl.* antípodas
antirracista [aṇtira'θista] *adj.,s.2g.* antirracista
antirrobo [aṇti'roβo] *adj.2g.2n.* (dispositivo, sistema) antirroubo; *alarma antirrobo* alarme antirroubo
antiséptico [aṇti'septiko] *adj.,s.m.* antisséptico
antisocial [aṇtiso'θjal] *adj.2g.* antissocial
antiterrorismo [aṇtitero'rizmo] *s.m.* antiterrorismo
antiterrorista [aṇtitero'rista] *adj.2g.* antiterrorista
antítesis [aṇ'titesis] *s.f.2n.* antítese
antitetánico [aṇtite'taniko] *adj.,s.m.* antitetânico
antitóxico [aṇti'toksiko] *adj.,s.m.* antitóxico
antiviral [aṇtiβi'ral] *adj.2g.* antiviral
antivírico [aṇti'βiriko] *adj.* antivirótico
antivirus [aṇti'βirus] *s.m.2n.* antivírus
antojarse [aṇto'xarse] *v.* **1** *(encapricharse)* apetecer (por puro capricho); *hacer lo que se le antoja* fazer o que lhe apetece **2** *(suponer)* achar, supor; *se me antoja que va a llover* acho que vai chover
antojo [aṇ'toxo] *s.m.* **1** capricho **2** (gravidez) desejo **3** (pele) mancha*f.*; *(lunar)* sinal
antología [aṇtolo'xia] *s.f.* antologia
antónimo [aṇ'tonimo] *s.m.* antônimo
antorcha [aṇ'tortʃa] *s.f.* tocha, facho*m.*, archote*m.*; *antorcha olímpica* tocha olímpica
ántrax ['aṇtraks] *s.m.2n.* antraz ♦ **ántrax maligno** antraz, carbúnculo
antro ['aṇtro] *s.m.* antro ♦ **antro de perdición** antro de perdição
antropología [aṇtropolo'xia] *s.f.* antropologia
antropólog|o, -a [aṇtro'poloγo] *s.m.,f.* antropólog|o, -a
anual [a'nwal] *adj.2g.* anual
anualidad [anwali'δaδ] *s.f.* **1** anualidade **2** (quantia) anuidade, anualidade
anuario [a'nwarjo] *s.m.* anuário
anudar [anu'δar] *v.* atar, amarrar; dar um nó; *anudar cuerdas* atar cordas; *anudar la corbata* dar nó na gravata
anulación [anula'θjon] *s.f.* anulação
anular [anu'lar] *v.* **1** (casamento) anular **2** (contrato, viagem) cancelar **3** (lei) revogar, anular **4** (gol) anular, invalidar ▪ *s.m.* (dedo) anular, anelar ▪ *adj.2g.* anular, anelar
anunciación [anuṇθja'θjon] *s.f.* anunciação
anunciar [anuṇ'θjar] *v.* **1** *(avisar)* anunciar, avisar, comunicar **2** (publicidade) anunciar, fazer propaganda **3** (futuro) anunciar, prognosticar, prever
anuncio [a'nuṇθjo] *s.m.* **1** *(aviso)* anúncio, comunicação*f.* **2** (publicidade) anúncio, reclame; *anuncios por palabras* anúncios classificados
anverso [am'berso] *s.m.* anverso
anzuelo [aṇ'θwelo] *s.m.* anzol ♦ **morder/picar (en) el anzuelo** morder o anzol
añadidura [aɲaδi'δura] *s.f.* acréscimo*m.* ♦ **por añadidura** por acréscimo
añadir [aɲa'δir] *v.* acrescentar
añejo [a'ɲexo] *adj.* **1** (vinho) velho **2** *fig., col.* (notícia, desculpa) velho
añicos [a'ɲikos] *s.m.pl.* cacos*pl.*; *hacerse añicos* estilhaçar se, despedaçar se
año ['aɲo] *s.m.* ano; *el año que viene* no próximo ano ▪ **años** *s.m.pl.* anos; *cumplir años* fazer aniversário ♦ **año académico/escolar** ano letivo; **año bisiesto** ano bissexto; **año civil** ano civil; **año de gracia** ano da graça; **año (de) luz** ano-luz; **año santo/de jubileo** ano santo; **entrado en años** de idade avançada; **estar a años luz** estar a milhas; *col.* **estar de buen año** estar gordo e com boa saúde; **¡feliz Año Nuevo!** feliz Ano-Novo!, boas-entradas!; **pasar/perder año** passar/reprovar de ano; **ser del año de la polca/de la pera** ser da idade da pedra
añoranza [aɲo'raṇθa] *s.f.* saudade, nostalgia
añorar [aɲo'rar] *v.* ter saudade; *te añoro mucho* tenho muitas saudades tuas
aorta [a'orta] *s.f.* aorta

apacible [apa'θiβle] *adj.2g.* **1** (pessoa) aprazível, agradável, afável **2** (tempo) aprazível, ameno
apaciguar [apaθi'ɣwar] *v.* apaziguar ▪ **apaciguarse** apaziguar-se
apadrinar [apaðri'nar] *v.* apadrinhar
apagado [apa'ɣaðo] *adj.* **1** apagado **2** (vulcão) extinto
apagar [apa'ɣar] *v.* **1** (luz, aparelho) apagar, desligar **2** (fogo) apagar, extinguir **3** (sede) saciar, matar **4** (dor) acalmar, aliviar ▪ **apagarse** (emoção) apagar se, esvanecer se ♦ *col.* **apaga y vámonos** corta essa, deixa pra lá
apagón [apa'ɣon] *s.m.* corte de energia, blecaute, blackout, apagão
apalear [apale'ar] *v.* espancar, bater
apañar [apa'ɲar] *v.* **1** arrumar, arranjar **2** *pop.* ajeitar, arrumar **3** *pop.* afanar, surripiar ▪ **apañarse** *col.* virar-se, desenrascar-se, ajeitar-se ♦ *col.* **apañárselas** desenrascar-se, virar se
aparador [apara'ðor] *s.m.* **1** (móvel) aparador **2** [AM.] (estabelecimento) vitrine*f.*
aparato [apa'rato] *s.m.* **1** aparelho; ***aparato de aire acondicionado*** aparelho de ar-condicionado; ***aparato de escucha*** aparelho de escuta; ***aparato de gimnasia*** aparelho de ginástica; ***aparato de radio/televisión*** aparelho de rádio/televisão **2** BIOL. aparelho; ***aparato auditivo/circulatorio/digestivo*** aparelho auditivo/circulatório/digestivo **3** *(pompa)* aparato, pompa*f.*, ostentação*f.* **4** (dentes) aparelho; ***llevar aparato en los dientes*** usar aparelho nos dentes **5** *col.* telefone; ***¡al aparato!*** alô!; ***estar al aparato*** estar ao telefone
aparcamiento [aparka'mjen̪to] *s.m.* (lugar, ação) estacionamento
aparcar [apar'kar] *v.* **1** (veículo) estacionar, aparcar **2** *fig.* (assunto) adiar **3** estacionar; ***prohibido aparcar*** proibido estacionar
aparear [apare'ar] *v.* acasalar ▪ **aparearse** acasalar se
aparecer [apare'θer] *v.* aparecer
aparejador, -a [aparexa'ðor] *s.m.,f.* encarregad|o,-a de obras
aparejar [apare'xar] *v.* **1** aparelhar, preparar **2** (cavalo) arrear, aparelhar, selar
aparentar [aparen̪'tar] *v.* **1** ostentar (o que não se tem) **2** *(simular)* aparentar, simular, fingir **3** (idade) aparentar, parecer
aparente [apa'ren̪te] *adj.2g.* **1** aparente **2** *(visible)* aparente, visível; ***sin motivo aparente*** sem nenhum motivo aparente
aparición [apari'θjon] *s.f.* **1** aparecimento*m.*, aparição **2** *(fantasma)* aparição, fantasma*m.*, visão
apariencia [apa'rjen̪θja] *s.f.* **1** aparência, aspecto*m.* **2** *fig.* aparência, ilusão ♦ **cubrir/guardar las apariencias** manter as aparências; **en apariencia** aparentemente; **las apariencias engañan** as aparências enganam
apartado [apar'taðo] *adj.* **1** (pessoa) apartado, afastado; ***mantenerse apartado de algo/alguien*** manter se afastado de algo/alguém **2** (lugar) afastado, distante, isolado ▪ *s.m.* **1** (lei, tratado) parágrafo, artigo, alínea*f.*, trecho **2** (casa) divisão*f.*, compartimento ♦ **apartado de correos** apartado, caixa postal
apartamento [aparta'men̪to] *s.m.* apartamento
apartamiento [aparta'mjen̪to] *s.m.* *(separación)* separação*f.*
apartar [apar'tar] *v.* **1** *(alejar)* afastar **2** *(separar)* apartar, separar **3** *(dejar aparte)* separar, reservar, guardar ▪ **apartarse 1** *(alejarse)* afastar se **2** *(separarse)* apartar-se, separar-se **3** (assunto, conversa) desviar-se (de, de) **4** (casal) separar-se, divorciar-se ♦ **¡apártate!** desaparece!, põe-te a andar!
aparte [a'parte] *adv.* à parte; ***pagar aparte*** pagar à parte ▪ *adj.2g.* distinto, diferente ▪ *s.m.* **1** aparte **2** (escrito) parágrafo; ***punto y aparte*** ponto parágrafo ♦ **aparte de** além de, para além de
apartotel [aparto'tel] *s.m.* apart-hotel
apasionante [apasjo'nan̪te] *adj.2g.* apaixonante
apasionar [apasjo'nar] *v.* apaixonar, fascinar, seduzir ▪ **apasionarse** apaixonar-se (por/de, por)
apatía [apa'tia] *s.f.* apatia
apático [a'patiko] *adj.* apático
apeadero [apea'ðero] *s.m.* apeadeiro
apear [ape'ar] *v.* **1** *(bajar)* apear, fazer descer **2** (árvore) abater, derrubar **3** *col.* dissuadir (de, de), convencer (do contrário) ▪ **apearse 1** (veículo) sair (de, de), descer (de, de) **2** (cavalo) apear se (de, de), desmontar (de, de) **3** (convicção) abandonar (de, -)
apechugar [apetʃu'ɣar] *v. col.* aguentar (con, -), suportar (con, -); ***apechugar con las consecuencias*** aguentar as consequências
apedrear [apeðre'ar] *v.* **1** apedrejar **2** cair granizo, granizar
apegarse [ape'ɣarse] *v.* apegar se (a, a), afeiçoar-se (a, a)
apego [a'peɣo] *s.m.* apego, afeição*f.*
apelación [apela'θjon] *s.f.* **1** DIR. apelação, recurso*m.* **2** *(llamamiento)* apelo*m.*
apelar [ape'lar] *v.* **1** DIR. apelar **2** *fig.* recorrer (a, a), apelar (a, a); ***tuvo que apelar a sus hermanos*** teve de recorrer aos irmãos
apellidar [apeʎi'ðar] *v.* apelidar ▪ **apellidarse** apelidar se
apellido [ape'ʎiðo] *s.m.* sobrenome
apenar [ape'nar] *v.* causar pena; afligir; entristecer ▪ **apenarse** ter pena
apenas [a'penas] *adv.* **1** *(casi no)* quase não, mal; ***apenas comió*** quase não comeu **2** *(con dificultad)* mal; ***apenas podía subir la escalera*** mal conseguia subir as escadas ▪ *conj.* mal, logo que, assim que; ***apenas llegó, empezó a estudiar*** assim que chegou, começou a estudar ♦ **apenas si** quase não
apéndice [a'pen̪diθe] *s.m.* **1** (livro, documento) apêndice, anexo, suplemento **2** ANAT. apêndice
apendicitis [apen̪di'θitis] *s.f.2n.* apendicite
apercibir [aperθi'βir] *v.* avisar, advertir ▪ **apercibirse** aperceber-se (de, de); ***no se apercibió del peligro*** não se apercebeu do perigo

aperitivo [aperi'tiβo] *s.m.* aperitivo
aperos [a'peros] *s.m.pl.* alfaias*f.* agrícolas
apertura [aper'tura] *s.f.* **1** *(comienzo, inauguración)* abertura; ***sesión de apertura*** sessão de abertura **2** (ideológica) abertura, tolerância
apestar [apes'tar] *v.* **1** cheirar mal, feder, tresandar **2** empestar, contaminar ♦ *col.* **estar apestado de** estar cheio de
apestoso [apes'toso] *adj.* fedorento
apetecer [apete'θer] *v.* **1** apetecer, querer; ***¿te apetece tomar algo?*** apetece-te/queres tomar alguma coisa? **2** *(desear)* apetecer, desejar; ***sólo apetezco dinero*** só desejo dinheiro
apetecible [apete'θiβle] *adj.2g.* **1** apetecível **2** (oferta, proposta) tentador
apetito [ape'tito] *s.m.* apetite; ***abrir/quitar el apetito*** abrir/perder o apetite
apetitoso [apeti'toso] *adj.* **1** apetitoso **2** (oferta, proposta) tentador
apiadarse [apja'ðarse] *v.* apiedar se (de, de), compadecer-se (de, de)
ápice ['apiθe] *s.m.* ápice ♦ **ni un ápice** nem um pouco
apicultor, -a [apikul'tor] *s.m.,f.* apicultor, -a
apicultura [apikul'tura] *s.f.* apicultura
apilar [api'lar] *v.* empilhar, amontoar
apiñar [api'ɲar] *v.* apinhar, amontoar ▪ **apiñarse** apinhar-se (en, em), aglomerar se (en, em)
apio ['apjo] *s.m.* aipo
aplacar [apla'kar] *v.* aplacar, acalmar
aplanar [apla'nar] *v.* **1** aplanar, nivelar **2** *fig., col.* (pessoa) abater, desanimar
aplastante [aplas'tante] *adj.2g.* esmagador
aplastar [aplas'tar] *v.* **1** (objeto) esmagar, achatar **2** *fig.* esmagar, derrotar, vencer ▪ **aplastarse** esmagar-se
aplaudir [aplaw'ðir] *v.* aplaudir
aplauso [a'plawso] *s.m.* aplauso
aplazamiento [aplaθa'mjento] *s.m.* adiamento, prorrogação*f.*
aplazar [apla'θar] *v.* **1** adiar, prorrogar, protelar **2** [ARG., URUG.] reprovar
aplicable [apli'kaβle] *adj.2g.* aplicável
aplicación [aplika'θjon] *s.f.* **1** aplicação **2** INFORM. aplicativo*m.*
aplicado [apli'kaðo] *adj.* aplicado
aplicar [apli'kar] *v.* aplicar ▪ **aplicarse** aplicar-se
aplique [a'plike] *s.m.* **1** aplique, luminária de parede **2** [AM.] aplique, enfeite
aplomar [aplo'mar] *v.* (muro, parede) aprumar
aplomo [a'plomo] *s.m.* **1** *(serenidad)* serenidade*f.* **2** *(verticalidad)* aprumo, verticalidade*f.*
apnea [ap'nea] *s.f.* apneia
apocado [apo'kaðo] *adj.* (pessoa) acanhado, tímido
apocalipsis [apoka'lipsis] *s.m.2n.* apocalipse
apocar [apo'kar] *v.* acanhar, intimidar ▪ **apocarse** acanhar-se, intimidar se
apodar [apo'ðar] *v.* alcunhar, apelidar ▪ **apodarse** ser conhecido por (um apelido)
apoderad|o, -a [apoðe'raðo] *s.m.,f.* procurador, -a
apoderar [apoðe'rar] *v.* autorizar ▪ **apoderarse** apoderar-se (de, de), apossar-se (de, de), apropriar-se (de, de)
apodo [a'poðo] *s.m.* apelido
apogeo [apo'xeo] *s.m.* apogeu ♦ **en el apogeo de** no apogeu de
apolillado [apoli'ʎaðo] *adj.* **1** (papel, tecido) comido por traça, roído **2** *col., pej.* antiquado, ultrapassado ▪ *s.m.* estrago (causado pela traça)
apolilladura [apoliʎa'ðura] *s.f.* buraco*m.* (feito pela traça)
apolillar [apoli'ʎar] *v.* (papel, tecido) comer (a traça), roer ▪ **apolillarse** ser roído pela traça
apología [apolo'xia] *s.f.* apologia
apoplejía [apople'xia] *s.f.* apoplexia
aporrear [apore'ar] *v.* **1** (pessoa) bater, espancar **2** (porta) bater violentamente **3** (piano) martelar
aportación [aporta'θjon] *s.f.* **1** contribuição **2** (dinheiro) contributo*m.*
aportar [apor'tar] *v.* **1** *(contribuir)* contribuir, dar um contributo; ***aportar su granito de arena*** dar a sua contribuição **2** *(proporcionar)* proporcionar, dar **3** (prova, razão) aduzir, apresentar, expor **4** *(traer)* trazer **5** *(llegar a puerto)* aportar
aporte [a'porte] *s.m.* contribuição*f.*
aposentar [aposen'tar] *v.* hospedar, alojar ▪ **aposentarse** **1** hospedar-se (en, em), alojar-se (en, em) **2** *col.* sentar-se (en, em)
aposento [apo'sento] *s.m.* aposento, quarto
aposta [a'posta] *adv.* de propósito, intencionalmente
apostar [apos'tar] *v.* **1** apostar (por, em); ***apostó por ella*** apostou nela **2** (dinheiro) apostar **3** (soldados) situar, posicionar, postar ▪ **apostarse** posicionar-se, postar-se
apóstol [a'postol] *s.m.* apóstolo
apostólico [apos'toliko] *adj.* apostólico
apóstrofe [a'postrofe] *s.m./f.* apóstrofe*f.*
apóstrofo [a'postrofo] *s.m.* apóstrofo
apoteosis [apote'osis] *s.f.2n.* apoteose
apoyar [apo'yar] *v.* apoiar ▪ **apoyarse** apoiar-se (en, em); ***apóyate en mi brazo*** apoia te no meu braço
apoyo [a'poyo] *s.m.* apoio
apreciable [apre'θjaβle] *adj.2g.* apreciável
apreciador, -a [apreθja'ðor] *s.m.,f.* apreciador, -a
apreciar [apre'θjar] *v.* apreciar, estimar
aprecio [a'preθjo] *s.m.* apreço, estima*f.*; ***sentir aprecio por alguien*** sentir apreço por alguém
aprehender [apreen'der] *v.* **1** (mercadoria) apreender, confiscar **2** (pessoa) apreender, capturar **3** (ideia, conceito) apreender, assimilar, compreender
aprehensible [apreen'siβle] *adj.2g.* apreensível
aprehensión [apreen'sjon] *s.f.* **1** (mercadoria) apreensão, confiscação **2** (pessoa) apreensão, captura **3** (ideia, conceito) apreensão, assimilação, compreensão
apremiar [apre'mjar] *v.* (pessoa) apressar

aprender [apreŋ'der] *v.* aprender ♦ **aprender de memoria** aprender de cor, decorar

aprendiz, -a [apreŋ'diθ] *s.m.,f.* aprendiz, -a

aprendizaje [apreŋdi'θaxe] *s.m.* aprendizagem*f.*, aprendizado

aprensión [apren'sjon] *s.f.* apreensão, receio*m.*

aprensivo [apren'siβo] *adj.* apreensivo

apresar [apre'sar] *v.* **1** (navio) apresar, capturar **2** (pessoa) prender, aprisionar

apresurado [apresu'raðo] *adj.* (pessoa) apressado

apresuramiento [apresura'mjeŋto] *s.m.* pressa*f.*

apresurar [apresu'rar] *v.* apressar ▪ **apresurarse** apressar-se, despachar-se

apretado [apre'taðo] *adj.* **1** *(ajustado)* apertado, justo **2** *(difícil)* apertado, difícil **3** *(ocupado)* apertado, ocupado, preenchido **4** *col.* agarrado, mesquinho ♦ **estar/ir apretado de dinero** estar mal de finanças

apretar [apre'tar] *v.* **1** (roupa, cordões) apertar **2** (parafuso) apertar, aparafusar **3** (lugar) comprimir **4** (gatilho) puxar **5** (passo) acelerar **6** *(presionar)* pressionar, apertar **7** (botão) carregar

apretón [apre'ton] *s.m.* apertão, aperto ♦ **apretón de manos** aperto de mãos

apretujón [apretu'xon] *s.m. col.* apertão, aperto

apretura [apre'tura] *s.f.* **1** (pessoas) aperto*m.*, aglomeração, multidão **2** *(aprieto)* aperto*m.*, aflição **3** (dinheiro, víveres) escassez

aprieto [a'prjeto] *s.m.* aperto ♦ **estar en un aprieto** estar em apuros

aprisa [a'prisa] *adv.* depressa; *el coche iba muy aprisa* o carro ia muito depressa

aprisionar [aprisjo'nar] *v.* aprisionar, prender

aprobación [aproβa'θjon] *s.f.* aprovação

aprobado [apro'βaðo] *adj.* **1** (prova, exame) aprovado **2** (proposta) aprovado, aceite **3** (pedido) deferido ▪ *s.m.* **1** (classificação) suficiente **2** (exame) aprovação*f.*

aprobar [apro'βar] *v.* **1** (decisão, lei) aprovar **2** (exame) passar (-, em); *he aprobado el examen de latín* passei no exame de latim **3** (exame) passar; *todos los alumnos han aprobado* todos os alunos passaram

apropiado [apro'pjaðo] *adj.* apropriado, adequado

apropiar [apro'pjar] *v.* adaptar, adequar, apropriar ▪ **apropiarse** apropriar-se (de, de), apoderar se (de, de); *apropiarse de algo* apropriar se de alguma coisa

aprovechable [aproβe'tʃaβle] *adj.2g.* aproveitável

aprovechamiento [aproβetʃa'mjeŋto] *s.m.* aproveitamento

aprovechar [aproβe'tʃar] *v.* **1** aproveitar **2** *(servir)* servir **3** *(avanzar)* adiantar, avançar ▪ **aprovecharse 1** (de algo) aproveitar se (de, de), servir se (de, de) **2** (de alguém) aproveitar se (de, de), abusar (de, de) ♦ **¡que aproveche!** bom apetite!

aprovisionar [aproβisjo'nar] *v.* aprovisionar (de, de), abastecer (de, de) ▪ **aprovisionarse** aprovisionar-se (de, de), abastecer se (de, de)

aproximación [aproksima'θjon] *s.f.* aproximação

aproximar [aproksi'mar] *v.* aproximar ▪ **aproximarse** aproximar-se (a, de); *aproxímate* aproxima-te; *se aproximó a los guardias* aproximou-se dos guardas

aptitud [apti'tuð] *s.f.* aptidão

apto ['apto] *adj.* apto (para, para); *apto para el trabajo* apto para o trabalho

apuesta [a'pwesta] *s.f.* aposta

apuesto [a'pwesto] *adj.* bem parecido; elegante; atraente ▪ *s.m.* LING. aposto

apuntador [apuŋta'ðor] *s.m.* TEAT. (pessoa) ponto

apuntalar [apuŋta'lar] *v.* **1** escorar, estear **2** (opinião) sustentar

apuntar [apuŋ'tar] *v.* **1** *(señalar)* apontar, indicar **2** *(anotar)* apontar, anotar **3** (arma) apontar **4** *(ambicionar)* pretender, desejar **5** (dia, barba) despontar, surgir, começar a aparecer **6** (plantas) brotar ▪ **apuntarse 1** *(inscribirse)* inscrever se (a/en, em) **2** *(obtener)* conseguir, obter ♦ *col.* **apuntarse a hacer algo** aceitar/topar fazer algo

apunte [a'puŋte] *s.m.* **1** *(nota)* apontamento, anotação*f.* **2** *(dibujo)* esboço, croqui ▪ **apuntes** *s.m.pl.* **1** apontamentos; *tomar apuntes* fazer apontamentos **2** anotações, textos de apoio

apuñalar [apuɲa'lar] *v.* apunhalar

apurar [apu'rar] *v.* **1** *(terminar)* acabar, esgotar **2** *(apremiar)* pressionar, apressar **3** *(purificar)* apurar, purificar **4** *(averiguar)* apurar, averiguar ▪ **apurarse 1** afligir-se, preocupar se **2** [AM.] apressar se

apuro [a'puro] *s.m.* **1** apuro, aperto; *estar/verse en apuros* estar/ver se em apuros **2** *(vergüenza)* vergonha*f.*, embaraço

aquel, -la [a'kel] *adj.dem.* aquel|e, -a; *aquel coche* aquele carro; *aquella niña* aquela menina; *aquellos coches* aqueles carros; *aquellas niñas* aquelas meninas ▪ **aquel** *s.m. col.* um quê, algo; *esta chica tiene un aquel* esta moça tem um quê/algo

aquél, -la [a'kel] *pron.dem.* aquel|e, -a; *mi libro es aquél* o meu livro é aquele; *aquélla es Carmen* aquela é a Carmen

aquello [a'keʎo] *pron.dem.* aquilo; *¿qué es aquello?* o que é aquilo?

aquí [a'ki] *adv.* **1** (lugar) aqui, cá; *aquí y allá* aqui e ali; *de aquí para allá* de cá para lá; *por aquí* por aqui; *ven aquí* vem cá **2** (tempo) aqui; *de aquí a una semana* daqui a uma semana ♦ **aquí entre nosotros** aqui/cá entre nós; **de aquí** daqui; *de aquí a un mes* daqui a um mês; *¡sal de aquí!* sai daqui!; **hasta aquí** até aqui; **he aquí** eis, aqui está

aquietar [akje'tar] *v.* acalmar, tranquilizar, aquietar ▪ **aquietarse** acalmar-se, tranquilizar-se, sossegar, aquietar se

árabe ['araβe] *adj.,s.2g.* árabe ▪ *s.m.* (língua) árabe

arabesco [ara'βesko] *s.m.* ART.PL. arabesco

Arabia [a'raβja] *s.f.* Arábia ♦ **Arabia Saudí/Saudita** Arábia Saudita

arábigo [a'raβiγo] *adj.* arábico

arácnido [a'rakniðo] *s.m.* aracnídeo

arado [a'raðo] *s.m.* arado; (grande) charrua*f.*

arameo [ara'meo] *adj.* aramaico ▪ *s.m.* (língua) aramaico

arancel [araŋ'θel] *s.m.* imposto alfandegário
arandela [araŋ'dela] *s.f.* *téc.* anilha
araña [a'raɲa] *s.f.* **1** aranha **2** (iluminação) lustre*m.*, candelabro*m.*, aranha
arañar [ara'ɲar] *v.* **1** (pele) arranhar **2** (móvel, superfície) arranhar, riscar ■ **arañarse** arranhar-se
arañazo [ara'ɲaθo] *s.m.* arranhão, arranhadela*f.*
arar [a'rar] *v.* (terra) arar, lavrar
arbitraje [arβi'traxe] *s.m.* arbitragem*f.*
arbitrar [arβi'trar] *v.* **1** (conflito) arbitrar, mediar **2** ESPOR. arbitrar
arbitrario [arβi'trarjo] *adj.* arbitrário
arbitrio [ar'βitrjo] *s.m.* arbítrio ■ **arbitrios** *s.m.pl.* imposto, tributo; ***arbitrios municipales*** impostos municipais
árbitr|o, -a ['arβitro] *s.m.,f.* **1** árbitr|o, -a, mediador, -a **2** ESPOR. árbitr|o, -a
árbol ['arβol] *s.m.* árvore*f.* ◆ **árbol de Navidad** árvore de Natal; ***árbol frutal*** árvore frutífera; **árbol genealógico** árvore genealógica
arbolado [arβo'laδo] *adj.* (lugar) arborizado ■ *s.m.* arvoredo
arboleda [arβo'leδa] *s.f.* arvoredo*m.*
arborizar [arβori'θar] *v.* arborizar
arbusto [ar'βusto] *s.m.* arbusto
arca ['arka] *s.f.* **1** arca, baú*m.* **2** cofre*m.* ◆ **Arca de la Alianza** Arca da Aliança; **Arca de Noé** Arca de Noé; **arcas públicas** tesouro público, erário
arcada [ar'kaδa] *s.f.* arcada ■ **arcadas** *s.f.pl.* náusea
arcaico [ar'kajko] *adj.* arcaico
arcángel [ar'kaŋxel] *s.m.* arcanjo
arcén [ar'θen] *s.m.* (estrada) acostamento
archipiélago [artʃi'pjelaγo] *s.m.* arquipélago
archivador [artʃiβa'δor] *s.m.* **1** (móvel) arquivo **2** *(carpeta)* pasta*f.*, arquivo
archivar [artʃi'βar] *v.* **1** (documentos) arquivar, guardar **2** *fig.* (assunto, expediente) arquivar, dar por encerrado **3** INFORM. guardar
archivo [ar'tʃiβo] *s.m.* **1** arquivo **2** INFORM. arquivo
arcilla [ar'θiʎa] *s.f.* argila
arcilloso [arθi'ʎoso] *adj.* argiloso
arco ['arko] *s.m.* **1** (arma) arco **2** (violino) arco **3** GEOM., ARQ. arco **4** *(portería)* baliza*f.* ◆ **arco iris** arco-íris
arder [ar'δer] *v.* arder
ardid [ar'δiδ] *s.m.* ardil, manha*f.*
ardiente [ar'δjeŋte] *adj.2g.* **1** ardente **2** *fig.* ardente, apaixonado
ardilla [ar'δiʎa] *s.f.* esquilo*m.*
ardor [ar'δor] *s.m.* **1** ardor, ardência*f.* **2** calor intenso ◆ **ardor de estómago** azia
arduo ['arδwo] *adj.* árduo, difícil
área ['area] *s.f.* **1** *(zona)* área **2** (medida) are*m.* **3** GEOM. área ◆ **área de castigo** grande área; **área de meta** pequena área; (autoestrada) **área de servicio** área de serviço
arena [a'rena] *s.f.* **1** areia **2** (lugar) arena ◆ **arenas movedizas** areia movediça
arenoso [are'noso] *adj.* arenoso
arenque [a'reŋke] *s.m.* arenque
argamasa [arγa'masa] *s.f.* argamassa
Argelia [ar'xelja] *s.f.* Argélia
argelin|o, -a [arxe'lino] *adj.,s.m.,f.* argelin|o, -a
Argentina [arxeŋ'tina] *s.f.* Argentina
argentinismo [arxeŋti'nizmo] *s.m.* [palavra ou expressão típica dos argentinos]
argentin|o, -a [arxeŋ'tino] *adj.,s.m.,f.* argentin|o, -a
argolla [ar'γoʎa] *s.f.* **1** argola **2** [AM.] aliança (de casamento)
argón [ar'γon] *s.m.* árgon
argot [ar'γot] *s.m.* (grupos sociais) calão; (grupos profissionais) gíria*f.*
argüir [ar'γwir] *v.* **1** *(deducir)* deduzir, concluir **2** *(hacer ver)* provar **3** *(alegar)* arguir, argumentar, alegar **4** *(reprochar)* repreender, censurar
argumentar [arγumeŋ'tar] *v.* argumentar
argumento [arγu'meŋto] *s.m.* **1** argumento **2** CIN., TV. argumento, enredo
árido ['ariδo] *adj.* árido, seco
aries ['arjes] *adj.,s.2g.* arian|o, -a*f.*
Aries ['arjes] *s.m.2n.* ASTROL., ASTRON. Áries
ariete [a'rjete] *s.m.* ESPOR. centroavante
arisco [a'risko] *adj.* **1** (pessoa) arisco, esquivo **2** (animal) arisco, bravio, selvagem
arista [a'rista] *s.f.* GEOM. aresta
aristocracia [aristo'kraθja] *s.f.* aristocracia
aristócrata [aris'tokrata] *s.2g.* aristocrata
aristocrático [aristo'kratiko] *adj.* aristocrático
aritmética [arit'metika] *s.f.* aritmética
arma ['arma] *s.f.* arma; ***arma arrojadiza*** arma de arremesso; ***arma automática*** arma automática; ***arma blanca*** arma branca; ***arma de fuego*** arma de fogo; ***arma nuclear*** arma nuclear; ***arma química*** arma química; ***licencia (de uso) de armas*** licença de (uso e) porte de armas ◆ **alzarse en armas** sublevar-se; **arma de doble filo** faca de dois gumes; **rendir las armas** depor as armas
armada [ar'maδa] *s.f.* **1** armada **2** *(escuadra)* frota
armadillo [arma'δiʎo] *s.m.* tatu
armadura [arma'δura] *s.f.* **1** (guerreiro) armadura **2** *(armazón)* armação
armamento [arma'meŋto] *s.m.* armamento
armar [ar'mar] *v.* **1** armar **2** *(montar)* armar, montar ■ **armarse** armar-se ◆ **armarse de valor** encher-se de coragem
armario [ar'marjo] *s.m.* armário; ***armario empotrado*** armário embutido ◆ *col.* **salir del armario** sair do armário
armazón [arma'θon] *s.m./f.* armação*f.*
Armenia [ar'menja] *s.f.* Armênia
armeni|o, -a [ar'menjo] *adj.,s.m.,f.* armêni|o, -a
armiño [ar'miɲo] *s.m.* arminho
armisticio [armis'tiθjo] *s.m.* armistício; ***firmar un armisticio*** assinar um armistício
armonía [armo'nia] *s.f.* harmonia

armónica [ar'monika] *s.f.* harmônica, gaita de boca
armónico [ar'moniko] *adj.* harmônico
armonioso [armo'njoso] *adj.* harmonioso
armonizar [armoni'θar] *v.* harmonizar
árnica ['arnika] *s.f.* arnica
aro ['aro] *s.m.* **1** aro; *(argolla)* argola*f.* **2** (brinquedo) arco **3** [AM.] brinco ♦ *col.* **entrar/pasar por el aro** ceder
aroma [a'roma] *s.m.* aroma
aromático [aro'matiko] *adj.* aromático; *hierbas aromáticas* ervas aromáticas
aromatizar [aromati'θar] *v.* aromatizar, perfumar
arpa ['arpa] *s.f.* harpa
arpía [ar'pia] *s.f.* **1** MIT. harpia **2** *fig., col.* (pessoa) víbora
arpón [ar'pon] *s.m.* arpão
arqueología [arkeolo'xia] *s.f.* arqueologia
arqueológico [arkeo'loxiko] *adj.* arqueológico
arqueólog|o, -a [arke'oloγo] *s.m.,f.* arqueólog|o, -a
arquer|o, -a [ar'kero] *s.m.,f.* arqueir|o, -a ▪ **arquero** *s.m.* goleiro
arquitect|o, -a [arki'tekto] *s.m.,f.* arquitet|o, -a
arquitectónico [arkitek'toniko] *adj.* arquitetônico
arquitectura [arkitek'tura] *s.f.* arquitetura
arrabal [ara'βal] *s.m.* arrabalde, subúrbio
arraigar [araj'γar] *v.* (planta) arraigar, germinar ▪ **arraigarse** (pessoa) arraigar-se (en, em), estabelecer se (en, em)
arrancar [araŋ'kar] *v.* **1** *(sacar)* arrancar, tirar **2** (motor) ligar, pôr a funcionar **3** *(rescatar)* tirar, salvar **4** (máquina, veículo) arrancar **5** *(marcharse)* arrancar, ir embora **6** *(provenir)* provir (de, de), proceder (de, de) ♦ **arrancar a** [+*inf.*] desatar a [+*inf.*]; *arrancó a decir tonterías* desatou a dizer bobagem
arranque [a'raŋke] *s.m.* **1** (motor) arranque **2** *(comienzo)* arranque, começo **3** *(arrebato)* ataque, acesso **4** *(valentía)* coragem*f.*, determinação*f.*
arrasar [ara'sar] *v.* **1** (edifício, território) arrasar, destruir, devastar **2** (terreno) aplanar, nivelar **3** (céu) desanuviar **4** *col. (triunfar)* arrasar ▪ **arrasarse** (olhos) encher se, marejar se
arrastrar [aras'trar] *v.* **1** (numa superfície) arrastar **2** (atrás de si) puxar **3** *(impulsionar)* arrastar, mover **4** *(acarrear)* levar, causar, ter como consequência **5** *(tener)* arrastar ▪ **arrastrarse 1** (pelo chão) arrastar--se, rastejar **2** *fig.* rastejar, rebaixar se, humilhar se
arrear [are'ar] *v.* **1** (animal) esporear, incitar **2** (cavalo) arrear, aparelhar **3** *pop.* dar; *le arreó una bofetada* deu lhe uma bofetada **4** *col.* apressar se; *si no arreamos, no llegaremos a tiempo* se não nos apressamos, não chegaremos a tempo
arrebatador [areβata'ðor] *adj.* arrebatador
arrebatar [areβa'tar] *v.* **1** *(quitar)* arrebatar, arrancar **2** *fig.* arrebatar, atrair ▪ **arrebatarse 1** *(irritarse)* enfurecer se **2** (alimento) cozer/assar mal (queimado por fora e cru por dentro)
arrebato [are'βato] *s.m.* ataque; *un arrebato de celos* um ataque de ciúmes
arreciar [are'θjar] *v.* aumentar (em força, intensidade)
arrecife [are'θife] *s.m.* recife
arreglar [are'γlar] *v.* **1** *(ordenar)* arrumar, limpar **2** *(reparar)* consertar **3** (problema) resolver, solucionar **4** (comida) preparar **5** *col. (castigar)* dar um corretivo*fig.* ▪ **arreglarse 1** *(vestirse)* arrumar-se **2** (problemas) resolver se, solucionar se **3** (casal) entender-se ♦ *col.* **arreglárselas** desenrascar-se, virar se
arreglo [a'reγlo] *s.m.* **1** *(orden)* arranjo, arrumação*f.* **2** *(reparación)* arranjo, conserto **3** *(aseo)* asseio, higiene*f.*; *arreglo personal* higiene pessoal **4** *(acuerdo)* acordo ♦ **arreglo de cuentas** acerto de contas; **con arreglo a** de acordo com, conforme
arremangar [aremaŋ'gar] *v.* arregaçar
arremeter [areme'ter] *v.* arremeter
arremetida [areme'tiða] *s.f.* arremetida, acometida, ataque*m.*
arrendador, -a [areṇda'ðor] *s.m.,f.* senhori|o, -a
arrendamiento [areṇda'mjeṇto] *s.m.* arrendamento, aluguel ♦ **contrato de arrendamiento de servicios** contrato de prestação de serviços
arrendar [areṇ'ðar] *v.* arrendar, alugar
arreos [a'reos] *s.m.pl.* arreios
arrepentimiento [arepeṇti'mjeṇto] *s.m.* arrependimento
arrepentirse [arepeṇ'tirse] *v.* arrepender se (de, de); *no me arrepiento de nada* não me arrependo de nada
arrestar [ares'tar] *v.* prender, deter
arresto [a'resto] *s.m.* prisão*f.*, detenção*f.*, captura*f.*; *arresto domiciliario* prisão domiciliar; *orden de arresto* ordem de prisão ▪ **arrestos** *s.m.pl.* arrojo, audácia*f.*
arriar [a'rjar] *v.* (vela, bandeira) arriar
arriba [a'riβa] *adv.* cima, acima, em cima; *calle arriba* rua acima; *está arriba* está lá em cima; *¡manos arriba!* mãos para cima!; *piso de arriba* andar de cima ▪ *interj.* **1** upa!, levanta-te!; *¡arriba, que temos que marchar!* upa, que temos que ir! **2** ânimo!, força!; *¡arriba, que la victoria es nuestra!* ânimo, que a vitória é nossa! ♦ **de arriba** de cima; **de arriba abajo** de cima/alto a baixo
arriendo [a'rjeṇdo] *s.m.* arrendamento
arriesgar [arjes'γar] *v.* arriscar ▪ **arriesgarse** arriscar se
arrimar [ari'mar] *v.* encostar, aproximar ▪ **arrimarse** encostar-se, aproximar-se
arrinconar [ariŋko'nar] *v.* **1** *(poner en un rincón)* pôr a um canto **2** *(abandonar)* encostar, deixar de lado, pôr de parte **3** *(acorralar)* encurralar ▪ **arrinconarse** isolar-se
arritmia [a'ritmja] *s.f.* arritmia
arroba [a'roβa] *s.f.* **1** (medida) arroba **2** INFORM. arroba (@) ♦ *col.* **por arrobas** aos montes
arrodillarse [aroði'ʎarse] *v.* ajoelhar-se, pôr-se de joelhos
arrogancia [aro'γaṇθja] *s.f.* arrogância
arrogante [aro'γaṇte] *adj.2g.* arrogante

arrojado [aro'xaðo] *adj.* (pessoa) arrojado, valente, ousado

arrojar [aro'xar] *v.* **1** *(tirar)* arrojar, arremessar, atirar; ***no arrojar papeles al suelo*** não jogar papéis no chão **2** *(expulsar)* expulsar **3** (fumaça, cheiro) exalar ▪ **arrojarse** arrojar-se

arrollar [aro'ʎar] *v.* **1** *(enrollar)* enrolar **2** *(atropellar)* abalroar, atropelar **3** *(vencer)* derrotar, vencer **4** (leis) atropelar, não respeitar

arropar [aro'par] *v.* agasalhar ▪ **arroparse** agasalhar-se

arroyo [a'roʝo] *s.m.* arroio, regato, ribeiro

arroz [a'roθ] *s.m.* arroz; ***arroz blanco/integral*** arroz branco/integral; ***arroz largo*** arroz-agulha ◆ **arroz con leche** arroz-doce

arrozal [aro'θal] *s.m.* arrozal

arruga [a'ruɣa] *s.f.* **1** (pele) ruga **2** (roupa) prega, ruga

arrugar [aru'ɣar] *v.* **1** (pele) enrugar **2** (roupa) engelhar, amarrotar, amarfanhar **3** (papel) amarfanhar, amarrotar ▪ **arrugarse 1** (pele) enrugar se **2** (roupa) engelhar-se **3** (papel) amarfanhar-se, amarrotar-se

arruinar [arwi'nar] *v.* arruinar ▪ **arruinarse** arruinar-se

arrullar [aru'ʎar] *v.* **1** (criança) embalar, acalentar, adormecer **2** (pombo, rola) arrulhar

arsenal [arse'nal] *s.m.* arsenal

arsénico [ar'seniko] *s.m.* arsênio

arte ['arte] *s.m./f.* **1** arte*f.*; ***arte abstracto*** arte abstrata; ***artes marciales*** artes marciais; ***artes plásticas*** artes plásticas; ***bellas artes*** belas-artes **2** *(habilidad)* arte*f.*, habilidade*f.*, aptidão*f.* **3** *(astucia)* manha*f.*, artifício*m.* ◆ **no tener arte ni parte** não ter nada a ver com isso; **por amor al arte** por amor à arte; **por arte de birlibirloque/de magia** por artes mágicas; **séptimo arte** sétima arte

artefacto [arte'fakto] *s.m.* **1** artefato **2** MIL. engenho; ***artefacto explosivo*** engenho explosivo

arteria [ar'terja] *s.f.* artéria

arterial [arte'rjal] *adj.2g.* arterial

artesanal [artesa'nal] *adj.2g.* artesanal

artesanía [artesa'nia] *s.f.* artesanato*m.*; ***feria de artesanía*** feira de artesanato

artesan|o, -a [arte'sano] *s.m.,f.* artes|ão, -ã, artífice*2g.* ▪ *adj.* artesanal

ártico ['artiko] *adj.* ártico

articulación [artikula'θjon] *s.f.* articulação

articulado [artiku'laðo] *adj.* articulado; ***autobús articulado*** ônibus articulado; ***muñeco articulado*** boneco articulado

articular [artiku'lar] *v.* **1** (peças) articular, unir, ligar **2** (som) articular, pronunciar

artículo [ar'tikulo] *s.m.* **1** *(mercancía)* artigo, produto, mercadoria*f.*; ***artículos de limpieza*** produtos de limpeza; ***artículo de lujo*** artigo de luxo; ***artículo de ocasión*** artigo de ocasião **2** (publicação) artigo; ***artículo de fondo*** editorial, artigo de fundo **3** LING. artigo; ***artículo determinado/definido*** artigo definido; ***artículo indeterminado/indefinido*** artigo indefinido **4** DIR. artigo ◆ **artículos de consumo** bens de consumo; REL. **artículo de fe** profissão de fé

artificial [artifi'θjal] *adj.2g.* **1** artificial **2** *fig.* artificial, fingido, falso

artillería [artiʎe'ria] *s.f.* artilharia; ***artillería ligera/pesada*** artilharia ligeira/pesada

artimaña [arti'maɲa] *s.f.* artimanha, ardil*m.*

artista [ar'tista] *s.2g.* artista

artístico [ar'tistiko] *adj.* artístico

artritis [ar'tritis] *s.f.2n.* artrite

artrosis [artro'sis] *s.f.2n.* artrose

arveja [ar'βexa] *s.f.* **1** ervilhaca **2** [AM.] ervilha

arzobispo [arθo'βispo] *s.m.* arcebispo

as ['as] *s.m.* **1** (carta) ás **2** *fig.* (pessoa) ás, craque*2g.*

asa ['asa] *s.f.* asa, cabo*m.*, pega

asado [a'saðo] *adj.* assado; ***pollo asado*** frango assado ▪ *s.m.* assado

asaduras [asa'ðuras] *s.f.pl.* miúdos*m. pl.* (de animal), vísceras ◆ *col.* **echar las asaduras** pôr/deitar os bofes pela boca

asalariad|o, -a [asala'rjaðo] *s.m.,f.* assalariad|o, -a

asaltante [asal̪'tan̪te] *s.2g.* assaltante

asaltar [asal̪'tar] *v.* assaltar

asalto [a'sal̪to] *s.m.* **1** assalto, roubo; ***asalto a mano armada*** assalto à mão armada **2** (boxe) round, assalto

asamblea [asam'blea] *s.f.* assembleia

asar [a'sar] *v.* (no forno) assar, tostar; (na grelha) grelhar ▪ **asarse** *fig., col.* assar, morrer de calor

ascendencia [asθen̪'den̪θja] *s.f.* **1** *(antepasados)* ascendência, antepassados*m. pl.* **2** *(origen)* ascendência, origem; ***ser de ascendencia española*** ser de ascendência espanhola

ascendente [asθen̪'den̪te] *adj.2g.* ascendente ▪ *s.m.* ASTROL. ascendente

ascender [asθen̪'der] *v.* **1** *(subir)* ascender, subir **2** (emprego) ascender **3** promover; ***ascenderá a jefe*** será promovido a chefe

ascendiente [asθen̪'djen̪te] *adj.2g.* ascendente ▪ *s.2g.* ascendente, antepassad|o, -a*m.f.* ▪ *s.m.* ascendente, influência*f.*

ascensión [asθen'sjon] *s.f.* ascensão, subida

ascenso [as'θenso] *s.m.* **1** *(subida)* subida*f.*, ascensão*f.* **2** (cargo, dignidade) promoção*f.*, ascensão*f.* **3** (temperatura, salário) aumento

ascensor [asθen'sor] *s.m.* elevador, ascensor

ascensorista [asθenso'rista] *s.2g.* ascensorista

asco ['asko] *s.m.* nojo, asco; ***dar asco*** meter nojo; ***¡qué asco!*** que nojo! ◆ *col.* **estar hecho un asco 1** estar um nojo **2** (pessoa) estar um trapo; *col.* **no hacer ascos** não desprezar/rejeitar

ascua ['askwa] *s.f.* brasa ◆ **arrimar el ascua a su sardina** puxar a brasa à sua sardinha; *col.* (pessoa) **estar en ascuas** estar em brasa(s)

asear [ase'ar] *v.* assear, limpar ▪ **asearse** assear-se

asediar [ase'ðjar] *v.* **1** (lugar) assediar, cercar, sitiar **2** *fig.* assediar, importunar; ***asediar con preguntas*** assediar com perguntas

asedio [a'seðjo] *s.m.* **1** assédio, cerco, sítio **2** *fig.* assédio, perseguição*f.*

asegurad|o, -a [aseɣu'raðo] *s.m.,f.* segurad|o, -a

aseguradora [aseɣura'ðora] *s.f.* seguradora, companhia de seguros

asegurar [aseɣu'rar] *v.* **1** *(fijar)* fixar **2** *(afirmar)* assegurar, afirmar, asseverar **3** *(garantizar)* assegurar, garantir **4** (carro, casa) segurar, pôr no seguro ▪ **asegurarse** assegurar-se (de, de), certificar-se (de, de); *asegúrate de que todo está en orden* assegura-te de que está tudo em ordem

asemejar [aseme'xar] *v.* assemelhar ▪ **asemejarse** assemelhar-se (a, a), parecer se (a, com); *se asemeja mucho a su padre* ele assemelha-se muito ao seu pai

asentada [asen̪'taða] ♦ **de una asentada** de uma assentada

asentar [asen̪'tar] *v.* assentar, firmar, colocar ▪ **asentarse** estabelecer-se (en, em)

asentir [ase'ar] *v.* assentir, consentir

aseo [a'seo] *s.m.* **1** *(limpieza)* asseio, limpeza*f.* **2** (casa) banheiro

asepsia [a'sepsja] *s.f.* assepsia

asequible [ase'kiβle] *adj.2g.* acessível

aserrador, -a [asera'ðor] *adj.,s.m.,f.* serrador, -a

aserrar [ase'rar] *v.* serrar

aserrín [ase'rin] *s.m.* serrim, serradura*f.*

asesinar [ase'sinar] *v.* **1** (pessoa) assassinar, matar **2** *fig.* (música, papel) assassinar

asesinato [asesi'nato] *s.m.* assassinato, assassínio

asesin|o, -a [ase'sino] *adj.,s.m.,f.* assassin|o, -a

asesor, -a [ase'sor] *s.m.,f.* assessor, -a

asesorar [aseso'rar] *v.* assessorar, aconselhar ▪ **asesorarse** aconselhar-se (con, com), pedir conselho (con, a)

asesoría [aseso'ria] *s.f.* assessoria

asexuado [asek'swaðo] *adj.* assexuado

asfaltar [asfal̪'tar] *v.* (pavimento) asfaltar

asfalto [as'fal̪to] *s.m.* asfalto

asfixia [as'fiksja] *s.f.* asfixia

asfixiante [asfik'sjan̪te] *adj.2g.* **1** asfixiante **2** (calor) sufocante

asfixiar [asfik'sjar] *v.* **1** asfixiar **2** (calor) sufocar, abafar

así [a'si] *adv.* assim; *es mejor hacer así* é melhor fazer assim; *la vida es así* a vida é assim ▪ *conj.* mesmo que [+*sj.*] ♦ **así así** assim-assim; **así como/que** assim que; **así como así** sem mais nem menos; **así mismo** além do mais, além disso, também; [AM.] **así no más** de qualquer jeito; *col.* **así o asá/asao** assim e assado, de uma maneira ou de outra; **así pues** de modo que, por isso, então; **así que** assim/logo que

Asia ['asja] *s.f.* Ásia

asiátic|o, -a [a'sjatiko] *adj.,s.m.,f.* asiátic|o, -a

asiduidad [asiðwi'ðað] *s.f.* assiduidade; *asiduidad a las clases* assiduidade às aulas

asiduo [a'siðwo] *adj.* assíduo

asiento [a'sjen̪to] *s.m.* **1** assento **2** ECON. lançamento (em livros contábeis) ♦ *col.* **no calentar el asiento** não aquecer o assento; **tomar asiento** sentar-se

asignación [asiɣna'θjon] *s.f.* **1** atribuição **2** (quantia) verba

asignar [asiɣ'nar] *v.* atribuir

asignatura [asiɣna'tura] *s.f.* (escola) disciplina; (universidade) cadeira; *asignaturas atrasadas* cadeiras em atraso; *asignaturas pendientes* cadeiras por fazer ♦ **asignatura pendiente** assunto pendente

asilo [a'silo] *s.m.* **1** (estabelecimento) asilo; *asilo de ancianos/huérfanos* asilo de idosos/órfãos **2** *(refugio)* asilo, refúgio **3** *fig.* asilo, amparo, proteção*f.* ♦ **asilo político** asilo político

asimétrico [asi'metriko] *adj.* assimétrico

asimilación [asimila'θjon] *s.f.* assimilação

asimilar [asimi'lar] *v.* assimilar ▪ **asimilarse** assemelhar se (a, a), parecer-se (a, com)

asimismo [asi'mizmo] *adv.* **1** também **2** além disso, para além disso

asir [a'sir] *v.* **1** agarrar, segurar **2** (plantas) pegar ▪ **asirse** (ideia) aferrar se (a, a), agarrar se (a, a)

asistencia [asis'ten̪θja] *s.f.* **1** *(presencia)* assistência, presença; *asistencia a clase* presença nas aulas **2** *(ayuda)* assistência, ajuda, socorro*m.*; *prestar asistencia a alguien* prestar assistência a alguém **3** *(público)* assistência, público*m.* ▪ **asistencias** *s.f.pl.* equipe de socorro

asistenta [asis'ten̪ta] *s.f.* diarista, empregada doméstica

asistente [asis'ten̪te] *adj.2g.* **1** assistente **2** presente ▪ *s.2g.* **1** assistente; *asistente de laboratorio* assistente de laboratório; *asistente social* assistente social **2** (universidade) professor, -a*m.f.* assistente

asistir [asis'tir] *v.* **1** *(ir)* assistir (a, a); *asistir a un concierto* assistir a um concerto **2** *(ver)* assistir (a, a); *asistir a un accidente de tráfico* assistir a um acidente de trânsito **3** *(estar presente)* estar presente; *asistieron 30 alumnos* estiveram presentes 30 alunos **4** *(ayudar)* assistir, socorrer, ajudar; *asistir a los heridos* assistir os feridos

asma ['azma] *s.f.* asma

asn|o, -a ['azno] *s.m.,f.* **1** asn|o, -a, burr|o, -a **2** *pej.* (pessoa) burr|o, -a, asn|o, -a, ignorante*2g.*

asociación [asoθja'θjon] *s.f.* associação ♦ (escola, colégio) **Asociación de Padres** Associação de Pais

asociad|o, -a [aso'θjaðo] *s.m.,f.* associad|o, -a, sóci|o, -a ▪ *adj.* **1** associado **2** (professor) convidado

asociar [aso'θjar] *v.* associar ▪ **asociarse** associar-se (a/con, a/com); *asociarse con alguien* associar se com alguém; *me he asociado a diversas organizaciones* associei me a diversas organizações

asolar [aso'lar] *v.* assolar, devastar, destruir

asomar [aso'mar] *v.* **1** assomar, aparecer, surgir **2** pôr de fora; *asomar la cabeza* pôr a cabeça de fora ▪ **asomarse** debruçar-se (a, em); *asomarse a la ventana* debruçar se na janela

asombrado [asom'braðo] *adj.* espantado, assombrado, surpreendido

asombrar [asom'brar] *v.* espantar, assombrar, surpreender ▪ **asombrarse** espantar-se, assombrar-se, surpreender se

asombro [a'sombro] *s.m.* espanto, assombro, surpresa*f.*

asombroso [asom'broso] *adj.* espantoso, assombroso, surpreendente

asomo [a'somo] *s.m.* assomo, indício, sinal ♦ **ni por asomo** de jeito nenhum, de modo nenhum

aspa ['aspa] *s.f.* **1** (questionário) xis*m.2n.* (x), cruz; ***marcar con un aspa*** marcar com uma cruz **2** (moinho) pá

aspaviento [aspa'βjento] *s.m.* espalhafato; ***hacer aspavientos*** fazer estardalhaço

aspecto [as'pekto] *s.m.* **1** *(apariencia)* aspecto, aparência*f.*, ar; ***tener aspecto de enfermo*** ter aspecto de doente; ***tener buen/mal aspecto*** ter bom/mau aspecto **2** *(faceta)* aspecto, faceta*f.*, perspectiva*f.*; ***en ciertos aspectos*** em certos aspectos; ***en ese aspecto*** nesse aspecto **3** LING. aspecto

aspereza [aspe'reθa] *s.f.* **1** (superfície) aspereza, rugosidade **2** (terreno) irregularidade **3** *fig.* aspereza, rudeza ♦ **limar asperezas** limar (as) arestas

áspero ['aspero] *adj.* **1** áspero **2** *fig.* áspero, ríspido, rude

aspiración [aspira'θjon] *s.f.* **1** (respiração) aspiração **2** *fig.* aspiração, ambição, desejo*m.* **3** LING. aspiração

aspiradora [aspira'ðora], **aspirador** [aspira'ðor] *s.f./m.* aspirador*m.*

aspirante [aspi'rante] *adj.2g.* aspirante; ***bomba aspirante*** bomba aspirante ■ *s.2g.* aspirante (a, a), candidat|o, -a*m.f.* (a, a); ***aspirante al cargo de director*** aspirante ao cargo de diretor

aspirar [aspi'rar] *v.* **1** (ar, gás) aspirar **2** (aspirador) aspirar, absorver **3** *(pretender)* aspirar (a, a), ambicionar (a, -), desejar (a, -); ***aspira a ser un buen bailarín*** aspira a ser um bom bailarino

aspirina [aspi'rina]® *s.f.* aspirina®

asqueroso [aske'roso] *adj.* nojento, asqueroso, repugnante

asta ['asta] *s.f.* **1** *(cuerno)* chifre*m.*, corno*m.* **2** (bandeira) haste, mastro*m.*; ***bandera a media asta*** bandeira a meia haste **3** (arma) cabo*m.*

ástato ['astato] *s.m.* QUÍM. ástato

asterisco [aste'risko] *s.m.* asterisco

asteroide [aste'rojðe] *s.m.* asteroide

astigmático [astiɣ'matiko] *adj.* astigmático

astigmatismo [astimaɣ'tizmo] *s.m.* astigmatismo

astilla [as'tiʎa] *s.f.* **1** lasca, estilhaço*m.*, farpa; ***clavarse una astilla en el dedo*** espetar uma farpa no dedo **2** (lenha) cavaca ♦ **hacer astillas** estilhaçar-se

astillar [asti'ʎar] *v.* estilhaçar

astillero [asti'ʎero] *s.m.* estaleiro

astral [as'tral] *adj.2g.* astral

astro ['astro] *s.m.* astro

astrología [astrolo'xia] *s.f.* astrologia

astrológico [astro'loxiko] *adj.* astrológico

astrólog|o, -a [as'troloɣo] *s.m.,f.* astrólog|o, -a

astronauta [astro'nawta] *s.2g.* astronauta

astronáutica [astro'nawtika] *s.f.* astronáutica

astronave [astro'naβe] *s.f.* nave espacial

astronomía [astrono'mia] *s.f.* astronomia

astronómico [astro'nomiko] *adj.* astronômico

astrónom|o, -a [as'tronomo] *s.m.,f.* astrônom|o, -a

astucia [as'tuθja] *s.f.* astúcia

Asturias [as'turjas] *s.f.pl.* Astúrias

astuto [as'tuto] *adj.* astuto

asueto [a'sweto] *s.m.* folga*f.*

asumir [asu'mir] *v.* **1** (erro, falta) assumir, admitir **2** (cargo, responsabilidade) assumir, aceitar

asunto [a'sunto] *s.m.* assunto; ***asunto pendiente*** assunto pendente; ***cambiar de asunto*** mudar de assunto ♦ **Asuntos Exteriores** Relações Exteriores; **ir derecho al asunto** ir direto ao assunto; **no es asunto tuyo** não é da tua conta; (cartas) **sin otro asunto** sem outro assunto

asustar [asus'tar] *v.* assustar, amedrontar ■ **asustarse** assustar-se, amedrontar-se

atacante [ata'kante] *s.2g.* **1** atacante, agressor, -a*m.f.* **2** ESPOR. atacante ■ *adj.2g.* atacante, agressor

atacar [ata'kar] *v.* atacar

atado [a'taðo] *adj. fig.* (pessoa) acanhado, tímido, atado ■ *s.m.* trouxa*f.*, atado ♦ **estar todo bien atado** estar tudo sob controle

atadura [ata'ðura] *s.f.* atadura ■ **ataduras** *s.f.pl.* laços*m. pl.*, vínculos*m. pl.*; ***ataduras familiares*** laços familiares

atajar [ata'xar] *v.* **1** cortar caminho, atalhar **2** (ação, processo) parar, deter, interromper

atajo [a'taxo] *s.m.* **1** (caminho) atalho **2** (gado) rebanho (pequeno) **3** *fig., pej.* (pessoas) corja, bando ♦ **no hay atajo sin trabajo** tudo tem um preço, nada é grátis

atalaya [ata'laya] *s.f.* (torre) atalaia, vigia

atañer [ata'ɲer] *v.* concernir (a, a), dizer respeito (a, a); ***en lo que atañe a*** no que concerne a, no que diz respeito a

ataque [a'take] *s.m.* ataque ♦ **ataque aéreo** ataque aéreo; **ataque al corazón** ataque do coração; **ataque de tos** ataque de tosse; **ataque de risa** ataque de riso; **ataque de nervios** ataque de nervos; **¡al ataque!** ao ataque!; **volver al ataque** voltar ao ataque

atar [a'tar] *v.* **1** (com fio, corda) atar, amarrar **2** *fig.* prender ■ **atarse** apertar; ***atarse los zapatos*** apertar os sapatos ♦ **no atar ni desatar** não atar nem desatar

atardecer [atarðe'θer] *v.* entardecer ■ *s.m.* entardecer ♦ **al atardecer** ao entardecer

atareado [atare'ado] *adj.* atarefado, ocupado

atascar [atas'kar] *v.* **1** (cano, conduta) entupir, obstruir **2** *fig.* impedir, dificultar, obstruir ■ **atascarse** **1** *(obstruirse)* entupir-se, obstruir se **2** (veículo) atolar **3** (discurso, fala) engasgar-se, embatucar se, atrapalhar se

atasco [a'tasko] *s.m.* **1** (trânsito) engarrafamento, congestionamento **2** (cano, conduta) entupimento, obstrução*f.*

ataúd [ata'uð] *s.m.* ataúde, caixão

ateísmo [ate'izmo] *s.m.* ateísmo

atemorizar [atemori'θar] *v.* atemorizar, apavorar, assustar ■ **atemorizarse** atemorizar-se, apavorar-se, assustar se

atención [ateṇ'θjon] *s.f.* **1** atenção; ***escuchar con atención*** escutar com atenção; ***llamar la atención*** chamar a atenção; ***prestar atención*** prestar atenção **2** *(cortesía)* atenção, cortesia, delicadeza **3** (serviço) atendimento*m.*; ***atención al público*** atendimento ao público ▪ *interj.* atenção! ♦ (carta) **a la atención de** aos cuidados de; **en atención a** em atenção a, tendo em conta

atender [ateṇ'der] *v.* **1** atender; ***ahora no puedo atenderlo*** agora não posso atendê-lo; ***atender a un enfermo*** atender um doente **2** *(cuidar)* cuidar (-, de), tratar (-, de); ***ella atiende a su padre*** ela cuida do pai **3** (telefone) atender; ***atender una llamada*** atender uma chamada **4** *(esperar)* esperar, aguardar **5** *(poner atención)* prestar atenção (a, a); ***no atiende a la profesora*** não presta atenção à professora ♦ (animal) **atender por** responder pelo nome de

atenerse [ate'nerse] *v.* ater-se (a, a), sujeitar se (a, a); ***atenerse a los consejos del padre*** ater se aos conselhos do pai; ***atenerse a las consecuencias*** sujeitar-se às consequências

atentado [ateṇ'taðo] *s.m.* atentado; ***atentado a la moral*** atentado contra a moral; ***atentado con bomba/terrorista*** atentado à bomba/terrorista; ***cometer un atentado contra alguien*** cometer um atentado contra alguém

atentar [ateṇ'tar] *v.* atentar (contra, contra); ***atentar contra la vida de alguien*** atentar contra a vida de alguém

atento [a'teṇto] *adj.* **1** atento (a, a); ***estar atento a algo*** estar atento a alguma coisa **2** *(amable)* atencioso, atento, amável, cortês

atenuar [ate'nwar] *v.* atenuar

ate|o, -a [a'teo] *s.m.,f.* ate|u, -ia

aterciopelado [aterθjope'laðo] *adj.* aveludado

aterrador [atera'ðor] *adj.* aterrador

aterrar [ate'rar] *v.* aterrorizar, apavorar, assustar ▪ **aterrarse** aterrorizar-se, apavorar se, assustar se

aterrizaje [ateri'θaxe] *s.m.* aterrissagem*f.*; ***aterrizaje forzoso/de emergencia*** arterrissagem forçada, pouso de emergência; ***tren de aterrizaje*** trem de pouso

aterrizar [ateri'θar] *v.* **1** (avião, helicóptero) aterrissar, pousar **2** *fig., col.* cair, estatelar se **3** *fig., col.* cair de paraquedas, aparecer inesperadamente

aterrorizar [aterori'θar] *v.* aterrorizar, apavorar, assustar ▪ **aterrorizarse** aterrorizar-se, apavorar se, assustar se

atesorar [ateso'rar] *v.* **1** (bens, riqueza) acumular, guardar, entesourar **2** *fig.* (qualidade) possuir, ter

atestado [ates'taðo] *adj.* atestado (de, de), cheio (de, de) ▪ *s.m.* relatório

atestar [ates'tar] *v.* **1** abarrotar, encher; ***el tren estaba atestado de gente*** o trem estava a abarrotar de gente **2** *col.* empanturrar (de, de) ▪ **atestarse** *col.* empanturrar se (de, de)

atestiguar [atesti'ɣwar] *v.* testemunhar, depor

atiborrar [atiβo'rar] *v.* **1** abarrotar, encher **2** *col.* empanturrar ▪ **atiborrarse** *col.* empanturrar se (de, de)

ático ['atiko] *s.m.* sótão

atinar [ati'nar] *v.* **1** *(dar con)* encontrar, achar, atinar; ***atiné con la calle*** encontrei a rua **2** (alvo) acertar **3** *(lograr)* conseguir; ***hoy no atino a trabajar*** hoje não consigo trabalhar **4** (solução, resposta) acertar; ***atinar con la respuesta*** acertar a resposta

atípico [a'tipiko] *adj.* atípico, anômalo

atisbar [atiz'βar] *v.* **1** *(observar)* espreitar, espiar, observar **2** *(vislumbrar)* vislumbrar, entrever

atizar [ati'θar] *v.* **1** (fogo) atiçar, avivar **2** *fig.* (sentimento) atiçar, excitar **3** *fig.* (golpe) dar; ***atizar una bofetada*** dar uma bofetada

atlántico [a'tlaṇtiko] *adj.* atlântico

atlas ['atlas] *s.m.2n.* atlas

atleta [at'leta] *s.2g.* atleta

atlético [a'tletiko] *adj.* atlético

atletismo [atle'tizmo] *s.m.* atletismo

atmósfera [at'mosfera] *s.f.* atmosfera

atmosférico [atmos'feriko] *adj.* atmosférico

atolladero [atoʎa'ðero] *s.m.* atoleiro

atollarse [ato'ʎarse] *v.* atolar-se

atolón [ato'lon] *s.m.* atol

atolondrado [atoloṇ'draðo] *adj.* atordoado, aturdido

atolondrar [atoloṇ'drar] *v.* atordoar, aturdir

atómico [a'tomiko] *adj.* atômico

átomo ['atomo] *s.m.* átomo

atónito [a'tonito] *adj.* atônito, pasmado, espantado; ***quedarse atónito*** ficar atônito

átono ['atono] *adj.* átono

atontar [atoṇ'tar] *v.* atordoar, aturdir

atorar [ato'rar] *v.* entupir, obstruir ▪ **atorarse** **1** entupir-se, obstruir-se **2** *fig.* embatucar

atormentar [atormeṇ'tar] *v.* atormentar ▪ **atormentarse** atormentar-se

atornillar [atorni'ʎar] *v.* **1** aparafusar **2** *(sujetar con tornillos)* atarraxar, aparafusar **3** *col.* (pessoa) pressionar, coagir

atracadero [atraka'ðero] *s.m.* atracadouro

atracador, -a [atraka'ðor] *s.m.,f.* assaltante*2g.*

atracar [atra'kar] *v.* **1** assaltar, roubar **2** *col.* empanturrar (de, de) **3** NÁUT. atracar ▪ **atracarse** *col.* empanturrar-se (de, de); ***se atracó de patatas fritas*** se empanturrou de batatas fritas

atracción [atrak'θjon] *s.f.* atração ♦ FÍS. **atracción molecular** atração molecular; **parque de atracciones** parque de diversões; **sentir atracción por algo/alguien** sentir atração por alguma coisa/alguém

atraco [a'trako] *s.f.* assalto*m.*; ***atraco a mano armada*** assalto à mão armada

atracón [atra'kon] *s.m. col.* empanturramento; ***darse/pegarse un atracón*** empanturrar se

atractivo [atrak'tiβo] *adj.* **1** atraente; ***hombre atractivo*** homem atraente **2** atrativo; ***fuerza atractiva*** força atrativa ▪ *s.m.* atrativo

atraer [atra'er] *v.* atrair

atragantarse [atraɣaṇ'tarse] *v.* **1** *(ahogarse)* engasgar--se (con, com) **2** *(atravesarse)* entalar-se **3** *fig.* (fala, discurso) engasgar-se, atrapalhar-se **4** *fig.* ficar atravessado (na garganta)

atrancar [atraŋ'kar] *v.* **1** (porta, janela) trancar, fechar **2** (cano, conduta) entupir, obstruir ■ **atrancarse** **1** (pessoa) trancar-se **2** (cano, conduta) entupir, obstruir **3** (veículo) atolar-se **4** *fig.* engasgar-se, atrapalhar se

atrapar [atra'par] *v.* **1** *col.* (pessoa, animal) pegar, capturar **2** *col.* (oportunidade) agarrar, aproveitar **3** *col.* (doença) pegar **4** *col.* (esporte) agarrar, pegar

atrás [a'tras] *adv.* **1** (lugar) atrás, para trás; *dio un paso atrás* deu um passo para trás; *ir hacia atrás* ir para trás; *te vas a quedar atrás* vais ficar para trás; *volver atrás* voltar atrás **2** (tempo) atrás; *días atrás* dias atrás ■ *interj.* para trás! ♦ **de atrás** de trás; *asiento de atrás* banco de trás; **dejar atrás** deixar para trás; **echarse para atrás** mudar de opinião; **más atrás** antes; **venir de atrás** vir de longe/longa data; **volverse atrás** voltar atrás

atrasado [atra'saðo] *adj.* **1** (pessoa, transporte) atrasado **2** (relógio) atrasado **3** (pagamento) atrasado, em atraso **4** (país) atrasado, subdesenvolvido

atrasar [atra'sar] *v.* **1** *(aplazar)* atrasar, adiar; *atrasar la hora de la reunión* atrasar a hora da reunião **2** (relógio) atrasar; *atrasar el reloj una hora* atrasar o relógio uma hora; *mi reloj atrasa* o meu relógio atrasa ■ **atrasarse** **1** (transporte) atrasar(-se), chegar tarde; *el metro se atrasó* o metrô atrasou **2** (pessoa) atrasar-se; *se atrasó en los estudios* se atrasou nos estudos **3** *(quedar atrás)* atrasar-se, ficar para trás; *el corredor se atrasó* o corredor ficou para trás

atraso [a'traso] *s.m.* atraso ■ **atrasos** *s.m.pl.* retroativos

atravesar [atraβe'sar] *v.* **1** *(poner de través)* atravessar **2** *(cruzar, pasar)* atravessar, cruzar, transpor **3** (crise, dificuldade) atravessar, passar **4** (bala, seta) atravessar, trespassar ■ **atravesarse** **1** atravessar-se **2** *fig.* intrometer-se **3** *col.* não suportar, ter atravessado

atrayente [atra'jen̪te] *adj.2g.* atraente

atreverse [atre'βerse] *v.* atrever se (a, a); *no me atrevo a pedirte otro favor* não me atrevo a te pedir outro favor

atrevido [atre'βiðo] *adj.* atrevido

atrevimiento [atreβi'mjen̪to] *s.m.* atrevimento

atribuir [atri'βwir] *v.* **1** atribuir, imputar; *atribuir la culpa a alguien* atribuir a culpa a alguém **2** (dever, função) atribuir, conceder, dar ■ **atribuirse** atribuir-se

atributo [atri'βuto] *s.m.* **1** *(característica)* atributo, característica*f.*, qualidade*f.* **2** (verbo) predicativo **3** (adjetivo) atributo

atril [a'tril] *s.m.* atril, estante de partitura

atrio ['atrjo] *s.m.* átrio, adro; *atrio de la iglesia* adro da igreja

atrocidad [atroθi'ðað] *s.f.* **1** atrocidade, crueldade **2** *col.* bobagem, besteira; *no digas más atrocidades* não digas mais disparates

atrofia [a'trofja] *s.f.* atrofia

atrofiar [atro'fjar] *v.* atrofiar ■ **atrofiarse** atrofiar-se

atropellar [atrope'ʎar] *v.* **1** (pessoa, animal) atropelar **2** *(empujar)* empurrar, atropelar ■ **atropellarse** atrapalhar-se

atropello [atro'peʎo] *s.m.* **1** (pessoa, animal) atropelamento **2** *fig.* agravo, desrespeito, atropelo ♦ **sin atropellos** sem pressas

atroz [a'troθ] *adj.2g.* atroz, cruel, desumano

atuendo [a'twen̪do] *s.m.* traje

atún [a'tun] *s.m.* atum

aturdido [atur'ðiðo] *adj.* aturdido, atordoado

aturdir [atur'ðir] *v.* aturdir, atordoar

audacia [aw'ðaθja] *s.f.* audácia

audaz [aw'ðaθ] *adj.2g.* audaz, ousado, audacioso

audición [awði'θjon] *s.f.* **1** audição **2** (dança, teatro, música) audição, prova **3** MÚS. audição; recital*m.*; concerto*m.*

audiencia [aw'ðjen̪θja] *s.f.* **1** *(entrevista)* audiência; *concertar una audiencia con alguien* marcar uma audiência com alguém **2** *(público)* audiência, assistência, público*m.* **3** (televisão, rádio) audiência; *índice de audiencia* índice de audiência **4** DIR. audiência; *audiencia pública* audiência pública **5** DIR. tribunal*m.* de justiça

audífono [aw'ðifono] *s.m.* aparelho auditivo, audiofone ■ **audífonos** *s.m.pl.* [AM.] auscultadores

audio ['awðjo] *s.m.* áudio

audiovisual [awðjoβi'swal] *adj.2g.,s.m.* audiovisual

auditivo [awði'tiβo] *adj.* auditivo

auditor, -a [awði'tor] *s.m.,f.* auditor, -a

auditoría [awðito'ria] *s.f.* auditoria

auditorio [awði'torjo] *s.m.* **1** *(público)* auditório, assistência*f.*, público **2** (lugar) auditório

auge ['awxe] *s.m.* auge; *estar en auge* estar no auge; *llegar al auge* atingir o auge ♦ **cobrar auge** ganhar importância

augurar [awγu'rar] *v.* augurar, pressagiar

augurio [aw'γurjo] *s.m.* augúrio, presságio; *buen/mal augurio* bom/mau augúrio

aula ['awla] *s.f.* sala de aula, aula ♦ **aula magna** salão nobre; aula magna

aullar [aw'ʎar] *v.* (cão, lobo) uivar

aullido [aw'ʎiðo] *s.m.* (cão, lobo) uivo

aumentar [awmen̪'tar] *v.* aumentar

aumentativo [awmen̪ta'tiβo] *adj.,s.m.* aumentativo

aumento [aw'men̪to] *s.m.* aumento

aun [a'un] *adv.* **1** *(incluso)* mesmo **2** *(también)* também; ainda ■ *conj.* mesmo ♦ **aun así** ainda/mesmo assim; **aun cuando** ainda que; **ni aun** nem sequer

aún [a'un] *adv.* ainda; *aún estoy esperando* ainda estou à espera ♦ **aún así** mesmo assim; **aún cuando** embora

aunque ['auŋke] *conj.* **1** embora [+*sj.*]; *aunque llovía a cántaros, fueron al cine* embora chovesse a cântaros, foram ao cinema **2** mas, porém; *no traigo todo, aunque traigo algo* não trago tudo, porém trago alguma coisa ♦ **aunque sea por** mais não seja por

aureola [awre'ola], **auréola** [aw'reola] *s.f.* **1** auréola, nimbo*m.* **2** *fig.* auréola, fama

auricular [awriku'lar] *adj.2g.* auricular ■ *s.m.* **1** (telefone) fone **2** (celular) fone; *auriculares inalámbricos* fones sem fios ■ **auriculares** *s.m.pl.* fones

aurora [aw'rora] *s.f.* aurora, crepúsculo*m.* ♦ **aurora boreal/polar** aurora boreal/polar
auscultar [awskuḷ'tar] *v.* auscultar
ausencia [aw'seṇθja] *s.f.* ausência; *en mi ausencia* na minha ausência
ausentarse [awseṇ'tarse] *v.* ausentar-se (**de**, de)
ausente [aw'seṇte] *adj.2g.* ausente
austeridad [awsteri'ðað] *s.f.* austeridade
austero [aws'tero] *adj.* austero
austral [aws'tral] *adj.2g.* austral
Australia [aws'tralja] *s.f.* Austrália
australian|o, -a [awstra'ljano] *adj.,s.m.,f.* australian|o, -a
Austria ['awstrja] *s.f.* Áustria
austríac|o, -a [aws'triako] *adj.,s.m.,f.* austríac|o, -a
autarquía [awtar'kia] *s.f.* **1** autarquia **2** *(autosuficiencia)* autossuficiência
autenticar [awteṇti'kar] *v.* (documento, assinatura) autenticar
autenticidad [awteṇtiθi'ðað] *s.f.* autenticidade
auténtico [aw'teṇtiko] *adj.* **1** autêntico, verdadeiro **2** (documento, assinatura) autêntico, autenticado
autismo [aw'tizmo] *s.m.* autismo
autista [aw'tista] *adj.,s.2g.* autista
auto ['awto] *s.m.* **1** *(coche)* carro, automóvel **2** DIR., LIT. auto ♦ **auto de fe** auto de fé
autoayuda [awtoa'yuða] *s.f.* autoajuda
autobiografía [awtoβjoγra'fia] *s.f.* autobiografia
autobús [awto'βus] *s.m.* ônibus*2n.*; *autobús de dos pisos* ônibus de dois andares; *ir/viajar en autobús* ir/viajar de ônibus
autocar [awto'kar] *s.m.* ônibus*2n.*; *ir/viajar en autocar* ir/viajar de ônibus
autoconfianza [autokon'fjanθa] *s.f.* autoconfiança
autocontrol [awtokoṇ'trol] *s.m.* autocontrolo
autocracia [awto'kraθja] *s.f.* autocracia
autocrítica [awto'kritika] *s.f.* autocrítica
autócton|o, -a [aw'toktono] *adj.,s.m.,f.* autóctone*2g.*
autodefensa [awtoðe'fensa] *s.f.* autodefesa
autodestrucción [awtoðestruk'θjon] *s.f.* autodestruição
autodeterminación [awtoðetermina'θjon] *s.f.* autodeterminação
autodidacta [awtoði'ðakta] *s.2g.* autodidata
autodidáctica [awtoði'ðaktika] *s.f.* autodidatismo*m.*
autodidáctico [awtoði'ðaktiko] *adj.* autodidático
autodidact|o, -a [awtoði'ðakto] *s.m.,f.* autodidata*2g.*
autodisciplina [awtoðisθi'plina] *s.f.* autodisciplina
autódromo [aw'toðromo] *s.m.* autódromo
autoescuela [awtoes'kwela] *s.f.* autoescola
autoestima [awtoes'tima] *s.f.* autoestima
autoestop [awtoes'top] *s.m.* ⇒ **autostop**
autoevaluación [awtoeβalwa'θjon] *s.f.* autoavaliação
autoformación [awtoforma'θjon] *s.f.* autoformação
autogestión [awtoxes'tjon] *s.f.* autogestão
autogol [awto'γol] *s.m.* gol contra
autógrafo [aw'toγrafo] *s.m.* autógrafo
autómata [aw'tomata] *s.m.* autômato
automático [awto'matiko] *adj.* **1** automático; *cajero automático* banco 24 horas, caixa automática; *contestador automático* secretária eletrônica **2** *fig.* automático, involuntário, inconsciente ■ *s.m.* **1** mola*f.* **2** ELETR. disjuntor
automatismo [awtoma'tizmo] *s.m.* automatismo
automatización [awtomatiθa'θjon] *s.f.* automação, automatização
automatizar [awtomati'θar] *v.* automatizar
automedicación [awtomeðika'θjon] *s.f.* automedicação
automedicarse [awtomeði'karse] *v.* automedicar-se
automodelista [automoðe'lista] *adj.,s.2g.* automodelista
automotor [awtomo'tor] *adj.* automotor, automóvel ■ *s.m.* automotriz*f.*, automotora*f.*
automóvil [awto'moβil] *s.m.* automóvel, carro ■ *adj.2g.* automóvel
automovilismo [awtomoβi'lizmo] *s.m.* automobilismo
automovilista [awtomoβi'lista] *s.2g.* automobilista
automovilístico [awtomoβi'listiko] *adj.* automobilístico
autonomía [awtono'mia] *s.f.* **1** *(independencia)* autonomia, independência **2** *(comunidad autónoma)* região autônoma **3** (veículo, máquina) autonomia
autónomo [aw'tonomo] *adj.* **1** autônomo **2** (trabalhador) independente, autônomo
autopista [awto'pista] *s.f.* autoestrada, autopista; *autopista de peaje* autoestrada/autopista com pedágio
autopsia [aw'topsja] *s.f.* autópsia, necropsia; *practicar la autopsia* autopsiar, fazer a autópsia/necropsia
autor, -a [aw'tor] *s.m.,f.* autor, -a
autoral [auto'ral] *adj.2g.,s.m.* autoral
autoría [awto'ria] *s.f.* autoria
autorial [auto'rjal] *adj.2g.* autoral
autoridad [awtori'ðað] *s.f.* **1** *(poder)* autoridade, poder*m.* **2** (pessoa, instituição) autoridade **3** *(experto)* autoridade, especialista*2g.*, expert*2g.*
autoritario [awtori'tarjo] *adj.* autoritário
autoritarismo [awtorita'rizmo] *s.m.* autoritarismo
autoritarista [autorita'rista] *adj.,s.2g.* autoritarista
autorización [awtoriθa'θjon] *s.f.* **1** *(permiso)* autorização, permissão **2** (documento) autorização
autorizado [awtori'θaðo] *adj.* (pessoa) qualificado, competente
autorizar [awtori'θar] *v.* autorizar, permitir
autorradio [awto'raðjo] *s.m.* rádio do automóvel
autorradiografía [auto'r̄adjoγra'fia] *s.f.* FÍS. autorradiografia
autorretrato [awtore'trato] *s.m.* autorretrato
autoservicio [awtoser'βiθjo] *s.m.* self-service
autostop [awtoes'top] *s.m.* carona*f.*; *en autostop* de carona; *hacer autostop* pedir carona

autosuficiencia [awtosufi'θjen̪θja] *s.f.* autossuficiência
autosuficiente [awtosufi'θjen̪te] *adj.2g.* autossuficiente
autosugestión [awtosuxes'tjon] *s.f.* autossugestão
autosugestionarse [awtosuxestjo'narse] *v.* autossugestionar-se
autotrofia [auto'trofja] *s.f.* autotrofia
autovía [awto'βia] *s.f.* rodovia
auxiliar [awksi'ljar] *adj.2g.* auxiliar ▪ *s.2g.* auxiliar, assistente, ajudante; ***auxiliar de jardín de infancia*** professor de Educação Infantil; ***auxiliar de vuelo*** comissário de bordo; ***auxiliar técnico sanitario*** auxiliar de enfermagem ▪ *v.* auxiliar, ajudar
auxilio [awk'siljo] *s.m.* auxílio, ajuda*f.*, assistência*f.*; ***auxilio en carretera*** assistência em viagem; ***prestar auxilio a las víctimas*** prestar auxílio às vítimas ♦ **primeros auxilios** primeiros socorros
aval [a'βal] *s.m.* aval
avalancha [aβa'lan̠ʲtʃa] *s.f.* **1** avalanche **2** *fig.* avalanche; ***una avalancha de gente*** uma avalanche de pessoas
avalar [aβa'lar] *v.* avalizar
avalista [aβa'lista] *s.2g.* avalista
avance [a'βan̪θe] *s.m.* **1** avanço; ***el avance de las tropas*** o avanço das tropas **2** *(progreso)* avanço; ***avances tecnológicos*** avanços tecnológicos **3** (dinheiro) adiantamento **4** CIN. trailer ♦ TV. **avance informativo** chamada
avanzado [aβan̪'θaδo] *adj.* **1** *(adelantado)* avançado, adiantado **2** (tempo) avançado **3** *(moderno)* avançado, moderno, inovador
avanzar [aβan̪'θar] *v.* avançar
avaricia [aβa'riθja] *s.f.* avareza, sovinice
avar|o, -a [a'βaro] *adj.,s.m.,f.* avarent|o, -a, sovina*2g.*, pão-duro*col.*, mão*2g.* de vaca*col.*
avasallador [aβasaʎa'δor] *adj.* avassalador
avasallar [aβasa'ʎar] *v.* avassalar
ave ['aβe] *s.f.* ave; ***ave de paso*** ave de arribação; ***ave migratoria*** ave migratória; ***ave del paraíso*** ave-do-paraíso; ***ave rapaz/de rapiña*** ave de rapina
avecinar [aβeθi'nar] *v.* aproximar ▪ **avecinarse** aproximar-se, avizinhar se
avecindarse [aβeθin̪'darse] *v.* estabelecer se **(en, em)**, fixar se **(en, em)**
avellana [aβe'ʎana] *s.f.* avelã
avemaría [aβema'ria] *s.f.* ave maria
avena [a'βena] *s.f.* aveia
avenida [aβe'niδa] *s.f.* **1** (rua) avenida **2** (curso de água) enchente, cheia
avenir [aβe'nir] *v.* conciliar ▪ **avenirse** entender-se **(con, com)**, dar se bem **(con, com)**
aventajado [aβen̪ta'xaδo] *adj.* **1** avantajado **2** (aluno) superdotado
aventajar [aβen̪ta'xar] *v.* avantajar, superar, exceder
aventura [aβen̪'tura] *s.f.* **1** *(peripecia)* aventura, peripécia **2** *(riesgo)* aventura, risco*m.* **3** *(relación amorosa)* caso*m.*, aventura, flerte*m.*, flirt*m.*
aventurar [aβen̪tu'rar] *v.* aventurar, arriscar ▪ **aventurarse** aventurar-se **(a/en, a/em)**
aventurer|o, -a [aβen̪tu'rero] *adj.,s.m.,f.* aventureir|o, -a
avergonzar [aβerγon̪'θar] *v.* envergonhar ▪ **avergonzarse** envergonhar-se **(de, de)**
avería [aβe'ria] *s.f.* avaria
averiado [aβe'rjaδo] *adj.* avariado
averiar [aβe'rjar] *v.* avariar; quebrar; escangalhar ▪ **averiarse** avariar(-se); quebrar(-se); escangalhar(-se)
averiguación [aβeriγwa'θjon] *s.f.* averiguação, indagação, investigação
averiguar [aβeri'γwar] *v.* (assunto) averiguar, indagar, investigar
aversión [aβer'sjon] *s.f.* aversão, repugnância, antipatia; ***sentir aversión por algo/alguien*** sentir aversão por alguma coisa/alguém; ***tener aversión a algo/alguien*** ter aversão a alguma coisa/alguém
avestruz [aβes'truθ] *s.m.* avestruz*m./f.*
aviación [aβja'θjon] *s.f.* aviação
aviador, -a [aβja'δor] *s.m.,f.* aviador, -a
avicultor, -a [aβikul̪'tor] *s.m.,f.* avicultor, -a
avidez [aβi'δeθ] *s.f.* avidez, sofreguidão
ávido ['aβiδo] *adj.* ávido **(de, de)**, desejoso **(de, de)**; ***ávido de novedades*** ávido de novidades
avión [a'βjon] *s.m.* avião; ***avión a reacción*** avião a jato; ***avión de carga/pasajeros*** avião de carga/passageiros; ***avión de largo alcance*** avião de longo alcance; ***avión supersónico*** avião supersônico; ***ir/viajar en avión*** ir/viajar de avião ♦ (correio) **por avión** por avião
avioneta [aβjo'neta] *s.f.* avioneta, teco-teco
avisar [aβi'sar] *v.* **1** *(comunicar)* avisar, informar, comunicar **2** *(advertir)* avisar, advertir **3** *(llamar)* chamar
aviso [a'βiso] *s.m.* **1** *(notificación)* aviso; ***aviso de cobro*** aviso de cobrança **2** *(advertencia)* aviso, advertência*f.*; *(consejo)* conselho **3** [AM.] anúncio; ***avisos clasificados*** anúncios classificados ♦ **andar/estar sobre aviso** estar de sobreaviso; **poner sobre aviso** pôr de sobreaviso; **sin previo aviso** sem aviso prévio
avispa [a'βispa] *s.f.* vespa
avispero [aβis'pero] *s.m.* vespeiro
avistar [aβis'tar] *v.* avistar
avivar [aβi'βar] *v.* **1** *(animar)* avivar, animar **2** (fogo) atiçar, avivar **3** (cor, luz) avivar, realçar **4** (passo) acelerar ▪ **avivarse** avivar-se
avizor [aβi'θor] ♦ **estar ojo avizor** estar alerta
axila [ak'sila] *s.f.* axila, sovaco*m.*
ay ['aj] *interj.* ai!; ***¡ay de mí!*** ai de mim! ▪ *s.m.* ai; gemido; suspiro
ayer [a'jer] *adv.* ontem; ***ayer por la mañana/noche/tarde*** ontem de manhã/à noite/à tarde ▪ *s.m.* passado ♦ **antes de ayer** anteontem; **de ayer a hoy** de ontem para hoje; **¡no he nacido ayer!** eu não nasci ontem!; **¡parece que fue ayer!** parece que foi ontem!
ayuda [a'juδa] *s.f.* **1** *(auxilio)* ajuda, auxílio*m.*; ***con ayuda de*** com a ajuda de **2** *(lavativa)* clister*m.*

ayudante [aju'ðaṇte] *s.2g.* ajudante, auxiliar ♦ **ayudante de cátedra** professor-assistente; **ayudante técnico sanitario** enfermeiro

ayudar [aju'ðar] *v.* ajudar, auxiliar; *ayudar a alguien a hacer algo* ajudar alguém a fazer alguma coisa; *¿le puedo ayudar en algo?* posso ajudá lo em alguma coisa? ▪ **ayudarse** valer-se (de, de), servir-se (de, de)

ayunar [aju'nar] *v.* jejuar

ayuno [a'juno] *s.m.* jejum; *romper el ayuno* quebrar o jejum

ayuntamiento [ajuṇta'mjeṇto] *s.m.* câmara*f.* municipal

azabache [aθa'βatʃe] *s.m.* azeviche

azada [a'θaða] *s.f.* enxada

azafata [aθa'fata] *s.f.* **1** (avião) aeromoça, comissária de bordo **2** (congressos, reuniões) recepcionista*2g.*; secretária

azafrán [aθa'fran] *s.m.* açafrão

azahar [aθa'ar] *s.m.* flor*f.* (de laranjeira e outros citrinos)

azalea [aθa'lea] *s.f.* azálea, azaleia

azar [a'θar] *s.m.* acaso, casualidade*f.* ♦ **al azar** ao acaso, à toa

azarar [aθa'rar] *v.* embaraçar, envergonhar ▪ **azararse** embaraçar-se, envergonhar-se

azotar [aθo'tar] *v.* açoitar, chicotear ▪ **azotarse** [AM.] arrojar se

azote [a'θote] *s.m.* **1** (instrumento) açoite, chicote **2** (golpe) açoite, chicotada*f.* **3** (nas nádegas) palmada*f.*, açoite **4** *fig.* flagelo, calamidade*f.*

azotea [aθo'tea] *s.f.* **1** terraço*m.*, açoteia **2** *col.* cachimônia, cachola; *estar mal de la azotea* não estar bom da cachimônia

azteca [aθ'teka] *adj.,s.2g.* asteca

azúcar [a'θukar] *s.m./f.* açúcar*m.*; *azúcar blanco* açúcar branco; *azúcar de lustre* açúcar em pó; *azúcar mascabado* açúcar mascavo; *azúcar moreno* açúcar amarelo; *azúcar refinado* açúcar refinado

azucarado [aθuka'raðo] *adj.* **1** açucarado **2** *fig.* afável, meloso

azucarar [aθuka'rar] *v.* açucarar, adoçar

azucarera [aθuka'rera] *s.f.* **1** (fábrica) refinaria de açúcar **2** [AM.] (recipiente) açucareiro*m.*

azucarero [aθuka'rero] *adj.* açucareiro ▪ *s.m.* açucareiro

azucena [aθu'θena] *s.f.* açucena

azufre [a'θufre] *s.m.* enxofre

azul [a'θul] *adj.2g.,s.m.* azul ♦ **azul cielo/celeste** azul-celeste; **azul claro** azul-claro; **azul cobalto** azul-cobalto; **azul marino** azul-marinho; **azul oscuro** azul-escuro; **azul turquesa** azul-turquesa

azulado [aθu'laðo] *adj.* azulado

azulejo [aθu'lexo] *s.m.* azulejo

B

b ['be] *s.f.* (letra) b*m.*
baba ['baβa] *s.f.* **1** baba **2** [COL., VEN.] jacaré*m.* ♦ *col.* **caérsele la baba a alguien** babar-se; estar/ficar todo babado
babear [baβe'ar] *v.* **1** babar-se **2** *fig.* babar-se; estar/ficar todo babado
babero [ba'βero] *s.m.* **1** babador **2** *(bata)* babeiro, bibe
babor [ba'βor] *s.m.* bombordo
babosa [ba'βosa] *s.f.* lesma
baboso [ba'βoso] *adj.* **1** babão; ***ese bebé es muy baboso*** esse bebê baba muito **2** *fig., col. (pesado)* chato **3** [CH., MÉX.] *(tonto)* tolo, tonto
babuino [ba'βwino] *s.m.* babuíno
baby-sitter [bejβi'siter] *s.2g.* (*pl.* baby-sitters) baby--sitter
baca ['baka] *s.f.* bagageiro*m.*, porta bagagens*m.2n.*
bacalao [baka'lao] *s.m.* bacalhau ♦ *col.* **cortar/partir el bacalao** dar as cartas; *col.* **¡te conozco bacalao!** a mim não enganas!; eu já te conheço!
bacanal [baka'nal] *s.f.* **1** bacanal*m.*, orgia **2** HIST. bacanal
bachiller [batʃi'ʎer] *s.2g.* finalista de curso secundário
bachillerato [batʃiʎe'rato] *s.m.* curso secundário
bacilo [ba'θilo] *s.m.* bacilo
backup [ba'kap] *s.m.* backup, cópia*f.* de segurança; ***hacer un backup*** fazer um backup
bacteria [bak'terja] *s.f.* bactéria
bacteriano [bakte'rjano] *adj.* bacteriano
bactericida [bakteri'θiða] *adj.2g.,s.m.* bactericida
badajo [ba'ðaxo] *s.m.* badalo
badén [ba'ðen] *s.m.* **1** *(zanja)* vala*f.* **2** (estrada) valeta*f.* **3** (velocidade) lomba*f.*
bafle ['bafle] *s.m.* **1** caixa*f.* (de som) **2** *(altavoz)* alto--falante
bagaje [ba'γaxe] *s.m.* **1** *(conocimientos)* bagagem*f.* **2** (tropa, exército) equipamento, bagagem*f.*
baguette [ba'γete] *s.f.* baguete
bahía [ba'ia] *s.f.* baía
bailaor, -a [bajla'or] *s.m.,f.* bailarin|o, -a (de flamenco)
bailar [baj'lar] *v.* **1** dançar, bailar **2** (pião, moeda) girar, rodar; ***bailar la peonza*** girar o peão ♦ **¡otro que tal baila!** outro que tal!; **¡que me quiten lo bailado!** isto ninguém me tira!; *col.* **sacar a alguien a bailar** convidar alguém para dançar
bailar|ín, -ina [bajla'rin] *s.m.,f.* bailarin|o, -a, dançarin|o, -a
baile ['bajle] *s.m.* **1** dança*f.*, baile; ***bailes de salón*** danças de salão **2** (festa) baile; ***baile de disfraces/máscaras*** baile de máscaras
baja ['baxa] *s.f.* **1** *(descenso)* baixa, redução, queda; ***el dólar sigue a la baja*** o dólar continua em queda **2** (trabalho) baixa; licença; ***baja por maternidad*** licença maternidade; ***dar de baja*** dar baixa; ***darse de baja*** cessar funções, deixar uma atividade **3** (documento) atestado*m.* **4** *(muerte)* baixa
bajada [ba'xaða] *s.f.* **1** *(descenso)* descida, diminuição, queda; ***bajada de las temperaturas*** queda/baixa das temperaturas; ***bajada de tensión*** queda de pressão **2** (preços) baixa, diminuição **3** *(declive)* descida, declive*m.* ♦ (táxi) **bajada de bandera** bandeirada
bajamar [baxa'mar] *s.f.* baixa-mar, maré baixa
bajar [ba'xar] *v.* **1** *(descender)* descer; ***bajar en ascensor*** descer de elevador **2** *(disminuir)* baixar, descer, diminuir; ***los impuestos han bajado*** os impostos baixaram **3** (maré, rio) baixar, descer **4** *(descender)* descer; ***bajar las escaleras*** descer as escadas **5** *(inclinar hacia abajo)* baixar, abaixar; ***bajar la cabeza*** baixar/abaixar a cabeça **6** *(dejar más abajo)* descer, abaixar; ***bajar las persianas*** fechar/descer as persianas **7** (valor, quantia) baixar, reduzir; ***el gobierno ha bajado los precios del gasoil*** o governo baixou os preços do óleo diesel **8** (som, voz) baixar; ***¡baja el volumen de la radio!*** baixa o volume do rádio!; ***bajar la voz*** baixar a voz **9** INFORM. baixar*col.*, fazer download; ***este programa lo puedes bajar de Internet*** podes baixar este programa da Internet ■ **bajarse** descer (de, de), sair (de, de); ***bajarse del autobús/coche/tren*** sair do ônibus/carro/trem; ***bajarse del caballo*** descer do cavalo
bajeza [ba'xeθa] *s.f.* baixeza, vileza
bajial [ba'xjal] *s.m.* [PER.] lugar baixo
bajista [ba'xista] *adj.,s.2g.* baixista
bajo ['baxo] *adj.* **1** (altura) baixo, pequeno **2** (preço) baixo, barato **3** (posição) inferior, de baixo; ***pisos bajos*** andares de baixo **4** (som, voz) baixo **5** *pej.* baixo, desprezível, vil ■ *s.m.* **1** (edifício) térreo **2** (roupa) bainha*f.* **3** (pessoa, voz) baixo **4** (instrumento) baixo; ***tocar el bajo*** tocar baixo ■ *adv.* baixo; ***¡habla más bajo!*** fala mais baixo! ■ *prep.* **1** (posição) debaixo de, sob; ***el libro está bajo la mesa*** o livro está debaixo da mesa **2** (período de tempo) sob; ***bajo su gobierno*** sob o seu governo **3** (estado, condição) sob; ***bajo presión*** sob pressão
bajón [ba'xon] *s.m.* queda*f.*, diminuição*f.*
bajorrelieve [baxore'ljeβe] *s.m.* ART.PL. baixo-relevo
bala ['bala] *s.f.* **1** bala; ***a prueba de balas*** à prova de bala **2** *(paquete)* fardo*m.*, pacote*m.* ♦ *col.* **como una bala** como uma bala
balacera [bala'θera] *s.f.* [AM.] tiroteio*m.*
balada [ba'laða] *s.f.* balada
balance [ba'lanθe] *s.m.* balanço; ***hacer balance de*** fazer o balanço de
balancear [balanθe'ar] *v.* balançar
balancín [balan'θin] *s.m.* **1** *(subibaja)* gangorra*f.* **2** *(mecedora)* cadeira*f.* de balanço **3** *(columpio)* balanço **4** (com cobertura) balanço com toldo **5** (equilibristas) vara*f.*

balanza [ba'laŋθa] *s.f.* balança ◆ **balanza comercial** balança comercial; **balanza de pagos** balança de pagamentos

balar [ba'lar] *v.* (ovelha, cordeiro) balir, soltar balidos

balazo [ba'laθo] *s.m.* balázio, balaço, tiro

balbucear [balβuθe'ar] *v.* balbuciar

balbucir [balβu'θir] *v.* balbuciar

balcón [bal'kon] *s.m.* **1** (edifício) varanda*f.* **2** *(mirador)* miradouro, miradoiro, mirante

balda ['balda] *s.f.* prateleira (de armário, estante)

balde ['balde] *s.m.* balde ◆ **de balde** de graça; **en balde** em vão

baldío [bal'dio] *adj.* **1** (terreno) baldio, inculto **2** *(vano)* vão, inútil ■ *s.m.* baldio

baldosa [bal'dosa] *s.f.* tijoleira, ladrilho*m.*

balear [bale'ar] *adj.2g.* balear; *islas Baleares* ilhas Baleares ■ *s.2g.* balear

balido [ba'liðo] *s.m.* (de ovelha, cordeiro) balido

baliza [ba'liθa] *s.f.* **1** (pista de aterrissagem, estrada) baliza; (mar) boia, baliza **2** [AM.] triângulo*m.* de sinalização

ballena [ba'ʎena] *s.f.* baleia

ballesta [ba'ʎesta] *s.f.* **1** (arma) besta **2** MEC. mola de suspensão

ballet [ba'let] *s.m.* balé

balneario [balne'arjo] *s.m.* **1** estância*f.* termal, termas*f. pl.*, caldas*f. pl.* **2** [ARG.] estância*f.* balnear ■ *adj.* balneário, balnear

balón [ba'lon] *s.m.* **1** bola*f.*; *balón de rugby* bola de rúgbi **2** (recipiente) balão ◆ **balón de papel** fardo de 24 resmas

balonazo [balo'naθo] *s.m.* bolada*f.*

baloncesto [baloŋ'θesto] *s.m.* basquetebol; *jugar al baloncesto* jogar basquetebol

balonmano [balon'mano] *s.m.* handebol; *jugar al balonmano* jogar handebol

balonvolea [balombo'lea] *s.m.* voleibol

balsa ['balsa] *s.f.* **1** (embarcação) jangada, balsa **2** *(charca)* poça

bálsamo ['balsamo] *s.m.* bálsamo

Báltico [bal'tiko] *s.m.* Báltico

bamboleo [bambo'leo] *s.m.* bamboleio

bambú [bam'bu] *s.m.* bambu

bambudal [bambu'ðal] *s.m.* [EQU.] bambual

banal [ba'nal] *adj.2g.* banal, trivial

banalidad [banali'ðaδ] *s.f.* banalidade, trivialidade

banalizar [banali'θar] *v.* banalizar, vulgarizar ■ **banalizarse** banalizar-se, vulgarizar se

banana [ba'nana] *s.f.* [AM.] banana

bananal [bana'nal] *s.m.* [C. RIC.] bananal

banano [ba'nano] *s.m.* (árvore) bananeira*f.*

banca ['baŋka] *s.f.* **1** ECON. banca **2** (jogos de azar) banca **3** *(asiento)* banco*m.*; mocho*m.* **4** [AM.] banco*m.* (de reservas)

bancario [baŋ'karjo] *adj.* bancário

bancarrota [baŋka'rota] *s.f.* bancarrota, falência; *estar en bancarrota* estar na bancarrota

banco ['baŋko] *s.m.* **1** *(asiento)* banco, assento **2** ECON. banco; *ir al banco* ir ao banco **3** (peixes) cardume **4** MED. banco; *banco de sangre/semen* banco de sangue/esperma **5** GEOL. banco; *banco de arena* banco de areia, baixio ◆ **banco alimentar/alimentario** banco alimentar; INFORM. **banco de datos** banco de dados

banda ['banda] *s.f.* **1** *(faja)* faixa, tira, banda **2** (insígnia) faixa **3** (delinquentes) bando*m.*, quadrilha **4** (aves) bando*m.* **5** *(lado)* lado*m.* **6** MÚS. banda **7** ESPOR. linha lateral ◆ INFORM. **banda ancha** banda larga; RÁD. **banda de frecuencia** banda de frequência; **banda sonora** trilha sonora; *col.* **cerrarse en banda** manter se firme; não arredar pé

bandada [ban'daδa] *s.f.* **1** (aves) bando*m.*, bandada; (peixes) cardume*m.*; (insetos) nuvem **2** (pessoas) leva, grupo*m.*, magote*m.*

bandeja [ban'dexa] *s.f.* **1** tabuleiro*m.*, bandeja **2** (fotocopiadora, impressora) bandeja*m.* **3** (forno) tabuleiro*m.* ◆ **bandeja de plata** salva de prata

bandera [ban'dera] *s.f.* bandeira; *bandera a media asta* bandeira a meio pau; (praias) *bandera azul* bandeira azul; *bandera blanca* bandeira branca; *izar la bandera* içar a bandeira ◆ **arriar (la) bandera** arriar a bandeira, render se; *col.* **de bandera** extraordinário, excelente; **jurar (la) bandera** jurar bandeira

bandid|o, -a [ban'diðo] *s.m.,f.* bandid|o, -a, bandoleir|o, -a

bando ['bando] *s.m.* **1** *(edicto)* édito, edital **2** (pessoas) bando, facção*f.*, partido **3** (aves) bando **4** (peixes) cardume **5** (abelhas) enxame

bandolina [bando'lina] *s.f.* bandolim*m.*

Bangladesh [baŋgla'ðes] *s.m.* Bangladesh

bangladeshí [baŋglaðe'ʃi] *adj.,s.2g.* bangladeshian|o, -a*m.f.*

banjo ['banxo] *s.m.* banjo

banquer|o, -a [baŋ'kero] *s.m.,f.* banqueir|o, -a

banquete [baŋ'kete] *s.m.* banquete

banquillo [baŋ'kiʎo] *s.m.* **1** (tribunal) banco dos réus **2** ESPOR. banco (de reservas) ◆ *col.* (jogador) **chupar banquillo** ficar no banco

bañadera [baɲa'ðera] *s.f.* [AM.] banheira

bañador [baɲa'ðor] *s.m.* (mulher) maiô; (homem) sunga*f.* de praia

bañar [ba'ɲar] *v.* **1** banhar, lavar, dar banho; *¿has bañado ya al bebé?* já deu banho no bebê? **2** (rio) banhar; *el Tajo baña Lisboa* o Tejo banha Lisboa **3** *(mojar)* molhar, banhar ■ **bañarse** tomar banho, lavar se; *me voy a bañar* vou tomar banho

bañera [ba'ɲera] *s.f.* banheira

bañista [ba'ɲista] *s.2g.* banhista

baño ['baɲo] *s.m.* **1** banho; (na banheira) banho de imersão; *darse un baño* tomar um banho (de banheira); *baño de sol* banho de sol; *baño turco* banho turco **2** *(bañera)* banheira*f.* **3** *(cuarto de baño)* banheiro; *ir al baño* ir ao banheiro ■ **baños** *s.m.pl.* termas*f. pl.*, caldas*f. pl.* ◆ **baño (de) María** banho-maria

bar ['bar] *s.m.* **1** (estabelecimento) bar **2** FÍS. bar

baraja [ba'raxa] *s.f.* baralho*m.*; *baraja de cartas* baralho de cartas
barajar [bara'xar] *v.* **1** (cartas) baralhar, embaralhar **2** *fig.* (opções, possibilidades) ter em conta, considerar
baranda [ba'randa] *s.2g. col.* chefe ■ *s.f.* ⇒ **barandilla**
barandilla [baran'diʎa] *s.f.* **1** (varanda, ponte) parapeito*m.*, varandim*m.*, balaustrada **2** (escadas) corrimão*m.*
baratija [bara'tixa] *s.f.* bugiganga
barato [ba'rato] *adj.* barato ■ *adv.* barato; *comprar barato* comprar barato
barba ['barβa] *s.f.* **1** barba; *dejar crecer la barba* deixar crescer a barba; *hacer(se) la barba* fazer a barba **2** *(mentón)* queixo*m.* ◆ **en las barbas de alguien** nas barbas de alguém; *col.* **por barba** por cabeça; *veinte euros por barba* vinte euros por cabeça
barbaridad [barβari'ðað] *s.f.* **1** *(crueldad)* barbaridade, crueldade **2** *(disparate)* barbaridade, disparate*m.*, estupidez ◆ *col.* **una barbaridad de** montes de; um montão de; *tiene una barbaridad de dinero* tem montes de dinheiro; *una barbaridad de gente* um montão de gente
barbarie [bar'βarje] *s.f.* barbárie
barbarismo [barβa'rizmo] *s.m.* barbarismo
bárbaro ['barβaro] *adj.* **1** *(cruel)* bárbaro, cruel **2** *col.* enorme, monstruoso, descomunal **3** *col.* sensacional, formidável, esplêndido
barbecho [bar'βetʃo] *s.m.* barbeito, alqueive, pousio
barbería [barβe'ria] *s.f.* (estabelecimento) barbeiro*m.*, barbearia
barbero [bar'βero] *s.m.* (pessoa) barbeiro
barbilla [bar'βiʎa] *s.f.* queixo*m.*
barbudo [bar'βuðo] *adj.* barbudo
barca ['barka] *s.f.* **1** barca **2** barco*m.* ◆ *col.* **estar en la misma barca** estar no mesmo barco
barcaza [bar'kaθa] *s.f.* barcaça
Barcelona [barθe'lona] *s.f.* Barcelona
barcelon|és, -esa [barθelo'nes] *adj.,s.m.,f.* barcelon|ês, -esa
barco ['barko] *s.m.* barco; navio ◆ **barco a motor/remos** barco a motor/remos; **barco cisterna** navio-cisterna; **barco de guerra** navio de guerra; **barco de vapor** barco a vapor; **barco de vela** barco à vela; **barco escuela** navio-escola; **barco patrulla** barco-patrulha
bario ['barjo] *s.m.* bário
barítono [ba'ritono] *s.m.* barítono
barman ['barman] *s.m.* (*pl.* barmans, bármanes) barman
barniz [bar'niθ] *s.m.* **1** verniz **2** *fig.* noção*f.*, ideia*f.* geral
barnizar [barni'θar] *v.* envernizar
barómetro [ba'rometro] *s.m.* barômetro
barón [ba'ron] *s.m.* (*f.* baronesa) barão
barquer|o, -a [bar'kero] *s.m.,f.* barqueir|o, -a
barquillo [bar'kiʎo] *s.m.* barquilho
barra ['bara] *s.f.* **1** barra; *barra de hierro/metal* barra de ferro/metal **2** (pão) filão, cacete*m.* **3** (estabelecimento) balcão*m.* **4** (cortinas, roupeiro) varão*m.* **5** (tribunal) barra **6** ESPOR. barra; *barra fija* barra fixa; *barras paralelas* barras paralelas ◆ (veículo) **barra antirrobo** tranca; **barra de cacao** manteiga de cacau; **barra de desplazamiento** barra de deslocamento; **barra de herramientas** barra de ferramentas; **barra de labios** batom; **barra de menú** barra de menu; (bar, discoteca) **barra libre** bar aberto
barraca [ba'raka] *s.f.* **1** *(casita)* casa rústica (típica de Valência e Múrcia) **2** *(chabola)* barraca, cabana
barranco [ba'ranko] *s.m.* barranco
barrena [ba'rena] *s.f.* verruma, broca ◆ (avião) **entrar en barrena** entrar em parafuso
barrender|o, -a [baren'dero] *s.m.,f.* varredor, -a de rua, gari*2g.*
barrer [ba'rer] *v.* **1** *(limpiar)* varrer; *barrer el suelo* varrer o chão **2** (vento) varrer, arrastar ◆ **barrer para dentro** puxar a brasa para a sua sardinha
barrera [ba'rera] *s.f.* **1** barreira **2** (praça de touros) primeira fila de assentos **3** *fig.* barreira, obstáculo*m.*, dificuldade **4** ESPOR. barreira ◆ **barrera del sonido** barreira do som
barriada [ba'rjaða] *s.f.* **1** bairro*m.* **2** [AM.] favela
barricada [bari'kaða] *s.f.* barricada
barriga [ba'riγa] *s.f.* **1** barriga **2** *fig.* bojo*m.*
barrigón [bari'γon] *adj.* barrigudo, pançudo
barrigudo [bari'γuðo] *adj.* barrigudo, pançudo
barril [ba'ril] *s.m.* barril ◆ **ser un barril de pólvora** ser um barril de pólvora
barrio ['barjo] *s.m.* bairro; *barrio de chabolas* favela ◆ *col.* **el otro bairro** o outro mundo; *col.* **irse al otro barrio** ir desta para melhor
barrizal [bari'θal] *s.m.* lamaçal; lodaçal
barro ['baro] *s.m.* **1** *(lodo)* lama*f.*; lodo **2** *(arcilla)* barro, argila*f.* **3** (rosto) espinha*f.*
barroco [ba'roko] *adj.* **1** barroco **2** *fig.* barroco, excessivo, exagerado ■ *s.m.* barroco
barrote [ba'rote] *s.m.* **1** barrote **2** barra*f.*
bartola [bar'tola] ◆ *col.* **a la bartola** de papo para o ar
bártulos ['bartulos] *s.m.pl.* apetrechos
barullo [ba'ruʎo] *s.m. col.* barulho, barulheira*f.*, balbúrdia*f.*
basalto [ba'salto] *s.m.* basalto
basar [ba'sar] *v.* basear (en, em), fundamentar (en, em) ■ **basarse** basear-se (en, em); *¿en qué te basas?* em que se baseia?; *la película se basa en una novela* o filme baseia se num romance
basca ['baska] *s.f. col.* galera; pessoal*m.*; turma ■ **bascas** *s.f.pl.* náusea, enjoo*m.*
báscula ['baskula] *s.f.* balança
base ['base] *s.f.* base ■ *s.2g.* ESPOR. (basquetebol) base ◆ **a base de** à base de; *col.* **a base de bien 1** muito bem **2** muito; **base aérea** base aérea; **base de datos** base de dados; (astronáutica) **base de lanzamiento** base espacial; **base de operaciones** base de operações; **base imponible** rendimento tributável
básico ['basiko] *adj.* **1** básico **2** QUÍM. básico, alcalino
basílica [ba'silika] *s.f.* basílica
básquet ['basket] *s.m.* basquete, basquetebol
basta ['basta] *interj.* basta!, chega!

bastante [bas'tante] *adj.indef.* **1** bastante; ***hace bastante calor*** está bastante calor **2** suficiente; ***no tiene bastante energía para eso*** não tem energia suficiente para isso ■ *pron.indef.* bastante; ***eran bastantes los que emigraban*** eram bastantes os que emigravam ■ *adv.* **1** bastante; ***habla español bastante bien*** fala espanhol bastante bem **2** suficientemente; ***no es lo bastante tonto para hacerlo*** não é suficientemente louco para fazê-lo

bastar [bas'tar] *v.* bastar, chegar, ser suficiente; ***basta con una gota*** basta uma gota, uma gota é suficiente; ***basta de discusiones*** chega de discussões ♦ **¡basta!** basta!; chega!; **¡basta ya!** já chega!

bastardilla [bastar'ðiʎa] *s.f.* (letra) itálico*m.*

bastardo [bas'tarðo] *adj.* bastardo; ***hijo bastardo*** filho bastardo

bastidor [basti'ðor] *s.m.* **1** (para bordar, pintar) bastidor **2** MEC. chassis*2n.* **3** (teatro) bastidores*pl.* ♦ **entre bastidores** nos bastidores

bastilla [bas'tiʎa] *s.f.* bainha alinhavada

bastión [bas'tjon] *s.m.* bastião, baluarte

basto ['basto] *adj.* **1** tosco, grosseiro **2** (pessoa) bronco, grosseiro, rude

bastón [bas'ton] *s.m.* **1** (como apoio ao andar) bengala*f.* **2** (como apoio, defesa) bastão **3** (esqui) bastão

bastonazo [basto'naθo] *s.m.* bengalada*f.*, bastonada*f.*

bastoncillo [baston'θiʎo] *s.m.* cotonete

bastonera [basto'nera] *s.f.* bengaleiro*m.*

basura [ba'sura] *s.f.* lixo*m.*; ***bolsa de la basura*** saco de lixo; ***cubo de la basura*** lata de lixo; ***echar/tirar a la basura*** jogar no lixo

basurer|o, -a [basu'rero] *s.m.,f.* lixeir|o, -a ■ **basurero** *s.m.* **1** lixeira*f.* **2** [AM.] lata*f.* de lixo

bata ['bata] *s.f.* **1** (para casa) roupão*m.* **2** (para trabalhar) jaleco

batacazo [bata'kaθo] *s.m.* baque, tombo, queda*f.*

batalla [ba'taʎa] *s.f.* batalha ♦ **dar/presentar batalla** fazer frente

batallador [bataʎa'ðor] *adj.* batalhador

batallar [bata'ʎar] *v.* batalhar, combater, lutar

batallón [bata'ʎon] *s.m.* batalhão

batata [ba'tata] *s.f.* batata doce

bate ['bate] *s.m.* taco (de beisebol, críquete)

batería [bate'ria] *s.f.* **1** MÚS. bateria; ***tocar la batería*** tocar bateria **2** MIL. bateria **3** ELETR. bateria; ***cargar la batería*** carregar a bateria **4** TEAT. ribalta **5** *(conjunto)* conjunto*m.* (de, de), série (de, de) ■ *s.2g.* baterista ♦ **batería de cocina** bateria de cozinha; (estacionamento) **en batería** em paralelo e lado a lado

batida [ba'tiða] *s.f.* **1** (polícia) caça, busca; ***dar una batida*** fazer uma batida **2** (caça) batida

batido [ba'tiðo] *adj.* **1** batido; ***yogur batido*** iogurte batido **2** (caminho) batido, trilhado ■ *s.m.* **1** (bebida) vitamina*f.*; ***batido de fresa*** vitamina de morango **2** CUL. ovos*pl.* batidos (mistura de claras e gemas de ovo)

batidora [bati'ðora] *s.f.* **1** varinha mágica **2** batedeira (elétrica)

batiente [ba'tjente] *s.m.* **1** (janela, porta) batente, aldraba*f.* **2** (costa) batente

batín [ba'tin] *s.m.* roupão (de homem)

batir [ba'tir] *v.* **1** (ingredientes) bater, mexer, agitar; ***batir las claras a punto de nieve*** bater as claras em neve **2** (asas, palmas) bater **3** *(golpear)* bater; ***la lluvia batía en los cristales*** a chuva batia nos vidros **4** *(vencer)* bater, vencer, derrotar; ***batir al adversario*** bater o adversário **5** (recorde, resultado) bater, superar; ***ha batido la plusmarca en tiro*** bateu o recorde em tiro **6** (metal) bater, martelar, malhar **7** (moeda) cunhar, bater **8** *(dar una batida)* explorar; (área) fazer o reconhecimento de; (polícia) fazer uma batida **9** (atletismo) fazer a chamada (num salto, lançamento); ***antes de batir las piernas*** antes de fazer a chamada **10** (coração) bater

batuta [ba'tuta] *s.f.* batuta ♦ *col.* **llevar la batuta** dar as cartas

baúl [ba'ul] *s.m.* **1** baú **2** [AM.] mala*f.*, porta-bagagens*2n.* ♦ **guardar en el baúl de los recuerdos** ficar na gaveta

bautismal [bawtiz'mal] *adj.2g.* batismal

bautismo [baw'tizmo] *s.m.* **1** (sacramento) batismo **2** (ato, cerimônia) batizado ♦ **bautismo de aire** batismo do ar; **bautismo de fuego** batismo de fogo

bautizar [bawti'θar] *v.* **1** batizar **2** *pop.* (vinho) adulterar, batizar

bautizo [baw'tiθo] *s.m.* **1** batismo, batizado **2** (festa) batizado

bavarois [baβa'rwa] *s.m.2n.* [doce de colher de consistência esponjosa e servido frio]

baya ['baya] *s.f.* baga

bayeta [ba'yeta] *s.f.* pano*m.* (para fazer limpeza)

bayoneta [bayo'neta] *s.f.* baioneta

baza ['baθa] *s.f.* vaza ♦ *col.* **meter baza** meter o bedelho, intrometer-se

bazar [ba'θar] *s.m.* bazar

bazo ['baθo] *s.m.* ANAT. baço

bazuca [ba'θuka] *s.m./f.* bazuca*f.*

beatificación [beatifika'θjon] *s.f.* beatificação

beatificar [beatifi'kar] *v.* beatificar

beat|o, -a [be'ato] *adj.,s.m.,f.* beat|o, -a

bebé [be'βe] *s.m.* bebê*2g.*, nenê*2g.* ♦ **bebé probeta** bebê de proveta

bebedero [beβe'ðero] *adj.* bebível, potável; ***agua bebedera*** água potável ■ *s.m.* bebedouro

beber [be'βer] *v.* **1** beber **2** *(emborracharse)* beber, embriagar se; ***bebe mucho*** bebe muito ♦ **beber a la salud de alguien** beber à saúde de alguém

bebida [be'βiða] *s.f.* bebida; ***bebida alcohólica*** bebida alcoólica; ***bebida blanca*** bebida destilada; ***bebida gasificada*** bebida gaseificada; ***darse a la bebida*** entregar-se à bebida

bebido [be'βiðo] *adj.* bêbado, embriagado

beca ['beka] *s.f.* bolsa (de estudo); ***beca de estudios/investigación*** bolsa de estudos/investigação; ***pedir/solicitar una beca*** candidatar-se a uma bolsa

becar [be'kar] *v.* conceder uma bolsa (de estudo)

becari|o, -a [be'karjo] *s.m.,f.* bolsista*2g.*

becerr|o, -a [be'θero] *s.m.,f.* bezerr|o, -a

bechamel [betʃa'mel] *s.f.* bechamel*m.*
beicon ['bejkon] *s.m.* bacon, toucinho defumado
beige ['bejs] *adj.2g.2n.,s.m.* bege
beis ['bejs] *adj.2g.2n.,s.m.* ⇒ **beige**
béisbol ['bejzβol] *s.m.* beisebol
beisbolista [bejzβo'lista] *s.2g.* beisebolista
beldad [bel'daδ] *s.f.* beldade
belén [be'len] *s.m.* presépio
belga ['belγa] *adj.,s.2g.* belga
Bélgica ['belxika] *s.f.* Bélgica
bélico ['beliko] *adj.* bélico
bellac|o, -a [be'ʎako] *s.m.,f.* velhac|o, -a, patife*2g.*
belladona [beʎa'δona] *s.f.* beladona
belleza [be'ʎeθa] *s.f.* beleza
bello ['beʎo] *adj.* belo, bonito
bellota [be'ʎota] *s.f.* bolota
bemol [be'mol] *s.m.* bemol
bencina [ben'θina] *s.f.* **1** benzina **2** [CH., ESP.] gasolina
bendecir [bende'θir] *v.* **1** abençoar, bendizer; ***¡que Dios te bendiga!*** que Deus o abençoe! **2** (com preces, rituais) benzer **3** *(alabar)* elogiar, bendizer
bendición [bendi'θjon] *s.f.* bênção; ***darle la bendición a alguien*** dar a bênção a alguém
bendito [ben'dito] ⟨*p.p. de* bendecir⟩ *adj.* **1** bendito, abençoado **2** *(bendecido)* bento, benzido; ***agua bendita*** água benta **3** *(feliz)* bendito, feliz ♦ **dormir como un bendito** dormir como um anjo
benefactor, -a [benefak'tor] *s.m.,f.* benfeitor, -a
beneficencia [benefi'θenθja] *s.f.* beneficência
beneficiar [benefi'θjar] *v.* beneficiar ▪ **beneficiarse** beneficiar-se (de, de); ***ellos se han beneficiado del descuento*** eles se beneficiaram do desconto
beneficiari|o, -a [benefi'θjarjo] *s.m.,f.* beneficiári|o, -a
beneficio [bene'fiθjo] *s.m.* **1** *(bien)* benefício **2** *(provecho)* proveito; ***sacar beneficio de*** tirar proveito de **3** *(ganancia)* lucro ♦ **conceder el beneficio de la duda** dar o benefício da dúvida
beneficioso [benefi'θjoso] *adj.* **1** benéfico, proveitoso **2** (clima) benéfico, bom
benéfico [be'nefiko] *adj.* **1** benéfico **2** beneficente, de beneficência/caridade; ***organizaciones benéficas*** organizações beneficentes
benevolencia [beneβo'lenθja] *s.f.* benevolência
benévolo [be'neβolo] *adj.* benévolo, bondoso
benigno [be'niγno] *adj.* **1** (clima) agradável, ameno **2** MED. benigno
benjamín, -a [benxa'min] *s.m.,f.* caçula*2g.*
berberecho [berβe'retʃo] *s.m.* berbigão, vôngole
berbiquí [berβi'ki] *s.m.* furadeira*f.*
berenjena [bereŋ'xena] *s.f.* berinjela
berilio [be'riljo] *s.m.* berílio
bermudas [ber'muδas] *s.m./f.pl.* bermudas*f.*
berquelio [ber'keljo] *s.m.* berquélio
berrear [bere'ar] *v.* berrar
berrido [be'riδo] *s.m.* berro
berrinche [be'rintʃe] *s.m. col.* birra*f.*; ***llevarse un berrinche*** fazer birra
berro ['bero] *s.m.* agrião
berza ['berθa] *s.f.* **1** couve-galega, couve-portuguesa **2** *(col.)* couve
besamanos [besa'manos] *s.m.2n.* beija-mão
besamel [besa'mel] *s.f.* bechamel*m.*
besar [be'sar] *v.* **1** beijar; ***besar a alguien en la boca*** beijar alguém na boca; ***besarle la mano a alguien*** beijar a mão de alguém **2** *fig.* tocar, roçar, beijar ▪ **besarse 1** beijar-se **2** *col.* esbarrar; chocar
beso ['beso] *s.m.* beijo; ***beso de buenas noches*** beijo de boa noite; ***darle un beso a alguien*** dar um beijo em alguém ♦ **beso de Judas** beijo de Judas
bestia ['bestja] *s.f.* besta; ***bestia de carga*** besta de carga ▪ *s.2g. pej.* besta*f.*, brut|o, -a*m.f.* ▪ *adj.2g.* **1** *pej.* bruto **2** *pej.* grosseiro
bestial [bes'tjal] *adj.2g.* **1** sensacional **2** *col.* fantástico, extraordinário, formidável **3** *col.* descomunal, enorme
bestialidad [bestjali'δaδ] *s.f.* **1** brutalidade **2** *col.* estupidez, besteira ♦ *col.* **una bestialidad de** um montão de, montes de
best-seller ['best'seler] *s.m.* ⟨*pl.* best-sellers⟩ best-seller
besucón [besu'kon] *adj. col.* beijoqueiro
besugo [be'suγo] *s.m.* besugo
besuquear [besuke'ar] *v. col.* beijocar
beta ['beta] *s.f.* (letra grega) beta*m.*
betún [be'tun] *s.m.* **1** betume **2** (calçado) graxa*f.*
betuner|o, -a [betu'nero] *s.m.,f.* engraxate*2g.*
bezudo [be'θuδo] *adj.* beiçudo
biberón [biβe'ron] *s.m.* mamadeira*f.*
Biblia ['biβlja] *s.f.* Bíblia
bíblico ['biβliko] *adj.* bíblico
bibliografía [biβljoγra'fia] *s.f.* bibliografia
biblioteca [biβljo'teka] *s.f.* biblioteca; ***biblioteca ambulante*** biblioteca itinerante
bibliotecari|o, -a [biβljote'karjo] *s.m.,f.* bibliotecári|o, -a
bicampe|ón, -ona [bikampe'on] *s.m.,f.* bicampe|ão, -ã
bicarbonato [bikarβo'nato] *s.m.* bicarbonato; ***bicarbonato sódico*** bicarbonato de sódio
bicentenario [biθente'narjo] *s.m.* bicentenário
bíceps ['biθeps] *s.m.2n.* (músculo) bíceps
bicho ['bitʃo] *s.m.* **1** bicho **2** *col.* (pessoa) diabrete ♦ (pessoa) **bicho raro** bicho raro
bici ['biθi] *s.f. col.* bicicleta
bicicleta [biθi'kleta] *s.f.* bicicleta; ***bicicleta de carrera/montaña*** bicicleta de corrida/mountain-bike; ***bicicleta todo terreno*** bicicleta de estrada; ***ir en bicicleta al trabajo*** ir de bicicleta para o trabalho; ***montar en bicicleta*** andar de bicicleta ♦ (ginástica) **bicicleta estática** bicicleta ergométrica
bicoca [bi'koka] *s.f.* **1** *col.* ninharia, bagatela **2** *col.* pechincha
bicolor [biko'lor] *adj.2g.* bicolor
bidé [bi'δe] *s.m.* bidê

bidimensional [biðimensjo'nal] *adj.2g.* bidimensional
bidón [bi'ðon] *s.m.* bidão, barril, tonel
bien ['bjen] *adv.* **1** bem; *oler bien* cheirar bem **2** (saúde) bem; *¿estás bien?* estás bem? **3** *(correctamente)* bem, corretamente; *responder bien* responder bem **4** *(con gusto)* bem, com gosto; *yo bien me iría contigo si no tuviera que trabajar* eu bem que iria contigo se não tivesse que trabalhar **5** *(mucho)* bem, muito, bastante; *quiero un vaso de leche bien fría* quero um copo de leite bem frio **6** *(fácilmente)* bem; *bien se ve que* bem se vê que **7** *(de acuerdo)* está bem, sim; *¿iremos al cine esta noche? – bien* vamos ao cinema esta noite? – está bem ■ *adj.2g.2n.* bem; *chicos bien* meninos bem ■ *s.m.* **1** bem; *el bien y el mal* o bem e o mal **2** *(bienestar)* bem, bem-estar **3** (classificação) bom ■ **bienes** *s.m.pl.* bens; *bienes de consumo* bens de consumo; *bienes de primera necesidad* bens de primeira necessidade; *bienes gananciales* bens comuns; *bienes inmuebles* bens imóveis; *bienes personales* bens pessoais ◆ **bien como** bem como; **bien hecho** **1** (alimento) bem passado **2** (café) bem tirado **3** *irôn.* bem feito; **bien que mal** bem ou mal; de uma maneira ou de outra; **bien sea** quer seja; **de bien** de bem; *gente de bien* pessoas de bem; **estar bien (algo a alguien)** ficar bem (alguma coisa a alguém); *irôn.* **¡estaríamos bien!** (espanto, desagrado) onde já se viu?; **¡qué bien!** que bom/bem!; **que bien si** seria/era bom que; **si bien** se bem que; **venir bien** ir bem; dar jeito; **venir mal** ir mal; não dar jeito; **¿y bien?** e então?
bienaventurado [bjenaβen̪tu'raðo] *adj.* bem-aventurado, afortunado
bienaventuranza [bjenaβen̪tu'ranθa] *s.f.* bem--aventurança
bienestar [bjenes'tar] *s.m.* bem-estar
bienhechor, -a [bjene'tʃor] *s.m.,f.* benfeitor, -a
bienio ['bjenjo] *s.m.* biênio
bienvenida [bjembe'niða] *s.f.* boas vindas*pl.*; *dar la bienvenida a alguien* dar as boas vindas a alguém
bienvenido [bjembe'niðo] *adj.* bem vindo; *¡bienvenido a Brasil!* bem vindo ao Brasil!
bies ['bjes] *s.m.* (pano) viés ◆ **al bies** de viés
bifurcación [bifurka'θjon] *s.f.* bifurcação
bigamia [bi'γamja] *s.f.* bigamia
bígam|o, -a ['biγamo] *s.m.,f.* bígam|o, -a
bígaro ['biγaro] *s.m.* caramujo
bigote [bi'γote] *s.m.* bigode
bikini [bi'kini] *s.m.* ⇒ **biquini**
bilingüe [bi'liŋgwe] *adj.2g.* bilíngue
bilingüismo [biliŋ'gwizmo] *s.m.* bilinguismo
bilis ['bilis] *s.f.2n.* bílis
billar [bi'ʎar] *s.m.* bilhar; *jugar al billar* jogar bilhar ◆ **billar ruso** sinuca
billete [bi'ʎete] *s.m.* **1** (dinheiro) nota*f.* **2** (espetáculo) bilhete, entrada*f.* **3** (transportes) bilhete, passagem; (avião) passagem*f.*; *billete de ida y vuelta* bilhete de ida e volta **4** (loteria) volante*f.*, bilhete
billetera [biʎe'tera] *s.f.* carteira (para notas, cartões)
billetero [biʎe'tero] *s.m.* ⇒ **billetera**
billón [bi'ʎon] *num.* trilhão
bimestral [bimes'tral] *adj.2g.* bimestral
bimestre [bi'mestre] *s.m.* bimestre
bimotor [bimo'tor] *s.m.* bimotor
binario [bi'narjo] *adj.* binário
bingo ['biŋgo] *s.m.* bingo ■ *interj.* bingo!
binoculares [binoku'lares] *s.m.pl.* binóculo
binóculo [bi'nokulo] *s.m.* óculos*s.m.pl.*
biodegradable [bjoðeγra'ðaβle] *adj.2g.* biodegradável
biografía [bjoγra'fia] *s.f.* biografia
biología [bjolo'xia] *s.f.* biologia
biológico [bjo'loxiko] *adj.* biológico
biólog|o, -a ['bjoloγo] *s.m.,f.* biólog|o, -a
biombo ['bjombo] *s.m.* biombo
biopsia ['bjopsja] *s.f.* biópsia
bioquímica [bjo'kimika] *s.f.* bioquímica
biosfera [bjos'fera] *s.f.* biosfera
biotecnología [bjoteknolo'xia] *s.f.* biotecnologia
bipolar [bipo'lar] *adj.2g.* bipolar
biquini [bi'kini] *s.m.* biquíni
birlibirloque [birliβir'loke] ◆ **por arte de birlibirloque** por um passe de mágica
birra ['bira] *s.f. col.* cerveja
birria ['birja] *s.f. col.* porcaria*fig.*
bis ['bis] *adv.* bis ■ *s.m.2n.* bis; *pedir un bis* pedir bis
bisabuel|o, -a [bisa'βwelo] *s.m.,f.* bisav|ô, -ó
bisagra [bi'saγra] *s.f.* dobradiça, gonzo*m.*
bisbisear [bisβise'ar] *v. col.* sussurrar, cochichar
biscote [bis'kote] *s.m.* torrada*f.*
bisemanal [bisema'nal] *adj.2g.* bissemanal
bisexual [bisek'swal] *adj.,s.2g.* bissexual
bisiesto [bi'sjesto] *adj.* bissexto; *año bisiesto* ano bissexto
bismuto [biz'muto] *s.m.* bismuto
bisniet|o, -a [biz'njeto] *s.m.,f.* bisnet|o, -a
bisojo [bi'soxo] *adj.* (pessoa) vesgo, estrábico, zarolho
bisonte [bi'son̪te] *s.m.* bisão
bisoño [bi'soɲo] *adj.* inexperiente, principiante, bisonho
bistec, **bisté** [bis'tek] [bis'te] *s.m.* (*pl.* bistecs, bistés) bife; *bistec de vaca* bife de vaca
bisturí [bistu'ri] *s.m.* bisturi, escalpelo
bisutería [bisute'ria] *s.f.* bijutaria, bijuteria
bizco ['biθko] *adj.* **1** (pessoa) vesgo, estrábico, zarolho **2** (olhar) oblíquo, mirolho
bizcocho [biθ'kotʃo] *s.m.* pão de ló
blackout ['blakawt] *s.m.* bloqueio informativo
blanc|o, -a ['blaŋko] *adj.,s.m.,f.* branc|o, -a ■ **blanco** *s.m.* **1** (cor) branco **2** *(diana)* alvo; *dar en el blanco* acertar no alvo; *tiro al blanco* tiro ao alvo **3** *(objetivo)* alvo, objetivo **4** (texto) espaço em branco ◆ **en blanco** **1** (papel, página) em branco **2** (noite) em claro **3** (assunto) em branco; *quedarse en blanco* ficar em branco; **en blanco y negro** em preto e branco; *película en blanco y negro* filme em preto e branco; *col.* **sin blanca** sem dinheiro
blancor [blaŋ'kor] *s.m.* brancura*f.*

blancura [blaŋ'kura] *s.f.* brancura
blando ['blaṇdo] *adj.* **1** (matéria) mole **2** (pessoa) brando **3** (droga) leve **4** (fruta) tenro
blanquear [blaŋke'ar] *v.* **1** branquear **2** (parede) caiar **3** (dinheiro) lavar
blanquecino [blaŋke'θino] *adj.* esbranquiçado
blasfemar [blasfe'mar] *v.* blasfemar (contra, contra)
blasfemia [blas'femja] *s.f.* blasfêmia
blasón [bla'son] *s.m.* brasão
bledo ['bleðo] *s.m.* bredo ♦ *col.* **¡me importa un bledo!** não estou nem aí!
blenorragia [blenoˈraxja] *s.f.* blenorragia, gonorreia
blindado [bliṇ'daðo] *adj.* blindado
blindaje [bliṇ'daxe] *s.m.* blindagem*f.*
blindar [bliṇ'dar] *v.* blindar
bloc ['blok] *s.m.* bloco (de folhas); *bloc de dibujo* bloco de desenho
bloque ['bloke] *s.m.* **1** bloco; POL. *bloque de derecha/izquierda* bloco de direita/esquerda; *bloques de mármol* blocos de mármore; *bloque de pisos* bloco de apartamentos **2** *(bloc)* bloco (de notas) ♦ **en bloque** em bloco, em conjunto
bloquear [bloke'ar] *v.* **1** (lugar) bloquear, impedir, obstruir **2** (mecanismo) travar, bloquear **3** ECON. congelar, bloquear **4** MIL. bloquear, sitiar, cercar **5** ESPOR. defender ▪ **bloquearse 1** (pessoa) bloquear **2** INFORM. bloquear
bloqueo [blo'keo] *s.m.* **1** (lugar) bloqueio, impedimento, obstrução*f.* **2** PSIC. bloqueio; *bloqueo mental* bloqueio mental **3** ECON. congelamento*f.*, bloqueio **4** MIL. sítio, cerco, bloqueio
blusa ['blusa] *s.f.* blusa
blusón [blu'son] *s.m.* blusão, blusa*f.* larga
boa ['boa] *s.f.* jiboia, boa ▪ *s.m.* boa*f.*
boato [bo'ato] *s.m.* pompa*f.*, ostentação*f.*, aparato
bobada [bo'βaða] *s.f.* bobagem
bobería [boβe'ria] *s.f.* bobagem
bobina [bo'βina] *s.f.* **1** bobina **2** (fios, linhas) carretel*m.*
bob|o, -a ['boβo] *adj.,s.m.,f.* bob|o, -a, tont|o, -a
boca ['boka] *s.f.* boca ♦ **andar en boca de todos** andar na boca do mundo; **boca a boca** boca a boca; *respiración boca a boca* respiração boca a boca; **boca abajo** de barriga para baixo; de bruços; **boca arriba** de barriga para cima; **boca de riego** hidrante; **como la boca del lobo** escuro como breu; **correr de boca en boca** andar de boca em boca; *col.* **hacerse la boca agua** dar água na boca; **por la boca muere el pez** pela boca morre o peixe; **quedarse con la boca abierta** ficar de boca aberta
bocacalle [boka'kaʎe] *s.f.* **1** entrada de rua, embocadura **2** *(calle secundaria)* travessa
bocadillo [boka'ðiʎo] *s.m.* **1** sanduíche; *bocadillo de chorizo* sanduíche de linguiça **2** (história em quadrinhos) balão
bocado [bo'kaðo] *s.m.* **1** (comida) bocado **2** *(dentellada)* dentada*f.*
bocamanga [boka'maŋga] *s.f.* punho*m.* (da manga)
bocanada [boka'naða] *s.f.* **1** (líquido) bochecho*m.* **2** (fumo) baforada **3** (vento) lufada
bocata [bo'kata] *s.f. col.* sanduíche*m.*
bocazas [bo'kaθas] *s.2g.2n.* linguarud|o, -a*m.f.*
boceto [bo'θeto] *s.m.* esboço, bosquejo
bochorno [bo'tʃorno] *s.m.* **1** calor sufocante; *hace bochorno* está muito abafado **2** *fig.* vergonha*f.*, embaraço; *¡qué bochorno!* que embaraçoso!
bochornoso [botʃor'noso] *adj.* **1** (tempo) abafado, sufocante **2** *fig.* (atitude, situação) vergonhoso, embaraçoso
bocina [bo'θina] *s.f.* buzina; *tocar la bocina* buzinar
bocinazo [boθi'naθo] *s.m.* **1** buzinão **2** *col.* berro
boda ['boða] *s.f.* **1** (cerimônia) casamento*m.*; *lista de boda* lista de casamento **2** (festa) boda ♦ **bodas de diamante/oro/plata** bodas de diamante/ouro/prata
bodega [bo'ðeγa] *s.f.* **1** (para vinho) adega, cave **2** (estabelecimento) bar, boteco **3** NÁUT. porão*m.*
bodegón [boðe'γon] *s.m.* **1** natureza-morta*f.* **2** (estabelecimento) tasca*f.*, taberna*f.*, tasco*pop.*
bodrio ['boðrjo] *s.m.* porcaria*f. fig.*
bofes ['bofes] *s.m.pl.* (pulmão de animal) bofes ♦ *col.* **echar el bofe/los bofes** pôr/deitar os bofes pela boca
bofetada [bofe'taða] *s.f.* bofetada, estalo*m.*; *dar una bofetada a alguien* dar uma bofetada em alguém
bofetón [bofe'ton] *s.m.* bofetão
boga ['boγa] *s.f.* voga; *estar en boga* estar em voga, estar na moda
bogar [bo'γar] *v.* remar
bohemi|o, -a [bo'emjo] *adj.,s.m.,f.* boêmi|o, -a
bohrio ['borjo] *s.m.* bóhrio
boicot [boj'kot] *s.m.* boicote
boicotear [bojkote'ar] *v.* boicotar
boicoteo [bojko'teo] *s.m.* ⇒ **boicot**
boina ['bojna] *s.f.* boina
bol ['bol] *s.m.* tigela*f.*, malga*f.*
bola ['bola] *s.f.* **1** bola **2** *col.* peta, patranha ▪ **bolas** *s.f.pl.* (jogo) gude*m.* ♦ *col.* **a su bola** o que der na telha/veneta; *col.* **correr la bola** espalhar/correr o boato
bolazo [bo'laθo] *s.m.* bolada*f.*
bolera [bo'lera] *s.f.* (estabelecimento) boliche*m.*
boler|o, -a [bo'lero] *s.m.,f. col.* mentiros|o, -a ▪ **bolero** *s.m.* **1** MÚS. bolero **2** (casaco) bolero
boletería [bolete'ria] *s.f.* [AM.] bilheteria
boletín [bole'tin] *s.m.* **1** *(publicación)* boletim, publicação*f.* periódica; *boletín informativo* boletim informativo **2** *(impreso)* boletim, impresso, formulário, ficha*f.*; *boletín de inscripción* boletim/ficha de inscrição **3** (rádio, televisão) noticiário **4** (estudante) caderneta*f.* (do aluno) ♦ **boletín oficial** boletim oficial
boleto [bo'leto] *s.m.* **1** (jogos de azar) bilhete, volante; *boleto de euromillones* volante do euromilhões; *boleto de la lotería* bilhete de loteria **2** (sorteio) rifa*f.* **3** [AM.] bilhete
boli ['boli] *s.m. col.* esferográfica*f.*

boliche [bo'litʃe] *s.m.* [AM.] boliche
bólido ['boliδo] *s.m.* **1** ASTRON. bólide **2** (veículo) carro de corrida, bólide
bolígrafo [bo'liγrafo] *s.m.* esferográfica*f.*, caneta*f.* esferográfica
Bolivia [bo'liβja] *s.f.* Bolívia
bolivian|o, -a [boli'βjano] *adj.,s.m.,f.* bolivian|o, -a ■ **boliviano** *s.m.* boliviano
bollo ['boʎo] *s.m.* **1** pão doce **2** *col.* galo, inchaço **3** *col.* amassado, batida*f.*; *tener un bollo en el coche* ter um amassado no carro **4** *col.* confusão*f.*
bolo ['bolo] *s.m.* pino (de boliche) ■ **bolos** *s.m.pl.* boliche; *jugar a los bolos* jogar boliche ◆ **bolo alimenticio** bolo alimentar
bolsa ['bolsa] *s.f.* **1** saco*m.*, bolsa; *bolsa de basura* saco de lixo; *bolsa de deporte* bolsa de esporte; *bolsa de la compra* saco de compras; *bolsa de viaje* bolsa de viagem; *bolsa isotérmica* saco isotérmico; *bolsa plástica* saco plástico **2** ECON. bolsa; *bolsa de valores* bolsa de valores ◆ **bolsa de aseo** estojo de toalete, nécessaire; [ARG., URUG.] **bolsa de dormir** saco de dormir; **bolsa de trabajo** bolsa de trabalho; **bolsa marsupial** bolsa marsupial; marsúpio
bolsillo [bol'siʎo] *s.m.* **1** bolso, algibeira*f.*; *sacar las manos de los bolsillos* tirar as mãos dos bolsos **2** *(bolso)* bolsa*f.* ◆ *col.* **aflojar/rascarse el bolsillo** pagar do seu bolso; **de bolsillo** de bolso; *un libro de bolsillo* um livro de bolso; *col.* **meterse a alguien en el bolsillo** ter alguém nas mãos
bolsista [bol'sista] *s.2g.* bolsista
bolso ['bolso] *s.m.* bolsa*f.*
bomba ['bomba] *s.f.* **1** bomba; *bomba atómica* bomba atômica; *bomba de relojería* bomba-relógio; *tirar una bomba* lançar uma bomba **2** (máquina) bomba; *bomba de agua/aire* bomba de água/ar **3** *fig.* bomba*fig.*, notícia inesperada; *caer como una bomba* cair como uma bomba ◆ *col.* **pasárselo bomba** divertir-se muito; *col.* **ser la bomba** ser incrível
bombardear [bombarδe'ar] *v.* **1** bombardear **2** *fig.* bombardear (con, com); *bombardearon al presidente con preguntas* bombardearam o presidente com perguntas
bombardeo [bombar'δeo] *s.m.* bombardeio
bombardero [bombar'δero] *s.m.* bombardeiro
bombear [bombe'ar] *v.* (líquido) bombear
bombeo [bom'beo] *s.m.* bombeamento
bomber|o, -a [bom'bero] *s.m.,f.* bombeir|o, -a; *llamar a los bomberos* chamar os bombeiros; *parque de bomberos* quartel dos bombeiros
bombilla [bom'biʎa] *s.f.* lâmpada
bombo ['bombo] *s.m.* **1** bombo **2** (sorteio) tômbola*f.* **3** *col.* elogio exagerado; *dar bombo* elogiar exageradamente **4** *col.* (grávida) barriga*f.* grande
bombón [bom'bon] *s.m.* **1** bombom; *una caja de bombones* uma caixa de bombons **2** *col.* (pessoa) atraente*f.fig.*
bombona [bom'bona] *s.f.* botija*f.*, bilha*f.*; *bombona de gas* botijão de gás
bombonera [bombo'nera] *s.f.* caixinha para bombons
bonachón [bona'tʃon] *adj. col.* bonacheirão, bonachão
bonanza [bo'naŋθa] *s.f.* (mar) bonança, calmaria
bondad [boŋ'daδ] *s.f.* bondade ◆ **tener la bondad de** [+*inf.*] ter a bondade de [+*inf.*]; *tenga la bondad de entrar* tenha a bondade de entrar
bondadoso [boŋda'δoso] *adj.* bondoso
boniato [bo'njato] *s.m.* batata-doce*f.*
bonificación [bonifika'θjon] *s.f.* **1** *(gratificación)* bonificação **2** *(rebaja)* desconto*m.* **3** ESPOR. desconto*m.*
bonito [bo'nito] *adj.* **1** bonito, lindo, belo, bacana*col.*; *¡qué bonito!* que bonito!; *¡qué día tan bonito hace!* está um dia lindo! **2** *irôn.* bonito, lindo; *¡muy bonito!* muito bonito! ■ *s.m.* ZOOL. bonito
bono ['bono] *s.m.* **1** vale (de compra) **2** (transportes) bilhete, passagem; (espetáculos) bilhete, ingresso; (ônibus) passagem paga previamente **3** ECON. título de dívida, obrigação*f.*
bonobús [bono'βus] *s.m.2n.* (ônibus) [passagem que dá direito a realizar determinado número de viagens]
boñiga [bo'ɲiγa] *s.f.* bosta
boquerón [boke'ron] *s.m.* ZOOL. biqueirão, anchova*f.*
boquete [bo'kete] *s.m.* **1** (superfície) buraco **2** (parede) brecha*f.*
boquiabierto [bokja'βjerto] *adj.* **1** boquiaberto **2** *fig.* boquiaberto, pasmado; *quedarse boquiabierto* ficar boquiaberto
boquilla [bo'kiʎa] *s.f.* **1** (para fumar) boquilha **2** (cigarro) filtro*m.*; *cigarrillos sin boquilla* cigarros sem filtro **3** (cachimbo) boquilha **4** (instrumento de sopro) bocal*m.*, boquilha, embocadura **5** (mangueira) esguicho ◆ **de boquilla** da boca para fora (sem intenção de cumprir)
borbotón [borβo'ton] *s.m.* (líquido) borbulha*f.* ◆ **a borbotones** aos borbotões; *la sangre corría a borbotones* o sangue corria aos borbotões
borda ['borδa] *s.f.* borda
bordado [bor'δaδo] *adj.* **1** bordado; *borbado a mano* bordado à mão **2** *(perfecto)* perfeito ■ *s.m.* bordado
bordar [bor'δar] *v.* bordar
borde ['borδe] *s.m.* **1** borda*f.*, beira*f.*; *en el borde de un precipicio* na borda de um precipício **2** (recipiente) borda*f.* **3** (rio, lago) margem*f.*, beira*f.*, orla*f.* ■ *adj.2g.* **1** *col.* desagradável, antipático **2** *col.* estúpido, idiota **3** *col.* chato **4** (planta) silvestre ◆ **al borde de** à beira de; *al borde de un ataque de nervios* à beira de um ataque de nervos
bordear [borδe'ar] *v.* **1** (superfície) ladear, beirar **2** (lugar, corpo) contornar
bordillo [bor'δiʎo] *s.m.* meio-fio*f.*
bordo ['borδo] *s.m.* bordo ◆ **a bordo** a bordo
boro ['boro] *s.m.* boro
borrachera [bora'tʃera] *s.f.* bebedeira; *agarrar/coger/pillar una borrachera* tomar uma bebedeira
borrach|o, -a [bo'ratʃo] *adj.,s.m.,f.* bêbad|o, -a
borrador [bora'δor] *s.m.* **1** (quadro) apagador **2** *(goma de borrar)* borracha*f.* **3** *(primer escrito)* rascunho **4** (pintura) esboço
borrar [bo'rar] *v.* **1** apagar; *borrar la pizarra* apagar o quadro **2** *(tachar)* riscar **3** (lista) apagar, riscar, tirar **4** *(dar de baja)* excluir; sair; abandonar **5** *fig.* (recordação) apagar, esquecer **6** INFORM. apagar, deletar

borreg|o, -a [bo'reγo] *s.m.,f.* borreg|o, -a

borrón [bo'ron] *s.m.* (papel) borrão, mancha*f.* de tinta ◆ *col.* **hacer borrón y cuenta nueva** passar uma borracha

borroso [bo'roso] *adj.* **1** (desenho, pintura) confuso **2** (fotografia) desfocado **3** (ideia) vago

Bosnia ['boznja] *s.f.* Bósnia

bosni|o, -a ['boznjo] *adj.,s.m.,f.* bósni|o, -a

bosque ['boske] *s.m.* **1** bosque **2** floresta*f.* **3** mata*f.*

bosquejar [boske'xar] *v.* **1** esboçar **2** *fig.* (ideia, plano) delinear

bosquejo [bos'kexo] *s.m.* *(esbozo)* esboço

bostezar [boste'θar] *v.* bocejar

bostezo [bos'teθo] *s.m.* bocejo

bota ['bota] *s.f.* **1** (calçado) bota; ***botas de agua/goma*** galochas, botas de borracha; ***botas de caña alta*** botas de cano alto; ***botas de esquí*** botas de esqui; ***botas de montar*** botas de montaria **2** (futebol) chuteira

botánica [bo'tanika] *s.f.* botânica

botánic|o, -a [bo'taniko] *adj.,s.m.,f.* botânic|o, -a

botar [bo'tar] *v.* **1** (bola) fazer saltar/ressaltar **2** (embarcação) lançar (à água) **3** *col.* expulsar **4** [AM.] atirar, jogar fora, botar*pop.* **5** (bola) ressaltar, saltar **6** (pessoa) pular, saltar

bote ['bote] *s.m.* **1** (recipiente) frasco, boião; (de conserva, bebida) lata*f.* **2** NÁUT. barco, bote; ***bote salvavidas*** barco salva-vidas **3** (bola) ressalto **4** *(salto)* pulo, salto; ***dar botes de alegría*** dar pulos de alegria **5** *col.* (sorteio) prêmio mais alto; ***tocarle a alguien el bote*** sair a alguém o prêmio mais alto ◆ *col.* **a bote pronto** sem pensar; de chofre; *col.* **chupar del bote** tirar proveito de; *col.* (lugar) **estar de bote en bote** estar cheio/lotado; *col.* **darse el bote** ir embora; *col.* **tener en el bote 1** (pessoa) ter (alguém) nas mãos **2** (coisa) estar no papo

botella [bo'teʎa] *s.f.* garrafa

botellín [bote'ʎin] *s.m.* garrafa*f.* pequena (normalmente de cerveja)

botijo [bo'tixo] *s.m.* moringa*f.*

botín [bo'tin] *s.m.* **1** (calçado) botim **2** (guerra) espólio, despojos*pl.* **3** (roubo) pilhagem*f.*, saque, roubo

botiquín [boti'kin] *s.m.* estojo de primeiros socorros

botón [bo'ton] *s.m.* **1** (roupa) botão; ***abrochar los botones*** apertar os botões **2** (aparelho) botão; ***pulsar el botón*** carregar no botão **3** BOT. botão, rebento **4** *(tirador)* puxador **5** INFORM. botão ◆ **botón de muestra** amostra

botones [bo'tones] *s.2g.2n.* (hotel) porteiro*m.*

boutique [bu'tik] *s.f.* butique

bóveda ['boβeδa] *s.f.* abóbada ◆ ASTRON. **bóveda celeste** abóbada celeste; ANAT. **bóveda palatina** abóbada palatina

bovino [bo'βino] *adj.* bovino; ***ganado bovino*** gado bovino

box ['boks] *s.m.* (*pl.* boxes) **1** (cavalo) baia*f.*, compartimento individual **2** (automobilismo) boxes*pl.*; ***entrar en (los) boxes*** entrar nos boxes

boxeador, -a [boksea'δor] *s.m.,f.* pugilista*2g.*, boxeador, -a, boxeur*m.*

boxeo [bok'seo] *s.m.* boxe, pugilismo

boxer ['bokser] *s.m.* **1** (cão) bóxer **2** *(calzoncillos)* cueca com formato de short

boya ['boya] *s.f.* boia

bozal [bo'θal] *s.m.* focinheira, mordaça*f.*

braga ['braγa] *s.f.* calcinhas*pl.* ◆ *col.* **estar hecho una braga** estar estourado

bragueta [bra'γeta] *s.f.* (calça, short) braguilha

braguetazo [braγe'taθo] *s.m. col.* golpe do baú, casamento por dinheiro; ***dar un braguetazo*** dar o golpe do baú

braille ['brajle] *s.m.* braille, braile

bramante [bra'mante] *s.m.* barbante, cordel

bramar [bra'mar] *v.* **1** (animal) bramir, rugir **2** *fig.* (pessoa) berrar, gritar, bramar

bramido [bra'miδo] *s.m.* **1** (animal) bramido, rugido **2** *fig.* (pessoa) berro, grito

branquia ['braŋkja] *s.f.* brânquia

brasa ['brasa] *s.f.* brasa ◆ **a la brasa** na brasa; (assunto) **pasar como sobre brasas** passar por alto

brasero [bra'sero] *s.m.* braseiro

Brasil [bra'sil] *s.m.* Brasil

brasileñ|o, -a [brasi'leɲo] *adj.,s.m.,f.* brasileir|o, -a

brasiler|o, -a [brasi'lero] *adj.,s.m.,f.* [AM.] brasileir|o, -a

bravo ['braβo] *adj.* **1** (pessoa) bravo, corajoso, valente **2** (animal) bravo, feroz **3** (mar) bravo, encrespado, agitado ■ *interj.* bravo! ◆ **por las bravas** à força

bravura [bra'βura] *s.f.* **1** (pessoa) valentia, coragem, bravura **2** (animal) bravura, ferocidade

braza ['braθa] *s.f.* (natação) peito; ***nadar a braza*** nadar de peito

brazada [bra'θaδa] *s.f.* **1** (natação) braçada **2** (quantidade) braçada (de, de)

brazalete [braθa'lete] *s.m.* **1** pulseira*f.*, bracelete*f.* **2** *(brazal)* braçadeira*f.*

brazo ['braθo] *s.m.* braço ◆ **a brazo partido** com todas as forças; **brazo de mar/río** braço de mar/rio; **con los brazos abiertos** de braços abertos; **cruzarse de brazos 1** cruzar os braços **2** *fig.* não fazer nada; **no dar su brazo a torcer** não dar o braço a torcer; **ser el brazo derecho de alguien** ser o braço direito de alguém

brea ['brea] *s.f.* pez*m.* (extraída do pinheiro) ◆ **brea líquida** alcatrão; **brea mineral** breu

brecha ['bretʃa] *s.f.* **1** *(herida)* ferida **2** (superfície) brecha, fenda

brécol ['brekol] *s.m.* brócolis*pl.*

bresca ['breska] *s.f.* favo*m.* de mel

brete ['brete] ◆ **estar/poner en un brete** estar/pôr em apuros

bret|ón, -ona [bre'ton] *adj.,s.m.,f.* bret|ão, -ã ■ **bretón** *s.m.* (língua) bretão

breva ['breβa] *s.f.* **1** (fruto) bêbera **2** *(puro)* charuto*m.* (de forma achatada) ◆ **más blando que una breva** manso como um carneirinho

breve ['breβe] *adj.2g.* breve ■ *s.f.* breve ◆ **en breve 1** em breve **2** brevemente; **para en breve** para breve

brevedad [breβe'ðað] *s.f.* brevidade; ***con la mayor brevedad*** com a maior brevidade

brib|ón, -ona [bri'βon] *s.m.,f.* **1** patif|e, -a, canalha*2g.*, sem-vergonha*2g.* **2** (criança) malandr|o, -a, safad|o, -a

bricolaje [briko'laxe] *s.m.* bricolagem*f.*

brida ['briða] *s.f.* rédea, brida

brigada [bri'γaða] *s.f.* brigada ♦ **brigada antiterrorista** brigada antiterrorismo; **brigada de incendio** brigada de incêndio

brillante [bri'ʎante] *adj.2g.* brilhante ■ *s.m.* brilhante, diamante

brillar [bri'ʎar] *v.* brilhar

brillo ['briʎo] *s.m.* brilho

brincar [briŋ'kar] *v.* saltar, saltitar, pular

brinco ['briŋko] *s.m.* salto, pulo, pincho

brindar [briŋ'dar] *v.* **1** brindar (por, a); ***brindar por alguien/algo*** brindar a alguém/alguma coisa; ***brindar a la salud de alguien*** brindar à saúde de alguém **2** oferecer, brindar ■ **brindarse** oferecer-se (a, para), voluntariar-se (a, para); ***brindarse a hacer algo*** oferecer-se para fazer alguma coisa

brindis ['brindis] *s.m.2n.* brinde; ***hacer un brindis por alguien*** fazer um brinde a alguém

brío ['brio] *s.m.* **1** *(pujanza)* pujança*f.*, força*f.* **2** *(energía)* energia*f.*, genica*f.*, brio **3** *(valentía)* brio, coragem*f.*, valentia*f.*

brisa ['brisa] *s.f.* brisa, aragem ♦ **brisa marina** brisa marítima

británic|o, -a [bri'taniko] *adj.,s.m.,f.* britânic|o, -a

broca ['broka] *s.f.* broca

brocha ['brotʃa] *s.f.* broxa, pincel*m.*; trincha ♦ **brocha de afeitar** pincel de barba

broche ['brotʃe] *s.m.* **1** *(cierre)* broche, fecho **2** (joia) broche, alfinete de peito **3** [ARG.] (roupa) pregador ♦ **broche de oro** chave de ouro

brocheta [bro'tʃeta] *s.f.* **1** (vara) espeto*m.* **2** (comida) espeto, espetinho

broma ['broma] *s.f.* **1** brincadeira; ***broma pesada/de mal gusto*** brincadeira de mau gosto; ***bromas aparte*** fora de brincadeira; ***en broma*** brincando, por brincadeira; ***entre bromas y veras*** meio a sério meio brincando; ***estar de broma*** estar de brincadeira; ***fuera de bromas*** fora de brincadeira; ***no estar para bromas*** não estar para brincadeiras **2** engano, peça; ***gastar una broma a alguien*** pregar uma peça em alguém ♦ **ni en broma** nem de brincadeira; ***no digas eso ni en broma*** não diga isso nem de brincadeira; **tomar a broma** dar pouca importância

bromear [brome'ar] *v.* **1** brincar; ***decir algo bromeando*** dizer alguma coisa de brincadeira; ***¡estaba bromeando contigo!*** estava brincando contigo! **2** pregar uma peça, enganar

bromista [bro'mista] *adj.,s.2g.* brincalh|ão, -ona*m.f.*, trocista, caçoador

bromo ['bromo] *s.m.* bromo

bronca ['broŋka] *s.f.* **1** *col.* bronca, reprimenda, descompostura; ***echar una bronca a alguien*** dar uma bronca em alguém **2** *(riña)* rixa, briga; *(discusión)* discussão **3** *col.* (espetáculo público) vaia, apupo*m.*

bronce ['broŋθe] *s.m.* **1** bronze **2** (competição) medalha*f.* de bronze ♦ *col.* **ligar bronce** trabalhar o bronze

bronceado [broŋθe'aðo] *adj.* bronzeado, moreno ■ *s.m.* bronzeado

bronceador [broŋθea'ðor] *adj.* bronzeador; ***loción bronceadora*** loção bronzeadora ■ *s.m.* bronzeador

broncear [broŋθe'ar] *v.* bronzear ■ **broncearse** bronzear-se

bronquio ['broŋkjo] *s.m.* brônquio

bronquiolo [bron'kjolo], **bronquíolo** [bron'kiolo] *s.m.* bronquíolo

bronquitis [broŋ'kitis] *s.f.2n.* bronquite

brotar [bro'tar] *v.* **1** (planta) brotar, rebentar **2** *(germinar)* brotar, germinar **3** (líquido) brotar (de, de), manar (de, de); ***el agua brotaba del grifo*** a água brotava da torneira **4** *fig.* brotar, aparecer, surgir

brote ['brote] *s.m.* **1** BOT. rebento, gomo, broto **2** (doença, epidemia) surto; ***un brote de gripe*** um surto de gripe

bruces ['bruθes] ♦ **de bruces** de barriga para baixo, de bruços; *col.* **darse de bruces con** dar de cara com

brujería [bruxe'ria] *s.f.* bruxaria, bruxedo*m.*, feitiçaria

bruj|o, -a ['bruxo] *s.m.,f.* brux|o, -a, feiticeir|o, -a

brújula ['bruxula] *s.f.* bússola

bruma ['bruma] *s.f.* bruma, nevoeiro*m.*, neblina

bruñir [bru'ɲir] *v.* (superfície) polir

brusco ['brusko] *adj.* **1** (pessoa, resposta) brusco, rude **2** (movimento) brusco, repentino, súbito

brusquedad [bruske'ðað] *s.f.* brusquidão

brutal [bru'tal] *adj.2g.* brutal

brutalidad [brutali'ðað] *s.f.* **1** *(violencia)* brutalidade **2** *(barbaridad)* disparate*m.*

bruto ['bruto] *adj.* **1** (material) bruto **2** *(grosero)* bruto, grosseiro, rude **3** *(torpe)* trapalhão **4** *(necio)* estúpido, néscio **5** (quantia) bruto, ilíquido; ***sueldo bruto*** salário bruto **6** (peso) bruto ♦ **en bruto** (em) bruto

bucal [bu'kal] *adj.2g.* bucal

buceador, -a [buθea'ðor] *s.m.,f.* mergulhador, -a

bucear [buθe'ar] *v.* **1** mergulhar **2** *fig.* (assunto) averiguar, investigar

buceo [bu'θeo] *s.m.* mergulho

buche ['butʃe] *s.m.* **1** (aves) papo, bucho **2** (animais) bucho, estômago **3** *col.* (pessoa) pança*f.*, estômago*f.*, bucho

bucle ['bukle] *s.m.* **1** (cabelo) anel, caracol **2** INFORM. ciclo

budín [bu'ðin] *s.m.* pudim

budismo [bu'ðizmo] *s.m.* budismo

budista [bu'ðista] *adj.,s.2g.* budista

buen ['bwen] *adj.* bom; ***buen fin de semana*** bom fim de semana; ***hace buen tiempo*** o tempo está bom

---

buen é a forma apocopada de *bueno*, usada antes de substantivos masculinos.

---

buenas ['bwenas] *interj. col.* olá!

buenaventura [bwenaβen̪'tura] *s.f.* **1** sorte, sina*pop.*; *echar/leer la buenaventura a alguien* ler a sorte de alguém **2** *(buena suerte)* sorte, ventura, fortuna

bueno ['bweno] *adj.* **1** bom **2** (saúde) bom; *ponerse bueno* ficar bom **3** *(apropiado)* bom; *ser bueno para* ser bom para **4** *(bondadoso)* bom, bondoso ■ *adv.* **1** pode ser, está bem, o.k.; *¿vienes conmigo al cine? – bueno* vens comigo ao cinema? – pode ser **2** pronto; *bueno, ya está bien* pronto, já está bem ♦ *irôn.* **buena es esa** essa é boa; **de buenas a primeras** de repente; sem mais nem menos; *col.* (pessoa) **estar bueno** ser bom/atraente; *esa tía está muy buena* essa moça é mesmo boa; *col.* **estar de buenas** estar de bom humor; estar bem-disposto; **¡estaría bueno!** seria o cúmulo!; **sería bueno que** era bom se; calhava bem se

buey ['bwej] *s.m.* (*f.* vaca) boi

búfalo ['bufalo] *s.m.* búfalo

bufanda [bu'fan̪da] *s.f.* cachecol*m.*

bufar [bu'far] *v.* bufar, soprar

bufé [bu'fe] *s.m.* **1** bufê, bufete **2** (estabelecimento) bufê, bar ♦ **bufé libre** bufê livre

bufete [bu'fete] *s.m.* escritório (de advogado)

buhardilla [bwar'ðiʎa] *s.f.* **1** águas-furtadas*pl.* **2** *(desván)* sótão*m.* **3** (janela) claraboia

búho ['buo] *s.m.* bufo, corujão

buitre ['bwitre] *s.m.* abutre

bujía [bu'xia] *s.f.* vela (de motor)

bulbo ['bulβo] *s.m.* bolbo, bulbo ♦ ANAT. **bulbo piloso** bolbo piloso; ANAT. **bulbo raquídeo** bolbo raquidiano

Bulgaria [bul'γarja] *s.f.* Bulgária

búlgar|o, -a ['bulγaro] *adj.,s.m.,f.* búlgar|o, -a ■ **búlgaro** *s.m.* (língua) búlgaro

bulimia [bu'limja] *s.f.* bulimia

bulla ['buʎa] *s.f.* gritaria, bulha

bullicio [bu'ʎiθjo] *s.m.* bulício

bulto ['bul̪to] *s.m.* **1** *(paquete)* pacote; *(maleta)* mala*f.*; *(equipaje)* bagagem*f.* **2** (figura, imagem) vulto **3** MED. caroço ♦ *col.* **a bulto** aproximadamente; **hacer bulto** fazer número; fazer monte*col.*

buñuelo [bu'ɲwelo] *s.m.* **1** filhó*f.* **2** bolinho, pastel; *buñuelos de bacalao* bolinhos de bacalhau ♦ **buñuelos de viento** sonhos

buque ['buke] *s.m.* navio, barco; *buque carguero* navio cargueiro; *buque cisterna* navio cisterna; *buque de guerra* navio de guerra; *buque escuela* navio escola; *buque submarino* submarino

buqué [bu'ke] *s.m.* **1** (vinho, licor) buquê, aroma **2** (flores) buquê, ramo pequeno

burbuja [bur'βuxa] *s.f.* bolha; borbulha; *burbuja de aire* bolha de ar ♦ (bebida) **con/sin burbujas** com/sem gás

burbujear [burβuxe'ar] *v.* borbulhar

burdel [bur'ðel] *s.m.* bordel, casa*f.* de prostituição

burgu|és, -esa [bur'γes] *adj.,s.m.,f.* burgu|ês, -esa

burguesía [burγe'sia] *s.f.* burguesia, classe média

burla ['burla] *s.f.* **1** *(mofa)* troça **2** *(engaño)* burla, logro*m.* ♦ **burla burlando** sem dar por isso

burlar [bur'lar] *v.* **1** (ameaça, perigo) esquivar, evitar **2** *(engañar)* burlar, ludibriar, enganar ■ **burlarse** troçar (**de**, de), gozar (**com**, de), zombar (**de**, de)

burocracia [buro'kraθja] *s.f.* **1** burocracia **2** *pej.* burocracia; papelada

burócrata [bu'rokrata] *s.2g.* burocrata

burocrático [buro'kratiko] *adj.* burocrático

burocratizar [burokrati'θar] *v.* burocratizar

burrada [bu'raða] *s.f.* **1** *col.* burrada, burrice, barbaridade; *decir burradas* dizer barbaridades **2** *col.* (quantidade) montão*m.*; *una burrada de patatas* um montão de batatas; *gasté una burrada* gastei montes de dinheiro

burr|o, -a ['buro] *s.m.,f.* **1** burr|o, -a, asn|o, -a **2** *pej.* (pessoa) burr|o, -a, estúpid|o, -a ■ *adj. pej.* (pessoa) burro, estúpido ■ **burro** *s.m.* **1** (jogo de cartas) burro **2** *cal.* (droga) heroína*f.* ♦ *col.* **apearse/bajarse del burro** reconhecer que não tem razão; *col.* (pessoa) **burro de carga** burro de carga; *col.* **no ver tres en un burro** não ver um palmo à frente do nariz

bus ['bus] *s.m.* **1** *(autobús)* ônibus*2n.*; *carril bus* corredor do ônibus **2** INFORM. barramento, bus

busca ['buska] *s.f.* busca, procura; *en busca de* em busca de, à procura de ■ *s.m. col.* bip(e), pager

buscador [buska'ðor] *s.m.* (Internet) browser, ferramenta de pesquisa

buscapersonas [buskaper'sonas] *s.m.2n.* bip(e)

buscar [bus'kar] *v.* **1** procurar, buscar; *buscar una palabra en el diccionario* procurar uma palavra no dicionário; *¿estás buscando empleo?* está procurando emprego? **2** *(recoger)* buscar; *voy a buscarte al trabajo* vou buscar-lhe no trabalho **3** *(ir a coger)* buscar; *vete a buscar una silla* vá buscar uma cadeira **4** (Internet) pesquisar ♦ *col.* **se la está buscando** está fazendo por onde, está pedindo

buscavidas [buska'βiðas] *s.2g.2n.* fofoqueiro

búsqueda ['buskeða] *s.f.* **1** *(busca)* busca, procura **2** *(investigación)* pesquisa, investigação; *búsqueda bibliográfica* pesquisa bibliográfica **3** (Internet) pesquisa; *búsqueda avanzada* pesquisa avançada

busto ['busto] *s.m.* **1** ART.PL. busto **2** (corpo humano) busto, peito **3** *(senos)* seios*pl.*, peito, busto

butaca [bu'taka] *s.f.* **1** *(sillón)* poltrona **2** (sala de espetáculo) assento*m.*, lugar*m.*

butano [bu'tano] *s.m.* butano ■ *adj.2g.* (cor) alaranjado

butifarra [buti'fara] *s.f.* [embutido típico da Catalunha, geralmente de carne de porco]

buzo ['buθo] *s.m.* **1** (profissional) mergulhador, -a*m.f.* **2** *(mono)* macacão (roupa)

buzón [bu'θon] *s.m.* **1** (casa) caixa*f.* de correio; (rua) caixa de correio; *echar una carta al buzón* pôr uma carta no correio **2** *col.* boca*f.* grande ♦ **buzón de voz** caixa-postal

byte ['bajt] *s.m.* byte

C

c ['θe] *s.f.* (letra) c*m.*
cabal [ka'βal] *adj.2g.* **1** (pessoa) honrado, íntegro, honesto **2** *(completo)* cabal, completo **3** *(exacto)* cabal, exato ♦ (pessoa) **no estar en sus cabales** não estar no seu perfeito juízo
cábala ['kaβala] *s.f.* cabala ■ **cábalas** *s.f.pl.* conjectura, suposição; *hacer cábalas* fazer conjecturas
cabalgada [kaβal'γaδa] *s.f.* cavalgada
cabalgadura [kaβalγa'δura] *s.f.* cavalgadura
cabalgar [kaβal'γar] *v.* cavalgar
cabalgata [kaβal'γata] *s.f.* desfile*m.*, cortejo*m.*; *cabalgata de los Reyes Magos* cortejo dos Reis Magos
caballa [ka'βaʎa] *s.f.* (peixe) cavala
caballar [kaβa'ʎar] *adj.2g.* cavalar
caballería [kaβaʎe'ria] *s.f.* **1** *(cabalgadura)* cavalgadura **2** MIL., HIST. cavalaria
caballeriza [kaβaʎe'riθa] *s.f.* cavalariça, estrebaria, cocheira
caballero [kaβa'ʎero] *s.m.* cavalheiro ♦ HIST. **caballero andante** cavaleiro andante
caballerosidad [kaβaʎerosi'δaδ] *s.f.* cavalheirismo*m.*
caballete [kaβa'ʎete] *s.m.* cavalete
caballito [kaβa'ʎito] *s.m.* cavalinho ■ **caballitos** *s.m.pl.* carrossel ♦ **caballito de mar** cavalo-marinho
caballo [ka'βaʎo] *s.m.* **1** cavalo; *caballo de carreras* cavalo de corrida; *montar a caballo* andar a cavalo **2** (xadrez) cavalo **3** (baralho espanhol) valete **4** (ginástica) plinto, cavalo **5** *gír.* (droga) cavalo, heroína*f.* ♦ **a caballo regalado no le mires el diente** a cavalo dado não se olham os dentes; **caballo de batalla** cavalo de batalha; **caballo de vapor** cavalo-vapor
cabaña [ka'βaɲa] *s.f.* **1** cabana, choupana **2** rebanho*m.*
cabaré [kaβa're] *s.m.* cabaré
cabecear [kaβeθe'ar] *v.* **1** *(mover la cabeza)* cabecear **2** (sono) cabecear, deixar cair a cabeça **3** (futebol) cabecear
cabeceo [kaβe'θeo] *s.m.* (futebol) cabeceamento
cabecera [kaβe'θera] *s.f.* **1** (cama, mesa) cabeceira **2** (artigo, texto) cabeçalho*m.*
cabecilla [kaβe'θiʎa] *s.2g.* cabeça, líder
cabellera [kaβe'ʎera] *s.f.* cabeleira
cabello [ka'βeʎo] *s.m.* cabelo ♦ **cabello de ángel** doce de abóbora em calda
caber [ka'βer] *v.* **1** *(encajar)* caber (en, em); *la bicicleta no cabe en el coche* a bicicleta não cabe no carro; *yo no quepo aquí* eu não caibo aqui **2** *(pasar)* passar (por, em/por); *el armario no cabe por la puerta* o armário não passa na porta **3** *(corresponder)* caber (a, a), corresponder (a, a); *le cabe a usted resolver el problema* cabe a você resolver o problema ♦ **cabe la posibilidad** é possível; **cabe que** [+*cj.*] é possível que [+*sj.*]; *cabe que me toque el gordo* é possível que eu ganhe o prêmio acumulado; **no cabe la menor duda** não há a menor dúvida; **no caber en sí de gozo/satisfacción** não caber em si de alegria/satisfação; **no me cabe en la cabeza** não entra na minha cabeça
cabestrillo [kaβes'triʎo] *s.m.* tipoia*f.* (atadura para trazer o braço ao peito)
cabeza [ka'βeθa] *s.f.* cabeça ■ *s.2g.* cabeça, chefe ♦ **a la/en cabeza** à cabeça, à frente; *col.* **andar de cabeza** andar muito ocupado; **cabeza abajo/arriba** de cabeça para baixo/cima; *col.* **cabeza a pájaros** cabeça de vento; **cabeza de ajo** cabeça de alho; **cabeza de cartel** primeiro nome; *col.* **cabeza de chorlito** cabeça-oca; **cabeza de familia** chefe de família; **cabeza de lista** primeiro da lista; **cabeza de serie** cabeça de série; **cabeza de turco** bode expiatório; *col.* **cabeza dura** cabeça-dura; **cabeza rapada** cabeça-rapada; *col.* **calentar la cabeza** chatear, esquentar a cabeça; **de cabeza 1** de cabeça; *ya sabe tirarse de cabeza* já sabe atirar-se/mergulhar de cabeça **2** *(de memoria)* de cabeça/cor; *col.* **meterse en la cabeza** meter na cabeça; *col.* **perder la cabeza** perder a cabeça; **por cabeza** por cabeça/pessoa; **sentar la cabeza** ganhar juízo; *col.* **subirse a la cabeza** subir à cabeça
cabezada [kaβe'θaδa] *s.f.* **1** *(cabezazo)* cabeçada, turra **2** (sono) cochilo*m.* ♦ *col.* **dar cabezadas** cabecear; *col.* **dar/echar una cabezada** tirar uma soneca; tirar um cochilo
cabezal [kaβe'θal] *s.m.* **1** (gilete) cabeça*f.* **2** (gravador, vídeo) cabeça*f.*
cabezazo [kaβe'θaθo] *s.m.* **1** cabeçada*f.*, turra*f.* **2** (futebol) cabeçada*f.*
cabezón [kaβe'θon] *adj.* **1** cabeçudo **2** *fig.* cabeçudo, casmurro, teimoso
cabezonada [kaβeθo'naδa] *s.f. col.* casmurrice, teimosia
cabezonería [kaβeθone'ria] *s.f. col.* ⇒ **cabezonada**
cabezota [kaβe'θota] *adj.2g.* **1** cabeçudo **2** *fig., col.* cabeçudo, casmurro, teimoso
cabezudo [kaβe'θuδo] *adj.* **1** cabeçudo **2** *fig.* (pessoa) cabeçudo, casmurro, teimoso **3** *fig.* (vinho) espirituoso
cabida [ka'βiδa] *s.f.* capacidade; lotação
cabina [ka'βina] *s.f.* **1** (recinto) cabine; *cabina de proyección* cabine de projeção; *cabina electoral* cabine eleitoral **2** *(locutorio)* cabine; *cabina telefónica* cabine telefônica, orelhão **3** *(carlinga)* cabine; *cabina del piloto* cabine do piloto **4** (instalação esportiva) vestiário*m.*
cabizbajo [kaβiθ'βaxo] *adj.* cabisbaixo
cable ['kaβle] *s.m.* **1** ELETR. cabo, fio (elétrico); *cable de alta tensión* cabo de alta tensão **2** *(cuerda)* cabo, corda*f.*; *cable de remolque* cabo de reboque **3** (mensagem) cabograma ♦ **echar un cable a alguien** dar uma mão a alguém

cabo ['kaβo] *s.m.* **1** *(extremo)* cabo, extremidade*f.* **2** *(punta)* ponta*f.* **3** GEOG. cabo; *Cabo de Buena Esperanza* Cabo da Boa Esperança ■ *s.2g.* MIL. cabo*m.* ♦ **al cabo de** ao cabo de, depois de; **atar cabos** somar dois mais dois, unir os pontos; **de cabo a cabo/rabo** de fio a pavio, do princípio ao fim, de cabo a rabo; **llevar a cabo** levar a cabo

Cabo Verde ['kaβo'βerδe] *s.m.* Cabo Verde

caboverdian|o, -a [kaβoβer'δjano] *adj.,s.m.,f.* cabo-verdian|o, -a ■ **caboverdiano** *s.m.* (língua) cabo-verdiano

cabra ['kaβra] *s.f.* cabra ♦ **cabra montés** cabrito-montês; *col.* **estar como una cabra** estar louco

cabrear [kaβre'ar] *v. col.* zangar; irritar ■ **cabrearse** *col.* zangar-se; irritar se

cabreo [ka'βreo] *s.m. col.* zanga*f.*; irritação*f.*

cabrío [ka'βrio] *adj.* caprino ♦ **macho cabrío** bode

cabrito [ka'βrito] *s.m.* cabrito

cabr|ón, -ona [ka'βron] *s.m.,f. vulg.* (insulto) sacana*2g.*, cabr|ão, -ona*vulg.* ■ **cabrón** *s.m.* **1** bode, cabrão **2** *vulg.* (homem) cabrão, cornudo

caca ['kaka] *s.f.* **1** *infant.* cocô*m.*, caca **2** *col.* caca **3** *col., pej.* porcaria*fig.*

cacahuete [kaka'(γ)wete] *s.m.* amendoim

cacao [ka'kao] *s.m.* **1** (árvore) cacaueiro **2** (pó, bebida) cacau **3** (lábios) batom **4** *col.* confusão*f.*

cacarear [kakare'ar] *v.* **1** (galinha, galo) cacarejar **2** *fig., col.* gabar-se

cacareo [kaka'reo] *s.m.* cacarejo

cacatúa [kaka'tua] *s.f.* cacatua

cacería [kaθe'ria] *s.f.* caçada

cacerola [kaθe'rola] *s.f.* caçarola, panela

cachalote [katʃa'lote] *s.m.* cachalote

cacharro [ka'tʃaro] *s.m.* **1** louça*f.* **2** *col.* traste, cacareco **3** *pej.* calhambeque

caché [ka'tʃe] *s.m.* **1** (artista) cachê **2** *(refinamiento)* requinte, refinamento

cachear [katʃe'ar] *v.* revistar

cacheo [ka'tʃeo] *s.m.* revista*f.*

cachete [ka'tʃete] *s.m.* **1** bofetada*f.* **2** *(carrillo)* bochecha*f.* (especialmente se é saliente)

cachiporra [katʃi'pora] *s.f.* cacete*m.*

cachivache [katʃi'βatʃe] *s.m. pej.* traste

cacho ['katʃo] *s.m.* **1** *col.* pedaço, bocado **2** [AM.] corno ♦ *col.* **ser un cacho de pan** ser boa pessoa

cachondearse [katʃon̪de'arse] *v. col.* gozar (de, com), troçar (de, de), zombar (de, de)

cachondeo [katʃon̪'deo] *s.m.* **1** [ESP.] *col.* brincadeira*f.*; *estar de cachondeo* estar brincando **2** [ESP.] bagunça*f.*

cachondo [ka'tʃon̪do] *adj.* **1** *vulg.* excitado (sexualmente) **2** *vulg.* (animal) estar no cio **3** *col.* brincalhão, divertido

cachorr|o, -a [ka'tʃoro] *s.m.,f.* **1** (filhote) cachorr|o, -a **2** (mamífero) cria*f.*

cacique [ka'θike] *s.m.* cacique

caco ['kako] *s.m. col.* ladrão, gatuno

cacto ['kakto] *s.m.* ⇒ **cactus**

cactus ['kaktus] *s.m.2n.* cacto

cada ['kaδa] *adj.indef.* **1** cada; *un premio para cada persona* um prêmio para cada pessoa **2** tod|os, -as; *va a casa de sus padres cada lunes* vai a casa dos pais todas as segundas-feiras **3** *col.* (ênfase) cada; *¡dices cada cosa!* você diz cada coisa!; *¡tienes cada una!* você tem cada uma! ■ *pron.indef.* cada; *quiero cuatro de cada* quero quatro de cada ♦ **cada cual** cada qual; **¿cada cuánto?** quantas vezes?; **cada uno(a)** cada um(a); **cada vez más/menos** cada vez mais/menos; **cada vez que** cada vez que

cadáver [ka'δaβer] *s.m.* cadáver

cadena [ka'δena] *s.f.* **1** corrente; *cadena de oro* corrente de ouro; *cadenas antideslizantes* correntes para a neve **2** (bicicleta) corrente **3** *(serie)* cadeia, série **4** (supermercados, hotéis) cadeia, rede **5** TV. canal*m.* ♦ **cadena alimentaria/alimenticia** cadeia alimentar; **cadena de montaje** linha de montagem; **cadena de montañas** cadeia de montanhas/montanhosa; **cadena de música** aparelhagem; **cadena perpetua** prisão perpétua; **en cadena** em cadeia; **tirar de la cadena** dar descarga

cadencia [ka'δen̪θja] *s.f.* cadência

cadera [ka'δera] *s.f.* anca, quadril*m.*

> Não confundir com a palavra em português **cadeira** (*silla*).

cadete [ka'δete] *s.2g.* cadete

cadmio ['kaδmjo] *s.m.* cádmio

caducar [kaδu'kar] *v.* **1** (documento) caducar, perder a validade **2** (prazo) caducar, expirar **3** (produto) perder a validade

caducidad [kaδuθi'δaδ] *s.f.* caducidade; perda de validade ♦ (comida, medicamentos) **fecha de caducidad** prazo*m.* de validade

caduco [ka'δuko] *adj.* **1** caduco; *árbol de hoja caduca* árvore de folha caduca **2** *pej.* (pessoa) caduco

caer [ka'er] *v.* **1** cair; *caer al suelo* cair no chão; *caer de rodillas* cair de joelhos **2** *(desprenderse)* cair, desprender se **3** *(sentar)* cair, ficar; *esa falda le cae mal* essa saia lhe cai mal **4** *(descender)* cair, descer **5** (data, dia) cair, calhar, coincidir; *el día dos cae en jueves* o dia dois cai numa quinta **6** *(estar situado)* ficar; *¿por dónde cae tu casa?* onde fica a sua casa? **7** *col.* entender, compreender; *¡ahora caigo!* agora já entendi! ■ **caerse** cair; *se cayó por las escaleras abajo* caiu pelas escadas abaixo ♦ **caer bien/mal a alguien** gostar/não gostar de alguém; **dejarse caer por** dar um pulo em; **estar al caer** estar para chegar/acontecer

café [ka'fe] *s.m.* **1** (semente, bebida) café; *café con leche* café com leite; média*f.*; *café cortado* café pingado; *café corto/largo* cafezinho/café cheio; *café irlandés* café com creme e uísque; *café solo* café, bica[LUS.]; *café solo poco cargado* café enfraquecido **2** (estabelecimento) café, cafeteria*f.*; *café concierto* café concerto; *café con terraza* café com área ao ar livre

cafeína [kafe'ina] *s.f.* cafeína

cafetal [kafe'tal] *s.m.* cafezal

cafetera [kafe'tera] *s.f.* **1** cafeteira; *cafetera automática* máquina de café **2** *col.* (veículo) lata velha
cafetería [kafete'ria] *s.f.* cafeteria, café*m.*
cagada [ka'ɣaða] *s.f.* **1** *vulg.* cagada **2** *vulg.* burrada
cagar [ka'ɣar] *v. pop.* cagar, defecar ▪ **cagarse** *vulg.* morrer de medo, borrar se, acovardar se; *cagarse de miedo* borrar-se de medo ♦ *vulg.* **cagarla** estragar tudo; *vulg.* **cagarse en** cagar e andar para; *me cago en eso* estou cagando e andando para isso
caída [ka'iða] *s.f.* **1** queda; *caída del cabello* queda de cabelo **2** *(declive)* descida, declive*m.* **3** *(descenso)* queda, descida **4** *(decadencia)* queda, decadência ♦ **a la caída de la tarde** ao cair da tarde; **a la caída del sol** ao pôr do sol; **caída libre** queda livre
caimán [kaj'man] *s.m.* jacaré; caimão
caipiriña [kajpi'roska] *s.f.* caipirinha
caja ['kaxa] *s.f.* **1** caixa; *caja de bombones* caixa de bombons; *caja de cerillas* caixa de fósforos; *caja de herramientas* caixa de ferramentas **2** *(ataúd)* caixão*m.*, ataúde*m.* **3** (estabelecimento) caixa **4** (bebidas) grade; *caja de cervezas* grade de cervejas ♦ *col.* **caja boba/tonta** televisão; **caja de ahorros** poupança; **caja de cambios** caixa de câmbio; **caja de cambios automática** caixa automática; **caja de caudales/fuerte** cofre, caixa forte; **caja negra** caixa-preta; **caja registradora** caixa registradora
cajer|o, -a [ka'xero] *s.m.,f.* caixa*2g.* ♦ (máquina) **cajero automático** caixa automático
cajetilla [kaxe'tiʎa] *s.f.* (de cigarros) maço*m.*; (de tabaco picado) pacote*m.*
cajón [ka'xon] *s.m.* **1** (móvel) gaveta*f.* **2** *(caja grande)* caixote, caixa*f.* **3** [AM.] caixão ♦ *col.* **ser de cajón** ser evidente/óbvio
cal ['kal] *s.f.* cal ♦ **cerrar a cal y canto** fechar a sete chaves; *col.* **dar una de cal y otra de arena** dar uma no cravo e outra na ferradura
cala ['kala] *s.f.* angra
calabacera [kalaβa'θera] *s.f.* aboboreira, cabaceira
calabacín [kalaβa'θin] *s.m.* abobrinha*f.*
calabaza [kala'βaθa] *s.f.* **1** (planta) aboboreira, cabaceira **2** (fruto) abóbora, cabaça **3** *gír.* negativa ♦ **dar calabazas 1** (pretendente) dispensar **2** (exame, prova) ser reprovado
calabazada [kalaβa'θaða] *s.f. col.* cabeçada
calabozo [kala'βoθo] *s.m.* **1** (prisão) solitária*f.*, calabouço **2** (castelo, fortaleza) calabouço
calado [ka'laðo] *adj.* encharcado, empapado, ensopado ▪ *s.m.* **1** (bordado) crivo **2** NÁUT. calado
calamar [kala'mar] *s.m.* lula*f.*; calamar
calambre [ka'lambre] *s.m.* **1** (músculo) cãibra*f.*; breca*f. pop.* **2** (descarga elétrica) choque
calamidad [kalami'ðað] *s.f.* calamidade, desgraça
calamitoso [kalami'toso] *adj.* calamitoso
calaña [ka'laɲa] *s.f. pej.* índole, laia; *de mala calaña* de má índole; *gente de su calaña* gente da sua laia
calar [ka'lar] *v.* **1** (líquido) infiltrar(-se), penetrar **2** *(mojar)* encharcar, ensopar, molhar **3** *(atravesar)* atravessar, trespassar **4** (melão, melancia) cortar, partir **5** (chapéu) enfiar **6** *col.* adivinhar, descobrir **7** (impressão) tocar*fig.* ▪ **calarse 1** (chapéu) enfiar **2** *(mojarse)* encharcar-se, ensopar-se, molhar se; *me he calado hasta los huesos* fiquei completamente encharcado **3** (motor) morrer, parar
calavera [kala'βera] *s.f.* caveira
calcañar [kalka'ɲar] *s.m. (talón)* calcanhar
calcar [kal'kar] *v.* **1** (desenho) decalcar **2** *fig.* decalcar, imitar, copiar
calcetín [kal̪θe'tin] *s.m.* meia*f.*
calcificación [kal̪θifika'θjon] *s.f.* calcificação
calcificar [kal̪θifi'kar] *v.* calcificar
calcinación [kal̪θina'θjon] *s.f.* calcinação
calcinar [kal̪θi'nar] *v.* calcinar
calcio ['kal̪θjo] *s.m.* cálcio
calco ['kalko] *s.m.* **1** (de desenho) decalque, calco **2** *(copia)* cópia*f.* **3** *(imitación)* imitação*f.*
calcomanía [kalkoma'nia] *s.f.* decalcomania
calculador, -a [kalkula'ðor] *adj.,s.m.,f.* calculista*2g.*, interesseir|o, -a
calculadora [kalkula'ðora] *s.f.* calculadora
calcular [kalku'lar] *v.* calcular
cálculo ['kalkulo] *s.m.* **1** cálculo **2** *(conjetura)* cálculo, conjectura*f.*; *según mis cálculos* pelos meus cálculos **3** MAT. cálculo **4** MED. cálculo, pedra*f.*
caldas ['kal̪das] *s.f.pl.* caldas*pl.*, termas*pl.*
caldear [kal̪de'ar] *v.* **1** aquecer, acalorar **2** *fig.* acalorar, animar ▪ **caldearse** aquecer-se, acalorar se
caldera [kal̪'dera] *s.f.* caldeira
calderilla [kal̪de'riʎa] *s.f.* (dinheiro) cascalho*m.*, troco*m.*
caldero [kal̪'dero] *s.m.* caldeirão
caldo ['kal̪do] *s.m.* caldo ♦ *col.* **poner a caldo a alguien** passar um sabão em alguém
calé [ka'le] *s.m.* cigano
calefacción [kalefak'θjon] *s.f.* aquecimento*m.*; *calefacción a gas* aquecimento a gás; *calefacción central* aquecimento central
caleidoscopio [kalejðos'kopjo] *s.m.* caleidoscópio
calendario [kalen̪'darjo] *s.m.* calendário
caléndula [ka'len̪dula] *s.f.* calêndula
calentador [kalen̪ta'ðor] *s.m.* **1** (elétrico) aquecedor **2** (gás) esquentador ▪ **calentadores** *s.m.pl.* polainas*f.*
calentamiento [kalen̪ta'mjen̪to] *s.m.* aquecimento ♦ **calentamiento global** aquecimento global; **ejercicios de calentamiento** exercícios de aquecimento
calentar [kalen̪'tar] *v.* **1** aquecer, esquentar; *calentar la leche* aquecer o leite **2** *fig.* aquecer, animar, exaltar; *calentar los ánimos* aquecer os ânimos **3** *col.* dar uma surra, bater, açoitar **4** *col.* excitar **5** ESPOR. aquecer ▪ **calentarse 1** aquecer, esquentar **2** *fig.* aquecer-se, exaltar se
calentura [kalen̪'tura] *s.f.* **1** *(pupa)* erupção labial **2** *(fiebre)* febre **3** *col.* excitação (sexual)
calenturón [kalen̪tu'ron] *s.m.* febrão, febre*f.* alta
calibración [kaliβra'θjon] *s.f.* calibragem
calibrador [kaliβra'ðor] *s.m.* calibrador

calibrar [kali'βrar] *v.* **1** calibrar **2** *fig.* avaliar; *calibrar los daños* avaliar os prejuízos
calibre [ka'liβre] *s.m.* calibre
calidad [kali'ðað] *s.f.* qualidade; *de mala calidad* de má qualidade; *de primera calidad* de primeira qualidade ♦ **calidad de vida** qualidade de vida; **en calidad de** na qualidade de
cálido ['kaliðo] *adj.* **1** (temperatura) quente, cálido **2** *(afectuoso)* caloroso, afetuoso
calientapiés [kaljenta'pjes] *s.m.2n.* escalfeta*f.*
calientaplatos [kaljenta'platos] *s.m.2n.* aquecedor (de pratos)
caliente [ka'ljente] *adj.2g.* **1** quente **2** *fig.* acalorado **3** *col.* (pessoa, animal) excitado ♦ **en caliente 1** no calor do momento **2** imediatamente, de imediato
calificación [kalifika'θjon] *s.f.* **1** qualificação **2** (exame, teste) classificação, nota; cotação
calificar [kalifi'kar] *v.* **1** qualificar (de, de) **2** (terreno) classificar **3** (exame, teste) classificar, dar nota **4** LING. qualificar
calificativo [kalifika'tiβo] *adj.* qualificativo; *adjetivo calificativo* adjetivo qualificativo ■ *s.m.* epíteto, qualificativo
caligrafía [kaliɣra'fia] *s.f.* caligrafia
cáliz ['kaliθ] *s.m.* cálice
callada [ka'ʎaða] ♦ *col.* **dar la callada por respuesta** fechar-se em copas; dar o silêncio como resposta
callado [ka'ʎaðo] *adj.* calado
callar [ka'ʎar] *v.* calar ■ **callarse** calar(-se) ♦ **quien calla otorga** quem cala consente
calle ['kaʎe] *s.f.* **1** rua; *calle de sentido único* rua de mão única **2** (natação, atletismo) pista **3** (pessoas) povo*m.* ♦ **calle de la amargura** rua da amargura; *col.* **echar por la calle de en medio** não hesitar; *col.* **poner de patitas en la calle** pôr no olho da rua
callejero [kaʎe'xero] *adj.* de rua; *perro callejero* cachorro de rua ■ *s.m.* roteiro (das ruas de uma cidade)
callejón [kaʎe'xon] *s.m.* beco ♦ *col.* **callejón sin salida** beco sem saída
callejuela [kaʎe'xwela] *s.f.* ruela, viela, quelha
callista [ka'ʎista] *s.2g.* calista, pedicur|o, -a*m.f.*
callo ['kaʎo] *s.m.* calo ■ **callos** *s.m.pl.* tripas*f.*, dobradinha*f.* ♦ *col.* **dar el callo** dar duro
callosidad [kaʎosi'ðað] *s.f.* calosidade
calloso [ka'ʎoso] *adj.* caloso, calejado
calma ['kalma] *s.f.* calma; *perder la calma* perder a calma; *tener calma* ter calma ♦ **calma chicha** calmaria (do vento, mar)
calmante [kal'mante] *s.m.* calmante
calmar [kal'mar] *v.* **1** (pessoa) acalmar, tranquilizar, sossegar **2** (dor) acalmar, atenuar ■ **calmarse** acalmar(-se)
calmo ['kalmo] *adj.* **1** calmo, tranquilo **2** (terreno) baldio
calor [ka'lor] *s.m.* calor; *hoy hace mucho calor* hoje está muito calor; *tener calor* estar com/ter calor ♦ **entrar en calor 1** aquecer **2** fazer o aquecimento
caloría [kalo'ria] *s.f.* caloria
calórico [ka'loriko] *adj.* calórico
calorífero [kalo'rifero] *s.m.* **1** (aparelho) calorífero **2** (para aquecer os pés) escalfeta*f.*
calucha [ka'lutʃa] *s.f.* [BOL.] casca
calumnia [ka'lumnja] *s.f.* calúnia
calumniador, -a [kalumnja'ðor] *adj.,s.m.,f.* caluniador, -a
calumniar [kalum'njar] *v.* caluniar
calumnioso [kalum'njoso] *adj.* calunioso
caluroso [kalu'roso] *adj.* **1** calorento **2** *fig.* caloroso
calva ['kalβa] *s.f.* careca, calva
calvario [kal'βarjo] *s.m.* calvário
calvicie [kal'βiθje] *s.f.* calvície
calvinismo [kalβi'nizmo] *s.m.* calvinismo
calvinista [kalβi'nista] *adj.,s.2g.* calvinista
calv|o, -a ['kalβo] *s.m.,f.* careca*2g.* ■ *adj.* (pessoa) calvo, careca; *quedarse calvo* ficar calvo ♦ *col.* **ni tanto ni tan calvo** nem tanto ao mar nem tanto à terra; nem oito nem oitenta
calzada [kal'θaða] *s.f.* **1** *(camino)* via, estrada; *calzada romana* estrada romana **2** (estrada, rua) faixa de rodagem, pista
calzado [kal'θaðo] *s.m.* calçado
calzador [kalθa'ðor] *s.m.* calçadeira*f.*
calzar [kal'θar] *v.* **1** (sapatos, meias, luvas) calçar **2** *(llevar puesto)* calçar; *¿qué número calzas? – calzo el 38* que número você calça? – calço 38 **3** (móvel) calçar, pôr calço ■ **calzarse** calçar-se
calzón [kal'θon] *s.m.* calção ♦ **a calzón quitado** sem papas na língua; descaradamente
calzoncillos [kalθon'θiʎos] *s.m.pl.* cueca*f.*
calzones [kal'θones] *s.m.pl.* **1** cueca*f.* **2** short ♦ **calzarse/ponerse los calzones** *col.* ser o homem da casa; **llevar/tener bien puestos los calzones** *col.* manter a autoridade
cama ['kama] *s.f.* cama; *cama de matrimonio/individual* cama de casal/solteiro; *cama nido* cama gavetão; *cama turca* divã; *irse a la cama* ir para a cama, deitar se ♦ **caer en cama** cair de cama; **cama elástica** cama elástica; **estar en/guardar cama** estar/ficar de cama; *col.* **hacerle la cama a alguien** fazer a cama de alguém
camada [ka'maða] *s.f.* ninhada (de crias)
camaleón [kamale'on] *s.m.* camaleão
camalero [kama'lero] *s.m.* **1** [PER.] magarefe **2** (de carnes) comerciante
camanance [kama'nanθe] *s.m.* [C. RIC.] (canto da boca) covinha*f.*
cámara ['kamara] *s.f.* **1** (aposento) câmara **2** POL. câmara, assembleia legislativa; *cámara de los diputados* câmara dos deputados **3** (aparelho) câmera; *cámara de vídeo* câmera de vídeo; *cámara fotográfica* câmera fotográfica; *cámara web* câmera web **4** MEC. câmara de ar ■ *s.2g.* CIN., TV. câmera, operador, -a*m.f.* de câmara ♦ ARQ. **cámara de aire** câmara de ar; **cámara de gas** câmara de gás; **cámara frigorífica** câmara frigorífica; CIN. **cámara lenta** câmera lenta;

a cámara lenta em câmera lenta; **cámara mortuoria** câmara-ardente; **cámara oscura** câmara escura
camarada [kama'raδa] *s.2g.* **1** camarada, colega, companheir|o, -a*m.f.* **2** POL. camarada
camaradería [kamaraδe'ria] *s.f.* camaradagem
camarera [kama'rera] *s.f.* **1** garçonete **2** (de sobremesas, etc.) carrinho **3** camareira
camarer|o, -a [kama'rero] *s.m.,f.* garço|m, -nete
camarón [kama'ron] *s.m.* camarão (pequeno)
camarote [kama'rote] *s.m.* camarote
cambalache [kamba'latʃe] *s.m. col.* troca*f.*, permuta*f.*
cambiador [kambja'δor] *s.m.* fraldário
cambiar [kam'bjar] *v.* **1** (uma coisa por outra) trocar **2** *(alterar)* mudar, transformar **3** (moeda) cambiar; *cambiar euros por yenes* cambiar euros por yenes **4** *(dar cambio)* trocar, destrocar*pop.*; *¿me cambias este billete?* troca esta nota para mim? **5** *(trasladar)* levar, mudar ■ **cambiarse 1** *(mudarse de ropa)* mudar de roupa **2** *(mudarse de casa)* mudar(-se)
cambio ['kambjo] *s.m.* **1** *(alteración)* mudança*f.*, alteração*f.* **2** *(intercambio)* troca*f.*; *a cambio de* em troca de **3** *(dinero suelto)* troco **4** *(vuelta)* trocos*pl.* **5** ECON. câmbio ♦ *col.* **a las primeras de cambio** logo; na primeira oportunidade; MEC. **cambio de velocidades** câmbio; **en cambio** pelo contrário
cambista [kam'bista] *s.2g.* cambista
camelia [ka'melja] *s.f.* **1** (arbusto) cameleira, japoneira **2** (flor) camélia
camell|o, -a [ka'meʎo] *s.m.,f.* camel|o, -a ■ **camello** *s.m. col.* (droga) passador
camerino [kame'rino] *s.m.* (teatro) camarim
camicace [kami'kaθe] *adj.2g.,s.m.* kamikaze
camilla [ka'miʎa] *s.f.* **1** *(cama)* maca **2** (mesa) camilha
camiller|o, -a [kami'ʎero] *s.m.,f.* maqueir|o, -a
caminar [kami'nar] *v.* caminhar, andar
caminata [kami'nata] *s.f.* caminhada
camino [ka'mino] *s.m.* caminho ♦ **abrir(se) camino** abrir caminho; **camino de** a caminho de; **camino de cabras** caminho de cabras; **de camino 1** a caminho **2** em caminho; **ir por buen camino** estar no bom caminho; **ponerse en camino** pôr-se a caminho; **quedarse a medio camino** ficar pelo caminho; **ser medio camino andado** ser meio caminho andado
camión [ka'mjon] *s.m.* **1** caminhão; *camión cisterna* caminhão-cisterna; *camión de la basura* caminhão de lixo **2** [MÉX.] ônibus*2n.* ♦ *col.* (pessoa) **estar (alguien) como un camión** ser muito atraente
camioner|o, -a [kamjo'nero] *s.m.,f.* caminhoneir|o, -a
camioneta [kamjo'neta] *s.f.* caminhonete
camisa [ka'misa] *s.f.* camisa ♦ **cambiar de camisa** virar a casaca; [AM.] **camisa de dormir** camisola; **camisa de fuerza** camisa de força; *col.* **meterse en camisa de once varas** procurar sarna para se coçar; *col.* **no llegar la camisa al cuerpo** estar morrendo de medo; *col.* **perder hasta la camisa** perder tudo o que tem, perder até as calças
camiseta [kami'seta] *s.f.* **1** (roupa interior) camisa; *camiseta de tirantes* camisa de alças **2** (roupa exterior) camisa; camiseta; *(niqui)* polo*m.* **3** (esporte) camisa
camisola [kami'sola] *s.f.* camisa (fina e comprida)
camisón [kami'son] *s.m.* camisola*f.*
camomila [kamo'mila] *s.f.* *(manzanilla)* camomila
camote [ka'mote] *s.m.* [AM.] batata doce*f.*
campamento [kampa'mento] *s.m.* **1** acampamento; *campamento de refugiados* acampamento de refugiados; *ir a un campamento* ir para um acampamento **2** (crianças, jovens) colônia*f.* de férias **3** *col.* (serviço militar) recruta*f.*
campana [kam'pana] *s.f.* sino*m.* ♦ **campana de buzo** sino de mergulhador; (cozinha) **campana extractora** exaustor; *col.* **echar las campanas a vuelo** soltar fogos; *col.* **oír campanas y no saber dónde** ouvir o galo cantar sem saber onde
campanada [kampa'naδa] *s.f.* badalada ♦ *col.* **dar la campanada** armar um escândalo
campanario [kampa'narjo] *s.m.* campanário
campanilla [kampa'niʎa] *s.f.* **1** *(campana)* sineta, campainha **2** ANAT. úvula, campainha*col.* **3** BOT. campainha ♦ *col.* **de (muchas) campanillas** de categoria
campante [kam'pante] *adj.* **1** *col.* impassível, despreocupado **2** *col.* satisfeito
campaña [kam'paɲa] *s.f.* campanha; *campaña electoral/publicitaria* campanha eleitoral/publicitária; *hacer campaña* fazer campanha
campe|ón, -ona [kampe'on] *s.m.,f.* campe|ão, -ã
campeonato [kampeo'nato] *s.m.* campeonato ♦ *col.* **de campeonato** dos diabos
campesin|o, -a [kampe'sino] *adj.,s.m.,f.* campon|ês, -esa, campin|o, -a
campestre [kam'pestre] *adj.2g.* campestre
camping ['kampiŋ] *s.m.* **1** (lugar) acampamento **2** (atividade) acampamento; *hacer/ir de camping* acampar
campiña [kam'piɲa] *s.f.* campina
campista [kam'pista] *s.2g.* campista
campo ['kampo] *s.m.* campo ♦ **campo de batalla** campo de batalha; **campo de concentración** campo de concentração; **campo de fútbol** campo de futebol; **campo de tenis** quadra de tênis; **campo de tiro** campo de tiro
campus ['kampus] *s.m.2n.* campus
camuflaje [kamu'flaxe] *s.m.* camuflagem*f.*
camuflar [kamu'flar] *v.* camuflar
cana ['kana] *s.f.* cabelo*m.* branco, cã, branca ♦ *col.* **echar una cana al aire** ir para a farra; divertir-se; *col.* **peinar canas** ser velho
Canadá [kana'δa] *s.m.* Canadá
canadiense [kana'δjense] *adj.,s.2g.* canadian|o, -a*m.f.*, canadense
canal [ka'nal] *s.m./f.* **1** canal*m.* **2** ANAT. canal*m.* **3** (telhado) caleira*f.* ■ *s.m.* **1** LING. canal **2** GEOG. canal **3** (rádio, televisão) canal; *cambiar de canal* mudar de canal
canalización [kanaliθa'θjon] *s.f.* canalização
canalizar [kanali'θar] *v.* encanar, canalizar
canalla [ka'naʎa] *s.2g. col.* canalha, cafajeste*m.* ■ *s.f. pej.* gentalha, corja, ralé
canalón [kana'lon] *s.m.* caleira*f.*, algeroz

canapé [kana'pe] *s.m.* **1** *(sofá)* canapé, sofá **2** CUL. canapé
Canarias [ka'narjas] *s.f.pl.* Canárias
canari|o, -a [ka'narjo] *adj.,s.m.,f.* canarin|o, -a ■ **canario** *s.m.* canário
canasta [ka'nasta] *s.f.* **1** *(cesto)* canastra, cesta **2** (basquetebol) cesto*m.* **3** (basquetebol) cesto*m.*, ponto*m.*
canastilla [kanas'tiʎa] *s.f.* **1** cestinha (de vime) **2** (bebê) enxoval*m.*
cancán [kaŋ'kan] *s.m.* cancã
cancelación [kaṇθela'θjon] *s.f.* **1** cancelamento*m.*; *cancelación del vuelo* cancelamento do voo **2** (dívida) liquidação
cancelar [kaṇθe'lar] *v.* **1** (documento, obrigação legal) cancelar, anular **2** (compromisso) cancelar; suspender **3** (dívida) liquidar
cáncer ['kaṇθer] *s.m.* câncer ■ *s.2g.* ASTROL. canceria-n|o, -a*m.f.*
Cáncer ['kaṇθer] *s.m.* ASTROL., ASTRON. Câncer
cancerígeno [kaṇθe'rixeno] *adj.* cancerígeno
canceroso [kaṇθe'roso] *adj.* canceroso
cancha ['kanʲtʃa] *s.f.* campo*m.*; (tênis) quadra; *cancha de baloncesto* quadra de basquetebol
canciller [kaṇθi'ʎer] *s.m.* chanceler
canción [kaṇ'θjon] *s.f.* **1** canção; *canción de cuna* canção de ninar **2** música ♦ *col.* **ser otra canción** ser outra história
candado [kaṇ'daðo] *s.m.* cadeado, aloquete; *cerrar con candado* fechar com cadeado/aloquete
candela [kaṇ'dela] *s.f.* vela
candelabro [kaṇde'laβro] *s.m.* candelabro
candelero [kaṇde'lero] *s.m.* castiçal ♦ **en (el) candelero** em destaque
candidat|o, -a [kaṇdi'ðato] *s.m.,f.* candidat|o, -a; *presentarse como candidato* candidatar-se
candidatura [kaṇdiða'tura] *s.f.* candidatura
candidez [kaṇdi'ðeθ] *s.f.* candura
cándido ['kaṇdiðo] *adj.* cândido
candil [kaṇ'dil] *s.m.* candeia*f.*
candilejas [kaṇdi'lexas] *s.f.pl.* (teatro) gambiarra
candor [kaṇ'dor] *s.m.* candor
canela [ka'nela] *s.f.* canela; *canela en polvo* canela em pó; *canela en rama* canela em pau
cangrejo [kaŋ'grexo] *s.m.* caranguejo
canguelo [kaŋ'gelo] *s.m. col.* cagaço, medo
canguro [kaŋ'guro] *s.m.* canguru ■ *s.2g. col.* baby-sitter
caníbal [ka'niβal] *adj.,s.2g.* canibal
canibalismo [kaniβa'lizmo] *s.m.* canibalismo
canica [ka'nika] *s.f.* bola/bolinha de gude ■ **canicas** *s.f.pl.* (jogo) gude*m.*; *jugar a las canicas* jogar bolinha de gude
canilla [ka'niʎa] *s.f.* **1** [AM., CUB.] ANAT. canela **2** [ARG., BOL.] *(grifo)* torneira

> Não confundir com a palavra em português **canela** (*canela*), relativa a especiaria.

canino [ka'nino] *s.m.* (dente) canino ■ *adj.* **1** canino **2** *fig.* canino, insaciável; ***hambre canina*** fome canina
canje ['kaŋxe] *s.m.* troca*f.*, permuta*f.*
canjear [kaŋxe'ar] *v.* trocar, permutar
cano ['kano] *adj.* **1** branco **2** grisalho
canoa [ka'noa] *s.f.* canoa
canonización [kanoniθa'θjon] *s.f.* canonização
canonizar [kanoni'θar] *v.* canonizar
canoso [ka'noso] *adj.* grisalho
cansado [kan'saðo] *adj.* **1** cansado, esgotado; ***estoy cansada*** estou cansada **2** *(fatigoso)* cansativo, fatigante; ***un trabajo cansado*** um trabalho cansativo **3** (vista) cansado **4** *(harto)* cansado (de, de), farto (de, de)
cansancio [kan'saṇθjo] *s.m.* cansaço
cansar [kan'sar] *v.* **1** *(fatigar)* cansar, fatigar **2** *(aburrir)* cansar, aborrecer, chatear ■ **cansarse 1** *(fatigarse)* cansar(-se) **2** *(aburrirse)* cansar-se (de, de), aborrecer se (de, de)
cantante [kaṇ'taṇte] *s.2g.* cantor, -a*m.f.*
cantaor, -a [kaṇta'or] *s.m.,f.* cantor, -a de flamenco
cantar [kaṇ'tar] *v.* **1** cantar **2** *col.* (segredo) revelar; confessar **3** *col.* cheirar mal, feder ■ *s.m.* cantar, canção*f.* ♦ *col.* **¡eso es otro cantar!** isso é outro papo!
cántaro ['kaṇtaro] *s.m.* cântaro ♦ **llover a cántaros** chover a cântaros
cante ['kaṇte] *s.m.* **1** canto popular; *canto flamenco* canto flamenco; *cante hondo/jondo* canto flamenco **2** *col.* fedor ♦ *col.* **dar el cante** dar nas vistas; chamar a atenção
cantera [kaṇ'tera] *s.f.* **1** pedreira, canteira **2** ESPOR. escola de formação de jogadores, viveiro*m. gír.* **3** *fig.* talento*m.*
cántico ['kaṇtiko] *s.m.* cântico
cantidad [kaṇti'ðað] *s.f.* **1** quantidade **2** (dinheiro) quantia, montante*m.*, soma ♦ *col.* **cantidad de** montes de
cantiga [kaṇ'tiɣa] *s.f.* cantiga
cantimplora [kaṇtim'plora] *s.f.* cantil*m.*
cantina [kaṇ'tina] *s.f.* cantina
cantinela [kaṇti'nela] *s.f. col.* cantilena
canto ['kaṇto] *s.m.* **1** canto; ***canto gregoriano*** canto gregoriano **2** *(esquina)* canto, esquina*f.* **3** *(piedra)* seixo, calhau; ***canto pelado/rodado*** calhau/seixo rolado **4** (arma branca) lado não afiado **5** LIT. canto ♦ **al canto del gallo** ao cantar do galo; *col.* **darse con un canto en los dientes** dar-se por satisfeito
canturrear [kaṇture'ar] *v. col.* cantarolar, trautear
canturreo [kaṇtu'reo] *s.m.* cantoria*f.*
canutillo [kanu'tiʎo] *s.m.* **1** canutilho **2** (encadernação) argola*f.*
canuto [ka'nuto] *s.m.* **1** *(tubo)* canudo, tubo **2** *col.* baseado, cigarro de maconha
caña ['kaɲa] *s.f.* **1** (planta) cana **2** (cerveja) chope*m.*, fino*m.*[LUS.]; imperial[LUS.] **3** (bota) cano*m.* **4** ANAT. osso*m.* (da perna, braço) ♦ **caña de azúcar** cana-de-açúcar; **caña (de pescar)** vara (de pesca); *col.* **dar/meter caña** enfiar o pé no acelerador

cañaveral [kaɲaβe'ral] *s.m.* canavial
cañería [kaɲe'ria] *s.f.* canalização, tubagem
cañí [ka'ɲi] *adj.,s.2g.* cigan|o, -a*m.f.*
caño ['kaɲo] *s.m.* **1** *(tubo)* cano, tubo **2** (fonte) esguicho
cañón [ka'ɲon] *s.m.* **1** (artilharia) canhão **2** (arma) cano **3** (chaminé) cano, fumeiro ♦ (pessoa) **estar cañón** ser um gato
caoba [ka'oβa] *s.f.* mogno*m.*
caos ['kaos] *s.m.2n.* caos, confusão*f.*, desordem*f.*
caótico [ka'otiko] *adj.* caótico
capa ['kapa] *s.f.* **1** (vestuário) capa **2** (superfície) camada **3** *(estrato social)* camada, classe, estrato*m.* **4** *fig.* capa; pretexto*m.*; aparência **5** TAUR. capa, capote*m.* ♦ **a capa y espada** com unhas e dentes; **capa de ozono** camada de ozônio; *col.* **de capa caída** em decadência; *col.* **hacer de su capa un sayo** fazer o que lhe dá na telha
capacidad [kapaθi'ðað] *s.f.* capacidade
capacitar [kapaθi'tar] *v.* habilitar (para, para), capacitar (para, para), qualificar (para, para)
capar [ka'par] *v.* (animal) capar, castrar
caparazón [kapara'θon] *s.m.* **1** (animais) carapaça*f.* **2** *fig.* capa*f.*, cobertura*f.*
capataz, -a [kapa'taθ] *s.m.,f.* capataz*2g.*
capaz [ka'paθ] *adj.2g.* **1** capaz; *soy capaz de hacer eso* sou capaz de fazer isso **2** (lugar) amplo, espaçoso, de grande capacidade; *el salón es capaz para 200 personas* o salão tem capacidade para 200 pessoas **3** *(apto)* capaz, apto
capazo [ka'paθo] *s.m.* **1** *(cesto)* cabaz **2** (para bebês) berço portátil
capellán [kape'ʎan] *s.m.* capelão
caperuza [kape'ruθa] *s.f.* **1** carapuça **2** (caneta) tampa
capicúa [kapi'kua] *s.m.* capicua*f.*
capilar [kapi'lar] *adj.2g.* capilar
capilla [ka'piʎa] *s.f.* capela ♦ **capilla ardiente** câmara-ardente; **capilla mayor** capela-mor
capital [kapi'tal] *adj.2g.* capital ▪ *s.m.* ECON. capital ▪ *s.f.* capital
capitalismo [kapita'lizmo] *s.m.* capitalismo
capitalista [kapita'lista] *adj.,s.2g.* capitalista
capitalización [kapitaliθa'θjon] *s.f.* capitalização
capit|án, -ana [kapi'tan] *s.m.,f.* ESPOR. capit|ão, -ã ▪ **capitán** *s.2g.* capitão*m.* ♦ **capitán de corbeta** capitão-tenente; **capitán general** marechal
capitel [kapi'tel] *s.m.* ARQ. capitel
capítulo [ka'pitulo] *s.m.* capítulo
capó [ka'po] *s.m.* capô
capoeira [kapo'ejɾa] *s.f.* (arte marcial, dança) capoeira
capota [ka'pota] *s.f.* capota
capotar [kapo'tar] *v.* (veículo) capotar
capote [ka'pote] *s.m.* capa*f.*, capote ♦ **capote (de brega)** capa (de toureiro); *col.* **decir para su capote** dizer para os seus botões; *col.* **echarle un capote a alguien** dar uma mão a alguém
capricho [ka'pritʃo] *s.m.* capricho, vontade*f.* súbita
caprichoso [kapri'tʃoso] *adj.* caprichoso
capricornio [kapri'kornjo] *s.2g.* ASTROL. capricornia-n|o, -a*m.f.*
Capricornio [kapri'kornjo] *s.m.* Capricórnio
cápsula ['kapsula] *s.f.* cápsula
captar [kap'tar] *v.* **1** (ondas, sinal) captar **2** (atenção, confiança) captar, atrair **3** *(entender)* entender, captar
captura [kap'tura] *s.f.* captura
capturar [kaptu'rar] *v.* capturar
capucha [ka'putʃa] *s.f.* **1** carapuça, carapuço*m.* **2** capuz*m.*
capucho [ka'putʃo] *s.m.* **1** capuz **2** *ant.* casulo*m.*
capuchino [kapu'tʃino] *s.m.* **1** (café) capuchino **2** (frade) capuchinho
capuchón [kapu'tʃon] *s.m.* (caneta, esferográfica) tampa*f.*
capullo [ka'puʎo] *s.m.* **1** BOT. botão; *capullos de rosa* botões de rosa **2** (bicho-da-seda, insetos) casulo
caqui ['kaki] *s.m.* **1** (tecido) caqui **2** (árvore) caquizeiro, diospireiro **3** (fruto) caqui, dióspiro
cara ['kara] *s.f.* **1** *(rostro)* cara, rosto*m.*, face **2** *(semblante)* cara, semblante*m.*, expressão **3** (disco, papel) lado*m.* **4** (moeda) cara **5** (edifício) fachada **6** *fig.* cara, aspecto*m.*, aparência **7** *col.* descaramento*m.* **8** GEOM. face ♦ **a la cara** na cara; **cara a cara** cara a cara; **echar a cara o cruz** fazer cara ou coroa; atirar a moeda ao ar; **echar en cara** jogar na cara; *col.* **lavar la cara** dar uma lavadela/arrumadela; *col.* **partirle la cara a alguien** partir a cara de alguém; *col.* **plantar cara a algo** encarar alguma coisa
carabela [kara'βela] *s.f.* caravela
carabina [kara'βina] *s.f.* **1** (arma) carabina **2** *col.* (pessoa) vela; *hacer de carabina* segurar vela, ficar de vela
caracol [kara'kol] *s.m.* **1** caracol **2** concha*f.* do caracol **3** (cabelo) caracol, cacho, anel **4** ANAT. cóclea*f.*, caracol
caracola [kara'kola] *s.f.* búzio*m.*
carácter [ka'rakter] *s.m.* caráter
característica [karakte'ristika] *s.f.* característica
característico [karakte'ristiko] *adj.* característico
caracterización [karakteriθa'θjon] *s.f.* caracterização
caracterizar [karakteri'θar] *v.* caracterizar ▪ **caracterizarse** caracterizar-se
caradura [kara'ðura] *adj.,s.2g.* descarad|o, -a*m.f.*, cara de pau, sem vergonha*2n.*
caramba [ka'ramba] *interj. col.* caramba!
carambola [karam'bola] *s.f.* **1** carambola **2** *col.* acaso*m.*, casualidade; sorte; *de carambola* por acaso/casualidade/sorte
caramelo [kara'melo] *s.m.* **1** (guloseima) bala*f.* **2** (açúcar) calda*f.*, caramelo
carapacho [kara'patʃo] *s.m.* (tartarugas, crustáceos) carapaça*f.*
carátula [ka'ratula] *s.m.* **1** máscara protetora **2** (CD, disco, livro) capa
caravana [kara'βana] *s.f.* **1** (pessoas) caravana **2** (trânsito) engarrafamento*m.*, congestionamento*m.*, fila **3** (veículo) trailer*m.*

caray [ka'raj] *interj.* caramba!; carago!
carbón [kar'βon] *s.m.* carvão
carboncillo [karβon̪'θiʎo] *s.m.* carvão (para desenhar)
carbónico [kar'βoniko] *adj.* carbônico
carbonización [karβoniθa'θjon] *s.f.* carbonização
carbonizado [karβoni'θaδo] *adj.* carbonizado
carbonizar [karβoni'θar] *v.* carbonizar ▪ **carbonizarse** carbonizar-se
carbono [kar'βono] *s.m.* carbono
carburador [karβura'δor] *s.m.* carburador
carburante [karβu'ran̪te] *s.m.* carburante
carburo [kar'βuro] *s.m.* carboneto
carca ['karka] *adj.,s.2g. col., pej.* retrógrad|o, -a*m.f.*, conservador, -a*m.f.*
carcajada [karka'xaδa] *s.f.* gargalhada; *reír a carcajadas* rir às gargalhadas
carcajearse [karkaxe'arse] *v.* rir-se às gargalhadas
carcasa [kar'kasa] *s.f.* carcaça, armação
cárcel ['karθel] *s.f.* prisão, cadeia; *cárcel de alta seguridad* prisão de alta segurança
carceler|o, -a [karθe'lero] *s.m.,f.* carcereir|o, -a
carcoma [kar'koma] *s.f.* caruncho*m.*, carcoma*m./f.*, bicho-carpinteiro*m.*
carcomer [karko'mer] *v.* **1** (madeira) carcomer, roer **2** *fig.* (saúde) corroer **3** *fig.* (paciência) consumir ▪ **carcomerse** *fig.* roer-se (de, de); *se carcome de envidia* rói-se de inveja
cardenal [karδe'nal] *s.m.* **1** (pele) nódoa*f.* negra, negra*f.col.*, pisadura*f.* **2** REL. cardeal
cardíac|o, -a [kar'δiako] *adj.,s.m.,f.* cardíac|o, -a
cardinal [karδi'nal] *adj.2g.* **1** *(principal)* cardeal, principal **2** (número) cardinal **3** GEOG. cardeal; *puntos cardinales* pontos cardeais
cardiografía [karδjoγra'fia] *s.f.* cardiografia
cardiógrafo [kar'δjoγrafo] *s.m.* cardiógrafo
cardiograma [karδjo'γrama] *s.m.* cardiograma
cardiología [karδjolo'xia] *s.f.* cardiologia
cardiólog|o, -a [kar'δjoloγo] *s.m.,f.* cardiologista*2g.*
cardiovascular [karδjoβasku'lar] *adj.2g.* cardiovascular; *enfermedad cardiovascular* doença cardiovascular
cardo ['karδo] *s.m.* cardo
cardumen [kar'δumen], **cardume** [kar'δume] *s.m.* (peixes) cardume
carecer [kare'θer] *v.* carecer (de, de), não ter (de, -); *carece de autoestima* não tem autoestima
carencia [ka'ren̪θja] *s.f.* carência, falta
carente [ka'ren̪te] *adj.2g.* carente (de, de), necessitado (de, de); *personas carentes de cariño* pessoas muito carentes; *un país carente de tenología* um país carente de tecnologia
carero [ka'rero] *adj.* careiro
carestía [kares'tia] *s.f.* carestia
careta [ka'reta] *s.f.* máscara; *careta antigás* máscara antigás ♦ **quitarle la careta a alguien** desmascarar alguém
carga ['karγa] *s.f.* **1** (ação) carregamento*m.* **2** *(cosa cargada)* carga **3** *(peso)* carga, peso*m.* **4** (arma) carga **5** (caneta) recarga **6** *(impuesto)* imposto*m.*, encargo*m.*; *cargas fiscales* encargos fiscais **7** *fig.* fardo*m.*, peso*m.*, carga ♦ (animal) **de carga** de carga; **volver a la carga** voltar à carga
cargado [kar'γaδo] *adj.* **1** carregado **2** (ambiente) pesado, tenso **3** (tempo) abafado **4** (arma) carregado **5** (café) forte
cargador, -a [karγa'δor] *s.m.,f.* carregador, -a ▪ *s.m.,f.* carregador
cargamento [karγa'men̪to] *s.m.* carregamento
cargante [kar'γan̪te] *adj.2g.* enfadonho, maçador
cargar [kar'γar] *v.* **1** *(poner peso)* carregar **2** *(llenar)* carregar, encher **3** (arma) carregar **4** (bateria) carregar, alimentar; *cargar el móvil* carregar o celular **5** (preço) pôr na conta **6** ECON. debitar **7** (culpa, responsabilidade) carregar (con, com), arcar (con, com) ▪ **cargarse 1** encher-se (de, de) **2** *col.* destruir; estragar; partir **3** *col.* liquidar, matar **4** *col.* chumbar*gír.*, reprovar
cargo ['karγo] *s.m.* **1** *(puesto)* cargo, posto **2** ECON. débito **3** DIR. acusação*f.* **4** *(responsabilidad)* encargo, responsabilidade*f.*, cargo; *a cargo de* a cargo de; *correr a cargo de* ser da responsabilidade de; *hacerse cargo de* encarregar-se de ♦ **cargo de consciencia** peso na consciência
carguero [kar'γero] *s.m.* cargueiro
cariar [ka'rjar] *v.* cariar
caricatura [karika'tura] *s.f.* caricatura
caricaturista [karikatu'rista] *s.2g.* caricaturista
caricaturizar [karikaturi'θar] *v.* caricaturar
caricia [ka'riθja] *s.f.* carícia, afago*m.*
caridad [kari'δaδ] *s.f.* **1** caridade **2** *(limosna)* esmola
caries ['karjes] *s.f.2n.* cárie
cariño [ka'riɲo] *s.m.* **1** carinho **2** (tratamento) querido; meu amor/bem
cariñoso [kari'ɲoso] *adj.* carinhoso, meigo, afetuoso
carisma [ka'rizma] *s.m.* carisma
carismático [kariz'matiko] *adj.* carismático
caritativo [karita'tiβo] *adj.* caridoso
carmesí [karme'si] *adj.2g.,s.m.* (cor) carmesim
carmín [kar'min] *adj.2g.2n.* (cor) carmim ▪ *s.m.* **1** (cor) carmim **2** (cosmético) batom
carnal [kar'nal] *adj.2g.* **1** carnal **2** (parentesco) carnal, consanguíneo
carnaval [karna'βal] *s.m.* Carnaval, entrudo
carnavalesco [karnaβa'lesko] *adj.* carnavalesco
carne ['karne] *s.f.* **1** carne **2** (fruta) polpa, carne ♦ **carne de gallina** pele arrepiada; **carne de membrillo** marmelada; **en carne viva** em carne viva; **no ser ni carne ni pescado** nem carne nem peixe; **ser de carne y hueso** ser de carne e osso; **sufrir en su (propia) carne** sentir na pele
carné [kar'ne] *s.m.* cartão; bilhete; carta*f.*; *carné de conducir* carteira de motorista; *carné de estudiante* carteira de estudante; *carné de identidad* carteira de identidade; *carné de socio* cartão/carteira de sócio

carnero [kar'nero] *s.m.* carneiro
carnet [kar'net] *s.m.* ⇒ **carné**
carnicería [karniθe'ria] *s.f.* **1** (estabelecimento) açougue*m.* **2** *(matanza)* carnificina, matança, chacina
carnicer|o, -a [karni'θero] *s.m.,f.* açougueiro*m.* ■ *adj.* **1** (animal) carniceiro, carnívoro **2** *fig.* carniceiro, cruel, sanguinário
carnívoro [kar'niβoro] *adj.* carnívoro
carnoso [kar'noso] *adj.* carnudo
caro ['karo] *adj.* **1** caro, dispendioso **2** *lit.* caro, querido, estimado, amado ■ *adv.* caro; *vender caro* vender caro
carótida [ka'rotiða] *s.f.* carótida
carpa ['karpa] *s.f.* **1** (peixe) carpa **2** (circo, exposição) tenda, toldo*m.* **3** [AM.] barraca (de acampamento)
carpeta [kar'peta] *s.f.* **1** pasta (para papéis, documentos) **2** INFORM. pasta
carpintería [karpinte'ria] *s.f.* carpintaria
carpinter|o, -a [karpin'tero] *s.m.,f.* carpinteir|o, -a
carraspear [karaspe'ar] *v.* tossir (para evitar rouquidão)
carraspera [karas'pera] *s.f.* rouquidão
carrera [ka'rera] *s.f.* **1** *(marcha)* corrida **2** ESPOR. corrida; *carrera de coches/automóviles* corrida de carros/automóveis; *carrera de relevos/vallas* corrida de estafetas/obstáculos **3** (universidade) curso*m.*; *hacer la carrera de derecho* fazer o curso de direito **4** (profissão) carreira; *carrera diplomática* carreira diplomática **5** (transportes) carreira, itinerário*m.* **6** (desfile) trajeto*m.* **7** (meia) foguete*m.*; *hacerse una carrera* fazer um foguete ♦ **a la carrera** a correr; **carrera de armamentos/armamentística** corrida ao armamento
carrerilla [kare'riʎa] ♦ **saber de carrerilla** saber de cor/memória; **tomar carrerilla** tomar balanço
carrete [ka'rete] *s.m.* **1** carrinho de linha, carrete **2** (vara de pesca) carretel **3** FOT. rolo, filme; *carrete en blanco y negro* rolo em preto e branco; *carrete en color* rolo colorido ♦ *col.* **darle carrete a alguien** dar corda a alguém; *col.* **tener carrete** falar pelos cotovelos
carretera [kare'tera] *s.f.* estrada; *carretera nacional* estrada nacional
carretilla [kare'tiʎa] *s.f.* carrinho*m.* de mão
carril [ka'ril] *s.m.* **1** (estrada) faixa*f.* (de rodagem); *carril bus* corredor de ônibus; *carril de adelantamiento* faixa de ultrapassagem **2** (trem, elétrico) carril **3** *(surco)* carril, sulco
carrillo [ka'riʎo] *s.m.* bochecha*f.* ♦ *col.* **comer a dos carrillos** comer com voracidade, devorar
carro ['karo] *s.m.* **1** carroça*f.* **2** (aeroporto, supermercado) carrinho **3** [AM.] carro, automóvel ♦ **carro de combate** carro de combate; *col.* **parar el carro** conter-se, moderar se; **poner el carro delante de los bueyes** pôr o carro à frente dos bois
carrocería [karoθe'ria] *s.f.* carroçaria
carroza [ka'roθa] *s.f.* **1** *(coche de caballos)* coche*m.* **2** (cortejo, desfile) carro*m.* alegórico ♦ [AM.] **carroza fúnebre** carro funerário
carruaje [ka'rwaxe] *s.m.* carruagem*f.*; coche
carrusel [karu'sel] *s.m.* carrossel
carta ['karta] *s.f.* **1** *(misiva)* carta, missiva, epístola; *carta abierta* carta aberta; *carta certificada* carta registrada **2** *(naipe)* carta (de baralho) **3** (restaurante, café) cardápio*m.*, menu*m.* **4** *(mapa)* carta, mapa ♦ **carta astral** mapa astral; **carta blanca** carta-branca; *dar carta blanca a alguien* dar carta branca a alguém; **cartas credenciales** credenciais; **carta de pago** recibo; **carta de recomendación** carta de recomendação; **carta pastoral** pastoral; **carta verde** carta verde; **poner las cartas boca arriba** pôr as cartas na mesa; *col.* **tomar cartas en un asunto** intervir num assunto
cartabón [karta'βon] *s.m.* esquadro
cartapacio [karta'paθjo] *s.m.* **1** *(carpeta)* pasta*f.* **2** *(cuaderno de apuntes)* caderno de notas
cartearse [karte'arse] *v.* corresponder se (con, com), trocar correspondência (con, com); *cuando era pequeña me carteaba con una francesa* quando era pequena, me correspondia com uma francesa
cartel [kar'tel] *s.m.* cartaz ♦ **de cartel** famoso; (espetáculos) **en cartel** em cartaz
cartelera [karte'lera] *s.f.* **1** armação (para afixar cartazes) **2** *(cartel)* cartaz*m.* **3** (jornal, revista) agenda de espetáculos ♦ (filme) **de cartelera** em exibição; **en cartelera** em cartaz
cartera [kar'tera] *s.f.* **1** *(billetero, monedero)* carteira **2** (livros, documentos) pasta, mala **3** POL. pasta, cargo*m.* de ministro **4** ECON. carteira **5** [AM.] bolsa ♦ **cartera de clientes** carteira de clientes; **cartera de pedidos** carteira de encomendas; **tener en cartera** ter (algo) engatilhado
carterista [karte'rista] *s.2g.* carteirista
carter|o, -a [kar'tero] *s.m.,f.* carteir|o, -a
cartílago [kar'tilaγo] *s.m.* cartilagem*f.*
cartilla [kar'tiʎa] *s.f.* **1** cartilha **2** *(libreta)* caderneta; boletim*m.*; *cartilla de ahorros* caderneta de poupança; *cartilla de vacunas* cartão de vacinação; *cartilla militar* caderneta militar ♦ *col.* **leer la cartilla** dar uma bronca
cartografía [kartoγra'fia] *s.f.* cartografia
cartográfico [karto'γrafiko] *adj.* cartográfico
cartomancia [karto'manθja], **cartomancía** [kartomaņ'θja] *s.f.* cartomancia
cartomántic|o, -a [karto'mantiko] *s.m.,f.* cartomante*2g.*
cartón [kar'ton] *s.m.* **1** (material) cartão, papelão; *cajas de cartón* caixas de papelão **2** *(envase)* pacote; caixa*f.*; *cartón de huevos* caixa de ovos; *cartón de leche* caixa de leite **3** (tabaco) volume
cartuchera [kartu'tʃera] *s.f.* cartucheira
cartucho [kar'tutʃo] *s.m.* **1** (arma de fogo) cartucho **2** (moedas) rolo **3** *(cucurucho)* cartucho, saquinho **4** (impressora) cartucho, tinteiro ♦ **quemar el último cartucho** queimar os últimos cartuchos
cartulina [kartu'lina] *s.f.* **1** cartolina **2** ESPOR. cartão*m.*; *cartulina amarilla/roja* cartão amarelo/vermelho

casa ['kasa] *s.f.* **1** *(vivienda)* casa, vivenda, morada; *casas adosadas* casas geminadas; *casa solariega* solar **2** *(hogar)* casa, lar*m.* **3** *(edificio)* edifício*m.* **4** *(establecimiento)* casa, estabelecimento*m.* **5** *(sucursal)* agência, sucursal ♦ **casa de citas** bordel; **casa de empeños** casa de penhores; **casa de huéspedes** pensão; hospedaria; **casa de (la) moneda** casa da moeda; **casa de salud** casa de saúde; *col.* **como Pedro por su casa** como se estivesse(m) na própria casa; *col.* **casa de tócame Roque** casa da sogra; **como una casa** muito grande; enorme; **echar de casa** pôr fora de casa; *col.* **echar/tirar la casa por la ventana** gastar mundos e fundos; **en casa del herrero, cuchillo de palo** em casa de ferreiro, espeto de pau; (time) **jugar en casa** jogar em casa

casaca [ka'saka] *s.f.* casaca ♦ **cambiar/mudar/volver la casaca** virar a casaca

casado [ka'saðo] *adj.* casado

casamenter|o, -a [kasameṇ'tero] *s.m.,f.* casamenteir|o, -a

casamiento [kasa'mjeṇto] *s.m.* casamento, boda*f.*

casar [ka'sar] *v.* **1** casar **2** casar (con, com); *casó con su mejor amigo* casou com o seu melhor amigo **3** *(armonizar)* casar, combinar, harmonizar ■ **casarse** casar(-se); *casarse por la iglesia* casar(-se) na igreja; *casarse por lo civil* casar(-se) no civil ■ *s.m.* lugarejo ♦ *col.* **no casarse con nadie** não se deixar influenciar; ser independente; não se deixar levar por ninguém

cascabel [kaska'βel] *s.m.* guizo, cascavel ♦ *col.* **poner el cascabel al gato** ter coragem; atrever se

cascada [kas'kaða] *s.f.* cascata, cachoeira

cascajo [kas'kaxo] *s.m.* **1** (pedra) cascalho **2** (louça) caco, fragmento **3** *col.* caco, traste ♦ *col.* (pessoa) **estar hecho un cascajo** estar um caco

cascanueces [kaska'nweθes] *s.m.2n.* quebra-nozes

cascar [kas'kar] *v.* **1** *(romper)* quebrar, partir, rachar; *cascar huevos* partir ovos **2** (avelãs, nozes) partir **3** *col.* (pessoa) dar uma surra, bater **4** *col.* dar à língua, tagarelar, falar muito; *¡hay que ver cómo cascan!* é incrível o quanto falam! **5** *col.* *(morrir)* bater as botas ■ **cascarse** quebrar-se, partir se

cáscara ['kaskara] *s.f.* casca

cascarón [kaska'ron] *s.m.* casca*f.* (de ovo)

cascarrabias [kaska'raβjas] *s.2g.2n.* *col.* carrancudo, ranzinza

casco ['kasko] *s.m.* **1** capacete **2** (garrafa) vasilhame **3** *(fragmento)* caco, pedaço, fragmento **4** (cavalgadura) casco **5** (cebola) película*f.*, casca*f.* **6** NÁUT. casco ■ **cascos** *s.m.pl.* **1** auscultadores **2** *col.* *(cabeza)* cachola*f.* ♦ **casco antiguo** centro histórico; zona histórica; (ONU) **casco azul** capacete-azul; **casco urbano** centro da cidade; baixa

cascote [kas'kote] *s.m.* entulho ■ **cascotes** *s.m.pl.* escombros

caserío [kase'rio] *s.m.* **1** casa*f.* de campo **2** casario

caser|o, -a [ka'sero] *s.m.,f.* **1** senhori|o, -a, proprietári|o, -a **2** caseir|o, -a; *casero de una finca* caseiro de uma quinta ■ *adj.* caseiro

caserón [kase'ron] *s.m.* casarão

caseta [ka'seta] *s.f.* **1** *(casita)* casita, casota **2** (cão) casinha **3** (espetáculo, feira) barraca, tenda **4** (praia) vestiário*m.* **5** (esportistas) vestiário*m.*

casete [ka'sete] *s.m./f.* cassete*f.* ■ *s.m.* gravador, leitor de cassetes

casi ['kasi] *adv.* quase; *estoy casi listo* estou quase pronto ♦ **casi nada** **1** quase nada **2** *irôn.* coisa de nada

casilla [ka'siʎa] *s.f.* **1** (móvel) escaninho*m.*, compartimento*m.* **2** (damas, xadrez) casa **3** (papel) quadradinho*m.*, quadrícula **4** (cinema, teatro) bilheteria ♦ [AM.] **casilla de correos/postal** caixa postal; *col.* **sacar de sus casillas** fazer perder a paciência; tirar do sério

casino [ka'sino] *s.m.* casino

caso ['kaso] *s.m.* **1** *(hecho)* caso, acontecimento, fato **2** *(casualidad)* casualidade*f.*, acaso **3** *(asunto)* caso, assunto **4** LING. caso ♦ (pessoa) **caso perdido** caso perdido; **el caso es que...** a questão é que...; **en caso de** em caso de; **en caso de que** caso; **en cualquier/todo caso** em todo o caso; de qualquer modo/maneira; **en el mejor/peor de los casos** no melhor/pior dos casos, na melhor/pior das hipóteses; **en todo caso** em todo caso; **en último caso** em último caso; **hacer caso** fazer caso, levar em conta, ligar; **hacer caso omiso de** não levar em conta/consideração; **poner por caso** supor; *col.* (pessoa) **ser un caso** ser um caso sério; **venir al caso** vir ao caso

caspa ['kaspa] *s.f.* caspa

casta ['kasta] *s.f.* casta

castaña [kas'taɲa] *s.f.* **1** castanha; *castaña pilonga* castanha pilada **2** *(moño)* coque*m.* **3** *col.* bebedeira, pileque*m.*, porre*m.* **4** *col.* estalo*m.*, bofetada

castañetas [kasta'ɲetas] *s.f.pl.* castanholas*pl.*

castañetear [kastaɲete'ar] *v.* **1** (dentes) bater **2** (dedos) estalar

castaño [kas'taɲo] *adj.* (cor) castanho, marrom ■ *s.m.* **1** (cor) castanho, marrom **2** (árvore) castanheiro ♦ *col.* **la cosa ya pasa de castaño oscuro** **1** passar dos limites **2** estar preta

castañuelas [kasta'ɲwelas] *s.f.* castanholas

castellan|o, -a [kaste'ʎano] *adj.,s.m.,f.* castelhan|o, -a ■ **castellano** *s.m.* (língua) castelhano

castidad [kasti'ðað] *s.f.* castidade

castigar [kasti'ɣar] *v.* castigar, punir

castigo [kas'tiɣo] *s.m.* **1** castigo, punição*f.* **2** *gír.* (esporte) derrota*f.* ♦ *gír.* (futebol) **máximo castigo** pênalti

castillo [kas'tiʎo] *s.m.* castelo ♦ *col.* **hacer castillos en el aire** fazer castelos de areia

casto ['kasto] *adj.* casto

castor [kas'tor] *s.m.* castor

castración [kastra'θjon] *s.f.* castração

castrar [kas'trar] *v.* castrar, capar

casual [ka'swal] *adj.2g.* casual, fortuito ♦ **por un casual** por casualidade

casualidad [kaswali'ðað] *s.f.* casualidade, acaso*m.* ♦ **por casualidad** por acaso
cataclismo [kata'klizmo] *s.m.* cataclismo
catacumbas [kata'kumbas] *s.f.pl.* catacumbas*pl.*
catador, -a [kata'ðor] *s.m.,f.* provador, -a, degustador, -a; *catador de vinos* provador de vinhos
catal|án, -ana [kata'lan] *adj.,s.m.,f.* catal|ão, -ã ■ **catalán** *s.m.* (língua) catalão
catalejo [kata'lexo] *s.m.* telescópio
catalepsia [kata'lepsja] *s.f.* catalepsia
catalizador [kataliθa'ðor] *s.m.* catalisador
catalizar [katali'θar] *v.* catalisar
catalogar [katalo'ɣar] *v.* catalogar
catálogo [ka'taloɣo] *s.m.* catálogo
catar [ka'tar] *v.* **1** (alimento, bebida) provar, degustar **2** (sensação) experimentar (geralmente pela primeira vez)
catarata [kata'rata] *s.f.* **1** catarata, cascata **2** MED. catarata; *operarse de cataratas* ser operado das cataratas
catarro [ka'taro] *s.m.* **1** resfriado*f.*; *coger un catarro* pegar um resfriado **2** MED. reuma, catarro nasal
catastro [ka'tastro] *s.m.* cadastro (das propriedades rurais e urbanas)
catástrofe [ka'tastrofe] *s.f.* catástrofe
catastrófico [katas'trofiko] *adj.* catastrófico
catavinos [kata'βinos] *s.2g.2n.* provador, -a*m.f.* de vinhos
cate ['kate] *s.m.* **1** *col.* bomba*gír.*, reprovação*f.* **2** *col.* tapa*gír.*
catear [kate'ar] *v. col.* (exame) bombar*gír.*, reprovar
catecismo [kate'θizmo] *s.m.* catecismo
cátedra ['kateðra] *s.f.* **1** cátedra **2** departamento*m.*
catedral [kate'ðral] *s.f.* catedral, sé ♦ *col.* **como una catedral** enorme
catedrátic|o, -a [kate'ðratiko] *s.m.,f.* catedrátic|o, -a
categoría [kateɣo'ria] *s.f.* categoria ♦ **categoría gramatical** categoria gramatical; **de categoría** de categoria; *una casa de categoría* uma casa de categoria
categórico [kate'ɣoriko] *adj.* categórico
catequesis [kate'kesis] *s.f.2n.* catequese
catequista [kate'kista] *s.2g.* catequista
catequizar [kateki'θar] *v.* catequizar
catéter [ka'teter] *s.m.* cateter
catet|o, -a [ka'teto] *s.m.,f. pej.* simplóri|o, -a, boboca ■ **cateto** *s.m.* GEOM. cateto
catolicismo [katoli'θizmo] *s.m.* catolicismo
católic|o, -a [ka'toliko] *adj.,s.m.,f.* católic|o, -a ♦ *col.* **no estar muy católico** não estar muito católico
catorce [ka'torθe] *num.* catorze
catre ['katre] *s.m.* **1** catre **2** *col.* cama*f.*
cauce ['kawθe] *s.m.* **1** (rio) leito **2** *fig.* trâmite
caucho ['kawtʃo] *s.m.* borracha*f.*
caución [kaw'θjon] *s.f.* caução
caudal [kaw'ðal] *adj.2g.* caudal, da cauda; *aleta caudal* barbatana caudal ■ *s.m.* **1** (rio) caudal **2** *(bienes)* bens*pl.*, riquezas*f. pl.*, posses*f. pl.* **3** *fig.* torrente*f.*, caudal
causa ['kawsa] *s.f.* **1** *(motivo)* causa, motivo*m.*, razão **2** DIR. causa; litígio*m.*, pleito*m.* **3** *(ideal)* causa, ideal*m.* ♦ **a causa de** por causa de; **causa mayor** força maior; *por motivos de causa mayor* por motivos de força maior; **hacer causa común con alguien** unir-se com alguém; **poner en causa** pôr em causa
causal [kaw'sal] *adj.2g.* causal; LING. *conjunción/oración causal* conjunção/oração causal
causalidad [kawsali'ðað] *s.f.* causalidade
causante [kaw'sante] *adj.,s.2g.* causador, -a*m.f.*
causar [kaw'sar] *v.* causar, provocar, originar
causticidad [kawstiθi'ðað] *s.f.* causticidade
cáustico ['kawstiko] *adj.* **1** (substância) cáustico; *sosa cáustica* soda cáustica **2** *fig.* cáustico, mordaz, sarcástico ■ *s.m.* QUÍM. cáustico
cautela [kaw'tela] *s.f.* cautela, cuidado*m.*
cauteloso [kawte'loso] *adj.* cauteloso
cautivador [kawtiβa'ðor] *adj.* cativante
cautivar [kawti'βar] *v.* **1** (inimigo) capturar, prender, aprisionar **2** *fig.* cativar, seduzir, atrair
cautiverio [kawti'βerjo] *s.m.* cativeiro
cautividad [kautiβi'ða(ð)] *s.f.* catividade
cautiv|o, -a [kaw'tiβo] *adj.,s.m.,f.* cativ|o, -a
cauto ['kawto] *adj.* cauto, cauteloso
cava ['kaβa] *s.f.* **1** cave; *cavas del Vino de Oporto* caves de vinho do Porto **2** (terra) cava ■ *s.m.* (vinho) espumante
cavar [ka'βar] *v.* cavar
caverna [ka'βerna] *s.f.* **1** caverna, gruta **2** MED. caverna
caviar [ka'βjar] *s.m.* caviar
cavidad [kaβi'ðað] *s.f.* cavidade
cavilar [kaβi'lar] *v.* cismar, magicar, matutar*col.*
cayado [ka'yaðo] *s.m.* cajado, bordão
caza ['kaθa] *s.f.* caça ■ *s.m.* AERON. caça ♦ *col.* **andar/ir a la caza de** andar à caça de; **caza mayor/menuda** caça grossa/miúda; *col.* **espantar la caza** espantar a caça; **ir de caza** ir à caça
cazador, -a [kaθa'ðor] *s.m.,f.* caçador, -a
cazadora [kaθa'ðora] *s.f.* tipo de casaco*m.*
cazar [ka'θar] *v.* **1** (animal) caçar, perseguir **2** *fig.*, *col.* entender, pescar
cazo ['kaθo] *s.m.* **1** *(cacerola)* caçarola*f.*, panela*f.* **2** *(cucharón)* concha*f.* ♦ *col.* **meter el cazo** pisar na bola
cazuela [ka'θwela] *s.f.* **1** panela, caçarola **2** (sala de espetáculo) geral, galinheiro*col.*
CD *sigla* (disco compacto) CD (disco compacto)
CD-R *sigla* (disco compacto grabable) CD-R (disco compacto gravável)
CD-ROM *sigla* (disco compacto de sólo lectura) CD-ROM (disco compacto somente para leitura)
CD-RW *sigla* (disco compacto regrabable) CD-RW (disco compacto regravável)
cebada [θe'βaða] *s.f.* cevada

cebo ['θeβo] *s.m.* **1** (pesca) isco, isca*f.*, engodo **2** (comida) ceva*f.* **3** *fig.* chamariz, isco

cebolla [θe'βoʎa] *s.f.* cebola

cebolleta [θeβo'ʎeta] *s.f.* cebolinha

cebollino [θeβo'ʎino] *s.m.* **1** cebolinho **2** *col.* (pessoa) palerma*2g.*, panaca*2g.* ♦ *col.* **mandar a escarbar cebollinos** mandar às favas

cebra ['θeβra] *s.f.* zebra

cedazo [θe'δaθo] *s.m.* peneira*f.*, crivo

ceder [θe'δer] *v.* **1** *(dar)* ceder; *cedí mi asiento a un señor mayor* cedi o meu lugar a um senhor idoso **2** *(rendirse)* ceder (a, a); *ceder a la presión* ceder à pressão **3** *(caerse)* ceder; *el estante ha cedido con el peso de los libros* a prateleira cedeu com o peso dos livros **4** (dor, vento) abrandar

cedilla [θe'δiʎa] *s.f.* **1** (letra) cê*m.* cedilhado **2** (sinal) cedilha

cedro ['θeδro] *s.m.* cedro

cédula ['θeδula] *s.f.* cédula ♦ [ARG., CH., URUG.] **cédula de identidad** carteira de identidade; **cédula hipotecaria** cédula hipotecária

cefalea [θefa'lea] *s.f.* cefaleia

cefálico [θe'faliko] *adj.* cefálico

cegar [θe'γar] *v.* **1** cegar **2** *(tapar)* tapar, obstruir; (janela, porta) vedar **3** *fig.* cegar, ofuscar

cegat|o, -a [θe'γato] *s.m.,f.* *col.* cegueta*2g.*, míope*2g.*

ceguera [θe'γera] *s.f.* cegueira

ceja ['θexa] *s.f.* sobrancelha ♦ *col.* **hasta las cejas** até o pescoço; *col.* **metérsele/ponérsele entre ceja y ceja** meter na cabeça; *col.* (estudo, trabalho) **quemarse las cejas** queimar as pestanas; *col.* **tener entre ceja y ceja a alguien** não ir com a cara de alguém

celador, -a [θela'δor] *s.m.,f.* zelador, -a, vigia*2g.*

celda ['θelda] *s.f.* **1** (prisão, convento) cela **2** INFORM. célula

celdilla [θel'diʎa] *s.f.* alvéolo*m.* (de favo de abelhas)

celebración [θeleβra'θjon] *s.f.* celebração

celebrar [θele'βrar] *v.* **1** *(llevarlo a cabo)* realizar **2** *(festejar)* comemorar, festejar, celebrar **3** *(estar contento)* alegrar se, ficar feliz/contente **4** (missa) celebrar

célebre ['θeleβre] *adj.2g.* célebre, famoso

celebridad [θeleβri'δaδ] *s.f.* **1** celebridade, fama **2** (pessoa) celebridade

celeste [θe'leste] *adj.2g.* celeste; *azul celeste* azul-celeste; *bóveda celeste* abóbada celeste

celestial [θeles'tjal] *adj.2g.* celestial

celestin|o, -a [θeles'tino] *s.m.,f.* alcoviteir|o, -a

celibato [θeli'βato] *s.m.* celibato

célibe ['θeliβe] *s.2g.* celibatári|o, -a*m.f.*

celo ['θelo] *s.m.* **1** *(cuidado)* zelo, cuidado, esmero **2** (animais) cio; *época de celo* época do cio; *estar en celo* estar no cio **3** *(cinta adhesiva)* durex, fita*f.* adesiva ■ **celos** *s.m.pl.* **1** ciúmes; *dar celos* fazer ciúmes; *tener celos de* ter ciúmes de **2** inveja*f.*, ciúmes

celofán [θelo'fan] *s.m.* celofane

celoso [θe'loso] *adj.* **1** ciumento; *estar celoso* estar com ciúmes; *ser muy celoso* ser muito ciumento **2** *(diligente)* zeloso, diligente, cuidadoso

Celsius ['θelsjus] *adj.2g.2n.* (escala, grau) Celsius

celta ['θelta] *adj.,s.2g.* celta ■ *s.m.* (língua) celta

célula ['θelula] *s.f.* célula

celular [θelu'lar] *adj.2g.* celular ■ *s.m.* [AM.] celular

celulitis [θelu'litis] *s.f.2n.* celulite

cementerio [θemen'terjo] *s.m.* cemitério

cemento [θe'mento] *s.m.* cimento ♦ **cemento armado** concreto/cimento armado

cena ['θena] *s.f.* **1** jantar*m.*; *en la cena* ao jantar; *hacer la cena* fazer o jantar **2** (antes de ir dormir) ceia ♦ **cena de Navidad** ceia de Natal; **Última Cena** Última Ceia

cenagoso [θena'γoso] *adj.* lamacento

cenar [θe'nar] *v.* **1** jantar **2** (antes de ir dormir) cear

cencerro [θen'θero] *s.m.* chocalho (para animais) ♦ *col.* **estar loco como un cencerro** estar louco

cenicero [θeni'θero] *s.m.* cinzeiro

ceniciento [θeni'θjento] *adj.* cinzento, cinza

ceniza [θe'niθa] *s.f.* cinza ■ **cenizas** *s.f.pl.* cinzas*pl.*, restos*m. pl.* mortais ♦ **convertir en/reducir a cenizas** reduzir a cinzas

censar [θen'sar] *v.* recensear

censo ['θenso] *s.m.* censo, recenseamento; *censo de la población* recenseamento da população; *censo electoral* recenseamento eleitoral

censor, -a [θen'sor] *s.m.,f.* censor, -a

censura [θen'sura] *s.f.* **1** (filme, obra) censura **2** *(crítica)* censura, crítica ♦ **censura informativa** bloqueio informativo

censurable [θensu'raβle] *adj.2g.* censurável

censurar [θensu'rar] *v.* **1** (filme, obra) censurar **2** *(criticar)* censurar, criticar

centella [θen'teʎa] *s.f.* **1** *(chispa)* faísca, centelha, faúlha **2** *(rayo)* faísca, raio*m.*

centena [θen'tena] *s.f.* centena

centenar [θente'nar] *s.m.* centenar, centena*f.* ♦ **a centenares** às centenas

centenari|o, -a [θente'narjo] *s.m.,f.* centenári|o, -a ■ *adj.* centenário ■ **centenario** *s.m.* centenário

centeno [θen'teno] *s.m.* centeio

centésim|o, -a [θen'tesimo] *num.* centésim|o, -a

centígrado [θen'tiγraδo] *adj.* centígrado

centímetro [θen'timetro] *s.m.* centímetro ♦ **centímetro cuadrado** centímetro quadrado; **centímetro cúbico** centímetro cúbico

céntimo ['θentimo] *s.m.* cêntimo

centinela [θenti'nela] *s.m.* sentinela*f.* ■ *s.2g.* sentinela, guarda, vigia

centollo [θen'toʎo] *s.m.* santola*f.*

central [θen'tral] *adj.2g.* central ■ *s.f.* central ■ *s.2g.* (futebol) central ♦ **central eléctrica** central elétrica; **central nuclear** central nuclear; **central telefónica** central telefônica

centralización [θentraliθa'θjon] *s.f.* centralização

centralizar [θeṇtrali'θar] *v.* centralizar
centrar [θeṇ'trar] *v.* centrar
céntrico ['θeṇtriko] *adj.* central
centrifugadora [θeṇtrifuɣa'ðora] *s.f.* centrifugadora
centrifugar [θeṇtrifu'ɣar] *v.* centrifugar
centrífugo [θeṇ'trifuɣo] *adj.* centrífugo; *fuerza centrífuga* força centrífuga
centro ['θeṇtro] *s.m.* **1** *(medio)* centro, meio **2** (cidade) centro, baixa*f.*; *me voy al centro* vou ao centro **3** (estabelecimento) centro, instituição*f.*; *centro de enseñanza* escola, instituição de ensino **4** POL. centro **5** ESPOR. centro ♦ **centro comercial** centro comercial; shopping; **centro de gravedad** centro de gravidade; **centro de mesa** centro de mesa; **centro de salud** centro de saúde; **ser el centro de atención** ser o centro das atenções
céntupl|o, -a ['θeṇtuplo] *num.* cêntupl|o, -a
ceñir [θe'ɲir] *v.* **1** (roupa) cingir, apertar **2** *(rodear)* rodear, cingir, cercar ■ **ceñirse** cingir-se (a, a), limitar se (a, a)
ceño ['θeɲo] *s.m.* **1** sobrolho, cenho; *fruncir el ceño* franzir o cenho **2** (gesto) carranca*f.*
ceñudo [θe'ɲuðo] *adj.* carrancudo
cepa ['θepa] *s.f.* cepa ♦ **de buena cepa 1** de boa cepa **2** de boa qualidade; **de pura cepa** autêntica
cepilladura [θepiʎa'ðura] *s.f.* escovadela
cepillar [θepi'ʎar] *v.* **1** escovar **2** (cabelo) escovar, pentear **3** (madeira) aplainar, alisar ■ **cepillarse 1** escovar **2** *col.* liquidar, matar **3** *col.* reprovar, bombar *gír.*
cepillo [θe'piʎo] *s.m.* **1** escova*f.*; *cepillo de dientes* escova de dentes; *cepillo del pelo* escova de cabelo **2** *(escoba)* vassoura*f.* **3** (ferramenta) plaina*f.* **4** (igreja) caixa*f.* das esmolas ♦ (corte de cabelo) **a cepillo** à escovinha
cepo ['θepo] *s.m.* **1** *(trampa)* cepo, armadilha*f.* **2** (veículo) bloqueador (de rodas)
cera ['θera] *s.f.* **1** (abelhas) cera **2** FISIOL. cera (dos ouvidos), cerume*m.* **3** (produto) cera ♦ **hacer la cera** fazer depilação com cera; *col.* **no hay más cera que la que arde** é só o que tem; não tem mais nada além do que se vê
cerámica [θe'ramika] *s.f.* cerâmica
cerámico [θe'ramiko] *adj.* cerâmico
cerca ['θerka] *adv.* **1** (espaço) perto; *mi casa está cerca del centro* a minha casa fica perto do centro **2** (tempo) perto; *los exámenes están cerca* as provas estão perto ■ *s.f.* cerca, vedação, tapume*m.* ♦ **cerca de 1** perto de, junto de **2** cerca de; **de cerca** ao/de perto
cercado [θer'kaðo] *s.m.* **1** (terreno) cercado **2** *(cerca)* cerca*f.*, tapume
cercanía [θerka'nia] *s.f.* proximidade, imediação ■ **cercanías** *s.f.pl.* arredores*m. pl.*, redondezas*pl.*, proximidades*pl.*
cercano [θer'kano] *adj.* **1** próximo **2** (parentesco) próximo
cercar [θer'kar] *v.* **1** (lugar) cercar **2** (território, zona) cercar, sitiar **3** *(rodear)* cercar, rodear
cerciorarse [θerθjo'rarse] *v.* certificar-se (de, de), assegurar-se (de, de); *cerciórese de que todo está en orden* certifique-se de que está tudo em ordem
cerco ['θerko] *s.m.* **1** círculo **2** *(asedio)* cerco **3** (janela, porta) caixilho **4** *(halo)* halo ♦ **cerco policial** cerco policial
cerda ['θerða] *s.f.* cerda
cerd|o, -a ['θerðo] *s.m.,f.* **1** porc|o, -a **2** *pej.* porc|o, -a, badalhoc|o, -a*pop.* **3** *pej.* sacana*2g.* ■ *adj. pej.* (pessoa) porco, badalhoco*pop.* ♦ *col.* **como un cerdo** como um porco
cereal [θere'al] *s.m.* cereal ■ **cereales** *s.m.pl.* cereais; *leche con cereales* leite com cereais
cerebral [θere'βral] *adj.2g.* cerebral
cerebro [θe'reβro] *s.m.* **1** ANAT. cérebro **2** *fig.* cérebro, inteligência*f.* **3** *fig.* (pessoa) gênio, crânio ♦ INFORM. **cerebro electrónico** cérebro eletrônico; **lavar el cerebro a alguien** fazer uma lavagem cerebral em alguém
ceremonia [θere'monja] *s.f.* cerimônia ♦ **sin ceremonias** sem cerimônias
ceremonial [θeremo'njal] *adj.2g.* cerimonial ■ *s.m.* cerimonial, protocolo
cereza [θe'reθa] *s.f.* cereja
cerezo [θe'reθo] *s.m.* cerejeira*f.*
cerilla [θe'riʎa] *s.f.* fósforo*m.*; *caja de cerillas* caixa de fósforos
cerio ['θerjo] *s.m.* cério
ceriolario [θerjo'larjo] *s.m.* ARQUEOL. (romanos) candelabro
cerne ['θerne] *s.m.* cerne
cero ['θero] *s.m.* zero ♦ (corte de cabelo) **al cero** rapado; **bajo cero** abaixo de zero; **partir de cero** começar do zero; *col.* **ser un cero a la izquierda** ser um zero à esquerda
cerrado [θe'raðo] *adj.* **1** fechado, cerrado; *cerrado con llave* fechado à chave; *con los ojos cerrados* de olhos fechados **2** (fala, pronúncia) cerrado **3** (estabelecimento) fechado, encerrado **4** (céu) fechado **5** *fig.* (pessoa) fechado, introvertido, reservado
cerradura [θera'ðura] *s.f.* fechadura
cerrajería [θeraxe'ria] *s.f.* serralharia
cerrajer|o, -a [θera'xero] *s.m.,f.* serralheir|o, -a
cerrar [θe'rar] *v.* **1** fechar, cerrar; *cerrar las ventanas* fechar as janelas; *la tienda cerró hace unos años* a loja fechou há uns anos; *cerrar los ojos* fechar os olhos **2** (água, gás) fechar; (luz) apagar, desligar; *cerrar el grifo* fechar a torneira **3** (abertura, buraco,) fechar, tapar **4** (acordo, negócio) fechar, concluir **5** (atividade) encerrar ■ **cerrarse** fechar-se
cerro ['θero] *s.m.* outeiro ♦ *col.* **irse/salir por los cerros de Úbeda** desconversar
cerrojo [θe'roxo] *s.m.* trinco, tranqueta*f.*; *cerrar con cerrojo* fechar com trinco
certamen [θer'tamen] *s.m.* certame, concurso
certero [θer'tero] *adj.* **1** certeiro; *tiro certero* tiro certeiro **2** *(acertado)* certeiro, acertado, correto; *respuesta certera* resposta certeira

certeza [θer'teθa] *s.f.* certeza; *tener la certeza de que* ter a certeza de que
certidumbre [θerti'ðumbre] *s.f.* certeza
certificación [θertifika'θjon] *s.f.* **1** certificação **2** (documento) certidão **3** (envio) registro*m.*
certificado [θertifi'kaðo] *adj.* registado; *carta certificada* carta registrada ▪ *s.m.* certidão*f.*; certificado; *certificado de aptitud* certificado de habilitações; *certificado de calidad* certificado de qualidade; *certificado de estudios* certificado de conclusão de curso; *certificado de matrimonio* certidão de casamento; *certificado médico* atestado médico; *certificado de nacimiento* certidão de nascimento
certificar [θertifi'kar] *v.* **1** certificar, atestar **2** (documento) passar certidão, certificar **3** (carta, encomenda) registrar
cerumen [θe'rumen] *s.m.* cerume, cera*f.* (dos ouvidos)
cervecería [θerβeθe'ria] *s.f.* (estabelecimento, fábrica) cervejaria
cerveza [θer'βeθa] *s.f.* cerveja; *cerveza negra* cerveja preta; *cerveza rubia* cerveja branca; *cerveza sin alcohol* cerveja sem álcool
cervical [θerβi'kal] *adj.2g.* cervical; *vértebras cervicales* vértebras cervicais
cesar [θe'sar] *v.* **1** *(terminar)* cessar, terminar **2** (cargo, emprego) demitir-se (en, de), abandonar (en, -)
cesárea [θe'sarea] *s.f.* cesariana
cese ['θese] *s.m.* **1** cessação*f.* de funções **2** (documento) demissão*f.* ◆ **dar el cese a alguien** demitir alguém; despedir alguém
cesio ['θesjo] *s.m.* césio
césped ['θespeð] *s.m.* **1** (erva) grama*f.* **2** (terreno) gramado, grama*f.*
cesta ['θesta] *s.f.* **1** (recipiente) cesta **2** (basquetebol) cesto*m.* ◆ **cesta de la compra 1** saco de compras **2** cesta básica; **cesta de Navidad** cesta de Natal
cesto ['θesto] *s.m.* cesto ◆ **cesto de los papeles** cesto de papéis
cetáceo [θe'taθeo] *s.m.* cetáceo
cetro ['θetro] *s.m.* cetro
chabacano [tʃaβa'kano] *adj.* foleiro, ordinário, grosseiro
chabola [tʃa'βola] *s.f.* barraca; *barrio de chabolas* favela
chabolismo [tʃaβo'lizmo] *s.m.* favelas*f. pl.*
chabolista [tʃaβo'lista] *s.2g.* favelad|o, -a*m.f.*
chacal [tʃa'kal] *s.m.* chacal
chacha ['tʃatʃa] *s.f.* **1** *col.* babá **2** *col.* empregada doméstica
cháchara ['tʃatʃara] *s.f.* **1** *col.* conversa banal **2** *col.* conversa fiada; *estar de cháchara* estar de conversa fiada
chachi ['tʃatʃi] *adj.2g. col.* espetacular, formidável
chacina [tʃa'θina] *s.f.* *(carne de cerdo)* chacina
chafar [tʃa'far] *v.* **1** *(aplastar)* esmagar; pisar; *chafar el césped* pisar na grama **2** (roupa) amarrotar **3** (planos, projetos) estragar
chal ['tʃal] *s.m.* xaile, xale
chalado [tʃa'laðo] *adj.* **1** *col.* chalado, doido, maluco **2** *col.* apanhado (por, por), apaixonado (por, por); *chalado por algo/alguien* doido por alguma coisa/alguém
chalé [tʃa'le] *s.m.* **1** vivenda*f.* (com jardim), moradia*f.*, casa*f.*; *chalés adosados* casas geminadas **2** chalé
chaleco [tʃa'leko] *s.m.* colete ◆ **chaleco antibalas** colete à prova de bala; **chaleco salvavidas** colete salva vidas
chalet [tʃa'le(t)] *s.m.* ⇒ **chalé**
chalina [tʃa'lina] *s.f.* gravata (larga)
champán [tʃam'pan] *s.m.* champanhe
champaña [tʃam'paɲa] *s.m.* ⇒ **champán**
champiñón [tʃampi'ɲon] *s.m.* cogumelo
champú [tʃam'pu] *s.m.* xampu, shampoo
chamuscar [tʃamus'kar] *v.* chamuscar ▪ **chamuscarse** chamuscar-se
chanchullo [tʃanʲtʃuʎo] *s.m. col.* trapaça*f.*
chancla ['tʃaŋkla] *s.f.* ⇒ **chancleta**
chancleta [tʃaŋ'kleta] *s.f.* chinelo*m.*, chinela
chándal ['tʃan̪dal] *s.m.* roupa*f.* de ginástica
chantaje [tʃan̪'taxe] *s.m.* chantagem*f.*
chantajear [tʃan̪taxe'ar] *v.* chantagear
chantajista [tʃan̪ta'xista] *s.2g.* chantagista
chapa ['tʃapa] *s.f.* **1** (de metal, vidro) chapa; (de madeira, metal) folheado*m.* **2** (veículo) chapa, placa **3** (garrafa) tampa **4** *(placa)* chapa, distintivo*m.* (de polícia) ▪ **chapas** *s.f.pl.* (jogo) caricas*pl.* ◆ *col.* **estar sin chapa** estar sem grana
chaparrear [tʃapare'ar] *v.* chover muito
chaparro [tʃa'paro] *adj.* (pessoa) atarracado
chaparrón [tʃapa'ron] *s.m.* **1** aguaceiro, chuvada*f.*, bátega*f.* **2** *col.* bronca*f.* **3** *col.* montão (de, de), montes*pl.* (de, de)
chapista [tʃa'pista] *s.2g.* chapeiro*m.*, bate chapa*m.*
chapotear [tʃapote'ar] *v.* chapinhar
chapucer|o, -a [tʃapu'θero] *s.m.,f.* trapalh|ão, -ona, remend|ão, -ona ▪ *adj.* **1** atabalhoado **2** (pessoa) trapalhão, remendão
chapurrear [tʃapure'ar] *v.* (língua) arranhar
chapuza [tʃa'puθa] *s.f.* **1** trabalho*m.* malfeito, porcaria*fig.* **2** (trabalho) biscate*m.*, bico; *hacer chapuzas* fazer uns biscates
chapuzón [tʃapu'θon] *s.m.* mergulho; *darse un chapuzón* dar um mergulho
chaqué [tʃa'ke] *s.m.* fraque
chaqueta [tʃa'keta] *s.f.* casaco*m.* ◆ **cambiar de/la chaqueta** virar a casaca
chaquetón [tʃake'ton] *s.m.* casaco (a três quartos)
charanga [tʃa'raŋga] *s.f.* fanfarra, charanga
charca ['tʃarka] *s.f.* charco*m.*
charco ['tʃarko] *s.m.* poça*f.*, charco; *charco de agua* poça de água ◆ *col.* **cruzar/pasar el charco** atravessar o oceano (especialmente o Atlântico)
charcutería [tʃarkute'ria] *s.f.* charcutaria
charla ['tʃarla] *s.f.* **1** *(conversación)* conversa, bate-papo*m.* **2** *(conferencia)* palestra

charlar [tʃar'lar] *v.* **1** *col.* conversar, cavaquear **2** *col.* tagarelar

charlat|án, -ana [tʃarla'tan] *s.m.,f.* **1** *(parlanchín)* tagarela*2g.* **2** *(bocazas)* linguareir|o, -a **3** *(embaucador)* charlat|ão, -ona, impostor, -a ■ *s.m.,f.* (vendedor) charlat|ão, -ona*m.f.*

charol [tʃa'rol] *s.m.* **1** charão **2** verniz; ***zapatos de charol*** sapatos de verniz **3** [AM.] *(bandeja)* tabuleiro

chárter ['tʃarter] *s.m.2n.* charter, chárter ♦ **vuelo chárter** voo charter, fretado

chasco ['tʃasko] *s.m.* decepção*f.*; ***llevarse un chasco*** ter uma decepção

chasis ['tʃasis] *s.m.2n.* chassis ♦ *col.* **estar/quedarse en el chasis** estar/ficar só pele e osso

chasquido [tʃas'kiðo] *s.m.* estalido, estalo

chat ['tʃat] *s.m.* chat

chatarra [tʃa'tara] *s.f.* **1** sucata, ferro-velho*m.* **2** *col.* (moedas) cascalho*m.*

chato ['tʃato] *adj.* **1** achatado **2** (nariz) chato ■ *s.m.* [ESP.] copo baixo e largo

chaval, -a [tʃa'βal] *s.m.,f.* garot|o, -a

chec|o, -a ['tʃeko] *adj.,s.m.,f.* chec|o, -a ■ **checo** *s.m.* (língua) checo

chepa ['tʃepa] *s.f. col.* corcunda, corcova

cheque ['tʃeke] *s.m.* cheque; ***cheque al portador*** cheque ao portador; ***cheque cruzado*** cheque cruzado; ***cheque de viaje*** cheque de viagem; ***cheque descubierto*** cheque sem fundo; ***cheque en blanco*** cheque em branco; ***cheque sin fondos*** cheque sem fundos; ***cobrar/extender un cheque*** levantar/passar um cheque

chequeo [tʃe'keo] *s.m.* **1** MED. check-up **2** (máquinas) revisão*f.*

chic ['tʃik] *adj.2g.* chique, elegante

chicha ['tʃitʃa] *s.f. infant.* *(carne)* chicha ♦ *col.* **no ser ni chicha ni limonada 1** não ser nem carne nem peixe **2** não valer nada

chicharra [tʃi'tʃara] *s.f.* **1** cigarra **2** *col.* (pessoa) gralha

chicharrón [tʃitʃa'ron] *s.m.* **1** torresmo **2** *fig.* (pessoa) camarão*fig.*

chichón [tʃi'tʃon] *s.m.* galo, inchaço; ***tenía un chichón en la frente*** tinha um galo na testa

chicle ['tʃikle] *s.m.* chiclete*f.*

chic|o, -a ['tʃiko] *s.m.,f.* **1** *(niño)* menin|o, -a, garot|o, -a **2** *(joven)* jovem*2g.*, moç|o, -a ■ *adj.* pequeno

chiflado [tʃi'flaðo] *adj.* **1** *col.* pirado, marado, louco **2** *col.* apanhado (**por**, por), apaixonado (**por**, por); ***estar chiflado por alguien*** estar louco por alguém

Chile ['tʃile] *s.m.* Chile

chilena [tʃi'lena] *s.f.* (futebol) bicicleta*m.*

chilen|o, -a [tʃi'leno] *adj.,s.m.,f.* chilen|o, -a

chillar [tʃi'ʎar] *v.* **1** guinchar **2** gritar, berrar

chillido [tʃi'ʎiðo] *s.m.* guincho

chill|ón, -ona [tʃi'ʎon] *s.m.,f.* chor|ão, -ona ■ *adj.* **1** (som) estridente **2** (voz) esganiçado, estridente **3** (cor) berrante, garrido

chimenea [tʃime'nea] *s.f.* **1** chaminé **2** *(hogar)* lareira, fogão*m.* de sala, chaminé; ***chimenea hogar*** fogão de sala **3** GEOL. chaminé

chimpancé [tʃimpaṇ'θe] *s.m.* chimpanzé

china ['tʃina] *s.f.* **1** pedrinha **2** *cal.* (droga) pedra ♦ *col.* **tocar la china** ficar com a pior parte

China ['tʃina] *s.f.* China

chinche ['tʃinʲtʃe] *s.f.* percevejo*m.* ■ *s.2g. col.* chat|o, -a*m.f.*

chincheta [tʃinʲ'tʃeta] *s.f.* **1** pionés*m.* **2** (prego) tacha, percevejo*m.*

chin|o, -a ['tʃino] *adj.,s.m.,f.* **1** chin|ês, -esa **2** [AM.] mestiç|o, -a ■ **chino** *s.m.* **1** (língua) chinês **2** *(pasapurés)* [utensílio de cozinha que se utiliza para triturar e coar] ♦ *col.* **engañar como a un chino** cair que nem um patinho; **eso es chino para mí** isso para mim é chinês

chip ['tʃip] *s.m.* chip

Chipre ['tʃipre] *s.m.* Chipre

chipriota [tʃi'prjota] *adj.,s.2g.* cipriota

chiquillada [tʃiki'ʎaða] *s.f.* criancice, meninice, garotice

chiquillería [tʃikiʎe'ria] *s.f. col.* criançada

chiquill|o, -a [tʃi'kiʎo] *s.m.,f.* criança*f.*, menin|o, -a, garot|o, -a

chiribita [tʃiri'βita] *s.f.* chispa, faísca, faúlha ■ **chiribitas** *s.f.pl.* cisco*m.*

chirriar [tʃi'rjar] *v.* **1** (rodas, travões) chiar **2** (madeira) ranger

chirrido [tʃi'riðo] *s.m.* chio; rangido

chis ['tʃis] *interj.* **1** (para impor silêncio) psiu! **2** (para chamar) psiu!

chisme ['tʃizme] *s.m.* **1** mexerico, bisbilhotice*f.*, fofoca*f.* **2** *col.* coisa*f.*, treco

chismorrear [tʃizmore'ar] *v.* bisbilhotar, fofocar, mexericar

chismorreo [tʃizmo'reo] *s.m.* bisbilhotice*f.*, fofoca*f.*

chismos|o, -a [tʃiz'moso] *adj.,s.m.,f.* bisbilhoteir|o, -a, fofoqueir|o, -a, mexeriqueir|o, -a

chispa ['tʃispa] *s.f.* **1** *(chiribita)* chispa, faísca, faúlha **2** (descarga luminosa) faísca **3** (chuva) gota, pinga **4** *fig.* pitada ♦ *col.* **ser una chispa** ser muito vivo

chispazo [tʃis'paθo] *s.m.* faísca*f.*

chispear [tʃispe'ar] *v.* **1** chispar, faiscar **2** *(lloviznar)* chuviscar, morrinhar

chistar [tʃis'tar] *v.* **1** ter intenção de falar; ***sin chistar*** sem abrir a boca **2** *(rechistar)* retrucar, replicar **3** *(llamar la atención)* fazer psiu (para chamar alguém)

chiste ['tʃiste] *s.m.* **1** anedota*f.*; ***chiste verde*** anedota picante; ***contar chistes*** contar anedotas **2** *(gracia)* piada*f.*, graça*f.* ♦ *irôn.* **tener chiste** ter graça

chistera [tʃis'tera] *s.f. col.* cartola

chistoso [tʃis'toso] *adj.* **1** engraçado, jocoso **2** *irôn.* (pessoa) engraçadinho

chivarse [tʃi'βarse] *v.* **1** *col.* bufar, denunciar **2** *col.* fazer queixinhas

chivat|o, -a [tʃi'βato] *s.m.,f. col.* bufo*m.*, delator, -a ■ **chivato** *s.m.* (veículo) indicador (de temperatura, óleo, etc.)

chiv|o, -a ['tʃiβo] *s.m.,f.* cabrit|o, -a ♦ **chivo expiatorio** bode expiatório

chocante [tʃo'kaṇte] *adj.2g.* chocante

chocar [tʃo'kar] *v.* **1** *(colisionar)* bater (con/contra, com/contra), chocar (con/contra, com/contra); *chocar con el coche* bater com o carro; *chocar contra la pared* chocar contra a parede; *los coches chocaron* os carros bateram **2** *fig.* chocar, surpreender **3** (mãos) apertar; *¡choca esos cinco!* dá cá mais cinco!

chochear [tʃotʃe'ar] *v.* **1** *col.* estar senil; ficar gagá **2** *col.* ficar babado, babar-se

chocho ['tʃotʃo] *adj.* **1** *col., pej.* caquético, gagá, senil; *un viejo chocho* um velho caquético **2** *col.* doido, apanhado; *estar chocho por alguien* estar doido por alguém ■ *s.m.* **1** tremoço **2** *vulg.* xoxota*f. vulg.*

chocolate [tʃoko'late] *s.m.* **1** chocolate; *chocolate blanco/negro* chocolate branco/preto; *chocolate caliente* chocolate quente; *chocolate con leche* chocolate ao leite; *tableta de chocolate* barra de chocolate **2** *gír.* (droga) haxixe ♦ *col.* **el chocolate del loro** coisa insignificante

chófer ['tʃofer] *s.m.* motorista*2g.*, chofer*2g.*

chola ['tʃola] *s.f. col. (cabeza)* cachola; *tiene una gran chola* tem uma grande cachola

chollo ['tʃoʎo] *s.m.* **1** *col.* pechincha*f.* **2** [ESP.] *col.* emprego bem pago

chopo ['tʃopo] *s.m.* choupo

choque ['tʃoke] *s.m.* **1** (veículos) batida*f.*, colisão*f.*; *choque frontal* choque de frente **2** *(conflicto)* choque, conflito; *choque generacional* conflito de gerações **3** *(conmoción)* choque, comoção*f.*

choriz|o, -a [tʃo'riθo] *s.m.,f. pop.* gatun|o, -a, larápi|o, -a ■ **chorizo** *s.m.* **1** chouriço **2** salpicão

chorrada [tʃo'raða] *s.f. col.* estupidez, parvoíce, disparate*m.*; *decir chorradas* dizer disparates ■ **chorradas** *s.f.pl. col.* bugigangas*pl.*, quinquilharias*pl.*

chorrear [tʃore'ar] *v.* **1** (líquido) esguichar, jorrar **2** *(gotear)* pingar, gotejar ♦ *col.* **estar chorreando** estar encharcado

chorro ['tʃoro] *s.m.* jato, jorro, esguicho ♦ **a chorros** aos montes; **chorro de voz** vozeirão; (impressora) **chorro de tinta** jato de tinta; *col.* **como los chorros del oro** num brinco; **llover a chorros** chover a cântaros

choza ['tʃoθa] *s.f.* cabana, choça, choupana, palhota

chubasco [tʃu'βasko] *s.m.* aguaceiro, chuveiro

chubasquero [tʃuβas'kero] *s.m.* impermeável, gabardina*f.*

chuchería [tʃutʃe'ria] *s.f.* **1** (alimento) petisco*m.* **2** *(golosina)* guloseima, gulodice **3** *(baratija)* bugiganga, ninharia

chuch|o, -a ['tʃutʃo] *s.m.,f. col.* (cachorro) vira lata*2g.*

chuleta [tʃu'leta] *s.f.* **1** (carne) costeleta; *chuleta de cerdo* costeleta de porco **2** *fig., col.* (provas, testes) cola **3** *fig., col.* chapada

chulo ['tʃulo] *adj.* **1** *col.* bonito, lindo **2** *col.* bacana **3** *col.* presumido ■ *s.m.* gigolô

chupado [tʃu'paðo] *adj.* **1** *col.* chupado, magro, fraco **2** *col.* fácil; *estar chupado* ser canja

chupar [tʃu'par] *v.* **1** (bala, chiclete) chupar **2** *(sorber)* chupar, sugar **3** *(absorber)* chupar, absorver **4** *col.* (bens, dinheiro) chupar, sugar, extorquir ■ **chuparse** **1** *(lamer)* chupar; *chuparse el dedo* ser muito ingênuo **2** *(adelgazar)* emagrecer, definhar, chupar-se ♦ *col.* **¡chúpate esa!** engole essa!; toma!; como é que é possível!

chupete [tʃu'pete] *s.m.* **1** chupeta*f.*, chucha*f. col.* **2** (mamadeira) bico*m.*

churrasco [tʃu'rasko] *s.m.* churrasco, carne*f.* assada na brasa

churro ['tʃuro] *s.m.* **1** CUL. churro **2** *col.* porcaria*f. fig.* **3** *col.* sorte*f.* ♦ *col.* **mezclar las churras con las merinas** misturar alhos com bugalhos

chusma ['tʃuzma] *s.f. pej.* corja, cambada, gentalha

chut ['tʃut] *s.m.* (futebol) chute

chutar [tʃu'tar] *v.* chutar ■ **chutarse** *gír.* (droga) picar-se, injetar ♦ *col.* **ir que chuta** estar mais do que bom; *col.* **¡y vas que chutas!** e não espere mais do que isso!

CI (*sigla de* Cociente Intelectual) QI (*sigla de* Quociente Intelectual)

cianuro [θja'nuro] *s.m.* cianeto

cibercafé [θiβerka'fe] *s.m.* cibercafé

ciberespacio [θiβeres'paθjo] *s.m.* ciberespaço

cibernauta [θiβer'nawta] *s.2g.* cibernauta

cicatriz [θika'triθ] *s.f.* cicatriz

cicatrización [θikatriθa'θjon] *s.f.* cicatrização

cicatrizar [θikatri'θar] *v.* cicatrizar

ciclismo [θi'klizmo] *s.m.* ciclismo

ciclista [θi'klista] *s.2g.* ciclista

ciclo ['θiklo] *s.m.* ciclo

ciclón [θi'klon] *s.m.* ciclone

cidra ['θiðra] *s.f.* cidra

cidro ['θiðro] *s.m.* cidreira*f.*

cieg|o, -a ['θjeɣo] *s.m.,f.* ceg|o, -a; *quedarse ciego* ficar cego; *ser ciego de nacimiento* ser cego de nascença ■ *adj.* **1** (pessoa) cego **2** (cano, conduta) entupido, obstruído **3** *fig.* cego, ofuscado **4** *fig.* cego, alucinado, desvairado; *ciego de envidia* cego de inveja ■ **ciego** *s.m.* ANAT. cego ♦ **a ciegas** às cegas

cielo ['θjelo] *s.m.* **1** céu **2** *fig.* céu, paraíso **3** *fig.* amor ♦ **a cielo abierto/descubierto** a céu aberto; *col.* **caído/llovido del cielo** caído do céu; **cielo de la boca** céu da boca; **¡cielos!** céus!; meu Deus!; *col.* **estar en el (séptimo) cielo** estar no sétimo céu

ciempiés [θjem'pjes] *s.m.2n.* centopeia*f.*, lacraia*f.*

cien ['θjen] *num.* cem ♦ **cien por cien** cem por cento, totalmente

ciénaga ['θjenaɣa] *s.f.* lamaçal*m.*, lodaçal*m.*

ciencia ['θjen̪θja] *s.f.* ciência; *ciencias exactas* ciências exatas; *ciencias naturales* ciências naturais; *ciencias ocultas* ciências ocultas; *ciencias sociales* ciências sociais ♦ **a ciencia cierta** com toda a certeza; **ciencia ficción** ficção científica; **ser un pozo de ciencia** ser um poço de sabedoria

científic|o, -a [θjen̪'tifiko] *s.m.,f.* cientista*2g.* ■ *adj.* científico

ciento ['θjen̪to] *num.* cem; *ciento uno* cento e um ■ *s.m.* cento, centena*f.* ♦ *col.* **ciento y la madre** meio mundo; **por ciento** por cento

cierre ['θjere] *s.m.* **1** (mecanismo) fecho **2** (edifício, estabelecimento) encerramento; ***horario de cierre*** horário de encerramento **3** (atividade, ciclo) encerramento ♦ (veículo) **cierre centralizado** fecho centralizado; (estabelecimento) **cierre metálico** grade metálica; DIR. **cierre patronal** lockout; *col.* **echar el cierre** dar por terminado

cierto ['θjerto] *adj.* **1** *(seguro)* certo, seguro **2** *(verdadero)* certo, verdadeiro **3** [antes de *s.*] certo, algum; ***ciertos dulces no le gustan*** não gosta de certos doces ■ *adv.* certamente, com certeza ♦ **de cierto** com certeza; **por cierto 1** aliás **2** já agora; **ser cierto** ser verdade

cierv|o, -a ['θjerβo] *s.m.,f.* cerv|o, -a, vead|o, -a ♦ **ciervo volante** besouro

cifra ['θifra] *s.f.* **1** *(guarismo)* algarismo*m.*, dígito*m.*, cifra **2** (dinheiro) quantia, soma **3** *(código)* cifra ♦ **en cifra 1** (mensagem) codificado, em código **2** resumindo

cigarra [θi'γara] *s.f.* cigarra

cigarrillo [θiγa'riʎo] *s.m.* cigarro; ***encender/fumarse un cigarrillo*** acender/fumar um cigarro; ***paquete de cigarrillos*** maço de cigarros

cigarro [θi'γaro] *s.m.* **1** *(puro)* charuto; ***cigarro puro*** charuto **2** *(cigarrillo)* cigarro; ***encender un cigarro*** acender um cigarro; ***fumarse un cigarro*** fumar um cigarro

cigüeña [θi'γweɲa] *s.f.* cegonha

cilantro [θi'lan̪tro] *s.m.* coentro

cilindrada [θilin̪'draδa] *s.f.* cilindrada

cilindro [θi'lin̪dro] *s.m.* cilindro

cima ['θima] *s.f.* **1** (montanha) cimo*m.*, topo*m.*, cume*m.* **2** (árvore) copa **3** *fig.* auge*m.*, apogeu*m.* ♦ **dar cima** concluir com êxito

cimbrón [θim'bron] *s.f.* [EQU.] (dor aguda) pontada*f.*

cimiento [θi'mjen̪to] *s.m.* **1** (edifício) alicerce, base*f.*, fundação*f.* **2** *fig.* alicerces*pl.*, princípio, base*f.*

cina ['θina] *s.m.* [EQU.] BOT. cina

cinc ['θink] *s.m.* zinco

cincel [θin̪'θel] *s.m.* cinzel

cinco ['θiŋko] *num.* cinco ♦ *col.* **¡choca/venga esos cinco!** dá cá mais cinco!; *col.* **no tener ni cinco** não ter um tostão

cincuenta [θiŋ'kwen̪ta] *num.* cinquenta

cincuent|ón, -ona [θiŋkwen̪'ton] *s.m.,f. col.* cinquent|ão, -ona

cine ['θine] *s.m.* cinema; ***cine mudo*** cinema mudo; ***cine sonoro*** cinema falado/sonoro; ***hoy vamos al cine*** hoje vamos ao cinema ♦ *col.* **de cine 1** indescritível **2** muito bem

cineasta [θine'asta] *s.2g.* cineasta

cinematográfico [θinemato'γrafiko] *adj.* cinematográfico

cínic|o, -a ['θiniko] *adj.,s.m.,f.* cínic|o, -a

cinismo [θi'nizmo] *s.m.* cinismo

cinta ['θin̪ta] *s.f.* **1** *(tira)* fita **2** (vídeo, cassete) fita **3** *(casete)* cassete; ***cinta de video*** cassete de vídeo **4** (aeroporto, shopping) tapete*m.*; ***cinta transportadora*** esteira rolante ♦ **cinta adhesiva** fita adesiva; durex; **cinta aislante** fita isolante; **cinta correctora** fita corretora; corretor; **cinta magnética** fita magnética; **cinta métrica** fita métrica

cinto ['θin̪to] *s.m.* cinto

cintura [θin̪'tura] *s.f.* **1** (corpo) cintura **2** (vestuário) cós*m.2n.*, cintura ♦ *col.* **meter en cintura** meter nos eixos

cinturilla [θin̪tu'riʎa] *s.f.* cós*m.2n.*

cinturón [θin̪tu'ron] *s.m.* **1** cinto; ***cinturón de castidad*** cinto de castidade; ***cinturón de seguridad*** cinto de segurança; ***abrocharse el cinturón*** apertar o cinto **2** (artes marciais) faixa, cinturão; ***cinturón negro*** faixa preta ♦ *fig.* **apretarse el cinturón** apertar o cinto, reduzir os gastos

ciprés [θi'pres] *s.m.* cipreste

circo ['θirko] *s.m.* circo ♦ **circo glaciar** circo glaciário

circonio [θir'konjo] *s.m.* zircônio

circuito [θir'kwito] *s.m.* **1** *(trayecto)* circuito, trajeto **2** *(recorrido)* circuito, roteiro, itinerário; ***circuito turístico*** circuito turístico **3** ELETR. circuito **4** ESPOR. circuito; ***circuito de mantenimiento*** circuito de manutenção

circulación [θirkula'θjon] *s.f.* circulação ♦ **circulación sanguínea** circulação sanguínea; **entrar en circulación** entrar em circulação; **retirar de la circulación** tirar de circulação

circular [θirku'lar] *v.* **1** circular **2** *fig.* correr, circular; ***circulan rumores de que*** correm boatos de que ■ *adj.2g.* circular ■ *s.f.* circular, carta circular

circulatorio [θirkula'torjo] *adj.* circulatório

círculo ['θirkulo] *s.m.* círculo ♦ **círculo vicioso** círculo vicioso

circuncidar [θirkun̪θi'δar] *v.* circuncidar

circuncisión [θirkun̪θi'sjon] *s.f.* circuncisão

circunferencia [θirkuɱfe'ren̪θja] *s.f.* **1** circunferência **2** (superfície, lugar) contorno*m.*

circunflejo [θirkuɱ'flexo] *adj.* circunflexo; ***acento circunflejo*** acento circunflexo

circunspecto [θirkuns'pekto] *adj.* circunspecto

circunstancia [θirkuns'tan̪θja] *s.f.* circunstância ♦ **circunstancia agravante/atenuante** circunstância agravante/atenuante; **de circunstancias** para a ocasião

circunstancial [θirkunstan̪'θjal] *adj.2g.* circunstancial

circunvalación [θirkumbala'θjon] *s.f.* circunvalação

cirio ['θirjo] *s.m.* (vela) círio

cirrosis [θi'rosis] *s.f.2n.* cirrose

ciruela [θi'rwela] *s.f.* ameixa ♦ **ciruela claudia** rainha-cláudia

ciruelo [θi'rwelo] *s.m.* ameixeira*f.*, ameixoeira*f.*

cirugía [θiru'xia] *s.f.* cirurgia

cirujan|o, -a [θiru'xano] *s.m.,f.* cirurgi|ão, -ã

cisne ['θizne] *s.m.* cisne

cisterna [θis'terna] *s.f.* **1** (vaso sanitário) descarga*m.*; ***tirar de la cisterna*** dar descarga **2** *(depósito)* cisterna

cita ['θita] *s.f.* **1** (com profissional) hora marcada; marcação prévia; consulta **2** *(encuentro)* encontro*m.* **3** (frase, texto) citação

citación [θita'θjon] *s.f.* DIR. intimação, citação
citar [θi'tar] *v.* **1** *(marcar cita)* marcar encontro, combinar **2** *(convocar)* chamar, convocar; *fue citado a juicio* foi chamado a tribunal **3** *(mencionar)* citar, mencionar **4** DIR. citar, intimar ■ **citarse** marcar encontro, combinar; *nos citamos en el café* combinamos no café
citología [θitolo'xia] *s.f.* citologia
cítrico ['θitriko] *adj.* cítrico ■ **cítricos** *s.m.pl.* citrinos
ciudad [θju'ðað] *s.f.* cidade ♦ **ciudad dormitorio** cidade-dormitório; **ciudad jardín** cidade-jardim; **ciudad satélite** cidade-satélite; **ciudad universitaria** cidade universitária
ciudadanía [θjuðaða'nia] *s.f.* cidadania
ciudadan|o, -a [θjuða'ðano] *s.m.,f.* cidad|ão, -ã ■ *adj.* urbano, citadino
cívico ['θiβiko] *adj.* cívico
civil [θi'βil] *adj.2g.* **1** civil **2** DIR. cível
civilización [θiβiliθa'θjon] *s.f.* civilização
civilizacional [θiβiliθaθjo'nal] *adj.2g.* civilizacional
civilizar [θiβili'θar] *v.* civilizar ■ **civilizarse** civilizar se
civismo [θi'βizmo] *s.m.* civismo
cizaña [θi'θaɲa] *s.f.* joio*m.* ♦ **meter cizaña** semear discórdia
clamar [kla'mar] *v.* clamar
clamor [kla'mor] *s.m.* clamor
clan ['klan] *s.m.* clã
clandestinidad [klaŋdestini'ðað] *s.f.* clandestinidade
clandestino [klaŋdes'tino] *adj.* clandestino
clara ['klara] *s.f.* **1** (ovo) clara **2** (bebida) cerveja com soda **3** (bosque) clareira, aberta **4** (cabeça) pelada ♦ **claras a punto de nieve** claras em neve
claraboya [klara'βoja] *s.f.* claraboia
clarear [klare'ar] *v.* **1** *(amanecer)* clarear, amanhecer **2** (céu) clarear, desanuviar se
claridad [klari'ðað] *s.f.* claridade ♦ **com claridad** com clareza
clarificación [klarifika'θjon] *s.f.* clarificação, esclarecimento*m.*
clarificar [klarifi'kar] *v.* clarificar, esclarecer
clarinete [klari'nete] *s.m.* clarinete
clarividencia [klariβi'ðeņθja] *s.f.* clarividência
clarividente [klariβi'ðeņte] *adj.2g.* clarividente
claro ['klaro] *adj.* claro ■ *s.m.* clareira*f.*, aberta*f.* ■ *adv.* claro; com clareza ■ *interj.* claro!; com certeza! ♦ **a las claras** às claras; **claro de luna** luar; **poner en claro** clarificar, esclarecer; **sacar en claro** ficar claro
clase ['klase] *s.f.* **1** *(tipo)* classe, tipo*m.*, gênero*m.* **2** (estudantes) classe, turma **3** (local) sala de aula **4** *(lección)* aula, lição; *dar clase* dar aula; *dar clases particulares* dar aulas particulares; *faltar a clase* faltar às aulas **5** (sociedade) classe; *clase social* classe social **6** *(categoría)* classe, categoria; (avião) *clase ejecutiva/preferente* classe executiva; (avião) *clase turística* classe turística
clásico ['klasiko] *adj.* clássico ■ *s.m.* clássico
clasificación [klasifika'θjon] *s.f.* classificação ♦ QUÍM. **clasificación periódica** classificação periódica
clasificad|o, -a [klasifi'kaðo] *s.m.,f.* classificad|o, -a ■ *adj.* (documento, informação) classificado, confidencial, secreto ■ **clasificado** *s.m.* (anúncio) classificado
clasificar [klasifi'kar] *v.* classificar ■ **clasificarse** **1** classificar-se **2** (competição) qualificar-se, classificar se
clasificatorio [klasifika'torjo] *adj.* classificativo
claustro ['klawstro] *s.m.* **1** claustro **2** (escola, universidade) conselho (diretivo) **3** (professores) corpo docente
claustrofobia [klawstro'foβja] *s.f.* claustrofobia
claustrofóbico [klawstro'foβiko] *adj.* claustrofóbico
cláusula ['klawsula] *s.f.* cláusula
clausura [klaw'sura] *s.f.* **1** (eventos) encerramento*m.*; *sesión de clausura* sessão de encerramento **2** (convento) clausura
clausurar [klawsu'rar] *v.* **1** (eventos) encerrar **2** (local, edifício) encerrar, fechar
clavar [kla'βar] *v.* **1** (superfície) pregar, cravar **2** (objeto pontiagudo) espetar **3** *fig.* (olhos) cravar, fixar **4** *col.* *(cobrar caro)* explorar, roubar ■ **clavarse** espetar; *se clavó una astilla en el dedo* espetou uma farpa no dedo
clave ['klaβe] *s.f.* **1** *(explicación)* chave, explicação **2** *(código)* código*m.*; *mensaje en clave* mensagem em código/codificada **3** (cofre) segredo*m.* **4** (exame, teste) chave; *clave de respuestas* chave de respostas **5** MÚS. clave **6** INFORM. palavra-chave, password ♦ **en clave de** em tom de
clavel [kla'βel] *s.m.* **1** (planta) craveiro **2** (flor) cravo ♦ **clavel reventón** cravo (vermelho-escuro com muitas pétalas)
clavícula [kla'βikula] *s.f.* clavícula
clavija [kla'βixa] *s.f.* **1** cavilha **2** MÚS. cravelha, cavilha **3** ELETR. tomada
clavo ['klaβo] *s.m.* **1** (peça) prego **2** *(callo)* calo **3** CUL. cravo; *clavo de especia/olor* cravo-da-índia ♦ *col.* **agarrarse a un clavo ardiendo** fazer qualquer coisa; **como un clavo** pontualmente; *col.* **dar en el clavo** acertar em cheio; *col.* **no dar/pegar ni clavo** não mexer uma palha; *col.* **no tener un clavo** não ter um chavo; *col.* **¡por los clavos de Cristo!** pelo amor de Deus!
claxon ['klakson] *s.m.* buzina*f.*, cláxon; *tocar el claxon* buzinar
clemencia [kle'meņθja] *s.f.* clemência
cleptomanía [kleptoma'nia] *s.f.* cleptomania
cleptóman|o, -a [klep'tomano] *s.m.,f.* cleptomaníac|o, -a
clérigo ['kleriγo] *s.m.* clérigo
clero ['klero] *s.m.* clero
clic ['klik] *s.m.* clique ♦ **hacer clic** clicar; **hacer doble clic** dar clique duplo
cliché [kli'tʃe] *s.m.* **1** FOT. negativo, clichê **2** TIP. clichê **3** *fig.* clichê, lugar comum

client|e, -a ['kljen̪te] *s.m.,f.* cliente*2g.* ▪ **cliente** *s.m.* INFORM. cliente

clientela [kljen̪'tela] *s.f.* clientela

clima ['klima] *s.m.* clima

climático [kli'matiko] *adj.* climatérico; ***condiciones climáticas*** condições climatéricas

climatización [klimatiθa'θjon] *s.f.* climatização

climatizar [klimati'θar] *v.* climatizar

clímax ['klimaks] *s.m.* clímax

clínex ['klineks] *s.m.* lenço de papel

clínica ['klinika] *s.f.* clínica ♦ **clínica general** clínica geral

clínic|o, -a ['kliniko] *s.m.,f.* médic|o, -a, clínic|o, -a ▪ *adj.* clínico; ***análisis clínicos*** análises clínicas

clip ['klip] *s.m.* **1** (papéis) clipe **2** (música) clipe, videoclipe, teledisco ♦ **de clip** (gancho, brinco) de pressão

clítoris ['klitoris] *s.m.2n.* clítoris

cloaca [klo'aka] *s.f.* **1** *(alcantarilla)* esgoto*m.* **2** (anfíbios, aves) cloaca **3** *fig.* pocilga

clon ['klon] *s.m.* clone

clonación [klona'θjon] *s.f.* clonagem

clonar [klo'nar] *v.* clonar

cloro ['kloro] *s.m.* cloro

clorofila [kloro'fila] *s.f.* clorofila

club ['kluβ] *s.m.* clube

clueco ['klweko] *adj.* choco; ***gallina clueca*** galinha choca

coacción [koak'θjon] *s.f.* coação

coaccionar [koakθjo'nar] *v.* coagir (a, a), obrigar (a, a)

coagente [koa'xen̪te] *s.2g.* colaborador, -a*m.f.*

coagulación [koaɣula'θjon] *s.f.* coagulação

coagular [koaɣu'lar] *v.* (líquido) coagular, solidificar ▪ **coagularse** (leite) coagular

coágulo [ko'aɣulo] *s.m.* coágulo; ***coágulo de sangre*** coágulo de sangue

coala [ko'ala] *s.m.* coala

coalición [koali'θjon] *s.f.* coligação, liga, aliança

coartada [koar'taδa] *s.f.* álibi*m.*; ***tener una coartada*** ter um álibi

coartar [koar'tar] *v.* coarctar, limitar, restringir

coautor, -a [koaw'tor] *s.m.,f.* coautor, -a

coba ['koβa] *s.f. col.* graxa, adulação

cobalto [ko'βal̪to] *s.m.* cobalto ▪ *adj.2g.2n.* (cor) cobalto; ***azul cobalto*** azul cobalto

cobarde [ko'βarδe] *adj.,s.2g.* covarde

cobardía [koβar'δia] *s.f.* cobardia, covardia

cobaya [ko'βaya] *s.m./f.* **1** cobaia*f.*, porquinho da -índia*m.* **2** *fig.* cobaia*f.*; ***servir de cobaya*** servir de cobaia

cobertizo [koβer'tiθo] *s.m.* **1** *(porche)* coberto, alpendre **2** (telhado) beiral

cobertor [koβer'tor] *s.m.* **1** *(colcha)* coberta*f.*, colcha*f.* **2** *(manta)* cobertor

cobertura [koβer'tura] *s.f.* **1** *(cubierta)* cobertura **2** ECON. cobertura; ***cobertura de un seguro de vida*** cobertura de um seguro de vida **3** (telecomunicações) rede; ***el móvil se quedó sin cobertura*** o celular ficou sem rede **4** (televisão, rádio) cobertura **5** ESPOR. defesa, zaga

cobija [ko'βixa] *s.f.* [AM.] cobertor*m.*

cobijar [koβi'xar] *v.* **1** abrigar **2** *fig.* amparar, proteger ▪ **cobijarse** abrigar-se (en, em)

cobista [ko'βista] *s.2g. col.* graxista, adulador, -a*m.f.*

cobra ['koβra] *s.f.* naja

cobrador, -a [koβra'δor] *s.m.,f.* cobrador, -a

cobrar [ko'βrar] *v.* **1** (quantia) cobrar **2** (salário) receber **3** (cheque) levantar **4** (palmada, surra) apanhar, levar; ***vas a cobrar*** você vai apanhar **5** *fig.* ganhar, adquirir

cobre ['koβre] *s.m.* cobre ▪ **cobres** *s.m.pl.* MÚS. metais ♦ *col.* **batirse el cobre** dar duro (trabalhar muito)

cobro ['koβro] *s.m.* cobrança*f.* ♦ (chamada telefônica) **a cobro revertido** a cobrar

coca ['koka] *s.f. col.* coca, cocaína

cocaína [koka'ina] *s.f.* cocaína

cocal [ko'kal] *s.m.* **1** [VEN.] coqueiral **2** [PER.] plantação*f.* de coca

cocción [kok'θjon] *s.f.* cozedura

cóccix ['kokθis] *s.m.2n.* cóccix

cocer [ko'θer] *v.* **1** cozer, cozinhar **2** *(hervir)* ferver **3** (líquido) ferver ▪ **cocerse 1** *fig.* cozinhar*fig.*, tramar **2** *fig., col.* assar, sentir muito calor

coche ['kotʃe] *s.m.* **1** *(automóvil)* carro, automóvel; ***coche bomba*** carro-bomba; ***coche de alquiler*** carro de aluguel; ***coche de carreras*** carro de corrida; ***coche descapotable*** carro conversível; ***coche fúnebre*** carro funerário; ***coche patrulla*** carro de polícia; ***ir en coche*** ir de carro **2** (trem) vagão; ***coche cama*** vagão-leito, vagão dormitório; ***coche restaurante*** vagão restaurante **3** *(carruaje)* carruagem*f.*, coche ♦ [ESP.] **coche de línea** ônibus; **coche de niño** carrinho de bebê

cochera [ko'tʃera] *s.f.* garagem

cocher|o, -a [ko'tʃero] *s.m.,f.* cocheir|o, -a

cochinillo [kotʃi'niʎo] *s.m.* leitão

cochin|o, -a [ko'tʃino] *s.m.,f.* **1** *(cerdo)* porc|o, -a **2** *pej.* (pessoa) porc|o, -a, badalhoc|o, -a*pop.* ▪ *adj. pej.* (pessoa) porco, badalhoco*pop.*

cocido [ko'θiδo] *s.m.* cozido

cociente [ko'θjen̪te] *s.m.* MAT. quociente ♦ **cociente intelectual** quociente de inteligência

cocina [ko'θina] *s.f.* **1** cozinha **2** (aparelho) fogão*m.*; ***cocina de gas*** fogão a gás; ***cocina eléctrica*** fogão elétrico **3** *(gastronomía)* cozinha, gastronomia; ***cocina española*** cozinha espanhola ♦ **cocina americana** kitchenette

cocinar [koθi'nar] *v.* cozinhar

cociner|o, -a [koθi'nero] *s.m.,f.* cozinheir|o, -a

coco ['koko] *s.m.* **1** (planta) coqueiro **2** (fruto) coco **3** *infant.* papão, bicho papão **4** *col.* cachola*f.*, tola*f.* ♦ **coco rallado** coco ralado; *col.* **comer el coco a alguien** fazer a cabeça de alguém; *col.* **comerse el coco** esquentar a cabeça; quebrar a cabeça

cocodrilo [koko'δrilo] *s.m.* crocodilo

cocotero [koko'tero] *s.m.* coqueiro

cóctel ['koktel] *s.m.* coquetel ♦ **cóctel molotov** coquetel molotov
codazo [ko'ðaθo] *s.m.* cotovelada*f.*
codera [ko'ðera] *s.f.* (esportista) cotoveleira
codicia [ko'ðiθja] *s.f.* cobiça
codiciar [koði'θjar] *v.* cobiçar
codificar [koðifi'kar] *v.* codificar
código ['koðiɣo] *s.m.* código ♦ **código civil** código civil; **código de barras** código de barras; **código de la circulación** código da estrada; **código fuente** código-fonte; **código genético** código genético; **código morse** código morse; **código penal** código penal; **código postal** código postal
codo ['koðo] *s.m.* cotovelo ♦ **codo con codo** lado a lado; **estar metido hasta los codos** estar metido até ao pescoço; *col.* **hablar por los codos** falar pelos cotovelos; *col.* **hincar los codos** queimar as pestanas
codorniz [koðor'niθ] *s.f.* codorniz
coeficiente [koefi'θjeṇte] *s.m.* MAT. coeficiente ♦ **coeficiente intelectual** quociente de inteligência
coexistir [koeksis'tir] *v.* coexistir
cofradía [kofra'ðia] *s.f.* confraria
cofre ['kofre] *s.m.* **1** cofre **2** arca*f.*
cogedor [koxe'ðor] *s.m.* apanhador, pá*f.*
coger [ko'xer] *v.* **1** *(asir)* pegar, segurar; *coger al bebé en brazos* pegar o bebê no colo **2** *(aceptar)* pegar, aceitar **3** (objeto caído) apanhar, pegar **4** (produto agrícola) colher **5** (roupa) recolher **6** *(sujetar)* segurar **7** *(apresar)* apanhar, capturar, prender **8** (meio de transporte) pegar; *coger el metro* pegar o metrô **9** *(sorprender)* pegar, surpreender; *coger con las manos en la masa* pegar com as mãos na massa **10** *(reservar)* guardar, reservar **11** pegar; *coger un catarro* pegar um resfriado **12** tomar; *coger una borrachera* tomar um porre **13** (anotações) tirar, anotar **14** (canal de televisão, emissora) pegar **15** (planta, cor) pegar
cogollo [ko'ɣoʎo] *s.m.* **1** (couve, alface) olho, coração **2** *fig.* coração, centro **3** *fig.* âmago
cogote [ko'ɣote] *s.m.* cogote, nuca*f.*, cachaço
coherencia [koe'reṇθja] *s.f.* coerência
coherente [koe'reṇte] *adj.2g.* coerente
cohesión [koe'sjon] *s.f.* coesão
cohete [ko'ete] *s.m.* **1** foguete **2** foguetão ♦ **subir como un cohete** veloz feito tiro
cohibir [koi'βir] *v.* coibir, refrear, reprimir ■ **cohibirse** embaraçar-se, atrapalhar se
COI (*sigla de* Comité Olímpico Internacional) COI (*sigla de* Comitê Olímpico Internacional)
coincidencia [koiṇθi'ðeṇθja] *s.f.* coincidência
coincidir [koiṇθi'ðir] *v.* **1** (tempo) coincidir (con, com); *mis vacaciones coinciden con las tuyas* as minhas férias coincidem com as suas **2** (lugar) encontrar se (en, em); *coincidimos en el metro* nos encontramos no metrô **3** *(concordar)* coincidir (en, em); *coincidimos en gustos* temos os mesmos gostos
coito ['kojto] *s.m.* coito
cojear [koxe'ar] *v.* **1** (pessoa) coxear, mancar **2** (mesa, cadeira) abanar
cojín [ko'xin] *s.m.* almofada*f.* (de sofá, cadeira)
cojo ['koxo] *adj.* **1** coxo, manco **2** perneta **3** (mesa, cadeira) bambo
col ['kol] *s.f.* couve ♦ **col de Bruselas** couve-de--bruxelas
cola ['kola] *s.f.* **1** (animal) cauda, rabo*m.* **2** (ave, avião, vestido) cauda **3** (pessoas, veículos) fila; *hacer cola* fazer fila **4** *(pegamento)* cola; grude*m.*; *cola de carpintero* cola de carpinteiro ♦ **cola de caballo** rabo de cavalo; *col.* **no pegar ni con cola** não combinar; *col.* **tener/traer cola** ter/trazer consequências graves
colaboración [kolaβora'θjon] *s.f.* colaboração
colaborador, -a [kolaβora'ðor] *s.m.,f.* colaborador, -a
colaborar [kolaβo'rar] *v.* colaborar, cooperar
colada [ko'laða] *s.f.* **1** lavagem da roupa; *hacer la colada* lavar a roupa **2** roupa lavada **3** barrela
colador [kola'ðor] *s.m.* coador
colapso [ko'lapso] *s.m.* colapso
colar [ko'lar] *v.* **1** (líquido) coar, passar **2** (roupa) lavar; (com água sanitária) fazer uma barrela **3** (metal) fundir **4** *col.* passar (ilegalmente) **5** *col.* (mentira) colar, pegar ■ **colarse 1** *col.* (lugar) enfiar-se **2** *col.* (fila) meter-se, furar **3** *col.* estar louco (por, por), estar apaixonado (por, por)
colateral [kolate'ral] *adj.2g.* colateral; *daños colaterales* danos colaterais; *efecto colateral* efeito colateral; *pariente colateral* parente colateral
colcha ['kolʲtʃa] *s.f.* colcha
colchón [kolʲ'tʃon] *s.m.* colchão; *colchón de agua* colchão de água; *colchón de muelles* colchão de molas
colchoneta [kolʲtʃo'neta] *s.f.* **1** (ginástica) colchão*m.* **2** *(colchón inflable)* colchão*m.* de ar **3** (assento) almofada
colección [kolek'θjon] *s.f.* coleção
coleccionar [kolekθjo'nar] *v.* colecionar
coleccionista [kolekθjo'nista] *s.2g.* colecionador, -a*m.f.*
colecta [ko'lekta] *s.f.* coleta
colectar [kolek'tar] *v.* coletar, recolher, arrecadar
colectividad [kolektiβi'ðað] *s.f.* coletividade
colectivismo [kolekti'βizmo] *s.m.* coletivismo
colectivización [kolektiβiθa'θjon] *s.f.* coletivização
colectivo [kolek'tiβo] *adj.* coletivo; LING. *sustantivo colectivo* substantivo coletivo ■ *s.m.* **1** corpo, grupo **2** [AM.] ônibus*2n.*
colector [kolek'tor] *s.m.* coletor, cano de esgoto
colega [ko'leɣa] *s.2g.* **1** colega, camarada **2** *col.* amig|o, -a*m.f.*
colegial, -a [kole'xjal] *s.m.,f.* colegial*2g.* ■ **colegial** *adj.2g.* colegial
colegio [ko'lexjo] *s.m.* **1** escola*f.*; (particular) colégio; *colegio privado* colégio particular **2** *(clase)* escola*f.*, aulas*f. pl.* ♦ **colegio electoral** colégio eleitoral; **colegio mayor** república, residência universitária
cólera ['kolera] *s.m.* MED. cólera*f.* ■ *s.f.* cólera, ira
colesterol [koleste'rol] *s.m.* colesterol
coleta [ko'leta] *s.f.* **1** rabo*m.* de cavalo **2** maria--chiquinha*m.* **3** rabicho*m.*
colgador [kolɣa'ðor] *s.m.* cabide (para roupa)

colgante [kol'ɣan̪te] *adj.2g.* suspenso; *puente colgante* ponte suspensa ▪ *s.m.* pingente, pendente

colgar [kol'ɣar] *v.* **1** pender (de, de), estar pendurado (de, em); *cuelga del techo* pende do teto **2** *(suspender)* pendurar, suspender **3** (atividade, profissão) abandonar, deixar; *colgar los hábitos* abandonar o hábito **4** (telefone) desligar **5** (roupa) estender **6** (telefone) desligar (na cara); *me colgó* desligou o telefone na minha cara **7** *col.* atribuir **8** *col.* enforcar **9** *col.* bombar *gír.*, reprovar **10** INFORM. bloquear ▪ **colgarse** *col.* enforcar se

colibrí [koli'βri] *s.m.* colibri, pica flor, beija-flor

cólico ['koliko] *s.m.* cólica *f.*

coliflor [koli'flor] *s.f.* couve flor

colilla [ko'liʎa] *s.f.* (cigarro) bituca *col.*, ponta

colina [ko'lina] *s.f.* colina

colirio [ko'lirjo] *s.m.* colírio

colisión [koli'sjon] *s.f.* **1** (veículos) colisão, batida **2** *fig.* conflito *m.*, colisão

colitis [ko'litis] *s.f.2n.* **1** MED. colite **2** *col. (diarrea)* diarreia

collar [ko'ʎar] *s.m.* **1** (joia) colar **2** (animal) coleira *f.*

colmar [kol'mar] *v.* encher

colmena [kol'mena] *s.f.* colmeia, cortiço *m.*

colmillo [kol'miʎo] *s.m.* **1** (dente) canino **2** (elefante, javali) presa *f.*, defesa *f.* ♦ *col.* **enseñar los colmillos** mostrar os dentes

colmo ['kolmo] *s.m.* cúmulo

colocación [koloka'θjon] *s.f.* **1** *(disposición)* colocação, disposição **2** *(empleo)* colocação, emprego *m.*

colocar [kolo'kar] *v.* **1** colocar, pôr **2** *(emplear)* colocar, empregar **3** *col.* impingir ▪ **colocarse** **1** colocar-se, pôr-se **2** *(emplearse)* conseguir emprego (de, como); *se ha colocado de enfermera* conseguiu emprego de enfermeira **3** *col.* (álcool, droga) ficar pedrado, passar se

Colombia [ko'lombja] *s.f.* Colômbia

colombian|o, -a [kolom'bjano] *adj.,s.m.,f.* colombian|o, -a

colon ['kolon] *s.m.* cólon

colonia [ko'lonja] *s.f.* **1** *(agua de colonia)* água de-colônia **2** (lugar) colônia **3** *(comunidad)* colônia, comunidade **4** *(urbanización)* urbanização **5** colônia de férias

colonial [kolo'njal] *adj.2g.* colonial

colonización [koloniθa'θjon] *s.f.* colonização

colonizador, -a [koloniθa'ðor] *adj.,s.m.,f.* colonizador, -a

colonizar [koloni'θar] *v.* colonizar

colon|o, -a [ko'lono] *s.m.,f.* colon|o, -a

coloquial [kolo'kjal] *adj.2g.* coloquial

coloquio [ko'lokjo] *s.m.* colóquio

color [ko'lor] *s.m.* **1** cor *f.* **2** (substância) cor *f.*, tinta *f.* ♦ **en color** a cores; *fotocopia en color* fotocópia em cores; *televisión en color* televisão em cores; **a todo color** em cores; **de color** de cor; **no haber color** não haver/ter comparação; **ponerse de mil colores** ficar de todas as cores; **sacar los colores** fazer corar; **verlo todo de color de rosa** ver tudo cor-de-rosa

coloración [kolora'θjon] *s.f.* coloração

colorado [kolo'raðo] *adj.* corado, vermelho, rubro; *ponerse colorado* ficar corado

colorante [kolo'ran̪te] *adj.2g.,s.m.* corante

colorear [kolore'ar] *v.* colorir

colorete [kolo'rete] *s.m.* (cosmético) blush

colorido [kolo'riðo] *s.m.* colorido

colosal [kolo'sal] *adj.2g.* colossal

columna [ko'lumna] *s.f.* **1** ARQ. coluna **2** (página) coluna **3** *(pila)* coluna, fila, série, pilha **4** *(bafle)* caixa (de som) ♦ ANAT. **columna vertebral** coluna vertebral

columnista [kolum'nista] *s.2g.* colunista

columpiar [kolum'pjar] *v.* balançar ▪ **columpiarse** **1** balançar-se **2** *(equivocarse)* enganar-se

columpio [ko'lumpjo] *s.m.* balanço

coma ['koma] *s.f.* vírgula ▪ *s.m.* coma; *entrar en coma* entrar em coma ♦ *col.* **sin faltar una coma** sem tirar nem pôr

comadre [ko'maðre] *s.f.* (*m.* compadre) comadre

comadreja [koma'ðrexa] *s.f.* doninha

comadrona [koma'ðrona] *s.f.* parteira

comandante [koman̪'dan̪te] *s.2g.* **1** MIL. major **2** MIL. comandante **3** *(piloto)* comandante, piloto

comandar [koman̪'dar] *v.* (força militar) comandar

comando [ko'man̪do] *s.m.* **1** MIL. comando **2** (organização armada) grupo **3** INFORM. comando

comarca [ko'marka] *s.f.* **1** região **2** distrito *m.*

comba ['komba] *s.f.* **1** corda; *dar a la comba* bater a corda; *saltar a la comba* saltar à corda **2** (madeira) arqueamento *m.*, empenamento *m.* ♦ *col.* **no perder comba** não perder oportunidade

combate [kom'bate] *s.m.* combate ♦ (pugilismo) **fuera de combate** knock-out, nocaute

combatiente [komba'tjen̪te] *s.2g.* combatente

combatir [komba'tir] *v.* combater

combinación [kombina'θjon] *s.f.* **1** *(unión)* combinação, união **2** (transportes) ligação **3** (roupa) combinação **4** (fechadura, cofre) combinação, segredo *m.*

combinar [kombi'nar] *v.* combinar

combustible [kombus'tiβle] *adj.2g.,s.m.* combustível

combustión [kombus'tjon] *s.f.* combustão

comedia [ko'meðja] *s.f.* **1** comédia **2** *fig.* farsa, fingimento *m.* ♦ *col.* **hacer la/una comedia** fazer teatro

comediant|e, -a [kome'ðjan̪te] *s.m.,f.* **1** at|or, -riz **2** *fig., col.* farsante *2g.*, hipócrita *2g.*, comediante *2g.*

comedimiento [komeði'mjento] *s.m.* comedimento, moderação *f.*

comedor [kome'ðor] *adj.* (pessoa) comilão, glutão ▪ *s.m.* **1** (casa) sala *f.* de jantar **2** (estabelecimento, empresa) cantina *f.*, refeitório **3** *(muebles)* mobília *f.* de sala de jantar

comentar [komen̪'tar] *v.* comentar

comentario [komeṇ'tarjo] *s.m.* comentário ◆ *col.* **sin comentarios** sem comentários; *col.* **sin más comentarios** sem mais comentários

comentarista [komeṇta'rista] *s.2g.* comentador, -a*m.f.*

comenzar [komen'θar] *v.* começar; *comenzamos el curso mañana* começamos o ano letivo amanhã; *las clases comienzan el 15 de septiembre* as aulas começam no dia 15 de setembro ◆ **comenzar** [+ *ger.*] começar por [+ *inf.*]; *comenzó explicando que había estado enfermo* começou explicando que tinha ficado doente; **comenzar a** [+ *inf.*] começar a [+ *inf.*]; *ha comenzado a llover* começou a chover; **comenzar con** [+ *s.*] começar com [+ *s.*]; *ha comenzado con el rollo de siempre* começou com a conversa de costume; **comenzar por** [+ *inf./s.*] começar por [+ *inf./s.*]; *comenzó por aclarar la situación* começou esclarecendo a situação; *comenzar por el principio* começar pelo princípio; *col.* **comienza y no acaba** quando começa, nunca mais acaba

comer [ko'mer] *v.* **1** comer; *comer pescado* comer peixe; *vamos a comer fuera* vamos comer fora **2** *(almorzar)* almoçar; *solemos comer a las dos* costumamos almoçar às duas **3** *(almorzar)* almoçar **4** *(corroer)* comer, corroer **5** (xadrez, damas) comer (peça) ■ **comerse 1** comer **2** (unhas) roer **3** *fig.* (discurso, texto) comer*fig.*, engolir*fig.* ◆ **comerse (los) unos a (los) otros** comerem-se uns aos outros; **no tener para comer** não ter que comer; *col.* **para comérselo** que dá vontade de comer; **ser de buen comer** ser bom de garfo; *col.* **sin comerlo ni beberlo** sem ter feito nada

comerciable [komer'θjaβle] *adj.2g.* comercializável

comercial [komer'θjal] *adj.2g.* comercial; *establecimiento comercial* estabelecimento comercial; *música/película comercial* música/filme comercial ■ *s.m.* [AM.] comercial, anúncio ■ *s.2g.* vendedor, -a*m.f.*

comercialización [komerθjaliθa'θjon] *s.f.* comercialização

comercializar [komerθjali'θar] *v.* comercializar

comerciante [komer'θjaṇte] *s.2g.* comerciante

comerciar [komer'θjar] *v.* negociar, comerciar

comercio [ko'merθjo] *s.m.* **1** comércio; *comercio al por mayor* comércio por atacado; *comercio al por menor* comércio a varejo; *comercio electrónico* comércio eletrônico; *comercio justo* comércio justo **2** *(tienda)* loja*f.* **3** *col.* paparoca*f.*, comida*f.*

comestible [komes'tiβle] *adj.2g.* comestível

cometa [ko'meta] *s.m.* cometa ■ *s.f.* papagaio*m.* de papel

cometer [kome'ter] *v.* **1** (falta, delito) cometer, praticar; *cometer un crimen* cometer um crime **2** (erro) dar; *cometer errores gramaticales* cometer erros gramaticais

cometido [kome'tiðo] *s.m.* **1** *(encargo)* incumbência*f.*, encargo **2** *(deber)* dever; *(obligación)* obrigação*f.*

comezón [kome'θon] *s.f.* **1** coceira, prurido*m.* **2** *fig.* ânsia

cómic ['komik] *s.m.* (*pl.* cómics) **1** história*f.* em quadrinhos **2** revista*f.* em quadrinhos, gibi

comicios [ko'miθjos] *s.m.pl.* eleições*f.*

cómic|o, -a ['komiko] *s.m.,f.* **1** cômic|o, -a **2** comediante*2g.* ■ *adj.* cômico

comida [ko'miða] *s.f.* **1** *(alimento)* comida, alimento*m.* **2** (ação) refeição **3** *(almuerzo)* almoço*m.* ◆ **comida rápida** fast-food

comienzo [ko'mjeṇθo] *s.m.* começo, princípio, início ◆ **a comienzos de** no início de

comillas [ko'miʎas] *s.f.pl.* aspas*pl.*, comas*pl.*; *abrir/cerrar comillas* abrir/fechar aspas; *entre comillas* entre aspas

comil|ón, -ona [komi'lon] *adj.,s.m.,f.* comil|ão, -ona, glut|ão, -ona

comilona [komi'lona] *s.f. col.* comilança

comino [ko'mino] *s.m.* **1** BOT. cominho **2** CUL. cominhos*pl.* **3** (criança) pivete ◆ *col.* **¡me importa un comino!** não estou nem aí!

comisaría [komisa'ria] *s.f.* (local, cargo) comissariado*m.* ◆ **comisaría (de policía)** delegacia de polícia

comisari|o, -a [komi'sarjo] *s.m.,f.* comissári|o, -a; *comisario europeo* comissário europeu ◆ **comisario (de policía)** comissário (de polícia)

comisión [komi'sjon] *s.f.* **1** *(comité)* comissão, comitê*m.*; *Comisión Europea* Comissão Europeia **2** ECON. comissão; *trabajar a comisión* trabalhar à comissão

comité [komi'te] *s.m.* comitê

comitiva [komi'tiβa] *s.f.* comitiva, séquito*m.*

como ['komo] *adv.* **1** (modo) como; *se portó como un héroe* comportou-se como um herói **2** (comparação) como; *soy tan alto como tú* sou tão alto como você **3** *(según)* como, segundo, conforme; *como decía mi abuela* como dizia a minha avó **4** *(en calidad de)* como; *trabaja como abogado* trabalha como advogado **5** *col. (aproximadamente)* cerca de, à volta de ■ *conj.* **1** (causal) como, visto que, uma vez que; *como no viniste, me fui* como você não veio, fui embora **2** (condição) se; *como siga lloviendo, no saldremos* se continuar chovendo, não vamos sair ◆ **como para** [+ *inf.*] para [+ *inf.*]; **como si** [+ *sj.*] como se [+ *sj.*]; **hacer como si** fazer de conta

cómo ['komo] *adv.* como; *¿cómo estás?* como você está?; *¿cómo se dice...?* como se diz...?; *¿cómo se llama?* como se chama? ■ *interj.* como! ◆ **¡cómo no!** com certeza!; claro que sim!; **¿cómo que no?** como não?

cómoda ['komoða] *s.f.* cômoda

comodidad [komoði'ðað] *s.f.* comodidade

cómodo ['komoðo] *adj.* **1** cômodo **2** à vontade; *ponerse cómodo* pôr se à vontade

comod|ón, -ona [komo'ðon] *adj.,s.m.,f.* comodista*2g.*

compactar [kompak'tar] *v.* **1** compactar, comprimir **2** INFORM. compactar

compacto [kom'pakto] *adj.* **1** *(denso)* compacto, denso **2** (disco) compacto ■ *s.m.* **1** aparelhagem*f.* **2** CD, disco compacto **3** leitor de CDs

compadecer [kompaðe'θer] *v.* compadecer ■ **compadecerse** compadecer-se (de, de)

compadre [kom'paðre] *s.m.* (*f.* comadre) **1** compadre **2** *col.* amigo, companheiro

compaginar [kompaxi'naɾ] *v.* conciliar (con, com); *compagina el trabajo con los estudios* concilia o trabalho com os estudos ■ **compaginarse** combinar (con, com), corresponder (con, a)

compañerismo [kompaɲe'rizmo] *s.m.* companheirismo

compañer|o, -a [kompa'ɲero] *s.m.,f.* **1** companheir|o, -a, colega*2g.* **2** (escola, trabalho) colega*2g.* **3** (jogo) parceir|o, -a **4** (casal) companheir|o, -a **5** POL. camarada*2g.* **6** (brinco, luva) par*m.*

compañía [kompa'ɲia] *s.f.* companhia ■ **compañías** *s.f.pl.* companhias*pl.*; *andar con malas compañías* andar com más companhias ◆ **compañía de baile** companhia de dança; **compañía de seguros** companhia de seguros

comparación [kompara'θjon] *s.f.* comparação ◆ **en comparación con** em comparação com; **sin comparación** sem comparação

comparar [kompa'raɾ] *v.* comparar (con, com); *no compares tu trabajo con el mío* não compare o seu trabalho com o meu

comparativo [kompara'tiβo] *adj.* comparativo ■ *s.m.* LING. comparativo

comparecer [kompare'θeɾ] *v.* comparecer, apresentar se

compartimento [komparti'mento], **compartimiento** [komparti'mjento] *s.m.* compartimento

compartir [kompar'tiɾ] *v.* **1** *(usar en común)* compartilhar, partilhar **2** (sentimento, ideia) partilhar **3** *(dividir)* partilhar, dividir

compás [kom'pas] *s.m.* **1** (instrumento) compasso **2** MÚS. compasso ◆ **compás de espera** compasso de espera

compasión [kompa'sjon] *s.f.* compaixão, piedade, dó*m.*

compatibilidad [kompatiβili'ðað] *s.f.* compatibilidade

compatibilizar [kompatiβili'θar] *v.* compatibilizar

compatible [kompa'tiβle] *adj.2g.* compatível (con, com)

compatriota [kompa'trjota] *s.2g.* compatriota

compendio [kom'pendjo] *s.m.* compêndio

compenetrarse [kompene'trarse] *v.* entender se, dar se bem; *se compenetran muy bien* entendem se muito bem

compensación [kompensa'θjon] *s.f.* compensação ◆ **en compensación** em compensação

compensar [kompen'sar] *v.* **1** (efeito, perda) compensar, equilibrar, contrabalançar **2** (ajuda) recompensar, compensar **3** *(indemnizar)* compensar, indenizar **4** *(merecer la pena)* compensar, valer a pena

competencia [kompe'tenθja] *s.f.* **1** *(rivalidad)* concorrência, rivalidade, disputa **2** (empresas, mercados) concorrência, concorrentes*m. pl.* **3** *(habilidad)* competência, capacidade, habilidade **4** *(incumbencia)* competência, função, responsabilidade

competente [kompe'tente] *adj.2g.* competente

competer [kompe'ter] *v.* competir (a, a), caber (a, a); *eso no me compete a mí* isso não me compete

competición [kompeti'θjon] *s.f.* competição

competidor, -a [kompeti'ðoɾ] *s.m.,f.* concorrente*2g.*, competidor, -a, adversári|o, -o, rival*2g.*

competir [kompe'tiɾ] *v.* competir, disputar, rivalizar

competitividad [kompetitiβi'ðað] *s.f.* competitividade

competitivo [kompeti'tiβo] *adj.* competitivo

compinche [kom'pintʃe] *s.2g.* **1** *col.* compincha, companheir|o, -a*m.f.* **2** *pej.* comparsa, cúmplice

complacer [kompla'θeɾ] *v.* **1** *(satisfacer)* satisfazer, atender, comprazer **2** *(agradar)* agradar, comprazer ■ **complacerse** ter o prazer (en, de); *nos complacemos en invitaros a este encuentro* temos o prazer de convidá-los para este encontro

complaciente [kompla'θjente] *adj.2g.* complacente

complejo [kom'plexo] *adj.* complexo, complicado, intricado ■ *s.m.* **1** complexo; *complejo vitamínico* complexo vitamínico **2** (estabelecimentos) complexo; *complejo deportivo* complexo desportivo **3** complexo; *complejo de culpa/culpabilidad* complexo de culpa; *complejo edípico* complexo de Édipo; *complejo de inferioridad* complexo de inferioridade

complementar [komplemen'tar] *v.* complementar, completar ■ **complementarse** (pessoas, coisas) completar, complementar

complementario [komplemen'tarjo] *adj.* complementar

complemento [komple'mento] *s.m.* **1** complemento, suplemento **2** LING. complemento, objeto; *complemento agente* complemento agente da passiva; *complemento circunstancial* complemento circunstancial; *complemento directo/indirecto* complemento direto/indireto

completamente [kompleta'mente] *adv.* completamente

completar [komple'taɾ] *v.* completar

completo [kom'pleto] *adj.* **1** *(lleno)* completo, cheio, repleto **2** *(acabado)* completo, acabado, terminado ◆ **por completo** por completo

complexión [komplek'sjon] *s.f.* compleição, constituição física

complicación [komplika'θjon] *s.f.* complicação

complicar [kompli'kar] *v.* complicar, dificultar ■ **complicarse** **1** complicar-se **2** (saúde) complicar se, agravar se

cómplice ['kompliθe] *s.2g.* cúmplice

complicidad [kompliθi'ðað] *s.f.* cumplicidade

complot [kom'plo(t)] *s.m.* complô, conspiração*f.*

componente [kompo'nente] *adj.,s.m./f.* componente

componer [kompo'ner] *v.* **1** *(formar)* compor, formar **2** (peça, mecanismo) consertar, reparar, compor **3** (obra, música) compor, produzir **4** *(arreglar)* arrumar, ajeitar ■ **componerse** **1** compor-se (de, de) **2** *(arreglarse)* arrumar se, preparar se; *(vestirse)* vestir-se ◆ *col.* **componérselas** virar-se; desenrascar se

comportamiento [komporta'mjento] *s.m.* comportamento, conduta*f.*, procedimento

comportar [kompor'tar] *v.* (despesas, riscos) comportar, implicar ■ **comportarse** comportar-se, portar se

composición [komposi'θjon] *s.f.* **1** *(constitución)* composição, constituição **2** (obra) composição; ***composición musical*** composição musical **3** *(redacción)* composição, redação **4** LING. composição ◆ **hacer(se) composición de lugar** fazer/ter (uma) ideia

compositor, -a [komposi'tor] *s.m.,f.* compositor, -a

compostura [kompos'tura] *s.f.* compostura ◆ **guardar/perder la compostura** manter/perder a compostura

compota [kom'pota] *s.f.* compota

compra ['kompra] *s.f.* **1** (ação) compra; ***hacer/ir a la compra*** ir às compras, fazer compras, ir ao supermercado; ***ir de compras*** ir às compras **2** (coisa comprada) compras*pl.*; ***saca la compra de la bolsa*** tira as compras da sacola ◆ DIR. **compra y venta** compra e venda

comprador, -a [kompra'ðor] *s.m.,f.* comprador, -a

comprar [kom'prar] *v.* **1** comprar **2** *fig.* comprar, subornar ■ **comprarse** comprar (para si); ***no me compré nada*** não comprei nada

compraventa [kompra'βenta] *s.f.* compra e venda

comprender [kompren'der] *v.* **1** *(entender)* compreender, entender **2** *(contener)* compreender, conter, incluir

comprensible [kompren'siβle] *adj.2g.* compreensível, inteligível

comprensión [kompren'sjon] *s.f.* compreensão

comprensivo [kompren'siβo] *adj.* compreensivo

compresa [kom'presa] *s.f.* **1** MED. compressa **2** (menstruação) absorvente*m.* íntimo/higiênico

compresión [kompre'sjon] *s.f.* compressão

comprimido [kompri'miðo] *adj.* **1** comprimido; ***aire comprimido*** ar comprimido **2** INFORM. compactado; ***ficheros comprimidos*** arquivos compactados ■ *s.m.* comprimido

comprimir [kompri'mir] *v.* **1** comprimir **2** (dados, arquivos) compactar, comprimir, zipar ■ **comprimirse** comprimir-se

comprobación [komproβa'θjon] *s.f.* comprovação

comprobante [kompro'βante] *adj.2g.* comprovante ■ *s.m.* comprovativo

comprobar [kompro'βar] *v.* comprovar

comprometedor [kompromete'ðor] *adj.* comprometedor

comprometer [komprome'ter] *v.* **1** *(implicar)* comprometer, implicar, envolver **2** (risco, perigo) comprometer, arriscar ■ **comprometerse 1** (compromisso, responsabilidade) comprometer se (a, a); ***comprometerse a hacer algo*** comprometer se a fazer alguma coisa **2** *(prometerse)* comprometer se, ficar noivo

compromiso [kompro'miso] *s.m.* **1** *(obligación)* compromisso, obrigação*f.* **2** *(apuro)* situação difícil, apuro ◆ **compromiso (matrimonial)** noivado; (anel) **de compromiso** de noivado

compuerta [kom'pwerta] *s.f.* comporta

compuesto [kom'pwesto] (*p.p. de* componer) *adj.* **1** composto **2** (pessoa) pronto, preparado **3** LING. (palavra, tempo verbal) composto **4** ARQ. compósito ■ *s.m.* composto

compulsar [kompul'sar] *v.* (cópia) autenticar

compulsión [kompul'sjon] *s.f.* compulsão

compulsivo [kompul'siβo] *adj.* **1** compulsivo **2** *(obligatorio)* compulsório, obrigatório

computacional [komputaθjo'nal] *adj.2g.* computacional

computadora [komputa'ðora] *s.f.* computador*m.*

comulgar [komul'γar] *v.* comungar

común [ko'mun] *adj.2g.* comum ■ *s.m.* maioria*f.*; ***el común de la gente*** a maioria das pessoas ◆ **en común** em comum/conjunto; **fuera de lo común** fora do vulgar/comum; **por lo común** normalmente; **tener en común** ter em comum

comunicación [komunika'θjon] *s.f.* **1** comunicação **2** *(comunicado)* comunicado*m.*, comunicação **3** (entre lugares) comunicação, ligação **4** (conferência, congresso) comunicação; ***voy a presentar una comunicación sobre*** vou apresentar um comunicado sobre ■ **comunicaciones** *s.f.pl.* comunicações*pl.* ◆ (telefone) **cortarse la comunicación** cair a ligação

comunicado [komuni'kaðo] *s.m.* comunicado; ***comunicado de prensa*** comunicado de imprensa

comunicar [komuni'kar] *v.* **1** comunicar **2** (lugares) ligar **3** (telefone) dar sinal de ocupado/interrompido, estar ocupado/interrompido ■ **comunicarse 1** (pessoas) comunicar(-se) **2** (espaços) comunicar

comunicativo [komunika'tiβo] *adj.* (pessoa) comunicativo, sociável, expansivo

comunidad [komuni'ðað] *s.f.* comunidade ◆ **comunidad autónoma** comunidade/região autônoma; **comunidad de vecinos** condomínio; **Comunidad Económica Europea** Comunidade Econômica Europeia

comunión [komu'njon] *s.f.* comunhão ◆ REL. **primera comunión** primeira comunhão

comunismo [komu'nizmo] *s.m.* comunismo

comunista [komu'nista] *adj.,s.2g.* comunista

con ['kon] *prep.* **1** (companhia) com; ***con la familia*** com a família **2** (instrumento, meio) com; ***cortar con unas tijeras*** cortar com uma tesoura **3** (conteúdo) com; ***una maleta con ropa*** uma mala com roupa; ***un vaso con agua*** um copo com água **4** (modo, atitude) com; ***fue muy amable con nosotros*** foi muito amável conosco **5** (acordo, entendimento) com; ***no se habla con su padre*** não fala com o pai

cóncavo ['koŋkaβo] *adj.* côncavo

concebir [koŋθe'βir] *v.* conceber

conceder [koŋθe'ðer] *v.* conceder

concejal, -a [koŋθe'xal] *s.m.,f.* vereador, -a

concejo [ko'θexo] *s.m.* **1** *(ayuntamiento)* câmara*f.* municipal **2** *(municipio)* concelho, município

concentración [koŋθentra'θjon] *s.f.* concentração

concentrar [koŋθen'trar] *v.* concentrar ■ **concentrarse** concentrar-se

concepción [koŋθep'θjon] *s.f.* concepção

concepto [koŋ'θepto] *s.m.* conceito ♦ **bajo ningún concepto** de forma alguma; **en concepto de** a título de; no intuito de

concernir [koŋθer'nir] *v.* dizer respeito (a, a), concernir (a, a); *en lo que concierne a* no que se refere a, no que diz respeito a, no que concerne a; *por lo que concierne a* no que se refere a

concertar [koŋθer'tar] *v.* **1** (acordo, negócio) concertar, acordar, fechar **2** (entrevista) marcar; *concertar una cita con alguien* marcar um encontro com alguém **3** MÚS. afinar **4** *(concordar)* estar de acordo (con, com); *eso no concierta con el mensaje que recibí* isso não está de acordo com a mensagem que recebi **5** LING. concordar (con, com); *el artículo concierta con el nombre* o artigo concorda com o nome ▪ **concertarse** concertar-se, pôr se de acordo

concesión [koŋθe'sjon] *s.f.* concessão

concesionario [koŋθesjo'narjo] *s.m.* concessionário; *concesionario de automóviles* concessionária de automóveis

concha ['koɲtʃa] *s.f.* **1** (molusco) concha **2** (tartaruga) carapaça

conciencia [koŋ'θjeŋθja] *s.f.* consciência ♦ **a conciencia** com consciência

concierto [koŋ'θjerto] *s.m.* **1** concerto; *ir a un concierto* ir a um concerto **2** *(acuerdo)* acordo, pacto **3** *(armonía)* harmonia*f.*

conciliación [koŋθilja'θjon] *s.f.* conciliação

conciliar [koŋθi'ljar] *v.* conciliar ▪ **conciliarse** (inimigos) conciliar, reconciliar se

conciso [koŋ'θiso] *adj.* conciso, sucinto, breve

concluir [koŋklu'ir] *v.* **1** *(acabar)* concluir, terminar, acabar **2** *(inferir)* concluir, deduzir, inferir

conclusión [koŋklu'sjon] *s.f.* **1** *(fin)* conclusão, fim*m.* **2** (assunto, matéria) conclusão; *llegar a una conclusión* chegar a uma conclusão; *sacar conclusiones* tirar conclusões **3** *(deducción)* conclusão, dedução ♦ **en conclusión** em conclusão

concordancia [koŋkor'ðaŋθja] *s.f.* **1** concordância, conformidade **2** LING. concordância

concordar [koŋkor'ðar] *v.* **1** *(poner de acuerdo)* pôr de acordo **2** LING. concordar **3** *(estar de acuerdo)* concordar; *no concuerdo contigo* eu não concordo contigo **4** LING. concordar

concretar [koŋkre'tar] *v.* **1** *(realizar)* concretizar, realizar **2** *(precisar)* especificar, precisar **3** (preço) fixar **4** (data) marcar **5** *(resumir)* abreviar, resumir **6** *(limitar)* limitar, confinar ▪ **concretarse 1** *(limitarse)* limitar se (a, a), cingir se (a, a) **2** *(realizarse)* concretizar se, realizar se

concreto [koŋ'kreto] *adj.* concreto ▪ *s.m.* [AM.] concreto

concubina [koŋku'βina] *s.f.* concubina

concurrencia [koŋku'reŋθja] *s.f.* **1** *(público)* assistência, público*m.* **2** *(afluencia)* afluência, concorrência **3** *(coincidencia)* coincidência

concurrido [koŋku'riðo] *adj.* (lugar) concorrido, frequentado

concurrir [koŋku'rir] *v.* **1** (lugar) afluir (en, a), juntar--se (en, em); *los espectadores concurrían al estadio* os espectadores afluíam ao estádio **2** (ruas) juntar-se (en, em), convergir (en, em); *esas carreteras concurren en mi pueblo* essas estradas convergem na minha aldeia **3** (circunstâncias) concorrer (a, para), contribuir (a, para); *todo eso concurrió a su derrota* tudo isso contribuiu para a sua derrota **4** *(asistir)* assistir, estar presente; *todos concurrieron al desfile* todos assistiram ao desfile **5** (competição, concurso) concorrer (a, a), candidatar-se (a, a); *concurrir a una vacante* concorrer a uma vaga

concursante [koŋkur'sante] *s.2g.* **1** (concurso) concorrente, participante **2** (emprego) candidat|o, -a*m.f.* ▪ *adj.2g.* concorrente

concursar [koŋkur'sar] *v.* **1** (concurso) concorrer **2** (emprego) candidatar-se

concurso [koŋ'kurso] *s.m.* **1** *(competición)* concurso; *concurso de belleza* concurso de beleza; *concurso de televisión* concurso de televisão **2** (cargo, posto) concurso; *presentarse a un concurso de profesores* candidatar-se a um concurso de professores **3** *(colaboración)* participação*f.*, colaboração*f.*, contributo

condado [koṇ'daðo] *s.m.* condado

conde ['koṇde] *s.m.* (*f.* condesa) conde

condecoración [koṇdekora'θjon] *s.f.* **1** (ato) condecoração **2** *(insignia)* condecoração, insígnia

condecorar [koṇdeko'rar] *v.* condecorar

condena [koṇ'dena] *s.f.* **1** *(sentencia)* condenação, sentença; *condena a muerte* condenação à morte **2** *(pena)* condenação, pena; *cumplir una condena* cumprir uma pena **3** *(reprobación)* condenação, reprovação

condenación [koṇdena'θjon] *s.f.* REL. condenação

condenad|o, -a [koṇde'naðo] *s.m.,f.* condenad|o, -a; *condenados a muerte* condenados à morte ▪ *adj.* **1** condenado **2** *fig.* maldito, endiabrado ♦ **como un condenado** muito

condenar [koṇde'nar] *v.* **1** *(sentenciar)* condenar **2** *(desaprobar)* condenar, reprovar, censurar **3** (recinto, via de acesso) fechar ▪ **condenarse** ser condenado, ir para o Inferno

condensador [koṇdensa'ðor] *s.m.* FÍS. condensador ♦ ELETR. **condensador (eléctrico)** condensador

condensar [koṇden'sar] *v.* condensar

condesa [koṇ'desa] *s.f.* (*m.* conde) condessa

condescendiente [koṇdesθeṇ'djeṇte] *adj.2g.* condescendente, complacente

condición [koṇdi'θjon] *s.f.* **1** condição **2** *(naturaleza)* natureza, índole ▪ **condiciones** *s.f.pl.* condições*pl.* ♦ **a condición de (que)** com a condição de; **con la condición de que** na condição de; **estar en buenas/malas condiciones** estar em boas/más condições

condicional [koṇdiθjo'nal] *adj.2g.* condicional; LING. *conjunción condicional* conjunção condicional ▪ *s.m.* condicional

condicionar [koṇdiθjo'nar] *v.* condicionar

condimentar [koṇdimeṇ'tar] *v.* (comida) condimentar, temperar

condimento [kondi'mento] *s.m.* condimento, tempero

condolencia [kondo'lenθja] *s.f.* **1** condolência **2** *(pésame)* condolências*pl.*, pêsames*m. pl.*

condón [kon'don] *s.m.* camisinha*f. col.*, preservativo, camisa*f.* de vênus*col.*

cóndor ['kondor] *s.m.* condor

conducción [konduk'θjon] *s.f.* condução

conducir [kondu'θir] *v.* **1** *(guiar)* dirigir, conduzir, guiar **2** (veículo) dirigir, guiar **3** (empresa, negócio) dirigir, conduzir ▪ **conducirse** comportar-se, conduzir-se

conducta [kon'dukta] *s.f.* conduta, comportamento*m.*

conducto [kon'dukto] *s.m.* **1** conduto **2** *fig.* via*f.* ♦ **por conducto de** por intermédio de

conductor, -a [konduk'tor] *s.m.,f.* condutor, -a; (profissional) motorista*2g.*; ***conductor de autobús*** motorista de ônibus ▪ *adj.* condutor; ***hilo conductor*** fio condutor ▪ **conductor** *s.m.* FÍS. condutor

conectar [konek'tar] *v.* **1** conectar **2** estabelecer ligação (con, com) **3** (aparelho, máquina) ligar **4** INFORM. ligar

conej|o, -a [ko'nexo] *s.m.,f.* coelh|o, -a

conexión [konek'sjon] *s.f.* **1** conexão, relação **2** *téc.* ligação; ***toma con conexión a tierra*** tomada com aterramento ▪ **conexiones** *s.f.pl.* ligações*pl.*, relações*pl.*

confección [komfek'θjon] *s.f.* **1** confecção **2** (roupa) confecção **3** FARM. manipulação, preparação

confeccionar [komfekθjo'nar] *v.* **1** confeccionar **2** FARM. manipular, preparar

confederación [komfeðera'θjon] *s.f.* confederação

conferencia [komfe'renθja] *s.f.* **1** *(charla)* conferência, palestra **2** *(reunión)* conferência, reunião **3** (telefonema) chamada de longa distância; ***conferencia a cobro revertido*** chamada a cobrar; ***conferencia interurbana*** chamada interurbana ♦ **conferencia de prensa** entrevista coletiva

conferenciante [komferen'θjante] *s.2g.* conferencista

conferir [komfe'rir] *v.* **1** (dignidade, faculdade) conferir, conceder, outorgar **2** (qualidade) conferir, atribuir, dar

confesar [komfe'sar] *v.* confessar ▪ **confesarse** confessar se

confesión [komfe'sjon] *s.f.* confissão

confesonario [komfeso'narjo] *s.m.* confessionário

confesor [komfe'sor] *s.m.* confessor

confeti [kom'feti] *s.m.* confetes*pl.*

confiado [kom'fjaðo] *adj.* confiante

confianza [kom'fjanθa] *s.f.* confiança ♦ **con confianza** com confiança; **dar confianza** dar confiança; **de confianza** de confiança; **en confianza** (cá) entre nós

confiar [kom'fjar] *v.* **1** *(tener confianza)* confiar (en, em), ter confiança (en, em); ***confío en ti*** confio em você **2** *(esperar)* confiar (en, que), esperar (en, que); ***confío en que hayas descansado*** espero que tenha descansado **3** (responsabilidade, missão) confiar, entregar **4** (segredo) confiar, contar, revelar

confidencia [komfi'ðenθja] *s.f.* confidência

confidencial [komfiðen'θjal] *adj.2g.* confidencial

confident|e, -a [komfi'ðente] *s.m.,f.* **1** confidente*2g.* **2** (polícia) informador, -a

configuración [komfiγura'θjon] *s.f.* configuração

configurar [komfiγu'rar] *v.* configurar ▪ **configurarse** configurar-se

confín [kom'fin] *s.m.* (território) limite, fronteira*f.* ▪ **confines** *s.m.pl.* confins

confirmación [komfirma'θjon] *s.f.* **1** confirmação **2** REL. crisma*m.*, confirmação

confirmar [komfir'mar] *v.* **1** confirmar **2** REL. crismar, confirmar ▪ **confirmarse** confirmar-se

confiscar [komfis'kar] *v.* confiscar

confite [kom'fite] *s.m.* confeito

confitería [komfite'ria] *s.f.* confeitaria

conflictivo [komflik'tiβo] *adj.* conflituoso

conflicto [kom'flikto] *s.m.* conflito

conformar [komfor'mar] *v.* **1** *(adaptar)* conformar, adaptar **2** *(formar)* formar, constituir, compor ▪ **conformarse** conformar-se (con, com)

conforme [kom'forme] *adj.2g.* **1** conforme, de acordo **2** *(resignado)* conformado, resignado ▪ *adv.* **1** conforme **2** à medida que ♦ **conforme a** conforme; segundo

conformidad [komformi'ðað] *s.f.* **1** conformidade **2** *(aprobación)* aprovação, consentimento*m.* ♦ **en conformidad con** em conformidade com; de acordo com

confort [kom'for(t)] *s.m.* conforto, comodidade*f.*, bem-estar

confortable [komfor'taβle] *adj.2g.* confortável, cômodo

confortar [komfor'tar] *v.* confortar ▪ **confortarse** confortar-se

confraternización [komfraterniθa'θjon] *s.f.* confraternização

confraternizar [komfraterni'θar] *v.* confraternizar

confrontar [komfron'tar] *v.* **1** *(cotejar)* confrontar (con, com), comparar (con, com); ***confrontar la copia con el original*** comparar a cópia com o original **2** *(carear)* confrontar, pôr cara a cara, pôr frente a frente **3** (perigo, dificuldade) enfrentar **4** confinar (con, com), confrontar (con, com), fazer fronteira (con, com); ***esa finca confronta con un río*** essa quinta confina com um rio ▪ **confrontarse** confrontar se (con, com), enfrentar (con, -)

confundir [komfun'dir] *v.* **1** *(mezclar)* confundir, misturar **2** *(trastornar)* confundir, transtornar, perturbar **3** *(equivocar)* confundir (con, com); ***confundir una cosa con otra*** confundir uma coisa com outra ▪ **confundirse** confundir-se

confusión [komfu'sjon] *s.f.* confusão

confuso [kom'fuso] *adj.* confuso

congelación [konxela'θjon] *s.f.* **1** congelação, congelamento*m.* **2** ECON. congelamento*m.*

congelado [konxe'laðo] *adj.* congelado ▪ *s.m.* congelação*f.* ▪ **congelados** *s.m.pl.* congelados

congelador [koŋxela'ðor] *s.m.* **1** congelador **2** arca*f.* congeladora

congelar [koŋxe'lar] *v.* **1** (líquido) congelar **2** (alimento) congelar **3** (processo) suspender, deter **4** ECON. congelar ■ **congelarse** congelar-se

congeniar [koŋxe'njar] *v.* dar se bem (con, com), entender-se (con, com); *no congenia con él* não se dá bem com ele

congénito [koŋ'xenito] *adj.* congênito

congestión [koŋxes'tjon] *s.f.* **1** MED. congestão **2** (pessoas, veículos) congestionamento*m.*

congestionar [koŋxestjo'nar] *v.* congestionar ■ **congestionarse** congestionar-se

congoja [koŋ'goxa] *s.f.* angústia, aflição

congratulación [koŋgratula'θjon] *s.f.* congratulação

congratular [koŋgratu'lar] *v.* congratular

congregación [koŋgreɣa'θjon] *s.f.* congregação

congregar [koŋgre'ɣar] *v.* congregar, reunir

congresista [koŋgre'sista] *s.2g.* congressista

congreso [koŋ'greso] *s.m.* congresso

congruencia [koŋ'grwenθja] *s.f.* congruência, coerência

congruente [koŋ'grwente] *adj.2g.* congruente, coerente

cónico ['koniko] *adj.* cônico

conjetura [koŋxe'tura] *s.f.* conjectura

conjugación [koŋxuɣa'θjon] *s.f.* **1** *(combinación)* conjugação, combinação **2** LING. conjugação; *primera/segunda/tercera conjugación* primeira/segunda/terceira conjugação

conjugar [koŋxu'ɣar] *v.* **1** *(combinar)* conjugar, combinar **2** LING. conjugar

conjunción [koŋxun'θjon] *s.f.* **1** conjunção, união **2** LING. conjunção

conjuntivitis [koŋxunti'βitis] *s.f.2n.* conjuntivite

conjunto [koŋ'xunto] *adj.* conjunto ■ *s.m.* **1** conjunto **2** *(grupo musical)* conjunto, grupo musical, banda*f.* **3** (roupa) conjunto **4** MAT. conjunto

conjuro [koŋ'xuro] *s.m.* **1** conjuro **2** *(exorcismo)* esconjuro, exorcismo

conmemoración [konmemora'θjon] *s.f.* comemoração

conmemorar [konmemo'rar] *v.* comemorar

conmigo [kon'miɣo] *pron.pess.* comigo; *¡vente conmigo!* vem comigo!

conmiseración [konmisera'θjon] *s.f.* comiseração, compaixão

conmoción [konmo'θjon] *s.f.* comoção, abalo*m.* ♦ **conmoción cerebral** comoção cerebral

conmovedor [konmoβe'ðor] *adj.* comovente, emocionante, enternecedor

conmover [konmo'βer] *v.* comover ■ **conmoverse** comover-se

conmutador [konmuta'ðor] *s.m.* **1** comutador **2** [AM.] central*f.* telefônica

connivencia [konni'βenθja] *s.f.* conivência

connivente [konni'βente] *adj.2g.* conivente

connotación [konnota'θjon] *s.f.* conotação

cono ['kono] *s.m.* cone

conocedor, -a [konoθe'ðor] *adj.,s.m.,f.* conhecedor, -a

conocer [kono'θer] *v.* conhecer ■ **conocerse** conhecer se ♦ **dar(se) a conocer** dar(-se) a conhecer; **se conoce que** pelo que parece; dá impressão de que

conocid|o, -a [kono'θiðo] *s.m.,f.* conhecid|o, -a ■ *adj.* conhecido

conocimiento [konoθi'mjento] *s.m.* conhecimento ■ **conocimientos** *s.m.pl.* conhecimentos, noções*f.* ♦ **con conocimiento** com atenção; **con conocimiento de causa** com conhecimento de causa; **perder el conocimiento** perder os sentidos; **sin conocimiento** sem juízo

conquista [koŋ'kista] *s.f.* conquista

conquistador, -a [koŋkista'ðor] *s.m.,f.* conquistador, -a

conquistar [koŋkis'tar] *v.* conquistar

consagración [konsaɣra'θjon] *s.f.* consagração

consagrar [konsa'ɣrar] *v.* **1** consagrar, dedicar **2** (artista) consagrar, aclamar **3** REL. consagrar ■ **consagrarse 1** consagrar-se (a, a), dedicar-se (a, a) **2** (artista) consagrar se

consciente [kons'θjente] *adj.2g.* consciente

consecuencia [konse'kwenθja] *s.f.* consequência ♦ **a consecuencia de** em consequência de; **en consecuencia** consequentemente

conseguir [konse'ɣir] *v.* conseguir

consejer|o, -a [konse'xero] *s.m.,f.* conselheir|o, -a

consejo [kon'sexo] *s.m.* **1** *(recomendación)* conselho, recomendação*f.* **2** (organismo) conselho; *consejo de administración* conselho de administração; *consejo de guerra* conselho de guerra; *consejo de ministros* conselho de ministros; *consejo escolar* conselho diretivo

consenso [kon'senso] *s.m.* consenso; *llegar a un consenso* chegar a um consenso

consentido [konsen'tiðo] *adj.* (criança) mimado, mimalho

consentimiento [konsenti'mjento] *s.m.* consentimento, permissão*f.*, autorização*f.*

consentir [konsen'tir] *v.* **1** consentir, permitir, autorizar **2** (criança) mimar

conserje [kon'serxe] *s.m.* **1** (estabelecimento público) contínuo **2** (edifício) porteiro

conserjería [konserxe'ria] *s.f.* **1** *(portería)* portaria **2** *(recepción)* recepção **3** (cargo) profissão de contínuo

conserva [kon'serβa] *s.f.* conserva ♦ **en conserva** em conserva

conservación [konserβa'θjon] *s.f.* conservação

conservador, -a [konserβa'ðor] *adj.,s.m.,f.* conservador, -a

conservante [konser'βante] *s.m.* conservante

conservar [konser'βar] *v.* conservar ■ **conservarse** conservar-se

conservatorio [konserβa'torjo] *s.m.* conservatório

considerable [konsiðe'raβle] *adj.2g.* considerável

consideración [konsiðera'θjon] *s.f.* consideração ♦ **de consideración** considerável; grave; **en considera-**

ción em consideração; **por consideración a** por consideração a
considerado [konsiðe'raðo] *adj.* **1** considerado, examinado, ponderado **2** *(atento)* atencioso **3** (pessoa) considerado, respeitado
considerar [konsiðe'rar] *v.* considerar ▪ **considerarse** considerar-se
consigna [kon'siγna] *s.f.* **1** ordem/instrução (dada a um subordinado) **2** (estação, aeroporto) depósito*m.* de bagagem
consignar [konsiγ'nar] *v.* consignar
consigo [kon'siγo] *pron.pess.* **1** *(con el/ella)* consigo; *lo lleva consigo* leva-o consigo **2** *(con usted)* consigo; *cuento con usted* conto consigo **3** *(con ustedes)* consigo; *¿ustedes tienen el dinero consigo?* vocês têm o dinheiro consigo?
consiguiente [konsi'γjeṇte] *adj.2g.* consequente ◆ **por consiguiente** por conseguinte/consequência
consiguientemente [konsiγjente'meṇte] *adv.* consequentemente, por consequência/conseguinte
consistencia [konsis'teṇθja] *s.f.* consistência
consistente [konsis'teṇte] *adj.2g.* consistente
consistir [konsis'tir] *v.* consistir (en, em)
consistorio [konsis'torjo] *s.m.* **1** consistório **2** câmara*f.* municipal
consola [kon'sola] *s.f.* **1** (mesa) console **2** *(videoconsola)* controle (de jogos) **3** *(panel de mandos)* painel*m.* de controle
consolar [konso'lar] *v.* consolar, reconfortar ▪ **consolarse** consolar-se
consolidar [konsoli'ðar] *v.* consolidar
consomé [konso'me] *s.m.* consomé
consonante [konso'naṇte] *adj.2g.,s.f.* consoante
consorte [kon'sorte] *adj.,s.2g.* **1** consorte **2** DIR. cúmplice
conspiración [konspira'θjon] *s.f.* conspiração
conspirar [konspi'rar] *v.* conspirar
constancia [kons'taṇθja] *s.f.* constância ◆ **dejar constancia de** fazer constar que; dar provas de que; **tener constancia de** ter conhecimento de
constante [kons'taṇte] *adj.2g.* constante ▪ *s.f.* MAT. constante
constar [kons'tar] *v.* **1** *(ser cierto)* constar, ser do conhecimento **2** *(figurar)* constar, figurar; *su nombre no consta en la lista* o seu nome não consta na lista **3** *(componerse)* constar (de, de), compor se (de, de)
constatar [konsta'tar] *v.* constatar, comprovar, verificar
constelación [konstela'θjon] *s.f.* constelação
constipado [konsti'paðo] *s.m.* resfriado; *coger un constipado* pegar um resfriado
constiparse [konsti'parse] *v.* resfriar se
constitución [konstitu'θjon] *s.f.* constituição
constitucional [konstituθjo'nal] *adj.2g.* constitucional
constituir [konsti'twir] *v.* constituir ▪ **constituirse** constituir-se (en, em)
constreñir [konstre'ɲir] *v.* **1** *(obligar)* constranger, obrigar **2** *(limitar)* limitar, reduzir **3** MED. constringir, apertar; (hemorragia) estancar
construcción [konstruk'θjon] *s.f.* construção ◆ **construcción civil** construção civil
constructivo [konstruk'tiβo] *adj.* construtivo
constructor, -a [konstruk'tor] *adj.,s.m.,f.* construtor, -a
construir [konstru'ir] *v.* construir
consuelo [kon'swelo] *s.m.* consolo, alívio
cónsul ['konsul] *s.m.* (*f.* consulesa) cônsul
consulado [konsu'laðo] *s.m.* consulado
consulta [kon'sul̪ta] *s.f.* **1** consulta **2** *(examen médico)* consulta, exame*m.* **3** (lugar) consultório*m.*; *consulta del dentista* consultório do dentista
consultar [konsul̪'tar] *v.* **1** consultar; *consultar con un abogado* consultar um advogado **2** (médico) dar consulta, atender
consultorio [konsul̪'torjo] *s.m.* consultório ◆ **consultorio médico** consultório médico; **consultorio jurídico** consultório jurídico
consumición [konsumi'θjon] *s.f.* **1** (bar, café, restaurante) consumo*m.*; *consumición mínima* consumo mínimo **2** *(destrucción)* consumição, destruição, extinção
consumidor, -a [konsumi'ðor] *s.m.,f.* consumidor, -a
consumir [konsu'mir] *v.* consumir ▪ **consumirse** consumir-se
consumismo [konsu'mizmo] *s.m.* consumismo
consumista [konsu'mista] *adj.,s.2g.* consumista
consumo [kon'sumo] *s.m.* consumo, gasto ◆ **de consumo** de consumo; *sociedad de consumo* sociedade de consumo
contabilidad [koṇtaβili'ðað] *s.f.* **1** contabilidade **2** ECON. escrituração
contable [koṇ'taβle] *s.2g.* contabilista; contador, -a*m.f.*
contactar [koṇtak'tar] *v.* contactar, contatar
contacto [koṇ'takto] *s.m.* **1** contato **2** MEC. ignição*f.* ▪ **contactos** *s.m.pl. col.* contatos
contado [koṇ'taðo] *adj.* **1** contado **2** *(escaso)* raro, escasso ◆ (pagamento) **al contado** à vista
contador [koṇta'ðor] *s.m.* contador; *contador de agua* contador de água
contagiar [koṇta'xjar] *v.* **1** (doença) contagiar, transmitir **2** *fig.* (doença) pegar, passar **3** *fig.* (ideia, estado) contagiar ▪ **contagiarse** contagiar-se
contagio [koṇ'taxjo] *s.m.* contágio
contagioso [koṇta'xjoso] *adj.* **1** contagioso **2** *fig.* contagiante
contaminación [koṇtamina'θjon] *s.f.* **1** (meio ambiente) poluição, contaminação **2** *(contagio)* contaminação, contágio*m.*, infecção
contaminar [koṇtami'nar] *v.* **1** (meio ambiente) poluir, contaminar **2** *(contagiar)* contaminar, contagiar, infectar
contar [koṇ'tar] *v.* **1** contar, numerar **2** *(narrar)* contar, narrar **3** *(importar)* contar; *eso no cuenta* isso não conta ◆ **a contar de/desde** a partir de; **contar con**

alguien contar com alguém; **nada más que contar** mais nada para contar; **¿qué (te/se) cuenta(s)?** então, tudo bem?; **¿qué me cuentas?** a sério?

contemplar [kon̪tem'plar] *v.* contemplar

contemporáne|o, -a [kon̪tempo'raneo] *adj.,s.m.,f.* contemporâne|o, -a

contenedor [kon̪tene'ðor] *s.m.* container, contêiner ♦ **contenedor de basura** lata de lixo grande

contener [kon̪te'ner] *v.* **1** *(incluir)* conter, incluir, encerrar **2** (estado, sentimento) conter, reprimir, moderar **3** (movimento) conter, impedir ■ **contenerse** conter-se, refrear se

contenido [kon̪te'niðo] *adj.* contido ■ *s.m.* **1** conteúdo **2** teor; *contenido de nicotina* teor de nicotina **3** percentagem*f.*; *contenido mínimo de zumo* percentagem mínima de sumo

contentar [kon̪ten̪'tar] *v.* contentar, alegrar, satisfazer ■ **contentarse 1** contentar-se (con, com); *¡no te contentas con poco!* você não se contenta com pouco! **2** *(reconciliarse)* reconciliar-se

contento [kon̪'ten̪to] *adj.* **1** contente, alegre, feliz, satisfeito **2** *col. (borracho)* alegre*fig.* ■ *s.m.* contentamento, alegria*f.*, satisfação*f.*

contestación [kon̪testa'θjon] *s.f.* resposta

contestador, -a [kon̪testa'ðor] *s.m.,f.* atendedor, -a ♦ **contestador automático** secretária eletrônica

contestar [kon̪tes'tar] *v.* **1** *(responder)* responder; *contestar (a) una pregunta* responder a uma pergunta; *le contesté que sí* respondi lhe que sim **2** (telefone) atender; *te he llamado por teléfono pero nadie ha contestado* te liguei, mas ninguém atendeu o telefone **3** *(replicar)* responder, replicar; *no contestes así a tu madre* não responda assim à sua mãe **4** *(oponer)* contestar **5** DIR. confirmar

contest|ón, -ona [kon̪tes'ton] *adj.,s.m.,f. col.* respond|ão, -ona

contexto [kon̪'teksto] *s.m.* contexto

contigo [kon̪'tiɣo] *pron.pess.* contigo; *me quedaré contigo* ficarei contigo

contiguo [kon̪'tiɣwo] *adj.* contíguo

continental [kon̪tinen̪'tal] *adj.2g.* continental

continente [kon̪ti'nen̪te] *s.m.* continente; *Antiguo/Nuevo Continente* Velho/Novo Continente

continuación [kon̪tinwa'θjon] *s.f.* continuação ♦ **a continuación** a seguir; em seguida

continuar [kon̪ti'nwar] *v.* continuar, seguir, prosseguir; *continuaron el viaje* continuaram a viagem ■ **continuarse** ir dar (con, a); *esta calle se continúa con otra* esta rua vai dar em outra ♦ **continuar** [+*ger.*] continuar a [+*inf.*]; *continúa estudiando* continua estudando; **continuar** [+*adj./prep.*] continuar [+*adj./prep.*]; *continúa enfermo* continua doente; *continúa en Alemania* continua na Alemanha; (série televisiva) **continuará** continua

continuidad [kon̪tinwi'ðað] *s.f.* continuidade

continuo [kon̪'tinwo] *adj.* contínuo ♦ **de continuo** continuamente; ininterruptamente

contornear [kon̪torne'ar] *v.* contornar (traçar o contorno de)

contorno [kon̪'torno] *s.m.* contorno ■ **contornos** *s.m.pl.* arredores

contorsión [kon̪tor'sjon] *s.f.* contorção

contorsionarse [kon̪torsjo'narse] *v.* contorcer-se

contra ['kon̪tra] *prep.* **1** (oposição) contra; *luchar contra el enemigo* lutar contra o inimigo **2** (direção) contra; *contra la pared* contra a parede **3** (contacto) contra; *contra el pecho* contra o peito **4** (troca) contra ■ *s.m.* contra; *los pros y los contras* os prós e os contras ■ *interj.* bolas! ♦ **en contra de** contra; *no tener nada en contra* não ter nada contra; **estar a la contra** ser do contra

contraatacar [kon̪tra(a)ta'kar] *v.* contra atacar

contraataque [kon̪tra(a)'take] *s.m.* contra-ataque

contrabajo [kon̪tra'βaxo] *s.m.* contrabaixo ■ *s.2g.* contrabaixista

contrabalancear [kon̪traβalan̪θe'ar] *v.* contrabalançar

contrabandista [kon̪traβan̪'dista] *s.2g.* contrabandista

contrabando [kon̪tra'βan̪do] *s.m.* contrabando; *hacer contrabando* fazer contrabando

contracción [kon̪trak'θjon] *s.f.* **1** FISIOL. contração; *contracción muscular* contração muscular; *contracciones del parto* contrações do parto **2** LING. contração; *contracción de las preposiciones* contração das preposições

contraceptivo [kon̪traθep'tiβo] *adj.,s.m. (anticonceptivo)* contraceptivo

contradecir [kon̪traðe'θir] *v.* contradizer ■ **contradecirse** contradizer-se

contradicción [kon̪traðik'θjon] *s.f.* contradição

contradictorio [kon̪traðik'torjo] *adj.* contraditório

contraer [kon̪tra'er] *v.* **1** *(encoger)* contrair, encolher **2** (doença, vício) contrair, adquirir **3** (dívida) contrair **4** (obrigação, compromisso) contrair, assumir ■ **contraerse** contrair-se

contraindicar [kon̪train̪di'kar] *v.* contraindicar

contralto [kon̪'tralto] *s.m.* (voz) contralto ■ *s.2g.* (pessoa) contralto

contrapartida [kon̪trapar'tiða] *s.f.* **1** *(compensación)* contrapartida, compensação **2** ECON. contrapartida

contrapeso [kon̪tra'peso] *s.m.* contrapeso

contraponer [kon̪trapo'ner] *v.* contrapor

contraportada [kon̪trapor'taða] *s.f.* **1** (livro) anterrosto*m.* **2** (jornal, revista) última página **3** *(contracubierta)* contracapa

contraproducente [kon̪traproðu'θen̪te] *adj.2g.* contraproducente

contrariar [kon̪tra'rjar] *v.* contrariar

contrariedad [kon̪trarje'ðað] *s.f.* contrariedade

contrari|o, -a [kon̪'trarjo] *s.m.,f.* contrári|o, -a, adversári|o, -a, rival*2g.* ■ *adj.* **1** *(opuesto)* contrário, oposto **2** *(perjudicial)* contrário (a, a) **3** (palavra) antônimo ♦ **al contrario** ao contrário; **al contrario que** ao contrário de; **de lo contrario** caso contrário; **por el contrario** pelo contrário; **todo lo contrario** exatamente o contrário

contrarreloj [kon̪trare'lox] *s.f.* contrarrelógio*m.*

contrarrestar [kontrares'tar] *v.* neutralizar
contraseña [kontra'seɲa] *s.f.* **1** senha **2** contrassenha **3** INFORM. palavra chave, password
contrastar [kontras'tar] *v.* contrastar
contraste [kon'traste] *s.m.* contraste
contrata [kon'trata] *s.f.* empreitada
contratar [kontra'tar] *v.* contratar
contratiempo [kontra'tjempo] *s.m.* contratempo
contratista [kontra'tista] *s.2g.* empreiteir|o, -a*m.f.*
contrato [kon'trato] *s.m.* contrato; *contrato de compraventa* contrato de compra e venda; *contrato de trabajo* contrato de trabalho; *contrato temporal* contrato a prazo/termo; *cancelar/firmar un contrato* rescindir/assinar um contrato
contravención [kontraβen'θjon] *s.f.* contravenção, infração
contribución [kontriβu'θjon] *s.f.* **1** contribuição **2** *(impuesto)* contribuição, imposto*m.*
contribuir [kontriβu'ir] *v.* **1** *(colaborar)* contribuir, colaborar, cooperar **2** (imposto) contribuir **3** (donativo) contribuir, dar uma contribuição
contribuyente [kontriβu'jente] *s.2g.* contribuinte
contrincante [kontriŋ'kante] *s.2g.* adversári|o, -a*m.f.*, rival, competidor, -a*m.f.*
control [kon'trol] *s.m.* controle ◆ **bajo el control** sob controle; **control antidopaje** controle antidoping; **control de calidad** controle de qualidade; *téc.* **control remoto** controle remoto; **perder el control** perder o controle
controlador, -a [kontrola'ðor] *s.m.,f.* controlador, -a; *controlador aéreo* controlador de voo/tráfego aéreo
controlar [kontro'lar] *v.* controlar ■ **controlarse** controlar-se
controversia [kontro'βersja] *s.f.* controvérsia, polêmica
contusión [kontu'sjon] *s.f.* contusão
convalecencia [kombale'θenθja] *s.f.* convalescença
convaleciente [kombale'θjente] *s.2g.* convalescente
convalidar [kombali'ðar] *v.* (estudos) dar equivalência
convección [kombek'θjon] *s.m.* FÍS. convecção
convencer [komben'θer] *v.* convencer, persuadir ■ **convencerse** convencer-se (de, de)
convencimiento [kombenθi'mjento] *s.m.* convencimento, convicção*f.*; *llegar al convencimiento de que* estar convicto de que
convención [komben'θjon] *s.f.* **1** *(acuerdo)* convenção, pacto*m.*, acordo*m.* **2** *(reunión)* convenção, reunião; *(asamblea)* assembleia; *(congreso)* congresso*m.* ◆ **convenciones sociales** convenções sociais
convencional [kombenθjo'nal] *adj.2g.* convencional
conveniencia [kombe'njenθja] *s.f.* conveniência ◆ **de conveniencia** de conveniência; *matrimonio de conveniencia* casamento de conveniência
conveniente [kombe'njente] *adj.2g.* conveniente ◆ **creer conveniente** achar melhor
convenio [kom'benjo] *s.m.* convênio
convenir [kombe'nir] *v.* **1** *(acordar)* concordar (en, em); *convenimos en buscarnos un piso* concordámos em procurar um apartamento **2** *(ser bueno)* convir, dar jeito; *no me conviene cambiarme de casa* não me convém mudar de casa **3** *(ser adecuado)* convir (a, a), ser conveniente (a, para); *ese traje no le conviene a una señora* essa roupa não é adequada para uma senhora **4** combinar, acordar ◆ **conviene** [+ *inf.*] convém [+ *inf.*]; *conviene mencionar esto* convém mencionar isso; **conviene que** [+ *sj.*] convém que [+ *sj.*]; *conviene que no llegues tarde* convém que você não chegue tarde
convento [kom'bento] *s.m.* convento
conversación [kombersa'θjon] *s.f.* **1** conversa; *de conversación* à conversa; *cambiar de conversación* mudar de conversa; *entablar conversación con alguien* engatar conversa com alguém; *tener una conversación con alguien* ter uma conversa com alguém **2** conversação; *clase de conversación* aula de conversação ◆ **sacar la conversación** tocar no assunto
conversar [komber'sar] *v.* conversar, falar, cavaquear
conversión [komber'sjon] *s.f.* conversão
convertible [komber'tiβle] *adj.2g.* ECON. conversível ■ *s.m.* [AM.] (veículo) conversível
convertir [komber'tir] *v.* **1** *(transformar)* converter (en, em), transformar (en, em); *convertir la leche en queso* transformar o leite em queijo **2** REL. converter; *convertir a los infieles* converter os infiéis ■ **convertirse 1** *(transformarse)* converter se (en, em), transformar-se (en, em) **2** *(volverse)* tornar se (en, -); *se convirtió en el mejor alumno* tornou-se o melhor aluno **3** REL. converter-se (a, a); *convertirse al cristianismo* converter se ao cristianismo
convexo [kom'bekso] *adj.* convexo; *espejo convexo* espelho convexo
convicción [kombik'θjon] *s.f.* convicção ■ **convicciones** *s.f.pl.* convicções, crenças
convidad|o, -a [kombi'ðaðo] *s.m.,f.* convidad|o, -a
convidar [kombi'ðar] *v.* **1** *(invitar)* convidar **2** *(ofrecer)* oferecer; pagar **3** *(mover)* convidar
convincente [kombin'θente] *adj.2g.* convincente
convivencia [kombi'βenθja] *s.f.* convivência, convívio*m.*
convivir [kombi'βir] *v.* conviver
convocar [kombo'kar] *v.* **1** convocar **2** (concurso) anunciar
convocatoria [komboka'torja] *s.f.* **1** convocatória **2** convocação **3** (exame, concurso) chamada **4** (ensino superior) época (de exames); *convocatoria de septiembre* provas de setembro
convulsión [kombul'sjon] *s.f.* **1** MED. convulsão **2** *fig.* convulsão, agitação
cónyuge ['konjuxe] *s.2g.* cônjuge*m.*
coñac [ko'ɲak] *s.m.* conhaque
cooperación [ko(o)pera'θjon] *s.f.* cooperação, colaboração
cooperar [ko(o)pe'rar] *v.* cooperar, colaborar
cooperativa [ko(o)pera'tiβa] *s.f.* cooperativa
coordinación [ko(o)rðina'θjon] *s.f.* coordenação
coordinador, -a [ko(o)rðina'ðor] *adj.,s.m.,f.* coordenador, -a

coordinar [ko(o)rδi'nar] *v.* coordenar

copa ['kopa] *s.f.* **1** *(vaso)* copo*m.* (com pé); taça; cálice*m.*; *una copa de champán* uma taça de champanhe; *una copa de vino de Oporto* um cálice de vinho do Porto **2** *(bebida)* copo*m.*; *¡vamos a tomar una copa!* vamos beber um copo! **3** (árvore) copa **4** (sutiã, chapéu) copa **5** *(competición)* copa **6** (prêmio) troféu*m.*, taça ■ **copas** *s.f.pl.* (baralho espanhol) copas*pl.* ♦ *col.* **como la copa de un pino** enorme; tremendo

copia ['kopja] *s.f.* **1** cópia **2** *(fotocopia)* cópia, fotocópia; *sacar una copia* tirar uma cópia ♦ INFORM. **copia de seguridad** cópia de segurança; backup

copiar [ko'pjar] *v.* **1** *(reproducir)* copiar, reproduzir **2** *(anotar)* apontar, anotar **3** *(imitar)* copiar, imitar **4** (exame) copiar

copiloto [kopi'loto] *s.2g.* (avião, carro de corrida) copiloto

copla ['kopla] *s.f.* **1** copla; quadra **2** *(estrofa)* copla, estrofe ■ **coplas** *s.f.pl.* cantigas*pl.*; *déjate de coplas* deixa de conversa-fiada

copo ['kopo] *s.m.* **1** (neve) floco **2** (cereais) floco; *copos de avena* flocos de aveia **3** (algodão) tufo

coproducción [koproδuk'θjon] *s.f.* coprodução

cópula ['kopula] *s.f.* **1** cópula, coito*m.* **2** LING. cópula

copular [kopu'lar] *v.* copular (con, com)

copulativo [kopula'tiβo] *adj.* LING. copulativo; *conjunción copulativa* conjunção aditiva; *verbo copulativo* verbo de ligação

copyright [kopi'rajt] *s.m.* copyright

coqueluche [koke'lutʃe] *s.f.* coqueluche, tosse convulsa

coquetear [kokete'ar] *v.* namoriscar

coquet|o, -a [ko'keto] *s.m.,f.* coquete*2g.*

coraje [ko'raxe] *s.m.* **1** *(valor)* coragem*f.* **2** *(rabia)* raiva*f.*, irritação*f.*, ira*f.*

coral [ko'ral] *s.m.* **1** ZOOL. coral **2** MÚS. coral ■ *s.f.* coro*m.*, coral*m.* ■ *adj.2g.* coral

coraza [ko'raθa] *s.f.* **1** couraça **2** *fig.* couraça, defesa

corazón [kora'θon] *s.m.* **1** coração **2** (planta) coração; (fruta) caroço **3** (dedo) dedo médio **4** (apelativo) querido; amor; coração **5** *fig.* coração, centro; *el corazón de la ciudad* o coração da cidade ■ **corazones** *s.m.pl.* (baralho francês) copas*f.* ♦ **con el corazón en la mano** de coração aberto, com sinceridade; **con el corazón en un puño** com o coração nas mãos; **de (todo) corazón** do fundo do coração; **no caber el corazón en el pecho** com o coração disparado; **partir/romper el corazón** partir o coração; **tener un corazón de oro** ter um coração de ouro

corazonada [koraθo'naδa] *s.f.* palpite*m.*, pressentimento*m.*; *tener una corazonada* ter um palpite

corazoncillo [koraθoṇ'θiʎo] *s.m.* hipericão

corbata [kor'βata] *s.f.* gravata

corchete [kor'tʃete] *s.m.* **1** (vestuário) colchete **2** (sinal gráfico) colchete, parêntese reto

corcho ['kortʃo] *s.m.* **1** cortiça*f.* **2** (garrafa) rolha*f.* (de cortiça)

corcova [kor'koβa] *s.f.* corcunda, corcova

cordel [kor'δel] *s.m.* cordel

cordero [kor'δero] *s.m.* cordeiro; (jovem) anho

cordial [kor'δjal] *adj.2g.* cordial

cordialidad [korδjali'δaδ] *s.f.* cordialidade

cordillera [korδi'ʎera] *s.f.* cordilheira

córdoba ['korδoβa] *s.m.* córdoba (moeda nicaraguense)

cordón [kor'δon] *s.m.* **1** cordão, corda*f.*, fio **2** (calçado) cadarço **3** *(conductor eléctrico)* fio, cabo ♦ **cordón policial** cordão de policiais; **cordón sanitario** cordão sanitário; **cordón umbilical** cordão umbilical

Corea [ko'rea] *s.f.* Coreia ♦ **Corea del Norte** Coreia do Norte; **Corea del Sur** Coreia do Sul

corean|o, -a [kore'ano] *adj.,s.m.,f.* corean|o, -a ■ **coreano** *s.m.* (língua) coreano

coreografía [koreoγra'fia] *s.f.* coreografia

coreógraf|o, -a [kore'oγrafo] *s.m.,f.* coreógraf|o, -a

cornada [kor'naδa] *s.f.* cornada, chifrada

cornamenta [korna'meṇta] *s.f.* **1** chifres*m. pl.*; (veado) armação **2** *col.* (infidelidade) cornos*m. pl.*

córnea ['kornea] *s.f.* córnea

córner ['korner] *s.m.* ESPOR. (lugar) corner; (jogada) escanteio, corner

corneta [kor'neta] *s.f.* corneta

cornisa [kor'nisa] *s.f.* cornija

cornud|o, -a [kor'nuδo] *s.m.,f. pej.* cornud|o, -a ■ *adj.* cornudo

coro ['koro] *s.m.* coro ♦ **a coro** em coro; **chico/niño de coro** menino do coro

corona [ko'rona] *s.f.* coroa ♦ **corona fúnebre/funeraria** coroa de flores; coroa funerária

coronación [korona'θjon] *s.f.* coroação

coronar [koro'nar] *v.* coroar

coronel [koro'nel] *s.2g.* coronel

coronilla [koro'niʎa] *s.f.* cocuruto*m.* (da cabeça) ♦ *col.* **estar hasta la coronilla** estar até o pescoço

corporación [korpora'θjon] *s.f.* corporação

corporal [korpo'ral] *adj.2g.* corporal

corpulencia [korpu'leṇθja] *s.f.* corpulência

corpulento [korpu'leṇto] *adj.* corpulento, robusto

corral [ko'ral] *s.m.* **1** curral **2** teatro ao ar livre **3** (bebês) chiqueirinho

correa [ko'rea] *s.f.* **1** *(tira de cuero)* correia, tira **2** (cão) correia, trela **3** (relógio) pulseira, bracelete*m./f.* **4** *(cinturón)* cinto*m.* **5** MEC. correia; *correa del ventilador* correia da ventoinha ♦ *col.* **tener mucha correa** ter muita paciência

corrección [korek'θjon] *s.f.* correção

correccional [korekθjo'nal] *adj.2g.* correcional ■ *s.m.* casa*f.* de correção, reformatório

correcto [ko'rekto] *adj.* **1** correto, certo **2** (pessoa, conduta) correto ♦ **políticamente correcto** politicamente correto

corredor, -a [kore'δor] *s.m.,f.* **1** corredor, -a **2** ECON. corretor, -a; *corredor de bolsa* corretor da bolsa; *corredor de seguros* corretor de seguros ■ *adj.* (ave) corredor ■ **corredor** *s.m.* corredor

corregir [kore'xiɾ] *v.* corrigir ■ **corregirse** corrigir-se, emendar-se

correo [ko'reo] *s.m.* **1** *(correspondencia)* correio, correspondência*f.*; *correo certificado* carta registrada; *correo urgente* correio azul **2** *(buzón)* marco/caixa*f.* do correio, correio; *echar las cartas en el correo* pôr as cartas no correio **3** (pessoa) correio, carteir|o, -a*m.f.* ■ **correos** *s.m.pl.* (edifício) correios ♦ **correo electrónico** correio eletrônico; e-mail

correr [ko'reɾ] *v.* **1** correr **2** *(apresurarse)* correr, apressar-se, despachar-se **3** (tempo) correr, passar, decorrer; *el tiempo corre muy deprisa* o tempo passa muito depressa **4** (água) correr **5** *fig.* (boato, notícia) correr, circular **6** (móveis) arrastar, mover **7** (perigo) correr **8** (cortina) correr, puxar ■ **correrse 1** (cor) desbotar **2** *vulg.* vir-se, ter um orgasmo ♦ **correr con algo** arcar com alguma coisa; **dejar correr** deixar andar

correría [kore'ria] *s.f.* correria, incursão ■ **correrías** *s.f.pl. col.* andanças, aventuras

correspondencia [korespon̪'den̪θja] *s.f.* **1** *(correlación)* correspondência, correlação **2** *(correo)* correspondência, correio*m.* **3** (meios de transporte) correspondência, ligação

corresponder [korespon̪'deɾ] *v.* **1** corresponder **2** (favores, sentimentos) retribuir **3** *(tocar)* caber, tocar; *no me corresponde a mí decirte eso* não cabe a mim dizer-te isso **4** *(ser el turno)* ser o turno, ser a vez; *ahora me corresponde a mí* agora é o meu turno/a minha vez ■ **corresponderse 1** *(cartearse)* corresponder-se, trocar correspondência **2** *(amarse)* amar-se (reciprocamente)

correspondiente [korespon̪'djen̪te] *adj.2g.* correspondente (a, a)

corresponsal [korespon'sal] *s.2g.* correspondente (de jornal, estação de televisão, etc.)

corretear [korete'ar] *v. col.* correr (de um lado para o outro)

corrida [ko'riða] *s.f.* corrida ♦ **corrida (de toros)** tourada

corriente [ko'rjen̪te] *adj.2g.* corrente ■ *s.f.* corrente ♦ **al corriente de** ao corrente de, a par de; **dejarse llevar por la corriente** ir na onda; **nadar contra corriente** nadar contra a corrente; **poner al corriente** pôr ao corrente

corro ['koro] *s.m.* **1** roda*f.* (de pessoas) **2** (jogo infantil) roda*f.*

corroer [koro'er] *v.* corroer ■ **corroerse** corroer-se

corromper [korom'per] *v.* **1** *(pudrir)* apodrecer, deteriorar, corromper **2** *(pervertir)* corromper, perverter **3** *(sobornar)* subornar, corromper ■ **corromperse 1** *(pudrirse)* apodrecer, deteriorar se, corromper se **2** *(pervertirse)* corromper se

corrosión [koro'sjon] *s.f.* corrosão

corrosivo [koro'siβo] *adj.* corrosivo

corrupción [korup'θjon] *s.f.* **1** *(descomposición)* decomposição, putrefação, corrupção **2** *(perversión)* corrupção, perversão **3** *(soborno)* corrupção, suborno*m.*

corrupto [ko'rupto] *adj.* corrupto

corsé [kor'se] *s.m.* espartilho

cortacésped [korta'θespeð] *s.m./f.* máquina*f.* de cortar a grama

cortado [kor'taðo] *adj.* (pessoa) envergonhado, tímido ■ *s.m.* café com um pingo de leite

cortadura [korta'ðura] *s.f.* cortadela, corte*m.* ■ **cortaduras** *s.f.pl.* retalhos*m. pl.*

cortante [kor'tan̪te] *adj.2g.* cortante

cortaplumas [korta'plumas] *s.m.2n.* canivete

cortar [kor'tar] *v.* **1** cortar; *cortar el pan* cortar o pão; *cortar el pelo* cortar o cabelo **2** (água, gás, telefone) cortar **3** (café) pingar **4** *(interrumpir)* cortar, interromper **5** (estrada, caminho) cortar, bloquear, interditar **6** *(atajar)* cortar (caminho) **7** (instrumento de corte) cortar; *ese cuchillo no corta* essa faca não corta **8** (baralho) cortar **9** (relação) acabar (con, com), terminar (con, com); *ha cortado con su novio* acabou com o namorado ■ **cortarse 1** *(herirse)* cortar-se, ferir se; *me corté con un cristal* cortei-me com um vidro **2** (cabelo, unhas) cortar; *voy a cortarme el pelo* vou cortar o cabelo **3** (leite, maionese) azedar **4** (comunicação, ligação) cair **5** *pop.* acanhar-se, envergonhar-se; *se corta delante de los profesores* acanha-se diante dos professores

cortaúñas [korta'uɲas] *s.m.2n.* cortador de unha

corte ['korte] *s.m.* **1** *(filo)* fio, gume, corte **2** (ferida) corte, golpe **3** (cabelo) corte; *corte de pelo* corte de cabelo **4** (roupa) corte, talhe; *corte y confección* corte e costura **5** *(interrupción)* corte, interrupção*f.* **6** *col.* vergonha*f.*, embaraço; *me da corte* me dá vergonha **7** *col.* tampa*f.* ■ *s.f.* **1** (lugar) corte **2** *(séquito)* corte, séquito*m.*, comitiva ♦ *col.* (gesto) **corte de mangas** banana *col.*

cortejo [kor'texo] *s.m.* **1** cortejo, séquito, comitiva*f.*; *cortejo fúnebre* cortejo fúnebre **2** *(galanteo)* cortejo, galanteio

cortés [kor'tes] *adj.* cortês, delicado, bem-educado

cortesía [korte'sia] *s.f.* cortesia ♦ **por cortesía** por cortesia

corteza [kor'teθa] *s.f.* **1** (árvore, fruta) casca **2** (pão) côdea **3** ANAT. córtex*m.*; *corteza cerebral* córtex cerebral ♦ **corteza terrestre** crosta terrestre

cortijo [kor'tixo] *s.m.* casa*f.* de campo (típica da Andaluzia), quinta*f.*

cortina [kor'tina] *s.f.* cortina; cortinado*m.* ♦ **cortina de fuego** cortina de fogo; **cortina de humo** cortina de fumo

corto ['korto] *adj.* **1** curto **2** *fig.* limitado; *ser corto de vista* ter vistas curtas **3** *fig.* acanhado, tímido ■ *s.m.* curta metragem*f.* ♦ *col.* **a la corta o a la larga** mais cedo ou mais tarde

cortocircuito [kortoθir'kwito] *s.m.* curto circuito

cortometraje [kortome'traxe] *s.m.* curta-metragem*f.*

cosa ['kosa] *s.f.* coisa ♦ **como quien no quiere la cosa** como quem não quer nada; *col.* **como si tal cosa** como se nada tivesse acontecido; **cosas de la vida** coisas da vida; **no decir cosa con cosa** não dizer coisa com coisa; **no ser/valer gran cosa** não ser/valer grande coisa

coscorrón [kosko'ron] *s.m.* coque

cosecha [ko'setʃa] *s.f.* colheita
cosechar [kose'tʃar] *v.* (flores, frutos) colher
coser [ko'ser] *v.* **1** coser, costurar **2** (ferida) coser, suturar **3** (com agrafos) agrafar
cosmética [koz'metika] *s.f.* cosmética
cosmético [koz'metiko] *adj.,s.m.* cosmético
cósmico ['kozmiko] *adj.* cósmico
cosmográfico [kozmo'ɣrafiko] *adj.* cosmográfico
cosmológico [kozmo'loxiko] *adj.* cosmológico
cosmonauta [kozmo'nawta] *s.2g.* cosmonauta
cosmos ['kozmos] *s.m.2n.* cosmos, universo
cosquillas [kos'kiʎas] *s.f.pl.* cócegas*pl.*; *hacer cosquillas a alguien* fazer cócegas em alguém; *tener cosquillas* ter cócegas ♦ **buscarle las cosquillas a alguien** tirar alguém do sério
cosquillear [koskiʎe'ar] *v.* fazer cócegas
costa ['kosta] *s.f.* costa ■ **costas** *s.f.pl.* DIR. custas*pl.* ♦ **a costa de** à custa de; **a toda costa** a todo custo; custe o que custar; a qualquer preço
costado [kos'taðo] *s.m.* **1** ANAT. flanco **2** *(lado)* lado **3** NÁUT. costado **4** MIL. flanco ♦ *col.* **por los cuatro costados** por todos os lados
costar [kos'tar] *v.* **1** (preço) custar; *¿cuánto cuesta?* quanto custa? **2** *(resultar difícil)* custar, ser difícil; *me cuesta marcharme* custa-me ir embora **3** *(tardar)* demorar; *este trabajo me costó dos horas* este trabalho demorou duas horas ♦ **cueste lo que cueste** custe o que custar
Costa Rica [kosta'rika] *s.f.* Costa Rica
costarricense [kostari'θense] *adj.,s.2g.* costa-riquenh|o, -a*m.f.*
coste ['koste] *s.m.* custo ♦ **coste de la vida** custo de vida
costear [koste'ar] *v.* **1** custear, financiar **2** (dificuldade, perigo) tornear
costilla [kos'tiʎa] *s.f.* costela ■ **costillas** *s.f.pl. col. (espalda)* costas*pl.* ♦ *col.* **medirle las costillas a alguien** dar uma surra em alguém
costoso [kos'toso] *adj.* **1** caro, custoso, dispendioso **2** *fig.* custoso, difícil
costra ['kostra] *s.f.* **1** crosta, crusta **2** (ferida) crosta, cascão*m.*, casca
costumbre [kos'tumbre] *s.f.* costume*m.*, hábito*m.* ■ **costumbres** *s.f.pl.* costumes*m. pl.*
costura [kos'tura] *s.f.* costura ♦ **alta costura** alta-costura
costurer|o, -a [kostu'rero] *s.m.,f.* costureir|o, -a ■ **costurero** *s.m.* caixa*f.* de costura, estojo de costura
cotejar [kote'xar] *v.* cotejar, comparar
cotejo [ko'texo] *s.m.* cotejo, comparação*f.*
cotidiano [koti'ðjano] *adj.* cotidiano
cotilla [ko'tiʎa] *s.2g. col.* fofoqueir|o, -a*m.f.*, bisbilhoteir|o, -a*m.f.*
cotillear [kotiʎe'ar] *v. col.* fofocar, bisbilhotar
cotilleo [koti'ʎeo] *s.m. col.* fofoca*f.*, bisbilhotice*f.*
cotillón [koti'ʎon] *s.m.* **1** *(fiesta)* festa*f.* comemorativa; *(baile)* baile **2** *(fiesta de Nochevieja)* réveillon
cotización [kotiθa'θjon] *s.f.* **1** contribuição **2** ECON. cotação; *cotización en bolsa* cotação na bolsa
cotizar [koti'θar] *v.* **1** (cidadão) contribuir **2** ECON. cotar ■ **cotizarse 1** (ações) estar cotado (a, em) **2** *fig.* valorizar-se
coto ['koto] *s.m.* **1** coutada*f.*, couto **2** [AM.] bócio ♦ **poner coto** pôr fim
cotorra [ko'tora] *s.f.* **1** papagaio*m.* **2** *fig., col.* (pessoa) tagarela*2g.*, papagaio*m.fig.*
cotorrear [kotore'ar] *v. col.* tagarelar, papaguear
country ['kawn̪tri] *s.m.* (*pl.* countries) country
cowboy [kao'βoj] *s.m.* caubói, cowboy
coyote [ko'ʝote] *s.m.* coiote
coyuntura [koʝun̪'tura] *s.f.* **1** conjuntura **2** ANAT. conjuntura, articulação óssea
coz ['koθ] *s.f.* coice*m.*
crack ['krak] *s.m.* **1** (pessoa) craque*2g.*, ás **2** (droga) crack, craque **3** ECON. craque
cráneo ['kraneo] *s.m.* crânio ♦ *col.* **ir de cráneo** ir de mal a pior
cráter ['krater] *s.m.* cratera*f.*
creación [krea'θjon] *s.f.* criação
creador, -a [krea'ðor] *s.m.,f.* criador, -a
crear [kre'ar] *v.* criar ■ **crearse** inventar
creatividad [kreatiβi'ðað] *s.f.* criatividade
creativo [krea'tiβo] *adj.* criativo
crecer [kre'θer] *v.* **1** (pessoa, planta) crescer **2** (número, grandeza) crescer, aumentar **3** (cabelo, barba) crescer **4** (rio, maré) encher ■ **crecerse** ganhar força
crecida [kre'θiða] *s.f.* (rio) cheia, enchente
creciente [kre'θjen̪te] *adj.2g.* crescente; *cuarto creciente* quarto crescente
crecimiento [kreθi'mjen̪to] *s.m.* crescimento
credencial [kreðen̪'θjal] *s.f.* credencial ■ **credenciales** *s.f.pl.* credenciais*pl.*
credibilidad [kreðiβili'ðað] *s.f.* credibilidade
crédito ['kreðito] *s.m.* **1** ECON. crédito **2** *(préstamo)* empréstimo, crédito **3** *(confianza)* crédito, credibilidade*f.*, confiança*f.* **4** *(reputación)* crédito, reputação*f.* **5** (cadeira, disciplina) crédito ♦ **dar crédito a** dar crédito a
credo ['kreðo] *s.m.* credo
crédulo ['kreðulo] *adj.* crédulo, ingênuo
creencia [kre'en̪θja] *s.f.* **1** crença; *creencia religiosa* crença religiosa **2** *(convicción)* convicção, crença, certeza
creer [kre'er] *v.* **1** *(dar por cierto)* acreditar (-, em), crer (-, em); *no lo creo* não acredito nisso **2** *(opinar)* achar, crer, pensar; *creo que va a suspender* acho que vai reprovar **3** (fé, confiança) crer (en, em), acreditar (en, em); *creer en Dios* crer em Deus ■ **creerse 1** *(aceptar)* acreditar (en, em), crer (en, em); *se cree todo lo que le dicen* acredita em tudo o que lhe dizem **2** *(considerarse)* julgar-se, achar se, crer se; *se cree un gran pintor* julga-se um grande pintor ♦ **¡no me lo puedo creer!** não posso acreditar!; **¡que te crees tú eso!** isso é o que você pensa!; **¡ya lo creo!** claro!

creíble [kre'iβle] *adj.2g.* credível, crível

creído [kre'iðo] *adj. col.* (pessoa) convencido, vaidoso, arrogante

crema ['krema] *s.f.* **1** (cosmético) creme*m.*; ***crema de afeitar*** creme de barbear; ***crema desmaquilladora*** creme demaquilante; ***crema hidratante*** creme hidratante; ***crema protectora*** creme protetor **2** CUL. *(pasta)* creme*m.* (de pastéis) **3** (leite) nata **4** (calçado) graxa **5** CUL. *(natillas)* creme*m.* **6** *(puré)* creme*m.*, purê*m.*; ***crema de champiñones*** creme de cogumelos **7** *fig.* nata, elite ■ *adj.2g.2n.* (cor) creme

O crema catalana é um doce típico espanhol, que consiste em um creme de ovos coberto por uma camada de açúcar e que se serve frio.

cremallera [krema'ʎera] *s.f.* zíper*m.*

crematorio [krema'torjo] *s.m.* crematório

cremoso [kre'moso] *adj.* cremoso

crepe ['krep] *s.m.* **1** crepe **2** panqueca*f.*

crepúsculo [kre'puskulo] *s.m.* crepúsculo

cresta ['kresta] *s.f.* **1** (galo) crista **2** (cabelo) crista, poupa **3** (montanha) cume*m.* **4** (onda) crista **5** (horário) hora do rush ♦ **estar en la cresta de la ola** estar na crista da onda

cretácico [kre'taθiko] *adj.* cretácico

creyente [kre'jen̪te] *adj.,s.2g.* crente

cría ['kria] *s.f.* **1** criação (de animais) **2** (animal) cria, filhote*m.* **3** *(camada)* ninhada

criadero [krja'ðero] *s.m.* viveiro

criad|o, -a ['krjaðo] *s.m.,f.* criad|o, -a

criador, -a [krja'ðor] *s.m.,f.* criador, -a (de animais)

crianza ['krjan̪θa] *s.f.* **1** criação (de animais) **2** *(lactancia)* amamentação **3** *(educación)* educação; ***de buena/mala crianza*** de boa/má educação

criar [kri'ar] *v.* **1** criar **2** (animal) parir ■ **criarse** criar-se, crescer; ***nos criamos juntos*** fomos criados juntos

criatura [krja'tura] *s.f.* **1** criatura, ser*m.* **2** *(recién nacido)* recém nascid|o, -a*m.f.*, bebê*2g.*

crimen ['krimen] *s.m.* **1** DIR. crime, delito **2** *(asesinato)* assassínio, assassinato

criminal [krimi'nal] *adj.2g.* criminoso, criminal ■ *s.2g.* criminos|o, -a*m.f.*

criminalidad [kriminali'ðaδ] *s.f.* criminalidade

crin ['krin] *s.f.* (tecido) crina; ***guante de crin*** luva de crina ■ **crines** *s.f.pl.* (animais) crina

crí|o, -a ['krio] *s.m.,f.* criança*f.*

crioll|o, -a ['krjoʎo] *adj.,s.m.,f.* crioul|o, -a ■ **criollo** *s.m.* (língua) crioulo

críptico ['kriptiko] *adj.* críptico

criptón ['kripton] *s.m.* críptón

crisantemo [krisan̪'temo] *s.m.* crisântemo

crisis ['krisis] *s.f.2n.* crise ♦ **estar en crisis** estar em crise

crisma ['krizma] *s.m./f.* crisma*m.* ■ *s.m.* cartão de Natal ■ *s.f. col.* cachola, carola

cristal [kris'tal] *s.m.* **1** cristal; ***vaso de cristal*** copo de cristal **2** (janela, vitrine) vidro ■ **cristales** *s.m.pl.* vidros; ***limpiar los cristales*** limpar os vidros

cristalera [krista'lera] *s.f.* **1** (móvel) cristaleira **2** *(escaparate)* vitrine

cristalino [krista'lino] *adj.* cristalino ■ *s.m.* cristalino

cristalizar [kristali'θar] *v.* **1** cristalizar **2** (desejo, plano) concretizar-se ■ **cristalizarse 1** cristalizar **2** (desejo, plano) concretizar-se

cristiandad [kristjan̪'daδ] *s.f.* cristandade

cristianismo [kristja'nizmo] *s.m.* cristianismo

cristian|o, -a [kris'tjano] *adj.,s.m.,f.* crist|ão, -ã

cristo ['kristo] *s.m.* cristo, crucifixo ♦ *col.* **todo cristo** todas as almas

Cristo ['kristo] *s.m.* Cristo

criterio [kri'terjo] *s.m.* **1** *(norma)* critério, norma*f.* **2** *(juicio)* critério, juízo **3** *(opinión)* opinião*f.*

crítica ['kritika] *s.f.* crítica

criticar [kriti'kar] *v.* criticar

crític|o, -a ['kritiko] *s.m.,f.* crític|o, -a; ***crítico de cine/cinematográfico*** crítico de cinema ■ *adj.* crítico

criticón, -a [kriti'kon] *adj.,s.m.,f.* criticador, -a

croar [kro'ar] *v.* (rã) coaxar

croata [kro'ata] *adj.,s.2g.* croata ■ *s.m.* (língua) croata

croché [kro'tʃe] *s.m.* **1** *(ganchillo)* crochê **2** (boxe) gancho

crol ['krol] *s.m.* (natação) crawl

crómlech ['kromlek] *s.m.* monumento megalítico

cromo ['kromo] *s.m.* **1** QUÍM. cromo, cromo **2** (álbum) figurinha*f.*, cromo

cromosoma [kromo'soma] *s.m.* cromossomo

crónica ['kronika] *s.f.* crônica

crónico ['kroniko] *adj.* crônico

crónlech ['kronlek] *s.m.* ⇒ **crómlech**

crono ['krono] *s.m.* tempo cronometrado

cronología [kronolo'xia] *s.f.* cronologia

cronológico [krono'loxiko] *adj.* cronológico

cronometraje [kronome'traxe] *s.m.* cronometragem*f.*

cronometrar [kronome'trar] *v.* cronometrar

cronómetro [kro'nometro] *s.m.* cronômetro

croqueta [kro'keta] *s.f.* croquete*m.*

croquis ['krokis] *s.m.2n.* croqui, esquisso

cruasán [krwa'san] *s.m.* croissant

cruce ['kruθe] *s.m.* **1** (estrada, rua) cruzamento **2** (pedestres) faixa*f.* de pedestres **3** (canal de comunicação) interferência*f.*; (telefone) linha*f.* cruzada **4** BIOL. cruzamento

crucero [kru'θero] *s.m.* **1** (viagem) cruzeiro; ***hacer un crucero*** fazer um cruzeiro **2** (cruz) cruzeiro **3** NÁUT. cruzador

crucial [kru'θjal] *adj.2g.* crucial

crucificar [kruθifi'kar] *v.* crucificar

crucifijo [kruθi'fixo] *s.m.* crucifixo

crucifixión [kruθifik'sjon] *s.f.* crucificação

crucigrama [kruθi'γrama] *s.m.* palavras*f. pl.* cruzadas

crudeza [kru'ðeθa] *s.f.* **1** *(crueldad)* crueza, crueldade **2** (clima) rigor*m.*

crudo ['kruðo] *adj.* **1** cru; ***pescado crudo*** peixe cru; ***seda cruda*** seda crua **2** (clima) rigoroso **3** *fig.* cru, cruel

cruel ['krwel] *adj.2g.* cruel
crueldad [krwel'ðað] *s.f.* crueldade
crujido [kru'xiðo] *s.m.* rangido
crujiente [kru'xjeṇte] *adj.2g.* estaladiço; crocante
crujir [kru'xiɾ] *v.* ranger
crustáceo [krus'taθeo] *s.m.* crustáceo
cruz ['kruθ] *s.f.* **1** cruz; ***cruz gamada*** cruz gamada, suástica **2** (moeda) coroa, reverso*m.*; ***¿cara o cruz?*** cara ou coroa? **3** *fig.* cruz, tormento*m.* ♦ **Cruz Roja** Cruz Vermelha; **de la cruz a la fecha** do princípio ao fim; **hacer cruz y raya** jurar que nunca mais; estar morto e enterrado
cruzada [kru'θaða] *s.f.* **1** cruzada **2** *fig.* cruzada, campanha
cruzado [kru'θaðo] *adj.* cruzado; ***estar con las piernas cruzadas*** estar de pernas cruzadas ■ *s.m.* HIST. cruzado
cruzamiento [kruθa'mjeṇto] *s.m.* cruzamento (de animais)
cruzar [kru'θaɾ] *v.* **1** (rua, estrada) atravessar; ***cruce la calle*** atravesse a rua **2** (pernas, dedos) cruzar **3** (animal) cruzar, acasalar **4** (cheque) cruzar **5** (palavras, olhares) trocar **6** (meta) cortar ■ **cruzarse** (pessoas) cruzar se (con/en, com/em); ***me he cruzado con mi antiguo director*** cruzei-me com o meu antigo diretor
cuaderno [kwa'ðerno] *s.m.* caderno ♦ **cuaderno de bitácora** diário/livro de bordo
cuadra ['kwaðra] *s.f.* **1** cavalariça, estrebaria **2** [AM.] quarteirão*m.*
cuadrado [kwa'ðraðo] *adj.* **1** quadrado **2** *fig.*, *col.* (pessoa) quadrado, forte, musculoso ■ *s.m.* quadrado ♦ MAT. **elevar al cuadrado** elevar ao quadrado
cuadragenari|o, -a [kwaðraxe'narjo] *adj.,s.m.,f.* quadragenári|o, -a
cuadragésim|o, -a [kwaðra'xesimo] *num.* quadragésim|o, -a
cuadrangular [kwaðraŋgu'laɾ] *adj.2g.* quadrangular
cuadrángulo [kwa'ðraŋgulo] *s.m.* quadrângulo
cuadrante [kwa'ðraṇte] *s.m.* **1** GEOM. quadrante **2** [AM.] horário
cuadrar [kwa'ðraɾ] *v.* **1** *(convenir)* convir **2** *(armonizar)* condizer (con, com); ***sus palabras no cuadran con su actitud*** as suas palavras não condizem com a sua atitude **3** [COL., PER.] *(aparcar)* estacionar ■ **cuadrarse** bater continência
cuadratura [kwaðra'tura] *s.f.* quadratura ♦ *col.* **cuadratura del círculo** quadratura do círculo
cuadrícula [kwa'ðrikula] *s.f.* quadrícula
cuadriculado [kwaðriku'laðo] *adj.* quadriculado
cuadrienio [kwa'ðrjenjo] *s.m.* quadriênio
cuadrilátero [kwaðri'latero] *s.m.* **1** GEOM. quadrilátero **2** ESPOR. ringue
cuadrilla [kwa'ðriʎa] *s.f.* **1** *(grupo)* bando*m.*, quadrilha **2** (de ladrões, bandidos) quadrilha **3** TAUR. quadrilha
cuadriplicar [kwaðripli'kaɾ] *v.* ⇒ **cuadruplicar**
cuadro ['kwaðro] *s.m.* **1** quadro; *(pintura)* pintura*f.*; *(dibujo)* desenho **2** *(cuadrado)* quadrado **3** (jardim) canteiro **4** (empresa, sociedade) quadro **5** (bicicleta, motociclo) quadro **6** *fig.* quadro, panorama ♦ **a cuadros** quadriculado; **cuadro clínico** quadro clínico; **cuadro de mandos** painel de controle; **cuadro sinóptico** quadro sinóptico; **en cuadro** com pouco pessoal; em número reduzido
cuadrúpedo [kwa'ðrupeðo] *adj.,s.m.* quadrúpede
cuádruple ['kwaðruple] *num.* quádrupl|o, -a
cuadruplicar [kwaðrupli'kaɾ] *v.* quadruplicar
cuádrupl|o, -a ['kwaðruplo] *num.* ⇒ **cuádruple**
cuajada [kwa'xaða] *s.f.* coalhada
cuajado [kwa'xaðo] *adj.* **1** (leite) coalhado; (sangue) coagulado **2** *col.* atônito **3** *col.* adormecido
cuajar [kwa'xaɾ] *v.* **1** (leite) coalhar; (sangue) coagular **2** (projeto, plano) dar certo; ***el matrimonio no cuajó*** o casamento não deu certo **3** (neve) solidificar **4** (proposta, ideia) ser aceita (en, por); ***la idea ha cuajado en los estudiantes*** a ideia foi aceita pelos estudantes ■ **cuajarse 1** (leite) coalhar(-se) **2** (sangue) coagular
cuajo ['kwaxo] *s.m.* coágulo ♦ **de cuajo** pela raiz
cual ['kwal] *pron.rel.* **1** (valor explicativo) qual; ***vi al profesor, el cual nos saludó*** vi o professor, o qual nos cumprimentou **2** (neutro) o que; ***perdí mi bolso, lo cual me ha puesto enfadada*** perdi a bolsa, o que me deixou chateada ■ *adv.* **1** (comparação) como; ***lo hizo (tal) cual se lo aprendió*** fê-lo (tal) como o aprendeu **2** qual; como; que nem; ***se quedó callado, cual niño mimado*** calou-se, qual criança mimada ♦ **cada cual** cada qual; cada um; **sea cual sea** seja qual for; **tal cual** tal e qual
cuál ['kwal] *pron.interr.* qual; ***¿cuáles son tus libros?*** quais são os seus livros?; ***¿cuál te gusta más?*** de qual você gosta mais? ■ *adv.* como; ***¡cuál suenan esas campanas!*** como tocam esses sinos! ■ *pron.indef.* um... outro; ***nos divertimos mucho, cuál cantando, cuál bailando*** divertimo-nos muito, um a cantar, outro a dançar
cualesquiera [kwales'kjera] *adj.,pron.indef.* ⟨*pl.* cualquiera⟩ quaisquer; ***tráete cualesquiera*** traz uns quaisquer
cualidad [kwali'ðað] *s.f.* qualidade, atributo*m.*
cualificación [kwalifika'θjon] *s.f.* habilitação, qualificação
cualificado [kwalifi'kaðo] *adj.* **1** qualificado **2** (funcionário) habilitado, qualificado
cualificar [kwalifi'kaɾ] *v.* (pessoa) habilitar, qualificar
cualitativo [kwalita'tiβo] *adj.* qualitativo
cualquier [kwal'kjer] *adj.indef.* qualquer

---

cualquier é a forma apocopada de *cualquiera*, usada antes de substantivos masculinos no singular: *no tendré cualquier problema* não terei qualquer problema.

---

cualquiera [kwal'kjera] *adj.indef.* **1** [depois de *s.*] qualquer; ***un motivo cualquiera*** uma razão qualquer **2** *pej.* um, -a qualquer; ***¡cómprate una falda cualquiera!*** compra uma saia qualquer! ■ *pron.indef.* **1** qualquer um, -a; ***cualquiera lo haría*** qualquer um o faria **2** *pej.* um, -a qualquer; ***me llamó un cualquiera*** ligou me um tipo qualquer ♦ *pej.* **ser un(a) cualquiera** ser um(a) qualquer; *pej.* **ser una cualquiera** ser uma prostituta/mulher leviana

cuán ['kwan] *adv. lit.* quão, como

cuán é a forma apocopada de *cuanto*, usada antes de adjetivos e advérbios: *¡cuán difícil es vivir sin ti!* quão difícil é viver sem ti!; *¡cuán lejos estás!* como você está longe!

cuando ['kwan̪do] *adv.* quando; *cuando tenía veinte años* quando tinha vinte anos ■ *conj.* quando; *vienes conmigo cuando quieras* vem comigo quando quiser ♦ **cuando más/mucho** quando muito; **cuando niño(s)** em criança; **de cuando en cuando** de quando em quando; **de vez en cuando** de vez em quando; **siempre y cuando** desde que

cuándo ['kwan̪do] *adv.* quando; *¿cuándo has llegado?* quando você chegou?; *¿de cuándo acá* e desde quando?; *¿hasta cuándo?* até quando?

cuantía [kwan̪'tia] *s.f.* **1** *(cantidad)* quantia, quantidade **2** *(dimensión)* dimensão ♦ **de mayor/menor cuantía** de grande/pouca importância, de maior/menor importância

cuántico ['kwan̪tiko] *adj.* quântico

cuantificación [kwan̪tifika'θjon] *s.f.* quantificação

cuantificador [kwan̪tifika'ðor] *s.m.* quantificador

cuantificar [kwan̪tifi'kar] *v.* quantificar

cuantitativo [kwan̪tita'tiβo] *adj.* quantitativo

cuant|o, -a ['kwan̪to] *pron.rel.* quant|o, -a; *compra todo cuanto ve* compra tudo quanto/o que vê ■ **cuanto** *s.m.* FÍS. quantum ■ *adj.* quant|o, -a; *tiene cuantos coches quiere* tem quantos carros quer ♦ **cuanto antes** quanto antes; **en cuanto** assim que; **en cuanto a** quanto a; **unos cuantos** uns quantos/tantos

cuánt|o, -a ['kwan̪to] *adj.interr.* quant|o, -a; *¿cuántos años tienes?* quantos anos você tem? ■ *pron.interr.* quant|o, -a; *¿cuánto cuesta eso?* quanto custa isso? ■ *adj.* [antes de *s.*] quant|o, -a, tant|o, -a; *¡cuántos niños tienes!* quantos filhos você tem!; *¡cuánta gente!* tanta gente! ■ *adv.* [antes de *v.*] (o) quanto, como; *¡cuánto me sorprendes!* (o) quanto/como você me espanta!

cuarenta [kwa'ren̪ta] *num.* quarenta ♦ *col.* **cantar las cuarenta a alguien** mostrar com quantos paus se faz uma canoa

cuarentena [kwaren̪'tena] *s.f.* quarentena ♦ **estar/poner en cuarentena** estar/pôr de quarentena

cuarent|ón, -ona [kwaren̪'ton] *s.m.,f. col.* quaren-t|ão, -ona

cuaresma [kwa'rezma] *s.f.* Quaresma

cuarta ['kwarta] *s.f.* **1** (medida) palmo*m.* **2** (mudança de velocidade) quarta; *meter la cuarta* meter a quarta

cuartel [kwar'tel] *s.m.* **1** quartel; *cuartel general* quartel general **2** *(cuarta parte)* quartel ♦ **cuarteles de invierno** acampamento de inverno

cuartelillo [kwarte'liʎo] *s.m.* posto (de guarda civil, polícia)

cuarteto [kwar'teto] *s.m.* **1** MÚS. quarteto **2** LIT. quadra*f.*, quarteto

cuartilla [kwar'tiʎa] *s.f.* folha de papel (aproximadamente do tamanho de uma folha A5)

cuartillo [kwar'tiʎo] *s.m.* quartilho

cuart|o, -a ['kwarto] *num.* quart|o, -a ■ **cuarto** *s.m.* **1** *(habitación)* cômodo; *cuarto de baño* banheiro; *cuarto de aseo* banheiro pequeno composto de pia e vaso sanitário; *cuarto de estar* sala de estar **2** (horas) quarto; *son las cuatro menos cuarto* são quinze para as quatro; *son las dos y cuarto* são duas e quinze; *un cuarto de hora* quinze minutos ■ **cuartos** *s.m.pl.* [ESP.] *col. (dinero)* grana*f.* ♦ **cuarto creciente/menguante** quarto crescente/minguante; **cuartos de final** quarta de final; **de tres al cuarto** de meia-tigela; (roupa) **tres cuartos** três quartos

cuarzo ['kwarθo] *s.m.* quartzo

cuaternario [kwater'narjo] *adj.* quaternário; *compás cuaternario* compasso quaternário

cuatrienal [kwatrje'nal] *adj.2g.* quadrienal

cuatrienio [kwa'trjenjo] *s.m.* quadriênio

cuatro ['kwatro] *num.* quatro

cuatrocentista [kwatroθen̪'tista] *adj.2g.* quatrocentista

cuatrocient|os, -as [kwatro'θjen̪tos] *num.* quatrocent|os, -as

cuba ['kuβa] *s.f.* cuba ♦ *col.* **como una cuba** bêbado como um gambá

Cuba ['kuβa] *s.f.* Cuba

cubalibre [kuβa'liβre] *s.m.* cuba-libre*f.*

cuban|o, -a [ku'βano] *adj.,s.m.,f.* cuban|o, -a

cubata [ku'βata] *s.m. col.* cuba-libre*f.*

cubertería [kuβerte'ria] *s.f.* faqueiro*m.*

cubeta [ku'βeta] *s.f.* **1** (laboratório) cuba **2** (termômetro) cuba, reservatório*m.* **3** [MÉX.] *(cubo)* balde*m.*

cúbico ['kuβiko] *adj.* cúbico

cubículo [ku'βikulo] *s.m.* cubículo

cubierta [ku'βjerta] *s.f.* **1** cobertura, capa **2** (livro) capa **3** (edifício) telhado*m.*, cobertura **4** (pneu) piso*m.* **5** NÁUT. convés*m.*; coberta

cubierto [ku'βjerto] ⟨*p.p. de* cubrir⟩ *adj.* **1** coberto **2** (impresso) preenchido **3** (céu) coberto, carregado, nublado ■ *s.m.* **1** talher **2** (restaurante, hotel) prato do dia ■ **cubiertos** *s.m.pl.* talheres

cubil [ku'βil] *s.m.* covil, guarida*f.*

cubilete [kuβi'lete] *s.m.* fritilo

cubismo [ku'βizmo] *s.m.* cubismo

cubista [ku'βista] *adj.,s.2g.* cubista

cubitera [kuβi'tera] *s.f.* forma de gelo

cubito [ku'βito] *s.m.* cubo/pedra*f.* de gelo

cúbito ['kuβito] *s.m.* cúbito

cubo ['kuβo] *s.m.* **1** (recipiente) balde; *cubo de la basura* lata de lixo **2** (gelo) cubo, pedra*f.* **3** GEOM. cubo ♦ MAT. **elevar al cubo** elevar ao cubo

cubrecama [kuβre'kama] *s.m.* colcha*f.*, coberta*f.*

cubreobjeto [kuβreoβ'xeto] *s.m.* lamela*f.* (de microscópio)

cubrir [ku'βrir] *v.* **1** *(tapar)* cobrir, tapar **2** *(ocultar)* encobrir, esconder **3** *(defender)* cobrir, defender, proteger **4** (vaga, lugar) preencher, ocupar **5** (impresso) preencher **6** (buraco, cavidade) cobrir, encher **7** (dívida, gasto) cobrir, pagar, saldar **8** (acontecimento) cobrir, fazer a cobertura **9** (céu) encobrir **10** (animais) cobrir, acasalar ■ **cubrirse** cobrir-se

cucaracha [kuka'ratʃa] *s.f.* barata

cuchara [ku'tʃara] *s.f.* colher; *cuchara de madera* colher de pau; *cuchara sopera* colher de sopa ♦ *col.* **meter (la) cuchara** meter a colher

cucharada [kutʃa'raδa] *s.f.* colherada

cucharilla [kutʃa'riʎa] *s.f.* colher (de café/chá/sobremesa); colherzinha

cucharón [kutʃa'ron] *s.m.* colher*f.* (de servir); (para sopa) concha*f.*

cuchichear [kutʃitʃe'ar] *v.* cochichar

cuchicheo [kutʃi'tʃeo] *s.m.* cochicho

cuchilla [ku'tʃiʎa] *s.f.* lâmina; *cuchilla de afeitar* lâmina de barbear

cuchillada [kutʃi'ʎaδa] *s.f.* facada; cutilada

cuchillo [ku'tʃiʎo] *s.m.* faca*f.* ♦ **cuchillo eléctrico** faca elétrica; **pasar a cuchillo** esfaquear; matar

cuchipanda [kutʃi'panda] *s.f. col.* patuscada

cuchitril [kutʃi'tril] *s.m.* chiqueiro, pocilga*f.*

cuchufleta [kutʃu'fleta] *s.f. col.* brincadeira

cuclillas [ku'kliʎas] ♦ **en cuclillas** de cócoras

cuclillo [ku'kliʎo] *s.m.* cuco

cuco ['kuko] *s.m.* **1** cuco **2** *(moisés)* berço portátil ■ *adj.* **1** *col.* esperto, fino, astuto **2** *col.* bonito

cucurucho [kuku'rutʃo] *s.m.* **1** (de papel) cartucho **2** (sorvete) casquinha **3** *(capirote)* capucho de penitente

cuello ['kweʎo] *s.m.* **1** ANAT. pescoço **2** (roupa) gola*f.*; (camisa) colarinho; *cuello alto* gola alta; *cuello de pico* gola em bico; *cuello falso* colarinho falso; *cuello redondo* gola redonda **3** (garrafa) gargalo ♦ **cuello del útero** colo do útero; *col.* **hasta el cuello** até ao pescoço

cuenca ['kweŋka] *s.f.* **1** GEOG. bacia, vale*m.* **2** ANAT. órbita (dos olhos) ♦ GEOG. **cuenca hidrográfica** bacia hidrográfica

cuenco ['kweŋko] *s.m.* **1** *(vasija)* tigela*f.*, malga*f.* **2** *(concavidad)* concavidade*f.*

cuenta ['kwenta] *s.f.* **1** *(cálculo)* conta, cálculo*m.* **2** *(operación aritmética)* conta, operação aritmética **3** *(factura)* conta, fatura **4** (banco) conta (bancária); *cuenta a plazo* conta a prazo; *cuenta corriente* conta--corrente **5** *(responsabilidad)* conta, encargo*m.*, responsabilidade **6** (colar, rosário) conta ♦ (dinheiro) **a cuenta** como sinal; **a cuenta de** em troca de; **ajustar las cuentas a alguien** ajustar contas com alguém; *col.* **caer en la cuenta** dar-se conta; **cuenta atrás** contagem regressiva; **cuenta de correo** conta de correio (eletrônico); **darse cuenta de algo** dar conta de algo; (grávida) **estar fuera de cuenta(s)** estar fora do tempo; **habida cuenta de** tendo em conta; *col.* **la cuenta de la vieja** contar pelos dedos; **por cuenta ajena** por conta de outrem; **por cuenta de** por conta de; **por cuenta propia** por conta própria; **rendir cuentas** prestar contas; **tener en cuenta** ter em conta

cuentagotas [kwenta'γotas] *s.m.2n.* conta gotas ♦ *col.* **con cuentagotas** pouco a pouco

cuentakilómetros [kwentaki'lometros] *s.m.2n.* hodômetro

cuentarrevoluciones [kwentareβolu'θjones] *s.m.2n.* conta-rotações

cuentista [kwen'tista] *s.2g.* **1** contista **2** *col.* corista

cuento ['kwento] *s.m.* **1** conto; *cuento de hadas* conto de fadas **2** *(embuste)* história*f.*; *¡déjate de cuentos!* deixa de histórias! **3** *(chisme)* fofoca*f.* ♦ *col.* **¿a cuento de qué?** a que propósito?; **cuento chino** mentira; invenção; conto da carochinha; **venir a cuento** vir ao caso

cuerda ['kwerδa] *s.f.* corda ♦ (acrobacia) **cuerda floja** corda bamba; ANAT. **cuerdas vocales** cordas vocais; *col.* (pessoa) **dar cuerda a alguien** dar corda/trela a alguém; **dar cuerda al reloj** dar corda ao relógio; **en la cuerda floja** na corda bamba; **estar contra las cuerdas** estar com a corda na garganta; MÚS. **instrumentos de cuerda** instrumentos de corda

cuerdo ['kwerδo] *adj.* **1** lúcido **2** cordato, sensato, prudente

cuerno ['kwerno] *s.m.* **1** corno, chifre **2** (caracol) antena*f.* ♦ **cuerno de la abundancia** cornucópia; *col.* **irse al cuerno un asunto** ir por água abaixo; *col.* **mandar al cuerno** mandar às favas, mandar plantar batatas; *col.* **oler a cuerno quemado** não cheirar bem; *¡esto huele a cuerno quemado!* nesse mato tem cachorro; *col.* **poner los cuernos a alguien** pôr chifre em alguém *vulg.*; *col.* **romperse los cuernos** matar-se de trabalhar

cuero ['kwero] *s.m.* **1** (de animal) couro **2** *(piel curtida)* couro, cabedal; *abrigo de cuero* casaco de couro **3** *(balón)* bola*f.* ♦ **cuero cabelludo** couro cabeludo; **en cueros** nu, em pelote *col.*

cuerpo ['kwerpo] *s.m.* **1** ANAT. corpo **2** *(corporación)* corpo, corporação*f.*; *cuerpo de bomberos* corporação de bombeiros; *cuerpo diplomático* corpo diplomático **3** *(cadáver)* corpo, cadáver; *misa de cuerpo presente* missa de corpo presente **4** *(parte)* corpo, parte*f.*; *cuerpo de la obra* corpo da obra **5** TIP. corpo ♦ **a cuerpo** sem agasalho; **a cuerpo de rey** como um rei; **cuerpo a cuerpo** corpo a corpo; **en cuerpo y (en) alma** de corpo e alma; **cuerpo del delito** corpo de delito; **tomar cuerpo** ganhar corpo

cuervo ['kwerβo] *s.m.* corvo

cuesco ['kwesko] *s.m.* **1** (fruta) caroço **2** *col.* traque, peido *cal.*

cuesta ['kwesta] *s.f.* encosta, vertente, declive*m.* ♦ **a cuestas** nas costas, nos ombros; *llevar a alguien a cuestas* levar alguém nas costas/nos ombros; **cuesta de enero** despesas de Natal (período de dificuldades econômicas devido às despesas extraordinárias no Natal)

cuestación [kwesta'θjon] *s.f.* peditório*m.*

cuestión [kwes'tjon] *s.f.* **1** *(pregunta)* questão, pergunta; *plantear una cuestión* colocar uma questão **2** *(asunto)* questão, assunto*m.*, tema*m.*; *la cuestión es que* a questão é que ♦ **en cuestión** em questão

cuestionable [kwestjo'naβle] *adj.2g.* questionável

cuestionar [kwestjo'nar] *v.* questionar; pôr em dúvida

cuestionario [kwestjo'narjo] *s.m.* questionário; ***rellenar/cumplimentar un cuestionario*** preencher um questionário
cueva ['kweβa] *s.f.* **1** gruta, caverna **2** (edifício) cave, porão*m.* ♦ **cueva de ladrones** covil de ladrões
cuezo ['kweθo] ♦ *col.* **meter el cuezo 1** meter o bedelho **2** meter os pés pelas mãos
cuidado [kwi'ðaðo] *s.m.* **1** *(atención)* cuidado, atenção*f.* **2** *(precaución)* cuidado, cautela*f.*, precaução*f.*; ***cuidado con el escalón/perro*** cuidado com o degrau/cão ■ *interj.* cuidado! ♦ **al cuidado de** aos cuidados de; **cuidados intensivos** cuidados intensivos; **de cuidado** perigoso; **traer sin cuidado** não se preocupar; não querer saber
cuidadoso [kwiða'ðoso] *adj.* cuidadoso
cuidar [kwi'ðar] *v.* cuidar (-, de); ***cuidar a un enfermo*** cuidar de um doente; ***cuida de su padre*** cuida do pai ■ **cuidarse** cuidar-se
culada [ku'laða] *s.f.* bate cu*m.*
culata [ku'lata] *s.f.* **1** (arma) culatra **2** MEC. colaça ♦ *col.* **salir el tiro por la culata** sair o tiro pela culatra
culebra [ku'leβra] *s.f.* cobra, serpente
culebrón [kule'βron] *s.m. col.* telenovela*f.* (muito sentimental)
culinario [kuli'narjo] *adj.* culinário
culito [ku'lito] *s.m. col.* rabinho
culminante [kulmi'nante] *adj.2g.* culminante
culminar [kulmi'nar] *v.* **1** culminar **2** (atividade, processo) terminar
culo ['kulo] *s.m.* **1** *col. (trasero)* bunda*f.*, traseiro **2** *col. (ano)* cu, ânus*2n.* **3** (garrafa, vaso) fundo ♦ *pop.* **culo del mundo** cu de judas; *col.* **ser un culo de mal asiento** ter bicho-carpinteiro
culpa ['kulpa] *s.f.* culpa; ***echar la(s) culpa(s) a alguien*** pôr a culpa em alguém; ***tener la culpa*** ter culpa
culpabilidad [kulpaβili'ðað] *s.f.* culpabilidade
culpable [kul'paβle] *s.2g.* culpad|o, -a*m.f.* ■ *adj.2g.* **1** culpado; ***declararse culpable*** declarar se culpado **2** culpável
culpar [kul'par] *v.* culpar ■ **culparse** culpar-se
culteranismo [kultera'nizmo] *s.m.* culteranismo
cultismo [kul'tizmo] *s.m.* cultismo
cultivable [kulti'βaβle] *adj.2g.* cultivável
cultivador, -a [kultiβa'ðor] *s.m.,f.* cultivador, -a
cultivar [kulti'βar] *v.* cultivar
cultivo [kul'tiβo] *s.m.* cultivo
culto ['kulto] *adj.* **1** (pessoa) culto, instruído **2** (língua) culto, erudito ■ *s.m.* culto; ***rendir culto a*** prestar culto a
cultura [kul'tura] *s.f.* cultura ♦ **cultura general** cultura geral
cultural [kultu'ral] *adj.2g.* cultural
culturismo [kultu'rizmo] *s.m.* culturismo
culturista [kultu'rista] *s.2g.* culturista
cumbia ['kumbja] *s.f.* cumbia
cumbre ['kumbre] *s.f.* **1** (montanha, terreno) cimo*m.*, cume*m.*, topo*m.* **2** *fig.* cume*m.*, auge*m.* **3** POL. cimeira; ***cumbre europea*** cimeira europeia
cumpleaños [kumple'aɲos] *s.m.2n.* aniversário, dia de anos; ***cantar el cumpleaños feliz*** cantar os parabéns (a você); ***estar de cumpleaños*** fazer anos; ***¡feliz cumpleaños!*** feliz aniversário!; ***fiesta de cumpleaños*** festa de aniversário
cumplido [kum'pliðo] *adj.* **1** cumprido **2** (pessoa) atencioso ■ *s.m.* gentileza*f.*, cortesia*f.*, amabilidade*f.* ♦ **de cumplido** de cortesia; ***una visita de cumplido*** uma visita de cortesia
cumplidor [kumpli'ðor] *adj.* cumpridor
cumplimentar [kumplimen'tar] *v.* **1** *(saludar)* cumprimentar, saudar **2** *(ejecutar)* executar, cumprir **3** (formulário, impresso) preencher
cumplimiento [kumpli'mjento] *s.m.* **1** (lei, ordem) cumprimento, observância*f.* **2** (tarefa, obrigação) cumprimento, execução*f.*
cumplir [kum'plir] *v.* **1** (tarefa) cumprir, executar **2** (obrigação, promessa) cumprir, realizar **3** (idade) fazer; ***cumplir 20 años*** fazer 20 anos **4** (requisitos) cumprir, preencher **5** *(satisfacer)* cumprir, satisfazer **6** (pena) cumprir **7** (prazo) expirar, vencer ■ **cumplirse 1** *(realizarse)* cumprir-se, realizar-se **2** (data) completar-se ♦ **por cumplir** por educação
cúmulo ['kumulo] *s.m.* **1** *(montón)* amontoado **2** MET. cúmulo
cuna ['kuna] *s.f.* **1** berço*m.*; ***canción de cuna*** canção de ninar **2** *fig.* berço*m.*, terra natal
cundir [kun'dir] *v.* **1** (trabalho, atividade) render **2** *fig.* propagar-se, espalhar-se **3** *fig.* render, crescer, aumentar
cuneta [ku'neta] *s.f.* valeta
cuña ['kuɲa] *s.f.* **1** calço*m.*, cunha **2** (para doentes) urinol*m.* achatado, comadre **3** (rádio, televisão) propaganda, comercial*m.* **4** [AM.] recomendação ♦ **cuña anticiclónica** centro anticiclônico
cuñad|o, -a [ku'ɲaðo] *s.m.,f.* cunhad|o, -a
cuño ['kuɲo] *s.m.* cunho (para marcar moedas, medalhas, etc.) ♦ (termos) **de cuño reciente** de cunhagem recente
cuota ['kwota] *s.f.* **1** (dinheiro) cota **2** *(porción)* cota, porção, parte ♦ TV. **cuota de pantalla** ibope
cuplé [ku'ple] *s.m.* canção*f.* de revista
cupo ['kupo] *s.m.* **1** *(cuota)* cota*f.* **2** MIL. contingente
cupón [ku'pon] *s.m.* cupom
cúpula ['kupula] *s.f.* ARQ. cúpula
cura ['kura] *s.m.* padre, cura ■ *s.f.* **1** *(curación)* cura; ***cura de una enfermedad*** cura de uma doença **2** (ferida) curativo*m.*; ***hacer una cura*** fazer um curativo **3** *(tratamiento)* cura; ***cura de sueño*** cura de sono
curable [ku'raβle] *adj.2g.* curável
curación [kura'θjon] *s.f.* **1** (saúde) cura, recuperação **2** *(cura)* cura
curado [ku'raðo] *adj.* **1** (pessoa) curado, sarado **2** (carne, peixe) curado ■ *s.m.* cura*f.* ♦ *col.* **estar curado de espanto** não surpreender-se; estar vacinado contra
curander|o, -a [kuran'dero] *s.m.,f.* curandeir|o, -a

curar [ku'rar] *v.* **1** (saúde) curar, recuperar **2** (doença, ferida) curar **3** (alimentos) curar, secar **4** (pele) curtir ▪ **curarse** (saúde) curar se, recuperar se

curasao [kura'sao] *s.m.* (licor) curaçau

curativo [kura'tiβo] *adj.* curativo

curda ['kurδa] *s.f. col.* porre*m.*, pileque*m.*; ***agarrar/coger una curda*** tomar um porre

curia ['kurja] *s.f.* cúria

curio ['kurjo] *s.m.* cúrio

curiosear [kurjose'ar] *v.* **1** *(fisgar)* bisbilhotar **2** *(mirar)* olhar (sem interesse especial)

curiosidad [kurjosi'δaδ] *s.f.* curiosidade

curios|o, -a [ku'rjoso] *s.m.,f.* curios|o, -a ▪ *adj.* **1** (pessoa) curioso **2** *(raro)* curioso, estranho **3** [ESP.] asseado, limpo

currante [ku'rante] *s.2g. col. (trabajador)* mour|o, -a*m.f.fig.*

curre ['kure] *s.m. col.* trabalho

curricular [kuriku'lar] *adj.2g.* curricular

currículo [ku'rikulo] *s.m.* **1** *(plan de estudios)* currículo, plano de estudos **2** (documento) currículo, curriculum vitae

currículum vitae [ku'rikulum'bitae] *s.m.* curriculum vitae, currículo

curro ['kuro] *s.m. col.* trabalho, emprego

curry ['kuri] *s.m.* caril, curry

cursar [kur'sar] *v.* **1** *(estudiar)* estudar, cursar **2** (documento, pedido) transitar **3** *(enviar)* expedir, enviar

cursi ['kursi] *adj.2g. col.* cafona, brega

cursilada [kursi'laδa] *s.f.* breguice

cursillo [kur'siʎo] *s.m.* curso (de pouca duração); ação*f.* de formação; ***cursillo de reciclaje*** curso de reciclagem; ***cursillo sobre seguridad*** ação de formação sobre segurança

cursiva [kur'siβa] *s.f.* (letra) itálico*m.*; ***en cursiva*** em itálico

curso ['kurso] *s.m.* **1** (tempo) curso, rumo **2** (rio) curso **3** *(año escolar)* ano letivo **4** (formação) curso **5** *(clase)* turma*f.*, classe*f.* ◆ **dar curso a algo** dar andamento a alguma coisa; **en curso** em curso

cursor [kur'sor] *s.m.* cursor

curtido [kur'tiδo] *s.m.* curtume

curtir [kur'tir] *v.* (couro, pele) curtir

curva ['kurβa] *s.f.* **1** (linha) curva **2** (estrada) curva; ***curva cerrada/peligrosa*** curva fechada/perigosa **3** (gráfico) curva; ***curva de temperatura*** curva de temperatura ▪ **curvas** *s.f.pl. col.* (corpo feminino) curvas*pl.*

curvado [kur'βaδo] *adj.* curvado

curvar [kur'βar] *v.* dobrar, entortar, curvar

curvatura [kurβa'tura] *s.f.* curvatura

curvilíneo [kurβi'lineo] *adj.* curvilíneo

curvo ['kurβo] *adj.* curvo

cuscurro [kus'kuro] *s.m.* côdea*f.* (do pão)

cuscús [kus'kus] *s.m.2n.* cuscuz

cúspide ['kuspiδe] *s.f.* **1** (montanha) pico*m.*, cume*m.* **2** *fig.* auge*m.*, apogeu*m.*

custodia [kus'toδja] *s.f.* custódia ◆ **bajo custodia de** sob a custódia de

custodiar [kusto'δjar] *v.* custodiar, guardar

cutáneo [ku'taneo] *adj.* cutâneo

cutícula [ku'tikula] *s.f.* **1** (unha) cutícula, pele da unha **2** *(epidermis)* epiderme, cutícula

cutis ['kutis] *s.m.2n.* cútis*f.*

cutre ['kutre] *s.2g. (tacaño)* forreta, sovina

cutter ['kuter] *s.m.* estilete

cuy|o, -a ['kuyo] *pron.rel.* cuj|o, -a; ***el autor, cuya obra has leído, está aquí*** o autor, cuja obra leste, está aqui

cuzcuz [kuθ'kus] *s.m.* ⇒ **cuscús**

CV (*sigla de* curriculum vitae) CV (*sigla de* curriculum vitae)

D

d ['de] *s.f.* (letra) d*m.*
dable ['daβle] *adj.2g.* **1** possível **2** permitido
dactilar [dakti'lar] *adj.2g.* digital; ***huellas dactilares*** impressões digitais
dactilografía [daktiloγra'fia] *s.f.* *(mecanografía)* datilografia
dactilógraf|o, -a [dakti'loγrafo] *s.m.,f.* *(mecanógrafo)* datilógraf|o, -a
dadaísmo [daδa'izmo] *s.m.* dadaísmo
dádiva ['daδiβa] *s.f.* dádiva
dado ['daδo] *s.m.* dado; ***cargar los dados*** viciar os dados; ***jugar a los dados*** jogar os dados ▪ *adj.* dado, determinado; ***en momentos dados*** em dados momentos ♦ **dado que** dado que; uma vez que; visto que; **ser muy dado a** ser muito dado a
dador, -a [da'δor] *s.m.,f.* **1** doador, -a **2** (carta, notícia) portador, -a
dalia ['dalja] *s.f.* dália
dálmata ['dalmata] *s.2g.* dálmata
daltoniano [daḷ'to'njano] *adj.* ⇒ **daltónico**
daltónico [daḷ'toniko] *adj.* daltônico
daltonismo [daḷto'nizmo] *s.m.* daltonismo
dama ['dama] *s.f.* **1** *(señora)* dama, senhora; ***dama de honor*** dama de honra; ***primera dama*** primeira-dama **2** (corte real) dama de companhia **3** (xadrez) rainha, dama **4** (damas) dama ▪ **damas** *s.f.pl.* (jogo) damas*pl.*; ***jugar a las damas*** jogar damas
damajuana [dama'xwana] *s.f.* garrafão*m.*
damasco [da'masko] *s.m.* **1** (tecido) damasco **2** [AM.S.] (árvore) damasqueiro **3** [AM.S.] (fruto) damasco
damero [da'mero] *s.m.* **1** (jogo) tabuleiro de damas **2** (passatempo) palavras cruzadas
damnificad|o, -a [damnifi'kaδo] *s.m.,f.* vítima*f.* ▪ *adj.* **1** (pessoa) vítima **2** (coisa) danificado, estragado
damnificar [damnifi'kar] *v.* danificar
dan|és, -esa [da'nes] *adj.,s.m.,f.* dinamarqu|ês, -esa ▪ **danés** *s.m.* (língua) dinamarquês ♦ **gran danés** cão dinamarquês, dogue alemão
danza ['daŋθa] *s.f.* dança; ***danza del vientre*** dança do ventre ♦ *col.* **estar en danza** andar de um lado para outro
danzar [daŋ'θar] *v.* **1** dançar, bailar **2** *col.* andar de um lado para o outro
danzar|ín, -ina [daŋθa'rin] *s.m.,f.* dançarin|o, -a, bailarin|o, -a
danzón [daŋ'θon] *s.m.* danzón (dança cubana)
dañar [da'ɲar] *v.* **1** magoar, machucar **2** (sensibilidade) ferir **3** *(estropear)* danificar, estragar **4** *(perjudicar)* prejudicar ▪ **dañarse 1** *(estropearse)* danificar se, estragar se **2** (fruta) ficar machucado
dañino [da'ɲino] *adj.* **1** prejudicial, nocivo, daninho; ***el tabaco es dañino para la salud*** o tabaco é prejudicial para a saúde; ***sustancias dañinas*** substâncias nocivas **2** *(malas hierbas)* daninho; ***hierbas dañinas*** ervas daninhas
daño ['daɲo] *s.m.* **1** *(perjuicio)* dano, prejuízo, estrago; ***daños colaterales/materiales/morales*** danos colaterais/materiais/morais **2** *(dolor)* dor*f.* **3** [AM.] mau-olhado ♦ **daños y perjuicios** perdas e danos; **hacer daño 1** magoar, machucar **2** fazer mal **3** doer; **hacerse daño** magoar-se
dar ['dar] *v.* **1** *(regalar)* dar, oferecer; ***les han dado juguetes a los niños*** deram brinquedos às crianças **2** *(entregar)* dar, entregar; passar; ***dame un vaso de agua, por favor*** me dá um copo de água, por favor; ***dame el pan, por favor*** me passa o pão, por favor **3** *(conceder)* dar, conceder; ***dar permiso*** dar autorização **4** (conselho, ideia, tema) dar, sugerir; ***te dio un buen tema para la tesis*** te sugeriu um bom tema para a tese **5** *(transmitir)* dar, transmitir; ***el periódico ha dado la noticia*** o jornal deu a notícia **6** *(causar)* dar, causar, provocar; ***la película me dio sueño*** o filme me deu sono **7** (fruto, benefício) dar, produzir; ***el manzano da manzanas*** a macieira dá maçãs; ***el negocio les da mucho dinero*** o negócio lhes dá muito dinheiro **8** *(pagar a cambio)* dar, pagar; ***¿cuánto me da por esto?*** quanto me dá por isto? **9** (felicitações, cumprimentos, pêsames) dar, mandar; ***dar la enhorabuena/darle el pésame a alguien*** dar os parabéns/os pêsames a alguém; ***dale recuerdos a tus padres*** mande lembranças aos seus pais; ***dar los buenos días*** dar bom dia **10** *(sonar)* dar, soar, bater; ***el reloj ha dado las cinco*** o relógio marcou/bateu cinco horas **11** (medicamento, remédio) dar, administrar; ***le he dado un jarabe*** lhe dei um xarope **12** (água, gás, luz) acender, ligar; ***he dado la luz*** acendi a luz **13** *(impartir clases)* dar; ***dar clases de portugués*** dar aulas de português **14** *(recibir clases)* ter, assistir; ***el alumno da clases todos los días*** o aluno tem aulas todos os dias **15** (cartas) dar; ***¿quién da las cartas?*** quem dá as cartas?; ***te toca dar a ti*** é a sua vez de dar **16** *(golpear)* dar, bater; ***le han dado con un palo*** bateram nele com um pau; ***¿dónde te has dado?*** onde você bateu? **17** *(tener vistas para, desembocar)* dar (a, para); ***el balcón da a la playa*** a varanda dá para a praia; ***esa puerta da a la cocina*** essa porta dá para a cozinha **18** *(encontrar)* dar (con, com), encontrar (con, -); ***¿has dado con la calle?*** encontrou a rua? **19** *(chocar)* ir (con/contra, contra), bater (con/contra, contra); ***el coche ha dado contra el árbol*** o carro bateu na árvore **20** *(ser suficiente)* dar (para, para), chegar (para, para); ***su paciencia no dio para más*** a sua paciência esgotou/acabou; ***la comida da para todos*** a comida chega/dá para todos **21** *(caer)* dar (de, de), cair (de, de/com); ***dio de narices en el suelo*** deu com o nariz no chão **22** *(suministrar)* dar (de, de); ***les dio de comer*** deu lhes de comer **23** (golpes) dar (de, -); ***dar de palos/bofetadas a alguien*** dar tapas/bofetadas em

alguém **24** *(considerar)* dar (por, como); ***dar a alguien por muerto*** dar alguém como morto **25** *(atinar)* acertar (en, em); ***dar en el blanco*** acertar no alvo; ***no dio una en el examen*** não acertou uma no exame ■ **darse 1** *(suceder)* dar se, acontecer, suceder; ***se da el caso que tengo que irme*** acontece que tenho de ir **2** *(crecer)* dar se, crescer; ***las zanahorias se dan bien aquí*** as cenouras se dão bem aqui **3** *(considerarse)* dar se (por, por), considerar-se (por, -); ***date por satisfecho*** se dá por satisfeito **4** (vícios) entregar-se (a, a), dar se (a, a); ***darse a la bebida*** entregar-se à bebida **5** *(resultar fácil)* dar-se bem (-, com); ***no se le dan las matemáticas*** não se dá bem com a matemática ♦ (ações) **dar** [+*s.*] dar [+*s.*]; ***dar una fiesta*** dar uma festa; **¡da igual!** dá no mesmo!, tanto faz!; **¡da lo mismo!** dá no mesmo!, tanto faz!; *col.* **¡dale que dale!** insistindo, teimando; ***y siguió dale que dale que había aprobado el examen*** e continuou insistindo que tinha passado no exame; **dar bien/mal en** ficar bem/mal; (tecido) **dar de sí** satisfazer; **darle (a uno) por** [+*inf.*] dar (alguém) para [+*inf.*]; ***me ha dado por ver la televisión*** dei para ver televisão; **dar que hablar** dar o que falar; **darse a entender** comunicar se por sinais; *col.* **no dar una** não dar uma dentro, não acertar uma; **para dar e tomar** para dar e vender; **¡(y) dale!** caramba!; ***¡(y) dale! ¿es que no te vas callar?*** caramba! será que você não vai se calar?

dardo ['darðo] *s.m.* **1** (arma) dardo **2** *fig.* (dito) alfinetada*f.*

darwinismo [darβi'nizmo] *s.m.* darwinismo

data ['data] *s.f.* **1** data (colocada em documento) **2** ECON. crédito*m.*

datación [data'θjon] *s.f.* datação

datar [da'tar] *v.* datar ♦ **datar** [+*de*] datar [+*de*]; ***este documento data de 2004*** este documento é de 2004

dátil ['datil] *s.m.* **1** tâmara*f.* **2** *col.* dedo (da mão)

datilera [dati'lera] *s.f.* tamareira

dativo [da'tiβo] *adj.,s.m.* LING. dativo

dato [da'to] *s.m.* **1** *(información)* dado, informação*f.*; ***datos personales*** dados pessoais **2** INFORM. dado; ***base de datos*** base de dados

d. C. (*abreviatura de* después de Cristo) d.C. (*abreviatura de* depois de Cristo)

de ['de] *prep.* **1** (posse) de; ***el libro de tu hermano*** o livro do teu irmão **2** (procedência) de; ***ha llegado de Madrid*** chegou de Madri **3** (tempo) de; ***de noche*** de noite **4** (origem) de; ***soy de Brasil*** sou do Brasil **5** (matéria) de; ***muebles de madera*** móveis de madeira **6** (modo) de; ***se puso de rodillas*** pôs se de joelhos **7** (causa) de; ***morir de hambre*** morrer de fome **8** (assunto) de; ***película de terror*** filme de terror **9** (conteúdo) de; ***vaso de leche*** copo de leite **10** (finalidade) de; ***máquina de coser*** máquina de costura **11** (autoria) de; ***texto de la alumna*** texto da aluna **12** (medida) de; ***de dos metros de largo*** de dois metros de comprimento **13** (superlativo) de; ***el mejor de todos*** o melhor de todos **14** (partitivo) de; ***un loncha de queso*** uma fatia de queijo **15** (complementos nominais, verbais) de; ***lleno de gente*** cheio de gente ■ *s.f.* (letra) dê*m.*

deambular [deambu'lar] *s.f.* perambular, andar sem rumo

debajo [de'βaxo] *adv.* debaixo ♦ **debajo de** debaixo de; ***debajo de la mesa*** debaixo da mesa

debate [de'βate] *s.m.* debate

debatir [deβa'tir] *v.* debater ■ **debatirse** debater-se

debe ['deβe] *s.m.* ECON. débito

deber [de'βer] *v.* **1** (obrigação) dever; ***deber respeto a los padres*** dever respeito aos pais **2** (compromisso, dívida) dever; ***deber dinero a alguien*** dever dinheiro a alguém ■ **deberse 1** *(ser consecuencia)* dever-se (a, a); ***eso se debe al mal tiempo*** isso se deve ao mau tempo **2** *(tener una obligación)* sentir-se em dívida/obrigação (a, para com); ***se debe a sus padres*** sente-se em dívida para com os seus pais ■ *s.m.* dever, obrigação*f.*; ***cumplir con su deber*** cumprir seu dever; ***faltar a su deber*** faltar com o seu dever ■ **deberes** *s.m.pl.* deveres, trabalhos de casa; ***hacer los deberes (del colegio)*** fazer os deveres (de casa) ♦ (obrigação) **deber** [+*inf.*] dever [+*inf.*]; ***debes dejar de fumar*** você deve deixar de fumar; (probabilidade) **deber de** [+*inf.*] dever [+*inf.*]; ***deben de ser las dos de la tarde*** devem ser duas da tarde

debidamente [de'βiða'meṇte] *adv.* devidamente

debido [de'βiðo] *adj.* devido; ***con el debido respeto*** com o devido respeito ♦ **como es debido** como deve ser; **debido a** devido a; por causa de

débil ['deβil] *adj.2g.* **1** (corpo, saúde) fraco, débil **2** (mente) débil, frouxo **3** (luz) débil, tênue ♦ **débil mental** débil mental; **punto débil** ponto fraco

debilidad [deβili'ðað] *s.f.* **1** fraqueza, debilidade **2** *fig.* fraquinho*m.*, predileção, paixão; ***tener debilidad por*** ter um fraco por **3** *col.* fome ♦ **debilidad mental** debilidade mental

debilitar [deβili'tar] *v.* enfraquecer, debilitar ■ **debilitarse** enfraquecer(-se), debilitar-se

débito ['deβito] *s.m. (deuda)* débito, dívida*f.*

debut [de'βu(t)] *s.m.* debute, estreia*f.*

debutante [deβu'taṇte] *adj.,s.2g.* debutante ■ *s.f.* debutante

debutar [deβu'tar] *v.* debutar, estrear-se

década ['dekaða] *s.f.* década; ***década de los ochenta*** década de oitenta

decadencia [deka'ðeṇθja] *s.f.* decadência; ***estar en decadencia*** estar em decadência

decadente [deka'ðeṇte] *adj.2g.* decadente

decaedro [deka'eðro] *s.m.* decaedro

decaer [deka'er] *v.* **1** (costume, império) decair, declinar **2** (qualidade, nível) decair, descer, diminuir **3** (entusiasmo) esmorecer, desanimar **4** (febre) diminuir, descer

decagramo [deka'ɣramo] *s.m.* decagrama

decaído [deka'iðo] *adj.* **1** *(débil)* abatido, fraco, débil **2** *(deprimido)* abatido, desanimado

decalitro [deka'litro] *s.m.* decalitro

decámetro [de'kametro] *s.m.* decâmetro

decantación [dekaṇta'θjon] *s.f.* **1** inclinação (a favor de algo) **2** (líquido) decantação

decapitación [dekapita'θjon] *s.f.* decapitação

decapitar [dekapi'tar] *v.* decapitar, degolar

decasílabo [deka'silaβo] *adj.,s.m.* decassílabo
decatleta [deka'tleta] *s.2g.* decatleta, decatlonista
decatlón [dekat'lon] *s.m.* decatlo
decena [de'θena] *s.f.* dezena
decencia [de'θeṇθja] *s.f.* decência
decenio [de'θenjo] *s.m.* decênio
decente [de'θeṇte] *adj.2g.* decente
decepción [deθep'θjon] *s.f.* decepção, desilusão, desapontamento*m.*
decepcionado [deθepθjo'naðo] *adj.* decepcionado, desiludido, desapontado
decepcionante [deθepθjo'naṇte] *adj.2g.* decepcionante
decepcionar [deθepθjo'nar] *v.* decepcionar, desiludir, desapontar ▪ **decepcionarse** decepcionar-se
decibel [deθi'βel] *s.m.* ⇒ **decibelio**
decibelio [deθi'βeljo] *s.m.* decibel
decidido [deθi'ðiðo] *adj.* **1** *(resuelto)* decidido, resolvido **2** (pessoa) decidido, resoluto **3** *(determinado)* decidido (a, a), determinado (a, a); *está decidido a acabar la carrera* está decido a acabar o curso
decidir [deθi'ðir] *v.* **1** *(determinar)* decidir, determinar; *el penalti decidió el partido* o pênalti decidiu a partida **2** *(resolver)* decidir, resolver; *decidió hacer un viaje* decidiu fazer uma viagem ▪ **decidirse** decidir-se, decidir se (a/por, a/por); *decídete: o sí o no* decida se: ou sim ou não; *se decidió a comprar un coche nuevo* decidiu comprar um carro novo; *se decidió por la carrera de medicina* decidiu se pelo curso de Medicina
decigramo [deθi'γramo] *s.m.* decigrama
decilitro [deθi'litro] *s.m.* decilitro
décima ['deθima] *s.f.* décima ♦ *col.* **tener unas décimas de fiebre** ter febre baixa
decimal [deθi'mal] *adj.2g.* decimal
decímetro [de'θimetro] *s.m.* decímetro
décim|o, -a ['deθimo] *num.* décim|o, -a ▪ **décimo** *s.m.* (loteria) cautela*f.*, décimo
decimoctav|o, -a [deθimok'taβo] *num.* décim|o, -a oitav|o, -a
decimocuart|o, -a [deθimo'kwarto] *num.* décim|o, -a quart|o, -a
decimonónico [deθimo'noniko] *adj.* **1** oitocentista, do século XIX **2** *pej.* antiquado; fora de moda
decimonoven|o, -a [deθimono'βeno] *num.* décim|o, -a non|o, -a
decimoquint|o, -a [deθimo'kiṇto] *num.* décim|o, -a quint|o, -a
decimoséptim|o, -a [deθimo'septimo] *num.* décim|o, -a sétim|o, -a
decimosext|o, -a [deθimo'seksto] *num.* décim|o, -a sext|o, -a
decimotercer|o, -a [deθimoter'θero] *num.* décim|o, -a terceir|o, -a
decir [de'θir] *v.* **1** *(expresar)* dizer, exprimir **2** *(afirmar)* dizer, afirmar, opinar **3** *(llamar)* chamar **4** (poema) dizer, recitar ▪ *s.m.* dito, ditado, máxima*f.* ♦ **como quien dice/como si dijéramos** como quem diz; **¿cómo se dice...?** como é que se diz...?; **dar que decir** dar o que falar; **decir para sí** falar com os seus botões; **decir por decir** falar por falar; (ao telefone) **¡diga!/¡dígame!** alô!; **¡dímelo a mí!** (e é) para mim que você diz?; **el qué dirán** o que dirão; **es decir** quer dizer; isto é; **ni que decir tiene** nem é preciso dizer; **para que luego digan** e ainda dizem; **por así decirlo** por assim dizer; **¡y que lo digas!** nem me fale!; é mesmo!
decisión [deθi'sjon] *s.f.* **1** *(resolución)* decisão, resolução; *llegar a una decisión* chegar a uma decisão; *tomar una decisión* tomar uma decisão **2** *(determinación)* decisão, firmeza, determinação
decisivo [deθi'siβo] *adj.* decisivo, determinante
decisorio [deθi'sorjo] *adj.* decisório
declamación [deklama'θjon] *s.f.* declamação
declamador, -a [deklama'ðor] *s.m.,f.* declamador, -a
declaración [deklara'θjon] *s.f.* **1** declaração; *declaración de amor* declaração de amor; *declaración de guerra* declaração de guerra **2** DIR. declaração, depoimento*m.*; *prestar declaración* prestar declarações **3** (documento) declaração; *declaración amistosa* declaração amigável; *declaración de la renta* declaração de rendimentos, declaração do imposto de renda
declarante [dekla'raṇte] *s.2g.* declarante
declarar [dekla'rar] *v.* **1** declarar **2** depor, prestar declarações ▪ **declararse 1** (amor) declarar-se (a, a) **2** *(manifestarse)* manifestar-se, declarar-se **3** (estado, condição) declarar se; *declararse en huelga* declarar-se em greve ♦ **nada que declarar** nada a declarar
declarativo [deklara'tiβo] *adj.* declarativo
declinable [dekli'naβle] *adj.2g.* (palavra) declinável
declinación [deklina'θjon] *s.f.* **1** *(decadencia)* declínio*m.*, decadência, declinação **2** LING. declinação
declinar [dekli'nar] *v.* **1** *(decaer)* declinar, decair **2** *(disminuir)* declinar, diminuir **3** *(rechazar)* recusar, declinar; *declinar una invitación* recusar um convite **4** LING. declinar
declive [de'kliβe] *s.m.* **1** (terreno) declive **2** *fig.* declínio, decadência*f.*
decoloración [dekolora'θjon] *s.f.* **1** descoloração **2** (cabelo) oxigenação
decolorante [dekolo'raṇte] *adj.2g.,s.m.* descolorante
decomisar [dekomi'sar] *s.m.* **1** DIR. confiscar*f.* **2** (mercadoria) bens*pl.* confiscados
decoración [dekora'θjon] *s.f.* **1** decoração; *decoración de interiores* decoração de interiores **2** TEAT. cenário*m.*
decorado [deko'raðo] *s.m.* **1** TEAT. cenário **2** *(decoración)* decoração*f.*
decorador, -a [dekora'ðor] *s.m.,f.* decorador, -a
decorar [deko'rar] *v.* **1** decorar, enfeitar, adornar **2** (lugar) decorar
decorativo [dekora'tiβo] *adj.* decorativo
decoro [de'koro] *s.m.* decoro
decoroso [deko'roso] *adj.* decoroso
decreciente [dekre'θjeṇte] *adj.2g.* decrescente; *en orden decreciente* por ordem decrescente

decrecimiento [dekreθi'mjeṇto] *s.m.* decréscimo, diminuição*f.*
decrépito [de'krepito] *adj.* decrépito
decrepitud [dekrepi'tuδ] *s.f.* decrepitude
decrescendo [dekres'θeṇdo] *s.m.* MÚS. decrescendo
decretar [dekre'tar] *v.* (decreto, lei) decretar
decreto [de'kreto] *s.m.* decreto; ***promulgar un decreto*** promulgar um decreto ♦ **decreto ley** decreto-lei
décupl|o, -a ['dekuplo] *num.* décupl|o, -a
dedada [de'δaδa] *s.f.* dedada
dedal [de'δal] *s.m.* dedal
dedalera [deδa'lera] *s.f.* dedaleira
dedicación [deδika'θjon] *s.f.* dedicação
dedicar [deδi'kar] *v.* dedicar ■ **dedicarse** dedicar-se (a, a); ***se dedica a la enseñanza*** dedica-se ao ensino
dedillo [de'δiʎo] ♦ **al dedillo** de cor e salteado; muito bem
dedo ['deδo] *s.m.* dedo; ***dedo anular*** dedo anular; ***dedo corazón*** dedo médio; ***dedo gordo/pulgar*** dedo polegar; ***dedo índice*** dedo indicador; ***dedo meñique*** dedo mínimo/mindinho ♦ **a dos dedos de** a um passo de; *col.* **chuparse el dedo**; ser fácil de enganar; ser muito ingênuo; *col.* **cogerse/pillarse los dedos** meter os pés pelas mãos; **contar con los dedos** contar nos dedos; *col.* **cruzar los dedos** fazer figas; **hacer dedo** pedir carona; *col.* **no mover un dedo** não mexer uma palha; **no tener dos dedos de frente** não ter dois dedos de testa; *col.* **para chuparse los dedos** de lamber os beiços; *col.* **poner el dedo en la llaga** pôr o dedo na ferida
deducción [deδuk'θjon] *s.f.* **1** *(conclusión)* dedução **2** (quantia) dedução, abatimento*m.*, desconto*m.*
deducir [deδu'θir] *v.* **1** *(inferir)* deduzir, inferir, concluir **2** (quantia) deduzir, abater, descontar
deductivo [deδuk'tiβo] *adj.* dedutivo
defecación [defeka'θjon] *s.f.* defecação
defecar [defe'kar] *v.* defecar
defectivo [defek'tiβo] *adj.* (verbo) defectivo
defecto [de'fekto] *s.m.* **1** (moral, físico) defeito, imperfeição*f.* **2** (produto) defeito; ***defecto de fabricación*** defeito de fabricação ♦ **en su defecto** na falta de; **por defecto** por falta
defectuoso [defek'twoso] *adj.* defeituoso, imperfeito
defender [defeṇ'der] *v.* **1** defender (contra/de, de), proteger (contra/de, de) **2** (causa, ideia, posição) defender ■ **defenderse 1** defender-se (contra/de, contra/de), proteger se (contra/de, contra/de); ***defenderse de un ataque*** defender se de um ataque **2** *(espabilarse)* desenrascar se
defendible [defeṇ'diβle] *adj.2g.* defensável
defensa [de'fensa] *s.f.* **1** defesa; ***defensa de los derechos de los consumidores*** defesa dos direitos dos consumidores; ***defensa de tesis doctoral*** defesa da tese de doutorado; ***salir en defensa de*** sair em defesa de **2** DIR. defesa **3** ESPOR. defesa, zaga ■ *s.2g.* ESPOR. zagueiro*m.*, beque*m.* ■ **defensas** *s.f.pl.* MED. defesas*pl.* ♦ **en defensa propia** em defesa própria; **en legítima defensa** em legítima defesa
defensiva [defen'siβa] *s.f.* defensiva ♦ **estar/ponerse a la defensiva** estar/pôr-se na defensiva
defensivo [defen'siβo] *adj.* defensivo
defensor, -a [defen'sor] *s.m.,f.* defensor, -a ♦ **defensor del pueblo** promotor de Justiça; ombudsman
deferencia [defe'reṇθja] *s.f.* deferência, atenção
deficiencia [defi'θjeṇθja] *s.f.* deficiência ♦ **deficiencia mental** deficiência mental
deficiente [defi'θjeṇte] *adj.2g.* **1** *(imperfecto)* deficiente, imperfeito **2** *(insuficiente)* deficiente, insuficiente **3** (pessoa) deficiente ■ *s.2g.* deficiente; ***deficiente mental*** deficiente mental
déficit ['defiθit] *s.m.2n.* **1** ECON. déficit, deficit **2** *fig.* escassez*f.*
deficitario [defiθi'tarjo] *adj.* deficitário
definición [defini'θjon] *s.f.* definição ♦ (televisor) **alta definición** alta definição
definido [defi'niδo] *adj.* definido; LING. ***artículo definido*** artigo definido
definir [defi'nir] *v.* definir ■ **definirse** definir-se
definitivo [defini'tiβo] *adj.* definitivo ♦ **en definitiva** em resumo; em suma
deflación [defla'θjon] *s.f.* ECON. deflação
deflagración [deflaγra'θjon] *s.f.* deflagração
deforestación [deforesta'θjon] *s.f.* desflorestação, desflorestamento*m.*
deformación [deforma'θjon] *s.f.* deformação ♦ **deformación profesional** deformação profissional
deformar [defor'mar] *v.* deformar, alterar ■ **deformarse** deformar-se
deforme [de'forme] *adj.2g.* disforme
deformidad [deformi'δaδ] *s.f.* deformidade
defraudar [defraw'δar] *v.* **1** *(estafar)* defraudar **2** *(desilusionar)* decepcionar, desiludir
defunción [defuṇ'θjon] *s.f.* óbito*m.*, falecimento*m.*
degeneración [dexenera'θjon] *s.f.* degeneração
degenerar [dexene'rar] *v.* degenerar (en, em)
deglución [deγlu'θjon] *s.f.* deglutição
degollar [deγo'ʎar] *v.* degolar, decapitar
degradable [deγra'δaβle] *adj.2g.* degradável
degradación [deγraδa'θjon] *s.f.* degradação
degradante [deγra'δaṇte] *adj.2g.* degradante
degradar [deγra'δar] *v.* degradar, aviltar, rebaixar ■ **degradarse** degradar-se, aviltar se, rebaixar-se
degüello [de'γweʎo] *s.m.* degolação*f.*, degola*f.*, decapitação*f.*
degustación [deγusta'θjon] *s.f.* degustação, gustação, prova; ***degustación de vinos*** degustação de vinhos
dehesa [de'esa] *s.f.* pastagem (geralmente fechada)
dejadez [dexa'δeθ] *s.f.* **1** *(negligencia)* desleixo*m.*, desmazelo*m.*, negligência **2** *(pereza)* preguiça
dejado [de'xaδo] *adj.* **1** *(negligente)* desleixado, desmazelado, negligente **2** *(perezoso)* preguiçoso
dejar [de'xar] *v.* **1** *(permitir)* deixar, permitir, consentir; ***mis padres no me han dejado salir*** meus pais não me deixaram sair **2** *(encargar)* deixar (aos cuidados

de), confiar, entregar; ***dejar a los niños con el abuelo*** deixar as crianças com o avô **3** *(abandonar)* deixar, abandonar; ***ha dejado la ciudad*** abandonou a cidade; ***ha dejado a su marido*** deixou o marido; ***tienes que dejar la droga*** você precisa deixar as drogas **4** *(poner)* deixar, colocar, pôr; ***deja los libros sobre la mesa*** deixa os livros em cima da mesa **5** *(olvidar)* deixar, esquecer; ***ha dejado las llaves en casa*** deixou as chaves em casa **6** (bens, herança) deixar, legar, doar; ***dejar en testamento*** deixar em testamento **7** *(no molestar)* deixar, não incomodar; ***¡déjame en paz!*** deixe-me em paz! **8** *(prestar)* emprestar; ***dejar la casa a un amigo*** emprestar a casa a um amigo **9** (dinheiro) render, valer, dar; ***aquella tienda le dejó un buen dinero*** aquela loja rendeu-lhe um bom dinheiro **10** (efeito) deixar; ***el viaje me ha dejado mareada*** a viagem me deixou enjoada **11** *(aplazar)* deixar, adiar; ***dejaremos la reunión para mañana*** deixaremos a reunião para amanhã **12** *(nombrar)* nomear; ***la anciana dejó a su nieto como único heredero*** a idosa nomeou seu neto como único herdeiro ■ **dejarse 1** *(abandonarse)* desleixar se, descuidar-se; ***desde el divorcio se ha dejado mucho*** desde o divórcio desleixou-se muito **2** *(permitirse)* deixar-se; ***dejarse llevar por alguien*** deixar-se levar por alguém **3** *(cesar)* deixar se (**de**, **de**); ***déjate de bromas*** deixa-te de brincadeiras **4** *(olvidar)* esquecer-se; ***me he dejado el paraguas en casa*** esqueci-me do guarda-chuva em casa ♦ *col.* **¡deja!** deixa estar!; **¡deja eso!/¡déjalo!/¡déjalo estar!** deixe para lá!, esqueça isso!; **dejar** [+*p.p.*] deixar [+*n./p.p.*]; ***dejó dicho que vendría el fin de semana*** deixou um recado avisando que vinha no fim de semana; **dejar algo por imposible** desistir de alguma coisa; *col.* **dejar (bastante/mucho) que desear** deixar (muito) a desejar; **dejar caer algo** deixar escapar; **dejar de** [+*inf.*] deixar de [+*inf.*]; ***ha dejado de fumar*** deixou de fumar; *col.* **dejarse caer** aparecer (sem aviso); **dejar sin** [+*inf.*] **algo** deixar algo por [+*inf.*]; ***ha dejado la cama sin hacer*** deixou a cama por fazer; **no dejar de** não deixar de; ***no deja de ser verdad*** não deixa de ser verdade

deje ['dexe] *s.m.* **1** *(acento)* sotaque, pronúncia*f.* **2** *(tono)* tom **3** (comida, bebida) sabor, paladar

dejo ['dexo] *s.m.* sotaque, pronúncia*f.*

del ['del] *contr. prep.* de + *art.def.m.* el do; ***el libro del profesor*** o livro do professor

delación [dela'θjon] *s.f.* delação; acusação; denúncia

delantal [delan̪'tal] *s.m.* avental

delante [de'lan̪te] *adv.* na frente, adiante, diante; ***iba delante*** ia na frente; ***más adelante*** mais adiante ♦ **delante de 1** diante de, na frente de **2** diante de, na presença de **3** à frente de; **hacia delante** para a frente; **por delante** pela frente; **tener por delante** ter pela frente

delantera [delan̪'tera] *s.f.* **1** *(parte anterior)* frente, dianteira **2** *(ventaja)* dianteira **3** ESPOR. centroavante*m. pl.* **4** *col.* peito*m.*, mamas*pl.* ♦ **coger/tomar la delantera** tomar a dianteira, passar à frente

delantero [delan̪'tero] *adj.* dianteiro ■ *s.m.* ESPOR. atacante; ***delantero centro*** centroavante

delatar [dela'tar] *v.* **1** (pessoa) delatar, acusar, denunciar **2** (algo oculto) denunciar, revelar ■ **delatarse** denunciar-se, revelar-se

delator, -a [dela'tor] *s.m.,f.* delator, -a

delco ['delko] *s.m.* distribuidor

delegación [deleɣa'θjon] *s.f.* **1** (de funções, poderes) delegação **2** (lugar) repartição; ***delegación de hacienda*** repartição de finanças **3** (cargo) delegacia **4** *(fial)* delegação, filial, sucursal

delegad|o, -a [dele'ɣaðo] *s.m.,f.* delegad|o, -a, representante*2g.*

delegar [dele'ɣar] *v.* (função, poder) delegar (**en**, **a**); ***delegó todas sus funciones en mí*** delegou todas as suas funções a mim

deleite [de'lejte] *s.m.* deleite, prazer

deletrear [deletre'ar] *v.* soletrar

deletreo [dele'treo] *s.m.* soletração*f.*

deleznable [deleθ'naβle] *adj.2g.* **1** frágil **2** *fig.* (pessoa) desprezível **3** *fig.* (ação) reprovável, condenável

delfín [del'fin] *s.m.* **1** ZOOL. golfinho, delfim **2** HIST. delfim **3** *fig.* delfim; sucessor; herdeiro

delgadez [delɣa'ðeθ] *s.f.* magreza

delgado [del'ɣaðo] *adj.* **1** (pessoa) magro **2** (espessura) fino, delgado

deliberación [deliβera'θjon] *s.f.* deliberação; ***después de larga deliberación*** depois de longa deliberação

deliberadamente [deliβeraða'men̪te] *adv.* deliberadamente, intencionalmente

deliberado [deliβe'raðo] *adj.* deliberado, intencional

deliberar [deliβe'rar] *v.* **1** deliberar, ponderar **2** deliberar

deliberativo [deliβera'tiβo] *adj.* deliberativo

delicadeza [delika'ðeθa] *s.f.* delicadeza

delicado [deli'kaðo] *adj.* delicado

delicia [de'liθja] *s.f.* delícia

delicioso [deli'θjoso] *adj.* delicioso

delimitación [delimita'θjon] *s.f.* delimitação, demarcação

delimitar [delimi'tar] *v.* delimitar, demarcar

delincuencia [deliŋ'kwen̪θja] *s.f.* delinquência

delincuente [deliŋ'kwen̪te] *s.2g.* delinquente

delineante [deline'an̪te] *s.2g.* desenhista*m.*

delirante [deli'ran̪te] *adj.2g.* delirante

delirar [deli'rar] *v.* **1** delirar **2** *fig.* delirar, dizer disparates

delirio [de'lirjo] *s.m.* **1** delírio **2** *fig.* disparate ♦ **delirios de grandeza** sonhar com grandezas

delito [de'lito] *s.m.* crime, delito ♦ DIR. **flagrante delito** flagrante delito

delta ['del̪ta] *s.m.* delta ■ *s.f.* (letra grega) delta*m.*

deltoides [del̪'tojðes] *s.m.2n.* deltoide

demagogia [dema'ɣoxja] *s.f.* demagogia

demagógico [dema'ɣoxiko] *adj.* demagógico

demagog|o, -a [dema'ɣoɣo] *s.m.,f.* demagog|o, -a

demanda [de'man̪da] *s.f.* **1** *(petición)* demanda, petição, solicitação; ***demanda de empleo*** solicitação de emprego **2** *(búsqueda)* demanda, procura, busca; *de-*

manda de pisos procura de apartamentos; *en demanda de* à procura de, em busca de **3** *(pregunta)* pergunta, questão **4** ECON. procura **5** DIR. demanda, ação, processo*m.*

demandante [demaŋ'daŋte] *s.2g.* DIR. demandante, autor, -a*m.f.*

demandar [demaŋ'dar] *v.* **1** demandar, pedir, solicitar **2** DIR. demandar, processar

demarcación [demarka'θjon] *s.f.* **1** (terreno) demarcação, delimitação **2** *(división territorial)* circunscrição **3** ESPOR. posição

demarcar [demar'kar] *v.* (território) demarcar, delimitar

demás [de'mas] *adj.indef.* demais; *los demás alumnos* os demais alunos ▪ *pron.indef.* demais, os outros; *no me interesan los demás* não me interessam os demais/os outros ♦ **por demás 1** em vão, inutilmente, por demais **2** demasiado, muito; **por lo demás** à parte disso, fora isso, de resto; **y demás** entre outros/outras

demasía [dema'sia] *s.f.* demasia, excesso*m.* ♦ **en demasía** em demasia

demasiad|o, -a [dema'sjaðo] *adj.indef.* demasiad|o, -a; *son demasiados papeles* são demasiados papéis ▪ *pron.indef.* demasiad|o, -a; *el ruido es demasiado* o barulho é demasiado ▪ *adv.* demasiado; *está demasiado lejos* fica demasiado longe

demencia [de'meṇθja] *s.f.* **1** *(locura)* demência, loucura **2** MED. demência; *demencia senil* demência senil **3** *fig.* tolice, disparate*m.*

demente [de'meṇte] *adj.,s.2g.* demente, louc|o, -a*m.f.*

demérito [de'merito] *s.m.* demérito

demo ['demo] *s.f.* INFORM. demo

democracia [demo'kraθja] *s.f.* democracia

demócrata [de'mokrata] *adj.,s.2g.* democrata

democrático [demo'kratiko] *adj.* democrático

democratización [demokratiθa'θjon] *s.f.* democratização

democratizar [demokrati'θar] *v.* democratizar

demodé [demo'ðe] *adj.2g. col.* fora de moda, ultrapassado

demografía [demoɣra'fia] *s.f.* demografia

demográfico [demo'ɣrafiko] *adj.* demográfico

demoledor [demole'ðor] *adj.* demolidor

demoler [demo'ler] *v.* (construção) demolir, destruir

demolición [demoli'θjon] *s.f.* demolição, destruição

demoníaco [demo'niako], **demoniaco** [demo'njako] *adj.* demoníaco

demonio [de'monjo] *s.m. fig.* demônio ♦ *col.* **como el/un demonio** como um desalmado; *col.* **de mil demonios** dos diabos/demônios; **oler/saber a (mil) demonios** ter cheiro/gosto muito ruim; **ponerse hecho un demonio** ficar uma fera; **ser el (mismo) demonio** ser levado da breca; **tener el demonio en el cuerpo** ter o diabo no corpo

demonios [de'monjos] *interj.* diabo!

demora [de'mora] *s.f.* demora, tardança, atraso*m.* ♦ **sin demora** sem demora

demorar [demo'rar] *v.* **1** *(retrasar)* atrasar **2** *(aplazar)* adiar ▪ **demorarse** demorar(-se); *se está demorando mucho* está demorando muito

demostrable [demos'traβle] *adj.2g.* demonstrável

demostración [demostra'θjon] *s.f.* demonstração ♦ **hacer una demostración** fazer uma demonstração

demostrar [demos'trar] *v.* **1** *(probar)* demonstrar, provar **2** (intenção, sentimento) demonstrar, manifestar **3** *(enseñar)* demonstrar, mostrar

demostrativo [demostra'tiβo] *adj.* demonstrativo

denegación [deneɣa'θjon] *s.f.* denegação, indeferimento*m.*

denegado [dene'ɣaðo] *adj.* (pedido) indeferido

denegar [dene'ɣar] *v.* (pedido, requerimento) denegar, indeferir

denominación [denomina'θjon] *s.f.* denominação ♦ (produtos) **denominación de origen** região demarcada

denominador [denomina'ðor] *s.m.* MAT. denominador; *denominador común* denominador comum

denominar [denomi'nar] *v.* denominar, designar, nomear ▪ **denominarse** denominar-se

denotación [denota'θjon] *s.f.* denotação

denotar [deno'tar] *v.* denotar, significar, indicar

denotativo [denota'tiβo] *adj.* denotativo

densidad [densi'ðað] *s.f.* densidade ♦ **densidad de población** densidade populacional

densímetro [den'simetro] *s.m.* densímetro

densitometría [densitome'tria] *s.f.* MED. densitometria; *densitometría ósea* densitometria óssea

denso ['denso] *adj.* denso

dentado [deṇ'taðo] *adj.* dentado

dentadura [deṇta'ðura] *s.f.* dentadura, dentição ♦ **dentadura postiza** dentadura postiça

dental [deṇ'tal] *adj.2g.* dental, dentário; *caries dental* cárie dentária; *clínica dental* clínica dentária; *hilo dental* fio dental

dentellada [deṇte'ʎaða] *s.f.* dentada, mordida

dentera [deṇ'tera] *s.f.* **1** (sensação) arrepio*m.*; *dar dentera* dar arrepios, fazer impressão **2** *fig.* inveja

dentición [deṇti'θjon] *s.f.* dentição; *primera dentición* primeira dentição

dentífrico [deṇ'tifriko] *adj.* dentífrico ▪ *s.m.* dentífrico, pasta*f.* de dentes

dentista [deṇ'tista] *s.2g.* dentista

dentro ['deṇtro] *adv.* (lá) dentro; *dentro se está mejor* lá dentro está melhor; *está ahí dentro* está aí dentro ♦ **dentro de 1** (tempo) dentro de; *dentro de la casa* dentro da casa; *dentro de cinco días* dentro de cinco dias **2** (lugar) dentro de; **dentro de poco** daqui a pouco; **hacia dentro** para dentro; **por dentro** por dentro

denuncia [de'nuŋθja] *s.f.* **1** DIR. denúncia, acusação; *presentar una denuncia* fazer uma denúncia **2** (comunicação) queixa; *quiero hacer una denuncia* quero fazer uma queixa

denunciante [denuṇ'θjaṇte] *s.2g.* DIR. denunciante

denunciar [denuŋ'θjar] *v.* **1** denunciar, acusar **2** fazer queixa

deparar [depa'rar] *v.* **1** proporcionar, oferecer **2** (vida) reservar

departamento [departa'mento] *s.m.* **1** *(compartimento)* divisão*f.*, compartimento **2** *(ministerio)* ministério **3** (universidade) departamento **4** [AM.S.] apartamento

dependencia [depeņ'deņθja] *s.f.* **1** *(subordinación)* dependência, subordinação **2** *(conexión)* dependência, conexão, relação **3** *(sucursal)* dependência, filial, sucursal **4** (drogas) dependência **5** (casa) dependência, compartimento*m.*, divisão

depender [depeņ'der] *v.* depender (de, de); ***eso depende de ti*** isso depende de você

dependient|e, -a [depeņ'djeņte] *s.m.,f.* **1** funcionári|o, -a (de loja) **2** balconista*2g.* ▪ **dependiente** *adj.2g.* dependente (de, de)

depilación [depila'θjon] *s.f.* depilação; ***depilación a la cera*** depilação com cera; ***depilación definitiva*** depilação definitiva

depilar [depi'lar] *v.* depilar ▪ **depilarse** depilar-se

depilatorio [depila'torjo] *adj.* depilatório; ***crema depilatoria*** creme depilatório ▪ *s.m.* depilatório

deplorable [deplo'raβle] *adj.2g.* **1** *(lamentable)* deplorável, lastimável **2** *(detestable)* deplorável, detestável

deponer [depo'ner] *v.* **1** *(dejar)* depor, deixar; ***deponer las armas*** depor as armas **2** *(destituir)* depor, destituir **3** *(defecar)* defecar

deportación [deporta'θjon] *s.f.* deportação, desterro*m.*

deportar [depor'tar] *v.* deportar, desterrar

deporte [de'porte] *s.m.* esporte; ***deporte de alta competición*** esporte de alta competição; ***deporte de riesgo*** esporte radical; ***hacer/practicar deporte*** fazer/praticar esporte ♦ *col.* **deporte rey** futebol; **por deporte** por esporte

deportista [depor'tista] *adj.,s.2g.* esportista

deportividad [deportiβi'ðað] *s.f.* espírito esportivo*m.*

deportivo [depor'tiβo] *adj.* esportivo, desportivo; ***club deportivo*** clube desportivo; ***coche deportivo*** carro esportivo ▪ *s.m.* carro esportivo

deposición [deposi'θjon] *s.f.* **1** *(destitución)* deposição, destituição **2** *(abandono)* deposição, abandono*m.* **3** DIR. depoimento*m.* **4** *(defecación)* defecação, evacuação

depositante [deposi'taņte] *s.2g.* depositante

depositar [deposi'tar] *v.* **1** *(colocar)* colocar, pôr, depositar **2** (bens, dinheiro) depositar, pôr, guardar **3** (sentimento) depositar, confiar ▪ **depositarse** depositar se

depositari|o, -a [deposi'tarjo] *s.m.,f.* depositári|o, -a

depósito [de'posito] *s.m.* **1** *(recipiente)* depósito, recipiente, reservatório; ***depósito de gasolina*** depósito de gasolina **2** *(almacén)* depósito, armazém **3** (bens, valores) depósito **4** *(sedimento)* depósito, sedimento ♦ **depósito de cadáveres** morgue, necrotério; **depósito legal** depósito legal; (mercadoria) **en depósito** em consignação

depravación [depraβa'θjon] *s.f.* depravação; corrupção; perversão

depravad|o, -a [depra'βaðo] *adj.,s.m.,f.* depravad|o, -a

depre ['depre] *adj.2g. col.* deprimido ▪ *s.f. col.* depressão

depreciación [depreθja'θjon] *s.f.* depreciação, desvalorização

depreciar [depre'θjar] *v.* depreciar, desvalorizar

depredador, -a [depreδa'δor] *adj.,s.m.,f.* predador, -a

depresión [depre'sjon] *s.f.* depressão ♦ **depresión atmosférica** depressão atmosférica; **depresión nerviosa** depressão nervosa; **depresión posparto** depressão pós-parto

depresiv|o, -a [depre'siβo] *adj.,s.m.,f.* depressiv|o, -a ▪ *adj.* depressivo

deprimente [depri'meņte] *adj.2g.* deprimente

deprimido [depri'miδo] *adj.* deprimido

deprimir [depri'mir] *v.* deprimir ▪ **deprimirse** deprimir-se

deprisa [de'prisa] *adv.* depressa

depuesto [de'pwesto] (*p.p. de* deponer) *adj.* deposto

depuración [depura'θjon] *s.f.* depuração

depurar [depu'rar] *v.* depurar ▪ **depurarse** depurar--se

derbi ['derβi] *s.m.* dérbi

derecha [de'retʃa] *s.f.* direita ♦ **a derechas** corretamente; **a la derecha** à direita

derecho [de'retʃo] *adj.* **1** direito; ***mano derecha*** mão direita **2** *(recto)* direito, reto; ***¡ponte derecho!*** põe-te direito! ▪ *s.m.* **1** direito; ***derecho al voto*** direito de voto; ***tener derecho a*** ter direito a **2** (ciência, curso) direito ▪ *adv.* **1** direito **2** *(sin rodeos)* direto; ***ir derecho al asunto*** ir direto ao assunto ▪ **derechos** *s.m.pl.* **1** direitos; ***derechos de autor*** direitos de autor; ***derechos humanos*** direitos humanos **2** *(impuestos)* direitos; ***derechos aduaneros*** direitos alfandegários ♦ **¡no hay derecho!** não é justo!, não está certo!

deriva [de'riβa] *s.f.* deriva ♦ **a la deriva** à deriva

derivación [deriβa'θjon] *s.f.* **1** *(deducción)* dedução **2** (estrada) ramal*m.* **3** LING. derivação; ***derivación regresiva*** derivação regressiva **4** MAT. derivação

derivada [deri'βaδa] *s.f.* MAT. derivada

derivado [deri'βaδo] *s.m.* **1** (produto) derivado **2** derivado ▪ *adj.* derivado

derivar [deri'βar] *v.* **1** *(proceder)* derivar (de, de), proceder (de, de) **2** LING. derivar (de, de) **3** NÁUT. derivar **4** *(desviar)* derivar, desviar **5** *(encaminar)* encaminhar **6** LING. derivar **7** MAT. derivar

dermatitis [derma'titis] *s.f.2n.* dermatite

dermatología [dermatolo'xia] *s.f.* dermatologia

dermatológico [dermato'loxiko] *adj.* dermatológico

dermatólog|o, -a [derma'toloɣo] *s.m.,f.* dermatologista*2g.*

dermatosis [derma'tosis] *s.f.2n.* dermatose

dermis ['dermis] *s.f.2n.* derme

dermoprotector [dermoprotek'tor] *adj.* dermoprotetor; ***crema dermoprotectora*** creme dermoprotetor

derogación [deroɣa'θjon] *s.f.* derrogação, anulação

derramamiento [derama'mjento] *s.m.* derramamento
derramar [dera'mar] *v.* **1** (líquido) derramar, entornar **2** (lágrimas, sangue) derramar ■ **derramarse** derramar se
derrame [de'rame] *s.m.* **1** *(derramamiento)* derramamento **2** MED. derrame; ***derrame cerebral*** derrame cerebral
derrapar [dera'par] *v.* (veículo) derrapar
derrape [de'rape] *s.m.* derrapagem*f.*
derretimiento [dereti'mjento] *s.m.* derretimento
derretir [dere'tir] *v.* **1** derreter **2** (metais) fundir ■ **derretirse 1** derreter-se **2** *fig.* derreter-se (con/por, com/por); ***se derrite con las caricias de su madre*** derrete se com as carícias da mãe; ***se derrite por su novia*** derrete se pela namorada
derribar [deri'βar] *v.* **1** derrubar **2** (construção) demolir
derribo [de'riβo] *s.m.* *(demolición)* demolição*f.*
derrocar [dero'kar] *v.* derrocar
derrochador, -a [derotʃa'ðor] *adj.,s.m.,f.* esbanjador, -a, perdulári|o, -a
derrochar [dero'tʃar] *v.* **1** (dinheiro) esbanjar **2** *col.* irradiar
derroche [de'rotʃe] *s.m.* **1** *(despilfarro)* esbanjamento, desperdício **2** *(abundancia)* abundância*f.*, profusão*f.*; ***derroche de alegría*** explosão de alegria
derrota [de'rota] *s.f.* **1** derrota; ***sufrir una derrota*** sofrer uma derrota **2** NÁUT. rota, rumo*m.*
derrotado [dero'taðo] *adj.* **1** *(vencido)* derrotado **2** (roupa) gasto, velho **3** *col.* (pessoa) deprimido, abatido; cansado
derrotar [dero'tar] *v.* derrotar, vencer
derrotero [dero'tero] *s.m.* **1** *fig.* caminho, rumo **2** NÁUT. rota*f.*, rumo; direção*f.*
derrotismo [dero'tizmo] *s.m.* derrotismo
derrotista [dero'tista] *adj.,s.2g.* derrotista
derruir [de'rwir] *v.* (construção) demolir, derrubar
derrumbamiento [derumba'mjento] *s.m.* queda*f.*
derrumbar [derum'bar] *v.* **1** derrubar **2** (construção) demolir ■ **derrumbarse 1** (construção) desmoronar--se; (teto) desabar **2** *fig.* (pessoa) ficar arrasado
desaborido [desaβo'riðo] *adj.* **1** (comida) insípido **2** *fig., col.* (pessoa) desenxabido, insípido
desabotonar [desaβoto'nar] *v.* desabotoar
desabrido [desa'βriðo] *adj.* **1** (alimento) insípido **2** (tempo) desabrido, tempestuoso **3** (pessoa) desabrido, rude
desabrigado [desaβri'γaðo] *adj.* **1** desamparado, abandonado **2** (lugar) desabrigado **3** *(desarropado)* desagasalhado
desabrochar [desaβro'tʃar] *v.* **1** (roupa) desabotoar **2** (cinto) desapertar ■ **desabrocharse** desabotoar(-se)
desacato [desa'kato] *s.m.* desacato, desrespeito
desaceleración [desaθelera'θjon] *s.f.* abrandamento*m.*, desaceleração
desacertado [desaθer'taðo] *adj.* *(equivocado)* equivocado, incorreto, errado
desacierto [desa'θjerto] *s.m.* desacerto, erro
desacompañado [desakompa'ɲaðo] *adj.* sozinho, desacompanhado, sem companhia
desaconsejable [desakonse'xaβle] *adj.2g.* desaconselhável
desaconsejado [desakonse'xaðo] *adj.* (pessoa) imprudente, desaconselhado
desaconsejar [desakonse'xar] *v.* desaconselhar
desacralización [desakraliθa'θjon] *s.f.* dessacralização
desacreditar [desakreði'tar] *v.* desacreditar, difamar
desactivar [desakti'βar] *v.* desativar
desacuerdo [desa'kwerðo] *s.m.* desacordo; ***estar en desacuerdo con alguien*** estar em desacordo com alguém
desafiar [desa'fjar] *v.* **1** (luta, competição) desafiar, reptar **2** (dificuldade, perigo) desafiar, enfrentar, afrontar
desafinación [desafina'θjon] *s.f.* desafinação
desafinado [desafi'naðo] *adj.* (instrumento, voz) desafinado
desafinar [desafi'nar] *v.* desafinar
desafío [desa'fio] *s.m.* desafio; ***aceptar/lanzar un desafío*** aceitar/lançar um desafio
desaforado [desafo'raðo] *adj.* **1** desaforado **2** *fig.* desmedido, descomunal, colossal
desafortunado [desafortu'naðo] *adj.* infeliz, desafortunado
desafuero [desa'fwero] *s.m.* ação*f.* violenta (contra a lei)
desagradable [desaγra'ðaβle] *adj.2g.* desagradável
desagradar [desaγra'ðar] *v.* desagradar, desgostar
desagradecido [desaγraðe'θiðo] *adj.* **1** (pessoa) mal--agradecido, ingrato **2** (coisa) ingrato
desagradecimiento [desaγraðeθi'mjento] *s.m.* ingratidão*f.*
desagrado [desa'γraðo] *s.m.* desagrado
desagraviar [desaγra'βjar] *v.* (ofensa, insulto) desagravar
desagravio [desa'γraβjo] *s.m.* desagravo
desaguar [desa'γwar] *v.* (rio) desaguar (en, em), desembocar (en, em); ***el Duero desagua en el Atlántico*** o Douro deságua no Atlântico
desagüe [de'saγwe] *s.m.* **1** escoadouro **2** esgoto **3** (banheira, lavatório) ralo
desahogado [desao'γaðo] *adj.* **1** (lugar) amplo, espaçoso **2** (dinheiro) desafogado, folgado
desahogar [desao'γar] *v.* (sentimentos) desabafar ■ **desahogarse** desabafar (con, com); ***desahogarse con alguien*** desabafar com alguém
desahogo [desa'oγo] *s.m.* **1** (sentimentos) desabafo **2** *(alivio)* desafogo, alívio **3** *fig.* conforto
desahuciado [desau'θjaðo] *adj.* **1** (inquilino) despejado **2** (doente) desenganado
desahuciar [desau'θjar] *v.* **1** (inquilino) despejar **2** (doente) desenganar **3** *fig.* desesperançar, desanimar
desahucio [desa'uθjo] *s.m.* despejo; ***orden de desahucio*** ordem de despejo

desairar [desaj'rar] *v.* humilhar, desprezar, desdenhar

desaire [de'sajre] *s.m.* humilhação*f.*, desprezo

desajustar [desaxus'tar] *v.* desajustar ▪ **desajustarse** desajustar-se

desajuste [desa'xuste] *s.m.* desajuste

desalentador [desalenta'ðor] *adj.* desalentador

desalentar [desalen'tar] *v.* desalentar, desanimar ▪ **desalentarse** desalentar

desaliento [desa'ljento] *s.m.* desalento, desânimo

desalinear [desaline'ar] *v.* desalinhar

desaliñado [desali'ɲaðo] *adj.* desalinhado, desarranjado

desaliñar [desali'ɲar] *v.* desalinhar, desarranjar

desaliño [desa'liɲo] *s.m.* desalinho, descuido

desalmado [desal'maðo] *adj.* desalmado, cruel

desalojado [desalo'xaðo] *adj.* desalojado

desalojar [desalo'xar] *v.* **1** (pessoa) desalojar **2** (lugar) evacuar

desamor [desa'mor] *s.m.* desamor, falta*f.* de amor

desamparado [desampa'raðo] *adj.* desamparado, abandonado

desamparar [desampa'rar] *v.* desamparar, abandonar

desamparo [desam'paro] *s.m.* desamparo, abandono

desandar [desan'dar] *v.* (caminho) retroceder

desangelado [desanxe'laðo] *adj.* (pessoa) desenxabido, sem graça

desanimado [desani'maðo] *adj.* **1** (pessoa) desanimado **2** (lugar) pouco animado

desanimar [desani'mar] *v.* desanimar, desalentar ▪ **desanimarse** desanimar(-se); *¡no te desanimes!* não desanime!

desánimo [de'sanimo] *s.m.* desânimo, desalento

desanudar [desanu'ðar] *v.* (nó) desatar, desfazer

desapacible [desapa'θiβle] *adj.2g.* desaprazível, desagradável

desaparecer [desapare'θer] *v.* **1** desaparecer; *desaparecer por un tiempo* desaparecer por uns tempos; *ha desaparecido un cuadro* desapareceu um quadro **2** (nódoa, mancha) sair, desaparecer; *esta mancha no desaparece* esta nódoa não sai

desaparecid|o, -a [desapare'θiðo] *s.m.,f.* desaparecid|o, -a ▪ *adj.* desaparecido; *desaparecido en combate* desaparecido em combate; *ser dado como desaparecido* ser dado como desaparecido

desaparición [desapari'θjon] *s.f.* desaparecimento*m.*

desapasionado [desapasjo'naðo] *adj.* desapaixonado, imparcial

desapegarse [desape'γarse] *v.* desapegar se (de, de), desligar se (de, de)

desapego [desa'peγo] *s.m.* desapego, desinteresse

desapercibido [desaperθi'βiðo] *adj.* **1** despercebido; *pasar desapercibido* passar despercebido **2** *(desprevenido)* desapercebido, desprevenido; *coger a alguien desapercibido* pegar alguém desprevenido

desaprender [desapren'der] *v.* desaprender (esquecer o que se aprendeu)

desaprensión [desapren'sjon] *s.f.* falta de escrúpulos

desaprensiv|o, -a [desapren'siβo] *s.m.,f.* pessoa*2g.* sem escrúpulos ▪ *adj.* que não tem escrúpulos

desaprobación [desaproβa'θjon] *s.f.* desaprovação, reprovação

desaprobar [desapro'βar] *v.* desaprovar, reprovar

desaprovechado [desaproβe'tʃaðo] *adj.* desaproveitado, desperdiçado

desaprovechamiento [desaproβetʃa'mjento] *s.m.* desaproveitamento, desperdício

desaprovechar [desaproβe'tʃar] *v.* desaproveitar, desperdiçar

desarmado [desar'maðo] *adj.* **1** (pessoa) desarmado **2** *(desmontado)* desarmado, desmontado **3** *fig.* desarmado; *quedarse desarmado* ficar desarmado

desarmar [desar'mar] *v.* **1** (armas) desarmar **2** (máquina, peças) desarmar, desmontar

desarme [de'sarme] *s.m.* desarmamento

desarraigar [desaraj'γar] *v.* **1** (árvore, planta) desenraizar, arrancar **2** (pessoa) desenraizar ▪ **desarraigarse** desenraizar-se

desarrapado [desara'paðo] *adj.* esfarrapado, andrajoso, maltrapilho

desarreglo [desa'reγlo] *s.m.* bagunça*f.*, desordem*f.*

desarrollado [desaro'ʎaðo] *adj.* desenvolvido

desarrollar [desaro'ʎar] *v.* **1** desenvolver **2** (tema) desenvolver, expor ▪ **desarrollarse** **1** desenvolver-se **2** *(transcurrir)* desenrolar se (en, em); *la película se desarrolla en el siglo XIX* o filme desenrola-se no século XIX

desarrollo [desa'roʎo] *s.m.* **1** desenvolvimento **2** (de acontecimento, ato) desenrolar

desarropado [desaro'paðo] *adj.* desagasalhado, desabrigado

desarrugar [desaru'γar] *v.* desenrugar, alisar ▪ **desarrugarse** desenrugar-se, alisar-se

desarticulación [desartikula'θjon] *s.f.* **1** desarticulação **2** (organização, grupo) desmantelamento*m.*

desarticular [desartiku'lar] *v.* **1** (osso) desarticular, deslocar **2** (mecanismo) desarticular, desconjuntar, desencaixar **3** (organização, grupo) desmantelar ▪ **desarticularse** (osso) desarticular-se, deslocar-se

desaseo [desa'seo] *s.m.* falta*f.* de asseio

desasosegado [desasose'γaðo] *adj.* desassossegado, inquieto

desasosiego [desaso'sjeγo] *s.m.* desassossego, inquietação*f.*

desastrado [desas'traðo] *adj.* **1** *(desgraciado)* desgraçado, infeliz **2** *(dejado)* descuidado, desleixado

desastre [de'sastre] *s.m.* **1** desastre, catástrofe*f.* **2** *fig., col.* (pessoa) desastre, fracasso

> Não confundir com a palavra em português **desastre** (*accidente*).

desastroso [desas'troso] *adj.* desastroso

desatar [desa'tar] *v.* **1** desatar, desamarrar **2** *fig.* desencadear, provocar ■ **desatarse** desatar-se, desamarrar se

desatascador [desataska'ðor] *s.m.* desentupidor

desatascar [desatas'kar] *v.* **1** (cano) desentupir **2** (veículo) desatolar

desatento [desa'tento] *adj.* **1** *(descortés)* descortês, desatencioso **2** *(distraído)* desatento, distraído

desatinado [desati'naðo] *adj.* **1** disparatado, despropositado **2** (pessoa) desatinado, estouvado

desatino [desa'tino] *s.m.* **1** *(disparate)* desatino, disparate **2** *(locura)* desatino, loucura*f.* **3** *(error)* erro

desatornillar [desatorni'ʎar] *v.* desparafusar, desatarraxar

desatrancar [desatran'kar] *v.* **1** (cano) desentupir, desobstruir **2** (janela, porta) destrancar

desautorizar [desawtori'θar] *v.* desautorizar, desacreditar

desavenencia [desaβe'nenθja] *s.f.* desavença, mal-entendido*m.*

desavenido [desaβe'niðo] *adj.* desavindo, desunido

desavío [desa'βio] *s.m.* transtorno

desayunar [desaju'nar] *v.* **1** tomar o café da manhã; *he salido de casa sin desayunar* saí de casa sem tomar o café da manhã **2** tomar (algo) no café da manhã; *hoy he desayunado cereales* hoje comi cereais no café da manhã

desayuno [desa'juno] *s.m.* café da manhã

desbandada [dezβan'daða] *s.f.* debandada, fuga desordenada ♦ **a la/en desbandada** em debandada

desbandarse [dezβan'darse] *v.* debandar, pôr se em fuga desordenada

desbaratar [dezβara'tar] *v.* **1** *(arruinar)* arruinar, destruir, estragar **2** (bens) esbanjar, desbaratar, dissipar **3** (planos) estragar

desbloquear [dezβloke'ar] *v.* **1** desbloquear **2** ECON. descongelar, desbloquear

desbocado [dezβo'kaðo] *adj.* **1** (cavalo) desenfreado **2** (roupa) folgado **3** *fig.* (pessoa) desbocado

desbordar [dezβor'ðar] *v.* **1** *(sobrepasar)* superar, ultrapassar **2** (líquido) transbordar

desbravar [dezβra'βar] *v.* (animal) desbravar, amansar

descabellado [deskaβe'ʎaðo] *adj. fig.* descabido, disparatado, descabelado; *idea descabellada* ideia descabida

descafeinado [deskafej'naðo] *adj.* **1** (café) descafeinado **2** *fig.* fraco ■ *s.m.* descafeinado

descalabro [deska'laβro] *s.m.* descalabro

descalcificación [deskalθifika'θjon] *s.f.* descalcificação

descalificación [deskalifika'θjon] *s.f.* **1** (competição) desqualificação, desclassificação **2** (reputação) descrédito*m.*

descalificar [deskalifi'kar] *v.* **1** *(desacreditar)* desacreditar **2** (competição) desqualificar, desclassificar

descalzar [deskal'θar] *v.* descalçar ■ **descalzarse** descalçar-se

descalzo [des'kalθo] *adj.* descalço; *andar descalzo* andar descalço

descaminado [deskami'naðo] *adj.* enganado, equivocado

descampado [deskam'paðo] *s.m.* descampado

descansado [deskan'saðo] *adj.* **1** descansado, repousado **2** (trabalho) fácil

descansar [deskan'sar] *v.* descansar, repousar

descansillo [deskan'siʎo] *s.m.* patamar (de escada)

descanso [des'kanso] *s.m.* **1** descanso, repouso, folga*f.*; *día de descanso* dia de descanso/folga; *trabajar sin descanso* trabalhar sem descanso **2** (espetáculo, competição) intervalo **3** (escada) patamar

descapotable [deskapo'taβle] *adj.2g.* (veículo) conversível; *coche descapotable* carro conversível ■ *s.m.* conversível

descarado [deska'raðo] *adj.* descarado, insolente

descarga [des'karɣa] *s.f.* descarga ♦ MIL. **descarga cerrada** carga cerrada; **descarga eléctrica** descarga elétrica; **descarga de conciencia** descarga de consciência

descargador, -a [deskarɣa'ðor] *s.m.,f.* descarregador, -a

descargar [deskar'ɣar] *v.* **1** (carga) descarregar **2** (arma) disparar, desfechar **3** (golpe) desferir **4** *fig.* (obrigação) aliviar **5** INFORM. descarregar ■ **descargarse** descarregar

descargo [des'karɣo] *s.m.* **1** *(alegato)* alegação*f.* **2** ECON. crédito ♦ (testemunha) **de descargo** de defesa; **descargo de conciencia** descargo de consciência; **en descargo de** a favor de; em defesa de; como desculpa

descaro [des'karo] *s.m.* descaramento, insolência*f.*

descarrilar [deskari'lar] *v.* descarrilar

descartar [deskar'tar] *v.* (possibilidade) excluir, rejeitar ■ **descartarse** (jogo de cartas) descartar se

descasar [deska'sar] *v.* divorciar-se, descasar

descascarar [deskaska'rar] *v.* descascar

descendencia [desθen'denθja] *s.f.* descendência

descendente [desθen'dente] *adj.2g.* descendente

descender [desθen'der] *v.* **1** (lugar) descer **2** (intensidade, quantidade, valor) descer, diminuir, baixar **3** *(provenir)* descender (de, de), provir (de, de)

descendiente [desθen'djente] *s.2g.* descendente

descenso [des'θenso] *s.m.* **1** (lugar) descida*f.*; *descenso de la montaña* descida da montanha **2** (intensidade, quantidade) descida*f.*, diminuição*f.*, baixa*f.* **3** ESPOR. descida*f.*; *descenso de división* rebaixamento de divisão

descentralización [desθentraliθa'θjon] *s.f.* descentralização

descentralizar [desθentrali'θar] *v.* descentralizar

descerebrado [desθere'βraðo] *adj. col.* desmiolado, insensato

descifrable [desθi'fraβle] *adj.2g.* decifrável

descifrar [desθi'frar] *v.* decifrar

descodificador [deskoðifika'ðor] *s.m.* decodificador

descodificar [deskoðifi'kar] *v.* decodificar

descolgar [deskol'ɣar] *v.* **1** despendurar, tirar; ***descolgar el cuadro de la pared*** tirar o quadro da parede **2** *(bajar)* descer, baixar **3** (telefone) levantar, tirar do descanso/gancho ■ **descolgarse 1** escorregar (por uma corda) **2** (competição) distanciar-se, ficar para trás **3** *col.* *(decir)* sair-se (con, com)

descolonización [deskoloniθa'θjon] *s.f.* descolonização

descoloramiento [deskolora'mjento] *s.m.* descoloração*f.*

descolorido [deskolo'riðo] *adj.* **1** descorado, desbotado **2** (pessoa) pálido

descolorir [deskolo'rir] *v.* descolorar, descolorir

descomedido [deskome'ðiðo] *adj.* descomedido, excessivo

descomponer [deskompo'ner] *v.* **1** decompor **2** (matéria) decompor, apodrecer **3** (aparelho, mecanismo) estragar **4** *(desordenar)* descompor, desordenar ■ **descomponerse 1** (matéria) decompor-se, apodrecer **2** (pessoa) transtornar-se, alterar-se, perder a calma/paciência

descomposición [deskomposi'θjon] *s.f.* **1** decomposição **2** *(pudrimiento)* decomposição, apodrecimento*m.* **3** *col.* diarreia

descompostura [deskompos'tura] *s.f.* **1** descompostura, desalinho*m.* **2** *fig.* descaramento*m.*

descompresión [deskompre'sjon] *s.f.* descompressão

descompresor [deskompre'sor] *s.m.* descompressor

descompuesto [deskom'pwesto] (*p.p. de* descomponer) *adj.* **1** (alimentos) podre, estragado **2** *(estropeado)* avariado, estragado **3** *fig.* (pessoa) descomposto, transtornado ♦ *col.* **estar descompuesto** estar com diarreia

descomunal [deskomu'nal] *adj.2g.* descomunal, enorme, colossal

desconcertante [deskonθer'tante] *adj.2g.* desconcertante

desconcertar [deskonθer'tar] *v.* desconcertar, desorientar

desconcierto [deskon'θjerto] *s.m.* desconcerto

desconectar [deskonek'tar] *v.* (aparelho) desligar; ***desconectar la televisión*** desligar a televisão ■ **desconectarse 1** (aparelho, fio) desligar se **2** *fig.* desligar se (de, de); ***me desconecté de mis amigos de infancia*** desliguei me dos meus amigos de infância

desconexión [deskonek'sjon] *s.f.* desconexão

desconfiado [deskoɱ'fjaðo] *adj.* (pessoa) desconfiado

desconfianza [deskoɱ'fjanθa] *s.f.* desconfiança

desconfiar [deskoɱ'fjar] *v.* desconfiar (de, de); ***desconfiar de alguien*** desconfiar de alguém

descongelar [deskoŋxe'lar] *v.* **1** (comida, geladeira) descongelar **2** (conta, preço, salário) descongelar, desbloquear ■ **descongelarse** descongelar-se

desconocer [deskono'θer] *v.* **1** *(no conocer)* desconhecer **2** *(no reconocer)* não reconhecer, desconhecer

desconocid|o, -a [deskono'θiðo] *s.m.,f.* desconhecid|o, -a ■ *adj.* **1** desconhecido **2** irreconhecível

desconocimiento [deskonoθi'mjento] *s.m.* desconhecimento

desconsideración [deskonsiðera'θjon] *s.f.* desconsideração

desconsolado [deskonso'laðo] *adj.* desconsolado

desconsuelo [deskon'swelo] *s.m.* desconsolo, tristeza*f.*, aflição*f.*

descontar [deskon'tar] *v.* descontar

descontento [deskon'tento] *adj.* descontente ■ *s.m.* descontentamento

descontrol [deskon'trol] *s.m.* descontrolo

descontrolarse [deskontro'larse] *v.* descontrolar-se

descoordinación [desko(o)rðina'θjon] *s.f.* descoordenação

descorchador [deskortʃa'ðor] *s.m.* saca rolhas*2n.*

descorchar [deskor'tʃar] *v.* (garrafa) desarrolhar, destapar

descortés [deskor'tes] *adj.2g.* descortês, indelicado

descortesía [deskorte'sia] *s.f.* indelicadeza, falta de cortesia

descoser [desko'ser] *v.* descoser ■ **descoserse** descoser-se

descosido [desko'siðo] *adj.* **1** (roupa, tecido) descosido **2** *fig.* linguarudo, falador; ***hablar como un descosido*** falar pelos cotovelos **3** *fig.* desconexo, incoerente ■ *s.m.* (roupa) parte*f.* descosida ♦ *col.* **como un descosido** muito

descrédito [des'kreðito] *s.m.* descrédito

descreído [deskre'iðo] *adj.* incrédulo, descrente, cético

descreimiento [deskrej'mjento] *s.m.* descrença*f.*, ceticismo

descremado [deskre'maðo] *adj.* (leite, iogurte) desnatado

describir [deskri'βir] *v.* descrever

descripción [deskrip'θjon] *s.f.* descrição; ***corresponder con la descripción de*** corresponder à descrição de; ***hacer una descripción detallada de*** fazer uma descrição detalhada de

descriptivo [deskrip'tiβo] *adj.* descritivo

descrito [des'krito] (*p.p. de* describir) *adj.* descrito

descuartizar [deskwarti'θar] *v.* esquartejar

descubierto [desku'βjerto] (*p.p. de* descubrir) *adj.* **1** (lugar) descoberto **2** *(destapado)* descoberto, destapado **3** (céu) limpo, sem nuvens ■ *s.m.* conta*f.* a descoberto ♦ **al descubierto 1** a céu aberto, ao ar livre **2** às claras

descubridor, -a [deskuβri'ðor] *s.m.,f.* descobridor, -a

descubrimiento [deskuβri'mjento] *s.m.* **1** *(hallazgo)* descobrimento **2** (científico, técnico) descoberta*f.*

descubrir [desku'βrir] *v.* **1** *(hallar)* descobrir, achar, encontrar **2** *(destapar)* descobrir, destapar **3** *(inventar)* descobrir, criar **4** *(revelar)* mostrar, revelar ■ **descubrirse** (pessoa) tirar o chapéu

descuento [des'kwento] *s.m.* **1** *(rebaja)* desconto, abatimento **2** ESPOR. desconto

descuidado [deskwi'ðaðo] *adj.* **1** *(negligente)* descuidado, desatencioso **2** *(dejado)* descuidado, desmazelado, desleixado
descuidar [deskwi'ðar] *v.* **1** descuidar, descurar, negligenciar **2** não se preocupar, despreocupar-se; *¡descuida!* não te preocupes! ▪ **descuidarse** descuidar se
descuido [des'kwiðo] *s.m.* **1** *(negligencia)* descuido, negligência*f.* **2** *(dejadez)* descuido, desmazelo, desleixo
desde ['dezðe] *prep.* **1** (tempo) desde; ***se conocían desde niños*** se conheciam desde pequenos **2** (lugar) de; ***te llamo desde mi casa*** te telefono de casa **3** (origem) de; ***he venido desde mi casa*** vim de minha casa **4** (perspectiva) de; ***desde el punto de vista de*** do ponto de vista de ♦ **desde luego** sem dúvida, com certeza; **desde que** desde que; **desde ya** imediatamente
desdén [dez'ðen] *s.m.* desdém, desprezo ♦ **con desdén** com desdém
desdentado [dezðen̪'taðo] *adj.* desdentado
desdeñar [dezðe'ɲar] *v.* desdenhar, desprezar ▪ **desdeñarse** não se dignar (de, a)
desdicha [dez'ðitʃa] *s.f.* desdita
desdichado [dezði'tʃaðo] *adj.* desgraçado, infeliz
desdoblamiento [dezðoβla'mjen̪to] *s.m.* **1** desdobramento **2** *fig.* (texto) interpretação*f.*, explicação*f.* ♦ **desdoblamiento de personalidad** desdobramento da personalidade
desdoblar [dezðo'βlar] *v.* desdobrar
deseable [dese'aβle] *adj.2g.* desejável
deseado [dese'aðo] *adj.* desejado
desear [dese'ar] *v.* **1** *(querer)* desejar, apetecer **2** *(ambicionar)* desejar, aspirar **3** (atração sexual) desejar ♦ **dejar bastante/mucho que desear** deixar muito a desejar; **¿qué desea?** que deseja?, deseja alguma coisa?; **vérselas y deseárselas para** esforçar-se muito para consegui-las
desechable [dese'tʃaβle] *adj.2g.* descartável; ***pañales desechables*** fraldas descartáveis
desechar [dese'tʃar] *v.* **1** (ideia, proposta) rejeitar, recusar **2** (objeto, roupa) jogar fora, desfazer se (-, de) **3** (mau pensamento, temor) afastar, tirar da cabeça
desecho [de'setʃo] *s.m.* refugo, resíduo
desembarazado [desembara'θaðo] *adj.* desembaraçado, livre
desembarazar [desembara'θar] *v.* (caminho, passagem) desembaraçar, desimpedir, desobstruir ▪ **desembarazarse 1** *(librarse)* desembaraçar-se (de, de), livrar se (de, de) **2** (dificuldade) desenrascar se (de, de)
desembarazo [desemba'raθo] *s.m.* desembaraço, desenvoltura*f.*
desembarcadero [desembarka'ðero] *s.m.* desembarcadouro
desembarcar [desembar'kar] *v.* desembarcar
desembarco [desem'barko] *s.m.* desembarque
desembargo [desem'barɣo] *s.m.* desembargo
desembarque [desem'barke] *s.m.* desembarque (de mercadorias, pessoas)
desembocadura [desemboka'ðura] *s.f.* **1** (de rio) desembocadura, foz **2** (de rua) saída
desembocar [desembo'kar] *v.* **1** (rio) desembocar (en, em), desaguar (en, em) **2** (rua) desembocar (en, em), terminar (en, em)
desembolsar [desembol'sar] *v.* (dinheiro) desembolsar
desembolso [desem'bolso] *s.m.* **1** *(entrega de dinero)* desembolso **2** *(gasto)* dispêndio, despesa*f.*
desempatar [desempa'tar] *v.* desempatar
desempate [desem'pate] *s.m.* desempate
desempeñar [desempe'ɲar] *v.* **1** (obrigação, tarefa) desempenhar, cumprir **2** (cargo, função) desempenhar, exercer **3** (objeto penhorado) desempenhar, resgatar **4** (papel) desempenhar, interpretar
desempeño [desem'peɲo] *s.m.* **1** (obrigação, tarefa) desempenho, cumprimento **2** (cargo, função) desempenho, exercício **3** (objeto penhorado) desempenho, resgate **4** (papel) desempenho, interpretação*f.* **5** (máquina) desempenho, funcionamento
desemplead|o, -a [desemple'aðo] *adj.,s.m.,f.* desempregad|o, -a
desempleo [desem'pleo] *s.m.* desemprego; ***estar en el desempleo*** estar no desemprego; ***prestación/subsidio de desempleo*** subsídio de desemprego
desempolvar [desempol'βar] *v.* **1** limpar o pó; (com espanador) espanar **2** *fig.* reavivar, trazer à memória **3** *fig.* voltar a usar
desencadenar [deseŋkaðe'nar] *v.* **1** *(provocar)* desencadear, originar, provocar **2** *(soltar)* desacorrentar, desencadear, desprender ▪ **desencadenarse** desencadear se
desencajar [deseŋka'xar] *v.* desencaixar, desconjuntar ▪ **desencajarse 1** desencaixar-se, desconjuntar-se **2** (pessoa, rosto) desfigurar-se
desencajonar [deseŋkaxo'nar] *v.* desencaixotar
desencantar [deseŋkan̪'tar] *v.* desencantar ▪ **desencantarse** desiludir-se, decepcionar-se
desencanto [deseŋ'kan̪to] *s.m.* desencanto, desilusão*f.*, decepção*f.*
desenchufado [desenʲtʃu'faðo] *adj.* (aparelho) desligado (da tomada)
desenchufar [desenʲtʃu'far] *v.* (aparelho) desligar (da tomada)
desenfadado [desemfa'ðaðo] *adj.* descontraído
desenfado [desem'faðo] *s.m.* desenvoltura*f.*, desembaraço, naturalidade*f.*
desenfrenado [desemfre'naðo] *adj.* desenfreado
desenfreno [desem'freno] *s.m.* **1** devassidão*f.* **2** falta*f.* de moderação
desenganchar [deseŋganʲ'tʃar] *v.* desenganchar, desengatar, desprender ▪ **desengancharse** *col.* deixar a droga
desenganche [deseŋ'ganʲtʃe] *s.m.* desengate
desengaño [deseŋ'gaɲo] *s.m.* **1** desengano **2** *(desilusión)* desilusão*f.*
desengrasar [deseŋgra'sar] *v.* desengordurar
desenlace [desen'laθe] *s.m.* desenlace, desfecho

desenmascarar [desenmaska'rar] *v.* **1** desmascarar **2** *fig.* desmascarar, mostrar ▪ **desenmascararse** desmascarar-se
desenredar [desenre'ðar] *v.* **1** (cabelo, fio) desenredar, desembaraçar **2** *fig.* desenredar
desenrollar [desenro'ʎar] *v.* desenrolar
desenroscar [desenros'kar] *v.* desenroscar, desaparafusar, desatarraxar
desentenderse [desenten'derse] *v.* **1** *(quedarse al margen)* pôr-se à margem (de, de), desligar-se (de, de) **2** *(desoír)* ignorar (de, -)
desenterrar [desente'rar] *v.* **1** desenterrar **2** (cadáver) desenterrar, exumar **3** *fig.* desenterrar, ressuscitar
desentonar [desento'nar] *v.* **1** destoar (con, de), não combinar (con, com); *la corbata desentona con la camisa* a gravata destoa da camisa **2** MÚS. desafinar ▪ **desentonarse** exceder-se
desentrenado [desentre'naðo] *adj.* destreinado
desentumecimiento [desentumeθi'mjento] *s.m.* recuperação do movimento
desenvoltura [desembol'tura] *s.f.* desenvoltura
desenvolver [desembol'βer] *v.* **1** (encomenda, presente) desembrulhar, abrir **2** *(desarrollar)* desenvolver ▪ **desenvolverse** **1** *(manejarse)* desenrascar-se **2** *(desarrollarse)* desenvolver-se
desenvuelto [desem'bwelto] (*p.p. de* desenvolver) *adj.* **1** (encomenda, presente) desembrulhado **2** (pessoa) desenvolto, desembaraçado, despachado
deseo [de'seo] *s.m.* desejo; *pedir/satisfacer un deseo* pedir/satisfazer um desejo
deseoso [dese'oso] *adj.* desejoso (de, de)
desequilibrado [desekili'βraðo] *adj.* **1** desequilibrado **2** (pessoa) desequilibrado, louco
desequilibrar [desekili'βrar] *v.* desequilibrar ▪ **desequilibrarse** desequilibrar-se
desequilibrio [deseki'liβrjo] *s.m.* desequilíbrio ♦ **desequilibrio mental** desequilíbrio mental
deserción [deser'θjon] *s.f.* deserção
desertar [deser'tar] *v.* **1** (soldado) desertar (de, de) **2** *(abandonar)* desertar (de, de), abandonar (de, -)
desértico [de'sertiko] *adj.* desértico
desertor, -a [deser'tor] *s.m.,f.* desertor, -a
desesperación [desespera'θjon] *s.f.* desespero*m.*
desesperado [desespe'raðo] *adj.* desesperado ♦ **a la desesperada** **1** em último caso/recurso **2** desesperadamente; **como un desesperado** como um desesperado
desesperante [desespe'rante] *adj.2g.* desesperante
desesperar [desespe'rar] *v.* desesperar ▪ **desesperarse** desesperar-se
desestabilizar [desestaβili'θar] *v.* desestabilizar ▪ **desestabilizarse** desestabilizar-se
desfachatez [desfatʃa'teθ] *s.f. col.* descaramento*m.*, desfaçatez, insolência
desfalco [des'falko] *s.m.* desfalque
desfallecer [desfaʎe'θer] *v.* desfalecer, desmaiar
desfallecimiento [desfaʎeθi'mjento] *s.m.* desfalecimento, desmaio
desfasado [desfa'saðo] *adj.* desfasado
desfasar [desfa'sar] *v.* desfasar ▪ **desfasarse** não se ajustar/adaptar às circunstâncias
desfase [des'fase] *s.m.* desfasamento
desfavorable [desfaβo'raβle] *adj.2g.* **1** *(perjudicial)* desfavorável, prejudicial **2** *(adverso)* desfavorável, adverso, contrário
desfiladero [desfila'ðero] *s.m.* desfiladeiro
desfilar [desfi'lar] *v.* desfilar
desfile [des'file] *s.m.* desfile
desgaire [dez'ɣajre] *s.m.* desalinho, descuido
desgana [dez'ɣana] *s.f.* falta de apetite, fastio*m.* ♦ **hacer algo con desgana** fazer alguma coisa sem vontade
desgarrar [dezɣa'rar] *v.* rasgar ▪ **desgarrarse** rasgar-se
desgarrón [dezɣa'ron] *s.m.* rasgão
desgastar [dezɣas'tar] *v.* desgastar ▪ **desgastarse** desgastar-se
desgaste [dez'ɣaste] *s.m.* desgaste
desgobernar [dezɣoβer'nar] *v.* desgovernar
desgobierno [dezɣo'βjerno] *s.m.* desgoverno
desgracia [dez'ɣraθja] *s.f.* desgraça ♦ **caer en desgracia** cair em desgraça; **por desgracia** infelizmente
desgraciad|o, -a [dezɣra'θjaðo] *s.m.,f.* desgraçad|o, -a ▪ *adj.* desgraçado, infeliz
desgraciar [dezɣra'θjar] *v.* **1** desgraçar **2** *(disgustar)* desagradar, desgostar ▪ **desgraciarse** desgraçar-se
desgravable [dezɣra'βaβle] *adj.2g.* dedutível nos impostos
desgravación [dezɣraβa'θjon] *s.f.* dedução; *desgravación fiscal* dedução fiscal
desgreñado [dezɣre'ɲaðo] *adj.* (cabelo) desgrenhado, despenteado
deshabitado [desaβi'taðo] *adj.* (lugar) desabitado, deserto
deshabituado [desaβi'twaðo] *adj.* desabituado, desacostumado
deshacer [desa'θer] *v.* desfazer ▪ **deshacerse** **1** desfazer se **2** *(librarse)* desfazer se (de, de), livrar-se (de, de); *deshacerse de los juguetes* desfazer-se dos brinquedos **3** (apreço, cortesia) desfazer-se (en, em); *deshacerse en atenciones* desfazer-se em atenções
desharrapado [desara'paðo] *adj.* maltrapilho, esfarrapado, andrajoso
deshecho [de'setʃo] (*p.p. de* deshacer) *adj.* **1** *(destruido)* desfeito, destruído **2** (cama) desfeito, por fazer **3** (nó) desfeito, desatado **4** *fig.* estafado, exausto **5** *fig.* arrasado, abatido
desheredar [desere'ðar] *v.* deserdar
deshidratación [desiðrata'θjon] *s.f.* desidratação
deshidratado [desiðra'taðo] *adj.* desidratado
deshidratar [desiðra'tar] *v.* desidratar ▪ **deshidratarse** desidratar-se
deshielo [de'sjelo] *s.m.* degelo, descongelamento*f.*
deshilachar [desila'tʃar] *v.* (tecido) desfiar, esgaçar ▪ **deshilacharse** (tecido) desfiar-se, esgaçar-se

deshinchar [desin'tʃar] *v.* **1** (inflamação, parte do corpo) desinchar **2** (bola, pneu) esvaziar ▪ **deshincharse 1** (inflamação, parte do corpo) desinchar **2** (bola, pneu) esvaziar-se
deshojar [deso'xar] *v.* desfolhar ▪ **deshojarse** desfolhar se
deshonestidad [desonesti'ðað] *s.f.* desonestidade, deslealdade
deshonesto [deso'nesto] *adj.* desonesto, desleal
deshonor [deso'nor] *s.m.* desonra*f.*
deshonra [de'sonra] *s.f.* desonra
deshonrar [deson'rar] *v.* desonrar
deshora [de'sora] ♦ **a deshora(s)** em má hora; fora de hora
deshuesar [dez(γ)we'sar] *v.* **1** (animal) desossar **2** (fruta) descaroçar
deshumanización [desumaniθa'θjon] *s.f.* desumanização
deshumidificador [desumiðifika'ðor] *s.m.* desumidificador
desidia [de'siðja] *s.f.* desídia
desierto [de'sjerto] *adj.* deserto, despovoado ▪ *s.m.* deserto ♦ (prêmio) **declarar desierto** declarar que ninguém ganhou (prêmio, concurso); (vaga) **quedar desierta** não ser preenchida
design [di'sajn] *s.m.* design
designación [desiγna'θjon] *s.f.* designação
designar [desiγ'nar] *v.* designar
designio [de'siγnjo] *s.m.* desígnio, propósito
desigual [desi'γwal] *adj.2g.* **1** desigual **2** (terreno) irregular **3** *(variable)* desigual, variável
desigualdad [desiγwal'ðað] *s.f.* desigualdade
desilusión [desilu'sjon] *s.f.* desilusão, decepção, desapontamento*m.*
desilusionado [desilusjo'naðo] *adj.* desiludido, decepcionado, desapontado
desilusionar [desilusjo'nar] *v.* desiludir, decepcionar, desapontar ▪ **desilusionarse** desiludir-se, decepcionar se
desinencia [desi'nenθja] *s.f.* desinência
desinfección [desiɱfek'θjon] *s.f.* desinfecção
desinfectante [desiɱfek'tante] *adj.2g.,s.m.* desinfetante
desinfectar [desiɱfek'tar] *v.* desinfetar
desinflar [desiɱ'flar] *v.* esvaziar ▪ **desinflarse** esvaziar se
desinformación [desiɱforma'θjon] *s.f.* desinformação
desinhibido [desini'βiðo] *adj.* desinibido
desinsectación [desinsekta'θjon] *s.f.* desinfestação
desinstalación [desinstala'θjon] *s.f.* desinstalação
desintegración [desinteγra'θjon] *s.f.* desintegração ♦ **desintegración nuclear** desintegração nuclear
desinterés [desinte'res] *s.m.* **1** *(indiferencia)* desinteresse, indiferença*f.* **2** *(generosidad)* desinteresse, desprendimento, generosidade*f.*
desinteresado [desintere'saðo] *adj.* **1** *(indiferente)* desinteressado, indiferente **2** *(generoso)* desinteressado, desprendido
desinteresarse [desintere'sarse] *v.* desinteressar-se (de, por)
desintoxicación [desintoksika'θjon] *s.f.* desintoxicação
desistir [desis'tir] *v.* desistir (de, de); *desistieron del proyecto* desistiram do projeto
deslavado [dezla'βaðo] *adj.* deslavado, descarado, petulante
deslavazado [dezlaβa'θaðo] *adj.* **1** (discurso, exposição) desconexo, incoerente **2** (argumento) infundado **3** *(insulso)* insípido
desleal [dez'leal] *adj.2g.* desleal
deslealtad [dezleal'tað] *s.f.* deslealdade
desligar [dezli'γar] *v.* **1** *(desatar)* desamarrar, desatar **2** (obrigação) dispensar (de, de), liberar (de, de) **3** *fig.* separar (de, de), desligar (de, de)
desliz [dez'liθ] *s.m.* **1** deslize, escorregadela*f.* **2** *fig.* deslize, lapso
deslizante [dezli'θante] *adj.2g.* deslizante
deslizar [dezli'θar] *v.* **1** deslizar **2** (escrito, discurso) incluir (dissimuladamente) ▪ **deslizarse 1** deslizar, escorregar, resvalar **2** *fig.* escapar **3** *fig.* cometer um deslize
deslucido [dezlu'θiðo] *adj.* sem brilho, desluzido
deslumbramiento [dezlumbra'mjento] *s.m.* **1** encandeamento **2** deslumbramento
deslumbrante [dezlum'βrante] *adj.2g.* deslumbrante
deslumbrar [dezlum'brar] *v.* **1** encandear **2** deslumbrar ▪ **deslumbrarse** deslumbrar-se
desmagnetización [dezmaγnetiθa'θjon] *s.f.* desmagnetização
desmán [dez'man] *s.m.* desmando, excesso
desmaquillador [dezmakiʎa'ðor] *adj.,s.m.* demaquilante
desmaquillar [dezmaki'ʎar] *v.* demaquilar
desmayado [dezma'jaðo] *adj.* **1** (cor) desmaiado, desbotado, pálido **2** (pessoa) desmaiado, inconsciente
desmayar [dezma'jarse] *v. fig.* desanimar, esmorecer ▪ **desmayarse** desmaiar
desmayo [dez'majo] *s.m.* desmaio
desmedido [dezme'ðiðo] *adj.* desmedido, desmesurado
desmejorar [dezmexo'rar] *v.* (saúde) piorar
desmembración [dezmembra'θjon] *s.f.* desmembramento*m.*
desmemoriado [dezmemo'rjaðo] *adj.* (pessoa) esquecido, desmemoriado
desmentir [dezmen'tir] *v.* desmentir
desmenuzar [dezmenu'θar] *v.* **1** (bolacha, pão) esmigalhar, esfarelar, desfazer **2** (carne, peixe) desfiar **3** *fig.* esmiuçar, analisar
desmesurado [dezmesu'raðo] *adj.* desmesurado, desmedido, excessivo
desmontable [dezmonta'βle] *adj.2g.* desmontável

desmontaje [dezmoṇ'taxe] *s.m.* desmontagem*f.*
desmontar [dezmoṇ'tar] *v.* **1** *(desarmar)* desmontar, desarmar **2** (arma) desmontar **3** (edifício) desmoronar, demolir **4** (cavalo, bicicleta) desmontar (de, de) ▪ **desmontarse** (cavalo, bicicleta) desmontar (de, de)
desmoralización [dezmoraliθa'θjon] *s.f.* desmoralização
desmoralizar [dezmorali'θar] *v.* desmoralizar ▪ **desmoralizarse** desmoralizar, desanimar
desmoronamiento [dezmorona'mjeṇto] *s.m.* desmoronamento, desabamento, demolição*f.*
desmoronar [dezmoro'nar] *v.* desmoronar, desabar, ruir; demolir ▪ **desmoronarse 1** desmoronar(-se), desabar, ruir; demolir **2** *fig.* (pessoa) perder o ânimo
desmotivación [dezmotiβa'θjon] *s.f.* desmotivação
desmotivado [dezmoti'βaðo] *adj.* desmotivado
desmotivar [dezmoti'βar] *v.* desmotivar ▪ **desmotivarse** desmotivar-se
desmovilización [dezmoβiliθa'θjon] *s.f.* desmobilização
desnatado [dezna'taðo] *adj.* desnatado; *leche desnatada* leite desnatado
desnaturalizado [deznaturali'θaðo] *adj.* (pessoa) desnaturado
desnivel [dezni'βel] *s.m.* desnível
desnivelación [dezniβela'θjon] *s.f.* desnivelamento*m.*
desnivelado [dezniβe'laðo] *adj.* (terreno) desnivelado, inclinado
desnudar [deznu'ðar] *v.* **1** despir, desnudar **2** *fig.* depenar ▪ **desnudarse 1** despir-se, desnudar-se **2** *fig.* abrir-se; *se desnudó ante mí* abriu-se comigo
desnudez [deznu'ðeθ] *s.f.* nudez
desnudo [dez'nuðo] *adj.* nu, despido ▪ *s.m.* nu ♦ **al desnudo** verdade nua
desnutrición [deznutri'θjon] *s.f.* desnutrição
desnutrido [deznu'triðo] *adj.* desnutrido
desobedecer [desoβeðe'θer] *v.* desobedecer (-, a); *desobedecer las leyes* desobedecer às leis
desobediencia [desoβe'ðjeṇθja] *s.f.* desobediência
desobediente [desoβe'ðjeṇte] *adj.2g.* desobediente, insubordinado, insubmisso
desobstrucción [desoβstruk'θjon] *s.f.* desobstrução
desobstruir [desoβs'trwir] *v.* desobstruir
desocupado [desoku'paðo] *adj.* **1** (lugar) desocupado, desabitado **2** *(libre)* vago, livre, desocupado **3** (pessoa) desocupado, desempregado
desocupar [desoku'par] *v.* **1** (lugar) desocupar, evacuar **2** *(vaciar)* esvaziar ▪ **desocuparse** estar/ficar livre
desodorante [desoðo'raṇte] *s.m.* desodorante
desolación [desola'θjon] *s.f.* desolação
desolado [deso'laðo] *adj.* **1** (lugar) desolado, ermo, despovoado **2** (pessoa) desolado, triste
desolar [deso'lar] *v.* (lugar) assolar, devastar, desolar ▪ **desolarse** afligir-se, angustiar se
desollar [deso'ʎar] *v.* esfolar
desorbitado [desorβi'taðo] *adj.* **1** (olhos) esgazeado **2** *(excesivo)* exorbitante, excessivo
desorden [de'sorðen] *s.m.* desordem*f.* ▪ **desórdenes** *s.m.pl.* **1** distúrbios **2** excessos
desordenado [desorðe'naðo] *adj.* desarrumado, desarranjado, desordenado
desordenar [desorðe'nar] *v.* desarrumar, desarranjar, desordenar
desorganización [desorɣaniθa'θjon] *s.f.* desorganização
desorganizar [desorɣani'θar] *v.* desorganizar, desordenar ▪ **desorganizarse** desorganizar-se
desorientación [desorjeṇta'θjon] *s.f.* desorientação
desorientar [desorjeṇ'tar] *v.* **1** desorientar, desnortear **2** *fig.* desorientar, confundir ▪ **desorientarse 1** desorientar-se, desnortear-se **2** *fig.* desorientar se, confundir se
desove [de'soβe] *s.m.* desova*f.*
despabilado [despaβi'laðo] *adj.* *(listo)* espevitado, esperto
despabilar [despaβi'lar] *v.* **1** *(avivar)* espevitar, avivar **2** *(apresurarse)* apressar-se **3** *fig.* acordar, despertar **4** *fig.* despachar (com rapidez) ▪ **despabilarse 1** *fig.* acordar, despertar **2** *fig.* ficar esperto, soltar-se
despachante [despa'tʃaṇte] *adj.2g.* despachante ♦ **despachante de aduana** despachante
despachar [despa'tʃar] *v.* **1** *(terminar)* terminar, concluir **2** (assunto, negócio) despachar, resolver **3** *(enviar)* despachar, enviar **4** (cliente) atender **5** (artigo, mercadoria) vender **6** *(darse prisa)* despachar se **7** *col.* (pessoa) despachar, mandar embora; despedir ▪ **despacharse 1** desembaraçar-se (de, de) **2** *col.* desabafar, falar com franqueza
despacho [des'patʃo] *s.m.* **1** (casa) escritório **2** (trabalho) escritório, gabinete; *despacho de abogados* escritório de advogados **3** *(venta)* venda*f.* **4** (comunicação) despacho ♦ **despacho de billetes** bilheteria
despacio [des'paθjo] *adv* **1** devagar; *hable más despacio* fale mais devagar **2** [AM.] baixo, em voz baixa; *hablar despacio* falar baixo ▪ *interj.* calma!
despacioso [despa'θjoso] *adj.* vagaroso, lento
despampanante [despampa'naṇte] *adj.* **1** espampanante **2** deslumbrante
desparejado [despare'xaðo] *adj.* sem par
desparpajado [desparpa'xaðo] *adj.* desembaraçado, desenvolto, desenrascado *col.*
desparramar [despara'mar] *v.* **1** *(dispersar)* espalhar, dispersar **2** (líquido) derramar **3** (notícia) espalhar, divulgar **4** (dinheiro, bens) esbanjar ▪ **desparramarse** espalhar-se, dispersar-se
despavorido [despaβo'riðo] *adj.* apavorado, assustado
despecho [des'petʃo] *s.m.* despeito ♦ **a despecho de** apesar de
despectivo [despek'tiβo] *adj.* depreciativo
despedazar [despeða'θar] *v.* despedaçar ▪ **despedazarse** despedaçar-se
despedida [despe'ðiða] *s.f.* despedida ♦ **despedida de soltero** despedida de solteiro

despedir [despe'ðir] *v.* **1** (pessoa) despedir se (-, de) **2** (empregado) despedir, demitir **3** *(lanzar)* lançar **4** (cheiro) exalar, soltar, despedir ■ **despedirse** **1** despedir-se (de, de) **2** *col.* dizer adeus *fig.*
despegado [despe'γaðo] *adj.* (pessoa) desapegado
despegar [despe'γar] *v.* **1** decolar, desgrudar **2** decolar, levantar voo
despego [des'peγo] *s.m.* desapego, desinteresse
despegue [des'peγe] *s.m.* **1** decolagem *f.* **2** *fig.* desenvolvimento
despeinado [despej'naðo] *adj.* despenteado, desgrenhado
despeinar [despej'nar] *v.* despentear ■ **despeinarse** despentear-se
despejado [despe'xaðo] *adj.* **1** (céu) limpo, desanuviado **2** (pessoa) esperto **3** *(ancho)* espaçoso, amplo
despejar [despe'xar] *v.* **1** (lugar) desocupar **2** *(aclarar)* esclarecer, aclarar ■ **despejarse** **1** (céu, tempo) desanuviar, clarear; limpar **2** (pessoa) divertir se
despellejar [despeʎe'xar] *v.* **1** (pele) esfolar **2** *fig.* (pessoa) falar mal (-, de), difamar
despenalización [despenaliθa'θjon] *s.f.* despenalização
despensa [des'pensa] *s.f.* **1** (lugar) despensa **2** *(víveres)* provisões *pl.*, mantimentos *m. pl.*
despeñadero [despeɲa'ðero] *s.m.* despenhadeiro, precipício
despeñar [despe'ɲar] *v.* despenhar, precipitar ■ **despeñarse** despenhar-se, precipitar-se
desperdiciar [desperði'θjar] *v.* **1** (dinheiro) desperdiçar, gastar **2** (ocasião, oportunidade) desperdiçar, desaproveitar
desperdicio [desper'ðiθjo] *s.m.* desperdício ■ **desperdicios** *s.m.pl.* desperdícios, sobras *f.*, restos
desperezarse [despere'θarse] *v.* espreguiçar se
desperfecto [desper'fekto] *s.m.* **1** *(daño)* estrago **2** *(defecto)* defeito
despertador [desperta'ðor] *s.m.* despertador
despertar [desper'tar] *v.* **1** (pessoa, animal) acordar, despertar **2** (apetite) abrir, despertar **3** *fig.* despertar, estimular ■ **despertarse** acordar, despertar; ***no despertarse a tiempo*** não acordar a tempo
despiadado [despja'ðaðo] *adj.* desapiedado
despido [des'piðo] *s.m.* despedimento
despierto [des'pjerto] *adj.* **1** acordado, desperto; ***estar bien despierto*** estar bem acordado **2** *(listo)* esperto ♦ **soñar despierto** sonhar acordado
despilfarrador, -a [despilfara'ðor] *adj.,s.m.,f.* esbanjador, -a
despilfarrar [despilfa'rar] *v.* esbanjar, desperdiçar
despilfarro [despil'faro] *s.m.* esbanjamento, desperdício
despistaje [despis'taxe] *s.m.* despistagem *f.*
despistar [despis'tar] *v.* **1** despistar **2** *fig.* despistar, desorientar ■ **despistarse** despistar-se
despiste [des'piste] *s.m.* **1** *(distracción)* distração *f.* **2** *(olvido)* esquecimento, lapso **3** *(error)* erro
desplante [des'plan̪te] *s.m.* desplante, descaramento, desfaçatez *f.*
desplazamiento [desplaθa'mjento] *s.m.* deslocamento, deslocação *f.*
desplazar [despla'θar] *v.* **1** deslocar **2** *fig.* (cargo, função) substituir ■ **desplazarse** deslocar-se
desplegar [desple'γar] *v.* **1** desdobrar **2** (bandeira, vela) desfraldar ■ **desplegarse** desdobrar-se
despliegue [des'pljeγe] *s.m.* desdobramento
desplomarse [desplo'marse] *v.* **1** (parede) desabar, cair **2** (preços) cair
desplumar [desplu'mar] *v.* **1** (ave) depenar **2** *fig.* depenar
despoblación [despoβla'θjon] *s.f.* despovoamento *m.*
despoblado [despo'βlaðo] *adj.* despovoado, desabitado ■ *s.m.* despovoado, deserto
despoblar [despo'βlar] *v.* (lugar) despovoar, desabitar
despojar [despo'xar] *v.* despojar (de, de), espoliar (de, de); ***la despojaron de sus joyas*** despojaram-na das suas joias ■ **despojarse** tirar (de, -), despojar-se (de, de), despir(-se) (de, -); ***se despojó de la chaqueta*** tirou o casaco
despojos [des'poxos] *s.m.pl.* **1** *(vísceras)* miúdos **2** *(sobras)* restos, sobras *f.* **3** *(restos mortales)* despojos, restos mortais
déspota ['despota] *s.2g.* déspota
despreciable [despre'θjaβle] *adj.2g.* desprezível, sem valor
despreciar [despre'θjar] *v.* **1** *(desdeñar)* desprezar, desdenhar **2** *(ignorar)* desprezar, ignorar, não dar importância (-, a)
despreciativo [despreθja'tiβo] *adj.* depreciativo
desprecio [des'preθjo] *s.m.* **1** *(menosprecio)* desprezo, desdém; ***mirar con desprecio*** olhar com desprezo **2** *(desaire)* desfeita *f.*; ***hacer un desprecio*** fazer uma desfeita
desprender [despren̪'der] *v.* **1** desprender, soltar **2** (aroma, cheiro) soltar ■ **desprenderse** **1** separar-se (de, de); desfazer se (de, de); desprender se (de, de); prescindir (de, de); ***se desprendió de sus pertenencias*** desfez-se dos seus pertences **2** *(deducirse)* depreender se, deduzir se; ***se desprende que está de acuerdo*** depreende se que está de acordo
desprendido [despren̪'diðo] *adj.* **1** desprendido, solto **2** *fig.* (pessoa) desprendido, generoso, desinteressado
desprendimiento [despren̪di'mjen̪to] *s.m.* **1** desprendimento; (de terras) desabamento, aluimento **2** *fig.* desprendimento, generosidade *f.*, desinteresse **3** MED. descolamento; ***desprendimiento de retina*** descolamento da retina
despreocupación [despreokupa'θjon] *s.f.* despreocupação, tranquilidade
despreocupado [despreoku'paðo] *adj.* despreocupado, tranquilo
despreocuparse [despreoku'parse] *v.* **1** *(dejar de preocuparse)* deixar de se preocupar, despreocupar-se **2** *(descuidarse)* desleixar-se

desprestigiar [desprestiˈxjar] *v.* desprestigiar
desprestigio [despresˈtixjo] *s.m.* desprestígio
desprevenido [despreβeˈniðo] *adj.* desprevenido; ***coger/pillar a alguien desprevenido*** pegar alguém desprevenido
desproporción [desproporˈθjon] *s.f.* desproporção
desproporcionado [desproporθjoˈnaðo] *adj.* desproporcionado
despropositado [desproposiˈtaðo] *adj.* despropositado, inoportuno
despropósito [desproˈposito] *s.m.* despropósito, disparate
desproveer [desproβeˈer] *v.* desprover (de, de), privar (de, de)
desprovisto [desproˈβisto] (*p.p. de* desproveer) *adj.* desprovido (de, de)
después [desˈpwes] *adv.* **1** (tempo) depois; ***después de la cena*** depois do jantar **2** (espaço) depois; ***después del puente*** depois da ponte **3** *(más tarde)* depois; ***llegó un mes después*** chegou um mês depois ♦ **después de** depois de, após
despuntar [despuṇˈtar] *v.* **1** gastar/quebrar/tirar a ponta (-, de) **2** (dia) despontar, nascer **3** (planta) despontar, brotar
desquitar [deskiˈtar] *v.* (perda, contratempo) compensar ▪ **desquitarse** vingar-se (de, de), desforrar se (de, de)
desquite [desˈkite] *s.m.* **1** *(compensación)* compensação*f.* **2** *(venganza)* vingança*f.*, desforra*f.*
desratización [desratiθaˈθjon] *s.f.* desratização
destacado [destaˈkaðo] *adj.* destacado, notório
destacamento [destakaˈmeṇto] *s.m.* destacamento
destacar [destaˈkar] *v.* destacar ▪ **destacarse** destacar-se
destajo [desˈtaxo] *s.m.* empreitada*f.* ♦ **a destajo 1** por empreitada **2** sem descanso, a toque de caixa
destapar [destaˈpar] *v.* **1** destapar, abrir **2** *fig.* descobrir ▪ **destaparse 1** (na cama) descobrir-se **2** *col.* despir se, desnudar se
destartalado [destartaˈlaðo] *adj.* a cair aos pedaços; escangalhado
destemplado [destemˈplaðo] *adj.* **1** (pessoa) indisposto, maldisposto **2** (tempo) desagradável **3** MÚS. desafinado
desteñir [desteˈɲir] *v.* desbotar, descorar ▪ **desteñirse** desbotar, descorar
desternillarse [desterniˈʎarse] *v. col.* morrer de rir, chorar de rir
desterrar [desteˈrar] *v.* desterrar, exilar, expatriar
destierro [desˈtjero] *s.m.* desterro, exílio, expatriação*f.*
destilación [destilaˈθjon] *s.f.* destilação
destilar [destiˈlar] *v.* destilar
destilería [destileˈria] *s.f.* destilaria
destinar [destiˈnar] *v.* **1** destinar **2** (emprego, posto) colocar, destacar
destinatari|o, -a [destinaˈtarjo] *s.m.,f.* destinatári|o, -a
destino [desˈtino] *s.m.* **1** (viagem) destino **2** *(uso, finalidad)* destino, uso, finalidade*f.* **3** *(sino)* destino, fado **4** (emprego, posto) colocação*f.*
destitución [destituˈθjon] *s.f.* destituição
destituir [destiˈtwir] *v.* destituir, demitir
destornillador [destorniʎaˈðor] *s.m.* chave*f.* de fendas/parafusos; ***destornillador de estrella*** chave de fenda/parafusos estrela
destornillar [destorniˈʎar] *v.* desaparafusar, desatarraxar
destreza [desˈtreθa] *s.f.* destreza, habilidade
destripar [destriˈpar] *v.* **1** (animal, pessoa) estripar **2** (objeto) desmontar **3** *col.* (relato) estragar, contar o final
destronar [destroˈnar] *v.* destronar
destrozar [destroˈθar] *v.* **1** *(destruir)* destroçar, destruir; *(despedazar)* despedaçar **2** *(estropear)* estragar; *(maltratar)* dar cabo (-, de) **3** (inimigo) destroçar, derrotar **4** *fig.* (moralmente) destroçar
destrozo [desˈtroθo] *s.m.* **1** *(destrucción)* destroço, destruição*f.* **2** *(daño)* estrago ▪ **destrozos** *s.m.pl.* destroços
destrucción [destrukˈθjon] *s.f.* destruição
destructivo [destrukˈtiβo] *adj.* destrutivo
destructor [destrukˈtor] *adj.* destruidor ▪ *s.m.* NÁUT. contratorpedeiro, destróier
destruir [desˈtrwir] *v.* destruir
desunión [desuˈnjon] *s.f.* desunião
desusado [desuˈsaðo] *adj.* **1** *(insólito)* desusado, inusitado, insólito **2** *(anticuado)* desusado, antiquado
desuso [deˈsuso] *s.m.* desuso; ***caer en desuso*** cair em desuso
desvaído [dezβaˈiðo] *adj.* **1** (cor) desbotado **2** (pessoa) esgrouviado **3** (lembrança, recordação) impreciso, pouco claro
desvalido [dezβaˈliðo] *adj.* desamparado, desprotegido, desvalido
desvalijar [dezβaliˈxar] *v.* **1** (pessoa) roubar **2** (lugar) assaltar
desvalorización [dezβaloriθaˈθjon] *s.f.* desvalorização
desvalorizar [dezβaloriˈθar] *v.* desvalorizar ▪ **desvalorizarse** desvalorizar-se
desván [dezˈβan] *s.m.* sótão
desvanecer [dezβaneˈθer] *v.* desvanecer ▪ **desvanecerse 1** desvanecer-se **2** desmaiar
desvanecimiento [dezβaneθiˈmjeṇto] *s.m.* **1** desvanecimento **2** desmaio
desvarío [dezβaˈrio] *s.m.* desvario
desvelo [dezˈβelo] *s.m.* **1** *(insomnio)* insônia*f.*, vigília*f.* **2** *(cuidado)* desvelo, zelo
desventaja [dezβeṇˈtaxa] *s.f.* desvantagem; ***estar en desventaja*** estar em desvantagem
desventura [dezβeṇˈtura] *s.f.* desventura, desgraça
desventurado [dezβeṇtuˈraðo] *adj.* desventurado, infeliz
desvergonzado [dezβerɣoṇˈθaðo] *adj.* desavergonhado, descarado, insolente

desvergüenza [dezβer'γweṇθa] *s.f.* pouca-vergonha, desfaçatez
desvestir [dezβes'tir] *v.* despir, desvestir ■ **desvestirse** despir-se
desviación [dezβja'θjon] *s.f.* desvio*m.*
desviar [dez'βjar] *v.* desviar ■ **desviarse** desviar-se
desvinculación [dezβiŋkula'θjon] *s.f.* desvinculação
desvincular [dezβiŋku'lar] *v.* desvincular ■ **desvincularse** desvincular-se (de, de)
desvío [dez'βio] *s.m.* desvio
detallado [deta'ʎaδo] *adj.* detalhado, pormenorizado
detallar [deta'ʎar] *v.* detalhar, pormenorizar
detalle [de'taʎe] *s.m.* **1** *(pormenor)* detalhe, pormenor; ***contar con todos los detalles*** contar com todos os detalhes; ***sin entrar en detalles*** sem entrar em detalhes **2** *(amabilidad)* amabilidade*f.*, gentileza*f.*, delicadeza*f.*; ***tener el detalle de*** fazer a gentileza de ◆ (comércio) **al detalle** no varejo
detallista [deta'ʎista] *adj.2g.* minucioso, meticuloso, detalhado ■ *s.2g.* retalhista
detección [detek'θjon] *s.f.* **1** detecção **2** MED. rastreio*m.*, despistagem
detectar [detek'tar] *v.* detectar
detective [detek'tiβe] *s.2g.* detetive; ***detective privado*** detetive particular
detector [detek'tor] *s.m.* detector
detención [deteṇ'θjon] *s.f.* **1** *(arresto)* detenção, prisão **2** *(parada)* parada, suspensão
detener [dete'ner] *v.* **1** *(suspender)* deter **2** *(arrestar)* deter, prender ■ **detenerse** deter-se
detenid|o, -a [dete'niδo] *s.m.,f.* detid|o, -a ■ *adj.* **1** *(parado)* detido, parado **2** (exame) minucioso **3** *(arrestado)* detido, preso; ***está detenido*** está detido **4** *(apocado)* acanhado
detergente [deter'xeṇte] *s.m.* (da louça) detergente
deteriorar [deterjo'rar] *v.* deteriorar ■ **deteriorarse** deteriorar-se
deterioro [dete'rjoro] *s.m.* deterioração*f.*
determinación [determina'θjon] *s.f.* determinação
determinado [determi'naδo] *adj.* **1** *(preciso)* determinado, preciso, definido **2** *(resuelto)* determinado, resoluto, decidido **3** LING. (artigo) definido
determinante [determi'naṇte] *adj.2g.* determinante, decisivo ■ *s.m.* determinante
determinar [determi'nar] *v.* determinar ■ **determinarse** determinar-se
determinativo [determina'tiβo] *adj.* determinativo
determinismo [determi'nizmo] *s.m.* determinismo
determinista [determi'nista] *adj.2g.* determinista, determinístico ■ *s.2g.* determinista
detestable [detes'taβle] *adj.2g.* detestável
detestar [detes'tar] *v.* detestar, odiar
detonación [detona'θjon] *s.f.* detonação, explosão
detonador [detona'δor] *s.m.* detonador
detonante [deto'naṇte] *adj.2g.* detonante
detrás [de'tras] *adv.* atrás ◆ **detrás de** atrás de; ***detrás de un árbol*** atrás de uma árvore; **por detrás** **1** por trás **2** nas costas; ***hablar por detrás de alguien*** falar pelas costas de alguém
detrimento [detri'meṇto] *s.m.* detrimento, prejuízo, dano ◆ **en detrimento de** em detrimento de
detrito [de'trito] *s.m.* ⇒ **detritus**
detritus [de'tritus] *s.m.2n.* detrito, resíduo, resto
deuda ['dewδa] *s.f.* **1** *(débito)* dívida, débito*m.* **2** (moral) dívida, obrigação; ***estar en deuda con alguien*** estar em dívida para com alguém ◆ ECON. **deuda exterior/externa** dívida externa; ECON. **deuda interior** dívida interior; ECON. **deuda pública** dívida pública
deudor, -a [dew'δor] *s.m.,f.* devedor, -a
devaluación [deβalwa'θjon] *s.f.* desvalorização
devaluar [deβa'lwar] *v.* desvalorizar
devaneo [deβa'neo] *s.m.* **1** *(pérdida de tiempo)* perda*f.* de tempo; *(distracción)* distração*f.* **2** *(delirio)* devaneio, delírio **3** *(amorío)* namorico
devastación [deβasta'θjon] *s.f.* devastação
devastador [deβasta'δor] *adj.* devastador
devastar [deβas'tar] *v.* devastar, assolar, destruir
devoción [deβo'θjon] *s.f.* devoção
devolución [deβolu'θjon] *s.f.* devolução
devolver [deβol'βer] *v.* **1** devolver, restituir **2** (favor, visita) retribuir **3** *col.* vomitar
devorar [deβo'rar] *v.* devorar
devot|o, -a [de'βoto] *adj.,s.m.,f.* devot|o, -a
devuelto [de'βwelto] (*p.p. de* devolver) *adj.* devolvido, restituído ■ *s.m. col.* vomitado
día ['dia] *s.m.* dia; ***día festivo*** feriado; ***día laborable*** dia útil; ***al día siguiente*** no dia seguinte; ***todos los días*** todos os dias ◆ **al día** **1** em dia **2** ao corrente, por dentro; **buenos días** bom dia, bom-dia; **de día en día** diariamente; **de un día para otro** de um dia para o outro; **día a día** dia a dia; **un día es un día** [expressa que alguém saiu dos hábitos]; **un día sí y otro no** em dias alternados; [*col.* sugere que com tempo se conseguirá algo]
diabetes [dja'βetes] *s.f.2n.* diabetes
diabétic|o, -a [dja'βetiko] *adj.,s.m.,f.* diabétic|o, -a
diablillo [dja'βliʎo] *s.m. col.* diabrete, traquina*2g.*
diablo ['djaβlo] *s.m.* **1** diabo, demônio **2** (bilhar) rabeca*f.* ◆ **andar el diablo suelto** andar o diabo à solta; *col.* **como un diablo** como o diabo; muito; *col.* **del diablo/de mil diablos** dos diabos; muito; ***hace un frío de mil diablos*** está um frio dos diabos; está muito frio; *col.* (assunto) **irse al diablo** fracassar; **ser un pobre diablo** ser um pobre-diabo; **tener el diablo en el cuerpo** ter o diabo no corpo; *col.* **¡vete al diablo!** vai para o Inferno!
diablura [dja'βlura] *s.f.* diabrura, travessura
diabólico [dja'βoliko] *adj.* diabólico
diácono ['djakono] *s.m.* diácono
diacronía [djakro'nia] *s.f.* diacronia
diacrónico [dja'kroniko] *adj.* diacrônico
diadema [dja'δema] *s.f.* **1** diadema*m.* **2** (cabelo) bandolete, arco*m.*
diáfano ['djafano] *adj.* diáfano

diafragma [dja'fraɣma] *s.m.* diafragma
diagnosticar [djaɣnosti'kar] *v.* diagnosticar
diagnóstico [djaɣ'nostiko] *s.m.* diagnóstico
diagonal [djaɣo'nal] *adj.2g.,s.f.* diagonal ♦ **en diagonal** em diagonal
diagrama [dja'ɣrama] *s.m.* diagrama
dialectal [djalek'tal] *adj.2g.* dialetal
dialéctica [dja'lektika] *s.f.* dialética
dialéctico [dja'lektiko] *adj.* dialético
dialecto [dja'lekto] *s.m.* dialeto
diálisis ['djalisis] *s.f.2n.* **1** QUÍM. diálise **2** MED. hemodiálise, diálise
dialogar [djalo'ɣar] *v.* dialogar
diálogo ['djaloɣo] *s.m.* diálogo ♦ *col.* **diálogo de besugos** conversa*f.* de tolos; *col.* **diálogo de sordos** conversa*f.* de surdos
diamante [dja'mante] *s.m.* diamante; ***diamante (en) bruto*** diamante bruto ■ **diamantes** *s.m.pl.* (baralho francês) ouros
diámetro ['djametro] *s.m.* diâmetro
diana ['djana] *s.f.* **1** (ponto) mosca, centro*m.* de alvo de tiro **2** *(blanco)* alvo*m.* **3** MIL. alvorada; ***toque de diana*** toque de alvorada
diantre ['djantre] *s.m. pop. (diablo)* diacho
diapositiva [djaposi'tiβa] *s.f.* diapositivo*m.*, slide*m.*
diario ['djarjo] *adj.* diário, cotidiano ■ *s.m.* diário ♦ **a diario** todos os dias; diariamente; **diario hablado** noticiário, notícias
diarrea [dja'rea] *s.f.* diarreia
dibujante [diβu'xante] *s.2g.* desenhista; cartunista
dibujar [diβu'xar] *v.* **1** desenhar, delinear **2** *fig.* desenhar, descrever ■ **dibujarse** esboçar-se, delinear--se, desenhar-se
dibujo [di'βuxo] *s.m.* desenho ♦ **dibujos animados** desenhos animados
dicción [dik'θjon] *s.f.* dicção
diccionario [dikθjo'narjo] *s.m.* dicionário; ***buscar una palabra en el diccionario*** procurar uma palavra no dicionário
diccionarista [dikθjona'rista] *s.2g.* dicionarista, lexicógraf|o, -a*m.f.*
dicha ['ditʃa] *s.f.* **1** *(felicidad)* felicidade, dita **2** *(ventura)* sorte, ventura, dita
dicho ['ditʃo] (*p.p. de* decir) *adj.* dito ■ *s.m.* dito; ditado ♦ **dicho y hecho** dito e feito; **mejor dicho** melhor dizendo
dichoso [di'tʃoso] *adj.* ditoso, feliz
diciembre [di'θjembre] *s.m.* dezembro
dictado [dik'taðo] *s.m.* ditado ■ **dictados** *s.m.pl.* ditames
dictador, -a [dikta'ðor] *s.m.,f.* ditador, -a
dictadura [dikta'ðura] *s.f.* ditadura
dictáfono [dik'tafono] *s.m.* ditafone
dictamen [dik'tamen] *s.m.* **1** relatório **2** ditame
dictar [dik'tar] *v.* **1** (texto) ditar **2** (decreto, lei) promulgar **3** (sentença) proferir
dictatorial [diktato'rjal] *adj.2g.* ditatorial
didáctica [di'ðaktika] *s.f.* didática
didáctico [di'ðaktiko] *adj.* didático
diecinueve [djeθi'nweβe] *num.* dezenove
dieciocho [dje'θjotʃo] *num.* dezoito
dieciséis [djeθi'sejs] *num.* dezesseis
diecisiete [djeθi'sjete] *num.* dezessete
diente ['djente] *s.m.* dente ♦ **dar diente con diente** bater o(s) dente(s) (de frio, de medo); *col.* **decir/hablar entre dientes** falar entre dentes; resmungar; **diente canino/incisivo/molar** dente canino/incisivo/molar; **diente de ajo** dente de alho; **diente de leche** dente de leite; BOT. **diente de león** dente--de-leão; *col.* **enseñar/mostrar los dientes** arreganhar o(s) dente(s); **tener buen diente** ser um bom garfo
diéresis ['djeresis] *s.f.2n.* trema*m.*, diérese
diésel ['djesel] *s.m.* dísel, diesel
diestra ['djestra] *s.f.* destra, mão direita
diestro ['djestro] *adj.* destro ■ *s.m.* TAUR. matador (de touros) ♦ **a diestro y siniestro** a torto e a direito
dieta ['djeta] *s.f.* dieta; ***estar a dieta*** estar de dieta ■ **dietas** *s.f.pl.* ajudas*pl.* de custo
dietética [dje'tetika] *s.f.* dietética
dietético [dje'tetiko] *adj.* dietético
diez ['djeθ] *num.* dez ♦ *col.* **es un chico diez** é um rapaz nota 10/impecável
diezmo ['djeθmo] *s.m.* dízimo
difamación [difama'θjon] *s.f.* difamação
difamador [difama'ðor] *adj.* difamante
difamar [difa'mar] *v.* difamar, desacreditar
difamatorio [difama'torjo] *adj.* difamatório
diferencia [dife'renθja] *s.f.* diferença ♦ **a diferencia de** ao contrário de
diferenciación [diferenθja'θjon] *s.f.* diferenciação
diferencial [diferen'θjal] *adj.2g.* diferencial ■ *s.f.* MAT. diferencial ■ *s.m.* **1** MEC. diferencial **2** ECON. spread
diferenciar [diferen'θjar] *v.* diferenciar, distinguir ■ **diferenciarse** diferenciar-se, distinguir se
diferendo [dife'rendo] *s.m.* [AM.S.] disputa, desacordo
diferente [dife'rente] *adj.2g.* diferente, distinto
diferido [dife'riðo] *adj.* diferido, adiado, retardado ♦ (programa de rádio, televisão) **en diferido** em gravação
difícil [di'fiθil] *adj.2g.* **1** difícil, complicado **2** *(improbable)* difícil, improvável **3** (pessoa, caráter) difícil, intratável
dificilísimo [difiθi'lisimo] (*superl. de* difícil) *adj.* dificílimo
dificultad [difikul'tað] *s.f.* dificuldade; ***crear dificultades*** criar dificuldades; ***estar en dificultades*** estar em dificuldades
difteria [dif'terja] *s.f.* MED. difteria
difuminar [difumi'nar] *v.* **1** (traço, linha) esfumar **2** (claridade, intensidade) esbater
difundir [difun'dir] *v.* difundir, espalhar ■ **difundirse** difundir-se
difunt|o, -a [di'funto] *adj.,s.m.,f.* defunt|o, -a

difusión [difu'sjon] *s.f.* difusão
difuso [di'fuso] *adj.* difuso
difusor [difu'sor] *s.m.* difusor
digerir [dixe'rir] *v.* **1** (alimento) digerir **2** *fig.* digerir, suportar **3** *fig.* digerir, meditar
digestión [dixes'tjon] *s.f.* digestão
digestivo [dixes'tiβo] *adj.* digestivo, digestório
digital [dixi'tal] *adj.2g.* digital; ***huellas digitales*** impressões digitais; ***reloj digital*** relógio digital ■ *s.f.* BOT. dedaleira
digitalización [dixitaliθa'θjon] *s.f.* digitalização
digitalizador [dixitaliθa'ðor] *s.m.* digitalizador
dígito ['dixito] *s.m.* dígito
dignarse [diγ'narse] *v.* dignar se (a, a); ***él no se dignó a aparecer*** ele não se dignou a aparecer
dignatari|o, -a [diγna'tarjo] *s.m.,f.* dignitári|o, -a
dignidad [diγni'ðað] *s.f.* dignidade
dignificante [diγnifi'kaṇte] *adj.2g.* dignificante
digno ['diγno] *adj.* **1** digno (de, de), merecedor (de, de); ***digno de confianza*** digno de confiança **2** *(respetable)* digno, respeitável
dígrafo ['diγrafo] *s.m.* dígrafo
digresión [diγre'sjon] *s.f.* digressão, divagação
dilacerar [dilaθe'rar] *v.* dilacerar, despedaçar
dilación [dila'θjon] *s.f.* dilação, demora, delonga, atraso*m.* ♦ **sin más dilación** sem mais delongas
dilatación [dilata'θjon] *s.f.* dilatação
dilatar [dila'tar] *v.* **1** *(alargar)* dilatar, aumentar **2** (tempo) dilatar, prolongar **3** *(retardar)* atrasar, retardar **4** *(aplazar)* adiar ■ **dilatarse 1** dilatar-se **2** (discurso, escrito) estender-se, alongar-se
dilema [di'lema] *s.m.* dilema; ***estar en un dilema*** estar num dilema
diligencia [dili'xeṇθja] *s.f.* diligência
diligente [dili'xeṇte] *adj.2g.* diligente
dilución [dilu'θjon] *s.f.* diluição
diluir [di'lwir] *v.* diluir, dissolver ■ **diluirse** diluir-se, dissolver se
diluvio [di'luβjo] *s.m.* dilúvio
diluyente [dilu'jeṇte] *s.m.* diluente
dimensión [dimen'sjon] *s.f.* dimensão
diminutivo [diminu'tiβo] *adj.,s.m.* diminutivo
diminuto [dimi'nuto] *adj.* diminuto
dimisión [dimi'sjon] *s.f.* demissão; ***presentar la dimisión*** apresentar a demissão
dimisionario [dimisjo'narjo] *adj.* demissionário
dimitir [dimi'tir] *v.* demitir se (de, de); ***dimitir de su cargo*** demitir se do cargo
Dinamarca [dina'marka] *s.f.* Dinamarca
dinamarqu|és, -esa [dinamar'kes] *adj.,s.m.,f.* dinamarqu|ês, -esa ■ **dinamarqués** *s.m.* (língua) dinamarquês
dinámica [di'namika] *s.f.* dinâmica
dinámico [di'namiko] *adj.* **1** dinâmico **2** *fig.* dinâmico, ativo
dinamismo [dina'mizmo] *s.m.* dinamismo
dinamita [dina'mita] *s.f.* dinamite
dinar [di'nar] *s.m.* (moeda) dinar
dinastía [dinas'tia] *s.f.* dinastia
dineral [dine'ral] *s.m. col.* dinheirão, dinheirama
dinero [di'nero] *s.m.* dinheiro; ***dinero al contado*** dinheiro vivo, pagar à vista; ***dinero limpio/sucio*** dinheiro limpo/sujo; ***dinero negro*** dinheiro sujo; ***dinero suelto*** dinheiro trocado ♦ **de dinero** de dinheiro; **tirar dinero por la ventana** jogar dinheiro fora
dinosaurio [dino'sawrjo] *s.m.* dinossauro
diocesano [djoθe'sano] *adj.* diocesano
diócesis ['djoθesis] *s.f.2n.* diocese
diodo ['djoðo] *s.m.* díodo
dioptría [djop'tria] *s.f.* dioptria
dios, -a ['djos] *s.m.,f.* deus, -a
dióxido ['djoksiðo] *s.m.* dióxido
dioxina [djo'ksina] *s.f.* dioxina
diploma [di'ploma] *s.m.* diploma
diplomacia [diplo'maθja] *s.f.* diplomacia
diplomad|o, -a [diplo'maðo] *s.m.,f.* **1** diplomad|o, -a **2** (curso superior) bacharel*2g.*
diplomátic|o, -a [diplo'matiko] *s.m.,f.* diplomata*2g.* ■ *adj.* diplomático; ***cuerpo diplomático*** corpo diplomático; ***valija diplomática*** mala diplomática
diplomatura [diploma'tura] *s.f.* bacharelato*m.*
diptongación [diptoŋga'θjon] *s.f.* ditongação
diptongo [dip'toŋgo] *s.m.* ditongo; ***diptongo creciente/decreciente*** ditongo crescente/decrescente
diputad|o, -a [dipu'taðo] *s.m.,f.* deputad|o, -a
dirección [direk'θjon] *s.f.* **1** *(rumbo)* direção, rumo*m.*, sentido*m.* **2** (associação, grupo) direção **3** (tese) orientação **4** CIN. realização **5** TEAT. encenação **6** *(domicilio)* morada, endereço*m.*, direção **7** MEC. direção; ***dirección asistida*** direção assistida **8** INFORM. endereço*m.*; ***dirección de correo electrónico*** endereço de correio eletrônico ♦ **dirección general** direção-geral; (sinal) **dirección única** sentido único; **en dirección a** em direção a
direccional [direkθjo'nal] *adj.2g.* direcional ■ *s.f.* [ARG., MÉX.] pisca*m.*, pisca pisca*m.*
directiva [direk'tiβa] *s.f.* **1** (corporação, sociedade) direção **2** *(directriz)* diretiva, diretriz
directivo [direk'tiβo] *adj.* diretivo
directo [di'rekto] *adj.* direto ♦ **en directo** ao vivo
director, -a [direk'tor] *s.m.,f.* **1** diretor, -a; ***director general*** diretor geral **2** CIN., TV. realizador, -a **3** TEAT. encenador, -a **4** MÚS. maestr|o, -ina **5** (mestrado, doutorado) orientador, -a
directorio [direk'torjo] *s.m.* **1** diretório **2** lista*f.* **3** INFORM. diretório, pasta*f.*
directriz [direk'triθ] *s.f.* **1** diretriz, diretiva, orientação **2** GEOM. diretriz
dirigente [diri'xeṇte] *s.2g.* dirigente
dirigible [diri'xiβle] *s.m.* dirigível
dirigir [diri'xir] *v.* **1** (atividade, negócio) dirigir, administrar **2** (filme) realizar **3** (peça teatral) encenar **4** (orquestra) reger **5** (olhar, palavra) dirigir **6** (carta) dirigir,

endereçar **7** (esforços) concentrar **8** (tese) orientar **9** (obra) dedicar ■ **dirigirse** dirigir-se (a, a)

discal [dis'kal] *adj.2g.* discal; ***hernia discal*** hérnia de disco

discapacidad [diskapaθi'ðað] *s.f.* incapacidade; ***personas con discapacidad*** pessoas deficientes

discapacitado [diskapaθi'taðo] *adj.* deficiente (físico ou mental)

discente [dis'θente] *adj.2g.* discente

discernimiento [disθerni'mjento] *s.m.* discernimento

discernir [disθer'nir] *v.* discernir, distinguir

disciplina [disθi'plina] *s.f.* **1** *(orden)* disciplina, ordem **2** *(asignatura)* disciplina

disciplinar [disθipli'nar] *v.* disciplinar ■ *adj.2g.* disciplinar

disciplinario [disθipli'narjo] *adj.* disciplinar

discípul|o, -a [dis'θipulo] *s.m.,f.* discípul|o, -a

discman [disk'man] *s.m.* discman

disco ['disko] *s.m.* **1** disco **2** MÚS. disco; ***disco sencillo*** single **3** (semáforo) sinal (luminoso) **4** INFORM. disco; ***disco compacto*** CD; ***disco duro*** disco rígido; ***disco magnético*** disco magnético **5** ESPOR. disco ◆ *col.* **parecer un disco rayado** parecer um disco riscado

discografía [diskoγra'fia] *s.f.* discografia

discográfico [disko'γrafiko] *adj.* discográfico

díscol|o, -a ['diskolo] *s.m.,f.* desordeir|o, -a, desobediente*2g.*

discontinuidad [diskontinwi'ðað] *s.f.* descontinuidade, interrupção

discontinuo [diskon'tinwo] *adj.* descontínuo

discordancia [diskor'ðanθja] *s.f.* **1** *(contraste)* discordância **2** *(desacuerdo)* discordância, desacordo*m.*, divergência, discrepância

discordante [diskor'ðante] *adj.2g.* discordante

discordar [diskor'ðar] *v.* **1** *(contrastar)* discordar (de, de), destoar (de, de) **2** *(disentir)* discordar (de, de), divergir (de, de), discrepar (de, de) **3** MÚS. discordar, desafinar

discorde [dis'korðe] *adj.2g.* **1** discordante **2** MÚS. discordante, dissonante, desafinado

discordia [dis'korðja] *s.f.* discórdia; ***sembrar la discordia*** semear a discórdia

discoteca [disko'teka] *s.f.* discoteca

discreción [diskre'θjon] *s.f.* discrição ◆ **a discreción** à discrição, à vontade

discrecional [diskreθjo'nal] *adj.* discricionário

discrepancia [diskre'panθja] *s.f.* discrepância, divergência, diferença

discreto [dis'kreto] *adj.* discreto

discriminación [diskrimina'θjon] *s.f.* discriminação

discriminar [diskrimi'nar] *v.* **1** (raça, sexo) discriminar **2** *(diferenciar)* discriminar, distinguir, diferenciar

discriminatorio [diskrimina'torjo] *adj.* discriminatório

disculpa [dis'kulpa] *s.f.* **1** *(perdón)* desculpa, perdão*m.*; ***pedir disculpas a alguien*** pedir desculpas a alguém **2** *(pretexto)* desculpa, pretexto*m.*

disculpar [diskul'par] *v.* desculpar ■ **disculparse** desculpar-se (por, por); ***se disculpó por no haber aparecido*** desculpou-se por não ter aparecido

discupable [disku'paβle] *adj.2g.* desculpável

discurrir [disku'rir] *v.* **1** *(caminar)* andar, caminhar; percorrer **2** (líquido) correr, fluir **3** (tempo) decorrer, passar **4** *(reflexionar)* discorrer, refletir

discursivo [diskur'siβo] *adj.* discursivo

discurso [dis'kurso] *s.m.* **1** discurso; ***pronunciar un discurso*** fazer um discurso **2** (tempo) decorrer, passagem*f.*; ***con el discurso de los años*** com o decorrer dos anos **3** LING. discurso; ***discurso directo/indirecto*** discurso direto/indireto; ***discurso indirecto libre*** discurso indireto livre

discusión [disku'sjon] *s.f.* **1** *(debate)* discussão, debate*m.*, polêmica **2** *(altercado)* briga, altercação

discutible [disku'tiβle] *adj.2g.* discutível

discutir [disku'tir] *v.* discutir

disecación [diseka'θjon] *s.f.* dissecação (de animal)

disecar [dise'kar] *v.* **1** (animal) dissecar **2** (planta) secar

disección [disek'θjon] *s.f.* dissecação

diseminación [disemina'θjon] *s.f.* disseminação

diseminar [disemi'nar] *v.* disseminar, espalhar ■ **diseminarse** disseminar-se, espalhar-se

disensión [disen'sjon] *s.f.* dissensão, divergência, discrepância

disentería [disente'ria] *s.f.* disenteria

diseñador, -a [diseɲa'ðor] *s.m.,f.* **1** designer*2g.* **2** desenhista*2g.*

diseñar [dise'ɲar] *v.* **1** desenhar, fazer o design **2** *(proyectar)* projetar, planejar

diseño [di'seɲo] *s.m.* **1** design; ***diseño gráfico*** design gráfico **2** *(forma)* design, forma*f.* **3** *(boceto)* desenho, esboço **4** *(descripción)* descrição*f.* **5** *(proyecto)* projeto, plano

disertación [diserta'θjon] *s.f.* dissertação

disfasia [disfa'sia] *s.f.* disfasia

disforme [dis'forme] *adj.2g.* disforme

disfraz [dis'fraθ] *s.m.* **1** disfarce **2** (festas) fantasia*f.*, disfarce, máscara*f.*; ***baile de disfraces*** baile de máscaras

disfrazar [disfra'θar] *v.* **1** disfarçar, mascarar **2** *fig.* disfarçar, dissimular ■ **disfrazarse** disfraçar-se (de, de), fantasiar se (de, de), mascarar-se (de, de); ***disfrazarse de pirata*** disfarçar-se de pirata

disfrutar [disfru'tar] *v.* **1** desfrutar, gozar, usufruir **2** aproveitar **3** desfrutar (de, de), gozar (de, de); ***disfruta de buena salud*** goza de boa saúde **4** deleitar-se (con, com), deliciar se (con, com); ***disfrutarse con una ópera*** deliciar se com uma ópera

disfrute [dis'frute] *s.m.* desfrute, gozo, usufruto, fruição*f.*

disfunción [disfun'θjon] *s.f.* disfunção

disfuncional [disfunθjo'nal] *adj.2g.* disfuncional

disgregación [dizγreγa'θjon] *s.f.* desagregação

disgustar [dizγus'tar] *v.* **1** não gostar; ***me disgusta tener que levantarme temprano*** não gosto de ter que me levantar cedo **2** (sabor) desagradar **3** *(enfadar)* aborrecer, arreliar, desgostar **4** *(entristecer)* magoar ▪ **disgustarse 1** *(enfadarse)* zangar-se **2** *(entristecerse)* magoar se **3** *(pelearse)* discutir (con, com); ***Ana se ha disgustado conmigo*** Ana discutiu comigo

disgusto [diz'ɣusto] *s.m.* **1** desgosto, pesar, tristeza*f.*; ***sufrir un disgusto*** sofrer um desgosto **2** *(pelea)* discussão*f.*, desentendimento **3** *(enfado)* aborrecimento ◆ **a disgusto** a contragosto, contra a vontade

disidencia [disi'ðeṇθja] *s.f.* dissidência

disidente [disi'ðeṇte] *s.2g.* dissidente

disílabo [di'silaβo] *adj.,s.m.* dissílabo, bissílabo

disimilación [disimila'θjon] *s.f.* dissimilação

disimulado [disimu'laðo] *adj.* **1** dissimulado, encoberto **2** (pessoa) dissimulado, fingido ◆ *col.* **hacerse el disimulado** fazer-se de desentendido

disimular [disimu'lar] *v.* **1** dissimular, fingir **2** disfarçar

disimulo [disi'mulo] *s.m.* dissimulação*f.*, fingimento

disipación [disipa'θjon] *s.f.* **1** *(desvanecimiento)* dissipação, desaparecimento*m.*, desvanecimento*m.* **2** (dinheiro) dissipação, esbanjamento*m.*

disipar [disi'par] *v.* **1** *(desvanecer)* dissipar, desvanecer, desaparecer **2** (dinheiro) esbanjar, desbaratar, dissipar ▪ **disiparse** dissipar-se

dislexia [diz'leksja] *s.f.* dislexia

disléxic|o, -a [diz'leksiko] *adj.,s.m.,f.* disléxic|o, -a

dislocación [dizloka'θjon] *s.f.* luxação, deslocamento

dislocar [dizlo'kar] *v.* (osso, articulação) deslocar, desarticular ▪ **dislocarse** (osso, articulação) deslocar, desarticular; ***se dislocó el hombro*** deslocou o ombro

disminución [dizminu'θjon] *s.f.* diminuição

disminuid|o, -a [dizmi'nwiðo] *s.m.,f.* deficiente*2g.*; ***disminuido psíquico*** deficiente mental

disminuir [dizmi'nwir] *v.* **1** diminuir **2** (velocidade) reduzir, diminuir **3** (preços, temperatura) diminuir, reduzir

disociable [diso'θjaβle] *adj.2g.* dissociável

disociación [disoθja'θjon] *s.f.* dissociação

disoluble [diso'luβle] *adj.2g.* dissolúvel

disolución [disolu'θjon] *s.f.* dissolução

disoluto [diso'luto] *adj.* dissoluto

disolvente [disol'βeṇte] *s.m.* **1** dissolvente **2** diluente

disolver [disol'βer] *v.* **1** (substância) dissolver, diluir **2** *(separar)* dissolver, separar, dissipar, dispersar, desfazer **3** (acordo, contrato) dissolver, anular **4** *(destruir)* destruir ▪ **disolverse** dissolver-se

dispar [dis'par] *adj.2g.* díspar, desigual, diferente

disparador [dispara'ðor] *s.m.* **1** (arma) gatilho, disparador **2** FOT. disparador

disparar [dispa'rar] *v.* **1** (arma) disparar, atirar, desfechar **2** *(lanzar)* disparar, atirar, lançar **3** ESPOR. chutar ▪ **dispararse 1** (arma) disparar **2** (preços) disparar **3** *fig.* (pessoa) explodir

disparatado [dispara'taðo] *adj.* disparatado

disparate [dispa'rate] *s.m.* disparate

disparejo [dispa'rexo] *adj.* desigual, diferente

disparidad [dispari'ðað] *s.f.* disparidade

disparo [dis'paro] *s.m.* **1** disparo, tiro **2** ESPOR. chute

dispendio [dis'peṇdjo] *s.m.* dispêndio, gasto, consumo

dispendioso [dispeṇ'djoso] *adj.* **1** *(costoso)* dispendioso, caro, custoso **2** (pessoa) esbanjador, perdulário

dispensa [dis'pensa] *s.f.* dispensa

dispensable [dispen'saβle] *adj.2g.* dispensável

dispensar [dispen'sar] *v.* **1** (dever, obrigação) dispensar (de, de); ***me dispensaron del examen*** dispensaram-me do exame **2** *(conceder)* dispensar, dar, conceder **3** *(disculpar)* desculpar, perdoar

dispepsia [dis'pepsja] *s.f.* dispepsia

dispersar [disper'sar] *v.* dispersar ▪ **dispersarse** dispersar(-se)

dispersión [disper'sjon] *s.f.* dispersão

disperso [dis'perso] *adj.* disperso

displasia [dis'plasja] *s.f.* displasia

displicencia [displi'θenθja] *s.f.* displicência

displicente [displi'θeṇte] *adj.2g.* displicente

disponer [dispo'ner] *v.* **1** *(colocar)* dispor, colocar **2** *(ordenar)* dispor, mandar, ordenar **3** *(preparar)* dispor, providenciar, preparar **4** *(tener)* dispor (de, de) **5** *(hacer uso)* dispor (de, de), fazer uso (de, de) ▪ **disponerse 1** dispor-se **2** *(prepararse)* dispor se (a, para), preparar-se (a, para)

disponibilidad [disponiβili'ðað] *s.f.* disponibilidade; ***tener disponibilidad para*** ter disponibilidade para ▪ **disponibilidades** *s.f.pl.* disponibilidades*pl.*

disponible [dispo'niβle] *adj.2g.* disponível; ***aún hay lugares disponibles*** ainda há lugares disponíveis; ***no estoy disponible de momento*** não estou disponível no momento; ***no tengo dinero disponible*** não tenho dinheiro disponível

disposición [disposi'θjon] *s.f.* **1** *(colocación)* disposição, colocação, distribuição **2** *(estado de ánimo)* disposição, estado*m.* de espírito; ***no tener disposición para*** não ter disposição para **3** *(aptitud)* disposição, inclinação, vocação; ***tener disposición para*** ter vocação para ◆ **a disposición de** ao dispor de; **a la disposición de** à disposição de; **a su disposición** ao seu dispor; **estar en disposición de** estar com disposição para; estar em condição de

dispositivo [disposi'tiβo] *s.m.* dispositivo; ***dispositivo de seguridad*** dispositivo de segurança ◆ **dispositivo intrauterino (DIU)** dispositivo intrauterino (DIU)

dispuesto [dis'pwesto] (*p.p. de* disponer) *adj.* disposto

disputa [dis'puta] *s.f.* disputa

disputar [dispu'tar] *v.* **1** disputar **2** discutir

disquete [dis'kete] *s.m.* disquete*f.*

disquetera [diske'tera] *s.f.* drive de CDs ou DVDs

distancia [dis'taṇθja] *s.f.* distância ◆ **a distancia** a distância; **guardar las distancias** manter (a) distância

distanciamiento [distaṇθja'mjeṇto] *s.m.* distanciamento

distanciar [distaṇ'θjar] *v.* distanciar ▪ **distanciarse** distanciar-se

distante [dis'tante] *adj.2g.* 1 distante, remoto, longínquo 2 *fig.* (pessoa) distante, frio
distensión [disten'sjon] *s.f.* distensão
dístico ['distiko] *s.m.* dístico
distinción [distin'θjon] *s.f.* 1 *(diferencia)* distinção, diferença 2 *(elegancia)* distinção, elegância 3 *(prémio)* distinção, prêmio*m.*, condecoração
distinguido [distiŋ'giðo] *adj.* 1 distinto, ilustre 2 *(elegante)* chique, elegante, distinto ♦ (carta) **distinguido señor** prezado senhor
distinguir [distiŋ'gir] *v.* 1 *(diferenciar)* distinguir, diferenciar 2 *(ver)* distinguir, divisar 3 (comportamento, qualidade) distinguir, caracterizar 4 (pessoa) distinguir, condecorar ■ **distinguirse** distinguir-se (en/por, em/por)
distintivo [distin'tiβo] *s.m.* distintivo
distinto [dis'tinto] *adj.* 1 *(diferente)* distinto, diferente 2 *(claro)* distinto, nítido, claro
distorsión [distor'sjon] *s.f.* 1 distorção 2 MED. torção
distracción [distrak'θjon] *s.f.* 1 *(despiste)* distração, desatenção 2 *(entretenimiento)* distração, divertimento*m.*, entretenimento*m.*
distraer [distra'er] *v.* 1 (atenção) distrair, desconcentrar 2 *(entretener)* distrair, entreter, divertir 3 (dinheiro) desviar ■ **distraerse** 1 (atenção) distrair-se, desconcentrar-se 2 *(entretenerse)* distrair-se, entreter-se, divertir-se
distraído [distra'iðo] *adj.* 1 *(despistado)* distraído, desatento 2 *(entretenido)* distraído, entretido
distribución [distriβu'θjon] *s.f.* distribuição
distribuidor, -a [distriβwi'ðor] *s.m.,f.* distribuidor, -a ■ *adj.* distribuidor ■ **distribuidor** *s.m.* 1 corredor (que dá acesso a várias divisões de uma casa) 2 MEC. distribuidor
distribuidora [distriβwi'ðora] *s.f.* distribuidora
distribuir [distri'βwir] *v.* 1 *(repartir)* distribuir, dividir 2 (correio, mercadoria) distribuir, entregar
distrito [dis'trito] *s.m.* distrito
disturbio [dis'turβjo] *s.m.* distúrbio
disuadir [diswa'ðir] *v.* dissuadir (de, de), demover (de, de); ***disuadir a alguien de algo*** dissuadir alguém de algo
disuasión [diswa'sjon] *s.f.* dissuasão
disuelto [di'swelto] *(p.p. de* disolver*)* *adj.* dissolvido
disyunción [dizjun'θjon] *s.f.* disjunção
disyuntiva [dizjun'tiβa] *s.f.* alternativa (entre duas possibilidades)
disyuntivo [dizjun'tiβo] *adj.* disjuntivo
DIU *(sigla de* dispositivo intrauterino) DIU *(sigla de* dispositivo intrauterino)
diuresis [dju'resis] *s.f.2n.* MED. diurese
diurético [dju'retiko] *s.m.* diurético
diurno ['djurno] *adj.* diurno
divagación [diβaγa'θjon] *s.f.* divagação
diván [di'βan] *s.m.* divã
divergencia [diβer'xenθja] *s.f.* divergência
divergente [diβer'xente] *adj.2g.* divergente
diversidad [diβersi'ðað] *s.f.* diversidade
diversificación [diβersifika'θjon] *s.f.* diversificação
diversión [diβer'sjon] *s.f.* diversão, entretenimento*m.*, divertimento*m.*
divers|o, -a [di'βerso] *adj.* diverso, diferente
divertido [diβer'tiðo] *adj.* 1 divertido 2 (pessoa) divertido, alegre, engraçado
divertimiento [diβerti'mjento] *s.m.* divertimento, entretenimento, distração*f.*, diversão*f.*
divertir [diβer'tir] *v.* divertir, entreter, distrair ■ **divertirse** divertir-se
dividendo [diβi'ðendo] *s.m.* dividendo
dividir [diβi'ðir] *v.* 1 *(separar)* dividir, separar 2 *(repartir)* dividir, repartir, distribuir 3 MAT. dividir ■ **dividirse** dividir-se
divinidad [diβini'ðað] *s.f.* divindade
divinización [diβiniθa'θjon] *s.f.* divinização
divino [di'βino] *adj.* 1 divino 2 *(extraordinario)* divino, divinal, fantástico
divisa [di'βisa] *s.f.* 1 divisa 2 ECON. divisa, moeda estrangeira
divisar [diβi'sar] *v.* divisar, avistar
divisibilidad [diβisiβili'ðað] *s.f.* divisibilidade
divisible [diβi'siβle] *adj.2g.* divisível
división [diβi'sjon] *s.f.* 1 *(separación)* divisão, separação 2 *(reparto)* divisão, repartição, distribuição 3 *fig.* divisão, discrepância, divergência 4 MAT. divisão 5 ESPOR. divisão; ***división de honor*** divisão de honra [divisão mais alta]
divisor [diβi'sor] *s.m.* divisor; ***divisor común*** divisor comum; ***máximo común divisor*** máximo divisor comum
divisoria [diβi'sorja] *s.f.* divisória
divisorio [diβi'sorjo] *adj.* divisório
div|o, -a ['diβo] *s.m.,f.* div|o, -a; *(cantante de ópera)* cantor, -a de ópera
divorciad|o, -a [diβor'θjaðo] *adj.,s.m.,f.* divorciad|o, -a
divorciar [diβor'θjar] *v.* divorciar ■ **divorciarse** divorciar se (de, de); ***se divorció de él*** divorciou se dele
divorcio [di'βorθjo] *s.m.* divórcio
divulgación [diβulγa'θjon] *s.f.* divulgação
divulgar [diβul'γar] *v.* divulgar, difundir ■ **divulgarse** divulgar-se, difundir se
DJ *sigla* (pinchadiscos) DJ (disc jóquei)
do ['do] *s.m.* dó ♦ *col.* **dar el do de pecho** dar o máximo de si
dóberman ['doβerman] *s.m.* dobermann
dobladillo [doβla'ðiʎo] *s.m.* bainha*f.*, barra
doblado [do'βlaðo] *adj.* 1 (número, valor) dobrado, duplicado 2 *(curvo)* dobrado, curvado 3 (pessoa) parrudo 4 (terreno) desigual 5 CIN., TV. dublado 6 *col.* esgotado, exausto
doblaje [do'βlaxe] *s.m.* dublagem*f.*
doblar [do'βlar] *v.* 1 (número, valor) dobrar, duplicar 2 (papel, tecido) dobrar; vincar 3 *(torcer)* dobrar, vergar, curvar, inclinar 4 (esquina) dobrar, contornar 5 CIN., TV. dublar 6 *(girar)* virar; ***doblar a la derecha*** virar à direita 7 (sinos) dobrar (a finados) ■ **doblarse**

1 *(torcerse)* vergar, dobrar 2 *(rendirse)* dobrar se, render se

doble ['doβle] *num.* dobro ▪ *s.2g.* 1 (pessoa) sósia 2 CIN. dublê ▪ *adj.2g.* duplo; ***cristales dobles*** vidros duplos; ***doble clic*** clique duplo; ***doble personalidad*** dupla personalidade; ***habitación doble*** quarto duplo; ***tener doble nacionalidad*** ter dupla nacionalidade

doblez [do'βleθ] *s.m.* 1 *(pliegue)* dobra 2 (marca) vinco*m.* ▪ *s.m./f.* duplicidade*f.*, fingimento*m.*

doce ['doθe] *num.* doze

docena [do'θena] *s.f.* dúzia; ***media docena*** meia dúzia ♦ *col.* **por/a docenas** às dúzias

docencia [do'θeṇθja] *s.f.* docência

docente [do'θeṇte] *adj.2g.* docente; ***cuerpo docente*** corpo docente ▪ *s.2g.* docente

dócil ['doθil] *adj.2g.* dócil

docilidad [doθili'ðaδ] *s.f.* docilidade

docto ['dokto] *adj.* douto, erudito, sábio

doctor, -a [dok'tor] *s.m.,f.* 1 *(médico)* doutor, -a, médic|o, -a 2 (título universitário) doutor, -a, doutorad|o, -a

doctorado [dokto'raðo] *s.m.* doutorado

doctorand|o, -a [dokto'raṇdo] *s.m.,f.* doutorand|o, -a

doctorar [dokto'rar] *v.* doutorar ▪ **doctorarse** doutorar se (en, em); ***se doctoró en Lexicografía*** doutorou se em Lexicografia

doctrina [dok'trina] *s.f.* doutrina

doctrinal [doktri'nal] *adj.2g.* doutrinal ▪ *s.m.* manual (que contém regras e preceitos)

documentación [dokumeṇta'θjon] *s.f.* documentação

documental [dokumeṇ'tal] *adj.2g.* documental ▪ *s.m.* documentário

documentalista [dokumeṇta'lista] *s.2g.* documentalista

documentar [dokumeṇ'tar] *v.* documentar ▪ **documentarse** documentar-se (sobre, sobre), informar-se (sobre, sobre)

documento [doku'meṇto] *s.m.* documento ♦ **Documento Nacional de Identidad (DNI)** carteira de identidade

dogma ['doγma] *s.m.* dogma

dogmático [doγ'matiko] *adj.* 1 dogmático 2 (pessoa) dogmático, inflexível

dogmatismo [doγma'tizmo] *s.m.* dogmatismo

dogo ['doγo] *s.m.* cão dinamarquês

dólar ['dolar] *s.m.* (moeda) dólar

dolencia [do'leṇθja] *s.f.* doença

doler [do'ler] *v.* doer; ***me duele la cabeza*** dói me a cabeça ▪ **dolerse** 1 *(quejarse)* queixar se (de, de); ***se duele de la cabeza*** queixa se de dores de cabeça 2 *(compadecerse)* compadecer se (de, de), condoer se (de, de), doer se (de, de); ***me duelo de tu desgracia*** compadeço me da tua desgraça 3 *(arrepentirse)* arrepender se (de, de), doer se (de, de)

dolido [do'liðo] *adj.* magoado, ofendido

dolmen ['dolmen] *s.m.* dólmen

dolo ['dolo] *s.m.* 1 *(fraude)* dolo, fraude*f.* 2 DIR. dolo

dolor [do'lor] *s.m.* 1 (física) dor*f.*; ***dolor de cabeza/muelas*** dor de cabeça/dentes; ***dolor de espalda*** dor nas costas 2 (moral) dor*f.*, pesar, dó 3 *(arrepentimiento)* dor*f.*, arrependimento, remorso ♦ **dolor del alma** dor de alma

dolorido [dolo'riðo] *adj.* dorido

doloroso [dolo'roso] *adj.* doloroso ♦ *col.* **la dolorosa** a conta; a fatura

domador, -a [doma'ðor] *s.m.,f.* domador, -a

domar [do'mar] *v.* domar

domesticable [domesti'kaβle] *adj.2g.* domesticável

domesticación [domestika'θjon] *s.f.* domesticação

domesticar [domesti'kar] *v.* domesticar ▪ **domesticarse** domesticar-se

doméstico [do'mestiko] *adj.* doméstico

domiciliario [domiθi'ljarjo] *adj.* domiciliário

domicilio [domi'θiljo] *s.m.* 1 *(dirección)* morada*f.*, endereço, domicílio 2 *(casa)* domicílio, casa*f.*, residência*f.* ♦ **a domicilio** em domicílio; ***reparto a domicilio gratuito*** entrega em domicílio gratuita; **domicilio social** sede social

dominación [domina'θjon] *s.f.* dominação

dominante [domi'naṇte] *adj.2g.* dominante

dominar [domi'nar] *v.* dominar ▪ **dominarse** dominar se, controlar se

domingo [do'miŋgo] *s.m.* domingo; ***del domingo en ocho*** de domingo a oito; ***el domingo pasado*** no domingo passado; ***el domingo por la mañana/tarde/noche*** no domingo de manhã/à tarde/à noite; ***el próximo domingo*** no próximo domingo; ***hoy es domingo*** hoje é domingo; ***los domingos*** aos domingos; ***todos los domingos*** todos os domingos ♦ **Domingo de Piñata** o primeiro domingo de Quaresma; **Domingo de Ramos** Domingo de Ramos; **Domingo de Resurrección** Domingo de Páscoa

dominguer|o, -a [domiŋ'gero] *s.m.,f. pej.* domingueir|o, -a*pop.*, condutor, -a de fim de semana ▪ *adj.* domingueiro

dominical [domini'kal] *adj.2g.* dominical

dominican|o, -a [domini'kano] *adj.,s.m.,f.* dominican|o, -a

dominio [do'minjo] *s.m.* 1 *(poder)* domínio, poder 2 *(territorio)* domínio, território 3 *(conocimiento)* domínio, conhecimento; ***dominio de idiomas*** domínio de línguas 4 *(ámbito)* domínio, âmbito 5 INFORM. domínio ♦ **ser de dominio público** ser de domínio público

dominó [domi'no] *s.m.* (jogo) dominó

domo ['domo] *s.m.* ARQ. domo

don ['don] *s.m.* 1 (tratamento) senhor 2 (título honorífico) dom 3 *(talento)* dom, talento, condão; ***tener un don especial para la música*** ter um dom especial para a música 4 *(dádiva)* dom, dádiva*f.* ♦ **don de gentes** jeito para lidar com as pessoas; **don de palabra** dom da palavra; *pej.* **don nadie** zé-ninguém, joão--ninguém

donación [dona'θjon] *s.f.* doação

donante [do'naṇte] *s.2g.* doador, -a*m.f.*

donar [do'nar] *v.* 1 (bens, órgãos) doar 2 (sangue) dar, doar

donativo [dona'tiβo] *s.m.* donativo
doncella [doṇ'θeʎa] *s.f.* **1** *(criada)* empregada, criada **2** *lit.* donzela, virgem
donde ['doṇde] *adv.* onde; *el despacho donde trabajo es grande* o gabinete onde trabalho é grande ◆ **de donde** donde, do que; **en donde** onde; **por donde** por onde
dónde ['doṇde] *adv.* **1** (interrogativa direta) onde?, aonde? *pop.*; *¿dónde estabas?* onde estavas? **2** (interrogativa indireta) onde; *no sé dónde puse las llaves* não sei onde pus as chaves ◆ **de dónde** de onde; **en dónde** onde; **por dónde** por onde
dondequiera [doṇde'kjera] *adv.* onde quer que, em qualquer parte
dong ['doŋ] *s.m.* dong (etnia, moeda da China)
donjuán [doŋ'xwan] *s.m.* dom-juan, sedutor, conquistador
donut ['donut] *s.m.* [rosca frita e envolvida em açúcar ou recheada]
doña ['doɲa] *s.f.* (*m.* don) **1** dona, senhora **2** (carta) excelentíssima
dopado [do'paðo] *adj.* (atleta) dopado
dopaje [do'paxe] *s.m.* doping, dopagem*f.*
dopar [do'par] *v.* dopar ▪ **doparse** dopar-se
doping ['dopiŋ] *s.m.* doping
dorada [do'raða] *s.f.* dourada
dorado [do'raðo] *adj.* **1** dourado **2** *fig.* dourado, esplendoroso, feliz; *años dorados* anos dourados **3** CUL. alourado, dourado ▪ *s.m.* dourado ▪ **dorados** *s.m.pl.* (adornos) dourados
dorar [do'rar] *v.* **1** dourar, doirar **2** (alimento) dourar, alourar ▪ **dorarse** dourar-se
dórico ['doriko] *adj.,s.m.* dórico
dormida [dor'miða] *s.f. col.* dormida
dormil|ón, -ona [dormi'lon] *adj.,s.m.,f. col.* dorminhoc|o, -a
dormir [dor'mir] *v.* **1** dormir; *dormí en casa de mi hermano* dormi na casa do meu irmão; *¿has dormido bien?* você dormiu bem? **2** adormecer, fazer dormir; *voy a dormir al bebé* vou adormecer o bebê **3** *(tener relaciones sexuales)* dormir (con, com); *duerme con su marido* dorme com o marido ▪ **dormirse 1** adormecer; *ayer me he dormido en el sofá* ontem adormeci no sofá **2** (membros do corpo) adormecer; *se me ha dormido el pie* meu pé adormeceu ◆ **¡a dormir!** para a cama!
dormitar [dormi'tar] *v.* dormitar, cochilar
dormitorio [dormi'torjo] *s.m.* **1** (casa) quarto (de dormir), dormitório **2** (asilo, creche, hospital) dormitório
dorsal [dor'sal] *adj.2g.* dorsal; *espina dorsal* espinha dorsal ▪ *s.m.* dorsal
dorso ['dorso] *s.m.* **1** verso; *instrucciones al dorso* instruções no verso **2** ANAT. dorso
dos ['dos] *num.* dois; *los dos chicos* os dois rapazes; *las dos chicas* as duas raparigas ◆ **cada dos por tres** volta e meia; **de dos en dos** de dois em dois; (produto) **dos en uno** dois em um; (sinal de pontuação) **dos puntos** dois-pontos; **una de dos** das duas uma
doscient|os, -as [dos'θjeṇtos] *num.* duzent|os, -as
dosel [do'sel] *s.m.* dossel
dosificación [dosifika'θjon] *s.f.* dosagem
dosificador [dosifika'ðor] *s.m.* dosador
dosificar [dosifi'kar] *v.* dosar
dosis ['dosis] *s.f.2n.* dose
dossier [do'sjer] *s.m.* dossiê
dotación [dota'θjon] *s.f.* **1** dotação **2** *(tripulación)* tripulação **3** *(personal)* pessoal*m.*
dote ['dote] *s.m./f. (bienes)* dote*m.* ▪ **dotes** *s.f.pl.* dote*m.*, dom*m.*
download [dawn'lowð] *s.m.* download
draga ['draγa] *s.f.* draga
dragón [dra'γon] *s.m.* dragão
dram ['dram] *s.m.* dram [moeda armênia]
drama ['drama] *s.m.* drama
dramático [dra'matiko] *adj.* **1** dramático **2** *fig.* dramático, comovente
dramatismo [drama'tizmo] *s.m.* dramatismo
dramatizar [dramati'θar] *v.* dramatizar
dramaturgia [drama'turxja] *s.f.* dramaturgia
dramaturg|o, -a [drama'turγo] *s.m.,f.* dramaturg|o, -a
dramón [dra'mon] *s.m. pej.* dramalhão
drástico ['drastiko] *adj.* drástico
drenaje [dre'naxe] *s.m.* drenagem*f.*
dribling [dri'βliŋ] *s.m.* drible
drive-in ['drajβin] *s.m.2n.* drive-in
droga ['droγa] *s.f.* droga; *drogas blandas/duras* drogas leves/pesadas
drogadicción [droγaðik'θjon] *s.f.* toxicodependência
drogadict|o, -a [droγa'ðikto] *s.m.,f.* drogad|o, -a, toxicodependente*2g.*
drogar [dro'γar] *v.* drogar ▪ **drogarse** drogar-se
drogodependencia ['droγoðepeṇ'deṇθja] *s.f.* toxicodependência
drogodependiente [droγoðepeṇ'djeṇte] *s.2g.* drogad|o, -a*m.f.*, toxicodependente
droguería [droγe'ria] *s.f.* drogaria
dromedario [drome'ðarjo] *s.m.* dromedário
dual [du'al] *adj.2g.* **1** dual **2** duplo
dualidad [dwali'ðað] *s.f.* dualidade
dualismo [dwa'lizmo] *s.m.* dualismo
dualista [dwa'lista] *adj.2g.* dualista
dubitativo [duβita'tiβo] *adj.* dubitativo
ducal [du'kal] *adj.2g.* ducal
ducha ['dutʃa] *s.f.* **1** (banho) ducha, banho*m.* de chuveiro; *darse/tomar una ducha* tomar um ducha **2** (dispositivo, lugar) chuveiro*m.*, ducha ◆ *fig.* **ducha de agua fría** balde de água fria
duchar [du'tʃar] *v.* dar um banho de chuveiro ▪ **ducharse** tomar um banho de chuveiro
ducho ['dutʃo] *adj.* experiente, perito; *estar ducho en la materia* ser perito na matéria
duda ['duða] *s.f.* dúvida ▪ **dudas** *s.f.pl.* hesitações ◆ **no caber (ninguna) duda** não haver (qualquer) dúvida; **poner en duda** pôr em dúvida; **por las**

dudas pelo sim, pelo não; **resolver dudas** tirar dúvidas; **salir de dudas** ter a certeza; tirar a dúvida; **sin duda** sem dúvida

dudar [du'ðar] *v.* **1** duvidar **2** *(titubear)* hesitar, vacilar

dudoso [du'ðoso] *adj.* duvidoso

duela ['dwela] *s.f.* aduela

duelo ['dwelo] *s.m.* **1** *(combate)* duelo; ***batirse en duelo*** bater-se em duelo **2** *(dolor)* pesar, condolência*f.* **3** *(luto)* luto; ***estar de duelo*** estar de luto

duende ['dweṇde] *s.m.* duende ♦ **tener duende** ter encanto

dueñ|o, -a ['dweɲo] *s.m.,f.* don|o, -a, proprietári|o, -a ♦ **ser dueño de sí mismo** ser senhor dono de seu nariz *col.*; *col.* **ser (muy) dueño de** ser livre para

Duero ['dwero] *s.m.* Douro

dueto ['dweto] *s.m.* dueto

dulce ['dul̦θe] *adj.2g.* **1** doce **2** *fig.* (pessoa) doce, amável, terno ■ *s.m.* **1** doce **2** *(mermelada)* doce, compota*f.*, geleia*f.*; ***dulce de membrillo*** marmelada ♦ **en dulce** em calda; ***piña en dulce*** abacaxi em calda

dulcero [dul̦'θero] *adj. col.* guloso

dulcísimo [dul̦'θisimo] *(superl. de* doce*) adj.* dulcíssimo

dulzón [dul'θon] *adj.* **1** adocicado **2** muito doce, melaço

dulzura [dul̦'θura] *s.f.* **1** doçura **2** *fig.* doçura, amabilidade, ternura

duna ['duna] *s.f.* duna

dúo ['duo] *s.m.* **1** duo, dueto **2** (pessoas) dupla*f.*, duo

duodécim|o, -a [dwo'ðeθimo] *num.* duodécim|o, -a

duodécupl|o, -a [dwo'ðekuplo] *num.* duodécupl|o, -a

duodeno [dwo'ðeno] *s.m.* duodeno

dúplex ['dupleks] *s.m.2n.* dúplex, duplex

duplicación [duplika'θjon] *s.f.* duplicação

duplicado [dupli'kaðo] *s.m.* duplicado, cópia*f.*, duplicata*f.* ♦ **por duplicado** em duas vias, em duplicado

duplicar [dupli'kar] *v.* **1** duplicar, dobrar **2** (papel) fazer uma cópia (-, de), duplicar ■ **duplicarse** duplicar, dobrar

duplo ['duplo] *num. (doble)* dobro

duque ['duke] *s.m. (f.* duquesa*)* duque

duquesa [du'kesa] *s.f. (m.* duque*)* duquesa

durabilidad [duraβili'ðað] *s.f.* durabilidade

durable [du'raβle] *adj.2g.* durável

duración [dura'θjon] *s.f.* duração

duradero [dura'ðero] *adj.* duradouro, duradoiro

duramadre [dura'maðre] *s.f.* dura-máter

duramáter [dura'mater] *s.f.* ⇒ **duramadre**

durante [du'raṇte] *adv.* durante; ***durante algún tiempo*** durante algum tempo; ***durante el día*** durante o dia

durar [du'rar] *v.* durar

durativo [dura'tiβo] *adj.* durativo

dureza [du'reθa] *s.f.* **1** dureza **2** (pele) calosidade

durmiente [dur'mjeṇte] *adj.2g.* dormente ♦ (conto infantil) **la Bella Durmiente** a Bela Adormecida

duro ['duro] *adj.* **1** (material) duro, resistente **2** (alimento) duro **3** (pessoa) duro, severo **4** (trabalho) duro, árduo, difícil ■ *s.m.* duro (antiga moeda de cinco pesetas) ■ *adv.* duro ♦ **darle duro** dar duro; *col.* **estar a las duras y a las maduras** para o que der e vier; *col.* **lo que faltaba para el duro** era só o que faltava; *col.* **no tener un duro** não ter um tostão; *col.* (preço) **por dos duros** ao abando, abandonado

DVD *sigla* (disco versátil digital) DVD (disco digital versátil)

E

e[1] ['e] *s.f.* (letra) e*m.*
e[2] ['e] *conj.* e

A conjunção **e** substitui o **y** antes de palavras iniciadas por *i* ou *hi*, exceto antes de *hie*: *economía e industria* economia e indústria; *padres e hijos* pais e filhos

ea ['ea] *interj.* (ânimo, estímulo) eia!
ebanista [eβa'nista] *s.2g.* marceneir|o, -a*m.f.*
ebanistería [eβaniste'ria] *s.f.* marcenaria
ébano ['eβano] *s.m.* ébano
ébola ['eβola] *s.m.* ebola
ebriedad [eβrje'ðað] *s.f.* ebriedade, embriaguez
ebri|o, -a ['eβrjo] *s.m.,f.* ébri|o, -a, bêbad|o, -a ▪ *adj. fig.* ébrio (de, de), cego (de, de); *ebrio de odio* cego de ódio
Ebro ['ebro] *s.m.* Ebro
ebullición [eβuʎi'θjon] *s.f.* ebulição ♦ **entrar en ebullición** entrar em ebulição
eccema [ek'θema] *s.m.* eczema
ECG (*sigla de* electrocardiograma) ECG (*sigla de* eletrocardiograma)
echar [e'tʃar] *v.* **1** *(lanzar)* atirar, lançar; *échame la pelota* atira-me a bola **2** (líquido) colocar, pôr; *echa el agua en esta botella* põe a água nesta garrafa **3** (carta, gasolina) pôr, colocar, meter; *echar las cartas al buzón* pôr as cartas no correio **4** *(expulsar)* expulsar, pôr para fora; *los han echado de la clase* nos expulsaram da aula **5** *(despedir)* demitir, despedir; *lo echaron del trabajo* despediram no do emprego **6** (cheiro, fumo) exalar, soltar; *el coche echa mucho humo* o carro solta muita fumaça **7** (comida) dar; *échale alpiste a los canarios* dê alpiste aos canários **8** (plantas, folhas, frutos) dar, brotar; *el limonero ha echado limones* o limoeiro deu limões **9** *col.* (filme, programa, espetáculo) dar, passar, exibir; *¿qué echan hoy en la tele?* o que vai passar hoje na televisão? **10** (repreensão) dar, passar; *echar un rapapolvo* dar uma bronca **11** (dado desconhecido) dar; *le echaría 40, pero tiene 30* dava lhe 40, mas tem 30 **12** (multa) levar; *me echaron una multa* levei uma multa **13** (chave, trinco) fechar, trancar; *echar la llave* fechar à chave **14** (seguido de *n.*) dar; *echar una mano* dar uma mão **15** (sesta) dormir; *voy a echar una siesta* vou dormir uma sesta **16** (barriga) ganhar; *irôn. ¡menuda barriga has echado!* estás com uma linda barriga! **17** (tempo, horas) levar; gastar; *echamos 7 horas de viaje* gastamos 7 horas de viagem **18** (jogo, partida) jogar; *¿echamos unas cartas?* vamos jogar cartas? **19** (pena, castigo) condenar; *le han echado 5 años de cárcel* foi condenado a 5 anos de prisão ▪ **echarse 1** *(tirarse)* atirar se, lançar-se; *se echó de cabeza* se atirou de cabeça **2** *(acostarse)* deitar se; *¡échate un rato!* deite-se um pouco! **3** (corpo) desviar-se; inclinar-se; pôr se; *échate hacia atrás* se enclina para trás **4** (namorado, amigos) arranjar; *no lo he visto desde que se echó novia* não o tenho visto desde que arranjou namorada ♦ **echar(se) a** [+*inf.*] começar a [+*inf.*], desatar a [+*inf.*]; *echó a andar* começou a andar; **echar abajo** deitar abaixo; **echar a perder** estragar; **echar de menos/en falta** ter saudades, estar/ficar com saudades; *te he echado de menos* tive saudades de você; **echarlo todo a rodar** deitar tudo a perder; **echarse atrás** voltar com a palavra atrás; **echarse encima algo** estar aí à porta; *se echan encima las Navidades* o Natal já está aí; **echarse encima de alguien** cair em cima de alguém, repreender; [AM.] *col.* **echárselas de** [+*adj./s.*] achar/pensar que é [+*adj./s.*]; *ese tipo se las echa de listo* esse cara pensa que é esperto
echarpe [e'tʃarpe] *s.m.* echarpe*f.*
ecléctic|o, -a [e'klektiko] *adj.,s.m.,f.* eclétic|o, -a
eclesiástico [ekle'sjastiko] *adj.* eclesiástico ▪ *s.m.* REL. eclesiástico, clérigo
eclipse [e'klipse] *s.m.* **1** eclipse; *eclipse de Sol/solar* eclipse do Sol/solar; *eclipse de Luna/lunar* eclipse da Lua/lunar **2** *fig.* eclipse, desaparecimento
eclíptica [e'kliptika] *s.f.* ASTRON. eclíptica
eco ['eko] *s.m.* **1** eco; *hacer eco* fazer eco **2** *fig.* boato, rumor, eco **3** *fig.* repercussão*f.* ♦ **hacerse eco de** difundir; contribuir para a difusão de
ecocardiograma [ekokarðjo'ɣrama] *s.m.* ecocardiograma
ecografía [ekoɣra'fia] *s.f.* ecografia
ecología [ekolo'xia] *s.f.* ecologia
ecológico [eko'loxiko] *adj.* ecológico
ecologismo [ekolo'xizmo] *s.m.* ambientalismo
ecologista [ekolo'xista] *adj.,s.2g.* **1** ecologista **2** ambientalista
economato [ekono'mato] *s.m.* cooperativa*f.* (que vende a preço barato aos seus associados)
economía [ekono'mia] *s.f.* economia ▪ **economías** *s.f.pl.* economias*pl.*, poupanças*pl.*
económico [eko'nomiko] *adj.* econômico
economista [ekono'mista] *s.2g.* economista
economizar [ekonomi'θar] *v.* economizar, poupar
ecopunto [eko'punto] *s.m.* ecoponto
ecosistema [ekosis'tema] *s.m.* ecossistema
ecoturismo [ekotu'rizmo] *s.m.* ecoturismo
ecuación [ekwa'θjon] *s.f.* equação
ecuador [ekwa'ðor] *s.m.* GEOG. equador
ecualizador [ekwaliθa'ðor] *s.m.* equalizador
ecuatorial [ekwato'rjal] *adj.2g.* equatorial
ecuatorian|o, -a [ekwato'rjano] *adj.,s.m.,f.* equatorian|o, -a
ecuestre [e'kwestre] *adj.2g.* equestre

ecuménico [eku'meniko] *adj.* ecumênico
eczema [ek'θema] *s.m.* ⇒ **eccema**
edad [e'ðað] *s.f.* idade; *a mi edad* na minha idade; *en edad escolar* em idade escolar; *¿qué edad tienes?* que idade tens?; *ser mayor/menor de edad* ser maior/menor de idade; *tienen la misma edad* têm a mesma idade ♦ (pessoa) **de edad** de idade; **desde temprana edad** desde cedo; HIST. **Edad de Bronce** Idade do Bronze; *col.* **edad del pavo** adolescência; HIST. **Edad de Piedra** Idade da Pedra; HIST. **Edad de Hierro** Idade do Ferro; **edad madura** meia-idade; HIST. **Edad Media** Idade Média; HIST. **Edad Moderna** Idade Moderna; **tercera edad** terceira idade
edema [e'ðema] *s.m.* edema
edén [e'ðen] *s.m. fig.* éden, paraíso
Éden [e'ðen] *s.m.* Éden
edición [eði'θjon] *s.f.* edição ♦ **edición ampliada** edição ampliada; **edición anotada** edição anotada; **edición de bolsillo** edição de bolso; **edición pirata** edição pirata; **edición princeps** edição princeps; **edición revisada** edição revista
edicto [e'ðikto] *s.m.* **1** édito **2** *(aviso)* edital, édito
edificación [eðifika'θjon] *s.f.* edificação
edificante [eðifi'kante] *adj.2g.* edificante
edificar [eðifi'kar] *v.* edificar
edificio [eði'fiθjo] *s.m.* edifício
edil, -a [e'ðil] *s.m.,f.* vereador, -a, edil*m.* ■ **edil** *s.m.* HIST. edil
editar [eði'tar] *v.* **1** editar, publicar **2** INFORM. editar
editor, -a [eði'tor] *s.m.,f.* editor, -a ■ **editor** *s.m.* INFORM. editor de texto
editorial [eðito'rjal] *adj.2g.* editorial ■ *s.f.* editora ■ *s.m.* editorial, artigo de fundo
edredón [eðre'ðon] *s.m.* edredom; *edredón de plumas* edredom de penas
educación [eðuka'θjon] *s.f.* **1** educação; *educación de los niños* educação das crianças **2** *(enseñanza)* ensino*m.*; *educación infantil* Educação Infantil; *educación primaria/secundaria* Ensino Fundamental; *educación universitaria* Ensino Superior **3** *(modales)* educação, maneiras*pl.*, cortesia; *es de mala educación* é falta de educação; *falta de educación* falta de educação; *no tener educación* não ter educação ♦ **educación especial** educação especial; **educación física** educação física
educacional [eðukaθjo'nal] *adj.2g.* educacional
educado [eðu'kaðo] *adj.* educado; *bien educado* bem-educado; *mal educado* mal educado
educador, -a [eðuka'ðor] *adj.,s.m.,f.* educador, -a
educar [eðu'kar] *v.* **1** (pessoa) educar **2** (animal) adestrar, domesticar **3** *(enseñar)* educar, instruir **4** (sentidos) educar, aperfeiçoar, afinar
educativo [eðuka'tiβo] *adj.* educativo, educacional; *juegos educativos* jogos educativos
edulcorante [eðulko'rante] *s.m.* adoçante; edulcorante
EEUU (*sigla de* Estados Unidos de América) EUA (*sigla de* Estados Unidos da América)
efectivamente [efektiβa'mente] *adv.* efetivamente, com efeito
efectividad [efektiβi'ðað] *s.f.* **1** eficácia **2** validade; *carecer de efectividad* não ter validade
efectivo [efek'tiβo] *adj.* **1** *(real)* efetivo, real **2** *(eficaz)* eficaz **3** (funcionário) efetivo ■ *s.m.* dinheiro; *en efectivo* em dinheiro; *hacer efectivo un cheque* descontar um cheque ■ **efectivos** *s.m.pl.* MIL. efetivos, forças*f.*; *efectivos de la policía* forças da polícia
efecto [e'fekto] *s.m.* **1** *(consecuencia)* efeito, consequência*f.*, resultado **2** *(impresión)* impressão*f.* **3** ESPOR. efeito; *lanzar una pelota con efecto* lançar uma bola com efeito ■ **efectos** *s.m.pl.* objetos, pertences; *efectos personales* objetos pessoais ♦ **a efectos de** com a finalidade de; para, a fim de; para efeitos de; **efecto bumerán** efeito bumerangue; (espetáculo, filme) **efectos especiales** efeitos especiais; **efecto invernadero** efeito de estufa; (medicamento) **efectos secundarios** efeitos secundários; **en efecto** **1** com efeito, efetivamente **2** de fato; **para los efectos** para todos os efeitos; **por efecto de** por causa de; **surtir efecto** surtir efeito
efectuar [efek'twar] *v.* efetuar, realizar, executar ■ **efectuarse** efetuar-se
efervescencia [eferβes'θenθja] *s.f.* efervescência
efervescente [eferβes'θente] *adj.2g.* efervescente; *pastilla efervescente* pastilha efervescente
eficacia [efi'kaθja] *s.f.* eficácia
eficaz [efi'kaθ] *adj.2g.* eficaz
eficiencia [efi'θjenθja] *s.f.* eficiência
eficiente [efi'θjente] *adj.2g.* eficiente
efigie [e'fixje] *s.f.* efígie
efímero [e'fimero] *adj.* efêmero, passageiro, transitório, temporário
efusión [efu'sjon] *s.f.* efusão
efusivo [efu'siβo] *adj.* efusivo
egipci|o, -a [e'xipθjo] *adj.,s.m.,f.* egípci|o, -a
Egipto [e'xipto] *s.m.* Egito
égloga ['eγloγa] *s.f.* écloga
ego ['eγo] *s.m.* ego
egocéntrico [eγo'θentriko] *adj.* egocêntrico
egocentrismo [eγoθen'trizmo] *s.m.* egocentrismo
egoísmo [eγo'izmo] *s.m.* egoísmo
egoísta [eγo'ista] *adj.,s.2g.* egoísta
egregio [e'γrexjo] *adj.* egrégio, ilustre
eh ['e] *interj.* **1** (chamamento) ó!, eh! **2** (pergunta) hã?, hein? **3** (final de frase) tá?
einstenio [ejns'tenjo] *s.m.* einstêinio
eje ['exe] *s.m.* eixo ♦ GEOM. **eje de abscisas** eixo de abscissas; GEOM. **eje de ordenadas** eixo de coordenadas; MEC. **eje de transmisión** eixo de transmissão
ejecución [exeku'θjon] *s.f.* **1** *(realización)* execução, realização **2** MÚS. execução, interpretação **3** DIR. execução; *ejecución de la pena* execução da pena ♦ **poner en ejecución** pôr em prática
ejecutable [exeku'table] *adj.2g.* executável, realizável ■ *s.m.* INFORM. executável

ejecutar [exeku'taɾ] *v.* **1** *(realizar)* executar, realizar **2** MÚS. executar, interpretar **3** DIR. executar **4** INFORM. (programa) executar, correr

ejecutiv|o, -a [exeku'tiβo] *s.m.,f.* executiv|o, -a ■ *adj.* **1** peremptório **2** executivo; *poder ejecutivo* Poder Executivo ■ **ejecutivo** *s.m.* POL. Executivo, governo

ejemplar [exem'plaɾ] *adj.2g.* exemplar, modelar ■ *s.m.* **1** (obra) exemplar **2** *(modelo)* exemplar, modelo **3** (animal, vegetal) exemplar

ejemplificación [exemplifika'θjon] *s.f.* exemplificação, demonstração

ejemplificar [exemplifi'kaɾ] *v.* exemplificar, demonstrar

ejemplo [e'xemplo] *s.m.* exemplo ♦ **a ejemplo de** a exemplo de; **dar ejemplo** dar o exemplo; **dar/poner un ejemplo** dar um exemplo; **por ejemplo** por exemplo; **servir de ejemplo** servir de exemplo

ejercer [exeɾ'θer] *v.* **1** (atividade, cargo) exercer, desempenhar **2** (influência, poder) exercer **3** (direito) exercer, fazer uso (-, de) **4** (profissão) trabalhar (de, como), exercer a profissão (de, de); *ejerce de profesor* trabalha como professor

ejercicio [exeɾ'θiθjo] *s.m.* **1** *(prática)* exercício, prática*f.* **2** (atividade, cargo) exercício, desempenho **3** (físico) exercício; *hacer ejercicio* fazer exercício **4** *(prueba)* prova*f.*, exame; *ejercicio oral* exame oral **5** (escola) exercício; *ejercicios de matemáticas* exercícios de matemática ♦ **ejercicios espirituales** retiros espirituais; **en ejercicio** em exercício

ejercitar [exeɾθi'taɾ] *v.* exercitar ■ **ejercitarse** exercitar-se

ejército [e'xeɾθito] *s.m.* exército

el ['el] *art.def.* o; *el coche* o carro; *el viaje* a viagem ♦ **el** [+*data*] no dia; *llegará el 13 de abril* chegará no dia 13 de abril; **en el** no; **por el** pelo; *por el camino* pelo caminho

---

O artigo el é substituído por la antes de substantivos femininos iniciados por *a* ou *ha* tônicos: *el agua* a água; *el hada* a fada.

él ['el] *pron.pess.* (*f.* ella) ele; *esto es para él* isto é para ele ♦ **de él** dele; **en él** nele

elaboración [elaβora'θjon] *s.f.* elaboração

elaborar [elaβo'raɾ] *v.* elaborar

elasticidad [elastiθi'ðaδ] *s.f.* **1** elasticidade **2** *fig.* elasticidade, flexibilidade

elástico [e'lastiko] *adj.* **1** elástico **2** *fig.* flexível **3** *fig.* discutível ■ *s.m.* elástico

ele ['ele] *s.f.* (letra) l*m.* ■ *interj.* nossa!

elección [elek'θjon] *s.f.* **1** *(selección)* escolha, eleição **2** *(opción)* escolha, opção, alternativa ■ **elecciones** *s.f.pl.* eleições*pl.*; *elecciones generales* eleições legislativas; *elecciones municipales* eleições autárquicas; *elecciones presidenciales* presidenciais ♦ (teste) **elección múltiple** múltipla escolha

electo [e'lekto] (*p.p. de* elegir) *adj.* eleito

elector, -a [elek'toɾ] *s.m.,f.* eleitor, -a

electorado [elekto'raðo] *s.m.* eleitorado

electoral [elekto'ral] *adj.2g.* eleitoral

electricidad [elektɾiθi'ðaδ] *s.f.* **1** eletricidade; *electricidad estática* eletricidade estática **2** *col.* eletricidade, corrente elétrica **3** *fig.* tensão; nervosismo*m.*

electricista [elektɾi'θista] *s.2g.* eletricista

eléctrico [e'lektɾiko] *adj.* elétrico

electrificar [elektɾifi'kaɾ] *v.* eletrificar

electrizante [elektɾi'zante] *adj.2g.* eletrizante

electrizar [elektɾi'θaɾ] *v.* eletrizar ■ **electrizarse** eletrizar-se

electrocardiograma [elektɾokarδjo'γrama] *s.m.* eletrocardiograma

electrochoque [elektɾo'tʃoke] *s.m.* eletrochoque

electrocución [elektɾoku'θjon] *s.f.* eletrocussão

electrocutar [elektɾoku'taɾ] *v.* eletrocutar ■ **electrocutarse** morrer eletrocutado

electrodo [elek'tɾoδo] *s.m.* elétrodo

electrodoméstico [elektɾoδo'mestiko] *s.m.* eletrodoméstico

electroencefalografía [elektɾoenθefaloγra'fia] *s.f.* eletroencefalografia

electroencefalograma [elektɾoenθefalo'γrama] *s.m.* eletroencefalograma

electrólisis [elek'tɾolisis] *s.f.2n.* eletrólise

electrolito [elektɾo'lito] *s.m.* eletrólito

electromagnetismo [elektɾomaγne'tizmo] *s.m.* eletromagnetismo

electrón [elek'tɾon] *s.m.* elétron

electrónica [elek'tɾonika] *s.f.* eletrônica

electrónico [elek'tɾoniko] *adj.* eletrônico

electrotecnia [elektɾo'teknja] *s.f.* eletrotecnia

electrotécnico [elektɾo'tekniko] *adj.* eletrotécnico

elefante [ele'fante] *s.m.* elefante ♦ **elefante blanco** elefante branco

elegancia [ele'γanθja] *s.f.* elegância

elegante [ele'γante] *adj.2g.* elegante

elegía [ele'xia] *s.f.* elegia

elegible [ele'xiβle] *adj.2g.* elegível

elegido [ele'xiδo] *adj.* **1** escolhido **2** *(preferido)* eleito, preferido, predileto

elegir [ele'xiɾ] *v.* **1** escolher, eleger **2** POL. eleger

elemental [elemen'tal] *adj.2g.* elementar

elemento [ele'mento] *s.m.* elemento

elenco [e'lenko] *s.m.* elenco

elepé [ele'pe] *s.m.* LP (disco de longa duração)

elevación [eleβa'θjon] *s.f.* **1** *(levantamiento)* elevação, levantamento*m.* **2** (categoria, posto) elevação, promoção **3** (preços) elevação, subida, aumento*m.*

elevado [ele'βaδo] *adj.* **1** elevado **2** (preço) elevado, alto **3** *fig.* elevado, nobre, sublime ♦ MAT. (número) **elevado al cuadrado** elevado ao quadrado

elevador [eleβa'δor] *s.m.* **1** [AM.] elevador, ascensor **2** [AM.] monta eargas*2n.*

elevar [ele'βaɾ] *v.* **1** *(levantar)* elevar, levantar **2** (olhar) levantar **3** (preço) elevar, subir, aumentar **4** (cargo, posto) ascender, promover **5** MAT. elevar ■ **elevarse** elevar-se

elfo ['elfo] *s.m.* MIT. elfo
eliminación [elimina'θjon] *s.f.* eliminação
eliminar [elimi'nar] *v.* **1** *(quitar)* eliminar, tirar, remover **2** (pessoa) eliminar, excluir, afastar **3** (substância) eliminar, expelir **4** *col.* (ser vivo) eliminar, matar
eliminatoria [elimina'torja] *s.f.* eliminatória
eliminatorio [elimina'torjo] *adj.* eliminatório
elipse [e'lipse] *s.f.* elipse
elipsis [e'lipsis] *s.f.2n.* elipse
elíptico [e'liptiko] *adj.* elíptico
elisión [eli'sjon] *s.f.* elisão
élite ['elite], **elite** [e'lite] *s.f.* elite
elitismo [eli'tizmo] *s.m.* elitismo
elitista [eli'tista] *adj.,s.2g.* elitista
elixir [elik'sir] *s.m.* elixir ♦ **elixir de larga vida** elixir da longa vida
ella ['eʎa] *pron.pess.* (*m.* él) ela; *he salido con ella* saí com ela ♦ **de ella** dela; **en ella** nela
elle ['eʎe] *s.f.* [nome do dígrafo *ll*]
ello ['eʎo] *pron.pess.* isso; *no sé nada de ello* não sei nada sobre isso ♦ **ello es que...** o fato é que...; **por ello** por isso; **¡vamos a ello!** vamos a isso!
ell|os, -as ['eʎos] *pron.pess.pl.* el|es, -as; *¿ellos son extranjeros?* eles são estrangeiros?
elocución [eloku'θjon] *s.f.* elocução
elocuencia [elo'kweŋθja] *s.f.* eloquência
elocuente [elo'kweṇte] *adj.2g.* eloquente
elogiar [elo'xjar] *v.* elogiar
elogio [e'loxjo] *s.m.* elogio; *hacer un elogio a alguien* fazer um elogio a alguém
elogioso [elo'xjoso] *adj.* elogioso
e-mail [e'majl] *s.m.* (*pl.* e-mails) e-mail, correio eletrônico
emanación [emana'θjon] *s.f.* **1** (cheiro, gás) emanação, exalação **2** *(procedencia)* emanação, procedência
emanar [ema'nar] *v.* **1** emanar (de, de), provir (de, de), proceder (de, de), vir **2** (cheiro) exalar, emanar, soltar
emancipación [emaŋθipa'θjon] *s.f.* emancipação
emancipar [emaŋθi'par] *v.* emancipar ▪ **emanciparse** emancipar-se
embajada [emba'xaða] *s.f.* embaixada
embajador, -a [embaxa'ðor] *s.m.,f.* embaixador, -a
embalaje [emba'laxe] *s.m.* embalagem*f.*
embalar [emba'lar] *v.* **1** (objeto) embalar; empacotar; encaixotar **2** *(acelerar)* embalar ▪ **embalarse 1** *(acelerar)* embalar **2** *fig.* deixar se levar
embalsamar [embalsa'mar] *v.* (cadáver) embalsamar
embalse [em'balse] *s.m.* **1** barragem*f.* **2** represa*f.*
embarazada [embara'θaða] *s.f.* grávida; *quedarse embarazada* engravidar, ficar grávida
embarazado [embara'θaðo] *adj.* embaraçado, atrapalhado
embarazar [embara'θar] *v.* **1** (mulher) engravidar **2** *(estorbar)* embaraçar, estorvar, dificultar ▪ **embarazarse** embaraçar-se, atrapalhar se
embarazo [emba'raθo] *s.m.* **1** gravidez*f.*; *embarazo de riesgo* gravidez de risco **2** *fig.* constrangimento, embaraço
embarazoso [embara'θoso] *adj.* constrangedor, embaraçoso
embarcación [embarka'θjon] *s.f.* embarcação
embarcadero [embarka'ðero] *s.m.* embarcadouro
embarcar [embar'kar] *v.* **1** embarcar **2** *fig.* meter, envolver ▪ **embarcarse 1** embarcar **2** *fig.* meter-se
embarco [em'barko] *s.m.* ⇒ **embarque**
embargo [em'barɣo] *s.m.* DIR. embargo ♦ **sin embargo** no entanto; contudo; mas
embarque [em'barke] *s.m.* embarque
embate [em'bate] *s.m.* embate
embellecer [embeʎe'θer] *v.* embelezar
embestida [embes'tiða] *s.f.* investida
embestir [embes'tir] *v.* investir, acometer, arremeter
emblema [em'blema] *s.m.* emblema
emblemático [emble'matiko] *adj.* emblemático
embocadura [emboka'ðura] *s.f.* **1** MÚS. boquilha, bocal*m.*, embocadura **2** (vinho) sabor*m.* **3** (rio) embocadura, foz
embolado [embo'laðo] *s.m.* **1** *col.* enrascada*f.* **2** *col.* peta*f.*, mentira*f.*
embolia [em'bolja] *s.f.* embolia
émbolo ['embolo] *s.m.* êmbolo
emborrachar [embora'tʃar] *v.* **1** embebedar, embriagar, emborrachar **2** *(atontar)* entontecer **3** (bolo) embeber (em licor, vinho) ▪ **emborracharse** embebedar se, embriagar-se, emborrachar-se
emboscada [embos'kaða] *s.f.* emboscada; *caer en una emboscada* cair numa emboscada; *tender una emboscada* armar uma emboscada
embotellado [embote'ʎaðo] *s.m.* (garrafas) engarrafamento ▪ *adj.* **1** engarrafado; *vino embotellado* vinho engarrafado **2** (trânsito) engarrafado, congestionado, parado
embotellamiento [emboteʎa'mjeṇto] *s.m.* **1** (líquido) engarrafamento **2** (trânsito) engarrafamento, congestionamento
embotellar [embote'ʎar] *v.* **1** (líquido) engarrafar **2** (trânsito) engarrafar, congestionar
embozo [em'boθo] *s.m.* dobra*f.* (de lençol)
embrague [em'braɣe] *s.m.* embreagem*f.*
embriagado [embrja'ɣaðo] *adj.* embriagado
embriagar [embrja'ɣar] *v.* embriagar, embebedar ▪ **embriagarse** embriagar-se, embebedar-se
embriaguez [embrja'ɣeθ] *s.f.* embriaguez, bebedeira
embriología [embrjolo'xia] *s.f.* embriologia
embriológico [embrjo'loxiko] *adj.* embriológico
embrión [em'brjon] *s.m.* embrião
embrionario [embrjo'narjo] *adj.* embrionário
embrollado [embro'ʎaðo] *adj.* embrulhado, complicado, confuso
embrollo [em'broʎo] *s.m.* **1** *(confusión)* embrulhada*f.*, confusão*f.*; *meterse en un embrollo* meter-se numa embrulhada **2** *(mentira)* embuste

embrujar [embru'xar] *v.* encantar, enfeitiçar
embrujo [em'bruxo] *s.m.* **1** feitiço **2** *fig.* fascínio, atração*f.*
embuchado [embu'tʃaðo] *s.m.* **1** enchido (com carne de porco, linguiça etc.) **2** *col.* bucha*f.*
embudo [em'buðo] *s.m.* funil
embuste [em'buste] *s.m.* embuste, mentira*f.*
embuster|o, -a [embus'tero] *s.m.,f.* embusteir|o, -a
embutido [embu'tiðo] *s.m.* enchido
emergencia [emer'xen̪θja] *s.f.* emergência; *en caso de emergencia* em caso de emergência; *salida de emergencia* saída de emergência
emerger [emer'xer] *v.* emergir
emérito [e'merito] *adj.* (professor) emérito, jubilado
emersión [emer'sjon] *s.f.* ASTRON. emersão
emigración [emiγra'θjon] *s.f.* emigração
emigrante [emi'γran̪te] *s.2g.* emigrante
emigrar [emi'γrar] *v.* **1** emigrar **2** *(marcharse)* ir se embora
eminencia [emi'nen̪θja] *s.f.* **1** (tratamento) eminência **2** *fig.* (pessoa) gênio*m.*
eminente [emi'nen̪te] *adj.2g.* **1** eminente, elevado **2** *fig.* eminente, exímio, excelente
emir [e'mir] *s.m.* emir
emirato [emi'rato] *s.m.* emirato
emisari|o, -a [emi'sarjo] *s.m.,f.* emissári|o, -a, mensageir|o, -a
emisión [emi'sjon] *s.f.* **1** emissão; *emisión de gases de escape* emissão de gases de escape **2** ECON. emissão **3** (televisão, rádio) emissão, transmissão; *cierre de la emisión* encerramento da transmissão; *emisión en directo* transmissão ao vivo
emisor, -a [emi'sor] *s.m.,f.* emissor, -a ▪ *adj.* emissor; *banco emisor* banco emissor; *estación emisora* estação emissora ▪ **emisor** *s.m.* emissor; *emisores de radio* emissores de rádio
emisora [emi'sora] *s.f.* emissora; *emisora de radio* emissora de rádio; *emisora pirata* emissora de rádio pirata
emitir [emi'tir] *v.* **1** (som, luz) emitir **2** (opinião, juízo) emitir, manifestar **3** (programa) emitir, transmitir **4** ECON. emitir
emoción [emo'θjon] *s.f.* emoção
emocional [emoθjo'nal] *adj.2g.* emocional
emocionante [emoθjo'nan̪te] *adj.2g.* emocionante
emocionar [emoθjo'nar] *v.* emocionar, comover ▪ **emocionarse** emocionar-se, comover se
emolumento [emolu'men̪to] *s.m.* emolumento
emotividad [emotiβi'ðað] *s.f.* emotividade
emotivo [emo'tiβo] *adj.* **1** emotivo, emocional **2** (palavras, situação) emocionante **3** (pessoa) emotivo
empacar [empa'kar] *v.* **1** empacotar; embalar; encaixotar **2** [AM.] fazer a mala
empachar [empa'tʃar] *v.* **1** (comida) empanturrar **2** *fig.* aborrecer, maçar ▪ **empacharse** empanturrar-se (de, de)
empacho [em'patʃo] *s.m.* indigestão*f.*
empadronamiento [empaðrona'mjen̪to] *s.m.* recenseamento
empadronar [empaðro'nar] *v.* recensear
empajar [empa'xar] *v.* empalhar
empalagar [empala'γar] *v.* **1** (comida) enjoar **2** *pej.* fartar
empalago [empa'laγo] *s.m.* enjoo (especialmente de coisas doces)
empalagoso [empala'γoso] *adj.* **1** (alimento) enjoativo **2** *fig.* (pessoa) pegajoso, maçador
empalmar [empal'mar] *v.* **1** (cabos, tubos) juntar, unir **2** (meio de transporte) fazer ligação
empalme [em'palme] *s.m.* **1** *(unión)* junção*f.*, união*f.* **2** (meio de transporte) ligação **3** (lugar) entroncamento
empanada [empa'naða] *s.f.* empada; AL. espécie de pastel
empanadilla [empana'ðiʎa] *s.f.* **1** empada; *empanadillas de bonito* empadas de atum **2** rissole*m.*; *empanadilla de pescado* rissole de peixe
empanado [empa'naðo] *adj.* empanado; *chuletas empanadas* costeletas empanadas
empanar [empa'nar] *v.* empanar
empañado [empa'ɲaðo] *adj.* **1** (vidro) embaciado **2** (olhos) vidrado **3** *fig.* (honra) manchado
empañar [empa'ɲar] *v.* **1** (vidro) embaciar **2** (olhos) vidrar **3** (crianças) pôr a fralda **4** *fig.* (honra, fama) manchar ▪ **empañarse** **1** (vidro) embaciar **2** (olhos) vidrar se
empapar [empa'par] *v.* **1** empapar, embeber, molhar **2** *(absorber)* absorver ▪ **empaparse** encharcar-se, ensopar-se
empapelar [empape'lar] *v.* **1** (parede) forrar, revestir **2** *col.* (pessoa) processar
empaque [em'pake] *s.m.* **1** material de embrulho **2** *col.* aspecto, aparência*f.*
empaquetar [empake'tar] *v.* **1** empacotar, embalar **2** *col.* castigar, punir
emparedado [empare'ðaðo] *s.m.* sanduíche (de pão de forma)
emparedar [empare'ðar] *v.* emparedar, enclausurar
emparejar [emparexa'ðor] *v.* **1** (par) emparelhar **2** *(nivelar)* nivelar, igualar **3** (casal) juntar ▪ **emparejarse** (casal) juntar-se
empastar [empas'tar] *v.* **1** (dente) chumbar; obturar **2** (quadro) empastar **3** [AM.] encadernar
empaste [em'paste] *s.m.* **1** (dente) obturação*f.*, chumbo **2** (pasta) chumbo
empatar [empa'tar] *v.* empatar
empate [em'pate] *s.m.* empate
empatía [empa'tia] *s.f.* empatia
empedrado [empe'ðraðo] *adj.* **1** (rua) empedrado, calcetado **2** (céu) carregado ▪ *s.m.* empedrado, calçada*f.*, paralelos*pl.*
empedrar [empe'ðrar] *v.* empedrar, calcetar
empeine [em'pejne] *s.m.* **1** (pé) peito; (calçado) gáspea **2** ANAT. púbis*m./f.2n.*
empellón [empe'ʎon] *s.m.* empurrão

empeñado [empe'ɲaðo] *adj.* **1** (pessoa) empenhado, endividado **2** (objeto) empenhado, penhorado **3** (disputa) acalorado

empeñar [empe'ɲar] *v.* **1** (objeto) empenhar, penhorar **2** (palavra) empenhar, comprometer ■ **empeñarse 1** *(endeudarse)* endividar-se, empenhar se **2** *(insistir)* insistir (en, em), teimar (en, em) **3** *(esforzarse)* empenhar-se (en, em)

empeño [em'peɲo] *s.m.* **1** *(esfuerzo)* empenho; ***con empeño*** com empenho **2** DIR. empenho, penhor; ***casa de empeño*** casa de penhor

empeorar [empeo'rar] *v.* piorar

empequeñecer [empekeɲe'θer] *v.* **1** *(reducir)* diminuir **2** *(atenuar)* minorar, atenuar ■ **empequeñecerse** acovardar-se

emperador [empera'ðor] *s.m.* **1** (*f.* emperatriz) (pessoa) imperador **2** (peixe) peixe espada

emperatriz [empera'triθ] *s.f.* (*m.* emperador) imperatriz

empezar [empe'θar] *v.* começar, iniciar, principiar ♦ **al empezar** no início, no princípio; **empezar** [+*ger.*] começar por [+*inf./s.*]; ***empezó diciendo que no era el culpable*** começou por dizer que não era o culpado; **empezar a** [+*inf.*] começar a [+*inf.*]; ***ha empezado a llorar*** começou a chorar; **para empezar** para começar, em primeiro lugar; **por algo se empieza** já é um começo; (aborrecimento) **¡ya empezamos!** já começamos!

empinado [empi'naðo] *adj.* **1** (terreno) íngreme, empinado **2** *fig.* (pessoa) orgulhoso, soberbo

empinar [empi'nar] *v.* **1** *(enderezar)* endireitar **2** (recipiente) empinar ■ **empinarse 1** (pessoa) pôr-se na ponta dos pés **2** (animal) empinar-se **3** (montanha, torre) erguer se

empírico [em'piriko] *adj.* empírico

empirismo [empi'rizmo] *s.m.* empirismo

emplasto [em'plasto] *s.m.* **1** emplastro **2** *col.* remendo **3** *pej.* mistela*f.*

emplead|o, -a [emple'aðo] *s.m.,f.* empregad|o, -a, funcionári|o, -a; ***empleada de hogar*** empregada doméstica, diarista; ***empleada de la limpieza*** faxineira ■ *adj.* empregado ♦ **dar por bien empleado** dar por bem empregado

emplear [emple'ar] *v.* **1** (pessoa) empregar; admitir; colocar **2** *(usar)* empregar, utilizar, usar **3** (dinheiro) gastar **4** (tempo) empregar, gastar

empleo [em'pleo] *s.m.* **1** *(trabajo)* emprego **2** *(uso)* emprego, utilização*f.*, uso

empobrecer [empoβre'θer] *v.* empobrecer ■ **empobrecerse** empobrecer, ficar pobre

empobrecimiento [empoβreθi'mjento] *s.m.* empobrecimento

empollar [empo'ʎar] *v.* **1** (ovos) chocar, incubar **2** *col.* (escola) marrar, empinar

empoll|ón, -ona [empo'ʎon] *s.m.,f. col.* caxias, cê dê - -efe*2g.*

empolvar [empol'βar] *v.* **1** cobrir de pó, polvilhar **2** (rosto) polvilhar (de pó de arroz) ■ **empolvarse** (rosto) polvilhar (de pó de arroz)

emporio [em'porjo] *s.m.* empório

empotrado [empo'traðo] *adj.* embutido; ***armario empotrado*** armário embutido

emprendedor, -a [emprende'ðor] *adj.,s.m.,f.* empreendedor, -a

emprender [empren'der] *v.* empreender

empresa [em'presa] *s.f.* empresa, firma, companhia; ***empresa privada/pública*** empresa privada/pública; ***pequeñas y medianas empresas*** pequenas e médias empresas

empresariado [empresa'rjaðo] *s.m.* empresariado

empresarial [empresa'rjal] *adj.2g.* empresarial

empresari|o, -a [empre'sarjo] *s.m.,f.* **1** empresári|o, -a, gerente*2g.*, don|o, -a **2** (atividade, espetáculo) empresári|o, -a ♦ **empresario de pompas fúnebres** agente funerário

empréstito [em'prestito] *s.m.* empréstimo

empujar [empu'xar] *v.* empurrar

empuje [em'puxe] *s.m.* **1** impulso **2** *fig.* energia*f.*, garra*f.*, ânimo

empujón [empu'xon] *s.m.* **1** empurrão, encontrão; ***a empujones*** aos empurrões; ***dar um empujón a alguien*** dar um empurrão em alguém **2** *fig.* ânimo, incentivo

empuñar [empu'ɲar] *v.* empunhar

emulsión [emul'sjon] *s.f.* emulsão

en ['en] *prep.* **1** (lugar) em; ***en el trabajo*** no trabalho **2** (tempo) em; ***en dos días*** em dois dias; ***en primavera*** na primavera **3** (modo) em; ***hablar en voz baja*** falar em voz baixa **4** (meio de transporte) de; ***en coche*** de carro **5** (roupa) em; de; ***en mangas de camisa*** em mangas de camisa; ***pasó el día en pijama*** passou o dia de/em pijama **6** (forma) em; ***en espiral*** em espiral **7** (complemento nominal, verbal) em; por; ***experto en informática*** perito em informática; ***pienso en ti*** penso em ti; ***te conocí en los andares*** te reconheci pelo andar

enagua [e'naɣwa] *s.f.* saia de baixo, anágua, saiote*m.*

enajenación [enaxena'θjon] *s.f.* alienação ♦ **enajenación mental** alienação mental

enajenar [enaxe'nar] *v.* alienar ■ **enajenarse** alienar--se

enamorad|o, -a [enamo'raðo] *s.m.,f.* namorad|o, -a; ***día de los enamorados*** dia dos namorados ■ *adj.* apaixonado (de, por), enamorado (de, de); ***estar enamorado de alguien*** estar apaixonado por alguém

enamorar [enamo'rar] *v.* apaixonar ■ **enamorarse** apaixonar-se (de, por); ***enamorarse de alguien*** apaixonar se por alguém

enanismo [ena'nizmo] *s.m.* ananismo

enan|o, -a [e'nano] *s.m.,f.* an|ão, -ã

encabezamiento [eŋkaβeθa'mjento] *s.m.* **1** (escrito) cabeçalho, encabeçamento **2** *(preámbulo)* preâmbulo

encabezar [eŋkaβe'θar] *v.* **1** (lista) encabeçar, principiar **2** (escrito) encabeçar **3** (movimento, protesto) encabeçar, dirigir, liderar

encabritarse [eŋkaβri'tarse] *v.* **1** (animal) encabritar--se **2** *fig., col.* (pessoa) zangar-se, irritar-se

encadenado [eŋkaðe'naðo] *adj.* encadeado

encadenar [eŋkaðe'naɾ] *v.* **1** acorrentar, prender, encadear **2** *fig.* ligar, encadear ■ **encadenarse** encadear se

encajar [eŋka'xaɾ] *v.* **1** *(meter)* encaixar **2** *col.* (conversa, discurso) encaixar, introduzir **3** *col.* aceitar **4** *col.* (golos) sofrer **5** *(coincidir)* encaixar ■ **encajarse** (chapéu) pôr

encaje [eŋ'kaxe] *s.m.* **1** encaixe **2** (tecido) renda*f.*

encallar [eŋka'ʎaɾ] *v.* encalhar

encaminar [eŋkami'naɾ] *v.* encaminhar ■ **encaminarse** encaminhar-se

encantado [eŋkan̪'taðo] *adj.* encantado ♦ (cumprimento) **encantado (de conocerlo)** prazer (em conhecê lo), muito prazer (em conhecê-lo)

encantador, -a [eŋkan̪ta'ðoɾ] *s.m.,f.* encantador, -a; ***un encantador de serpientes*** um encantador de serpentes ■ *adj.* encantador

encantamiento [eŋkan̪ta'mjen̪to] *s.m.* **1** encantamento **2** encanto

encantar [eŋkan̪'taɾ] *v.* **1** *(hechizar)* encantar, enfeitiçar **2** *(seducir)* encantar, seduzir, atrair **3** *(gustar)* adorar; ***me encanta pasear por la playa*** adoro passear pela praia

encanto [eŋ'kan̪to] *s.m.* encanto

encapricharse [eŋkapri'tʃarse] *v.* **1** (amor) apaixonar -se (de, por), enrabichar-se (de, por); ***se ha encaprichado de mí*** apaixonou se por mim **2** (capricho) ficar obcecado (con, por); ***se encaprichó con el coche*** ficou obcecado pelo carro

encarado [eŋka'raðo] *adj.* encarado; ***bien encarado*** bem-encarado; ***mal encarado*** mal-encarado

encarar [eŋka'raɾ] *v.* **1** (dificuldade, problema) encarar, enfrentar **2** *(poner frente a frente)* pôr frente a frente ■ **encararse** fazer frente (con, a)

encarcelar [eŋkarθe'laɾ] *v.* encarcerar, prender

encargad|o, -a [eŋkar'ɣaðo] *s.m.,f.* encarregad|o, -a

encargar [eŋkar'ɣaɾ] *v.* **1** (assunto, tarefa) encarregar, incumbir **2** (missão, responsabilidade) confiar **3** (artigo) encomendar **4** *(mandar hacer)* mandar fazer ■ **encargarse** encarregar-se (de, de), incumbir se (de, de)

encargo [eŋ'karɣo] *s.m.* **1** *(responsabilidad)* encargo, responsabilidade*f.* **2** (comércio) encomenda*f.*; ***por encargo*** por encomenda ♦ **como hecho de encargo** feito sob encomenda

encariñarse [eŋkari'ɲarse] *v.* afeiçoar se (con, a), apegar se (con, a); ***se ha encariñado con los chicos*** afeiçoou se às crianças

encarnación [eŋkarna'θjon] *s.f.* **1** REL. encarnação **2** *fig.* encarnação, personificação

encarnado [eŋkar'naðo] *adj.,s.m.* encarnado, vermelho

encarrilar [eŋkari'laɾ] *v.* **1** (veículo) encarrilar **2** *fig.* encaminhar ■ **encarrilarse** (pessoa) encarrilar

encarte [eŋ'karte] *s.m.* (jornal, livro) destacável, suplemento

encasillar [eŋkasi'ʎaɾ] *v.* **1** (pessoa) catalogar, etiquetar **2** (pessoas, coisas) classificar, catalogar

encauzar [eŋkaw'θaɾ] *v.* **1** (água) encanar, canalizar **2** *fig.* (assunto, conversa) encaminhar

encebollado [en̪θeβo'ʎaðo] *s.m.* acebolado

encefálico [en̪θe'faliko] *adj.* encefálico

encefalitis [en̪θefa'litis] *s.f.2n.* encefalite

encéfalo [en̪'θefalo] *s.m.* encéfalo

encefalografía [en̪θefaloɣra'fia] *s.f.* encefalografia

encefalograma [en̪θefalo'ɣrama] *s.m.* encefalograma

encefalopatía [en̪θefalopa'tia] *s.f.* encefalopatia ♦ VET. **encefalopatía espongiforme bovina** encefalopatia espongiforme bovina

encendedor [en̪θen̪de'ðoɾ] *s.m.* isqueiro ♦ **encendedor de cocina** acendedor de fogão

encender [en̪θen̪'deɾ] *v.* **1** acender; ***encender el fuego*** acender o fogo; ***encender una cerilla*** acender um fósforo **2** (luz, aparelho) ligar, acender; ***encender la calefacción*** ligar o aquecimento; ***encender las luces*** acender os faróis **3** *fig.* (sentimento, paixão) acender, excitar ■ **encenderse 1** acender-se **2** *(ruborizarse)* corar, ruborizar-se

encendido [en̪θen̪'diðo] *adj.* **1** (luz) aceso **2** *(enchufado)* ligado **3** (rosto) corado, ruborizado **4** *fig.* aceso ■ *s.m.* ignição*f.*

encerado [en̪θe'raðo] *s.m.* (escola) quadro

enceradora [en̪θera'ðora] *s.f.* enceradeira

encerar [en̪θe'raɾ] *v.* encerar

encerrar [en̪θe'raɾ] *v.* **1** *(cerrar)* encerrar, fechar **2** (sinal gráfico) colocar, pôr; ***encerrar entre paréntesis*** pôr entre parênteses **3** (damas, xadrez) bloquear **4** *fig.* encerrar, conter, incluir ■ **encerrarse** fechar-se, encerrar-se

encerrona [en̪θe'rona] *s.f. col.* cilada, emboscada

encestar [en̪θes'taɾ] *v.* (basquetebol) encestar

encharcar [enʲtʃar'kaɾ] *v.* **1** (terreno) encharcar, alagar, inundar **2** (órgão) encher de líquido ■ **encharcarse** (terreno) encharcar-se

enchufad|o, -a [enʲtʃu'faðo] *s.m.,f.* protegid|o, -a, afilhad|o, -a *fig.* ■ *adj.* (aparelho) ligado, conectado

enchufar [enʲtʃu'faɾ] *v.* **1** (aparelho) ligar (na tomada) **2** (cano, tubo) ligar **3** *col.* (posto, emprego) conseguir por recomendação/indicação

enchufe [enʲ'tʃufe] *s.m.* **1** ELETR. tomada*f.* **2** (cano, tubo) boca*f.* **3** *fig.* recomendação*f.*

encía [en̪'θia] *s.f.* gengiva

encíclica [en̪'θiklika] *s.f.* encíclica

enciclopedia [en̪θiklo'peðja] *s.f.* enciclopédia ♦ (pessoa) **ser una enciclopedia viviente** ser uma enciclopédia ambulante

enciclopédico [en̪θiklo'peðiko] *adj.* enciclopédico

encierro [en̪'θjero] *s.m.* **1** *(retiro)* encerro, retiro **2** *(prisión)* prisão*f.* **3** (protesto) concentração*f.* **4** TAUR. largada*f.*

encima [en̪'θima] *adv.* **1** (posição) em cima; ***el libro está encima de la mesa*** o livro está em cima da mesa **2** *(además)* ainda por cima, além disso; ***jugaron fatal y encima ganaron*** jogaram muito mal e ainda por cima ganharam ♦ **encima de** em cima de; **por en-**

cima de por cima de; **por encima de todo** acima de tudo

encimera [enθi'mera] *s.f.* bancada, balcão*m.* (de cozinha)

encimero [enθi'mero] *adj.* de cima; *sábana encimera* lençol de cima

encina [en'θina] *s.f.* azinheira

encinta [en'θinta] *adj.* grávida

enclave [eŋ'klaβe] *s.m.* enclave

enclítico [eŋ'klitiko] *adj.* enclítico

encoger [eŋko'xer] *v.* **1** encolher **2** (tecido) encolher ■ **encogerse 1** (coisa) encolher **2** (pessoa) encolher-se **3** *(acobardarse)* encolher se, acovardar se, acanhar-se

encogido [eŋko'xiδo] *adj.* **1** encolhido **2** *fig.* (pessoa) acanhado, tímido

encolar [eŋko'lar] *v.* colar

encomendar [eŋkomen'dar] *v.* **1** *(encargar)* incumbir, encarregar **2** (cuidado, responsabilidade) confiar

encomendería [eŋkomende'ria] *s.f.* [PER.] mercearia

encomienda [eŋko'mjenda] *s.f.* **1** encargo*m.* **2** [AM.] encomenda postal

encontrado [eŋkon'traδo] *adj.* contrário, oposto; *opiniones encontradas* opiniões contrárias

encontrar [eŋkon'trar] *v.* **1** encontrar, achar **2** (opinião) achar ■ **encontrarse 1** (por acaso) encontrar; *me he encontrado a Ana en el gimnasio* encontrei a Ana na academia **2** *(sentirse)* encontrar-se **3** (saúde) encontrar-se, sentir-se, estar; *encontrarse bien* estar bem disposto, sentir-se bem; *encontrarse mal* estar maldisposto, sentir-se mal **4** *(reunirse)* encontrar-se **5** *(estar)* encontrar se

encontronazo [eŋkontro'naθo] *s.m. col.* encontrão; *tener un encontronazo* dar um encontrão

encopetado [eŋkope'taδo] *adj.* **1** presunçoso, presumido **2** *fig.* de classe alta

encorvado [eŋkor'βaδo] *adj.* encurvado

encorvar [eŋkor'βar] *v.* curvar, arquear ■ **encorvarse** curvar(-se)

encrespado [eŋkres'paδo] *adj.* **1** (cabelo) encrespado, frisado **2** (mar) encrespado, agitado

encrespar [eŋkres'par] *v.* **1** (cabelo) frisar, encaracolar, encrespar, enriçar **2** (pessoa) encrespar, enfurecer, irritar **3** (mar) encrespar, picar ■ **encresparse 1** (cabelo) encaracolar(-se) **2** (mar) encrespar se, agitar se **3** (pessoa) encrespar se, irritar se

encrucijada [eŋkruθi'xaδa] *s.f.* **1** encruzilhada, cruzamento*m.* **2** *fig.* armadilha, cilada **3** *fig.* dilema*m.*

encuadernación [eŋkwaδerna'θjon] *s.f.* encadernação ♦ **encuadernación en rústica** brochura

encuadernar [eŋkwaδer'nar] *v.* (folhas, livro) encadernar

encuadrar [eŋkwa'δrar] *v.* **1** enquadrar **2** (janela, porta, fotografia) emoldurar, encaixilhar

encubierto [eŋku'βjerto] (*p.p. de* encubrir) *adj.* **1** encoberto, escondido, oculto **2** (provas) sonegado

encubrir [eŋku'βrir] *v.* **1** encobrir, ocultar **2** (provas) sonegar ■ **encubrirse** encobrir-se

encuentro [eŋ'kwentro] *s.m.* **1** encontro; *ir al encuentro de alguien* ir ao encontro de alguém **2** *(entrevista)* encontro **3** (competição esportiva) encontro, desafio

encuesta [eŋ'kwesta] *s.f.* **1** *(sondeo)* sondagem **2** *(cuestionario)* questionário*m.*, inquérito*m.*

encurtidos [eŋkur'tiδos] *s.m.pl.* pickles

endeble [en'deβle] *adj.2g.* **1** débil, fraco **2** *fig.* (argumento) inconsistente

endecágono [ende'kaγono] *s.m.* GEOM. hendecágono

endecasílabo [endeka'silaβo] *adj.,s.m.* hendecassílabo

endecha [en'detʃa] *s.f.* endecha

endemia [en'demja] *s.f.* endemia

endemoniado [endemo'njaδo] *adj.* **1** endiabrado **2** *fig.* diabólico; (criança) travesso, traquinas **3** *fig.* maldito

enderezar [endere'θar] *v.* **1** endireitar **2** *fig.* endireitar, corrigir ■ **enderezarse** endireitar-se

endeudamiento [endewδa'mjento] *s.m.* endividamento

endeudarse [endew'δarse] *v.* endividar-se

endiablado [endja'βlaδo] *adj.* endiabrado, endemoninhado

endibia [en'diβja] *s.f.* endívia

endiosar [endjo'sar] *v.* endeusar ■ **endiosarse** envaidecer-se

endivia [en'diβja] *s.f.* endívia

endocardio [endo'karδjo] *s.m.* endocárdio

endocarpio [endo'karpjo], **endocarpo** [endo'karpo] *s.m.* BOT. endocarpo

endocrino [en'dokrino] *adj.* endócrino

endocrinología [endokrinolo'xia] *s.f.* endocrinologia

endocrinólog|o, -a [endokri'noloγo] *s.m.,f.* endocrinologista*2g.*

endosar [endo'sar] *v.* **1** (cheque, letra) endossar **2** *col.* impingir

endoscopia [endos'kopja] *s.f.* endoscopia

endosfera [endos'fera] *s.f.* endosfera

endoso [en'doso] *s.m.* (cheque, letra) endosso

endrina [en'drina] *s.f.* abrunho*m.*

endrino [en'drino] *s.m.* (arbusto) abrunheiro

endulzar [endul'θar] *v.* **1** adoçar **2** *fig.* suavizar

endurecer [endure'θer] *v.* endurecer

endurecimiento [endureθi'mjento] *s.m.* endurecimento

eneasílabo [enea'silaβo] *adj.,s.m.* eneassílabo

enebro [e'neβro] *s.m.* zimbro

enema [e'nema] *s.m.* clister

enemig|o, -a [ene'miγo] *adj.,s.m.,f.* inimig|o, -a

enemistad [enemis'taδ] *s.f.* inimizade, aversão, ódio*m.*

enemistar [enemis'tar] *v.* inimizar ■ **enemistarse** desentender-se (con, com); *enemistarse con alguien* desentender se com alguém

energético [ener'xetiko] *adj.* energético

energía [ener'xia] *s.f.* **1** energia; *energía atómica/nuclear* energia atômica/nuclear; *energía renovable* energia renovável **2** *fig.* energia, força, ânimo*f.*

enérgico [e'nerxiko] *adj.* enérgico
enero [e'nero] *s.m.* janeiro
enervante [ener'βante] *adj.2g.* enervante
enésimo [e'nesimo] *adj.* **1** centésimo; *es la enésima vez que te digo eso* é a centésima vez que te digo isso **2** enésimo
enfadado [eɱfa'ðaðo] *adj.* zangado, chateado; *estar enfadado con alguien* estar zangado com alguém
enfadar [eɱfa'ðar] *v.* **1** *(enojar)* zangar, enfadar **2** *(irritar)* arreliar ▪ **enfadarse 1** zangar-se (con, com), enfadar-se (con, com); *enfadarse con alguien* zangar-se com alguém **2** *col.* aborrecer se
enfado [eɱ'faðo] *s.m.* **1** *(enojo)* zanga*f.* **2** *(aburrimiento)* enfado, aborrecimento
enfadoso [eɱfa'ðoso] *adj.* enfadonho, chato
enfaldado [eɱfal'daðo] *adj. col.* (criança) agarrado às saias da mãe
énfasis ['eɱfasis] *s.m.2n.* ênfase*f.* ♦ **dar énfasis a algo** dar ênfase a alguma coisa
enfático [eɱ'fatiko] *adj.* enfático
enfermar [eɱfer'mar] *v.* adoecer (de, com); *ella ha enfermado de gripe* ela adoeceu com gripe
enfermedad [eɱferme'ðað] *s.f.* doença; *enfermedad contagiosa* doença contagiosa; *enfermedad crónica* doença crônica; *enfermedad de Alzheimer* mal de Alzheimer; *enfermedad de las vacas locas* doença da vaca louca; *enfermedad del sueño* doença do sono; *enfermedad de Parkinson* mal de Parkinson; *enfermedad de transmisión sexual* doença sexualmente transmissível; *enfermedad infecciosa* doença infecciosa; *enfermedad infectocontagiosa* doença infectocontagiosa; *enfermedad mental/nerviosa* doença mental/nervosa
enfermería [eɱferme'ria] *s.f.* **1** (lugar) enfermaria **2** (curso) enfermagem
enfermer|o, -a [eɱfer'mero] *s.m.,f.* enfermeir|o, -a
enfermizo [eɱfer'miθo] *adj.* **1** (pessoa) enfermiço, achacadiço **2** *fig.* doentio
enferm|o, -a [eɱ'fermo] *s.m.,f.* doente*2g.*, enferm|o, -a ▪ *adj.* doente, enfermo; *ponerse enfermo* ficar doente
enflaquecer [eɱflake'θer] *v.* **1** emagrecer **2** *fig.* enfraquecer, debilitar
enflaquecimiento [eɱflakeθi'mjento] *s.m.* **1** *(adelgazamiento)* emagrecimento **2** *(debilidad)* enfraquecimento, debilidade*f.*
enfocar [eɱfo'kar] *v.* **1** (imagem) focar **2** (foco, luz) focar, dirigir **3** *fig.* (assunto, questão) focar, abordar
enfoque [eɱ'foke] *s.m.* **1** focagem*f.* **2** (assunto, questão) abordagem*f.*
enfrascado [eɱfras'kaðo] *adj. fig.* embrenhado, mergulhado, concentrado
enfrentamiento [eɱfrenta'mjento] *s.m.* confronto
enfrentar [eɱfren'tar] *v.* **1** (pessoas) enfrentar, defrontar **2** (coisas) confrontar ▪ **enfrentarse** confrontar se
enfrente [eɱ'frente] *adv.* **1** em frente; *vivo ahí enfrente* moro aí em frente **2** *fig.* contra; *se puso enfrente del proyecto* ficou contra o projeto ♦ **enfrente de** em frente de
enfriamiento [eɱfrja'mjento] *s.m.* **1** (temperatura) arrefecimento **2** MED. resfriado
enfriar [eɱ'frjar] *v.* **1** arrefecer, esfriar **2** *fig.* (sentimento) arrefecer, esfriar ▪ **enfriarse 1** arrefecer **2** *(acatarrarse)* resfriar se
enfurecer [eɱfure'θer] *v.* enfurecer, irritar ▪ **enfurecerse** enfurecer(-se), irritar-se
enfurruñamiento [eɱfuruɲa'mjento] *s.m. col.* amuo, enfado, mau humor
enfurruñarse [eɱfuru'ɲarse] *v. col.* amuar, ficar mal-humorado
engallado [eŋga'ʎaðo] *adj.* **1** erguido, direito **2** *fig.* arrogante, altaneiro
enganchado [eŋganʲ'tʃaðo] *adj.* **1** (cavalo) atrelado **2** *cal.* (droga, álcool, jogo) agarrado, viciado **3** *col.* apaixonado
enganchar [eŋganʲ'tʃarse] *v.* **1** enganchar **2** (cavalo) atrelar, engatar **3** *col.* apanhar, agarrar **4** *col.* engatar, seduzir, conquistar ▪ **engancharse 1** enganchar-se **2** *(quedar prendido)* prender-se, ficar preso **3** MIL. alistar-se **4** (droga, álcool, jogo) viciar-se (a, em)
enganche [eŋ'ganʲtʃe] *s.m.* **1** engate **2** (peça) gancho **3** MIL. alistamento, recrutamento
engañabobos [eŋgaɲa'βoβos] *s.2g.2n. col.* trapaceir|o, -a*m.f.* ▪ *s.m.2n.* trapaça*f.*
engañar [eŋga'ɲar] *v.* **1** enganar **2** (marido, mulher) trair ▪ **engañarse** enganar-se, iludir se
engañifa [eŋga'ɲifa] *s.f. col.* trapaça, burla
engaño [eŋ'gaɲo] *s.m.* **1** *(burla)* engano, logro **2** *(error)* engano, erro ♦ **estar en un engaño** estar enganado
engañoso [eŋga'ɲoso] *adj.* enganoso, enganador
engarce [eŋ'garθe] *s.m.* **1** encadeamento **2** (pedra preciosa) engaste
engaste [eŋ'gaste] *s.m.* engaste
engatusar [eŋgatu'sar] *v. col.* enrolar, enganar
engendrar [eŋxen'drar] *v.* gerar, engendrar ▪ **engendrarse** gerar-se
engendro [eŋ'xendro] *s.m. fig.* ser disforme, monstro
englobar [eŋglo'βar] *v.* englobar
engolado [eŋgo'laðo] *adj.* **1** (modo de falar) afetado **2** (pessoa) arrogante, presunçoso
engordar [eŋgor'ðar] *v.* **1** engordar **2** (notícia) exagerar
engorro [eŋ'goro] *s.m.* estorvo, embaraço, empecilho
engorroso [eŋgo'roso] *adj.* embaraçoso
engranaje [eŋgra'naxe] *s.m.* engrenagem*f.*
engrandecer [eŋgrande'θer] *v.* engrandecer ▪ **engrandecerse** engrandecer-se
engrasar [eŋgra'sar] *v.* **1** *(dar grasa)* lubrificar **2** *(pringar)* engordurar
engrase [eŋ'grase] *s.m.* **1** (ação) lubrificação*f.* **2** (substância) lubrificante
engreído [eŋgre'iðo] *adj.* convencido, vaidoso, presumido
engreimiento [eŋgrej'mjento] *s.m.* vaidade*f.*, presunção*f.*
engrosar [eŋgro'sar] *v.* **1** engrossar **2** engordar **3** *fig.* aumentar ▪ **engrosarse** engrossar

engrudo [eŋ'gruðo] *s.m.* grude, cola*f.*
engullir [eŋgu'ʎir] *v.* engolir
enhebrar [ene'βrar] *v.* **1** (agulha) enfiar (linha) **2** (contas, pérolas) enfiar, ensartar **3** *fig.* (palavras, ideias) enfiar
enhiesto [e'njesto] *adj.* levantado, erguido
enhorabuena [enora'βwena] *s.f.* parabéns*m. pl.*, felicitações*pl.*; ***dar la enhorabuena a alguien por*** dar os parabéns a alguém por; ***estar de enhorabuena*** estar de parabéns ▪ *interj.* parabéns!
enigma [e'niγma] *s.m.* enigma
enigmático [eniγ'matiko] *adj.* enigmático
enjabonar [eŋxaβo'nar] *v.* **1** (roupa) ensaboar **2** *fig., col.* dar graxa, engraxar, bajular, adular ▪ **enjabonarse** ensaboar-se
enjambre [eŋ'xambre] *s.m.* **1** (abelhas) enxame **2** *fig.* (pessoas) enxame, multidão*f.*
enjaular [eŋxaw'lar] *v.* **1** (animal selvagem) enjaular; (ave) engaiolar **2** *col.* enjaular, engaiolar, prender
enjuagar [eŋxwa'γar] *v.* enxaguar ▪ **enjuagarse** bochechar (con, com); ***enjuagarse con agua tibia*** bochechar com água morna
enjuague [eŋ'xwaγe] *s.m.* **1** enxaguadela*f.* **2** (boca) bochecho
enjugar [eŋxu'γar] *v.* **1** enxugar **2** (dívida) liquidar ▪ **enjugarse** (lágrimas, sangue, suor) enxugar
enjuiciamiento [eŋxwiθja'mjento] *s.m.* **1** juízo, opinião*f.* **2** DIR. processo legal; ação*f.* em tribunal
enjuiciar [eŋxwi'θjar] *v.* **1** julgar **2** DIR. processar
enjuto [eŋ'xuto] *adj.* (pessoa) magro, escanzelado, enxuto
enlace [en'laθe] *s.m.* **1** *(conexión)* enlace, ligação*f.*, conexão*f.* **2** *(boda)* enlace, casamento **3** (metrô, trem) ligação*f.* **4** (pessoa) intermediário, mediador **5** INFORM. link ♦ **enlace sindical** representante sindical
enlatado [enla'taðo] *adj.* **1** enlatado **2** *col.* gravado
enlatar [enla'tar] *v.* enlatar
enlazar [enla'θar] *v.* **1** ligar, enlaçar, unir **2** (ideias) concatenar **3** (meios de transporte) ter ligação (con, com) ▪ **enlazarse 1** conectar-se **2** *(casarse)* casar (contrair matrimônio)
enloquecer [enloke'θer] *v.* enlouquecer, endoidecer
enlosado [enlo'saðo] *s.m.* lajeado
enlucir [enlu'θir] *v.* **1** *(encalar)* caiar **2** (parede) estucar, rebocar **3** (teto) engessar **4** (metais) polir
enmadrado [enma'ðraðo] *adj.* (criança) agarrado às saias da mãe
enmarañar [enmara'ɲar] *v.* **1** (cabelo, fios) emaranhar, enredar **2** *fig.* enredar, complicar ▪ **enmarañarse** emaranhar-se
enmarcar [enmar'kar] *v.* **1** encaixilhar, emoldurar, enquadrar **2** (contexto, tempo) situar, enquadrar
enmascarad|o, -a [enmaska'raðo] *adj.,s.m.,f.* mascarad|o, -a
enmendar [enmen'dar] *v.* **1** (erro) emendar, corrigir **2** (conduta) melhorar **3** (dano) reparar ▪ **enmendarse** emendar-se, corrigir se
enmienda [en'mjenda] *s.f.* **1** (texto) emenda, correção **2** (conduta) emenda; ***no tener enmienda*** não ter emenda **3** (dano) reparo*m.*
enmudecer [enmuðe'θer] *v.* emudecer
ennegrecer [enneγre'θer] *v.* enegrecer; escurecer ▪ **ennegrecerse** enegrecer
enojar [eno'xar] *v.* zangar, irritar, chatear ▪ **enojarse** zangar-se (con, com)
enojo [e'noxo] *s.m.* zanga*f.*, amuo, enfado
enología [enolo'xia] *s.f.* enologia
enólog|o, -a [e'noloγo] *s.m.,f.* enólog|o, -a
enorgullecer [enorγuʎe'θer] *v.* orgulhar ▪ **enorgullecerse** orgulhar-se (de, de); ***se enorgullece de su trabajo*** orgulha-se do seu trabalho
enorme [e'norme] *adj.2g.* **1** enorme **2** *col.* esplêndido, admirável
enormidad [enormi'ðað] *s.f.* enormidade ♦ *col.* **una enormidad** muitíssimo
enraizado [enraj'θaðo] *adj.* enraizado
enraizar [enraj'θar] *v.* enraizar ▪ **enraizarse** enraizar se
enredadera [enreða'ðera] *s.f.* trepadeira
enredar [enre'ðar] *v.* **1** (coisa) enredar **2** *(complicar)* enredar, emaranhar, confundir **3** (cabelos) embaraçar **4** *(intrigar)* enredar **5** *(hacer travesuras)* fazer travessuras ▪ **enredarse 1** enredar-se **2** (cabelos) embaraçar-se **3** (plantas trepadeiras) trepar **4** *col.* (relação amorosa) envolver-se
enredo [en'reðo] *s.m.* **1** (fios, cabelos) emaranhado, nó **2** *(complicación)* enredo, emaranhado, complicação*f.* **3** *(intriga)* enredo, intriga*f.* **4** (ideias) confusão*f.* **5** LIT. enredo, intriga*f.* **6** *(travesura)* travessura*f.* **7** *col.* (relação) caso
enrejado [enre'xaðo] *s.m.* gradeamento
enrevesado [enreβe'saðo] *adj.* **1** *(confuso)* complicado, enredado, intrincado **2** (caminho) sinuoso
enriquecer [enrike'θer] *v.* enriquecer
enriquecimiento [enrikeθi'mjento] *s.m.* enriquecimento
enrojecer [enroxe'θer] *v.* **1** enrubescer, avermelhar **2** corar, enrubescer ▪ **enrojecerse** corar, ruborizar -se
enrollar [enro'ʎar] *v.* **1** enrolar **2** *col.* convencer **3** *col.* adorar ▪ **enrollarse 1** (a falar, escrever) estender-se, alargar se **2** *col. (entretenerse)* entreter-se; *(distraerse)* distrair se **3** *col.* (sentimentalmente) envolver-se
enroscar [enros'kar] *v.* enroscar ▪ **enroscarse** enroscar se
ensaimada [ensaj'maða] *s.f.* [bolo de massa folheada em espiral]
ensalada [ensa'laða] *s.f.* **1** salada; ***ensalada de lechuga*** salada de alface **2** *fig.* salsada, trapalhada ♦ **ensalada de frutas** salada de frutas; **ensalada rusa** salada russa
ensaladera [ensala'ðera] *s.f.* saladeira
ensaladilla [ensala'ðiʎa] *s.f.* salada russa
ensamblar [ensam'blar] *v.* (peças de madeira) ensamblar, encaixar

ensanchamiento [ensanʲtʃa'mjeṇto] *s.m.* alargamento

ensanchar [ensanʲ'tʃar] *v.* ampliar; alargar ■ **ensancharse** *fig.* ficar todo orgulhoso, envaidecer-se

ensanche [en'sanʲtʃe] *s.m.* **1** (estrada, ponte) ampliação*f.*; alargamento **2** (cidade) zona com novas edificações

ensangrentado [ensaŋgreṇ'taðo] *adj.* ensanguentado

ensangrentar [ensaŋgreṇ'tar] *v.* ensanguentar ■ **ensangrentarse** ensanguentar-se

ensañamiento [ensaɲa'mjeṇto] *s.m.* crueldade*f.*, brutalidade*f.*

ensartar [ensar'tar] *v.* **1** (contas, pérolas) enfiar, ensartar **2** (corpo) enfiar, espetar **3** *fig.* (dito, ideia) falar muito e sem sentido

ensayar [ensa'ʝar] *v.* **1** *(probar)* testar, experimentar **2** (espetáculo) ensaiar

ensayista [ensa'ʝista] *s.2g.* ensaísta

ensayo [en'saʝo] *s.m.* **1** *(adiestramiento)* ensaio, treino **2** (espetáculo) ensaio; ***ensayo general*** ensaio geral **3** *(prueba)* teste, experiência*f.*, ensaio **4** LIT. ensaio

enseguida [ense'ɣiða] *adv.* logo, imediatamente, já, em seguida; ***sigues recto y enseguida hay una calle*** segues em frente e logo em seguida há uma rua; ***vuelvo enseguida*** volto já

ensenada [ense'naða] *s.f.* enseada

enseñanza [ense'ɲanθa] *s.f.* ensino*m.*; ***enseñanza a distancia*** ensino a distância; ***enseñanza obligatoria*** ensino obrigatório; ***enseñanza primaria*** ensino básico/primário; ***enseñanza secundaria/superior*** ensino secundário/superior ■ **enseñanzas** *s.f.pl.* ensinamentos*m. pl.*, lições*pl.*

enseñar [ense'ɲar] *v.* **1** ensinar, instruir **2** (professor) ensinar, lecionar **3** *(mostrar)* mostrar ■ **enseñarse** [AM.] acostumar se (a, a)

enseres [en'seres] *s.m.pl.* **1** *(útiles)* utensílios, apetrechos **2** *(muebles)* móveis

ensillar [ensi'ʎar] *v.* (cavalo) selar

ensimismado [ensimiz'maðo] *adj.* ensimesmado, concentrado

ensimismarse [ensimiz'marse] *v.* ensimesmar se, concentrar se

ensombrecer [ensombre'θer] *v.* ensombrar

ensordecedor [ensorðeθe'ðor] *adj.* (som) ensurdecedor

ensordecer [ensorðe'θer] *v.* **1** ensurdecer **2** (som, ruído) abafar, ensurdecer

ensortijado [ensorti'xaðo] *adj.* (cabelo) encaracolado

ensuciar [ensu'θjar] *v.* **1** sujar **2** *fig.* (honra, reputação) sujar, manchar ■ **ensuciarse** sujar-se

ensueño [en'sweɲo] *s.m.* ilusão*f.*; devaneio; sonho ♦ **de ensueño** dos sonhos

entablado [eṇta'βlaðo] *s.m.* **1** tabuado **2** (chão) tablado, sobrado, soalho

entablar [eṇta'βlar] *v.* **1** (conversa) entabular **2** (chão) entabuar, assoalhar **3** (osso) encanar

entarimado [eṇtari'maðo] *s.m.* soalho

ente ['eṇte] *s.m.* **1** *(ser)* ente, ser **2** *(institución)* entidade*f.*, instituição*f.*

enteco [eṇ'teko] *adj.* enfermiço, fraco, débil

entenad|o, -a [eṇte'naðo] *s.m.,f.* entead|o, -a

entendederas [eṇteṇde'ðeras] *s.f.pl. col.* entendimento*m.*

entendedor, -a [eṇteṇde'ðor] *adj.,s.m.,f.* entendedor, -a ♦ **a buen entendedor, pocas palabras bastan** para bom entendedor, meia palavra basta

entender [eṇteṇ'der] *v.* **1** entender, compreender **2** entender (de, de) **3** *cal.* ser gay/homossexual ■ **entenderse** entender-se ♦ **a mi entender** no meu entender; **¿entiendes?** estás entendendo?

entendid|o, -a [eṇteṇ'diðo] *adj.,s.m.,f.* entendid|o, -a, perit|o, -a

entendimiento [eṇteṇdi'mjeṇto] *s.m.* **1** (faculdade) entendimento **2** *(razón)* razão*f.*, entendimento **3** *(acuerdo)* entendimento, acordo

enterad|o, -a [eṇte'raðo] *s.m.,f.* sabich|ão, -ona ■ *adj.* informado, inteirado; ***estar enterado de algo*** estar informado de alguma coisa

enteramente [eṇtera'meṇte] *adv.* inteiramente, completamente

enterar [eṇte'rar] *v.* inteirar, informar ■ **enterarse** inteirar-se, tomar conhecimento ♦ **ni enterarse** nem perceber; **para que te enteres** para o seu governo; (ameaça) **te vas a enterar** você vai ver

entereza [eṇte'reθa] *s.f.* **1** firmeza **2** integridade

enterizo [eṇte'riθo] *adj.* inteiriço

enternecedor [eṇterneθe'ðor] *adj.* enternecedor

enternecer [eṇterne'θer] *v.* enternecer ■ **enternecerse** enternecer-se

enternecimiento [eṇterneθi'mjeṇto] *s.m.* enternecimento

entero [eṇ'tero] *adj.* **1** inteiro **2** *fig.* (pessoa) íntegro ♦ **por entero** por inteiro, completamente

enterrador, -a [eṇtera'ðor] *s.m.,f.* coveir|o, -a

enterramiento [eṇtera'mjeṇto] *s.m.* **1** enterro **2** (lugar) sepultura*f.*

enterrar [eṇte'rar] *v.* enterrar

entidad [eṇti'ðað] *s.f.* **1** *(esencia)* entidade, essência **2** *(institución)* entidade **3** *(importancia)* importância, entidade

entierro [eṇ'tjero] *s.m.* enterro

entonación [eṇtona'θjon] *s.f.* entoação

entonar [eṇto'nar] *v.* **1** (música) entoar, cantar **2** (cores) combinar **3** (músculos) tonificar **4** (organismo) revigorar, reforçar **5** (cores) combinar ■ **entonarse** **1** *(engreírse)* ser arrogante **2** (organismo) revigorar, reforçar

entonces [eṇ'toṇθes] *adv.* então ♦ **desde entonces** desde então; **por aquel entonces** naquele tempo; **¡pues entonces!** pois então!

entornado [eṇtor'naðo] *adj.* **1** (janela, porta) encostado; entreaberto **2** (olhos) semicerrado

entornar [eṇtor'nar] *v.* **1** (janela, porta) encostar; entreabrir **2** (olhos) semicerrar

entorno [eṇ'torno] *s.m.* **1** ambiente, meio, contexto **2** ambiente

entorpecer [eṇtorpe'θer] *v.* **1** (movimentos) entorpecer **2** *(dificultar)* estorvar, embaraçar, dificultar ▪ **entorpecerse** (movimentos) entorpecer

entorpecimiento [eṇtorpeθi'mjeṇto] *s.m.* entorpecimento

entrada [eṇ'traδa] *s.f.* **1** entrada; *entrada libre* livre acesso **2** (espetáculo) bilhete*m.*, ingresso*m.* **3** *(público)* público*m.*, audiência **4** (empresa) receita **5** (dicionário) entrada, verbete*m.* **6** *(vestíbulo)* entrada, hall*m.* ▪ **entradas** *s.f.pl.* (cabelo) entradas*pl.* ♦ **de entrada** primeiramente, primeiro, para começar

entramado [eṇtra'maδo] *s.m.* **1** armação*f.* de madeira **2** rede*f.*

entrante [eṇ'traṇte] *s.m.* **1** (refeição) entrada*f.* **2** (mar, rio) reentrância*f.*

entraña [eṇ'traɲa] *s.f. fig.* âmago*m.* ▪ **entrañas** *s.f.pl.* entranhas*pl.*

entrar [eṇ'trar] *v.* **1** *(ir adentro)* entrar; *entraron en la casa* entraram na casa **2** *(ingresar)* entrar, ingressar **3** (calçado, roupa) servir **4** (fome, calor, frio) ficar com; *me ha entrado hambre* fiquei com fome **5** *(introducir)* introduzir

entre ['eṇtre] *prep.* **1** (espaço) entre; *entre la puerta y la ventana* entre a porta e a janela **2** (lugar) entre; *vuelo entre Barcelona y Madrid* voo entre Barcelona e Madri **3** (tempo) entre; *entre hoy y mañana* entre hoje e amanhã **4** (relação) entre; *una charla entre padre y hijo* uma conversa entre pai e filho **5** (divisão) dividir por; *veinte entre cuatro* vinte dividido por quatro ♦ **de entre** dentre

entreabierto [eṇtrea'βjerto] (*p.p. de* entreabrir) *adj.* **1** (porta) entreaberto; encostado **2** (olhos, boca) semicerrado

entreabrir [eṇtrea'βrir] *v.* **1** (porta) entreabrir; encostar **2** (olhos) semicerrar

entreacto [eṇtre'akto] *s.m.* entreato

entrecano [eṇtre'kano] *adj.* (cabelo, barba) grisalho

entrecejo [eṇtre'θexo] *s.m.* cenho*m.* ♦ **fruncir el entrecejo** franzir as sobrancelhas

entrecomillado [eṇtrekomi'ʎaδo] *adj.* entre aspas ▪ *s.m.* aspas*f. pl.*

entrecomillar [eṇtrekomi'ʎar] *v.* pôr entre aspas

entrecortado [eṇtrekor'taδo] *adj.* entrecortado

entredicho [eṇtre'δitʃo] *s.m.* **1** *(prohibición)* interdição*f.*, proibição*f.* **2** *(duda)* dúvida*f.*; *poner en entredicho* pôr em dúvida/causa

entredós [eṇtre'δos] *s.m.* entremeio

entrega [eṇ'treɣa] *s.f.* **1** entrega; *en el acto de entrega* no ato da entrega **2** *(dedicación)* entrega, dedicação **3** (obra) fascículo*m.* **4** ESPOR. passe*m.*

entregar [eṇtre'ɣar] *v.* entregar ▪ **entregarse** **1** *(dedicarse)* entregar se (a, a), dedicar se (a, a) **2** *(rendirse)* render se (a, a), entregar se (a, a)

entrelazar [eṇtrela'θar] *v.* entrelaçar

entremés [eṇtre'mes] *s.m.* **1** acepipe, aperitivo **2** TEAT. entremez

entremetido [eṇtreme'tiδo] *adj.* ⇒ **entrometido**

entrenador, -a [eṇtrena'δor] *s.m.,f.* treinador, -a; *entrenador ayudante* treinador adjunto

entrenamiento [eṇtrena'mjeṇto] *s.m.* treino

entrenar [eṇtre'nar] *v.* treinar ▪ **entrenarse** treinar(-se)

entreno [eṇ'treno] *s.m.* ⇒ **entrenamiento**

entrepierna [eṇtre'pjerna] *s.f.* entrepernas*m.2n.* ♦ *vulg.* **pasarse por la entrepierna** não querer saber

entresuelo [eṇtre'swelo] *s.m.* **1** (edifício) sobreloja*f.* **2** (cinema, teatro) balcão **3** (prédio) rés*2n.* do chão

entretanto [eṇtre'taṇto] *adv.* entretanto; *leo una revista y, entretanto, escucho música* leio uma revista e, entretanto, ouço música

entretener [eṇtrete'ner] *v.* **1** entreter, divertir, distrair **2** (a atenção) entreter, distrair ▪ **entretenerse** entreter-se, divertir-se

entretenido [eṇtrete'niδo] *adj.* **1** entretido **2** divertido **3** (trabalho, atividade) absorvente

entretenimiento [eṇtreteni'mjeṇto] *s.m.* entretimento, distração*f.*, divertimento

entretiempo [eṇtre'tjempo] *s.m.* meia-estação*f.* ♦ **de entretiempo** de meia-estação

entrever [eṇtre'βer] *v.* entrever

entreverado [eṇtreβe'raδo] *adj.* entremeado; *tocino entreverado* toucinho sem gordura

entrevista [eṇtre'βista] *s.f.* **1** *(reunión)* entrevista, reunião **2** (jornalismo) entrevista

entrevistador, -a [eṇtreβista'δor] *s.m.,f.* entrevistador, -a

entrevistar [eṇtreβis'tar] *v.* entrevistar ▪ **entrevistarse** **1** ter uma entrevista (con, com) **2** *(reunirse)* reunir-se (con, com)

entristecer [eṇtriste'θer] *v.* entristecer ▪ **entristecerse** entristecer(-se)

entrometerse [eṇtrome'terse] *v.* intrometer se (en, em), imiscuir-se (en, em); *entrometerse en la vida de los demás* intrometer-se na vida dos outros

entrometido [eṇtrome'tiδo] *adj.* intrometido, metediço

entroncamiento [eṇtroŋka'mjeṇto] *s.m.* entroncamento

enturbiar [eṇtur'βjar] *v.* **1** turvar, enturvar **2** (estado de ânimo) turvar, perturbar, entristecer ▪ **enturbiarse** turvar(-se)

entusiasmar [eṇtusjaz'mar] *v.* entusiasmar ▪ **entusiasmarse** entusiasmar-se

entusiasmo [eṇtu'sjazmo] *s.m.* entusiasmo

entusiasta [eṇtu'sjasta] *s.2g.* entusiasta

entusiástico [eṇtu'sjastiko] *adj.* entusiástico

enumeración [enumera'θjon] *s.f.* enumeração

enumerar [enume'rar] *v.* enumerar

enunciación [enuṇθja'θjon] *s.f.* enunciação

enunciado [enuṇ'θjaδo] *s.m.* enunciado

envasado [emba'saδo] *s.m.* engarrafamento; enlatamento; empacotamento

envasar [emba'sar] *v.* (pipa, tonel) envasilhar; (garrafa) engarrafar; (lata) enlatar; (pacote) embalar, empacotar

envase [em'base] s.m. **1** (ação) embalagem f.; empacotamento; envasilhamento **2** *(recipiente)* recipiente **3** *(bolsa)* embalagem f.; ***envase desechable*** embalagem descartável **4** *(lata)* lata f. **5** *(botella)* garrafa f.; ***envase no retornable*** embalagem não retornável
envejecer [embexe'θer] v. envelhecer
envejecido [embexe'θiðo] adj. envelhecido
envejecimiento [embexeθi'mjento] s.m. envelhecimento
envenenamiento [embenena'mjento] s.m. envenenamento
envenenar [embene'nar] v. envenenar ■ **envenenarse** envenenar-se
envergadura [emberγa'ðura] s.f. envergadura
envés [em'bes] s.m. avesso, invés
enviad|o, -a [em'bjaðo] s.m.,f. enviad|o, -a; ***enviado especial*** enviado especial
enviar [em'bjar] v. enviar, mandar
envidia [em'biðja] s.f. inveja; ***tener envidia de algo/alguien*** ter inveja de alguma coisa/alguém
envidiable [embi'ðjaβle] adj.2g. invejável
envidiar [embi'ðjar] v. invejar
envidios|o, -a [embi'ðjoso] adj.,s.m.,f. invejos|o, -a
envío [em'bio] s.m. envio; ***envío contra reembolso*** envio por reembolso postal
enviudar [embju'ðar] v. enviuvar, ficar viúv|o, -a
envoltorio [embol'torjo] s.m. **1** envoltório, embrulho **2** invólucro; ***envoltorio del preservativo*** invólucro do preservativo **3** (roupa) trouxa f.
envoltura [embol'tura] s.f. invólucro m.
envolvente [embol'βente] adj.2g. envolvente
envolver [embol'βer] v. **1** embrulhar, envolver **2** (corda, fio) enrolar **3** *(rodear)* envolver, cercar ■ **envolverse** envolver-se (en, em)
envuelto [em'bwelto] (p.p. de envolver) adj. **1** envolvido, envolto **2** embrulhado
enyesar [enje'sar] v. engessar
enzima [en'θima] s.f. enzima
eñe ['eɲe] s.f. [décima quinta letra do alfabeto espanhol]
eólico [e'oliko] adj. eólico
épica ['epika] s.f. épica
epicarpio [epi'karpjo] s.m. BOT. epicarpo
epiceno [epi'θeno] adj. epiceno
epicentro [epi'θentro] s.m. GEOL. epicentro
épico ['epiko] adj. épico
epidemia [epi'ðemja] s.f. epidemia
epidémico [epi'ðemiko] adj. epidêmico
epidermis [epi'ðermis] s.f.2n. **1** ANAT. epiderme, cutícula **2** BOT. epiderme
epidural [epiðu'ral] s.f. (anestesia) epidural
epiglotis [epi'γlotis] s.f.2n. epiglote
epígrafe [e'piγrafe] s.m. **1** (texto) epígrafe f. **2** (edifício, monumento) epígrafe f., inscrição f.
epilepsia [epi'lepsja] s.f. epilepsia
epiléptic|o, -a [epi'leptiko] adj.,s.m.,f. epilétic|o, -a
epílogo [e'piloγo] s.m. epílogo
episcopado [episko'paðo] s.m. (cargo) episcopado
episcopal [episko'pal] adj.2g. episcopal
episódico [epi'soðiko] adj. episódico
episodio [epi'soðjo] s.m. episódio
epístola [e'pistola] s.f. **1** epístola, carta, missiva **2** REL. epístola
epistolar [episto'lar] adj.2g. epistolar
epitelio [epi'teljo] s.m. ANAT. epitélio
epíteto [e'piteto] s.m. epíteto
época ['epoka] s.f. época ♦ **hacer época** marcar época
epopeya [epo'peja] s.f. epopeia
equiángulo [e'kjangulo] adj. equiângulo
equidad [eki'ðað] s.f. equidade, justiça, imparcialidade
equidistancia [ekiðis'tanθja] s.f. equidistância
equidistante [ekiðis'tante] adj.2g. equidistante
equilátero [eki'latero] adj. GEOM. equilátero; ***triángulo equilátero*** triângulo equilátero
equilibrado [ekili'βraðo] adj. **1** equilibrado **2** fig. equilibrado, prudente, sensato ■ s.m. (pneus) calibragem f.
equilibrar [ekili'βrar] v. **1** equilibrar **2** (pneus) calibrar ■ **equilibrarse** equilibrar-se
equilibrio [eki'liβrjo] s.m. equilíbrio; ***perder el equilibrio*** perder o equilíbrio
equilibrista [ekili'βrista] s.2g. equilibrista
equimosis [eki'mosis] s.f.2n. equimose
equinoccio [eki'nokθjo] s.m. equinócio; ***equinoccio de primavera/otoño*** equinócio da primavera/do outono
equipaje [eki'paxe] s.m. bagagem f.; ***equipaje de mano*** bagagem de mão
equipar [eki'par] v. equipar ■ **equiparse** equipar-se (con/de, com/de)
equiparable [ekipa'raβle] adj.2g. equiparável, comparável
equiparación [ekipara'θjon] s.f. equiparação
equiparar [ekipa'rar] v. equiparar (a/con, a/com), comparar (a/con, a/com); ***equiparar una cosa a otra*** equiparar uma coisa a outra
equipo [e'kipo] s.m. **1** (pessoas) equipe f. **2** (objetos) equipamento, aparelho, aparelhagem f. ♦ **equipo de sonido** aparelho (de som)
equis ['ekis] s.f.2n. **1** (letra) xis m. **2** MAT. xis m. ■ adj.2g.2n. **1** (quantidade) indeterminado, n **2** (filme) pornográfico
equitación [ekita'θjon] s.f. equitação
equitativo [ekita'tiβo] adj. equitativo, justo
equivalencia [ekiβa'lenθja] s.f. equivalência
equivalente [ekiβa'lente] adj.2g. equivalente ■ s.m. equivalente
equivaler [ekiβa'ler] v. equivaler (a, a)
equivocación [ekiβoka'θjon] s.f. **1** *(error)* engano m., equívoco m. **2** *(malentendido)* mal-entendido m.
equivocado [ekiβo'kaðo] adj. enganado, equivocado, errado; ***estás equivocado*** estás enganado
equívoco [e'kiβoko] adj. equívoco, ambíguo ■ s.m. **1** *(ambigüedad)* ambiguidade f. **2** *(equivocación)* equívoco, engano

era ['era] *s.f.* **1** *(época)* era, época **2** AGR. eira
erección [erek'θjon] *s.f.* ereção
erecto [e'rekto] *adj.* ereto
eremita [ere'mita] *s.2g.* eremita
ergonomía [erγono'mia] *s.f.* ergonomia
ergonómico [erγo'nomiko] *adj.* ergonômico
erguir [er'γir] *v.* erguer, levantar ▪ **erguirse** erguer--se, levantar se
erial [e'rjal] *s.m.* baldio
erigir [eri'xir] *v.* **1** *(alzar)* erigir, erguer, levantar; construir **2** *(instituir)* erigir, instituir, fundar ▪ **erigirse** tornar-se (en, -); ***se erigió en jefe de estado*** tornou se chefe de estado
eritrocito [eritro'θito] *s.m.* eritrócito, glóbulo vermelho
erizado [eri'θaδo] *adj.* eriçado
erizar [eri'θar] *v.* eriçar ▪ **erizarse** eriçar-se
erizo [e'riθo] *s.m.* **1** (mamífero) ouriço cacheiro, ouriço **2** (frutos) ouriço ♦ **erizo de mar/marino** ouriço--do mar
ermitañ|o, -a [ermi'taɲo] *s.m.,f.* eremita *2g.*
erosión [ero'sjon] *s.f.* erosão
erosivo [ero'siβo] *adj.* erosivo
erótico [e'rotiko] *adj.* erótico
erotismo [ero'tizmo] *s.m.* erotismo
erradicación [eraδika'θjon] *s.f.* erradicação
erradicar [eraδi'kar] *v.* erradicar
errante [e'rante] *adj.2g.* errante
errar [e'rar] *v.* **1** (alvo, objetivo) errar, falhar **2** *(vagar)* errar, vagar **3** *(equivocarse)* enganar-se, equivocar-se
errata [e'rata] *s.f.* gralha
erróneo [e'roneo] *adj.* errôneo
error [e'ror] *s.m.* erro
eructar [eruk'tar] *v.* arrotar
eructo [e'rukto] *s.m.* arroto
erudición [eruδi'θjon] *s.f.* erudição
erudit|o, -a [eru'δito] *adj.,s.m.,f.* erudit|o, -a
erupción [erup'θjon] *s.f.* erupção ♦ **entrar en erupción** entrar em erupção
eruptivo [erup'tiβo] *adj.* eruptivo
esa ['esa] *adj.dem.* ⇒ **ese**
ésa ['esa] *pron.dem.* ⇒ **ése**
esbelto [ez'βelto] *adj.* esbelto, elegante
esbozar [ezβo'θar] *v.* **1** esboçar, bosquejar, delinear **2** *fig.* esboçar; ***esbozó una sonrisa*** esboçou um sorriso
esbozo [ez'βoθo] *s.m.* esboço, bosquejo
escabeche [eska'βetʃe] *s.m.* escabeche
escabechina [eskaβe'tʃina] *s.f. col.* reprovação escolar em massa
escabroso [eska'βroso] *adj.* escabroso
escabullirse [eskaβu'ʎirse] *v.* **1** *(escaparse)* escapulir --se, escapar se **2** (entre as mãos) escorregar
escafandra [eska'fandra] *s.f.* escafandro *m.*
escafoides [eska'fojδes] *s.m.2n.* escafoide
escala [es'kala] *s.f.* escala ♦ **en gran escala** em grande/larga escala; **escala musical** escala musical; **hacer escala en** fazer escala em
escalada [eska'laδa] *s.f.* **1** escalada **2** *fig.* aumento *m.*, subida
escalador, -a [eskala'δor] *s.m.,f.* **1** escalador, -a **2** (ciclista) trepador, -a
escalafón [eskala'fon] *s.m.* **1** lista *f.* **2** hierarquia *f.*
escalar [eska'lar] *v.* **1** escalar **2** (cargo, posição) subir, ascender
escaldado [eskal'daδo] *adj. fig.* (pessoa) escaldado, escarmentado
escaldar [eskal'dar] *v.* escaldar ▪ **escaldarse** escaldar-se
escaleno [eska'leno] *adj.* (triângulo) escaleno
escalera [eska'lera] *s.f.* **1** escada; ***escalera de caracol*** escada em caracol; ***escalera de tijera*** escadote; ***escalera mecánica/automática*** escada rolante **2** (cartas) sequência
escalerilla [eskale'riʎa] *s.f.* escada (de poucos degraus)
escalinata [eskali'nata] *s.f.* escadaria
escalofriante [eskalo'frjante, eskalofri'ante] *adj.2g.,s.m.* **1** arrepiante **2** assustador
escalofrío [eskalo'frio] *s.m.* arrepio; calafrio
escalón [eska'lon] *s.m.* **1** (escada) degrau **2** (emprego) escalão **3** (etapa) grau **4** *fig.* degrau
escalope [eska'lope] *s.m.* escalope
escalpelo [eskal'pelo] *s.m.* escalpelo, bisturi
escama [es'kama] *s.f.* escama
escampada [eskam'paδa] *s.f. col.* (tempo) aberta
escandalera [eskanda'lera] *s.f. col.* escarcéu, escândalo
escandalizado [eskandali'θaδo] *adj.* escandalizado
escandalizar [eskandali'θar] *v.* escandalizar ▪ **escandalizarse** escandalizar-se
escandallo [eskan'daʎo] *s.m.* **1** parte *f.* de uma sonda marinha **2** (mercadoria) tabelamento
escándalo [es'kandalo] *s.m.* **1** escândalo; ***armar un escándalo*** armar/fazer um escândalo **2** *(alboroto)* tumulto
escandaloso [eskanda'loso] *adj.* escandaloso
Escandinavia [eskandi'naβja] *s.f.* Escandinávia
escandinav|o, -a [eskandi'naβo] *adj.,s.m.,f.* escandinav|o, -a
escandio [es'kandjo] *s.m.* escândio
escanear [eskane'ar] *v.* escanear, digitalizar (com escâner)
escaneo [eska'neo] *s.m.* digitalização *f.* (com escâner)
escáner [es'kaner] *s.m.* escâner, scanner
escaño [es'kaɲo] *s.m.* **1** *(banco)* escano **2** POL. assento no parlamento
escapada [eska'paδa] *s.f.* **1** fuga **2** *col.* escapada, escapadela, fugida
escapar [eska'par] *v.* **1** *(huir)* escapar (de, de), fugir (de, de) **2** *(librarse)* escapar (de, de), livrar se (de, de) ▪ **escaparse** escapar-se (de, de)
escaparate [eskapa'rate] *s.m.* (estabelecimento) vitrine *f.*
escapatoria [eskapa'torja] *s.f.* **1** fuga, evasão **2** *col.* escapatória, subterfúgio *m.*

escape [es'kape] *s.m.* **1** *(huida)* escape, fuga*f.* **2** (gás, líquido) fuga*f.*, escape **3** (veículos) escape
escapulario [eskapu'larjo] *s.m.* escapulário
escarabajo [eskara'βaxo] *s.m.* **1** escaravelho **2** *col.* (carro) carocha
escarbadientes [eskarβa'ðjentes] *s.m.2n.* palito
escarbar [eskar'βar] *v.* **1** (terra) esgaravatar **2** (dentes) palitar **3** (fogo) atiçar **4** *fig.* escarafunchar
escarceo [eskar'θeo] *s.m.* escarcéu ■ **escarceos** *s.m.pl.* divagações*f.* ♦ **escarceo amoroso** aventura amorosa
escarcha [es'kartʃa] *s.f.* geada
escarchar [eskar'tʃar] *v.* **1** gear **2** (fruta) cristalizar
escarlata [eskar'lata] *adj.2g.,s.m.* (cor) escarlate
escarlatina [eskarla'tina] *s.f.* escarlatina
escarmentar [eskarmen'tar] *v.* escarmentar
escarmiento [eskar'mjento] *s.m.* escarmento
escarnio [es'karnjo] *s.m.* escárnio, troça*f.*
escarpa [es'karpa] *s.f.* escarpa
escarpado [eskar'paðo] *adj.* (terreno) escarpado, íngreme
escarpia [es'karpja] *s.f.* escápula
escasear [eskase'ar] *v.* escassear
escasez [eska'seθ] *s.f.* **1** *(falta)* escassez, falta **2** *(pobreza)* pobreza, penúria
escaso [es'kaso] *adj.* escasso
escayola [eska'jola] *s.f.* **1** MED. gesso*m.* **2** (colunas, estátuas) escaiola **3** (acabamentos) estuque*m.*
escayolar [eskajo'lar] *v.* (fratura) engessar
escena [es'θena] *s.f.* **1** *(escenario)* palco*m.* **2** CIN., TV. (obra) cena **3** (vida real) cena ♦ **desaparecer de escena** desaparecer de cena; **hacer una escena** fazer cenas; **poner en escena** pôr em cena
escenario [esθe'narjo] *s.m.* **1** palco, cena*f.* **2** *fig.* cenário
escénico [es'θeniko] *adj.* cênico
escenificación [esθenifika'θjon] *s.f.* encenação
escenificar [esθenifi'kar] *v.* encenar
escenografía [esθenoɣra'fia] *s.f.* cenografia
escenógraf|o, -a [esθe'noɣrafo] *s.m.,f.* cenógraf|o, -a
escepticismo [esθepti'θizmo] *s.m.* ceticismo
escéptic|o, -a [es'θeptiko] *adj.,s.m.,f.* cétic|o, -a
esclarecedor [esklareθe'ðor] *adj.* esclarecedor
esclarecimiento [esklareθi'mjento] *s.m.* esclarecimento
esclavista [eskla'βista] *adj.,s.2g.* escravagista
esclavitud [esklaβi'tuð] *s.f.* **1** escravidão, escravatura **2** (sistema) esclavagismo*m.* **3** *fig.* escravidão, sujeição
esclavizar [esklaβi'θar] *v.* escravizar
esclav|o, -a [es'klaβo] *adj.,s.m.,f.* escrav|o, -a
esclerosis [eskle'rosis] *s.f.2n.* esclerose
esclerótica [eskle'rotika] *s.f.* esclerótica
esclusa [es'klusa] *s.f.* eclusa
escoba [es'koβa] *s.f.* vassoura
escobazo [esko'βaθo] *s.m.* vassourada*f.*
escobilla [esko'βiʎa] *s.f.* **1** escova (de tamanho pequeno); *escobilla del váter* escova do vaso sanitário **2** (limpador de para-brisa) escova
escocer [esko'θer] *v.* (ferida, queimadura) arder ■ **escocerse** **1** (pessoa) magoar-se, melindrar-se **2** (parte do corpo) irritar se, inflamar-se
escoc|és, -esa [esko'θes] *adj.,s.m.,f.* escoc|ês, -esa ■ **escocés** *s.m.* (língua) escocês
Escocia [es'koθja] *s.f.* Escócia
escocido [esko'θiðo] *adj.* **1** (pele) assado **2** (pessoa) magoado, melindrado
escofina [esko'fina] *s.f.* grosa
escoger [esko'xer] *v.* **1** (coisa) escolher, selecionar **2** (pessoa) escolher, eleger
escogido [esko'xiðo] *adj.* **1** escolhido, selecionado **2** *(selecto)* escolhido, seleto
escolar [esko'lar] *adj.2g.* escolar ■ *s.2g.* estudante, alun|o, -a*m.f.*
escolaridad [eskolari'ðað] *s.f.* escolaridade; *escolaridad obligatoria* escolaridade obrigatória
escoliosis [esko'ljosis] *s.f.2n.* escoliose
escolta [es'kolta] *s.f.* escolta
escoltar [eskol'tar] *v.* escoltar
escombros [es'kombro] *s.m.* entulho ■ *s.m.pl.* escombros
esconder [eskon'der] *v.* esconder ■ **esconderse** esconder se
escondido [eskon'diðo] *adj.* escondido ♦ **a escondidas** às escondidas; *hacer algo a escondidas* fazer alguma coisa às escondidas
escondite [eskon'dite] *s.m.* **1** esconderijo **2** (jogo) esconde esconde; *jugar al escondite* brincar às escondidas
escondrijo [eskon'drixo] *s.m.* esconderijo
escopeta [esko'peta] *s.f.* espingarda; *escopeta de aire comprimido* espingarda de ar comprimido; *escopeta de caza* caçadeira ♦ **con la escopeta cargada** com duas pedras na mão
escoplo [es'koplo] *s.m.* escopro
escora [es'kora] *s.f.* **1** NÁUT. escora **2** (inclinação) banda
escorbuto [eskor'βuto] *s.m.* escorbuto
escoria [es'korja] *s.f.* escória
escoriación [eskorja'θjon] *s.f.* ⇒ **excoriación**
Escorpio [es'korpjo] *s.m.* ASTROL., ASTRON. Escorpião
escorpión [eskor'pjon] *s.m.* ZOOL. escorpião, lacrau ■ *s.2g.* ASTROL. escorpian|o, -a*m.f.*
escotado [esko'taðo] *adj.* decotado
escotadura [eskota'ðura] *s.f.* decote*m.*
escote [es'kote] *s.m.* **1** (roupa) decote **2** *(parte)* cota*f.*, parte*f.*; *pagar a escote* pagar cada um a sua parte
escotilla [esko'tiʎa] *s.f.* escotilha
escotillón [eskoti'ʎon] *s.m.* **1** TEAT. alçapão **2** NÁUT. escotilhão
escozor [esko'θor] *s.m.* **1** (pele) ardor, ardência*f.* **2** *(resquemor)* ressentimento
escriba [es'kriβa] *s.m.* escriba

escribanía [eskriβa'nia] *s.f.* **1** (escritório) cartório*m.* **2** (móvel) escrivaninha
escriban|o, -a [eskri'βano] *s.m.,f.* escriv|ão, -ã
escribir [eskri'βir] *v.* escrever; ***escribir a mano/máquina*** escrever à mão/máquina ▪ **escribirse** corresponder-se
escrito [es'krito] (*p.p. de* escribir) *adj.* escrito; ***examen escrito*** exame escrito ▪ *s.m.* escrito ♦ **por escrito** por escrito
escritor, -a [eskri'tor] *s.m.,f.* escritor, -a
escritorio [eskri'torjo] *s.m.* **1** (móvel) escrivaninha*f.*; (para guardar papéis) papeleira*f.* **2** [AM.] escritório **3** INFORM. ambiente de trabalho, desktop
escritura [eskri'tura] *s.f.* **1** escrita **2** DIR. escritura ♦ **Sagrada(s) Escritura(s)** Sagrada(s) Escritura(s)
escroto [es'kroto] *s.m.* escroto
escrúpulo [es'krupulo] *s.m.* escrúpulo
escrupuloso [eskrupu'loso] *adj.* escrupuloso
escuadra [es'kwaðra] *s.f.* **1** esquadro*m.* **2** MIL. esquadra
escuadría [eskwa'ðria] *s.f.* esquadria
escuadrilla [eskwa'ðriʎa] *s.f.* esquadrilha
escuadrón [eskwa'ðron] *s.m.* esquadrão
escuálido [es'kwaliðo] *adj.* **1** *(delgado)* esquelético, magro **2** *(sucio)* sujo, sórdido
escucha [es'kutʃa] *s.f.* escuta; ***escucha telefónica*** escuta telefônica ▪ *s.2g.* escuta
escuchar [esku'tʃar] *v.* **1** escutar; *(oír)* ouvir; ***escuchar la radio*** ouvir rádio **2** (conselho) escutar
escudero [esku'ðero] *s.m.* escudeiro
escudo [esku'ðo] *s.m.* **1** (arma) escudo **2** (antiga moeda portuguesa) escudo **3** *(emblema)* escudo; ***escudo de armas*** brasão, escudo de armas **4** (fechadura) escudete
escuela [es'kwela] *s.f.* *(colegio)* escola
escueto [es'kweto] *adj.* **1** (linguagem) simples **2** *(breve)* conciso, breve
esculpir [eskul'pir] *v.* (pedra, madeira) esculpir
escultismo [eskul̥'tizmo] *s.m.* escutismo
escultor, -a [eskul̥'tor] *s.m.,f.* escultor, -a
escultura [eskul̥'tura] *s.f.* (arte, obra) escultura
escultural [eskul̥tu'ral] *adj.2g.* escultural
escuna [es'kuna] *s.f.* escuna
escupir [esku'pir] *v.* cuspir
escupitajo [eskupi'taxo] *s.m.* **1** *(flema)* escarro **2** (saliva) cuspe
escurreplatos [eskure'platos] *s.m.2n.* escorredor
escurridizo [eskuri'ðiθo] *adj.* escorregadio
escurridor [eskuri'ðor] *s.m.* **1** *(escurreplatos)* escorredor **2** *(colador)* coador
escurrir [esku'rir] *v.* **1** (líquido) escorrer, escoar **2** (roupa) enxugar **3** escorrer ▪ **escurrirse 1** (líquido) escorrer **2** *(resbalarse)* escorregar **3** *col.* escapulir se
escúter [es'kuter] *s.f.* scooter
es|e, -a ['ese] *adj.dem.* ess|e, -a; ***dame esa carpeta*** me dá essa pasta; ***¿sigues con esos juegos?*** continuas com esses jogos? ▪ **ese** *s.f.* (letra) esse*m.* ♦ **hacer eses** andar em ziguezague; *col.* **ni por esas** nem dessa maneira
és|e, -a ['ese] *pron.dem.* ess|e, -a; ***¿quién es ése?*** quem é esse?
esencia [e'sen̪θja] *s.f.* essência
esencial [esen̪'θjal] *adj.2g.* essencial
esfera [es'fera] *s.f.* **1** esfera **2** (relógio) mostrador*m.* ♦ **esfera armilar** esfera armilar; **esfera celeste** esfera celeste
esférico [es'feriko] *adj.* esférico ▪ *s.m. gír.* bola*f.*
esfinge [es'fiŋxe] *s.f.* esfinge
esfínter [es'fin̪ter] *s.m.* esfíncter
esforzado [esfor'θaðo] *adj.* esforçado, valente, aplicado
esforzar [esfor'θar] *v.* (voz, vista) esforçar ▪ **esforzarse** esforçar-se (en, por)
esfuerzo [es'fwerθo] *s.m.* esforço; ***hacer un esfuerzo*** fazer um esforço
esfumar [esfu'mar] *v.* (pintura) esfumar, esbater ▪ **esfumarse 1** esfumar-se, dissipar se, desvanecer-se **2** *col.* (pessoa) escapulir-se, desaparecer
esgrima [ez'ɣrima] *s.f.* esgrima
esgrimidor, -a [ezɣrimi'ðor] *s.m.,f.* esgrimista*2g.*
eslabón [ezla'βon] *s.m.* elo
eslip [ez'lip] *s.m.* cueca*f.*
eslogan [ez'loɣan] *s.m.* slogan
eslovac|o, -a [ezlo'βako] *adj.,s.m.,f.* eslovac|o, -a ▪ **eslovaco** *s.m.* (língua) eslovaco
Eslovaquia [ezlo'βakja] *s.f.* Eslováquia
esmaltar [ezmal̥'tar] *v.* **1** esmaltar **2** (porcelana) vitrificar **3** *fig.* enfeitar, adornar
esmalte [ez'mal̥te] *s.m.* esmalte ♦ **esmalte (de uñas)** esmalte (das unhas)
esmerado [ezme'raðo] *adj.* **1** (trabalho) esmerado **2** (pessoa) cuidadoso
esmeralda [ezme'ral̥da] *s.f.* esmeralda ▪ *adj.2g.2n.,s.m.* (cor) esmeralda
esmerarse [ezme'rarse] *v.* esmerar se
esmeril [ez'meril] *s.m.* esmeril
esmerilar [ezmeri'lar] *v.* esmerilar, polir
esmero [ez'mero] *s.m.* esmero
esmoquin [ez'mokin] *s.m.* smoking
esnob [ez'noβ] *adj.,s.2g.* esnobe
esnobismo [ezno'βizmo] *s.m.* esnobismo
eso ['eso] *pron.dem.* isso; ***eso me hace miedo*** isso me dá medo ♦ **a eso de** por volta de; **aun con eso** apesar disso; **de eso** disso; **en eso** nisso, então; **¡eso es!** isso mesmo!; *col.* **¿y eso qué?** e daí?
esófago [e'sofaɣo] *s.m.* esôfago
esotérico [eso'teriko] *adj.* esotérico
esoterismo [esote'rizmo] *s.m.* esoterismo
espabilado [espaβi'laðo] *adj.* **1** *(despierto)* acordado, desperto **2** *(avispado)* espevitado, esperto, despachado
espabilar [espaβi'lar] *v.* espevitar, despertar, estimular ▪ **espabilarse** apressar-se, despachar-se, aviar-se
espacial [espa'θjal] *adj.2g.* espacial
espacio [es'paθjo] *s.m.* espaço

espacioso [espa'θjoso] *adj.* espaçoso, amplo

espada [es'paδa] *s.f.* espada ■ *s.m.* TAUR. espada, matador ■ **espadas** *s.f.pl.* (baralho de cartas) espadas*pl.* ♦ **entre la espada y la pared** entre a espada e a parede

espadachín [espaδa'tʃin] *s.m.* espadachim

espagueti [espa'γeti] *s.m.* espaguete

espalda [es'pal̪da] *s.f.* **1** ANAT. costas*pl.* **2** ESPOR. (natação) costas*pl.* ♦ **de espaldas a** de costas para; **por la espalda** pelas costas; **tener buenas espaldas** ter as costas largas; **tener las espaldas cubiertas/guardadas** ter as costas quentes; **volver la espalda** virar/voltar as costas

espaldar [espal̪'dar] *s.m.* **1** (ginástica) espaldar **2** *(respaldo)* espaldar, costas*f. pl.* da cadeira

espaldarazo [espal̪da'raθo] *s.m.* **1** (golpe) pancada*f.* nas costas **2** *(reconocimiento)* reconhecimento **3** *(empuje, ayuda)* empurrão, ajuda*f.*

espalderas [espal̪'deras] *s.f.pl.* espaldar*m.*

espantajo [espan̪'taxo] *s.m.* espantalho

espantapájaros [espan̪ta'paxaros] *s.m.2n.* espantalho (para pássaros)

espantar [espan̪'tar] *v.* **1** *(asustar)* espantar, assustar **2** *(ahuyentar)* espantar, afugentar ■ **espantarse** **1** *(admirarse)* espantar se, admirar-se **2** *(asustarse)* espantar-se, assustar-se

espanto [es'pan̪to] *s.m.* *(miedo)* espanto, pavor, assombro ♦ **de espanto** tremendo; **estar curado de espanto** não surpreender-se, estar vacinado contra; **¡qué espanto!** que horror!

espantoso [espan̪'toso] *adj.* **1** *(asombroso)* espantoso, assombroso **2** *(terrible)* horroroso, terrível, espantoso

España [es'paɲa] *s.f.* Espanha

español, -a [espa'ɲol] *adj.,s.m.,f.* espanhol, -a ■ **español** *s.m.* (língua) espanhol

esparadrapo [espara'δrapo] *s.m.* esparadrapo

esparaván [espara'βan] *s.m.* gavião

esparcimiento [esparθi'mjen̪to] *s.m.* **1** *(franqueza)* abertura*f.*, franqueza*f.* **2** *(recreo)* espairecimento, diversão*f.*, recreio

esparcir [espar'θir] *v.* **1** espalhar **2** espairecer ■ **esparcirse** **1** espalhar-se **2** espairecer

espárrago [es'paraγo] *s.m.* espargo ♦ *col.* **¡vete a freír espárragos!** vai plantar batatas!; vai às favas!

espasmo [es'pazmo] *s.m.* espasmo

espátula [es'patula] *s.f.* espátula

especia [es'peθja] *s.f.* especiaria

especial [espe'θjal] *adj.2g.* especial ♦ **no tener nada de especial** não ter nada de especial

especialidad [espeθjali'δaδ] *s.f.* especialidade ♦ (restaurante) **especialidad de la casa** especialidade da casa; **especialidad médica** especialidade médica; **especialidad regional** especialidade regional

especialista [espeθja'lista] *s.2g.* **1** especialista, perit|o, -a*m.f.* **2** CIN. dublê ■ *adj.2g.* especialista

especialización [espeθjaliθa'θjon] *s.f.* especialização

especializar [espeθjali'θar] *v.* especializar ■ **especializarse** especializar-se (en, em); ***especializarse en cirugía*** especializar-se em cirurgia

especie [es'peθje] *s.f.* **1** BIOL. espécie; ***especie en peligro/vías de extinción*** espécie em vias de extinção **2** *(tipo)* espécie, tipo*m.* ♦ **en especie** em gêneros/espécie; **una especie de** uma espécie de

especificación [espeθifika'θjon] *s.f.* especificação

especificar [espeθifi'kar] *v.* especificar

específico [espe'θifiko] *adj.* específico

espécimen [es'peθimen] *s.m.* espécime, amostra*f.*, exemplar, modelo

espectacular [espektaku'lar] *adj.2g.* espetacular

espectáculo [espek'takulo] *s.m.* espetáculo ♦ **dar el espectáculo** dar espetáculo

espectador, -a [espekta'δor] *s.m.,f.* **1** (espetáculo) espectador, -a **2** *(testigo)* testemunha*2g.*

espectro [es'pektro] *s.m.* espectro ♦ **espectro solar** espectro solar

especulación [espekula'θjon] *s.f.* especulação

especulador, -a [espekula'δor] *adj.,s.m.,f.* especulador, -a

especular [espeku'lar] *v.* **1** especular, conjecturar **2** especular (en, em); ***especular en bolsa*** especular na Bolsa

especulativo [espekula'tiβo] *adj.* especulativo

espejismo [espe'xizmo] *s.m.* **1** miragem*f.* **2** *fig.* miragem*f.*, ilusão*f.*

espejo [es'pexo] *s.m.* **1** espelho; (veículo) ***espejo retrovisor*** espelho retrovisor; ***mirarse en el/al espejo*** ver se ao espelho **2** *fig.* espelho (de, de), reflexo (de, de) **3** *fig.* exemplo, modelo

espera [es'pera] *s.f.* espera ♦ **estar a la/en espera de** estar à espera de

esperanto [espe'ran̪to] *s.m.* (língua) esperanto

esperanza [espe'ran̪θa] *s.f.* esperança ♦ **alimentarse/vivir de esperanzas** alimentar esperanças; **dar esperanzas a alguien** dar esperanças a alguém; **esperanza de vida** esperança de vida; **estar en estado de buena esperanza** andar de esperanças; **la esperanza es lo último que se pierde** a esperança é a última que morre

esperanzado [esperan̪'θaδo] *adj.* esperançoso

esperar [espe'rar] *v.* **1** esperar; ***espérame*** espera por mim **2** *(aguardar)* esperar, aguardar **3** (desejo) esperar, desejar **4** (bebê) esperar ■ **esperarse** esperar ♦ **es de esperar que** é de esperar que; *irôn.* **¡espérate sentado!** espere sentado!

esperma [es'perma] *s.m./f.* esperma*m.*

espermatozoide [espermato'θojδe] *s.m.* espermatozoide

espermicida [espermi'θiδa] *adj.2g.,s.m.* espermicida

espesante [espe'san̪te] *adj.2g.,s.m.* espessante

espesar [espe'sar] *v.* espessar, engrossar ■ **espesarse** espessar(-se), engrossar

espeso [es'peso] *adj.* espesso, denso

espesor [espe'sor] *s.m.* espessura*f.*, grossura*f.*

espesura [espe'sura] *s.f.* espessura

espetón [espe'ton] *s.m.* espeto
espía [es'pia] *s.2g.* espi|ão, -ã*m.f.*, espia
espiar [es'pjar] *v.* **1** espiar, espionar, espreitar **2** espionar
espiga [es'piγa] *s.f.* **1** BOT. espiga **2** (carpintaria) espiga, respiga
espigado [espi'γaδo] *adj.* **1** (planta) espigado **2** (pessoa) esguio, alto
espigón [espi'γon] *s.m.* **1** quebra-mar **2** espigão **3** aguilhão
espina [es'pina] *s.f.* **1** (planta) espinho*m.* **2** (peixe) espinha **3** ANAT. espinha; ***espina dorsal*** espinha dorsal **4** *(astilla)* farpa **5** *fig.* espinho*m.*
espinaca [espi'naka] *s.f.* espinafre*m.*
espinal [espi'nal] *adj.2g.* espinal; ***médula espinal*** medula espinal
espinazo [espi'naθo] *s.m.* espinhaço, coluna*f.* vertebral
espinilla [espi'niʎa] *s.f.* **1** ANAT. canela **2** (pele) espinha
espinillera [espini'ʎera] *s.f.* ESPOR. caneleira
espinoso [espi'noso] *adj.* espinhoso
espionaje [espjo'naxe] *s.m.* espionagem*f.*
espiración [espira'θjon] *s.f.* expiração
espiral [espi'ral] *adj.2g.,s.f.* espiral; ***escalera espiral*** escada em espiral
espirar [espi'rar] *v.* **1** (ar) expirar **2** (cheiro) expirar, exalar
espiritismo [espiri'tizmo] *s.m.* espiritismo
espiritista [espiri'tista] *adj.,s.2g.* espírita, espiritista
espíritu [es'piritu] *s.m.* espírito ♦ **espíritu de contradicción** espírito de contradição; **espíritu de equipo/grupo** espírito de equipe; **Espíritu Santo** Espírito Santo; **ser pobre de espíritu** ser pobre de espírito
espiritual [espiri'twal] *adj.2g.* espiritual ▪ *s.m.* espiritual
espiritualidad [espiritwali'δaδ] *s.f.* espiritualidade
espiritualismo [espiritwa'lizmo] *s.m.* espiritualismo
espita [es'pita] *s.f.* **1** (pipa, tonel) torneira **2** (dispositivo) torneira, regulador*m.*; ***espita del gas*** regulador de gás
esplendidez [esplendi'δeθ] *s.f.* *(generosidad)* generosidade
espléndido [es'plendiδo] *adj.* **1** esplêndido, magnífico, maravilhoso **2** *(generoso)* generoso; desprendido
esplendor [esplen'dor] *s.m.* esplendor
esplendoroso [esplendo'roso] *adj.* esplendoroso
espliego [es'pljeγo] *s.m.* alfazema*f.*, lavanda*f.*
espoleta [espo'leta] *s.f.* espoleta
espolón [espo'lon] *s.m.* **1** (aves) esporão **2** *(malecón)* paredão **3** *col.* frieira*f.*
espolvorear [espolβore'ar] *v.* polvilhar
espongiforme [esponxi'forme] *adj.2g.* espongiforme
esponja [es'ponxa] *s.f.* esponja ♦ **beber como una esponja** beber como uma esponja; **pasar la esponja** passar a esponja
esponjoso [espon'xoso] *adj.* **1** esponjoso **2** (bolo, pastel) fofo

esponsales [espon'sales] *s.m.pl.* esponsais
espónsor [es'ponsor] *s.2g.* patrocinador, -a*m.f.*, mecenas*2n.*
espontaneidad [espontanej'δaδ] *s.f.* espontaneidade, naturalidade
espontáne|o, -a [espon'taneo] *s.m.,f.* TAUR. espontâne|o, -a ▪ *adj.* espontâneo
espora [es'pora] *s.f.* esporo*m.*
esporádico [espo'raδiko] *adj.* esporádico, ocasional
esposar [espo'sar] *v.* algemar
esposas [es'posas] *s.f.pl.* algemas*pl.*
espos|o, -a [es'poso] *s.m.,f.* espos|o, -a
esprínter [es'printer] *s.2g.* sprinter
espuela [es'pwela] *s.f.* espora
espuma [es'puma] *s.f.* espuma; ***hacer espuma*** fazer espuma ♦ **espuma de afeitar** espuma de barbear; **espuma para el pelo** mousse para o cabelo
espumadera [espuma'δera] *s.f.* espumadeira, escumadeira
espumante [espu'mante] *adj.2g.* espumante; ***vino espumante*** vinho espumante
espumarajo [espuma'raxo] *s.m.* saliva*f.* (nos cantos da boca) ♦ *col.* **echar espumarajos por la boca** espumar *fig.*
espumoso [espu'moso] *adj.* espumoso
esputo [es'puto] *s.m.* cuspe
esquela [es'kela] *s.f.* carta breve ♦ **esquela mortuoria** nota de falecimento, obituário publicado num jornal
esquelético [eske'letiko] *adj.* esquelético
esqueleto [eske'leto] *s.m.* **1** ANAT. esqueleto **2** ARQ. esqueleto, armação*f.*, estrutura*f.* ♦ *col.* **menear/mover el esqueleto** dançar; sacudir o esqueleto
esquema [es'kema] *s.m.* esquema
esquemático [eske'matiko] *adj.* esquemático
esquematizar [eskemati'θar] *v.* esquematizar
esquí [es'ki] *s.m.* esqui ♦ **esquí acuático** esqui aquático
esquiador, -a [eskja'δor] *s.m.,f.* esquiador, -a
esquiar [es'kjar] *v.* esquiar
esquila [es'kila] *s.f.* **1** chocalho*m.* **2** (animal) tosquia
esquilar [eski'lar] *v.* (animal) tosquiar
esquileo [eski'leo] *s.m.* tosquia*f.*
esquimal [eski'mal] *adj.,s.2g.* esquimó
esquina [es'kina] *s.f.* **1** (rua) esquina; ***al doblar la esquina*** ao virar/dobrar a esquina; ***hacer esquina*** fazer esquina **2** (mesa) canto*m.*
esquinazo [eski'naθo] *s.m.* esquina*f.* ♦ *col.* (pessoa) **dar esquinazo** evitar; abandonar
esquisto [es'kisto] *s.m.* xisto
esquivar [eski'βar] *v.* esquivar, evitar
esquivo [es'kiβo] *adj.* esquivo
esquizofrenia [eskiθo'frenja] *s.f.* esquizofrenia
esquizofrénic|o, -a [eskiθo'freniko] *adj.,s.m.,f.* esquizofrênic|o, -a

esta ['esta] *adj.dem.* ⇒ **este**
ésta ['esta] *pron.dem.* ⇒ **éste**
estabilidad [estaβili'δaδ] *s.f.* estabilidade
estabilización [estaβiliθa'θjon] *s.f.* estabilização
estabilizar [estaβili'θar] *v.* estabilizar ▪ **estabilizarse** estabilizar-se
estable [es'taβle] *adj.2g.* estável
establecer [estaβle'θer] *v.* estabelecer ▪ **establecerse 1** (residência) estabelecer-se (en, em); *se estableció en Barcelona* estabeleceu-se em Barcelona **2** (negócio) estabelecer-se; *establecerse por cuenta propia* estabelecer-se por conta própria
establecimiento [estaβleθi'mjen̪to] *s.m.* estabelecimento ♦ **establecimiento comercial** estabelecimento comercial; **establecimiento de enseñanza** estabelecimento de ensino
establo [es'taβlo] *s.m.* estábulo
estaca [es'taka] *s.f.* estaca
estación [esta'θjon] *s.f.* estação; *estación de autobuses* estação rodoviária, terminal de ônibus; *estación de trenes* estação de trens ♦ **estación del año** estação do ano; **estación de radio** estação de rádio; **estación de servicio** posto de gasolina; **estación espacial** estação espacial
estacionamiento [estaθjona'mjen̪to] *s.m.* estacionamento
estacionar [estaθjo'nar] *v.* estacionar ▪ **estacionarse** estacionar, estagnar
estacionario [estaθjo'narjo] *adj.* estacionário
estadía [esta'δia] *s.f.* [AM.] estadia, estância
estadio [es'taδjo] *s.m.* **1** estádio; *estadio de fútbol* estádio de futebol **2** *(fase)* estágio, fase*f.*, etapa*f.*
estadista [esta'δista] *s.2g.* **1** POL. estadista **2** MAT. estatístic|o, -a*m.f.*
estadística [esta'δistika] *s.f.* estatística ♦ **según las últimas estadísticas** segundo as últimas estatísticas
estadístic|o, -a [esta'δistiko] *adj.,s.m.,f.* estatístic|o, -a
estado [es'taδo] *s.m.* estado ♦ **en estado de coma** em estado de coma; **estado civil** estado civil; **estado de ánimo** estado de espírito; **estado de emergencia/excepción** estado de emergência; **estado mayor** estado-maior; **estado de derecho** estado de direito
Estado [es'taδo] *s.m.* Estado ♦ **Estado miembro** Estado membro
Estados Unidos de América [es'taδosu'niδozδea'merika] *s.m.pl.* Estados Unidos da América (EUA)
estadounidense [estaδ(o)uni'δense] *adj.,s.2g.* (EUA) norte american|o, -a*m.f.*
estafa [es'tafa] *s.f.* vigarice, fraude
estafador, -a [estafa'δor] *s.m.,f.* vigarista*2g.*
estafar [esta'far] *v.* burlar, defraudar
estafeta [esta'feta] *s.f.* estação dos correios
estalactita [estalak'tita] *s.f.* GEOL. estalactite
estalagmita [estalaγ'mita] *s.f.* GEOL. estalagmite
estallar [esta'ʎar] *v.* **1** *(reventar)* estourar, rebentar **2** *(explotar)* estourar, explodir **3** *fig.* estalar, começar
estallido [esta'ʎiδo] *s.m.* **1** estouro **2** estalido
estampa [es'tampa] *s.f.* **1** estampa, gravura **2** *fig.* aspecto*m.* ♦ **ser la viva estampa de** ser a cara de
estampación [estampa'θjon] *s.f.* estampagem*f.*
estampado [estam'paδo] *adj.* (tecido) estampado ▪ *s.m.* **1** estampagem*f.* **2** *(dibujo)* estampado
estampar [estam'par] *v.* **1** (desenho, letra) estampar, imprimir **2** (documento) escrever (a assinatura) **3** *col.* *(arrojar)* lançar, atirar **4** *col.* (bofetada, beijo) espetar, dar ▪ **estamparse** estampar-se (contra, contra); *estamparse contra la pared* estampar-se contra a parede
estampida [estam'piδa] *s.f.* **1** debandada, fuga rápida e precipitada **2** (ruído) estrondo*m.*, estouro*m.*
estampido [estam'piδo] *s.m.* estrondo; estampido; detonação*f.*
estancado [estaŋ'kaδo] *adj.* estagnado, estancado, parado
estancamiento [estaŋka'mjen̪to] *s.m.* estagnação*f.*
estancia [es'taŋθja] *s.f.* **1** *(permanencia)* estadia, estada **2** (casa) aposento*m.*, quarto*m.* **3** LIT. estrofe, estância
estanco [es'taŋko] *s.m.* tabacaria*f.*
estand [es'tan] *s.m.* (exposição, feira) estande
estándar [es'tan̪dar] *adj.2g.2n.* standard ▪ *s.m.* standard, padrão, modelo
estandarización [estan̪dariθa'θjon] *s.f.* estandardização, padronização
estandarte [estan̪'darte] *s.m.* estandarte, bandeira*f.*
estanque [es'taŋke] *s.m.* tanque, reservatório de água
estante [es'tan̪te] *s.m.* *(balda)* prateleira*f.*
estantería [estan̪te'ria] *s.f.* estante
estaño [es'taɲo] *s.m.* estanho
estar [es'tar] *v.* **1** *(hallarse)* estar; *¿dónde estabas?* onde estavas? **2** (lugar) ficar; *¿dónde está la catedral?* onde fica a catedral? **3** (qualidade, condição) estar; *el gasoil está carísimo* o óleo diesel está caríssimo; *estoy contento/fatal* estou contente/péssimo **4** (tempo, data) estar; *estamos en marzo* estamos em março; *estamos a 15 de diciembre* estamos em 15 de dezembro **5** (estado civil) ser; *estoy soltera* sou solteira **6** (profissão) estar (de, como); *está de profesor en la universidad* está como professor na universidade **7** (roupa) estar, ficar; *estos pantalones me están anchos* estas calças estão largas em mim **8** *(permanecer)* estar, permanecer; *estuvo en el desierto 10 días* esteve no deserto por dez dias **9** (preço, temperatura) estar; *¿a cuánto están las fresas?* quanto está o morango?; *estamos a 2 grados bajo cero* estamos a 2 graus abaixo de zero **10** (normas) ser; *está prohibido fumar* é proibido fumar ▪ **estarse** ficar; *te puedes estar aquí unos días* podes ficar por aqui uns dias ♦ **estar** [+*ger.*] estar a [+*inf.*]; *¿has estado durmiendo?* estava dormindo?; **estar** [+*p.p./adj.*] estar [+*p.p./adj.*]; *está todo arreglado para la boda* está tudo arrumado para o casamento; *la comida está lista* a comida está pronta; **estar al** [+*inf.*] estar a [+*inf.*]; *el tren debe de estar al llegar* o trem deve estar chegando; **estar alguien que arde** estar muito irritado; *col.* **estar alguien/algo que se sale** estar ótimo; *esta pasta está que se sale*

esta massa está ótima; **estar con alguien** namorar com alguém; *estoy con él desde hace dos meses* namoro com ele há dois meses; **estar en (un asunto)** estar a tratar de (um assunto); *no he terminado el artículo, pero estoy en ello* não terminei o artigo, mas estou tratando disso; **estar en un hecho** achar alguma coisa; *estoy en que perderá el tren* acho que vai perder o trem; **estar por** [+*inf.*] **1** estar por [+*inf.*]; *el libro está por terminar* o livro está por acabar **2** estar decidido a [+*inf.*]; *estoy por marcharme* estou decidido a ir me embora; *col.* **estar por alguien** estar caído/caidinho por alguém; **estar por/con** estar a favor de; *estoy con/por esa idea* estou a favor dessa ideia

estatal [esta'tal] *adj.2g.* estatal

estática [es'tatika] *s.f.* estática

estático [es'tatiko] *adj.* estático

estatua [es'tatwa] *s.f.* estátua

estatuaria [esta'twarja] *s.f.* estatuária

estatuilla [esta'twiʎa] *s.f.* estatueta

estatura [esta'tura] *s.f.* estatura, altura; *de mediana estatura* de estatura média

estatuto [esta'tuto] *s.m.* estatuto

est|e, -a ['este] *adj.dem.* est|e, -a; *este hombre* este homem; *esta casa* esta casa; *estas noticias* estas notícias; *estos señores* estes senhores

este ['este] *s.m.* este, levante

ést|e, -a ['este] *pron.dem.* est|e, -a; *llévate ésta* leva esta; *cómprate éstos* compra estes

estela [es'tela] *s.f.* **1** (navio) esteira, sulco*m.*, rasto*m.*; (avião) rasto*m.*; (cometa) cauda **2** *fig.* rasto*m.*

estelar [este'lar] *adj.2g.* **1** estelar **2** (horário) nobre **3** *fig.* excepcional

estenografía [estenoɣra'fia] *s.f.* estenografia

estenógraf|o, -a [este'noɣrafo] *s.m.,f.* estenógraf|o, -a

estenordeste [estenor'ðeste] *s.m.* és nordeste

estepa [es'tepa] *s.f.* estepe

estera [es'tera] *s.f.* esteira

estéreo [es'tereo] *adj.2g.2n.* estéreo, estereofônico

estereofonía [estereofo'nia] *s.f.* estereofonia

estereofónico [estereo'foniko] *adj.* estereofônico

estereotipo [estereo'tipo] *s.m.* estereótipo

estéril [es'teril] *adj.2g.* **1** estéril, árido, infecundo **2** esterilizado **3** asséptico

esterilidad [esterili'ðað] *s.f.* esterilidade

esterilización [esteriliθa'θjon] *s.f.* esterilização

esterilizar [esterili'θar] *v.* esterilizar

esterilla [este'riʎa] *s.f.* esteira

esternón [ester'non] *s.m.* esterno

estesudeste [estesu'ðeste] *s.m.* és sudeste, és sueste

estética [es'tetika] *s.f.* estética

esteticista [esteti'θista] *s.f.* esteticista

estético [es'tetiko] *adj.* estético

estetoscopio [estetos'kopjo] *s.m.* estetoscópio

estiba [es'tiβa] *s.f.* estivagem

estibador, -a [estiβa'ðor] *s.m.,f.* estivador, -a

estiércol [es'tjerkol] *s.m.* **1** AGR. estrume **2** *(excremento)* esterco

estigma [es'tiɣma] *s.m.* estigma

estilete [esti'lete] *s.m.* estilete

estilismo [esti'lizmo] *s.m.* estilismo

estilista [esti'lista] *s.2g.* estilista

estilística [esti'listika] *s.f.* estilística

estilístico [esti'listiko] *adj.* estilístico

estilo [es'tilo] *s.m.* estilo ♦ **por el estilo** do gênero, do estilo; **por ese estilo** por aí, mais ou menos isso

estilográfica [estilo'ɣrafika] *s.f.* caneta-tinteiro

estima [es'tima] *s.f.* estima, apreço*m.*; *tener a alguien en gran estima* ter alguém em grande estima

estimación [estima'θjon] *s.f.* **1** *(aprecio)* estima, apreço*m.*, consideração **2** *(evaluación)* estimativa, avaliação, cálculo*m.*

estimado [esti'maðo] *adj.* **1** *(apreciado)* estimado, apreciado, caro, prezado **2** *(valorado)* estimado, avaliado, calculado

estimar [esti'mar] *v.* **1** *(apreciar)* estimar, apreciar **2** *(valorar)* avaliar, calcular **3** *(juzgar, considerar)* achar, julgar, considerar

estimulante [estimu'lante] *adj.2g.,s.m.* estimulante

estimular [estimu'lar] *v.* estimular

estímulo [es'timulo] *s.m.* estímulo

estío [es'tio] *s.m.* estio, verão

estipendio [esti'pendjo] *s.m.* estipêndio, remuneração*f.*, salário

estipulación [estipula'θjon] *s.f.* (contrato, testamento) cláusula, estipulação

estipular [estipu'lar] *v.* estipular

estirada [esti'raða] *s.f.* estirada

estirado [esti'raðo] *adj.* **1** esticado, estirado **2** deitado, estendido **3** *fig.* convencido, altivo

estirar [esti'rar] *v.* **1** esticar, estirar, retesar **2** (discurso, conversa) esticar ■ **estirarse** esticar-se; espreguiçar se

estirón [esti'ron] *s.m.* **1** esticão, puxão **2** (crescimento) pulo; *dar un estirón* dar um pulo

estirpe [es'tirpe] *s.f.* estirpe, linhagem, descendência

estival [esti'βal] *adj.2g.* estival

esto ['esto] *pron.dem.* isto; *coge esto* leva isto ♦ **a todo esto** a propósito; **de esto** disto; **en esto** nisto, nesse/neste momento; **esto es** isto é, quer dizer

estocada [esto'kaða] *s.f.* estocada

estofa [es'tofa] *s.f.* **1** estofo*m.* **2** *fig.* classe, laia

estofado [esto'faðo] *s.m.* estufado, ensopado

estoicismo [estoj'θizmo] *s.m.* estoicismo

estoic|o, -a [es'tojko] *adj.,s.m.,f.* estoic|o, -a

estola [es'tola] *s.f.* estola

estomacal [estoma'kal] *adj.2g.* estomacal

estómago [es'tomaɣo] *s.m.* estômago ♦ *col.* **revolver el estómago** revirar o estômago; *col.* **tener estómago** ter estômago

estomatología [estomatolo'xia] *s.f.* estomatologia

estomatólog|o, -a [estoma'toloγo] *s.m.,f.* estomatologista*2g.*
estoni|o, -a [es'tonjo] *adj.,s.m.,f.* estôni|o, -a
estopa [es'topa] *s.f.* **1** estopa **2** *col.* castigo*m.* ♦ **estopa de acero** palha de aço
estoque [es'toke] *s.m.* estoque
estor [es'tor] *s.m.* espécie*f.* de cortina corrediça
estorbar [estor'βar] *v.* **1** *(dificultar)* estorvar **2** *fig.* estorvar, incomodar
estorbo [es'torβo] *s.m.* estorvo, obstáculo
estornino [estor'nino] *s.m.* estorninho
estornudar [estornu'ðar] *v.* espirrar
estornudo [estor'nuðo] *s.m.* espirro; *dar un estornudo* dar um espirro
estrábico [es'traβiko] *adj.* (pessoa) estrábico, vesgo
estrabismo [estra'βizmo] *s.m.* estrabismo
estrado [es'traðo] *s.m.* palanque; *(tarima)* estrado ▪ **estrados** *s.m.pl.* (tribunal) sala*f.* de audiências
estrafalario [estrafa'larjo] *adj.* **1** *col.* espalhafatoso, extravagante **2** *col.* desmazelado, desleixado, desalinhado
estrago [es'traγo] *s.m.* estrago, dano; *hacer estragos* fazer estragos
estrambótico [estram'botiko] *adj. col.* estrambótico, extravagante, esquisito
estrangulación [estraŋgula'θjon] *s.f.* estrangulamento*m.*, estrangulação
estrangulamiento [estraŋgula'mjento] *s.m.* **1** estrangulamento **2** (conduta, via) estrangulamento, estreitamento
estrangular [estraŋgu'lar] *v.* **1** estrangular, esganar **2** (conduta, via) estrangular, estreitar **3** (veia) estrangular
estratagema [estrata'xema] *s.f.* estratagema*m.*
estratega [estra'teγa] *s.2g.* estrategista
estrategia [estra'texja] *s.f.* estratégia
estratégico [estra'texiko] *adj.* estratégico
estratificación [estratifika'θjon] *s.f.* estratificação
estrato [es'trato] *s.m.* estrato
estratosfera [estratos'fera] *s.f.* estratosfera
estraza [es'traθa] *s.f.* trapo*m.*, farrapo*m.* ♦ **papel de estraza** papel pardo/de embrulho
estrechamiento [estretʃa'mjento] *s.m.* estreitamento
estrechar [estre'tʃar] *v.* **1** (objeto, lugar) estreitar **2** *(apretar)* apertar; *estrechar la mano a alguien* apertar a mão de alguém ▪ **estrecharse** estreitar
estrechez [estre'tʃeθ] *s.f.* estreiteza ▪ **estrecheces** *s.f.pl.* escassez, penúria; *pasar estrecheces* passar penúria ♦ (pessoa) **estrechez de miras** limitado
estrecho [es'tretʃo] *adj.* estreito ▪ *s.m.* estreito
estrella [es'treʎa] *s.f.* **1** ASTRON. estrela; *estrella fugaz* estrela cadente; *estrella polar* estrela polar **2** (símbolo) estrela; *hotel de cinco estrellas* hotel cinco estrelas **3** *fig.* estrela; *estrella de cine* estrela de cinema ♦ ZOOL. **estrella de mar** estrela-do mar
estrellado [estre'ʎaðo] *adj.* estrelado
estrellar [estre'ʎar] *v.* **1** (céu) estrelar **2** (ovos) estrelar **3** *col.* estilhaçar ▪ **estrellarse 1** estilhaçar-se **2** (veículo) chocar, bater, estampar se
estrellato [estre'ʎato] *s.m.* estrelato
estremecer [estreme'θer] *v.* **1** estremecer **2** comover ▪ **estremecerse** estremecer, tremer
estremecimiento [estremeθi'mjento] *s.m.* estremecimento
estrenar [estre'nar] *v.* estrear ▪ **estrenarse** estrear-se
estreno [es'treno] *s.m.* estreia*f.*
estreñimiento [estreɲi'mjento] *s.m.* prisão*f.* de ventre, constipação*f.*
estreñir [estre'ɲir] *v.* constipar
estrépito [es'trepito] *s.m.* **1** (ruído) estrépito, estrondo **2** *fig.* aparato, ostentação*f.*
estrés [es'tres] *s.m.* estresse
estría [es'tria] *s.f.* **1** (superfície) estria, sulco*m.* **2** (pele) estria
estribación [estriβa'θjon] *s.f.* GEOG. contraforte*m.*
estribillo [estri'βiʎo] *s.m.* **1** (canção) refrão, estribilho **2** *(muletilla)* bordão
estribo [es'triβo] *s.m.* estribo ♦ *col.* **perder los estribos** perder as estribeiras
estribor [estri'βor] *s.m.* NÁUT. estibordo
estrictamente [estrikta'mente] *adv.* estritamente, precisamente
estricto [es'trikto] *adj.* estrito, rigoroso, preciso
estridente [estri'ðente] *adj.2g.* (som) estridente, agudo
estrofa [es'trofa] *s.f.* estrofe
estrógeno [es'troxeno] *s.m.* estrogênio
estroncio [es'tronθjo] *s.m.* estrôncio
estropajo [estro'paxo] *s.m.* **1** esfregão **2** esponja*f.*; *estropajo de aluminio* palha de aço
estropajoso [estropa'xoso] *adj.* **1** (língua) áspero **2** (cabelo) áspero, crespo **3** *col.* andrajoso **4** *col.* gago **5** *col.* carne dura, difícil de mastigar
estropeado [estrope'aðo] *adj.* **1** *(averiado)* avariado, danificado, deteriorado **2** *(deteriorado)* estragado ♦ (pessoa) **estar muy estropeado** estar muito acabado
estropear [estrope'ar] *v.* **1** estragar, avariar; quebrar **2** (pessoa) aleijar, deformar ▪ **estropearse** estragar-se, avariar se; quebrar se
estropicio [estro'piθjo] *s.m.* estropício, estrago
estructura [estruk'tura] *s.f.* estrutura
estructural [estruktu'ral] *adj.2g.* estrutural
estructuralismo [estruktura'lizmo] *s.m.* estruturalismo
estructurar [estruktu'rar] *v.* estruturar
estruendo [es'trwendo] *s.m.* estrondo
estruendoso [estrwen'doso] *adj.* estrondoso
estrujar [estru'xar] *v.* **1** espremer **2** apertar **3** (papel) amarrotar
estrujón [estru'xon] *s.m.* espremedura*f.*, apertão
estuario [es'twarjo] *s.m.* estuário

estucador, -a [estuka'ðor] *s.m.,f.* estucador, -a
estuche [es'tutʃe] *s.m.* estojo
estuco [es'tuko] *s.m.* estuque
estudiante [estu'ðjaṇte] *s.2g.* estudante
estudiantil [estuðjaṇ'til] *adj.2g.* estudantil
estudiar [estu'ðjar] *v.* estudar
estudio [es'tuðjo] *s.m.* **1** estudo **2** (oficina) estúdio, atelier **3** (casa) estúdio ▪ **estudios** *s.m.pl.* estudos ♦ **estudio de grabación** estúdio de gravação; **estudio de mercado** estudo de mercado
estudios|o, -a [estu'ðjoso] *s.m.,f.* estudios|o, -a ▪ *adj.* estudioso, aplicado
estufa [es'tufa] *s.f.* **1** *(calentador)* aquecedor*m.* **2** *(invernadero)* estufa
estupefacción [estupefak'θjon] *s.f.* estupefação, admiração, surpresa
estupefaciente [estupefa'θjeṇte] *s.m.* estupefaciente
estupefacto [estupe'fakto] *adj.* estupefato, admirado, atônito
estupendo [estu'peṇdo] *adj.* estupendo, admirável, maravilhoso ▪ *adv.* muito bem
estupidez [estupi'ðeθ] *s.f.* estupidez
estúpid|o, -a [es'tupiðo] *adj.,s.m.,f.* estúpid|o, -a
estupor [estu'por] *s.m.* **1** MED. estupor **2** *fig.* assombro, pasmo
estupro [es'tupro] *s.m.* estupro
esvástica [ez'βastika] *s.f.* suástica
eta ['eta] *s.f.* (letra grega) eta*m.*
ETA ['eta] (*sigla de* Euskadi ta Askatasuna (em castelhano, País Vasco y Libertad)) grupo independentista basco

ETA é uma organização terrorista, fundada em 1959, que reivindica a independência do País Basco.

etanol [eta'nol] *s.m.* etanol, álcool etílico
etapa [e'tapa] *s.f.* etapa, fase ♦ **por etapas** por etapas
etario [e'tarjo] *adj.* etário; ***franja etaria*** faixa etária
etcétera [et'θetera] *s.m.* et cetera (etc.)
éter ['eter] *s.m.* éter
etéreo [e'tereo] *adj.* etéreo
eternidad [eterni'ðað] *s.f.* eternidade
eternizar [eterni'θar] *v.* eternizar ▪ **eternizarse** eternizar-se
eterno [e'terno] *adj.* eterno ♦ *col.* **volver a la eterna canción** bater na mesma tecla
ética ['etika] *s.f.* ética ♦ **ética profesional** ética profissional
ético ['etiko] *adj.* ético
etílico [e'tiliko] *adj.* etílico; ***alcohol etílico*** álcool etílico
étimo ['etimo] *s.m.* étimo
etimología [etimolo'xia] *s.f.* etimologia
etimológico [etimo'loxiko] *adj.* etimológico
etíope [e'tiope] *adj.,s.2g.* etíope
Etiopía [etjo'pia] *s.f.* Etiópia
etiqueta [eti'keta] *s.f.* **1** etiqueta **2** (frasco, garrafa) rótulo*m.* **3** *(protocolo)* etiqueta, protocolo*m.*, cerimonial*m.*; ***traje de etiqueta*** traje de cerimônia ♦ **etiqueta adhesiva** autocolante
etnia ['etnja] *s.f.* etnia, grupo*m.* étnico
étnico ['etniko] *adj.* étnico
etnografía [etnoγra'fia] *s.f.* etnografia
etnográfico [etno'γrafiko] *adj.* etnográfico
etnógraf|o, -a [et'noγrafo] *s.m.,f.* etnógraf|o, -a
etnología [etnolo'xia] *s.f.* etnologia
etnólog|o, -a [et'noloγo] *s.m.,f.* etnólog|o, -a
eucalipto [ewka'lipto] *s.m.* eucalipto
Eucaristía [ewkaris'tia] *s.f.* Eucaristia
eufemismo [ewfe'mizmo] *s.m.* eufemismo
eufonía [ewfo'nia] *s.f.* eufonia
eufónico [ew'foniko] *adj.* eufônico
euforia [ew'forja] *s.f.* euforia
eufórico [ew'foriko] *adj.* eufórico
eunuco [ew'nuko] *s.m.* eunuco
eureka [ew'reka] *interj.* heureca!
euro ['ewro] *s.m.* (moeda) euro
Europa [ew'ropa] *s.f.* Europa
europe|o, -a [ewro'peo] *adj.,s.m.,f.* europe|u, -ia
euskera [ews'kera], **eusquera** [ews'kera] *s.m.* (língua) basco
eutanasia [ewta'nasja] *s.f.* eutanásia
evacuación [eβakwa'θjon] *s.f.* **1** (lugar, ocupantes) evacuação, despejo*m.* **2** *(defecación)* evacuação, dejeção, defecação
evacuar [eβa'kwar] *v.* **1** (lugar) evacuar, desocupar, desalojar **2** *(defecar)* evacuar, defecar
evadir [eβa'ðir] *v.* **1** (dificuldade, perigo) evadir **2** (dinheiro, impostos) sonegar ▪ **evadirse** evadir-se (de, de), escapar se (de, de)
evaluación [eβalwa'θjon] *s.f.* avaliação
evaluar [eβa'lwar] *v.* avaliar
evangélico [eβaŋ'xeliko] *adj.* evangélico
Evangelio [eβaŋ'xeljo] *s.m.* Evangelho
evangelista [eβaŋxe'lista] *s.m.* evangelista
evangelización [eβaŋxeliθa'θjon] *s.f.* evangelização
evaporación [eβapora'θjon] *s.f.* evaporação
evaporar [eβapo'rar] *v.* **1** evaporar **2** *fig.* dissipar, desvanecer ▪ **evaporarse 1** evaporar-se **2** *fig.* sumir, desaparecer
evasión [eβa'sjon] *s.f.* evasão, fuga ♦ **evasión fiscal/de impuestos** evasão fiscal, fuga ao fisco
evasiva [eβa'siβa] *s.f.* evasiva, subterfúgio*m.*
evasivo [eβa'siβo] *adj.* evasivo
evento [e'βeṇto] *s.m.* evento, acontecimento ♦ **a todo evento** em todo caso
eventual [eβeṇ'twal] *adj.2g.* **1** eventual, fortuito, casual **2** (trabalho, contrato) temporário
eventualidad [eβeṇtwali'ðað] *s.f.* eventualidade
evidencia [eβi'ðeṇθja] *s.f.* evidência ♦ **poner en evidencia 1** pôr em evidência **2** pôr em cheque

evidenciar [eβiδeṇ'θjar] *v.* evidenciar, demonstrar
evidente [eβi'δeṇte] *adj.2g.* evidente, claro
evitable [eβi'taβle] *adj.2g.* evitável
evitar [eβi'tar] *v.* evitar
evocación [eβoka'θjon] *s.f.* evocação
evocar [eβo'kar] *v.* **1** *(recordar)* evocar, relembrar **2** (espíritos) evocar, invocar, chamar
evolución [eβolu'θjon] *s.f.* evolução
evolucionar [eβoluθjo'nar] *v.* evoluir
evolucionismo [eβoluθjo'nizmo] *s.m.* evolucionismo
evolucionista [eβoluθjo'nista] *adj.,s.2g.* evolucionista
evolutivo [eβolu'tiβo] *adj.* evolutivo
exactamente [eksakta'meṇte] *adv.* exatamente, precisamente
exactitud [eksakti'tuδ] *s.f.* exatidão; *con exactitud* com exatidão
exacto [ek'sakto] *adj.* **1** *(preciso)* exato, preciso **2** (horas) certo; *¿tienes hora exacta?* tens a hora certa? **3** *(verdad)* verdade; *eso no es exacto* isso não é verdade ■ *adv.* exatamente
exageración [eksaxera'θjon] *s.f.* exagero*m.* ♦ **¡qué exageración!** que exagero!
exagerado [eksaxe'raδo] *adj.* **1** (pessoa) exagerado **2** *(excesivo)* exagerado, excessivo **3** (preço) exorbitante
exagerar [eksaxe'rar] *v.* exagerar
exaltación [eksaḷta'θjon] *s.f.* exaltação
exaltado [eksaḷ'taδo] *adj.* exaltado
exaltar [eksaḷ'tar] *v.* exaltar ■ **exaltarse** exaltar-se
examen [ek'samen] *s.m.* **1** *(análisis)* exame, análise*f.*; *examen de conciencia* exame de consciência **2** *(prova)* exame; *examen de conducir* exame de condução; *examen de ingreso* exame de admissão; *examen final* exame final; *aprobar/suspender un examen* passar/reprovar no exame; *hacer un examen* fazer um exame **3** (ensino superior) frequência*f.* **4** MED. exame
examinador, -a [eksamina'δor] *s.m.,f.* examinador, -a
examinand|o, -a [eksami'naṇdo] *s.m.,f.* examinand|o, -a
examinar [eksami'nar] *v.* examinar ■ **examinarse** fazer/ter exame
exangüe [ek'saŋgwe] *adj.2g.* **1** exangue **2** *fig.* exausto; fraco **3** *fig.* morto
exasperar [eksaspe'rar] *v.* exasperar, irritar, enfurecer ■ **exasperarse** exasperar-se, irritar se, enfurecer se
excavación [ekskaβa'θjon] *s.f.* escavação
excavadora [ekskaβa'δora] *s.f.* escavadora
excavar [ekska'βar] *v.* escavar
excedencia [eksθe'δeṇθja] *s.f.* **1** (funcionário) licença não remunerada; *excedencia por maternidad* licença -maternidade **2** (professor) licença sabática
excedente [eksθe'δeṇte] *adj.2g.* **1** excedente **2** (funcionário) de licença ■ *s.m.* excedente
exceder [eksθe'δer] *v.* exceder, ultrapassar, superar ■ **excederse** exceder-se
excelencia [eksθe'leṇθja] *s.f.* excelência ♦ **por excelencia** por excelência; (tratamento) **Su/Vuestra Excelencia** Sua/Vossa Excelência
excelente [eksθe'leṇte] *adj.2g.* excelente
excelentísimo [eksθeleṇ'tisimo] *adj.* **1** excelentíssimo **2** (juiz) meritíssimo
excelso [eks'θelso] *adj.* excelso, sublime
excentricidad [eksθeṇtriθi'δaδ] *s.f.* excentricidade
excéntrico [eks'θeṇtriko] *adj.* excêntrico
excepción [eksθep'θjon] *s.f.* exceção; *a excepción de* com exceção de; *hacer una excepción* abrir uma exceção; *sin excepción* sem exceção ♦ **de excepción** extraordinário, excepcional; **la excepción confirma la regla** a exceção confirma a regra
excepcional [eksθepθjo'nal] *adj.2g.* excepcional
excepto [eks'θepto] *prep.* exceto, salvo, menos
exceptuar [eksθep'twar] *v.* excetuar
excesivo [eksθe'siβo] *adj.* excessivo, exagerado, demasiado
exceso [eks'θeso] *s.m.* excesso; *exceso de equipaje* excesso de bagagem; *exceso de velocidad* excesso de velocidade ♦ **en exceso** em excesso, excessivamente; **por exceso** por excesso
excipiente [eksθi'pjeṇte] *s.m.* excipiente
excitable [eksθi'taβle] *adj.2g.* excitável
excitación [eksθita'θjon] *s.f.* excitação
excitante [eksθi'taṇte] *adj.2g.* excitante
excitar [eksθi'tar] *v.* excitar, estimular ■ **excitarse** **1** excitar-se, exaltar-se, irritar-se **2** (sexualmente) excitar se
exclamación [eksklama'θjon] *s.f.* **1** exclamação **2** ponto*m.* de exclamação (¡!)
exclamar [ekskla'mar] *v.* exclamar
exclamativo [eksklama'tiβo] *adj.* exclamativo
excluir [eksklu'ir] *v.* **1** *(no incluir)* excluir **2** (possibilidade) excluir, eliminar ■ **excluirse** ser incompatível
exclusión [eksklu'sjon] *s.f.* exclusão
exclusiva [eksklu'siβa] *s.f.* **1** (entidade, pessoa) exclusividade, direito*m.* exclusivo **2** (notícia, reportagem) exclusivo*m.*; *en exclusiva* em exclusivo
exclusive [eksklu'siβe] *adv.* exclusive
exclusividad [eksklusiβi'δaδ] *s.f.* exclusividade
exclusivo [eksklu'siβo] *adj.* exclusivo
excomunión [ekskomu'njon] *s.f.* excomunhão
excoriación [ekskorja'θjon] *s.f.* escoriação
excrecencia [ekskre'θeṇθja] *s.f.* excrescência
excreción [ekskrek'θjon] *s.f.* excreção
excremento [ekskre'meṇto] *s.m.* excremento
excursión [ekskur'sjon] *s.f.* excursão, passeio*m.*; *hacer una excursión/ir de excursión* fazer uma excursão
excursionismo [ekskursjo'nizmo] *s.m.* excursionismo
excursionista [ekskursjo'nista] *s.2g.* excursionista
excurso [eks'kurso] *s.m.* digressão*f.*
excusa [eks'kusa] *s.f.* **1** *(disculpa)* desculpa, escusa; *pedir excusas a alguien* pedir desculpas a alguém **2** *(pretexto)* desculpa, pretexto*m.*; *excusa barata* desculpa esfarrapada

excusado [eksku'saδo] *adj.* **1** *(perdonado)* desculpado **2** *(superfluo)* desnecessário, supérfluo **3** (imposto) isento ▪ *s.m.* vaso sanitário
excusar [eksku'sar] *v.* **1** *(disculpar)* desculpar, escusar **2** *(eximir)* dispensar (de, de) ▪ **excusarse** desculpar-se ♦ **excusar** [+*inf.*] escusar de
exégesis [ek'sexesis] *s.f.2n.* exegese
exégeta, **exegeta** [ek'sexeta], [ekse'xeta] *s.m.* exegeta
exención [eksen'θjon] *s.f.* isenção; *exención de impuestos* isenção de impostos
exento [ek'sento] *adj.* isento (de, de), livre (de, de); *exento de impuestos* isento de impostos
exequias [ek'sekjas] *s.f.pl.* exéquias*pl.*
exfoliación [eksfolja'θjon] *s.f.* esfoliação
exfoliante [eksfo'ljante] *adj.2g.,s.m.* esfoliante
exhalación [eksala'θjon] *s.f.* exalação ♦ **como una exhalación** como uma flecha
exhalar [eksa'lar] *v.* **1** (vapor, cheiro) exalar **2** *fig.* (suspiros) exalar, soltar; *exhalar el último suspiro* exalar o último suspiro
exhaustivo [eksaws'tiβo] *adj.* exaustivo
exhausto [ek'sawsto] *adj.* exausto, cansado, esgotado
exhibición [eksiβi'θjon] *s.f.* exibição
exhibicionismo [eksiβiθjo'nizmo] *s.m.* exibicionismo
exhibicionista [eksiβiθjo'nista] *adj.,s.2g.* exibicionista
exhibir [eksi'βir] *v.* **1** *(mostrar)* exibir **2** (filme) exibir, projetar ▪ **exhibirse** exibir-se
exhortación [eksorta'θjon] *s.f.* exortação
exhumación [eksuma'θjon] *s.f.* (cadáver) exumação
exigencia [eksi'xenθja] *s.f.* exigência
exigente [eksi'xente] *adj.2g.* exigente
exigir [eksi'xir] *v.* **1** exigir, reivindicar, reclamar **2** *fig.* exigir, requerer
exigüidad [eksiγwi'δaδ] *s.f.* exiguidade
exilad|o, -a [eksi'laδo] *adj.,s.m.,f.* ⇒ **exiliado**
exiliad|o, -a [eksi'ljaδo] *adj.,s.m.,f.* exilad|o, -a, expatriad|o, -a
exiliar [eksi'ljar] *v.* exilar, desterrar, expatriar ▪ **exiliarse** exilar-se, desterrar se, expatriar se
exilio [ek'siljo] *s.m.* **1** *(destierro)* exílio, desterro, expatriação*f.* **2** (lugar) exílio
eximio [ek'simjo] *adj.* exímio, excelente, eminente
existencia [eksis'tenθja] *s.f.* existência ▪ **existencias** *s.f.pl.* estoque*m.* ♦ **dar (la) existencia a una cosa** dar vida a uma coisa
existencial [eksisten'θial] *adj.2g.* existencial
existencialismo [eksistenθja'lizmo] *s.m.* existencialismo
existencialista [eksistenθja'lista] *adj.,s.2g.* existencialista
existente [eksis'tente] *adj.2g.* existente
existir [eksis'tir] *v.* **1** *(haber)* existir, haver **2** *(vivir)* existir, viver
éxito ['eksito] *s.m.* êxito; *con éxito* com êxito; *no tener éxito* não ter êxito ♦ **éxito de taquilla** êxito de bilheteria
éxodo ['eksoδo] *s.m.* êxodo
exoneración [eksonera'θjon] *s.f.* **1** *(despido)* exoneração, demissão, destituição **2** *(liberación)* desobrigação, isenção
exorbitancia [eksorβi'tanθja] *s.f.* exorbitância
exorbitante [eksorβi'tante] *adj.2g.* exorbitante, excessivo
exorcismo [eksor'θizmo] *s.m.* exorcismo
exorcista [eksor'θista] *s.2g.* exorcista ▪ *s.m.* exorcista
exorcizar [eksorθi'θar] *v.* exorcizar
exótico [ek'sotiko] *adj.* exótico
exotismo [ekso'tizmo] *s.m.* exotismo
expandir [ekspan'dir] *v.* **1** expandir, dilatar, alargar **2** *fig.* (notícia) espalhar, divulgar, difundir ▪ **expandirse** **1** expandir-se, dilatar-se, alargar se **2** *fig.* (notícia) espalhar-se, divulgar-se, difundir-se
expansión [ekspan'sjon] *s.f.* **1** (gás) expansão, propagação **2** *(crecimiento)* expansão, crescimento*m.* **3** (doutrina, epidemia) difusão, propagação **4** *(recreo)* diversão, entretenimento*m.*, distração
expansionismo [ekspansjo'nizmo] *s.m.* expansionismo
expansionista [ekspansijo'nista] *adj.,s.2g.* expansionista
expansivo [ekspan'siβo] *adj.* **1** (gás) expansivo, expansível **2** (pessoa) expansivo, comunicativo, extrovertido
expatriación [ekspatrja'θjon] *s.f.* expatriação, desterro*m.*, exílio*m.*
expatriad|o, -a [ekspa'trjaδo] *adj.,s.m.,f.* expatriad|o, -a, exilad|o, -a
expatriar [ekspatri'ar] *v.* expatriar, exilar, desterrar ▪ **expatriarse** expatriar-se, exilar-se, desterrar-se
expectación [ekspekta'θjon] *s.f.* **1** *(esperanza)* expectativa, ansiedade **2** *(interés)* interesse*m.*, curiosidade, entusiasmo*m.*
expectante [ekspek'tante] *adj.2g.* expectante; *en actitud expectante* em atitude expectante ♦ **madre expectante** futura mãe
expectativa [ekspekta'tiβa] *s.f.* **1** *(esperanza)* expectativa, esperança **2** *(posibilidad)* perspectiva ♦ **estar a la expectativa** estar na expectativa; **expectativa de vida** esperança de vida
expectoración [ekspektora'θjon] *s.f.* expectoração
expectorante [ekspekto'rante] *adj.2g.,s.m.* expectorante
expectorar [ekspekto'rar] *v.* expectorar
expedición [ekspeδi'θjon] *s.f.* **1** *(excursión)* expedição, excursão **2** *(remesa)* expedição, remessa, envio*m.* **3** (documento) emissão; *fecha de expedición* data de emissão
expedicionari|o, -a [ekspeδiθjo'narjo] *adj.,s.m.,f.* expedicionári|o, -a
expediente [ekspe'δjente] *s.m.* **1** *(trámites)* processo, procedimento **2** *(informe)* dossiê, processo **3** *(medio)* expediente, recurso, meio **4** *(habilidad)* expediente, desembaraço ♦ **abrir expediente a alguien** abrir um processo contra alguém; **cubrir el expediente** fazer o mínimo indispensável; **expediente académico** processo acadêmico

expedir [ekspe'ðir] *v.* **1** (carta, encomenda) expedir, remeter, enviar, despachar **2** (documento) emitir
expeditivo [ekspeði'tiβo] *adj.* expeditivo, expedito, ativo
expedito [ekspe'ðito] *adj.* **1** *(libre)* livre, desimpedido **2** (pessoa) expedito, diligente, ativo
expeler [ekspe'ler] *v.* expelir
expendedor, -a [ekspende'ðor] *s.m.,f.* vendedor, -a
expendeduría [ekspendeðu'ria] *s.f.* loja; ***expendeduría de billetes*** bilheteria; ***expendeduría de tabacos*** tabacaria
expensas [eks'pensas] *s.f.pl.* despesas*pl.*, gastos*m. pl.* ◆ **a expensas de** à(s) custa(s) de, por conta de
experiencia [ekspe'rjenθja] *s.f.* experiência
experimentación [eksperimenta'θjon] *s.f.* experimentação
experimentado [eksperimen'taðo] *adj.* (pessoa) experiente, experimentado
experimental [eksperimen'tal] *adj.2g.* experimental
experimentar [eksperimen'tar] *v.* **1** *(hacer experimentos)* experimentar **2** *(probar)* testar, experimentar, ensaiar
experimento [eksperi'mento] *s.m.* experiência*f.*
expert|o, -a [eks'perto] *s.m.,f.* perit|o, -a, especialista*2g.*; ***es un experto en informática*** é um perito em informática ▪ *adj.* experiente
expiación [ekspja'θjon] *s.f.* expiação
expiatorio [ekspja'torjo] *adj.* expiatório
expiración [ekspira'θjon] *s.f.* (prazo) expiração, termo*m.*
expirar [ekspi'rar] *v.* **1** *(morir)* expirar, morrer, falecer **2** (prazo) expirar, terminar
explanación [eksplana'θjon] *s.f.* **1** (terreno) nivelamento*m.* **2** *(explicación)* explicação, explanação
explanada [ekspla'naða] *s.f.* planície; planalto*m.*
explicable [ekspli'kaβle] *adj.2g.* explicável
explicación [eksplika'θjon] *s.f.* **1** *(aclaración)* explicação, esclarecimento*m.* **2** *(justificación)* explicação, justificativa; ***dar explicaciones*** dar justificativas
explicar [ekspli'kar] *v.* explicar ▪ **explicarse 1** *(hacerse comprender)* fazer-se entender; ***no sé si me explico*** não sei se me faço entender **2** *(comprender)* entender, compreender; ***no me explico eso*** não compreendo isso
explicativo [eksplika'tiβo] *adj.* explicativo
explícito [eks'pliθito] *adj.* explícito
exploración [eksplora'θjon] *s.f.* **1** exploração **2** MED. exame*m.*
explorador, -a [eksplora'ðor] *s.m.,f.* **1** explorador, -a **2** *(scout)* escoteir|o, -a ▪ **explorador** *s.m.* INFORM. browser
explorar [eksplo'rar] *v.* **1** (território) explorar, examinar **2** MED. examinar **3** *(sondear)* sondar, perscrutar, indagar
explosión [eksplo'sjon] *s.f.* **1** (bomba) explosão, detonação **2** *fig.* explosão, acesso*m.*, ataque*m.* ◆ **explosión demográfica** explosão demográfica
explosionar [eksplosjo'nar] *v.* explodir
explosivo [eksplo'siβo] *adj.* **1** explosivo; ***artefacto explosivo*** engenho explosivo **2** *fig.* bombástico, explosivo, polêmico **3** LING. (consoante) explosivo ▪ *s.m.* explosivo
explotación [eksplota'θjon] *s.f.* **1** (recursos) exploração, aproveitamento*m.* **2** *pej.* (pessoas) exploração, abuso*m.*
explotador, -a [eksplota'ðor] *s.m.,f. pej.* explorador, -a
explotar [eksplo'tar] *v.* **1** (mina, terra) explorar **2** (bomba) explodir, estourar, rebentar **3** *pej.* (pessoas) explorar, abusar (-, de) **4** *fig., col.* explodir, rebentar
expoliación [ekspolja'θjon] *s.f.* espoliação
expolio [eks'poljo] *s.m.* **1** *(botín)* espólio, despojos*pl.* de guerra **2** *(robo)* saque, pilhagem*f.* **3** *col.* algazarra*f.*, confusão*f.*
exponente [ekspo'nente] *s.m.* **1** MAT. expoente **2** *fig.* (pessoa) expoente, protótipo
exponer [ekspo'ner] *v.* **1** (arte, livros) expor, mostrar, exibir **2** (assunto) expor, apresentar, explicar **3** (ao sol) expor **4** *(arriesgar)* expor, pôr em risco **5** (recém-nascido) abandonar ▪ **exponerse** expor-se (a, a), arriscar-se (a, a)
exportación [eksporta'θjon] *s.f.* exportação
exportador, -a [eksporta'ðor] *adj.,s.m.,f.* exportador, -a
exportar [ekspor'tar] *v.* exportar
exposición [eksposi'θjon] *s.f.* **1** (arte, livros) exposição, exibição, mostra **2** (assunto) exposição, apresentação, explicação **3** (ao sol) exposição **4** *(peligro)* exposição, risco*m.*
expositivo [eksposi'tiβo] *adj.* expositivo
expositor [eksposi'tor] *s.m.* expositor
exprés [eks'pres] *adj.2g.2n.* expresso; ***café exprés*** café expresso; ***olla exprés*** panela de pressão ▪ *s.m.* (trem) expresso
expresado [ekspresa'ðo] *adj.* acima mencionado
expresamente [ekspresa'mente] *adv.* expressamente
expresar [ekspre'sar] *v.* expressar, exprimir ▪ **expresarse** expressar-se, exprimir-se
expresión [ekspre'sjon] *s.f.* **1** (de ideia, sentimento) expressão, manifestação; ***expresión corporal*** expressão corporal **2** *(palabra)* expressão, palavra, frase; ***expresión corriente*** expressão corrente **3** *(habla)* expressão, linguagem; ***expresión escrita*** expressão escrita ◆ **reducir a la mínima expresión** reduzir à expressão mais simples
expresionismo [ekspresjo'nizmo] *s.m.* expressionismo
expresionista [ekspresjo'nista] *adj.,s.2g.* expressionista
expresividad [ekspresiβi'ðað] *s.f.* expressividade
expresivo [ekspre'siβo] *adj.* expressivo
expreso [eks'preso] *adj.* **1** expresso, explícito **2** (café, trem, correio) expresso ▪ *adv.* expressamente
exprimidor [eksprimi'ðor] *s.m.* espremedor
exprimir [ekspri'mir] *v.* **1** (fruta) espremer, apertar **2** *fig.* (pessoa) explorar, sugar
expropiar [ekspropi'ar] *v.* expropriar

expuesto [eks'pwesto] ⟨*p.p. de* exponer⟩ *adj.* **1** exposto (a, a) **2** *(peligroso)* perigoso, arriscado
expulsar [ekspul'sar] *v.* expulsar
expulsión [ekspul'sjon] *s.f.* **1** (pessoa) expulsão **2** (gases) emissão
expulso [eks'pulso] ⟨*p.p. de* expeler⟩ *adj.* expulso
expurgación [ekspurγa'θjon] *s.f.* expurgação
exquisitez [ekskisi'teθ] *s.f.* **1** elegância; requinte*m.* **2** *(manjar)* iguaria, manjar*m.*
exquisito [ekski'sito] *adj.* **1** *(fino)* requintado, refinado **2** (comida) delicioso **3** (lugar) encantador

Não confundir com a palavra em português **esquisito** (*raro*).

extasiado [eksta'sjaðo] *adj.* extasiado, arrebatado, enlevado
éxtasis ['ekstasis] *s.m.2n.* **1** êxtase **2** (droga) ecstasy
extender [eksten̪'der] *v.* **1** (roupa) estender, pendurar **2** (toalha) estender, desdobrar **3** (notícia, influência) espalhar, difundir **4** (cheque) passar **5** (braço, massa) estender, esticar ▪ **extenderse 1** (corpo, terreno) estender-se **2** (notícia, influência) alastrar-se, espalhar-se, difundir se **3** (discurso) estender se, alongar-se
extendido [eksten̪'diðo] *adj.* **1** (roupa) estendido, pendurado **2** (notícia, influência) espalhado, difundido **3** (braço, massa) estendido, esticado
extensible [eksten'siβle] *adj.2g.* extensível
extensión [eksten'sjon] *s.f.* **1** *(dimensión)* extensão, dimensão **2** *(duración)* extensão, duração **3** (linha telefônica) extensão, ramal*m.* ◆ **en toda la extensión de la palabra** na verdadeira acepção da palavra; **por extensión** por extensão
extensivo [eksten'siβo] *adj.* extensivo
extenso [eks'tenso] *adj.* **1** (tamanho) extenso, vasto **2** (texto, discurso) comprido, longo, extenso ◆ **por extenso** por extenso
extenuado [ekste'nwaðo] *adj.* extenuado, cansado, estafado
extenuante [ekste'nwan̪te] *adj.2g.* extenuante
exterior [ekste'rjor] *adj.* exterior ▪ *s.m.* **1** *(parte de fuera)* exterior **2** *(extranjero)* exterior, estrangeiro **3** *(aspecto)* exterior, aspecto, aparência*f.* ▪ **exteriores** *s.m.pl.* CIN., TV. exteriores ◆ **Ministerio de Asuntos Exteriores** Ministério das Relações Exteriores
exteriorización [eksterjoriθa'θjon] *s.f.* exteriorização
exteriorizar [eksterjori'θar] *v.* exteriorizar, manifestar
exteriormente [eksterjor'men̪te] *adv.* exteriormente
exterminación [ekstermina'θjon] *s.f.* exterminação, extermínio*m.*
exterminar [ekstermi'nar] *v.* exterminar, destruir, aniquilar
exterminio [ekster'minjo] *s.m.* extermínio, destruição*f.*, aniquilamento
externado [ekster'naðo] *s.m.* externato
extern|o, -a [eks'terno] *s.m.,f.* (aluno) extern|o, -a ▪ *adj.* externo; ***alumno externo*** aluno externo; ***medicamento de uso externo*** medicamento de uso externo
extinción [ekstin̪'θjon] *s.f.* **1** (fogo) extinção **2** (espécie) extinção, desaparecimento*m.*; ***especies en peligro de extinción*** espécies em vias de extinção
extinguido [ekstiŋ'giðo] *adj.* extinto
extinguir [ekstiŋ'gir] *v.* **1** (fogo) extinguir, apagar **2** (espécie) extinguir, exterminar **3** (dívida) liquidar ▪ **extinguirse 1** (espécie) extinguir-se **2** (prazo) expirar, terminar
extint|o, -a [eks'tin̪to] *s.m.,f.* defunt|o, -a ▪ *adj.* extinto
extintor [ekstin̪'tor] *s.m.* extintor
extirpación [ekstirpa'θjon] *s.f.* extirpação
extorsión [ekstor'sjon] *s.f.* extorsão
extorsionar [ekstorsjo'nar] *v.* extorquir
extra ['ekstra] *adj.2g.* **1** (qualidade) extra; ***chocolate extra*** chocolate extra **2** *(extraordinario)* extra; ***trabajar horas extras*** trabalhar horas extras ▪ *s.m. col.* (vencimento) prêmio, bônus*2n.*, subsídio ▪ *s.f. col.* salário*m.* extra, subsídio*m.* ▪ *s.2g.* figurante; ***trabajar de extra*** trabalhar como figurante
extracción [ekstrak'θjon] *s.f.* **1** (de bala, dente) extração **2** (sangue) colheita **3** (loteria) extração, sorteio*m.* **4** *(origen)* condição, origem; ***de baja extracción social*** de baixa condição social ◆ **extracción de datos** extração de dados; MAT. **extracción de la raíz cuadrada** extração da raiz quadrada
extracto [eks'trakto] *s.m.* **1** (substância) extrato, essência*f.*; ***extracto de espliego*** essência de lavanda **2** (escrito, documento) extrato; ***extracto bancario*** extrato bancário **3** *(resumen)* resumo, sumário
extractor [ekstrak'tor] *s.m.* **1** (de minério) extrator **2** (de fumo) exaustor
extracurricular [ekstrakuriku'lar] *adj.2g.* extracurricular
extradición [ekstraði'θjon] *s.f.* extradição
extraditar [ekstraði'tar] *v.* (pessoa) extraditar
extraer [ekstra'er] *v.* **1** (dente) extrair, arrancar **2** (tumor, bala) extrair, retirar **3** (conclusão) retirar **4** MAT. extrair, calcular
extraescolar ['ekstraesko'lar] *adj.2g.* extraescolar
extrajudicial [ekstraxuði'θjal] *adj.2g.* extrajudicial
extranjerismo [ekstraŋxe'rizmo] *s.m.* estrangeirismo
extranjer|o, -a [ekstraŋ'xero] *adj.,s.m.,f.* estrangeir|o, -a ▪ **extranjero** *s.m.* estrangeiro; ***en el extranjero*** no estrangeiro
extrañar [ekstra'ɲar] *v.* **1** *(sorprender)* estranhar, admirar **2** *(notar extraño)* estranhar **3** *(echar de menos)* ter saudades (-, de) **4** *(desterrar)* desterrar, exilar ▪ **extrañarse** estranhar
extrañeza [ekstra'ɲeθa] *s.f.* estranheza
extrañ|o, -a [eks'traɲo] *s.m.,f.* estranh|o, -a, desconhecid|o, -a; ***prohibida la entrada a extraños*** proibida a entrada de pessoas estranhas ▪ *adj.* **1** *(no conocido)* estranho **2** *(raro)* estranho, esquisito
extraordinaria ['ekstraorði'narja] *s.f.* (salário) subsídio*m.*
extraordinario ['ekstraorði'narjo] *adj.* **1** *(extra)* extraordinário, extra **2** *(formidable)* extraordinário, formidável, fantástico ▪ *s.m.* (publicação) edição*f.* especial
extrarradio [ekstra'raðjo] *s.m.* periferia*f.*

extraterrestre ['ekstrate'restre] *adj.,s.2g.* extraterrestre

extravagancia [ekstraβa'γaŋθja] *s.f.* extravagância, excentricidade

extravagante [ekstraβa'γaŋte] *adj.2g.* extravagante, excêntrico, fora do comum

extravertido [ekstraβer'tiδo] *adj.* extrovertido

extraviar [ekstra'βjar] *v.* **1** (coisa) extraviar, perder **2** (pessoa) desencaminhar, desviar do bom caminho ▪ **extraviarse 1** (coisa) extraviar se, perder-se **2** (pessoa) descarrilar, desencaminhar-se

extravío [ekstra'βio] *s.m.* extravio, perda*f.*

extremado [ekstre'maδo] *adj.* exagerado

Extremadura [ekstrema'δura] *s.f.* Extremadura

extremar [ekstre'mar] *v.* levar ao extremo; intensificar; *han extremado las medidas de seguridad* intensificaram as medidas de segurança ▪ **extremarse** esmerar-se (en, em); *se ha extremado en los preparativos de la fiesta* esmerou se nos preparativos da festa

extremaunción [ekstremauŋ'θjon] *s.f.* extrema-unção

extremeñ|o, -a [ekstre'meɲo] *adj.,s.m.,f.* estremenh|o, -a

extremidad [ekstremi'δaδ] *s.f.* extremidade ▪ **extremidades** *s.f.pl.* ANAT. membros*m. pl.*

extremismo [ekstre'mizmo] *s.m.* extremismo

extremista [ekstre'mista] *adj.,s.2g.* extremista

extremo [eks'tremo] *adj.* extremo ▪ *s.m.* **1** extremo **2** ESPOR. lateral; *extremo derecho* lateral-direito; *extremo izquierdo* lateral esquerdo ♦ **el extremo Oriente** o extremo Oriente; **llevar al extremo** levar ao extremo

extremoso [ekstre'moso] *adj.* extremoso, carinhoso

extrínseco [eks'trinseko] *adj.* extrínseco

extrovertido [ekstroβer'tiδo] *adj.* extrovertido

exuberancia [eksuβe'raŋθja] *s.f.* exuberância, abundância, riqueza

exuberante [eksuβe'raŋte] *adj.2g.* exuberante, abundante, rico

exultación [eksulta'θjon] *s.f.* exultação, júbilo*m.*

exvoto [eks'βoto] *s.m.* ex voto

eyaculación [ejakula'θjon] *s.f.* ejaculação; *eyaculación precoz* ejaculação precoce

eyacular [ejaku'lar] *v.* ejacular

eyección [ejek'θjon] *s.f.* ejeção

eyector [ejek'tor] *s.m.* ejetor

eyeliner [aj'lajner] *s.m.* delineador

F

f ['efe] *s.f.* (letra) f*m.*
fa ['fa] *s.m.* fá
fabada [fa'βaδa] *s.f.* [ensopado que combina carne de porco com feijões, toucinho, morcela, chouriço e presunto]

A *fabada* é um prato tradicional das Astúrias.

fábrica ['faβrika] *s.f.* fábrica
fabricación [faβrika'θjon] *s.f.* **1** fabrico*m.*, fabricação; ***de fabricación casera*** de fabricação caseira; ***defecto de fabricación*** defeito de fabricação **2** *(producción)* fabricação, produção; ***fabricación en serie*** fabricação em série
fabricante [faβri'kante] *s.2g.* fabricante
fabricar [faβri'kar] *v.* **1** fabricar, produzir; ***fabricar en serie*** fabricar em série **2** *fig.* fabricar, inventar
fabril [fa'βril] *adj.2g.* fabril
fábula ['faβula] *s.f.* fábula ◆ *col.* **de fábula** fabuloso, fantástico
fabuloso [faβu'loso] *adj.* **1** fabuloso, imaginário, fictício **2** *fig.* fabuloso, fantástico, magnífico
faca ['faka] *s.f.* faca (grande e curva)
facción [fak'θjon] *s.f.* facção ■ **facciones** *s.f.pl.* (rosto) feições*pl.*, traços*m. pl.*
faceta [fa'θeta] *s.f.* faceta
facha ['fatʃa] *s.f. col.* aspecto*m.*; ***tener buena/mal facha*** ter bom/mau aspecto ■ *adj.,s.2g. col., pej.* fascista
fachada [fa'tʃaδa] *s.f.* **1** ARQ. fachada, frontaria **2** *fig., col.* fachada, aparência; ***ser todo fachada*** ser tudo fachada
fachenda [fa'tʃenda] *s.f. col.* vaidade; presunção
fachendoso [fatʃen'doso] *adj. col.* vaidoso; presunçoso
facial [fa'θjal] *adj.2g.* facial
fácil ['faθil] *adj.2g.* **1** fácil; *(sencillo)* simples **2** *(probable)* provável; ***es fácil que venga mañana*** é provável que venha amanhã **3** *pej.* (pessoa) fácil ■ *adv.* facilmente
facilidad [faθili'δaδ] *s.f.* facilidade ■ **facilidades** *s.f.pl.* facilidades*pl.*; ***facilidades de pago*** facilidades de pagamento ◆ **tener facilidad** ter jeito para
facilitar [faθili'tar] *v.* **1** facilitar **2** *(proporcionar)* facultar, proporcionar, facilitar
fácilmente [faθil'mente] *adv.* facilmente
facsímil [fak'simil], **facsímile** [fak'simile] *s.m.* fac--símile
factible [fak'tiβle] *adj.2g.* factível
factor [fak'tor] *s.m.* fator ◆ **factor de protección solar** fator de proteção solar; **factor de riesgo** fator de risco
factoría [fakto'ria] *s.f.* **1** fábrica; complexo*m.* industrial **2** HIST. feitoria
factorial [fakto'rjal] *s.m.* fatorial
factótum [fak'totum] *s.2g. col.* faz tudo*2n.*
factual [fak'twal] *adj.2g.* fatual
factura [fak'tura] *s.f.* fatura ◆ *col.* **pasar factura 1** pedir (algo) em troca **2** trazer consequências (negativas)
facturación [faktura'θjon] *s.f.* **1** (empresa) faturação **2** (encomenda, mercadoria) expedição **3** (bagagem) despacho*m.* **4** (aeroporto) check-in*m.*
facturar [faktu'rar] *v.* **1** faturar **2** (encomenda, mercadoria) expedir **3** (bagagem) despachar **4** (aeroporto) fazer o check-in
facultad [fakul'taδ] *s.f.* **1** *(capacidad)* faculdade, capacidade; *(aptitud)* aptidão; ***facultades mentales*** faculdades mentais **2** *(poder)* faculdade, poder*m.*; *(derecho)* direito*m.* **3** (universidade) faculdade; ***facultad de derecho*** faculdade de Direito
facultativ|o, -a [fakulta'tiβo] *s.2g.* **1** médic|o, -a*m.f.* **2** técnic|o, -a*m.f.* ■ *adj.* facultativo, opcional
fado ['faδo] *s.m.* fado
faena [fa'ena] *s.f.* **1** *(trabajo)* faina, tarefa, lida; ***faenas de la casa*** lida da casa **2** *fig.* rasteira*fig.*; ***hacer una faena*** pregar uma rasteira **3** TAUR. lide
Fahrenheit [fare'nejt] *adj.2g.2n.* Fahrenheit; ***grado Fahrenheit*** grau Fahrenheit
faisán [faj'san] *s.m.* faisão
faja ['faxa] *s.f.* **1** (roupa interior) cinta **2** *(tira)* faixa, cinta **3** *(cinturón)* faixa, cinturão*m.* **4** (terreno) faixa
fajín [fa'xin] *s.m.* faixa*f.* (usada como distintivo honorífico)
fajo ['faxo] *s.m.* feixe, molho, atado; (de dinheiro) maço
falacia [fa'laθja] *s.f.* falácia, engano*m.*
falange [fa'laŋxe] *s.f.* falange
falangeta [falaŋ'xeta] *s.f.* falangeta
falangina [falaŋ'xina] *s.f.* falanginha
falaz [fa'laθ] *adj.2g.* falaz
falda ['falda] *s.f.* **1** saia; ***falda acampanada*** saia godê; ***falda de vuelo*** saia balão; ***falda escocesa*** kilt; ***falda pantalón*** saia calça **2** (montanha) aba, sopé*m.* ◆ **pegado a las faldas de la madre** agarrado às saias da mãe
faldón [fal'don] *s.m.* (de roupa) aba*f.*; (de camisa) fralda*f.* ◆ *col.* **agarrarse a los faldones de alguien** viver sob a asa de alguém
falible [fa'liβle] *adj.2g.* falível
fálico ['faliko] *adj.* fálico
falla ['faʎa] *s.f.* **1** *(defecto)* falha, defeito*m.* **2** GEOL. falha
fallar [fa'ʎar] *v.* **1** *(fracasar)* falhar, fracassar **2** *(flaquear)* falhar **3** (gol, pontaria) falhar **4** (cartas) cortar, trunfar **5** (concurso) decidir **6** DIR. sentenciar; ***fallar a favor/en contra*** sentenciar a favor/contra
fallecer [faʎe'θer] *v.* falecer, morrer
fallecid|o, -a [faʎe'θiδo] *s.m.,f.* falecid|o, -a, defunt|o, -a
fallecimiento [faʎeθi'mjento] *s.m.* falecimento, morte*f.*

fallido [fa'ʎiðo] *adj.* frustrado; ***intento fallido*** tentativa frustrada

fallo ['faʎo] *s.m.* **1** DIR. sentença*f.* **2** (concurso) decisão*f.* **3** *(error)* erro, falha*f.*; *(fracaso)* fracasso **4** *(defecto)* falha*f.*, defeito

falo ['falo] *s.m.* falo, pênis*2n.*

falsari|o, -a [fal'sarjo] *s.m.,f.* **1** (documentos, assinaturas) falsári|o, -a, falsificador, -a **2** *(mentiroso)* falsári|o, -a, mentiros|o, -a

falsear [false'ar] *v.* **1** *(falsificar)* falsear, falsificar **2** (fatos) deturpar, distorcer

falsedad [false'ðað] *s.f.* falsidade

falsete [fal'sete] *s.m.* falsete; ***cantar en falsete*** cantar em falsete

falsificación [falsifika'θjon] *s.f.* falsificação

falsificador, -a [falsifi'kaðor] *s.m.,f.* falsificador, -a

falsificar [falsifi'kar] *v.* falsificar

falsilla [fal'siʎa] *s.f.* folha pautada (que se põe por baixo de outra para servir de guia)

falso ['falso] *adj.* falso; ***falsa alarma*** alarme falso; ***falso techo*** teto falso; ***moneda falsa*** moeda falsa ♦ **en falso** em falso; ***dar un paso en falso*** dar um passo em falso; ***jurar en falso*** jurar em falso

falta ['fal̪ta] *s.f.* **1** *(escasez)* falta, carência, escassez **2** *(error)* erro*m.*; ***tener faltas de ortografía*** ter erros de ortografia **3** *(ausencia)* ausência, falta **4** *(defecto)* defeito*m.*, imperfeição; ***sacar faltas a*** pôr defeitos em **5** ESPOR. falta, infração **6** DIR. contraordenação ♦ **a falta de** na falta de; **echar en falta** sentir falta; **hacer falta** ser necessário/preciso; **sin falta** sem falta

faltar [fal̪'tar] *v.* **1** *(no haber)* faltar; ***falta una hoja*** falta uma folha **2** *(no comparecer)* faltar; ***faltar a clase*** faltar às aulas **3** (ação) faltar; ***sólo falta acabar este ejercicio*** só falta acabar este exercício **4** *(no cumplir)* faltar; ***faltar a su palabra*** faltar à sua palavra **5** (tempo) faltar, restar; ***faltan dos minutos*** faltam dois minutos **6** *(no respetar)* desrespeitar **7** *(morir)* faltar, falecer ♦ **¡lo que me faltaba!** não faltava mais nada!; **¡no faltaba/faltaría más!** **1** (rejeição) era só o que faltava! **2** (aprovação) claro!, com certeza!, sem dúvida!; **no faltaba más sino que...** só faltava que...

falto ['fal̪to] *adj.* necessitado (de, de), carente (de, de); ***estamos faltos de dinero*** estamos sem dinheiro

faltón [fal̪'ton] *adj.* **1** *col.* que não é de confiança; ***este hombre es un faltón*** não se pode confiar neste homem **2** *col.* malcriado, grosseiro, mal-educado; ***no me gustan las personas faltonas*** não gosto de pessoas malcriadas

fama ['fama] *s.f.* fama ♦ **alcanzar la fama** alcançar a fama; **tener buena/mala fama** ter boa/má fama; **tener fama de** ter fama de

famélico [fa'meliko] *adj.* **1** faminto, esfomeado **2** *fig.* esquelético

familia [fa'milja] *s.f.* família ♦ **en familia** em família; *col.* **pasa/ocurre en las mejores familias** acontece nas melhores famílias; **ser como de la familia** ser como se fosse da família; **ser de buena familia** ser de boa família

familiar [fami'ljar] *adj.2g.* **1** familiar **2** LING. familiar, coloquial ■ *s.2g.* familiar, parente

familiaridad [familjari'ðað] *s.f.* familiaridade

familiarizado [familjari'θaðo] *adj.* familiarizado (con, com); ***estar familiarizado con algo*** estar familiarizado com alguma coisa

famoso [fa'moso] *adj.* famoso, célebre

fan ['fan] *s.2g.* fã, admirador, -a*m.f.*

fanátic|o, -a [fa'natiko] *adj.,s.m.,f.* fanátic|o, -a

fanatismo [fana'tizmo] *s.m.* fanatismo

fandango [fan̪'daŋgo] *s.m.* fandango

fanfarria [faɱ'farja] *s.f.* fanfarra, banda

fanfarr|ón, -ona [faɱfa'ron] *s.m.,f.* **1** *col.* fanfarr|ão, -ona, gabola*2g.* **2** *col.* mentiroso, -a

fanfarronada [faɱfaro'naða] *s.f.* ⇒ **fanfarronería**

fanfarronear [faɱfarone'ar] *v.* **1** *col.* gabar-se, fanfarronar **2** *col.* armar-se

fanfarronería [faɱfarone'ria] *s.f. col.* fanfarronismo*m.*, bazófia, fanfarronice

fangal [faŋ'gal] *s.m.* lamaçal, lodaçal

fango ['faŋgo] *s.m.* lama*f.*, lodo

fangoso [faŋ'goso] *adj.* lamacento, lodoso

fantasear [fan̪tase'ar] *v.* fantasiar

fantasía [fan̪ta'sia] *s.f.* fantasia ♦ **de fantasía** de fantasia; ***joyas de fantasía*** joias de imitação; ***medias de fantasía*** meias antiquadas, de época

fantasioso [fan̪ta'sjoso] *adj.* fantasioso; imaginativo

fantasma [fan̪'tazma] *s.m.* fantasma, espectro ■ *s.2g. col.* gabola, fanfarr|ão, -ona*m.f.*

fantasmagórico [fan̪tazma'ɣoriko] *adj.* fantasmagórico

fantástico [fan̪'tastiko] *adj.* **1** *(imaginario)* fantástico, imaginário **2** *(estupendo)* fantástico, estupendo, magnífico

fantochada [fan̪to'tʃaða] *s.f. fig.* fantochada, palhaçada

fantoche [fan̪'totʃe] *s.m.* **1** *col.* gabola*2g.* **2** *pej.* pessoa*f.* de aspecto grotesco

faquir [fa'kir] *s.m.* faquir

faraón [fara'on] *s.m.* faraó

faraónico [fara'oniko] *adj.* faraônico

fardar [far'ðar] *v.* **1** *cal.* armar-se, gabar-se **2** *col.* dar nas vistas

fardo ['farðo] *s.m.* fardo

farer|o, -a [fa'rero] *s.m.,f.* faroleir|o, -a

farfolla [far'foʎa] *s.f.* maçaroca (das espigas do milho)

farináceo [fari'naθeo] *adj.* farináceo

faringe [fa'riŋxe] *s.f.* faringe

faringitis [fariŋ'xitis] *s.f.2n.* faringite

fariseo [fari'seo] *s.m.* fariseu

farmacéutic|o, -a [farma'θewtiko] *adj.,s.m.,f.* farmacêutic|o, -a

farmacia [far'maθja] *s.f.* farmácia; ***farmacia de guardia*** farmácia de plantão

fármaco ['farmako] *s.m.* fármaco, medicamento

farmacología [farmakolo'xia] *s.f.* farmacologia

farmacólogo, -a [farma'koloɣo] *s.m.,f.* farmacologista*2g.*

faro ['faro] *s.m.* **1** (torre) farol **2** (veículo) farol **3** *fig.* farol, guia

farol [fa'rol] *s.m.* **1** lampião **2** lanterna*f.* **3** (jogo de cartas) blefe; *ir de farol* blefar **4** *cal.* fanfarronice*f.*, bazófia*f.*, farofa*f.*; *tirarse un farol* armar-se, gabar-se, blefar **5** TAUR. farol

farola [fa'rola] *s.f.* poste*m.* de iluminação pública, lampião*m.*

faroler|o, -a [faro'lero] *s.m.,f. col.* armante*2g.*, gabarola*2g.*

farolillo [faro'liʎo] *s.m.* **1** (festas) balãozinho (de papel) **2** BOT. campânula*f.* ♦ *col.* (competição) **farolillo rojo** lanterna vermelha

farra ['fara] *s.f.* farra, borga, pândega; *irse de farra* ir para a farra

farruco [fa'ruko] *adj. col. (ufano)* inchado*fig.*, orgulhoso, vaidoso ♦ **ponerse farruco** armar-se em esperto

farsa ['farsa] *s.f.* farsa

fascículo [fas'θikulo] *s.m.* fascículo

fascinación [fasθina'θjon] *s.f.* fascínio*m.*, fascinação

fascinante [fasθi'nante] *adj.2g.* fascinante

fascinar [fasθi'nar] *v.* **1** *(deslumbrar)* fascinar, deslumbrar, encantar **2** *(atraer)* fascinar, atrair, seduzir

fascismo [fas'θizmo] *s.m.* fascismo

fascista [fas'θista] *adj.,s.2g.* fascista

fase ['fase] *s.f.* **1** *(etapa)* fase, etapa; *estar en una fase crítica* estar numa fase crítica **2** ELETR. fase **3** ASTRON. fase; *fases de la Luna* fases da Lua

fastidiado [fasti'ðjaðo] *adj. col.* adoentado; mal (de saúde); *estoy fastidiado del hígado* ando/estou mal do fígado

fastidiar [fasti'ðjar] *v.* **1** *(aburrir)* chatear, amolar **2** *(enfadar)* aborrecer **3** *col.* estragar ■ **fastidiarse** aguentar, ter paciência ♦ *col.* **¡no me fastidies!** **1** não me diga! **2** a sério?; *col.* **¡que se fastidie!** que se lixe!

fastidio [fas'tiðjo] *s.m.* **1** *(molestia)* chatice*f.*, aborrecimento **2** *(aburrimiento)* fastio, tédio **3** *(repugnancia)* fastio, aversão*f.*, repugnância*f.* **4** (contratempo) pena*f.*, desgosto

fastidioso [fasti'ðjoso] *adj.* chato*col.*, aborrecido, fastidioso

fastuoso [fas'twoso] *adj.* faustoso, luxuoso, pomposo

fatal [fa'tal] *adj.2g.* **1** *(malo)* péssimo, horrível, terrível **2** *(inevitable)* fatal, inevitável **3** *(mortal)* fatal, mortal ■ *adv.* pessimamente, muito mal ♦ **caer fatal** cair mal, não suportar; (roupa) **quedar fatal** ficar (muito) mal

fatalidad [fatali'ðað] *s.f.* fatalidade

fatalismo [fata'lizmo] *s.m.* fatalismo

fatalista [fata'lista] *s.2g.* fatalista

fatalmente [fatal'mente] *adv.* **1** fatalmente, inevitavelmente **2** *(muy mal)* pessimamente

fatídico [fa'tiðiko] *adj.* fatídico

fatiga [fa'tiɣa] *s.f.* **1** *(cansacio)* fadiga, cansaço*m.*, estafa **2** (respiração) chiadeira, pieira ■ **fatigas** *s.f.pl.* trabalhos*m. pl.*, aflições*pl.*

fatigar [fati'ɣar] *v.* fatigar, cansar ■ **fatigarse** fatigar-se, cansar-se

fatigoso [fati'ɣoso] *adj.* **1** *(cansado)* cansativo, fatigante **2** (respiração) ofegante, difícil

fatuo ['fatwo] *adj.* **1** *(necio)* néscio **2** *(presuntuoso)* presunçoso, vaidoso

fauna ['fawna] *s.f.* fauna

fauno ['fawno] *s.m.* MIT. fauno

fausto ['fawsto] *s.m.* fausto, luxo, pompa*f.*

favela [fa'βela] *s.f.* favela

favor [fa'βor] *s.m.* favor; *hacerle un favor a alguien* fazer um favor a alguém; *hazme el favor de...* me faz o favor de...; *me harías un gran favor si...* me faria um grande favor se...; *pedirle un favor a alguien* pedir um favor a alguém ♦ **a/en favor de** a favor de; **estar a favor de** ser a favor de; (fórmula de cortesia) **por favor** por favor, se faz favor; **tener a su favor** ter a seu favor

favorable [faβo'raβle] *adj.2g.* favorável

favorecer [faβore'θer] *v.* **1** *(ayudar, beneficiar)* favorecer, ajudar, apoiar **2** (vestuário, penteado) favorecer, ficar bem

favoritismo [faβori'tizmo] *s.m.* favoritismo

favorit|o, -a [faβo'rito] *s.m.,f.* favorit|o, -a ■ *adj.* favorito, preferido, predileto

fax ['faks] *s.m.* ⟨*pl.* faxes⟩ fax

faz ['faθ] *s.f.* **1** *(rostro)* face, rosto*m.* **2** (moeda, medalha) cara **3** *(superficie)* face, superfície; *en la faz de la Tierra* na superfície da Terra

FBI *sigla* (Buró Federal de Investigación norteamericano) FBI (Serviço Federal de Investigação norte-americano)

fe ['fe] *s.f.* **1** fé **2** (documento) certidão; *fe de bautismo* certidão de batismo ♦ **dar fe** dar fé, atestar, certificar; *col.* **dar fe de vida** dar sinal de vida; **de buena fe** de boa-fé; **de mala fe** de má-fé; **fe de erratas** errata; **fe de vida** prova de vida

fealdad [feal'dað] *s.f.* fealdade

febrero [fe'βrero] *s.m.* fevereiro

febril [fe'βril] *adj.2g.* febril; *en estado febril* em estado febril

fecal [fe'kal] *adj.2g.* fecal

fecha ['fetʃa] *s.f.* data; *fecha de caducidad* prazo de validade; *fecha de expedición* data de emissão; *fecha de nacimiento* data de nascimento; *fecha límite* data-limite, deadline ♦ **hasta la fecha** até a data, até agora

fechar [fe'tʃar] *v.* datar; *fechar un documento* datar um documento

fechoría [fetʃo'ria] *s.f.* **1** *(maldad)* maldade, crueldade **2** *(travesura)* traquinice, travessura

fécula ['fekula] *s.f.* fécula

fecundación [fekunda'θjon] *s.f.* fecundação ♦ **fecundación artificial** fecundação artificial; **fecundación in vitro** fecundação in vitro

fecundar [fekun'dar] *v.* **1** (terra) fertilizar **2** BIOL. fecundar

fecundidad [fekuṇdi'ðað] *s.f.* **1** *(fertilidad)* fecundidade, fertilidade **2** *(productividad)* fecundidade, produtividade
fecundo [fe'kuṇdo] *adj.* **1** fecundo **2** (terra) fértil
federación [feðera'θjon] *s.f.* federação
federal [feðe'ral] *adj.2g.* federal
federalismo [feðera'lizmo] *s.m.* federalismo
federalista [feðera'lista] *adj.,s.2g.* federalista
feedback [fiδ'βak] *s.m.* feedback
felación [fela'θjon] *s.f.* felação
felicidad [feliθi'ðað] *s.f.* felicidade ■ **felicidades** *s.f.pl.* parabéns*m. pl.*; felicidades*pl.*; *¡(muchas) felicidades!* parabéns!, felicidades!
felicísimo [feli'θisimo] (*superl. de* feliz) *adj.* felicíssimo
felicitación [feliθita'θjon] *s.f.* **1** *(congratulación)* felicitação, congratulação **2** *(tarjeta)* cartão*m.*; *felicitación de navidad* cartão de boas-festas/Natal ■ **felicitaciones** *s.f.pl.* **1** felicitações*pl.*, congratulações*pl.* **2** parabéns*m. pl.*
felicitar [feliθi'tar] *v.* **1** dar os parabéns, felicitar, cumprimentar; *felicitar por la victoria* dar os parabéns pela vitória **2** (Natal, Ano-Novo) desejar, dar; *felicitar las fiestas* desejar as boas-festas **3** *(desear felicidad a)* felicitar; *felicitaron a los novios* felicitaram os noivos ■ **felicitarse** felicitar-se, congratular se
felino [fe'lino] *adj.* (animal) felino ♦ **mirada felina** olhar felino
feliz [fe'liθ] *adj.2g.* **1** feliz, contente; *estar feliz por* estar feliz por **2** (comentário, ideia, resposta) feliz, acertado, oportuno **3** (atividade, momento) bom; agradável; *un feliz día* um dia agradável; *un feliz viaje* uma boa viagem ♦ **¡felices fiestas!** boas-festas!; **¡feliz cumpleaños!** parabéns!; **¡feliz Navidad!** feliz Natal!; **y fueron felices y comieron perdices** e foram felizes para sempre
felpa ['felpa] *s.f.* felpo*m.*
felpudo [fel'puðo] *s.m.* capacho, tapete
femenino [feme'nino] *adj.* feminino ■ *s.m.* feminino
feminidad [femini'ðað] *s.f.* feminilidade
feminismo [femi'nizmo] *s.m.* feminismo
feminista [femi'nista] *adj.,s.2g.* feminista
fémur ['femur] *s.m.* fêmur
fénix ['feniks] *s.m.2n.* fênix*f.*
fenomenal [fenome'nal] *adj.2g.* **1** *(estupendo)* fenomenal, fantástico, espetacular **2** *(enorme)* enorme, tremendo, valente; *me pegaste un susto fenomenal* você me pregou um grande susto ■ *adv.* muito, incrivelmente; *lo pasamos fenomenal* divertimo nos incrivelmente
fenómeno [fe'nomeno] *s.m.* fenômeno ■ *adj.2g. col.* fenomenal ■ *adv. col.* muito, incrivelmente
feo ['feo] *adj.* feio ■ *s.m. col.* desfeita*f.*; *hacer un feo* fazer uma desfeita ♦ **dejar en feo** deixar ficar mal; **ser más feo que Picio** ser feio como um bode; *col.* **tocarle (a alguien) bailar con la más fea** ficar sempre com a pior parte
feria ['ferja] *s.f.* **1** *(mercado)* feira **2** *(exposición)* feira; *feria de artesanía* feira de artesanato; *feria del libro* feira de livros **3** *(parque de atracciones)* parque*m.* de diversões **4** *(fiesta popular)* festa popular
feriado [fe'rjaðo] *s.m.* [AM.] feriado
ferial [fe'rjal] *adj.2g.* da feira ■ *s.m.* feira*f.*
feriante [fe'rjaṇte] *s.2g.* feirante
fermentación [fermeṇta'θjon] *s.f.* fermentação
fermento [fer'meṇto] *s.m.* fermento
fermio ['fermjo] *s.m.* férmio
ferocidad [feroθi'ðað] *s.f.* ferocidade
feroz [fe'roθ] *adj.2g.* feroz
férreo ['fereo] *adj.* férreo
ferretería [ferete'ria] *s.f.* loja de ferragens
ferrobús [fero'βus] *s.m.* automotora, automotriz*f.*
ferrocarril [feroka'ril] *s.m.* **1** (sistema) ferrovia; *estación de ferrocarril* estação de ferrovia **2** *(tren)* trem
ferroviario [fero'βjarjo] *adj.* ferroviário
ferry ['feri] *s.m.* ferryboat, balsa
ferry-boat ['feri'βowt] *s.m.* ferryboat, balsa
fértil ['fertil] *adj.2g.* fértil
fertilidad [fertili'ðað] *s.f.* fertilidade
fertilización [fertiliθa'θjon] *s.f.* **1** (terra) fertilização **2** BIOL. fertilização, fecundação; *fertilización in vitro* fertilização in vitro
fertilizante [fertili'θaṇte] *s.m.* fertilizante
fertilizar [fertili'θar] *v.* (terra) fertilizar
férula ['ferula] *s.f.* tala ♦ **bajo la férula de alguien** sob a alçada de alguém
ferviente [fer'βjeṇte] *adj.2g.* fervoroso, fervente
fervor ['ferβor] *s.m.* fervor
fervoroso [ferβo'roso] *adj.* fervoroso
festejar [feste'xar] *v.* **1** *(celebrar)* festejar, comemorar **2** *(homenajear)* homenagear **3** *(galantear)* seduzir, galantear, cortejar **4** *col.* namorar, andar (juntos)
festejo [fes'texo] *s.m.* **1** *(fiesta)* festa*f.*, festejo **2** *(galanteo)* galanteio ■ **festejos** *s.m.pl.* festividades*f.*, festejos
festín [fes'tin] *s.m.* festim, banquete
festival [festi'βal] *s.m.* **1** festival; *festival de cine* festival de cinema **2** *(fiesta)* festa*f.*; *festivales populares* festas populares
festividad [festiβi'ðað] *s.f.* festividade
festivo [fes'tiβo] *adj.* **1** festivo **2** (dia) feriado ■ *s.m.* feriado
fetiche [fe'titʃe] *s.m.* fetiche
fetichismo [feti'tʃizmo] *s.m.* fetichismo
fétido ['fetiðo] *adj.* fétido, fedorento, malcheiroso
feto ['feto] *s.m.* **1** feto, embrião **2** *col.* pessoa muito feia
feudal [few'ðal] *adj.2g.* feudal
feudalismo [fewða'lizmo] *s.m.* feudalismo
feudo ['fewðo] *s.m.* feudo
fi ['fi] *s.f.* (letra grega) fi*m.*
fiabilidad [fjaβili'ðað] *s.f.* fiabilidade
fiable ['fjaβle] *adj.2g.* fiável
fiado ['fjaðo] *adj.* **1** fiado **2** *(confiado)* confiante, fiado ♦ **comprar/vender al fiado** comprar/vender fiado
fiador, -a [fja'ðor] *s.m.,f.* fiador, -a
fiambre ['fjambre] *s.m.* **1** carnes*f. pl.* frias **2** *col.* cadáver

fiambrera [fjam'brera] *s.f.* tupperware*m.*, marmita
fianza ['fjanθa] *s.f.* **1** *(depósito)* sinal*m.*, entrada, caução; ***dejar una fianza de 10 euros*** deixar um sinal de 10 euros **2** DIR. fiança; ***en libertad bajo fianza*** em liberdade, sob fiança; ***pagar la fianza a alguien*** pagar a fiança de alguém
fiar ['fjar] *v.* fiar, vender fiado ▪ **fiarse** (pessoa) fiar-se (de, em), confiar (em); ***no te fíes de él*** não confie nele ♦ **no se fía** não vendemos fiado; **ser de fiar** ser de confiança
fiasco ['fjasko] *s.m.* *(fracaso)* fiasco, fracasso
fibra ['fiβra] *s.f.* fibra; ***fibra alimentaria*** fibra alimentar; ***fibra artificial*** fibra artificial; ***fibra de vidrio*** fibra de vidro; ***fibra óptica*** fibra óptica
fibroso [fi'βroso] *adj.* fibroso
ficción [fik'θjon] *s.f.* **1** *(invención)* ficção **2** *(fingimiento)* fingimento*m.* **3** LIT. ficção ♦ **ciencia ficción** ficção científica
ficcional [fikθjo'nal] *adj.2g.* ficcional
ficha ['fitʃa] *s.f.* **1** (jogos) peça; (dominó, damas) pedra **2** (bengaleiros, hipermercados) ficha **3** (dados) ficha, histórico; ***ficha policial*** ficha policial **4** (documento) ficha; ***ficha de inscripción*** ficha de inscrição ♦ **ficha escolar** caderneta escolar
fichad|o, -a [fi'tʃaðo] *s.m.,f.* cadastrad|o, -a; ***estar fichado*** ter cadastro
fichaje [fi'tʃaxe] *s.m.* contratação*f.* (especialmente de atleta)
fichar [fi'tʃar] *v.* **1** *(catalogar)* catalogar **2** (jogador, funcionário) contratar **3** (funcionário) picar/marcar o ponto **4** (jogador, funcionário) contratar
fichero [fi'tʃero] *s.m.* **1** fichário **2** INFORM. arquivo
ficticio [fik'tiθjo] *adj.* **1** fictício, irreal **2** (comportamento) fingido, falso
fidedigno [fiðe'ðiγno] *adj.* fidedigno
fidelidad [fiðeli'ðað] *s.f.* fidelidade ♦ **alta fidelidad** alta-fidelidade
fideo [fi'ðeo] *s.m.* **1** espaguete **2** aletria*f.*; ***sopa de fideos*** sopa de aletria ♦ (pessoa) **estar hecho un fideo** estar um palito
fiebre ['fjeβre] *s.f.* **1** febre; ***fiebre aftosa*** febre aftosa; ***fiebre amarilla*** febre amarela; ***fiebre del heno*** febre do feno; ***fiebre de Malta*** febre de Malta; ***fiebre palúdica*** febre palustre; ***fiebre tifoidea*** febre tifoide; ***tener fiebre*** estar com/ter febre; ***tomar la fiebre*** tirar a temperatura **2** *fig.* febre, ânsia; ***fiebre de vencer*** febre de vencer
fiel ['fjel] *adj.2g.* **1** (pessoa) fiel, leal; ***soy fiel a mis amigos*** sou fiel aos meus amigos **2** (descrição) fiel, exato ▪ *s.2g.* fiel ▪ *s.m.* (balança) fiel, ponteiro
fieltro ['fjeltro] *s.m.* feltro
fiera ['fjera] *s.f.* **1** (animal) fera **2** *fig., col.* (pessoa) fera, gênio*m.* ♦ *col.* **ponerse hecho una fiera** ficar (como) uma fera
fiero ['fjero] *adj.* **1** (animal) feroz, selvagem **2** *fig.* (pessoa) feroz, cruel
fiesta ['fjesta] *s.f.* **1** festa; ***fiesta de cumpleaños*** festa de aniversário **2** *(día no laborable)* feriado*m.*; ***fiesta movible*** feriado móvel; ***hacer fiesta*** fazer feriado **3** (comemoração) dia*m.*; ***fiesta del Trabajo*** Dia do Trabalho ▪ **fiestas** *s.f.pl.* **1** festas*pl.*; ***¡felices fiestas!*** boas-festas! **2** *(caricias)* festas*pl.*, festinhas*pl.* ♦ **aguar la fiesta** estragar a festa; **fiesta de los toros** corrida de touros, tourada; **no enterarse de qué va la fiesta** estar completamente por fora; **no estar para fiestas** não estar para brincadeiras; **¡se acabó la fiesta!** acabou-se a festa/brincadeira!; **¡tengamos la fiesta en paz!** chega de discussões!; vamos acalmar os ânimos!
FIFA *sigla* (Asociación Internacional de Fútbol) FIFA (Federação Internacional de Futebol)
figura [fi'γura] *s.f.* **1** figura **2** forma; ***con figura de*** em forma de ♦ **alzar figura** fazer mapa astral; **figura pública** figura pública
figurado [fiγu'raðo] *adj.* figurado
figurante [fiγu'rante] *s.2g.* figurante
figurar [fiγu'rar] *v.* **1** *(fingir)* simular, fingir **2** *(representar)* representar, simbolizar **3** *(constar)* figurar, constar **4** *col.* destacar se, sobressair ▪ **figurarse** imaginar, supor, pensar; ***me figuro que ya habrá llegado*** imagino que já deva ter chegado ♦ **¡figúrate!** imagina!
figurativo [fiγura'tiβo] *adj.* figurativo
figurín [fiγu'rin] *s.m.* **1** (modelo, revista) figurino **2** *col.* (pessoa) janota*2g.*; ***ir hecho un figurín*** estar todo janota
fijación [fixa'θjon] *s.f.* **1** (cartaz, aviso) afixação **2** *(establecimiento)* fixação, estabelecimento*m.* **3** *(obsesión)* fixação, obsessão; ***tener una fijación por*** ter fixação por
fijador [fixa'ðor] *s.m.* fixador (para o penteado)
fijar [fi'xar] *v.* **1** (cartaz, aviso) afixar; ***prohibido fijar carteles*** é proibido fixar cartazes **2** (residência, domicílio) fixar **3** *(prender)* fixar, firmar **4** (prego) pregar, cravar **5** *(determinar)* fixar **6** (data, hora) marcar ▪ **fijarse 1** *(hacerse fijo)* fixar-se **2** *(darse cuenta)* reparar, dar-se conta; ***¿te has fijado?*** já reparou? **3** *(prestar atención)* prestar atenção
fijo ['fixo] *adj.* **1** *(firme)* fixo, firme **2** *(inmóvil)* fixo, imóvel **3** *(permanente)* fixo **4** (cargo) efetivo **5** (telefone) fixo ▪ *adv.* de certeza; ***fijo que llueve mañana*** amanhã vai chover com certeza ♦ **de fijo** com (toda a) certeza
fila ['fila] *s.f.* fila; ***en fila india*** em fila indiana ▪ **filas** *s.f.pl.* **1** MIL. tropas*pl.*, forças*pl.* militares **2** POL. facção, partido*m.* ♦ **romper filas** dispersar
filamento [fila'mento] *s.m.* **1** filamento **2** (flor) filete
filantropía [filantro'pia] *s.f.* filantropia
filantrópico [filan'tropiko] *adj.* filantrópico
filántropo, -a [fi'lantropo] *s.m.,f.* filantrop|o, -a
filarmónica [filar'monika] *s.f.* filarmônica, orquestra filarmônica
filarmónico [filar'moniko] *adj.* filarmônico; ***orquesta filarmónica*** orquestra filarmônica
filatelia [fila'telja] *s.f.* filatelia
filatelista [filate'lista] *s.2g.* filatelista
filete [fi'lete] *s.m.* (de carne) bife; (de peixe) filé; ***filete de ternera*** bife de vitela; ***filete de merluza*** filé de

pescada ♦ *vulg.* **darse el filete** ficar na pegação (com alguém)

filfa ['filfa] *s.f. col.* trote

filiación [filja'θjon] *s.f.* filiação

filial [fi'ljal] *s.f.* filial, sucursal

filiforme [fili'forme] *adj.2g.* filiforme

filigrana [fili'γrana] *s.f.* filigrana

Filipinas [fili'pinas] *s.f.pl.* Filipinas

filipin|o, -a [fili'pino] *adj.,s.m.,f.* filipin|o, -a

film ['film] *s.m.* ⇒ **filme**

filmar [fil'mar] *v.* filmar

filme ['filme] *s.m.* filme

filmina [fil'mina] *s.f.* diapositivo*m.*, slide*m.*

filmoteca [filmo'teka] *s.f.* **1** (local) cinemateca **2** *(colección de filmes)* filmoteca

filo ['filo] *s.m.* (instrumento de corte) fio, gume; ***dar filo*** afiar; ***filo del cuchillo*** fio da faca ♦ **al filo de** *(cerca)* perto; *(alrededor de)* por volta de; ***llegaron al filo de la medianoche*** chegaram por volta da meia-noite

filología [filolo'xia] *s.f.* filologia

filológico [filo'loxiko] *adj.* filológico

filólog|o, -a [fi'loloγo] *s.m.,f.* filólog|o, -a

filón [fi'lon] *s.m.* **1** GEOL. filão, veio **2** *fig.* filão, mina*f.*

filosofal [filoso'fal] *adj.2g.* filosofal; ***piedra filosofal*** pedra filosofal

filosofía [filoso'fia] *s.f.* filosofia

filosófico [filo'sofiko] *adj.* filosófico

filósof|o, -a [fi'losofo] *s.m.,f.* filósof|o, -a

filoxera [filok'sera] *s.f.* filoxera

filtración [fil̪tra'θjon] *s.f.* **1** filtração, filtragem **2** *(infiltración)* infiltração **3** (informação) fuga, divulgação indevida

filtrado [fil̪'traδo] *s.m.* filtragem*f.*

filtrar [fil̪'trar] *v.* **1** (líquido) filtrar **2** (dado) filtrar, selecionar **3** (notícia) divulgar

filtro ['fil̪tro] *s.m.* filtro; ***filtro del aceite*** filtro do óleo; ***filtro del aire*** filtro do ar; ***filtro del cigarrillo*** filtro do cigarro; ***filtro solar*** filtro solar

fin ['fin] *s.m.* **1** *(final)* fim, termo **2** *(propósito)* fim, objetivo, finalidade*f.* ♦ **a fin de** no fim/final de; **a fin de (que)** a fim de, para; **a fines de** no final de; **al fin** afinal; **al fin y al cabo** afinal de contas; **dar/poner fin a** dar/pôr fim a; **en fin** enfim; **fin de semana** fim de semana; **por fin** por fim, finalmente

finad|o, -a [fi'naδo] *s.m.,f.* finad|o, -a, falecid|o, -a

final [fi'nal] *adj.2g.* final ▪ *s.m.* final, fim ▪ *s.f.* ESPOR. final ♦ **al final** afinal; **al final de** no fim/final de, ao fim/final de; ***al fin del año*** no fim do ano; **a finales de** no fim/final de; ***a finales de mayo*** no fim de maio

finalidad [finali'δaδ] *s.f.* finalidade, objetivo*m.*, propósito*m.*

finalista [fina'lista] *s.2g.* (campeonato, concurso) finalista

finalización [finaliθa'θjon] *s.f.* finalização, conclusão

finalizar [finali'θar] *v.* **1** finalizar, concluir, terminar **2** finalizar, findar

financiación [finan̪θja'θjon] *s.f.* financiamento*m.*

financiar [finan̪'θjar] *v.* financiar

financiero [finan̪'θjero] *adj.* financeiro

finanzas [fi'nan̪θas] *s.f.pl.* finanças*pl.* ♦ **andar mal de finanzas** andar mal de finanças

finca ['fiŋka] *s.f.* **1** (campo) quinta **2** (cidade) prédio*m.*, edifício*m.*

fin|és, -esa [fi'nes] *adj.,s.m.,f.* finland|ês, -esa ▪ **finés** *s.m.* (língua) finlandês

fineza [fi'neθa] *s.f.* fineza

fingido [fiŋ'xiδo] *adj.* **1** (sentimento) fingido, dissimulado, falso **2** (pessoa) fingido, hipócrita

fingidor, -a [fiŋxi'δor] *s.m.,f.* fingidor, -a

fingimiento [fiŋxi'mjen̪to] *s.m.* fingimento, dissimulação*f.*

fingir [fiŋ'xir] *v.* fingir, dissimular

finland|és, -esa [finlan̪'des] *adj.,s.m.,f.* finland|ês, -esa

Finlandia [fin'lan̪dja] *s.f.* Finlândia

fino ['fino] *adj.* **1** *(delgado)* fino, delgado **2** *(delicado)* fino, educado **3** *(refinado)* fino, requintado **4** (sentido) fino, apurado, aguçado; ***oído fino*** ouvido fino ▪ *s.m.* vinho fino (xerez, moscatel)

finta ['fin̪ta] *s.f.* finta; ***hacer una finta*** fazer uma finta

finura [fi'nura] *s.f.* finura

firma ['firma] *s.f.* **1** *(nombre)* assinatura; ***legalizar la firma*** reconhecer a assinatura; ***recoger firmas*** fazer um abaixo-assinado; ***recogida de firmas*** abaixo-assinado **2** (ato) assinatura; ***firma del tratado de paz*** assinatura do tratado de paz **3** *(firma)* firma, empresa

firmamento [firma'men̪to] *s.m.* firmamento, céu

firmante [fir'man̪te] *s.2g.* signatári|o, -a*m.f.*; ***los abajo firmantes*** os abaixo assinados

firmar [fir'mar] *v.* assinar; ***firmar un contrato*** assinar um contrato

firme ['firme] *adj.2g.* **1** (objeto) firme, estável **2** (pessoa) firme, determinado ▪ *s.m.* (estrada) pavimento, tapete; calçada*f.* ▪ *adv.* firme ♦ **¡firmes!** sentido!

firmeza [fir'meθa] *s.f.* firmeza

fiscal [fis'kal] *adj.2g.* fiscal; ***evasión fiscal*** evasão fiscal ▪ *s.2g.* delegad|o, -a*m.f.* do Procurador da República ♦ **Ministerio Fiscal** Ministério Público; **Número de Identificación Fiscal** Número de Contribuinte

fiscalía [fiska'lia] *s.f.* Procuradoria; ***Fiscalía General del Estado*** Procuradoria Geral da República

fiscalidad [fiskali'δaδ] *s.m.* tributação ♦ **fiscalidad del automóvil** imposto sobre veículo automotor

fiscalización [fiskaliθa'θjon] *s.f.* **1** fiscalização **2** apreensão

fisco ['fisko] *s.m.* fisco; ***evasión del fisco*** fuga do fisco

fisgar [fiz'γar] *v.* bisbilhotar, xeretar

fisg|ón, -ona [fiz'γon] *s.m.,f.* bisbilhoteir|o, -a, xereta*2g.*

fisgonear [fizγone'ar] *v.* bisbilhotar, xeretar

fisgoneo [fizγo'neo] *s.m.* bisbilhotice*f.*

física ['fisika] *s.f.* física

físic|o, -a ['fisiko] *s.m.,f.* físic|o, -a ▪ *adj.* físico ▪ **físico** *s.m.* físico; ***tener un buen físico*** ter um bom físico

fisicoquímica [fisiko'kimika] *s.f.* físico-química
fisiología [fisjolo'xia] *s.f.* fisiologia
fisiológico [fisjo'loxiko] *adj.* fisiológico
fisión [fi'sjon] *s.f.* fissão
fisioterapeuta [fisjotera'pewta] *s.2g.* fisioterapeuta
fisioterapia [fisjote'rapja] *s.f.* fisioterapia
fisonomía [fisono'mia] *s.f.* fisionomia
fisonómico [fiso'nomiko] *adj.* fisionômico
fisonomista [fisono'mista] *s.2g.* fisionomista
fisura [fi'sura] *s.f.* **1** *(grieta)* fissura, fenda, greta **2** MED. fissura
flacidez [flaθi'ðeθ] *s.f.* flacidez
flácido ['flaθiðo] *adj.* flácido
flaco ['flako] *adj.* **1** *(delgado)* magro **2** *(débil)* fraco ■ *s.m.* fraco
flacucho [fla'kutʃo] *adj. pej.* magricela, franzino, escanzelado*pop.*
flagelación [flaxela'θjon] *s.f.* flagelação
flagelo [fla'xelo] *s.m.* **1** *(azote)* flagelo, açoite, chicote **2** *(calamidad)* flagelo, calamidade*f.*
flagrante [fla'γrante] *adj.2g.* **1** flagrante; *flagrante delito* flagrante delito **2** *(evidente)* flagrante, evidente, claro ◆ **en flagrante** em flagrante
flamante [fla'mante] *adj.2g.* **1** *(resplandeciente)* flamejante, resplandecente, brilhante **2** *(nuevo)* novo em folha
flamenc|o, -a [fla'meŋko] *adj.,s.m.,f.* flameng|o, -a ■ *s.m.,f.* **1** (dialeto) flamengo **2** MÚS. flamenco **3** ZOOL. flamingo

O flamenco é um estilo musical e um tipo de dança de origem andaluza, bastante influenciado pela cultura cigana e com algumas influências árabes e judaicas.

flan ['flan] *s.m.* **1** flã **2** pudim ◆ *col.* **como un flan** muito nervoso
flanco ['flaŋko] *s.m.* **1** flanco, lado **2** MIL. flanco, ala*f.*
flanera [fla'nera] *s.f.* forma (de pudim)
flaquear [flake'ar] *v.* **1** *(flojear)* enfraquecer, fraquejar **2** *(desanimarse)* fraquejar, desanimar **3** (parede, muro) ceder
flaqueza [fla'keθa] *s.f.* **1** *(debilidad)* fraqueza; *sacar fuerzas de flaqueza* fazer das fraquezas força **2** *(delgadez)* magreza
flas ['flas], **flash** ['flas] *s.m.* (*pl.* flases, flashes) **1** flash **2** (jornalismo) notícia*f.* de última hora **3** *col.* surpresa*f.* ◆ *col.* **dar un flas** dar uma coisa, ter um treco
flashback ['flasbak] *s.m.* (*pl.* flashbacks) **1** CIN. flashback **2** LIT. analepse*f.*, flashback
flato ['flato] *s.m.* flatulência*f.*
flatulencia [flatu'lenθja] *s.f.* flatulência
flatulento [flatu'lento] *adj.* flatulento
flauta ['flawta] *s.f.* flauta; *flauta dulce/de pico* flauta doce; *flauta travesera* flauta transversal ◆ *col.* **sonar la flauta** acontecer um milagre
flautín [flaw'tin] *s.m.* flautim
flautista [flaw'tista] *s.2g.* flautista
flebitis [fle'βitis] *s.f.2n.* flebite
flecha ['fletʃa] *s.f.* **1** (arma) flecha, seta **2** (sinal) seta ◆ **salir como una flecha** sair como uma flecha
flechazo [fle'tʃaθo] *s.m. col.* amor à primeira vista
fleco ['fleko] *s.m.* **1** (adorno) franja*f.* **2** *(borde deshilachado)* fiapo **3** (reunião, negociação) assunto pendente
flema ['flema] *s.f.* **1** expectoração **2** lentidão
flequillo [fle'kiʎo] *s.m.* franja*f.* (de cabelo)
flete ['flete] *s.m.* frete
flexibilidad [fleksiβili'ðað] *s.f.* flexibilidade
flexible [flek'siβle] *adj.2g.* flexível
flexión [flek'sjon] *s.f.* **1** *(curvatura)* flexão, curvatura **2** ESPOR. flexão; *hacer flexiones* fazer flexões **3** LING. flexão; *flexión nominal/verbal* flexão nominal/verbal
flexo ['flekso] *s.m.* luminária*f.* de mesa
flipado [fli'paðo] *adj.* **1** *col.* drogado, louco*gír.*, alucinado **2** *gír.* entusiasmado, animado
flipar [fli'par] *v.* **1** deixar doido **2** *col.* animar ■ **fliparse** (drogas) drogar-se
flirteo [flir'teo] *s.m.* namorico, flerte
flojedad [floxe'ðað] *s.f.* **1** *(debilidad)* fraqueza, debilidade **2** *(pereza)* preguiça, moleza
flojera [flo'xera] *s.f.* **1** *col.* fraqueza, frouxidão **2** *col.* preguiça, moleza
flojo ['floxo] *adj.* **1** frouxo, bambo; *en la cuerda floja* na corda bamba **2** (cordões) frouxo **3** *(débil)* fraco, frouxo **4** (roupa) largo, folgado **5** *(perezoso)* preguiçoso, molenga ◆ *vulg.* **¡me la trae floja!** quero lá saber!
flor ['flor] *s.f.* flor ◆ **a flor de** à flor de; **a flor de piel** à flor da pele; *con los nervios a flor de piel* com os nervos à flor da pele; **en la flor de la vida/edad** na flor da idade; *col.* (pessoa) **flor de estufa** flor de estufa; **la flor y nata** a fina-flor; *col.* **ni flores** nada; **ser flor de un día** ser fogo de palha
flora ['flora] *s.f.* flora ◆ **flora intestinal** flora intestinal
floreado [flore'ado] *adj.* **1** floreado, florido **2** (tecido) florido
florecer [flore'θer] *v.* **1** (planta) florescer, florir **2** *fig.* florescer, prosperar
floreciente [flore'θjente] *adj.2g.* florescente
florecimiento [floreθi'mjento] *s.m.* **1** (planta) florescimento **2** *fig.* florescimento, prosperidade*f.*
florero [flo'rero] *s.m.* jarra*f.* (para flores), floreira*f.*
floricultor, -a [florikul'tor] *s.m.,f.* floricultor, -a
floricultura [florikul'tura] *s.f.* floricultura
florido [flo'riðo] *adj.* **1** (campo, jardim) florido **2** (tecido) florido **3** (estilo) floreado ◆ **lo más florido** a fina flor
florín [flo'rin] *s.m.* florim (antiga moeda holandesa)
florista [flo'rista] *s.2g.* florista
floristería [floriste'ria] *s.f.* (estabelecimento) florista
floritura [flori'tura] *s.f.* floreado*m.*
flota ['flota] *s.f.* **1** NÁUT. frota, armada; *flota de guerra* frota de guerra; *flota pesquera* frota pesqueira **2** (veículos) frota; *flota de autobuses* frota de ônibus
flotación [flota'θjon] *s.f.* (corpo) flutuação

flotador [flota'ðor] *s.m.* boia*f.* (para nadar)
flotante [flo'tante] *adj.2g.* flutuante
flotar [flo'tar] *v.* **1** (corpo) flutuar **2** (barco) flutuar, boiar **3** (pessoa) boiar **4** (sensação) pairar
fluctuación [fluktwa'θjon] *s.f.* (valor, quantidade) flutuação
fluctuante [fluk'twante] *adj.2g.* flutuante
fluctuar [fluktu'ar] *v.* **1** (preço, valor) flutuar, oscilar, variar **2** *fig.* hesitar, vacilar
fluidez [flwi'ðeθ] *s.f.* **1** fluidez; ***fluidez de tráfico*** fluidez do trânsito **2** *(facilidad de expresión)* fluência, fluidez
fluido ['flwiðo] *adj.* **1** fluido **2** (estilo, linguagem) fluente; ***habla en portugués fluido*** fala português fluentemente ■ *s.m.* **1** FÍS. fluido **2** *col.* corrente*f.* elétrica
fluir [flu'ir] *v.* **1** (líquido, gás) fluir, correr, brotar **2** (palavras, ideias) fluir
flujo ['fluxo] *s.m.* **1** (líquido, trânsito) fluxo **2** (maré) fluxo; ***flujo y reflujo*** fluxo e refluxo **3** MED. fluxo; corrimento; ***flujo blanco*** corrimento branco, leucorreia; ***flujo de sangre*** fluxo de sangue; ***flujo menstrual*** fluxo menstrual; ***flujo vaginal*** corrimento vaginal
flúor ['fluor] *s.m.* flúor
fluorescencia [flwores'θenθja] *s.f.* fluorescência
fluorescente [flwores'θente] *adj.2g.* fluorescente; ***rotulador fluorescente*** marcador fluorescente; ***tubo fluorescente*** lâmpada fluorescente ■ *s.m.* lâmpada*f.* fluorescente
fluvial [flu'βjal] *adj.2g.* fluvial; ***playa fluvial*** praia fluvial
FM (*sigla de* frecuencia modulada) FM (*sigla de* frequência modulada)
FMI (*sigla de* Fondo Monetario Internacional) FMI (*sigla de* Fundo Monetário Internacional)
fobia ['foβja] *s.f.* **1** *(miedo)* fobia; ***tener fobia a algo*** ter fobia de alguma coisa **2** *(aversión)* fobia, aversão
foca ['foka] *s.f.* **1** foca **2** *pej.* (pessoa) baleia
focal [fo'kal] *adj.2g.* focal
focalización [fokaliθa'θjon] *s.f.* LIT. focalização; ***focalización cero*** focalização onisciente; ***focalización externa/interna*** focalização externa/interna
foco ['foko] *s.m.* **1** FÍS. foco **2** *(lámpara)* holofote **3** (viatura) farol **4** *fig.* foco **5** [AM.] lâmpada*f.* **6** [AM.] poste de iluminação pública, lampião
fofo ['fofo] *adj.* balofo
fogarada [foγa'raða] *s.f.* labareda
fogata [fo'γata] *s.f.* fogueira
fogón [fo'γon] *s.m.* **1** fogão **2** (caldeira, forno) fornalha*f.*
fogonazo [foγo'naθo] *s.m.* clarão
fogosidad [foγosi'ðað] *s.f.* fogosidade, ímpeto*m.*
fogoso [fo'γoso] *adj.* fogoso, impetuoso
fogueo [fo'γeo] ♦ **de fogueo** de pólvora seca
folclore [fol'klore], **folclor** [fol'klor] *s.m.* **1** folclore **2** *col.* borga*f.*, pândega*f.*
folclórico [fol'kloriko] *adj.* folclórico
folio ['foljo] *s.m.* folha*f.* (de papel) ♦ *col.* **tirarse el folio** presumir-se
follaje [fo'ʎaxe] *s.m.* folhagem*f.*
folletín [foʎe'tin] *s.m.* folhetim
folleto [fo'ʎeto] *s.m.* folheto, brochura*f.*
follón [fo'ʎon] *s.m.* **1** *col.* algazarra*f.*, zaragata*f.* **2** *col.* balbúrdia*f.*, confusão*f.*
fomentar [fomen'tar] *v.* fomentar
fomento [fo'mento] *s.m.* fomento
fonador [fona'ðor] *adj.* fonador; ***aparato fonador*** aparelho fonador
fonda ['fonda] *s.f.* pensão; estalagem; hospedaria
fondo ['fondo] *s.m.* **1** fundo; ***al fondo del pasillo*** ao fundo do corredor; ***en el fondo del mar*** no fundo do mar **2** *(profundidad)* profundidade*f.*; ***la piscina tiene dos metros de fondo*** a piscina tem dois metros de profundidade ■ **fondos** *s.m.pl.* fundos; ***recaudar fondos*** angariar fundos ♦ **a fondo** a fundo; **en el fondo** no fundo; (cheque) **sin fondos** sem fundos; **tocar fondo** chegar ao limite
fondue [fon'di] *s.f.* fondue*2g.*
fonema [fo'nema] *s.m.* fonema
fonética [fo'netika] *s.f.* fonética
fonético [fo'netiko] *adj.* fonético
fónico ['foniko] *adj.* fônico
fonología [fonolo'xia] *s.f.* fonologia
fonológico [fono'loxiko] *adj.* fonológico
fontanela [fonta'nela] *s.f.* moleirinha
fontanería [fontane'ria] *s.f.* canalização
fontaner|o, -a [fonta'nero] *s.m.,f.* encanador, -a
forajid|o, -a [fora'xiðo] *adj.,s.m.,f.* foragid|o, -a
foraster|o, -a [foras'tero] *adj.,s.m.,f.* forasteir|o, -a
fórceps ['forθeps] *s.m.2n.* fórceps
forense [fo'rense] *s.2g.* médico-legista*m.*, médica-legista*f.* ■ *adj.2g.* forense; ***medicina forense*** medicina legal; ***médico forense*** médico-legista
forestal [fores'tal] *adj.2g.* florestal
forja ['forxa] *s.f.* **1** forja **2** *fig.* formação
forjado [for'xaðo] *adj.* forjado; ***hierro forjado*** ferro forjado
forjar [for'xar] *v.* **1** (metal) forjar **2** *fig.* forjar, criar **3** *fig.* forjar, inventar
forma ['forma] *s.f.* **1** *(formato)* forma, feitio*m.* **2** *(manera)* forma, modo*m.*; ***forma de pago*** forma de pagamento **3** *(horma)* forma, molde*m.* **4** REL. hóstia ■ **formas** *s.f.pl.* modos*m. pl.* ♦ **de forma que** de forma que/a; **de todas formas** de qualquer forma; **estar en forma** estar em forma
formación [forma'θjon] *s.f.* **1** formação **2** (tropas) formatura ♦ **cursos de formación** cursos de formação; **formación profesional** formação profissional
formado [for'maðo] *adj.* formado (por, por); ***estar formado por*** ser formado por
formal [for'mal] *adj.2g.* **1** formal **2** (pessoa) sério; responsável **3** (atitude) formal **4** *(oficial)* oficial
formalidad [formali'ðað] *s.f.* **1** (comportamento) seriedade; responsabilidade **2** *(etiqueta)* formalidade ♦ **¡un poco de formalidad, chicos!** comportem-se, meninos!
formalismo [forma'lizmo] *s.m.* formalismo

formalización [formaliθa'θjon] *s.f.* formalização
formar [for'mar] *v.* formar ♦ **formar parte de algo** fazer parte de alguma coisa
formatear [formate'ar] *v.* formatar
formateo [forma'teo] *s.m.* formatação*f.*
formativo [forma'tiβo] *adj.* formativo
formato [for'mato] *s.m.* formato (de livro, fotografia, etc.)
formidable [formi'ðaβle] *adj.2g.* formidável
formol [for'mol] *s.m.* formol
formón [for'mon] *s.m.* formão
fórmula ['formula] *s.f.* **1** *(solución)* solução **2** *(receta)* receita **3** MAT., QUÍM. fórmula ♦ ESPOR. **fórmula 1** fórmula 1
formulación [formula'θjon] *s.f.* formulação
formular [formu'lar] *v.* **1** *(expresar)* exprimir, expressar **2** (pergunta, queixa) manifestar, expor **3** (medicamento) receitar
formulario [formu'larjo] *s.m.* formulário, impresso; *rellenar un formulario* preencher um formulário
foro ['foro] *s.m.* **1** HIST. foro, fórum **2** *(coloquio)* fórum, colóquio, debate, mesa redonda*f.* **3** (teatro) fundo do palco ♦ (Internet) **foro de discusión** fórum de discussões
forrado [fo'raðo] *adj.* **1** forrado **2** (livro) encapado, forrado **3** *col.* rico
forraje [fo'raxe] *s.m.* forragem*f.*
forrar [fo'rar] *v.* **1** forrar **2** *col.* bater, espancar ■ **forrarse** *col.* encher-se de dinheiro
forro ['foro] *s.m.* forro ♦ *col.* **ni por el forro** de jeito nenhum
fortalecer [fortale'θer] *v.* fortalecer ■ **fortalecerse** fortalecer-se
fortalecimiento [fortaleθi'mjento] *s.m.* fortalecimento
fortaleza [forta'leθa] *s.f.* **1** *(fuerza)* força **2** *(recinto fortificado)* fortaleza, forte*m.*
fortificación [fortifika'θjon] *s.f.* fortificação
fortificante [fortifi'kante] *adj.2g.* fortificante
fortuito [for'twito] *adj.* fortuito, casual, imprevisto
fortuna [for'tuna] *s.f.* **1** *(suerte)* fortuna, sorte **2** *(riqueza)* fortuna, riqueza **3** *(éxito)* êxito*m.*, sucesso*m.* ♦ **por fortuna** por sorte, felizmente
fórum ['forum] *s.m.* fórum
forúnculo [fo'runkulo] *s.m.* furúnculo
forzado [for'θaðo] *adj.* **1** *(obligado)* forçado, obrigado **2** *(no espontáneo)* forçado, fingido
forzar [for'θar] *v.* **1** *(obligar)* forçar, obrigar **2** (vista) forçar **3** (porta) arrombar; (fechadura) forçar
forzoso [for'θoso] *adj.* **1** *(inevitable)* forçoso, inevitável **2** *(obligatorio)* forçoso, obrigatório **3** (aterrissagem, pouso) forçado
forzudo [for'θuðo] *adj.* (pessoa) forte, robusto
fosa ['fosa] *s.f.* **1** *(hoyo)* cova, vala, fossa **2** ANAT. fossa; *fosas nasales* fossas nasais **3** GEOL. fossa; *fosa tectónica* fossa tectônica ♦ **fosa común** vala comum
fosfato [fos'fato] *s.m.* fosfato
fosforescente [fosfores'θente] *adj.2g.* fosforescente
fosfórico [fos'foriko] *adj.* fosfórico
fósforo ['fosforo] *s.m.* **1** QUÍM. fósforo **2** *(cerilla)* fósforo; *caja de fósforos* caixa de fósforos
fósil ['fosil] *s.m.* fóssil
foso ['foso] *s.m.* **1** *(zanja)* fosso, vala*f.* **2** (palco) porão **3** (oficina) fossa*f.* ♦ **foso de la orquesta** fosso da orquestra
foto ['foto] *s.f. col.* foto, fotografia; *hacer/sacar una foto* tirar uma fotografia
fotocopia [foto'kopja] *s.f.* fotocópia; *hacer una fotocopia* fazer/tirar uma fotocópia, xerocar
fotocopiadora [fotokopja'ðora] *s.f.* fotocopiadora, xerox, xérox
fotocopiar [fotoko'pjar] *v.* fotocopiar, xerocar
fotoeléctrico [fotoe'lektriko] *adj.* fotoelétrico
fotogénico [foto'xeniko] *adj.* fotogênico
fotografía [fotoγra'fia] *s.f.* fotografia; *fotografía digital* fotografia digital; *fotografía en color/blanco y negro* fotografia em cores/preto e branco; *fotografía tipo carné* fotografia 3 x 4; *hacer/sacar una fotografía* tirar uma fotografia
fotografiar [fotoγra'fjar] *v.* fotografar
fotográfico [foto'γrafiko] *adj.* fotográfico
fotógraf|o, -a [fo'toγrafo] *s.m.,f.* fotógraf|o, -a
fotonovela [fotono'βela] *s.f.* fotonovela
fotoperiodismo [fotoperjo'ðizmo] *s.m.* fotojornalismo
fotoperiodista [fotoperjo'ðista] *s.2g.* fotojornalista
fotosensible [fotosen'siβle] *adj.2g.* fotossensível
fotosíntesis [foto'sintesis] *s.f.2n.* fotossíntese
frac ['frak] *s.m.* fraque
fracasad|o, -a [fraka'saðo] *s.m.,f.* falhad|o, -a ■ *adj.* **1** *(fallido)* fracassado, falhado **2** (pessoa) falhado
fracasar [fraka'sar] *v.* fracassar
fracaso [fra'kaso] *s.m.* **1** fracasso, falhanço **2** insucesso; *fracaso escolar* fracasso escolar
fracción [frak'θjon] *s.f.* **1** *(porción)* fração, porção, parte **2** MAT. fração
fraccionar [frakθjo'nar] *v.* fracionar, dividir ■ **fraccionarse** fracionar-se, dividir se
fraccionario [frakθjo'narjo] *adj.* fracionário; *número fraccionario* número fracionário
fractura [frak'tura] *s.f.* fratura; *fractura abierta* fratura exposta
fracturar [fraktu'rar] *v.* fraturar, partir ■ **fracturarse** (osso, cartilagem) fraturar
fragancia [fra'γanθja] *s.f.* fragrância, aroma*m.*
fragante [fra'γante] *adj.2g.* fragrante, aromático
fragata [fra'γata] *s.f.* fragata
frágil ['fraxil] *adj.2g.* **1** *(quebradizo)* frágil, quebradiço **2** *(débil)* frágil, débil **3** (saúde) frágil, delicado
fragilidad [fraxili'ðað] *s.f.* fragilidade
fragmentación [fraγmenta'θjon] *s.f.* fragmentação
fragmentario [fraγmen'tarjo] *adj.* fragmentário
fragmento [fraγ'mento] *s.m.* **1** *(pedazo)* fragmento, pedaço **2** (obra) excerto, trecho, fragmento

fragua ['fraɣwa] *s.f.* forja
frambuesa [fram'bwesa] *s.f.* framboesa
franc|és, -esa [fraŋ'θes] *adj.,s.m.,f.* franc|ês, -esa ■ **francés** *s.m.* **1** (língua) francês **2** *col.* broche ♦ **marcharse/despedirse a la francesa** despedir-se à francesa
franchising [fran'tʃajsin] *s.m.* franchising
Francia ['fraŋθja] *s.f.* França
francio ['fraŋθjo] *s.m.* frâncio
franciscan|o, -a [fraŋθis'kano] *s.m.,f.* franciscan|o, -a ■ *adj. fig.* franciscano; ***pobreza franciscana*** pobreza franciscana
franco ['fraŋko] *adj.* **1** *(sincero)* franco, sincero; ***ser franco con alguien*** ser franco com alguém **2** *(sin obstáculos)* franco, livre, desimpedido **3** ECON. franco ■ *s.m.* (antiga moeda) franco
francófon|o, -a [fraŋ'kofono] *adj.,s.m.,f.* francófon|o, -a
francotirador, -a [fraŋkotira'ðor] *s.m.,f.* **1** franco--atirador, -a **2** atirador, -a furtivo
franela [fra'nela] *s.f.* flanela
franja ['fraŋxa] *s.f.* **1** *(banda)* tira, faixa **2** (terra) faixa **3** (costura) orla, faixa ♦ **franja horaria** fuso horário
franquear [fraŋke'ar] *v.* **1** (entrada) franquear, permitir **2** *(atravesar, cruzar)* franquear, transpor **3** (correspondência, encomenda) franquiar, selar ■ **franquearse** abrir-se (con, com)
franqueo [fraŋ'keo] *s.m.* (correspondência, encomenda) franquia*f.* ♦ **franqueo pagado** porte pago
franqueza [fraŋ'keθa] *s.f.* franqueza, sinceridade
franquicia [fraŋ'kiθja] *s.f.* **1** (impostos, taxas) franquia, isenção; ***franquicia postal*** franquia postal **2** ECON. franchising*m.*
fraque ['frake] *s.m.* fraque
frasco ['frasko] *s.m.* frasco
frase ['frase] *s.f.* frase ♦ **frase hecha** frase feita
fraseología [fraseolo'xia] *s.f.* fraseologia
fraternal [frater'nal] *adj.2g.* fraternal
fraternidad [fraterni'ðað] *s.f.* fraternidade
fraterno [fra'terno] *adj.* fraterno
fratricida [fratri'θiða] *adj.,s.2g.* fratricida
fratricidio [fratri'θiðjo] *s.m.* fratricídio
fraude ['frawðe] *s.m.* fraude*f.*; ***fraude electoral/fiscal*** fraude eleitoral/fiscal
fraudulento [frawðu'lento] *adj.* fraudulento
fray ['fraj] *s.m.* frei, frade
frazada [fra'θaða] *s.f.* [AM.] manta (com muito pelo)
freático [fre'atiko] *adj.* freático; ***capa freática*** lençol freático
frecuencia [fre'kwenθja] *s.f.* frequência ♦ **con frecuencia** com frequência; regularmente; RÁD. **frecuencia modulada** frequência modulada
frecuentado [frekwen'taðo] *adj.* frequentado
frecuentador, -a [frekwenta'ðor] *adj.,s.m.,f.* frequentador, -a
frecuentar [frekwen'tar] *v.* (lugar) frequentar
frecuente [fre'kwente] *adj.2g.* **1** *(repetido)* frequente, reiterado **2** *(usual)* comum
frecuentemente [frekwente'mente] *adv.* frequentemente
free lance [fri'lans] *s.2g.* free łancer, free-lance
fregadero [freɣa'ðero] *s.m.* **1** lava-louça, pia*f.* **2** banca*f.*
fregado [fre'ɣaðo] *s.m.* **1** lavagem*f.* **2** limpeza*f.* **3** *col.* situação*f.* difícil ■ *adj.* [AM.] *col.* (pessoa) lixado
fregar [fre'ɣar] *v.* **1** (louça) lavar **2** (chão) limpar **3** *(frotar)* esfregar
fregona [fre'ɣona] *s.f.* esfregona
freidora [frei'ðora] *s.m.* fritadeira; ***freidora eléctrica*** fritadeira elétrica
freír [fre'ir] *v.* (alimento) fritar; (ovo) estrelar
frenado [fre'naðo] *s.m.* travagem*f.*
frenar [fre'nar] *v.* **1** (veículo, máquina) frear **2** (sentimentos, impulsos) conter, moderar, refrear
frenazo [fre'naθo] *s.m.* freada*f.* brusca; ***dar un frenazo*** brecar bruscamente
frenesí [frene'si] *s.m.* frenesi, exaltação*f.*
frenético [fre'netiko] *adj.* frenético
frenillo [fre'niʎo] *s.m.* **1** freio (da língua) **2** (cão) focinheira ♦ *col.* **no tener frenillo en la lengua** não ter papas/freio na língua
freno ['freno] *s.m.* **1** (veículo, máquina) freio; ***freno de mano*** freio de mão; ***pisar el freno*** pisar no freio **2** (cavalgadura) freio **3** *fig.* entrave, freio ♦ **poner freno** pôr um freio
frente ['frente] *s.f.* testa, fronte; ***fruncir la frente*** franzir a testa ■ *s.m.* frente*f.* ♦ **al frente de** à frente de; **frente a frente** frente a frente; MET. **frente frío** frente fria; **hacer frente a** fazer frente a; **no tener dos dedos de frente** não ter dois dedos de testa; **ponerse al frente de** pôr-se à frente de
fresa ['fresa] *s.f.* **1** (planta) morangueiro*m.* **2** (fruto) morango*m.* **3** (ferramenta) fresa **4** (dentista) broca
fresca ['freska] *s.f.* **1** fresca; ***con la fresca*** pela fresca **2** *col.* descaramento*m.*, frescura ♦ **decirle cuatro frescas** dizer poucas e boas, dizer umas verdades
fresco ['fresko] *adj.* **1** (temperatura) fresco **2** (alimento) fresco **3** (tecido) fresco, fino **4** *(reciente)* fresco, recente **5** *(tranquilo)* sossegado **6** (pessoa) descarado, desavergonhado ■ *s.m.* **1** *(aire)* fresca*f.*, ar fresco **2** ART.PL. fresco
frescor [fres'kor] *s.m.* frescor
frescura [fres'kura] *s.f.* **1** frescura **2** *(descaro)* descaramento*m.*
fresno ['frezno] *s.m.* freixo
fresón [fre'son] *s.m.* morango (grande)
freza ['freθa] *s.f.* desova
frialdad [frjal'dað] *s.f.* **1** frieza **2** *fig.* frieza, indiferença
fricasé [frika'se] *s.m.* CUL. fricassê
fricativo [frika'tiβo] *adj.* fricativo
fricción [frik'θjon] *s.f.* **1** *(roce)* fricção, atrito*m.* **2** *(desacuerdo)* atrito*m.*, desentendimento*m.*
friccionar [frikθjo'nar] *v.* friccionar
friega ['frjeɣa] *s.f.* fricção, massagem
friegaplatos [frjeɣa'platos] *s.m.2n.* *col.* máquina*f.* de lavar louça

frigidez [frixi'ðeθ] *s.f.* frigidez
frígido ['frixiðo] *adj.* frígido
frigo ['friɣo] *s.m.* geladeira*f.*
frigorífico [friɣo'rifiko] *s.m.* geladeira*f.*
frío ['frio] *adj.* frio ■ *s.m.* frio; *hoy hace mucho frío* hoje está muito frio ◆ **en frío** a frio; **hacer frío** estar frio; **no me da ni frío ni calor** *col.* a mim não fede nem cheira
friolento [frjo'leṇto] *adj.* [AM.] friorento
friolera [frjo'lera] *s.f. col.* (dinheiro) balúrdio*m.*
friolero [frjo'lero] *adj.* friorento
friso ['friso] *s.m.* **1** ARQ. friso **2** (parede) friso; *(rodapié)* rodapé
frito ['frito] (*p.p. de* freír) *adj.* **1** frito; *huevos fritos* ovos estrelados; *patatas fritas* batatas fritas **2** *col.* ferrado (no sono); *estar/quedarse frito* estar ferrado no sono **3** *col.* morto; *dejar frito* matar, liquidar
fritura [fri'tura] *s.f.* fritura
frivolidad [friβoli'ðað] *s.f.* frivolidade
frívolo ['friβolo] *adj.* frívolo, fútil
frontal [froṇ'tal] *adj.2g.* frontal ■ *s.m.* **1** ANAT. frontal **2** (autorrádio) painel destacável
frontera [froṇ'tera] *s.f.* fronteira
fronterizo [froṇte'riθo] *adj.* fronteiriço
frontis ['froṇtis] *s.m.2n.* frontaria*f.*, fachada*f.*, frontispício
frontispicio [froṇtis'piθjo] *s.m.* **1** *(fachada)* frontispício, frontaria*f.* **2** *(frontón)* frontão **3** (livro) frontispício
frotar [fro'tar] *v.* **1** (superfície) esfregar **2** *(friccionar)* esfregar **3** (fósforo) raspar ■ **frotarse** esfregar; *frotarse las manos de alegría* esfregar as mãos de contente
fructífero [fruk'tifero] *adj.* frutífero
fructosa [fruk'tosa] *s.f.* frutose
fructuoso [fruk'twoso] *adj.* proveitoso, frutuoso
frugal [fru'ɣal] *adj.2g.* **1** (pessoa) frugal, sóbrio, moderado **2** (refeição) frugal
frugívoro [fru'xiβoro] *adj.* frugívoro
fruición [frwi'θjon] *s.f.* fruição, gozo*m.*, prazer*m.*
frunce ['fruṇθe] *s.m.* **1** (tecido) franzido **2** (papel) dobra*f.*
fruncido [fruṇ'θiðo] *s.m.* **1** (tecido) franzido **2** (papel) dobra*f.*
fruncir [fruṇ'θir] *v.* **1** (sobrancelha, testa) franzir; *fruncir el ceño* franzir o sobrolho **2** (tecido) franzir **3** (papel) dobrar
frustración [frustra'θjon] *s.f.* frustração, decepção, desilusão
frustrado [frus'traðo] *adj.* **1** (projeto) frustrado, malogrado **2** (pessoa) frustrado, decepcionado
frustrante [frus'traṇte] *adj.2g.* frustrante
frustrar [frus'trar] *v.* **1** (projeto) frustrar, malograr, fracassar **2** (pessoa) frustrar, decepcionar
fruta ['fruta] *s.f.* fruta; *fruta del tiempo* fruta da época; *fruta escarchada* fruta cristalizada
frutal [fru'tal] *adj.* de fruto; *árboles frutales* árvores de fruto ■ *s.m.* árvore*f.* de fruto
frutero [fru'tero] *s.m.* fruteira*f.*
fruticultura [frutikuḷ'tura] *s.f.* fruticultura
fruto ['fruto] *s.m.* fruto ◆ **dar fruto** dar frutos; **fruto prohibido** fruto proibido; **frutos secos** frutos secos; **sacar fruto de** colher os frutos de; **ser fruto de** ser fruto de
fu ['fu] ◆ **ni fu ni fa** *col.* não fede nem cheira
fucsia ['fuksja] *s.f.* (planta) brinco-de-princesa*m.*, fúcsia*f.* ■ *adj.2g.,s.m.* (cor) rosa forte
fuego ['fweɣo] *s.m.* **1** fogo; *prender fuego a* pôr/botar fogo em **2** (cigarro) fogo; *¿tienes fuego?* tens fogo? **3** (cozinha) fogo; *a fuego lento* em fogo baixo; *poner al fuego* levar ao fogo **4** (fogão a gás) bico, boca*f.* ◆ MIL. **alto el fuego** cessar-fogo; **fuegos artificiales/de artificio** fogos de artifício; **jugar con fuego** brincar com o fogo
fuel ['fwel] *s.m.* óleo, combustível
fuelle ['fweʎe] *s.m.* **1** fole **2** *col.* fôlego
fuente ['fweṇte] *s.f.* **1** *(manantial)* fonte, nascente **2** (construção) chafariz*m.*, fonte **3** (recipiente) travessa **4** *fig.* fonte, causa ◆ **fuente bautismal** pia batismal; **fuente de ingresos** fonte de rendimentos; **fuente histórica** fonte histórica; **saber de fuente fidedigna** saber de fonte segura
fuera ['fwera] *adv.* **1** *(afuera)* fora; *fuera de casa* fora de casa **2** *(en el extranjero)* fora; *estaré fuera un mes* estarei fora um mês ■ *interj.* fora!, rua!; *¡fuera de aquí!* fora daqui! ◆ **fuera de combate** nocaute; **fuera de juego** fora de jogo; **fuera de la ley** fora da lei; **fuera del alcance de** fora do alcance de; **fuera de lo común** fora do vulgar/comum; **fuera de plazo** fora de prazo; (motor, máquina) **fuera de punto** desafinado; **fuera de serie** fora de série; **fuera de sí** fora de si
fuero ['fwero] *s.m.* **1** *(jurisdicción)* foro, jurisdição*f.* **2** *(privilegio)* privilégio, foro **3** (leis) estatuto, código ◆ **fuero interno** foro íntimo; **volver por los fueros de** lutar em prol de
fuerte ['fwerte] *adj.2g.* forte ■ *s.m.* forte, fortaleza*f.* ■ *adv.* forte
fuerza ['fwerθa] *s.f.* força ◆ **a la fuerza** à força; **fuerza de voluntad** força de vontade; MIL. **fuerzas armadas** forças armadas; **fuerzas de choque** forças de intervenção; *col.* **írsele la fuerza por la boca** dizer as coisas da boca para fora; **por fuerza** por força; **por la fuerza** à força
fuete ['fwete] *s.m.* [AM.] chicote, açoite
fuga ['fuɣa] *s.f.* **1** *(huida)* fuga, evasão; *darse a la fuga* fugir **2** (gás, líquido) fuga, escape*m.* **3** MÚS. fuga
fugacidad [fuɣaθi'ðað] *s.f.* fugacidade
fugarse [fu'ɣarse] *v.* fugir
fugaz [fu'ɣaθ] *adj.2g.* **1** *(rápido)* fugaz, veloz, rápido **2** *(efímero)* fugaz, efêmero, passageiro **3** (estrela) cadente
fugitiv|o, -a [fuxi'tiβo] *s.m.,f.* fugitiv|o, -a
ful ['ful] *adj.2g.2n. pej.* **1** falso **2** falido
fulana [fu'lana] *s.f. col.* prostituta
fulan|o, -a [fu'lano] *s.m.,f.* fulan|o, -a
fular [fu'lar] *s.m.* echarpe*f.*, lenço de pescoço

fulgor [ful'γor] *s.m.* fulgor, esplendor, brilho intenso
fulgurante [fulγu'rante] *adj.2g.* fulgurante, brilhante
fulminante [fulmi'nante] *adj.2g.* fulminante
fulminar [fulmi'nar] *v.* **1** (arma, raio) fulminar, destruir, aniquilar **2** *fig.* (pessoa) fulminar
fumador, -a [fuma'ðor] *s.m.,f.* fumante*2g.*; *fumador pasivo* fumante passivo; *no fumador* não fumante
fumar [fu'mar] *v.* fumar; *fuma cigarrillos sin filtro* fuma cigarros sem filtro; *fumar en pipa* fumar cachimbo ■ **fumarse** **1** fumar; *se está fumando un cigarrillo* está fumando um cigarro **2** *col.* (bens, dinheiro) esbanjar, desbaratar **3** *col.* (obrigação) faltar (-, a); *fumarse las clases* faltar às aulas
fumigar [fumi'γar] *v.* fumigar, desinfetar
función [fuṇ'θjon] *s.f.* função ♦ **en función de** em função de; **en funciones** interino; **función de tarde** sessão da tarde, matinê; **función pública** função pública
funcional [fuṇθjo'nal] *adj.2g.* funcional
funcionalidad [fuṇθjonali'ðað] *s.f.* funcionalidade
funcionalismo [fuṇθjona'lizmo] *s.m.* funcionalismo
funcionalista [fuṇθjona'lista] *adj.,s.2g.* funcionalista
funcionamiento [fuṇθjona'mjeṇto] *s.m.* funcionamento
funcionar [fuṇθjo'nar] *v.* **1** funcionar **2** *col.* dar certo, funcionar; *nuestro plan no ha funcionado* o nosso plano não deu certo
funcionari|o, -a [fuṇθjo'narjo] *s.m.,f.* funcionári|o, -a (público)
funda ['fuṇda] *s.f.* **1** (almofada) fronha **2** (edredom, colchão) capa **3** (sofá, cadeira) estofo*m.* **4** (óculos) estojo*m.* **5** (objetos) bolsa **6** (documentos) bolsa; *fundas plásticas* bolsas plásticas **7** (espada) bainha **8** (disco) capa **9** (dente) coroa
fundación [fuṇda'θjon] *s.f.* fundação
fundador, -a [fuṇda'ðor] *adj.,s.m.,f.* fundador, -a
fundamental [fuṇdameṇ'tal] *adj.2g.* fundamental
fundamentalismo [fuṇdameṇta'lizmo] *s.m.* fundamentalismo
fundamentalista [fuṇdameṇta'lista] *adj.,s.2g.* fundamentalista
fundamento [fuṇda'meṇto] *s.m.* **1** *(base)* fundamento, base*f.* **2** (edifício) alicerce, base*f.*, fundamento ■ **fundamentos** *s.m.pl.* noções*f.* ♦ **sin fundamento** sem fundamento
fundar [fuṇ'dar] *v.* **1** (cidade, empresa) fundar, edificar, criar **2** (argumento, opinião) fundar, fundamentar, basear
fundición [fuṇdi'θjon] *s.f.* fundição
fundir [fuṇ'dir] *v.* **1** *(derretir)* fundir, derreter **2** (metal) fundir, moldar **3** *(unir)* fundir, ligar, unir **4** *col.* (dinheiro) esbanjar ■ **fundirse** (lâmpada) fundir(-se); (fusível) queimar(-se)
fúnebre ['funeβre] *adj.2g.* **1** fúnebre, funerário; *coche fúnebre* carro funerário; *cortejo fúnebre* cortejo fúnebre; *pompas fúnebres* funeral, cerimônias fúnebres **2** *fig.* fúnebre, lúgubre
funeral [fune'ral] *s.m.* funeral, enterro
funeraria [fune'rarja] *s.f.* funerária, agência funerária
funerario [fune'rarjo] *adj.* funerário; *agencia funeraria* agência funerária
fungicida [fuŋxi'θiða] *adj.2g.,s.m.* fungicida
funicular [funiku'lar] *s.m.* funicular; teleférico
furgón [fur'γon] *s.m.* **1** caminhonete*f.* **2** (trem) vagão; *furgón de cola* último vagão
furgoneta [furγo'neta] *s.f.* caminhonete
furia ['furja] *s.f.* fúria, ira, raiva; *ponerse hecho una furia* ficar furioso
furioso [fu'rjoso] *adj.* furioso; *ponerse furioso* ficar furioso
furor [fu'ror] *s.m.* furor, cólera*f.*, ira*f.* ♦ **hacer furor** causar furor; estar na moda
furtivo [fur'tiβo] *adj.* furtivo
furúnculo [fu'ruŋkulo] *s.m.* ⇒ **forúnculo**
fusa ['fusa] *s.f.* fusa
fuselaje [fuse'laxe] *s.m.* fuselagem*f.*
fusible [fu'siβle] *s.m.* fusível
fusil [fu'sil] *s.m.* espingarda*f.*, fuzil
fusilamiento [fusila'mjeṇto] *s.m.* fuzilamento
fusilar [fusi'lar] *v.* **1** fuzilar **2** *col.* (obra, ideia) copiar, plagiar
fusilero [fusi'lero] *s.m.* fuzileiro
fusión [fu'sjon] *s.f.* fusão ♦ **fusión nuclear** fusão nuclear
fusionar [fusjo'nar] *v.* fundir ■ **fusionarse** (empresas) fundir se
fusta ['fusta] *s.f.* chicote*m.* (para cavalos)
fuste ['fuste] *s.m.* **1** fuste **2** *fig.* importância*f.*, relevância*f.*
futbito [fut'βito] *s.m.* futebol de salão, futsal
fútbol ['futβol] *s.m.* futebol; *jugar al fútbol* jogar futebol ♦ **fútbol americano** futebol americano; **fútbol playa** futebol de praia; **fútbol sala** futebol de salão, futsal
futboler|o, -a [futβo'lero] *s.m.,f. col.* doid|o, -a pelo futebol, adept|o, -a do futebol
futbolín [futβo'lin] *s.m.* pebolim, totó
futbolista [futβo'lista] *s.2g.* futebolista
futbolístico [futβo'listiko] *adj.* futebolístico
fútil ['futil] *adj.2g.* fútil, insignificante
futilidad [futili'ðað] *s.f.* futilidade
futón [fu'ton] *s.m.* futon, edredom
futurismo [futu'rizmo] *s.m.* futurismo
futurista [futu'rista] *adj.,s.2g.* futurista
futur|o, -a [fu'turo] *s.m.,f. col.* noiv|o, -a ■ *adj.* futuro, vindouro ■ **futuro** *s.m.* **1** futuro, porvir **2** LING. futuro ♦ (pessoa) **con futuro** com futuro; (pessoa, projeto) **tener futuro** ter futuro; prometer

G

g ['xe] *s.f.* (letra) g*m.*
gabán [ga'βan] *s.m.* sobretudo
gabardina [gaβar'ðina] *s.f.* **1** *(impermeable)* gabardina, impermeável*m.* **2** (tecido) gabardina ♦ (marisco, peixe) **a la gabardina** empanado
gabinete [gaβi'nete] *s.m.* **1** (profissional, professor) gabinete **2** *(despacho)* escritório, gabinete **3** (médico) consultório **4** POL. ministério, gabinete ministerial
gacela [ga'θela] *s.f.* gazela
gaceta [ga'θeta] *s.f.* (publicação) gazeta ♦ *col.* **mentir más que la gaceta** mentir muito
gacha ['gatʃa] *s.f.* *(masa blanda)* papa ▪ **gachas** *s.f.pl.* papas*pl.* (de farinha, água e sal, etc.)
gacho ['gatʃo] *adj.* baixo; *con las orejas gachas* de orelha(s) baixa(s) ♦ **a gachas** de gatas
gafas ['gafas] *s.f.pl.* **1** óculos*m. pl.*; *gafas de sol* óculos escuros/de sol; *gafas graduadas* óculos de grau; *llevar gafas* usar óculos **2** (proteção) óculos*m. pl.*; máscara; *gafas de bucear* máscara/óculos de mergulho; *gafas de natación* óculos de natação
gafe ['gafe] *adj.2g. col.* (pessoa) azarento, azarado
gafotas [ga'fotas] *s.2g.2n. col., pej.* (pessoa) quatro-olhos
gagá [ga'γa] *adj.2g. col.* chocho
gaita ['gajta] *s.f.* **1** gaita de foles **2** *col.* chatice, maçada, seca ♦ *col.* **templar gaitas** colocar panos quentes
gajes ['gaxes] ♦ *irôn.* **gajes del oficio** ossos do ofício
gajo ['gaxo] *s.m.* **1** (laranja, tangerina) gomo **2** (uva, cereja) cacho
gala ['gala] *s.f.* gala; *cena de gala* jantar de gala ▪ **galas** *s.f.pl.* gala, trajes*m. pl.* de gala ♦ **de gala** de gala; **hacer gala de 1** gabar-se de **2** fazer jus a
galáctico [ga'laktiko] *adj.* galáctico
galaico [ga'lajko] *adj.* galaico
galaicoportugués [galajkoportu'γes] *adj.,s.m.* ⇒ **gallegoportugués**
galán [ga'lan] *s.m.* galã ♦ (móvel) **galán de noche** cabide
galante [ga'lante] *adj.2g.* galante
galanteo [galan'teo] *s.m.* galanteio
galantería [galante'ria] *s.f.* **1** galantaria **2** *(piropo)* cantada*f.*, galanteio*m.*, piropo*m.*
galantina [galan'tina] *s.f.* CUL. galantina
galanura [gala'nura] *s.f.* graciosidade, elegância; *moverse con galanura* mover se com graciosidade
galápago [ga'lapaγo] *s.m.* cágado
galardón [galar'ðon] *s.m.* galardão; prêmio; recompensa*f.*
galardonar [galarðo'nar] *v.* galardoar; premiar; recompensar
galaxia [ga'laksja] *s.f.* galáxia
galbana [gal'βana] *s.f. col.* moleza, preguiça
galeón [gale'on] *s.m.* galeão
galera [ga'lera] *s.f.* NÁUT. galé, galera ▪ **galeras** *s.f.pl.* HIST. galés*pl.*
galería [gale'ria] *s.f.* **1** galeria **2** (sala de espetáculos) galeria, tribuna ▪ **galerías** *s.f.pl.* galerias*pl.*, centro*m.* comercial ♦ **galería de arte** galeria de arte
galerista [gale'rista] *s.2g.* galerista
gal|és, -esa [ga'les] *adj.,s.m.,f.* gal|ês, -esa ▪ **galés** *s.m.* (língua) galês
galgo ['galγo] *s.m.* (cão) galgo
Galicia [ga'liθja] *s.f.* Galiza
galicismo [gali'θizmo] *s.m.* galicismo, francesismo
gálico ['galiko] *adj.* gálico
galio ['galjo] *s.m.* QUÍM. gálio
gallar [ga'ʎar] *v.* (galinha) galar
gallardete [gaʎar'ðete] *s.m.* galhardete
gallardía [gaʎar'ðia] *s.f.* galhardia
gallardo [ga'ʎarðo] *adj.* galhardo
gallear [gaʎe'ar] *v.* **1** (galinha) galar **2** *col.* armar-se
galleg|o, -a [ga'ʎeγo] *adj.,s.m.,f.* galeg|o, -a ▪ **gallego** *s.m.* (língua) galego
gallegoportugués [gaʎeγoportu'γes] *adj.* galaico-português, galego português ▪ *s.m.* (língua) galaico-português, galego-português
galleguismo [gaʎe'γizmo] *s.m.* galeguismo
galleta [ga'ʎeta] *s.f.* **1** bolacha; biscoito*m.* **2** *col.* chapada, bofetada **3** *col.* cacetada; encontrão*m.*
gallina [ga'ʎina] *s.f.* galinha; *gallina clueca* galinha choca ▪ *s.2g. col.* (pessoa) covarde, bunda mole*col., pej.* ♦ *col.* **acostarse con las gallinas** deitar-se com as galinhas; *col.* **como gallina en corral ajeno** como peixe fora d'água; (jogo infantil) **gallina/gallinita ciega** cabra-cega; *col.* **la gallina de los huevos de oro** a galinha dos ovos de ouro
gallináceo [gaʎi'naθeo] *adj.* galináceo
gallinero [gaʎi'nero] *s.m.* **1** galinheiro, capoeira*f.* **2** *col.* (sala de espetáculos) galinheiro, poleiro*m.*, geral
gallineta [gaʎi'neta] *s.f.* galinhola
gallinita [gaʎi'nita] *s.f.* galinha pequena ♦ (jogo) **gallinita ciega** cabra-cega
gallito [ga'ʎito] *s.m. col.* pavão*fig.*, gabola*2g.*
gallo ['gaʎo] *s.m.* **1** (ave) galo **2** (peixe) areeiro **3** *col.* (canto, fala) fífia*f.* ♦ *col.* **bajar el gallo** baixar a crista; **gallo de pelea** galo de briga; **en menos que canta un gallo** enquanto o diabo esfrega um olho; num abrir e fechar de olhos; *col.* **otro gallo cantaría** outro galo cantaria
gal|o, -a ['galo] *adj.,s.m.,f.* gaul|ês, -esa ▪ **galo** *s.m.* (língua) gaulês
galón [ga'lon] *s.m.* **1** MIL. galão **2** (medida) galão

galopante [galo'pan̪te] *adj.2g.* galopante
galopar [galo'par] *v.* galopar
galope [ga'lope] *s.m.* galope
galvánico [gal'βaniko] *adj.* galvânico
galvanismo [galβa'nizmo] *s.m.* galvanismo
galvanización [galβaniθa'θjon] *s.f.* galvanização
gama ['gama] *s.f.* **1** (cores, tons) gama, gradação, escala **2** (modelo, produto) gama, série
gamba ['gamba] *s.f.* gamba; camarão*m.* (graúdo) ♦ *col.* **meter la gamba** dar mancada
gamberrada [gambe'raδa] *s.f.* patifaria, vandalismo*m.*
gamberrismo [gambe'rizmo] *s.m.* vandalismo
gamberr|o, -a [gam'bero] *adj.,s.m.,f.* vândal|o, -a
gamella [ga'meʎa] *s.f.* gamela
gameto [ga'meto] *s.m.* gameta
gamma ['gamma] *s.f.* (letra grega) gama*m.*
gamo ['gamo] *s.m.* gamo
gamuza [ga'muθa] *s.f.* **1** ZOOL. camurça **2** (limpeza) pano*m.*
gana ['gana] *s.f.* **1** *(deseo)* vontade, gana; *no me da la gana* não tenho vontade; *tener ganas de* ter vontade de **2** (comida) apetite*m.*, fome ♦ *col.* **con ganas** muito; *col.* **dar la (real) gana** dar muita vontade; **hacer lo que le da la gana** fazer o que lhe apetecer; **quedarse con las ganas** ficar a ver navios
ganadería [ganaδe'ria] *s.f.* **1** pecuária, criação de gado **2** *(ganado)* gado*m.*
ganader|o, -a [gana'δero] *s.m.,f.* criador, -a de gado ■ *adj.* pecuário
ganado [ga'naδo] *s.m.* **1** gado **2** *pej.* (pessoas) "fauna"*f.*
ganador, -a [gana'δor] *adj.,s.m.,f.* vencedor, -a
ganancia [ga'nan̪θja] *s.f.* lucro*m.*, ganho*m.* ♦ **no arrendarle la ganancia** não lhe invejar a sorte
ganancial [ganan̪'θjal] *adj.2g.* lucrativo ♦ **bienes gananciales** bens adquiridos
ganapán [gana'pan] *s.m. col., pej.* grosseiro, bruto
ganar [ga'nar] *v.* **1** ganhar **2** melhorar, progredir ■ **ganarse 1** ganhar; *ganarse la vida* ganhar a vida **2** conquistar; *se ha ganado el respeto de todos* conquistou o respeito de todos ♦ **salir ganando** sair ganhando
ganchillo [gan̪'tʃiʎo] *s.m.* **1** agulha*f.* de crochê **2** crochê; *hacer ganchillo* fazer crochê
gancho ['gan̪tʃo] *s.m.* **1** gancho **2** (boxe) gancho **3** (basquetebol) afundanço **4** *col.* (negócio) engodo, isca*f.* **5** *col.* charme, encanto; *tener gancho* ter charme
gandul, -a [gan̪'dul] *adj.,s.m.,f. col.* preguiços|o, -a, pamonha*2g.*
gandulería [gan̪dule'ria] *s.f.* vadiagem, preguiça
gang ['gaŋ(g)] *s.m.* gangue*f.*, gang*f.*, bando
ganga ['gaŋga] *s.f. col.* pechincha, achado*m.*
ganglio ['gaŋgljo] *s.m.* gânglio
gangoso [gaŋ'goso] *adj.* fanhoso, roufenho
gangrena [gaŋ'grena] *s.f.* gangrena
gángster ['ganster] *s.m.* gângster
gans|o, -a ['ganso] *s.m.,f.* gans|o, -a ♦ **hacer el ganso** fazer/dizer palhaçadas
ganzúa [gaṇ'θua] *s.f.* gazua
gañido [ga'ɲiδo] *s.m.* ganido
gañote [ga'ɲote] *s.m. col.* goela
garabatear [garaβate'ar] *v.* gatafunhar, rabiscar, garatujar
garabato [gara'βato] *s.m.* gatafunho, rabisco, garatuja*f.*
garaje [ga'raxe] *s.m.* (lugar, oficina) garagem*f.*
garante [ga'ran̪te] *s.2g.* garante, avalista, fiador, -a*m.f.*
garantía [garan̪'tia] *s.f.* **1** *(seguridad)* garantia, certeza, segurança **2** (prazo de validade, documento) garantia; *estar en garantía* estar na garantia; *tener garantía* ter garantia **3** *(fianza)* garantia, fiança, caução
garantizar [garan̪ti'θar] *v.* **1** garantir, assegurar **2** DIR. abonar, outorgar
garañón [gara'ɲon] *s.m.* [AM.C., MÉX.] garanhão
garbanzo [gar'βan̪θo] *s.m.* grão de bico ♦ *col.* **buscarse los garbanzos** ganhar a vida; (pessoa) **garbanzo negro** ovelha*f.* negra
garbeo [gar'βeo] *s.m. col.* volta*f.*, giro; *dar un garbeo* dar uma volta
garbo ['garβo] *s.m.* garbo
garçon [gar'son] ♦ (cabelo) **a lo/la garçon** joãozinho
garfio ['garfjo] *s.m.* gancho
gargajo [gar'γaxo] *s.m.* escarro, expectoração*f.*
garganta [gar'γan̪ta] *s.f.* **1** ANAT. garganta; *me duele la garganta* estou com dor de garganta **2** GEOG. garganta, desfiladeiro*m.* ♦ *col.* **tener a alguien atravesado en la garganta** ter alguém atravessado na garganta
gargantilla [garγan̪'tiʎa] *s.f.* gargantilha
gárgara ['garγara] *s.f.* gargarejo*m.*; *hacer gárgaras* gargarejar ♦ *col.* **mandar a hacer gárgaras** mandar pentear macacos, mandar plantar batatas
gargarismo [garγa'rizmo] *s.m.* gargarejo; *hacer gargarismos* gargarejar
gárgola ['garγola] *s.f.* gárgula
garita [ga'rita] *s.f.* guarita
garlito [gar'lito] *s.m. col.* esparrela*f.*, armação*f.*, armadilha*f.*; *caer en el garlito* cair na esparrela/armadilha ♦ **coger en el garlito** pegar com a boca na botija, pegar em flagrante
garra ['gara] *s.f.* garra ♦ **caer en las garras de alguien** cair nas garras de alguém; **tener garra** ter garra
garrafa [ga'rafa] *s.f.* **1** garrafão*m.* **2** [AM.] botija
garrafal [gara'fal] *adj.2g.* (erro, falta) crasso
garrafón [gara'fon] *s.m.* garrafão
garrapata [gara'pata] *s.f.* carraça, carrapato*m.*
garrapato [gara'pato] *s.m.* gatafunho, rabisco, garatuja*f.*
garrido [ga'riδo] *adj.* garrido, elegante, janota
garrotazo [garo'taθo] *s.m.* cacetada*f.*; paulada*f.*
garrote [ga'rote] *s.m.* **1** *(palo)* cacete, bastão **2** (tortura) garrote

garza ['garθa] *s.f.* garça ♦ **garza real** garça-real
gas ['gas] *s.m.* **1** gás; *gas butano* gás butano; *gas ciudad* gás de rua, encanado; *gas lacrimógeno* gás lacrimogêneo; *gas natural* gás natural; *bombona de gas* botijão de gás **2** *fig.* gás, energia*f.* ■ *s.m.pl.* gases ♦ **a todo gas** a todo o gás
gasa ['gasa] *s.f.* gaze
gaseosa [gase'osa] *s.f.* (bebida) gasosa, refrigerante
gaseoso [gase'oso] *adj.* **1** gasoso **2** (bebida) gaseificado, com gás
gasificación [gasifika'θjon] *s.f.* gaseificação
gasoducto [gaso'ðukto] *s.m.* gasoduto
gasoil [ga'sojl] *s.m.* ⇒ **gasóleo**
gasóleo [ga'soleo] *s.m.* óleo diesel
gasolina [gaso'lina] *s.f.* gasolina; *gasolina sin plomo* gasolina sem chumbo
gasolinera [gasoli'nera] *s.f.* **1** bomba de gasolina **2** posto de gasolina*m.*
gasoliner|o, -a [gasoli'nero] *s.m.,f.* frentista*2g.*
gastado [gas'taðo] *adj.* **1** (roupa, calçado) gasto, coçado **2** *(acabado)* gasto, consumido **3** (pessoa) abatido, acabado **4** (assunto, tema) batido, conhecido **5** (pessoa, grupo) queimado, desacreditado
gastar [gas'tar] *v.* **1** (dinheiro) gastar, despender **2** (energia, combustível) gastar, consumir **3** (roupa, calçado) usar (habitualmente); *¿qué talla gastas?* que tamanho você usa? ♦ **gastar bromas** pregar peças; fazer brincadeiras; **gastar mal genio** ter gênio forte, ser genioso; *col.* **gastarlas** comportar-se de determinada forma, atuar, proceder
gástrico ['gastriko] *adj.* gástrico
gastritis [gas'tritis] *s.f.2n.* gastrite
gastroenteritis [gastroente'ritis] *s.f.2n.* gastrenterite
gastroenterología [gastroenterolo'xia] *s.f.* gastrenterologia
gastroenterólog|o, -a [gastroente'roloγo] *s.m.,f.* gastrenterologista*2g.*
gastrointestinal [gastrointesti'nal] *adj.2g.* gastrintestinal
gastronomía [gastrono'mia] *s.f.* gastronomia
gastronómico [gastro'nomiko] *adj.* gastronômico
gastrónom|o, -a [gas'tronomo] *s.m.,f.* gastrônom|o, -a
gatear [gate'ar] *v.* **1** engatinhar, andar de gatas **2** trepar (como os gatos), subir
gatillo [ga'tiʎo] *s.m.* (arma) gatilho; *apretar el gatillo* puxar o gatilho
gat|o, -a ['gato] *s.m.,f.* gat|o, -a ■ **gato** *s.m.* MEC. macaco ♦ *col.* **¡aquí hay gato encerrado!** neste mato tem coelho!; **cuatro gatos** quatro gatos-pingados; *col.* **dar gato por liebre** vender gato por lebre; **gato escaldado del agua fría huye** gato escaldado tem medo de água fria
gaveta [ga'βeta] *s.f.* gaveta (de certos móveis)
gavia ['gaβja] *s.f.* gávea
gavilán [gaβi'lan] *s.m.* gavião
gavilla [ga'βiʎa] *s.f.* **1** feixe*m.*, molho*m.* **2** (de pessoas) cambada, corja*pej.*
gaviota [ga'βjota] *s.f.* gaivota
gay ['gej] *adj.,s.m. col.* gay*2g.*, homossexual*2g.*
gayo ['gajo] *adj. lit.* gaio, alegre
gazapo [ga'θapo] *s.m.* **1** (coelho) caçapo, láparo **2** *col.* erro, gafe*f.* **3** *col.* peta*f.*, mentira*f.*
gaznate [gaθ'nate] *s.m. col.* goela
gazpacho [gaθ'patʃo] *s.m.* gaspacho
géiser ['xejser] *s.m.* gêiser
geisha ['xejsa] *s.f.* gueixa
gel ['xel] *s.m.* gel; *gel de baño* sabonete líquido para banho
gelatina [xela'tina] *s.f.* gelatina
gelatinoso [xelati'noso] *adj.* gelatinoso
gélido ['xeliðo] *adj.* gélido, gelado
gema ['xema] *s.f.* gema, pedra preciosa
gemel|o, -a [xe'melo] *s.m.,f.* gême|o, -a ■ *adj.* **1** (pessoa) gêmeo; *hermanos gemelos* irmãos gêmeos **2** *(idéntico)* gêmeo, idêntico ■ **gemelo** *s.m.* **1** (camisa) botão de punho **2** (músculo) gêmeo ■ **gemelos** *s.m.pl.* binóculos
gemido [xe'miðo] *s.m.* gemido
geminación [gemina'θjon] *s.f.* geminação
geminado [xemi'naðo] *adj.* geminado
géminis ['xeminis] *s.2g.2n.* ASTROL. geminian|o, -a*m.f.*
Géminis ['xeminis] *s.m.2n.* ASTROL., ASTRON. Gêmeos
gemir [xe'mir] *v.* gemer
gen ['xen] *s.m.* gene
genealogía [xenealo'xia] *s.f.* genealogia
genealógico [xenea'loxiko] *adj.* genealógico
generación [xenera'θjon] *s.f.* geração ♦ **de generación en generación** de geração em geração; (aparelho, máquina, modelo) **de tercera generación** da terceira geração; **generación de la posguerra** geração do pós-guerra; **generación espontánea** geração espontânea
generacional [xeneraθjo'nal] *adj.2g.* geracional; *conflictos generacionales* conflitos de gerações
generador, -a [xenera'ðor] *adj.,s.m.,f.* gerador, -a ■ **generador** *s.m.* ELETR. gerador
general [xene'ral] *adj.2g.* geral; *cultura general* cultura geral; *ensayo general* ensaio geral; *opinión general* opinião geral ■ *s.m.* MIL. general ♦ **en general** em geral; **por lo general** de modo geral
generalidad [xenerali'ðað] *s.f.* generalidade
Generalitat [xenerali'tat] *s.f.* [governo autônomo catalão e valenciano]
generalización [xeneraliθa'θjon] *s.f.* generalização
generalizar [xenerali'θar] *v.* generalizar, propagar ■ **generalizarse** generalizar-se, propagar se
generalmente [xeneral'mente] *adv.* geralmente
generar [xene'rar] *v.* gerar
generativo [xenera'tiβo] *adj.* generativo
genéricamente [xenerika'mente] *adv.* genericamente, em geral
genérico [xe'neriko] *adj.* **1** genérico; FARM. *medicamentos genéricos* medicamentos genéricos **2** LING. de gênero ■ *s.m.* FARM. genérico

género ['xenero] *s.m.* **1** *(tipo)* gênero, tipo, classe*f.* **2** BIOL. gênero **3** LIT. gênero; ***género literario*** gênero literário **4** *(tela)* tecido **5** *(mercancía)* mercadoria*f.* **6** LING. gênero; ***género femenino/masculino*** gênero feminino/masculino ■ **géneros** *s.m.pl.* (produto) gêneros; artigos; ***géneros alimenticios*** gêneros alimentícios; ***géneros de punto*** artigos de malha

generosidad [xenerosi'ðað] *s.f.* generosidade

generoso [xene'roso] *adj.* generoso

génesis ['xenesis] *s.f.2n.* gênese, origem

genética [xe'netika] *s.f.* genética

genético [xe'netiko] *adj.* genético

genial [xe'njal] *adj.2g.* **1** genial **2** *fig.* genial, excelente, formidável ■ *adv.* muito bem

genialidad [xenjali'ðað] *s.f.* genialidade

genio ['xenjo] *s.m.* **1** *(índole)* gênio, índole*f.*, disposição*f.* **2** *(carácter)* gênio, caráter, temperamento; ***tener mal genio*** ter mau gênio/caráter **3** (contos, lendas) gênio, divindade*f.*; ***el genio de la lámpara*** o gênio da lâmpada **4** *fig.* gênio ♦ **estar de mal genio** estar de mau humor

genital [xeni'tal] *adj.2g.* genital; ***órganos genitales*** órgãos genitais

genitivo [xeni'tiβo] *adj.,s.m.* LING. genitivo

genocidio [xeno'θiðjo] *s.m.* genocídio

genoma [xe'noma] *s.m.* genoma

genotipo [xeno'tipo] *s.m.* BIOL. genótipo

gente ['xen̪te] *s.f.* **1** (número indeterminado) gente **2** (humanidade) pessoas*pl.* **3** (conjunto de habitantes) povo*m.*, pessoas*pl.* ♦ **buena gente** boa gente; **gente de bien** gente de bem; *col.* **gente guapa** jet-set, pessoas da alta sociedade; *col.* **gente menuda** criançada

gentecilla [xen̪te'θiʎa] *s.f. pej.* gentinha

gentil [xen̪'til] *adj.2g.* **1** *(amable)* gentil, amável **2** *(apuesto)* elegante, bonito, gracioso ■ *s.2g.* genti|o, -a*m.f.*

gentileza [xen̪ti'leθa] *s.f.* **1** *(amabilidad)* gentileza, amabilidade, cortesia **2** *(gracia)* graça, elegância, gentileza

gentilicio [xen̪ti'liθjo] *adj.,s.m.* gentílico

gentílico [xen̪'tiliko] *adj.* gentílico (dos gentios)

gentío [xen̪'tio] *s.m.* multidão*f.*

gentleman ['dʒen̪telman] *s.m.* cavalheiro, gentleman

gentuza [xen̪'tuθa] *s.f. pej.* gentalha, ralé

genuflexión [xenuflek'sjon] *s.f.* genuflexão

genuino [xe'nwino] *adj.* genuíno, puro

GEO ['xeo] (*sigla de* Grupo Especial de Operaciones del Cuerpo Nacional de Policía) polícia de intervenção/choque

geo ['xeo] *s.2g.* agente de polícia do GEO; polícia de intervenção/choque

geofísica [xeo'fisika] *s.f.* geofísica

geografía [xeoɣra'fia] *s.f.* geografia

geográfico [xeo'ɣrafiko] *adj.* geográfico

geógraf|o, -a [xe'oɣrafo] *s.m.,f.* geógraf|o, -a

geología [xeolo'xia] *s.f.* geologia

geológico [xeo'loxiko] *adj.* geológico

geólog|o, -a [xe'oloɣo] *s.m.,f.* geólog|o, -a

geómetra [xe'ometra] *s.2g.* geômetra

geometría [xeome'tria] *s.f.* geometria

geométrico [xeo'metriko] *adj.* geométrico

geopolítica [xeopo'litika] *s.f.* geopolítica

geopolítico [xeopo'litiko] *adj.* geopolítico

geranio [xe'ranjo] *s.m.* gerânio*m.*

gerencia [xer'en̪θja] *s.f.* gerência

gerente [xe'ren̪te] *s.2g.* gerente

geriatra [xe'rjatra] *s.2g.* geriatra

geriatría [xerja'tria] *s.f.* geriatria

geriátrico [xe'rjatriko] *adj.* geriátrico ■ *s.m.* lar da terceira idade, asilo

germánico [xer'maniko] *adj.* germânico ■ *s.m.* germânico

germanio [xer'manjo] *s.m.* QUÍM. germânio

germanismo [xerma'nizmo] *s.m.* germanismo

germanista [xerma'nista] *s.2g.* germanista

germen ['xermen] *s.m.* germe, gérmen

germicida [xermi'θiða] *adj.2g.,s.m.* germicida

germinación [xermina'θjon] *s.f.* germinação

germinar [xermi'nar] *v.* **1** (semente, planta) germinar, brotar, grelar **2** *lit.* (ideia) germinar, desenvolver

gerundio [xe'run̪djo] *s.m.* gerúndio

gerundivo [xerun̪'diβo] *s.m.* gerundivo

gesta ['xesta] *s.f.* façanha, gesta

gestación [xesta'θjon] *s.f.* **1** *(embarazo)* gestação, gravidez **2** *fig.* gestação, preparação, elaboração; ***estar en gestación*** estar em preparação, quase pronto

gesticulación [xestikula'θjon] *s.f.* gesticulação

gesticular [xestiku'lar] *v.* gesticular

gestión [xes'tjon] *s.f.* **1** (instituição, recursos) gestão, administração **2** (processo, tarefa) medida, diligência

gestionar [xestjo'nar] *v.* **1** (instituição, recursos) gerir, administrar **2** (medidas, iniciativas) diligenciar, preparar

gesto ['xesto] *s.m.* **1** (mão, corpo) gesto; ***gesto de cabeza*** aceno/gesto de cabeça **2** *(mueca)* careta*f.*, trejeito, esgar **3** *(actitud)* gesto, atitude*f.*

gestor, -a [xes'tor] *s.m.,f.* gestor, -a

gestoría [xesto'ria] *s.f.* consultoria administrativa

gestual [xes'twal] *adj.2g.* gestual

ghetto ['geto] *s.m.* ⇒ **gueto**

giba ['xiβa] *s.f.* **1** *(joroba)* corcunda, corcova, giba **2** (camelo, dromedário) bossa

gibos|o, -a ['xiβoso] *adj.,s.m.,f.* corcunda*2g.*

gigabyte [xiɣa'βajt] *s.m.* gigabyte

gigante [xi'ɣan̪te] *adj.2g.* gigante, gigantesco, enorme ■ *s.m.* gigante

gigantesco [xiɣan̪'tesko] *adj.* gigantesco

gigoló [ɟiɣo'lo] *s.m.* gigolô

gilí [xi'li] *adj.,s.2g. col., pej.* ⇒ **gilipollas**

gilipollas [xili'poʎas] *adj.,s.2g.2n. col., pej.* (insulto) palerma, babaca

gilipollez [xilipo'ʎeθ] *s.f.* tolice, disparate*m.*, estupidez

gimnasia [xim'nasja] *s.f.* ginástica; ***gimnasia artística*** ginástica artística; ***gimnasia de mantenimiento*** ginástica de manutenção; ***gimnasia deportiva*** ginástica olímpica; *gimnasia rítmica* ginástica rítmica; *hacer gimnasia* fazer ginástica

gimnasio [xim'nasjo] *s.m.* **1** ginásio **2** academia*f.*

gimnasta [xim'nasta] *s.2g.* ginasta

gimnástico [xim'nastiko] *adj.* ginástico, de ginástica; *ejercicios gimnásticos* exercícios de ginástica

gin ['jin] *s.m.* ⇒ **ginebra**

ginebra [xi'neβra] *s.f.* gim*m.*, genebra

gineceo [xine'θeo] *s.m.* gineceu

ginecología [xinekolo'xia] *s.f.* ginecologia

ginecológico [xineko'loxiko] *adj.* ginecológico

ginecólog|o, -a [xine'koloγo] *s.m.,f.* ginecologista*2g.*

ginseng ['jinsen] *s.m.* ginseng

gin tonic [jin'tonik] *s.m.* gim-tônica*2g.*

gira ['xira] *s.f.* **1** (artística) tour, turnê **2** (turística) viagem; excursão; passeio*m.*

giradiscos [xira'ðiskos] *s.m.2n.* *(plato)* toca-discos

girar [xi'rar] *v.* **1** *(dar vueltas)* girar, rodar **2** (direção) virar, desviar **3** (quantia) enviar (por correio), expedir **4** (tema, conversa) girar; *girar en torno a* girar em torno de **5** (cheque, letra de câmbio) emitir, passar ■ **girarse** voltar-se, virar-se

girasol [xira'sol] *s.m.* girassol

giratorio [xira'torjo] *adj.* giratório

giro ['xiro] *s.m.* **1** *(vuelta)* giro, volta*f.* **2** *(rotación)* giro, rotação*f.*; *giro de un astro* rotação de um astro **3** (direção) viragem*f.* **4** (assunto, conversa) volta*f.*, revira-volta*f.* **5** (dinheiro) transferência*f.*; *giro bancario* transferência bancária **6** LING. expressão*f.* ♦ **giro postal** vale postal

gitanada [xita'naða] *s.f.* **1** (pessoas) ciganada **2** *pej.* canalhice

gitanería [xitane'ria] *s.f.* ciganada, ciganagem

gitan|o, -a [xi'tano] *adj.,s.m.,f.* cigan|o, -a

glacial [gla'θjal] *adj.2g.* **1** glacial, gélido, gelado **2** *fig.* insensível, indiferente, glacial

glaciar [gla'θjar] *s.m.* glaciar, geleira*f.*

gladiador [glaðja'ðor] *s.m.* gladiador

glamour [gla'mur] *s.m.* glamour, encanto, charme

glamouroso [glamu'roso] *adj.* glamoroso, encantador

glande ['glande] *s.m.* glande*f.*

glándula ['glandula] *s.f.* glândula

glandular [glandu'lar] *adj.2g.* glandular

glasé [gla'se] *s.m.* tafetá (com muito brilho)

glauco ['glawko] *adj.* (cor) glauco, verde claro

glaucoma [glaw'koma] *s.m.* glaucoma

glicerina [gliθe'rina] *s.f.* glicerina

glicinia [gli'θinja] *s.f.* glicínia

global [glo'βal] *adj.2g.* global

globalidad [gloβali'ðað] *s.f.* globalidade

globalización [gloβaliθa'θjon] *s.f.* globalização

globo ['gloβo] *s.m.* **1** (inflável) balão **2** *(esfera)* globo **3** (veículo) balão; *globo aerostático* balão; *globo dirigible* dirigível; *globo sonda* sonda **4** (abajur) quebra-luz **5** (história em quadrinhos) balão **6** *col.* mentira*f.* ♦ **globo ocular** globo ocular; **globo terráqueo/terrestre** globo terrestre

globular [gloβu'lar] *adj.2g.* globular

glóbulo ['gloβulo] *s.m.* glóbulo ♦ **glóbulo blanco** glóbulo branco, leucócito; **glóbulo rojo** glóbulo vermelho, eritrócito

gloria ['glorja] *s.f.* **1** *(bienaventuranza)* glória, bem-aventurança **2** *(fama)* glória, fama **3** *(esplendor)* glória, esplendor*m.* **4** *(placer)* prazer*m.*, gosto*m.*; *dar gloria* dar gosto ♦ *col.* **estar en la gloria** estar no sétimo céu, estar em estado de graça; (ao falar de pessoa falecida) **que en gloria esté** que Deus o/a tenha; *col.* **saber a gloria** saber-lhe pela vida

glorificación [glorifika'θjon] *s.f.* glorificação

glorioso [glo'rjoso] *adj.* glorioso, honroso

glosa ['glosa] *s.f.* **1** (texto) glosa, anotação; explicação; comentário*m.* **2** LIT. glosa

glosario [glo'sarjo] *s.m.* glossário

glotis ['glotis] *s.f.2n.* glote

glot|ón, -ona [glo'ton] *adj.,s.m.,f.* glut|ão, -ona, comil|ão, -ona

glotonería [glotone'ria] *s.f.* gulodice, gula

glucemia [glu'θemja] *s.f.* glicemia

glúcido ['gluθiðo] *s.m.* glícido

glucosa [glu'kosa] *s.f.* glicose

gluten ['gluten] *s.m.* glúten

glúteo ['gluteo] *s.m.* glúteo

gnomo ['nomo] *s.m.* gnomo

gobernación [goβerna'θjon] *s.f.* **1** (estado, país) governação, governo*m.* **2** (veículo) condução, direção

gobernador, -a [goβerna'ðor] *s.m.,f.* governador, -a

gobernanta [goβer'nanta] *s.f.* **1** (de hotel) gerente*2g.* **2** (de casa) governanta

gobernante [goβer'nante] *s.2g.* governante

gobernar [goβer'nar] *v.* **1** governar **2** (pessoa) guiar, orientar **3** (embarcação, veículo) dirigir, conduzir ■ **gobernarse** **1** governar-se **2** (pessoa) guiar-se, orientar se

gobierno [go'βjerno] *s.m.* governo ♦ **gobierno civil** governo civil; **gobierno en la sombra** governo-fantasma; **servir de gobierno** servir de lição

goce ['goθe] *s.m.* gozo, prazer, fruição*f.*

gol ['gol] *s.m.* gol; *marcar un gol* fazer/marcar um gol ♦ *col.* **meter un gol a alguien** passar a perna em alguém

goleada [gole'aða] *s.f.* goleada

goleador, -a [golea'ðor] *s.m.,f.* goleador, -a

golear [gole'ar] *v.* golear

golf ['golf] *s.m.* golfe

golfista [gol'fista] *s.2g.* golfista

golf|o, -a ['golfo] *adj.,s.m.,f.* vagabund|o, -a, vadi|o, -a ■ **golfo** *s.m.* golfo

golondrina [golon'drina] *s.f.* andorinha

golondrino [golon'drino] *s.m.* **1** ZOOL. andorinho **2** (axila) furúnculo **3** *fig.* (soldado) desertor

golosina [golo'sina] *s.f.* guloseima, gulodice

goloso [go'loso] *adj.* **1** (pessoa) guloso **2** *(apetecible)* tentador, apetecível

golpe ['golpe] *s.m.* **1** golpe, pancada*f.*; *(puñetazo)* murro **2** (repentinamente) ataque, crise*f.*; *golpe de tos* ataque de tosse **3** (futebol) lance; *golpe franco* tiro livre, tiro direto **4** (dito espontâneo) saída*f.* ♦ *col.* **andar a golpes** fazer à força, na marra; **de golpe y porrazo** de repente; **golpe bajo** golpe baixo; **golpe de Estado** golpe de Estado; **golpe de fortuna/suerte** golpe de sorte; *col.* **no dar/pegar golpe** não trabalhar, vadiar

golpear [golpe'ar] *v.* **1** golpear **2** (porta) bater ■ **golpearse** bater; *se golpeó con la frente en la pared* bateu com a testa na parede

golpeteo [golpe'teo] *s.m.* golpes*pl.* continuados

goma ['goma] *s.f.* **1** (substância) goma **2** (para apagar) borracha; *goma de borrar* borracha **3** (para prender) elástico*m.*; *goma elástica* elástico; *goma para el pelo* elástico de cabelo **4** *(pegamento)* cola **5** *col.* camisinha, preservativo*m.* **6** [AM.] pneu*m.* ♦ **goma de mascar** chiclete

gomina [go'mina] *s.f.* (cabelo) fixador*m.*, gel*m.*

gominola [gomi'nola] *s.f.* (guloseima) goma

góndola ['gondola] *s.f.* gôndola

gong ['goŋ] *s.m.* gongo; tantã

gordinflón [gorðiŋ'flon] *adj. col.* gorducho

gordo ['gorðo] *adj.* **1** (pessoa) gordo **2** *(grueso)* grosso; *sal gorda* sal grosso **3** (assunto, problema) grave ♦ *col.* **caer gordo** não suportar; não ir com a cara; **el gordo** primeiro prêmio da loteria espanhola de final de ano; primeiro prêmio; *col.* **estar; quedarse sin gorda** ficar sem grana, estar duro

gordura [gor'ðura] *s.f.* gordura

gorila [go'rila] *s.m.* **1** gorila **2** *col.* guarda-costas*2g.2n.*

gorjeo [gor'xeo] *s.m.* **1** (criança) chilreio, gorjeio **2** (ave) gorjeio, canto

gorra ['gora] *s.f.* **1** boné*m.* **2** touca ♦ *col.* **de gorra** às custas dos outros; de graça

gorrino [go'rino] *adj. pej.* (pessoa) sujo, porco ■ *s.m.* leitão

gorrión [go'rjon] *s.m.* pardal

gorro ['goro] *s.m.* **1** chapéu, boné **2** gorro **3** (banho) touca*f.*; *gorro de baño* touca de banho ♦ *col.* **estar hasta el gorro** estar de saco cheio

gorr|ón, -a [go'ron] *s.m.,f. col.* parasita*2g.*, aproveitador, -a*m.f.*

gospel ['gospel] *s.m.* gospel

gota ['gota] *s.f.* **1** gota, pinga; *gota de sudor* gota de suor **2** MED. gota ■ **gotas** *s.f.pl.* (medicamento) gotas*pl.* ♦ **gota a gota** gota a gota; **gota fría** massa de ar frio; **ni gota** nem um pingo; **ser la gota que colma el vaso** ser a gota-d'água

gotear [gote'ar] *v.* **1** gotejar, pingar **2** (chuva) pingar, chuviscar

gotera [go'tera] *s.f.* infiltração de água, goteira

gótico ['gotiko] *adj.,s.m.* gótico

gozada [go'θaða] *s.f. col.* maravilha ♦ *col.* **una gozada** o máximo; *la fiesta ha sido una gozada* a festa foi o máximo

gozar [go'θar] *v.* **1** gozar (de, de); *mi abuelo goza de buena salud* o meu avó goza de boa saúde **2** *(sentir placer)* sentir prazer, deliciar se

gozne ['goθne] *s.m.* (porta, janela) dobradiça*f.*, gonzo

gozo ['goθo] *s.m.* **1** *(alegría)* alegria*f.*, satisfação*f.* **2** *(placer)* gozo, prazer

gozoso [go'θoso] *adj.* **1** contente, feliz **2** prazenteiro

grabación [graβa'θjon] *s.f.* gravação

grabado [gra'βaðo] *s.m.* gravura*f.*

grabador, -a [graβa'ðor] *s.m.,f.* gravador, -a

grabadora [graβa'ðora] *s.f.* (aparelho) gravador*m.*

grabar [gra'βar] *v.* **1** (pedra, mármore) gravar **2** (sons, imagens) gravar **3** (memória) gravar, memorizar

gracejo [gra'θexo] *s.m.* graça*f.*, gracejo, chiste

gracia ['graθja] *s.f.* **1** *(atractivo)* graça, encanto*m.*, atrativo*m.* **2** *(chiste)* graça, gracejo*m.*; *tener gracia* ter graça **3** *(perdón)* graça, perdão*m.* **4** *(favor)* graça, mercê ♦ **dar (las) gracias** agradecer; **gracias a** graças a; **hacer gracia a alguien** agradar a alguém; **(muchas) gracias!** (muito) obrigado(a)!

grácil ['graθil] *adj.2g.* grácil

graciosidad [graθjosi'ðað] *s.f.* graciosidade

gracioso [gra'θjoso] *adj.* gracioso, engraçado, divertido ■ *s.m.* personagem*f.* cômica ♦ **lo gracioso es que** o (mais) curioso é que

grada ['graða] *s.f.* **1** *(gradería)* bancada **2** *(peldaño)* degrau*m.* ■ **gradas** *s.f.pl.* arquibancadas*pl.* (de estádio)

gradación [graða'θjon] *s.f.* gradação

gradería [graðe'ria] *s.f.* bancada

graderío [graðe'rio] *s.m.* bancada*f.*

grado ['graðo] *s.m.* **1** *(nivel)* grau **2** (parentesco) grau; *primos en segundo grado* primos em segundo grau **3** (escola) classe*f.* **4** *(disposición)* vontade*f.*, grado; *de buen/mal grado* de boa/má vontade, de bom/mau grado **5** LING. grau; *grado comparativo* grau comparativo **6** GEOM. grau

graduación [graðwa'θjon] *s.f.* **1** regulação **2** (bebida alcoólica) graduação **3** (título acadêmico) graduação **4** MIL. patente

graduad|o, -a [gra'ðwaðo] *s.m.,f.* graduad|o, -a; licenciad|o, -a ■ *adj.* graduado

gradual [gra'ðwal] *adj.2g.* gradual; gradativo

gradualmente [graðwal'mente] *adv.* gradualmente

graduar [gra'ðwar] *v.* **1** regular **2** graduar ■ **graduarse** licenciar-se, graduar-se

graffiti [gra'fiti] *s.m.2n.* grafite

grafía [gra'fia] *s.f.* grafia

gráfico ['grafiko] *s.m.* gráfico

grafismo [gra'fizmo] *s.m.* grafismo

grafito [gra'fito] *s.m.* **1** grafite*f.* **2** *(pintada)* grafito, grafite

grafología [grafolo'xia] *s.f.* grafologia

gragea [gra'xea] *s.f.* drágea ♦ **grageas de chocolate** drágeas de chocolate

grajo ['graxo] *s.m.* gralha*f.*

grama ['grama] *s.f.* grama

gramaje [gra'maxe] *s.m.* gramagem*f.*

gramática [gra'matika] *s.f.* gramática
gramatical [gramati'kal] *adj.2g.* gramatical
gramaticalidad [gramatikali'ðað] *s.f.* gramaticalidade
gramátic|o, -a [gra'matiko] *s.m.,f.* gramátic|o, -a
gramínea [gra'minea] *s.f.* gramínea
gramo ['gramo] *s.m.* grama
gramófono [gra'mofono] *s.m.* gramofone
gran ['gran] *adj.* grande

gran é a forma apocopada de *grande*, usada antes de substantivos no singular: *gran hombre* grande homem; *gran casa* grande casa.

grana ['grana] *s.f.* **1** cochonilha **2** *(semilla)* semente; caroço*m.* **3** (cor) grená*m.*
granada [gra'naða] *s.f.* **1** (fruto) romã **2** (explosivo) granada; ***granada de mano*** granada de mão
Granada [gra'naða] *s.f.* Granada
granadero [grana'ðero] *s.m.* granadeiro
granado [gra'naðo] *s.m.* romãzeira*f.*
granate [gra'nate] *s.m.* **1** granate **2** (cor) grená
Gran Bretaña ['grambre'taɲa] *s.f.* Grã-Bretanha
grande ['grande] *adj.2g.* grande ♦ **a lo grande** em grande estilo; **más grande** maior; *col.* **pasarlo en grande** divertir-se muito; **venir grande** ficar (uma roupa) grande
grandeza [gran'deθa] *s.f.* grandeza
grandiosidad [grandjosi'ðað] *s.f.* grandiosidade
grandioso [gran'djoso] *adj.* grandioso
grandull|ón, -ona [grandu'ʎon] *adj.,s.m.,f. col.* grandalh|ão, -ona
granero [gra'nero] *s.m.* celeiro
granito [gra'nito] *s.m.* granito
granívoro [gra'niβoro] *adj.* granívoro
granizada [grani'θaða] *s.f.* granizada; saraivada
granizar [grani'θar] *v.* cair granizo, granizar; saraivar
granizo [gra'niθo] *s.m.* granizo; saraiva*f.*
granja [granxa] *s.f.* sítio*m.* ♦ **granja avícola** aviário
granjer|o, -a [gran'xero] *s.m.,f.* fazendeir|o, -a, granjeir|o, -a, rendeir|o, -a
grano ['grano] *s.m.* **1** grão; ***grano de arena*** grão de areia **2** (pele) espinha*f.*; ***salir un grano*** aparecer uma espinha ♦ *col.* **ir al grano** ir direto ao assunto; **separar el grano de la paja** separar o joio do trigo
granoso [gra'noso] *adj.* granuloso, granoso
granuja [gra'nuxa] *s.2g. pej.* malandr|o, -a*m.f.*, safad|o, -a*m.f.*
granujada [granu'xaða] *s.f.* velhacaria, patifaria
granujería [granuxe'ria] *s.f.* patifaria, velhacaria
granulado [granu'laðo] *adj.* granulado ■ *s.m.* grânulo
gránulo ['granulo] *s.m.* grânulo
granuloso [granu'loso] *adj.* granuloso
grapa ['grapa] *s.f.* (para papéis, feridas, madeira) grampo*m.*
grapadora [grapa'ðora] *s.f.* grampeador*m.*
grapar [gra'par] *v.* agrafar, grampear
grasa ['grasa] *s.f.* **1** gordura **2** (animal) banha **3** MEC. lubrificante*m.*
grasiento [gra'sjento] *adj.* **1** gorduroso, gordurento **2** (cabelo, pele) oleoso
graso ['graso] *adj.* **1** gordo **2** (cabelo, pele) oleoso
gratificación [gratifika'θjon] *s.f.* gratificação ♦ **gratificación de Navidad** décimo terceiro
gratificante [gratifi'kante] *adj.2g.* gratificante
gratinado [grati'naðo] *s.m.* gratinado
gratinar [grati'nar] *v.* gratinar
gratis ['gratis] *adv.* grátis, de graça ■ *adj.2g.2n.* grátis, gratuito
gratitud [grati'tuð] *s.f.* gratidão, reconhecimento*m.*
grato ['grato] *adj.* agradável, grato; ***me es grato comunicarle que...*** tenho o prazer de lhe comunicar que...
gratuito [gratu'ito] *adj.* gratuito
grava ['graβa] *s.f.* cascalho*m.*
gravamen [gra'βamen] *s.m.* **1** *(carga, obligación)* ônus*2n.*, obrigação*f.* **2** *(impuesto)* imposto
grave ['graβe] *adj.2g.* **1** (assunto, situação) grave; sério; ***enfermedad grave*** doença grave **2** (fisionomia, expressão) grave, sisudo **3** (som, tom, voz) grave **4** (palavra) grave, paroxítono
gravedad [graβe'ðað] *s.f.* **1** *(importancia)* gravidade; ***asunto de extrema gravedad*** assunto de extrema gravidade **2** FÍS. gravidade; ***fuerza de la gravedad*** força da gravidade ♦ **herido de gravedad** gravemente ferido
gravidez [graβi'ðeθ] *s.f.* gravidez
gravilla [gra'βiʎa] *s.f.* cascalho
gravitación [graβita'θjon] *s.f.* FÍS. gravitação
gravitacional [graβitaθjo'nal] *adj.2g.* gravitacional
gravitatorio [graβita'torjo] *adj.* gravítico; ***fuerza gravitatoria*** força gravitacional
gravoso [gra'βoso] *adj.* gravoso, oneroso
graznar [graθ'nar] *v.* (corvo, pato) grasnar; (peru) grugulejar
graznido [graθ'niðo] *s.m.* grasnido
Grecia ['greθja] *s.f.* Grécia
grecolatino [grekola'tino] *adj.* greco-latino
grecorromano [grekoro'mano] *adj.* greco-romano
gregario [gre'ɣarjo] *adj.* gregário ■ *s.m.* [ciclista ao serviço do chefe da equipe ou outro superior]
gregoriano [greɣo'rjano] *adj.* gregoriano
grelo ['grelo] *s.m.* grelo, broto
gremio ['gremjo] *s.m.* grêmio
greña ['greɲa] *s.f.* grenha ♦ *col.* **a la greña** aos tapas
gres ['gres] *s.m.2n.* grés
gresca ['greska] *s.f.* **1** *(jaleo)* zaragata, algazarra, balbúrdia **2** *(riña)* briga, bulha
grey ['grej] *s.f.* grei, rebanho*m.*
grial ['grjal] *s.m.* graal
grieg|o, -a ['grjeɣo] *adj.,s.m.,f.* greg|o, -a ■ **griego** *s.m.* (língua) grego
grieta ['grjeta] *s.f.* **1** greta, racha, fenda, frincha **2** (pele, lábios) greta
grifa ['grifa] *s.f.* marijuana
grifo ['grifo] *s.m.* **1** torneira*f.*; ***abrir/cerrar el grifo*** abrir/fechar a torneira **2** MIT. grifo

grill ['gril] *s.m.* grill

grillo ['griʎo] *s.m.* grilo ▪ **grillos** *s.m.pl.* grilhões

gring|o, -a ['griŋgo] *adj.,s.m.,f. pej.* ianque*2g.*

gripal [gri'pal] *adj.2g.* gripal

gripe ['gripe] *s.f.* gripe; ***coger una gripe*** pegar uma gripe ♦ **gripe de las aves** gripe aviária

griposo [gri'poso] *adj.* gripado

gris ['gris] *adj.,s.m.2n.* cinzento

grisáceo [gri'saθeo] *adj.* **1** (cor) acinzentado **2** (cabelo) grisalho

gritar [gri'tar] *v.* gritar, berrar

griterío [grite'rio] *s.m.* gritaria*f.*

grito ['grito] *s.m.* grito, berro; ***a gritos*** aos gritos ♦ **ser el último grito** ser a última moda

grog ['groγ] *s.m.* (bebida) grogue

grogui ['groγi] *adj.2g. col.* grogue, estonteado, atordoado

grosella [gro'seʎa] *s.f.* groselha; ***jarabe de grosella*** (xarope de) groselha

grosellero [grose'ʎero] *s.m.* groselheira*f.*

grosería [grose'ria] *s.f.* grosseria, descortesia

grosero [gro'sero] *adj.* **1** grosseiro **2** malcriado

grosor [gro'sor] *s.m.* grossura*f.*; espessura*f.*

grotesco [gro'tesko] *adj.* grotesco, ridículo

grúa ['grua] *s.f.* **1** grua, guindaste*m.* **2** (veículo) reboque*m.* (com grua)

gruesa ['grwesa] *s.f.* grosa (doze dúzias)

grueso ['grweso] *adj.* **1** grosso; ANAT. ***intestino grueso*** intestino grosso; ***sal gruesa*** sal grosso **2** (pessoa) gordo ▪ *s.m.* **1** *(grosor)* grossura*f.* **2** *(parte principal)* grosso

grumo ['grumo] *s.m.* grumo

gruñido [gru'ɲiðo] *s.m.* **1** grunhido **2** (cão) rosnada*f.*

gruñir [gru'ɲir] *v.* **1** (porco, javali) grunhir **2** (cão) rosnar **3** *fig.* (pessoa) resmungar, grunhir

gruñ|ón, -ona [gru'ɲon] *adj.,s.m.,f. col.* resmung|ão, -ona, rabugent|o, -a

grupa ['grupa] *s.f.* garupa

grupo ['grupo] *s.m.* grupo ♦ **grupo de presión** grupo de pressão; **grupo sanguíneo** grupo sanguíneo

gruta ['gruta] *s.f.* gruta, caverna

gua ['gwa] *s.m.* **1** (jogo) gude **2** *(hoyo)* buraco (do jogo de bola de gude)

guacamayo [gwaka'majo] *s.m.* arara*f.*

guachimán [gwatʃi'man] *s.m.* [AM.] guarda*2g.*, vigia*2g.*

guagua ['gwaγwa] *s.f.* [AM.] ônibus*m.2n.*

guantada [gwan̪'taða] *s.f.* ⇒ **guantazo**

guantazo [gwan̪'taθo] *s.m.* bofetada*f.*, estalada*f.*

guante ['gwan̪te] *s.m.* luva*f.*; ***guantes de boxeo*** luvas de boxe; ***guantes de goma/lana/piel*** luvas de borracha/lã/pele ♦ **arrojar el guante** atirar a luva; *col.* **estar como un guante** estar manso como um cordeirinho; *col.* **sentar como un guante** cair como uma luva

guantera [gwan̪'tera] *s.f.* (automóvel) porta-luvas*m.2n.*

guaperas [gwa'peras] *adj.2g.2n. col.* bonitão, elegante, bem apessoado

guapetón [gwape'ton] *adj. col.* bonito, lindo, belo

guapo ['gwapo] *adj.* **1** (pessoas) bonito **2** imprudente **3** (carinhoso) querido, lindinho; ***anda, guapa, hazme ese favor*** vá lá, linda, faça-me esse favor **3** *col.* legal

guaraní [gwara'ni] *s.m.* guarani (moeda paraguaia)

guarda ['gwarða] *s.2g.* guarda, vigilante; ***guarda forestal*** guarda-florestal; ***guarda jurado*** segurança ▪ *s.f.* **1** *(custodia)* guarda, custódia **2** (livro) guarda

guardabarros [gwarða'βaros] *s.m.2n.* para-lama

guardabosque [gwarða'βoske] *s.m.* guarda-florestal

guardabosques [gwarða'βoskes] *s.2g.2n.* guarda-florestal

guardacoches [gwarða'kotʃes] *s.2g.2n.* manobrista*2g.*, guardador, -a de carros

guardacostas [gwarða'kostas] *s.m.2n.* (barco) guarda-costas

guardaespaldas [gwarðaes'paldas] *s.2g.2n.* (pessoa) guarda-costas*m.*, capanga*m.*

guardameta [gwarða'meta] *s.2g.* goleiro*m.*

guardapolvo [gwarða'polβo] *s.m.* **1** guarda-pó **2** (carro, computador) cobertura*f.* para proteger do pó

guardar [gwar'ðar] *v.* guardar; ***guardar rencor*** guardar rancor; ***guardar un secreto*** guardar um secreto ♦ *col.* **guardársela** estar guardado

guardarraíl [gwarðara'il] *s.m.* rail*m.*, mureta*f.*

guardarropa [gwarða'ropa] *s.m.* (móvel) guarda-roupa

guardería [gwarðe'ria] *s.f.* creche; infantário*m.*

guardia ['gwarðja] *s.f.* **1** guarda; ***guardia civil*** guarda civil; ***guardia costera*** guarda costeira; ***guardia militar*** guarda militar; ***guardia urbana*** polícia municipal **2** *(vigilancia)* guarda; ***estar de guardia*** estar de guarda ▪ *s.2g.* guarda ♦ **de guardia** **1** (farmácia) de plantão **2** (médico, enfermeiro) de plantão

guardi|án, -ana [gwar'ðjan] *s.m.,f.* guardi|ão, -ã

guarecer [gware'θer] *v.* proteger (de, de), abrigar (de, de) ▪ **guarecerse** proteger-se (de, de), abrigar-se (de, de); ***guarecerse de la lluvia*** proteger-se da chuva

guarida [gwa'riða] *s.f.* **1** guarida, covil*m.* **2** *fig.* guarida, refúgio*m.*, abrigo*m.*; ***dar guarida a alguien*** dar guarida a alguém

guarismo [gwa'rizmo] *s.m.* algarismo

guarnición [gwarni'θjon] *s.f.* **1** CUL. guarnição, acompanhamento*m.* **2** MIL. guarnição ▪ **guarniciones** *s.f.pl.* arreios*m. pl.*

guarr|o, -a ['gwaro] *s.m.,f.* **1** *col., pej.* porc|o, -a, porcalh|ão, -ona **2** *col., pej.* porc|o, -a, patif|e, -a **3** ZOOL. porc|o, -a ▪ *adj.* **1** *col., pej. (sucio)* porco, sujo **2** *col., pej.* (pessoa) porco, patife ♦ *vulg.* **no tener ni guarra** não ter a mínima ideia

Guatemala [gwate'mala] *s.f.* Guatemala

guatemaltec|o, -a [gwatemal'teko] *adj.,s.m.,f.* guatemaltec|o, -a

guau guau [gwau'gwau] *s.m.* au-au

guay ['gwaj] *adj. col.* estupendo, formidável, legal ▪ *adv. col.* muito bem

guayaba [gwa'jaβa] *s.f.* goiaba

guayabo [gwaˈjaβo] *s.m.* **1** goiabeira*f.* **2** [AM.] ressaca*f.*; *tener guayabo* estar de ressaca
gubernamental [guβernamen̪ˈtal] *adj.2g.* governamental
gubernativo [guβernaˈtiβo] *adj.* governativo
guedeja [geˈðexa] *s.f.* **1** *(cabellera)* guedelha **2** (de leão) juba
güisqui [ˈgwiski] *s.m.* whisky, uísque
guepardo [geˈparðo] *s.m.* guepardo
guerra [ˈgera] *s.f.* guerra; *guerra abierta* guerra aberta; *guerra atómica/nuclear* guerra atômica/nuclear; *guerra biológica/bacteriológica* guerra biológica/bacteriológica; *guerra civil* guerra civil; *fig. guerra de nervios* guerra de nervos; *guerra fría* guerra fria; *guerra química* guerra química; *guerra santa* guerra santa; *declarar la guerra* declarar guerra; *estar en guerra* estar em guerra ♦ *col.* **dar guerra** dar trabalho (especialmente crianças)
guerrera [geˈrera] *s.f.* (uniforme militar) casaca, jaqueta
guerrer|o, -a [geˈrero] *s.m.,f.* guerreir|o, -a ■ *adj.* guerreiro
guerrilla [geˈriʎa] *s.f.* guerrilha
guerriller|o, -a [geriˈʎero] *s.m.,f.* guerrilheir|o, -a
gueto [ˈgeto] *s.m.* gueto
guía [ˈgia] *s.2g.* guia ■ *s.f.* guia*m.*; *guía de conversación* guia de conversação ♦ **guía telefónica** lista telefônica
guiar [ˈgiar] *v.* **1** guiar **2** *(conducir)* dirigir, conduzir ■ **guiarse** guiar-se (por, por)
guijo [ˈgixo] *s.m.* cascalho
guillotina [giʎoˈtina] *s.f.* guilhotina
guindilla [gin̪ˈdiʎa] *s.f.* **1** certa pimenta; malagueta; piripiri*m.* **2** *col.* polícia*2g.* municipal
guiñar [giˈɲar] *v.* piscar; *guiñar los ojos* piscar os olhos
guiño [ˈgiɲo] *s.m.* piscadela*f.*
guiñol [giˈɲol] *s.m.* **1** teatro de fantoches **2** *(títere)* fantoche
guión [ˈgjon] *s.m.* **1** CIN.,TV.,TEAT. roteiro **2** *(esquema)* esquema **3** hífen
guiri [ˈgiri] *s.2g.* **1** *col., pej.* gring|o, -a*m.f.*, estranja **2** *col., pej.* membro*m.* da guarda civil
guirnalda [girˈnal̪da] *s.f.* grinalda
guisa [ˈgisa] *s.f.* modo*m.*, maneira; *a guisa de* à maneira de
guisado [giˈsaðo] *s.m.* ensopado
guisante [giˈsan̪te] *s.m.* ervilha*f.*
guisar [giˈsar] *v.* guisar ■ **guisarse** tramar *fig.*
guiso [ˈgiso] *s.m.* ensopado
guita [ˈgita] *s.f.* **1** (corda) guita **2** *col. (dinero)* grana; *tener mucha guita* estar cheio da grana
guitarra [giˈtara] *s.f.* **1** violão*m.* **2** guitarra ♦ **guitarra eléctrica** guitarra elétrica
guitarreo [gitaˈreo] *s.m.* guitarrada*f.*
guitarrillo [gitaˈriʎo] *s.m.* guitarrilha*f.*
guitarrista [gitaˈrista] *s.2g.* guitarrista
gula [ˈgula] *s.f.* gula
gur|í, -isa [guˈri] *s.m.,f.* [AM.] menin|o, -a
gurú [guˈru] *s.m.* guru
gusa [ˈgusa] *s.f. col. (hambre)* fome
gusanillo [gusaˈniʎo] *s.m.* **1** (encadernação) argolas*f. pl.*, espiral*f.* **2** ansiedade para fazer algo ♦ *col.* **matar el gusanillo** matar a fome
gusano [guˈsano] *s.m.* verme ♦ **gusano de luz** vaga-lume; **gusano de seda** bicho-da-seda
gustar [gusˈtar] *v.* **1** gostar (-, de); *me gustan las flores* eu gosto de flores; *no me gusta eso* não gosto disso **2** provar ♦ (cortesia) **cuando guste** quando quiser
gustativo [gustaˈtiβo] *adj.* gustativo
gustillo [gusˈtiʎo] *s.m.* paladar; (amargo) travo
gusto [ˈgusto] *s.m.* **1** (sentido) gosto, paladar **2** *(sabor)* gosto, sabor **3** *(placer)* gosto, prazer ♦ **a gusto** à vontade; **con mucho gusto** com muito gosto; **de buen/mal gusto** de bom/mau gosto; **encontrarse a gusto** sentir-se à vontade; **mucho gusto** muito gosto/prazer
gustosamente [gustosaˈmen̪te] *adv.* com todo o gosto/prazer
gustoso [gusˈtoso] *adj.* **1** *(sabroso)* gostoso, saboroso **2** *(con gusto)* com muito prazer, de bom grado; *te acompañaré muy gustoso* irei junto com muito prazer
gutural [gutuˈral] *adj.2g.* gutural
gymkhana [xiŋˈkana] *s.f.* gincana

h ['atʃe] *s.f.* (letra) h*m.*

haba ['aβa] *s.f.* **1** (planta) fava, faveira **2** (fruto, semente) fava ♦ *col.* **ser habas contadas** ser favas contadas

habaner|o, -a [aβa'nero] *adj.,s.m.,f.* havan|o, -a

habano [a'βano] *s.m.* *(cigarro puro de Cuba)* havana

haber [a'βer] *v.* **1** *(ocurrir)* haver; *ayer no hubo clase de inglés* ontem não houve aula de inglês **2** *(estar)* haver, estar; *hay un museo allí* há ali um museu; *¿había muchos estudiantes?* havia muitos alunos? **3** *(existir)* haver; *es tan pesado que no hay quien lo aguante* é tão chato que não há quem o ature ■ **haberse** haver-se, comportar-se ■ *s.m.* ECON. haver ■ **haberes** *s.m.pl.* **1** haveres*pl.*, bens*pl.*, possessões*f. pl.* **2** *(sueldo)* pagamento, salário, honorários*pl.* ♦ **¡de haberlo sabido!** se (eu) soubesse!; (tempos compostos) **haber** [+*p.p.*] ter [+*inf.*]; *me lo ha dicho él* isso ele me contou; (obrigação) **haber de** [+*inf.*] ter de [+*inf.*]; *has de pagarlo* tens de pagá-lo; **haber que** [+*inf.*] ser preciso [+*inf.*]; *no hay que trabajar más* não é preciso trabalhar mais; **había una vez** era uma vez; **no hay como** não há como; nada melhor do que; **no hay de qué** não tem de quê, de nada; **no hay tal** não é verdade; **¿qué hay?** tudo bem?, como está?

habichuela [aβi'tʃwela] *s.f.* feijão*m.*; *habichuelas blancas* feijão-branco; *habichuelas verdes* feijão-verde

hábil ['aβil] *adj.2g.* **1** *(diestro)* hábil, destro **2** (dia) útil

habilidad [aβili'ðað] *s.f.* habilidade, jeito*m.*; *tener habilidad para algo* ter jeito para alguma coisa ■ **habilidades** *s.f.pl.* habilidades*pl.*

habilidoso [aβili'ðoso] *adj.* habilidoso, jeitoso

habilitación [aβilita'θjon] *s.f.* **1** ARQ. reabilitação **2** DIR. habilitação

habilitad|o, -a [aβili'taðo] *s.m.,f.* tesoureir|o, -a ■ *adj.* habilitado (para, para), apto (para, para); *estaba habilitado para hacer el trabajo* estava habilitado para fazer o trabalho

habilitar [aβili'tar] *v.* **1** (pessoa) habilitar, capacitar **2** (documentos) autorizar **3** (espaço) arranjar, dispor **4** (dinheiro) conceder **5** ARQ. reabilitar

habitabilidad [aβitaβili'ðað] *s.f.* habitabilidade

habitable [aβi'taβle] *adj.2g.* habitável

habitación [aβita'θjon] *s.f.* **1** (casa) aposento*m.*, quarto*m.*, divisão **2** *(dormitorio)* quarto*m.*; *habitación de matrimonio* quarto de casal; *habitación doble* quarto duplo; *habitación simple* quarto individual

habitante [aβi'tante] *s.2g.* habitante

habitar [aβi'tar] *v.* habitar (en, em)

hábitat ['aβitat] *s.m.* (*pl.* hábitats) habitat, hábitat

hábito ['aβito] *s.m.* **1** *(costumbre)* hábito, costume; *tener el hábito de...* ter o hábito de... **2** (traje) hábito ♦ **el hábito no hace al monje** o hábito não faz o monge

habitual [aβi'twal] *adj.2g.* habitual, usual, frequente

habituar [aβi'twar] *v.* habituar (a, a), acostumar (a, a) ■ **habituarse** habituar-se (a, a), acostumar-se (a, a)

habla ['aβla] *s.f.* **1** (faculdade) fala **2** *(dialecto)* falar*m.*, dialeto*m.*; *las hablas andaluzas* os falares andaluzes ♦ (ao telefone) **¡al habla!** alô?; **estar al habla** estar ao telefone; **perder el habla** perder a fala; **quedarse sin habla** ficar sem fala

hablador, -a [aβla'ðor] *adj.,s.m.,f.* falador, -a

habladuría [aβlaðu'ria] *s.f.* falatório*m.*, boato*m.*, papo-furado*m.* ■ **habladurías** *s.f.pl.* más línguas*pl.*

hablante [a'βlante] *s.2g.* falante

hablar [a'βlar] *v.* **1** falar; *hablar bajo* falar baixo; *habla español* fala espanhol; *por no hablar de* para não falar de **2** *(conversar)* falar, conversar; *hablar con alguien* falar com alguém ■ **hablarse** falar; *ellos no se hablan* eles não se falam ♦ **dar que hablar** dar que falar; **hablar bien/mal de** falar bem/mal de; **hablar por hablar** falar por falar; *col.* **hablar por los codos** falar pelos cotovelos; **¡ni hablar!** nem pensar!; **no se hable más** e não se fala mais nisso

hablilla [a'βliʎa] *s.f.* balela, boato*m.*

hacendad|o, -a [aθen'daðo] *s.m.,f.* proprietári|o, -a de terras ■ *adj.* rico (em propriedades)

hacendoso [aθen'doso] *adj.* cuidadoso (especialmente nas tarefas domésticas)

hacer [a'θer] *v.* **1** *(crear)* fazer, criar, fabricar; *he hecho un pastel* fiz um bolo **2** *(causar)* fazer, produzir, realizar; *el marisco me hace daño* marisco me faz mal **3** *(preparar)* fazer, arrumar; *hacer las maletas* fazer as malas **4** (atividade) fazer; *estoy haciendo um curso de alemán* estou fazendo um curso de alemão; *haz lo que quieras* faz o que quiseres **5** *(conseguir)* fazer, ganhar; *hacer amigos* fazer amigos **6** *(aparentar)* fazer de conta que, fingir; *hace que la quiere* faz de conta que gosta dela **7** *(recorrer)* fazer, andar, percorrer; *el coche hizo 10 km* o carro fez 10 km **8** (comida) passar; *la carne está mal hecha* a carne está malpassada **9** *(suponer)* imaginar, pensar; *te hacía en Madrid* pensei que estivesses em Madri **10** *(sumar)* fazer, dar, somar **11** (clima) estar; *hoy hace calor* hoje está calor **12** (tempo) haver; *no lo veía hace años* não o via há anos **13** *(hacer parecer)* fazer, tornar, pôr; *ese vestido te hace joven* esse vestido te deixa jovem **14** *(actuar)* fazer; *has hecho bien* fizeste bem **15** *(volver)* fazer; *eso me hace feliz* isso me faz feliz **16** *(representar)* fazer (de, de); *hizo de rey en la película* fez o papel de rei no filme ■ **hacerse 1** *(acostumbrarse)* habituar-se (a, a); *no puedo hacerme a la comida* não consigo me acostumar à comida **2** *(convertirse)* tornar se (-, em), transformar-se (-, em); *se hizo escritor* se tornou escritor; *el vino se ha hecho vinagre* o vinho se transformou em vinagre **3** *(crecer)* crescer; *las lechugas se han hecho deprisa* as alfaces cresceram depressa **4** *(fingir)* fazer-se (-, de); ***se hace el sordo, pero escucha todo*** se faz de surdo, mas ouve tudo ◆ **eso no hace al caso** isso não tem nada a ver; **hacer burla a** gozar de; **hacer de menos** menosprezar; *col.* **hacerla buena** meter-se numa; ***¡la he hecho buena! me he dejado la llave dentro del coche*** me meti numa! deixei a chave dentro do carro; **hacerse de nuevas** se fazer de desentendido; **hacer de vientre/caca** defecar, fazer cocô; **hacer el amor** fazer amor; **hacer músculos** levantar pesos; **hacer pis/pipí** fazer xixi; **hacer por** [+*inf.*] fazer por onde [+*inf.*], tentar [+*inf.*]; ***haré por visitarte*** farei por onde te visitar; **hacerse encima** fazer nas calças

hacha ['atʃa] *s.f.* **1** (ferramenta) machado*m.* **2** *(antorcha)* facho*m.*, tocha, archote*m.* ◆ **hacha de cocina** cutelo; *col.* **ser un hacha** ser um ás

hachazo [a'tʃaθo] *s.m.* machadada*f.*

hache ['atʃe] *s.f.* (letra) agá*m.* ◆ **en la hora hache** na hora agá

hachís [a'tʃis] *s.m.2n.* (droga) haxixe

hacia ['aθja] *prep.* **1** (direção) para; ***hacia atrás*** para trás **2** *(próximo)* perto de **3** *(aproximadamente)* por volta de; ***llego hacia las ocho*** chego por volta das oito **4** (sentimento) por; ***siente simpatía hacia todo lo brasileño*** sente simpatia por tudo o que é brasileiro

hacienda [a'θjeṇda] *s.f.* **1** *(finca)* fazenda, quinta **2** ECON. finanças*pl.*; ***Ministerio de Hacienda*** Ministério da Fazenda ◆ **hacienda pública** finanças, erário, fazenda pública

hacker ['aker] *s.2g.* hacker

hada ['aδa] *s.f.* fada

hado ['aδo] *s.m.* fado, destino

Haití [aj'ti] *s.m.* Haiti

haitian|o, -a [aj'tjano] *adj.,s.m.,f.* haitian|o, -a

hala ['ala] *interj.* **1** (para apressar) anda!; vamos! **2** (surpresa, exagero) nossa!, eita! **3** (para mandar embora) fora!; xô!

halagador [alaγa'δor] *adj.* **1** (comentário, palavras) lisonjeiro, elogioso **2** (pessoa) adulador, bajulador

halagar [ala'γar] *v.* **1** ficar feliz, agradar; ***me halaga que hayas venido*** fico feliz por teres vindo **2** *(adular)* adular, bajular, lisonjear

halago [a'laγo] *s.m.* **1** mimo, afago **2** *(adulación)* adulação*f.*, bajulação*f.*, lisonja*f.*

halagüeño [ala'γweɲo] *adj.* **1** (notícia) animador **2** (futuro) promissor **3** (comentário, palavras) lisonjeiro, elogioso **4** (pessoa) adulador, bajulador

halcón [al'kon] *s.m.* falcão

hálito ['alito] *s.m.* **1** bafo, hálito **2** *lit.* aragem*f.*, brisa*f.*

hall ['xol] *s.m.* hall, vestíbulo

hallado [a'ʎaδo] *adj.* achado ◆ **¡bien hallado!** bons olhos o vejam!

hallar [a'ʎar] *v.* **1** *(encontrar)* encontrar, achar **2** *(descubrir)* descobrir ■ **hallarse** encontrar-se (en, em), estar (en, em); ***se hallaba en casa cuando se cometió el asesinato*** encontrava se em casa quando ocorreu o assassinato

hallazgo [a'ʎaθγo] *s.m.* **1** achado **2** *(descubrimiento)* descoberta*f.*, achado

halo ['alo] *s.m.* **1** MET. halo **2** *(aureola)* auréola*f.*, nimbo

halógeno [a'loxeno] *adj.* halogênio; ***lámpara halógena*** lâmpada de halogênio ■ *s.m.* QUÍM. halogênio

haltera [al'tera] *s.f.* haltere*m.* ■ *s.2g. col.* halterofilista

halterofilia [altero'filja] *s.f.* halterofilia

halterófil|o, -a [alte'rofilo] *s.m.,f.* halterofilista*2g.*

hamaca [a'maka] *s.f.* **1** (para descansar) rede, cama de rede **2** *(tumbona)* espreguiçadeira

hambre ['ambre] *s.f.* fome; ***morirse de hambre*** morrer de fome; ***pasar hambre*** passar fome; ***tener hambre*** ter/estar com fome ◆ **hambre canina** fome canina; **juntarse el hambre con la(s) gana(s) de comer** juntar-se a fome com a vontade de comer; *col.* **ser más listo que el hambre** ser muito esperto

hambriento [am'brjeṇto] *adj.* **1** esfomeado, faminto; ***estoy hambriento*** estou esfomeado **2** *fig.* faminto (de, de), ávido (de, de)

hamburguesa [ambur'γesa] *s.f.* hambúrguer*m.*

hampa ['ampa] *s.f.* **1** máfia **2** marginalidade

hámster ['xamster] *s.m.* hamster

handicap ['xaṇdikap] *s.m.* **1** ESPOR. handicap **2** *fig.* obstáculo, desvantagem*f.*

hangar [aŋ'gar] *s.m.* hangar

harag|án, -ana [ara'γan] *adj.,s.m.,f.* mandri|ão, -ona, preguiços|o, -a

haraganería [araŋgane'ria] *s.f.* mandriice, preguiça

harapiento [ara'pjeṇto] *adj.* (pessoa) esfarrapado, andrajoso, maltrapilho

harapo [a'rapo] *s.m.* farrapo, andrajo, trapo

hardware ['xar(γ)wer] *s.m.* hardware

harén [a'ren] *s.m.* harém

harina [a'rina] *s.m.* farinha; ***harina de maíz*** farinha de milho; ***harina de mandioca*** farinha de mandioca; ***harina de trigo*** farinha de trigo; ***harina integral*** farinha integral; ***rebozado en harina*** passado por farinha ◆ *col.* **estar metido en harina** estar com as mãos na massa; *col.* **ser harina de otro costal** ser outra conversa

harinoso [ari'noso] *adj.* **1** farinhento **2** farináceo

hartar [ar'tar] *v.* **1** fartar, empanturrar **2** *fig.* fartar, cansar ■ **hartarse** fartar-se (de, de); ***hartarse de algo*** fartar se de alguma coisa

harto ['arto] *adj.* **1** farto, empanturrado, cheio **2** bastante **3** *fig.* farto (de, de), cansado (de, de); ***estoy harto de hacer siempre lo mismo*** estar farto de fazer sempre o mesmo ■ *adv.* muito, bastante

hartura [ar'tura] *s.f.* *(abundancia)* fartura, abundância

hasta ['asta] *prep.* **1** (tempo) até; ***hasta las 9 horas*** até as 9 horas **2** (espaço) até; ***hasta París*** até Paris **3** (quantidade) até; ***hasta cierto punto*** até certo ponto ■ *adv.* até, até mesmo, inclusive; ***hasta un niño lo entendería*** até uma criança perceberia ◆ **¡hasta ahora!** até já!; **hasta entonces** até então; **¡hasta luego!** até logo!; **¡hasta mañana!** até amanhã!; **¡hasta pronto!** até breve!; **hasta siempre** até sempre

hastío [as'tio] *s.m.* **1** *(repugnancia)* fastio, aversão*f.*, repugnância*f.* **2** *(aburrimiento)* fastio, tédio, aborrecimento
hatajo [a'taxo] *s.m.* **1** rebanho pequeno **2** *fig., pej.* corja*f.*, bando **3** *fig., col.* montão
hatillo [a'tiʎo] *s.m.* trouxa*f.* (pequena) ◆ *col.* **hacer el hatillo** fazer a trouxa; fazer as malas
hato ['ato] *s.m.* **1** (de roupa) trouxa*f.* **2** *(rebaño)* rebanho
Hawai [xaw'aj] *s.m.* Havaí
hawaian|o, -a [xawa'jano] *adj.,s.m.,f.* havaian|o, -a
haz ['aθ] *s.m.* **1** (de lenha, ervas) feixe, molho **2** (de luz) feixe ■ *s.f.* (folha, tecido) face
haza ['aθa] *s.f.* terreno*m.* (de cultivo)
hazaña [a'θaɲa] *s.f.* façanha, proeza
he ['e] *adv.* eis; aqui está; ***he ahí la cuestión*** eis a questão ■ *interj.* ó!; ei!
hebilla [e'βiʎa] *s.f.* fivela
hebra ['eβra] *s.f.* **1** (costura) linha, fio*m.* **2** (matéria têxtil) fibra **3** (alimento) carne sem osso e sem gordura **4** (madeira) veio*m.* ◆ *col.* **pegar la hebra** dar à língua
hebraico [e'βrajko] *adj.* hebraico
hebre|o, -a [e'βreo] *adj.,s.m.,f.* hebre|u, -ia ■ **hebreo** *s.m.* (língua) hebreu
hechicería [etʃiθe'ria] *s.f.* feitiçaria, bruxaria
hechicer|o, -a [etʃi'θero] *s.m.,f.* feiticeir|o, -a, brux|o, -a
hechizar [etʃi'θar] *v.* enfeitiçar
hechizo [e'tʃiθo] *s.m.* feitiço
hecho ['etʃo] *(p.p. de* hacer*) adj.* **1** feito; ***hecho a mano*** feito à mão **2** (fruto) maduro **3** (alimento) passado ■ *s.m.* fato; ***hecho consumado*** fato consumado ◆ **de hecho** de fato; **dicho y hecho** dito e feito; (pessoa) **hecho y derecho** íntegro, honesto; instruído, versado em ciência ou arte; **el hecho es que** [+*sj.*] o fato de [+*inf.*]; *col.* **estar hecho un** parecer um; (alimento) **muy/poco hecho** bem/malpassado
hechura [e'tʃura] *s.f.* **1** *(forma)* feitio*m.* **2** (corpo) compleição **3** (roupa) confecção
hectárea [ek'tarea] *s.f.* hectare*m.*
hectogramo [ekto'ɣramo] *s.m.* hectograma
hectolitro [ekto'litro] *s.m.* hectolitro
hectómetro [e'ktometro] *s.m.* hectômetro
hediondo [e'ðjoṇdo] *adj.* hediondo
hedor [e'ðor] *s.m.* fedor
hegemonía [exemo'nia] *s.f.* hegemonia
hegemónico [exe'moniko] *adj.* hegemônico
helada [e'laða] *s.f.* geada
heladería [elaðe'ria] *s.f.* sorveteria
helado [e'laðo] *s.m.* sorvete ◆ **quedarse helado** ficar estupefato
heladora [ela'ðora] *s.f.* sorveteira, máquina de sorvetes
helar [e'lar] *v.* **1** gelar **2** (plantas) crestar **3** *fig.* gelar, pasmar **4** gear ■ **helarse 1** gelar **2** (plantas) crestar se
helen|o, -a [e'leno] *adj.,s.m.,f.* helen|o, -a, greg|o, -a
hélice ['eliθe] *s.f.* **1** AERON.,NÁUT. hélice **2** GEOM. hélice
helicóptero [eli'koptero] *s.m.* helicóptero
helio ['eljo] *s.m.* hélio
helipuerto [eli'pwerto] *s.m.* heliporto
helveci|o, -a [el'βeθjo] *adj.,s.m.,f.* helvétic|o, -a, suíç|o, -a
hematites [ema'tites] *s.f.2n.* hematite
hematología [ematolo'xia] *s.f.* hematologia
hematólog|o, -a [ema'toloɣo] *s.m.,f.* hematologista*2g.*
hematoma [ema'toma] *s.m.* hematoma
hematosis [ema'tosis] *s.f.2n.* hematose
hembra ['embra] *s.f.* **1** (animal) fêmea **2** *pej.* *(mujer)* fêmea, mulher **3** *téc.* fêmea; ***hembra de un enchufe*** fêmea da tomada
hemisferio [emis'ferjo] *s.m.* hemisfério
hemodiálisis [emo'ðjalisis] *s.f.2n.* hemodiálise
hemofilia [emo'filja] *s.f.* hemofilia
hemofílic|o, -a [emo'filiko] *adj.,s.m.,f.* hemofílic|o, -a
hemoglobina [emoɣlo'βina] *s.f.* hemoglobina
hemorragia [emo'raxja] *s.f.* hemorragia
hemorroides [emo'rojðes] *s.f.pl.* hemorroidas*pl.*
hendidura [eṇdi'ðura], **hendedura** [eṇde'ðura] *s.f.* fenda, racha, greta
hepático [e'patiko] *adj.* hepático
hepatitis [epa'titis] *s.f.2n.* hepatite
heptágono [ep'taɣono] *s.m.* GEOM. heptágono
heráldica [e'raḷdika] *s.f.* heráldica
heráldico [e'raḷdiko] *adj.* heráldico
herbáceo [er'βaθeo] *adj.* herbáceo
herbicida [erβi'θiða] *adj.2g.,s.m.* herbicida
herbívoro [er'βiβoro] *adj.* herbívoro
herciano [er'θjano] *adj.* ⇒ **hertziano**
hercio ['erθjo] *s.m.* hertz
hércules ['erkules] *s.m.2n. fig.* hércules
heredar [ere'ðar] *v.* herdar
heredero|o, -a [ere'ðero] *s.m.,f.* herdeir|o, -a
hereditario [ereði'tarjo] *adj.* hereditário
hereje [e'rexe] *s.2g.* **1** herege, herétic|o, -a*m.f.* **2** *pej.* descarad|o, -a*m.f.*
herejía [ere'xia] *s.f.* heresia
herencia [e'reṇθja] *s.f.* **1** herança; ***dejar algo en herencia*** deixar alguma coisa em herança **2** BIOL. hereditariedade **3** BIOL. herança
herida [e'riða] *s.f.* **1** ferida; ***hacerse una herida*** fazer uma ferida **2** ferimento*m.*; ***heridas graves/leves*** ferimentos graves/ligeiros ◆ **hurgar/tocar en la herida** mexer/tocar na ferida
herid|o, -a [e'riðo] *adj.,s.m.,f.* ferid|o, -a
herir [e'rir] *v.* **1** ferir, magoar **2** *fig.* ferir, ofender
hermafrodita [ermafro'ðita] *adj.,s.2g.* hermafrodita
hermafroditismo [ermafroði'tizmo] *s.m.* BIOL. hermafroditismo
hermanastr|o, -a [erma'nastro] *s.m.,f.* meio irmão*m.*, meia irmã*f.*
hermandad [ermaṇ'daδ] *s.f.* irmandade
herman|o, -a [er'mano] *s.m.,f.* irm|ão, -ã; ***hermano de leche*** irmão de leite; ***hermano de madre/padre*** irmão

por parte de mãe/pai; *hermano gemelo* irmão gêmeo; *hermano mayor/pequeño* irmão mais velho/novo; *medio hermano* meio irmão
hermético [er'metiko] *adj.* hermético
hermoso [er'moso] *adj.* **1** formoso, belo **2** (espaço) grande **3** *col.* (pessoa) rijo, forte, robusto
hermosura [ermo'sura] *s.f.* formosura, beleza
hernia ['ernja] *s.f.* hérnia
héroe ['eroe] *s.m.* **1** herói **2** (livro, filme) herói, protagonista *2g.*
heroicidad [erojθi'ðaδ] *s.f.* heroicidade
heroico [e'rojko] *adj.* heroico
heroína [ero'ina] *s.f.* **1** (pessoa) ⟨*m* herói⟩ heroína **2** (droga) heroína
heroísmo [ero'izmo] *s.m.* heroísmo
herpes ['erpes] *s.m./f.2n.* herpes *m.*
herradura [era'ðura] *s.f.* ferradura
herraje [e'raxe] *s.m.* ferragem *f.*
herramienta [era'mjenta] *s.f.* **1** ferramenta **2** *col.* dentuça
herrar [e'rar] *v.* **1** (cavalo) ferrar, pôr ferradura **2** (gado) ferrar, marcar com ferro quente
herrería [ere'ria] *s.f.* forja, ferraria
herrer|o, -a [e'rero] *s.m.,f.* ferreir|o, -a
herrumbre [e'rumbre] *s.f.* **1** *(óxido)* ferrugem **2** *(sabor a hierro)* sabor *m.* de ferro
herrumbroso [erum'broso] *adj.* enferrujado, ferrugento
hertz ['ertθ] *s.m.* ⇒ **hercio**
hertziano [ert'θjano] *adj.* hertziano
hervidero [erβi'ðero] *s.m. fig.* formigueiro
hervidor [erβi'ðor] *s.m.* **1** fervedor **2** chaleira *f.*
hervir [er'βir] *v.* ferver
hervor [er'βor] *s.m. (ebullición)* fervura *f.*, ebulição *f.*
heterogéneo [etero'xeneo] *adj.* heterogêneo
heteronimia [etero'nimja] *s.f.* LING. heteronímia
heterónimo [ete'ronimo] *s.m.* LING. heterônimo
heterosexual [eterosek'swal] *adj.,s.2g.* heterossexual
heterosexualidad [eterosekswali'ðaδ] *s.f.* heterossexualidade
heurística [ew'ristika] *s.f.* heurística
heurístico [ew'ristiko] *adj.* heurístico
hexaedro [eksa'eðro] *s.m.* hexaedro
hexagonal [eksaγo'nal] *adj.2g.* hexagonal
hexágono [e'ksaγono] *s.m.* GEOM. hexágono
hexámetro [ek'sametro] *s.m.* (métrica) hexâmetro
hexasílabo [eksa'silaβo] *adj.,s.m.* hexassílabo
hez [eθ] *s.f.* borra ▪ **heces** *s.f.pl.* fezes *pl.*
hiato ['jato] *s.m.* LING. hiato
hibernación [iβerna'θjon] *s.f.* hibernação
hibernar [iβer'nar] *v.* hibernar
hibridismo [iβri'ðizmo] *s.m.* hibridismo
híbrido ['iβriðo] *adj.,s.m.* híbrido
hidalg|o, -a [i'ðalγo] *s.m.,f.* fidalg|o, -a
hidra ['iðra] *s.f.* hidra
hidrácido [i'ðraθiðo] *s.m.* hidrácido
hidratación [iðrata'θjon] *s.f.* hidratação
hidratado [iðra'taðo] *adj.* hidratado
hidratante [iðra'tante] *adj.2g.* hidratante; *crema hidratante* creme hidratante ▪ *s.f.* hidratante *m.*
hidratar [iðra'tar] *v.* hidratar ▪ **hidratarse** hidratar-se
hidrato [i'ðrato] *s.m.* hidrato ♦ **hidrato de carbono** hidrato de carbono, glícido
hidráulica [i'ðrawlika] *s.f.* hidráulica
hidráulico [i'ðrawliko] *adj.* hidráulico
hidrocarburo [iðrokar'βuro] *s.m.* hidrocarboneto
hidrocefalia [iðroθe'falja] *s.f.* hidrocefalia
hidrodinámica [iðroði'namika] *s.f.* hidrodinâmica
hidrodinámico [iðroði'namiko] *adj.* hidrodinâmico
hidroeléctrico [iðroe'lektriko] *adj.* hidroelétrico
hidrófilo [i'ðrofilo] *adj.* hidrófilo
hidrofobia [iðro'foβja] *s.f.* **1** hidrofobia **2** MED.,VET. raiva, hidrofobia
hidrógeno [i'ðroxeno] *s.m.* hidrogênio
hidrogimnasia [iðroxim'nasja] *s.f.* hidroginástica
hidrografía [iðroγra'fia] *s.f.* hidrografia
hidrográfico [iðro'γrafiko] *adj.* hidrográfico
hidromasaje [iðroma'saxe] *s.m.* hidromassagem *f.*
hidrómetro [i'ðrometro] *s.m.* hidrômetro
hidroplano [iðro'plano] *s.m.* hidroplano, hidroavião
hidrostático [iðros'tatiko] *adj.* hidrostático
hidroterapeuta [iðrotera'pewta] *s.2g.* hidroterapeuta
hidroterapia [iðrote'rapja] *s.f.* hidroterapia
hidróxido [i'ðroksiðo] *s.m.* hidróxido
hiedra ['jeðra] *s.f.* hera
hiel ['jel] *s.f.* **1** FISIOL. fel *m.*, bílis *2n.* **2** *fig.* azedume *m.*; rancor *m.*; pesar *m.* ▪ **hieles** *s.f.pl.* amarguras *pl.*; dissabores *m. pl.*
hielo ['jelo] *s.m.* gelo; *cubito de hielo* cubo/pedra de gelo ♦ **quedarse de hielo** ficar gelado; **romper el hielo** quebrar o gelo
hiena ['jena] *s.f.* hiena
hierba ['jerβa] *s.f.* **1** BOT. erva; *mala hierba* erva daninha **2** CUL. erva **3** *gír. (marihuana)* erva, marijuana ♦ (planta) **hierba mate** erva-mate; **mala hierba nunca muere** vaso ruim não quebra; **...y otras hierbas** e outras coisas/pessoas
hierbabuena [jerβa'βwena] *s.f.* hortelã
hierbajo [jer'βaxo] *s.m. pej.* erva *f.* daninha
hierro ['jero] *s.m.* ferro ♦ **de hierro** de ferro; **hierro colado** ferro fundido; **hierro de soldar** ferro de soldar; **hierro forjado** ferro forjado; **machacar en hierro frío** malhar em ferro frio; *col.* **quitar hierro a** tirar a importância a
hi-fi ['ifi] *s.m.* hi-fi, alta-fidelidade *f.*
higa ['iγa] *s.f.* (amuleto, gesto) figa ♦ *col.* **me importa una higa** não estou nem aí
hígado ['iγaðo] *s.m.* fígado ♦ *col.* **echar los hígados** fazer um grande esforço

higiene [i'xjene] *s.f.* higiene
higiénico [i'xjeniko] *adj.* higiênico
higo ['iɣo] *s.m.* figo ◆ *col.* **de higos a brevas** de vez em quando; de quando em quando; *col.* **hecho un higo** amarrotado; *col.* **no importar un higo** não dar importância
higuera [i'ɣera] *s.f.* figueira ◆ *col.* **estar en la higuera** andar na lua
hijastr|o, -a [i'xastro] *s.m.,f.* entead|o, -a
hij|o, -a ['ixo] *s.m.,f.* filh|o, -a; *hijo adoptivo* filho adotivo; *hijo de papá* filhinho de papai; *hijo más pequeño* filho mais novo; *hijo mayor* filho mais velho; *hijo único* filho único ◆ **hija política** nora; *vulg.* (insulto) **hijo de puta** filho da puta; *vulg.* (insulto) **hijo de su madre** filho da mãe; *col.* **hijo de vecino** qualquer um; **hijo político** genro
hijuela [i'xwela] *s.f.* **1** quinhão *m.* **2** dependência, anexo *m.*
hilacha [i'latʃa] *s.f.* **1** (tecido) fiapo *m.* **2** *(resto)* sobra
hilacho [i'latʃo] *s.m.* ⇒ **hilacha**
hilado [i'laðo] *s.m.* **1** fiado **2** fiação *f.* ◆ **huevo(s) hilado(s)** fios de ovos
hilandería [ilaṇde'ria] *s.f.* fiação
hilar [i'lar] *v.* **1** fiar **2** (aranha, bicho-da-seda) tecer **3** *fig.* pensar; matutar
hilarante [ila'raṇte] *adj.2g.* hilariante; *gas hilarante* gás hilariante
hilera [i'lera] *s.f.* fileira, fila
hilo ['ilo] *s.m.* **1** (costura) fio, linha *f.* **2** *(tira metálica)* fio; *hilo de cobre* fio de cobre **3** *(lino)* linho **4** (água, luz) fio **5** (discurso, história) fio **6** ELETR. cabo ◆ **hilo dental** fio dental; **mover los hilos** mexer uns pauzinhos; **pender de un hilo** estar por um fio; **perder el hilo** perder o fio da meada; **por un hilo** por um fio; por pouco
hilván [il'βan] *s.m.* alinhavo
hilvanar [ilβa'nar] *v.* **1** (costura) alinhavar **2** *fig.* alinhavar, esboçar, delinear
himen ['imen] *s.m.* hímen
himno ['imno] *s.m.* hino; *himno nacional* hino nacional
hincapié [iŋka'pje] *s.m.* finca pé ◆ **hacer hincapié** fazer finca pé
hincar [iŋ'kar] *v.* **1** *(clavar)* fincar, cravar **2** *(apoyar)* fincar, apoiar ▪ **hincarse** cravar-se ◆ *fig., col.* **hincar los codos** estudar muito; queimar as pestanas
hincha ['inʲtʃa] *s.f.* antipatia, aversão, pó *m.fig.*; *tenerle hincha a alguien* ter aversão a alguém ▪ *s.2g.* **1** (pessoa) torcedor, -a *m.f.*, apoiante **2** (time) claquista
hinchada [inʲ'tʃaða] *s.f.* torcida
hinchado [inʲ'tʃaðo] *adj.* **1** inchado; *tener los pies hinchados* ter os pés inchados **2** (estilo, linguagem) empolado **3** *fig.* (pessoa) presunçoso, vaidoso
hinchar [inʲ'tʃar] *v.* **1** insuflar, encher; *hinchar un globo* encher um balão **2** *fig.* (acontecimento, notícia) exagerar ▪ **hincharse** inchar(-se)
hinchazón [inʲtʃa'θon] *s.f.* inchaço *m.*
hindi ['iṇdi] *s.m.* (língua) hindi
hindú [iṇ'du] *adj.,s.2g.* **1** (Índia) hindu, indian|o, -a *m.f.* **2** (hinduísmo) hindu, hinduísta
hinduismo [iṇdu'izmo] *s.m.* hinduísmo
hinduista [iṇdu'ista] *adj.,s.2g.* hinduísta
hiperactividad [iperaktiβi'ðað] *s.f.* hiperatividade
hiperactivo [iperak'tiβo] *adj.* hiperativo
hipérbaton [i'perβaton] *s.m.* hipérbato
hipérbola [i'perβola] *s.f.* GEOM. hipérbole
hipérbole [i'perβole] *s.f.* LING. hipérbole
hiperbólico [iper'βoliko] *adj.* hiperbólico
hipermercado [ipermer'kaðo] *s.m.* hipermercado
hiperonimia [ipero'nimja] *s.f.* LING. hiperonímia
hiperónimo [ipe'ronimo] *s.m.* LING. hiperônimo
hipersensibilidad [ipersensiβili'ðað] *s.f.* hipersensibilidade
hipersensible [ipersen'siβle] *adj.2g.* hipersensível
hipersónico [iper'soniko] *adj.* (velocidade) hipersônico
hipertensión [iperten'sjon] *s.f.* hipertensão
hipertens|o, -a [iper'tenso] *adj.,s.m.,f.* hipertens|o, -a
hipertexto [iper'teksto] *s.m.* hipertexto
hipervínculo [iper'βiŋkulo] *s.m.* hiperligação *f.*, link
hip-hop [xip'xop] *s.m.* hip-hop
hípica ['ipika] *s.f.* hipismo *m.*
hípico ['ipiko] *adj.* hípico
hipnosis [ip'nosis] *s.f.2n.* hipnose
hipnótico [ip'notiko] *adj.* hipnótico ▪ *s.m.* hipnótico, narcótico
hipnotismo [ipno'tizmo] *s.m.* hipnotismo
hipnotizador, -a [ipnotiθa'ðor] *s.m.,f.* hipnotizador, -a
hipnotizar [ipnoti'θar] *v.* hipnotizar
hipo ['ipo] *s.m.* soluço ◆ **es de quitar el hipo** é de tirar o fôlego, é de cair o queixo
hipoalérgico [ipoa'lerxiko] *adj.* hipoalergênico
hipocalórico [ipoka'loriko] *adj.* hipocalórico
hipocentro [ipo'θeṇtro] *s.m.* GEOL. hipocentro
hipocondríac|o, -a [ipokoṇ'driako] *adj.,s.m.,f.* hipocondríac|o, -a
hipocresía [ipokre'sia] *s.f.* hipocrisia
hipócrita [i'pokrita] *adj.,s.2g.* hipócrita
hipódromo [i'poðromo] *s.m.* hipódromo
hipófisis [i'pofisis] *s.f.2n.* hipófise, glândula pituitária
hipoglucemia [ipoɣlu'θemja] *s.f.* hipoglicemia
hiponimia [ipo'nimja] *s.f.* LING. hiponímia
hipopótamo [ipo'potamo] *s.m.* hipopótamo
hipoteca [ipo'teka] *s.f.* hipoteca
hipotecario [ipote'karjo] *adj.* hipotecário
hipotensión [ipoten'sjon] *s.f.* hipotensão
hipotens|o, -a [ipo'tenso] *adj.,s.m.,f.* hipotens|o, -a
hipotenusa [ipote'nusa] *s.f.* hipotenusa
hipotermia [ipo'termja] *s.f.* hipotermia
hipótesis [i'potesis] *s.f.2n.* hipótese
hipotético [ipo'tetiko] *adj.* hipotético
hippy ['xipi], **hippie** ['xipi] *s.2g.* (*pl.* hippies) hippie

hipsómetro [ip'sometɾo] *s.m.* hipsômetro
hirviente [iɾ'βjeņte] *adj.2g.* fervente
hispánico [is'paniko] *adj.* hispânico, espanhol
hispanismo [ispa'nizmo] *s.m.* hispanismo
hispanista [ispa'nista] *s.2g.* hispanista
hispan|o, -a [is'pano] *adj.,s.m.,f.* **1** *(español)* espanhol, -a **2** *(hispanoamericano)* hispan|o, -a american|o, -a
hispanoamerican|o, -a [ispanoameri'kano] *adj.,s.m.,f.* hispano-american|o, -a
hispanohablante [ispanoa'βlaņte] *adj.,s.2g.* hispanófon|o, -a*m.f.*, hispanofalante
histamina [ista'mina] *s.f.* histamina
histamínico [ista'miniko] *adj.* histamínico
histerectomía [isterekto'mia] *s.f.* histerotomia
histeria [is'teɾja] *s.f.* histeria
históric|o, -a [is'teriko] *adj.,s.m.,f.* históric|o, -a
histología [istolo'xia] *s.f.* histologia
historia [is'toɾja] *s.f.* história ◆ **la historia de siempre** a mesma cantiga de sempre; **pasar a la historia** ficar na história
historiador, -a [istoɾja'ðoɾ] *s.m.,f.* historiador, -a
historial [isto'ɾjal] *s.m.* **1** historial **2** INFORM. histórico
historicidad [istoriθi'ðað] *s.f.* historicidade
histórico [is'toriko] *adj.* histórico
historieta [isto'ɾjeta] *s.f.* **1** *(cómic)* história em quadrinhos **2** *(anécdota)* historieta, anedota ■ **historietas** *s.f.pl.* aventuras*pl.*; *historietas del Tío Gilito* aventuras do Tio Patinhas
historiografía [istoɾjoγra'fia] *s.f.* historiografia
historiógraf|o, -a [isto'ɾjoγrafo] *s.m.,f.* historiógraf|o, -a
hito ['ito] *s.m.* **1** marco; *marcar un hito* ser um marco **2** *(mojón)* marco, baliza*f.* **3** (estrada) marco quilométrico **4** *(blanco)* alvo; *dar en el hito* acertar no alvo/em cheio ◆ **mirar de hito en hito** olhar fixamente
hobby ['xoβi] *s.m.* (*pl.* hobbies, hobbys) hobby, passa-tempo
hocico [o'θiko] *s.m.* focinho ◆ *col.* **dar/caer de hocicos** cair de focinhos; *col.* **meter el hocico en** meter o focinho/nariz em
hockey ['xokej] *s.m.* hóquei; *hockey sobre hielo* hóquei no gelo; *hockey sobre hierba* hóquei em campo; *hockey sobre patines* hóquei sobre patins
hogar [o'γaɾ] *s.m.* **1** lar, casa*f.* **2** *lit.* lareira*f.* **3** *fig.* lar, família*f.* ◆ **hogar del pensionista** lar da terceira idade ou hotel para idosos (lazer); **hogar, dulce hogar** lar, doce lar
hogareño [oγa'reɲo] *adj.* **1** doméstico; *tareas hogareñas* tarefas domésticas **2** (pessoa) caseiro
hogaza [o'γaθa] *s.f.* pão*m.* (grande e arredondado)
hoguera [o'γeɾa] *s.f.* fogueira
hoja ['oxa] *s.f.* **1** (planta) folha; *de hoja caduca/perenne* de folha caduca/perene **2** *(pétalo)* pétala **3** (bloco, caderno) folha; *hoja en blanco* folha em branco **4** *(cuchilla)* lâmina; *hoja de afeitar* lâmina de barbear **5** *(lámina)* folha, chapa; *hoja de madera* chapa de madeira ◆ INFORM. **hoja de cálculo** folha de cálculo; **hoja de ruta** guia de remessa; **hoja de servicios** folha de serviço; **no tener vuelta de hoja** não ter escolha
hojaldrado [oxal'drado] *adj.* (massa, pastel) folhado
hojaldre [o'xaldre] *s.m.* **1** CUL. massa*f.* folhada; *pasteles de hojaldre* pastéis de massa folhada **2** CUL. folhado
hojear [oxe'aɾ] *v.* (livro) folhear
hola ['ola] *interj.* (saudação) oi!, olá!, alô!
holanda [o'laņda] *s.f.* (tecido) holanda
Holanda [o'laņda] *s.f.* Holanda
holand|és, -esa [olaņ'des] *adj.,s.m.,f.* holand|ês, -esa ■ **holandés** *s.m.* (língua) holandês, neerlandês
holding ['xoldiŋ] *s.m.* (*pl.* holdings) holding*f.*
holgado [ol'γaðo] *adj.* **1** (roupa) folgado, largo **2** (maioria, vitória) largo **3** (dinheiro) desafogado
holgaz|án, -ana [olγa'θan] *adj.,s.m.,f.* mandri|ão, -ona, preguiços|o, -a, vadi|o, -a
holgazanear [olγaθane'aɾ] *v.* mandriar, vadiar
holgazanería [olγaθane'ɾia] *s.f.* mandriice, vadiagem
holgura [ol'γuɾa] *s.f.* **1** folga **2** largura
hollín [o'ʎin] *s.m.* fuligem*f.*
hollywoodiano [xoliu'ðjano] *adj.* ⇒ **hollywoodiense**
hollywoodiense [xoliu'ðjense] *adj.2g.* hollywoodiano
holocausto [olo'kawsto] *s.m.* **1** *(masacre)* holocausto, massacre, matança*f.* **2** REL. holocausto
Holocausto [olo'kawsto] *s.m.* HIST. Holocausto
holograma [olo'γɾama] *s.m.* holograma
hombre ['ombɾe] *s.m.* **1** homem **2** *pop.* homem, marido ■ *interj.* **1** (admiração, surpresa) puxa! **2** (desgosto) droga! **3** (dúvida) hum…; *¡hombre! no sé qué decirte* bem! não sei o que te dizer **4** *(por supuesto)* com certeza; *¿vas a ir al cumpleaños de Ana? ¡hombre, claro que voy a ir!* você vai à festa de aniversário da Ana? com certeza!/é claro que vou! ◆ **de hombre a hombre** de homem para homem; **hombre de Estado** homem de Estado; **hombre del saco** homem do saco, papão; **hombre de negocios** homem de negócios; **hombre de palabra** homem de palavra; **hombre lobo** lobisomem; **hombre objeto** homem--objeto; **hombre rana** homem-rã
hombrera [om'bɾeɾa] *s.f.* **1** *(almohadilla)* chumaço*m.*; ombreira **2** (maiô, sutiã) alça **3** (uniforme militar) platina
hombro ['ombɾo] *s.m.* ombro ◆ **encogerse de/los hombros** encolher os ombros; **hombro con hombro** ombro a/com ombro
homenaje [ome'naxe] *s.m.* homenagem*f.*; *en homenaje a* em homenagem a; *rendir homenaje a alguien* prestar homenagem a alguém
homenajead|o, -a [omenaxe'aðo] *adj.,s.m.,f.* homenagead|o, -a
homenajear [omenaxe'aɾ] *v.* homenagear, prestar homenagem a
homeópata [ome'opata] *s.2g.* homeopata
homeopatía [omeopa'tia] *s.f.* homeopatia
homeopático [omeo'patiko] *adj.* homeopático

homicida [omi'θiδa] *adj.,s.2g.* homicida
homicidio [omi'θiδjo] *s.m.* homicídio
homilía [omi'lia] *s.f.* homilia
homínido [o'miniδo] *adj.,s.m.* hominídeo
homofonía [omofo'nia] *s.f.* homofonia
homófono [o'mofono] *adj.* (palavra) homófono
homogeneidad [omoxenej'δaδ] *s.f.* homogeneidade
homogeneización [omoxenejθa'θjon] *s.f.* homogeneização
homogéneo [omo'xeneo] *adj.* homogêneo
homografía [omoγra'fia] *s.f.* homografia
homógrafo [o'moγrafo] *adj.* (palavra) homógrafo
homologación [omoloγa'θjon] *s.f.* homologação
homología [omolo'xia] *s.f.* homologia
homólog|o, -a [ho'moloγo] *adj.* homólog|o, -a
homonimia [omo'nimja] *s.f.* LING. homonímia
homónimo [o'monimo] *adj.* (pessoas, coisas) homônimo; (pessoas) xará
homosexual [omosek'swal] *adj.,s.2g.* homossexual
homosexualidad [omosekswali'δaδ] *s.f.* homossexualidade
honda ['oņda] *s.f.* funda (para atirar pedras)
hondo ['oņdo] *adj.* fundo, profundo
Honduras [oņ'duras] *s.f.pl.* Honduras
hondureñ|o, -a [oņdu'reɲo] *adj.,s.m.,f.* hondurenh|o, -a
honestidad [onesti'δaδ] *s.f.* honestidade
honesto [o'nesto] *adj.* honesto, digno
hongo ['oŋgo] *s.m.* **1** BIOL. fungo **2** *(sombrero hongo)* chapéu-de-coco
honor [o'nor] *s.m.* honra*f.* ◆ **en honor a la verdad** para ser sincero
honorabilidad [onoraβili'δaδ] *s.f.* honorabilidade
honorable [ono'raβle] *adj.2g.* honorável
honorario [ono'rarjo] *adj.* honorário
honorífico [ono'rifiko] *adj.* (cargo, título) honorífico
honra ['onra] *s.f.* honra ◆ **honras fúnebres** honras fúnebres
honradez [onra'δeθ] *s.f.* honradez
honrado [on'raδo] *adj.* honrado, honesto
honrar [on'rar] *v.* honrar ■ **honrarse** honrar-se
honrilla [on'riʎa] *s.f.* honra, brio*m.*; *por la honrilla* por uma questão de honra
honroso [on'roso] *adj.* honroso
hora ['ora] *s.f.* hora; *¿qué hora es?* que horas são? ◆ **a todas horas** a toda hora; (relógio) **dar la hora** dar as horas; **entre horas** entre as refeições; *gír.* (escola) **hora libre** furo, janela; **hora punta** hora do rush; **no ver la hora de** não ver a hora de
horario [o'rarjo] *adj.* horário; *cambio horario* mudança horária; *huso horario* fuso horário ■ *s.m.* horário; *horario comercial* horário de funcionamento; *horario de consulta* horário de atendimento; *horario laboral* horário de trabalho ◆ **horario estelar/de máxima audiencia** horário nobre
horca ['orka] *s.f.* forca
horda ['orδa] *s.f.* horda
horizontal [oriθoņ'tal] *adj.2g.,s.f.* horizontal ◆ *col.* **coger la horizontal** deitar; dormir
horizontalidad [oriθoņtali'δaδ] *s.f.* horizontalidade
horizonte [ori'θoņte] *s.m.* horizonte
horma ['orma] *s.f.* (de sapato) forma, molde*m.*
hormiga [or'miγa] *s.f.* formiga
hormigón [ormi'γon] *s.m.* concreto; ***hormigón armado*** concreto armado
hormigonera [ormiγo'nera] *s.f.* betoneira
hormigueo [ormi'γeo] *s.m.* formigueiro, coceira*f.*
hormiguero [ormi'γero] *s.m.* formigueiro
hormona [or'mona] *s.f.* hormônio
hormonal [ormo'nal] *adj.2g.* hormônico
hornada [or'naδa] *s.f.* fornada
hornillo [or'niʎo] *s.m.* **1** fogareiro **2** (de gás) bico; (elétrico) disco
horno ['orno] *s.m.* **1** forno; ***horno (de) microondas*** forno de micro-ondas; ***horno panelable*** forno de embutir **2** *(panificadora)* padaria*f.* **3** *col.* forno ◆ **alto horno** alto-forno; *col.* **no estar el horno para bollos** a maré não está para peixe
horóscopo [o'roskopo] *s.m.* **1** horóscopo **2** *col.* signo (do zodíaco); ***¿qué horóscopo eres?*** de que signo você é?
horquilla [or'kiʎa] *s.f.* **1** (cabelo) gancho*m.* **2** (vara) forquilha **3** (bicicleta) garfo*m.*, forquilha
horrendo [o'reņdo] *adj.* horrendo
hórreo ['oreo] *s.m.* espigueiro
horrible [o'riβle] *adj.2g.* horrível
horripilante [oripi'laņte] *adj.2g.* horripilante
horror [o'ror] *s.m.* **1** *(miedo)* horror **2** *(aversión)* horror, aversão*f.*; *tener horror a* ter horror a ■ **horrores** *s.m.pl.* horrores ◆ **el horror de los horrores** terrível; **¡qué horror!** que horror!
horrorizar [orori'θar] *v.* horrorizar ■ **horrorizarse** horrorizar-se
horroroso [oro'roso] *adj.* horroroso
hortaliza [orta'liθa] *s.f.* hortaliça
hortense [or'tense] *adj.2g.* hortense
hortensia [or'tensja] *s.f.* hortênsia, hidrângea
hortera [or'tera] *adj.* cafona, brega
hortícola [or'tikola] *adj.2g.* hortícola
horticultor, -a [ortikul'tor] *s.m.,f.* horticultor, -a
horticultura [ortikul'tura] *s.f.* horticultura
hospedador [ospeδa'δor] *adj.* BIOL. hospedeiro
hospedaje [ospe'δaxe] *s.m.* hospedagem*f.*
hospedar [ospe'δar] *v.* hospedar, alojar ■ **hospedarse** hospedar-se (en, em), alojar-se (en, em); ***hospedarse en un hotel*** hospedar-se num hotel
hospedería [ospeδe'ria] *s.f.* **1** hospedaria; estalagem; pousada **2** (para viajantes, peregrinos) hospedaria, albergue*m.*
hospicio [os'piθjo] *s.m.* **1** (para órfãos) orfanato **2** (para peregrinos, pobres) albergue
hospital [ospi'tal] *s.m.* hospital; ***estar en el hospital*** estar no hospital ◆ **hospital militar** hospital militar

hospitalario [ospita'larjo] *adj.* **1** (pessoa, lugar) hospitaleiro, acolhedor **2** (hospital) hospitalar
hospitalidad [ospitali'ðað] *s.f.* hospitalidade
hospitalización [ospitaliθa'θjon] *s.f.* hospitalização
hospitalizado [ospitali'θaðo] *adj.* hospitalizado, internado
hospitalizar [ospitali'θar] *v.* hospitalizar, internar
hostal [os'tal] *s.m.* pensão*f.*; estalagem*f.*
hostelería [ostele'ria] *s.f.* hotelaria
hostelero [oste'lero] *adj.* hoteleiro
hostería [oste'ria] *s.f.* hospedaria; estalagem; pensão; residencial
hostia ['ostja] *s.f.* **1** hóstia **2** *vulg.* bofetada, lambada ▪ *interj.* **1** *vulg.* caramba! **2** *vulg.* droga! ♦ *vulg.* **ser la hostia 1** ser o máximo **2** ser do pior
hostil [os'til] *adj.2g.* hostil
hostilidad [ostili'ðað] *s.f.* hostilidade
hotel [o'tel] *s.m.* hotel; *hotel de cinco estrellas* hotel cinco estrelas
hotelero [ote'lero] *adj.* hoteleiro
hoy ['oj] *adv.* hoje; *hoy por la mañana/tarde* hoje de manhã/tarde ♦ **de hoy a/para mañana** de hoje para amanhã; **de hoy en adelante** de hoje em diante; **de hoy en una semana/ocho días** de hoje a oito (dias); **hasta hoy** até hoje; **hoy (en) día** hoje em dia; **hoy por hoy** hoje em dia; **por hoy** por hoje/agora
hoya ['oja] *s.f.* **1** *(hoyo)* buraco*m.* **2** *(sepultura)* cova, vala, fossa
hoyo ['ojo] *s.m.* **1** (terreno) cova*f.*, buraco **2** *(sepultura)* cova*f.*, sepultura*f.* **3** (golfe) buraco; *hacer un hoyo* fazer um buraco
hoyuelo [o'jwelo] *s.m.* (queixo, bochechas) covinha*f.*
hoz ['oθ] *s.f.* **1** foice **2** GEOG. desfiladeiro*m.*, garganta
hueco ['(g)weko] *adj.* **1** *(vacío)* oco, vazio **2** *col.* (pessoa) presunçoso, vaidoso **3** *fig.* (estilo, linguagem) oco, vazio, vão ▪ *s.m.* **1** buraco; vão; *hueco de la escalera* vão da escada; *hueco del ascensor* poço do elevador **2** (espaço) lugar vago; *hacer un hueco* arranjar um lugar **3** (tempo) tempo livre, tempinho
huelga ['(g)welɣa] *s.f.* greve; *convocar una huelga* convocar uma greve; *estar en/de huelga* estar em greve; *hacer huelga* fazer greve; *huelga general* greve geral ♦ **huelga de hambre** greve de fome
huelguista [(g)wel'ɣista] *s.2g. adj.* grevista
huella ['(g)weʎa] *s.f.* **1** (de pé) pegada; (de pneus) marca **2** *(rastro)* rastro*m.*, sinal*m.* **3** *fig.* marca, impressão ♦ **huella dactilar/digital** impressão digital; **seguir las huellas de alguien** seguir os passos de alguém
huérfan|o, -a ['(g)werfano] *s.m.,f.* órf|ão, -ã; *quedarse huérfano* ficar órfão
huerta ['(g)werta] *s.f.* **1** horta **2** terra de regadio
huerto ['(g)werto] *s.m.* (de legumes) horto, horta*f.*; quintal; (de árvores de fruto) pomar ♦ *col.* **llevar al huerto 1** levar na conversa **2** levar para a cama
hueso ['(g)weso] *s.m.* **1** osso **2** (frutos) caroço **3** *col.* osso duro de roer*fig.* ♦ *col.* **calado/empapado hasta los huesos** molhado da cabeça até aos pés; *col.* **estar/quedarse en los (puros) huesos** estar/ficar só pele e osso; *col.* **la sin hueso** a matraca/língua; **ser un hueso duro de roer** ser osso duro de roer
huésped, -a ['(g)wespeð] *s.m.,f.* **1** hóspede*2g.* **2** BIOL. hospedeir|o, -a
hueva ['(g)weβa] *s.f.* (peixes) ova
huevo ['(g)weβo] *s.m.* **1** ovo **2** *col.* (cabeça) galo ▪ **huevos** *s.m.pl. vulg. (testículos)* ovos*cal.* ♦ *col.* **estar hasta los huevos** estar pelos cabelos; **huevo de Colón** ovo de Colombo; CUL. **huevo duro** ovo cozido; CUL. **huevo escalfado** ovo escalfado, poché; CUL. **huevo frito** ovo estrelado; CUL. **huevo hilado** fios de ovos; CUL. **huevos moles** [doce feito com gema de ovo e açúcar]; CUL. **huevos revueltos** ovos mexidos; *vulg.* **¡me importa un huevo!** quero lá saber!, não me interessa!; *col.* (forma de andar) **pisando huevos** muito devagar; *col.* **¡y un huevo!** uma ova!
huida ['wiða] *s.f.* fuga
huir ['wir] *v.* **1** *(escapar)* fugir (**de**, **de**); *los ladrones huyeron de la cárcel* os ladrões fugiram da prisão **2** (pessoa, situação) evitar (**de**, -), fugir (**de**, **de**)
humanidad [umani'ðað] *s.f.* **1** humanidade **2** *col.* cabedal*m.*, corpulência ▪ **humanidades** *s.f.pl.* humanidades*pl.*
humanismo [uma'nizmo] *s.m.* humanismo
humanista [uma'nista] *adj.,s.2g.* humanista
humanitario [umani'tarjo] *adj.* humanitário; *ayuda humanitaria* ajuda humanitária
humanitarismo [umanita'rizmo] *s.m.* humanitarismo
humano [u'mano] *adj.* **1** humano; *derechos humanos* direitos humanos; *naturaleza humana* natureza humana; *ser humano* ser humano **2** *(bondadoso)* humano, bondoso ▪ *s.m.* (ser) humano
humanoide [uma'nojðe] *adj.,s.2g.* humanoide
humareda [uma'reða] *s.f.* fumarada, fumaça
humeante [ume'ante] *adj.2g.* fumegante
humear [ume'ar] *v.* **1** fumegar **2** *fig.* transparecer
humedad [ume'ðað] *s.f.* umidade
húmedo ['umeðo] *adj.* úmido ♦ *col.* **darle a la húmeda** dar à língua
húmero ['umero] *s.m.* úmero
humidificación [umiðifika'θjon] *s.f.* umidificação
humidificador [umiðifika'ðor] *s.m.* umidificador
humildad [umil'dað] *s.f.* humildade
humilde [u'milde] *adj.2g.* humilde
humillación [umiʎa'θjon] *s.f.* humilhação
humillante [umi'ʎante] *adj.2g.* humilhante
humillar [umi'ʎar] *v.* **1** humilhar, rebaixar **2** (touro) baixar a cabeça ▪ **humillarse** humilhar-se, rebaixar-se; *se humillaba ante el jefe* humilhava-se perante o chefe
humo ['umo] *s.m.* fumo ▪ **humos** *s.m.pl. col.* arrogância*f.*; orgulho; mania*f.* ♦ **bajar los humos** baixar a crista/bolinha; **tener muchos humos** ter a mania

humor [u'mor] *s.m.* humor ♦ **estar de buen/mal humor** estar de bom/mau humor; **humor negro** humor negro
humorada [umo'raða] *s.f.* piada
humorado [umo'raðo] *adj.* humorado; ***bien humorado*** bem-humorado; ***mal humorado*** mal-humorado
humorismo [umo'rizmo] *s.m.* humorismo
humorista [umo'rista] *s.2g.* humorista, cômic|o,-a*m.f.* ♦ (desenhos, textos) **humorista gráfico** chargista
humorístico [umo'ristiko] *adj.* humorístico
humus ['umus] *s.m.2n.* húmus, humo
hundimiento [undi'mjento] *s.m.* afundamento
hundir [un'dir] *v.* **1** (corpo) afundar **2** (construção) desmoronar, destruir, derrubar **3** *fig.* abater, abalar **4** *fig.* arruinar, afundar ▪ **hundirse 1** (corpo) afundar-se **2** (construção) desmoronar, destruir, derrubar **3** *(abatirse)* abater-se
húngar|o, -a ['ungaro] *adj.,s.m.,f.* húngar|o,-a ▪ **húngaro** *s.m.* (língua) húngaro
Hungría [un'gria] *s.f.* Hungria
huracán [ura'kan] *s.m.* furacão
huraño [u'raɲo] *adj.* (pessoa) esquivo, arisco
hurón [u'ron] *s.m.* **1** furão **2** *fig., col.* bisbilhoteiro **3** *fig., col.* bicho do mato
hurra ['ura] *interj.* (alegria) hurra!
hurtar [ur'tar] *v.* **1** furtar, roubar **2** *fig.* (ideia, trabalho) furtar, plagiar, copiar
hurto ['urto] *s.m.* furto, roubo
husky ['xaski] *s.m.* (*pl.* huskys) husky
husmear [uzme'ar] *v.* **1** farejar **2** *fig., col.* bisbilhotar
huso ['uso] *s.m.* fuso ♦ **huso horario** fuso horário
huy ['uj] *interj.* **1** (admiração, estranheza) ui!, hui! **2** (dor, lamento) ui!

I

i ['i] *s.f.* (letra) i*m.* ◆ (letra y) **i griega** ípsilon
ibérico [i'βeriko] *adj.* ibérico ◆ **Península Ibérica** Península Ibérica
iberoamericano [iβeroameri'kano] *adj.* ibero--americano
ibis ['iβis] *s.m.2n.* íbis*f.*
iceberg [iθe'βer(γ)] *s.m.* iceberg
icono [i'kono] *s.m.* ícone
ictericia [ikte'riθja] *s.f.* icterícia
ictiología [iktjolo'xia] *s.f.* ictiologia
ida ['iδa] *s.f.* ida; *ida y vuelta* ida e volta
idea [i'δea] *s.f.* ideia; *idea fija/preconcebida* ideia fixa/preconcebida; *idea de bombero* ideia descabida; *cambiar de idea(s)* mudar de ideia(s); *hacerse a la idea de* acostumar-se à ideia de; *no tener (ni) idea* não fazer (a mínima) ideia; *no tener ni idea de que* não fazer ideia de que; *tener una idea luminosa* ter uma ideia luminosa ◆ **mala idea** má intenção; *vulg.* **ni puta/zorra idea** não fazer (a mínima) ideia
ideal [iδe'al] *adj.2g.* ideal ■ *s.m.* ideal
idealismo [iδea'lizmo] *s.m.* idealismo
idealista [iδea'lista] *adj.,s.2g.* idealista
idealización [iδealiθa'θjon] *s.f.* idealização
idealizar [iδeali'θar] *v.* idealizar
idear [iδe'ar] *v.* **1** (ideias) conceber, criar **2** *(proyectar)* projetar, planejar, idealizar
ídem ['iδem] *pron.dem.* idem ◆ *col.* **ídem de ídem** idem, aspas
idéntico [i'δentiko] *adj.* idêntico (a, a); *es idéntico al mío* é idêntico ao meu
identidad [iδenti'δaδ] *s.f.* identidade
identificación [iδentifika'θjon] *s.f.* **1** *(reconocimiento)* identificação, reconhecimento*m.* **2** (documentação) identificação
identificar [iδentifi'kar] *v.* **1** *(reconocer)* identificar, reconhecer **2** *(equiparar)* identificar, equiparar ■ **identificarse 1** identificar-se (con, com); *identificarse con el personaje* identificar se com a personagem **2** (documentação) identificar se
ideología [iδeolo'xia] *s.f.* ideologia
ideológico [iδeo'loxiko] *adj.* ideológico
ideólog|o, -a [iδe'oloγo] *s.m.,f.* ideólog|o, -a
idiolecto [iδjo'lekto] *s.m.* LING. idioleto
idioma [i'δjoma] *s.m.* idioma, língua*f.*
idiomático [iδjo'matiko] *adj.* idiomático; *expresión idiomática* expressão idiomática
idiota [i'δjota] *adj.,s.2g.* idiota
idiotez [iδjo'teθ] *s.f.* idiotice, parvoíce
idiomatismo [iδjoma'tizmo] *s.m.* idiomatismo, frase*f.* feita
ido ['iδo] *adj.* **1** *(loco)* doido, louco **2** *(despistado)* distraído, desatento
idolatrar [iδola'trar] *v.* idolatrar
idolatría [iδola'tria] *s.f.* idolatria
ídolo ['iδolo] *s.m.* ídolo
idóneo [i'δoneo] *adj.* idôneo, adequado
iglesia [i'γlesja] *s.f.* igreja; *iglesia matriz* igreja matriz
iglú [i'γlu] *s.m.* (casa) iglu
ignición [iγni'θjon] *s.f.* ignição
ignorancia [iγno'ranθja] *s.f.* ignorância
ignorante [iγno'rante] *adj.,s.2g.* ignorante
ignorar [iγno'rar] *v.* ignorar
igual [i'γwal] *adj.2g.* **1** igual **2** *(idéntico)* igual (a/que, a), idêntico (a/que, a); *es igual a/que su hermana* é igual à irmã **3** MAT. igual; *tres más tres es igual a seis* três mais três é igual a seis ■ *s.m.* MAT. igual (=) ■ *adv. col.* talvez; se calhar ◆ **al igual que** tal como; **da igual** tanto faz; **de igual a igual** de igual para igual; **¡es igual!** tanto faz!; é igual!; **sin igual** sem igual
igualada [iγwa'laδa] *s.f. col.* empate*m.*
igualar [iγwa'lar] *v.* **1** *(equiparar)* igualar, equiparar **2** (superfície, terreno) igualar, nivelar, aplanar **3** ESPOR. empatar, igualar ■ **igualarse** igualar-se (a, a), equiparar se (a, a)
igualdad [iγwal'daδ] *s.f.* igualdade; *en igualdad de condiciones* em igualdade de circunstâncias; *en pie de igualdad* em pé de igualdade
igualitario [iγwali'tarjo] *adj.* igualitário
igualmente [iγwal'mente] *adv.* igualmente
iguana [i'γwana] *s.f.* iguana
ilegal [ile'γal] *adj.2g.* ilegal
ilegalidad [ileγali'δaδ] *s.f.* ilegalidade
ilegible [ile'xiβle] *adj.2g.* ilegível
ilegítimo [ile'xitimo] *adj.* ilegítimo
ileso [i'leso] *adj.* ileso
iletrado [ile'traδo] *adj.* iletrado, analfabeto
ilícito [i'liθito] *adj.* ilícito
ilimitado [ilimi'taδo] *adj.* ilimitado
ilógico [i'loxiko] *adj.* ilógico, absurdo
iluminación [ilumina'θjon] *s.f.* iluminação
iluminado [ilumi'naδo] *adj.* iluminado
iluminar [ilumi'nar] *v.* **1** *(alumbrar)* iluminar, alumiar **2** *(subrayar)* sublinhar (com fluorescente) ■ **iluminarse** iluminar-se
ilusión [ilu'sjon] *s.f.* **1** ilusão; *vivir de ilusiones* viver de ilusões **2** *(esperanza)* esperança; *hacerse ilusiones* alimentar esperanças, iludir-se **3** *(sueño)* sonho*m.*, ilusão **4** (sentimento) alegria; satisfação; *le hizo mucha ilusión que lo llamases* ficou muito contente por você ter ligado para ele; *me hace mucha ilusión ir de vacaciones* estou entusiasmada por sair de férias; *me hizo mucha ilusión ir a Japón* adorei ir ao Japão ◆ **ilusión óptica** ilusão de óptica

ilusionar [ilusjo'nar] *v.* **1** *(crear ilusiones)* iludir; ***no te ilusiones antes de tiempo*** não se iluda antes do tempo **2** *(entusiasmar)* alegrar, ficar contente; ***me ilusiona mucho que hayas venido*** fico muito contente por você ter vindo ■ **ilusionarse** iludir-se (con, com); ***ilusionarse con alguien/algo*** iludir-se com alguém/alguma coisa

ilusionismo [ilusjo'nizmo] *s.m.* ilusionismo, prestidigitação*f.*

ilusionista [ilusjo'nista] *s.2g.* ilusionista

ilus|o, -a [i'luso] *adj.,s.m.,f.* **1** *(ingenuo)* ingênu|o, -a **2** *(soñador)* sonhador, -a

ilusorio [ilu'sorjo] *adj.* ilusório

ilustración [ilustra'θjon] *s.f.* **1** (texto) ilustração, imagem **2** *(aclaración)* ilustração, esclarecimento*m.* **3** Iluminismo

ilustrad|o, -a [ilus'traδo] *s.m.,f.* iluminista*2g.* ■ *adj.* **1** (texto) ilustrado; ***edición ilustrada*** edição ilustrada **2** (pessoa) ilustrado, erudito, instruído

ilustrador, -a [ilustra'δor] *adj.,s.m.,f.* ilustrador, -a

ilustrar [ilus'trar] *v.* **1** (texto) ilustrar **2** *(aclarar)* ilustrar, esclarecer **3** (pessoa) instruir, ilustrar

ilustrativo [ilustra'tiβo] *adj.* ilustrativo

ilustre [i'lustre] *adj.2g.* **1** *(nobre)* ilustre; ***familia ilustre*** família ilustre **2** *(célebre)* ilustre, célebre, famoso

ilustrísima [ilus'trisima] *s.f.* (tratamento dado a bispos) Vossa Excelência, Reverendíssima

ilustrísimo [ilus'trisimo] *adj.* **1** (*superl. de* ilustre) ilustríssimo **2** (cartas) excelentíssimo, ilustríssimo; ***Ilustrísimo Señor*** Excelentíssimo Senhor

imagen [i'maxen] *s.f.* imagem ♦ **imagen de marca** imagem de marca; **ser la viva imagen de alguien** ser a cara de alguém

imaginable [imaxi'naβle] *adj.2g.* imaginável

imaginación [imaxina'θjon] *s.f.* imaginação ♦ **dar rienda suelta a la imaginación** dar asas à imaginação; **pasarse por la imaginación** passar pela cabeça

imaginar [imaxi'nar] *v.* **1** imaginar **2** *(suponer)* supor, imaginar; ***imagino que sí*** suponho que sim ■ **imaginarse** imaginar ♦ **¡imagínate!** calcula!; imagina!; você não vai acreditar!

imaginario [imaxi'narjo] *adj.* imaginário, fictício ■ *s.m.* imaginário, simbologia*f.*

imán [i'man] *s.m.* **1** ímã, magneto **2** REL. imã

imbatible [imba'tiβle] *adj.2g.* imbatível, invencível

imbécil [im'beθil] *adj.,s.2g.* imbecil

imbecilidad [imbeθili'δaδ] *s.f.* imbecilidade

imborrable [imβo'raβle] *adj.2g.* **1** *(inolvidable)* inesquecível **2** *(indeleble)* indelével

imitable [imi'taβle] *adj.2g.* imitável

imitación [imita'θjon] *s.f.* imitação

imitador, -a [imita'δor] *adj.,s.m.,f.* imitador, -a

imitamonos [imita'monos] *s.2g.2n. pop.* maria vai com as outras, macaco, -a de imitação

imitar [imi'tar] *v.* imitar

impaciencia [impa'θjeņθja] *s.f.* impaciência

impaciente [impa'θjeņte] *adj.2g.* **1** impaciente **2** *(ansioso)* impaciente (por, por), ansioso (por, por); ***impaciente por las vacaciones*** ansioso pelas férias

impacto [im'pakto] *s.m.* **1** impacto, choque **2** *fig.* impacto; ***causar impacto*** causar impacto; ***de gran impacto*** de grande impacto ♦ **impacto ambiental** impacto ambiental

impala [im'pala] *s.m.* impala*2g.*

impar [im'par] *adj.2g.* (número) ímpar

imparable [impa'raβle] *adj.2g.* irrefreável

imparcial [impar'θjal] *adj.2g.* imparcial

imparcialidad [imparθjali'δaδ] *s.f.* imparcialidade

impasse [im'pas] *s.m.* impasse; ***estar en un impasse*** estar num impasse

impávido [im'paβiδo] *adj.* impávido

impecable [impe'kaβle] *adj.2g.* impecável

impedid|o, -a [impe'δiδo] *adj.,s.m.,f.* inválid|o, -a, incapacitad|o, -a

impedimento [impeδi'meņto] *s.m.* impedimento, obstáculo

impedir [impe'δir] *v.* impedir ♦ **impedir** [+ *inf.*] impedir de [+ *inf.*]

impenetrable [impene'traβle] *adj.2g.* impenetrável

impensable [impen'saβle] *adj.2g.* impensável

impensado [impen'saδo] *adj.* impensado, irrefletido

imperante [impe'raņte] *adj.2g.* imperante

imperativo [impera'tiβo] *adj.* **1** imperativo; autoritário; categórico **2** LING. imperativo; ***modo imperativo*** modo imperativo ■ *s.m.* **1** *(obligación)* imperativo, obrigação*f.* **2** LING. imperativo

imperceptible [imperθep'tiβle] *adj.2g.* imperceptível

imperdible [imper'δiβle] *adj.2g.* imperdível ■ *s.m.* alfinete de fralda, alfinete de bebê/segurança

imperdonable [imperδo'naβle] *adj.2g.* imperdoável

imperecedero [impereθe'δero] *adj.* imperecível

imperfección [imperfek'θjon] *s.f.* **1** imperfeição **2** *(defecto)* imperfeição, defeito*m.*

imperfectivo [imperfek'tiβo] *adj.* imperfectivo

imperfecto [imper'fekto] *adj.* imperfeito; LING. ***pretérito imperfecto*** pretérito imperfeito ■ *s.m.* LING. imperfeito

imperial [impe'rjal] *adj.2g.* imperial

imperialismo [imperja'lizmo] *s.m.* imperialismo

imperialista [imperja'lista] *adj.,s.2g.* imperialista

imperio [im'perjo] *s.m.* império ♦ *col.* **valer un imperio** valer ouro

imperioso [impe'rjoso] *adj.* **1** *(necesario, urgente)* imperioso; necessário; urgente **2** *(autoritario)* imperioso, autoritário

impermeabilidad [impermeaβili'δaδ] *s.f.* impermeabilidade

impermeabilización [impermeaβiliθa'θjon] *s.f.* impermeabilização

impermeable [imperme'aβle] *adj.2g.* impermeável; ***impermeable al agua*** impermeável à água; ***tejido impermeable*** tecido impermeável ■ *s.m.* impermeável

impersonal [imperso'nal] *adj.2g.* impessoal

impersonalidad [impersonali'δaδ] *s.f.* impessoalidade

impertinencia [imperti'neņθja] *s.f.* impertinência

impertinente [imperti'nente] *adj.2g.* impertinente
ímpetu ['impetu] *s.m.* ímpeto
impetuosidad [impetwosi'ðað] *s.f.* impetuosidade
impetuoso [impe'twoso] *adj.* impetuoso
impiedad [impje'ðað] *s.f.* impiedade
implacable [impla'kaβle] *adj.2g.* implacável
implantación [implanta'θjon] *s.f.* implantação
implantar [implan'tar] *v.* implantar
implante [im'plante] *s.m.* implante
implicación [implika'θjon] *s.f.* **1** (crime, delito) implicação, envolvimento*m.* **2** *(participación)* participação **3** *(consecuencia)* implicação, consequência
implicar [impli'kar] *v.* **1** *(envolver)* implicar (en, em), envolver (en, em) **2** *(conllevar)* implicar, acarretar
implícito [im'pliθito] *adj.* implícito
implorar [implo'rar] *v.* implorar, suplicar
implosión [implo'sjon] *s.f.* implosão
imponderable [imponde'raβle] *adj.2g.* **1** imponderável **2** (valor) incalculável
imponente [impo'nente] *adj.2g.* imponente
imponer [impo'ner] *v.* **1** *(hacer obligatorio)* impor **2** (respeito) inspirar, infundir, impor **3** (medo) assustar **4** (nome) pôr **5** (dinheiro) depositar ▪ **imponerse** **1** (autoridade, superioridade) impor se (a, a) **2** *(predominar)* prevalecer, predominar
imponible [impo'niβle] *adj.2g.* ECON. tributável
impopular [impopu'lar] *adj.2g.* impopular
importación [importa'θjon] *s.f.* importação
importador, -a [importa'ðor] *adj.,s.m.,f.* importador, -a
importancia [impor'tanθja] *s.f.* importância; *dar importancia a algo* dar importância a alguma coisa; *sin importancia* sem importância; *tener importancia* ter importância ♦ **darse importancia** achar-se muito importante
importante [impor'tante] *adj.2g.* importante
importar [impor'tar] *v.* **1** (produto) importar **2** *(molestar)* importar se; *¿le importa cerrar la puerta?* importa se de fechar a porta? ♦ *col.* **¡a ti qué te importa!** meta-se na sua vida!; **no importa** não tem importância, não faz mal; **si no le importa** se não se importa
importe [im'porte] *s.m.* importância*f.*, montante, preço
importuno [impor'tuno] *adj.* **1** *(inoportuno)* importuno, inoportuno **2** *(molesto)* importuno, maçador
imposibilidad [imposiβili'ðað] *s.f.* impossibilidade
imposibilitado [imposiβili'taðo] *adj.* **1** *(inválido)* impossibilitado, incapacitado, inválido **2** *(impedido)* impossibilitado, impedido
imposible [impo'siβle] *adj.2g.* **1** impossível, irrealizável **2** *fig., col.* impossível, insuportável ▪ *s.m.* impossível; *pedir lo imposible* pedir o impossível ♦ *col.* **hacer lo imposible** fazer o impossível
imposición [imposi'θjon] *s.f.* **1** imposição **2** (dinheiro) depósito*m.*; *hacer una imposición* fazer um depósito ♦ **imposición de manos** imposição das mãos
impostor, -a [impos'tor] *s.m.,f.* impostor, -a
impostura [impos'tura] *s.f.* impostura
impotencia [impo'tenθja] *s.f.* impotência
impotente [impo'tente] *adj.2g.* impotente; *sentirse impotente para hacer algo* sentir-se impotente para fazer alguma coisa
impracticable [imprakti'kaβle] *adj.2g.* **1** *(irrealizable)* inexequível, impraticável, irrealizável, impossível **2** (caminho, lugar) impraticável, intransitável
imprecisión [impreθi'sjon] *s.f.* imprecisão
impreciso [impre'θiso] *adj.* impreciso
impredecible [impreðe'θiβle] *adj.2g.* imprevisível
impregnar [imprey'nar] *v.* impregnar (de, de) ▪ **impregnarse** impregnar-se (de, de)
imprenta [im'prenta] *s.f.* **1** (arte, técnica) imprensa **2** (oficina) tipografia, gráfica
imprescindible [impresθin'diβle] *adj.2g.* imprescindível
impresentable [impresen'taβle] *adj.2g.* **1** pouco apresentável **2** *(vergonzoso)* vergonhoso
impresión [impre'sjon] *s.f.* impressão ♦ **cambiar impresiones** trocar ideias; **impresión dactilar/digital** impressão digital
impresionable [impresjo'naβle] *adj.2g.* impressionável
impresionante [impresjo'nante] *adj.2g.* impressionante
impresionar [impresjo'nar] *v.* impressionar ▪ **impresionarse** impressionar-se (con, com)
impresionismo [impresjo'nizmo] *s.m.* impressionismo
impresionista [impresjo'nista] *adj.,s.2g.* impressionista
impreso [im'preso] (*p.p. de* imprimir) *adj.* impresso ▪ *s.m.* **1** (obra) impresso **2** *(formulario)* impresso, formulário; *rellenar un impreso* preencher um formulário
impresora [impre'sora] *s.f.* impressora; *impresora de chorro de tinta* impressora a jato de tinta; *impresora láser* impressora a laser
imprevisible [impreβi'siβle] *adj.2g.* imprevisível
imprevisto [impre'βisto] *adj.* imprevisto, inesperado; *gastos imprevistos* despesas imprevistas; *visita imprevista* visita inesperada ▪ *s.m.* imprevisto
imprimir [impri'mir] *v.* **1** *(estampar)* imprimir, estampar **2** (velocidade) imprimir **3** (ideia) inculcar, incutir **4** INFORM. imprimir
improbabilidad [improβaβili'ðað] *s.f.* improbabilidade
improbable [impro'βaβle] *adj.2g.* improvável; incerto
improductivo [improðuk'tiβo] *adj.* improdutivo
impropio [im'propjo] *adj.* impróprio; *impropio para el consumo* impróprio para consumo
improvisación [improβisa'θjon] *s.f.* improvisação
improvisar [improβi'sar] *v.* improvisar
improviso [impro'βiso] ♦ **de improviso** de improviso, de surpresa
imprudencia [impru'ðenθja] *s.f.* imprudência
imprudente [impru'ðente] *adj.2g.* imprudente
impuesto [im'pwesto] (*p.p. de* imponer) *adj.* imposto ▪ *s.m.* imposto, tributo; *impuesto de circulación* im-

posto municipal sobre veículos; ***impuesto sobre bienes inmuebles*** imposto predial; ***Impuesto sobre el Valor Añadido (IVA)*** Imposto sobre Valor Agregado (IVA); ***impuesto sobre la renta*** imposto de renda; ***Impuesto sobre la Renta de las Personas Físicas (IRPF)*** Imposto de Renda de Pessoa Física (IRPF); ***estar libre de impuestos*** estar isento de impostos

impulsar [impul'sar] *v.* **1** empurrar, impulsar **2** *fig.* impulsionar, estimular, promover ♦ **impulsar a** [+*inf.*] fazer com que [+*sj.*]

impulsivo [impul'siβo] *adj.* (pessoa) impulsivo

impulso [im'pulso] *s.m.* *(empuje)* impulso

impulsor, -a [impul'sor] *adj.,s.m.,f.* impulsionador, -a

impune [im'pune] *adj.2g.* impune; ***quedar/salir impune*** ficar/sair impune

impunidad [impuni'ðað] *s.f.* impunidade

impureza [impu'reθa] *s.f.* impureza

impuro [im'puro] *adj.* impuro

in ['in] *adv.* na moda

inaccesible [inakθe'siβle] *adj.2g.* (lugar, pessoa) inacessível

inaceptable [inaθep'taβle] *adj.2g.* inaceitável

inactividad [inaktiβi'ðað] *s.f.* inatividade

inactivo [inak'tiβo] *adj.* inativo

inadaptad|o, -a [inaðap'taðo] *adj.,s.m.,f.* inadaptad|o, -a

inadecuado [inaðe'kwaðo] *adj.* **1** inadequado **2** impróprio

inadmisible [inaðmi'siβle] *adj.2g.* inadmissível, inaceitável

inadvertencia [inaðβer'tenθja] *s.f.* inadvertência

inadvertido [inaðβer'tiðo] *adj.* **1** *(desapercibido)* despercebido; ***pasar inadvertido*** passar despercebido **2** *(no avisado)* inadvertido

inalcanzable [inalkan'θaβle] *adj.2g.* inalcançável, inatingível

inalterable [inalte'raβle] *adj.2g.* inalterável

inalterado [inalte'raðo] *adj.* inalterado

inanimado [inani'maðo] *adj.* inanimado

inaplazable [inapla'θaβle] *adj.2g.* inadiável

inapreciable [inapre'θjaβle] *adj.2g.* **1** *(valioso)* inestimável, valioso **2** *(insignificante)* imperceptível, insignificante

inaprensible [inapren'siβle] *adj.2g.* incompreensível

inaudible [inaw'ðiβle] *adj.2g.* inaudível

inauguración [inawγura'θjon] *s.f.* inauguração

inaugural [inawγu'ral] *adj.2g.* inaugural

inaugurar [inawγu'rar] *v.* inaugurar

inca ['inka] *adj.,s.2g.* inca

incalculable [inkalku'laβle] *adj.2g.* incalculável

incandescencia [inkandes'θenθja] *s.f.* incandescência

incandescente [inkandes'θente] *adj.2g.* incandescente, candente

incansable [inkan'saβle] *adj.2g.* incansável, infatigável

incapacidad [inkapaθi'ðað] *s.f.* incapacidade

incapacitado [inkapaθi'taðo] *adj.* incapacitado, inapto

incapaz [inka'paθ] *adj.2g.* **1** incapaz (de, de); ***es incapaz de matar una mosca*** é incapaz de matar uma mosca **2** DIR. incapaz

incendiar [inθen'djar] *v.* incendiar ■ **incendiarse** incendiar-se

incendio [in'θendjo] *s.m.* incêndio, fogo de grandes proporções

incentivo [inθen'tiβo] *s.m.* incentivo

incertidumbre [inθerti'ðumbre] *s.f.* incerteza; dúvida

incesante [inθe'sante] *adj.2g.* incessante

incidencia [inθi'ðenθja] *s.f.* **1** *(suceso)* incidente*m.*, incidência **2** *(frecuencia)* incidência **3** *(repercusión)* repercussão

incidente [inθi'ðente] *s.m.* **1** incidente **2** *(pelea)* briga*f.*, discussão*f.*

incienso [in'θjenso] *s.m.* incenso

incierto [in'θjerto] *adj.* **1** *(falso)* falso **2** *(dudoso)* incerto, duvidoso **3** *(desconocido)* incerto, desconhecido

incineración [inθinera'θjon] *s.f.* incineração

incinerador [inθinera'ðor] *s.m.* incinerador

incineradora [inθinera'ðora] *s.f.* incineradora; ***incineradora de basuras*** incineradora de lixo; ***incineradora de desechos industriales*** incineradora de resíduos industriais

incinerar [inθine'rar] *v.* (cadáver) cremar, incinerar

incisión [inθi'sjon] *s.f.* incisão, corte*m.*

incisivo [inθi'siβo] *adj.* **1** (instrumento) incisivo, cortante **2** *fig.* incisivo, mordaz ■ *s.m.* (dente) incisivo

incitación [inθita'θjon] *s.f.* incitação

incitar [inθi'tar] *v.* incitar (a, a), instigar (a, a), estimular (a, a); ***incitar a la violencia*** incitar à violência

inclinación [inklina'θjon] *s.f.* **1** inclinação **2** *fig.* queda, inclinação, propensão

inclinado [inkli'naðo] *adj.* **1** inclinado **2** *fig.* inclinado (a, a), propenso (a, a)

inclinar [inkli'nar] *v.* inclinar ■ **inclinarse 1** *(doblarse)* inclinar se **2** *(escoger)* optar (por, por) **3** *fig.* inclinar-se (a, a)

incluir [inklu'ir] *v.* **1** *(insertar)* incluir **2** *(comprender)* abranger **3** *(contener)* incluir, conter

inclusión [inklu'sjon] *s.f.* inclusão

inclusive [inklu'siβe] *adv.* inclusive; ***del día 1 al 30, ambos inclusive*** do dia 1º ao dia 30, inclusive

incluso [in'kluso] *adv.* inclusive, inclusivamente

incógnita [in'koγnita] *s.f.* **1** incógnita **2** *fig.* incógnita, mistério*m.*, enigma*m.*

incoherencia [inkoe'renθja] *s.f.* incoerência

incoherente [inkoe'rente] *adj.2g.* incoerente

incoloro [inko'loro] *adj.* incolor

incombustible [inkombus'tiβle] *adj.2g.* **1** incombustível **2** *fig.* (pessoa) incansável

incomodidad [inkomoði'ðað] *s.f.* **1** *(falta de comodidad)* desconforto*m.* **2** *(molestia)* incômodo*m.*, maçada

incomodo [inko'moðo] *s.m.* incômodo, maçada*f.*

incómodo [in'komoðo] *adj.* **1** incômodo, desconfortável; ***sentirse incómodo*** sentir-se incômodo **2** incomodativo

incomparable [iŋkompa'ɾaβle] *adj.2g.* incomparável
incompatibilidad [iŋkompatiβili'ðað] *s.f.* incompatibilidade
incompatible [iŋkompa'tiβle] *adj.2g.* incompatível (con, com)
incompetencia [iŋkompe'ten̪θja] *s.f.* incompetência
incompetente [iŋkompe'ten̪te] *adj.,s.2g.* incompetente
incompleto [iŋkom'pleto] *adj.* incompleto
incomprendido [iŋkompren̪'diðo] *adj.* incompreendido
incomprensible [iŋkompren'siβle] *adj.2g.* incompreensível
incomprensión [iŋkompren'sjon] *s.f.* incompreensão, falta de compreensão
inconcebible [iŋkon̪θe'βiβle] *adj.2g.* inconcebível
inconciliable [iŋkon̪θi'ljaβle] *adj.2g.* inconciliável
inconcluso [iŋkoŋ'kluso] *adj.* inconcluso, inacabado, incompleto
incondicional [iŋkon̪diθjo'nal] *adj.2g.* incondicional
inconfundible [iŋkoɱfun̪'diβle] *adj.2g.* inconfundível
inconsciencia [iŋkons'θjen̪θja] *s.f.* inconsciência
inconsciente [iŋkons'θjen̪te] *adj.2g.* **1** inconsciente; ***el hombre sigue inconsciente*** o homem continua inconsciente **2** *(irresponsable)* inconsciente, irresponsável ▪ *s.m.* PSIC. inconsciente
inconsecuente [iŋkonse'kwen̪te] *adj.2g.* inconsequente
inconsistencia [iŋkonsis'ten̪θja] *s.f.* inconsistência
inconsistente [iŋkonsis'ten̪te] *adj.2g.* inconsistente
inconsolable [iŋkonso'laβle] *adj.2g.* inconsolável
inconstancia [iŋkons'tan̪θja] *s.f.* inconstância
inconstante [iŋkons'tan̪te] *adj.2g.* inconstante
inconstitucional [iŋkonstituθjo'nal] *adj.2g.* inconstitucional
inconstitucionalidad [iŋkonstituθjonali'ðað] *s.f.* inconstitucionalidade
incontable [iŋkon̪'taβle] *adj.2g.* incontável, inumerável
incontenible [iŋkon̪te'niβle] *adj.2g.* incontrolável
incontestable [iŋkon̪tes'taβle] *adj.2g.* incontestável
incontinencia [iŋkon̪ti'nen̪θja] *s.f.* incontinência
incontrolable [iŋkon̪tro'laβle] *adj.2g.* incontrolável
inconveniencia [iŋkombe'njen̪θja] *s.f.* inconveniência
inconveniente [iŋkombe'njen̪te] *adj.2g.,s.m.* inconveniente
incorporación [iŋkorpora'θjon] *s.f.* incorporação
incorporar [iŋkorpo'ɾar] *v.* **1** *(agregar)* incorporar, juntar, acrescentar **2** (parte superior do corpo) levantar; ***incorporar la cabeza*** levantar a cabeça ▪ **incorporarse** **1** (associação, grupo) incorporar se (a, a) **2** (cargo, emprego) tomar posse
incorrecto [iŋko'rekto] *adj.* incorreto
incorregible [iŋkore'xiβle] *adj.2g.* incorrigível
incorruptible [iŋkorup'tiβle] *adj.2g.* incorruptível
incorrupto [iŋko'rupto] *adj.* incorrupto
incrédulo [iŋ'kreðulo] *adj.* incrédulo; descrente
increíble [iŋkre'iβle] *adj.2g.* incrível, inacreditável; ***por increíble que parezca*** por incrível que pareça
incremento [iŋkre'men̪to] *s.m.* incremento, aumento
incriminación [iŋkrimina'θjon] *s.f.* incriminação
incriminar [iŋkrimi'nar] *v.* incriminar
incubación [iŋkuβa'θjon] *s.f.* incubação
incubadora [iŋkuβa'ðora] *s.f.* **1** (para chocar ovos) chocadeira, incubadora **2** MED. incubadora
incubar [iŋku'βar] *v.* **1** (ovos) incubar, chocar **2** (doença) incubar ▪ **incubarse** incubar, planejar
incuestionable [iŋkwestjo'naβle] *adj.2g.* inquestionável; indiscutível
incumbencia [iŋkum'ben̪θja] *s.f.* incumbência, obrigação, encargo*m.*; ***ese asunto no es de mi incumbencia*** esse assunto não é da minha responsabilidade; ***eso no es de tu incumbencia*** isso não é da sua conta
incurable [iŋku'raβle] *adj.2g.* **1** incurável **2** *fig.* incorrigível, inveterado
indagación [in̪daɣa'θjon] *s.f.* indagação
indagar [in̪da'ɣar] *v.* indagar
indebido [in̪de'βiðo] *adj.* indevido
indecencia [in̪de'θen̪θja] *s.f.* indecência
indecente [in̪de'θen̪te] *adj.2g.* indecente
indecisión [in̪deθi'sjon] *s.f.* indecisão
indeciso [in̪de'θiso] *adj.* indeciso
indefenso [in̪de'fenso] *adj.* indefeso
indefinible [in̪defi'niβle] *adj.2g.* indefinível
indefinido [in̪defi'niðo] *adj.* **1** *(indeterminado)* indefinido, indeterminado; ***por tiempo indefinido*** por tempo indefinido **2** *(impreciso)* indefinido, impreciso, indeterminado **3** LING. indefinido; ***artículo/pronombre indefinido*** artigo/pronome indefinido **4** (tempo verbal) perfeito (pretérito)
indelicadeza [in̪delika'ðeθa] *s.f.* indelicadeza
indelicado [in̪deli'kaðo] *adj.* indelicado
indemne [in̪'demne] *adj.2g.* iles|o, -a*m.f.*; ***salir indemne de un accidente*** sair ileso de um acidente
indemnización [in̪demniθa'θjon] *s.f.* **1** *(compensación)* indenização, compensação; ***indemnización por daños y perjuicios*** indenização por perdas e danos; ***tener derecho a indemnización*** ter direito a indenização **2** (montante) indenização; ***recibir una indemnización*** receber uma indenização
indemnizar [in̪demni'θar] *v.* (pessoa) indenizar, compensar
independencia [in̪depen̪'den̪θja] *s.f.* independência
independiente [in̪depen̪'djen̪te] *adj.2g.* independente ▪ *adv.* independentemente
indescriptible [in̪deskrip'tiβle] *adj.2g.* indescritível
indeseable [in̪dese'aβle] *adj.2g.* indesejável
indestructible [in̪destruk'tiβle] *adj.2g.* indestrutível
indeterminable [in̪determi'naβle] *adj.2g.* indeterminável
indeterminado [in̪determi'naðo] *adj.* **1** *(indefinido)* indeterminado, indefinido; ***por tiempo indeterminado*** por tempo indeterminado **2** *(impreciso)* indefinido,

impreciso **3** LING. indefinido; *artículo indeterminado* artigo indefinido
India ['indja] *s.f.* Índia
indicación [indika'θjon] *s.f.* **1** *(consejo)* indicação, conselho*m.* **2** *(señal)* indicação, sinal*m.* **3** *(instrucción)* indicação **4** *(prescripción)* indicação, prescrição médica
indicador [indika'ðor] *adj.* indicador ▪ *s.m.* **1** indicador **2** sinal de trânsito, tabuleta*f.*
indicar [indi'kar] *v.* **1** *(mostrar)* indicar, mostrar **2** *(aconsejar)* indicar, aconselhar **3** (medicamento) receitar, prescrever
indicativo [indika'tiβo] *adj.* indicador, indicativo ▪ *s.m.* LING. indicativo
índice ['indiθe] *s.m.* **1** (livro) índice **2** *(indicio)* indício **3** (biblioteca) catálogo **4** (dedo) indicador **5** HIST. índex ♦ **índice de mortalidad/natalidad** taxa de mortalidade/natalidade
indicio [in'diθjo] *s.m.* indício (de, de)
índico ['indiko] *adj.* índico; *océano Índico* oceano Índico
indiferencia [indife'renθja] *s.f.* indiferença
indiferente [indife'rente] *adj.2g.* indiferente; *me es indiferente* é indiferente para mim
indígena [in'dixena] *adj.,s.2g.* indígena
indigencia [indi'xenθja] *s.f.* indigência, miséria
indigente [indi'xente] *adj.,s.2g.* indigente, mendig|o, -a*m.f.*
indigestión [indixes'tjon] *s.f.* indigestão
indigesto [indi'xesto] *adj.* **1** (alimento) indigesto **2** *fig.* (pessoa) intratável
indignación [indiγna'θjon] *s.f.* indignação
indignar [indiγ'nar] *v.* indignar, revoltar ▪ **indignarse** indignar-se, revoltar-se
indignidad [indiγni'ðað] *s.f.* indignidade
indigno [in'diγno] *adj.* **1** indigno (de, de) **2** *(despreciable)* indigno, desprezível, vil
indi|o, -a ['indjo] *adj.,s.m.,f.* **1** (Índia) indian|o, -a, hindu*2g.* **2** (América) índi|o, -a, ameríndi|o, -a ▪ **indio** *s.m.* QUÍM. índio ♦ *col.* **hacer el indio** fazer palhaçadas
indirecta [indi'rekta] *s.f.* indireta; *lanzar/soltar una indirecta* dar uma indireta
indirecto [indi'rekto] *adj.* indireto
indisciplina [indisθi'plina] *s.f.* indisciplina
indisciplinado [indisθipli'naðo] *adj.* indisciplinado
indiscreción [indiskre'θjon] *s.f.* indiscrição
indiscret|o, -a [indis'kreto] *s.m.,f.* indiscret|o, -a ▪ *adj.* indiscreto
indiscriminado [indiskrimi'naðo] *adj.* indiscriminado
indisculpable [indiskul'paβle] *adj.2g.* indesculpável
indiscutible [indisku'tiβle] *adj.2g.* indiscutível
indisoluble [indiso'luβle] *adj.2g.* (substância) indissolúvel, insolúvel
indispensable [indispen'saβle] *adj.2g.* indispensável, imprescindível
indisponer [indispo'ner] *v.* **1** indispor **2** zangar
indispuesto [indis'pwesto] *(p.p. de* indisponer) *adj.* **1** indisposto, maldisposto **2** *(enemistado)* de más relações (con, com)
indistinto [indis'tinto] *adj.* **1** indistinto **2** *(indiferente)* indiferente **3** (conta bancária) conjunta; *abrir una cuenta indistinta* abrir uma conta conjunta
individual [indiβi'ðwal] *adj.2g.* individual; *habitación individual* quarto individual; *raciones individuales* doses individuais
individualidad [indiβiðwali'ðað] *s.f.* individualidade
individuo [indi'βiðwo] *s.m.* indivíduo
índole ['indole] *s.f.* **1** índole, caráter*m.*; *de buena/mala índole* de boa/má índole **2** *fig.* índole, natureza, tipo*m.*
indolencia [indo'lenθja] *s.f.* indolência
indolente [indo'lente] *adj.2g.* indolente
indoloro [indo'loro] *adj.* indolor
indomable [indo'maβle] *adj.2g.* indomável
Indonesia [indo'nesja] *s.f.* Indonésia
indonesi|o, -a [indo'nesjo] *adj.,s.m.,f.* indonési|o, -a
inducción [induk'θjon] *s.f.* indução
indulgencia [indul'xenθja] *s.f.* indulgência
indulgente [indul'xente] *adj.2g.* indulgente (con, com)
indumentaria [indumen'tarja] *s.f.* indumentária
industria [in'dustrja] *s.f.* indústria
industrial [indus'trjal] *adj.2g.* industrial ▪ *s.2g.* industrial, empresári|o, -a*m.f.*
industrialización [industrjaliθa'θjon] *s.f.* industrialização
inédito [i'neðito] *adj.* inédito
ineficacia [inefi'kaθja] *s.f.* ineficácia
ineficaz [inefi'kaθ] *adj.2g.* ineficaz
inepto [i'nepto] *adj.* (pessoa) inapto, inepto
inequívoco [ine'kiβoko] *adj.* inequívoco
inercia [i'nerθja] *s.f.* inércia
inerte [i'nerte] *adj.2g.* inerte
inesperado [inespe'raðo] *adj.* inesperado, imprevisto
inestabilidad [inestaβili'ðað] *s.f.* instabilidade ♦ MET. **inestabilidad atmosférica** instabilidade atmosférica
inestable [ines'taβle] *adj.2g.* instável
inestimable [inesti'maβle] *adj.2g.* inestimável
inevitable [ineβi'taβle] *adj.2g.* inevitável
inexactitud [ineksakti'tuð] *s.f.* inexatidão
inexacto [inek'sakto] *adj.* inexato
inexistencia [ineksis'tenθja] *s.f.* inexistência
inexistente [ineksis'tente] *adj.2g.* inexistente
inexperiencia [inekspe'rjenθja] *s.f.* inexperiência
inexperto [ineks'perto] *adj.* inexperiente
inexplicable [inekspli'kaβle] *adj.2g.* inexplicável
inexplorado [ineksplo'raðo] *adj.* inexplorado
inexpresivo [inekspre'siβo] *adj.* inexpressivo
infalible [imfa'liβle] *adj.2g.* infalível
infame [im'fame] *adj.2g.* **1** (pessoa) infame, desprezível, vil **2** *(muy malo)* horrível, mau, péssimo

infamia [iɱ'famja] s.f. infâmia
infancia [iɱ'fan̪θja] s.f. infância
infant|e, -a [iɱ'fan̪te] s.m.,f. infant|e, -a ■ **infante** s.m. soldado de infantaria, infante
infantería [iɱfan̪te'ria] s.f. infantaria
infantil [iɱfan̪'til] adj.2g. infantil
infantilidad [iɱfan̪tili'ðað] s.f. infantilidade
infarto [iɱ'farto] s.m. enfarte
infatigable [iɱfati'ɣaβle] adj.2g. infatigável, incansável
infección [iɱfek'θjon] s.f. infecção
infeccioso [iɱfek'θjoso] adj. infeccioso
infectar [iɱfek'tar] v. infectar ■ **infectarse** 1 (lesão) infectar 2 (doença) contrair
infectocontagioso [iɱfektokon̪ta'xjoso] adj. infectocontagioso
infelicidad [iɱfeliθi'ðað] s.f. infelicidade
infeliz [iɱfe'liθ] adj.,s.2g. infeliz
inferior [iɱfe'rjor] adj.2g. inferior ■ s.2g. inferior
inferioridad [iɱferjori'ðað] s.f. inferioridade
infernal [iɱfer'nal] adj.2g. 1 infernal 2 fig. infernal, insuportável
infértil [iɱ'fertil] adj.2g. infértil, estéril
infertilidad [iɱfertili'ðað] s.f. infertilidade
infestar [iɱfes'tar] v. infestar, invadir
infidelidad [iɱfiðeli'ðað] s.f. infidelidade
infiel [iɱ'fjel] adj.2g. infiel
infierno [iɱ'fjerno] s.m. inferno ♦ col. **al infierno con** para o inferno; *¡al infierno con el trabajo!* o trabalho que vá para o inferno!; col. **en el quinto infierno** nos quintos dos infernos; col. **irse al infierno** ir por água abaixo; fracassar; col. **¡vete al infierno!** vai para o inferno!
infiltración [iɱfil̪tra'θjon] s.f. infiltração
infiltrad|o, -a [iɱfil̪'traðo] adj.,s.m.,f. infiltrad|o, -a
ínfimo ['iɱfimo] adj. ínfimo
infinitivo [iɱfini'tiβo] s.m. infinitivo
infinito [iɱfi'nito] adj. infinito ■ s.m. infinito; *mirar al infinito* olhar o infinito
inflación [iɱfla'θjon] s.f. inflação
inflacionario [iɱflaθjo'narjo] adj. inflacionário
inflacionismo [iɱflaθjo'nizmo] s.m. inflacionismo
inflamable [iɱfla'maβle] adj.2g. inflamável
inflamación [iɱflama'θjon] s.f. 1 MED. inflamação 2 (substância inflamável) inflamação, combustão
inflamar [iɱfla'mar] v. inflamar ■ **inflamarse** 1 inflamar se 2 (parte do corpo) inflamar
inflamatorio [iɱflama'torjo] adj. inflamatório
inflar [iɱ'flar] v. 1 inflar, insuflar 2 col. (fatos, notícias) exagerar ■ **inflarse** 1 col. (comida) empanturrar se (de, de) 2 col. (atividade) fartar se (de, de)
inflexible [iɱflek'siβle] adj.2g. 1 inflexível 2 fig. inflexível, implacável
influencia [iɱ'flwen̪θja] s.f. influência
influenciable [iɱflwen̪'θjaβle] adj.2g. influenciável
influir [iɱflu'ir] v. 1 influir 2 influenciar
influyente [iɱflu'jen̪te] adj.2g. influente
información [iɱforma'θjon] s.f. informação
informado [iɱfor'maðo] adj. informado; *estar bien/mal informado* estar bem/mal informado
informador, -a [iɱforma'ðor] s.m.,f. 1 informador, -a 2 *(periodista)* jornalista2g.
informal [iɱfor'mal] adj.2g. 1 informal 2 *(irresponsable)* irresponsável
informar [iɱfor'mar] v. informar ■ **informarse** informar-se
informática [iɱfor'matika] s.f. informática
informátic|o, -a [iɱfor'matiko] adj.,s.m.,f. informátic|o, -a
informativo [iɱforma'tiβo] adj. informativo; *boletín/folleto informativo* boletim/folheto informativo ■ s.m. noticiário
informatización [iɱformatiθa'θjon] s.f. informatização
informe [iɱ'forme] adj.2g. disforme ■ s.m. 1 relatório 2 *(opinión)* parecer ■ **informes** s.m.pl. referências*f.*
infortunio [iɱfor'tunjo] s.m. infortúnio, adversidade*f.*, infelicidade*f.*
infracción [iɱfrak'θjon] s.f. infração, transgressão
infractor, -a [iɱfrak'tor] adj.,s.m.,f. infrator, -a, transgressor, -a
infraestrutura [iɱfraestruk'tura] s.f. 1 (edifício) infraestrutura, alicerce*m.* 2 (instalações, serviços) infraestrutura
infrarrojo [iɱfra'roxo] adj. infravermelho; *rayos infrarrojos* raios infravermelhos
infructífero [iɱfruk'tifero] adj. infrutífero
infundado [iɱfun̪'daðo] adj. infundado
infusión [iɱfu'sjon] s.f. 1 infusão 2 chá*m.*
ingeniería [iŋxenje'ria] s.f. engenharia
ingenier|o, -a [iŋxe'njero] s.m.,f. engenheir|o, -a
ingenio [iŋ'xenjo] s.m. 1 (faculdade) engenho, talento 2 (máquina) engenho
ingenioso [iŋxe'njoso] adj. 1 engenhoso, hábil 2 *(gracioso)* engraçado
ingenuidad [iŋxenwi'ðað] s.f. ingenuidade, inocência
ingenuo [iŋ'xenwo] adj. ingênuo, inocente
ingerir [iŋxe'rir] v. ingerir
ingestión [iŋxes'tjon] s.f. ingestão
Inglaterra [iŋgla'tera] s.f. Inglaterra
ingle ['iŋgle] s.f. virilha
ingl|és, -esa [iŋ'gles] adj.,s.m.,f. ingl|ês, -esa ■ **inglés** s.m. (língua) inglês
ingratitud [iŋgrati'tuð] s.f. ingratidão
ingrato [iŋ'grato] adj. 1 (pessoa) ingrato, mal--agradecido 2 (tarefa, trabalho) ingrato
ingrediente [iŋgre'ðjen̪te] s.m. ingrediente
ingresar [iŋgre'sar] v. 1 *(entrar)* ingressar (en, em), entrar (em, en) 2 (hospital) dar entrada (en, em) 3 (escola, faculdade) ser admitido (en, em) 4 (dinheiro) depositar
ingreso [iŋ'greso] s.m. 1 *(entrada)* ingresso, entrada*f.* 2 (dinheiro) depósito 3 (escola, instituição) admissão*f.*;

examen de ingreso exame de admissão ■ **ingresos** *s.m.pl.* rendimentos, receitas *f.*
inhabitado [inaβi'taδo] *adj.* inabitado, desabitado
inhalación [inala'θjon] *s.f.* inalação
inhalador [inala'δor] *s.m.* inalador
inhalar [ina'lar] *v.* inalar
inherente [ine'rente] *adj.2g.* inerente (a, a)
inhibición [iniβi'θjon] *s.f.* **1** inibição **2** abstenção
inhibir [ini'βir] *v.* **1** inibir, impedir **2** MED. inibir ■ **inhibirse 1** *(reprimirse)* inibir-se **2** *(abstenerse)* abster-se (de, de)
inhumano [inu'mano] *adj.* desumano, cruel
iniciación [iniθja'θjon] *s.f.* **1** *(comienzo)* iniciação, início *m.*, começo *m.* **2** (seita, sociedade) iniciação
iniciad|o, -a [ini'θjaδo] *adj.,s.m.,f.* iniciad|o, -a
inicial [ini'θjal] *adj.2g.* inicial ■ *s.f.* (letra) inicial
iniciar [ini'θjar] *v.* iniciar, começar ■ **iniciarse 1** iniciar se, dar início **2** (seita, sociedade) iniciar se (en, em)
iniciático [ini'θjatiko] *adj.* iniciático
iniciativa [iniθja'tiβa] *s.f.* iniciativa; ***por iniciativa propia*** por iniciativa própria; ***tomar la iniciativa*** tomar a iniciativa
inicio [i'niθjo] *s.m.* início, princípio, começo; ***desde el inicio*** desde o início
inigualable [iniγwa'laβle] *adj.2g.* inigualável
inimaginable [inimaxi'naβle] *adj.2g.* inimaginável
ininteligible [ininteli'xiβle] *adj.2g.* ininteligível, incompreensível
ininterrumpido [ininterum'piδo] *adj.* ininterrupto, contínuo
injuria [iŋ'xurja] *s.f.* injúria, insulto *m.*, ofensa; ***lanzar injurias contra alguien*** lançar injúrias contra alguém
injurioso [iŋxu'rjoso] *adj.* injurioso, ofensivo, insultuoso
injusticia [iŋxus'tiθja] *s.f.* injustiça
injustificado [iŋxustifi'kaδo] *adj.* injustificado
injusto [iŋ'xusto] *adj.* injusto
inmaculado [inmaku'laδo] *adj.* imaculado
inmadurez [inmaδu'reθ] *s.f.* imaturidade
inmaduro [inma'δuro] *adj.* imaturo
inmanente [inma'nente] *adj.2g.* imanente
inmediaciones [inmeδja'θjones] *s.f.pl.* imediações *pl.*, arredores *m. pl.*, redondezas *pl.*
inmediato [inme'δjato] *adj.* **1** imediato; ***de efecto inmediato*** de efeito imediato **2** *(contiguo)* imediato (a, a), contíguo (a, a) ◆ **de inmediato** de imediato
inmensidad [inmensi'δaδ] *s.f.* imensidade
inmenso [in'menso] *adj.* imenso
inmensurable [inmensu'raβle] *adj.2g.* imensurável
inmerecido [inmere'θiδo] *adj.* imerecido
inmersión [inmer'sjon] *s.f.* **1** imersão, submersão **2** (assunto, estudo) aprofundamento *m.*
inmerso [in'merso] *adj.* **1** submerso (en, em), imerso (en, em) **2** *fig.* imerso (en, em), absorto (en, em)
inmigración [inmiγra'θjon] *s.f.* imigração
inmigrante [inmi'γrante] *adj.,s.2g.* imigrante
inmigrar [inmi'γrar] *v.* imigrar
inminencia [inmi'nenθja] *s.f.* iminência
inminente [inmi'nente] *adj.2g.* iminente
inmobiliaria [inmoβi'ljarja] *s.f.* imobiliária
inmobiliario [inmoβi'ljarjo] *adj.* imobiliário; ***agencia inmobiliaria*** agência imobiliária; ***bienes inmobiliarios*** bens imobiliários
inmodestia [inmo'δestja] *s.f.* imodéstia, falta de modéstia
inmodesto [inmo'δesto] *adj.* imodesto, vaidoso, presumido
inmoral [immo'ral] *adj.2g.* imoral
inmoralidad [inmorali'δaδ] *s.f.* imoralidade
inmortal [inmor'tal] *adj.,s.2g.* imortal
inmortalidad [inmortali'δaδ] *s.f.* imortalidade
inmortalizar [inmortali'θar] *v.* imortalizar ■ **inmortalizarse** imortalizar-se
inmóvil [in'moβil] *adj.2g.* imóvel; ***quedarse inmóvil*** ficar imóvel
inmovilizar [inmoβili'θar] *v.* imobilizar ■ **inmovilizarse** imobilizar-se
inmueble [in'mweβle] *adj.2g.* imóvel; ***bienes inmuebles*** bens imóveis ■ *s.m.* imóvel
inmundicia [inmun'diθja] *s.f.* imundície, sujidade, porcaria
inmundo [in'mundo] *adj.* imundo, sujo, porco
inmune [in'mune] *adj.2g.* **1** imune (a, a); ***es inmune al sarampión*** é imune ao sarampo **2** (cargos, obrigações) isento (de, de)
inmunidad [inmuni'δaδ] *s.f.* imunidade
inmunitario [inmuni'tarjo] *adj.* imunitário
inmunizar [inmuni'θar] *v.* imunizar
innato [in'nato] *adj.* inato, congênito
innecesario [inneθe'sarjo] *adj.* desnecessário, dispensável, escusado
innegable [inne'γaβle] *adj.2g.* inegável
innovación [innoβa'θjon] *s.f.* inovação
innovador [innoβa'δor] *adj.* inovador
innumerable [innume'raβle] *adj.2g.* inumerável, incontável
inocencia [ino'θenθja] *s.f.* inocência
inocente [ino'θente] *adj.,s.2g.* inocente ◆ **hacerse el inocente** fazer-se de inocente
inodoro [ino'δoro] *adj.* inodoro ■ *s.m.* vaso sanitário
inofensivo [inofen'siβo] *adj.* inofensivo
inolvidable [inolβi'δaβle] *adj.2g.* inesquecível
inoportuno [inopor'tuno] *adj.* inoportuno
inorgánico [inor'γaniko] *adj.* inorgânico
inoxidable [inoksi'δaβle] *adj.2g.* inoxidável; ***acero inoxidable*** aço inoxidável
input [im'put] *s.m.* INFORM., ECON. input
inquietante [iŋkje'tante] *adj.2g.* inquietante
inquietar [iŋkje'tar] *v.* inquietar ■ **inquietarse** inquietar se (por, por)

inquieto [iŋ'kjeto] *adj.* **1** *(agitado)* inquieto, agitado **2** *(preocupado)* inquieto, perturbado **3** *(interesado)* interessado, inquieto
inquietud [iŋkje'tuδ] *s.f.* inquietação
inquilin|o, -a [iŋki'lino] *s.m.,f.* inquilin|o, -a
inquina [iŋ'kina] *s.f.* aversão, antipatia; ***tener inquina a alguien*** ter aversão a alguém
Inquisición [iŋkisi'θjon] *s.f.* Inquisição
inquisidor [iŋkisi'δor] *s.m.* inquisidor ♦ **inquisidor general** inquisidor-mor
insaciable [insa'θjaβle] *adj.2g.* insaciável
insalubre [insa'luβre] *adj.2g.* insalubre
insano [in'sano] *adj.* **1** (saúde) insalubre **2** *(demente)* insano, louco, demente
insatisfacción [insatisfak'θjon] *s.f.* insatisfação
insatisfactorio [insatisfak'torjo] *adj.* insatisfatório
insatisfecho [insatis'fetʃo] *adj.* insatisfeito (con, com), descontente (con, com); ***insatisfecho con la actual situación*** insatisfeito com a atual situação
inscribir [inskri'βir] *v.* **1** *(grabar)* inscrever, gravar **2** *(registrar)* registrar ▪ **inscribirse** inscrever-se
inscripción [inskrip'θjon] *s.f.* **1** (lista, curso) inscrição, matrícula **2** *(grabado)* inscrição, gravura **3** *(registro)* registro*m.*
inscrito [ins'krito] (*p.p. de* inscribir) *adj.* inscrito
insecticida [insekti'θiδa] *adj.2g.,s.m.* inseticida
insectívoro [insek'tiβoro] *adj.* insetívoro
insecto [in'sekto] *s.m.* inseto
inseguridad [inseγuri'δaδ] *s.f.* insegurança; ***inseguridad ciudadana*** falta de segurança nas cidades
inseguro [inse'γuro] *adj.* **1** *(peligroso)* inseguro, perigoso **2** *(inestable)* inseguro, instável **3** (pessoa) inseguro, indeciso
inseminación [insemina'θjon] *s.f.* inseminação ♦ **inseminación artificial** inseminação artificial
insensatez [insensa'teθ] *s.f.* insensatez
insensato [insen'sato] *adj.* insensato
insensibilidad [insensiβili'δaδ] *s.f.* insensibilidade
insensible [insen'siβle] *adj.2g.* insensível (a, a); ***insensible al dolor*** insensível à dor
inseparable [insepa'raβle] *adj.2g.* inseparável
inserción [inser'θjon] *s.f.* inserção
insignificancia [insiγifi'kaṇθja] *s.f.* insignificância
insignificante [insiγnifi'kaṇte] *adj.2g.* insignificante
insinuación [insinwa'θjon] *s.f.* insinuação; ***hacer una insinuación*** fazer uma insinuação
insinuante [insi'nwaṇte] *adj.2g.* insinuante
insinuar [insi'nwar] *v.* insinuar; ***¿qué estás insinuando?*** o que você está insinuando? ▪ **insinuarse** insinuar-se (a, a); ***insinuarse a alguien*** insinuar se a alguém
insipidez [insipi'δeθ] *s.f.* insipidez
insípido [in'sipiδo] *adj.* **1** (alimento) insípido **2** *fig.* insípido, sem graça, monótono
insistencia [insis'teṇθja] *s.f.* insistência
insistente [insis'teṇte] *adj.2g.* insistente
insistir [insis'tir] *v.* insistir (en, em)
insolación [insola'θjon] *s.f.* insolação
insolencia [inso'leṇθja] *s.f.* insolência
insolente [inso'leṇte] *adj.2g.* insolente
insólito [in'solito] *adj.* insólito
insoluble [inso'luβle] *adj.2g.* **1** insolúvel, indissolúvel **2** *fig.* irresolúvel, insolúvel
insolvencia [insol'βeṇθja] *s.f.* insolvência, inadimplência
insolvente [insol'βeṇte] *adj.2g.* insolvente, inadimplente
insomnio [in'somnjo] *s.m.* insônia*f.*; ***tener insomnio*** ter insônias
insondable [insoṇ'daβle] *adj.2g.* insondável, inadimplência
insoportable [insopor'taβle] *adj.2g.* insuportável, inadimplente
inspección [inspek'θjon] *s.f.* inspeção; vistoria; ***inspección sanitaria*** inspeção sanitária ♦ **Inspección Técnica de Vehículos (ITV)** Inspeção Veicular Obrigatória (IPO)
inspeccionar [inspekθjo'nar] *v.* inspecionar, examinar
inspector, -a [inspek'tor] *s.m.,f.* inspetor, -a
inspiración [inspira'θjon] *s.f.* **1** (respiração) inspiração **2** (criação) inspiração
inspirar [inspi'rar] *v.* **1** (ar) inspirar **2** (sentimento) inspirar, infundir; ***inspirar confianza a alguien*** inspirar confiança a alguém ▪ **inspirarse** inspirar-se (en, em)
instalación [instala'θjon] *s.f.* instalação ▪ **instalaciones** *s.f.pl.* instalações*pl.*
instalar [insta'lar] *v.* instalar ▪ **instalarse** instalar-se (en, em)
instancia [ins'taṇθja] *s.f.* **1** *(petición)* requerimento*m.* **2** *(pedido)* instância **3** DIR. instância; ***juzgado de primera instancia*** tribunal de primeira instância ♦ **a instancia(s) de** a pedido de; **en última instancia** em última instância
instantáneo [instaṇ'taneo] *adj.* instantâneo
instante [ins'taṇte] *s.m.* instante, momento ♦ **a cada instante** a cada instante; **al instante** no mesmo instante; na hora; **en un instante** num instante
instauración [instawra'θjon] *s.f.* instauração
instigación [instiγa'θjon] *s.f.* instigação (a, a), incitação (a, a)
instintivo [i(stiṇ'tiβo] *adj.* instintivo
instinto [ins'tiṇto] *s.m.* instinto; ***instinto maternal*** instinto maternal; ***seguir el instinto*** seguir os seus instintos ♦ **por instinto** por instinto
institución [institu'θjon] *s.f.* instituição ♦ **institución sin ánimo de lucro** instituição sem fins lucrativos
institucional [instituθjo'nal] *adj.2g.* institucional
institucionalización [instituθjonaliθa'θjon] *s.f.* institucionalização
instituir [institu'ir] *v.* **1** *(crear)* instituir, criar, fundar **2** (cargo, lei) instituir, estabelecer
instituto [insti'tuto] *s.m.* **1** instituto; ***instituto de belleza*** salão de beleza **2** escola*f.* secundária, liceu; ***instituto de enseñanza media*** escola secundária
institutriz [institu'triθ] *s.f.* preceptora

instrucción [instruk'θjon] *s.f.* instrução ▪ **instrucciones** *s.f.pl.* instruções; ***manual de instrucciones*** manual de instruções
instructivo [instruk'tiβo] *adj.* instrutivo
instructor, -a [instruk'tor] *s.m.,f.* instrutor, -a; ***instructor de conductores*** instrutor de autoescola
instruir [instru'ir] *v.* **1** instruir, ensinar **2** (avisos, regras de conduta) instruir, comunicar **3** DIR. instruir ▪ **instruirse** instruir-se
instrumental [instrumen'tal] *adj.2g.* instrumental ▪ *s.m.* instrumental
instrumentista [instrumen'tista] *s.2g.* instrumentista
instrumento [instru'mento] *s.m.* **1** *(utensilio)* instrumento, utensílio, ferramenta*f.* **2** MÚS. instrumento; ***instrumento de cuerda*** instrumento de corda; ***instrumento de percusión*** instrumento de percussão; ***instrumento de viento*** instrumento de sopro; ***tocar un instrumento*** tocar um instrumento **3** *fig.* instrumento, meio
insubordinado [insuβorði'naðo] *adj.* (pessoa) insubordinado, indisciplinado, desobediente
insubstituible [insuβsti'twiβle] *adj.2g.* ⇒ **insustituible**
insuficiencia [insufi'θjenθja] *s.f.* insuficiência, escassez, carência ♦ MED. **insuficiencia cardiaca** insuficiência cardíaca
insuficiente [insufi'θjente] *adj.2g.* insuficiente, escasso ▪ *s.m. gír.* (classificação) insuficiente
insularidad [insulari'ðað] *s.f.* insularidade
insulina [insu'lina] *s.f.* insulina
insultante [insul'tante] *adj.2g.,s.m.* insultante*2g.*
insultar [insul'tar] *v.* insultar, ofender
insulto [in'sulto] *s.m.* insulto, ofensa*f.*
insumisión [insumi'sjon] *s.f.* **1** insubmissão **2** (serviço militar) objeção de consciência
insumis|o, -a [insu'miso] *s.m.,f.* (serviço militar) objetor, -a de consciência ▪ *adj.* insubmisso
insuperable [insupe'raβle] *adj.2g.* insuperável
insurrección [insurek'θjon] *s.f.* insurreição, sublevação
insurrect|o, -a [insu'rekto] *adj.,s.m.,f.* insurret|o, -a, insubordinad|o, -a
insustituible *adj.2g.* insubstituível
intacto [in'takto] *adj.* intacto
integración [inteγra'θjon] *s.f.* integração
integral [inte'γral] *adj.2g.* **1** *(total)* integral, total, completo **2** (alimento) integral; ***pan integral*** pão integral ▪ *s.f.* integral
integramente ['inteγra'mente] *adv.* na íntegra, integramente
integrante [inte'γrante] *adj.2g.* integrante
integrar [inte'γrar] *v.* integrar ▪ **integrarse** integrar-se
integridad [inteγri'ðað] *s.f.* integridade
íntegro ['inteγro] *adj.* **1** íntegro, inteiro, completo, integral; ***edición íntegra de una obra*** edição integral de uma obra **2** *fig.* (pessoa) íntegro, reto
intelecto [inte'lekto] *s.m.* intelecto
intelectual [intelek'twal] *adj.,s.2g.* intelectual
inteligencia [inteli'xenθja] *s.f.* inteligência ♦ **inteligencia artificial** inteligência artificial; **inteligencia emocional** inteligência emocional
inteligente [inteli'xente] *adj.2g.* inteligente
inteligibilidad [intelixiβili'ðað] *s.f.* inteligibilidade
inteligible [inteli'xiβle] *adj.2g.* inteligível
intención [inten'θjon] *s.f.* **1** intenção, propósito*m.*; ***con segunda/doble intención*** com segundas intenções; ***tener buenas intenciones*** ter boas intenções; ***tener la intención de hacer algo*** tencionar/ter a intenção de fazer alguma coisa **2** intuito*m.*
intencionado [intenθjo'naðo] *adj.* intencionado, intencional; ***bien intencionado*** bem-intencionado; ***mal intencionado*** mal intencionado
intencional [intenθjo'nal] *adj.2g.* intencional, propositado
intendencia [inten'denθja] *s.f.* intendência
intendente [inten'dente] *s.2g.* intendente
intensidad [intensi'ðað] *s.f.* intensidade
intensificar [intensifi'kar] *v.* intensificar ▪ **intensificarse** intensificar-se
intensivo [inten'siβo] *adj.* intensivo
intenso [in'tenso] *adj.* intenso
intentar [inten'tar] *v.* **1** tentar **2** *(planear)* tencionar
intento [in'tento] *s.m.* **1** *(intención)* intuito, intenção*f.*; ***al intento de*** com o intuito de **2** *(tentativa, conato)* tentativa*f.*
interacción [interak'θjon] *s.f.* interação
interactividad [interaktiβi'ðað] *s.f.* interatividade
interactivo [interak'tiβo] *adj.* interativo
intercalar [interka'lar] *v.* intercalar
intercambiar [interkam'bjar] *v.* intercambiar, trocar
intercambio [inter'kambjo] *s.m.* **1** intercâmbio, troca*f.* **2** (entre entidades, países) intercâmbio
interceder [interθe'ðer] *v.* interceder (por, por); ***interceder por alguien*** interceder por alguém
interceptar [interθep'tar] *v.* **1** interceptar, interromper **2** (linha, superfície) intersectar, cortar
intercesión [interθe'sjon] *s.f.* intercessão, intervenção
intercomunicador [interkomuni'kaðor] *s.m.* intercomunicador
intercontinental [interkonti'nental] *adj.2g.* intercontinental; ***vuelo intercontinental*** voo intercontinental
interdicción [interðik'θjon] *s.f.* **1** *(prohibición)* interdição, proibição **2** DIR. interdição
interdisciplinar [interðisθipli'nar] *adj.2g.* interdisciplinar
interés [inte'res] *s.m.* **1** interesse; ***hacer algo por interés*** fazer alguma coisa por interesse; ***tener interés en algo*** ter interesse por alguma coisa; ***perder el interés*** perder o interesse; ***sin interés*** sem interesse **2** ECON. juro; ***pagar con intereses*** pagar com juros; ***sin intereses*** sem juros; ***tipo de interés*** taxa de juros
interesad|o, -a [intere'saðo] *adj.,s.m.,f.* **1** interessad|o, -a **2** *(calculador)* interesseir|o, -a, calculista*2g.*
interesante [intere'sante] *adj.2g.* interessante ♦ *col.* **hacerse el interesante** procurar chamar a atenção

interesar [intere'sar] *v.* interessar; *eso no me interesa* isso não me interessa ▪ **interesarse** interessar-se; *no se ha interesado lo más mínimo* não se interessou nem um pouco, não deu a mínima

interferencia [interfe'renθja] *s.f.* **1** *(intromisión)* interferência **2** (telefone, rádio) interferência; *hacer interferencia* fazer interferência

interferir [interfe'rir] *v.* **1** interferir (en, em); *siempre está interfiriendo en mis asuntos* está sempre interferindo nos meus assuntos **2** FÍS. interferir, causar interferência

interino [inte'rino] *adj.* interino, provisório

interior [inte'rjor] *adj.* interior ▪ *s.m.* **1** *(parte de dentro)* interior **2** (território) interior; *el interior del país* o interior do país **3** (pessoa) íntimo; *en su interior* no seu íntimo ▪ **interiores** *s.m.pl.* CIN., TV. interiores

interiorización [interjoriθa'θjon] *s.f.* interiorização

interjección [interxek'θjon] *s.f.* interjeição

interlocutor, -a [interloku'tor] *s.m.,f.* interlocutor, -a

intermediari|o, -a [interme'ðjarjo] *adj.,s.m.,f.* intermediári|o, -a

intermedio [inter'meðjo] *adj.* intermédio, intermediário ▪ *s.m.* **1** intermédio **2** (espetáculo) intervalo ♦ **por intermedio de alguien** por intermédio de alguém

interminable [intermi'naβle] *adj.2g.* interminável, infindável

intermitente [intermi'tente] *adj.2g.* intermitente ▪ *s.m.* (veículo) pisca-pisca, pisca alerta

internacional [internaθjo'nal] *adj.2g.* internacional

internado [inter'naðo] *adj.* **1** internado **2** (aluno) interno ▪ *s.m.* internato

internamiento [interna'mjento] *s.m.* internamento

internar [inter'nar] *v.* (hospital, colégio, instituição) internar, hospitalizar ▪ **internarse** embrenhar-se (en, em)

internauta [inter'nawta] *s.2g.* internauta

Internet [inter'net] *s.f.* Internet

intern|o, -a [in'terno] *s.m.,f.* **1** (colégio) intern|o, -a **2** (prisão) reclus|o, -a, pres|o, -a ▪ *adj.* interno

interpretación [interpreta'θjon] *s.f.* interpretação

interpretar [interpre'tar] *v.* interpretar

interpretativo [interpreta'tiβo] *adj.* interpretativo

intérprete [in'terprete] *s.2g.* **1** (música, representação) intérprete **2** *(traductor)* intérprete, tradutor, -a*m.f.*; *intérprete jurado* intérprete juramentado

interrogación [interoɣa'θjon] *s.f.* **1** interrogação **2** ponto*m.* de interrogação

interrogar [intero'ɣar] *v.* interrogar, perguntar, inquirir

interrogativo [interoɣa'tiβo] *adj.* interrogativo

interrogatorio [interoɣa'torjo] *s.m.* interrogatório

interrumpir [inte'rumpir] *v.* interromper

interrupción [interup'θjon] *s.f.* interrupção ♦ **interrupción voluntaria del embarazo** aborto voluntário, interrupção voluntária da gravidez; **sin interrupción** sem interrupção

interruptor [interup'tor] *s.m.* interruptor

intersección [intersek'θjon] *s.f.* interseção

interurbano [interur'βano] *adj.* interurbano; *llamada interurbana* ligação/chamada interurbana

intervalo [inter'βalo] *s.m.* intervalo

intervención [interβen'θjon] *s.f.* **1** *(participación)* intervenção **2** MED. intervenção, operação cirúrgica **3** *(inspección)* intervenção **4** (mercadoria ilegal) apreensão

intervenir [interβe'nir] *v.* **1** *(participar)* intervir, interferir **2** *(ejercer autoridad)* intervir **3** (contas) fiscalizar **4** (telefone) colocar sob escuta **5** (conta bancária) bloquear **6** (mercadoria ilegal) apreender **7** MED. operar

interviú [inter'βju] *s.m./f.* entrevista*f.*

intestinal [intesti'nal] *adj.2g.* intestinal

intestino [intes'tino] *s.m.* intestino; *intestino delgado/grueso* intestino delgado/grosso

intimamente [intima'mente] *adv.* intimamente

intimar [inti'mar] *v.* fazer amizade (con, com)

intimidad [intimi'ðað] *s.f.* intimidade ▪ **intimidades** *s.f.pl.* assuntos*m. pl.* íntimos

íntimo ['intimo] *adj.* íntimo

intocable [into'kaβle] *adj.2g.* intocável

intolerable [intole'raβle] *adj.2g.* intolerável

intolerancia [intole'ranθja] *s.f.* intolerância

intolerante [intole'rante] *adj.2g.* intolerante

intoxicación [intoksika'θjon] *s.f.* intoxicação; *intoxicación alimenticia* intoxicação alimentar

intoxicar [intoksi'kar] *v.* intoxicar ▪ **intoxicarse** intoxicar se

intragable [intra'ɣaβle] *adj.2g.* **1** intragável **2** *fig., pej.* intragável, insuportável

intramuscular [intramusku'lar] *adj.2g.* intramuscular

intranet [intra'net] *s.f.* intranet

intranquilidad [intrankili'ðað] *s.f.* intranquilidade, inquietação

intranquilo [intran'kilo] *adj.* intranquilo, inquieto

intransigencia [intransi'xenθja] *s.f.* intransigência

intransigente [intransi'xente] *adj.2g.* intransigente

intransitable [intransi'taβle] *adj.2g.* (caminho, lugar) intransitável

intransitivo [intransi'tiβo] *adj.* (verbo) intransitivo

intrasmisible [intrazmi'siβle] *adj.2g.* intransmissível

intratable [intra'taβle] *adj.2g.* **1** (assunto) intratável **2** (pessoa) intratável, insociável

intrauterino [intrawte'rino] *adj.* intrauterino

intravenoso [intraβe'noso] *adj.* intravenoso; *inyección intravenosa* injeção intravenosa

intriga [in'triɣa] *s.f.* **1** *(maquinación)* intriga, trama **2** (narrativa, filme) intriga, enredo*m.* **3** *(curiosidad)* intriga, mexerico*m.*

intrigado [intri'ɣaðo] *adj.* intrigado; *estar intrigado con algo* estar intrigado com alguma coisa

intrigante [intri'ɣante] *adj.2g.* **1** intrigante **2** (pessoa) intriguista, intrigueir|o, -a*m.f.* ▪ *s.2g.* intriguista, intrigueir|o, -a*m.f.*

intrigar [intri'ɣar] *v.* intrigar

intrínseco [in'trinseko] *adj.* intrínseco

introducción [intɾoðukˈθjon] *s.f.* introdução
introducir [intɾoðuˈθiɾ] *v.* introduzir, inserir ■ **introducirse** introduzir-se
intromisión [intɾomiˈsjon] *s.f.* intromissão
introspección [intɾospekˈθjon] *s.f.* introspecção
introspectivo [intɾospekˈtiβo] *adj.* introspectivo
introvertido [intɾoβeɾˈtiðo] *adj.* (pessoa) introvertido
intrus|o, -a [inˈtɾuso] *s.m.,f.* intrus|o, -a
intuición [intwiˈθjon] *s.f.* intuição
intuir [intuˈiɾ] *v.* **1** intuir **2** *(presentir)* pressentir
intuitivo [intwiˈtiβo] *adj.* intuitivo
inundación [inundaˈθjon] *s.f.* inundação
inundado [inunˈdaðo] *adj.* inundado
inundar [inunˈdaɾ] *v.* **1** inundar, alagar **2** *fig.* inundar, encher completamente ■ **inundarse** inundar-se, alagar-se
inusitado [inusiˈtaðo] *adj.* inusitado
inútil [iˈnutil] *adj.2g.* **1** inútil **2** MIL. inapto ■ *s.2g.* **1** inútil **2** inválid|o, -a*m.f.*
inutilidad [inutiliˈðað] *s.f.* inutilidade
inutilizar [inutiliˈθaɾ] *v.* inutilizar
invadir [imbaˈðiɾ] *v.* invadir
invalidez [imbaliˈðeθ] *s.f.* invalidez
inválid|o, -a [imˈbaliðo] *s.m.,f.* inválid|o, -a ■ *adj.* **1** *(nulo)* inválido, nulo **2** (pessoa) inválido
invariable [imbaˈrjaβle] *adj.2g.* **1** invariável, constante **2** (palavra) invariável
invasión [imbaˈsjon] *s.f.* invasão
invasor, -a [imbaˈsoɾ] *adj.,s.m.,f.* invasor, -a
invencible [imbenˈθiβle] *adj.2g.* invencível
invención [imbenˈθjon] *s.f.* **1** *(invento)* invenção **2** *(mentira)* invenção, mentira
inventar [imbenˈtaɾ] *v.* **1** inventar **2** *(mentir)* inventar, mentir
inventario [imbenˈtaɾjo] *s.m.* inventário; *hacer (el) inventario* fazer o inventário
inventiva [imbenˈtiβa] *s.f.* inventiva
inventivo [imbenˈtiβo] *adj.* inventivo
invento [imˈbento] *s.m.* **1** *(invención)* invento **2** *(mentira)* invenção*f.*, mentira*f.*
inventor, -a [imbenˈtoɾ] *adj.,s.m.,f.* inventor, -a
invernadero [imbernaˈðero] *s.m.* estufa*f.* ◆ **efecto invernadero** efeito estufa
invernal [imberˈnal] *adj.2g.* invernal, hibernal
inverosímil [imberoˈsimil] *adj.2g.* inverossímil
inversión [imberˈsjon] *s.f.* **1** ECON. investimento*m.* **2** *(alteración)* inversão **3** (de tempo) investimento*m.*
inversionista [imbersjoˈnista] *s.2g.* investidor, -a*m.f.*
inverso [imˈberso] *adj.* inverso; *en orden inverso* em ordem inversa ◆ **a la inversa** ao contrário
inversor, -a [imberˈsoɾ] *adj.,s.m.,f.* investidor, -a
invertebrado [imberteˈβɾaðo] *adj.,s.m.* invertebrado
invertido [imberˈtiðo] *s.m. pej.* homossexual*2g.*
invertir [imberˈtiɾ] *v.* **1** (ordem, sentido) inverter, alterar **2** (dinheiro) investir (en, em), aplicar (en, em); *invertir en bolsa* investir na Bolsa **3** (tempo) investir (en, em); *hemos invertido demasiado tiempo en este proyecto* investimos tempo demais neste projeto
investigación [imbestiγaˈθjon] *s.f.* **1** *(indagación)* investigação, indagação, averiguação **2** (ciência) investigação, pesquisa; *beca de investigación* bolsa de pesquisa
investigador, -a [imbestiγaˈðoɾ] *s.m.,f.* investigador, -a; pesquisador, -a
investigar [imbestiˈγaɾ] *v.* **1** *(indagar)* investigar, indagar, averiguar **2** (ciência) investigar, pesquisar
inviable [imˈbjaβle] *adj.2g.* inviável
invicto [imˈbikto] *adj.* invicto
invierno [imˈbjerno] *s.m.* inverno
inviolable [imbjoˈlaβle] *adj.2g.* inviolável
invisible [imbiˈsiβle] *adj.2g.* invisível
invitación [imbitaˈθjon] *s.f.* convite*m.*; *aceptar una invitación* aceitar um convite; *invitación de boda* convite de casamento
invitad|o, -a [imbiˈtaðo] *s.m.,f.* convidad|o, -a; *invitado de honor* convidado de honra
invitar [imβiˈtaɾ] *v.* **1** *(convidar)* convidar; *invitar a cenar* convidar para jantar **2** *(pagar voluntariamente)* pagar, oferecer, convidar; *hoy invito yo* hoje eu convido (e pago a conta) **3** convidar, estimular, incitar
in vitro [imˈbitɾo] ◆ **in vitro** in vitro
invocación [imbokaˈθjon] *s.f.* invocação
involuntario [imbolunˈtaɾjo] *adj.* involuntário
inyección [inʲjekˈθjon] *s.f.* injeção; *poner una inyección* dar uma injeção; *ponerse una inyección* levar uma injeção
inyectable [inʲjekˈtaβle] *adj.2g.* injetável ■ *s.m.* ampola*f.* (usada para injeção)
inyectar [inʲjekˈtaɾ] *v.* injetar (en, em)
inyector [inʲjekˈtoɾ] *s.m.* injetor
iodo [ˈjoðo] *s.m.* iodo
ion [iˈon], **ión** [ˈjon] *s.m.* íon
iota [ˈjota] *s.f.* (letra grega) iota*m.*
ípsilon [ˈipsilon] *s.f.* (letra grega) ípsilon*m.*
ir [ˈiɾ] *v.* **1** *(moverse)* ir (a/para/en, a/para/de); *ir a casa* ir a/para casa; *ir a pie* ir a pé; *ir en tren* ir de trem **2** (caminho) ir dar (a/hacia/para, em); *esa carretera va hacia Madrid* essa estrada vai dar em Madri **3** *(extenderse)* ir (desde/hasta, de/até); *el sendero va desde el pueblo hasta el mar* o trilho vai desde a aldeia até ao mar **4** *(funcionar)* estar; *el reloj va adelantado* o relógio está adiantado **5** *(actuar)* correr, ir; *el negocio va fenomenal* o negócio vai muito bem; *¿cómo te ha ido en el examen?* como foi no exame? **6** *(arreglarse)* usar, vestir, trazer; *siempre va con pantalones* usa sempre calças **7** *(sentar bien)* ficar; *ese traje negro te va bien* esse terno preto fica bem em você **8** *(agradar)* gostar (-, de), agradar; *las películas del Oeste no me van* os westerns não me agradam **9** *(tratar)* tratar (de, de); *¿de qué va la novela?* de que trata o romance? ■ **irse 1** *(marcharse)* ir se (embora); *¡vete de aquí!* vai embora daqui! **2** *(desaparecer)* ir se, apagar se, desaparecer; *esa mancha se va con lejía* essa mancha desaparece com água sanitária **3** *(morirse)* ir se, morrer, partir; *tu abuelo se fue;*

te acompaño en el sentimiento seu avô morreu; meus pêsames! **4** *(consumirse)* ir-se, gastar-se; *el dinero se va con una facilidad increíble* o dinheiro gasta-se com uma facilidade incrível **5** *col.* largar se; *alguien se ha ido, huele fatal* alguém soltou um flato/gases, que cheiro horrível ◆ **ir** [+*ger.*] ir [+*ger.*]; *hemos ido andando* fomos andando; **ir a** [+*inf.*] ir a [+*inf.*]; *¿qué vas a hacer hoy?* o que você vai fazer hoje?; **ir con alguien** ser partidário de alguém; *col.* **ir de** fazer se de; *eso de ir de listo no me gusta nada* isso de se fazer de esperto não me agrada nada; **ir de compras** ir às compras; **ir demasiado lejos** ir longe demais; **¡qué va!** ora essa!; *col.* **ser el no va más** ser o melhor (que há), ser o máximo; (correção) **vamos** quer dizer; *viene el martes, vamos, eso fue lo que me lo dijo* vem na terça, quer dizer, isso foi o que me disse; **¡vaya!** ora bolas!, caramba!; *¡vaya, se me ha quemado el guisado!* droga, o ensopado queimou-se!

ira ['ira] *s.f.* **1** ira, cólera **2** *fig.* fúria

Irak [i'rak] *s.m.* Iraque

Irán [i'ran] *s.m.* Irã

iraní [ira'ni] *adj.,s.2g.* iranian|o, -a*m.f.*

iraquí [ira'ki] *adj.,s.2g.* iraquian|o, -a*m.f.*

iris ['iris] *s.m.2n.* **1** ANAT. íris*m./f.* **2** MET. arco-íris

Irlanda [ir'laṇda] *s.f.* Irlanda ◆ **Irlanda del Norte** Irlanda do Norte

irland|és, -esa [irlaṇ'des] *adj.,s.m.,f.* irland|ês, -esa ■ **irlandés** *s.m.* (língua) irlandês

ironía [iro'nia] *s.f.* ironia

irónico [i'roniko] *adj.* irônico

irracional [iraθjo'nal] *adj.2g.* irracional

irracionalidad [iraθjonali'ðað] *s.f.* irracionalidade

irracionalismo [iraθjona'lizmo] *s.m.* irracionalismo

irradiación [iraðja'θjon] *s.f.* irradiação ◆ **irradiación solar** irradiação solar

irreal [ire'al] *adj.2g.* irreal

irrealidad [ireali'ðað] *s.f.* irrealidade

irreconocible [irekono'θiβle] *adj.2g.* irreconhecível

irrecuperable [irekupe'raβle] *adj.2g.* irrecuperável

irrecusable [ireku'saβle] *adj.2g.* irrecusável

irreemplazable [ire(e)mpla'θaβle] *adj.2g.* insubstituível

irreflexivo [ireflek'siβo] *adj.* irrefletido

irregular [ireγu'lar] *adj.2g.* irregular

irregularidad [ireγulari'ðað] *s.f.* irregularidade

irrelevancia [irele'βaṇθja] *s.f.* irrelevância

irrelevante [irele'βaṇte] *adj.2g.* irrelevante

irremediable [ireme'ðjaβle] *adj.2g.* irremediável

irreparable [irepa'raβle] *adj.2g.* irreparável

irresistible [iresis'tiβle] *adj.2g.* irresistível

irresponsabilidad [iresponsaβili'ðað] *s.f.* irresponsabilidade

irresponsable [irespon'saβle] *adj.2g.* irresponsável

irreverencia [ireβe'reṇθja] *s.f.* irreverência

irreverente [ireβe'reṇte] *adj.2g.* irreverente

irreversible [ireβer'siβle] *adj.2g.* irreversível

irrigación [iriγa'θjon] *s.f.* **1** *(riego)* irrigação, rega **2** MED. irrigação

irritabilidad [iritaβili'ðað] *s.f.* irritabilidade

irritable [iri'taβle] *adj.2g.* irritável, irritadiç|o, -a*m.f.*

irritación [irita'θjon] *s.f.* **1** irritação **2** (pele, olhos) irritação; inflamação

irritante [iri'taṇte] *adj.2g.* irritante

irritar [iri'tar] *v.* **1** irritar **2** (pele, olhos) irritar; arder ■ **irritarse** irritar-se

irrompible [irom'piβle] *adj.2g.* inquebrável

isla ['izla] *s.f.* ilha

islámico [iz'lamiko] *adj.* islâmico

islamismo [izla'mizmo] *s.m.* islamismo

islamita [izla'mita] *adj.,s.2g.* islamita

island|és, -esa [izlaṇ'des] *adj.,s.m.,f.* island|ês, -esa ■ **islandés** *s.m.* (língua) islandês

Islandia [iz'laṇdja] *s.f.* Islândia

isósceles [i'sosθeles] *adj.2g.2n.* isósceles; *triángulo isósceles* triângulo isósceles

Israel [izra'el] *s.m.* Israel

israelí [izrae'li] *adj.,s.2g.* israelita, israelense

Italia [i'talja] *s.f.* Itália

italian|o, -a [ita'ljano] *adj.,s.m.,f.* italian|o, -a ■ **italiano** *s.m.* (língua) italiano

itálico [i'taliko] *adj.* *(italiano)* itálico, italiano ◆ **en letra itálica** em itálico

ítem ['item] *s.m.* **1** (documento) item, artigo, cláusula*f.* **2** (questionário, teste) item, pergunta*f.*, questão*f.* **3** *(añadidura)* acréscimo

iterativo [itera'tiβo] *adj.* iterativo

itinerante [itine'raṇte] *adj.2g.* itinerante

itinerario [itine'rarjo] *s.m.* itinerário

IVA (*sigla de* Impuesto sobre el Valor Añadido) IVA (*sigla de* Imposto sobre Valor Agregado)

izar [i'θar] *v.* (bandeira, vela) içar, hastear

izquierda [iθ'kjerða] *s.f.* esquerda

izquierdo [iθ'kjerðo] *adj.* esquerdo

J

j ['xota] *s.f.* (letra) j*m.*
ja ['xa] *interj.* ah!
jabalí [xaβa'li] *s.m.* (*f.* jabalina) javali, porco bravo
jabat|o, -a [xa'βato] *adj.,s.m.,f. col.* valente*2g.* ■ **jabato** *s.m.* cria*f.* do javali
jabón [xa'βon] *s.m.* **1** sabão; *jabón líquido* sabão líquido **2** sabonete; *jabón de tocador* sabonete; *jabón de olor* sabonete perfumado ♦ *col.* **dar jabón a alguien** puxar o saco de alguém, bajular; *col.* **dar un jabón** passar um sabão, repreender; **jabón de sastre** giz de alfaiate
jabonada [xaβo'naδa] *s.f.* ensaboadela
jabonado [xaβo'naδo] *s.m.* **1** (lavagem) ensaboadela*f.* **2** (roupa) barrela*f.*
jabonera [xaβo'nera] *s.f.* saboneteira
jaca ['xaka] *s.f.* **1** *(yegua)* égua **2** (cavalo, égua) faca **3** [ARG.] *(gallo de pelea)* galo*m.* de briga
jactancia [xak'tanθja] *s.f.* jactância, presunção
jactarse [xak'tarse] *v.* jactar-se (de, de), gabar se (de, de), vangloriar-se (de, de); *se jacta de ser el más fuerte* gaba se de ser o mais forte
jade ['xaδe] *s.m.* jade
jadeante [xaδe'ante] *adj.2g.* ofegante, arquejante, esbaforido
jadear [xaδe'ar] *v.* ofegar, arquejar, arfar
jadeo [xa'δeo] *s.m.* arquejo
jaguar [xa'ɣwar] *s.m.* jaguar
jalea [xa'lea] *s.f.* geleia ♦ **jalea real** geleia real
jaleo [xa'leo] *s.m.* **1** *(confusión)* confusão*f.*, balbúrdia*f.*; *armar jaleo* armar confusão **2** *(barullo)* barulheira*f.*; *con este jaleo no oigo nada* com esta barulheira não ouço nada **3** *pop.* encrenca*f.*, confusão*f.*; *no te metas en jaleos* não te metas em encrenca/fria **4** *col.* discussão*f.*, briga*f.*; *tuvieron un jaleo gordo* tiveram uma grande discussão
Jamaica [xa'majka] *s.f.* Jamaica
jamaican|o, -a [xamaj'kano] *adj.,s.m.,f.* jamaican|o, -a
jamás [xa'mas] *adv.* **1** jamais; *jamás haría tal cosa* jamais faria tal coisa **2** nunca; *no lo he visto jamás* nunca mais o vi **3** alguma vez, jamais; *el mejor programa que jamás haya visto* o melhor programa que já vi ♦ *pop.* **en jamás de los jamases** nunca, jamais; nunca na vida; **nunca digas jamás** nunca diga nunca; **nunca jamás** nunca mais; **para/por siempre jamás** para todo o sempre
jamón [xa'mon] *s.m.* presunto; *jamón de york/en dulce* presunto cozido; *jamón serrano* presunto defumado ♦ *col.* **estar jamón** ser um bêbado; *col.* **¡y un jamón (con chorreras)!** nem que a vaca tussa!; uma ova!
Japón [xa'pon] *s.m.* Japão
japon|és, -esa [xapo'nes] *adj.,s.m.,f.* japon|ês, -esa ■ **japonés** *s.m.* (língua) japonês
jaque ['xake] *s.m.* (xadrez) xeque ♦ (xadrez) **jaque mate** xeque-mate; **poner en jaque** pôr em xeque
jaqueca [xa'keka] *s.f.* enxaqueca
jarabe [xa'raβe] *s.m.* **1** (preparado) xarope; *jarabe para la tos* xarope para a tosse **2** (bebida) xarope; *jarabe de grosella* xarope de groselha ♦ *col.* **jarabe de palo** palmadas; corretivo, castigo; *col.* **jarabe de pico** conversa-fiada, lábia
jardín [xar'δin] *s.m.* jardim ♦ **jardín botánico** jardim botânico; **jardín de infancia** jardim de infância, jardim escola, jardim-infantil
jardinera [xarδi'nera] *s.f.* jardineira ♦ **a la jardinera** à jardineira; *ternera a la jardinera* jardineira de vitela
jardinería [xarδine'ria] *s.f.* jardinagem
jardiner|o, -a [xarδi'nero] *s.m.,f.* jardineir|o, -a
jarra ['xara] *s.f.* jarro*m.*, caneca; *una jarra de cerveza* uma caneca de cerveja; *una jarra de sangría* um jarro de sangria ♦ **de/en jarras** com as mãos na cintura
jarro ['xaro] *s.m.* jarro, caneca*f.*; *un jarro de agua* uma caneca de água ♦ *col.* **como un jarro de agua fría** como um balde de água fria; *col.* **llover a jarros** chover a cântaros
jarrón [xa'ron] *s.m.* jarrão
jaula ['xawla] *s.f.* **1** (ave) gaiola **2** (animal selvagem) jaula **3** *col.* jaula, prisão
jazmín [xaθ'min] *s.m.* jasmim
jazz ['dʒas] *s.m.* jazz
je ['xe] *interj.* ah!
jeans ['dʒins] *s.m.pl.* calça*f.* jeans
jeep ['dʒip] *s.m.* jipe
jefatura [xefa'tura] *s.f.* **1** (cargo) chefia, direção, liderança **2** (organismo oficial) direção geral, sede; repartição **3** (polícia) delegacia
jef|e, -a ['xefe] *s.m.,f.* **1** (serviço) chefe*2g.*, diretor, -a; *jefe de equipo* chefe de equipe; *jefe de estación* chefe da estação; *jefe de producto* chefe de produção **2** (partido, organismo) líder*2g.*, dirigente*2g.*; *jefe de la oposición* líder da oposição **3** *col. (padres)* velhot|e, -a **4** *col.* (tratamento) chefe*2g.* ♦ **jefe de cocina** chefe de cozinha; **jefe de Estado** chefe de Estado; **jefe de familia** chefe de família; **jefe de gobierno** chefe do governo
jengibre [xeŋ'xiβre] *s.m.* gengibre
jerarquía [xerar'kia] *s.f.* hierarquia
jerárquico [xe'rarkiko] *adj.* hierárquico
jerarquización [xerarkiθa'θjon] *s.f.* hierarquização
jerez [xe'reθ] *s.m.* (vinho) xerez

O vinho *jerez* é produzido nas regiões andaluzas entre as cidades de Jerez, Sanlúcar e El Puerto de Santa María. É elaborado com base em duas castas de uvas: Palomino, cujo vinho é mais seco, e Pedro Ximénez, que é mais doce.

jerga [ˈxerɣa] *s.f.* **1** gíria, jargão*m.* **2** calão*m.*

jerife [xeˈrife] *s.m.* (muçulmanos) xerife

jerigonza [xeriˈɣonθa] *s.f. pej.* geringonça

jeringa [xeˈriŋga] *s.f.* seringa

jeroglífico [xeroˈɣlifiko] *s.m.* hieróglifo

jersey [xerˈsej] *s.m.* (*pl.* jerséis) camisa*f.*; ***jersey de cuello alto*** camisa de gola alta

Jesús [xeˈsus] *s.m.* Jesus; ***el niño Jesús*** o menino Jesus ■ *interj.* **1** Jesus! **2** (espirro) saúde!

jet [ˈdʒet] *s.m.* jato, avião a jato ■ *s.f.* alta sociedade

jeta [ˈxeta] *s.f.* **1** *col.* descaramento*m.* **2** *col., pej.* fuça, ventas*pl.*, trombas*pl.* **3** *col.* beiços*m. pl.* ■ *adj.,s.2g. col.* (pessoa) sem vergonha, cara de pau

jibia [ˈxiβja] *s.f.* sépia

jícara [ˈxikara] *s.f.* xícara

jinete [xiˈnete] *s.m.* ginete, cavaleiro

jirafa [xiˈrafa] *s.f.* **1** ZOOL. girafa **2** (microfone) girafa **3** *fig., col.* (pessoa) girafa

jirón [xiˈron] *s.m.* **1** (tecido) rasgão **2** *(parte de un todo)* pedaço, porção*f.*, fragmento ♦ **hecho jirones** (feito) em farrapos

jiu-jitsu [dʒiwˈdʒitsu] *s.m.* jiu-jítsu

JJ.OO. (*sigla de* Juegos Olímpicos) Jogos Olímpicos

jobar [xoˈβar] *interj.* caramba!; poxa!

jockey [ˈdʒokej] *s.m.* jóquei

jocosidad [xokosiˈðað] *s.f.* **1** jocosidade **2** *(chiste)* graça

jocoso [xoˈkoso] *adj.* jocoso, engraçado, divertido

jogging [ˈdʒoɣiŋ] *s.m.* jogging/cooper; ***hacer jogging*** fazer jogging/cooper

joker [ˈjoker] *s.m. (comodín)* curinga (do baralho francês)

jolín [xoˈlin], **jolines** [xoˈlines] *interj. col.* caramba!; poxa!; puxa!

Jordania [xorˈðanja] *s.f.* Jordânia

jordan|o, -a [xorˈðano] *adj.,s.m.,f.* jordanian|o, -a

jornada [xorˈnaða] *s.f.* **1** dia*m.* de trabalho, jornada; ***jornada intensiva/continua*** período integral; ***media jornada*** part time **2** (jornalismo) dia*m.*; ***las noticias de la jornada*** as notícias do dia **3** ESPOR. jornada; ***primera jornada del campeonato*** primeira jornada do campeonato ■ **jornadas** *s.f.pl.* jornadas*pl.*, simpósio*m.*

jornal [xorˈnal] *s.m.* salário diário, diária*f.pop.*

jornaler|o, -a [xornaˈlero] *s.m.,f.* trabalhador, -a diário, diarista*2g.*

joroba [xoˈroβa] *s.f.* **1** (pessoa) corcunda, corcova **2** (camelo, dromedário) bossa **3** *col.* chatice ■ *interj. col.* caramba!; bolas!

jorobad|o, -a [xoroˈβaðo] *s.m.,f.* corcunda*2g.* ■ *adj.* **1** corcunda **2** *col.* chato, aborrecido ♦ *col.* **estar jorobado de** estar mal de

jorobar [xoroˈβar] *v.* **1** *col. (molestar)* chatear, incomodar, importunar **2** *col.* (coisa) estragar, danificar **3** *col.* (plano, projeto) estragar, lixar ■ **jorobarse** *col.* ter paciência, aguentar se

jota [ˈxota] *s.f.* **1** (letra) jota*m.* **2** (dança) jota ♦ *col.* **ni jota** nada, patavina; ***no entiendo ni jota*** não entendo patavina

joule [ˈdʒul] *s.m.* joule

joven [ˈxoβen] *adj.,s.2g.* jovem

jovial [xoˈβjal] *adj.2g.* jovial, alegre

jovialidad [xoβjaliˈðað] *s.f.* jovialidade, alegria

joya [ˈxoja] *s.f.* joia

joyería [xojeˈria] *s.f.* (arte, estabelecimento) joalheria

joyer|o, -a [xoˈjero] *s.m.,f.* joalheir|o, -a ■ **joyero** *s.m.* porta-joias*2n.*

joystick [ˈdʒojstik] *s.m.* joystick

juanete [xwaˈnete] *s.m.* joanete

jubilación [xuβilaˈθjon] *s.f.* **1** aposentadoria; (ensino superior) jubilação; ***jubilación anticipada*** aposentadoria antecipada **2** (quantia) aposentadoria

jubilad|o, -a [xuβiˈlaðo] *adj.,s.m.,f.* aposentad|o, -a; (ensino superior) jubilad|o, -a

jubilar [xuβiˈlar] *v.* **1** reformar, aposentar; (ensino superior) jubilar **2** *col.* (objeto) deixar de usar, pôr de lado, encostar ■ **jubilarse** reformar-se, aposentar-se; (ensino superior) jubilar-se

jubileo [xuβiˈleo] *s.m.* **1** jubileu **2** *fig., col.* vaivém (de pessoas)

júbilo [ˈxuβilo] *s.m.* júbilo

judaico [xuˈðajko] *adj.* judaico

judaísmo [xuðaˈizmo] *s.m.* judaísmo

judas [ˈxuðas] *s.m.2n. fig., pej.* judas, traidor, -a*m.f.*

judía [xuˈðia] *s.f.* **1** (planta) feijão*m.*, feijoeiro*m.* **2** (semente) feijão*m.*; ***judías blancas*** feijão branco; ***judías pintas*** feijão-frade; ***judías rojas*** feijão-vermelho, feijão azuqui; ***judías verdes*** feijão verde, vagem

judicial [xuðiˈθjal] *adj.2g.* **1** judicial; ***investigación judicial*** inquérito judicial **2** judiciário; ***policía judicial*** polícia judiciária

judí|o, -a [xuˈðio] *adj.,s.m.,f.* jud|eu, -ia

judo [ˈdʒuðo] *s.m.* judô

judoca [dʒuˈðoka] *s.2g.* judoca

juego [ˈxweɣo] *s.m.* **1** (crianças) brincadeira*f.*; ***juego de niños*** brincadeira de crianças **2** (passatempo) jogo; ***juego de ajedrez*** jogo de xadrez; ***juego de azar*** jogo de azar; ***Juegos Olímpicos*** Jogos Olímpicos; ***sala de juegos*** salão de jogos **3** *(conjunto)* jogo; serviço; ***juego de sábanas*** jogo de lençóis; ***juego de té*** aparelho de chá **4** *(combinación)* jogo, combinação*f.*; ***juego de luces*** jogo de luzes **5** *(movimiento)* jogo, movimento **6** ESPOR. set, partida*f.*, tempo ♦ **a juego (con)** combinando (com); *col.* **dar juego** ter futuro; prometer; **fuera de juego** fora de jogo; **hacer el juego a (alguien)** fazer o jogo de (alguém), favorecer (alguém); **hacer juego con** combinar/condizer com; **juego de manos** truque de magia; **juego de palabras** jogo de palavras, trocadilho; **juego limpio** jogo limpo, fair-play; **poner en juego** pôr em jogo, arriscar

juerga [ˈxwerɣa] *s.f.* farra, borga, pândega; ***ir de juerga*** ir para a farra

juerguista [xwerˈɣista] *s.2g.* borguista, farrista

jueves ['xweβes] *s.m.2n.* quinta-feira*f.*, quinta*f.*; *el jueves que viene* na próxima quinta-feira; *el jueves pasado* na quinta-feira passada; *el jueves por la mañana/tarde/noche* na quinta-feira de manhã/à tarde/à noite; *hoy es jueves* hoje é quinta-Feira; *los jueves* às quintas-feiras; *todos los jueves* todas as quintas-feiras ♦ **Jueves Santo** Quinta-Feira Santa; *col.* **no ser nada del otro jueves** não ser nada do outro mundo

juez ['xweθ] *s.2g.* ju|iz, -íza*m.f.* ♦ ESPOR. **juez de línea** bandeirinha; ESPOR. (tênis) **juez de silla** árbitro

jugada [xu'ɣaδa] *s.f.* **1** (jogo) jogada **2** *(lance notable)* jogada, lance*m.* **3** *fig.* rasteira **4** *fig.* golpe*m.* baixo, jogo*m.* sujo

jugador, -a [xuɣa'δor] *s.m.,f.* jogador, -a

jugar [xu'ɣar] *v.* **1** (crianças) brincar; *jugar a las casitas* brincar de casinha; *los niños están jugando en el jardín* as crianças estão brincando no jardim **2** (jogo, passatempo) jogar (a, -); *jugar a las cartas* jogar cartas; *jugar a la lotería* jogar na loteria **3** *(apostar)* jogar, apostar **4** *fig.* brincar (con, com); *jugar con fuego* brincar com fogo; *jugar con los sentimientos de alguien* brincar com os sentimentos de alguém ■ **jugarse 1** *(arriesgar)* arriscar **2** *(apostarse)* apostar; *¿qué te juegas a que...?* quer apostar quanto que...? ♦ *col.* **jugársela (a alguien)** pregar uma rasteira/peça (a alguém)

jugo ['xuɣo] *s.m.* **1** (matéria animal, vegetal) suco **2** (fruta) suco; *jugo de naranja* suco de laranja **3** FISIOL. suco; *jugo gástrico* suco gástrico **4** CUL. molho; *jugo de tomate* molho de tomate ♦ **sacar (el) jugo** aproveitar ao máximo

jugoso [xu'ɣoso] *adj.* **1** suculento **2** (fruta) sumarento **3** (alimento) substancial, nutritivo **4** (comentário) valioso

juguete [xu'ɣete] *s.m.* **1** brinquedo **2** *fig.* joguete ♦ **de juguete** de brincar; **por juguete** na/por brincadeira

juguetear [xuɣete'ar] *v.* brincar (con, com), entreter--se (con, com); *jugueteaba con el lápiz* brincava com o lápis

juguetería [xuɣete'ria] *s.f.* **1** loja de brinquedos, bazar*m.* **2** indústria/comércio*m.* de brinquedos

juguetón [xuɣe'ton] *adj.* brincalhão

juicio ['xwiθjo] *s.m.* **1** *(opinión)* opinião*f.*, juízo; *a juicio de* na opinião de, segundo; *a mi juicio* em minha opinião, a meu ver; *formar un juicio equivocado de* formar uma opinião errada sobre; *juicio de valor* juízo de valor **2** DIR. julgamento, juízo; *juicio público* julgamento público **3** *(sensatez)* juízo, bom-senso, sensatez*f.* **4** *(razón)* juízo, lucidez*f.*, tino; *en su sano juicio* no seu perfeito juízo; *perder el juicio* perder o juízo ♦ REL. **juicio final** juízo final

juicioso [xwi'θjoso] *adj.* ajuizado, sensato

julio ['xuljo] *s.m.* **1** (mês) julho **2** FÍS. joule

jumento [xu'mento] *s.m.* jumento, burro, asno

jumera [xu'mera] *s.f. col.* porre*m.*, bebedeira; *agarrar/coger una jumera* tomar uma bebedeira

jumo ['xumo] *adj.* [AM.] bêbado, embriagado

junco ['xuŋko] *s.m.* junco

jungla ['xuŋgla] *s.f.* selva

junio ['xunjo] *s.m.* junho

júnior ['junjor] *adj.2g.* júnior

junta ['xunta] *s.f.* **1** *(reunión)* reunião; *junta de vecinos* reunião de condôminos **2** *(comité)* assembleia, comissão; conselho*m.*; *junta directiva* conselho diretivo **3** (objeto, superfície) junta, junção ♦ **junta de culata** junta do cabeçote

juntar [xun'tar] *v.* **1** *(acercar)* juntar, aproximar, unir **2** *(agrupar)* juntar, reunir, agrupar **3** (pessoas) reunir, aglomerar **4** (bens, dinheiro) juntar, acumular ■ **juntarse 1** *(acercarse)* juntar-se, aproximar-se **2** *(reunirse)* juntar se, reunir se **3** *(amancebarse)* juntar se (con, com), amigar se (con, com)

junto ['xunto] *adj.* junto ■ *adv.* **1** junto de, ao lado de; perto de; *el hotel queda junto a la playa* o hotel fica junto da praia **2** juntamente, junto; *junto con el regalo me mandó una carta* juntamente com o presente mandou-me uma carta **3** ao mesmo tempo, simultaneamente; *hacia muchas cosas juntas* fazia muitas coisas ao mesmo tempo ♦ **en junto** ao todo, no total; **junto a** junto a; perto de; **junto con** juntamente com; **todo junto** simultaneamente, ao mesmo tempo

Júpiter ['xupiter] *s.m.* Júpiter

jura ['xura] *s.f.* **1** (compromisso, cerimônia) juramento*m.* **2** (presidente, rei) tomada de posse ♦ **jura de bandera** juramento de bandeira

jurado [xu'raδo] *s.m.* **1** DIR. júri **2** DIR. (membro) jurado **3** (concurso, competição) júri **4** (concurso, competição) membro do júri ■ *adj.* juramentado; *traductor jurado* tradutor juramentado

juramento [xura'mento] *s.m.* **1** *(promesa)* juramento, promessa*f.*; *bajo juramento* sob juramento; *prestar juramento* prestar juramento **2** *(blasfemia)* blasfêmia*f.*; *(palabrota)* palavrão; *soltar juramentos* blasfemar, praguejar

jurar [xu'rar] *v.* **1** jurar **2** praguejar, blasfemar ♦ **jurar por** jurar por; *col.* **jurársela(s) a alguien** jurar vingança contra alguém

Jurásico [xu'rasiko] *s.m.* Jurássico

jurídico [xu'riδiko] *adj.* jurídico

jurisdicción [xurisδik'θjon] *s.f.* jurisdição

jurista [xu'rista] *s.2g.* jurista

justa ['xusta] *s.f.* **1** HIST. justa **2** *(competición literaria)* competição literária

justamente ['xusta'mente] *adv.* justamente

justicia [xus'tiθja] *s.f.* justiça ♦ **de justicia** justo; **hacer justicia a alguien** fazer justiça a alguém; **tomarse la justicia por su mano** fazer justiça pelas próprias mãos

justiciero [xusti'θjero] *adj.* justiceiro

justificable [xustifi'kaβle] *adj.2g.* justificável

justificación [xustifika'θjon] *s.f.* justificação

justificante [xustifi'kante] *s.m.* justificativa*f.*; comprovativo

justificar [xustifi'kar] *v.* justificar ■ **justificarse** justificar se, desculpar se

justificativo [xustifika'tiβo] *adj.* justificativo

justo ['xusto] *adj.* justo ■ *adv.* justamente, exatamente, precisamente; *llegó justo cuando me iba* chegou exatamente quando eu ia embora ♦ **¡justo!** certo!; **pagar justos por pecadores** pagar o justo pelo pecador

juvenil [xuβe'nil] *adj.2g.* juvenil

juventud [xuβen̦'tuδ] *s.f.* **1** (período) juventude **2** *(jóvenes)* juventude, jovens *m. pl.*

juzgado [xuθ'ɣaδo] *s.m.* **1** (lugar, edifício) tribunal **2** (território) comarca *f.*

juzgar [xuθ'ɣar] *v.* **1** *(creer)* julgar, achar, supor; *juzgo que sí* julgo/acho que sim **2** *(interpretar)* julgar, interpretar; *no juzgues mal lo que te voy a decir* não interprete mal o que vou dizer **3** (pessoa) julgar, avaliar **4** DIR. julgar, sentenciar; *juzgar un caso de homicidio* julgar um caso de homicídio ♦ **a juzgar por** levando em consideração, tendo em consideração, a julgar por

k ['ka] *s.f.* (letra) k*m.*
káiser ['kajser] *s.m.* kaiser
kamikaze [kami'kaθe] *adj.2g.,s.m.* camicase, camicaze
kappa ['kapa] *s.f.* (letra grega) capa*m.*
kárate ['karate], **karate** [ka'rate] *s.m.* caratê
karateca [kara'teka] *s.2g.* carateca
karma ['karma] *s.m.* carma, karma
kart ['kart] *s.m.* kart
karting ['kartiŋ] *s.m.* karting
kartódromo [kar'toðromo] *s.m.* kartódromo
katiuska [ka'tjuska] *s.f.* [ESP.] galocha, bota de borracha
kayak [ka'jak] *s.m.* caiaque
Kenia ['kenja] *s.m.* Quênia
keniata [ke'njata] *adj.,s.2g.* quenian|o, -a*m.f.*
keroseno [kero'seno] *s.m.* querosene
ketchup ['ke(t)tʃup] *s.m.* ketchup
kilo ['kilo] *s.f.* quilo*m.*
kilobyte [kilo'βajt] *s.m.* quilobyte
kilocaloría [kilokalo'ria] *s.f.* quilocaloria
kilogramo [kilo'ɣramo] *s.m.* quilograma
kilohercio [kilo'erθjo] *s.m.* quilo-hertz*2n.*
kilolitro [kilo'litro] *s.m.* quilolitro
kilometraje [kilome'traxe] *s.m.* quilometragem*f.*
kilómetro [ki'lometro] *s.m.* quilômetro ♦ **kilómetro cuadrado** quilômetro quadrado
kilovatio [kilo'βatjo] *s.m.* quilowatt
kilovoltio [kilo'βoltjo] *s.m.* quilovolt
kimono [ki'mono] *s.m.* quimono
kiosco ['kjosko] *s.m.* ⇒ **quiosco**
kirsch ['kirs] *s.m.* quirche, kirsch
kitsch ['kitʃ] *adj.2g.2n.,s.m.* kitsch
kivi ['kiβi] *s.m.* ⇒ **kiwi**
kiwi ['ki(ɣ)wi] *s.m.* **1** (planta, fruto) quivi, quiuí, kiwi **2** (ave) quivi, quiuí, kiwi
knock-out [no'kawt] *s.m.* ESPOR. nocaute
koala [ko'ala] *s.m.* coala
Kuwait [ku'βajt] *s.m.* Kuwait
kuwaití [kuβaj'ti] *adj.,s.2g.* kuwaitian|o, -a*m.f.*

l ['ele] *s.f.* (letra) l*m.*

la ['la] *art.def.* a; *la flor* a flor ▪ *pron.pess.f.* a, la; *no la he visto* não a vi; *fue a buscarla* foi buscá-la ▪ *s.m.* lá ♦ **a la** à; *ir a la escuela* ir à escola; **de la** da; *a las once de la mañana* às onze da manhã; **en la** na; *en la estación* na estação

laberinto [laβe'rinto] *s.m.* labirinto

labia ['laβja] *s.f. col.* lábia

labial [la'βjal] *adj.2g.* labial

labio ['laβjo] *s.m.* lábio ♦ **labio leporino** lábio leporino; *col.* **no despegar los labios** não abrir a boca; **sellar los labios** tapar a boca

labor [la'βor] *s.f.* **1** *(trabajo)* trabalho*m.*, tarefa, ocupação **2** *(trabajo agrícola)* trabalho*m.* (agrícola) ▪ **labores** *s.f.pl.* lavores*m. pl.* ♦ **de labor** de lavoura; **(no) estar por la labor** (não) estar disposto; **sus labores** lida da casa; trabalhos domésticos

laborable [laβo'raβle] *adj.2g.* **1** cultivável **2** (dia) útil ▪ *s.m.* dia útil

laboral [laβo'ral] *adj.2g.* laboral; *accidente laboral* acidente de trabalho; *horario laboral* horário de trabalho

laboratorio [laβora'torjo] *s.m.* laboratório; *laboratorio de análisis clínicos* laboratório de análises clínicas; *laboratorio de idiomas* laboratório de línguas; *laboratorio farmacéutico* laboratório farmacêutico; *laboratorio fotográfico* laboratório fotográfico

laborioso [laβo'rjoso] *adj.* **1** (pessoa) laborioso, trabalhador; aplicado **2** (tarefa, trabalho) laborioso, trabalhoso, árduo

laborista [laβo'rista] *adj.,s.2g.* trabalhista, laborista

labrado [la'βraδo] *adj.* lavrado

labrador, -a [laβra'δor] *s.m.,f.* lavrador, -a, agricultor, -a ▪ **labrador** *s.m.* ZOOL. labrador

labranza [la'βranθa] *s.f.* lavoura

labrar [la'βrar] *v.* **1** (terra) lavrar, cultivar **2** (madeira, metal) lavrar

labrieg|o, -a [la'βrjeγo] *s.m.,f.* lavrador, -a

laca ['laka] *s.f.* **1** (resina) laca **2** (cabelo) laquê*m.* ♦ **laca de uñas** esmalte de unhas

lacado [laka'δo] *adj.* laqueado

lacayo [la'kajo] *s.m.* lacaio

lacio ['laθjo] *adj.* **1** (cabelo) liso **2** (planta) murcho **3** *(flojo)* frouxo **4** (músculo) flácido

lacra ['lakra] *s.f.* **1** marca, sequela, cicatriz **2** *fig.* flagelo*m.*

lacre ['lakre] *s.m.* lacre

lacrimal [lakri'mal] *adj.2g.* lacrimal

lacrimógeno [lakri'moxeno] *adj.* lacrimogêneo; *gas lacrimógeno* gás lacrimogêneo

lactación [lakta'θjon] *s.f. (amamantamiento)* lactação

lactancia [lak'tanθja] *s.f.* **1** amamentação **2** (período) lactação

lactante [lak'tante] *adj.2g.* **1** (mãe) lactante **2** (bebê) lactente

lácteo ['lakteo] *adj.* lácteo

lacticinio [lakti'θinjo] *s.m.* laticínio

lactosa [lak'tosa] *s.f.* lactose

ladera [la'δera] *s.f.* encosta, ladeira

lado ['laδo] *s.m.* **1** *(parte lateral)* lado **2** *(cara)* face*f.* **3** *(aspecto)* lado, aspecto **4** *(sitio)* lado, sítio, lugar ♦ **al lado de** ao lado de; **a todos lados** por todo lado; **dar de lado a alguien** virar as costas para alguém; **dejar a un lado** deixar de lado; **echarse/hacerse a un lado** desviar-se para o lado; **ir cada uno por su lado** ir cada um para o seu lado; **mirar de medio lado** olhar de lado; **ponerse del lado de alguien** ficar/pôr-se do lado de alguém; **por otro lado** por outro lado

ladrar [la'δrar] *v.* **1** (cão) ladrar, latir **2** *fig., col.* berrar, gritar, ladrar **3** *fig., col.* ladrar (ameaçar sem agir)

ladrillo [la'δriʎo] *s.m.* **1** tijolo **2** *col.* chatice*f.*, chateação*f.*

ladr|ón, -ona [la'δron] *adj.,s.m.,f.* ladr|ão, -a ▪ **ladrón** *s.m.* ELETR. *col.* benjamim*f.*

lagartija [laγar'tixa] *s.f.* lagartixa, sardanisca

lagarto [la'γarto] *s.m.* lagarto; sardão ♦ **¡lagarto, lagarto!** [expressão coloquial para afastar o azar]

lago ['laγo] *s.m.* lago

lágrima ['laγrima] *s.f.* lágrima; *deshacerse en lágrimas* desmanchar-se em lágrimas; *saltársele a alguien las lágrimas* vir lágrimas aos olhos de alguém ♦ **lágrimas de cocodrilo** lágrimas de crocodilo; *col.* **llorar a lágrima viva** chorar rios de lágrimas; **llorar (con) lágrimas de sangre** chorar lágrimas de sangue

lagrimear [laγrime'ar] *v.* lacrimejar

laguna [la'γuna] *s.f.* **1** lagoa **2** (impresso, exposição) lacuna; *rellenar una laguna* preencher uma lacuna

laic|o, -a ['lajko] *s.m.,f.* laic|o, -a, leig|o, -a ▪ *adj.* laico; *enseñanza laica* ensino laico

laísmo [la'izmo] *s.m.* [uso dos pronomes pessoais *la* e *las* como complemento direto, em vez de *le* e *les*]

laísta [la'ista] *s.2g.* [pessoa que pratica o laísmo]

lama ['lama] *s.m.* REL. lama ▪ *s.f.* lama (do fundo dos mares, rios, etc.)

lamaísmo [lama'izmo] *s.m.* lamaísmo

lambada [lam'baδa] *s.f.* lambada

lambda ['lambδa] *s.f.* (letra grega) lambda*m.*

lamedura [lame'δura] *s.f.* lambida, lambidela

lamentable [lamen'taβle] *adj.2g.* lamentável

lamentación [lamenta'θjon] *s.f.* lamentação, queixa

lamentar [lamen'tar] *v.* lamentar, lastimar; *lo lamento* lamento -o ▪ **lamentarse** lamentar-se (de/por, de/por), lastimar-se (**de/por**, de/por); *ahora es tarde para lamentarse* agora é tarde para lamentações; *de nada sirve lamentarse* de nada serve lamentar-se

lamento [la'mento] *s.m.* lamento

lamer [la'mer] *v.* lamber ▪ **lamerse** lamber-se

lámina ['lamina] *s.f.* **1** lâmina; *lámina de acero* lâmina de aço **2** (desenho) chapa **3** (livro) estampa, gravura; *láminas a todo color* estampas em cores **4** (pessoa, animal) figura, aspecto*m.*

lámpara ['lampara] *s.f.* **1** *(bombilla)* lâmpada; *lámpara fluorescente/halógena* lâmpada fluorescente/de halogênio **2** (aparelho) abajur*m.*; *lámpara de pie* luminária de pé; *lámpara de techo* lustre **3** *col.* nódoa ◆ **lámpara de mano** lanterna

lamparilla [lampa'riʎa] *s.f.* lamparina

lamparón [lampa'ron] *s.m.* (roupa) nódoa*f.*, mancha*f.*

lana ['lana] *s.f.* lã ◆ *col.* **cardarle la lana a alguien** dar uma bronca em alguém; **ir por lana y salir trasquilado** ir buscar lã e sair/vir tosquiado

lance ['lanθe] *s.m.* **1** *(suceso)* lance, episódio, acontecimento **2** *(momento difícil)* lance, aperto **3** *(pelea)* briga*f.* **4** (jogo) lance, jogada*f.* ◆ **de lance** de ocasião, em segunda mão

lancha ['lanʲtʃa] *s.f.* **1** (a motor) lancha **2** (pedra) laje **3** *(barca, bote)* barca, batel*m.*

langosta [laŋ'gosta] *s.f.* **1** (crustáceo) lagosta **2** (inseto) gafanhoto*m.*

langostino [laŋgos'tino] *s.m.* lagostim

lanza ['lanθa] *s.f.* lança ◆ **romper una lanza por** quebrar lanças por

lanzadera [lanθa'ðera] *s.f.* lançadeira

lanzado [lan'θaðo] *adj.* **1** lançado **2** disparado

lanzador, -a [lanθa'ðor] *s.m.,f.* lançador, -a; *lanzador de jabalina* lançador de dardo

lanzagranadas [lanθaɣra'naðas] *s.m.2n.* lança-granadas

lanzallamas [lanθa'ʎamas] *s.m.2n.* lança-chamas

lanzamiento [lanθa'mjento] *s.m.* lançamento ◆ **lanzamiento de disco** lançamento de disco; **lanzamiento de jabalina** lançamento de dardo; **lanzamiento de martillo** lançamento de martelo; **lanzamiento de peso** lançamento de peso

lanzar [lan'θar] *v.* **1** *(arrojar)* lançar, arremessar, atirar; *lanzar una piedra* lançar uma pedra **2** (foguetão, produto) lançar ▪ **lanzarse** lançar-se

lanzatorpedos [lanθator'peðos] *s.m.2n.* lança-torpedos

lapa ['lapa] *s.f.* **1** ZOOL. lapa **2** *fig.* (pessoa) chato, importuno ◆ **pegarse a alguien como una lapa** atracar-se com alguém

lapicero [lapi'θero] *s.m.* lápis*2n.*

lápida ['lapiða] *s.f.* **1** lápide **2** (sepultura) laje, lápide

lapidar [lapi'ðar] *v. (apedrear)* lapidar, apedrejar

lápiz ['lapiθ] *s.m.* lápis*2n.* ◆ **lápiz de cejas** lápis para as sobrancelhas; **lápiz de color** lápis de cor; **lápiz de labios** lápis de lábios; **lápiz de ojos** lápis de olhos; INFORM. **lápiz óptico** caneta óptica

lapo ['lapo] *s.m. col.* **1** tapa **2** gole

lapso ['lapso] *s.m.* **1** lapso; *lapso de tiempo* lapso de tempo **2** ⇒ **lapsus**

lapsus ['lapsus] *s.m.2n.* lapso, descuido, deslize

lar ['lar] *s.m.* (cozinha) fogão ▪ **lares** *s.m.pl.* MIT. lares

largar [lar'ɣar] *v.* **1** *col.* dar; *largar una bofetada* dar uma bofetada **2** *col.* mandar embora, despedir **3** *col.* falar mais do que devia ▪ **largarse** *col.* cair fora, ir embora

largo ['larɣo] *adj.* **1** comprido, longo; *manga larga* manga comprida; *pelo largo* cabelo comprido **2** extenso, longo; *esta película es muy larga* este filme é muito longo **3** (tempo, bocado) bom; *un largo rato* um bom bocado; (tempo) largo; *largos años* longos anos ▪ *s.m.* comprimento ▪ *interj.* fora!, rua! ◆ **a la larga** a longo prazo; **a lo largo** ao comprido; **a lo largo de** ao longo de; **ir para largo** faltar muito

> Não confundir com a palavra em português **largo** (*ancho*).

largometraje [larɣome'traxe] *s.m.* longa-metragem*f.*

larguero [lar'ɣero] *s.m.* **1** *(viga)* travessa*f.* **2** (baliza) trave*f.*, barra*f.*

largura [lar'ɣura] *s.f.* comprimento*m.*

laringe [la'rinxe] *s.f.* laringe

laringitis [larin'xitis] *s.f.2n.* laringite

larva ['larβa] *s.f.* larva, lagarta

las ['las] *art.def.* as; *las cosas* as coisas ▪ *pron.pess.* as; las; nas; *las escucho* escuto-as; *ya se las he mandado* já as enviei; *es mejor sacarlas de aquí* é melhor tirá-las daqui; *las compran* compram nas

lasaña [la'saɲa] *s.f.* lasanha

lasca ['laska] *s.f.* (pedra) lasca, estilhaço*m.*

lascivo [las'θiβo] *adj.* lascivo

láser ['laser] *s.m.* laser

lástima ['lastima] *s.f.* **1** *(compasión)* pena, lástima, dó*m.*; *dar lástima* dar dó **2** *(pena)* pena; *es una lástima* é uma pena; *¡qué lástima!* que pena! ▪ *interj.* que pena! ◆ **estar hecho una lástima** estar uma miséria

lastimar [lasti'mar] *v.* magoar ▪ **lastimarse** magoar-se

lastimero [lasti'mero] *adj.* lastimável, lastimoso

lastimoso [lasti'moso] *adj.* lastimável, lastimoso

lata ['lata] *s.f.* **1** *(hojalata)* lata, folha de flandres **2** (recipiente) lata; *lata de atún* lata de atum; *sardinas en lata* sardinhas em lata **3** *fig.* chatice, maçada; *¡qué lata!* que chatice! **4** *col.* (carro) lata, calhambeque*m.* ◆ *col.* **dar la lata** encher o saco

latazo [la'taθo] *s.m. col.* chatice*f.*

latente [la'tente] *adj.2g.* latente

lateral [late'ral] *adj.2g.* lateral ▪ *s.m.* **1** zona*f.* lateral; lado **2** ESPOR. lateral

látex ['lateks] *s.m.2n.* látex

latido [la'tiðo] *s.m.* (coração) batimento, batida*f.*

latifundio [lati'fundjo] *s.m.* latifúndio

latifundista [latifun'dista] *s.2g.* latifundiári|o, -a*m.f.*

latigazo [lati'ɣaθo] *s.m.* **1** chicotada*f.* **2** (dor) guinada*f.*, pontada*f.* **3** *col.* trago, golada*f.*, gole*f.*

látigo ['latiɣo] *s.m.* chicote

latiguillo [lati'γiʎo] s.m. **1** *(muletilla)* bordão, chavão **2** (tubo) manga*f.*, casquilho

latín [la'tin] s.m. latim ◆ col. **saber (mucho) latín** ser muito esperto

latin|o, -a [la'tino] adj.,s.m.,f. latin|o, -a

latinoamerican|o, -a [latinoameri'kano] adj.,s.m.,f. latino american|o, -a

latir [la'tir] v. (coração) bater, pulsar, palpitar

latitud [lati'tuδ] s.f. latitude

lato ['lato] adj. lato, amplo, extenso; ***en sentido lato*** em sentido lato/amplo

latón [la'ton] s.m. latão

latoso [la'toso] adj. maçante, enfadonho

laudable [law'δaβle] adj.2g. louvável

laureado [lawre'aδo] adj. **1** laureado, premiado **2** (militar) condecorado

laurel [law'rel] s.m. loureiro, louro ■ **laureles** s.m.pl. fig. louros ◆ col. **dormirse en los laureles** dormir à sombra da bananeira

lava ['laβa] s.f. lava

lavable [la'βaβle] adj.2g. lavável

lavabo [la'βaβo] s.m. **1** *(pila)* lavatório **2** *(cuarto de baño)* banheiro ■ **lavabos** s.m.pl. sanitários, lavabos

lavacoches [laβa'kotʃes] s.2g.2n. lavador, -a*m.f.* de carros

lavadero [laβa'δero] s.m. **1** (lugar) lavadouro **2** (recipiente) tanque (para lavar a roupa)

lavado [la'βaδo] s.m. lavagem*f.*; ***lavado a mano/en seco*** lavagem à mão/a seco; ***lavado automático*** lavagem automática ◆ **lavado de cerebro** lavagem cerebral; **lavado de dinero** lavagem de dinheiro; **lavado de estómago** lavagem estomacal

lavadora [laβa'δora] s.f. máquina de lavar roupa

lavanda [la'βanda] s.f. alfazema, lavanda

lavandería [laβande'ria] s.f. (estabelecimento) lavanderia

lavaplatos [laβa'platos] s.m.2n. máquina*f.* de lavar louça

lavar [la'βar] v. lavar ■ **lavarse** lavar; ***lavarse el pelo*** lavar o cabelo; ***lavarse las manos/los pies*** lavar as mãos/os pés ◆ **lavar en seco** lavar a seco; **lavar y marcar** lavar e secar

lavatorio [laβa'torjo] s.m. **1** REL. lava pés*2n.* **2** [AM.] lavatório

lavavajillas [laβaβa'xiʎas] s.m.2n. **1** (eletrodoméstico) máquina*f.* de lavar louça **2** (da louça) detergente

laxante [lak'sante] adj.2g.,s.m. laxante

laya ['laja] s.f. laia, feitio*m.*; ***gente de esa laya*** gente dessa laia

lazo ['laθo] s.m. **1** laço **2** (cabeça, cabelo) fita*f.*, laço **3** *(corbata)* gravata borboleta*f.* **4** fig. laço, vínculo

le ['le] pron.pess. **1** (complemento indireto) lhe; ***no le digas nada (a él)*** não lhe diga nada (a ele); ***se lo preguntaré*** perguntarei isso a ele **2** (complemento direto) o; a; ***¿no le habían matado?*** não o tinham matado?

leal [le'al] adj.2g. **1** (pessoa) leal, fiel **2** (animal) fiel **3** *(fiel)* leal (a, a)

lealtad [leal'taδ] s.f. lealdade

lección [lek'θjon] s.f. **1** *(explicación)* lição **2** *(clase)* aula **3** *(lectura)* leitura ◆ **dar una lección a** dar uma lição a; **servir de lección** servir de lição

leche ['letʃe] s.f. leite*m.* ◆ vulg. **a toda leche** a todo o vapor; col. **de mala leche** de mau humor; **leche condensada** leite condensado; **leche en polvo** leite em pó; **leche desnatada** leite desnatado; **leche entera** leite integral; **leche limpiadora** leite de limpeza; **leche hidratante** leite hidratante; **leche semidesnatada** leite semidesnatado; vulg. **me cago en la leche** porra!; vulg. **ser la leche** ser o cúmulo

lechera [le'tʃera] s.f. (recipiente) leiteira

lecher|o, -a [le'tʃero] adj.,s.m.,f. leiteir|o, -a

lecho ['letʃo] s.m. **1** *(cama)* leito **2** (rio) leito

lechón [le'tʃon] s.m. leitão

lechoso [le'tʃoso] adj. leitoso

lechuga [le'tʃuγa] s.f. alface ◆ col. **fresco como una lechuga** descarado, atrevido

lechuza [le'tʃuθa] s.f. coruja

lectivo [lek'tiβo] adj. letivo; ***año lectivo*** ano letivo

lector, -a [lek'tor] s.m.,f. **1** leitor, -a **2** (universidade) leitor, -a ■ adj. leitor ■ **lector** s.m. leitor; ***lector de casetes*** toca-fitas

lectorado [lekto'raδo] s.m. leitorado

lectura [lek'tura] s.f. leitura

leer [le'er] v. **1** ler; ***leer un libro*** ler um livro; ***no sabe leer*** ele não sabe ler **2** INFORM. ler

legación [leγa'θjon] s.f. legação

legado [le'γaδo] s.m. **1** *(herancia)* legado, herança*f.* **2** (pessoa) legado, emissário

legal [le'γal] adj.2g. legal

legalidad [leγali'δaδ] s.f. legalidade

legalización [leγaliθa'θjon] s.f. **1** (situação) legalização **2** (assinatura, documento) autenticação

legalizar [leγali'θar] v. **1** (situação) legalizar **2** (assinatura, documento) autenticar, reconhecer, legalizar

legaña [le'γaɲa] s.f. remela

legatari|o, -a [leγa'tarjo] s.m.,f. DIR. legatári|o, -a

legendario [lexen'darjo] adj. lendário

legibilidad [lexiβili'δaδ] s.f. legibilidade

legible [le'xiβle] adj.2g. legível

legión [le'xjon] s.f. legião

legionario [lexjo'narjo] s.m. legionário

legislación [lexisla'θjon] s.f. legislação

legislador, -a [lexisla'δor] adj.,s.m.,f. legislador, -a

legislativo [lexisla'tiβo] adj. legislativo

legislatura [lexisla'tura] s.f. legislatura

legista [le'xista] s.2g. legista

legitimidad [lexitimi'δaδ] s.f. **1** legitimidade **2** (obra de arte, documento) autenticidade, legitimidade

legítimo [le'xitimo] adj. legítimo

leg|o, -a ['leγo] s.m.,f. **1** (conhecimentos) leig|o, -a; ***ser lego en la materia*** ser leigo na matéria **2** (ordens sacras) leig|o, -a, laic|o, -a

legua ['leγwa] s.f. légua; ***legua marina/marítima*** légua marítima ◆ **a la legua** de longe

legumbre [le'ɣumbre] *s.f.* legume*m.*
leguminoso [leɣumi'noso] *adj.* (planta) leguminoso
leída [le'iða] *s.f. col.* leitura (de um texto)
leído [le'iðo] (*p.p. de* leer) *adj.* **1** lido **2** (pessoa) erudito, culto, lido
leísmo [le'izmo] *s.m.* [uso dos pronomes pessoais *le* e *les* como complemento direto, em vez de *lo, la, los, las*]
lejanía [lexa'nia] *s.f.* distância ♦ **en la lejanía 1** ao longe **2** a distância
lejano [le'xano] *adj.* **1** longínquo, distante **2** (espaço) distante **3** (parentesco) afastado; *primos lejanos* primos afastados/distantes
lejía [le'xia] *s.f.* água sanitária
lejos ['lexos] *adv.* longe ♦ **a lo lejos** ao longe; **de/desde lejos** de longe; **ir demasiado lejos** ir longe demais; **lejos de** longe de; **ni de lejos** nem de longe nem de perto
lel|o, -a ['lelo] *s.m.,f.* palerma*2g.*, babaca*2g.* ■ *adj.* apalermado
lema ['lema] *s.m.* **1** lema **2** (discurso) mote **3** (dicionário, enciclopédia) lema, verbete, entrada*f.*
lencería [leṇθe'ria] *s.f.* **1** *(ropa interior)* lingerie **2** (estabelecimento) loja de lingerie **3** *(ropa blanca)* roupa branca (de cama, banho, mesa)
lengua ['leŋgwa] *s.f.* **1** ANAT. língua **2** *(idioma)* língua, idioma*m.*; *lengua extranjera* língua estrangeira; *lengua materna* língua materna; *lengua muerta* língua morta; *lengua oficial* língua oficial **3** (sino) badalo*m.* ♦ *col.* **andar en lenguas** andar nas bocas do mundo; *col.* **con la lengua fuera** com a língua de fora; *col.* **darle a la lengua** dar ao badalo/à língua; *col.* **irse de la lengua** dar com a língua nos dentes; **lengua de gato** língua de gato; *col.* **malas lenguas** más-línguas; *dicen las malas lenguas que...* dizem as más-línguas que...; *col.* **morderse la lengua** morder a língua; *col.* **no tener pelos en la lengua** não ter papas na língua; *col.* **tener la lengua muy larga/suelta** ter a língua muito comprida/afiada; **tener en la (punta de la) lengua** estar na ponta da língua; *col.* **tirar de la lengua a alguien** jogar verde; plantar verde para colher maduro
lenguado [leŋ'gwaðo] *s.m.* linguado
lenguaje [leŋ'gwaxe] *s.m.* linguagem*f.* ♦ **lenguaje gestual** língua/linguagem gestual
lengüeta [leŋ'gweta] *s.f.* lingueta
lente ['leṇte] *s.m./f.* lente*f.* ♦ **lente de contacto** lente de contato
lenteja [leṇ'texa] *s.f.* lentilha
lentejuela [leṇte'xwela] *s.f.* lantejoula, lentejoula
lentilla [leṇ'tiʎa] *s.f.* lente de contato; *lentillas desechables* lentes descartáveis; *usar/llevar lentillas* usar lentes de contato
lentitud [leṇti'tuð] *s.f.* lentidão, vagar*m.*
lento ['leṇto] *adj.* **1** lento **2** (fogo) brando; *a fuego lento* em fogo baixo
leña ['leɲa] *s.f.* **1** lenha **2** *col.* coça, sova ♦ *col.* **añadir/echar leña al fuego** pôr mais lenha na fogueira; *gír.* (esporte) **dar leña** dar pau
leñador, -a [leɲa'ðor] *s.m.,f.* lenhador, -a
leñazo [le'ɲaθo] *s.m.* **1** (golpe) paulada*f.* **2** *col.* colisão*f.*, choque; *darse un leñazo* esbarrar-se, colidir
leño ['leɲo] *s.m.* **1** (árvore) toro **2** (planta) lenho ♦ *col.* **dormir como un leño** dormir como uma pedra
leñoso [le'ɲoso] *adj.* lenhoso
Leo ['leo] *s.m.* ASTROL., ASTRON. Leão
león [le'on] *s.m.* (*f.* leona) leão ♦ **león marino** leão-marinho
leona [le'ona] *s.f.* (*m.* león) leoa
leonino [leo'nino] *adj.* leonino
leopardo [leo'parðo] *s.m.* leopardo
leotardos [leo'tarðos] *s.m.pl.* meia calça*f.*, collants
lepra ['lepra] *s.f.* lepra
lepros|o, -a [le'proso] *adj.,s.m.,f.* lepros|o, -a
lerdo ['lerðo] *adj.* (pessoa) lerdo, estúpido
les ['les] *pron.pess.* lhes; os; as; *les he dicho que no vengan más* disse-lhes para não virem mais
lesbiana [lez'βjana] *s.f.* lésbica
lesbiano [lez'βjano] *adj.* lésbico
lésbico ['lezβiko] *adj.* (mulher) lésbico
lesión [le'sjon] *s.f.* **1** lesão **2** *fig.* lesão, dano*m.*, prejuízo
lesionar [lesjo'nar] *v.* **1** (fisicamente) lesionar **2** (material ou moralmente) lesar ■ **lesionarse** lesionar-se
lesivo [le'siβo] *adj.* lesivo, prejudicial
letal [le'tal] *adj.2g.* letal
letanía [leta'nia] *s.f.* **1** (prece) ladainha **2** *col.* ladainha, lenga-lenga
letargo [le'tarɣo] *s.m.* letargia*f.*
letra ['letra] *s.f.* **1** (sinal gráfico) letra **2** *(caligrafía)* letra, caligrafia **3** (canção, música) letra ■ **letras** *s.f.pl.* letras*pl.*, humanidades*pl.* ♦ **a la letra** à letra; **al pie de la letra** ao pé da letra, literalmente, textualmente; **bellas letras** belas-letras; **con todas las letras** com todas as letras; **letra de cambio** letra de câmbio
letrad|o, -a [le'traðo] *s.m.,f.* advogad|o, -a, letrad|o, -a ■ *adj.* letrado, instruído, culto
letrero [le'trero] *s.m.* letreiro
letrista [le'trista] *s.2g.* letrista
leucemia [lew'θemja] *s.f.* leucemia
leucocito [lewko'θito] *s.m.* leucócito, glóbulo branco
leucoma [lew'koma] *s.m.* leucoma
leva ['leβa] *s.f.* **1** MIL. leva **2** NÁUT. leva **3** excêntrico*m.*
levadizo [leβa'ðiθo] *adj.* levadiço; *puente levadizo* ponte levadiça
levadura [leβa'ðura] *s.f.* **1** BOT. levedura **2** (massa) fermento*m.*, levedura; *levadura de cerveza* levedura de cerveja; *levadura en polvo* fermento em pó
levantamiento [leβaṇta'mjeṇto] *s.m.* levantamento ♦ **levantamiento del cadáver** liberação do corpo (de pessoa morta); **levantamiento de pesos** levantamento de pesos
levantar [leβaṇ'tar] *v.* **1** *(alzar)* levantar; *levantar la voz* levantar a voz **2** (edifício) edificar, erguer, levantar **3** (acampamento) desmontar **4** (pena, castigo) levantar, anular **5** (tropas) recrutar **6** *(robar)* roubar ■ **levantarse** levantar-se

levante [le'βante] *s.m.* levante, este

leve ['leβe] *adj.2g.* leve, ligeiro; ***heridas leves*** ferimentos leves

levedad [leβe'ðað] *s.f.* leveza

levitación [leβita'θjon] *s.f.* levitação

léxico ['leksiko] *adj.* lexical ▪ *s.m.* léxico

lexicografía [leksikoγra'fia] *s.f.* lexicografia

lexicología [leksikolo'xia] *s.f.* lexicologia

ley ['lej] *s.f.* lei; ***ley de la gravedad*** lei da gravidade; ***ley de la oferta y la demanda*** lei da oferta e da procura ♦ **con todas las de la ley** como manda a lei; **de ley 1** (ouro, prata) de lei **2** (pessoa) leal

leyenda [le'jenda] *s.f.* **1** lenda **2** (de imagem, mapa) legenda

liar ['ljar] *v.* **1** *(atar)* amarrar, atar **2** *(envolver)* embrulhar, empacotar **3** (cigarro) enrolar **4** *(confundir)* confundir, baralhar ▪ **liarse 1** (caso) envolver-se (con, com) **2** *(entretenerse)* entreter se, distrair-se; ***he llegado tarde porque me he liado en el trabajo*** cheguei tarde porque me distraí no trabalho **3** *(confundirse)* confundir se, baralhar-se

libélula [li'βelula] *s.f.* libélula, libelinha, tira-olhos*m.2n.*

liberación [liβera'θjon] *s.f.* **1** libertação **2** ECON. liberação, quitação

liberal [liβe'ral] *adj.2g.* liberal ▪ *s.2g.* liberal

liberalidad [liβerali'ðað] *s.f.* liberalidade

liberalismo [liβera'lizmo] *s.m.* liberalismo

liberalización [liβeraliθa'θjon] *s.f.* liberalização

liberar [liβe'rar] *v.* **1** libertar **2** (carga, obrigação) liberar, libertar

libertad [liβer'tað] *s.f.* liberdade ♦ **libertad condicional** liberdade condicional; **libertad provisional** liberdade provisória; **tener libertad para** ter liberdade para; **tomarse la libertad de** tomar a liberdade de

libertador, -a [liβerta'ðor] *adj.,s.m.,f.* libertador, -a

libertar [liβer'tar] *v.* **1** libertar, liberar, livrar **2** (carga, obrigação) libertar, liberar

libertinaje [liβerti'naxe] *s.m.* libertinagem*f.*, devassidão*f.*

libertin|o, -a [liβer'tino] *adj.,s.m.,f.* libertin|o, -a, devass|o, -a

libert|o, -ta [li'βerto] *s.m.,f.* (escravo) libert|o, -a

Libia ['liβja] *s.f.* Líbia

libidinoso [liβiði'noso] *adj.* libidinoso

libido [li'βiðo] *s.f.* PSIC. libido, desejo*m.* sexual

libra ['liβra] *s.f.* libra ▪ *adj.,s.2g.* ASTROL., ASTRON. librian|o, -a*m.f.* ♦ (moeda inglesa) **libra (esterlina)** libra (esterlina)

Libra ['liβra] *s.f.* ASTROL., ASTRON. Libra

librad|o, -a [li'βraðo] *s.m.,f.* ECON. sacad|o, -a

librador, -a [liβra'ðor] *s.m.,f.* ECON. sacador, -a

libramiento [liβra'mjento] *s.m.* livrança*f.*, ordem*f.* de pagamento

libranza [li'βranθa] *s.f.* livrança, ordem de pagamento

librar [li'βrar] *v.* **1** (obrigação, carga) livrar (de, de), liberar (de, de), desobrigar (de, de) **2** (cheque) passar **3** (batalha, luta) travar **4** [ESP.] ter livre/folga; ***libro todos los jueves*** tenho as quintas-feiras livres

libre ['liβre] *adj.2g.* **1** livre; ***entrada libre*** entrada livre; ***tiempo libre*** tempo livre **2** *(exento)* livre (de, de), isento (de, de); ***libre de impuestos*** livre de impostos **3** *(soltero)* livre, solteiro **4** (assento, lugar) livre, vago ♦ **barra libre** bar aberto; **ir por libre** ir por conta própria; **libre albedrío** livre-arbítrio

librería [liβre'ria] *s.f.* **1** (estabelecimento) livraria **2** (móvel) estante (para livros)

librer|o, -a [li'βrero] *s.m.,f.* livreir|o, -a ▪ **librero** *s.m.* [AM.] estante*f.*

libreta [li'βreta] *s.f.* **1** bloco*m.* de notas **2** caderno*m.*; ***libretas escolares*** cadernos escolares **3** caderneta; ***libreta de ahorros*** caderneta de poupança ♦ (celular, e-mail) **libreta de direcciones** lista de contatos

libro ['liβro] *s.m.* **1** livro; ***libro de bolsillo*** livro de bolso; ***libro de cabecera*** livro de cabeceira; ***libro de estilo*** livro de estilo; ***libro de reclamaciones*** livro de reclamações; ***libro de texto*** livro didático; ***leer un libro*** ler um livro **2** (ópera) libreto ♦ *col.* **colgar los libros** abandonar/deixar os estudos; **ser un libro abierto** ser um livro aberto

licencia [li'θenθja] *s.f.* **1** (documento) licença; ***licencia de armas*** licença de porte de arma; ***licencia de caza*** licença de caça; ***licencia de pesca*** licença de pesca **2** *(permiso)* licença, permissão, autorização **3** (emprego) licença; ***licencia por maternidad*** licença-maternidade

licenciad|o, -a [liθen'θjaðo] *s.m.,f.* licenciad|o, -a; ***licenciado en ingeniería*** formado em Engenharia

licenciatura [liθenθja'tura] *s.f.* licenciatura

licencioso [liθen'θjoso] *adj.* licencioso

liceo [li'θeo] *s.m.* escola*f.* secundária, liceu

licitación [liθita'θjon] *s.f.* licitação

licitador, -a [liθita'ðor] *s.m.,f.* licitador, -a

licitante [liθi'tante] *s.2g.* licitante

lícito ['liθito] *adj.* lícito

licor [li'kor] *s.m.* licor; ***licor digestivo*** digestivo

licra ['likra] *s.f.* lycra

licuación [likwa'θjon] *s.f.* **1** *col.* liquidificação **2** QUÍM. liquefação

licuadora [likwa'ðora] *s.f.* liquidificador*m.*; misturadora

licuar [li'kwar] *v.* **1** liquidificar **2** QUÍM. liquefazer

líder ['liðer] *s.2g.* líder

liderato [liðe'rato] *s.m.* liderança*f.*

liderazgo [liðe'raθγo] *s.m.* liderança*f.*

lidia ['liðja] *s.f.* lide

lidiar [li'ðjar] *v.* **1** lidar, tourear **2** lutar

liebre ['ljeβre] *s.f.* lebre ♦ *col.* **levantar la liebre** levantar a lebre

liendre ['ljendre] *s.f.* lêndea

lienzo ['ljenθo] *s.m.* tela*f.* (para pintar)

liga ['liγa] *s.f.* **1** (meia) liga **2** *(coalición)* liga, coligação, aliança **3** (substância) visco*m.* **4** ESPOR. liga, campeonato*m.*

ligadura [liɣa'ðura] *s.f.* **1** atadura **2** *fig.* ligação, vínculo*m.* **3** MED. laqueadura; ***ligadura de trompas*** laqueadura de trompas
ligamento [liɣa'mento] *s.m.* ANAT. ligamento
ligar [li'ɣar] *v.* **1** *(unir)* ligar, unir **2** *(atar)* atar, amarrar **3** (contrato) obrigar **4** (metais) ligar **5** (pessoa) paquerar **6** MED. laquear
ligazón [liɣa'θon] *s.f.* ligação
ligereza [lixe'reθa] *s.f.* **1** (peso) leveza **2** *(agilidad)* ligeireza, rapidez, agilidade **3** *(falta de reflexión)* leviandade, irreflexão, instabilidade
ligero [li'xero] *adj.* **1** leve, ligeiro; ***comida ligera*** refeição leve **2** *(rápido)* veloz, rápido **3** *col.* inconstante ■ *adv.* ligeiro ♦ **a la ligera** sem pensar; à toa
lig|ón, -ona [li'ɣon] *adj.,s.m.,f. col.* conquistad|or, -ora
ligue ['liɣe] *s.m.* **1** *col.* (relação) paquera*f.* **2** *col.* (pessoa) namorado passageiro
liguero [li'ɣero] *adj.* da liga; ***campeonato liguero de fútbol*** campeonato da liga de futebol ■ *s.m.* cinta-liga*f.*
lija ['lixa] *s.f.* lixa
lijar [li'xar] *v.* lixar, polir
lila ['lila] *s.f.* (flor) lilás*m.* ■ *s.m.* (cor) lilás ■ *adj.2g.* (cor) lilás ■ *s.2g. col., pej.* pateta, tont|o, -a*m.f.*
lima ['lima] *s.f.* lima ♦ **lima de uñas** lixa de unhas
limaduras [lima'ðuras] *s.f.pl.* limalhas*pl.*
limar [li'mar] *v.* **1** (metal, madeira, unhas) limar **2** *fig.* aperfeiçoar, limar
limitación [limita'θjon] *s.f.* limitação ■ **limitaciones** *s.f.pl.* limitações*pl.*
limitado [limi'taðo] *adj.* limitado; ***de inteligencia limitada*** de inteligência limitada; ***edición limitada*** edição limitada
limitar [limi'tar] *v.* **1** (terreno) limitar, demarcar **2** *(restringir)* limitar, restringir **3** fazer fronteira (con, com); ***Portugal limita con España*** Portugal faz fronteira com Espanha ■ **limitarse** limitar-se (a, a), cingir se (a, a)
límite ['limite] *s.m.* **1** (terreno) limite, fronteira*f.* **2** *(cifra máxima)* limite; ***límite de velocidad*** limite de velocidade ♦ **transponer los límites** ultrapassar os limites
limo ['limo] *s.m.* limo, lodo, lama*f.*
limón [li'mon] *s.m.* limão
limonada [limo'naða] *s.f.* limonada
limonero [limo'nero] *s.m.* limoeiro
limosna [li'mozna] *s.f.* esmola; ***dar/pedir limosna*** dar/pedir esmola
limpiabotas [limpja'βotas] *s.2g.2n.* engraxate
limpiachimeneas [limpjatʃime'neas] *s.m.2n.* (pessoa) limpa chaminés
limpiacristales [limpjakris'tales] *s.m.2n.* limpa vidros
limpiador [limpja'ðor] *s.m.* produto de limpeza
limpiaparabrisas [limpjapara'βrisas] *s.m.2n.* limpador de para brisa
limpiar [lim'pjar] *v.* **1** limpar **2** (plantas) podar **3** (peixe) preparar para cozinhar **4** *col.* limpar, roubar
limpidez [limpi'ðeθ] *s.f.* limpidez
límpido ['limpiðo] *adj.* límpido
limpieza [lim'pjeθa] *s.f.* **1** limpeza; ***limpieza de cutis*** limpeza de pele; ***limpieza en/a seco*** limpeza a seco; ***limpieza general*** limpeza geral **2** (jogo de mãos) destreza ♦ **limpieza de sangre** pureza de sangue
limpio ['limpjo] *adj.* **1** limpo **2** (dinheiro) limpo, líquido ■ *adv.* limpo; ***jugar limpio*** jogar limpo ♦ **pasar a limpio** passar a limpo; **sacar en limpio** tirar a limpo
limusina [limu'sina] *s.f.* limusine
linaje [li'naxe] *s.m.* linhagem*f.*
linaza [li'naθa] *s.f.* linhaça
lince ['linθe] *s.m.* lince
linchamiento [linʲtʃa'mjento] *s.m.* linchamento
linchar [linʲ'tʃar] *v.* (criminoso) linchar
linde ['linde] *s.m./f.* (terreno) limite*m.*
lindo ['lindo] *adj.* lindo, bonito*col.* ♦ **de lo lindo 1** à beça **2** às mil maravilhas
línea ['linea] *s.f.* **1** *(raya)* linha, traço*m.* **2** (transportes) linha, via **3** (produtos) linha ♦ **en líneas generales** de modo geral; **guardar la línea** manter a linha; **leer entre líneas** ler nas entrelinhas; **línea aérea** linha aérea; (futebol) **línea de meta** linha de fundo; **línea de montaje** linha de montagem; **línea de puntos** picotado; ***recortar por la línea de puntos*** recortar pelo picotado; **línea equinoccial** equador
lineal [line'al] *adj.2g.* linear
linealidad [lineali'ðað] *s.f.* linearidade
linfa ['limfa] *s.f.* linfa
linfático [lim'fatiko] *adj.* linfático
linfocito [limfo'θito] *s.m.* BIOL. linfócito
lingual [lin'gwal] *adj.2g.* lingual
lingüista [lin'gwista] *s.2g.* linguista
lingüística [lin'gwistika] *s.f.* linguística
lingüístico [lin'gwistiko] *adj.* linguístico
linier [li'njer] *s.m.* (futebol) bandeirinha
lino ['lino] *s.m.* linho
linterna [lin'terna] *s.f.* lanterna, pilha*col.*
lío ['lio] *s.m.* **1** *(fardo)* atado, embrulho, pacote **2** (roupa) trouxa*f.* **3** *(embrollo)* alhada*f.*, embrulhada*f.*, confusão*f.*; ***meterse en líos*** se meter em confusões **4** *(relación amorosa)* caso, aventura*f.*
lípidos ['lipiðos] *s.m.pl.* lipídeos, lipídios
liposucción [liposuk'θjon] *s.f.* lipoaspiração
liquen ['liken] *s.m.* líquen
liquidación [likiða'θjon] *s.f.* **1** (conta, dívida) liquidação **2** *(rebaja)* liquidação, rebaixa; ***liquidación total*** liquidação total
liquidar [liki'ðar] *v.* **1** (dívida, conta) liquidar, pagar, saldar **2** (negócio) liquidar **3** (dinheiro) esbanjar **4** *fig.* liquidar, matar **5** *fig.* terminar, pôr termo
liquidez [liki'ðeθ] *s.f.* liquidez
líquido ['likiðo] *adj.* **1** líquido **2** *(neto)* líquido, livre de descontos ■ *s.m.* **1** líquido **2** salário líquido **3** saldo ♦ **líquido amniótico** líquido amniótico
lira ['lira] *s.f.* **1** MÚS. lira **2** (antiga moeda) lira
lírica ['lirika] *s.f.* lírica
lírico ['liriko] *adj.* lírico
lirio ['lirjo] *s.m.* **1** (planta) lírio **2** (flor) lis, lírio

lirismo [li'rizmo] *s.m.* lirismo

lirón [li'ron] *s.m.* **1** ZOOL. arganaz **2** *col.* (pessoa) dorminhoc|o, -a*m.f.* ◆ **dormir como un lirón** dormir como uma pedra

lis ['lis] *s.f.2n.* (planta) lírio*m.*

liso ['liso] *adj.* **1** (superfície) liso, plano **2** (cabelo) liso **3** (tecido) liso, de uma só cor

lisonja [li'soŋxa] *s.f.* lisonja, adulação

lisonjero [lisoŋ'xero] *adj.* lisonjeiro

lista ['lista] *s.f.* **1** *(relación)* lista, relação, rol*m.*; ***lista de boda*** lista de casamento; ***lista de invitados*** lista de convidados; ***lista de precios*** lista de preços **2** *(raya)* listra, risca; ***a listas*** listrado ◆ **pasar lista** fazer a chamada

listado [lis'taðo] *adj.* listrado; ***tela listada*** tecido listrado ▪ *s.m.* listagem*f.*

listín [lis'tin] *s.m.* **1** *(lista de teléfonos)* lista*f.* telefônica **2** *(lista de direcciones)* agenda*f.*

listo ['listo] *adj.* **1** (pessoa) esperto, inteligente; ***es muy lista*** é muito esperta **2** *(preparado)* pronto, preparado; ***estar listo*** estar pronto

listón [lis'ton] *s.m.* **1** (madeira) ripa*f.* **2** ESPOR. vara*f.*, barra*f.* ◆ *col.* **poner el listón alto** aumentar as exigências

litera [li'tera] *s.f.* **1** (camas) beliche*m.* **2** (veículo) liteira

literal [lite'ral] *adj.2g.* literal

literario [lite'rarjo] *adj.* literário

literat|o, -a [lite'rato] *s.m.,f.* literat|o, -a

literatura [litera'tura] *s.f.* literatura

litigio [li'tixjo] *s.m.* **1** DIR. pleito, litígio **2** *fig.* litígio, contenda*f.*, disputa*f.*

litigioso [liti'xjoso] *adj.* litigioso

litio ['litjo] *s.m.* lítio

litoral [lito'ral] *adj.2g.* litoral ▪ *s.m.* litoral, costa*f.*

litro ['litro] *s.m.* litro

liturgia [li'turxja] *s.f.* liturgia

liviano [li'βjano] *adj.* **1** leve, ligeiro **2** *fig.* leviano, inconstante

lividez [liβi'ðeθ] *s.f.* lividez, palidez

lívido ['liβiðo] *adj.* **1** (pessoa) lívido, pálido **2** (cor) lívido, arroxeado

living [li'βiŋ] *s.m.* [AM.] sala*f.* de estar

ll ['eʎe] *s.f.* [décima quarta letra do alfabeto espanhol]

llaga ['ʎaγa] *s.f.* chaga

llama ['ʎama] *s.f.* **1** chama, labareda; ***en llamas*** em chamas **2** *fig.* (sentimento) chama, ardor*m.* **3** ZOOL. lama*m.*

llamada [ʎa'maða] *s.f.* **1** chamada; ***llamada de atención*** chamada de atenção **2** chamada, telefonema*m.*; ***hacer una llamada*** fazer uma chamada; ***llamada a cobro revertido*** chamada a cobrar; ***llamada de larga distancia*** chamada de longa distância

llamador [ʎama'ðor] *s.m.* **1** (porta) aldraba*f.* **2** *(timbre)* campainha*f.*

llamamiento [ʎama'mjento] *s.m.* apelo, chamamento, chamada*f.*

llamar [ʎa'mar] *v.* **1** chamar; ***llamar un taxi*** chamar um táxi **2** *(nombrar)* chamar, denominar **3** *(atraer)* chamar, atrair **4** (telefone) telefonar, ligar **5** (à porta) bater; (a campainha) tocar ▪ **llamarse** chamar-se

llamativo [ʎama'tiβo] *adj.* chamativo

llaneza [ʎa'neθa] *s.f.* simplicidade (no trato com outras pessoas)

llano ['ʎano] *adj.* **1** (superfície) plano, raso; ***plato llano*** prato raso **2** (pessoa) franco **3** (tratamento) simples, singelo **4** GEOM. (ângulo) raso **5** LING. grave, paroxítono ▪ *s.m.* planície*f.*

llanta ['ʎanta] *s.f.* roda; ***llantas de aleación ligera*** rodas de liga leve

llanto ['ʎanto] *s.m.* pranto, choro

llanura [ʎa'nura] *s.f.* **1** planície **2** planura

llave ['ʎaβe] *s.f.* **1** chave; ***cerrado con llave*** fechado à chave **2** (corrente elétrica) interruptor*m.* **3** MÚS. clave **4** (sinal gráfico) chaveta **5** *téc.* torneira ◆ **guardar bajo siete llaves** guardar a sete chaves; **llave de contacto** chave de ignição; **llave de paso** válvula de segurança; **llave inglesa** chave-inglesa; **llave maestra** chave-mestra

llavero [ʎa'βero] *s.m.* porta-chaves*2n.*, chaveiro

llegada [ʎe'γaða] *s.f.* **1** chegada, vinda **2** ESPOR. chegada, meta

llegar [ʎe'γar] *v.* **1** *(aparecer en un lugar)* chegar; ***siempre llega el primero*** chega sempre primeiro **2** *(alcanzar)* chegar, alcançar; ***no llego a ese estante*** não chego a essa prateleira **3** *(durar)* chegar, durar; ***así no llegará a viejo*** assim não chegará à velhice **4** *(ser suficiente)* chegar, bastar; ***el dinero no llega para todos*** o dinheiro não dá para todos **5** *(conseguir ser)* chegar, vir a ser; ***el chico llegó a presidente*** o rapaz chegou a presidente **6** (evento) chegar; ***ha llegado la hora de decírselo*** chegou a hora de dizer a ele **7** *(interesar)* interessar; ***la película no me llega, trata temas que no entiendo*** o filme não me interessa, trata de assuntos que não entendo ◆ **estar al llegar** estar quase chegando; (protesto) **¡hasta ahí podíamos llegar!** aonde nós chegamos!; **llegar a** [+*inf.*] conseguir [+*inf.*]; ***no llego a entenderlo*** não consigo entendê-lo; (enfático) **llegar a** [+*inf.*] chegar a [+*inf.*]; ***si lo llega a pillar, lo suspende*** se chega a apanhá-lo, reprova-o; **llegar lejos** ir longe, ser bem-sucedido; *col.* **llegarse a** [+*s.*] ir a [+*s.*]; ***llégate al estanco y trae agua*** vai ao quiosque e traz água

llenar [ʎe'nar] *v.* **1** (quantidade) encher **2** (impresso, formulário) preencher **3** *(colmar)* encher, atestar ▪ **llenarse** **1** (comida) empanturrar-se (de, de), fartar-se (de, de), encher-se (de, de) **2** (estado de espírito) encher-se (de, de); ***me llena de alegría saber eso*** enche-me de alegria saber isso

lleno ['ʎeno] *adj.* **1** (recipiente) cheio, repleto **2** (local) completo **3** (comida) cheio, farto, empanturrado, satisfeito ▪ *s.m.* (espetáculo) lotação*f.* esgotada

llevar [ʎe'βar] *v.* **1** *(trasladar)* levar; ***llévale esta tarta a tu madre*** leva esta torta à tua mãe **2** *(conducir)* levar, ir dar em; ***este camino lleva a un pueblo precioso*** este caminho vai dar em uma linda aldeia **3** *(vestir)* usar, levar, vestir; ***siempre lleva falda*** ela usa sempre saia **4** *(tener)* levar, ter, conter; ***las galletas llevan mantequilla*** as bolachas levam manteiga **5** *(cuidar de asunto)* ser responsável (-, por); ***¿quién lleva el tema***

de los contratos? quem é o responsável pelos contratos? **6** *(causar)* levar, causar; *la pasión le llevó a la locura* a paixão levou-o à loucura **7** *(soportar)* aguentar, tolerar, suportar; *lleva bien lo de trabajar tan lejos* aguenta bem o fato de trabalhar tão longe **8** *(conducir)* dirigir, conduzir, guiar; *lleva muy bien su coche* conduz muito bem o seu carro **9** *(necesitar)* precisar (-, de), levar, requerer; *este trabajo lleva más tiempo* este trabalho precisa de mais tempo **10** *(pasar tiempo)* estar, ser; *llevamos dos años casados* estamos casados há dois anos **11** *(cobrar)* custar, cobrar; *me llevó diez euros por la reparación* cobrou-me dez euros pelo conserto ▪ **llevarse 1** (emoção) levar; *me llevé un susto* levei um susto **2** *(estar de moda)* usar-se; *el negro siempre se lleva* o preto está sempre na moda **3** *(entenderse)* dar-se; *se lleva muy bien con su jefe* dá se muito bem com o chefe **4** *(obtener)* ganhar, levar; *esa película se ha llevado el Oscar* esse filme ganhou o Oscar ◆ **llevar** [+*p.p.*] ter [+*p.p.*]; *llevo escritas estas páginas hace años* tenho estas páginas escritas há anos; **llevar** [+*ger.*] estar a [+*inf.*]; *lleva hablando por teléfono una hora* está falando ao telefone há uma hora; **llevar a** [+*inf.*] levar a [+*inf.*]; *¿qué te llevó a hacer eso?* o que o levou a fazer isso?; **llevar a cabo** levar a cabo; *col., irôn.* **llevarlo claro** estar redondamente enganado; *fig., col.* **llevarse a matar** dar-se muito mal com todos; **llevarse bien/mal** dar-se bem/mal; *col.* **llevarse por delante** levar tudo à frente; **me lleva tres años** é três anos mais velho que eu; **me lleva cinco centímetros** é cinco centímetros mais alto do que eu

llorar [ʎo'raɾ] *v.* chorar

llorera [ʎo'rera] *s.f. col.* choradeira

lloriquear [ʎorike'aɾ] *v.* choramingar

lloriqueo [ʎori'keo] *s.m.* choramingo

lloro ['ʎoro] *s.m.* choro

llor|ón, -ona [ʎo'ron] *s.m.,f.* chor|ão, -ona

lloroso [ʎo'roso] *adj.* choroso

llover [ʎo'βer] *v.* chover ◆ **haber llovido mucho** ter passado muito tempo

llovizna [ʎo'βiθna] *s.f.* chuva miudinha, chuvisco*m.*, garoa

lloviznar [ʎoβiθ'naɾ] *v.* chuviscar

lluvia ['ʎuβja] *s.f.* chuva; *lluvia meona* chuva miudinha ◆ **lluvia ácida** chuva ácida; **lluvia de estrellas** chuva de estrelas

lluvioso [ʎu'βjoso] *adj.* chuvoso

lo ['lo] *pron.pess.* **1** (complemento direto de *él*) o; lo; *no lo he visto* não o vi; *fue a probarlo* foi experimentá-lo **2** (complemento de *ello*) o; isso; *ven a verme, ¡te lo ruego!* venha ver-me, por favor!; *no lo entiendo* não entendo (isso) ▪ *art.def.* **1** o; *lo difícil era hablar chino* (o) difícil era falar chinês **2** o assunto de; *¿has solucionado lo de Hacienda?* resolveste o assunto das finanças? **3** o fato de; *lo de salir todas las noches no me parece correcto* o fato de saíres todas as noites não me parece correto ◆ **lo mío/tuyo/suyo es...** o meu/teu/seu forte é...

lobby ['loβi] *s.m.* (*pl.* lobbies) lobby, grupo de pressão

lob|o, -a ['loβo] *s.m.,f.* lobo ◆ **lobo marino** lobo-marinho; *col.* **lobos de una/la misma camada** farinha do mesmo saco; **un lobo con piel de cordero** um lobo com pele de cordeiro

lóbulo ['loβulo] *s.m.* lóbulo

local [lo'kal] *adj.2g.* local ▪ *s.m.* **1** recinto, espaço **2** loja*f.*, estabelecimento comercial

localidad [lokali'ðað] *s.f.* **1** (lugar) localidade, povoação **2** *(asiento)* lugar*m.*, assento*m.* **3** *(billete)* bilhete*m.*, entrada

localización [lokaliθa'θjon] *s.f.* localização

localizar [lokali'θar] *v.* localizar ▪ **localizarse** localizar-se (en, em)

locatari|o, -a [loka'tarjo] *s.m.,f.* locatári|o, -a, inquilin|o, -a, arrendatári|o, -a

locativo [loka'tiβo] *adj.,s.m.* locativo

loción [lo'θjon] *s.f.* loção; *loción capilar* loção capilar; *loción para después del afeitado* loção pós-barba

lock-out [lo'kawt] *s.m.* lockout

loc|o, -a ['loko] *adj.,s.m.,f.* louc|o, -a ◆ **a lo loco** estouvadamente; *col.* **cada loco con su tema** cada louco/doido com a sua mania; **hacerse el loco** fazer-se de desentendido; **¡ni loco!** nem morto!; **volver loco** deixar/pôr louco

locomoción [lokomo'θjon] *s.f.* locomoção

locomotor [lokomo'tor] *adj.* locomotor

locomotora [lokomo'tora] *s.f.* locomotiva

locomotriz [lokomo'triθ] *adj.* locomotriz; *fuerza locomotriz* força locomotriz

locución [loku'θjon] *s.f.* locução

locura [lo'kura] *s.f.* loucura

locutor, -a [loku'tor] *s.m.,f.* locutor, -a

locutorio [loku'torjo] *s.m.* **1** (convento, prisão) locutório **2** (telefone) cabine*f.* telefônica, orelhão **3** RÁD. cabine*f.* de emissão

lodazal [loða'θal] *s.m.* lodaçal; lamaçal

lodo ['loðo] *s.m.* **1** lodo, lama*f.* **2** (reputação) desonra*f.*, descrédito

lodoso [lo'ðoso] *adj.* lamacento, lodoso

logaritmo [loɣa'ritmo] *s.m.* logaritmo

lógica ['loxika] *s.f.* lógica

lógico ['loxiko] *adj.* lógico

logística [lo'xistika] *s.f.* logística

logístico [lo'xistiko] *adj.* logístico

logotipo [loɣo'tipo] *s.m.* logótipo

lograr [lo'ɣrar] *v.* **1** *(conseguir)* conseguir, obter **2** (objetivos) atingir

logro ['loɣro] *s.m.* **1** *(éxito)* êxito, sucesso **2** *(beneficio)* lucro, ganho

lombriz [lom'briθ] *s.f.* minhoca; *lombriz de tierra* minhoca ◆ **lombriz (intestinal)** lombriga, bicha

lomo ['lomo] *s.m.* **1** *(dorso)* lombo, dorso **2** (carne) lombo; *lomo de cerdo* lombo de porco **3** (livro) lombada*f.* **4** (faca, espada) costas*f. pl.* **5** *col.* costas*f. pl.*, cruzes*f. pl.*

lona ['lona] *s.f.* **1** (tecido) lona **2** (boxe, luta livre) lona do ringue

loncha ['lonʲtʃa] *s.f.* fatia

longaniza [loŋga'niθa] *s.f.* linguiça

longevidad [loŋxeβi'ðað] *s.f.* longevidade

longitud [loŋxi'tuδ] *s.f.* **1** comprimento*m.*; *tiene dos metros de longitud* tem dois metros de comprimento **2** GEOG. longitude

longitudinal [loŋxituδi'nal] *adj.2g.* longitudinal

lonja ['loŋxa] *s.f.* **1** mercado*m.* **2** *(loncha)* fatia ♦ **lonja de pescado** mercado de peixes

lontananza [loņta'naņθa] *s.f.* elementos de um quadro mais distantes do plano principal*m. pl.* ♦ **en lontananza** ao longe

lord ['lorδ] *s.m.* (*pl.* lores) (título inglês) lorde

loro ['loro] *s.m.* **1** papagaio, louro **2** *col.* (pessoa) tagarela*2g.* **3** *col.* (aparelho) rádio ♦ *col.* **estar al loro** estar informado, estar a par do acontecimento

losa ['losa] *s.f.* **1** laje **2** (sepultura) lápide, lousa

lote ['lote] *s.m.* **1** *(parte)* lote, porção*f.*, quinhão **2** DIR. lote

lotería [lote'ria] *s.f.* loteria; *caer/tocar la lotería* (alguém) ganhar na loteria

loter|o, -a [lo'tero] *s.m.,f.* responsável por casa lotérica

loto ['loto] *s.m.* loto ■ *s.f.* totoloto*m.*

loza ['loθa] *s.f.* louça, loiça

lozanía [loθa'nia] *s.f.* **1** (plantas) viço*m.* **2** (pessoas) vigor*m.*

lozano [lo'θano] *adj.* **1** (planta) viçoso **2** (pessoa) vigoroso

LSD *sigla* (droga alucinógena) LSD (droga alucinógena)

lubricación [luβrika'θjon] *s.f.* lubrificação

lubricante [luβri'kaņte] *adj.2g.,s.m.* lubrificante

lubricar [luβri'kar] *v.* lubrificar

lubrificación [luβrifika'θjon] *s.f.* lubrificação

lubrificante [luβrifi'kaņte] *adj.2g.,s.m.* lubrificante

lubrificar [luβrifi'kar] *v.* ⇒ **lubricar**

lucha ['lutʃa] *s.f.* luta ♦ **lucha de clases** luta de classes; **lucha libre** luta livre

luchador, -a [lutʃa'δor] *adj.,s.m.,f.* lutador, -a

luchar [lu'tʃar] *v.* **1** lutar, combater **2** *fig.* lutar, esforçar se

lucidez [luθi'δeθ] *s.f.* lucidez

lúcido ['luθiδo] *adj.* lúcido

luciérnaga [lu'θjernaγa] *s.f.* vaga-lume*m.*

lucir [lu'θir] *v.* **1** *(brillar)* luzir, brilhar **2** *(destacar)* sobressair, realçar **3** *(exhibir)* exibir, expor ■ **lucirse** exibir-se, mostrar se

lucrarse [lu'krarse] *v.* lucrar (con, com); *te lucrarás mucho con ese negocio* lucrarás muito com esse negócio

lucrativo [lukra'tiβo] *adj.* lucrativo

lucro ['lukro] *s.m.* lucro, ganho; *sin ánimo de lucro* sem fins lucrativos

lúdico ['luδiko] *adj.* lúdico

luego ['lweγo] *adv.* **1** *(enseguida)* logo **2** *(después)* depois ■ *conj.* logo, portanto; *no has estudiado, luego no vas a aprobar* não estudaste, portanto não vais passar ♦ **desde luego** evidentemente; com certeza; **hasta luego** até logo; **luego que** assim que, logo que

lugar [lu'γar] *s.m.* **1** *(sitio)* lugar, local, sítio **2** *(posición)* lugar, posição*f.*, colocação*f.* **3** *(población)* lugar, localidade*f.*, povoação*f.* **4** *(empleo)* cargo, emprego ♦ **dar lugar a** dar lugar a; **en lugar de** em vez de; **fuera de lugar** inoportuno, inconveniente; **lugar común** lugar-comum; **sin lugar a dudas** certamente; **tener lugar** ter lugar, realizar-se

lujo ['luxo] *s.m.* luxo, ostentação*f.* ♦ **de lujo** de luxo; **permitirse el lujo de** dar-se ao luxo de

lujoso [lu'xoso] *adj.* luxuoso

lujuria [lu'xurja] *s.f.* luxúria

lumbre ['lumbre] *s.f.* **1** *(fuego)* fogo*m.*; *poner en la lumbre* pôr ao fogo **2** (cigarro) fogo*m.*; *¿tienes lumbre?* tens fogo?

lumen ['lumen] *s.m.* lúmen

luminosidad [luminosi'δaδ] *s.f.* luminosidade

luminoso [lumi'noso] *adj.* luminoso

luna ['luna] *s.f.* **1** lua; *luna creciente/menguante* quarto crescente/minguante; *luna llena/nueva* lua cheia/nova **2** (automóvel, vitrine) vidro*m.* **3** *(espejo)* espelho*m.* ♦ *col.* **estar en la luna** andar com a cabeça na lua; **luna de miel** lua de mel; **media luna** meia-lua; **pedir la luna** pedir algo impossível

lunar [lu'nar] *adj.2g.* lunar ■ *s.m.* (pele) sinal ♦ **de/a lunares** (tecido) estampado com bolinhas

lunátic|o, -a [lu'natiko] *adj.,s.m.,f.* lunátic|o, -a

lunes ['lunes] *s.m.2n.* segunda-feira*f.*, segunda*f.*; *el lunes pasado* na segunda-feira passada; *el lunes por la mañana/tarde/noche* na segunda-feira de manhã/à tarde/à noite; *el próximo lunes* na próxima segunda-feira; *hoy es lunes* hoje é segunda feira; *los lunes* às segundas-feiras; *todos los lunes* todas as segundas-feiras

luneta [lu'neta] *s.f.* vidro*m.* traseiro (de automóvel) ♦ (automóvel) **luneta térmica** desembaçador

lupa ['lupa] *s.f.* lupa ♦ **con lupa** com muita atenção

lupus ['lupus] *s.m.2n.* lúpus

lustre ['lustre] *s.m.* *(brillo)* lustre, brilho

lustro ['lustro] *s.m.* lustro

lustroso [lus'troso] *adj.* lustroso

luto ['luto] *s.m.* luto

luxación [luksa'θjon] *s.f.* luxação

Luxemburgo [luksem'burγo] *s.m.* Luxemburgo

luxemburgu|és, -esa [luksembur'γes] *adj.,s.m.,f.* luxemburgu|ês, -esa

luz ['luθ] *s.f.* **1** luz **2** *col.* *(electricidad)* luz; *irse la luz* faltar luz, falhar a luz ■ **luces** *s.f.pl.* luzes*pl.*, conhecimentos*m. pl.* ♦ **a la luz de** à luz de; **a la luz del día** à luz do dia; **a todas luces** claramente, sem dúvida; **dar a luz** dar à luz; **dar luz verde** dar/ter luz verde, dar/ter permissão; **luz de Bengala** fogo sinalizador; **luz de cruce** farol baixo; **luz de la luna** luar; **luz de marcha atrás** luz de ré; **luz de posición** farolete; **luz larga/de carretera** farol alto; **media luz** meia-luz; (obra) **sacar a la luz** publicar; **salir a (la) luz** vir à luz

lycra ['likra] *s.f.* lycra

M

m ['eme] *s.f.* (letra) m*m.*
macabro [ma'kaβro] *adj.* macabro
macac|o, -a [ma'kako] *s.m.,f.* macac|o, -a
Macao [ma'kao] *s.m.* Macau
macarra [ma'kara] *adj.2g.* **1** *col.* cafona, brega **2** *col.* brigão ■ *s.m. vulg.* chulo
macarrón [maka'ron] *s.m.* **1** macarrão **2** tubo (de plástico)
macarrónico [maka'roniko] *adj.* macarrônico; *latín macarrónico* latim macarrônico
macedonia [maθe'ðonja] *s.f.* salada de frutas
macelo [ma'θelo] *s.m.* matadouro, abatedouro
maceración [maθera'θjon] *s.f.* maceração
macerar [maθe'rar] *v.* **1** macerar **2** (carne, peixe) marinar
maceta [ma'θeta] *s.f.* vaso*m.* (para plantas)
machacar [matʃa'kar] *v.* **1** (pimenta) moer; (alho) esmagar, espremer **2** (basquetebol) afundar, fazer um afundanço **3** *col.* esmagar, derrotar **4** *col.* cansar, estafar, dar cabo (-, de) **5** *fig.* (assunto, tema) martelar, buzinar, insistir
machacón [matʃa'kon] *adj.* maçador, chato
machada [ma'tʃaða] *s.f.* **1** *col.* proeza **2** *col.* estupidez
machamartillo [matʃamar'tiʎo] ♦ **a machamartillo** à risca
machete [ma'tʃete] *s.m.* machete
machismo [ma'tʃizmo] *s.m.* machismo
machista [ma'tʃista] *adj.,s.2g.* machista
macho ['matʃo] *s.m.* (*f.* hembra) **1** (animal) macho **2** ZOOL. mulo **3** *(mazo grande)* malho **4** *téc.* macho **5** *col.* rapaz, homem; macho; *qué cansado estoy yo!* rapaz, como estou cansado! **6** *col.* machão ■ *adj.* (*f.* hembra) macho, corajoso*col.* ♦ **macho cabrío** bode
machón [ma'tʃon] *s.m.* esporão
macizo [ma'θiθo] *adj.* **1** (materiais) maciço, compacto, sólido **2** (pessoa) corpulento ■ *s.m.* **1** (terreno) maciço (montanhoso) **2** (jardim) canteiro **3** *col.* (pessoa) atraente*2g.*
macro ['makro] *s.f.* INFORM. macro*m.*
macrobiótica [makro'βjotika] *s.f.* macrobiótica
macrocosmos [makro'kozmos] *s.m.2n.* macrocosmo
macroeconomía [makroekono'mia] *s.f.* macroeconomia
macroscópico [makros'kopiko] *adj.* macroscópico
mácula ['makula] *s.f.* mácula, mancha; *sin mácula* sem mácula
macumba [ma'kumba] *s.f.* macumba
madeira [ma'ðejra] *s.m.* (vinho) madeira, vinho da Madeira
madeja [ma'ðexa] *s.f.* meada ♦ **enredar/liar la madeja** complicar (um assunto)
madera [ma'ðera] *s.f.* madeira ♦ *col.* **tener madera de** ter vocação para; **tocar madera** bater na madeira
madero [ma'ðero] *s.m.* madeiro, viga*f.*, trave*f.* ■ *s.2g.* [ESP.] *gír.* policial, polícia
madrastra [ma'ðrastra] *s.f.* madrasta
madraza [ma'ðraθa] *s.f. col.* mãe coruja
madre ['maðre] *s.f.* **1** (*m.* padre) mãe; *madre adoptiva/biológica* mãe adotiva/biológica; *madre de alquiler* mãe de aluguel; *madre de familia* mãe de família; *madre de leche* ama de leite; *madre política* sogra; *madre soltera* mãe solteira **2** *(monja)* irmã, freira, madre; *madre superiora* madre (superiora) **3** (rio) leito*m.*; *salirse de madre* transbordar **4** (vinho, vinagre) borra **5** *fig.* mãe, causa, origem; *la madre de todos los vicios* a mãe de todos os vícios ♦ *vulg.* **de puta madre** sensacional; espetacular; *col.* **la madre del cordero** a raiz (do problema); o xis da questão; aí é que a porca torce o rabo *col.*; **¡madre mía!** minha nossa!; Nossa Senhora!; **sacar de madre a alguien** enfurecer alguém; *col.* (pessoa) **salirse de madre** passar dos limites
madreperla [maðre'perla] *s.f.* madrepérola
madreselva [maðre'selβa] *s.f.* madressilva
Madrid [ma'ðrið] *s.m.* Madri
madrigal [maðri'γal] *s.m.* LIT., MÚS. madrigal
madriguera [maðri'γera] *s.f.* **1** (de animais) toca, lura **2** *col.* (de delinquentes) covil*m.*
madrileñ|o, -a [maðri'leɲo] *adj.,s.m.,f.* madrilen|o, -a
madrina [ma'ðrina] *s.f.* (*m.* padrino) madrinha; *madrina de bautizo/boda* madrinha de batizado/casamento
madrugada [maðru'γaða] *s.f.* madrugada ♦ **de madrugada** de madrugada
madrugador [maðruγa'ðor] *adj.* (pessoa) madrugador
madrugar [maðru'γar] *v.* **1** madrugar **2** *col.* adiantar-se, antecipar se
madrugón [maðru'γon] *s.m. col.* (ação) madrugar
madurar [maðu'rar] *v.* amadurecer
madurez [maðu'reθ] *s.f.* **1** (fruto) madureza **2** (pessoa) maturidade **3** *(edad madura)* meia idade, idade madura, maturidade
maduro [ma'ðuro] *adj.* **1** (fruto) maduro **2** *(sensato)* maduro, sensato **3** (pessoa) de certa idade, maduro **4** (ideia) amadurecido, refletido
maestría [maes'tria] *s.f.* **1** mestria, habilidade **2** [AM.] mestrado*m.*
maestr|o, -a [ma'estro] *s.m.,f.* **1** (escola) professor, -a (de ensino básico) **2** (ciência, arte, ofício) mestr|e, -a **3** (atividade, matéria) mestr|e, -a, perit|o, -a ■ **maestro** *s.m.* MÚS. maestro ■ *adj.* mestre; mestra; principal; *llave maestra* chave-mestra; *obra maestra* obra-prima; *viga maestra* trave-mestra ♦ **maestro de ceremonias** mestre de cerimônias; **maestro de obras** mestre de obras
mafia ['mafja] *s.f.* máfia
mafios|o, -a [ma'fjoso] *adj.,s.m.,f.* mafios|o, -a

magdalena [maɣδa'lena] *s.f.* madalena ♦ **llorar como una Magdalena** chorar muito, chorar desconsoladamente
magenta [ma'xeṇta] *adj.2g.2n.,s.m.* magenta
magia ['maxja] *s.f.* magia, feitiçaria ♦ **magia blanca/negra** magia branca/negra
mágico ['maxiko] *adj.* mágico
magisterio [maxis'terjo] *s.m.* magistério
magistrad|o, -a [maxis'traδo] *s.m.,f.* magistrad|o, -a
magistral [maxis'tral] *adj.2g.* magistral
magistratura [maxistra'tura] *s.f.* magistratura ♦ (empresa) **llevar a magistratura** levar a tribunal; **Magistratura de Trabajo** Tribunal do Trabalho
magma ['maɣma] *s.m.* magma
magnánimo [maɣ'nanimo] *adj.* magnânimo, generoso
magnate [maɣ'nate] *s.2g.* magnata, magnate
magnesio [maɣ'nesjo] *s.m.* magnésio
magnético [maɣ'netiko] *adj.* magnético
magnetismo [maɣne'tizmo] *s.m.* magnetismo
magneto [maɣ'neto] *s.m.* magneto
magnetófono [maɣne'tofono] *s.m.* gravador
magnificencia [maɣnifi'θeṇθja] *s.f.* magnificência
magnífico [maɣ'nifiko] *adj.* magnífico
magnitud [maɣni'tuδ] *s.f.* magnitude
magno ['maɣno] *adj.* magno, grande
mag|o, -a ['maɣo] *s.m.,f.* **1** *(hechicero)* mag|o, -a, feiticeir|o, -a, mágic|o, -a **2** *(ilusionista)* mágic|o, -a, ilusionista*2g.* **3** *fig.* especialista*2g.*
magro ['maɣro] *adj.* (carne) magro ▪ *s.m. col.* fêvera*f.*, carne*f.* de porco próxima ao lombo
magullar [maɣu'ʎar] *v.* (pele) pisar, contundir
mahonesa [mao'nesa] *s.f.* ⇒ **mayonesa**
maicena [maj'θena] *s.f.* maisena
maillot [ma'ʎot] *s.m.* **1** *(camiseta)* camisa*f.* de esportista **2** *(bañador)* maiô **3** (ginástica) roupa*f.* de ginástica
maíz [ma'iθ] *s.m.* milho
majadería [maxaδe'ria] *s.f.* idiotice, patetice, tolice, besteira
majader|o, -a [maxa'δero] *adj.,s.m.,f.* babaca*2g.*, pateta*2g.*, tol|o, -a
majestad [maxes'taδ] *s.f.* majestade, grandeza
majestuoso [maxes'twoso] *adj.* majestoso
mal ['mal] *s.m.* **1** mal **2** *(daño)* mal, prejuízo, dano **3** *(enfermedad)* mal, doença*f.* ▪ *adv.* mal ▪ *adj.* mau ♦ **a grandes males, grandes remedios** para grandes males, grandes remédios; **de mal en peor** de mal a pior; **mal de ojo** mau-olhado; **tomar a mal** levar a mal

---

mal é a forma apocopada de *malo*, usada antes de substantivos masculinos no singular: *mal tiempo* mau tempo

---

malabarismo [malaβa'rizmo] *s.m.* malabarismo ♦ **hacer malabarismos** fazer malabarismos
malabarista [malaβa'rista] *s.2g.* malabarista
malacostumbrado [malakostum'braδo] *adj.* mal-acostumado
málaga ['malaɣa] *s.m.* (vinho) málaga
Málaga ['malaɣa] *s.f.* Málaga
malagradecido [malaɣraδe'θiδo] *adj.* mal agradecido, ingrato
malar [ma'lar] *s.m.* malar
malaria [ma'larja] *s.f.* malária, paludismo*m.*
Malasia [ma'lasja] *s.f.* Malásia
malasi|o, -a [ma'lasjo] *adj.,s.m.,f.* malai|o, -a
malaventurado [malaβeṇtu'raδo] *adj.* mal-aventurado, infeliz
malay|o, -a [ma'layo] *adj.,s.m.,f.* malai|o, -a ▪ **malayo** *s.m.* (língua) malaio
malcarado [malka'raδo] *adj.* **1** mal-encarado **2** *col.* (fisionomia) carrancudo
malcriado [mal'krjaδo] *adj.* malcriado, mal-educado
malcriar [malkri'ar] *v.* mimar (educar com excessiva indulgência)
maldad [maḷ'daδ] *s.f.* maldade
maldecir [maḷde'θir] *v.* **1** amaldiçoar, maldizer **2** maldizer (de, -), falar mal (de, de); *¿crees que es normal pasar la vida maldiciendo de todo?* você acha normal passar a vida falando mal de tudo?
maldiciente [maḷdi'θjeṇte] *adj.,s.2g.* má língua, maldizente
maldición [maḷdi'θjon] *s.f.* maldição
maldito [maḷ'dito] *adj.* maldito ♦ *col.* **¡maldita sea!** inferno!, saco! *vulg.*; *col.* **malditas las ganas que tengo de verlo** não tenho vontade nenhuma de vê-lo; **¡maldito sea!** maldito seja!
maleabilidad [maleaβili'δaδ] *s.f.* maleabilidade
maleable [male'aβle] *adj.2g.* maleável
malecón [male'kon] *s.m.* molhe, dique, paredão
maledicencia [maleδi'θeṇθja] *s.f.* má-língua, maledicência
maleducado [maleδu'kaδo] *adj.* mal educado, malcriado
maleficio [male'fiθjo] *s.m.* malefício, sortilégio, feitiço
maléfico [ma'lefiko] *adj.* maléfico
malentendido [maleṇteṇ'diδo] *s.m.* mal-entendido
malestar [males'tar] *s.m.* mal-estar
maleta [ma'leta] *s.f.* mala; *hacer la maleta* fazer a mala ▪ *adj.2g. col.* (pessoa) desajeitado
maletero [male'tero] *s.m.* **1** (veículo) mala*f.*, porta-malas*2n.* **2** (pessoa) carregador (de malas, bagagem)
maletín [male'tin] *s.m.* **1** (para documentos e uso profissional) pasta*f.* **2** (para viagem) maleta*f.*, mala*f.* pequena
malévolo [ma'leβolo] *adj.* malévolo
maleza [ma'leθa] *s.f.* **1** ervas*pl.* daninhas **2** mato*m.*, matagal*m.*
malformación [malforma'θjon] *s.f.* malformação
malgastar [malɣas'tar] *v.* **1** (dinheiro) esbanjar, dissipar, desperdiçar **2** (tempo) desperdiçar, perder

malhablado [mala'βlaðo] *adj.* desbocado
malhadado [mala'ðaðo] *adj.* malfadado, desgraçado
malhechor, -a [male'tʃor] *s.m.,f.* malfeitor, -a
malhumor [malu'mor] *s.m.* mau humor; *estar de malhumor* estar de mau humor
malhumorado [malumo'raðo] *adj.* mal humorado
malicia [ma'liθja] *s.f.* **1** *(maldad)* malícia, maldade **2** *(astucia, picardía)* astúcia, malícia
malicioso [mali'θjoso] *adj.* malicioso
maligno [ma'liγno] *adj.* maligno ♦ **el Maligno** o Diabo
malintencionado [malintenθjo'naðo] *adj.* mal-intencionado
malla ['maʎa] *s.f.* **1** (tecido) rede **2** (arame, metal) malha **3** *(maillot)* roupa de ginástica ▪ **mallas** *s.f.pl.* calças*pl.* de malha
Mallorca [ma'ʎorka] *s.f.* Maiorca
mallorqu|ín, -ina [maʎor'kin] *adj.,s.m.,f.* maiorquin|o, -a ▪ **mallorquín** *s.m.* (dialeto) maiorquino
malmandado [malman'daðo] *adj.* desobediente
malmirado [malmi'raðo] *adj.* (pessoa) malvisto
malo ['malo] *adj.* **1** mau; *es mala señal* é mau sinal **2** *(malvado)* mau, malvado **3** *(nocivo)* mau, nocivo, prejudicial **4** *(enfermo)* doente **5** (alimento) estragado ♦ **estar de malas** estar de mau humor; **malos tratos** maus-tratos; *col.* **ponerse malo** ficar danado; **por las malas** por mal, à força; **ser el malo de la película** ser o mau da história
maloliente [malo'ljente] *adj.2g.* malcheiroso, fedorento
malpensado [malpen'saðo] *adj.* desconfiado, malicioso, mal intencionado
malsonante [malso'nante] *adj.2g.* malsoante; *palabras malsonantes* palavrões, vulgarismos
malta ['malta] *s.f.* **1** (cerveja) malte*m.* **2** (infusão) cevada
maltosa [mal'tosa] *s.f.* maltose
maltratar [maltra'tar] *v.* maltratar
malva ['malβa] *s.f.* malva ▪ *adj.2g.2n.,s.m.* (cor) malva ♦ *col.* **como una malva** como um anjo; *col.* **criar/estar criando malvas** estar morto e enterrado
malvad|o, -a [mal'βaðo] *adj.,s.m.,f.* malvad|o, -a
mama ['mama] *s.f.* **1** mama, teta **2** *col.* mamãe
mamá [ma'ma] *s.f. col.* mamãe
mamada [ma'maða] *s.f.* **1** mamada **2** *vulg.* boquete*m. vulg.*, felação
mamadera [mama'ðera] *s.f.* **1** bomba (para extrair leite) **2** [AM.] mamadeira
mamar [ma'mar] *v.* **1** mamar **2** (qualidade, hábito) adquirir (na infância) ▪ **mamarse** *vulg.* embebedar se, embriagar se
mamario [ma'marjo] *adj.* mamário
mamarracho [mama'ratʃo] *s.m.* **1** *col.* (pessoa) pateta*2g.* **2** *col.* (coisa) porcaria, droga*f.*
mambo ['mambo] *s.m.* mambo
mami ['mami] *s.f. infant.* mamãe
mamífero [ma'mifero] *adj.,s.m.* mamífero
mamografía [mamoγra'fia] *s.f.* mamografia
mam|ón, -ona [ma'mon] *s.m.,f.* patife*2g.* ▪ *adj.* imbecil, palerma
mampara [mam'para] *s.f.* **1** anteparo*m.*, biombo*m.* **2** (banheira) resguardo*m.*; divisória
mamparo [mam'paro] *s.m.* antepara*f.*
mamporro [mam'poro] *s.m. col.* pancada*f.*, porrada*f. vulg.*
manada [ma'naða] *s.f.* **1** (gado) manada **2** (cães) matilha **3** (lobos) alcateia **4** (pessoas) multidão, bando*m.* ♦ **en manada** em massa
manager ['manajer] *s.2g.* **1** *(gerente)* manager, dirigente **2** (artista, esportista) manager, empresári|o, -a*m.f.*, agente
manantial [manan'tjal] *s.m.* **1** nascente*f.* de água, manancial **2** *fig.* manancial, origem*f.*
manar [ma'nar] *v.* brotar (**de**, de), manar (**de**, de)
mancha ['manʲtʃa] *s.f.* **1** nódoa, mancha **2** (pele) mancha **3** *fig.* mancha, desonra
manchado [manʲ'tʃaðo] *adj.* **1** *(sucio)* manchado, sujo **2** (animal) malhado **3** (café) com pouco leite
manchar [manʲ'tʃar] *v.* **1** manchar, sujar **2** *fig.* (reputação) manchar ▪ **mancharse** manchar-se
manc|o, -a ['manko] *s.m.,f.* maneta*2g.* ▪ *adj.* (pessoa) maneta ♦ **no ser manco** não ficar atrás
mandad|o, -a [man'daðo] *s.m.,f.* pessoa*f.* que se limita a cumprir ordens ▪ **mandado** *s.m.* **1** recado **2** mandato
mandamás [manda'mas] *s.2g.2n. col.* mandachuva
mandamiento [manda'mjento] *s.m.* **1** REL. mandamento; *los Diez Mandamientos* os Dez Mandamentos **2** DIR. mandado, ordem*f.* judicial; *mandamiento judicial* mandado judicial **3** *(orden)* mandamento, ordem*f.*
mandar [man'dar] *v.* **1** (autoridade) mandar, ordenar **2** (correio) enviar, mandar, remeter
mandarín [manda'rin] *s.m.* (língua) mandarim
mandarina [manda'rina] *s.f.* tangerina
mandarino [manda'rino] *s.m.* tangerineira*f.*
mandato [man'dato] *s.m.* **1** *(orden)* mandato, ordem*f.* **2** POL. mandato
mandíbula [man'diβula] *s.f.* mandíbula ♦ *col.* **reír a mandíbula batiente** gargalhar
mandil [man'dil] *s.m.* avental
mandioca [man'djoka] *s.f.* mandioca
mando ['mando] *s.m.* **1** *(autoridad)* mando, autoridade*f.* **2** (militar, polícia) comando **3** (aparelho, máquina) comando, controle; *mando a distancia* controle remoto ♦ **estar bajo el mando de** estar sob o comando de
mand|ón, -ona [man'don] *adj.,s.m.,f. col.* mand|ão, -ona
manecilla [mane'θiʎa] *s.f.* (relógio) ponteiro*m.*
manejable [mane'xaβle] *adj.2g.* manejável
manejar [mane'xar] *v.* **1** (mãos) manejar, manobrar, manusear **2** (pessoas) manipular **3** (negócio) dirigir **4** (língua, vocabulário) dominar **5** [AM.] dirigir, conduzir ▪ **manejarse** lidar
manejo [ma'nexo] *s.m.* manejo, manuseio, uso, utilização*f.*

manera [ma'nera] s.f. maneira, modo*m.* ▪ **maneras** s.f.pl. maneiras*pl.*, modos*m. pl.* ♦ **a la manera de** à maneira de; **de manera que** de maneira que; **de ninguna manera** de maneira nenhuma; **de todas maneras** de qualquer maneira, em todo caso; **en cierta manera** de certa maneira, de certo modo; **en gran manera** em alto grau

manga ['maŋga] s.f. **1** (roupa) manga; *de manga corta/larga* de manga curta/comprida **2** *(manguera)* mangueira ♦ **manga pastelera** saco de confeiteiro; col. **ser más corto que las mangas de un chaleco** ser burro como uma porta

manganeso [maŋga'neso] s.m. manganês, manganésio

mango ['maŋgo] s.m. **1** (instrumento, utensílio) cabo*m.* **2** (árvore) mangueira*f.* **3** (fruto) manga*f.*

manguera [maŋ'gera] s.f. mangueira

manguito [maŋ'gito] s.m. **1** (para as mãos) regalo **2** (como proteção) manguito **3** (para nadar) braçadeira*f.* **4** téc. manga*f.*

maní [ma'ni] s.m. amendoim

manía [ma'nia] s.f. **1** *(capricho)* mania, capricho*m.* **2** *(antipatía)* antipatia, aversão, ódio*m.*; *tenerle manía a alguien* ter aversão a alguém, implicar com alguém ♦ **manía persecutoria** mania de perseguição

maníac|o, -a [ma'niako] s.m.,f. maníac|o, -a

maniátic|o, -a [ma'njatiko] adj.,s.m.,f. maníac|o, -a

manicomio [mani'komjo] s.m. manicômio, hospício

manicura [mani'kura] s.f. (tratamento) manicure

manicur|o, -a [mani'kuro] s.m.,f. (pessoa) manicur|o, -e

manifestación [manifesta'θjon] s.f. **1** *(expresión)* manifestação, expressão **2** *(concentración pública)* manifestação

manifestante [manifes'tan̪te] s.2g. manifestante

manifestar [manifes'tar] v. manifestar ▪ **manifestarse** manifestar-se, revelar-se

manifiesto [mani'fjesto] adj. manifesto, claro, patente ▪ s.m. manifesto ♦ **poner de manifiesto** manifestar

manija [ma'nixa] s.f. **1** (utensílios, ferramentas) cabo*m.*, punho*m.* **2** (porta, janela) maçaneta

manilla [ma'niʎa] s.f. **1** (relógio) ponteiro*m.* **2** (porta, janela) maçaneta

manillar [mani'ʎar] s.m. (bicicleta, motocicleta) guiador

maniobra [ma'njoβra] s.f. **1** manobra; *hacer una maniobra* fazer uma manobra **2** fig. manobra, estratégia ▪ **maniobras** s.f.pl. MIL. manobras*pl.*

maniobrar [manjo'βrar] v. (veículo) manobrar

manipulación [manipula'θjon] s.f. manipulação

manipulador, -a [manipula'ðor] adj.,s.m.,f. manipulador, -a

manipular [manipu'lar] v. **1** manipular **2** fig. (pessoa) manipular, influenciar

maniquí [mani'ki] s.2g. manequim, modelo ▪ s.m. manequim

manivela [mani'βela] s.f. manivela

manjar [maŋ'xar] s.m. manjar

mano ['mano] s.f. **1** ANAT. mão **2** (animal) pata **3** *(lado)* lado*m.* **4** (relógio) ponteiro*m.* **5** (pintura) demão; *dar una mano de* dar uma demão de; *última mano* última demão ♦ **abrir mano de algo** abrir mão de alguma coisa; **a mano** à mão; **bajo mano** em segredo; **coger con las manos en la masa** pegar (alguém) com as mãos na massa; **con las manos vacías** com as mãos a abanar; **echar una mano a alguien** dar uma mãozinha a alguém; **llegar a las manos** chegar a vias de fato; **mano de obra** mão de obra; col. **mano de santo** remédio santo

manojo [ma'noxo] s.m. molho, feixe; *un manojo de leña* um feixe de lenha; *un manojo de llaves* um molho de chaves ♦ **ser un manojo de nervios** ser uma pilha de nervos

manoseado [manose'aðo] adj. **1** (objeto) manuseado **2** (fruta) pisado **3** (assunto) batido

manosear [manose'ar] v. **1** (objeto) manusear, manejar **2** (pessoa) apalpar

manoseo [mano'seo] s.m. uso, manuseio

manotazo [mano'taθo] s.m. palmada*f.*

manoteo [mano'teo] s.m. gesticulação*f.* (com as mãos)

mansalva [man'salβa] ♦ **a mansalva** aos montes

mansión [man'sjon] s.f. mansão

manso ['manso] adj. **1** (pessoa) manso, dócil **2** (animal) manso

manta ['man̪ta] s.f. **1** cobertor*m.* **2** manta ▪ s.2g. (pessoa) desastre*m.fig.*, desgraça*f.fig.*, nulidade*f.* ♦ **a manta** aos montes; col. **manta de palos** surra; sova; **tirar de la manta** tirar/levantar o véu

manteca [man̪'teka] s.f. **1** banha, gordura animal; *manteca de cerdo* banha de porco **2** manteiga; *manteca de cacahuete/cacao* manteiga de amendoim/cacau

mantecado [man̪te'kaðo] s.m. **1** CUL. [bolo feito com banha de porco] **2** CUL. [sorvete de leite, ovos e açúcar]

mantecoso [man̪te'koso] adj. amanteigado; *queso mantecoso* queijo amanteigado

mantel [man̪'tel] s.m. toalha*f.* (de mesa), (toalha de) jogo americano

mantelería [man̪tele'ria] s.f. atoalhados*m. pl.*, jogo*m.* de toalha e guardanapos

mantener [man̪te'ner] v. **1** *(sostener)* manter, sustentar **2** *(conservar)* manter, conservar **3** (opinião, ponto de vista) manter, defender **4** *(tener)* manter, ter ▪ **mantenerse** manter-se; *mantenerse en pie* manter-se de pé

mantenimiento [man̪teni'mjen̪to] s.m. **1** *(conservación)* manutenção*f.*, conservação*f.*; *gimnasia de mantenimiento* ginástica de manutenção **2** (comida) sustento, alimento

mantequera [man̪te'kera] s.f. manteigueira

mantequilla [man̪te'kiʎa] s.f. manteiga

mantequillera [man̪teki'ʎera] s.f. [AM.] manteigueira

mantilla [man̪'tiʎa] s.f. **1** mantilha **2** (bebês) mantinha ♦ col. **estar en mantillas** (negócio, projeto) estar em desenvolvimento; (pessoa) ficar atrás

manto ['man̪to] s.m. manto

mantón [man̪'ton] s.m. xale

manual [ma'nwal] *adj.2g.* manual; *trabajos manuales* trabalhos manuais ■ *s.m.* manual; *manual de instrucciones* manual de instruções
manubrio [ma'nuβɾjo] *s.m.* **1** manivela*f.* **2** [AM.] *(manillar)* guiador **3** [CH.] *(volante)* volante
manufactura [manufak'tura] *s.f.* manufatura
manufacturar [manufaktu'rar] *v.* manufaturar, fabricar
manuscrito [manus'krito] *adj.* manuscrito, escrito à mão ■ *s.m.* manuscrito
manutención [manuten'θjon] *s.f.* manutenção, sustento*m.*
manzana [man'θana] *s.f.* **1** (fruto) maçã **2** (casas) quarteirão*m.* ♦ **manzana de Adán** pomo*m.* de adão; **manzana de (la) discordia** pomo*m.* da discórdia; **sano como una manzana** saudável
manzanilla [manθa'niʎa] *s.f.* camomila
manzano [man'θano] *s.m.* macieira*f.*
maña ['maɲa] *s.f.* **1** *(habilidad)* jeito*m.*, manha, habilidade; *darse maña en* ter jeito para; *se da mucha maña en los negocios* tem muito jeito para os negócios; *tener maña para* ter jeito para **2** *(astucia)* manha, astúcia
mañana [ma'ɲana] *s.f.* **1** manhã; *por la mañana* de manhã **2** *(madrugada)* manhã; *son las dos de la mañana* são duas da manhã ■ *s.m.* amanhã ■ *adv.* amanhã ♦ **de la noche a la mañana** de um dia para o outro, da noite para o dia; **¡hasta mañana!** até amanhã!; **mañana por la mañana** amanhã de manhã; **pasado mañana** depois de amanhã
mañoso [ma'ɲoso] *adj.* habilidoso, manhoso
mapa ['mapa] *s.m.* mapa; *mapa de carreteras* mapa de estradas ♦ *col.* **borrar del mapa** apagar do mapa
mapache [ma'patʃe] *s.m.* guaxinim
mapamundi [mapa'mundi] *s.m.* mapa-múndi
mapeamiento [mapea'mjento] *s.m.* INFORM. mapeamento
maqueta [ma'keta] *s.f.* maquete
maquiavélico [makja'βeliko] *adj.* maquiavélico
maquillador, -a [makiʎa'ðor] *s.m.,f.* maquiador, -a
maquillaje [maki'ʎaxe] *s.m.* maquiagem*f.*; *ponerse maquillaje* pôr maquiagem ♦ **maquillaje de fondo** base
maquillar [maki'ʎar] *v.* maquiar ■ **maquillarse** maquiar se
máquina ['makina] *s.f.* **1** máquina; *máquina de afeitar* máquina de barbear; *máquina de coser* máquina de costura; *máquina de escribir* máquina de escrever; *máquina de vapor* máquina a vapor; *máquina fotográfica* máquina fotográfica; *máquina tragaperras* caça-níqueis **2** *(locomotora)* locomotiva ♦ **a máquina** à máquina; *escribir a máquina* escrever à máquina; **a toda máquina** a todo o vapor
maquinaria [maki'narja] *s.f.* maquinaria
maquinilla [maki'niʎa] *s.f.* gilete; *maquinillas desechables* giletes descartáveis ♦ **maquinilla eléctrica** barbeador elétrico, máquina de barbear elétrica
maquinista [maki'nista] *s.2g.* maquinista
mar ['mar] *s.m./f.* mar*m.*; *en alta mar* em alto-mar ♦ **hacerse a la mar** fazer-se ao mar; *col.* **llover a mares** chover torrencialmente; *col.* **la mar de** muito; **un mar de** um mar de
maracuyá [maraku'ja] *s.m.* maracujá
marajá [mara'xa] *s.m.* marajá
maraña [ma'raɲa] *s.f.* **1** (fios, cabelos) maranha **2** *(maleza)* matagal*m.* **3** *fig.* maranha, confusão
marasmo [ma'razmo] *s.m.* marasmo
maratón [mara'ton] *s.m./f.* ESPOR. maratona*f.* ■ *s.m.* *fig.* (atividade) maratona*f.*
maratonian|o, -a [marato'njano] *s.m.,f.* maratonista*2g.*
maratonista [marato'nista] *s.2g.* ⇒ **maratoniano**
maravilla [mara'βiʎa] *s.f.* maravilha ♦ **a las mil maravillas/de maravilla** às mil maravilhas; **decir maravillas de** dizer maravilhas de; **hacer maravillas** fazer maravilhas; **la octava maravilla (del mundo)** a oitava maravilha (do mundo)
maravilloso [maraβi'ʎoso] *adj.* maravilhoso
marca ['marka] *s.f.* **1** *(señal)* marca, sinal*m.* **2** *(huella)* marca **3** (produtos) marca; *marca registrada* marca registada; *ropa de marca* roupa de marca **4** *(plusmarca)* recorde*m.* ♦ *col.* **de marca mayor** excelente
marcado [mar'kaðo] *adj.* **1** *(señalado)* marcado, assinalado **2** (sotaque) forte, acentuado
marcador [marka'ðor] *s.m.* **1** marcador, placar **2** *(punto de lectura)* marcador (de páginas) **3** [AM.] marcador (normalmente fluorescente)
marcaje [mar'kaxe] *s.m.* marcação*f.*
marcapasos [marka'pasos] *s.m.2n.* marca-passo
marcar [mar'kar] *v.* **1** *(señalar)* marcar **2** (instrumento) marcar, indicar **3** *(herir)* marcar **4** (número de telefone, código) marcar, digitar **5** (gol, ponto) marcar **6** (cabelo) fazer
marcha ['martʃa] *s.f.* **1** (cortejo, manifestação) marcha **2** *(partida)* partida, ida **3** (lugar, situação) saída, abandono*m.* **4** *(desarrollo)* andamento*m.*; *estar en marcha* estar em andamento **5** *(funcionamiento)* funcionamento*m.* **6** (veículo) velocidade, mudança **7** *col.* *(animación)* animação, farra, diversão **8** MÚS. marcha **9** ESPOR. (atletismo) marcha **10** MIL. marcha ♦ *col.* **a toda marcha** a todo o gás; **marcha atrás** marcha à ré, ré; *dar marcha atrás* dar marcha à ré, dar ré; **poner en marcha 1** (estabelecimento) abrir, montar **2** (aparelho) ligar, pôr em funcionamento; **sobre la marcha** ali na hora; à medida que se vai fazendo
marchar [mar'tʃar] *v.* **1** (mecanismo, motor) funcionar **2** *(andar)* marchar, caminhar **3** MIL. marchar ■ **marcharse** ir-se embora
marchitar [martʃi'tar] *v.* **1** (planta) murchar **2** *fig.* (pessoa) murchar, enfraquecer ■ **marchitarse** murchar
marchito [mar'tʃito] *adj.* (planta) murcho
marchoso [mar'tʃoso] *adj.* *col.* alegre, divertido
marcial [mar'θjal] *adj.2g.* marcial; *artes marciales* artes marciais
marcian|o, -a [mar'θjano] *adj.,s.m.,f.* marcian|o, -a
marco ['marko] *s.m.* **1** (antiga moeda alemã) marco **2** (fotografia, quadro) moldura*f.*, caixilho **3** (janela,

porta) caixilho **4** *(entorno)* ambiente, cenário, entorno **5** *(portería)* baliza*f.*

marea [ma'rea] *s.f.* maré; ***marea alta/baja*** maré alta/baixa ◆ **marea negra/roja** maré negra (petróleo)/vermelha

mareado [mare'aðo] *adj.* **1** enjoado, tonto **2** *(aturdido)* atordoado **3** *(bebido)* um pouco bêbado

marear [mare'ar] *v.* **1** enjoar **2** *(aturdir)* atordoar **3** *col.* enjoar *fig.*, incomodar ■ **marearse 1** (avião, barco, carro) enjoar **2** *(sentir vértigo)* sentir vertigens **3** *(emborracharse)* embriagar se

maremoto [mare'moto] *s.m.* maremoto

mareo [ma'reo] *s.m.* **1** enjoo **2** *(vértigo)* tontura*f.*, vertigem*f.* **3** *col.* coisa*f.* aborrecida que se faz por obrigação

marfil [mar'fil] *s.m.* marfim

margarina [marɣa'rina] *s.f.* margarina

margarita [marɣa'rita] *s.f.* margarida, malmequer*m.*, bem me quer*m.* ■ *s.m.* (bebida) margarita*f.* ◆ **echarle margaritas a los cerdos** jogar pérolas aos porcos

margen ['marxen] *s.m./f.* margem*f.*, beira*f.*, borda*f.* ■ *s.m.* (página) margem*f.* ◆ **al margen** à margem; **margen de error** margem de erro

marginación [marxina'θjon] *s.f.* marginalização

marginado [marxi'naðo] *adj.* (pessoa) marginalizado

marginador [marxina'ðor] *s.m.* marginador

marginal [marxi'nal] *adj.2g.* **1** marginal **2** *(marginado)* marginalizado **3** (pessoa) marginal, delinquente

marginar [marxi'nar] *v.* **1** (assunto) pôr de lado **2** (pessoa) marginalizar, discriminar

maría [ma'ria] *s.f.* **1** *cal.* erva, marijuana **2** *col.* disciplina fácil

marica [ma'rika] *s.m. col.* veado*m.*, bicha*2g.*, mariquinhas*m.2n.pej.*

marido [ma'riðo] *s.m.* marido

marihuana [mari'(γ)wana] *s.f.* marijuana

marimand|ón, -ona [mariman'don] *adj.,s.m.,f. col.* mand|ão, -ona

marina [ma'rina] *s.f.* **1** marinha; ***marina de guerra*** marinha de guerra; ***marina mercante*** marinha mercante **2** (junto à costa) litoral*m.*; (junto ao mar) beira mar

mariner|o, -a [mari'nero] *s.m.,f.* marinheir|o, -a, marujo*m.* ◆ **marinero de agua dulce** marinheiro de primeira viagem

marino [ma'rino] *adj.* marinho ■ *s.m.* marinheiro, marujo

marioneta [marjo'neta] *s.f.* marionete, fantoche; ***teatro de marionetas*** teatro de fantoches

mariposa [mari'posa] *s.f.* **1** ZOOL. mariposa **2** ZOOL. borboleta **3** (natação) borboleta **4** (luz) lamparina **5** *col., pej.* (homem) maricas*m.2n.*, mariquinhas*m.2n.*

mariquita [mari'kita] *s.f.* joaninha ■ *s.m. col., pej.* maricas*2n.*, mariquinhas*m.2n.pej.*

mariscada [maris'kaða] *s.f.* mariscada

mariscal [maris'kal] *s.m.* marechal

marisco [ma'risko] *s.m.* marisco

marisquería [mariske'ria] *s.f.* marisqueira

marital [mari'tal] *adj.2g.* marital

marítimo [ma'ritimo] *adj.* marítimo

marketing ['marketiŋ] *s.m.* marketing

mármol ['marmol] *s.m.* mármore

marqués [mar'kes] *s.m.* (*f.* marquesa) marquês

marquesa [mar'kesa] *s.f.* (*m.* marqués) marquesa

marquesina [marke'sina] *s.f.* **1** (parada/ponto de ônibus) abrigo*m.* **2** (hotel) toldo*m.* **3** (varanda) marquise

marran|o, -a [ma'rano] *s.m.,f.* **1** porc|o, -a **2** *col., pej.* porc|o, -a, porcalh|ão, -ona*pop.* ■ *adj.* **1** *col., pej.* porco, porcalhão*pop.* **2** *col., pej.* grosseiro, ordinário

marro ['maro] *s.m.* (jogo) malha*f.*

marrón [ma'ron] *adj.* (cor) castanho, marrom ■ *s.m.* **1** (cor) castanho, marrom **2** (peça) malha*f.* **3** *col.* embrulhada*f.*; ***me he metido en un marrón*** meti-me numa embrulhada **4** *col.* chatice*f.*, maçada*f.*

marroquí [maro'ki] *adj.,s.2g.* marroquin|o, -a*m.f.*

Marruecos [ma'rwekos] *s.m.* Marrocos

marrullería [maruʎe'ria] *s.f.* trapaça, velhacaria

marrullero [maru'ʎero] *adj.* trapaceiro, velhaco

marsupial [marsu'pjal] *adj.2g.,s.m.* marsupial

marta ['marta] *s.f.* **1** ZOOL. marta **2** pele de marta

Marte ['marte] *s.m.* Marte

martes ['martes] *s.m.2n.* terça-feira*f.*, terça*f.*; ***el martes pasado*** na terça-feira passada; ***el martes por la mañana/tarde/noche*** na terça-feira de manhã/à tarde/à noite; ***el próximo martes*** na próxima terça-feira; ***hoy es martes*** hoje é terça-feira; ***los martes*** às terças-feiras; ***todos los martes*** todas as terças-feiras ◆ (dia de azar) **Martes Trece** Sexta-Feira Treze

martillazo [marti'ʎaθo] *s.m.* martelada*f.*

martillo [mar'tiʎo] *s.m.* martelo ◆ **martillo neumático** martelo pneumático

mártir ['martir] *s.2g.* mártir

martirio [mar'tirjo] *s.m.* martírio

maruja [ma'ruxa] *s.f. col.* dona de casa

marxismo [mark'sizmo] *s.m.* marxismo

marzo ['marθo] *s.m.* março

mas ['mas] *conj. (pero)* mas, porém

más ['mas] *adv.* **1** mais; ***hable más despacio*** fale mais devagar **2** (comparativo) mais; ***Pedro es más alto que Ana*** o Pedro é mais alto (do) que a Ana **3** (superlativo) mais; ***el chico más guapo de todos*** o rapaz mais lindo de todos ■ *s.m.* mais (+) ◆ **a cual más** mais do que ninguém; **a lo más** no máximo; quando muito; **a más no poder** até não poder mais; **a más tardar** o mais tardar; **de más** a mais; em demasia; **más bien** (antes) pelo contrário; **más grande** maior; **más o menos** mais ou menos; **ni lo más mínimo** nada; nem um pouquinho; **ni más ni menos** exatamente; **sin más ni más** sem mais nem menos

masa ['masa] *s.f.* **1** CUL. massa; ***masa de hojaldre*** massa folhada **2** FÍS. massa **3** ELETR. terra ◆ **en masa** em massa

masacre [ma'sakre] *s.f.* massacre*m.*

masaje [ma'saxe] *s.m.* massagem*f.*; ***dar masajes*** fazer massagens

masajista [masa'xista] *s.2g.* massagista
mascar [mas'kar] *v.* **1** mascar; ***mascar un chicle*** mascar um chiclete **2** *fig.* (palavras) resmungar, mascar ▪ **mascarse** *col.* avizinhar se
máscara ['maskara] *s.f.* **1** *(careta)* máscara **2** (aparelho) máscara; ***máscara antigás/de gas*** máscara antigás/de gás; ***máscara de oxígeno*** máscara de oxigênio **3** *(traje)* máscara, fantasia **4** (pessoa) mascarad|o,-a*m.f.* ♦ **máscara de pestañas** rímel; **quitar la máscara** tirar a máscara
mascarada [maska'raδa] *s.f.* **1** (festa) mascarada; baile*m.* de máscaras **2** *(engaño)* farsa
mascarilla [maska'riʎa] *s.f.* máscara ♦ **mascarilla de oxígeno** máscara de oxigênio; **mascarilla facial** máscara facial
mascarón [maska'ron] *s.m.* (escultura) carranca*f.* ♦ **mascarón de proa** figura de proa
mascota [mas'kota] *s.f.* **1** animal*m.* de estimação **2** mascote
masculinidad [maskulini'δaδ] *s.f.* masculinidade
masculino [masku'lino] *adj.* masculino ▪ *s.m.* masculino
masivo [ma'siβo] *adj.* maciço, massivo
masonería [masone'ria] *s.f.* maçonaria
masónico [ma'soniko] *adj.* maçônico
masoquista [maso'kista] *adj.,s.2g.* masoquista
mastectomía [mastekto'mia] *s.f.* mastectomia
máster ['master] *s.m.* mestrado
masticación [mastika'θjon] *s.f.* mastigação
masticar [masti'kar] *v.* mastigar
mástil ['mastil] *s.m.* **1** NÁUT. mastro **2** *(asta)* haste*f.* **3** (bandeira) mastro, haste*f.* **4** (instrumento musical) braço
mata ['mata] *s.f.* **1** arbusto*m.* **2** *(matorral)* matagal*m.* **3** *(ramita)* ramo*m.* (pequeno) ♦ **mata de pelo** cabeleira
matadero [mata'δero] *s.m.* matadouro, abatedouro
matado [ma'taδo] *adj.* morto
matador [mata'δor] *s.m.* TAUR. matador, espada ▪ *adj.* *col.* horrível, feio
matamoscas [mata'moskas] *s.m.2n.* (substância, utensílio) mata moscas, apanha moscas
matanza [ma'taɲθa] *s.f.* **1** (pessoas) matança, massacre*m.*, carnificina **2** (porco) matança
matar [ma'tar] *v.* **1** matar **2** (selo) carimbar **3** (fome, sede) matar ▪ **matarse** matar-se
matarratas [mata'ratas] *s.m.2n.* mata ratos
matasellos [mata'seʎos] *s.m.2n.* carimbo (dos correios)
matasuegras [mata'sweγras] *s.m.2n.* língua de sogra
match ['matʃ] *s.m.* partida*f.*
mate ['mate] *adj.2g.* fosco, mate, embaciado ▪ *s.m.* **1** (xadrez) xeque mate, mate; ***jaque mate*** xeque mate **2** (basquetebol) afundanço **3** (tênis) smash **4** (infusão) mate
matemáticas [mate'matikas] *s.f.pl.* matemática
matemátic|o, -a [mate'matiko] *adj.,s.m.,f.* matemátic|o, -a
materia [ma'terja] *s.f.* **1** FÍS. matéria **2** *(sustancia)* matéria; ***materia orgánica*** matéria orgânica; ***materia prima*** matéria-prima **3** *(tema)* matéria, assunto*m.* **4** *(asignatura)* disciplina ♦ **en materia de** em matéria de; **entrar en materia** entrar no assunto; *col.* **materia gris** massa cinzenta; cérebro
material [mate'rjal] *adj.2g.* material; ***bienes materiales*** bens materiais; ***daños materiales*** danos materiais ▪ *s.m.* material ♦ **material deportivo** material esportivo; **material de oficina** material de escritório; **material escolar** material escolar; **materiales de construcción** materiais de construção
materialidad [materjali'δaδ] *s.f.* materialidade
materialismo [materja'lizmo] *s.m.* materialismo
materialista [materja'lista] *adj.,s.2g.* materialista
maternal [mater'nal] *adj.2g.* maternal
maternidad [materni'δaδ] *s.f.* maternidade
materno [ma'terno] *adj.* materno
matinal [mati'nal] *adj.2g.* matinal
matiné [mati'ne] *s.f.* matinê
matiz [ma'tiθ] *s.m.* **1** matiz, nuance*f.* **2** *(rasgo)* matiz, traço, aspecto **3** *(detalle)* detalhe
matizar [mati'θar] *v.* **1** (cor) matizar **2** (assunto) precisar; explicitar
matojo [ma'toxo] *s.m.* moita*f.*
matón [ma'ton] *s.m.* **1** *(fanfarrón)* fanfarrão **2** *(guardaespaldas)* guarda-costas*2g.2n.*, capanga*m.f.*
matorral [mato'ral] *s.m.* matagal
matraca [ma'traka] *s.f.* **1** matraca **2** *col.* (pessoa) chat|o, -a*m.f.* ▪ **matracas** *s.f.pl.* *col.* matemática
matriarca [ma'trjarka] *s.f.* matriarca
matrícula [ma'trikula] *s.f.* **1** *(inscripción)* matrícula, inscrição; ***hacer la matrícula*** fazer a matrícula **2** (veículo) placa
matriculación [matrikula'θjon] *s.f.* matrícula, inscrição
matricular [matriku'lar] *v.* matricular ▪ **matricularse** matricular-se (en, em); ***me matriculé en la Facultad de Medicina*** matriculei-me na Faculdade de Medicina
matrimonial [matrimo'njal] *adj.2g.* matrimonial
matrimonio [matri'monjo] *s.m.* **1** *(unión conyugal)* matrimônio, casamento; ***consumar el matrimonio*** consumar o casamento **2** *(pareja)* casal (de marido e mulher); ***cama de matrimonio*** cama de casal
matriz [ma'triθ] *s.f.* **1** ANAT. útero*m.*, matriz **2** *(molde)* matriz, molde*m.* **3** MAT. matriz ▪ *adj.2g.* matriz; ***iglesia matriz*** igreja matriz
matrona [ma'trona] *s.f.* **1** parteira **2** *pej.* matrona
matute [ma'tute] ♦ **de matute** às escondidas; clandestinamente
matutino [matu'tino] *adj.* matutino, matinal
maullar [maw'ʎar] *v.* (gato) miar
maullido [maw'ʎiδo] *s.m.* miado, miadela*f.*
mausoleo [mawso'leo] *s.m.* mausoléu
maxilar [maksi'lar] *s.m.* maxilar
máxima ['maksima] *s.f.* **1** *(aforismo)* máxima, aforismo*m.* **2** (ciência, crença) máxima, princípio*m.* **3** *(regla*

de conducta) máxima, regra de conduta **4** (temperatura) máxima

máximo ['maksimo] (*superl. de* grande) *adj.* máximo ■ *s.m.* máximo ♦ **al máximo** no máximo; **como máximo** no máximo; quando muito

maya ['maja] *s.f.* maia ■ *adj.,s.2g.* maia ■ *s.m.* (língua) maia

mayar [ma'jar] *v.* (gato) miar

mayido [ma'jiðo] *s.m.* (gato) miado, mio

mayo ['majo] *s.m.* maio

mayonesa [majo'nesa] *s.f.* maionese

mayor [ma'jor] *adj.* **1** *(más grande)* maior; ***mayor que*** maior que **2** (idade) mais velho; ***hijo mayor*** filho mais velho **3** *(adulto)* adulto; ***persona mayor*** pessoa adulta **4** *(viejo)* velho, idoso ■ *s.m.* **1** MIL. major **2** MÚS. maior ■ **mayores** *s.m.pl.* maiores, antepassados ♦ (comércio) **al por mayor** por atacado; **mayor de edad** maior de idade

mayoral [majo'ral] *s.m.* maioral, capataz

mayordomo [major'ðomo] *s.m.* mordomo

mayoría [majo'ria] *s.f.* maioria; ***estar en mayoría*** estar em/ser maioria; ***la mayoría de*** a maioria de, a maior parte de ♦ **mayoría absoluta** maioria absoluta; **mayoría de edad** maioridade; ***llegar/alcanzar la mayoría de edad*** atingir a maioridade; **mayoría relativa/simple** maioria relativa; **mayoría silenciosa** maioria silenciosa

mayorista [majo'rista] *adj.2g.* (comércio) grossista ■ *s.2g.* grossista, atacadista, armazenista

mayoritario [majori'tarjo] *adj.* majoritário

mayúscula [ma'juskula] *s.f.* maiúscula

mayúsculo [ma'juskulo] *adj.* maiúsculo

mazmorra [maθ'mora] *s.f.* masmorra

mazo ['maθo] *s.m.* **1** *(martillo)* maço **2** (tribunal, leilão) martelo **3** *(manojo)* maço, molho ■ *adv. col.* muito

mazorca [ma'θorka] *s.f.* espiga; ***mazorca de maíz*** espiga de milho, maçaroca

me ['me] *pron.pess.* me; ***¿me llamaste?*** você me ligou?

meada [me'aða] *s.f. col.* mijadela

meado [me'aðo] *s.m. col.* mijo

mear [me'ar] *v. col.* mijar, urinar, fazer xixi ■ **mearse** fazer xixi; ***se meó en la cama*** fez xixi na cama ♦ **estarse meando** estar apertado (para urinar); *col.* **mearse de risa** mijar-se de rir

meato [me'ato] *s.m.* meato

mecánica [me'kanika] *s.f.* mecânica

mecánico, -a [me'kaniko] *s.m.,f.* mecânic|o, -a ■ *adj.* **1** mecânico **2** *fig.* mecânico, automático

mecanismo [meka'nizmo] *s.m.* mecanismo ♦ (psicanálise) **mecanismo de defensa** mecanismo de defesa

mecanización [mekaniθa'θjon] *s.f.* mecanização

mecanografía [mekanoγra'fia] *s.f.* datilografia

mecanografiar [mekanoγra'fjar] *v.* datilografar, escrever à máquina

mecanógraf|o, -a [meka'noγrafo] *s.m.,f.* datilógraf|o, -a

mecedora [meθe'ðora] *s.f.* cadeira de balanço

mecer [me'θer] *v.* **1** (criança) embalar **2** (em balanço) balançar **3** *(remover)* mexer ■ **mecerse** balançar-se

mecha ['metʃa] *s.f.* **1** (vela) pavio*m.*, mecha **2** (explosivos) rastilho*m.*, mecha ■ **mechas** *s.f.pl.* mecha; ***ponerse mechas*** fazer mechas ♦ *col.* **aguantar mecha** aguentar o tranco; *col.* **a toda mecha** a todo o vapor

mechero [me'tʃero] *s.m.* isqueiro

mechón [me'tʃon] *s.m.* **1** (cabelo) madeixa*f.*, mecha*f.* **2** (pelos) tufo

mecido [me'θiðo] *adj.* embalado

medalla [me'ðaʎa] *s.f.* medalha; ***medalla de bronce/oro/plata*** medalha de bronze/ouro/prata ■ *s.2g.* medalhista

medallista [meða'ʎista] *s.2g.* medalhista

medallón [meða'ʎon] *s.m.* medalhão

médano ['meðano] *s.m.* (deserto, praia) duna*f.*

media ['meðja] *s.f.* **1** (curta) meia; (até o meio da perna) meia **2** *(promedio)* média ■ **medias** *s.f.pl.* meia calça, collant*m.*; ***medias elásticas*** meia elástica ♦ **a medias** meio a meio; **media hora** meia hora; **media luz** meia-luz; **media pensión** meia-pensão

mediación [meðja'θjon] *s.f.* mediação

mediado [me'ðjaðo] ♦ **a mediados de** em meados de

mediador, -a [meðja'ðor] *s.m.,f.* mediador, -a

medialuna [meðja'luna] *s.f.* meia lua

mediana [me'ðjana] *s.f.* **1** mediana **2** (estrada) separador*m.* central

mediano [me'ðjano] *adj.* **1** mediano, médio; ***de mediana edad*** de meia-idade **2** medíocre, mediano

medianoche [meðja'notʃe] *s.f.* meia noite; ***a medianoche*** à meia-noite

mediante [me'ðjante] *prep.* mediante, por meio de

mediar [me'ðjar] *v.* **1** *(interceder)* interceder (por, por); ***mediar por alguien*** interceder por alguém **2** *(estar en medio)* mediar **3** *(llegar a la mitad)* chegar ao meio

mediático [me'ðjatiko] *adj.* mediático

mediatización [meðjatiθa'θjon] *s.f.* mediatização

mediatriz [meðja'triθ] *s.f.* mediatriz

medicación [meðika'θjon] *s.f.* medicação

medicamento [meðika'mento] *s.m.* medicamento, remédio

medicina [meði'θina] *s.f.* **1** (ciência) medicina; ***medicina alternativa*** medicina alternativa; ***medicina del trabajo*** medicina do trabalho; ***medicina general*** clínica geral; ***medicina legal*** medicina legal; ***medicina preventiva*** medicina preventiva **2** (substância) medicamento*m.*, remédio*m.* **3** *col.* remédio*m.*, solução

medicinal [meðiθi'nal] *adj.2g.* medicinal

medición [meði'θjon] *s.f.* medição

médic|o, -a ['meðiko] *s.m.,f.* médic|o, -a; ***médico de cabecera/familia*** médico de família; ***médico de medicina general*** médico de clínica geral; ***médico especialista*** médico especialista; ***médico forense*** médico legista ■ *adj.* médico; ***certificado médico*** atestado médico

medida [me'ðiða] *s.f.* medida ♦ **a (la) medida** sob medida, à medida de; **a medida que** à medida que; **en la medida de lo posible** na medida do possível

medidor [meði'ðor] *s.m.* medidor

medieval [meðje'βal] *adj.2g.* medieval
medio ['meðjo] *adj.* **1** *(mitad)* meio; *medio litro* meio litro **2** *(intermedio)* médio, mediano ■ *s.m.* meio ♦ **medio ambiente** meio ambiente; **medio de transporte** meio de transporte; **medios de comunicación** meios de comunicação; **por medio de** por meio de; **quitarse de en medio** sair de fininho
medioambiental [meðjoambjen'tal] *adj.2g.* ambiental
mediocre [me'ðjokre] *adj.2g.* medíocre
mediocridad [meðjokri'ðað] *s.f.* mediocridade
mediodía [meðjo'ðia] *s.m.* meio dia; *a mediodía* ao meio-dia
medir [me'ðir] *v.* **1** medir **2** *fig.* moderar
meditación [meðita'θjon] *s.f.* meditação
meditar [meði'tar] *v.* meditar
mediterráneo [meðite'raneo] *adj.* mediterrâneo, mediterrânico
médium ['meðjum] *s.2g.* médium
mediúmnico [me'ðjumniko] *adj.* mediúnico
médula ['meðula] *s.f.* medula ♦ **hasta la médula** até a medula; **médula espinal/ósea** medula espinal/óssea
medusa [me'ðusa] *s.f.* medusa
megabyte [meγa'βajt] *s.m.* megabyte
megafonía [meγafo'nia] *s.f.* **1** (técnica) sonorização **2** (aparelhos) sistema*m.* de som
megáfono [me'γafono] *s.m.* megafone
megahercio [meγa'erθjo] *s.m.* megahertz
megahertz [meγa'ertθ] *s.m.* ⇒ **megahercio**
megavatio [meγa'βatjo] *s.m.* megawatt
mejican|o, -a [mexi'kano] *adj.,s.m.,f.* mexican|o, -a
Méjico ['mexiko] *s.m.* México
mejilla [me'xiʎa] *s.f.* bochecha
mejillón [mexi'ʎon] *s.m.* mexilhão
mejor [me'xor] *adj.2g.* melhor ■ *adv.* melhor; *ya estoy mejor* já estou melhor ♦ *col.* **a lo mejor** tomara, quiçá; talvez; **mejor dicho** ou melhor; melhor dizendo
mejora [me'xora] *s.f.* melhoramento*m.*, melhoria
mejoramiento [mexora'mjento] *s.m.* melhoramento
mejorana [mexo'rana] *s.f.* manjerona
mejorar [mexo'rar] *v.* melhorar ■ **mejorarse** **1** (saúde) melhorar; *¡que te mejores!* melhoras! **2** (tempo) melhorar; *el tiempo ha mejorado* o tempo melhorou
mejoría [mexo'ria] *s.f.* melhoria
melancolía [melaŋko'lia] *s.f.* melancolia
melancólico [melaŋ'koliko] *adj.* melancólico
melanina [mela'nina] *s.f.* melanina
melena [me'lena] *s.f.* **1** (pessoa) cabeleira, melena **2** (leão) juba ■ **melenas** *s.f.pl.* melena, guedelha ♦ *col.* **soltarse la melena** soltar a língua
melenudo [mele'nuðo] *adj.* guedelhudo, cabeludo
melindre [me'lindre] *s.m. fig.* melindre, delicadeza*f.*
melindroso [melin'droso] *adj.* (pessoa) melindroso
melisa [me'lisa] *s.f.* erva cidreira, melissa
mella ['meʎa] *s.f.* **1** (instrumento cortante) mossa, boca **2** (dente) falha **3** *fig.* dano*m.*, perda ♦ **hacer mella** impressionar
mellado [me'ʎaðo] *adj.* desdentado
melliz|o, -a [me'ʎiθo] *s.m.,f.* gême|o, -a (bivitelino)
melocotón [meloko'ton] *s.m.* pêssego; *melocotón en almíbar* pêssego em calda
melocotonero [melokoto'nero] *s.m.* pessegueiro
melodía [melo'ðia] *s.f.* melodia
melódico [me'loðiko] *adj.* melódico
melodioso [melo'ðjoso] *adj.* melodioso
melodrama [melo'ðrama] *s.m.* **1** melodrama **2** *fig., col.* drama
melodramático [meloðra'matiko] *adj.* melodramático
melón [me'lon] *s.f.* **1** (planta) meloeiro **2** (fruto) melão ♦ **melón de la China** meloa
meloso [me'loso] *adj.* meloso
membrana [mem'brana] *s.f.* membrana
membrete [mem'brete] *s.m.* cabeçalho (em papel de carta), timbre
membrillo [mem'briʎo] *s.m.* **1** (árvore) marmeleiro **2** (fruto) marmelo **3** (doce) marmelada*f.*; *carne de membrillo* marmelada
memez [me'meθ] *s.f.* idiotice, besteira
mem|o, -a ['memo] *adj.,s.m.,f.* idiota*2g.*, babaca*2g.*, pateta*2g.*
memorable [memo'raβle] *adj.2g.* memorável
memorándum [memo'randum] *s.m.* (*pl.* memorandos) **1** memorando **2** resumo
memoria [me'morja] *s.f.* **1** (faculdade) memória **2** *(recuerdo)* memória, recordação, lembrança **3** INFORM. memória ■ **memorias** *s.f.pl.* memórias*pl.* ♦ **de memoria** de cor, de memória
memorial [memo'rjal] *s.m.* memorial
memorización [memoriθa'θjon] *s.f.* memorização
memorizar [memori'θar] *v.* memorizar
mena ['mena] *s.f.* minério*m.*
menaje [me'naxe] *s.m.* **1** *(muebles)* móveis*pl.*, mobiliário **2** *(utensilios)* utensílios*pl.* (para a casa); *menaje de cocina* utensílios de cozinha
mención [men'θjon] *s.f.* menção, referência; *hacer mención de algo* fazer menção de alguma coisa; *ser digno de mención* ser digno de menção ♦ (concurso) **mención honorífica** menção honrosa
mencionar [menθjo'nar] *v.* mencionar, referir, citar
mendicante [mendi'kante] *adj.2g.* mendicante
mendicidad [mendiθi'ðað] *s.f.* mendicidade
mendigar [mendi'γar] *v.* mendigar, pedir esmola
mendig|o, -a [men'diγo] *s.m.,f.* mendig|o, -a, pedinte*2g.*
menear [mene'ar] *v.* **1** abanar, menear **2** (parte do corpo) requebrar, bambolear ■ **menearse** **1** (corpo) mexer se **2** *col.* despachar-se
menestra [me'nestra] *s.f.* [ensopado de carne com legumes]

mengan|o, -a [meŋ'gano] *s.m.,f.* sicran|o, -a
mengua ['meŋgwa] *s.f.* **1** *(disminución)* redução, diminuição **2** *(descrédito)* descrédito*m.* ♦ **sin mengua de** sem detrimento de
menguante [meŋ'gwan̪te] *adj.2g.* minguante; *luna en cuarto menguante* lua em quarto minguante
menhir [me'niɾ] *s.m.* menir
meninge [me'niŋxe] *s.f.* meninge
meningitis [meniŋ'xitis] *s.f.2n.* meningite
menisco [me'nisko] *s.m.* menisco
menopausia [meno'pawsja] *s.f.* menopausa
menor [me'noɾ] *adj.2g.* **1** *(más pequeño)* menor; *menor que* menor que **2** (idade) mais novo; *hijo menor* filho mais novo ■ *s.2g.* menor ♦ (comércio) **al por menor** a varejo; **menor de edad** menor de idade
menos ['menos] *adj.indef.* menos; *tengo menos trabajo* tenho menos trabalho ■ *pron.indef.* menos; *tengo cinco caramelos, pero tú tienes menos* tenho cinco balas, mas você tem menos ■ *adv.* **1** (comparativo) menos; *este libro es menos interesante que el anterior* este livro é menos interessante do que o anterior **2** (superlativo) menos; *el menos inteligente* o menos inteligente **3** (quantidade, número) menos; *hoy llueve menos* hoje chove menos; *había menos de cien personas en la fiesta* havia menos de cem pessoas na festa **4** (horas) menos; *ocho menos diez* oito menos dez ■ *s.m.* menos ■ *prep.* **1** *(excepto)* menos; *abrimos todos los días menos los lunes* estamos abertos todos os dias menos às segundas-feiras **2** MAT. menos; *cinco menos tres son dos* cinco menos três são dois ♦ **al menos** ao menos; **a menos que** a menos que; **cuando menos se espera** quando menos se espera; **eso es lo de menos** isso é o de menos; **por lo menos** pelo menos
menospreciar [menospre'θjaɾ] *v.* menosprezar
menosprecio [menos'preθjo] *s.m.* menosprezo
mensaje [men'saxe] *s.m.* mensagem*f.* ♦ INFORM. **mensaje de error** mensagem de erro; **mensaje de texto** mensagem de texto
mensajería [mensaxe'ɾia] *s.f.* serviço*m.* de entregas
mensajer|o, -a [mensa'xeɾo] *s.m.,f.* **1** mensageir|o, -a **2** (encomendas) estafeta*2g.*
menstruación [menstɾwa'θjon] *s.f.* menstruação
menstrual [mens'tɾwal] *adj.2g.* menstrual; *dolores menstruales* cólicas menstruais
mensual [men'swal] *adj.2g.* mensal
mensualidad [menswali'ðað] *s.f.* mensalidade
mensualmente [menswal'men̪te] *adv.* mensalmente
mensurable [mensu'raβle] *adj.2g.* mensurável
menta ['men̪ta] *s.f.* menta ♦ **menta piperita** hortelã-pimenta
mental [men̪'tal] *adj.2g.* mental
mentalidad [men̪tali'ðað] *s.f.* mentalidade
mente ['men̪te] *s.f.* mente; *tener algo en mente* ter alguma coisa em mente
mentir [men̪'tiɾ] *v.* mentir ♦ **miente más que habla** mentir muito
mentira [men̪'tiɾa] *s.f.* **1** mentira; *mentira piadosa* mentira piedosa; *mentira podrida/cochina* mentira deslavada; *¡vaya mentira!* grande mentira! **2** *col.* (unhas) meia lua ♦ **parecer mentira** parecer mentira (surpresa, admiração)
mentirijillas [men̪tiɾi'xiʎas] ♦ *col.* **de mentirijillas** de brincadeira
mentiros|o, -a [men̪ti'roso] *adj.,s.m.,f.* mentiros|o, -a
mentol [men̪'tol] *s.m.* mentol
mentolado [men̪to'laðo] *adj.* mentolado
mentón [men̪'ton] *s.m.* queixo
mentor, -a [men̪'toɾ] *s.m.,f.* mentor, -a, guia*2g.*
menú [me'nu] *s.m.* **1** (restaurante) menu; *menú del día* prato/menu do dia **2** *(carta)* cardápio, menu **3** INFORM. menu
menudeo [menu'ðeo] *s.m.* venda*f.* a varejo ♦ **al menudeo** a varejo
menudo [me'nuðo] *adj.* **1** miúdo **2** insignificante ♦ **a menudo** com frequência, amiúde
meñique [me'ɲike] *s.m.* (dedo) mindinho
meollo [me'oʎo] *s.m.* cerne, âmago
me|ón, -ona [me'on] *adj.,s.m.,f. col.* mij|ão, -ona
mequetrefe [meke'tɾefe] *s.2g. col.* mequetrefe
mercadillo [meɾka'ðiʎo] *s.m.* feira*f.*
mercado [meɾ'kaðo] *s.m.* **1** (lugar) mercado; *ir al mercado* ir ao mercado **2** ECON. mercado; *Mercado Común* Mercado Comum; *mercado de trabajo* mercado de trabalho ♦ **mercado negro** mercado negro
mercadotecnia [meɾkaðo'teknja] *s.f.* marketing*m.*
mercancía [meɾkan̪'θia] *s.f.* **1** mercadoria **2** *cal.* droga
mercancías [meɾkan̪'θias] *s.m.2n.* trem de mercadorias
mercante [meɾ'kan̪te] *adj.2g.* mercante; *marina mercante* marinha mercante
mercantil [meɾkan̪'til] *adj.2g.* mercantil
mercantilismo [meɾkan̪ti'lizmo] *s.m.* mercantilismo
merced [meɾ'θeð] *s.f.* mercê ♦ **a merced de** à mercê de; **merced de** graças a, mercê de
mercenari|o, -a [meɾθe'naɾjo] *adj.,s.m.,f.* mercenári|o, -a
mercería [meɾθe'ɾia] *s.f.* armarinho
merchandising [meɾtʃan̪'dajsiŋ] *s.m.* ECON. merchandising
mercurio [meɾ'kuɾjo] *s.m.* mercúrio
mercurocromo [meɾkuro'kromo] *s.m.* mercurocromo
merecedor [mereθe'ðoɾ] *adj.* merecedor (de, de), digno (de, de); *es merecedor de nuestra consideración* é merecedor da nossa consideração
merecer [mere'θeɾ] *v.* merecer ■ **merecerse** merecer; *no te lo mereces* você não merece
merecido [mere'θiðo] *s.m.* castigo
merendar [meren̪'daɾ] *v.* lanchar, merendar ■ **merendarse 1** *col.* derrotar, vencer **2** *col.* devorar
merendero [meren̪'deɾo] *s.m.* [lugar onde se merenda]
merengue [me'reŋge] *s.m.* **1** CUL. merengue, suspiro **2** MÚS. merengue
meretriz [mere'tɾiθ] *s.f.* meretriz, prostituta
meridiano [meri'ðjano] *s.m.* meridiano

meridional [meriðjo'nal] *adj.2g.* meridional
merienda [me'rjenda] *s.f.* lanche*m.*, merenda; *merienda cena* lanche ajantarado ♦ *col.* **merienda de negros** balaio de gatos
mérito ['merito] *s.m.* mérito ♦ **por mérito propio** por mérito próprio
meritori|o, -a [meri'torjo] *s.m.,f.* estagiári|o, -a ■ *adj.* meritório; louvável
merluza [mer'luθa] *s.f.* **1** pescada **2** *col.* bebedeira, pileque*m.*, porre*m.*; *coger una merluza* tomar um porre
merluzo, -a [mer'luθo] *adj.,s.m.,f. col.* (pessoa) idiota*2g.*, babaca*2g.*, estúpid|o, -a
merma ['merma] *s.f.* **1** *(disminución)* diminuição, redução **2** *(pérdida)* perda
mermelada [merme'laða] *s.f.* compota, doce*m.*; *mermelada de fresa* compota de morangos
mero ['mero] *adj.* mero, simples ■ *s.m.* mero ♦ **por mera casualidad** por mero acaso
mes ['mes] *s.m.* **1** mês; *a final(es) de mes* no final do mês; *dentro de un mes* daqui a um mês; *el mes pasado/que viene* no mês passado/que vem; *una vez al mes* uma vez por mês **2** *(mensualidad)* mensalidade*f.*, mês ♦ **el mes** a menstruação, o chico *col.*
mesa ['mesa] *s.f.* mesa; *mesa camilla* maca; *mesa de centro* mesa de centro; *mesa de despacho* escrivaninha; *mesa de mezclas* mesa de mixagem; *poner/quitar la mesa* pôr/tirar a mesa ♦ **a mesa puesta** ter cama, mesa e roupa lavada; **de mesa** de mesa; *vino de mesa* vinho de mesa; **mesa de noche** mesinha de cabeceira, mesa de cabeceira, criado-mudo; (debate) **mesa redonda** mesa-redonda
meseta [me'seta] *s.f.* **1** GEOG. meseta **2** *(descansillo)* patamar*m.*
mesiánico [me'sjaniko] *adj.* messiânico
mesías [me'sias] *s.m.2n. fig.* messias
mesilla [me'siʎa] *s.f.* mesa de cabeceira
mesón [me'son] *s.m.* restaurante típico
mesoner|o, -a [meso'nero] *s.m.,f.* proprietári|o, -a de um restaurante típico
mesozoico [meso'θojko] *adj.* GEOL. mesozoico
mestizaje [mesti'θaxe] *s.m.* mestiçagem*f.*, miscigenação*f.*
mestiz|o, -a [mes'tiθo] *s.m.,f.* mestiç|o, -a ■ *adj.* **1** (pessoa) mestiço **2** (animal) mestiço, cruzado
mesura [me'sura] *s.f.* moderação
meta ['meta] *s.f.* **1** (corrida) meta, chegada **2** *(portería)* baliza **3** *fig.* meta, objetivo*m.*
metabólico [meta'βoliko] *adj.* metabólico
metabolismo [metaβo'lizmo] *s.m.* metabolismo
metacarpo [meta'karpo] *s.m.* metacarpo, metacárpio
metafísica [meta'fisika] *s.f.* metafísica
metáfora [me'tafora] *s.f.* metáfora
metafórico [meta'foriko] *adj.* metafórico
metal [me'tal] *s.m.* metal; *metal noble* metal nobre; *metal precioso* metal precioso ■ **metales** *s.m.pl.* MÚS. metais ♦ *col.* **el vil metal** o vil metal, o dinheiro
metálico [me'taliko] *adj.* metálico ♦ **en metálico** em dinheiro vivo
metalizado [metali'θaðo] *adj.* metalizado
metalurgia [meta'lurxja] *s.f.* metalurgia
metalúrgic|o, -a [meta'lurxiko] *adj.,s.m.,f.* metalúrgic|o, -a
metamorfosis [metamor'fosis] *s.f.2n.* metamorfose
metanol [meta'nol] *s.m.* metanol
metástasis [me'tastasis] *s.f.2n.* metástase
metedura [mete'ðura] ♦ *col.* **metedura de pata** gafe, mancada
meteórico [mete'oriko] *adj.* meteórico
meteorito [meteo'rito] *s.m.* meteorito
meteoro [mete'oro] *s.m.* meteoro
meteorología [meteorolo'xia] *s.f.* meteorologia
meteorológico [meteoro'loxiko] *adj.* meteorológico; *parte meteorológico* boletim meteorológico
meteorólog|o, -a [meteo'roloγo] *s.m.,f.* meteorologista*2g.*
meter [me'ter] *v.* **1** *(introducir)* meter, enfiar, introduzir **2** (dinheiro) meter, depositar **3** *(invertir)* meter, investir **4** (pessoa) meter, internar **5** (bofetada, soco) dar **6** *(involucrar)* meter, envolver **7** (roupa) encurtar ■ **meterse 1** *(provocar)* meter-se (**con**, com) **2** *(entrar)* meter se (**en**, em), entrar (**en**, em) **3** *(entrometerse)* meter se; *no te metas donde no te llaman* não se meta onde não é chamado ♦ **a todo meter** a todo o vapor, a toda a velocidade; com ímpeto
meticón [meti'kon] *adj. col.* (pessoa) intrometido, metediço, abelhudo
meticuloso [metiku'loso] *adj.* meticuloso
metódico [me'toðiko] *adj.* metódico
metodismo [meto'ðizmo] *s.m.* metodismo
metodista [meto'ðista] *adj.,s.2g.* metodista
método ['metoðo] *s.m.* método
metodología [metoðolo'xia] *s.f.* metodologia
metodológico [metoðo'loxiko] *adj.* metodológico
metomentodo [metomen'toðo] *s.2g. col.* bisbilhoteir|o, -a*m.f.*
metonimia [meto'nimja] *s.f.* metonímia
metraje [me'traxe] *s.m.* metragem*f.*
metralleta [metra'ʎeta] *s.f.* metralhadora (portátil)
métrica ['metrika] *s.f.* métrica
métrico ['metriko] *adj.* métrico
metro ['metro] *s.m.* **1** (medida, verso) metro **2** (transporte) metrô, metropolitano; *coger el metro* pegar o metrô; *viajar en metro* andar de metrô
metrobús [metro'βus] *s.m.2n.* **1** [espécie de cartão com dez viagens para andar de metrô ou ônibus urbanos em Madri, na Espanha] **2** [sistema de ônibus em algumas cidades]
metrópoli [me'tropoli] *s.f.* metrópole
metrópolis [me'tropolis] *s.f.2n.* ⇒ **metrópoli**
metropolitano [metropoli'tano] *adj.* metropolitano; *área metropolitana* área metropolitana ■ *s.m.* metropolitano, metrô; *coger el metropolitano* pegar o metrô/metropolitano
mexican|o, -a [mexi'kano] *adj.,s.m.,f.* mexican|o, -a

México ['mejiko] *s.m.* México
mezcla ['meθkla] *s.f.* **1** mistura, mescla **2** (tecido) mescla **3** (raças) mistura, miscigenação, cruzamento*m.* **4** CIN., TV. mistura
mezclar [meθ'klar] *v.* **1** (ingredientes, materiais) misturar, mesclar **2** *(desordenar)* misturar, desordenar **3** *(involucrar)* envolver (en, em) ▪ **mezclarse 1** (coisas) misturar se **2** *(tener trato con)* misturar-se (con, com) **3** *(involucrarse)* envolver se (en, em)
mezquindad [meθkin̪'daδ] *s.f.* mesquinhez
mezquino [meθ'kino] *adj.* **1** *(avaro)* mesquinho, avarento, sovina **2** *(despreciable)* mesquinho, desprezível
mezquita [meθ'kita] *s.f.* mesquita
mi ['mi] *adj.poss.* [antes de *s.*] o meu, a minha; ⇒ **mío**; *éste es mi coche* este é o meu carro; *ésta es mi casa* esta é a minha casa ▪ *s.m.* mi ▪ *s.f.* (letra grega) mi*m.*
mí ['mi] *pron.pess.* mim; *no te olvides de mí* não se esqueça de mim; *lo he traído para mí* trouxe o para mim; *a mí me gusta la playa* eu gosto da praia ♦ **¡a mí!** socorro!; *col.* **¡a mí qué!** e eu com isso!; **para mí que** parece-me que; **por mí** por mim; da minha parte
miau ['mjaw] *s.m.* **1** miau, miado **2** *infant. (gato)* miau, bichan|o, -a*m.f.*
micción [mik'θjon] *s.f.* micção
michelín [mitʃe'lin] *s.m. fig.* (gordura) pneu
micosis [mi'kosis] *s.f.2n.* micose
micro ['mikro] *s.m. col. (micrófono)* micro
microbio [mi'kroβjo] *s.m.* micróbio
microbiología [mikroβjolo'xia] *s.f.* microbiologia
microchip [mikro'tʃip] *s.m.* microchip
microclima [mikro'klima] *s.m.* microclima
microcosmos ['mikro'kozmos] *s.m.2n.* microcosmo
microeconomía [mikroekono'mia] *s.f.* microeconomia
micrófono [mi'krofono] *s.m.* microfone
microondas [mikro'on̪das] *s.m.2n.* micro ondas
microordenador [mikro(o)rδena'δor] *s.m.* microcomputador
microorganismo [mikroorγa'nizmo] *s.m.* microrganismo
microprocesador [mikroproθesa'δor] *s.m.* microprocessador
microscópico [mikros'kopiko] *adj.* microscópico
microscopio [mikros'kopjo] *s.m.* microscópio
miedica [mje'δika] *s.2g. col.* medroso*m.*, covarde, bunda mole*col., pej.*
miedo ['mjeδo] *s.m.* **1** *(pavor)* medo, pavor; *morirse de miedo* morrer de medo; *tener miedo a* ter medo de **2** *(recelo)* medo, receio; *tener miedo de que* ter medo de que, ter receio de ♦ (filme) **de miedo 1** de terror **2** *col.* extraordinário
miedoso [mje'δoso] *adj.* medroso
miel ['mjel] *s.f.* mel*m.* ♦ *col.* **dejar con la miel en los labios** deixar com água na boca; **miel sobre hojuelas** vir mesmo a calhar

miembro ['mjembro] *s.m.* **1** ANAT. membro; *miembro inferior/superior* membro inferior/superior **2** (associação, coletividade) membro; *miembros del jurado* membros do júri **3** MAT. membro
mientras ['mjen̪tras] *adv.* enquanto ♦ **mientras que** enquanto; **mientras tanto** entretanto
miércoles ['mjerkoles] *s.m.2n.* quarta feira*f.*, quarta*f.*; *el miércoles pasado* na quarta-feira passada; *el miércoles por la mañana/tarde/noche* na quarta de manhã/à tarde/à noite; *el próximo miércoles* na próxima quarta-feira; *hoy es miércoles* hoje é quarta-feira; *los miércoles* às quartas; *todos los miércoles* todas as quartas feiras ♦ **Miércoles de Ceniza** Quarta-Feira de Cinzas
mies ['mjes] *s.f.* messe, cereal*m.* maduro ▪ **mieses** *s.f.pl.* seara
miga ['miγa] *s.f.* **1** (pão) miolo*m.* **2** *(migaja)* migalha **3** *col.* substância; conteúdo*m.* ▪ **migas** *s.f.pl.* CUL. migas*pl.* ♦ **hacer buenas/malas migas** dar-se bem/mal; entender-se bem/mal
migaja [mi'γaxa] *s.f.* **1** migalha **2** *fig.* pequena porção
migración [miγra'θjon] *s.f.* **1** (pessoas) migração **2** (animais) arribação, migração
migraña [mi'γraɲa] *s.f.* enxaqueca
migratorio [miγra'torjo] *adj.* migratório
mil ['mil] *num.* mil ♦ *col.* **a las mil y quinientas** lá pelas tantas; a altas horas da noite; **ponerse de mil colores** ficar de todas as cores; **te lo he dicho más de mil veces** já te disse mais de mil vezes
milagro [mi'laγro] *s.m.* milagre; *hacer milagros* fazer milagres ♦ **de milagre** por milagre
milagroso [mila'γroso] *adj.* milagroso
milano [mi'lano] *s.m.* milhafre
milenario [mile'narjo] *adj.* milenar, milenário
milenio [mi'lenjo] *s.m.* milênio
milésim|o, -a [mi'lesimo] *num.* milésim|o, -a
mili ['mili] *s.f. col.* tropa, serviço*m.* militar; *hacer la mili* ir à tropa
milicia [mi'liθja] *s.f.* milícia
miligramo [mili'γramo] *s.m.* miligrama
mililitro [mili'litro] *s.m.* mililitro
milímetro [mi'limetro] *s.m.* milímetro
militancia [mili'tan̪θja] *s.f.* militância
militante [mili'tan̪te] *s.2g.* militante
militar [mili'tar] *v.* militar ▪ *adj.2g.* militar; *servicio militar* serviço militar ▪ *s.2g.* militar
militarismo [milita'rizmo] *s.m.* militarismo
militarista [milita'rista] *adj.,s.2g.* militarista
milla ['miʎa] *s.f.* milha
millar [mi'ʎar] *s.m.* milhar
millón [mi'ʎon] *num.* milhão ♦ **millones de veces** um milhão de vezes
millonada [miʎo'naδa] *s.f. col.* (dinheiro) fortuna, dinheirão*m.*, bolada*col.*
millonari|o, -a [miʎo'narjo] *adj.,s.m.,f.* milionári|o, -a
mimado [mi'maδo] *adj.* mimado
mimar [mi'mar] *v.* **1** mimar, acariciar, paparicar **2** (criança) mimar

mimbre ['mimbre] *s.m./f.* **1** BOT. vimeiro*m.* **2** (ramo) verga*f.*, vime*m.*; ***cesta de mimbre*** cesta de vime
mimesis [mi'mesis], **mímesis** ['mimesis] *s.f.2n.* mimese, imitação
mímica ['mimika] *s.f.* mímica
mímico ['mimiko] *adj.* mímico
mimo ['mimo] *s.m.* **1** *(caricia)* mimo, carinho, carícia*f.* **2** *(consentimiento)* mimo **3** TEAT. mímica*f.* ■ *s.2g.* TEAT. mimo
mimosa [mi'mosa] *s.f.* mimosa
mimoso [mi'moso] *adj.* **1** *(mimado)* mimado, mimalho **2** *(cariñoso)* meigo, carinhoso
mina ['mina] *s.f.* **1** *(yacimiento, excavación)* mina; ***mina de carbón*** mina de carvão **2** (lapiseira) mina **3** (explosivo) mina; ***mina antipersonal*** mina antipessoal ♦ **ser una mina de oro** ser uma mina de ouro
mineral [mine'ral] *adj.2g.* mineral; ***agua mineral*** água mineral; ***sales minerales*** sais minerais ■ *s.m.* mineral
mineralogía [mineralo'xia] *s.f.* mineralogia
mineralogista [mineralo'xista] *s.2g.* mineralogista
miner|o, -a [mi'nero] *adj.,s.m.,f.* mineir|o, -a
mini ['mini] *s.f.* minissaia
miniatura [minja'tura] *s.f.* miniatura ♦ **en miniatura** em miniatura
minifalda [mini'fa̦lda] *s.f.* minissaia
minigolf [mini'ɣolf] *s.m.* minigolfe
mínima ['minima] *s.f.* (temperatura) mínima
minimalismo [minima'lizmo] *s.m.* minimalismo
minimalista [minima'lista] *adj.,s.2g.* minimalista
minimizar [minimi'θar] *v.* minimizar
mínimo ['minimo] (*superl. de* pequeño) *adj.* mínimo ■ *s.m.* mínimo ♦ **como mínimo** no mínimo; **ni lo más mínimo** nada; **mínimo común múltiplo** mínimo múltiplo comum
minin|o, -a [mi'nino] *s.m.,f. col.* (gato) bichan|o, -a
miniserie [mini'serje] *s.f.* minissérie
ministerial [ministe'rjal] *adj.2g.* ministerial
ministerio [minis'terjo] *s.m.* ministério ♦ **Ministerio de Asuntos Exteriores** Ministério das Relações Exteriores; **Ministerio de Defensa** Ministério da Defesa; **Ministerio de Educación** Ministério da Educação; **Ministerio Fiscal/Público** Ministério Público; **Ministerio de Hacienda** Ministério da Fazenda; **Ministerio de Sanidad** Ministério da Saúde
ministr|o, -a [mi'nistro] *s.m.,f.* ministr|o, -a; ***ministro sin cartera*** ministro sem pasta; ***primer ministro*** primeiro ministro
minoría [mino'ria] *s.f.* minoria ♦ **estar en minoría** estar em/ser minoria; **minoría de edad** menoridade; **minoría étnica** minoria étnica
minorista [mino'rista] *adj.2g.* (comércio) retalhista ■ *s.2g.* retalhista
minoritario [minori'tarjo] *adj.* minoritário
minucia [mi'nuθja] *s.f.* minúcia
minucioso [minu'θjoso] *adj.* minucioso
minuendo [mi'nwe̦ndo] *s.m.* diminuendo
minúscula [mi'nuskula] *s.f.* (letra) minúscula
minúsculo [mi'nuskulo] *adj.* minúsculo
minusvalía [minuzβa'lia] *s.f.* **1** (bem) desvalorização **2** (pessoa) deficiência, incapacidade; ***personas con minusvalía*** pessoas com deficiência
minusválid|o, -a [minuz'βaliðo] *adj.,s.m.,f.* deficiente*2g.*
minuta [mi'nuta] *s.f.* **1** *(factura)* conta; (de advogado) honorários*m. pl.* **2** *(borrador)* minuta, rascunho*m.* **3** (restaurante) cardápio*m.*, menu*m.*
minutero [minu'tero] *s.m.* (relógio) ponteiro dos minutos
minuto [mi'nuto] *s.m.* minuto
mí|o, -a ['mio] *adj.poss.* [depois de *s.*] meu, minha; ⇒ **mi**; ***¡Dios mío!*** meu Deus!; ***es una amiga mía*** é uma amiga minha ■ *pron.poss.* meu, minha; ***este perro es mío*** este cão é meu; ***esta falda es mía*** esta saia é minha ♦ *col.* **ésta es la mía** esta é a minha oportunidade, este é o momento certo
miocardio [mjo'karðjo] *s.m.* miocárdio
miope ['mjope] *adj.,s.2g.* míope
miopía [mjo'pia] *s.f.* miopia
mira ['mira] *s.f.* **1** (arma) mira **2** *fig.* intenção, intuito*m.*, objetivo*m.* ■ *interj.* olha! ♦ **con miras a** com vista a; **ser estrecho de miras** ter horizontes curtos
mirada [mi'raða] *s.f.* **1** olhar*m.* **2** olhadela, olhada; ***echar una mirada a*** dar uma olhada em
mirado [mi'raðo] *adj.* **1** prudente **2** cuidadoso ♦ **bien mirado** bem visto
mirador [mira'ðor] *s.m.* **1** miradouro, mirante **2** *(balcón con cristales)* marquise*f.* **3** (edifício) belveder
mirar [mi'rar] *v.* **1** *(observar)* olhar **2** *(buscar)* procurar **3** *(examinar)* ver, examinar **4** *(estar orientado)* dar (a/hacia, para) ■ **mirarse** olhar-se ♦ **¡mira!** olha!; **mira quién habla** olha quem fala; **mirar por** olhar por
mirilla [mi'riʎa] *s.f.* (porta) olho*m.* mágico, vigia
mir|ón, -ona [mi'ron] *adj.,s.m.,f.* **1** mirone*2g.*, espectador, -a **2** *col., pej. (curioso)* mirone*2g.*
mirra ['mira] *s.f.* mirra
mirto ['mirto] *s.m.* murta*f.*, mirto
misa ['misa] *s.f.* missa; ***misa de campaña*** missa campal; ***misa de cuerpo presente*** missa de corpo presente; ***misa de difuntos*** missa de réquiem; ***misa del gallo*** missa do galo; ***misa del séptimo día*** missa de sétimo dia ♦ *col.* **esto va a misa** acredite que é como lhe digo; *col.* **no saber de la misa la media/la mitad** não saber da missa a metade
misantropía [misa̦ntro'pia] *s.f.* misantropia
miscelánea [misθe'lanea] *s.f.* **1** miscelânea, mistura **2** (obra) miscelânea
miserable [mise'raβle] *adj.2g.* miserável
miseria [mi'serja] *s.f.* miséria
misericordia [miseri'korðja] *s.f.* misericórdia
misericordioso [miserikor'ðjoso] *adj.* misericordioso
mísero ['misero] *adj.* mísero
misil [mi'sil], **mísil** ['misil] *s.m.* míssil
misión [mi'sjon] *s.f.* **1** *(encargo)* missão, encargo*m.* **2** *(deber moral)* missão, obrigação **3** REL. missão

misioner|o, -a [misjo'nero] *s.m.,f.* missionári|o, -a
misiva [mi'siβa] *s.f.* missiva, carta
mism|o, -a [mizmo] *adj.indef.* **1** mesm|o, -a; ***está en el mismo curso*** está no mesmo ano; ***no son las mismas chicas*** não são as mesmas garotas **2** [depois de *s.*] própri|o, -a, mesm|o, -a; ***el ministro mismo lo explicó*** foi o próprio ministro que o explicou ■ *pron.indef.* mesm|o, -a; ***ese libro no es el mismo*** esse livro não é o mesmo; ***me parecen los mismos*** parecem me os mesmos; ***es siempre lo mismo*** é sempre a mesma coisa ■ *adv.* mesmo; ***ahora mismo he llegado*** cheguei agora mesmo; ***me quedo aquí mismo*** fico aqui mesmo ■ *adj.* (reflexivo) mesmo, próprio; ***sólo piensas en ti mismo*** você só pensa em si; ***yo mismo le enseño la casa*** eu mesmo lhe mostro a casa ♦ **lo mismo que** tanto como
miss [mis] *s.f.* (*pl.* misses) miss
míster ['mister] *s.m.* **1** *gír.* (futebol) míster, treinador **2** (concurso de beleza) míster
misterio [mis'terjo] *s.m.* mistério, enigma
misterioso [miste'rjoso] *adj.* misterioso
mística ['mistika] *s.f.* mística
misticismo [misti'θizmo] *s.m.* misticismo
místico ['mistiko] *adj.* místico
mitad [mi'taδ] *s.f.* **1** metade; ***a mitad de precio*** a metade do preço; ***partir algo por la mitad*** partir alguma coisa pela metade **2** *(medio)* meio*m.*; ***a mitad del camino*** a meio do caminho ♦ **a mitad de** a meio de; **en mitad de** no meio de; **la mitad de las veces** a maior parte das vezes; **mitad por mitad** a meias; **mitad y mitad** meio a meio
mitin ['mitin] *s.m.* comício
mito ['mito] *s.m.* mito
mitología [mitolo'xia] *s.f.* mitologia
mitológico [mito'loxiko] *adj.* mitológico
mitral [mi'tral] *adj.2g.* mitral ■ *s.f.* ANAT. mitral
mixto ['miksto] *adj.* **1** misto; ***sándwich mixto*** misto-quente **2** (escola, equipe) misto ■ *s.m.* fósforo
mixtura [miks'tura] *s.f.* mistura
mobiliario [moβi'ljarjo] *adj.* mobiliário ■ *s.m.* mobília*f.*, mobiliário
moca ['moka] *s.m.* (café) moca
mocasín [moka'sin] *s.m.* mocassim
mocedad [moθe'δaδ] *s.f.* mocidade, juventude
mochales [mo'tʃales] *adj.2g.2n.* *col.* tolo, doido, louco
mochila [mo'tʃila] *s.f.* mochila
mocho ['motʃo] *adj.* (torre) sem ponta ■ *s.m.* **1** (vassoura) cabo **2** *col.* esfregona*f.* **3** *col.* cachola*f.*
mochuelo [mo'tʃwelo] *s.m.* **1** mocho **2** *col.* fardo; frete ♦ *col.* **cada mochuelo a su olivo** cada macaco no seu galho
moción [mo'θjon] *s.f.* moção, proposta
moco ['moko] *s.m.* **1** muco nasal **2** *col.* porre, bebedeira*f.*, pileque; ***coger un moco*** tomar um porre ♦ *col.* **llorar a moco tendido** chorar rios de lágrimas
mocos|o, -a [mo'koso] *s.m.,f.* *col.* fedelh|o, -a, pirralh|o, -a ■ *adj.* ranhoso
moda ['moδa] *s.f.* moda; ***estar de moda*** estar na moda; ***estar pasado de moda*** estar fora de moda; ***la última moda*** a última moda
modal [mo'δal] *adj.2g.* modal
modalidad [moδali'δaδ] *s.f.* modalidade
modelar [moδe'lar] *v.* modelar
modelo [mo'δelo] *s.m.* modelo ■ *s.2g.* modelo, manequim; ***pase de modelos*** desfile de moda
módem ['moδem] *s.m.* modem
moderación [moδera'θjon] *s.f.* moderação, comedimento*m.*
moderado [moδe'raδo] *adj.* moderado, comedido
moderador, -a [moδera'δor] *s.m.,f.* moderador, -a
moderar [moδe'rar] *v.* moderar ■ **moderarse** moderar-se, controlar-se
modernidad [moδerni'δaδ] *s.f.* modernidade
modernismo [moδer'nizmo] *s.m.* modernismo
modernista [moδer'nista] *adj.,s.2g.* modernista
modernización [moδerniθa'θjon] *s.f.* modernização
modernizar [moδerni'θar] *v.* modernizar ■ **modernizarse** modernizar-se
moderno [mo'δerno] *adj.* moderno
modestia [mo'δestja] *s.f.* modéstia ♦ **modestia aparte** modéstia à parte
modesto [mo'δesto] *adj.* modesto
modificación [moδifika'θjon] *s.f.* modificação
modificador [moδifika'δor] *adj.* modificador
modificar [moδifi'kar] *v.* modificar ■ **modificarse** modificar-se
modismo [mo'δizmo] *s.m.* modismo
modista [mo'δista] *s.f.* modista
modist|o, -a [mo'δisto] *s.m.,f.* **1** costureir|o, -a **2** (moda) estilista*2g.*, costureiro*m.*
modo ['moδo] *s.m.* **1** *(manera)* modo, maneira*f.* **2** LING. modo; ***modo indicativo*** modo indicativo; ***modo subjuntivo*** modo subjuntivo ■ **modos** *s.m.pl.* modos ♦ **de modo que** de modo que; **de ningún modo** de modo nenhum; **de todos modos** de qualquer modo; **en cierto modo** de certo modo
módulo ['moδulo] *s.m.* módulo
mofa ['mofa] *s.f.* gozação, mofa; ***hacer mofa de algo*** fazer gozação de alguma coisa
mofarse [mo'farse] *v.* gozar (de, de), zombar (de, de)
mogollón [moγo'ʎon] *s.m.* **1** *col.* montão, monte **2** *col.* confusão*f.*, algazarra*f.*, tumulto ■ *adv.* muito, bastante ♦ *col.* **a mogollón** aos montes; *col.* **mogollón de** um monte de
mohín [mo'in] *s.m.* trejeito
moho ['moo] *s.m.* bolor, mofo
mohoso [mo'oso] *adj.* bolorento, mofento
moisés [moj'ses] *s.m.2n.* berço portátil, moisés
mojado [mo'xaδo] *adj.* molhado
mojar [mo'xar] *v.* molhar ■ **mojarse** molhar-se
moje ['moxe] *s.m.* molho (de um ensopado)
mojigatería [moxiγate'ria] *s.f.* hipocrisia
mojigat|o, -a [moxi'γato] *adj.,s.m.,f.* hipócrita*2g.*

mojón [mo'xon] *s.m.* marco, baliza*f.*
molar [mo'lar] *v. col.* ser legal, ser maneiro ▪ *adj.2g.* molar
molde ['molde] *s.m.* **1** molde **2** (bolo, pudim) forma*f.*
moldura [mol'dura] *s.f.* **1** ARQ. moldura **2** (quadro) moldura, caixilho*m.*
mole ['mole] *s.f.* **1** (massa, construção) mole **2** (pessoa) brutamontes*2g.2n.pej.*
molécula [mo'lekula] *s.f.* molécula
molecular [moleku'lar] *adj.2g.* molecular
moler [mo'ler] *v.* **1** (grãos, frutos) moer, triturar **2** (surra) bater, sovar, espancar **3** (cansaço) fatigar, estafar **4** *(molestar)* maçar
molestar [moles'tar] *v.* **1** *(importunar)* incomodar, importunar; *¿estoy molestando?* estou incomodando? **2** *(fastidiar)* chatear **3** *(ofender)* melindrar ▪ **molestarse 1** incomodar-se **2** *(ofenderse)* melindrar se **3** *(tomarse el trabajo)* dar-se ao trabalho; *no se moleste* não se dê ao trabalho
molestia [mo'lestja] *s.f.* **1** *(malestar)* moléstia, mal-estar*m.* **2** *(incomodidad)* incômodo*m.*, transtorno*m.*
molesto [mo'lesto] *adj.* **1** incomodativo **2** incomodado **3** chateado
molido [mo'liδo] *adj.* **1** (café, cereal) moído, triturado **2** *fig.* (pessoa) cansado, estafado
molienda [mo'ljenda] *s.f.* moagem
moliner|o, -a [moli'nero] *s.m.,f.* moleir|o, -a
molinete [moli'nete] *s.m.* **1** (porta giratória) molinete **2** (brinquedo) cata-vento **3** *(ventilador)* molinete, ventilador (ventoinha colocada numa janela)
molinillo [moli'niʎo] *s.m.* moinho; *molinillo de café* moinho de café
molino [mo'lino] *s.m.* moinho; *molino de agua/viento* moinho de água/vento
molla ['moʎa] *s.f.* **1** (carne) fêvera **2** (pão) miolo*m.* **3** *col.* banha, pneu*m.*
molleja [mo'ʎexa] *s.f.* (aves) moela
mollera [mo'ʎera] *s.f.* **1** *col.* mioleira, juízo*m.* **2** ANAT. moleirinha ♦ **cerrado de mollera** tapado, bronco; **duro de mollera** cabeça-dura
molusco [mo'lusko] *s.m.* molusco
momentáneo [momen'taneo] *adj.* momentâneo
momento [mo'mento] *s.m.* **1** *(instante)* momento, instante **2** *(ocasión)* momento, ocasião*f.* ♦ **al momento** no momento; **de momento** por enquanto; **en otro momento** em outra hora
momia ['momja] *s.f.* múmia
momificación [momifika'θjon] *s.f.* mumificação
mona ['mona] *s.f.* **1** ⇒ **mono 2** *col.* porre*m.*, bebedeira, pileque*m.*; *pillar/coger una mona* tomar um porre ♦ *col.* **cabrearse como una mona** ficar como uma barata; *col.* **dormir la mona** dormir depois de uma bebedeira; *col.* **mandar a freír monas** mandar pentear macacos
monacal [mona'kal] *adj.2g.* monacal
Mónaco ['monako] *s.m.* Mônaco
monada [mo'naδa] *s.f.* **1** *(cosa bonita)* gracinha **2** *(monería)* macacada, palhaçada **3** (bebê) gracinha
monaguillo [mona'γiʎo] *s.m.* sacristão, acólito
monarca [mo'narka] *s.m.* monarca
monarquía [monar'kia] *s.f.* monarquia
monárquic|o, -a [mo'narkiko] *adj.,s.m.,f.* monárquic|o, -a
monarquismo [monar'kizmo] *s.m.* monarquismo
monasterio [monas'terjo] *s.m.* mosteiro
monástico [mo'nastiko] *adj.* monástico
monda ['monda] *s.f.* casca (tirada de fruto, tubérculo); *monda de las patatas* casca das batatas ♦ *col.* **ser la monda** ser muito engraçado/divertido
mondadientes [monda'δjentes] *s.m.2n.* palito (para limpar os dentes)
mondar [mon'dar] *v.* (fruto, tubérculo) descascar, pelar ♦ **mondarse de risa** acabar-se de tanto rir
mondo ['mondo] *adj.* limpo
moneda [mo'neδa] *s.f.* moeda; *moneda corriente* moeda corrente; *moneda única* moeda única ♦ **pagar con la misma moneda** pagar na mesma moeda; *col.* **ser moneda corriente** ser habitual
monedero [mone'δero] *s.m.* porta-moedas*2n.*
monería [mone'ria] *s.f.* **1** macacada **2** (criança) gracinha
monetario [mone'tarjo] *adj.* monetário
mongólic|o, -a [mon'goliko] *adj.,s.m.,f.* mongoloide*2g.*
mongolismo [mongo'lizmo] *s.m.* mongolismo
mongoloide [mongo'lojδe] *adj.2g.* mongoloide
monitor, -a [moni'tor] *s.m.,f.* monitor, -a ▪ **monitor** *s.m.* **1** monitor **2** INFORM. monitor
monitorización [monitoriθa'θjon] *s.f.* monitorização
monja ['monxa] *s.f.* freira, monja
monje ['monxe] *s.m.* monge
mon|o, -a ['mono] *s.m.,f.* macac|o, -a ▪ *adj. col.* lindo, bonito ▪ **mono** *s.m.* **1** (vestuário de trabalho) macacão **2** *col.* (drogas) síndrome*f.* de abstinência ♦ *col.* **mono de imitación** maria vai com as outras*2g.2n.*
monocultivo [monokul'tiβo] *s.m.* monocultura*f.*
monogamia [mono'γamja] *s.f.* monogamia
monógamo [mo'noγamo] *adj.* (pessoa, animal) monógamo
monografía [monoγra'fia] *s.f.* monografia
monográfico [mono'γrafiko] *adj.* monográfico
monograma [mono'γrama] *s.m.* monograma
monolingüe [mono'lingwe] *adj.2g.* monolíngue
monolito [mono'lito] *s.m.* monólito
monólogo [mo'noloγo] *s.m.* monólogo, solilóquio ♦ **monólogo interior** monólogo interior
monomio [mo'nomjo] *s.m.* MAT. monômio
monoparental [monoparen'tal] *adj.2g.* monoparental
monopatín [monopa'tin] *s.m.* skate, esqueite
monoplano [mono'plano] *s.m.* monoplano
monoplaza [mono'plaθa] *adj.2g.,s.m.* (veículo) um só assento
monopolio [mono'poljo] *s.m.* monopólio
monopolista [monopo'lista] *adj.,s.2g.* monopolista
monosilábico [monosi'laβiko] *adj.* monossilábico

monosílabo [mono'silaβo] *adj.,s.m.* monossílabo
monoteísmo [monote'izmo] *s.m.* monoteísmo
monoteísta [monote'ista] *adj.,s.2g.* monoteísta
monotonía [monoto'nia] *s.f.* monotonia
monótono [mo'notono] *adj.* monótono
monovalente [monoβa'lente] *adj.2g.* (elemento) monovalente
monóxido [mo'noksiðo] *s.m.* monóxido ♦ **monóxido de carbono** monóxido de carbono
monserga [mon'serγa] *s.f.* **1** lenga-lenga, ladainha **2** *col.* chatice
monstruo ['monstrwo] *s.m.* monstro
monstruosidad [monstrwosi'ðað] *s.f.* monstruosidade
monstruoso [mons'trwoso] *adj.* monstruoso
monta ['monta] *s.f.* valor*m.*, importância; *de poca monta* de pouca importância
montacargas [monta'karγas] *s.m.2n.* monta cargas
montado [mon'taðo] *adj.* **1** (polícia, soldado) montado **2** (aparelho, máquina) montado, armado **3** (creme de leite, claras) batido ■ *s.m.* sanduíche
montaje [mon'taxe] *s.m.* montagem*f.*
montante [mon'tante] *s.m.* *(suma)* montante, soma*f.*
montaña [mon'taɲa] *s.f.* montanha ♦ **hacer una montaña de un grano de arena** fazer de alguma coisa um bicho de sete cabeças, fazer tempestade num copo d'água; **montaña rusa** montanha-russa
montañer|o, -a [monta'ɲero] *s.m.,f.* montanhista*2g.* ■ *adj.* de montanha
montañismo [monta'ɲizmo] *s.m.* montanhismo
montañoso [monta'ɲoso] *adj.* montanhoso
montar [mon'tar] *v.* **1** (animais) montar; *montar a caballo* montar a cavalo **2** (peças) montar, armar **3** (festa) preparar; *montar una fiesta* preparar uma festa **4** (negócio) montar, abrir **5** CIN.,TV.,TEAT. montar
monte ['monte] *s.m.* **1** monte **2** *(bosque)* floresta*f.*, bosque **3** *(terreno inculto)* mato
montepío [monte'pio] *s.m.* montepio
montera [mon'tera] *s.f.* monteira, carapuça
montés [mon'tes] *adj.2g.* montês; *cabra montés* cabra-montês
montículo [mon'tikulo] *s.m.* montículo
montón [mon'ton] *s.m.* montão, monte; *un montón de* um montão de ♦ **del montón** de pouco valor, medíocre, comum; **gastar un montón** gastar muito
montura [mon'tura] *s.f.* **1** (animal) cavalgadura **2** *(arreos)* arreios*m. pl.* **3** *(silla de montar)* sela **4** (óculos) armação
monumental [monumen'tal] *adj.2g.* **1** monumental **2** *fig.* tremendo
monumento [monu'mento] *s.m.* monumento
moña ['moɲa] *s.f. col.* bebedeira, pileque*m.*, porre*m.*; *coger una moña* tomar um porre
moño ['moɲo] *s.m.* **1** (cabelo) coque, carrapito; *moño francés* banana **2** (ave) poupa*f.* ♦ *col.* **estar hasta el moño** estar farto
moquero [mo'kero] *s.m. col.* lenço (para assoar o nariz)
moqueta [mo'keta] *s.f.* carpete*m.*
mora ['mora] *s.f.* amora
morada [mo'raða] *s.f.* moradia, residência
morado [mo'raðo] *adj.* **1** (cor) roxo **2** (olho) negro, preto ■ *s.m.* **1** (cor) roxo **2** *col.* pisadura*f.* ♦ *col.* **pasarlas moradas** comer o pão que o diabo amassou; (pessoa) **ponerse morado** empanturrar-se
morador, -a [mora'ðor] *s.m.,f.* morador, -a, residente*2g.*
moradura [mora'ðura] *s.f.* nódoa negra, pisadura
moral [mo'ral] *adj.2g.* moral ■ *s.f.* **1** (ética) moral **2** *(ánimo)* moral*m.*; *levantar la moral* levantar o moral ■ *s.m.* amoreira*f.* ♦ *col.* **comer la moral a alguien** desanimar alguém
moraleja [mora'lexa] *s.f.* moral (conto, fábula, etc.), moralidade
moralidad [morali'ðað] *s.f.* moralidade
moralina [mora'lina] *s.f.* falsa moral
moralismo [mora'lizmo] *s.m.* moralismo
moralista [mora'lista] *s.2g.* moralista
moralización [moraliθa'θjon] *s.f.* moralização
moratón [mora'ton] *s.m. col.* nódoa*f.* negra, pisadura*f.*
mórbido ['morβiðo] *adj.* **1** suave; delicado **2** MED. mórbido
morbosidad [morβosi'ðað] *s.f.* **1** morbosidade **2** excitação; curiosidade mórbida
morboso [mor'βoso] *adj.* mórbido
mordaz [mor'ðaθ] *adj.2g.* mordaz
mordaza [mor'ðaθa] *s.f.* **1** mordaça; *poner una mordaza a alguien* pôr uma mordaça em alguém **2** (construção) grampo*m.*
mordedura [morðe'ðura] *s.f.* mordida
morder [mor'ðer] *v.* morder ♦ *col.* **estar (alguien) que muerde** ser capaz de matar alguém, estar uma fera
mordida [mor'ðiða] *s.f.* **1** trinca, mordidela, mordedela **2** *col.* (dinheiro) suborno*m.*
mordisco [mor'ðisko] *s.m.* **1** dentada*f.*; mordidela*f.* **2** *(trozo)* bocado **3** (negócio) lucro
morena [mo'rena] *s.f.* moreia
moren|o, -a [mo'reno] *s.m.,f.* **1** moren|o, -a **2** *col.* mulat|o, -a ■ *adj.* moreno, bronzeado; *ponerse moreno* bronzear se
moretón [more'ton] *s.m.* ⇒ **moratón**
morfema [mor'fema] *s.m.* morfema
morfina [mor'fina] *s.f.* morfina
morfología [morfolo'xia] *s.f.* morfologia
morfológico [morfo'loxiko] *adj.* morfológico
morfosintáctico [morfosin'taktiko] *adj.* morfossintático
morgue ['morγe] *s.f. col.* morgue
moribund|o, -a [mori'βundo] *adj.,s.m.,f.* moribund|o, -a
morir [mo'rir] *v.* morrer, falecer ■ **morirse** morrer ♦ **morirse de frío/hambre** morrer de frio/fome
morisco [mo'risko] *adj.* mourisco
morisqueta [moris'keta] *s.f.* careta

mor|o, -a ['moro] *adj.,s.m.,f.* mour|o,-a ◆ **haber moros en la costa** ter boi na linha
morosidad [morosi'ðað] *s.f.* **1** morosidade **2** lentidão, demora
moroso [mo'roso] *adj.* **1** caloteiro **2** moroso, lento
morralla [mo'raʎa] *s.f.* **1** (gente) gentalha, chusma, ralé **2** (coisas) entulho*m.*
morriña [mo'riɲa] *s.f. col.* saudade (especialmente da terra natal)
morro ['moro] *s.m.* **1** focinho **2** *col.* beiços*pl.* ◆ (beber) **a morro** no gargalo; **estar de morros** estar de cara feia; **poner morros** fazer bico; **por el morro** gratuitamente; **tener morro** ser cara de pau
morrocotudo [moroko'tuðo] *adj. col.* enorme, grande, tremendo; *llevarse un susto morrocotudo* levar um susto enorme
morsa ['morsa] *s.f.* morsa
morse ['morse] *s.m.* (código) morse
mortadela [morta'ðela] *s.f.* mortadela
mortaja [mor'taxa] *s.f.* **1** (cadáver) mortalha **2** [AM.] (tabaco) mortalha
mortal [mor'tal] *adj.,s.2g.* mortal
mortalidad [mortali'ðað] *s.f.* mortalidade; *tasa/índice de mortalidad* taxa de mortalidade
mortandad [mortan̪'dað] *s.f.* mortandade
mortecino [morte'θino] *adj.* (luz, cor, brilho) apagado, fraco
mortero [mor'tero] *s.m.* **1** (recipiente) morteiro, pilão **2** MIL. morteiro **3** *(argamasa)* argamassa*f.*
mortífero [mor'tifero] *adj.* mortífero
mortinat|o, -a [morti'nato] *s.m.,f.* natimort|o, -a
mortuorio [mor'tworjo] *adj.* mortuário, fúnebre
mosaico [mo'sajko] *s.m.* mosaico
mosca ['moska] *s.f.* mosca ◆ *col.* **aflojar/soltar la mosca** desembolsar (dinheiro); *col.* **con la mosca detrás de la oreja** com a pulga atrás da orelha; *col.* **estar mosca 1** estar desconfiado **2** estar aborrecido; *col.* (pessoa) **mosca muerta** mosca-morta; *col.* **no matar una mosca** não fazer mal a uma mosca; *col.* **no oírse una mosca** não se ouvir um pio; *col.* **por si las moscas** por via das dúvidas; *col.* **¿qué mosca te ha picado?** que bicho te mordeu?
moscarda [mos'karða] *s.f.* vareja
moscardón [moskar'ðon] *s.m.* **1** moscardo **2** *col.* (pessoa) mosca*f. fig.*, chat|o, -a*m.f.*
moscatel [moska'tel] *adj.2g.* (uva) moscatel ▪ *s.m.* (vinho) moscatel
mosquear [moske'ar] *v.* **1** *col.* deixar desconfiado **2** *col.* irritar ▪ **mosquearse 1** *col.* ficar desconfiado **2** *col.* irritar se
mosqueo [mos'keo] *s.m.* **1** *col.* suspeita*f.*; desconfiança*f.* **2** *col.* aborrecimento
mosquete [mos'kete] *s.m.* mosquete
mosquetero [moske'tero] *s.m.* mosqueteiro
mosquetón [moske'ton] *s.m.* (montanhismo) mosquetão
mosquita [mos'kita] *s.f.* mosquinha ◆ *col.* (pessoa) **mosquita muerta** mosca-morta
mosquitera [moski'tera] *s.f.* ⇒ **mosquitero**
mosquitero [moski'tero] *s.m.* mosquiteiro
mosquito [mos'kito] *s.m.* mosquito; melga*f.*
mostacho [mos'tatʃo] *s.m.* bigode (farfalhudo)
mostaza [mos'taθa] *s.f.* **1** (planta) mostardeira, mostarda **2** (molho) mostarda
mosto ['mosto] *s.m.* mosto
mostrador [mostra'ðor] *s.m.* (estabelecimento) balcão, mostrador
mostrar [mos'trar] *v.* **1** (atitude, sentimento) mostrar, indicar **2** *(enseñar)* expor, mostrar, apresentar ▪ **mostrarse** mostrar-se
mota ['mota] *s.f.* **1** partícula, grão*m.*; *mota de polvo* partícula de pó **2** *(pinta)* pinta, mancha **3** (tecido) nó*m.* **4** [AM.] marijuana
mote ['mote] *s.m.* apelido
motel [mo'tel] *s.m.* motel
motín [mo'tin] *s.m.* motim, amotinação*f.*
motivación [motiβa'θjon] *s.f.* **1** *(estímulo)* motivação **2** *(razón)* motivo*m.*
motivar [moti'βar] *v.* **1** *(causar)* motivar, causar, provocar **2** *(estimular)* motivar, estimular
motivo [mo'tiβo] *s.m.* **1** motivo, razão*f.*, causa*f.*; *no tener motivos para* não ter motivos para; *por motivos de fuerza mayor* por motivos de força maior **2** ART.PL., MÚS. motivo ◆ **con motivo de 1** *(en ocasión de)* por ocasião de **2** *(debido a)* devido a
moto ['moto] *s.f. col.* moto ◆ *col.* **como una moto** muito nervoso; **moto acuática** jet-ski; *col.* **vender la moto** vender o seu peixe
motocarro [moto'karo] *s.m.* triciclo motorizado (para cargas pequenas)
motocicleta [motoθi'kleta] *s.f.* motocicleta
motociclismo [motoθi'klizmo] *s.m.* motociclismo
motociclista [motoθi'klista] *s.2g.* motociclista
motociclo [moto'θiklo] *s.m.* motociclo
motocross [moto'kros] *s.m.* motocross
motor [mo'tor] *adj.* motor ▪ *s.m.* motor; *motor de búsqueda* motor de pesquisa; *motor de explosión* motor de explosão; *motor de reacción* motor de reação; *motor diésel* motor diesel/dísel
motora [mo'tora] *s.f.* lancha
motorismo [moto'rizmo] *s.m.* motociclismo
motorista [moto'rista] *s.2g.* motociclista, motoqueir|o, -a*m.f. col.*
motorizado [motori'θaðo] *adj.* motorizado
motosierra [moto'sjera] *s.f.* motosserra
motriz [mo'triθ] *adj.* motriz; *fuerza motriz* força motriz
mousse ['mus] *s.f.* mousse, musse; *mousse de chocolate* musse de chocolate
movedizo [moβe'ðiθo] *adj.* **1** movediço; *arenas movedizas* areia movediça **2** *fig.* inconstante, movediço
mover [mo'βer] *v.* mover, mexer ▪ **moverse** mover-se
movible [mo'βiβle] *adj.2g.* movível, móvel
movida [mo'βiða] *s.f. col.* animação

movido [mo'βiδo] *adj.* **1** (dia) agitado **2** (pessoa) ativo **3** (reunião, festa) animado, concorrido **4** (fotografia) tremido

móvil ['moβil] *adj.2g.* móvel, móbil ■ *s.m.* **1** celular **2** *(motivo)* motivo, causa*f.*, móbil **3** (objeto decorativo) móbil

movilidad [moβili'δaδ] *s.f.* mobilidade

movilización [moβiliθa'θjon] *s.f.* mobilização

movimiento [moβi'mjento] *s.m.* movimento ◆ **movimiento de rotación** movimento de rotação; **movimiento de traslación** movimento de translação

Mozambique [moθam'bike] *s.m.* Moçambique

mozambiqueñ|o, -a [moθambi'keɲo] *adj.,s.m.,f.* moçambican|o, -a

moz|o, -a ['moθo] *s.m.,f.* moç|o, -a, jovem*2g.* ■ *adj.* moço ■ **mozo** *s.m.* **1** *(camarero)* empregado **2** MIL. recruta **3** (estação) carregador, moço de fretes, transportador

mozón [mo'θon] *adj.* **1** mocetão **2** [PER.] pândego

mozzarella [motsa'rela] *s.f.* mozarela

mu ['mu] *s.m.* mugido ◆ *col.* **no decir ni mu** não dar um pio, não abrir a boca

muchacha [mu'tʃatʃa] *s.f.* empregada doméstica

muchachada [mutʃa'tʃaδa] *s.f.* **1** (ação, dito) criancice, graçola **2** (grupo) rapaziada, garotada

muchach|o, -a [mu'tʃatʃo] *s.m.,f.* menin|o, -a; garot|o, -a

muchedumbre [mutʃe'δumbre] *s.f.* **1** (pessoas) multidão **2** (coisas) monte*m.* (de, de), pilha (de, de)

much|o, -a ['mutʃo] *adj.indef.* muit|o, -a; *hay mucha comida* há muita comida; *tengo muchos amigos* tenho muitos amigos ■ *pron.indef.* muit|o, -a; *muchos desistieron* muitos desistiram; *suerte, no tiene mucha* sorte, não tem muita ■ *adv.* **1** muito, em grande quantidade; *trabajan mucho* trabalham muito **2** (comparativo) muito; *así es mucho mejor* assim é muito melhor!; *eres mucho mayor que ella* você é muito mais velho do que ela ◆ **como mucho** quando muito; no máximo; **ni con mucho** nem de longe; **ni mucho menos** de maneira nenhuma; **por mucho que** por mais que

mucosa [mu'kosa] *s.f.* mucosa

mucosidad [mukosi'δaδ] *s.f.* mucosidade, muco*m.*

muda ['muδa] *s.f.* muda

mudanza [mu'δanθa] *s.f.* mudança

mudar [mu'δar] *v.* mudar ■ **mudarse 1** (de casa) mudar se **2** (de roupa) mudar ◆ **mudar** [+*de*] mudar [+*de*]; *mudar de opinión* mudar de opinião

mudez [mu'δeθ] *s.f.* mudez

mud|o, -a ['muδo] *s.m.,f.* mud|o, -a ■ *adj.* **1** mudo **2** *fig.* calado

mueble ['mweβle] *s.m.* móvel; *mueble bar* bar; *mueble camisero* camiseiro ■ **muebles** *s.m.pl.* mobília*f.*, móveis*pl.*

mueca ['mweka] *s.f.* careta; *hacer muecas* fazer caretas

muela ['mwela] *s.f.* **1** ANAT. molar*m.* **2** (dentadura) dente*m.*; *dolor de muelas* dor de dentes **3** (moinho) mó, pedra de moinho **4** (para afiar) mó, pedra de amolar ◆ **muela del juicio** dente do siso

muelle ['mweʎe] *s.m.* **1** (peça elástica) mola*f.*; *colchón de muelles* colchão de molas **2** (porto) cais*2n.*, molhe **3** *(dársena)* doca*f.* **4** (estação) cais*2n.* ■ *adj.2g.* sossegado

muermo ['mwermo] *s.m.* **1** *col.* *(aburrimiento)* tédio; *(somnolencia)* sonolência*f.* **2** *col.* (coisa) chatice*f.* **3** *col.* (pessoa) chat|o, -a*m.f.*

muerte ['mwerte] *s.f.* morte ◆ **a muerte** até à morte; *col.* **de la muerte** genial, estupendo; **de mala muerte** de quinta categoria; *col.* **de muerte** de morte; *un susto de muerte* um susto de morte; ESPOR. **muerte súbita** morte súbita

muert|o, -a ['mwerto] *s.m.,f.* mort|o, -a ■ (*p.p. de* morir) *adj.* **1** morto **2** *fig., col.* morto, cansado ◆ **estar muerto por** estar morto de; **estar muerto y enterrado** estar morto e enterrado; **hacer el muerto** boiar (de costas); **hacerse el muerto** fazer-se de morto; **no tener dónde caerse muerto** não ter onde cair morto

muestra ['mwestra] *s.f.* **1** (produto, mercadoria) amostra **2** *(prueba)* prova, sinal*m.* **3** *(exposición)* mostra, exposição **4** (estatística) amostra, amostragem

muestrario [mwes'trarjo] *s.m.* mostruário

muestreo [mwes'treo] *s.m.* **1** (estatística) amostragem*f.* **2** *(sondeo)* sondagem*f.*

mugido [mu'xiδo] *s.m.* mugido

mugir [mu'xir] *v.* (animal bovídeo) mugir

mugre ['muγre] *s.f.* sujidade (especialmente de aspecto gorduroso)

mugriento [mu'γrjento] *adj.* **1** *(lleno de mugre)* ensebado, gorduroso **2** *(muy sucio)* sebento, sujo

mujer [mu'xer] *s.f.* (*m.* hombre) **1** mulher **2** *(esposa)* mulher, esposa ◆ **mujer de la limpieza** faxineira; **mujer de su casa** dona de casa

mujeriego [muxe'rjeγo] *adj.* mulherengo

mujerío [muxe'rio] *s.m.* mulherio

mujerona [muxe'rona] *s.f.* **1** mulher alta e corpulenta **2** matrona, respeitável

mula ['mula] *s.f.* mula

mulat|o, -a [mu'lato] *adj.,s.m.,f.* mulat|o, -a

muleta [mu'leta] *s.f.* **1** (para andar) muleta **2** TAUR. muleta

muletilla [mule'tiʎa] *s.f.* (conversa) bordão*m.*

mullido [mu'ʎiδo] *adj.* (colchão) mole, fofo

mulo ['mulo] *s.m.* mulo

multa ['multa] *s.f.* multa

multar [mul'tar] *v.* multar, autuar

multicolor [multiko'lor] *adj.2g.* multicor, multicolor

multicultural [multikultu'ral] *adj.2g.* multicultural

multidisciplinar [multiδisθipli'nar] *adj.2g.* multidisciplinar

multiforme [multi'forme] *adj.2g.* multiforme

multilateral [multilate'ral] *adj.2g.* multilateral

multimedia [multi'meδja] *adj.,s.m.2n.* multimídia

multimillonari|o, -a [multimiʎo'narjo] *adj.,s.m.,f.* multimilionári|o, -a

multinacional [multinaθjo'nal] *adj.2g.,s.f.* multinacional

múltiple ['mul̥tiple] *adj.2g.* múltiplo; ***elección múltiple*** múltipla escolha
multiplicable [mul̥tipli'kaβle] *adj.2g.* multiplicável
multiplicación [mul̥tiplika'θjon] *s.f.* multiplicação
multiplicador [mul̥tiplika'ðor] *adj.,s.m.* multiplicador
multiplicando [mul̥tipli'kan̪do] *s.m.* multiplicando
multiplicar [mul̥tipli'kar] *v.* multiplicar ▪ **multiplicarse** multiplicar-se
multiplicativo [mul̥tiplika'tiβo] *adj.* (numeral) multiplicativo
multiplicidad [mul̥tipliθi'ðað] *s.f.* multiplicidade, diversidade, variedade
múltiplo ['mul̥tiplo] *adj.,s.m.* (número) múltiplo ♦ **mínimo común múltiplo** mínimo múltiplo comum
multirracial [mul̥tira'θjal] *adj.2g.* multirracial
multirriesgo [mul̥ti'rjezγo] *adj.2g.* multirrisco; ***seguro multirriesgo*** seguro contra todos os riscos
multitud [mul̥ti'tuð] *s.f.* multidão
multiuso [mul̥ti'uso] *adj.2g.2n.* multiúso
mundano [mun̪'dano] *adj.* mundano
mundial [mun̪'djal] *adj.2g.* mundial; ***guerras mundiales*** guerras mundiais ▪ *s.m.* mundial; ***mundial de fútbol*** copa do mundo, mundial de futebol
mundialización [mun̪djaliθa'θjon] *s.f.* mundialização, globalização
mundillo [mun̪'diʎo] *s.m.* círculo, meio, mundo
mundo ['mun̪do] *s.m.* mundo ♦ *col.* **desde que el mundo es mundo** desde que o mundo é mundo; **el mundo es un pañuelo** o mundo é pequeno; **el otro mundo** o outro mundo; **no ser nada del otro mundo** não ser nada de outro mundo; *col.* **hacer un mundo de algo** dar demasiada importância a alguma coisa, fazer tempestade em copo d'água; **tener mucho mundo** ter muita experiência; **Tercer mundo** Terceiro Mundo; **todo el mundo** toda a gente; *col.* **venírse el mundo encima** vir o mundo abaixo; **ver mundo** correr mundo
munición [muni'θjon] *s.f.* munição
municipal [muniθi'pal] *adj.2g.* municipal ▪ *s.2g.* polícia municipal
municipio [muni'θipjo] *s.m.* **1** município, concelho **2** assembleia*f.* municipal
muñeca [mu'ɲeka] *s.f.* **1** pulso*m.* **2** ⇒ **muñeco**
muñec|o, -a [mu'ɲeko] *s.m.,f.* bonec|o, -a; ***muñeca de trapo*** boneca de trapos; ***muñeco de peluche*** boneco de pelúcia; ***jugar con muñecas*** brincar de bonecas ▪ **muñeco** *s.m. pej.* boneco, fantoche ♦ **muñeco de nieve** boneco de neve
muñequera [muɲe'kera] *s.f.* munhequeira
muñón [mu'ɲon] *s.m.* (membro amputado) coto
mural [mu'ral] *s.m.* mural
muralla [mu'raʎa] *s.f.* muralha
Murcia ['murθja] *s.f.* Múrcia
murcian|o, -a [mur'θjano] *adj.,s.m.,f.* murcian|o, -a
murciélago [mur'θjelaγo] *s.m.* morcego
murmullo [mur'muʎo] *s.m.* murmurinho
murmuración [murmura'θjon] *s.f.* maledicência, má-língua
murmurar [murmu'rar] *v.* murmurar ♦ (pessoa ausente) **murmurar de** falar mal de
muro ['muro] *s.m.* muro
murria ['murja] *s.f. col.* saudade, tristeza, melancolia
murrio ['murjo] *adj. col.* triste, melancólico
musa ['musa] *s.f.* musa
musaraña [musa'raɲa] *s.f.* musaranho*m.* ♦ *col.* **pensar en las musarañas** pensar na morte da bezerra
musculación [muskula'θjon] *s.f.* musculação
muscular [musku'lar] *adj.2g.* muscular
musculatura [muskula'tura] *s.f.* musculatura
músculo ['muskulo] *s.m.* músculo
musculoso [musku'loso] *adj.* **1** musculoso **2** (pessoa) musculado
muselina [muse'lina] *s.f.* musselina
museo [mu'seo] *s.m.* museu
musgo ['muzγo] *s.m.* musgo
música ['musika] *s.f.* música; ***música ambiental*** música ambiente; ***música clásica*** música clássica; ***música de cámara*** música de câmara; ***música de fondo*** música de fundo; ***música ligera*** música ligeira ♦ *col.* **irse con la música a otra parte** ir pregar em outra freguesia
musical [musi'kal] *adj.2g.* musical ▪ *s.m.* (filme, espetáculo) musical
musicalidad [musikali'ðað] *s.f.* musicalidade
músic|o, -a ['musiko] *s.m.,f.* músic|o, -a
muslo ['muzlo] *s.m.* coxa*f.*
mustio ['mustjo] *adj.* **1** (planta) murcho **2** *fig.* (pessoa) murcho, triste, melancólico **3** [MÉX.] (pessoa) hipócrita
musulm|án, -ana [musul'man] *adj.,s.m.,f.* muçulman|o, -a
mutabilidad [mutaβili'ðað] *s.f.* mutabilidade
mutación [muta'θjon] *s.f.* mutação
mutante [mu'tan̪te] *adj.,s.2g.* mutante
mutilación [mutila'θjon] *s.f.* mutilação
mutilado [muti'laðo] *adj.* mutilado
mutilar [muti'lar] *v.* mutilar ▪ **mutilarse** mutilar-se
mutuamente [mutwa'men̪te] *adv.* mutuamente
mutuo ['mutwo] *adj.* mútuo, recíproco; ***por mutuo acuerdo*** de comum acordo
muy ['mwi] *adv.* muito ♦ **por muy** [+ *adj.*] **que** por mais [+ *adj.*] que

---

muy é a forma apocopada de *mucho*, usada antes de expressões adjetivas ou adverbiais: *es muy difícil* é muito difícil; *están muy bien* estão muito bem.

N

n ['ene] *s.f.* (letra) n*m.* ♦ *col.* **n veces** n vezes
nabiza [na'βiθa] *s.f.* nabiça, broto de nabo
nabo ['naβo] *s.m.* nabo
nácar ['nakar] *s.m.* madrepérola*f.*, nácar
nacer [na'θer] *v.* **1** (ser animado) nascer; *nací el 15 de marzo* nasci no dia 15 de março **2** (vegetal) nascer, rebentar, germinar, brotar **3** (Sol, astro) aparecer (no horizonte), nascer **4** (água) nascer, brotar **5** (ideias, sentimentos, arte) nascer, ter origem, principiar **6** (causa) nascer, derivar, provir **7** (cabelo, pelo, penas) nascer, aparecer, surgir ♦ **al nacer** ao nascer; *col.* **nacer para** nascer para, ter aptidão natural para; **volver a nacer** nascer de novo
nacido [na'θiδo] *adj.* nascido; *recién nacido* recém-nascido
naciente [na'θjente] *adj.2g.* nascente ▪ *s.m.* nascente, levante
nacimiento [naθi'mjento] *s.m.* **1** nascimento **2** (rio) nascente*f.* **3** *(belén)* presépio **4** *fig.* nascimento, começo, aparecimento, origem*f.* ♦ **de nacimiento** de nascença; *es ciego de nacimiento* é cego de nascença
nación [na'θjon] *s.f.* nação ♦ **Naciones Unidas** Nações Unidas
nacional [naθjo'nal] *adj.2g.* nacional
nacionalidad [naθjonali'δaδ] *s.f.* nacionalidade; *tener doble nacionalidad* ter dupla nacionalidade
nacionalismo [naθjona'lizmo] *s.m.* nacionalismo
nacionalista [naθjona'lista] *adj.,s.2g.* nacionalista
nacionalización [naθjonaliθa'θjon] *s.f.* **1** (pessoas) naturalização, nacionalização **2** ECON. nacionalização
nacionalizar [naθjonali'θar] *v.* **1** (pessoa) naturalizar, nacionalizar **2** (empresa, serviço) nacionalizar ▪ **nacionalizarse** (pessoa) naturalizar-se, nacionalizar-se
nada ['naδa] *pron.indef.* nada; *no entiendo nada* não percebo nada ▪ *adv.* nada; *no la veo nada contenta* ela não está nem um pouco contente ▪ *s.f.* nada*m.*; *empezar de la nada* começar do nada ♦ **antes de nada** antes de mais nada; *col.* **como si nada** como se nada tivesse acontecido; **de eso nada** nada disso; (agradecimento) **de nada** de nada; **nada más** somente, mais nada; **nada menos** nada menos; **no pasa nada** não há problema, não faz mal; **no tener nada que ver** não ter nada a ver; *col.* **para nada** de modo nenhum; **por nada del mundo** por nada deste mundo
nadador, -a [naδa'δor] *s.m.,f.* nadador, -a
nadar [na'δar] *v.* **1** nadar; *nadar a braza/espalda* nadar de bruços/de costas **2** (líquido) flutuar, boiar, nadar **3** (roupa) ficar a nadar*fig.*, ficar largo **4** *fig.* nadar (en, em); *el empresario nadaba en dinero* o empresário nadava em dinheiro
nadería [naδe'ria] *s.f.* ninharia, bagatela
nadie ['naδje] *pron.indef.* ninguém; *no he visto a nadie* não vi ninguém ▪ *s.m.* ninguém ♦ **nadie más** mais ninguém; **ser un don nadie** ser um zé-ninguém
nado ['naδo] ♦ **a nado** a nado
nafta ['nafta] *s.f.* **1** QUÍM. nafta **2** [AM.] gasolina
naftalina [nafta'lina] *s.f.* naftalina
nailon ['najlon] *s.m.* náilon, nylon
naipe ['najpe] *s.m.* carta*f.* (do baralho) ▪ **naipes** *s.m.pl.* baralho, cartas*f. pl.*
naja ['naxa] *s.f.* naja ♦ [ESP.] *col.* **salir/darse de naja** dar à sola
nalga ['nalγa] *s.f.* nádega ▪ **nalgas** *s.f.pl.* nádegas*pl.*, traseiro*m.*
nana ['nana] *s.f.* **1** *infant.* canção de ninar **2** *col.* vovó, avozinha **3** [AM.] babá ♦ *infant.* **hacer nana** dormir
nanay [na'naj] *interj. col.* não!; nem pensar!
nao ['nao] *s.f.* nau
napa ['napa] *s.f.* napa
napias ['napjas] *s.f.pl. col.* nariz*m.* grande
naranja [na'raŋxa] *s.f.* laranja ▪ *adj.2g.2n.,s.m.* (cor) laranja, cor*2n.* de laranja ♦ *col.* **media naranja** cara-metade; *col.* **¡naranjas (de la China)!** não!; nem pensar!
naranjada [naraŋ'xaδa] *s.f.* laranjada
naranjo [na'raŋxo] *s.m.* laranjeira*f.*
narcisismo [narθi'sizmo] *s.m.* narcisismo
narcisista [narθi'sista] *adj.,s.2g.* narcisista
narciso [nar'θiso] *s.m.* **1** (planta) narciso **2** (pessoa) narcisista*2g.*
narcótico [nar'kotiko] *adj.,s.m.* narcótico
narcotraficante [narkotrafi'kante] *s.2g.* narcotraficante, traficante
narcotráfico [narko'trafiko] *s.m.* tráfico de drogas, narcotráfico
nardo ['narδo] *s.m.* nardo
narigón [nari'γon] *adj.* narigudo
narigudo [nari'γuδo] *adj.* narigudo
narina [na'rina] *s.f.* narina
nariz [na'riθ] *s.f.* **1** nariz*m.*; *nariz aguileña/respingona* nariz aquilino/arrebitado **2** (sentido) nariz*m.*, olfato*m.* ♦ *col.* **asomar las narices** meter o nariz; *col.* **dar en la nariz/las narices** desconfiar; ter um palpite; *col.* **darle a alguien con la puerta en las narices** dar/bater com o nariz na porta; *col.* **darse de narices con alguien** dar de caras com alguém; *col.* **en las narices de alguien** nas barbas de alguém; *col.* **estar hasta las narices** estar farto; *col.* **hinchársele/inflársele las narices** irritar-se, zangar-se; *col.* **meter la nariz/las narices en algo** meter o nariz onde não é chamado; *col.* **no ver más allá de sus narices** não enxergar um palmo à frente do nariz; *col.*

por narices à força; *col.* **tocar las narices** chatear; importunar; *col.* **tocarse las narices** não fazer nada
narizón [nari'θon] *adj. col.* narigudo
narizotas [nari'θotas] *s.2g.2n.* narigud|o, -a*m.f.*
narración [nara'θjon] *s.f.* narração
narrador, -a [nara'ðor] *s.m.,f.* narrador, -a
narrar [na'rar] *v.* **1** narrar, contar, relatar **2** (jogo) comentar
narrativa [nara'tiβa] *s.f.* narrativa
narrativo [nara'tiβo] *adj.* narrativo
nasa ['nasa] *s.f.* puçá, cesto de pesca
nasal [na'sal] *adj.2g.* nasal
nasalización [nasaliθa'θjon] *s.f.* nasalização
nata ['nata] *s.f.* **1** (leite) nata **2** (creme) chantilly*m.*, natas*pl.*; ***café con nata*** café com chantilly; ***fresas con nata*** morangos com chantilly, morangos com creme de leite
natación [nata'θjon] *s.f.* natação
natal [na'tal] *adj.2g.* natal

> Não confundir com a palavra em português **Natal** (*Navidad*).

natalicio [nata'liθjo] *adj. (del día del nacimiento)* natalício ▪ *s.m.* dia do nascimento
natalidad [natali'ðað] *s.f.* natalidade; ***índice/tasa de natalidad*** taxa de natalidade
natillas [na'tiʎas] *s.f.pl.* creme*m.* (doce de ovos, leite e açúcar)
nativ|o, -a [na'tiβo] *adj.,s.m.,f.* nativ|o, -a
nato ['nato] *adj.* **1** nato, congênito **2** (cargo, título) nato
natural [natu'ral] *adj.2g.* **1** natural; ***fenómenos naturales*** fenômenos naturais; ***zumo natural*** suco natural **2** *(nativo)* natural (de, de), oriundo (de, de); ***ser natural de*** ser natural de ▪ *s.m.* **1** *(carácter)* feitio, caráter, natural **2** *(nativo)* natural ♦ **al natural** ao natural
naturaleza [natura'leθa] *s.f.* natureza ♦ **naturaleza muerta** natureza-morta; **por naturaleza** por natureza
naturalidad [naturali'ðað] *s.f.* naturalidade
naturalismo [natura'lizmo] *s.m.* naturalismo
naturalista [natura'lista] *adj.,s.2g.* naturalista
naturalización [naturaliθa'θjon] *s.f.* naturalização
naturismo [natu'rizmo] *s.m.* naturismo
naturista [natu'rista] *adj.,s.2g.* naturista
naufragar [nawfra'γar] *v.* **1** (embarcação) naufragar, afundar **2** (tripulante) naufragar, sofrer naufrágio **3** *fig.* (assunto, negócio) naufragar, fracassar, malograr
naufragio [naw'fraxjo] *s.m.* naufrágio
náufrag|o, -a ['nawfraγo] *s.m.,f.* náufrag|o, -a
náusea ['nawsea] *s.f.* **1** náusea, enjoo*m.* **2** *fig.* nojo*m.*, asco*m.*, repugnância
nauseabundo [nawsea'βundo] *adj.* nauseabundo
náutica ['nawtika] *s.f.* náutica
náutico ['nawtiko] *adj.* náutico
navaja [na'βaxa] *s.f.* **1** navalha; (pequena) canivete*m.* **2** *(cuchilla de afeitar)* navalha **3** (molusco) navalha
navajada [naβa'xaða] *s.f.* navalhada
navajazo [naβa'xaθo] *s.m.* navalhada*f.*
navajer|o, -a [naβa'xero] *s.m.,f.* navalhista*2g.*
naval [na'βal] *adj.2g.* naval
Navarra [na'βara] *s.f.* Navarra
nave ['naβe] *s.f.* **1** *(embarcación)* barco*m.*; navio*m.*; embarcação; nau **2** (veículo) nave; ***nave espacial*** nave espacial **3** ARQ. nave **4** (edifício) pavilhão*m.*; *(almacén)* armazém*m.* (grande)
navegable [naβe'γaβle] *adj.2g.* navegável
navegación [naβeγa'θjon] *s.f.* navegação ♦ **navegación aérea** navegação aérea; **navegación costera** navegação costeira; **navegación de altura** navegação em alto-mar; **navegación por Internet** navegação na Internet
navegador, -a [naβeγa'ðor] *adj.,s.m.,f.* navegador, -a ▪ **navegador** *s.m.* INFORM. navegador, browser
navegante [naβe'γante] *adj.,s.2g.* navegante
navegar [naβe'γar] *v.* navegar ♦ **navegar por Internet** navegar na Internet
Navidad [naβi'ðað] *s.f.* Natal*m.*; ***¡feliz Navidad!*** feliz Natal!
navideño [naβi'ðeɲo] *adj.* natalício, do Natal
navier|o, -a [na'βjero] *s.m.,f.* proprietári|o, -a de um navio; armador, -a ▪ *adj.* de navegação
navío [na'βio] *s.m.* navio
nazi ['naθi] *adj.,s.2g.* nazista
nazismo [na'θizmo] *s.m.* nazismo
NBA *sigla* (Asociación Nacional de Baloncesto) NBA (Associação Nacional de Basquetebol)
neblina [ne'βlina] *s.f.* neblina
nebulizador [neβuliθa'ðor] *s.m.* nebulizador
nebulosa [neβu'losa] *s.f.* ASTRON. nebulosa
nebulosidad [neβulosi'ðað] *s.f.* nebulosidade
nebuloso [neβu'loso] *adj.* **1** (céu) nublado, enevoado, nebuloso **2** *fig.* nebuloso, vago
necedad [neθe'ðað] *s.f.* **1** estupidez **2** disparate*m.*
necesariamente [neθesarja'mente] *adv.* necessariamente
necesario [neθe'sarjo] *adj.* necessário ♦ **ser necesario (que)** [+*inf.*] ser preciso/necessário (que) [+*inf.*]; **si fuera/fuese necesario** se for/fosse necessário
neceser [neθe'ser] *s.m.* nécessaire
necesidad [neθesi'ðað] *s.f.* necessidade ▪ **necesidades** *s.f.pl.* necessidades*pl.* ♦ **de primera necesidad** de primeira necessidade; **hacer sus necesidades** fazer as necessidades; **no hay necesidad de** não há necessidade de; não é necessário/preciso; **no tener necesidad de** escusar; não ter necessidade de; **pasar necesidades** passar necessidades; **por necesidad** por necessidade; **sin necesidad de** sem necessidade de
necesitad|o, -a [neθesi'taðo] *adj.,s.m.,f.* necessitad|o, -a
necesitar [neθesi'tar] *v.* precisar (-, de), necessitar (-, de); ***necesito dinero*** preciso de dinheiro ♦ **se necesita** é preciso

neci|o, -a ['neθjo] *adj.,s.m.,f.* nésci|o, -a, ignorante*2g.*
necrofilia [nekro'filja] *s.f.* **1** atração/gosto*m.* pela morte **2** necrofilia
necrófil|o, -a [ne'krofilo] *adj.,s.m.,f.* necrófil|o, -a
necrofobia [nekro'foβja] *s.f.* necrofobia
necrología [nekrolo'xia] *s.f.* **1** necrologia **2** *(obituario)* obituário*m.*, necrologia
necrosis [ne'krosis] *s.f.2n.* necrose
néctar ['nektar] *s.m.* néctar
nectarina [nekta'rina] *s.f.* nectarina
neerland|és, -esa [ne(e)rlaŋ'des] *adj.,s.m.,f.* neerland|ês, -esa ▪ **neerlandés** *s.m.* (língua) neerlandês
nefasto [ne'fasto] *adj.* nefasto, funesto
negación [neγa'θjon] *s.f.* negação
negado [ne'γaδo] *adj. col.* incompetente, inapto, incapaz; ***ser negado para algo*** ser inapto para algo
negar [ne'γar] *v.* negar ▪ **negarse** negar-se (a, a), recusar se (a, a)
negativa [neγa'tiβa] *s.f.* negativa, recusa
negativismo [neγati'βizmo] *s.m.* negativismo
negativo [neγa'tiβo] *adj.* negativo ▪ *s.m.* negativo
negligencia [neγli'xeṇθja] *s.f.* negligência
negligente [neγli'xeṇte] *adj.,s.2g.* negligente
negociable [neγo'θjaβle] *adj.2g.* negociável
negociación [neγoθja'θjon] *s.f.* negociação
negociado [neγo'θjaδo] *s.m.* [ESP.] repartição*f.*, seção*f.*
negociador, -a [neγoθja'δor] *s.m.,f.* negociador, -a
negociante [neγo'θjaṇte] *s.2g.* negociante, comerciante
negociar [neγo'θjar] *v.* negociar
negocio [ne'γoθjo] *s.m.* **1** *(transacción)* negócio, transação*f.* **2** *(ocupación)* negócio, ocupação*f.* **3** *(establecimiento)* estabelecimento; *(tienda)* loja*f.*, casa*f.* comercial ▪ **negocios** *s.m.pl.* negócios ♦ **negocio redondo** negócio da China
negra ['neγra] *s.f.* semínima
negrita [ne'γrita] *s.f.* negrito*m.*
negritud [neγri'tuδ] *s.f.* negritude
negr|o, -a ['neγro] *s.m.,f.* (pessoa) negr|o, -a ▪ *adj.* **1** (cor) preto, negro **2** *(oscuro)* negro, escuro **3** (pessoa) negro **4** *col.* bronzeado, preto*fig.* ▪ **negro** *s.m.* (cor) preto, negro ♦ **en blanco y negro** em preto e branco; *col.* **pasarlas negras** passar as passas do Algarve; *col.* **trabajar como un negro** trabalhar como um mouro; **verse negro para hacer algo** ter muita dificuldade para fazer algo
nen|e, -a ['nene] *s.m.,f. col.* bebê*2g.*, neném*2g.*
neoclásic|o, -a [neo'klasiko] *adj.,s.m.,f.* neoclássic|o, -a
neolatino [neola'tino] *adj.* neolatino
neolítico [neo'litiko] *adj.* neolítico
neología [neolo'xia] *s.f.* neologia
neologismo [neolo'xizmo] *s.m.* neologismo
neón [ne'on] *s.m.* **1** QUÍM. néon **2** (aparelho) lâmpada*f.* de néon
neonazi [neo'naθi] *adj.,s.2g.* neonazista
neonazismo [neona'θizmo] *s.m.* neonazismo
neoplasia [neo'plasja] *s.f.* neoplasma*m.*
neoplastia [neo'plastja] *s.f.* neoplastia
nepotismo [nepo'tizmo] *s.m.* nepotismo
neptunio [nep'tunjo] *s.m.* netúnio
Neptuno [nep'tuno] *s.m.* Netuno
nervadura [nerβa'δura] *s.f.* nervura
nervio ['nerβjo] *s.m.* **1** ANAT. nervo **2** BOT. nervura*f.* **3** ARQ. nervura*f.* **4** (livro) nervura*f.* **5** *fig.* genica*f.*, garra*f.*, força*f.* ▪ **nervios** *s.m.pl.* **1** nervosismo **2** nervos; ***con los nervios a flor de piel*** com os nervos à flor da pele; ***estar al borde de un ataque de nervios*** estar à beira de um ataque de nervos; ***estar/ponerse de los nervios*** estar/ficar muito nervoso ♦ *col.* **de los nervios** doido; ***esa música me pone de los nervios*** essa música me deixa doida; *col.* (pessoa) **ser puro nervio** ser elétrico
nerviosismo [nerβjo'sizmo] *s.m.* nervosismo
nervioso [ner'βjoso] *adj.* nervoso; ***ponerse nervioso*** ficar nervoso; ANAT. ***sistema nervioso*** sistema nervoso
net ['net] *s.f. col. (Internet)* net, Internet
neto ['neto] *adj.* **1** nítido, claro, definido **2** (quantia, peso) líquido
neumático [new'matiko] *adj.* pneumático ▪ *s.m.* pneu; ***neumático de recambio/repuesto*** estepe, pneu sobressalente; ***neumático pinchado*** pneu furado
neumología [newmolo'xia] *s.f.* pneumologia
neumonía [newmo'nia] *s.f.* pneumonia
neura ['newra] *s.f.* **1** *col.* mania, obsessão **2** *col.* neura ▪ *adj.2g. col.* (pessoa) neurótico, nervoso
neuralgia [new'ralxja] *s.f.* nevralgia
neurálgico [new'ralxiko] *adj.* **1** nevrálgico **2** (lugar) principal; importante ♦ **punto neurálgico** ponto nevrálgico
neuritis [new'ritis] *s.f.2n.* nevrite
neurocirugía [newroθiru'xia] *s.f.* neurocirurgia
neurocirujan|o, -a [newroθiru'xano] *s.m.,f.* neurocirurgi|ão, -ã
neurología [newrolo'xia] *s.f.* neurologia
neurólog|o, -a [new'roloγo] *s.m.,f.* neurologista*2g.*
neurona [new'rona] *s.f.* neurônio*m.*
neuropatía [newropa'tia] *s.f.* neuropatia
neurosis [new'rosis] *s.f.2n.* neurose
neurótic|o, -a [new'rotiko] *s.m.,f.* neurótic|o, -a ▪ *adj.* **1** neurótico **2** *col.* maníaco
neutral [new'tral] *adj.2g.* **1** (pessoa) neutral, imparcial **2** (país) neutro, neutral
neutralidad [newtrali'δaδ] *s.f.* **1** (pessoa) neutralidade, imparcialidade **2** (país) neutralidade
neutralización [newtraliθa'θjon] *s.f.* neutralização
neutro ['newtro] *adj.* **1** neutro; ***color neutro*** cor neutra; ***champú/jabón neutro*** xampu/sabonete neutro **2** (emoção, sentimento) indiferente **3** (opinião) neutro, imparcial ▪ *s.m.* LING. neutro
neutrón [new'tron] *s.m.* neutrão
nevada [ne'βaδa] *s.f.* nevada
nevado [ne'βaδo] *adj.* nevado, coberto de neve
nevar [ne'βar] *v.* nevar
nevasca [ne'βaska] *s.f.* nevasca

nevazo [ne'βaθo] *s.m.* nevão

nevera [ne'βera] *s.f.* **1** geladeira **2** (recipiente) mala/caixa térmica

newton ['njuton] *s.m.* newton

nexo ['nekso] *s.m.* **1** nexo, ligação*f.*, conexão*f.* **2** LING. conector

ni ['ni] *conj.* nem; ***no bebe ni fuma*** não bebe nem fuma ▪ *adv.* nem; ***ni me acuerdes de ese episodio*** nem me lembre desse episódio ▪ *s.f.* (letra grega) ni*m.* ◆ **ni aun** nem; **ni aunque** nem que; **ni enterarse** nem se informar; **ni más ni menos** nem mais nem menos; **ni tanto ni tan poco** nem oito nem oitenta, nem tanto ao mar nem tanto à terra; **ni uno ni otro** nem um nem outro

Nicaragua [nika'raɣwa] *s.f.* Nicarágua

nicaragüense [nikara'ɣwense] *adj.,s.2g.* nicaraguense

nicho ['nitʃo] *s.m.* **1** (muro) nicho **2** (cemitério) gaveta*f.* ◆ **nicho de mercado** nicho de mercado; **nicho ecológico** nicho ecológico

nicotina [niko'tina] *s.f.* nicotina

nidada [ni'ðaða] *s.f.* ninhada (de aves)

nidal [ni'ðal] *s.m.* ninho (de galinhas)

nido ['niðo] *s.m.* **1** (aves, outros animais) ninho **2** (hospital, maternidade) berçário ◆ *col.* **caerse del nido** ser um anjinho

niebla ['njeβla] *s.f.* névoa; nevoeiro*m.*

nietastr|o, -a [nje'tastro] *s.m.,f.* filh|o, -a de entead|o, -a

niet|o, -a ['njeto] *s.m.,f.* net|o, -a

nieve ['njeβe] *s.f.* **1** neve **2** *cal.* (droga) coca, cocaína

nife ['nife] *s.m.* barisfera*f.*

Nigeria [ni'xerja] *s.f.* Nigéria

nigerian|o, -a [nixe'rjano] *adj.,s.m.,f.* nigerian|o, -a

nilón [ni'lon] *s.m.* ⇒ **nailon**

nimbo ['nimbo] *s.m.* **1** nimbo, auréola*f.* **2** MET. nimbo

nimiedad [nimje'ðaδ] *s.f.* insignificância, ninharia

nimio ['nimjo] *adj.* insignificante

ninfa ['niɱfa] *s.f.* **1** MIT. ninfa **2** ZOOL. ninfa, crisálida

ninfomaníaco [niɱfoma'niako] *adj.* ninfomaníaco

ningún [niŋ'gun] *adj.indef.* nenhum ◆ **de ningún modo** de modo nenhum

> ningún é a forma apocopada de *ninguno*, usada antes de substantivos masculinos no singular: *no hay ningún problema* não há problema nenhum.

ningun|o, -a [niŋ'guno] *adj.indef.* nenhum, -a; ***no tengo ninguna amiga*** não tenho nenhuma amiga; ***no tiene dinero ninguno*** não tem dinheiro nenhum ▪ *pron.indef.* nenhum, -a; ***he traído dulces; ¿no quieres ninguno?*** trouxe doces; não quer um/algum?

> Antes de substantivos masculinos no singular usa se ningún.

niña ['niɲa] *s.f.* **1** menina do olho*col.*, pupila **2** ⇒ **niño**

niñada [ni'ɲaða] *s.f.* criancice

niñat|o, -a [ni'ɲato] *s.m.,f.* **1** gabola*2g.* **2** *pej.* fedelh|o, -a, criançola*2g.*

niñera [ni'ɲera] *s.f.* babá

niñería [niɲe'ria] *s.f.* **1** *(chiquillada)* criancice, infantilidade, meninice **2** *(insignificancia)* ninharia, bagatela

niñez [ni'ɲeθ] *s.f.* infância, meninice

niñ|o, -a ['niɲo] *s.m.,f.* menin|o, -a, garot|o, -a, criança*f.*; ***niño prodigio*** menino prodígio ◆ **de niño** quando era criança; **la niña de los ojos (de alguien)** a menina dos olhos (de alguém); **Niño Jesús** Menino Jesus; **niño probeta** bebê de proveta

> Não confundir com a palavra em português ninho (*nido*).

niobio ['njoβjo] *s.m.* nióbio

nip|ón, -ona [ni'pon] *adj.,s.m.,f.* nipônic|o, -a

níquel ['nikel] *s.m.* níquel

niqui ['niki] *s.m.* camiseta*f.*, polo

nirvana [nir'βana] *s.m.* nirvana

níspero ['nispero] *s.m.* **1** (árvore) nespereira*f.* **2** (fruto) nêspera*f.*, magnório [LUS.]

nitidez [niti'ðeθ] *s.f.* **1** *(claridad)* nitidez, claridade, transparência **2** *(exactitud)* exatidão, precisão, nitidez

nítido ['nitiðo] *adj.* **1** (imagem) nítido **2** (água) transparente **3** (resposta) claro

nitrato [ni'trato] *s.m.* nitrato

nitro ['nitro] *s.m.* nitro, salitre

nitrógeno [ni'troxeno] *s.m.* nitrogênio

nitroglicerina [nitroɣliθe'rina] *s.f.* nitroglicerina

nivel [ni'βel] *s.m.* nível ◆ **a todos los niveles** em todos os níveis; **nivel de vida** nível de vida

nivelación [niβela'θjon] *s.f.* nivelamento*m.*

nivelar [niβe'lar] *v.* **1** (superfície) nivelar, aplanar **2** *(igualar)* nivelar, igualar ▪ **nivelarse** nivelar-se, igualar se

no ['no] *adv.* **1** (negação) não; ***no me gusta eso*** não gosto disso **2** (interrogação) não; ***puedo ir contigo, ¿no?*** posso ir com você, não? ▪ *s.m.* não; ***un no rotundo*** um não redondo ◆ **no más que** não mais do que; **no ya** não só; **¡que no!** não!, não e ponto-final!; **un no sé qué** um não sei quê

nobel ['noβel] *s.m.* (prêmio) nobel ▪ *s.2g.* (pessoa) nobel

nobiliario [noβi'ljarjo] *adj.* nobiliário

noble ['noβle] *adj.2g.* **1** nobre **2** (animal) fiel **3** QUÍM. nobre ▪ *s.2g.* nobre

nobleza [no'βleθa] *s.f.* **1** nobreza **2** (animal) fidelidade **3** *(generosidad)* generosidade

noche ['notʃe] *s.f.* noite ◆ **al caer la noche** ao cair da noite; **buenas noches** boa noite; **de la noche a la mañana** da noite para o dia, de um dia para o outro; **de noche todos los gatos son pardos** à noite todos os gatos são pardos; **noche de bodas** noite de núpcias; **pasar la noche en claro/blanco** passar a noite em claro/branco; **por la noche** à noite

Nochebuena [notʃe'βwena] *s.f.* noite de Natal

Nochevieja [notʃe'βjexa] *s.f.* véspera de Ano-Novo

noción [no'θjon] *s.f.* noção

nocivo [no'θiβo] *adj.* nocivo, prejudicial
noctámbul|o, -a [nok'tambulo] *s.m.,f.* notívag|o, -a ▪ *adj.* **1** (pessoa) notívago **2** (animal) noturno
nocturno [nok'turno] *adj.* noturno ▪ *s.m.* MÚS. noturno
nodriza [no'ðriθa] *s.f.* ama de leite
nódulo ['noðulo] *s.m.* nódulo
nogal [no'γal] *s.m.* nogueira*f.*
nómada ['nomaða] *adj.,s.2g.* nômade
nomadismo [noma'ðizmo] *s.m.* nomadismo
nombradía [nombra'ðia] *s.f.* fama, renome*m.*, celebridade
nombrado [nom'braðo] *adj.* famoso, renomado, célebre
nombramiento [nombra'mjento] *s.m.* **1** (cargo, função) nomeação*f.*, eleição*f.* **2** (documento) nomeação*f.*, provisão*f.*
nombrar [nom'brar] *v.* **1** (pessoa, coisa) nomear, denominar **2** (cargo, função) nomear, designar, eleger; *lo ha nombrado director* foi nomeado diretor
nombre ['nombre] *s.m.* **1** nome; *nombre artístico* nome artístico; *nombre de guerra* nome de guerra; *nombre de pila* prenome, nome de batismo **2** *(título)* nome, título, denominação*f.* **3** *(fama)* nome, fama*f.*, renome **4** LING. nome, substantivo; *nombre ambiguo* nome que pode ser usado como masculino ou como feminino; *nombre colectivo* nome coletivo; *nombre común* nome comum; *nombre propio* nome próprio ♦ **a nombre de** em nome de; *a nombre del director* em nome do diretor; **en (el) nombre de alguien** em nome de alguém; **llamar a las cosas por su nombre** chamar as coisas pelo nome; **nombre de usuario** login
nomenclátor [nomeŋ'klator] *s.m.* nomenclatura*f.*; relação*f.*; lista*f.*; catálogo
nomenclatura [nomeŋkla'tura] *s.f.* nomenclatura
nomeolvides [nomeol'βiðes] *s.f.2n.* (flor) miosótis*m./f.*
nómina ['nomina] *s.f.* **1** *(plantilla)* quadro*m.* do pessoal **2** *(sueldo)* ordenado*m.*, vencimento*m.*, salário*m.* **3** (documento) recibo*m.* de vencimento **4** *(lista)* lista, relação
nominación [nomina'θjon] *s.f.* (prêmio) nomeação
nominal [nomi'nal] *adj.2g.* nominal
nominalismo [nomina'lizmo] *s.m.* nominalismo
nominalista [nomina'lista] *adj.,s.2g.* nominalista
nominativo [nomina'tiβo] *adj.* **1** (cheque) nominal, nominativo **2** LING. (caso) nominativo ▪ *s.m.* LING. nominativo
non ['non] *adj.,s.m.* (número) ímpar ♦ **de non** sem par
nonagenari|o, -a [nonaxe'narjo] *s.m.,f.* nonagenári|o, -a
nonagésim|o, -a [nona'xesimo] *num.* nonagésim|o, -a
non|o, -a ['nono] *num.* ⇒ **noveno**
nordeste [nor'ðeste], **noreste** [no'reste] *s.m.* nordeste
nórdic|o, -a ['norðiko] *adj.,s.m.,f.* nórdic|o, -a ▪ **nórdico** *s.m.* edredom de penas
noria ['norja] *s.f.* **1** (máquina) nora **2** (parque de diversões) roda gigante
norma ['norma] *s.f.* norma, regra; *norma de conducta* regra de conduta; *normas de seguridad* normas de segurança
normal [nor'mal] *adj.2g.* normal
normalidad [normali'ðaδ] *s.f.* normalidade
normalización [normaliθa'θjon] *s.f.* normalização
normativa [norma'tiβa] *s.f.* regulamento*m.*
normativo [norma'tiβo] *adj.* normativo
nornordeste [nornor'ðeste], **nornoreste** [nornoreste] *s.m.* nor-nordeste
nornoroeste [nornoro'este] *s.m.* nor-noroeste
noroeste [noro'este] *s.m.* noroeste
nortada [nor'taða] *s.f.* (vento) nortada
norte ['norte] *s.m.* norte ♦ **norte magnético** norte magnético; **perder el norte** perder o norte
norteamerican|o, -a [norteameri'kano] *adj.,s.m.,f.* norte american|o, -a
norteñ|o, -a [nor'teɲo] *adj.,s.m.,f.* nortenh|o, -a
Noruega [no'rweγa] *s.f.* Noruega
norueg|o, -a [no'rweγo] *adj.,s.m.,f.* noruegu|ês, -esa ▪ **noruego** *s.m.* (língua) norueguês
nos ['nos] *pron.pess.* nos; *nos ha pedido un favor* pediu-nos um favor; *olvidémonos de eso* esqueçamo-nos disso; *ya nos conocía* já nos conhecia
nosotr|os, -as [no'sotros] *pron.pess.* nós; *no hables de nosotros* não fale de nós ♦ **con nosotr|os, -as** conosco
nostalgia [nos'talxja] *s.f.* nostalgia; saudade
nostálgico [nos'talxiko] *adj.* nostálgico
nota ['nota] *s.f.* **1** *(recado)* bilhete*m.*, recado*m.* **2** (impresso, manuscrito) nota, comentário*m.*; *nota a pie de página* nota de rodapé **3** *(apunte)* nota, apontamento*m.* **4** (exame, teste) nota; *sacar buenas notas* tirar boas notas **5** *(cuenta)* conta, fatura **6** MÚS. nota ♦ *col.* **dar la nota** chamar a atenção; **tomar (buena) nota de** tomar nota de
notabilidad [notaβili'ðaδ] *s.f.* **1** notabilidade **2** (pessoa) notabilidade, celebridade
notable [no'taβle] *adj.2g.* notável ▪ *s.m.* (nota escolar) muito bom
notación [nota'θjon] *s.f.* notação
notar [no'tar] *v.* **1** *(percibir)* notar, perceber **2** (sensação) notar, sentir ▪ **notarse** notar-se ♦ **hacer notar para** chamar a atenção para; **hacerse notar** fazer-se notar; chamar a atenção
notaría [nota'ria] *s.f.* **1** (ofício) notariado*m.* **2** (escritório) notário*m.*, cartório*m.*
notariado [nota'rjaðo] *s.m.* (cargo, conjunto) notariado
notarial [nota'rjal] *adj.2g.* notarial
notari|o, -a [no'tarjo] *s.m.,f.* notári|o, -a
noticia [no'tiθja] *s.f.* **1** *(información)* notícia, informação **2** *(conocimiento)* conhecimento*m.* **3** *(novedad)* notícia, novidade ▪ **noticias** *s.f.pl. col.* notícias*pl.*, noticiário*m.* ♦ **ser noticia** ser notícia
noticiario [noti'θjarjo] *s.m.* noticiário
notición [noti'θjon] *s.m. col.* (notícia) bomba*f.*
notificación [notifika'θjon] *s.f.* notificação
notificar [notifi'kar] *v.* **1** notificar **2** (notícia, acontecimento) notificar, comunicar
notoriedad [notorje'ðaδ] *s.f.* notoriedade

notorio [no'torjo] *adj.* **1** *(evidente)* notório, evidente, claro **2** *(conocido)* notório, conhecido, público

novatada [noβa'taδa] *s.f.* **1** trote*m.* **2** erro*m.* de principiante

novat|o, -a [no'βato] *s.m.,f.* **1** novat|o, -a **2** (curso superior) calour|o, -a ■ *adj.* novato

novecient|os, -as [noβe'θjentos] *num.* novecent|os, -as

novedad [noβe'δaδ] *s.f.* novidade ■ **novedades** *s.f.pl.* novidades*pl.*

novedoso [noβe'δoso] *adj.* novo, inovador; *novedosa tecnología* nova tecnologia

novel [no'βel] *adj.2g.* (pessoa) principiante, novato

novela [no'βela] *s.f.* **1** romance*m.*; *novela corta* novela; *novela histórica* romance histórico; *novela policíaca* romance policial; *col. novela rosa col.* romance água com açúcar **2** (rádio, televisão) novela, telenovela

novelesco [noβe'lesko] *adj.* **1** romanesco **2** novelesco

novelista [noβe'lista] *s.2g.* romancista

novelón [noβe'lon] *s.m. pej.* dramalhão

novena [no'βena] *s.f.* novena

noven|o, -a [no'βeno] *num.* non|o, -a

noventa [no'βenta] *num.* noventa

noviazgo [no'βjaθγo] *s.m.* **1** noivado **2** namoro

noviciado [noβi'θjaδo] *s.m.* noviciado

novici|o, -a [no'βiθjo] *s.m.,f.* **1** noviç|o, -a **2** (atividade) principiante*2g.*

noviembre [no'βjembre] *s.m.* novembro

novillada [noβi'ʎaδa] *s.f.* TAUR. novilhada

noviller|o, -a [noβi'ʎero] *s.m.,f.* **1** TAUR. toureador de novilhos **2** *col.* (aulas) gazeteir|o, -a

novill|o, -a [no'βiʎo] *s.m.,f.* novilh|o, -a ◆ *col.* (escola) **hacer novillos** matar aula

novi|o, -a ['noβjo] *s.m.,f.* **1** (antes de casar) namorad|o, -a **2** (para casar ou recém-casados) noiv|o, -a ◆ *col.* **quedarse compuesto y sin novio** ficar a ver navios

nubarrón [nuβa'ron] *s.m.* nuvem*f.* grande, escura e espessa ■ **nubarrones** *s.m.pl. fig.* problemas*pl.*, dificuldades*f. pl.*

nube ['nuβe] *s.f.* **1** nuvem **2** (olho) névoa **3** *fig.* nuvem; *nube de humo* nuvem de fumo; *nube de mosquitos* nuvem de mosquitos ◆ **caer de las nubes** cair das nuvens; (pessoa) **estar en las nubes** andar nas nuvens; (preço) **estar por las nubes** *col.* estar pela hora da morte, estar muito caro; **poner en/por/sobre las nubes** elogiar muito

nublado [nu'βlaδo] *adj.* (céu) nublado, enevoado, encoberto ■ *s.m.* nuvens*f. pl.*

nublar [nu'βlar] *v.* **1** (céu) nublar, encobrir **2** *fig.* (vista) turvar, nublar ■ **nublarse 1** (céu) nublar se **2** (vista) turvar se

nubosidad [nuβosi'δaδ] *s.f.* nebulosidade

nuboso [nu'βoso] *adj.* (céu) nublado, encoberto

nuca ['nuka] *s.f.* nuca

nuclear [nukle'ar] *adj.2g.* nuclear

núcleo ['nukleo] *s.m.* núcleo

nudillo [nu'δiʎo] *s.m.* nó (dos dedos)

nudismo [nu'δizmo] *s.m.* nudismo

nudista [nu'δista] *adj.,s.2g.* nudista

nudo ['nuδo] *s.m.* **1** *(lazo)* nó, laço; *nudo ciego/corredizo* nó cego/corredio; *nudo de la corbata* nó da gravata **2** (vias de comunicação) nó, cruzamento, entroncamento **3** (madeira) nó **4** *fig.* nó, vínculo, laço **5** (filme, novela, drama) clímax **6** NÁUT. (medida) nó ◆ **el nudo de la cuestión** o cerne da questão; **nudo en la garganta** nó na garganta

nudoso [nu'δoso] *adj.* nodoso

nuera ['nwera] *s.f.* ⟨*m.* yerno⟩ nora

nuestr|o, -a ['nwestro] *adj.poss.* noss|o, -a; *es nuestra ciudad* é a nossa cidade; *son amigos nuestros* são amigos nossos ■ *pron.poss.* noss|o, -a; *el libro es nuestro* o livro é nosso; *la casa es nuestra* a casa é nossa ◆ *col.* **esta es la nuestra** esta é a nossa oportunidade

nueva ['nweβa] *s.f.* nova, novidade, notícia ◆ **hacerse de nuevas** fazer-se desentendido

nueve ['nweβe] *num.* nove

nuevo ['nweβo] *adj.* novo ◆ **de nuevo** de novo; **estar como nuevo** estar como novo

nuez ['nweθ] *s.f.* **1** BOT. noz **2** ANAT. pomo*m.* de adão, maçã de adão*pop.* ◆ **nuez de especia/moscada** noz-moscada

nulidad [nuli'δaδ] *s.f.* nulidade

nulo ['nulo] *adj.* **1** nulo, inválido **2** (pessoa) inapto, nulo, inútil **3** (combate de boxe) nulo

numeración [numera'θjon] *s.f.* numeração

numerado [nume'raδo] *adj.* **1** numerado **2** (lugar) marcado

numerador [numera'δor] *s.m.* numerador

numeral [nume'ral] *adj.2g.* numeral ■ *s.m.* numeral; *numeral cardinal/ordinal* numeral cardinal/ordinal

numerar [nume'rar] *v.* numerar

numerari|o, -a [nume'rarjo] *s.m.,f.* funcionári|o, -a efetivo ■ *adj.* efetivo; do quadro; *profesor (no) numerario* professor (não) efetivo

numérico [nu'meriko] *adj.* numérico

número ['numero] *s.m.* **1** número; *número arábigo/romano* número árabe/romano; *número de teléfono* número de telefone; *número fraccionario* número fracionário; *número impar/par* número ímpar/par **2** (espetáculo) número **3** (calçado, vestuário) número, medida*f.*; *¿qué número calzas?* que número você calça? **4** (publicação periódica) número, exemplar **5** (sorteio, loteria) número **6** *col.* cena*f.*, escândalo*m.* **7** LING. número ◆ **en números redondos** em números redondos, aproximadamente; (conta bancária) **en números rojos** com saldo negativo; *col.* **hacer números** fazer as contas; **número de cuenta** número da conta bancária; **sin número** sem número

numerología [numerolo'xia] *s.f.* numerologia

numerólog|o, -a [nume'roloγo] *s.m.,f.* numerólog|o, -a

numeroso [nume'roso] *adj.* numeroso

nunca ['nuŋka] *adv.* **1** nunca, jamais; *nunca lo había visto* nunca o tinha visto **2** alguma vez; *¿tú sabes si nunca nos volveremos a encontrar?* sabes se alguma

vez voltaremos a nos encontrar? ♦ **nunca jamás** nunca mais, jamais; **nunca más** nunca mais
nupcial [nup'θjal] *adj.2g.* nupcial
nupcias ['nupθjas] *s.f.pl.* núpcias*pl.* ♦ **casarse en segundas nupcias** casar em segundas núpcias
nutria ['nutrja] *s.f.* lontra
nutrición [nutri'θjon] *s.f.* nutrição
nutricionista [nutriθjo'nista] *s.2g.* nutricionista
nutrido [nu'triδo] *adj.* **1** nutrido, alimentado **2** *fig.* cheio; abundante; muitos; ***nutrido de errores*** cheio de erros; ***nutrida biblioteca*** biblioteca vasta; ***nutridos aplausos*** muitos aplausos
nutriente [nu'trjente] *adj.2g.* nutriente, nutritivo ■ *s.m.* nutriente
nutrir [nu'trir] *v.* **1** *(alimentar)* nutrir, alimentar **2** *(abastecer)* abastecer (de, de) **3** *fig.* nutrir, revigorar ■ **nutrirse** nutrir-se (de, de), alimentar se (de, de)
nutritivo [nutri'tiβo] *adj.* nutritivo
nylon ['najlon] *s.m.* náilon, nylon

ñ ['eɲe] *s.f.* [décima quinta letra do alfabeto espanhol]
ñame ['ɲame] *s.m.* inhame
ñandú [ɲan'du] *s.m.* ema*f.*, nandu
ñaque ['ɲake] *s.m.* ninharia*f.*
ñato ['ɲato] *adj.* [AM.] (nariz) chato
ñoñería [ɲoɲe'ria] *s.f.* estupidez, bobeira, patetice
ñoñez [ɲo'ɲeθ] *s.f.* **1** *(sosería)* coisa desenxabida, insipidez **2** *(timidez)* acanhamento*m.*, timidez **3** *(ñoñería)* estupidez, parvoíce
ñoño ['ɲoɲo] *adj.* **1** *(soso)* chocho, desenxabido **2** *(tímido)* acanhado, tímido
ñu ['ɲu] *s.m.* gnu

O

o[1] ['o] *n.f.* (letra) o*m.* ♦ *col.* **no saber hacer la o con un canuto** ser burro como uma porta

o[2] ['o] *conj.* **1** (alternativa) ou; ou...ou; *o te vienes o te quedas* ou vai ou fica **2** (explicativa) ou; *un metro o cien centímetros* um metro ou cem centímetros ♦ **o sea** ou seja; isto é

oasis ['oasis] *s.m.2n.* oásis

obcecación [oβθeka'θjon] *s.f.* obcecação, teimosia

obcecado [oβθe'kaðo] *adj.* obcecado, cego *fig.*

obedecer [oβeðe'θer] *v.* **1** (pessoa) obedecer (-, a); *el hijo obedece al padre* o filho obedece ao pai **2** (lei, regra, ordem) obedecer (-, a), cumprir; *obedecer las leyes* obedecer às leis **3** (pessoa) obedecer **4** *(deberse)* dever-se (a, a); *¿a qué obedece esa actitud?* a que se deve essa atitude? **5** *(responder)* obedecer (a, a), responder (a, a); *el perro sólo obedece a su dueño* o cão só obedece ao dono

obediencia [oβe'ðjenθja] *s.f.* obediência

obediente [oβe'ðjente] *adj.2g.* obediente

obelisco [oβe'lisko] *s.m.* obelisco

obesidad [oβesi'ðað] *s.f.* obesidade, adipose

obeso [o'βeso] *adj.* obeso

obispal [oβis'pal] *adj.2g.* episcopal

obispo [o'βispo] *s.m.* bispo

óbito ['oβito] *s.m.* óbito, falecimento

obituario [oβi'twarjo] *s.m.* obituário

objeción [oβxe'θjon] *s.f.* objeção ♦ **objeción de conciencia** objeção de consciência

objetar [oβxe'tar] *v.* **1** objetar **2** (serviço militar) fazer objeção de consciência

objetividad [oβxetiβi'ðað] *s.f.* objetividade

objetivo [oβxe'tiβo] *adj.* objetivo ■ *s.m.* **1** *(fin)* objetivo, fim, propósito **2** FOT. objetiva *f.* **3** *(blanco)* alvo, mira *f.*

objeto [oβ'xeto] *s.m.* **1** *(cosa)* objeto; *objetos de arte* objetos de arte **2** *(fin)* objetivo, fim, propósito; *al/con objeto de* com o objetivo de; *tener por objeto* ter como objetivo **3** *(asunto)* objeto, assunto, tema **4** LING. complemento; *objeto directo/indirecto* complemento/objeto direto/indireto **5** FIL. objeto ♦ **objetos perdidos** achados e perdidos

objetor, -a [oβxe'tor] *s.m.,f.* objetor, -a ♦ **objetor de conciencia** objetor de consciência

oblicuo [o'βlikwo] *adj.* oblíquo

obligación [oβliγa'θjon] *s.f.* **1** *(deber)* obrigação, dever *m.*; *tener la obligación de hacer algo* ter a obrigação de fazer alguma coisa **2** *(tarea)* obrigação, tarefa **3** ECON. obrigação, título *m.* de crédito

obligado [oβli'γaðo] *adj.* obrigado (a, a); *estar obligado a hacer algo* ser obrigado a fazer alguma coisa

obligar [oβli'γar] *v.* **1** *(forzar)* obrigar (a, a), forçar (a, a); *obligar a alguien a hacer algo* obrigar alguém a fazer alguma coisa **2** *(ligar)* obrigar (a, a); *la ley obliga a respetar los derechos de las personas* a lei obriga a respeitar os direitos das pessoas ■ **obligarse** comprometer-se (a, a), obrigar se (a, a); *se obligó a dejar de fumar* comprometeu-se a deixar de fumar

obligatoriedad [oβliγatorje'ðað] *s.f.* obrigatoriedade

obligatorio [oβliγa'torjo] *adj.* obrigatório; *sentido obligatorio* sentido obrigatório

oblongo [o'βlongo] *adj.* oblongo

obra ['oβra] *s.f.* **1** *(creación)* obra; *obra de arte* obra de arte; *obra maestra* obra prima **2** *(construcción)* obra; *obras públicas* obras públicas; *en obras* em obras, em construção **3** *(efecto)* obra, efeito *m.*, resultado *m.* **4** *(hecho positivo)* obra; *obra de caridad* obra de caridade **5** (musical, teatral) peça, obra **6** *(volumen)* obra **7** *(trabajo)* trabalho *m.*, esforço *m.* ■ **obras** *s.f.pl.* obras *pl.*, remodelação; *cerrado por obras* fechado para obras ♦ **por obra de** por obra/meio de

obrar [o'βrar] *v.* **1** *(actuar)* agir, atuar **2** *(encontrarse)* encontrar-se (en, em); *el documento obra en mi poder* o documento encontra-se em meu poder **3** *pop.* obrar, defecar **4** fazer; *obrar milagros* fazer milagres

obrer|o, -a [o'βrero] *s.m.,f.* operári|o, -a, trabalhador, -a ■ *adj.* operário; *movimiento obrero* movimento operário ♦ **abeja obrera** abelha operária

obscenidad [oβsθeni'ðað] *s.f.* obscenidade ♦ **decir obscenidades** dizer obscenidades

obsceno [oβs'θeno] *adj.* obsceno

obscurantismo [oβskuran'tizmo] *s.m.* ⇒ **oscurantismo**

obscurantista [oβskuran'tista] *adj.,s.2g.* obscurantista

obscuridad [oβskuri'ðað] *s.f.* ⇒ **oscuridad**

obscuro [oβs'kuro] *adj.* ⇒ **oscuro**

obsequiar [oβse'kjar] *v.* obsequiar (con, com)

obsequio [oβ'sekjo] *s.m.* **1** oferta *f.*; *es un obsequio de la casa* é uma cortesia da casa **2** *(regalo)* prenda *f.*, presente ♦ **en obsequio a/de** em atenção a/de

observable [oβser'βaβle] *adj.2g.* observável, perceptível

observación [oβserβa'θjon] *s.f.* **1** *(examen)* observação, exame *m.*, estudo *m.*; *estar en observación* estar em observação, estar sob vigilância (médica) **2** (lei, norma) observância, cumprimento *m.* **3** *(objeción)* objeção, reparo *m.* **4** (escrito) observação, comentário *m.*; nota; *observaciones a pie de página* notas de rodapé/pé de página

observador, -a [oβserβa'ðor] *adj.,s.m.,f.* observador, -a

observancia [oβser'βanθja] *s.f.* (ordem, regulamento) observância, cumprimento *m.*

observar [oβser'βar] *v.* **1** *(mirar)* observar, ver, olhar **2** *(estudiar)* observar, estudar, examinar **3** *(notar)* observar, notar, reparar **4** (lei, norma) cumprir, respeitar

observatorio [oβserβa'torjo] *s.m.* observatório

obsesión [oβse'sjon] *s.f.* obsessão, ideia fixa
obsesionado [oβsesjo'naðo] *adj.* obcecado; ***estar obsesionado con*** estar obcecado com
obsesivo [oβse'siβo] *adj.* obsessivo
obseso [oβ'seso] *adj.* maníaco, tarado
obsoleto [oβso'leto] *adj.* obsoleto, antiquado
obstáculo [oβs'takulo] *s.m.* **1** *(inconveniente)* obstáculo, estorvo, empecilho **2** *(dificultad)* obstáculo, dificuldade*f.* **3** ESPOR. obstáculo; ***carrera de obstáculos*** corrida de obstáculos
obstetra [oβs'tetra] *s.2g.* obstetra
obstetricia [oβste'triθja] *s.f.* obstetrícia, tocologia
obstinación [oβstina'θjon] *s.f.* obstinação, teimosia
obstinado [oβsti'naðo] *adj.* obstinado, teimoso
obstinarse [oβsti'narse] *v.* teimar (en, em), obstinar-se (en, em)
obstrucción [oβstruk'θjon] *s.f.* obstrução
obstruir [oβstru'ir] *v.* **1** (lugar) obstruir, entupir **2** (ação) obstruir, estorvar ▪ **obstruirse** obstruir-se
obtención [oβten'θjon] *s.f.* obtenção
obtener [oβte'ner] *v.* obter
obturador [oβtura'ðor] *s.m.* obturador
obtuso [oβ'tuso] *adj.* **1** obtuso; ***ángulo obtuso*** ângulo obtuso **2** *fig., col.* (pessoa) lento, obtuso, tapado
obvio ['oββjo] *adj.* óbvio, evidente, claro; ***es obvio que...*** é óbvio que...; ***por razones obvias*** por razões óbvias
oca ['oka] *s.f.* **1** gans|o, -a*m.f.* **2** jogo*m.* da glória, oca
ocasión [oka'sjon] *s.f.* **1** *(momento)* ocasião, momento*m.* **2** *(oportunidad)* ocasião, oportunidade ♦ **con ocasión de** por ocasião de; (preço) **de ocasión** de ocasião; **en ocasiones** ocasionalmente, às vezes
ocasional [okasjo'nal] *adj.2g.* ocasional
ocasionar [okasjo'nar] *v.* ocasionar, causar, provocar
ocaso [o'kaso] *s.m.* **1** *(puesta de sol)* ocaso, pôr do sol **2** *(occidente)* ocaso, ocidente, poente **3** *fig.* ocaso, queda*f.*, decadência*f.*
occidental [okθiðen'tal] *adj.,s.2g.* ocidental
occidente [okθi'ðente] *s.m.* ocidente, oeste
occipital [okθipi'tal] *adj.2g.* ANAT. occipital
oceanario [oθea'narjo] *s.m.* oceanário
Oceanía [oθea'nia] *s.f.* Oceania
oceánico [oθe'aniko] *adj.* oceânico
océano [o'θeano] *s.m.* oceano
oceanografía [oθeanoγra'fia] *s.f.* oceanografia
ocelo [o'θelo] *s.m.* ocelo
ochenta [o'tʃenta] *num.* oitenta
ocho ['otʃo] *num.* oito ♦ *col.* **dar igual ocho que ochenta** dar na mesma; ser indiferente
ochocient|os, -as [otʃo'θjentos] *num.* oitocent|os, -as
ocio ['oθjo] *s.m.* lazer, ócio; ***ratos de ocio*** momentos de lazer, tempo livre
ociosidad [oθjosi'ðað] *s.f.* ociosidade
ocioso [o'θjoso] *adj.* **1** (argumento, esforço) inútil, vão **2** (pessoa) ocioso, desocupado
oclusión [oklu'sjon] *s.f.* **1** *(obstrucción)* oclusão **2** MED. obstrução; ***oclusión intestinal*** obstrução intestinal **3** LING. oclusão
oclusivo [oklu'siβo] *adj.* oclusivo
octagonal [oktaγo'nal] *adj.2g.* ⇒ **octogonal**
octágono [ok'taγono] *s.m.* ⇒ **octógono**
octano [ok'tano] *s.m.* octano
octava [ok'taβa] *s.f.* oitava
octavilla [okta'βiʎa] *s.f.* panfleto*m.*
octav|o, -a [ok'taβo] *num.* oitav|o, -a ♦ **octavos de final** oitava de final
octogenari|o, -a [oktoxe'narjo] *s.m.,f.* octogenári|o, -a
octogésim|o, -a [okto'xesimo] *num.* octogésim|o, -a
octogonal [oktoγo'nal] *adj.2g.* octogonal
octógono [ok'toγono] *s.m.* GEOM. octógono
octubre [ok'tuβre] *s.m.* outubro
ocular [oku'lar] *adj.2g.* ocular; ***infección ocular*** infecção ocular; ***testigo ocular*** testemunha ocular ▪ *s.m.* ocular*f.*
oculista [oku'lista] *s.2g.* oftalmologista, oculista
ocultar [okul'tar] *v.* **1** *(esconder)* ocultar, esconder **2** (fatos, pessoas, provas) ocultar, encobrir ▪ **ocultarse** ocultar-se, esconder-se
ocultismo [okul'tizmo] *s.m.* ocultismo
ocultista [okul'tista] *adj.,s.2g.* ocultista
oculto [o'kulto] *adj.* oculto
ocupación [okupa'θjon] *s.f.* **1** *(empleo)* ocupação, emprego*m.*, trabalho*m.* **2** (espaço, capacidade) ocupação **3** (lugar) ocupação; invasão (de propriedade) ▪ **ocupaciones** *s.f.pl.* responsabilidades*pl.*, preocupações*pl.*
ocupacional [okupaθjo'nal] *adj.2g.* ocupacional
ocupado [oku'paðo] *adj.* ocupado
ocupante [oku'pante] *s.2g.* **1** (de veículo) ocupante, passageir|o, -a*m.f.*; ***seguro de ocupantes*** seguro de passageiros **2** (de casa) ocupante, inquilin|o, -a*m.f.* **3** (de território) ocupante, invasor, -a*m.f.*
ocupar [oku'par] *v.* **1** (espaço, lugar) ocupar, preencher **2** (cargo, função) ocupar, desempenhar **3** (território) ocupar, invadir ▪ **ocuparse** ocupar-se (de, de)
ocurrencia [oku'renθja] *s.f.* **1** *(idea)* ideia; ***¡qué ocurrencia más buena has tenido!*** que boa ideia você teve! **2** *(frecuencia de uso)* frequência de uso, ocorrência; ***la ocurrencia de una palabra en un texto*** a ocorrência de uma palavra num texto **3** *col.* tirada, saída; ***¡qué ocurrencias tienes!*** cada saída que você tem, você tem cada uma!
ocurrente [oku'rente] *adj.2g.* engraçado, espirituoso
ocurrir [oku'rir] *v.* ocorrer; acontecer; suceder; ***esto que te voy a contar ocurrió hace mucho tiempo*** isto que vou te contar ocorreu há muito tempo ▪ **ocurrirse** ocorrer, lembrar-se; ***no se me ocurre nada*** não me ocorre nada
odiar [o'ðjar] *v.* odiar, detestar; ***odio que hagas eso*** odeio que faça isso
odio ['oðjo] *s.m.* ódio; ***odio mortal*** ódio mortal; ***tenerle odio a alguien*** ter ódio de alguém
odioso [o'ðjoso] *adj.* **1** odioso, detestável **2** *col.* desagradável

odisea [oδi'sea] *s.f.* odisseia
odontología [oδon̪tolo'xia] *s.f.* odontologia
odontológico [oδon̪to'loxiko] *adj.* odontológico
odontólog|o, -a [oδon̪'toloγo] *s.m.,f.* odontologista*2g.*
oesnoroeste [oeznoro'este] *s.m.* oés-noroeste
oeste [o'este] *s.m.* oeste, poente ◆ **película del oeste** filme de bangue-bangue
oesudoeste [oesuδo'este], **oesuroeste** [oesuro'este] *s.m.* oés sudoeste
ofender [ofen̪'der] *v.* ofender ■ **ofenderse** ofender-se, ficar ofendido
ofendido [ofen̪'diδo] *adj.* ofendido, insultado
ofensa [o'fensa] *s.f.* ofensa, insulto*m.*
ofensiva [ofen'siβa] *s.f.* ofensiva ◆ **tomar la ofensiva** tomar a ofensiva
ofensivo [ofen'siβo] *adj.* ofensivo
ofensor, -a [ofen'sor] *adj.,s.m.,f.* ofensor, -a
oferta [o'ferta] *s.f.* **1** *(proposición)* oferta; *hacer una oferta* fazer uma oferta; *oferta de empleo* oferta de emprego **2** *(promoción)* promoção; *estar en oferta* estar em promoção **3** ECON. oferta; *ley de la oferta y la demanda* lei da oferta e da procura
ofertorio [ofer'torjo] *s.m.* ofertório
off ['of] ◆ **en off** refere-se à voz exterior à cena, que comenta os acontecimentos
office ['ofis] *s.m.* copa*f.* (de cozinha)
offset ['ofset] *s.m.* offset
oficial [ofi'θjal] *adj.2g.* oficial ■ *s.2g.* MIL. oficial
oficiala [ofi'θjala] *s.f.* assistente*2g.*; *oficiala de peluquería* assistente de cabeleireira
oficina [ofi'θina] *s.f.* **1** *(despacho)* escritório*m.*, gabinete*m.* **2** (Estado) repartição; seção **3** (farmácia) laboratório*m.* ◆ **oficina de turismo** posto de turismo

> Não confundir com a palavra em português **oficina** (*taller*).

oficinista [ofiθi'nista] *s.2g.* empregad|o, -a*m.f.* de escritório
oficio [o'fiθjo] *s.m.* **1** *(trabajo)* ofício; trabalho; profissão*f.*; *oficio de carpintero* ofício de carpinteiro **2** (documento) ofício ◆ REL. **oficio de difuntos** honras fúnebres, exéquias; *col.* **sin oficio ni beneficio** sem ter onde cair morto
oficioso [ofi'θjoso] *adj.* (informação) oficioso
ofidio [o'fiδjo] *s.m.* ofídio
ofrecer [ofre'θer] *v.* **1** oferecer, dar; *les ofreció su ayuda* ofereceu lhes ajuda/ofereceu-se para ajudar **2** *(presentar)* apresentar **3** *(prometer)* oferecer, prometer ■ **ofrecerse** oferecer-se (a, para) ◆ **¿qué se le ofrece?** que deseja?
ofrecimiento [ofreθi'mjen̪to] *s.m.* oferecimento
ofrenda [o'fren̪da] *s.f.* oferenda
oftalmología [oftalmolo'xia] *s.f.* oftalmologia
oftalmólog|o, -a [oftal'moloγo] *s.m.,f.* oftalmologista*2g.*
ofuscación [ofuska'θjon] *s.f.* ofuscação; deslumbramento*m.*
ogro ['oγro] *s.m.* (contos infantis) ogro, bicho-papão, papão
oh ['o] *interj.* (admiração, espanto, alegria, medo) oh!
oído [o'iδo] *s.m.* **1** (sentido) ouvido, audição*f.* **2** ANAT. ouvido, orelha*f.* ◆ **dar/prestar oídos** dar ouvidos; (cantar, tocar) **de oído** de ouvido; **decir al oído** dizer ao ouvido; *col.* **entrar por un oído y salir por el otro** entrar por um ouvido e sair por outro; **hacer oídos sordos** fazer ouvidos de mercador; **llegar a oídos de alguien** chegar aos ouvidos de alguém; **oído absoluto** ouvido absoluto; **ser todo oídos** ser todo ouvidos; **tener buen oído** ter bom ouvido
oír [o'ir] *v.* **1** *(escuchar)* ouvir, escutar **2** (pedido, queixa) ouvir, atender, satisfazer; *¡Dios te oiga!* Deus te ouça! ◆ **como lo oyes** por incrível que pareça; **como quien oye llover** sem dar a menor bola, sem dar a menor atenção; **oiga! 1** ouça lá!, escute! **2** (ao telefone) está?; **¡oye!** ouve (lá)!, olha!
ojal [o'xal] *s.m.* casa*f.* (de botão), botoeira*f.*
ojalá [oxa'la] *interj.* oxalá!
ojeada [oxe'aδa] *s.f.* olhadela, vista de olhos; *echar una ojeada* dar uma olhada
ojear [oxe'ar] *v.* **1** *(mirar)* dar uma vista de olhos, dar uma olhadela **2** (caça) levantar, espantar, bater
ojeras [o'xeras] *s.f.pl.* olheiras*pl.*
ojeriza [oxe'riθa] *s.f.* antipatia, aversão; *tener ojeriza a alguien* ter antipatia por alguém
ojeroso [oxe'roso] *adj.* desolhado, olheirento; *estar ojeroso* estar com olheiras
ojete [o'xete] *s.m.* **1** ilhó **2** *col.* ânus*2n.*
ojituerto [oxi'twerto] *adj.* (pessoa) estrábico, vesgo
ojiva [o'xiβa] *s.f.* ogiva
ojival [oxi'βal] *adj.2g.* ogival
ojo ['oxo] *s.m.* **1** olho **2** (sentido) vista*f.* **3** (agulha, fechadura) buraco **4** *fig.* olho, perspicácia*f.*, sagacidade*f.* ■ *interj.* cuidado! ◆ **abrir los ojos a alguien** abrir os olhos de alguém; **a ojo** a olho, a esmo; **costar un ojo de la cara** custar os olhos da cara; **creer a ojos cerrados** acreditar cegamente; *col.* (pessoa) **cuatro ojos** quatro-olhos; **en un abrir (y cerrar) de ojos** num abrir e fechar de olhos; **no pegar ojo** não pregar olho; **ojos de carnero degollado** olhos de peixe morto; **ser el ojo derecho de alguien** ser o xodó de alguém; **tener ojos de lince** ter olhos de lince
okupa [o'kupa] *s.2g. col.* ocupante ilegal
ola ['ola] *s.f.* **1** (mar) onda, vaga **2** MET. vaga; *ola de calor/frío* vaga de calor/frio **3** *fig.* onda
ole ['ole], **olé** [o'le] *interj.* olé!; olaré!; ena!
oleada [ole'aδa] *s.f.* **1** ondulação, vaga **2** *fig.* bando, monte, onda; *una oleada de gente* um bando de gente; *una oleada de protestas* uma onda de protestos
oleaje [ole'axe] *s.m.* fluxo das ondas, ondulação*f.*; marulho
óleo ['oleo] *s.m.* ART.PL. óleo; *pintura al óleo* pintura a óleo ◆ **santos óleos** santos óleos
oleoducto [oleo'δukto] *s.m.* oleoduto
oleosidad [oleosi'δaδ] *s.f.* oleosidade

oleoso [ole'oso] *adj. (aceitoso)* oleoso
oler [o'ler] *v.* **1** cheirar **2** *(sospechar)* cheirar, suspeitar **3** cheirar (a, a); ***huele a humo*** cheira a fumo
olfatear [olfate'ar] *v.* **1** (cães) farejar **2** *fig.* farejar, indagar
olfativo [olfa'tiβo] *adj.* olfativo
olfato [ol'fato] *s.m.* **1** (sentido) olfato **2** (animal) faro, olfato **3** *fig.* faro, astúcia*f.*; ***tener olfato para los negocios*** ter faro para os negócios
oligarquía [oliɣar'kia] *s.f.* oligarquia
olimpiada [olim'pjaða], **olimpíada** [olim'piaða] *s.f.* HIST. olimpíada ■ **olimpiadas** *s.f.pl.* ESPOR. Olimpíadas*pl.*
olímpico [o'limpiko] *adj.* olímpico; ***juegos olímpicos*** jogos olímpicos
oliva [o'liβa] *s.f.* azeitona, oliva
olivar [oli'βar] *s.m.* olival
olivo [o'liβo] *s.m.* oliveira*f.*, oliva*f.* ♦ **olivo silvestre** oliveira-brava, zambujeiro
olla ['oʎa] *s.f.* panela; ***olla a presión/exprés*** panela de pressão
olmo ['olmo] *s.m.* olmo, olmeiro
olor [o'lor] *s.m.* cheiro, odor ♦ *col.* **acudir al olor de** ir/vir pelo cheiro de
oloroso [olo'roso] *adj.* cheiroso
olvidadizo [olβiða'ðiθo] *adj.* (pessoa) esquecido
olvidar [olβi'ðar] *v.* esquecer ■ **olvidarse** esquecer-se (de, de); ***se le ha olvidado pasar por aquí*** esqueceu se de passar por cá
olvido [ol'βiðo] *s.m.* esquecimento ♦ **echar en el olvido** cair no esquecimento
ombligo [om'bliɣo] *s.m.* umbigo
omega [o'meɣa] *s.f.* (letra grega) ômega*m.*
ominoso [omi'noso] *adj.* ominoso
omisión [omi'sjon] *s.f.* omissão
omiso [o'miso] *(p.p. de* omitir*)* *adj.* omisso ♦ **hacer caso omiso de algo** não ligar para alguma coisa
omitir [omi'tir] *v.* omitir
ómnibus ['omniβus] *s.m.2n. (autobús)* ônibus
omnipotente [omnipo'tente] *adj.2g.* onipotente
omnipresente [omnipre'sente] *adj.2g.* onipresente, ubíquo
omnisciente [omnis'θjente] *adj.2g.* onisciente
omnívoro [om'niβoro] *adj.* onívoro
omóplato [o'moplato], **omoplato** [omo'plato] *s.m.* omoplata*f.*
OMS *(sigla de* Organización Mundial de la Salud*)* OMS *(sigla de* Organização Mundial da Saúde*)*
once ['onθe] *num.* onze
oncología [oŋkolo'xia] *s.f.* oncologia
oncólog|o, -a [oŋ'koloɣo] *s.m.,f.* oncologista*2g.*
onda ['onda] *s.f.* onda ♦ **captar la onda** atingir; *col.* **estar en la misma (longitud de) onda** estar no mesmo comprimento de onda; *col.* **estar en la onda** estar por dentro; FÍS. **onda corta/larga/media** onda curta/longa/média
ondulación [ondula'θjon] *s.f.* ondulação
ondulado [ondu'laðo] *adj.* ondulado
ondulante [ondu'lante] *adj.2g.* ondulante
ondulatorio [ondula'torjo] *adj.* ondulatório
oneroso [one'roso] *adj.* oneroso
ONG *(sigla de* Organización No Gubernamental*)* ONG *(sigla de* Organização Não Governamental*)*
onírico [o'niriko] *adj.* onírico
ónix ['oniks] *s.m.2n.* ônix
onomatopeya [onomato'peja] *s.f.* onomatopeia
ONU *(sigla de* Organización de las Naciones Unidas*)* ONU *(sigla de* Organização das Nações Unidas*)*
onza ['onθa] *s.f.* onça
opacidad [opaθi'ðað] *s.f.* opacidade
opaco [o'pako] *adj.* opaco
ópalo ['opalo] *s.m.* opala*f.*
opción [op'θjon] *s.f.* **1** opção, escolha; ***opción múltiple*** múltipla escolha **2** *(derecho)* direito*m.*
opcional [opθjo'nal] *adj.2g.* opcional
open ['open] *s.m.* open, aberto
ópera ['opera] *s.f.* ópera
operable [ope'raβle] *adj.2g.* operável
operación [opera'θjon] *s.f.* **1** *(realización)* operação, realização **2** MED. operação, intervenção cirúrgica **3** MAT. operação; ***operación aritmética*** operação aritmética **4** ECON. operação, transação; ***operación bursátil*** operação bolsista ♦ **operación de rescate** operação de salvamento; (trânsito) **operación retorno** operação de regresso
operacional [operaθjo'nal] *adj.2g.* operacional
operador, -a [opera'ðor] *s.m.,f.* **1** operador, -a **2** (telecomunicações) operador, -a, telefonista*2g.* ■ *s.m./f.* operadora*f.* ■ **operador** *s.m.* MAT. operador
operar [ope'rar] *v.* **1** *(realizar)* operar, executar, realizar **2** MED. operar **3** *(negociar)* executar, realizar **4** *(trabajar)* operar, trabalhar **5** MED. operar, realizar uma intervenção cirúrgica ■ **operarse** MED. ser operado (de, a); ***operarse del corazón*** ser operado do coração
operari|o, -a [ope'rarjo] *s.m.,f.* operári|o, -a
operativo [opera'tiβo] *adj.* operativo
operatorio [opera'torjo] *adj.* operatório
opereta [ope'reta] *s.f.* opereta
opilación [opila'θjon] *s.f.* opilação
opinar [opi'nar] *v.* **1** achar, pensar; ***¿qué opinas de nosotros?*** que opinião você tem de nós? **2** opinar, pronunciar se; ***prefiero no opinar sobre esa decisión*** prefiro não me pronunciar sobre essa decisão
opinión [opi'njon] *s.f.* opinião, parecer*m.*; ***cambiar de opinión*** mudar de opinião; ***en mi opinión*** na minha opinião; ***tener una buena/mala opinión de*** ter uma boa/má opinião de ♦ **opinión pública** opinião pública
opio ['opjo] *s.m.* ópio
oponente [opo'nente] *adj.,s.2g.* oponente
oponer [opo'ner] *v.* opor, contrapor, objetar ■ **oponerse** opor-se (a, a); ***me opuse a su proyecto*** opus-me ao seu projeto
oporto [o'porto] *s.m.* vinho do Porto

oportunidad [oportuni'ðað] *s.f.* oportunidade ■ **oportunidades** *s.f.pl.* ofertas, saldos*m. pl.*

oportunismo [oportu'nizmo] *s.m. pej.* oportunismo

oportunista [oportu'nista] *adj.,s.2g. pej.* oportunista

oportuno [opor'tuno] *adj.* oportuno, conveniente, adequado

oposición [oposi'θjon] *s.f.* **1** *(enfrentamiento)* oposição **2** POL. oposição ■ **oposiciones** *s.f.pl.* concurso*m.* público

oposicionismo [oposiθjo'nizmo] *s.m.* oposicionismo

oposicionista [oposiθjo'nista] *adj.,s.2g.* oposicionista

opositor, -a [oposi'tor] *s.m.,f.* **1** opositor, -a, oponente*2g.* **2** (concurso público) candidat|o, -a

opresión [opre'sjon] *s.f.* opressão

opresivo [opre'siβo] *adj.* opressivo

opresor, -a [opre'sor] *s.m.,f.* opressor, -a; tiran|o, -a

oprimir [opri'mir] *v.* **1** *(apretar)* oprimir, apertar, comprimir **2** *(tiranizar)* oprimir, tiranizar

oprobio [o'proβjo] *s.m.* opróbrio; desonra*f.*; ignomínia*f.*

optar [op'tar] *v.* **1** *(decidirse)* optar (por, por); *opté por hacer Derecho* optei por fazer o curso de Direito **2** (cargo, prêmio) aspirar (a, a); *la ciudad opta a Patrimonio Mundial* a cidade aspira a tornar se Patrimônio Mundial

optativo [opta'tiβo] *adj.* optativo

óptica ['optika] *s.f.* **1** FÍS. óptica **2** (estabelecimento) óptica **3** (assunto) óptica, ponto*m.* de vista

óptic|o, -a ['optiko] *s.m.,f.* oculista*2g.* ■ *adj.* óptico; *ilusión óptica* ilusão de óptica; *nervio óptico* nervo óptico

optimismo [opti'mizmo] *s.m.* otimismo

optimista [opti'mista] *adj.,s.2g.* otimista

óptimo ['optimo] (*superl. de* bueno) *adj.* ótimo

opuesto [o'pwesto] (*p.p. de* oponer) *adj.* oposto, contrário

oración [ora'θjon] *s.f.* **1** REL. oração, prece **2** LING. oração, proposição; *oración coordinada/subordinada* oração coordenada/subordinada; *oración simple/compuesta* oração simples/composta

oracional [oraθjo'nal] *adj.2g.* oracional

oráculo [o'rakulo] *s.m.* oráculo

orador, -a [ora'ðor] *s.m.,f.* orador, -a

oral [o'ral] *adj.2g.* oral

oralidad [orali'ðað] *s.f.* oralidade

orangután [orangu'tan] *s.m.* orangotango

oratoria [ora'torja] *s.f.* oratória

oratorio [ora'torjo] *adj.* oratório; *arte oratorio* arte oratória ■ *s.m.* **1** REL. oratório **2** MÚS. oratório, oratória*f.*

órbita ['orβita] *s.f.* órbita ♦ **estar en órbita** estar por dentro; **estar fuera de órbita** estar por fora; **poner en órbita** pôr em órbita

orbital [orβi'tal] *adj.2g.* orbital

orca ['orka] *s.f.* orca

orden ['orðen] *s.m.* **1** *(ordenación)* ordem*f.*; *por orden alfabético* em ordem alfabética **2** *(concierto)* ordem*f.*; *poner en orden* pôr em ordem **3** *(disciplina)* ordem*f.*; *mantener el orden* manter a ordem **4** BIOL. ordem*f.* **5** ARQ. ordem*f.*; *orden dórico* ordem dórica ■ *s.f.* **1** *(mandato)* ordem, mandado*m.*; *orden de arresto* mandado de prisão **2** REL. ordem; *orden franciscana* ordem franciscana ♦ **a la orden** às ordens; **del orden de** da/na ordem de; **en orden** em ordem; **orden del día** ordem do dia

ordenación [orðena'θjon] *s.f.* ordenação

ordenada [orðe'naða] *s.f.* ordenada

ordenado [orðe'naðo] *adj.* **1** (pessoa) ordeiro **2** REL. ordenado

ordenador [orðena'ðor] *s.m.* computador; *ordenador personal* computador pessoal ♦ (veículo) **ordenador de bordo** computador de bordo

ordenanza [orðe'nanθa] *s.f.* **1** regulamento*m.* **2** MIL. ordenança ■ *s.2g.* auxiliar de escritório; contínuo*m.*

ordenar [orðe'nar] *v.* **1** *(arreglar)* ordenar, arrumar **2** *(dar una orden)* ordenar, mandar ■ **ordenarse** ordenar-se

ordeñar [orðe'ɲar] *v.* ordenhar, mungir

ordeño [or'ðeɲo] *s.m.* ordenha*f.*

ordinal [orði'nal] *adj.2g.* (numeral) ordinal

ordinario [orði'narjo] *adj.* **1** *(común)* comum, usual, habitual **2** *(regular)* regular, médio **3** *(grosero)* ordinário, grosseiro, vulgar **4** (qualidade) inferior, fraco **5** (correio) normal ♦ **de ordinario** frequentemente, muitas vezes

orégano [o'reγano] *s.m.* orégano

oreja [o'rexa] *s.f.* orelha ♦ **con las orejas caídas/gachas** de orelha murcha; *col.* **planchar la oreja** dormir; **tirar de las orejas** puxar as orelhas

orejera [ore'xera] *s.f.* (boné, gorro) orelheira

orejón [ore'xon] *adj.* orelhudo

orejudo [ore'xuðo] *adj.* orelhudo

orfanato [orfa'nato] *s.m.* orfanato

orfandad [orfan'dað] *s.f.* orfandade

orfebre [or'feβre] *s.2g.* ourives*2n.*

orfebrería [orfeβre'ria] *s.f.* ourivesaria

orfeón [orfe'on] *s.m.* orfeão

orgánico [or'γaniko] *adj.* orgânico

organigrama [orγani'γrama] *s.m.* organograma, organigrama

organismo [orγa'nizmo] *s.m.* organismo

organista [orγa'nista] *s.2g.* organista

organización [orγaniθa'θjon] *s.f.* organização ♦ **organización benéfica** instituição de beneficência

organizador, -a [orγaniθa'ðor] *adj.,s.m.,f.* organizador, -a

organizar [orγani'θar] *v.* organizar ■ **organizarse** organizar-se

órgano ['orγano] *s.m.* **1** ANAT. órgão; *órganos sexuales* órgãos sexuais **2** MÚS. órgão; *tocar el órgano* tocar órgão **3** (empresa, instituição) órgão; *órgano del Estado* órgão do Estado

orgasmo [or'γazmo] *s.m.* orgasmo

orgía [or'xia] *s.f.* orgia

orgullo [or'γuʎo] s.m. **1** *(autoestima)* orgulho, amor-próprio, autoestima*f.* **2** *(arrogancia)* orgulho, arrogância*f.*, altivez*f.* **3** *(satisfacción)* orgulho

orgulloso [orγu'ʎoso] adj. **1** *(satisfecho)* orgulhoso, satisfeito **2** *(arrogante)* orgulhoso, arrogante, altivo

orientación [orjeṇta'θjon] s.f. orientação ♦ **orientación profesional** orientação profissional

orientador, -a [orjeṇta'ðor] adj.,s.m.,f. orientador, -a

oriental [orjeṇ'tal] adj.,s.2g. oriental

orientar [orjeṇ'tar] v. orientar ■ **orientarse** orientar-se

oriente [o'rjeṇte] s.m. oriente, este

Oriente [o'rjeṇte] s.m. Oriente ♦ **Extremo Oriente** Extremo Oriente; **Oriente Medio** Oriente Médio; **Oriente Próximo** Oriente Próximo

orífice [o'rifiθe] s.m. ourives*2n.*

orificio [ori'fiθjo] s.m. orifício

origen [o'rixen] s.m. **1** *(comienzo)* origem*f.*, princípio, começo **2** *(causa)* origem*f.*, causa*f.* **3** *(procedencia)* origem*f.*, procedência*f.*

original [orixi'nal] adj.2g. original ■ s.m. original

originalidad [orixinali'ðað] s.f. originalidade

originar [orixi'nar] v. originar, causar ■ **originarse** originar-se (de, de); *la catástrofe se originó de madrugada* a catástrofe originou se de madrugada

originario [orixi'narjo] adj. originário (de, de), oriundo (de, de)

orilla [o'riʎa] s.f. **1** *(borde)* beira, borda **2** (mar) beira -mar; (rio) beira rio

orín [o'rin] s.m. **1** *(herrumbre)* ferrugem*f.* **2** *(orina)* urina*f.*

orina [o'rina] s.f. urina

orinal [ori'nal] s.m. bacio, penico*pop.*, pote*pop.*, urinol

orinar [ori'nar] v. urinar

oriundo [o'rjuṇdo] adj. oriundo (de, de), originário (de, de)

orla ['orla] s.f. **1** (tecido) orla **2** (curso) fotografia de curso

ornamentación [ornameṇta'θjon] s.f. ornamentação

ornamental [ornameṇ'tal] adj.2g. ornamental

ornamento [orna'meṇto] s.m. ornamento, adorno, enfeite ■ **ornamentos** s.m.pl. paramentos

ornato [or'nato] s.m. ornato, adorno

ornitología [ornitolo'xia] s.f. ornitologia

ornitólog|o, -a [orni'toloγo] s.m.,f. ornitólog|o, -a

oro ['oro] s.m. **1** QUÍM. ouro **2** (joalharia) oro; *oro de ley* ouro de lei **3** (competição) medalha*f.* de ouro **4** fig. ouro; riqueza*f.*; dinheiro **5** (baralho de cartas) carta*f.* de ouros ■ **oros** s.m.pl. (baralho espanhol) ouros ♦ **como oro en paño** com muito cuidado; **de oro** de ouro, muito bom; col. **hacerse de oro** ficar podre de rico; **no es oro todo lo que reluce** nem tudo que reluz é ouro; **oro negro** ouro negro, petróleo; col. **prometer el oro y el moro** prometer mundos e fundos

orondo [o'roṇdo] adj. **1** col. gordo **2** col. orgulhoso, vaidoso

orquesta [or'kesta] s.f. orquestra

orquestación [orkesta'θjon] s.f. orquestração

orquestal [orkes'tal] adj.2g. orquestral

orquídea [or'kiðea] s.f. orquídea

ortiga [or'tiγa] s.f. urtiga

ortocentro [orto'θeṇtro] s.m. (triângulo) ortocentro

ortocromático [ortokro'matiko] adj. ortocromático

ortodoncia [orto'ðoṇθja] s.f. ortodontia

ortodoxo [orto'ðokso] adj. ortodoxo

ortografía [ortoγra'fia] s.f. ortografia; *falta de ortografía* erro ortográfico/de ortografia; *tener faltas de ortografía* cometer erros de ortografia

ortográfico [orto'γrafiko] adj. ortográfico

ortopeda [orto'peða] s.2g. ortopedista

ortopedia [orto'peðja] s.f. ortopedia

ortopédico [orto'peðiko] adj. ortopédico

ortopedista [ortope'ðista] s.2g. ⇒ **ortopeda**

oruga [o'ruγa] s.f. **1** ZOOL. lagarta, larva dos insetos **2** MEC. lagarta

orujo [o'ruxo] s.m. **1** (resíduo de frutos) bagaço **2** *(aguardiente)* bagaço, bagaceira*f.*

orzuelo [or'θwelo] s.m. terçol

os ['os] pron.pess. vos; *os escucho* escuto-vos; *os pido un favor* peço-vos um favor ■ interj. xô!

osadía [osa'ðia] s.f. ousadia, audácia

osado [o'saðo] adj. ousado, audaz

Osa Mayor ['osama'jor] s.f. Ursa Maior

Osa Menor ['osame'nor] s.f. Ursa Menor

osamenta [osa'meṇta] s.f. **1** (animal) ossatura, ossada **2** (pessoa) ossada

osar [o'sar] v. ousar, atrever se (-, a)

osario [o'sarjo] s.m. ossário

oscar ['oskar] s.m. óscar

oscilación [osθila'θjon] s.f. **1** *(balanceo)* oscilação, balanço*m.* **2** (valor, quantidade) flutuação, oscilação

oscilador [osθila'ðor] s.m. oscilador

oscilante [osθi'laṇte] adj.2g. oscilante

oscilar [osθi'lar] v. **1** *(balancear)* oscilar, balançar **2** (valor, quantidade) flutuar, oscilar **3** fig. oscilar, hesitar, vacilar

ósculo ['oskulo] s.m. lit. ósculo, beijo

oscurantismo [oskuraṇ'tizmo] s.m. obscurantismo

oscurantista [oskuraṇ'tista] adj.,s.2g. obscurantista

oscurecer [oskure'θer] v. **1** escurecer, anoitecer; *está oscureciendo* está escurecendo **2** escurecer, obscurecer **3** fig. obscurecer, confundir ■ **oscurecerse** (dia, tempo) escurecer

oscuridad [oskuri'ðað] s.f. **1** escuridão, obscuridade **2** fig. obscuridade, confusão

oscuro [os'kuro] adj. **1** escuro **2** (céu) escuro, nublado **3** fig. obscuro, confuso **4** fig. incerto, inseguro ♦ **a oscuras** às escuras

óseo ['oseo] adj. ósseo

osezno [o'seθno] s.m. ursinho, cria*f.* de urso

osificación [osifika'θjon] s.f. ossificação

osito [o'sito] s.f. ursinho ♦ **osito de peluche** ursinho de pelúcia

osmio ['ozmjo] s.m. ósmio

ósmosis ['ozmosis], **osmosis** [oz'mosis] *s.f.2n.* osmose

os|o, -a ['oso] *s.m.,f.* urs|o, -a; ***oso de peluche*** urso de pelúcia; ***oso panda*** urso-panda; ***oso polar*** urso-polar ♦ *col.* **hacer el oso** fazer figura de urso; **oso hormiguero** tamanduá

ostealgia [oste'alxja] *s.f.* ostealgia

ostensible [osten'siβle] *adj.2g.* ostensível

ostensivo [osten'siβo] *adj.* ostensivo

ostentación [ostenta'θjon] *s.f.* ostentação

ostentar [osten'tar] *v.* **1** (conhecimento, riqueza) ostentar, exibir **2** (cargo, título) ocupar

ostentoso [osten'toso] *adj.* ostentoso

osteópata [oste'opata] *s.2g.* osteopata

osteopatía [osteopa'tia] *s.f.* osteopatia

osteoporosis [osteopo'rosis] *s.f.2n.* osteoporose

ostra ['ostra] *s.f.* ostra ♦ *col.* **aburrirse como una ostra** aborrecer-se terrivelmente

ostracismo [ostra'θizmo] *s.m.* ostracismo

ostras ['ostras] *interj.* **1** (admiração, surpresa) eita!; puxa! **2** (descontentamento) que droga!

OTAN (*sigla de* Organización del Tratado del Atlántico Norte) OTAN (*sigla de* Organização do Tratado do Atlântico Norte)

otero [o'tero] *s.m.* outeiro, colina*f.*

otitis [o'titis] *s.f.2n.* otite

otología [otolo'xia] *s.f.* otologia

otólog|o, -a [o'toloγo] *s.m.,f.* otologista*2g.*

otoñal [oto'ɲal] *adj.* outonal

otoño [o'toɲo] *s.m.* **1** outono **2** *fig.* outono, velhice*f.*

otorgamiento [otorγa'mjento] *s.m.* DIR. outorga*f.*

otorgante [otor'γante] *adj.,s.2g.* outorgante

otorgar [otor'γar] *v.* **1** *(conceder)* outorgar, conceder **2** (lei) promulgar **3** (prêmio) outorgar, dar, conceder ♦ **quien calla otorga** quem cala consente

otorrino [oto'rino] *s.2g. col.* otorrino, otorrinolaringologista

otorrinolaringología [otorinolaringolo'xia] *s.f.* otorrinolaringologia

otorrinolaringólog|o, -a [otorinolarin'goloγo] *s.m.,f.* otorrinolaringologista*2g.*

otr|o, -a ['otro] *adj.indef.* outr|o, -a; ***dame otra copa*** dá-me outra bebida; ***lo conocí el otro día*** conheci o outro dia ▪ *pron.indef.* outr|o, -a; ***hay otra como ella*** há outra como ela; ***los otros no me interesan*** os outros não me interessam ♦ *pop.* **como dijo el otro** como diz o outro; **¡hasta otra!** até a próxima!; **otro que tal (baila)** (ser) parecido/farinha do mesmo saco

otrora [o'trora] *adv. lit.* outrora, antigamente

ovación [oβa'θjon] *s.f.* ovação, aplauso*m.*

oval [o'βal] *adj.2g.* oval

ovalado [oβa'laðo] *adj.* oval

óvalo ['oβalo] *s.m.* oval*f.*

ovario [o'βarjo] *s.m.* ovário

oveja [o'βexa] *s.f.* ovelha ♦ **oveja negra** ovelha negra

overbooking [oβer'βukiŋ] *s.m.* overbooking

overol [oβe'rol] *s.m.* [AM.] macacão

ovillo [o'βiʎo] *s.m.* novelo; ***ovillo de lana*** novelo de lã ♦ *col.* **hacerse un ovillo** encolher-se (por medo, dor, frio), enroscar-se

ovino [o'βino] *adj.* ovino

ovíparo [o'βiparo] *adj.* ovíparo

ovni ['oβni] *s.m.* óvni

OVNI ['oβni] (*sigla de* Objeto Volador No Identificado) OVNI (*sigla de* Objeto Voador Não Identificado)

ovovivíparo [oβoβi'βiparo] *adj.* ovovivíparo

ovulación [oβula'θjon] *s.f.* ovulação

óvulo ['oβulo] *s.m.* óvulo

oxidable [oksi'ðaβle] *adj.2g.* oxidável

oxidación [oksiða'θjon] *s.f.* oxidação

oxidado [oksi'ðaðo] *adj.* oxidado, enferrujado

oxidante [oksi'ðante] *adj.2g.,s.m.* oxidante

oxidar [oksi'ðar] *v.* **1** (metal) enferrujar, oxidar **2** QUÍM. oxidar ▪ **oxidarse 1** (metal) enferrujar(-se), oxidar-se **2** (fruta) oxidar

óxido ['oksiðo] *s.m.* **1** óxido **2** *(herrumbre)* ferrugem*f.*

oxigenación [oksixena'θjon] *s.f.* oxigenação

oxigenado [oksixena'ðo] *adj.* oxigenado

oxígeno [ok'sixeno] *s.m.* **1** oxigênio **2** *col.* ar puro

oxítono [ok'sitono] *adj.* (palavra) oxítono, agudo

oye ['oje] *interj. col.* ouve lá!; olha!

oyente [o'jente] *s.2g.* ouvinte

ozono [o'θono] *s.m.* ozônio ♦ **agujero en la capa de ozono** buraco na camada de ozônio

ozonosfera [oθonos'fera] *s.f.* ozonosfera

P

p ['pe] *s.f.* (letra) p*m.*

pabellón [paβe'ʎon] *s.m.* pavilhão ♦ **pabellón deportivo** pavilhão desportivo

pabilo [pa'βilo], **pábilo** ['paβilo] *s.m.* pavio, torcida*f.*, mecha*f.*

pacat|o, -a [pa'kato] *s.m.,f.* pacat|o, -a ■ *adj.* **1** pacato, tranquilo **2** recatado **3** insignificante

pacer [pa'θeɾ] *v.* pastar

pachón [pa'tʃon] *adj. col.* (pessoa) pachorrento, lento

pachorra [pa'tʃora] *s.f. col.* lentidão

pachorrudo [patʃo'ruðo] *adj. col.* (pessoa) pachorrento

pachucho [pa'tʃutʃo] *adj.* **1** *col.* (fruta) passado; muito maduro **2** *col.* (planta) murcho **3** *col.* *(enfermo)* adoentado

paciencia [pa'θjeṇθja] *s.f.* paciência ♦ **acabarse la paciencia** esgotar-se a paciência; **armarse/cargarse de paciencia** armar-se de paciência; **hacer perder la paciencia (a un santo)** fazer perder a paciência (de um santo)

paciente [pa'θjeṇte] *adj.2g.* paciente; ***ser paciente con alguien*** ser paciente com alguém ■ *s.2g.* paciente, doente

pacificación [paθifika'θjon] *s.f.* pacificação

pacífico [pa'θifiko] *adj.* pacífico

Pacífico [pa'θifiko] *s.m.* Pacífico

pacifismo [paθi'fizmo] *s.m.* pacifismo

pacifista [paθi'fista] *adj.,s.2g.* pacifista

pacotilla [pako'tiʎa] *s.f.* pacotilha ♦ *col., pej.* **de pacotilla** de meia-tigela, de pacotilha

pactar [pak'tar] *v.* pactuar

pacto ['pakto] *s.m.* pacto; ***pacto de sangre*** pacto de sangue; ***pacto social*** pacto social; ***hacer un pacto con alguien*** fazer um pacto com alguém

padecer [paðe'θeɾ] *v.* **1** (dor, doença) padecer, sofrer; ter; ***padeció un infarto*** teve um enfarte **2** *(soportar)* suportar, aguentar, padecer **3** (fome, sede) sentir **4** padecer (de, de), sofrer (de, de); ***padecer del corazón*** sofrer do coração

padecimiento [paðeθi'mjeṇto] *s.m.* padecimento, sofrimento

padrastro [pa'ðrastro] *s.m.* **1** padrasto **2** (unha) cutícula levantada

padrazo [pa'ðraθo] *s.m. col.* pai coruja

padre ['paðre] *s.m.* **1** (*f* madre) pai; ***padre adoptivo/biológico*** pai adotivo/biológico; ***padre de familia*** pai de família; ***padre político*** sogro **2** *(sacerdote)* padre **3** *fig.* pai, fundador ■ **padres** *s.m.pl.* pais ♦ *col.* **de padre y muy señor mío** muito grande; *col.* **¡tu padre!** que droga!, caramba!

padrenuestro [paðre'nwestro] *s.m.* pai nosso

padrinazgo [paðri'naθγo] *s.m.* apadrinhamento

padrino [pa'ðrino] *s.m.* (*f.* madrina) padrinho; ***padrino de bautizo/boda*** padrinho de batismo/casamento ■ **padrinos** *s.m.pl.* padrinhos

padrón [pa'ðron] *s.m.* censo, recenseamento, cadastro

paella [pa'eʎa] *s.f.* paelha

A **paella** é um prato de arroz valenciano, cozido com mariscos, frango ou coelho, tomate e pimentões

---

paellera [pae'ʎeɾa] *s.f.* panela própria para fazer paelha

paf ['paf] *interj.* (queda, choque) pá

paga ['paγa] *s.f.* **1** (ato) pagamento*m.*, paga **2** *(sueldo)* ordenado*m.*, salário*m.* **3** (filhos) mesada; semanada

pagado [pa'γaðo] *adj.* **1** pago **2** (pessoa) orgulhoso, satisfeito

paganismo [paγa'nizmo] *s.m.* paganismo

pagan|o, -a [pa'γano] *adj.,s.m.,f.* pag|ão, -ã

pagar [pa'γaɾ] *v.* **1** (conta, dívida) pagar **2** (crime) pagar, expiar **3** *fig.* (carinho, favor) pagar, retribuir **4** pagar; ***pagar al contado*** pagar à vista; ***pagar a plazos*** pagar a prestações/prazo; ***pagar con tarjeta de crédito*** pagar com cartão de crédito ♦ **el que la hace la paga** aqui se faz, aqui se paga; **¡ni aunque me pagaran!** nem que me pagassem!; *col.* **pagarlas (todas juntas)** pagar com juros

pagaré [paγa're] *s.m.* promissória*f.*

página ['paxina] *s.f.* página ♦ **páginas amarillas** páginas amarelas; **página (de) web** página da web; **página personal** página pessoal

paginación [paxina'θjon] *s.f.* paginação, numeração das páginas

pago ['paγo] *s.m.* **1** pagamento; ***condiciones de pago*** condições de pagamento; ***pago al contado*** pagamento à vista/dinheiro; ***pago a plazo*** pagamento a prazo/em prestações; ***pago por adelantado*** pré--pagamento **2** *(premio)* recompensa*f.*, prêmio ■ **pagos** *s.m.pl.* paragens*f.*; ***por estos pagos*** por estas paragens

pagoda [pa'γoða] *s.f.* pagode*m.*

pagro ['paγro] *s.m.* pargo

paintball [pejn'bol] *s.m.* paintball

país [pa'is] *s.m.* país; ***país desarrollado*** país desenvolvido; ***país en vías de desarrollo*** país em vias de desenvolvimento; ***país subdesarrollado*** país subdesenvolvido ♦ **Países Bajos** Países Baixos; **País Vasco** País Basco

paisaje [paj'saxe] *s.m.* paisagem*f.*

paisajismo [pajsa'xizmo] *s.m.* paisagismo

paisajista [pajsa'xista] *s.2g.* paisagista

paisajístico [pajsa'xistiko] *adj.* paisagístico

paisan|o, -a [paj'sano] *s.m.,f.* **1** *(compatriota)* conterrâne|o, -a, compatriota*2g.* **2** *(campesino)* campon|ês, -esa ♦ **de paisano** à paisana

paja ['paxa] *s.f.* **1** palha **2** (para beber) canudo*m.* **3** *fig.* palha, insignificância **4** *vulg.* punheta; ***hacerse una paja*** bater uma punheta, masturbar-se ♦ *col.* **por un quítame allá esas pajas** por uma coisa de nada, por dá cá essa palha

pajar [pa'xar] *s.m.* palheiro

pájara ['paxara] *s.f.* desfalecimento*m.* (repentino, especialmente no ciclismo)

pajarero [paxa'rero] *adj.* **1** *col.* (pintura, tecido) berrante **2** *col.* (pessoa) alegre, bem-disposto

pajarita [paxa'rita] *s.f.* gravata borboleta

pájaro ['paxaro] *s.m.* pássaro ♦ **más vale pájaro en mano que ciento volando** mais vale um pássaro na mão do que dois voando; *col.* **matar dos pájaros de un tiro** matar dois coelhos com uma cajadada só; **pájaro bobo** pinguim; **pájaro carpintero** pica-pau; *col.* **tener pájaros en la cabeza** ter macaquinhos no sótão

paje ['paxe] *s.m.* pajem

pajita [pa'xita] *s.f.* canudo*m.*

Pakistán [pakis'tan] *s.m.* Paquistão

pala ['pala] *s.f.* **1** (ferramenta) pá **2** (instrumento, mecanismo) pá; ***pala del remo*** pá do remo; ***palas del ventilador*** pás da ventoinha **3** (pingue-pongue) raqueta **4** (calçado) pala ♦ (utensílio) **pala matamoscas** mata-moscas, apanha-moscas

palabra [pa'laβra] *s.f.* palavra ▪ **palabras** *s.f.pl.* palavras*pl.*, promessas*pl.* falsas ♦ **a palabras necias, oídos sordos** a palavras loucas, orelhas moucas; **cumplir su palabra** cumprir a sua palavra; **dar su palabra (de honor)** dar a sua palavra (de honra); **dejar (a alguien) con la palabra en la boca** cortar a palavra (a alguém), interromper (alguém); **dirigir la palabra a alguien** dirigir a palavra a alguém; **en una/dos palabras** numa palavra; **faltar a la palabra** faltar com a palavra; **gastar palabras en vano** chover no molhado; **medir las palabras** medir as palavras; **palabra clave** palavra-chave; **palabra por palabra** palavra por palavra; **palabras mayores** assunto sério; **quitar la palabra de la boca** tirar as palavras da boca; **tener unas palabras con alguien** ter uma discussão com alguém

palabrería [palaβre'ria] *s.f.* palavreado*m.*

palabrota [pala'βrota] *s.f.* palavrão*m.*, vulgarismo*m.*; ***decir palabrotas*** dizer palavrões

palacete [pala'θete] *s.m.* palacete

palaciego [pala'θjeγo] *adj.* palaciano

palacio [pa'laθjo] *s.m.* palácio ♦ **Palacio de Justicia** Palácio da Justiça

palada [pa'laδa] *s.f.* **1** pazada **2** remada

paladar [pala'δar] *s.m.* **1** ANAT. palato, céu da boca **2** *(sabor)* paladar, sabor **3** *fig.* sensibilidade*f.*

paladear [palaδe'ar] *v.* saborear, degustar

paladino [pala'δino] *adj.* claro, notório, evidente, público

paladio [pa'laδjo] *s.m.* paládio

palanca [pa'laŋka] *s.f.* **1** alavanca; ***palanca de cambios/marchas*** alavanca de câmbio/marchas; ***palanca del freno de mano*** alavanca do freio de mão **2** ESPOR. trampolim*m.*, prancha

palangana [palaŋ'gana] *s.f.* bacia, tina

palatal [pala'tal] *adj.2g.* palatal

palatino [pala'tino] *adj.* **1** palaciano **2** palatino; ARQ. ***bóveda palatina*** abóbada palatina; ANAT. ***hueso palatino*** osso palatino

palco ['palko] *s.m.* **1** (teatro) camarote; ***palco de platea*** frisa **2** (espetáculo público) palanque ♦ **palco escénico** cenário

palé [pa'le] *s.m.* palete*f.*

paleografía [paleoγra'fia] *s.f.* paleografia

paleógraf|o, -a [pale'oγrafo] *s.m.,f.* paleógraf|o, -a

paleolítico [paleo'litiko] *adj.* paleolítico

paleología [paleolo'xia] *s.f.* paleologia

paleontología [paleontolo'xia] *s.f.* paleontologia

paleontólog|o, -a [paleon'toloγo] *s.m.,f.* paleontólog|o, -a

paleozoico [paleo'θojko] *adj.* GEOL. paleozoico

Palestina [pales'tina] *s.f.* Palestina

palestin|o, -a [pales'tino] *adj.,s.m.,f.* palestin|o, -a

palestra [pa'lestra] *s.f.* palestra ♦ *col.* **saltar a la palestra** apresentar-se publicamente

paleta [pa'leta] *s.f.* **1** (pintura) paleta **2** (ferramenta) colher de trolha/pedreiro **3** (utensílio de cozinha) espátula, pá; *(escumadera)* escumadeira **4** (hélice, ventoinha) pá **5** (dente) incisivo*m.* **6** ESPOR. raqueta

paletada [pale'taδa] *s.f. col.* parolice

paletilla [pale'tiʎa] *s.f.* **1** *(omóplato)* omoplata, escápula, ombro **2** (animal) pá, perna

palet|o, -a [pa'leto] *s.m.,f.* **1** *pej.* caipira, ingênuo **2** *pej.* mal educad|o, -a, grosseir|ão, -ona

paliativo [palja'tiβo] *s.m.* paliativo

palidecer [paliδe'θer] *v.* empalidecer

palidez [pali'δeθ] *s.f.* palidez

pálido ['paliδo] *adj.* pálido, descorado, lívido

palillero [pali'ʎero] *s.m.* paliteiro

palillo [pa'liʎo] *s.m.* **1** palito **2** (tambor) baqueta*f.* **3** *fig., col.* palito, pau de virar tripas; ***hecho un palillo*** estar um palito/pau de virar tripas **4** [AM.] (roupa) pregador ▪ **palillos** *s.m.pl.* pauzinhos; ***palillos chinos*** pauzinhos chineses ♦ **tocar todos los palillos** ser pau para toda obra

palimpsesto [palimp'sesto] *s.m.* palimpsesto

palique [pa'like] *s.m. col.* bate papo

palitroque [pali'troke] *s.m.* **1** pauzinho tosco **2** TAUR. bandarilha*f.*

paliza [pa'liθa] *s.f.* **1** surra, sova **2** *col.* (competição, jogo) abada, derrota, tareia*fig.* **3** *col.* (trabalho, esforço) trabalheira, canseira ▪ *s.2g.* chat|o, -a*m.f.* ♦ *col.* **dar la paliza** chatear

palma ['palma] *s.f.* **1** (mão) palma **2** (árvore) palmeira, palma **3** (folha) palma ▪ **palmas** *s.f.pl.* palmas*pl.*; ***batir/dar palmas*** bater palmas ♦ **conocer como la palma de la mano** conhecer como a palma da mão; **llevarse la palma** receber a coroa de louros

palmada [pal'maδa] *s.f.* palmada ▪ **palmadas** *s.f.pl.* palmas*pl.*; ***dar palmadas*** bater palmas

palmarés [palma'res] *s.m.2n.* **1** (competição) lista*f.* de vencedores **2** *(curriculum)* histórico; currículo
palmatoria [palma'torja] *s.f.* **1** castiçal*m.* (com asa) **2** *(palmeta)* palmatória
palmera [pal'mera] *s.f.* **1** BOT. palmeira **2** CUL. palmier*m.*
palmeta [pal'meta] *s.f.* palmatória
palmípeda [pal'mipeδa] *s.f.* palmípede*m.*
palmípedo [pal'mipeδo] *adj.* (ave) palmípede
palmito [pal'mito] *s.m.* **1** (planta) palmeira-anã*f.* **2** *(cogollo)* palmito **3** *fig., col.* corpo, figura*f.*; *un buen palmito* um belo corpo
palmo ['palmo] *s.m.* palmo ♦ **palmo a palmo** palmo a palmo; *col.* **quedar con un palmo de narices** ficar de queixo caído; ficar com cara de tacho
palo ['palo] *s.m.* **1** (madeira) pau; *cuchara de palo* colher de pau **2** (golpe) paulada*f.*, porrada*f.*; *andar a palos* estar sempre brigando **3** NÁUT. mastro **4** (baralho de cartas) naipe **5** (letra) perna*f.*, traço **6** (baliza) poste **7** ESPOR. taco; *palo de golf* taco de golfe ♦ **a palo seco** puro (sem nada a acompanhar); **de tal palo, tal astilla** tal pai, tal filho; *col.* **no dar un palo al agua** não mexer uma palha; **palo brasil** pau-brasil; **palo santo** pau-santo
paloma [pa'loma] *s.f.* pomba ♦ **paloma mensajera** pombo-correio
palomar [palo'mar] *s.m.* pombal
palomita [palo'mita] *s.f. gír.* (goleiro) defesa espetacular*fig.* ■ **palomitas** *s.f.pl.* pipocas*pl.*
palomo [pa'lomo] *s.m.* pombo
palpable [pal'paβle] *adj.2g.* palpável
palpación [palpa'θjon] *s.f.* palpação
palpar [pal'par] *v.* **1** apalpar, palpar **2** MED. palpar **3** *fig.* perceber
palpitación [palpita'θjon] *s.f.* palpitação
palpitante [palpi'tante] *adj.2g.* palpitante
palpitar [palpi'tar] *v.* **1** (coração) palpitar, pulsar, latejar **2** (órgão, músculo) latejar **3** (emoção) palpitar
pálpito ['palpito] *s.m.* palpite, pressentimento
palta ['palta] *s.f.* **1** [AM.S.] (árvore) abacateiro*m.* **2** [AM.S.] (fruto) abacate*m.*
paludismo [palu'δizmo] *s.m.* paludismo, malária*f.*
palurd|o, -a [pa'lurδo] *s.m.,f. pej.* jeca, caipira ■ *adj. pej.* (pessoa) grosseiro, rude
pampa ['pampa] *s.f.* pampa
pan ['pan] *s.m.* pão; *pan con ajo* pão com alho; *pan de centeno* pão de centeio; *pan de maíz* broa, pão de milho; *pan de molde* pão de forma; *pan francés* baguete; *pan integral* pão integral; *pan rallado* farinha de rosca ♦ *col.* **al pan, pan y al vino, vino** pão pão, queijo queijo; *col.* **con su pan se lo coma** que faça bom proveito; **estar a pan y agua** estar a pão e água; **ganarse el pan** ganhar o pão de cada dia; *col.* **ser el pan (nuestro) de cada día** ser o pão (nosso) de cada dia; *col.* **ser pan comido** ser canja (ser coisa fácil)
pana ['pana] *s.f.* veludo cotelê
panadería [panaδe'ria] *s.f.* padaria
panader|o, -a [pana'δero] *s.m.,f.* padeir|o, -a
panal [pa'nal] *s.m.* **1** (abelhas) favo (de mel) **2** (vespas) vespeiro
Panamá [pana'ma] *s.m.* Panamá
panameñ|o, -a [pana'meɲo] *adj.,s.m.,f.* panamense*2g.*
pancarta [paŋ'karta] *s.f.* cartaz*m.* (em manifestações)
pancho ['pantʃo] *adj.* **1** *col.* tranquilo, sossegado **2** *col.* satisfeito
páncreas ['paŋkreas] *s.m.2n.* pâncreas
pancreático [paŋkre'atiko] *adj.* pancreático
panda ['panda] *s.m.* panda ■ *s.f.* **1** *col.* galera, turma, pessoal*m.* **2** *pej.* gangue, bando*m.*, corja, cambada
pandemónium [pande'monjum] *s.m.* pandemônio
pandereta [pande'reta] *s.f.* pandeireta
pandero [pan'dero] *s.m.* **1** pandeiro **2** *col.* traseiro, bunda
pandilla [pan'diʎa] *s.f.* turma, galera, pessoal*m.*
panecillo [pane'θiʎo] *s.m.* pãozinho
panel [pa'nel] *s.m.* **1** painel **2** *(cartelera)* cartaz ♦ **panel de mandos** painel de controle; **panel solar** painel solar
panera [pa'nera] *s.f.* **1** (para a mesa) cesto*m.* de pão **2** (recipiente) caixa de pão
panfletario [paɱfle'tarjo] *adj.* panfletário
panfleto [paɱ'fleto] *s.m.* panfleto (de propaganda política)
pánico ['paniko] *s.m.* pânico; *entrar en pánico* entrar em pânico
panificadora [panifika'δora] *s.f.* panificação
panizo [pa'niθo] *s.m.* painço
panocha [pa'notʃa], **panoja** [pa'noxa] *s.f. (mazorca)* maçaroca, espiga de milho
panoli [pa'noli] *adj.,s.2g. col.* boçal, palerma, pateta
panorama [pano'rama] *s.m.* panorama
panorámica [pano'ramika] *s.f.* panorâmica
panorámico [pano'ramiko] *adj.* panorâmico
panqueque [paŋ'keke] *s.m.* [AM.] panqueca*f.*
pantalla [pan'taʎa] *s.f.* **1** (abajur) quebra-luz*m.* **2** (televisão) tela **3** (cinema) tela **4** (computador) monitor*m.* **5** (projeção) quadro*m.* branco ♦ **la gran pantalla** o cinema; **la pequeña pantalla** a televisão
pantalones [panta'lones] *s.m.pl.* calças*f. pl.*; *pantalones acampanados* calças boca de sino; *pantalones con peto* jardineiras; *pantalones cortos* short; *pantalón de pinzas* calças com pregas; *pantalón de pitillo* calças justas; *pantalones piratas* corsário; *pantalones vaqueros* calça jeans ♦ **bajarse los pantalones** meter o rabo entre as pernas; **llevar (bien puestos) los pantalones** usar calças (impor a sua autoridade)
pantanal [panta'nal] *s.m.* pantanal
pantano [pan'tano] *s.m.* **1** (terreno) pântano **2** *(embalse)* represa*f.*, açude
pantanoso [panta'noso] *adj.* pantanoso
panteón [pante'on] *s.m.* **1** panteão **2** jazigo
pantera [pan'tera] *s.f.* pantera ♦ **pantera negra** pantera-negra
pantorrilla [panto'riʎa] *s.f.* barriga da perna; panturrilha

pantufla [paŋ'tuflo] *s.f.* **1** pantufa **2** chinelo*m.*
panza ['paŋθa] *s.f.* **1** (objeto) bojo*m.* **2** (ruminante) pança, bandulho*m.* **3** *col.* (pessoa) pança, barriga
panzada [paŋ'θaδa] *s.f.* **1** fartura; exagero*m.* **2** (golpe) barrigada
panzudo [paŋ'θuδo] *adj.* **1** (pessoa) pançudo, barrigudo **2** (objeto) bojudo
pañal [pa'ɲal] *s.m.* fralda*f.*; *pañales desechables* fraldas descartáveis; *cambiar el pañal al bebé* trocar a fralda do bebê ♦ *col.* **estar en pañales** ter pouca experiência
paño ['paɲo] *s.m.* pano ♦ **en paños menores** em trajes menores; **haber paño que cortar** dar pano para mangas; **paños calientes** paninhos quentes
pañoleta [paɲo'leta] *s.f.* **1** *(pañuelo)* lenço*m.* (triangular que se põe sobre os ombros) **2** *(chal)* xaile*m.*, xale*m.* **3** (toureiro) gravata
pañuelo [pa'ɲwelo] *s.m.* lenço; *pañuelo de papel* lenço de papel
papa ['papa] *s.f.* batata ■ *s.m. col.* papai ■ **papas** *s.f.pl. col.* sopas leves ou qualquer comida ♦ *col.* **no saber/entender ni papa** não saber/entender patavina, não saber/entender bulhufas
Papa ['papa] *s.m.* Papa
papá [pa'pa] *s.m. col.* papai ■ **papás** *s.m.pl. col.* pais, pai e mãe*f.* ♦ **Papá Noel** Papai Noel
papada [pa'paδa] *s.f.* **1** (pessoa) barbela, papada **2** (animal) papada, barbela
papado [pa'paδo] *s.m.* papado
papagayo [papa'ɣajo] *s.m. (loro)* papagaio
papal [pa'pal] *adj.2g.* papal
papamóvil [papa'moβil] *s.m.* papamóvel
papanatas [papa'natas] *s.2g.2n. col.* bob|o, -a*m.f.*, otári|o, -a*m.f.*
papanicolau [papaniko'law] *s.m.* papanicolau
Papá Noel [pa'pano'el] *s.m.* Papai Noel
paparrucha [papa'rutʃa] *s.f.* **1** *col.* parvoíce, idiotice **2** *col.* peta
papaya [pa'paja] *s.f.* mamão*m.*
papayo [pa'pajo] *s.m.* papaieira*f.*
papel [pa'pel] *s.m.* **1** papel; *papel biblia* papel-bíblia; *papel carbón* papel carbono; *papel celo* durex; *papel celofán* papel celofane; *papel de aluminio* papel-alumínio; *papel de borrador* papel de rascunho; *papel de estraza* papel de embrulho; *papel de fumar* mortalha; *papel de regalo* papel de embrulho; *papel de seda* papel de seda; *papel higiénico* papel higiênico; *papel moneda* papel moeda; *papel pintado* papel de parede; *papel reciclado* papel reciclado; *papel secante* papel mata-borrão; *papel timbrado* papel timbrado; *papel vegetal* papel vegetal **2** *(hoja)* papel, folha*f.* **3** (ator) papel; *papel principal/secundario* papel principal/secundário **4** *fig.* papel, função*f.* ■ **papeles** *s.m.pl.* **1** papéis, documentos **2** *col.* jornais **3** *col.* notas*f.* ♦ *col.* **perder los papeles** perder as estribeiras; *col.* **ser papel mojado** não valer nada; **sobre el papel** em teoria
papeleo [pape'leo] *s.m.* **1** *(documentos)* papelada*f.* **2** *(trámites)* burocracia*f.*, trâmites*pl.*
papelera [pape'lera] *s.f.* cesto*m.* dos papéis ♦ **papelera de reciclaje** reciclagem
papelería [papele'ria] *s.f.* papelaria
papeleta [pape'leta] *s.f.* **1** (sorteio) bilhete*m.*, rifa **2** (votação) boletim*m.* **3** (exame, prova) pauta (de resultados), nota
papelón [pape'lon] *s.m. col.* papelão; *hacer un papelón* fazer um papelão
papeo [pa'peo] *s.m. col.* comida*s.f.*
paperas [pa'peras] *s.f.pl.* papeira
papila [pa'pila] *s.f.* papila
papilla [pa'piʎa] *s.f.* (para bebês, doentes) papa ♦ *col.* **echar la (primera) papilla** virar o barco, vomitar; *col.* **quedar hecho papilla** rastejar
papiro [pa'piro] *s.m.* (planta, manuscrito) papiro
papisa [pa'pisa] *s.f.* papisa
papista [pa'pista] *s.2g.* papista ♦ **ser más papista que el papa** ser mais papista que o papa
papo ['papo] *s.m.* **1** (de ave) papo **2** (de animal) papada*f.*, barbela*f.* **3** *col.* descaramento
páprika ['paprika] *s.f.* páprica
paquete [pa'kete] *s.m.* **1** pacote, embrulho **2** *(envóltorio)* pacote, embalagem*f.* **3** (cigarros) maço ♦ **paquete postal** encomenda postal
paquidermo [paki'δermo] *s.m.* paquiderme
paquistaní [pakista'ni] *adj.,s.2g.* paquistan|ês, -esa*m.f.*
par ['par] *adj.2g.* **1** par, igual, semelhante **2** (número) par ■ *s.m.* par ♦ **a la par** ao mesmo tempo; **a pares** aos pares; **de par en par** de par em par; **en un par de ocasiones** por uma ou duas vezes; (jogo) **pares y nones** par ou ímpar; **sin par** sem-par
para ['para] *prep.* **1** (finalidade) para; *haré todo para ayudarte* farei tudo para ajudar-te **2** (destino, direção) para; *vamos para Barcelona* vamos para Barcelona **3** (motivo, causa) para; *¿para qué has venido?* para que vieste? **4** (tempo) para; *lo necesito para el lunes* preciso disso para segunda feira **5** (perspectiva) para; *para mí, eso es fundamental* para mim, isso é fundamental **6** (distribuição) para; *dos caramelos para cada uno* duas balas para cada um ♦ *col.* **que para qué** pois, para quê?; **para eso** por isso; **para que** para que
parabién [para'βjen] *s.m. (felicitación)* parabéns*pl.*, felicitações*f. pl.*
parábola [pa'raβola] *s.f.* parábola
parabólica [para'βolika] *s.f.* (antena) parabólica
parabrisas [para'βrisas] *s.m.2n.* para-brisa
paracaídas [paraka'iδas] *s.m.2n.* paraquedas
paracaidismo [parakai'δizmo] *s.m.* paraquedismo
paracaidista [parakai'δista] *s.2g.* paraquedista
parachoques [para'tʃokes] *s.m.2n.* para-choque
parada [pa'raδa] *s.f.* **1** (ação) parada, suspenção **2** *(pausa)* parada, pausa **3** (transportes públicos) ponto; praça; *parada de autobús* ponto de ônibus; *parada de taxis* ponto de táxis **4** MIL. parada **5** ESPOR. defesa
paradero [para'δero] *s.m.* **1** paradeiro; *estar en paradero desconocido* estar em paradeiro desconhecido **2** [AM.S., MÉX.] (transportes) parada*f.*, ponto

paradigma [para'ðiɣma] *s.m.* paradigma
paradigmático [paraðiɣ'matiko] *adj.* paradigmático
paradisíaco [paraði'siako], **paradisiaco** [paraði'sjako] *adj.* paradisíaco
parad|o, -a [pa'raðo] *s.m.,f.* desempregad|o, -a ■ *adj.* **1** (pessoa, veículo) parado **2** *(tímido)* tímido **3** *(lento)* vagaroso, parado **4** *(desempleado)* desempregado; *estar parado* estar desempregado **5** (bola, gol) defendido
paradoja [para'ðoxa] *s.f.* paradoxo*m.*
paradójico [para'ðoxiko] *adj.* paradoxal
parador [para'ðor] *s.m.* pousada*f.*
parafina [para'fina] *s.f.* parafina
paráfrasis [pa'rafrasis] *s.f.2n.* paráfrase
paragoge [para'ɣoxe] *s.f.* paragoge
paraguas [pa'raɣwas] *s.m.2n.* guarda-chuva, chapéu de chuva
Paraguay [para'ɣwaj] *s.m.* Paraguai
paraguay|o, -a [para'ɣwajo] *adj.,s.m.,f.* paraguai|o, -a
paragüero [para'ɣwero] *s.m.* bengaleiro (para guarda-chuvas, bengalas)
paraíso [para'iso] *s.m.* **1** *fig.* paraíso **2** (sala de espetáculos) galeria*f.*, geral*f.* ♦ ECON. **paraíso fiscal** paraíso fiscal
Paraíso [para'iso] *s.m.* Paraíso
paraje [pa'raxe] *s.m.* lugar
paralelas [para'lelas] *s.f.pl.* ESPOR. paralelas*pl.*
paralelepípedo [paralele'pipeðo] *s.m.* paralelepípedo
paralelo [para'lelo] *adj.* paralelo ■ *s.m.* **1** *(comparación)* paralelo, comparação*f.*, confronto **2** GEOG. paralelo
paralelogramo [paralelo'ɣramo] *s.m.* paralelogramo
paralimpiada [paraolim'pjaða] *s.f.* paraolimpíadas*pl.*
paralímpico [para'limpiko] *adj.* paraolímpico, paralímpico
parálisis [pa'ralisis] *s.f.2n.* paralisia
paralític|o, -a [para'litiko] *adj.,s.m.,f.* paralític|o, -a
paralización [paraliθa'θjon] *s.f.* paralisação
paralizar [parali'θar] *v.* **1** paralisar **2** (processo, atividade) paralisar, interromper **3** (negociações) deter ■ **paralizarse** paralisar-se
paralogismo [paralo'xizmo] *s.m.* paralogismo, raciocínio falso
paramento [para'mento] *s.m.* paramento ♦ **paramentos sacerdotales** paramentos
parámetro [pa'rametro] *s.m.* parâmetro
paramilitar [paramili'tar] *adj.2g.* (corpo, organização) paramilitar
páramo ['paramo] *s.m.* páramo
parangón [paraŋ'gon] *s.m.* comparação*f.*; *no tener parangón con* não ter comparação com
parangonar [paraŋgo'nar] *v.* comparar; *parangonar una cosa con otra* comparar uma coisa com outra
paraninfo [para'nimfo] *s.m.* salão nobre (numa universidade)
paranoia [para'noja] *s.f.* **1** paranoia **2** *col.* paranoia, obsessão
paranoic|o, -a [para'nojko] *adj.,s.m.,f.* paranoic|o, -a
paranormal [paranor'mal] *adj.2g.* paranormal
paraolimpiada [paraolim'pjaða] *s.f.* ⇒ **paralimpiada**
paraolímpico [parao'limpiko] *adj.* ⇒ **paralímpico**
parapente [para'pente] *s.m.* parapente
parapeto [para'peto] *s.m.* **1** trincheira*f.* **2** parapeito
paraplejia [para'plexja], **paraplejía** [paraple'xia] *s.f.* paraplegia
parapléjic|o, -a [para'plexiko] *adj.,s.m.,f.* paraplégic|o, -a
parapsicología [parasikolo'xia] *s.f.* parapsicologia
parapsicólog|o, -a [parasi'koloɣo] *s.m.,f.* parapsicólog|o, -a
parar [pa'rar] *v.* **1** *(cesar)* parar **2** *(alojarse)* ficar, hospedar-se; *suelo parar en este hotel* costumo ficar neste hotel **3** *(hallarse)* estar, parar; *dime dónde para tu madre* diz-me onde está a tua mãe **4** parar, deter **5** ESPOR. defender ■ **pararse** parar ♦ **¡dónde va a parar!** não tem comparação!; *col.* **dónde vamos a parar** onde vamos parar; **sin parar** sem parar; **y pare usted de contar** e chega
pararrayos [para'rajos] *s.m.2n.* para-raios
parasíntesis [para'sintesis] *s.f.2n.* parassíntese
parásit|o, -a [pa'rasito] *s.m.,f. fig., pej.* (pessoa) parasita*2g.* ■ *adj.* parasita ■ **parásito** *s.m.* BIOL. parasita
parasol [para'sol] *s.m.* **1** guarda-sol, para sol **2** (automóvel) pala*f.*, para sol
parcela [par'θela] *s.f.* **1** (terreno) parcela, lote*m.* **2** *(parte)* parcela
parcelación [parθela'θjon] *s.f.* **1** parcelamento*m.* **2** (terreno) loteamento*m.*
parche ['partʃe] *s.m.* **1** (pneu, roupa) remendo **2** (instrumento de percussão) pele*f.* **3** FARM. emplastro; curativo; *parches de nicotina* adesivos de nicotina **4** *fig.* remendo, remedeio
parchís [par'tʃis] *s.m.2n.* (jogo) ludo
parcial [par'θjal] *adj.2g.* parcial ■ *s.m.* frequência*f.*, teste (exame de parte de uma cadeira/disciplina) ♦ (trabalho) **a tiempo parcial** em meio período
parcialidad [parθjali'ðað] *s.f.* parcialidade
parco ['parko] *adj.* parco ♦ (pessoa) **parco en palabras** de poucas palavras
pardal [par'ðal] *s.m.* *(gorrión)* pardal
pardillo [par'ðiʎo] *adj.* (pessoa) ingênuo, simplório ■ *s.m.* pintarroxo
pardo ['parðo] *adj.* (cor) pardo
pardusco [par'ðusko] *adj.* pardacento
parecer [pare'θer] *v.* **1** parecer; *no parece difícil* não parece difícil **2** *(opinar)* achar, parecer; *¿qué te parece?* o que achas? ■ **parecerse** parecer-se (a, a/com), ser parecido (a, a/com); *el jaguar se parece al leopardo* o jaguar é parecido com o leopardo ■ *s.m.* **1** *(opinión)* parecer, opinião*f.*, juízo **2** *(apariencia)* parecer, aparência*f.* ♦ **al parecer** ao que parece
parecido [pare'θiðo] *adj.* parecido (a, com); *eres muy parecido a tu madre* és muito parecido com a tua mãe ■ *s.m.* semelhança*f.* ♦ **bien parecido** bem-parecido; **mal parecido** malparecido

pared [pa'reδ] *s.f.* **1** parede; ***pared maestra/medianera*** parede-mestra/meia **2** (montanha) escarpa ◆ **las paredes oyen** as paredes têm ouvidos; *col.* **poner (a alguien) contra la pared** encostar (alguém) contra a parede; *col.* **subirse por las paredes** subir pelas paredes

pareja [pa'rexa] *s.f.* **1** (pessoas, coisas) par*m.* **2** (animais) parelha, par*m.* **3** (homem e mulher) casal*m.* **4** (dança) par*m.* **5** *(compañero sentimental)* companheir|o, -a*m.f.*, parceir|o, -a*m.f.* ◆ **pareja de hecho** união de fato; **vivir en pareja** viver juntos

parejo [pa'rexo] *adj.* parecido, semelhante

parentela [paren̪'tela] *s.f.* parentela, parentes*m. pl.*

parentesco [paren̪'tesko] *s.m.* parentesco

paréntesis [pa'ren̪tesis] *s.m.2n.* parêntese, parêntesis; ***abrir/cerrar paréntesis*** abrir/fechar parêntesis; ***entre paréntesis*** entre parênteses

parida [pa'riδa] *s.f. col.* besteira, bobagem

paridad [pari'δaδ] *s.f.* **1** *(igualdad)* igualdade, paridade; ***en paridad de condiciones*** em igualdade de circunstâncias **2** *(semejanza)* semelhança, paridade **3** ECON. paridade monetária

pariente [pa'rjen̪te] *s.2g.* parente, familiar; ***parientes cercanos/lejanos*** parentes próximos/afastados

parietal [parje'tal] *adj.2g.* ANAT. parietal

parihuela [pari'(γ)wela] *s.f.* **1** *(camilla)* maca, padiola **2** (para transportar coisas) padiola

paripé [pari'pe] *s.m.* teatro*fig.*, fingimento; ***hacer el paripé*** fazer um teatro, fingir

parir [pa'rir] *v.* parir ◆ *vulg.* **parirla** fazer cagada; **poner a parir a alguien** dizer cobras e lagartos de alguém; falar mal de alguém

parisílabo [pari'silaβo] *adj.,s.m.* parissílabo

parka ['parka] *s.f.* parca

parking ['parkin] *s.m.* estacionamento

parla ['parla] *s.f.* lábia

parlamentari|o, -a [parlamen̪'tarjo] *s.m.,f.* parlamentar*2g.* ■ *adj.* parlamentar

parlamentarismo [parlamen̪ta'rizmo] *s.m.* parlamentarismo

parlamento [parla'men̪to] *s.m.* parlamento

parlanch|ín, -a [parlan'tʃin] *adj.,s.m.,f. col.* tagarela*2g.*; linguarud|o, -a

parlante [par'lan̪te] *adj.2g.* falante

parlotear [parlote'ar] *v. col.* tagarelar, dar à língua

parloteo [parlo'teo] *s.m.* tagarelice*f.*

parmesano [parme'sano] *s.m.* parmesão

parné [par'ne] *s.m. col. (dinero)* grana*f.*, massa*f.*

paro ['paro] *s.m.* **1** *(detención)* paragem*f.*; ***paro cardíaco*** parada cardíaca **2** (de atividade laboral) paralisação*f.*, interrupção*f.*; *(huelga)* greve*f.* **3** *(desempleo)* desemprego; ***estar en (el) paro*** estar desempregado **4** *(personas desempleadas)* desemprego **5** (quantia) seguro-desemprego; ***cobrar el paro*** receber o seguro-desemprego

parodia [pa'roδja] *s.f.* paródia

paronimia [paro'nimja] *s.f.* paronímia

parónimo [pa'ronimo] *s.m.* parônimo

paronomasia [parono'masja] *s.f.* paronomásia

parótida [pa'rotiδa] *s.f.* parótida

paroxítono [parok'sitono] *adj.* (palavra) paroxítono, grave

parpadear [parpaδe'ar] *v.* **1** (olhos) pestanejar **2** (luz) piscar

parpadeo [parpa'δeo] *s.m.* **1** (olhos) piscadela*f.*, pestanejo **2** (luz) cintilação*f.*, piscar

párpado ['parpaδo] *s.m.* pálpebra*f.*

parque ['parke] *s.m.* parque ◆ **parque acuático** parque aquático; **parque de atracciones/diversiones** parque de diversões; **parque de bomberos** quartel de bombeiros; **parque infantil** parque infantil; **parque natural** reserva/parque natural; **parque zoológico** jardim zoológico

parqué [par'ke] *s.m.* parquê

parquedad [parke'δaδ] *s.f.* moderação, comedimento*m.*

parquímetro [par'kimetro] *s.m.* parquímetro

parra ['para] *s.f.* parreira, ramada ◆ *col.* **subirse a la parra 1** ficar muito irritado **2** começar a abusar

parrafada [para'faδa] *s.f.* **1** *col.* conversa, prosa **2** *col.* discurso*m.*

párrafo ['parafo] *s.m.* parágrafo

parranda [pa'ran̪da] *s.f. col.* pândega, farra; ***irse de parranda*** cair na farra

parrandear [paran̪de'ar] *v. col.* andar na pândega

parricida [pari'θiδa] *s.2g.* parricida

parricidio [pari'θiδjo] *s.m.* parricídio

parrilla [pa'riʎa] *s.f.* **1** *(grill)* grelha **2** (restaurante) churrascaria, restaurante*m.* de grelhados **3** TV. grade, programação televisiva; ***parrilla de programación*** grade de programação ◆ **a la parrilla** grelhado; ***pescado a la parrilla*** peixe grelhado; (automobilismo) **parrilla de salida** grid de largada

parrillada [pari'ʎaδa] *s.f.* grelhado*m.*

párroco ['paroko] *s.m.* pároco

parroquia [pa'rokja] *s.f.* **1** *(iglesia)* igreja paroquial **2** (território) paróquia **3** *(clientela)* freguesia, clientela

parroquial [paro'kjal] *adj.2g.* paroquial

parroquian|o, -a [paro'kjano] *s.m.,f.* **1** REL. paroquian|o, -a **2** *(cliente)* cliente*2g.*, fregu|ês, -esa*pop.*

parsimonia [parsi'monja] *s.f.* **1** lentidão **2** moderação

parte ['parte] *s.m.* **1** *(informe)* boletim; ***parte meteorológico*** boletim meteorológico **2** *(comunicación)* comunicado **3** *(informe)* relatório; ***parte médico*** relatório médico ■ *s.f.* **1** *(porción)* parte, porção, fração **2** *(sitio)* parte, sítio*m.*, lugar*m.*; ***en todas partes*** em toda parte ■ **partes** *s.f.pl. col. (genitales)* partes ◆ **dar parte de** dar parte de, apresentar queixa; **de parte de (alguien) 1** do lado de (alguém), a favor de (alguém) **2** da parte de (alguém); **en parte** em parte; **formar parte de** fazer parte de; **hacer partes** fazer a partilha; **llevarse la mejor/peor parte** ficar com a melhor/pior parte; **no ir a ninguna parte** não ir a lado/lugar nenhum; **por la parte que me toca** pela parte que me toca; **por mi parte** da minha parte; **por partes** por partes; **por una parte...**

por otra por um lado... por outro; *col.* **salva sea la parte** traseiro, bunda

parter|o, -a [par'tero] *s.m.,f.* parteir|o, -a

parterre [par'tere] *s.m.* **1** canteiro (de flores e grama) **2** jardim de canteiros

partición [parti'θjon] *s.f.* partição, divisão

participación [partiθipa'θjon] *s.f.* **1** (acontecimento, atividade) participação, envolvimento*m.* **2** (loteria) cautela **3** *(notificación)* participação, notificação **4** ECON. ação

participante [partiθi'pante] *s.2g.* participante

participar [partiθi'par] *v.* **1** (atividade) participar (en, em) **2** *(compartir)* partilhar (de, -); *no participo de tu opinión* não partilho a tua opinião **3** participar, comunicar, notificar

partícipe [par'tiθipe] *adj.,s.2g.* partícipe

participio [parti'θipjo] *s.m.* particípio

partícula [par'tikula] *s.f.* partícula

particular [partiku'lar] *adj.2g.* **1** *(privado)* particular, privado **2** *(raro)* particular, especial, raro ■ *s.2g.* particular, indivíduo*m.* ■ *s.m.* assunto ♦ **en particular** em particular; (carta, mensagem) **sin otro particular** sem outro assunto, sem mais

particularidad [partikulari'ðað] *s.f.* particularidade

partida [par'tiða] *s.f.* **1** *(marcha)* partida **2** (mercadoria) remessa **3** (documento) certidão; *partida de matrimonio/nacimiento* certidão de casamento/nascimento **4** (jogo) partida; *echar una partida* jogar uma partida **5** MIL. milícia

partidari|o, -a [parti'ðarjo] *adj.,s.m.,f.* partidári|o, -a; *ser partidario de algo* ser partidário de alguma coisa

partidismo [parti'ðizmo] *s.m.* partidarismo

partido [par'tiðo] *adj.* **1** *(roto)* partido, quebrado; *partido a la mitad* partido ao meio **2** *(dividido)* partido, dividido ■ *s.m.* **1** partido, facção*f.* **2** (desportos) jogo, partida*f.*; *partido de fútbol* jogo de futebol **3** *(provecho)* partido, proveito, benefício; *sacar partido de* tirar partido de ♦ **partido judicial** comarca; *col.* **ser un buen partido** ser um bom partido; **tomar partido** tomar partido

partir [par'tir] *v.* **1** *(dividir)* partir, dividir **2** *(repartir)* repartir, distribuir **3** *(romper)* partir, quebrar **4** *(irse)* partir, ir embora ■ **partirse 1** partir; *se ha partido el brazo* quebrou o braço **2** *(romperse)* partir se **3** *col.* desmanchar se a rir ♦ **a partir de** a partir de

partitivo [parti'tiβo] *adj.* partitivo

partitura [parti'tura] *s.f.* partitura

parto ['parto] *s.m.* parto; *parto asistido* parto assistido; *parto inducido* parto induzido/provocado; *parto natural* parto natural/normal; *parto prematuro* parto prematuro; *parto sin dolor* parto sem dor; *estar de parto* estar em trabalho de parto; *ponerse de parto* entrar em trabalho de parto

parturienta [partu'rjenta] *adj.2g.,s.f.* parturiente

parvo ['parβo] *adj.* **1** *(escaso)* parco, escasso **2** *(pequeño)* pequeno

pasa ['pasa] *s.f.* uva passa, passa

pasada [pa'saða] *s.f.* **1** *(limpieza ligera)* limpadela **2** (com o ferro) passadela **3** (com tinta) demão **4** *(repaso)* retoque*m.* **5** *col.* espanto*m.*, maravilha **6** *col.* exagero*m.* ♦ **de pasada** de passagem; *col.* **mala pasada** golpe baixo

pasadizo [pasa'ðiθo] *s.m.* passagem*f.*, passadiço; *pasadizo secreto* passagem secreta

pasado [pa'saðo] *adj.* **1** passado; *la semana pasada* a semana passada **2** (fruta) passado **3** *(estropeado)* estragado ■ *s.m.* **1** passado **2** LING. passado, pretérito ♦ **pasado de moda** fora de moda; **pasado mañana** depois de amanhã

pasador [pasa'ðor] *s.m.* **1** (porta, janela) fecho, trinco, tranca*f.* **2** (gravata) alfinete de gravata **3** (cabelo) grampo **4** *(colador)* coador

pasaje [pa'saxe] *s.m.* **1** (ação) passagem*f.* **2** *(billete)* passagem*f.*, bilhete **3** *(viajeros)* passageiros*pl.* **4** (obra) passagem*f.*, fragmento

pasajer|o, -a [pasa'xero] *s.m.,f.* passageir|o, -a ■ *adj.* passageiro

pasamanos [pasa'manos] *s.m.2n.* (de escada) corrimão; (de varanda) varão; (de janela) parapeito

pasante [pa'sante] *s.2g.* estagiári|o, -a*m.f.* (de advogado)

pasaporte [pasa'porte] *s.m.* passaporte; *sacar el pasaporte* tirar o passaporte

pasar [pa'sar] *v.* **1** *(ir de un lugar a otro)* passar; *cuando vengas, pásate por aquí* quando vier, passe por aqui **2** (tempo) passar; *las vacaciones pasan deprisa* as férias passam depressa **3** *(entrar)* entrar; *pasó sin llamar* entrou sem tocar a campainha **4** *(cesar)* passar; *¿se te ha pasado el mareo?* passou o enjoo? **5** *(ocurrir)* passar-se, ocorrer; *¿qué pasa?* que se passa? **6** *(trasladar)* passar; *pasa los datos para mi ordenador* passa os dados para o meu computador **7** *(comunicar)* passar; *me has pasado la gripe* você me passou gripe **8** *(cruzar)* atravessar, passar; *el puente pasa por el río* a ponte atravessa o rio **9** *(alcanzar)* passar; *¿me pasas el pan?* passe me o pão? **10** *(aventajar)* passar, superar; *nadie te pasa en lenguas* ninguém te supera em línguas **11** *(adelantar)* ultrapassar, passar; *me pasó una moto en la autopista* fui ultrapassado por uma moto na autoestrada **12** *(tolerar)* deixar passar, tolerar; *no te pasaré ningún fallo más* não deixarei passar mais nenhum erro seu **13** *(aprobar)* passar (-, em); *¡he pasado el examen!* passei no exame! **14** *(disfrutar)* passar; *pasé las vacaciones en la playa* passei as férias na praia **15** *(tragar)* comer, beber; *la carne no me pasa* não consigo comer carne **16** *(proyectar)* passar, projetar; *pasar diapositivas/una película* passar slides/um filme **17** *(sufrir)* passar; *pasar hambre* passar fome ■ **pasarse 1** *(excederse)* exceder se, exagerar **2** *(pudrirse)* apodrecer, estragar--se **3** *(cambiar)* passar se (a, para); *pasarse al enemigo* passar para o lado do inimigo ♦ **¡pasa!** entra!; **pasar a** [+*inf.*] passar a [+*inf.*]; *después de que la conoció, pasó a escribirle* depois que a conheceu, passou a escrever lhe; *col.* **pasar de** não ligar para, não se importar; **pasar por** [+*adj./s.*] passar por [+*adj./s.*]; *pasa por listo, pero es tonto* passa por esperto, mas é burro; **pasarlo bien** divertir-se; **pasarse de la raya** exceder-se, ir longe demais; **¿qué pasa?** que se passa?, que aconteceu?

pasarela [pasa'rela] *s.f.* **1** (ponte) passagem para pedestres, passarela **2** (aeroporto) finger **3** (desfile de moda) passarela **4** (curso universitário) transferência

pasatiempo [pasa'tjempo] *s.m.* passatempo
Pascua ['paskwa] *s.f.* Páscoa ♦ *col.* **de Pascuas a Ramos** de tempos em tempos
pascual [pas'kwal] *adj.2g.* pascal, pascoal
pase ['pase] *s.m.* **1** *(permiso)* passe, licença*f.*; *pase de pernocta* licença, salvo-conduto (autorização dada a um militar para sair/ir a casa) **2** (filme) projeção*f.* **3** ESPOR. passe ♦ **pase de modelos** passagem de modelos
pasear [pase'ar] *v.* **1** passear **2** (cavalo) andar a passo **3** *(llevar de paseo)* passear, levar a passear; *pasear al perro* passear com o cão ▪ **pasearse** passear
paseíllo [pase'iʎo] *s.m.* TAUR. [desfile dos toureiros e das suas quadrilhas na praça]
paseo [pa'seo] *s.m.* passeio; *dar un paseo* dar um passeio ♦ *col.* **mandar a paseo a alguien** mandar alguém passear; **paseo marítimo** passeio de barco; *col.* **ser un paseo** ser canja
pasillo [pa'siʎo] *s.m.* **1** (casa, edifício) corredor **2** (entre lugares, assentos) corredor, coxia*f.* **3** (entre pessoas) passagem*f.*
pasión [pa'sjon] *s.f.* paixão
pasional [pasjo'nal] *adj.2g.* passional
pasionaria [pasjo'narja] *s.f.* (planta) maracujá*m.*
pasiva [pa'siβa] *s.f.* (voz) passiva
pasividad [pasiβi'ðað] *s.f.* passividade
pasivo [pa'siβo] *adj.* **1** *(inactivo)* passivo, inativo, indiferente **2** (pessoa) passivo; *fumador pasivo* fumante passivo **3** LING. passivo; *voz pasiva* voz passiva ▪ *s.m.* ECON. passivo
pasmado [paz'maðo] *adj.* pasmado; *quedarse pasmado* ficar pasmo
pasmo ['pazmo] *s.m.* **1** *(asombro)* pasmo, espanto, assombro **2** resfriado
paso ['paso] *s.m.* **1** passo, passada*f.* **2** (modo de andar) andar **3** (dança) passo **4** (lugar) passagem*f.*; *prohibido el paso* passagem proibida **5** (telefone) impulso **6** *(huella)* pegada*f.* ♦ **andar en malos pasos** andar por maus caminhos; **ave de paso** ave de arribação; **estar de paso** estar de passagem; **paso a nivel** passagem de nível; **paso de cebra/peatones** faixa de pedestres; **paso elevado** viaduto; passagem superior; **paso subterráneo** passagem subterrânea
pasodoble [paso'ðoβle] *s.m.* passo doble (música e dança)
pasota [pa'sota] *adj.2g.* **1** *col.* (pessoa) desligado **2** *col.* *(despreocupado)* descontraído ▪ *s.2g. col.* pessoa*f.* desligada
pasquín [pas'kin] *s.m.* pasquim
pasta ['pasta] *s.f.* **1** *(masa)* pasta, massa **2** CUL. massa **3** (livro) capa **4** *col. (dinero)* grana, dindim ▪ **pastas** *s.f.pl.* biscoitos*m. pl.* ♦ **pasta de dientes** pasta de dentes; **pasta de hojaldre** bolo de massa folhada; (dinheiro) **pasta gansa** nota preta
pastar [pas'tar] *v.* pastar
pastel [pas'tel] *s.m.* **1** pastel **2** bolo; *pastel de chocolate* bolo de chocolate **3** (pintura) pastel
pastelería [pastele'ria] *s.f.* confeitaria
pasteler|o, -a [paste'lero] *s.m.,f.* pasteleir|o, -a ♦ **crema pastelera** creme de confeiteiro; **manga pastelera** saco de confeiteiro
pasteurizado [pastewri'θaðo] *adj.* pasteurizado; *leche pasteurizada* leite pasteurizado
pastiche [pas'titʃe] *s.m.* pastiche
pastilla [pas'tiʎa] *s.f.* **1** comprimido*m.*, pastilha **2** (substância) barra; *pastilla de jabón* barra de sabão; *pastillas de encendido* acendalhas; sobras de lenha para acender o fogo **3** (chocolate) tablete, barra ♦ *col.* **a toda pastilla** a toda a velocidade
pastizal [pasti'θal] *s.m.* (terreno) pastagem*f.*
pasto ['pasto] *s.m.* pasto
pastor, -a [pas'tor] *s.m.,f.* pastor, -a ▪ **pastor** *s.m.* REL. pastor ♦ **pastor alemán** pastor-alemão
pastoral [pasto'ral] *adj.2g.* pastoral ▪ *s.f.* (carta) pastoral
pastoreo [pasto'reo] *s.m.* pastoreio
pastoril [pasto'ril] *adj.2g.* pastoril
pastoso [pas'toso] *adj.* pastoso
pata ['pata] *s.f.* **1** ⇒ **pato 2** (animal) pata; pé*m.* **3** (objeto, móvel) pé*m.*; perna **4** *col.* perna ♦ **a cuatro patas** de quatro; *andar a cuatro patas* andar de quatro; **a la pata la llana** à vontade; *hablar a la pata la llana* falar à vontade; *col.* **ir a pata** ir a pé; *col.* **estirar la pata** bater as botas; **mala pata** pouca sorte; azar; *col.* **meter la pata** pisar na bola; **pata coja** com um pé só; *saltar a la pata coja* saltar/pular com um pé só; (ruga) **pata de gallo** pé de galinha; **patas arriba** de pernas para o ar; virado pelo avesso; *la habitación está patas arriba* o quarto está de pernas para o ar; *col.* **poner de patas/patitas en la calle** pôr no olho da rua
patada [pa'taða] *s.f.* (com a pata) patada; (com o pé) pontapé*m.*; *patada en la espinilla* canelada ♦ *col.* **a patadas** aos pontapés; aos montes; **echar a patadas** correr a pontapé; **en dos patadas** em dois tempos
patalear [patale'ar] *v.* **1** espernear **2** *fig.* bater com o pé
pataleta [pata'leta] *s.f.* **1** *col.* birra **2** *col.* chilique*m.*
patata [pa'tata] *s.f.* **1** (planta) batata, batateira **2** (tubérculo) batata; *patatas fritas* batatas fritas **3** *fig., col.* porcaria*fig.* **4** *fig., col.* (relógio) cebola ♦ *col.* **ni patata** absolutamente nada; *col.* **pasar la patata caliente** passar a batata-quente
patatús [pata'tus] *s.m.2n. col.* chilique, badagaio
patchwork ['patʃ(ɣ)wor] *s.m.* patchwork
paté [pa'te] *s.m.* patê
patentar [paten̪'tar] *v.* patentear
patente [pa'ten̪te] *adj.2g.* patente, evidente, claro ▪ *s.f.* **1** licença **2** patente
paternal [pater'nal] *adj.2g.* paternal
paternalismo [paterna'lizmo] *s.m. pej.* paternalismo
paternidad [paterni'ðað] *s.f.* paternidade
paterno [pa'terno] *adj.* paterno
patético [pa'tetiko] *adj.* patético

patíbulo [pa'tiβulo] *s.m.* patíbulo, cadafalso
patilla [pa'tiʎa] *s.f.* **1** (barba) costeleta **2** (óculos) haste **3** (alavanca) braço*m.*
patín [pa'tin] *s.m.* **1** patim; ***patines en línea*** patins em linha **2** *(patinete)* patinete*f.* **3** (barco) pedalinho
patinador, -a [patina'ðor] *s.m.,f.* patinador, -a
patinaje [pati'naxe] *s.m.* patinação*f.*; ***patinaje artístico*** patinação artística; ***patinaje sobre hielo*** patinação no gelo
patinar [pati'nar] *v.* **1** patinar; ***patinar sobre hielo*** patinar no gelo **2** (veículo) derrapar, patinar **3** *(resbalar)* escorregar **4** *col.* cometer uma gafe, enganar-se; ***has patinado al decir eso*** cometeste uma gafe ao dizer isso
patinazo [pati'naθo] *s.m.* **1** *(derrape)* derrapagem*f.* **2** *(resbalón)* escorregadela*f.* **3** *col.* escorregadela*f.*, deslize, gafe*f.*; ***tener un patinazo*** cometer uma gafe
patinete [pati'nete] *s.m.* patinete*f.*
patio ['patjo] *s.m.* pátio ♦ (sala de espetáculos) **patio de butacas** plateia; **patio de recreo** recreio
pat|o, -a ['pato] *s.m.,f.* pat|o, -a ♦ *col.* **pagar el pato** pagar o pato, arcar com as consequências
patochada [pato'tʃaða] *s.f.* parvoíce, tolice
patógeno [pa'toxeno] *adj.* patogênico
patología [patolo'xia] *s.f.* patologia
patológico [pato'loxiko] *adj.* patológico
patólog|o, -a [pa'toloγo] *s.m.,f.* patologista*2g.*
patoso [pa'toso] *adj.* **1** *(torpe)* desastrado, desajeitado **2** *(pesado)* chato
patria ['patrja] *s.f.* pátria ♦ **patria chica** terra natal
patriarca [pa'trjarka] *s.m.* patriarca
patriarcado [patrjar'kaðo] *s.m.* patriarcado
patriarcal [patrjar'kal] *adj.2g.* patriarcal
patrimonial [patrimo'njal] *adj.2g.* patrimonial
patrimonio [patri'monjo] *s.m.* patrimônio ♦ **patrimonio artístico/cultural** patrimônio artístico/cultural; **patrimonio de la humanidad** patrimônio da humanidade
patrio ['patrjo] *adj.* pátrio
patriota [pa'trjota] *s.2g.* patriota
patriótico [pa'trjotiko] *adj.* patriótico
patriotismo [patrjo'tizmo] *s.m.* patriotismo
patrocinador, -a [patroθina'ðor] *s.m.,f.* patrocinador, -a, mecenas*2g.2n.*
patrocinar [patroθi'nar] *v.* patrocinar
patrocinio [patro'θinjo] *s.m.* patrocínio
patr|ón, -ona [pa'tron] *s.m.,f.* **1** patr|ão, -oa **2** REL. padroeir|o, -a, patron|o, -a ■ **patrón** *s.m.* **1** padrão **2** molde ♦ **cortado por el mismo patrón** ser farinha do mesmo saco
patronal [patro'nal] *adj.2g.* patronal; ***entidad patronal*** entidade patronal
patronato [patro'nato] *s.m.* **1** patronato **2** patrocínio **3** fundação*f.*
patron|o, -a [pa'trono] *s.m.,f.* ⇒ **patrón**
patrulla [pa'truʎa] *s.f.* patrulha
patrullaje [patru'ʎaxe] *s.m.* patrulhamento
patrullar [patru'ʎar] *v.* patrulhar
patuco [pa'tuko] *s.m.* carapim, sapatinho
paulatino [pawla'tino] *adj.* paulatino
paupérrimo [paw'perimo] (*superl. de* pobre) *adj.* paupérrimo
pausa ['pawsa] *s.f.* pausa; ***hacer una pausa*** fazer uma pausa ♦ **con pausas** pausadamente
pausado [paw'saðo] *adj.* **1** pausado **2** (pessoa) vagaroso, lento ■ *adv.* pausadamente
pauta ['pawta] *s.f.* **1** regra, modelo*m.* **2** (papel) pauta
pautado [paw'taðo] *adj.* (papel) pautado
pava ['paβa] *s.f.* **1** perua **2** *(tetera)* chaleira **3** *col.* mulher sem graça
pavada [pa'βaða] *s.f.* **1** bando*m.* de perus **2** *col.* dito*m.* sem graça, idiotice
pavimentación [paβimenta'θjon] *s.f.* pavimentação
pavimentar [paβimen'tar] *v.* (estrada, rua) pavimentar
pavimento [paβi'mento] *s.m.* pavimento
pavo ['paβo] *s.m.* peru ♦ **pavo real** pavão; *col.* **subírsele el pavo a alguien** corar
pavonearse [paβone'arse] *v.* pavonear-se, exibir-se
pavor [pa'βor] *s.m.* pavor, medo
pavoroso [paβo'roso] *adj.* pavoroso
payasada [paja'saða] *s.f.* palhaçada
payas|o, -a [pa'ɟaso] *s.m.,f.* palhaç|o, -a
paz ['paθ] *s.f.* paz ♦ **dejar en paz** deixar em paz; **descansar/reposar en paz** descansar em paz; **estamos/quedamos en paz** estamos quites; **hacer las paces** fazer as pazes; *col.* **y en paz** e pronto
pazo ['paθo] *s.m.* mansão*f.* (na Galiza)
PC *sigla* (ordenador personal) PC (computador pessoal)
PDA *sigla* (agenda electrónica) PDA (agenda eletrônica)
pe ['pe] *s.f.* (letra) pê*m.* ♦ *col.* **de pe a pa** de A a Z
peaje [pe'axe] *s.m.* (taxa, instalação) pedágio
peatón [pea'ton] *s.m.* pedestres; ***paso de peatones*** faixa de pedestres
peatonal [peato'nal] *adj.2g.* calçadão
peca ['peka] *s.f.* sarda
pecado [pe'kaðo] *s.m.* pecado
pecador, -a [peka'ðor] *s.m.,f.* pecador, -a
pecaminoso [pekami'noso] *adj.* pecaminoso
pecar [pe'kar] *v.* pecar ♦ **pecar** [+*adj.*] pecar por excesso de [+*s.*]
pecera [pe'θera] *s.f.* aquário*m.*
pecho ['petʃo] *s.m.* **1** peito **2** *(mama)* peito, seio **3** (animal) peito ♦ **a lo hecho pecho** agora aguenta; **a pecho descubierto** de peito aberto; **dar el pecho** dar o peito, amamentar; *col.* **partirse el pecho por** fazer das tripas coração; **tomar a pecho** levar muito a sério
pechuga [pe'tʃuγa] *s.f.* **1** (de ave) peito*m.* **2** *col.* (de mulher) peito*m.*
pechugón [petʃu'γon] *adj. col.* peitudo
peciolo [pe'θjolo], **pecíolo** [pe'θiolo] *s.m.* pecíolo

pécora ['pekora] ♦ *col.* **ser una mala pécora** ser má peça
pecoso [pe'koso] *adj.* sardento
pectoral [pekto'ral] *adj.2g.* pectoral, peitoral
pecuario [pe'kwarjo] *adj.* pecuário
peculiar [peku'ljar] *adj.2g.* peculiar
peculiaridad [pekuljari'ðað] *s.f.* peculiaridade
pedagogía [peðaγo'xia] *s.f.* pedagogia
pedagógico [peða'γoxiko] *adj.* pedagógico
pedagog|o, -a [peða'γoγo] *s.m.,f.* pedagog|o, -a
pedal [pe'ðal] *s.m.* **1** pedal **2** *col.* bebedeira*f.*, porre*m.*, pileque*m.*; ***agarrar/coger un pedal*** tomar um porre
pedalada [peða'laða] *s.f.* pedalada
pedalear [peðale'ar] *v.* pedalar
pedante [pe'ðante] *adj.,s.2g.* pedante
pedantería [peðante'ria] *s.f.* pedantismo*m.*
pedazo [pe'ðaθo] *s.m.* pedaço, bocado, porção*f.* ♦ *col.* **caerse a pedazos** caindo aos pedaços; *col.* (pessoa) **estar hecho pedazos** estar cansado; *col.* (pessoa) **ser un pedazo de pan** ser um doce
pederasta [peðe'rasta] *s.m.* pederasta
pederastia [peðe'rastja] *s.m.* pederastia
pedestal [peðes'tal] *s.m.* pedestal ♦ **poner a alguien en un pedestal** pôr alguém num pedestal
pedestre [pe'ðestre] *adj.2g.* **1** pedestre; ***recorrido pedestre*** percurso pedestre **2** *fig.* terra a terra, vulgar
pedestrismo [peðes'trizmo] *s.m.* pedestrianismo
pediatra [pe'ðjatra] *s.2g.* pediatra
pediatría [peðja'tria] *s.f.* pediatria
pediátrico [pe'ðjatriko] *adj.* pediátrico
pedicura [peði'kura] *s.f.* (tratamento) pedicura
pedicur|o, -a [peði'kuro] *s.m.,f.* pedicur|o, -a, calista*2g.*
pedida [pe'ðiða] *s.f.* pedido*m.* (de casamento)
pedido [pe'ðiðo] *s.m.* **1** (de mercadorias) encomenda*f.* **2** *(petición)* pedido
pedigrí [peði'γri] *s.m.* pedigree
pedigüeñ|o, -a [peði'γweɲo] *adj.,s.m.,f. pej.* pid|ão, -ona, pedinch|ão, -ona
pedir [pe'ðir] *v.* **1** pedir **2** (como preço) pedir (por, por); ***¿cuánto piden por la casa?*** quanto pedem pela casa? **3** pedir, mendigar
pedo ['peðo] *s.m.* **1** *col.* peido, traque; ***echarse un pedo*** dar um peido **2** *col.* pileque*m.*, borracheira, porre*m.*; ***coger un pedo*** tomar um porre **3** *gír.* [entorpecimento causado pelo consumo de drogas]
pedofilia [peðo'filja] *s.f.* pedofilia
pedófil|o, -a [pe'ðofilo] *s.m.,f.* pedófil|o, -a
pedrada [pe'ðraða] *s.f.* pedrada
pedrea [pe'ðrea] *s.f.* **1** *col.* prêmios*m. pl.* pequenos (da loteria nacional espanhola) **2** *col.* granizada; saraivada
pedregal [peðre'γal] *s.m.* pedregal
pedrejón [peðre'xon] *s.m.* pedregulho
pedrera [pe'ðrera] *s.f.* pedreira
pedrería [peðre'ria] *s.f.* joias*pl.* preciosas
pedrer|o, -a [pe'ðrero] *s.m.,f.* pedreir|o, -a
pedrisco [pe'ðrisko] *s.m.* granizo
pedrusco [pe'ðrusko] *s.m. col.* bloco de pedra em estado bruto
pedúnculo [pe'ðuŋkulo] *s.m.* BOT. pedúnculo
pega ['peγa] *s.f.* **1** entrave*m.*, dificuldade, obstáculo*m.* **2** defeito*m.*; ***poner pegas a todo*** pôr defeitos em tudo **3** pergunta difícil ♦ **de pega** de brincar
pegadizo [peγa'ðiθo] *adj.* **1** fácil de decorar/memorizar; que fica no ouvido; ***canción pegadiza*** canção que fica no ouvido **2** (substância) pegajoso **3** (riso) contagioso
pegado [pe'γaðo] *adj. col.* embasbacado, pasmado; ***quedarse pegado*** ficar embasbacado
pegajoso [peγa'xoso] *adj.* **1** pegajoso **2** *(pegadizo)* contagioso; ***risa pegajosa*** riso contagioso **3** *col.* (pessoa) pegajoso, importuno
pegamento [peγa'mento] *s.m.* cola*f.*; (para madeira) grude; ***pegamento de contacto*** cola de contato
pegar [pe'γar] *v.* **1** *(adherir)* colar, pegar, grudar **2** (botão) pregar **3** (doença) pegar, contagiar **4** *(acercar)* encostar **5** *(golpear)* bater (-, em) **6** (grito, salto) dar **7** INFORM. colar **8** *(armonizar)* ficar bem ■ **pegarse 1** *(adherirse)* pegar **2** *(golpearse)* bater **3** (panela) pegar, agarrar
pegatina [peγa'tina] *s.f.* autocolante*m.*
pegote [pe'γote] *s.m.* **1** *col.* pasta*f.*, papa*f.* **2** *col.* porcaria*f.fig.*, borrada*f.fig.* **3** *col.* emplastro **4** *col.* mentira, peta*f.*; ***tirarse pegotes*** pregar/meter mentiras
pegual [pe'γwal] *s.m.* [AM. M.] cilha*f.*
peinado [pej'naðo] *s.m.* **1** penteado **2** *fig.* busca*f.* ♦ **hacer el peinado** passar um pente-fino
peinador [pejna'ðor] *s.m.* penteador
peinar [pej'nar] *v.* **1** pentear **2** (lugar) passar a pente fino ■ **peinarse** pentear-se
peine ['pejne] *s.m.* pente ♦ *col.* **¡te vas a enterar de lo que vale un peine!** você vai ver com quantos paus se faz uma canoa!
peineta [pej'neta] *s.f.* travessa (pente curvo para adornar ou segurar o cabelo)
pelado [pe'laðo] *adj.* **1** (cabelo) rapado **2** (fruta) descascado **3** *(calvo)* careca **4** (número) redondo **5** *gír.* sem dinheiro, liso
pelaje [pe'laxe] *s.m.* **1** pelagem*f.* **2** *col., pej.* laia*f.*
pelar [pe'lar] *v.* **1** (cabelo) rapar **2** (fruta, batatas) descascar, pelar **3** (ave) depenar ■ **pelarse** (cabelo) rapar ♦ **duro de pelar** duro de roer
peldaño [pel'daɲo] *s.m.* degrau (de escada)
pelea [pe'lea] *s.f.* **1** *(lucha)* luta **2** *(riña)* briga, rixa **3** *(esfuerzo)* luta, esforço*m.*
pelear [pele'ar] *v.* **1** *(luchar)* lutar **2** *(reñir)* brigar **3** *(combatir)* combater **4** *fig.* lutar, batalhar, esforçar-se ■ **pelearse** discutir, brigar
pelele [pe'lele] *s.m.* **1** (pessoa) pau-mandado, maria*f.* vai com as outras **2** (boneco) boneco (de palha, trapos) **3** (bebês) macacão
peleón [pele'on] *adj.* **1** (pessoa) briguento, implicante **2** *col.* (vinho) carrascão, de má qualidade
peletería [pelete'ria] *s.f.* loja de artigos de pele

peliagudo [pelja'ɣuðo] *adj. col.* bicudo, complicado, difícil
pelícano [pe'likano] *s.m.* pelicano
película [pe'likula] *s.f.* **1** filme*m.*; ***película del Oeste*** filme de bangue-bangue; ***película muda*** filme mudo; ***película policíaca*** filme policial **2** película ♦ *col.* **de película** de sonho, fantástico
peligrar [peli'ɣrar] *v.* correr perigo, estar em perigo; ***su vida peligra*** a sua vida corre perigo
peligro [pe'liɣro] *s.m.* perigo; ***correr peligro*** correr perigo; ***estar en peligro*** estar em perigo; ***estar fuera de peligro*** estar fora de perigo; ***poner en peligro*** pôr em perigo
peligroso [peli'ɣroso] *adj.* perigoso
pelirroj|o, -a [peli'roxo] *adj.,s.m.,f.* ruiv|o, -a
pella ['peʎa] *s.f.* **1** bola*f.* de massa **2** (couve flor, plantas) raminho*m.* ♦ *col.* **hacer pellas** fazer gazeta, matar aula, faltar às aulas
pellejo [pe'ʎexo] *s.m.* **1** pele*f.* **2** pelo, pelugem*f.* ♦ **estar/ponerse en el pellejo de alguien** estar/pôr-se na pele de alguém; **jugarse/arriesgar el pellejo** arriscar a pele; **salvar el pellejo** salvar a pele
pelliza [pe'ʎiθa] *s.f.* peliça
pellizcar [peʎiθ'kar] *v.* **1** beliscar **2** *fig.* (comida) beliscar, lambiscar
pellizco [pe'ʎiθko] *s.m.* **1** beliscão; ***dar un pellizco a alguien*** dar um beliscão em alguém **2** *(pizca)* pitada*f.*
pelma ['pelma] *s.2g. col.* ⇒ **pelmazo**
pelmaz|o, -a [pel'maθo] *s.m.,f.* **1** *col.* chat|o, -a **2** *col.* molenga*2g.*
pelo ['pelo] *s.m.* **1** cabelo **2** pelo ♦ **caérsele el pelo** sofrer castigo por delito; **con pelos y señales** tim-tim por tim-tim, com todos os pormenores; **dar para el pelo** castigar; *col.* **de medio pelo** de meia-tigela; **estar hasta los pelos** estar pelos cabelos; **no cortarse (ni) un pelo** ter muita cara de pau; *col.* **no tener pelos en la lengua** não ter papas na língua; *col.* **no tener un pelo de tonto** não ser nada estúpido; *col.* (exame, prova) **pasar por los pelos** passar pela tangente; **poner los pelos de punta** pôr os cabelos em pé; **por un pelo** por um fio; **tomar el pelo a alguien** gozar de alguém, divertir-se à custa de alguém
pel|ón, -ona [pe'lon] *s.m.,f.* careca*2g.*, calv|o, -a ▪ *adj. fig., col.* depenado, liso, sem dinheiro
pelota [pe'lota] *s.f.* bola ▪ *s.2g. col.* puxa saco ♦ *col.* **en pelota(s)** completamente nu; *col.* **hacer la pelota a alguien** puxar o saco de alguém *col.*
pelotazo [pelo'taθo] *s.m.* **1** bolada*f.* **2** *col.* golada*f.*, gole
pelotero [pelo'tero] *adj. col.* bajulador, adulador
pelotilla [pelo'tiʎa] *s.f.* **1** bolinha **2** (tecido) bolinha*m.* ▪ *s.2g. col.* adulador, bajulador ♦ *col.* **hacer la pelotilla** bajular
pelotón [pelo'ton] *s.m.* **1** MIL. pelotão **2** (ciclismo, corridas) pelotão **3** (pessoas) bando
peluca [pe'luka] *s.f.* peruca, cabeleira postiça
peluche [pe'lutʃe] *s.m.* **1** (tecido) pelúcia*f.* **2** boneco de pelúcia
peludo [pe'luðo] *adj.* peludo
peluquería [peluke'ria] *s.f.* cabeleireiro*m.*, salão*m.* de cabeleireiro
peluquer|o, -a [pelu'kero] *s.m.,f.* cabeleireir|o, -a
peluquín [pelu'kin] *s.m.* **1** peruca*f.* **2** peruca*f.* encaracolada com trança ♦ *col.* **¡ni hablar del peluquín!** nem pensar/falar nisso!
pelusa [pe'lusa] *s.f.* **1** *(vello)* penugem **2** (fruta, planta) penugem **3** (tecido) borboto*m.* **4** (chão, superfície) cotão*m.* **5** *col.* (crianças) ciúmes*m. pl.*; inveja
pelvis ['pelβis] *s.f.2n.* **1** ANAT. pélvis, pelve **2** ANAT. bacia
pena ['pena] *s.f.* **1** *(tristeza)* pena, tristeza **2** *(lástima)* pena **3** DIR. pena; ***pena capital/de muerte*** pena capital/de morte ♦ **a duras penas** a muito custo; **merecer/valer la pena** valer a pena
penacho [pe'natʃo] *s.m.* **1** penacho **2** poupa*f.*
penad|o, -a [pe'naðo] *s.m.,f.* condenad|o, -a
penal [pe'nal] *adj.2g.* **1** penal; ***código/derecho penal*** código/direito penal **2** criminal; ***antecedentes penales*** antecedentes criminais ▪ *s.m.* **1** penitenciária*f.* **2** [AM.] pênalti
penalidad [penali'ðað] *s.f.* penalidade
penalización [penaliθa'θjon] *s.f.* penalização
penalti [pe'nalti] *s.m.* (futebol) pênalti ♦ *vulg.* **casarse de penalti** casar-se por estar grávida
pendenciero [pendeṇ'θjero] *adj.* desordeiro, brigão
pendiente [peṇ'djeṇte] *adj.2g.* **1** inclinado **2** pendente ▪ *s.m.* brinco; ***llevar pendientes*** usar brincos ▪ *s.f.* ladeira, encosta, declive*m.*
pendular [peṇdu'lar] *adj.2g.* pendular
péndulo ['peṇdulo] *s.m.* pêndulo
pene ['pene] *s.m.* pênis*2n.*
penetración [penetra'θjon] *s.f.* penetração
penetrante [pene'traṇte] *adj.2g.* penetrante
penetrar [pene'trar] *v.* penetrar
penicilina [peniθi'lina] *s.f.* penicilina
península [pe'ninsula] *s.f.* península
peninsular [peninsu'lar] *adj.,s.2g.* peninsular
penique [pe'nike] *s.m.* pêni (moeda inglesa)
penitencia [peni'teṇθja] *s.f.* **1** penitência **2** *fig.* sacrifício*m.*
penitenciaría [peniteṇθja'ria] *s.f.* penitenciária
penitenciario [peniteṇ'θjarjo] *adj.* penitenciário
penitente [peni'teṇte] *s.2g.* penitente
penoso [pe'noso] *adj.* **1** *(doloroso)* penoso, doloroso **2** *(difícil)* penoso, árduo, trabalhoso
pensador, -a [pensa'ðor] *s.m.,f.* pensador, -a
pensamiento [pensa'mjeṇto] *s.m.* **1** pensamento **2** BOT. amor perfeito
pensar [pen'sar] *v.* **1** pensar, achar **2** pensar
pensativo [pensa'tiβo] *adj.* pensativo
pensil [pen'sil] *adj.2g.* pênsil, suspenso
pensión [pen'sjon] *s.f.* pensão ♦ **media pensión** meia-pensão; **pensión completa** pensão completa
pensionad|o, -a [pensjo'naðo] *s.m.,f.* pensionista*2g.* ▪ **pensionado** *s.m.* pensionato; colégio interno
pensionista [pensjo'nista] *s.2g.* **1** (trabalhador) pensionista, reformad|o, -a*m.f.* **2** (casa de hóspedes) pensionista, hóspede

pentágono [peņ'taγono] *s.m.* GEOM. pentágono
pentagrama [peņta'γrama] *s.m.* pentagrama
pentámetro [peņ'tametro] *s.m.* (métrica) pentâmetro
pentasílabo [peņta'silaβo] *adj.,s.m.* pentassílabo
pentatlón [penta'tlon] *s.m.* pentatlo
Pentecostés [peņtekos'tes] *s.m.* Pentecostes
penúltimo [pe'nul̦timo] *adj.* penúltimo
penumbra [pe'numbra] *s.f.* penumbra
penuria [pe'nurja] *s.f.* penúria
peña ['peɲa] *s.f.* **1** *(roca)* rocha **2** *(cerro)* penha, penhasco*m.* **3** *(asociación)* associação, sociedade, clube*m.* **4** *(grupo)* galera, grupo*m.*
peñasco [pe'ɲasko] *s.m.* penhasco
peñazo [pe'ɲaθo] *s.m.* **1** *col.* chat|o, -a*m.f.* **2** *col.* chatice*f.*, frete
peñón [pe'ɲon] *s.f.* rochedo
peón [pe'on] *s.m.* **1** trabalhador não especializado **2** (xadrez) peão **3** (brinquedo) pião
peonza [pe'oņθa] *s.f.* pião*m.*
peor [pe'or] ⟨*comp./superl. de* mal⟩ *adj.2g.* pior ■ ⟨*comp. de* mal⟩ *adv.* pior
pepinillo [pepi'niʎo] *s.m.* pepino de conserva
pepino [pe'pino] *s.m.* **1** (planta) pepineiro **2** (fruto) pepino ♦ *col.* **¡me importa un pepino!** não estou nem aí, estou pouco me lixando!
pepita [pe'pita] *s.f.* **1** (fruto, legume) pevide, semente **2** (ouro) pepita
pequeñez [peke'ɲeθ] *s.f.* **1** pequenez **2** *(insignificancia)* insignificância
pequeño [pe'keɲo] *adj.* pequeno; ***más pequeño*** menor
pera ['pera] *s.f.* **1** (fruto) pera **2** (interruptor) pera ♦ *col.* **pedir peras al olmo** pedir o impossível
peral [pe'ral] *s.m.* pereira*f.*
perca ['perka] *s.f.* perca
percal [per'kal] *s.m.* (tecido) percal ♦ *col.* **conocer el percal** conhecer bem um assunto
percatarse [perka'tarse] *v.* aperceber se (de, de), dar se conta (de, de)
percebe [per'θeβe] *s.m.* percebe*m.*, tipo de marisco
percepción [perθep'θjon] *s.f.* **1** percepção **2** (dinheiro) recebimento*m.*
perceptible [perθep'tiβle] *adj.2g.* perceptível
perceptivo [perθep'tiβo] *adj.* perceptivo
percha ['pertʃa] *s.f.* **1** cabide*m.* **2** *(perchero)* cabide*m.* (de parede ou de pé) **3** (aves) poleiro*m.* **4** *fig.* figura, corpo*m.*
perchero [per'tʃero] *s.m.* (roupa) cabide; (guarda--chuvas, bengalas) bengaleiro
percibir [perθi'βir] *v.* **1** *(notar)* perceber, notar **2** (salário) receber **3** *(comprender)* entender, compreender
percusión [perku'sjon] *s.f.* percussão
percusionista [perkusjo'nista] *s.2g.* percussionista
perdedor, -a [perδe'δor] *adj.,s.m.,f.* perdedor, -a
perder [per'δer] *v.* **1** perder **2** destruir **3** perder, sair vencido ■ **perderse** perder-se ♦ **echar a perder** pôr a perder; *col.* **¡piérdete!** desaparece!
perdición [perδi'θjon] *s.f.* perdição
pérdida ['perδiδa] *s.f.* **1** perda **2** *(daño)* prejuízo*m.*, dano*m.* ♦ *col.* (lugar) **no tener pérdida** não ter em que se enganar; ser fácil de encontrar; **ser una pérdida de tiempo** ser uma perda de tempo
perdido [per'δiδo] *adj.* perdido
perdigón [perδi'γon] *s.m.* **1** (arma) chumbo **2** ZOOL. perdigoto **3** *col.* (saliva) perdigoto
perdiguero [perδi'γero] *s.m.* perdigueiro
perdiz [per'δiθ] *s.f.* perdiz; (macho) perdigão*m.* ♦ *col.* **marear la perdiz** enrolar, embromar
perdón [per'δon] *s.m.* perdão ■ *interj.* desculpe! ♦ **con perdón** com licença
perdonable [perδo'naβle] *adj.2g.* perdoável
perdonar [perδo'nar] *v.* perdoar, desculpar
perdurable [perδu'raβle] *adj.2g.* perdurável
perdurar [perδu'rar] *v.* perdurar
perecer [pere'θer] *v.* perecer, morrer
peregrinación [pereγrina'θjon] *s.f.* peregrinação
peregrinar [pereγri'nar] *v.* peregrinar
peregrin|o, -a [pere'γrino] *adj.,s.m.,f.* peregrin|o, -a, romeir|o, -a
perejil [pere'xil] *s.m.* salsa*f.*
perengan|o, -a [pereŋ'gano] *s.m.,f.* fulan|o, -a
perenne [pe'ren(n)e] *adj.2g.* **1** perene **2** *(incesante)* incessante **3** BOT. perene
perentorio [pereņ'torjo] *adj.* **1** premente, imediato **2** (prazo) máximo, último **3** (resolução) peremptório, decisivo
perestroika [peres'trojka] *s.f.* perestroika
pereza [pe'reθa] *s.f.* preguiça; ***dar pereza*** dar preguiça; ***sacudir la pereza*** sacudir a preguiça
perezos|o, -a [pere'θoso] *adj.,s.m.,f.* preguiços|o, -a ■ **perezoso** *s.m.* preguiça*f.*
perfección [perfek'θjon] *s.f.* perfeição ♦ **a la perfección** na perfeição
perfeccionamento [perfekθjona'meņto] *s.m.* **1** *(mejoramiento)* aperfeiçoamento, melhoramento **2** (estudos, profissão) aperfeiçoamento, especialização*f.*
perfeccionar [perfekθjo'nar] *v.* aperfeiçoar ■ **perfeccionarse** aperfeiçoar-se
perfeccionismo [perfekθjo'nizmo] *s.m.* perfeccionismo
perfeccionista [perfekθjo'nista] *adj.,s.2g.* perfeccionista
perfectamente [perfekta'meņte] *adv.* **1** perfeitamente **2** muito bem **3** de acordo
perfecto [per'fekto] *adj.* perfeito
perfidia [per'fiδja] *s.f.* perfídia, deslealdade, traição
pérfido ['perfiδo] *adj.* pérfido, desleal, traidor
perfil [per'fil] *s.m.* **1** perfil **2** contorno, silhueta*f.*
perfilar [perfi'lar] *v.* **1** perfilar, esboçar **2** delinear, contornar **3** retocar, rematar
perforación [perfora'θjon] *s.f.* perfuração
perforador [perfora'δor] *s.m.* furador
perforar [perfo'rar] *v.* **1** perfurar **2** (orelha) furar
perfumado [perfu'maδo] *adj.* perfumado

perfumador [perfuma'ðor] *s.m.* perfumador
perfumar [perfu'mar] *v.* perfumar
perfume [per'fume] *s.m.* **1** (produto) perfume **2** *(aroma)* perfume; aroma; fragrância*f.*
perfumería [perfume'ria] *s.f.* perfumaria
pergamino [perɣa'mino] *s.m.* (pele, documento) pergaminho
pericardio [peri'karðjo] *s.m.* pericárdio
pericarpio [peri'karpjo] *s.m.* pericarpo
pericia [pe'riθja] *s.f.* perícia
perico [pe'riko] *s.m.* **1** ⇒ **periquito 2** *col.* penico*pop.*, pote*pop.*, urinol **3** *col.* (droga) cocaína*f.*
periferia [peri'ferja] *s.f.* periferia
periférico [peri'feriko] *adj.* periférico ▪ *s.m.* INFORM. periférico
perífrasis [pe'rifrasis] *s.f.2n.* perífrase ♦ **perífrasis verbal** perífrase verbal
perifrástico [peri'frastiko] *adj.* perifrástico
perilla [pe'riʎa] *s.f.* (barba) cavanhaque*m.* ♦ *col.* **venir de perilla(s)** vir (bem) a calhar
perímetro [pe'rimetro] *s.m.* perímetro
periodicidad [perjoðiθi'ðað] *s.f.* periodicidade
periódico [pe'rjoðiko] *adj.* periódico; ***evaluación periódica*** avaliação periódica; ***publicaciones periódicas*** publicações periódicas ▪ *s.m.* jornal
periodicucho [perioði'kutʃo] *s.m. pej.* jornaleco, jornal de má qualidade
periodismo [perjo'ðizmo] *s.m.* jornalismo
periodista [perjo'ðista] *s.2g.* jornalista
periodístico [perjo'ðistiko] *adj.* jornalístico
período [pe'rioðo], **periodo** [pe'rjoðo] *s.m.* **1** (de tempo) período **2** *(menstruación)* menstruação*f.* **3** MAT.,LING. período
peripecia [peri'peθja] *s.f.* peripécia
periplo [pe'riplo] *s.m.* périplo
peripuesto [peri'pwesto] *adj. col.* (pessoa) emperiquitado, catita, janota
periquito [peri'kito] *s.m.* periquito
perit|o, -a [pe'rito] *adj.,s.m.,f.* perit|o, -a, especialista*2g.*
peritoneo [perito'neo] *s.m.* peritônio
perjudicado [perxuði'kaðo] *adj.* (pessoa) prejudicado, lesado
perjudicar [perxuði'kar] *v.* prejudicar ▪ **perjudicarse** prejudicar-se
perjudicial [perxuði'θjal] *adj.2g.* prejudicial (para, a); ***el tabaco es perjudicial para la salud*** o tabaco é prejudicial à saúde
perjuicio [per'xwiθjo] *s.m.* prejuízo, dano
perjurio [per'xurjo] *s.m.* perjúrio
perla ['perla] *s.f.* pérola ♦ *col.* **venir de perlas** calhar às mil maravilhas
permanecer [permane'θer] *v.* permanecer, ficar
permanencia [perma'nenθja] *s.f.* **1** *(continuidad)* permanência **2** *(estancia)* permanência, estada ▪ **permanencias** *s.f.pl.* explicações*pl.*; aulas*pl.* de compensação
permanente [perma'nente] *adj.2g.* permanente ▪ *s.f.* (penteado) permanente
permeabilidad [permeaβili'ðað] *s.f.* permeabilidade
permeable [perme'aβle] *adj.2g.* **1** permeável **2** *fig.* (pessoa) permeável, influenciável
permisible [permi'siβle] *adj.2g.* permissível
permisivo [permi'siβo] *adj.* permissivo
permiso [per'miso] *s.m.* **1** *(autorización)* autorização*f.*, permissão*f.*, licença*f.*; ***con permiso*** com licença; ***pedir permiso para hacer algo*** pedir autorização para fazer alguma coisa **2** (para faltar ao trabalho) licença*f.*; ***estar de permiso*** estar de licença ♦ **permiso de circulación** licenciamento do veículo; **permiso de conducir** carteira de motorista; **permiso de residencia** visto de residência
permitido [permi'tiðo] *adj.* permitido, autorizado; ***no está permitido fumar*** não é permitido fumar
permitir [permi'tir] *v.* permitir, autorizar, consentir ▪ **permitirse** permitir-se ♦ **¿(me) permite?** dá licença?
permuta [per'muta] *s.f.* permuta
pernera [per'nera] *s.f.* perna (das calças)
pernicioso [perni'θjoso] *adj.* pernicioso, nocivo
pernil [per'nil] *s.m.* **1** (animal) pernil **2** (calças) perna*f.*
pernio ['pernjo] *s.m.* (de porta, janela) dobradiça*f.*, gonzo
perno ['perno] *s.m.* perno
pernocta [per'nokta] *s.f.* licença (autorização dada a um militar para sair/ir para casa)
pero ['pero] *conj.* mas, porém ▪ *s.m.* **1** *col.* senão, objeção*f.* **2** BOT. pero ♦ **no hay pero que valga** não há mas nem meio mas
perol [pe'rol] *s.m.* panela*f.*
perola [pe'rola] *s.f.* caçarola
peroné [pero'ne] *s.m.* perônio
perpendicular [perpendiku'lar] *adj.2g.* perpendicular ▪ *s.f.* perpendicular
perpendicularidad [perpendikulari'ðað] *s.f.* perpendicularidade
perpetuación [perpetwa'θjon] *s.f.* perpetuação
perpetuo [per'petwo] *adj.* **1** perpétuo; ***cadena perpetua*** prisão perpétua **2** (cargo) vitalício, perpétuo
perplejidad [perplexi'ðað] *s.f.* perplexidade
perplejo [per'plexo] *adj.* perplexo; ***quedarse perplejo*** ficar perplexo
perra ['pera] *s.f.* **1** ⇒ **perro 2** *col.* birra **3** *col.* mania ▪ **perras** *s.f.pl. col. (dinero)* grana
perrera [pe'rera] *s.f.* canil*m.*
perrería [pere'ria] *s.f. col.* cachorrada, canalhice
perrito [pe'rito] *s.m.* cachorro ♦ **perrito (caliente)** cachorro-quente
perr|o, -a ['pero] *s.m.,f.* cão, cadela; ***perro guardián*** cão de guarda; ***perro policía*** cão policial ♦ *col.* **atar los perros con longaniza** nadar em dinheiro; *col.* **de perros** de cão; *col.* **echar/soltar los perros** soltar os cães; **llevarse como el perro y el gato** darem se como cão e gato; **perro caliente** cachorro-

-quente; (pessoa experiente) **ser perro viejo** ser macaco velho

perruno [pe'runo] *adj.* canino

persa ['persa] *adj.2g.* persa, pérsico ■ *s.2g.* persa ■ *s.m.* **1** (língua) persa **2** (gato) persa

persecución [perseku'θjon] *s.f.* perseguição

perseguidor, -a [perseɣi'ðor] *s.m.,f.* perseguidor, -a

perseguir [perse'ɣir] *v.* perseguir

perseverancia [perseβe'ranθja] *s.f.* perseverança

perseverante [perseβe'rante] *adj.2g.* perseverante

perseverar [perseβe'rar] *v.* perseverar (en, em)

persiana [per'sjana] *s.f.* persiana; *abrir/cerrar las persianas* abrir/fechar as persianas ♦ **enrollarse como una persiana** falar pelos cotovelos; **persiana veneciana** persiana, veneziana

pérsico ['persiko] *adj.* pérsico

persistencia [persis'tenθja] *s.f.* persistência

persistente [persis'tente] *adj.2g.* persistente

persistir [persis'tir] *v.* persistir

persona [per'sona] *s.f.* pessoa ♦ **en persona** pessoalmente, em pessoa; **persona física** pessoa física; **persona jurídica/social** pessoa jurídica; LING. **primera/segunda/tercera persona** primeira/segunda/terceira pessoa

personaje [perso'naxe] *s.m.* personagem*m./f.*

personal [perso'nal] *adj.2g.* pessoal ■ *s.m.* pessoal

personalidad [personali'ðað] *s.f.* personalidade

personarse [perso'narse] *v.* apresentar-se (em pessoa)

personificación [personifika'θjon] *s.f.* **1** personificação **2** LING. personificação, prosopopeia

perspectiva [perspek'tiβa] *s.f.* **1** (arte) perspectiva **2** *(posibilidad)* perspectiva **3** *(punto de vista)* perspectiva, ponto*m.* de vista; *desde su perspectiva* na sua perspectiva ♦ **en perspectiva 1** em perspectiva **2** em vista

perspicacia [perspi'kaθja] *s.f.* perspicácia

perspicaz [perspi'kaθ] *adj.2g.* perspicaz

persuadir [perswa'ðir] *v.* persuadir ■ **persuadirse** persuadir-se

persuasión [perswa'sjon] *s.f.* persuasão

persuasivo [perswa'siβo] *adj.* persuasivo

pertenecer [pertene'θer] *v.* pertencer (a, a)

perteneciente [pertene'θjente] *adj.2g.* pertencente (a, a)

pértiga ['pertiɣa] *s.f.* vara; *salto con pértiga* salto com vara

pertinacia [perti'naθja] *s.f.* **1** *(terquedad)* pertinácia, teimosia, obstinação **2** *(persistencia)* persistência

pertinaz [perti'naθ] *adj.2g.* **1** (pessoa) pertinaz, teimoso, obstinado **2** (seca, frio) prolongado, persistente

pertinencia [perti'nenθja] *s.f.* pertinência

pertinente [perti'nente] *adj.2g.* pertinente ♦ **en lo pertinente a** no tocante a, no que diz respeito a

perturbación [perturβa'θjon] *s.f.* perturbação

perturbad|o, -a [pertur'βaðo] *s.m.,f.* pessoa*f.* perturbada, psicótic|o, -a ■ *adj.* perturbado, transtornado

perturbador, -a [perturβa'ðor] *adj.,s.m.,f.* perturbador, -a

perturbar [pertur'βar] *v.* perturbar ■ **perturbarse** perturbar-se

Perú [pe'ru] *s.m.* Peru

peruan|o, -a [pe'rwano] *adj.,s.m.,f.* peruan|o, -a

perversidad [perβersi'ðað] *s.f.* perversidade

perversión [perβer'sjon] *s.f.* perversão ♦ **perversión sexual** perversão sexual

pervers|o, -a [per'βerso] *adj.,s.m.,f.* pervers|o, -a

pervertir [perβer'tir] *v.* perverter, corromper ■ **pervertirse** perverter-se

pervivencia [perβi'βenθja] *s.f.* sobrevivência

pesa ['pesa] *s.f.* **1** (peça) peso*m.* **2** (ginástica) peso*m.*, halter*e m.*; *levantar pesas* levantar pesos

pesadez [pesa'ðeθ] *s.f.* **1** peso*m.* **2** *(molestia)* chatice, maçada ♦ **tener pesadez de estómago** ter um peso no estômago

pesadilla [pesa'ðiʎa] *s.f.* **1** pesadelo*m.*; *tener pesadillas* ter pesadelos **2** *fig.* pesadelo*m.*, aflição, tortura

pesado [pe'saðo] *adj.* **1** pesado **2** *(molesto)* chato, maçador **3** (comida) pesado

pesadumbre [pesa'ðumbre] *s.f.* pesar*m.*

pésame ['pesame] *s.m.* pêsames*pl.*, condolências*f. pl.*; *dar el pésame* dar os pêsames

pesar [pe'sar] *v.* **1** pesar, ter peso **2** sentir pesar **3** ter influência **4** pesar, avaliar o peso de ■ *s.m.* **1** *(tristeza)* pesar, tristeza*f.* **2** *(arrepentimiento)* pesar, arrependimento ♦ **a pesar de** apesar de; **a pesar de los pesares** apesar dos pesares

pesaroso [pesa'roso] *adj.* **1** *(triste)* pesaroso, triste **2** *(arrepentido)* pesaroso, arrependido

pesca ['peska] *s.f.* **1** pesca; *pesca de arrastre* pesca de arrasto; *pesca de bajura* pesca costeira; *pesca submarina* pesca submarina; *ir de pesca* ir à pesca **2** pescaria ♦ **y toda la pesca** e todo o resto; e tudo mais

pescada [pes'kaða] *s.f.* pescada

pescadería [peskaðe'ria] *s.f.* peixaria

pescader|o, -a [peska'ðero] *s.m.,f.* peixeir|o, -a

pescadilla [peska'ðiʎa] *s.f.* pescadinha

pescado [pes'kaðo] *s.m.* pescado, peixe

pescador, -a [peska'ðor] *s.m.,f.* pescador, -a

pescar [pes'kar] *v.* **1** pescar **2** *col. (pillar)* apanhar **3** pescar, ir à pesca

pescozón [pesko'θon] *s.m.* pescoção (golpe)

pescuezo [pes'kweθo] *s.m.* pescoço ♦ *col.* **retorcer/torcer el pescuezo** cortar/torcer o pescoço

pesebre [pe'seβre] *s.m.* **1** presépio **2** manjedoura*f.*, manjedoira*f.* **3** estábulo, estrebaria*f.*

peseta [pe'seta] *s.f.* (antiga moeda espanhola) peseta

pesimismo [pesi'mizmo] *s.m.* pessimismo

pesimista [pesi'mista] *adj.,s.2g.* pessimista

pésimo ['pesimo] (*superl. de* malo) *adj.* péssimo

peso ['peso] *s.m.* **1** peso; *peso en bruto* peso bruto; *peso neto* peso líquido **2** *(balanza)* balança*f.* **3** (moeda) peso ◆ QUÍM. **peso atómico** peso atômico; ESPOR. **peso ligero/pesado/pluma** peso leve/pesado/pena; **valer su peso en oro** valer o seu peso em ouro

pesquero [pes'kero] *adj.* **1** pesqueiro **2** *col.* (calças) corsário ■ *s.m.* NÁUT. pesqueiro

pesquisa [pes'kisa] *s.f.* pesquisa, investigação

pestaña [pes'taɲa] *s.f.* pestana ◆ *col.* (estudo) **quemarse las pestañas** queimar as pestanas

pestañear [pestaɲe'ar] *v.* pestanejar ◆ **sin pestañear** sem pestanejar

pestañeo [pesta'ɲeo] *s.m.* pestanejo

peste ['peste] *s.f.* **1** MED. peste **2** *(hedor)* fedor*m.*, peste, pestilência **3** *col.* praga; *echar pestes* rogar praga

pesticida [pesti'θiδa] *s.m.* pesticida

pestilencia [pesti'lenθja] *s.f.* pestilência

pestilente [pesti'lente] *adj.2g.* pestilento, fedorento

pestillo [pes'tiʎo] *s.m.* **1** (porta, janela) trinco, fecho, tranqueta*f.* **2** (fechadura) lingueta*f.*

petaca [pe'taka] *s.f.* **1** cigarreira; tabaqueira; charuteira **2** garrafa para guardar licor ◆ *col.* **hacer la petaca** pôr o lençol superior com a parte da cabeça nos pés da cama, por brincadeira

pétalo ['petalo] *s.m.* pétala*f.*

petardo [pe'tarδo] *s.m.* **1** (fogo de artifício) petardo **2** *col.* chatice*f.* **3** *col.* (droga) baseado

petate [pe'tate] *s.m.* esteira*f.* de folhas de palmeira ◆ *col.* **liar el petate** fazer a trouxa

petición [peti'θjon] *s.f.* **1** petição, requerimento*m.* **2** pedido*m.*; *a petición de* a pedido de

petirrojo [peti'roxo] *s.m.* pisco

petiso [pe'tiso] *adj.* **1** [AM. M.] (pessoa) de baixa estatura, petiço **2** (animal) pequeno ■ *s.m.* pônei

petisú [peti'su] *s.m.* CUL. bomba*f.*, ecler, éclair

peto ['peto] *s.m.* **1** peitilho, peito **2** jardineira*f.*, macacão **3** (armadura) couraça*f.*

petrografía [petroɣra'fia] *s.f.* petrografia

petróleo [pe'troleo] *s.m.* petróleo

petrolero [petro'lero] *adj.* petroleiro ■ *s.m.* NÁUT. petroleiro

petrolífero [petro'lifero] *adj.* petrolífero

petulancia [petu'lanθja] *s.f.* petulância, insolência

petulante [petu'lante] *adj.2g.* petulante, insolente

peyorativo [pejora'tiβo] *adj.* pejorativo

pez ['peθ] *s.m.* peixe ■ *s.f.* piche*m.*, pez*m.* ◆ *col.* **estar como pez en el agua** estar como peixe na água; *col.* **estar pez** estar por fora; **pez espada** peixe-espada; *col.* (pessoa) **pez gordo** peixe graúdo

O vocábulo **pez** diz respeito ao peixe vivo e **pescado** ao que foi capturado e que será cozido

pezón [pe'θon] *s.m.* mamilo

pezuña [pe'θuɲa] *s.f.* **1** (animais) casco*m.* **2** *col.* (de pessoa) pata

pH QUÍM. (*sigla de* potencial de hidrógeno) pH (*sigla de* potencial hidrogeniônico)

pi ['pi] *s.f.* **1** (letra grega) pi*m.* **2** MAT. pi*m.*

piadoso [pja'δoso] *adj.* piedoso

pianista [pja'nista] *s.2g.* pianista

piano ['pjano] *s.m.* piano; *piano de cola* piano de cauda; *piano vertical* piano vertical ■ *adv.* piano

pianola [pja'nola] *s.f.* pianola

piar [pi'ar] *v.* (ave) piar

piara ['pjara] *s.f.* vara (de porcos), bacorada

piastra ['pjastra] *s.f.* (moeda) piastra

PIB ECON. (*sigla de* Producto Interior Bruto) PIB (*sigla de* Produto Interno Bruto)

pib|e, -a ['piβe] *s.m.,f.* *col.* garot|o, -a, menin|o, -a

pica ['pika] *s.f.* **1** *(lanza)* pique*m.* **2** TAUR. farpa, bandarilha ■ **picas** *s.f.pl.* (baralho francês) espadas*pl.* ◆ **poner una pica en Flandes** realizar uma tarefa difícil

picadero [pika'δero] *s.m.* picadeiro

picadillo [pika'δiʎo] *s.m.* **1** carne*f.* de porco para fazer embutidos **2** CUL. picado

picado [pi'kaδo] *adj.* **1** (alimento) picado, triturado; *cebolla picada* cebola picada **2** *(con agujeros)* furado **3** (dente) cariado **4** (pele) com marcas **5** (mar) picado, agitado **6** *fig.* picado, ofendido **7** [AM.] *col.* (pessoa) tocado, alegre ■ *s.m.* **1** (avião) voo a pique, descida*f.* a pique; *caer en picado* cair a pique **2** (bilhar) tacada*f.* seca com efeito

picador [pika'δor] *s.m.* picador

picadora [pika'δora] *s.f.* picadora

picadura [pika'δura] *s.f.* **1** (dente) buraco*m.*, furo*m.* **2** (de inseto) picadela, picada, picadura; (de réptil, peixe) mordedura, picada; (de ave) bicada **3** *(tabaco desmenuzado)* tabaco*m.* picado

picaflor [pika'flor] *s.m.* beija-flor, colibri

picajoso [pika'xoso] *adj.* *col.* (pessoa) suscetível

picante [pi'kante] *adj.2g.* **1** (comida) picante **2** *fig.* (anedota, conversa) picante, malicioso, mordaz ■ *s.m.* picante

picaporte [pika'porte] *s.m.* **1** (para abrir, fechar) trinco **2** (para chamar) aldraba*f.*, batente

picar [pi'kar] *v.* **1** (objeto) espetar, picar **2** (inseto) picar, ferrar; (réptil, peixe) morder; (ave, réptil) bicar **3** (alimento) picar, triturar **4** (pele) estar com coceira **5** (bilhete) picar, obliterar **6** (comida) petiscar **7** (papel) furar **8** TAUR. picar **9** (comida) petiscar **10** (peixe) morder a isca **11** (sol) queimar

picardía [pikar'δia] *s.f.* picardia

picardías [pikar'δias] *s.m.2n.* baby-doll

pícaro ['pikaro] *adj.* **1** *(astuto)* pícaro, manhoso **2** *(travieso)* maroto, malandro, traquina ■ *s.m.* LIT. pícaro

picazón [pika'θon] *s.m.* coceira*f.*, prurido

pichi ['pitʃi] *s.m.* vestido sem mangas e decotado (para usar com blusa ou camisa por dentro)

pichón [pi'tʃon] *s.m.* pombinho, borracho

picles ['pikles] *s.m.pl.* [AM.] picles

picnic ['piknik] *s.m.* piquenique

pico ['piko] *s.m.* **1** (ave) bico **2** (jarra) bico **3** *(punta)* ponta*f.* **4** *(zapapico)* picareta*f.* **5** (montanha) pico, cume **6** *col.* *(boca)* bico; *abrir/cerrar el pico* abrir/fechar o bico ◆ **perderse por el pico** pela boca morre o peixe; **y pico** e pouco

picor [pi'kor] *s.m.* **1** (pele) coceira*f.* **2** (paladar) ardência*f.*, ardor

picota [pi'kota] *s.f.* **1** pelourinho*m.* **2** cereja (variedade grande e mais dura) **3** *col. (nariz)* nariz grande

picotazo [piko'taθo] *s.m.* (de ave) bicada*f.*; (de inseto, réptil) picadela*f.*, picada*f.*, ferradela*f.*

picotear [pikote'ar] *v.* **1** (ave) bicar, picar **2** (pessoa) petiscar, beliscar

pictórico [pik'toriko] *adj.* pictórico

picudo [pi'kuδo] *adj.* bicudo

pie ['pje] *s.m.* **1** ANAT. pé **2** (fotografia) legenda*f.* **3** (medida) pé **4** TEAT. deixa*f.* ◆ **a cuatro pies** engatinhando/de quatro; **al pie de** ao pé de; **al pie de la letra** ao pé da letra; **a pie** a pé; **con pies de plomo** com muito cuidado; **con un pie en el otro barrio** estar com os pés na cova; *col.* **de (los) pies a (la) cabeza** da cabeça aos pés; **de pie** de pé; **en pie** em pé; **entrar con el pie derecho** entrar com o pé direito; (água) **hacer pie** dar pé; **nacer de pie** nascer com o cu virado para a lua; **negar a pies juntillas** negar de pés juntos; **no dar pie con bola** não acertar uma; **pie de atleta** pé de atleta; **pie de cabra** pé de cabra; **pie derecho** pé-direito; **pie de página** rodapé; (convite) **seguir en pie** seguir de pé; *col.* **sin pies ni cabeza** sem pés nem cabeça

piedad [pje'δaδ] *s.f.* piedade; *tener piedad de alguien* ter piedade de alguém

piedra ['pjeδra] *s.f.* **1** pedra; *arrojar piedras* atirar pedras **2** (isqueiro) pedra **3** *(granizo)* pedra, granizo*m.* **4** *col.* pedra, cálculo*m.* ◆ *col.* **de piedra** petrificado; estupefato; **piedra angular** pedra angular; **piedra de escándalo** origem/motivo de escândalo; **piedra de toque** pedra de toque; **piedra filosofal** pedra filosofal; **piedra pómez** pedra-pomes; **piedra preciosa** pedra preciosa; **tirar la primera piedra** atirar a primeira pedra

piel ['pjel] *s.f.* **1** (de pessoa, animal) pele **2** *(cuero)* couro*m.* **3** *(cuero curtido)* pele*f.*; *un abrigo de piel* um casaco de peles **4** (de batatas, fruta) casca, pele; *piel de manzana* casca de maçã; *piel de tomate* pele de tomate ◆ *col.* **jugarse la piel** arriscar a pele; **piel roja** pele-vermelha; *col.* **ser (de) la piel del diablo** ser levado da breca; **tener la piel de gallina** ter pele de galinha

pienso ['pjenso] *s.m.* ração*f.* (especialmente para o gado), forragem*f.* ◆ *col.* **ni por pienso** de jeito nenhum, nem por sombras

piercing ['pirsiŋ] *s.m.* piercing; *hacerse un piercing* fazer um piercing

pierna ['pjerna] *s.f.* **1** perna **2** *(muslo)* coxa ◆ *col.* **dormir a pierna suelta/tendida** dormir como uma pedra; dormir a sono solto; *col.* **por piernas** fugir, correr de; *col.* **salir por piernas** dar à sola

pierrot [pje'ro(t)] *s.m.* pierrô

pieza ['pjeθa] *s.f.* **1** peça **2** (casa) divisão, aposento*m.*, compartimento*m.* **3** TEAT. peça, obra teatral ◆ **dos piezas** biquíni; *col.* **quedarse de una pieza** ficar boquiaberto

pifia ['pifja] *s.f.* **1** *col.* gafe; *hacer una pifia* cometer uma gafe **2** (bilhar) tacada em falso

pigmentación [piɣmeņta'θjon] *s.f.* pigmentação

pigmento [piɣ'meņto] *s.m.* pigmento

pignoración [piɣnora'θjon] *s.f.* penhora, hipoteca

pijada [pi'xaδa] *s.f.* **1** *col.* banalidade, ninharia **2** *col.* parvoíce, tolice, disparate*m.*

pijama [pi'xama] *s.m.* pijama

pijería [pixe'ria] *s.f. col., pej.* esnobismo*m.*, pretensão*m.*

pijerío [pixe'rio] *s.m. col., pej.* esnobes*pl.*, mauricinho

pij|o, -a ['pixo] *adj.,s.m.,f. col.* esnobe*2g.* ■ **pijo** *s.m. vulg.* pica*f.* ◆ *vulg.* **un pijo** nada

pijotería [pixote'ria] *s.f. col., pej.* picuinhice, parvoíce

pijotero [pixo'tero] *adj.* **1** *col., pej.* picuinhas **2** *col., pej.* chato, maçador

pila ['pila] *s.f.* **1** (recipiente) pia **2** *(fregadero)* lava-louça*m.* **3** *(lavabo)* lavatório*m.* **4** ELETR. pilha; *pila recargable* pilha recarregável **5** *col.* pilha, monte*m.* ◆ (nome) **de pila** de batismo; **pila bautismal** pia batismal; *col.* **una pila** uma pilha/data de; *esta casa tiene una pila de años* esta casa tem uma data

pilar [pi'lar] *s.m.* pilar

pilastra [pi'lastra] *s.f.* ARQ. pilastra

píldora ['pilδora] *s.f.* **1** *(pastilla)* comprimido*m.*, pastilha, pílula **2** (anticonceptivo) pílula, contraceptivo*m.* oral; *píldora del día (de) después* pílula do dia seguinte; *tomar la píldora* tomar a pílula ◆ *col.* **dorar la píldora** dourar a pílula; *col.* **tragarse la píldora** engolir a pílula

pilila [pi'lila] *s.f. infant.* pipi, pinto

pillaje [pi'ʎaxe] *s.m.* pilhagem*f.*, roubo, saque

pillar [pi'ʎar] *v.* **1** *col. (agarrar)* pilhar, agarrar **2** *col. (coger)* pegar **3** *col.* (doença) pegar **4** *col. (entender)* pescar, entender **5** *col. (sorprender)* surpreender **6** *col. (robar)* pilhar, roubar **7** *col.* ficar ◆ **nadie le pilla en casa** nunca está em casa, ninguém o pega em casa

pillería [piʎe'ria] *s.f.* malandrice, travessura

pillo ['piʎo] *adj.* **1** *(astuto)* finório, espertalhão **2** *(travieso)* malandro, maroto

pilluel|o, -a [pi'ʎwelo] *s.m.,f.* malandrec|o, -a, traquina*2g.*

pilón [pi'lon] *s.m.* **1** tanque **2** pia*f.* grande

píloro ['piloro] *s.m.* piloro

piloso [pi'loso] *adj.* piloso

pilotaje [pilo'taxe] *s.m.* pilotagem*f.*

pilotar [pilo'tar] *v.* pilotar

pilote [pi'lote] *s.m.* estaca*f.* (para alicerces)

piloto [pi'loto] *adj.2g.2n.* piloto; *piso piloto* andar modelo; *proyecto piloto* projeto piloto ■ *s.2g.* piloto ■ *s.m.* **1** (veículo) farolim, luz*f.* de presença **2** (aparelho) luz*f.* ◆ **piloto automático** piloto automático

piltra ['piltra] *s.f. col.* cama; *irse a la piltra* ir para a cama; *pasarse el día metido en la piltra* passar o dia enfiado na cama

piltrafa [pil'trafa] *s.f.* trapo*m.*, farrapo*m.*; *estar hecho una piltrafa* estar um farrapo ■ **piltrafas** *s.f.pl.* sobras*pl.*, restos*m. pl.*

pimentero [pimeņ'tero] *s.m.* (recipiente) pimenteiro

pimentón [pimeņ'ton] *s.m.* colorau

pimienta [pi'mjenta] *s.f.* pimenta; ***pimienta blanca/negra*** pimenta-branca/preta

pimiento [pi'mjento] *s.m.* **1** (planta) pimenteiro **2** (fruto) pimentão; ***pimiento del piquillo*** pimentão picante; ***pimiento rojo/verde*** pimentão vermelho/verde ♦ *col.* **me importa un pimiento** não estou nem aí; *col.* **no valer un pimiento** não prestar; *col.* **¡y un pimiento!** uma ova!

pimpante [pim'pante] *adj.2g. col.* pimpão, alegre e peralta

pimpollo [pim'poʎo] *s.m.* **1** *(brote)* rebento, renovo; *(capullo)* botão **2** *fig., col.* (criança) pimpolho **3** *fig., col.* (jovem) moç|o, -a*m.f.* (que se distingue pela sua beleza)

pimpón [pim'pon] *s.m.* pingue-pongue

pináculo [pi'nakulo] *s.m.* pináculo (de edifício)

pinar [pi'nar] *s.m.* pinhal

pincel [piṇ'θel] *s.m.* pincel ♦ *col.* **ir hecho un pincel** estar um brinco

pincelada [piṇθe'laða] *s.f.* pincelada ♦ **dar la última pincelada** dar os últimos retoques; dar a última pincelada

pinchadiscos [pinʲtʃa'ðiskos] *s.2g.2n.* disc-jóquei

pinchar [pinʲ'tʃar] *v.* **1** *(punzar)* picar, espetar **2** (injeção) dar **3** (pneu) furar **4** (telefone) pôr sob escuta ■ **pincharse 1** espetar-se **2** *gír.* picar se, injetar se ♦ **ni pinchar ni cortar** não ter voto na matéria

pinchazo [pinʲ'tʃaθo] *s.m.* **1** (com objeto pontiagudo) picada*f.*, picadela*f.* **2** (pneu) furo **3** (telefone) colocação*f.* sob escuta **4** *col.* pontada*f.*, fisgada*f.* **5** *col.* injeção*f.*

pinche ['pinʲtʃe] *s.2g.* ajudante de cozinha

pincho ['pinʲtʃo] *s.m.* **1** (planta) pico, espinho **2** (ouriço) espinho **3** *(aguijón)* aguilhão **4** *(tapa)* acepipe, petisco, tapa*f.* **5** *(brocheta)* espeto ♦ **pincho moruno** espeto (de carne)

Os *pinchos* são aperitivos que combinam pão, frios, tortilha, pimentões, etc.

---

pingajo [piŋ'gaxo] *s.m. col.* farrapo, trapo ♦ *col.* **estar hecho un pingajo** estar um farrapo

pingo ['piŋgo] *s.m.* **1** *col.* (tecido) farrapo, trapo **2** *col.* (pessoa) borguista*2g.* ♦ *col.* **de pingo** na farra

ping-pong [piŋ'poŋ] *s.m.* pingue-pongue

pingüino [piŋ'gwino] *s.m.* pinguim

pinitos [pi'nitos] *s.m.pl.* **1** (bebê) primeiros passos; ***hacer los primeros pinitos*** dar os primeiros passos **2** *fig.* (ciência, arte) primeiros passos

pino ['pino] *s.m.* **1** pinheiro **2** (madeira) pinho **3** (ginástica) pino, bananeira*f.*; ***hacer el pino*** plantar bananeira ♦ *col.* **en el quinto pino** no quinto dos infernos; *col.* **plantar un pino** defecar

pinrel [pin'rel] *s.m. col.* patola*f.*, pata*f.*, pé

pinta ['pinta] *s.f.* **1** pinta, sinal*m.* **2** *col.* pinta, aparência ■ *s.2g. col., pej.* canalha

pintada [piṇ'taða] *s.f.* grafite*m.*

pintado [piṇ'taðo] *adj.* **1** pintado; ***recién pintado*** recém-pintado **2** *col.* idêntico (a, a); ***eres pintado a tu padre*** és idêntico ao teu pai, és a cara chapada do teu pai ♦ *col.* **el más pintado** o mais capaz/adequado; *col.* **estar que ni pintado** cair como/feito uma luva; *col.* **que ni pintado** vir mesmo a calhar

pintalabios [piṇta'laβjos] *s.m.2n.* batom

pintar [piṇ'tar] *v.* **1** pintar **2** maquiar **3** escrever ■ **pintarse** pintar-se, maquiar-se

pintarroja [piṇta'roxa] *s.f.* lixa

pintaúñas [piṇta'uɲas] *s.m.2n.* esmalte (de unhas)

pintor, -a [piṇ'tor] *s.m.,f.* pintor, -a

pintoresco [piṇto'resko] *adj.* pitoresco

pintura [piṇ'tura] *s.f.* **1** (arte, técnica) pintura **2** *(cuadro)* pintura, quadro*m.* **3** (produto) tinta ♦ *col.* **no poder ver (a alguien) ni en pintura** não poder ver (alguém) nem pintado

pinza ['piṇθa] *s.f.* **1** (roupa) pregador*m.* **2** (cabelo) piranha **3** (costura) dobra, prega ■ **pinzas** *s.f.pl.* pinças*f.*

pinzón [piṇ'θon] *s.m.* tentilhão

piña ['piɲa] *s.f.* **1** (pinheiro) pinha **2** (planta) ananaseiro*m.* **3** (fruto) ananás*m.*, abacaxi*m.* **4** *col.* monte*m.*, grupo*m.* ♦ **piña colada** coquetel de rum, abacaxi e leite de coco

piñón [pi'ɲon] *s.m.* **1** BOT. pinhão **2** MEC. roda*f.* dentada ♦ **estar a partir un piñón** ser unha e carne; *col.* **ser de piñón fijo** ser teimoso

pío ['pio] *adj.* pio, devoto ■ *s.m.* pio ♦ *col.* **no decir ni pío** não dar um pio

piojo ['pjoxo] *s.m.* piolho; ***esculcar piojos*** catar piolhos ♦ *col.* **como piojos en costura** como sardinha em lata

piolet [pjo'le(t)] *s.m.* (alpinismo) picão

pioner|o, -a [pjo'nero] *s.m.,f.* pioneir|o, -a

piorrea [pjo'rea] *s.f.* piorreia

pipa ['pipa] *s.f.* **1** cachimbo*m.*; ***fumar en pipa*** fumar cachimbo **2** (de planta) semente; (de abóbora, melão) pevide; ***pipas de girasol*** sementes de girassol **3** *col.* pistola ♦ *col.* **pasarlo pipa** divertir-se a valer

pipí [pi'pi] *s.m. col.* xixi; ***hacer pipí*** fazer xixi

pipiol|o, -a [pi'pjolo] *s.m.,f.* **1** *col.* maçaric|o, -a, novat|o, -a, inexperiente*2g.* **2** *col.* garot|o, -a

pipo ['pipo] *s.m.* semente*f.*, caroço;

pique ['pike] *s.m.* **1** *(resentimiento)* ressentimento; *(enfado)* zanga*f.* **2** *(rivalidad)* rivalidade*f.* ♦ **a pique de** a ponto de, prestes a; **irse a pique** ir a pique

piqueta [pi'keta] *s.f.* picareta

piquete [pi'kete] *s.m.* **1** piquete **2** (soldados) pelotão

pira [pi'ra] *s.f.* pira, fogueira

pirado [pi'raðo] *adj. col.* (pessoa) pirado, doido, passado

piragua [pi'raɣwa] *s.f.* **1** piroga **2** canoa

piragüismo [pira'ɣwizmo] *s.m.* canoagem*f.*

piragüista [pira'ɣwista] *s.2g.* canoísta

piramidal [pirami'ðal] *adj.2g.* piramidal

pirámide [pi'ramiðe] *s.f.* pirâmide

piraña [pi'raɲa] *s.f.* piranha

pirarse [pi'rarse] *v.* **1** *col.* cair fora, ir embora, puxar o carro **2** *col.* pirar, enlouquecer

pirata [pi'rata] *s.2g.* pirata ■ *adj.2g.2n.* pirata ♦ **pirata aéreo** pirata do ar; **pirata de la informática** hacker, pirata
piratear [pirate'ar] *v.* **1** piratear, roubar **2** (filme, música) piratear
piratería [pirate'ria] *s.f.* pirataria
pírex ['pireks] *s.m.* pirex
Pirineos [piri'neos] *s.m.pl.* Pireneus*pl.*
piripi [pi'ripi] *adj. col.* (pessoa) tocado*fig.*, alegre*fig.*, embriagado
piro ['piro] ♦ *col.* **darse el piro** cair fora; ir embora
piromanía [piroma'nia] *s.f.* piromania
pirómano, -a [pi'romano] *s.m.,f.* piromaníac|o, -a
piropo [pi'ropo] *s.m.* piropo, cantada*f.*
pirotecnia [piro'teknja] *s.f.* pirotecnia
pirotécnic|o, -a [piro'tekniko] *adj.,s.m.,f.* pirotécnic|o, -a
pirueta [pi'rweta] *s.f.* pirueta
pirula [pi'rula] *s.f.* **1** *col.* partida, brincadeira **2** *col.* rasteira
piruleta [piru'leta] *s.f.* pirulito*m.* (circular e plano)
pirulí [piru'li] *s.m.* pirulito (cônico)
pis ['pis] *s.m.2n. col.* xixi; *hacer pis* fazer xixi
pisada [pi'saδa] *s.f.* **1** pisada **2** pisadela, calcadela **3** passo*m.*, passada ♦ **seguir las pisadas a** seguir as pisadas de
pisar [pi'sar] *v.* **1** pisar, calcar **2** (pedal) carregar (-, em), pisar (-, em) ♦ **no pisar un sitio** não pôr os pés num lugar
piscatorio [piska'torjo] *adj.* piscatório
piscicultura [pisθikul'tura] *s.f.* piscicultura
piscifactoría [pisθifakto'ria] *s.f.* viveiro*m.* (de peixes e mariscos)
piscina [pis'θina] *s.f.* piscina; *piscina al aire libre* piscina ao ar livre; *piscina cubierta* piscina coberta; *piscina olímpica* piscina olímpica
piscis ['pisθis] *s.2g.2n.* ASTROL. piscian|o, -a*m.f.*
Piscis ['pisθis] *s.m.pl.* ASTROL., ASTRON. Peixes*pl.*
piso ['piso] *s.m.* **1** *(suelo)* piso, chão, pavimento; *piso resbaladizo* piso escorregadio **2** (edifício) andar, piso; *vivo en el primer piso* vivo no primeiro andar **3** *(apartamento)* andar, piso; *piso piloto* apartamento modelo **4** (calçado) sola*f.* **5** (bolo, torta) camada*f.*
pisotear [pisote'ar] *v.* **1** *(pisar)* espezinhar, calcar **2** (lei, projeto) passar por cima de, ignorar **3** *fig.* (pessoa) espezinhar, humilhar, maltratar
pisotón [piso'ton] *s.m.* pisadela*f.*, calcadela*f.*
pispajo [pis'paxo] *s.m. col.* pivete
pista ['pista] *s.f.* **1** *(rastro)* pista, rasto*m.* **2** (recinto) pista; *pista de aterrizaje* pista de aterrissagem; *pista de despegue* pista de decolagem; *pista de hielo* pista de gelo; *pista de rodadura* faixa de rodagem **3** (tênis) quadra **4** (CD, disco) faixa ♦ **seguirle la pista a alguien** ir no encalço de alguém
pistacho [pis'tatʃo] *s.m.* pistache
pisto ['pisto] *s.m.* **1** ensopado de legumes **2** *col.* baralhada*f.*, salgalhada*f.* **3** [AM.] *(dinero)* grana*f.* ♦ *col.* **darse pisto** dar-se ares
pistola [pis'tola] *s.f.* **1** (arma) pistola **2** (para pintar) pistola; *pintar a pistola* pintar à pistola **3** (pão) baguete*f.*
pistolera [pisto'lera] *s.f.* coldre*m.*
pistoletazo [pistole'taθo] *s.m.* disparo/tiro de pistola
pistón [pis'ton] *s.m.* **1** MEC. pistão, êmbolo **2** MÚS. pistão **3** (arma) cápsula*f.* fulminante
pitada [pi'taδa] *s.f.* **1** *(abucheo)* vaia, assobiadela **2** (som) apito*m.*, assobio*m.* **3** *(bocinazo)* buzinadela
pitaña [pi'taɲa] *s.f.* remela
pitar [pi'tar] *v.* **1** apitar **2** (veículo) buzinar, apitar **3** *(abuchear)* vaiar, apupar **4** apitar ♦ *col.* **salir pitando** sair correndo
pitido [pi'tiδo] *s.m.* **1** (som) apito, apitadela*f.* **2** (ruído contínuo) zumbido
pitillera [piti'ʎera] *s.f.* cigarreira
pitillo [pi'tiʎo] *s.m.* **1** cigarro **2** [AM.] (para beber) canudo*f.*
pito ['pito] *s.m.* **1** *(silbato)* apito, assobio **2** (veículo) buzina*f.*, cláxon **3** *col.* cigarro **4** *col.* pênis*2n.* ♦ *col.* **me importa un pito** não estou nem aí; **no valer un pito** não valer nada; não valer um tostão (furado); *col.* **por pitos o por flautas** por uma coisa ou por outra; *col.* **tomar a alguien por el pito de un sereno** fazer alguém de idiota
pitón [pi'ton] *s.m.* **1** (touro) corno, chifre **2** (bilha) gargalo **3** (bule, chaleira) bico ■ *s.f.* ZOOL. píton*m.*
pitopausia [pito'pawsja] *s.f. col.* andropausa
pitorreo [pito'reo] *s.m. col.* gozo; risota*f.*
pitorro [pi'toro] *s.m.* **1** gargalo **2** (bule, chaleira) bico
pitote [pi'tote] *s.m.* chinfrim, balbúrdia*f.*, confusão*f.*
pituf|o, -a [pi'tufo] *s.m.,f. col.* pequerruch|o, -a, pequenin|o, -a
pívot ['piβot] *s.2g.* (basquetebol, handebol) pivô, médio
pivote [pi'βote] *s.m.* **1** *(eje)* eixo **2** (estacionamento) pino
píxel ['piksel] *s.m.* pixel
pizarra [pi'θara] *s.f.* **1** ardósia, lousa **2** *(encerado)* quadro*m.*; lousa; *salir a la pizarra* ir ao quadro
pizca ['piθka] *s.f. col.* bocadinho*m.*, nico*m.*, pontinha; (de sal) pitada ♦ *col.* **ni (una) pizca** nem um bocadinho, nada
pizza ['pitsa] *s.f.* pizza
pizzería [pitse'ria] *s.f.* pizzaria
placa ['plaka] *s.f.* **1** *(lámina)* placa, lâmina **2** (metal) chapa, placa **3** (matrícula) chapa **4** *(letrero)* placa, letreiro*m.* **5** (polícia) crachá*m.*, distintivo*m.* **6** *(radiografía)* radiografia **7** *(insignia)* condecoração, medalha **8** [AM.] (veículo) placa **9** GEOL. placa tectônica ♦ **placa bacteriana** tártaro; **placa madre** placa-mãe; **placa de sonido** placa de som; (fogão) **placa vitrocerámica** placa vitrocerâmica
placenta [pla'θeṇta] *s.f.* placenta
placer [pla'θer] *v.* aprazer, agradar ■ *s.m.* **1** *(deleite)* prazer, deleite, contentamento **2** *(diversión)* diversão*f.*, lazer ♦ **a placer** à vontade
placidez [plaθi'δeθ] *s.f.* placidez
plácido ['plaθiδo] *adj.* **1** *(sosegado)* plácido, tranquilo, sossegado **2** *(agradable)* aprazível, agradável

plaga ['plaɣa] *s.f.* **1** *(calamidad)* praga, calamidade, desgraça **2** (animais, vegetais) praga **3** *fig., pej.* invasão

plagado [pla'ɣaðo] *adj.* infestado (de, de), cheio (de, de); ***el jardín está plagado de ortigas*** o jardim está cheio de urtigas

plagiar [pla'xjar] *v.* plagiar

plagiari|o, -a [pla'xjarjo] *s.m.,f.* plagiador, -a

plagio ['plaxjo] *s.m.* plágio

plaguicida [plaɣi'θiða] *s.m.* (pragas agrícolas) pesticida

plan ['plan] *s.m.* **1** *(intención)* plano, intento, intenção*f.* **2** *(programa)* plano, projeto; ***plan de ahorro*** plano de poupança **3** (edifício) planta*f.* **4** *col.* (relação) caso ♦ *col.* **a todo plan** à grande, à larga; *col.* **en plan de** com a intenção de; ***te lo dije en plan de ayudarte*** disse isso com a intenção de ajudar-te; **hacer plan** dar jeito, convir; *col.* **no ser plan** não ser conveniente; **plan de adelgazamiento** programa de emagrecimento, regime

plana ['plana] *s.f.* **1** (folha de papel) página, lauda **2** (jornal, revista) página; ***noticias de primera plana*** notícias de primeira página ♦ **a toda plana** em grande plano/destaque (ocupando uma página inteira); **corregir/enmendar la plana** corrigir os defeitos, apontar defeitos; *col.* **plana mayor** corpo administrativo

plancha ['planʲtʃa] *s.f.* **1** (eletrodoméstico) ferro*m.* (de passar a roupa); ***plancha de vapor*** ferro a vapor **2** (metal, madeira) chapa, placa, lâmina; ***plancha de acero*** placa de aço **3** *(ropa planchada/para planchar)* roupa passada/para passar a ferro **4** *(planchado)* passar*m.* a roupa **5** (alimentos) chapa; grelha; ***a la plancha*** grelhado; na chapa **6** *col.* gafe; ***tirarse una plancha*** cometer uma gafe **7** TIP. chapa **8** prancha, chapinha ♦ **hacer la plancha** boiar (de barriga para cima)

planchado [planʲ'tʃaðo] *adj.* **1** (tecido) passado (a ferro) **2** *col.* pasmado, surpreendido, sem fala ■ *s.m.* passar a ferro ♦ **centro de planchado** ferro com caldeira

planchar [planʲ'tʃar] *v.* **1** passar (a ferro); engomar **2** *col.* endireitar; alisar, esticar **3** *col.* (CD, DVD) gravar; fazer cópia

planchazo [planʲ'tʃaθo] *s.m.* **1** barrigada*f.* (na água) **2** *col.* gafe*f.*, erro

plancton ['plaŋkton] *s.m.* plâncton

planeador [planea'ðor] *s.m.* planador

planear [plane'ar] *v.* **1** planejar **2** (ave) planar, pairar **3** (aeronave) planar

planeta [pla'neta] *s.m.* planeta

planetario [plane'tarjo] *adj.,s.m.* planetário; ***sistema planetario*** sistema planetário

planicie [pla'niθje] *s.f.* planície

planificación [planifika'θjon] *s.f.* **1** planificação; ***planificación de las actividades culturales*** planificação das atividades culturais **2** planejamento*m.*; ***planificación familiar*** planejamento familiar

planificar [planifi'kar] *v.* planificar

planisferio [planis'ferjo] *s.m.* planisfério

plano ['plano] *adj.* **1** plano, liso **2** (pé) chato ■ *s.m.* **1** (superfície) plano **2** (de cidade) mapa, planta*f.* **3** *(nivel)* plano, nível **4** CIN., TV. plano; ***primer plano*** grande plano **5** GEOM. plano ♦ **de plano** em cheio; ***a mediodía el sol da de plano*** ao meio-dia o sol bate em cheio

planta ['plaṇta] *s.f.* **1** BOT. planta **2** (pé) planta **3** (planta, árvore) pé*m.* **4** (edifício) andar*m.*; ***planta baja*** rés do chão **5** ARQ. planta, projeto*m.* **6** *(fábrica)* instalação industrial ♦ **de (nueva) planta** novo, do zero; ***van a construir un edificio de planta para el hospital*** vão construir um edifício novo para o hospital; **tener buena planta** ter bom aspecto

plantación [plaṇta'θjon] *s.f.* plantação

plantar [plaṇ'tar] *v.* **1** plantar, cultivar **2** *(clavar)* fincar, fixar, montar **3** *col.* deixar plantado, abandonar ■ **plantarse 1** *(colocarse)* plantar se; ***se plantó delante de mí y no se fue*** plantou se diante de mim e não arredou pé **2** *(llegar)* chegar; ***en tres horas me planto en Paraguay*** em três horas chego ao Paraguai **3** *col. (resistirse)* manter a sua ♦ **plantar cara** desafiar, enfrentar; *col.* **plantar un beso** dar/tascar um beijo

planteamiento [plaṇtea'mjeṇto] *s.m.* **1** traçado **2** (de problema) formulação*f.*; (de teoria) exposição*f.*, explicação*f.*, apresentação*f.*

plantear [plaṇte'ar] *v.* **1** (assunto) expor, apresentar **2** (problema, questão) colocar, levantar **3** (plano, reforma) delinear, traçar, conceber ■ **plantearse** considerar, pensar; ***me estoy planteando casarme*** estou pensando em casar

plantel [plaṇ'tel] *s.m.* **1** (plantas) viveiro **2** (pessoas) plantel, conjunto, grupo; ***plantel del equipo*** plantel da equipe **3** (instituição) centro de formação

plantilla [plaṇ'tiʎa] *s.f.* **1** (calçado) palmilha **2** *(patrón)* molde*m.*, forma **3** (empresa) quadro*m.* de pessoal; ***estar en plantilla*** pertencer ao quadro **4** ESPOR. plantel*m.*

plantío [plaṇ'tio] *s.m.* plantio

plantón [plaṇ'ton] ♦ *col.* **dar plantón** deixar plantado

plañidero [plaɲi'ðero] *adj.* choroso, lastimoso, lamentoso

plaqueta [pla'keta] *s.f.* **1** FISIOL. plaqueta **2** *(baldosa)* lajota; *(azulejo)* azulejo*m.*

plasma ['plazma] *s.m.* plasma

plasmar [plaz'mar] *v.* **1** (barro, gesso) modelar **2** (ideia, sentimento) expressar

plasta ['plasta] *s.f.* **1** (substância) pasta, massa mole **2** *col.* bosta, poio*m.* ■ *s.2g. col.* chat|o, -a*m.f.*

plastelina [plaste'lina] *s.f.* ⇒ **plastilina**

plástica ['plastika] *s.f.* plástica

plasticidad [plastiθi'ðað] *s.f.* plasticidade

plástico ['plastiko] *adj.* **1** (material) plástico; ***bolsas plásticas*** sacos plásticos **2** (linguagem) plástico, pictórico, vívido; ***artes plásticas*** artes plásticas **3** (cirurgia) plástico; ***cirujano plástico*** cirurgião plástico ■ *s.m.* plástico

plastificado [plastifi'kaðo] *adj.* plastificado

plastilina [plasti'lina] *s.f.* massinha, massa para modelar

plata ['plata] *s.f.* **1** prata **2** (concurso, competição) medalha de prata **3** [AM.] *col. (dinero)* grana ◆ *col.* **hablar en plata** falar claramente e sem rodeios
plataforma [plata'forma] *s.f.* **1** plataforma **2** *fig.* trampolim*m.*
platanero [plata'nero] *s.m.* bananeira*f.*
plátano ['platano] *s.m.* **1** (fruto) banana*f.* **2** (árvore) bananeira*f.* **3** (árvore) plátano
platea [pla'tea] *s.f.* (sala de espetáculos) plateia
plateado [plate'aðo] *adj.* prateado
plateresco [plate'resko] *adj.,s.m.* plateresco
plater|o, -a [pla'tero] *s.m.,f.* ourives*2g.2n.*
plática ['platika] *s.f.* **1** *(charla)* conversa **2** *(sermón)* sermão*m.*
platillo [pla'tiʎo] *s.m.* **1** pratinho; (de xícara) pires*2n.* **2** (de balança) prato ■ **platillos** *s.m.pl.* MÚS. pratos*pl.* ◆ **platillo volador/volante** disco voador
platino [pla'tino] *s.m.* **1** QUÍM. platina*f.* **2** MEC. platinado
plato ['plato] *s.m.* **1** *(recipiente)* prato; ***plato de postre*** prato de sobremesa; ***plato hondo*** prato fundo; ***plato llano*** prato raso; ***plato sopero*** prato de sopa **2** CUL. prato; ***plato combinado*** prato combinado; ***plato del día*** prato do dia; ***plato fuerte*** prato principal **3** (toca-discos) prato ◆ *col.* **no haber roto nunca un plato** nunca ter cometido um deslize; *col.* **no ser plato del gusto de alguien** não ser coisa do agrado de alguém; *col.* **pagar los platos rotos** pagar o pato
platónico [pla'toniko] *adj.* platônico
plausible [plaw'siβle] *adj.2g.* **1** *(alabable)* louvável, aplaudível, plausível **2** *(admisible)* recomendável, justificável, admissível **3** *(probable)* plausível, provável
playa ['plaja] *s.f.* praia; ***playa fluvial*** praia fluvial; ***ir a la playa*** ir à praia ◆ [AM.S.] **playa de estacionamiento** estacionamento
playback [plej'βak] *s.m.* playback
playboy [plej'βoj] *s.m.* playboy, conquistador
plaza ['plaθa] *s.f.* **1** praça; ***plaza mayor*** praça central **2** *(asiento)* lugar*m.*; ***este coche tiene cinco plazas*** este carro tem cinco lugares **3** *(puesto de trabajo)* vaga **4** *(lugar fortificado)* praça forte ◆ **plaza de toros** praça de touros
plazo ['plaθo] *s.m.* **1** (tempo) prazo; ***a corto/largo/medio*** a curto/longo/médio prazo; ***plazo de matrícula*** prazo das matrículas **2** (pagamento) prestação*f.*; ***estoy pagando el coche a plazos*** estou pagando o carro em prestações
plazoleta [plaθo'leta] *s.f.* pracinha
pleamar [plea'mar] *s.f.* preia-mar, praia-mar, maré cheia
plebe ['pleβe] *s.f.* **1** *(pueblo)* plebe, povo*m.* **2** HIST. plebe
plebey|o, -a [ple'βejo] *adj.,s.m.,f.* plebe|u, -ia
plebiscito [pleβis'θito] *s.m.* plebiscito
plegable [ple'ɣaβle] *adj.2g.* **1** dobrável **2** desdobrável **3** (guarda-chuva) de encolher
plegamiento [pleɣa'mjento] *s.m.* dobra*f.*
plegar [ple'ɣar] *v.* dobrar ■ **plegarse** *fig.* vergar-se, dobrar-se, ceder
plegaria [ple'ɣarja] *s.f.* prece, oração, súplica
pleito ['plejto] *s.m.* **1** pleito, litígio **2** *fig.* litígio, disputa*f.*, contenda*f.*
plenamente [plena'mente] *adv.* plenamente
plenario [ple'narjo] *adj.* plenário
plenitud [pleni'tuð] *s.f.* plenitude
pleno ['pleno] *adj.* pleno, cheio, repleto ■ *s.m.* **1** (assembleia) plenário **2** (jogo de azar) sorte*f.* grande, taluda*f.col.*; ***acertar un pleno*** acertar todos os números ◆ **en pleno** em pleno
pleonasmo [pleo'nazmo] *s.m.* pleonasmo
pleura ['plewra] *s.f.* pleura
pleuresía [plewre'sia] *s.f.* pleurisia
plexo ['plekso] *s.m.* plexo
plica ['plika] *s.f.* envelope lacrado
pliego ['pljeɣo] *s.m.* **1** *(hoja de papel)* folha*f.* de papel (dobrada ao meio) **2** *(documento)* documento **3** TIP. caderno ◆ **pliego de cordel** folheto de cordel
pliegue ['pljeɣe] *s.m.* **1** *(arruga)* prega*f.*, dobra*f.*, vinco, ruga*f.* **2** GEOL. dobra*f.*
plisado [pli'saðo] *adj.* (tecido) plissado, de pregas; ***falda plisada*** saia de pregas/plissada ■ *s.m.* plissado
plomada [plo'maða] *s.f.* **1** (instrumento) prumo*m.*, fio*m.* de prumo **2** (mar) prumo*m.*, sonda
plomer|o, -a [plo'mero] *s.m.,f.* [AM.] encanador, -a
plomo ['plomo] *s.m.* **1** QUÍM. chumbo; ***gasolina sin plomo*** gasolina sem chumbo **2** (arma) chumbo, bala*f.* **3** (peso) chumbo, chumbeira*f.* **4** *fig., col.* (situação) chatice*f.* **5** *fig., col.* (pessoa) melga*2g.*, chat|o, -a*m.f.* ■ **plomos** *s.m.pl.* fusíveis*pl.* ◆ **a plomo** a prumo, verticalmente
pluma ['pluma] *s.f.* **1** (ave) pena, pluma; ***edredón de pluma*** edredom de penas **2** (para escrever) caneta; ***pluma estilográfica*** caneta de tinta permanente; [AM.] ***pluma fuente*** caneta de tinta permanente ◆ **al correr de la pluma** ao correr da pena; **ligero como una pluma** leve como uma pena; **tener buena pluma** escrever bem
plumaje [plu'maxe] *s.m.* plumagem*f.*
plumazo [plu'maθo] ◆ **de un plumazo** sem mais nem menos
plumero [plu'mero] *s.m.* **1** (utensílio) espanador **2** (adorno) penacho ◆ *col.* **vérsele el plumero a alguien** saber o que alguém quer; não enganar ninguém
plumier [plu'mjer] *s.m.* estojo, porta-lápis*2n.*
plumilla [plu'miʎa] *s.f.* (caneta) aparo, bico
plumín [plu'min] *s.m.* bico, aparo
plumón [plu'mon] *s.m.* (ave) penugem*f.*
plural [plu'ral] *adj.2g.* plural ■ *s.m.* plural ◆ **plural de modestia** plural de modéstia; **plural mayestático** plural majestático
pluralidad [plurali'ðað] *s.f.* pluralidade
pluralismo [plura'lizmo] *s.m.* pluralismo
pluridisciplinar [pluriðisθipli'nar] *adj.2g.* pluridisciplinar
pluriemplead|o, -a [plurjemple'aðo] *s.m.,f.* pessoa*f.* com vários empregos ■ *adj.* com vários empregos

pluriempleo [pluɾjem'pleo] *s.m.* situação do trabalhador que tem mais de um emprego
plus ['plus] *s.m.* extra, gratificação*f.*, prêmio
pluscuamperfecto [pluskwamper'fekto] *s.m.* (pretérito) mais que perfeito
plusmarca [pluz'marka] *s.f.* recorde*m.*
plusmarquista [pluzmar'kista] *s.2g.* recordista
plusvalía [pluzβa'lia] *s.f.* mais-valia
Plutón [plu'ton] *s.m.* Plutão
plutonio [plu'tonjo] *s.m.* plutônio
pluvial [plu'βjal] *adj.2g.* pluvial
pluviómetro [plu'βjometro] *s.m.* pluviômetro
pluviosidad [pluβjosi'ðað] *s.f.* pluviosidade
pluvioso [plu'βjoso] *adj.* pluvioso, chuvoso
p. m. (*abreviatura de* post merídiem (después del mediodía)) p. m. (*abreviatura de* post meridiem (depois do meio dia))
poblacho [po'βlatʃo] *s.m. pej.* **1** aldeola*f.* **2** gentalha
población [poβla'θjon] *s.f.* **1** *(habitantes)* população **2** *(pueblo)* povoado*m.*, povoação, localidade ♦ **población activa** população ativa
poblacional [poβlaθjo'nal] *adj.2g.* populacional
poblado [po'βlaðo] *s.m.* povoado, povoação*f.*
poblamiento [poβla'mjento] *s.m.* povoamento
poblar [po'βlar] *v.* **1** (lugar, território) povoar, habitar, ocupar **2** *fig.* povoar, encher ▪ **poblarse 1** (lugar, território) povoar se **2** *fig.* povoar se, encher-se
pobre ['poβre] *adj.2g.* **1** pobre **2** *fig.* pobre, infeliz, coitado ▪ *s.2g.* pobre
pobreza [po'βreθa] *s.f.* pobreza
pocho ['potʃo] *adj.* **1** (alimento) podre, estragado, deteriorado **2** (planta) murcho **3** *col.* (pessoa) adoentado **4** *col.* (pessoa) murcho, chocho, abatido
pocilga [po'θilγa] *s.f.* pocilga, chiqueiro*m.*
pocillo [po'θiʎo] *s.m.* xícara*f.* (pequena)
pócima ['poθima] *s.f.* **1** *lit.* poção **2** *col., pej.* comida ou bebida ruim
poción [po'θjon] *s.f.* poção; *poción mágica* poção mágica
poco ['poko] *adj.indef.* pouc|o, -a; *hay poca comida* há pouca comida ▪ *pron.indef.* pouc|o, -a; *se contenta con poco* satisfaz se com pouco ▪ *adv.* pouco; *has dormido poco* dormiste pouco ▪ *s.m.* pouco; *espera un poco* espera um pouco ♦ **a poco de** pouco depois de; **como poco** pelo menos, no mínimo; **dentro de poco** daqui a pouco; **poco a poco** pouco a pouco; **por poco** por pouco
poda ['poða] *s.f.* poda
podar [po'ðar] *v.* (planta) podar
poder [po'ðer] *v.* **1** *(tener la capacidad)* poder **2** *(tener autorización)* poder **3** *(superar)* ser mais forte do que, vencer; *aunque seas más pequeño, creo que tú le puedes* apesar de seres mais baixo, creio que és mais forte do que ele ▪ *s.m.* **1** *(capacidad)* poder, capacidade*f.*, faculdade*f.*; *tiene poder de persuasión* tem poder de persuasão **2** *(autoridad)* poder, autoridade*f.*; *el rey tiene poder para hacer leyes* o rei tem poder para fazer leis **3** *(gobierno)* poder; *poder ejecutivo* poder executivo **4** *(posesión)* poder, domínio; *los bienes están en mi poder* os bens estão em meu poder ♦ **a más no poder** até não poder mais; **de poder a poder** de igual para igual; *col.* **no poder con** não poder com; *¡no puedo con él!* não posso com ele!; **no poder menos que** [+*inf.*] não ter outro remédio senão [+*inf.*], não conseguir evitar [+*inf.*]; *col.* **no poder ver a alguien** ter raiva, não querer nem ver; **poder** [+*inf.*] **1** (autorização) poder [+*inf.*]; *¿se puede fumar?* pode-se fumar? **2** (possibilidade) poder [+*inf.*]; *los precios pueden bajar* os preços podem baixar **3** (capacidade) conseguir [+*inf.*]; *no puedo abrir la puerta* não consigo abrir a porta **4** (conjectura) conseguir [+*inf.*]; *¿podría haberlo olvidado en casa?* podia/poderia ter-se esquecido dele em casa? **5** (censura) conseguir [+*inf.*]; *bien podía haberse callado* bem podia ter ficado calado **6** (sugestão) conseguir [+*inf.*]; *¿podríamos ir al cine mañana?* podíamos/poderíamos ir ao cinema amanhã?; **puede que** [+*sj.*] é possível que [+*sj.*]; *puede que venga todavía* é possível que ainda venha; **¿se puede?** posso (entrar)?; **tener poderes amplios** ter amplos poderes
poderhabiente [poðera'βjente] *s.2g.* procurador, -a*m.f.*
poderío [poðe'rio] *s.m.* poderio
poderoso [poðe'roso] *adj.* poderoso
podio ['poðjo] *s.m.* pódio; *subir al podio* subir ao pódio
podología [poðolo'xia] *s.f.* podologia
podólog|o, -a [po'ðoloγo] *s.m.,f.* podólog|o, -a
podredumbre [poðre'ðumbre] *s.f.* **1** *(putrefacción)* podridão, putrefação, decomposição **2** *(lo podrido)* podre*m.*, parte podre **3** *fig.* podridão, corrupção
podrido [po'ðriðo] ⟨*p.p. de* pudrir⟩ *adj.* **1** apodrecido **2** (alimento) podre; *manzanas podridas* maçãs podres ♦ *col.* **estar podrido de** estar podre de; *está podrido de dinero* está podre de rico
poema [po'ema] *s.m.* poema ♦ *col.* **hecho un poema** uma/numa desgraça; *col., irôn.* **un poema** espetáculo; *su cara es todo un poema* a sua cara está um espetáculo
poesía [poe'sia] *s.f.* poesia
poeta [po'eta] *s.m.* ⟨*f.* poetisa⟩ poeta
poética [po'etika] *s.f.* poética
poético [po'etiko] *adj.* poético
poetisa [po'etisa] *s.f.* ⟨*m.* poeta⟩ poetisa
polac|o, -a [po'lako] *adj.,s.m.,f.* polon|ês, -esa, polac|o, -a ▪ **polaco** *s.m.* (língua) polonês, polaco
polaina [po'lajna] *s.f.* **1** polaina **2** (para bebês) calça (com pé)
polar [po'lar] *adj.2g.* polar; *estrella polar* estrela polar; *oso polar* urso-polar ▪ *s.m.* polar
polaridad [polari'ðað] *s.f.* polaridade
polca ['polka] *s.f.* polca
polea [po'lea] *s.f.* roldana
polémica [po'lemika] *s.f.* polêmica
polémico [po'lemiko] *adj.* polêmico
polen ['polen] *s.m.* **1** pólen **2** *gír.* (droga) haxixe (de boa qualidade)

poleo [po'leo] *s.m.* poejo
policía [poli'θia] *s.f.* (instituição) polícia; ***policía judicial*** polícia judiciária; ***policía municipal/urbana*** polícia municipal; ***policía secreta*** polícia secreta; ***llamar a la policía*** chamar a polícia ■ *s.2g.* (agente) polícia; ***policía de paisano*** polícia à paisana
policiaco [poli'θjako], **policíaco** [poli'θiako] *adj.* policial; ***novela policiaca*** romance policial
policial [poli'θjal] *adj.2g.* policial; ***investigación policial*** inquérito policial
polideportivo [poliδepor'tiβo] *adj.* polidesportivo; ***pabellón polideportivo*** pavilhão polidesportivo
poliedro [po'ljeδro] *s.m.* poliedro
poliéster [po'ljester] *s.m.* poliéster
poliestireno [poljeste'reno] *s.m.* poliestireno
polietileno [poljeti'leno] *s.m.* polietileno
polifacético [polifa'θetiko] *adj.* (pessoa) multifacetado, versátil
polifonía [polifo'nia] *s.f.* polifonia
polifónico [poli'foniko] *adj.* polifônico
poligamia [poli'γamja] *s.f.* poligamia
polígam|o, -a [po'liγamo] *adj.,s.m.,f.* polígam|o, -a
políglota [po'liγlota] *adj.,s.2g.* poliglota
polígono [po'liγono] *s.m.* **1** GEOM. polígono **2** (industrial, comercial, residencial) zona*f.*, polígono ◆ **polígono de tiro** campo de tiro
polilla [po'liʎa] *s.f.* traça
polinización [poliniθa'θjon] *s.f.* polinização
polinomio [poli'nomjo] *s.m.* polinômio
poliomielitis [poljomje'litis] *s.f.2n.* MED. poliomielite
pólipo ['polipo] *s.m.* pólipo
poliptoton [polip'toton] *s.m.* poliptoto
polisemia [poli'semja] *s.f.* polissemia
polisémico [poli'semiko] *adj.* polissêmico
polisílabo [poli'silaβo] *adj.,s.m.* polissílabo
polisíndeton [poli'sindeton] *s.m.* polissíndeto
politécnico [poli'tekniko] *adj.* politécnico
politeísmo [polite'izmo] *s.m.* politeísmo
politeísta [polite'ista] *adj.,s.2g.* politeísta
política [po'litika] *s.f.* política
polític|o, -a [po'litiko] *s.m.,f.* polític|o, -a ■ *adj.* **1** político **2** (parentesco) por afinidade
politiqueo [politi'keo] *s.m.* **1** *col., pej.* política*f.* **2** *col., pej.* politiquice*f.*
politraumatismo [politrawma'tizmo] *s.m.* politraumatismo
polivalente [poliβa'lente] *adj.2g.* polivalente
póliza ['poliθa] *s.f.* **1** (documento) apólice; ***póliza de seguro*** apólice de seguro **2** *(sello)* selo*m.* fiscal
polizón [poli'θon] *s.2g.* passageir|o, -a*m.f.* clandestin|o, -a; ***viajar de polizón*** viajar clandestinamente
polizonte [poli'θonte] *s.m. gír.* agente*2g.* da polícia, meganha, tira
polla ['poʎa] *s.f.* **1** franga **2** *vulg.* pica
pollada [po'ʎaδa] *s.f.* ninhada (de ave)
pollo ['poʎo] *s.m.* **1** pinto, frango **2** *col., pej.* frangote **3** *pop.* esperto, ladino ◆ *col.* **montar un pollo** armar um escândalo; **pollo a la barbacoa** frango de churrasco; **pollo asado** frango assado
polluelo [po'ʎwelo] *s.m.* (de galinha) pintainho, pinto; (de outra ave) filhote
polo ['polo] *s.m.* **1** GEOG. polo; ***Polo Norte/Sur*** Polo Norte/Sul **2** ESPOR. polo **3** *(helado)* picolé **4** *(camiseta)* polo
Polonia [po'lonja] *s.f.* Polônia
polonio [po'lonjo] *s.m.* polônio
poltrona [pol'trona] *s.f.* poltrona
polución [polu'θjon] *s.f.* poluição
polvareda [polβa'reδa] *s.f.* **1** poeirada, poeira, nuvem de pó **2** *fig.* burburinho*m.*, agitação, rebuliço*m.*; ***levantar una polvareda*** armar um rebuliço
polvo ['polβo] *s.m.* **1** pó, poeira*f.*; ***limpiar el polvo*** limpar o pó **2** (terra) poeira*f.* **3** (substância) pó; ***leche en polvo*** leite em pó **4** (sal, rapé) pitada*f.* **5** *vulg.* ato*f.* sexual; ***echar un polvo*** transar, trepar **6** *gír.* (droga) coca*f.* ■ **polvos** *s.m.pl.* pó; ***polvos de arroz*** pó de arroz; ***polvos de talco*** pó de talco ◆ *col.* **estar hecho polvo** estar só o pó, estar muito cansado; *col.* **hacer polvo** reduzir a pó; dar cabo de
pólvora ['polβora] *s.f.* pólvora ◆ **descubrir la pólvora** descobrir a pólvora
polvoriento [polβo'rjento] *adj.* poeirento, empoeirado
polvorín [polβo'rin] *s.m.* **1** (lugar) paiol **2** (explosivos) pólvora*f.* negra **3** *fig., col.* (situação) barril de pólvora
pomada [po'maδa] *s.f.* pomada
pomelo [po'melo] *s.m.* toranja*f.*, grape fruit
pomo ['pomo] *s.m.* **1** (porta, gaveta) maçaneta*f.*, puxador **2** BOT. pomo
pompa ['pompa] *s.f.* **1** bola; ***pompas de jabón*** bolas de sabão **2** *(ostentación)* pompa, aparato*m.*, ostentação ◆ **con pompa y circunstancia** com pompa e circunstância; **pompas fúnebres** cerimônias fúnebres
pompis ['pompis] *s.m.2n. col.* bunda*f.*, traseiro
pompón [pom'pon] *s.m.* pompom
pomposo [pom'poso] *adj.* **1** pomposo, ostentoso, luxuoso **2** (estilo, linguagem) pomposo, empolado
pómulo ['pomulo] *s.m.* **1** (osso) malar **2** ANAT. maçã*f.* do rosto, pômulo
ponche ['ponʲtʃe] *s.m.* (bebida) ponche
poncho ['ponʲtʃo] *s.m.* poncho
ponderación [pondera'θjon] *s.f.* **1** *(prudencia)* ponderação, prudência **2** *(alabanza)* elogio*m.*
ponderado [ponde'raδo] *adj.* ponderado
ponencia [po'nenθja] *s.f.* **1** (congresso) comunicação, conferência, palestra **2** *(informe)* relatório*m.*
ponente [po'nente] *s.2g.* conferencista
poner [po'ner] *v.* **1** *(colocar)* pôr, colocar; ***poner dinero en el banco*** pôr dinheiro no banco **2** *(vestir)* vestir; ***me puse el abrigo*** vesti o casaco **3** *(encender)* ligar; ***pon la tele*** liga a televisão **4** *(programar)* pôr; ***pon el despertador a las ocho*** ponha o despertador para as oito **5** (telefone) ligar, estabelecer ligação; ***¿me pone***

con la habitación 122? poderia me ligar com o quarto 122? **6** (multa, dever) pôr, dar; *me han puesto una multa* multaram-me **7** *(decir)* dizer; *¿qué pone ese letrero?* que diz esse letreiro? **8** *(escribir)* escrever; *pon tu nombre ahí* escreve aí o teu nome **9** (nome) chamar, dar o nome de; *le han puesto María* chamaram lhe Maria **10** (ovos) pôr **11** (espetáculo, programa) dar, passar; *hoy ponen una película americana* hoje passará um filme americano **12** (negócio) abrir, montar; *se puso una tienda de juguetes* montou uma loja de brinquedos **13** (carta, telegrama) enviar **14** pôr, deixar; *eso me pone nervioso* isso me deixa nervoso ▪ **ponerse 1** (sol) pôr-se **2** (roupa) vestir **3** (telefone) atender; *llamé a tu despacho y se puso una chica* liguei para o teu gabinete e atendeu uma garota **4** *(volverse)* ficar; *se puso muy colorado* ficou muito corado **5** *(llegar)* pôr-se; *se pone en Madrid en dos horas* chega a Madri em duas horas ♦ **poner a alguien de algo 1** (insulto) chamar alguém de alguma coisa; *la pusieron de mentirosa* chamaram-lhe mentirosa **2** (profissão) pôr; *la han puesto de secretaria* puseram-na como secretária; **poner bien/mal a alguien** defender/desacreditar; *la profesora te puso bien delante del rector* a professora o defendeu perante o reitor; **poner en claro** deixar claro, esclarecer; **ponerse a** [+*inf.*] pôr se a [+*inf.*]; *se puso a leer* pôs-se a ler; **pongamos que...** suponhamos que..., vamos supor que...

poni ['poni] *s.m.* pônei

poniente [po'njente] *s.m.* poente

pontificado [pontifi'kaðo] *s.m.* pontificado

pontífice [pon'tifiθe] *s.m.* **1** *(Papa)* pontífice, Papa; *Sumo Pontífice* Sumo Pontífice, Papa **2** *(obispo)* pontífice, bispo

pontón [pon'ton] *s.m.* (plataforma) pontão

ponzoña [pon'θoɲa] *s.f.* peçonha, veneno*m.*

ponzoñoso [ponθo'ɲoso] *adj.* peçonhento, venenoso

pop ['pop] *adj.2g.2n.,s.m.* pop

popa ['popa] *s.f.* popa

populacho [popu'latʃo] *s.m. pej.* gentinha*f.*, povinho, gentalha*f.*, ralé*f.*

popular [popu'lar] *adj.2g.* popular

popularidad [populari'ðað] *s.f.* popularidade

popularizar [populari'θar] *v.* popularizar ▪ **popularizarse** popularizar-se

populoso [popu'loso] *adj.* (lugar) populoso

póquer ['poker] *s.m.* pôquer ♦ **póquer de dados** pôquer de dados

poquísimo [po'kisimo] (*superl. de* poco) *adj.* pouquíssimo

por ['por] *prep.* **1** (lugar) por; *pasé por tu casa* passei por tua casa **2** (tempo aproximado) em, por lá para; *nos veremos por Semana Santa* vemo nos lá pela Páscoa **3** (meio, instrumento) por, a; *hablaba por teléfono* falava ao telefone; *lo envió por correo* enviou o pelo correio **4** (modo) de; *les pillaron por sorpresa* apanharam nos de surpresa **5** (motivo, causa) por; *lo hizo por necesidad* fez por necessidade; *¿por qué no me has llamado?* por que não me ligou? **6** (finalidade) para; *me fui por no aguantarte* fui embora para não te aturar **7** (distribuição) por; *10 euros por persona* 10 euros por pessoa **8** (proporção) por; *un descuento del diez por ciento* um desconto de dez por cento **9** (série) por; *os conté uno por uno* contei os um por um **10** (agente da passiva) por; *eso fue dicho por el presidente* isso foi dito pelo presidente **11** (multiplicação) vezes, por; *dos por dos son cuatro* dois vezes dois são quatro **12** (troca) por; *lo he cambiado por un coche nuevo* troquei-o por um carro novo **13** *(en lugar de)* por; *ve tú por mí* vai tu por mim **14** *(en favor de)* inclinad|o, -a a/por, a favor de; *estoy por quedarme* estou inclinado a ficar aqui; *estoy por él* sou a favor dele **15** *(en calidad de)* por, como; *lo tomé por tonto, pero era muy listo* julguei-o burro, mas era muito esperto; *la tomó por esposa* tomou a por esposa **16** *(en busca de, a recoger a)* à procura de, buscar; *voy por María* vou à procura da Maria; *voy por mi hijo al colegio* vou buscar o meu filho na escola ♦ (inutilidade) **por** [+*inf.*] por [+*inf.*]; *hablaba por hablar* falava por falar; **por** [+*adj./adv.*] [+*sj.*] por mais [+*adj./adv.*] [+*sj.*]; *por difícil que sea, lo voy a intentar* por mais difícil que seja, vou tentar; **por lo tanto** portanto; **por lo visto** pelo visto; **por supuesto** claro, com certeza

porcelana [porθe'lana] *s.f.* porcelana

porcentaje [porθen'taxe] *s.m.* porcentagem*f.*

porcentual [porθen'twal] *adj.2g.* porcentual

porche ['portʃe] *s.m.* alpendre

porcino [por'θino] *adj.* suíno

porción [por'θjon] *s.f.* **1** porção, parte **2** (comida) ração, dose

pordioser|o, -a [porðjo'sero] *s.m.,f.* pedinte*2g.*, mendig|o, -a

porfía [por'fia] *s.f.* porfia

pormenor [porme'nor] *s.m.* pormenor, detalhe

pormenorizado [pormenori'θaðo] *adj.* pormenorizado, detalhado

porno ['porno] *adj.2g.2n.* pornô, pornográfico; *película porno* filme pornô ▪ *s.m.* pornografia*f.*

pornografía [pornoγra'fia] *s.f.* pornografia

pornográfico [porno'γrafiko] *adj.* pornográfico

poro ['poro] *s.m.* poro

porosidad [porosi'ðað] *s.f.* porosidade

poroso [po'roso] *adj.* poroso

porque ['porke] *conj.* **1** (causa) porque; *se ha marchado porque ha empezado a llover* foi embora porque começou a chover **2** (fim) porque, para que; *¡reza porque no te haya visto!* reza para que não te tenha visto!

porqué [por'ke] *s.m.* porquê, motivo, causa*f.*

porquería [porke'ria] *s.f.* **1** *col.* porcaria, imundície, sujidade **2** *col.* grosseria, indecência **3** *pej.* porcaria, insignificância ▪ **porquerías** *s.f.pl. pej.* (comida) porcarias*pl.*

porqueriza [porke'riθa] *s.f.* pocilga

porra ['pora] *s.f.* **1** (arma) cassetete*m.* **2** *(palo)* cacete*m.*, clarea*f.*, maça*f.* **3** CUL. fartura **4** *(apuesta)* aposta ♦ *col.* (projeto) **irse a la porra** ir ao charco; *col.* **mandar a**

la porra mandar às favas; *col.* **¡una porra!** uma ova!
porrada [po'raδa] *s.f.* **1** *(porrazo)* cacetada **2** *col.* montão*m.*, porrada
porrazo [po'raθo] *s.m.* **1** (com um pau) cacetada*f.*, paulada*f.* **2** (ao cair, com o carro) pancada*f.*, batida*f.*
porrillo [po'riʎo] ♦ *col.* **a porrillo** aos montes, a dar com pau; *tuvo novias a porrillo* teve namoradas a dar com pau
porro ['poro] *s.m. col.* (droga) cigarro de maconha, baseado
porrón [po'ron] *s.m.* (de água) vasilha*f.*; (de vinho) porrão
portaaviones [porta(a)'βjones] *s.m.2n.* porta aviões
portada [por'taδa] *s.f.* **1** (edifício) portada, fachada, frontispício*m.* **2** (jornal) primeira página **3** (revista, livro) capa **4** TIP. página de rosto, frontispício*m.*
portadilla [porta'δiʎa] *s.f.* (livro) anterrosto*m.*
portador, -a [porta'δor] *s.m.,f.* portador, -a ♦ (cheque) **al portador** ao portador
portaequipajes [portaeki'paxes] *s.m.2n.* bagageiro*m.*, porta bagagem*m.*, porta-malas
portaestandarte [portaestaṇ'darte] *s.2g.* porta--estandarte
portafolios [porta'foljos] *s.m.2n.* portfólio*m.*, pasta*f.*
portal [por'tal] *s.m.* **1** (edifício) hall de entrada, vestíbulo **2** INFORM. portal **3** [AM.] pórtico ♦ **portal de Belén** presépio
portalámparas [porta'lamparas] *s.m.2n.* bocal (de lâmpada), soquete
portalápiz [porta'lapiθ] *s.m.2n.* porta-lápis
portalón [porta'lon] *s.m.* portão (de edifício, palácio antigo)
portamaletas [portama'letas] *s.m.2n.* porta-bagagem, porta malas
portaminas [porta'minas] *s.m.2n.* lapiseira*f.*
portamonedas [portamo'neδas] *s.m.2n.* porta moedas
portar [por'tar] *v.* **1** *(llevar)* levar **2** *(traer)* trazer ▪ **portarse** portar-se, comportar se; *portarse bien/mal* portar se bem/mal
portarretratos [portare'tratos] *s.m.2n.* porta retratos
portarrollos [porta'roʎos] *s.m.2n.* suporte para rolos de cozinha
portátil [por'tatil] *adj.2g.* portátil
portavoz [porta'βoθ] *s.2g.* porta voz
portazo [por'taθo] *s.m.* batimento de uma porta; *dio un portazo y se marchó* bateu a porta e foi embora
porte ['porte] *s.m.* **1** *(aspecto)* porte, aspecto **2** *(transporte)* porte, transporte
portento [por'teṇto] *s.m.* prodígio, portento
portentoso [porteṇ'toso] *adj.* prodigioso, portentoso
portería [porte'ria] *s.f.* **1** (edifício) portaria **2** ESPOR. baliza
porter|o, -a [por'tero] *s.m.,f.* **1** porteir|o, -a **2** ESPOR. goleiro ♦ **portero automático/eléctrico** porteiro eletrônico
portezuela [porte'θwela] *s.f.* porta (de carruagem)
pórtico ['portiko] *s.m.* **1** ARQ. pórtico **2** ARQ. arcada*f.*, galeria*f.*
portón [por'ton] *s.m.* portão, porta*f.* grande
portuario [por'twarjo] *adj.* portuário
Portugal [portu'γal] *s.m.* Portugal
portugu|és, -esa [portu'γes] *adj.,s.m.,f.* portugu|ês, -esa ▪ **portugués** *s.m.* (língua) português
porvenir [porβe'nir] *s.m.* porvir, futuro
pos ['pos] ♦ **en pos de** atrás de, em busca de
posada [po'saδa] *s.f.* hospedaria, estalagem, pensão, pousada
posaderas [posa'δeras] *s.f.pl. col.* nádegas*pl.*
posar [po'sar] *v.* **1** *(colocar)* pousar, colocar **2** (para foto) posar (para, para); *la familia posó para la fotografía* a família posou para a fotografia ▪ **posarse** **1** (aves) pousar **2** (sedimento) depositar-se, sedimentar-se, assentar
posavasos [posa'βasos] *s.m.2n.* base*f.* (para copos)
posdata [poz'δata] *s.f.* pós-escrito*m.*
pose ['pose] *s.f.* pose, postura
poseedor, -a [pose(e)'δor] *s.m.,f.* possuidor, -a
poseer [pose'er] *v.* possuir
poseído [pose'iδo] *adj.* **1** *(endemoniado)* possuído, possesso **2** *(engreído)* convencido
posesión [pose'sjon] *s.f.* posse; *tomar posesión de* tomar posse de
posesivo [pose'siβo] *adj.* (pessoa) possessivo ▪ *adj.,s.m.* LING. possessivo; *pronombre posesivo* pronome possessivo
poseso [po'seso] *adj.* possesso
posgrado [poz'γraδo] *s.m.* pós-graduação*f.*
posgraduad|o, -a [pozγra'δwaδo] *adj.,s.m.,f.* pós--graduad|o, -a
posguerra [poz'γera] *s.f.* pós-guerra*m.*, após-guerra*m.*
posibilidad [posiβili'δaδ] *s.f.* possibilidade ▪ **posibilidades** *s.f.pl.* possibilidades*pl.*, recursos*m. pl.*
posible [po'siβle] *adj.2g.* possível ♦ **de ser posible** se (for) possível; **en la medida de lo posible** na medida do possível; **hacer todo lo posible** fazer o possível; **lo antes posible** o mais cedo possível
posiblemente [posiβle'meṇte] *adv.* possivelmente, provavelmente, talvez
posición [posi'θjon] *s.f.* posição ♦ (socorrismo) **posición lateral de seguridad** posição lateral de segurança
positivismo [positi'βizmo] *s.m.* positivismo
positivista [positi'βista] *adj.,s.2g.* positivista
positivo [posi'tiβo] *adj.* positivo ▪ *s.m.* FOT. positivo
posmeridiano [pozmeri'δjano] *adj.* pós-meridiano
posmodernidad [pozmoδerni'δaδ] *s.f.* pós-modernismo*m.*
posmoderno [pozmo'δerno] *adj.* pós-moderno
poso ['poso] *s.m.* borra*f.*
posología [posolo'xia] *s.f.* posologia
posoperatorio [posopera'torjo] *adj.,s.m.* pós-operatório

pospartо [pos'parto] *s.m.* pós-parto
posponer [pospo'ner] *v.* adiar, postergar, retardar; ***posponer una reunión*** adiar uma reunião
postal [pos'tal] *adj.2g.* postal; ***giro postal*** vale-postal ■ *s.f.* cartão postal*m.*
poste ['poste] *s.m.* **1** poste; ***poste de alta tensión*** poste de alta tensão; ***poste telefónico*** poste telefônico **2** (baliza) poste, trave*f.*
póster ['poster] *s.m.* pôster, cartaz
posteridad [posteri'δaδ] *s.f.* posteridade
posterior [poste'rjor] *adj.2g.* **1** (tempo) posterior, ulterior; ***ser posterior a*** ser posterior a **2** (espaço) posterior, traseiro; ***en la parte posterior*** na parte posterior
posteriormente [posterjor'mente] *adv.* posteriormente
postigo [pos'tiγo] *s.m.* **1** postigo **2** *(contraventana)* portada*f.*
postilla [pos'tiʎa] *s.f.* crosta (de ferida)
postín [pos'tin] *s.m.* ostentação*f.*, presunção*f.*; ***darse postín*** dar se ares ♦ **de postín** de luxo
postizo [pos'tiθo] *adj.* postiço ■ *s.m.* cabelo postiço
postmeridiano [pozmeri'δjano] *adj.* pós meridiano
postónico [pos'toniko] *adj.* postônico
postoperatorio [postopera'torjo] *adj.,s.m.* ⇒ **posoperatorio**
postor, -a [pos'tor] *s.m.,f.* licitador, -a
postración [postra'θjon] *s.f.* prostração
postrado [pos'traδo] *adj.* prostrado
postre ['postre] *s.m.* sobremesa*f.* ♦ **a la postre** no final
postrero [pos'trero] *adj.* último, derradeiro
postrimería [postrime'ria] *s.f.* fim*m.* ■ **postrimerías** *s.f.pl.* finais*m. pl.*; ***en las postrimerías del siglo pasado*** em fins/no final do século passado
postulado [postu'laδo] *s.m.* **1** postulado **2** princípio
póstumo ['postumo] *adj.* póstumo
postura [pos'tura] *s.f.* **1** *(posición)* posição, postura **2** *(actitud)* postura, atitude **3** (leilão) lance*m.*, oferta
posventa [poz'βenta] *adj.2g.2n.* pós venda; ***servicio posventa*** serviço de pós venda ■ *s.f.* pós venda*m.*
potable [po'taβle] *adj.2g.* **1** (líquido) potável; ***agua potable*** água potável **2** *fig., col.* razoável, aceitável
potaje [po'taxe] *s.m.* **1** caldo/sopa*f.* de legumes **2** ensopado (de legumes) **3** *col.* salgalhada*f.*, trapalhada*f.*, confusão*f.*
potasio [po'tasjo] *s.m.* potássio
pote ['pote] *s.m.* **1** púcaro **2** pote, cântaro grande **3** panela*f.* ♦ **darse pote** dar-se ares
potencia [po'tenθja] *s.f.* **1** *(capacidad)* potência; ***de gran potencia*** de grande potência **2** *(nación, país)* potência; ***potencias mundiales*** potências mundiais ♦ **en potencia** em potência
potencial [poten'θjal] *adj.2g.* potencial ■ *s.m.* **1** potencial **2** LING. condicional
potencialidad [potenθjali'δaδ] *s.f.* potencialidade
potente [po'tente] *adj.2g.* **1** potente **2** *col.* valente, potente
potr|o, -a ['potro] *s.m.,f.* potr|o, -a ■ **potro** *s.m.* **1** (ginástica) plinto, cavalo **2** (tortura) potro
poza ['poθa] *s.f.* **1** *(charco)* poça, charco*m.* **2** (rio) fundão*m.*, poço*m.*
pozo ['poθo] *s.m.* **1** (de água, petróleo) poço **2** (de rio) fundão **3** *col.* boca*f.* ♦ **pozo negro** fossa; **pozo sin fondo** saco sem fundo; **ser un pozo de** ser um poço de; ***ser un pozo de sabiduría*** ser um poço de sabedoria
práctica ['praktika] *s.f.* prática ■ **prácticas** *s.f.pl.* estágio*m.*; ***en prácticas*** estagiário; ***hacer prácticas*** estagiar; ***período de prácticas*** estágio, período de estágio ♦ **en la práctica** na prática; **poner en práctica** pôr em prática; **tener práctica** ter prática
practicable [prakti'kaβle] *adj.2g.* praticável
practicante [prakti'kante] *adj.2g.* praticante ■ *s.2g.* enfermeir|o, -a*m.f.* (que dá injeções)
practicar [prakti'kar] *v.* **1** *(ejercitar)* praticar, exercitar; ***practicar deporte*** praticar esporte **2** (profissão) exercer; ***practicar la medicina*** exercer medicina **3** *(hacer)* fazer; ***practicar la autopsia*** fazer a autopsia **4** praticar
práctico ['praktiko] *adj.* prático ■ *s.m.* NÁUT. piloto de portos
pradera [pra'δera] *s.f.* pradaria
prado ['praδo] *s.m.* prado
pragmática [praγ'matika] *s.f.* pragmática
pragmático [praγ'matiko] *adj.* pragmático
pragmatismo [praγma'tizmo] *s.m.* pragmatismo
preámbulo [pre'ambulo] *s.m.* **1** preâmbulo **2** *(rodeo)* rodeio, subterfúgio; ***déjate de preámbulos*** deixe de rodeios
preaviso [prea'βiso] *s.m.* pré-aviso
precalentamiento [prekalenta'mjento] *s.m.* aquecimento
precariedad [prekarje'δaδ] *s.f.* precariedade
precario [pre'karjo] *adj.* precário
precaución [prekaw'θjon] *s.m.* precaução, cautela; ***con precaución*** com precaução; ***por precaución*** por precaução; ***tomar precauciones*** tomar precauções
precavido [preka'βiδo] *adj.* precavido, prevenido
precedencia [preθe'δenθja] *s.f.* precedência; ***dar precedencia a*** dar precedência a
precedente [preθe'δente] *adj.2g.* precedente, antecedente, anterior ■ *s.m.* precedente, antecedente; ***sentar precedente*** abrir/criar um precedente ♦ **sin precedente** sem precedente
preceder [preθe'δer] *v.* **1** (espaço, tempo) preceder, anteceder **2** (cargo) estar acima (-, de)
precepto [pre'θepto] *s.m.* preceito
preceptor, -a [preθep'tor] *s.m.,f.* preceptor, -a
preciado [pre'θjaδo] *adj.* precioso, valioso
precintar [preθin'tar] *v.* selar; lacrar
precinto [pre'θinto] *s.m.* selo; lacre; ***precinto de garantía*** selo de garantia
precio ['preθjo] *s.m.* preço; ***precio de coste*** preço de custo; ***precio de fábrica*** preço de fábrica; ***precio de venta al público*** preço de venda ao público; ***precio***

fijo preço fixo ◆ **a cualquier precio** a qualquer preço; **no tener precio** não ter preço

preciosidad [preθosi'ðað] *s.f.* **1** *(belleza)* beleza; *¡qué preciosidad de casa!* que beleza de casa! **2** *(cosa bella)* preciosidade; *esos pendientes son una preciosidad* esses brincos são uma preciosidade

preciosismo [preθjo'sizmo] *s.m. pej.* preciosismo, afetação *f.*

precioso [pre'θjoso] *adj.* **1** *(hermoso)* lindo, muito bonito **2** *(valioso)* precioso, valioso; *piedra preciosa* pedra preciosa

precipicio [preθi'piθjo] *s.m.* precipício, abismo, despenhadeiro

precipitación [preθipita'θjon] *s.f.* precipitação

precipitado [preθipi'taðo] *adj.* **1** precipitado **2** (pessoa) precipitado, imprudente ▪ *s.m.* QUÍM. precipitado

precipitar [preθipi'tar] *v.* precipitar ▪ **precipitarse** precipitar-se

precisamente [preθisa'mente] *adv.* precisamente, exatamente

precisar [preθi'sar] *v.* **1** *(necesitar)* precisar (-, de), necessitar (-, de) **2** *(fijar)* precisar, especificar, explicitar

precisión [preθi'sjon] *s.f. (exactitud)* precisão, exatidão ◆ (mecanismo) **de precisión** de precisão

preciso [pre'θiso] *adj.* **1** *(necesario)* preciso, necessário **2** *(exacto)* preciso, certo **3** (linguagem) preciso, conciso **4** (clareza) definido, claro

preconcebido [prekonθe'βiðo] *adj.* preconcebido

precoz [pre'koθ] *adj.2g.* precoce

precursor, -a [prekur'sor] *adj.,s.m.,f.* precursor, -a

predador [preða'ðor] *adj.* (animal) predador

predecesor, -a [preðeθe'sor] *s.m.,f.* predecessor, -a

predecir [preðe'θir] *v.* predizer, prognosticar

predestinación [preðestina'θjon] *s.f.* predestinação

predeterminación [preðetermina'θjon] *s.f.* predeterminação

predicado [preði'kaðo] *s.m.* LING. predicado

predicador [preðika'ðor] *s.m.* pregador

predicar [preði'kar] *v.* pregar

predicativo [preðika'tiβo] *adj.,s.m.* predicativo

predicción [preðik'θjon] *s.f.* previsão

predilección [preðilek'θjon] *s.f.* predileção, preferência

predilecto [preði'lekto] *adj.* predileto, preferido

predio ['preðjo] *s.m.* prédio; *predio rústico/urbano* prédio rústico/urbano

predisponer [preðispo'ner] *v.* predispor ▪ **predisponerse** predispor-se

predisposición [preðisposi'θjon] *s.f.* predisposição, tendência, inclinação

predispuesto [preðis'pwesto] (*p.p. de* predisponer) *adj.* predisposto (a, a)

predominante [preðomi'nante] *adj.2g.* predominante

predominio [preðo'minjo] *s.m.* predomínio

preescolar [pre(e)sko'lar] *adj.2g.* pré escolar

preestablecido [pre(e)staβle'θiðo] *adj.* preestabelecido

preestreno [pre(e)s'treno] *s.m.* pré-estreia *f.*

preexistente [pre(e)ksis'tente] *adj.2g.* preexistente

prefabricado [prefaβri'kaðo] *adj.* pré fabricado

prefacio [pre'faθjo] *s.m.* prefácio

prefecto [pre'fekto] *s.m.* prefeito

preferencia [prefe'renθja] *s.f.* **1** *(predilección)* preferência, predileção **2** *(prioridad)* prioridade; *tener preferencia* ter prioridade

preferencial [preferen'θjal] *adj.2g.* preferencial

preferentemente [preferente'mente] *adv.* preferencialmente, de preferência

preferible [prefe'riβle] *adj.2g.* preferível

preferido [prefe'riðo] *adj.* preferido, favorito

preferir [prefe'rir] *v.* preferir; *preferir una cosa a otra* preferir uma coisa à outra

prefijación [prefixa'θjon] *s.f.* prefixação

prefijo [pre'fixo] *s.m.* prefixo

pregón [pre'γon] *s.m.* **1** pregão **2** discurso elogioso

pregonar [preγo'nar] *v.* **1** (notícia) apregoar, divulgar **2** (mercadoria) apregoar **3** *(elogiar)* elogiar, bajular **4** (segredo) divulgar, anunciar

pregunta [pre'γunta] *s.f.* pergunta

preguntar [preγun'tar] *v.* perguntar, interrogar ▪ **preguntarse** perguntar-se

prehistoria [preis'torja] *s.f.* pré história

prehistórico [preis'toriko] *adj.* pré-histórico

prejubilación [prexuβila'θjon] *s.f.* aposentadoria antes da idade prevista em lei

prejuicio [pre'xwiθjo] *s.m.* preconceito

prelado [pre'laðo] *s.m.* prelado

preliminar [prelimi'nar] *adj.2g.,s.m.* preliminar

preludio [pre'luðjo] *s.m.* **1** prelúdio; introdução *f.* **2** MÚS. prelúdio

prematuro [prema'turo] *adj.* prematuro, precoce; *bebé prematuro* bebê prematuro ▪ *s.m.* bebê prematuro

premeditado [premeði'taðo] *adj.* premeditado

premiar [pre'mjar] *v.* premiar, galardoar

premier [pre'mjer] *s.m.* (Grã-Bretanha) primeiro -ministro

premio ['premjo] *s.m.* prêmio ◆ **premio de consolación** prêmio de consolação; **premio gordo** prêmio de valor mais alto

premisa [pre'misa] *s.f.* FIL. premissa

premolar [premo'lar] *s.m.* (dente) pré-molar

premonición [premoni'θjon] *s.f.* premonição, pressentimento *m.*

premonitorio [premoni'torjo] *adj.* premonitório

premura [pre'mura] *s.f.* **1** *(prisa)* pressa **2** *(urgencia)* urgência ◆ **premura de espacio** escassez/falta de espaço; **premura de tiempo** escassez/falta de tempo

prenatal [prena'tal] *adj.2g.* pré-natal

prenda ['prenda] *s.f.* **1** *(garantía)* garantia, penhor *m.* **2** (vestuário) peça **3** (pessoa) joia

prendedor [prende'ðor] *s.m.* **1** *(alfiler)* alfinete; ***prendedor de corbata*** alfinete de gravata **2** (joia) broche

prender [pren'der] *v.* **1** prender, agarrar, sujeitar, segurar **2** (prisão) prender, capturar, encarcerar ▪ **prenderse** incendiar-se ♦ **prender fuego a** colocar/pôr fogo em

prendería [prende'ria] *s.f.* bricabraque*m.* (loja onde se vendem objetos usados)

prendimiento [prendi'mjento] *s.m.* prisão*f.*, captura*f.*, detenção*f.*

prensa ['prensa] *s.f.* **1** (para comprimir) prensa; ***prensa para las uvas*** prensa para as uvas **2** (para imprimir) prensa, prelo*m.*; (obra) ***estar en prensa*** estar no prelo **3** *(periódicos)* imprensa, jornais*m. pl.*; ***prensa amarilla*** imprensa sensacionalista; ***prensa del corazón/rosa*** imprensa cor-de rosa **4** *(periodistas)* imprensa, jornalistas*m. pl.*; ***conferencia/rueda de prensa*** entrevista coletiva ♦ **tener buena/mala prensa** ter boa/má fama/reputação

prensado [pren'saðo] *adj.* prensado

preñado [pre'ɲaðo] *adj.* prenhe

preocupación [preokupa'θjon] *s.f.* preocupação

preocupado [preoku'paðo] *adj.* preocupado (por, con); ***estar preocupado por alguien/algo*** estar preocupado com alguém/alguma coisa

preocupante [preoku'pante] *adj.2g.* preocupante

preocupar [preoku'par] *v.* preocupar ▪ **preocuparse 1** *(inquietarse)* preocupar-se (por, com) **2** *(ocuparse)* preocupar se (de, em)

preoperatorio [preopera'torjo] *adj.,s.m.* pré-operatório

preparación [prepara'θjon] *s.f.* preparação

preparado [prepa'raðo] *adj.* preparado ▪ *s.m.* FARM. preparado

preparador, -a [prepara'ðor] *s.m.,f.* **1** (para exame) orientador, -a **2** *(entrenador)* preparador, -a, treinador, -a; ***preparador físico del equipo*** preparador físico do time

preparar [prepa'rar] *v.* preparar, prevenir, dispor ▪ **prepararse** preparar-se, dispor se

preparativos [prepara'tiβos] *s.m.pl.* preparativos

preparatorio [prepara'torjo] *adj.* preparatório

preponderancia [preponde'ranθja] *s.f.* preponderância

preponderante [preponde'rante] *adj.2g.* preponderante

preposición [preposi'θjon] *s.f.* preposição

preposicional [preposiθjo'nal] *adj.2g.* preposicional

prepotencia [prepo'tenθja] *s.f.* prepotência

prepotente [prepo'tente] *adj.2g.* prepotente

prepucio [pre'puθjo] *s.m.* prepúcio

prerrogativa [preroɣa'tiβa] *s.f.* *(privilegio)* prerrogativa, privilégio*m.*

presa ['presa] *s.f.* **1** (caça) presa **2** *(represa)* represa, barragem

presagiar [presa'xjar] *v.* pressagiar

presagio [pre'saxjo] *s.m.* presságio

presbiterianismo [prezβiterja'nizmo] *s.m.* presbiteranismo

presbiterian|o, -a [prezβite'rjano] *adj.,s.m.,f.* presbiteran|o, -a

presbítero [prez'βitero] *s.m.* presbítero

prescindir [presθin'dir] *v.* prescindir (de, de)

prescribir [preskri'βir] *v.* **1** *(recetar)* prescrever **2** *(ordenar)* preceituar, prescrever **3** prescrever

prescripción [preskrip'θjon] *s.f.* **1** *(orden)* prescrição, ordem **2** *(receta)* prescrição, receita; ***por prescripción facultativa*** por prescrição médica **3** (direito, obrigação) prescrição

presencia [pre'senθja] *s.f.* **1** *(asistencia)* presença **2** *(aspecto)* aspecto*m.*, aparência; ***tiene buena presencia*** boa aparência ♦ **en presencia de** diante de, perante; **presencia de ánimo** presença de espírito, força

presencial [presen'θjal] *adj.2g.* presencial

presenciar [presen'θjar] *v.* presenciar

presentable [presen'taβle] *adj.2g.* apresentável

presentación [presenta'θjon] *s.f.* apresentação

presentador, -a [presenta'ðor] *s.m.,f.* apresentador, -a

presentar [presen'tar] *v.* **1** *(mostrar)* apresentar, mostrar, exibir **2** (pessoas) apresentar; ***le presento a mi marido*** apresento lhe o meu marido **3** (programa) apresentar ▪ **presentarse** apresentar-se

presente [pre'sente] *adj.2g.* presente ▪ *s.m.* **1** *(tiempo actual)* presente, atualidade*f.* **2** LING. presente; ***presente de indicativo/subjuntivo*** presente do indicativo/subjuntivo ♦ **mejorando lo presente** não desfazendo; **por el presente** neste momento

presentimiento [presenti'mjento] *s.m.* pressentimento; ***tener un presentimiento*** ter um pressentimento

presentir [presen'tir] *v.* pressentir (que, que)

preservación [preserβa'θjon] *s.f.* preservação

preservar [preser'βar] *v.* preservar ▪ **preservarse** preservar-se

preservativo [preserβa'tiβo] *s.m.* camisinha*f. col.*, preservativo

presidencia [presi'ðenθja] *s.f.* presidência

presidencial [presiðen'θjal] *adj.2g.* presidencial

president|e, -a [presi'ðente] *s.m.,f.* presidente*2g.* ♦ **Presidente de la República** Presidente da República; **Presidente del Gobierno** Primeiro-Ministro

presidiari|o, -a [presi'ðjarjo] *s.m.,f.* presidiári|o, -a

presidio [pre'siðjo] *s.m.* **1** (estabelecimento) presídio, penitenciária*f.* **2** (pena) presídio

presidir [presi'ðir] *v.* presidir

presilla [pre'siʎa] *s.f.* presilha

presión [pre'sjon] *s.f.* pressão ♦ **hacer presión** fazer pressão; **presión arterial** pressão arterial; **presión atmosférica** pressão atmosférica; **presión de los neumáticos** pressão dos pneus

presionar [presjo'nar] *v.* **1** (objeto) pressionar, comprimir **2** (pessoa) pressionar, coagir

pres|o, -a ['preso] *s.m.,f.* pres|o, -a, reclus|o, -a ▪ *adj.* preso

prestación [presta'θjon] *s.f.* prestação ▪ **prestaciones** *s.f.pl.* (carro, motor) rendimento*m.*, desempenho*m.*

◆ **prestación de desempleo** auxílio-desemprego; **prestación de servicios** prestação de serviços
prestado [pres'taðo] *adj.* emprestado
prestamista [presta'mista] *s.2g.* prestamista
préstamo ['prestamo] *s.m.* empréstimo, crédito; ***pedir un préstamo*** pedir um empréstimo
prestar [pres'tar] *v.* **1** (dinheiro, coisas) emprestar **2** (ajuda) prestar, ajudar ■ **prestarse 1** *(ofrecerse)* oferecer-se **2** *(ser motivo de)* prestar-se ◆ **prestar atención** prestar atenção; **prestar declaración** prestar declarações; **prestar oídos** dar ouvidos
prestidigitación [prestiðixita'θjon] *s.f.* prestidigitação, ilusionismo*m.*
prestidigitador, -a [prestiðixita'ðor] *s.m.,f.* mágic|o,-a, ilusionista*2g.*, prestidigitador,-a
prestigio [pres'tixjo] *s.m.* prestígio
prestigioso [presti'xjoso] *adj.* prestigioso
presto ['presto] *adj.* **1** *(dispuesto)* pronto, disposto **2** *(rápido)* presto, rápido
presumible [presu'miβle] *adj.2g.* presumível
presumido [presu'miðo] *adj.* presumido, vaidoso, presunçoso, convencido
presumir [presu'mir] *v.* **1** presumir, pressupor, conjecturar **2** presumir (de, de), vangloriar se (de, de)
presunción [presuṇ'θjon] *s.f.* presunção
presunto [pre'suṇto] *adj.* suposto, alegado, presumível; ***el presunto asesino*** o suposto assassino
presuntuoso [presuṇ'twoso] *adj.* presunçoso, vaidoso
presuponer [presupo'ner] *v.* pressupor
presuposición [presuposi'θjon] *s.f.* pressuposição
presupuestario [presupwes'tarjo] *adj.* orçamental
presupuesto [presu'pwesto] (*p.p. de* presuponer) *adj.* pressuposto ■ *s.m.* **1** (finanças) orçamento; ***los presupuestos generales del Estado*** o orçamento geral do Estado **2** (quantia) verba*f.* **3** *(suposición)* pressuposto, suposição*f.*
pretencioso [preteṇ'θjoso] *adj.* pretensioso, presumido
pretender [preteṇ'der] *v.* pretender
pretendiente [preteṇ'djeṇte] *s.2g.* pretendente
pretensión [preten'sjon] *s.f.* pretensão
pretérito [pre'terito] *adj.* pretérito, passado ■ *s.m.* LING. pretérito
pretexto [pre'teksto] *s.m.* pretexto ◆ **con el pretexto de** com/sob o pretexto de
pretil [pre'til] *s.m.* parapeito (de ponte)
prevención [preβeṇ'θjon] *s.f.* prevenção
prevenir [preβe'nir] *v.* **1** *(advertir)* prevenir, avisar **2** *(precaver)* prevenir ■ **prevenirse** prevenir-se
preventivo [preβeṇ'tiβo] *adj.* preventivo
prever [pre'βer] *v.* prever
previo ['preβjo] *adj.* prévio; ***sin previo aviso*** sem aviso prévio
previsible [preβi'siβle] *adj.2g.* previsível
previsión [preβi'sjon] *s.f.* previsão
previsor [preβi'sor] *adj.* precavido, prevenido
previsto [pre'βisto] (*p.p. de* prever) *adj.* previsto

prez ['preθ] *s.m./f.* apreço*m.*, estima*f.*, consideração*f.*
prieto ['prjeto] *adj.* **1** *(apretado)* apertado, justo **2** (carne) rijo, firme
prima ['prima] *s.f.* **1** bônus*m.2n.*, gratificação **2** (seguro) prêmio*m.*
primacía [prima'θia] *s.f.* primazia
prima donna ['prima'ðona] *s.f.* prima-dona
primario [pri'marjo] *adj.* primário, básico; ***enseñanza primaria*** ensino básico; ***necesidad primaria*** primeira necessidade; ECON. ***sector primario*** setor primário
primate [pri'mate] *s.m.* primata
primavera [prima'βera] *s.f.* **1** primavera; ***en primavera*** na primavera **2** *fig.* (idade) primavera; ***ya tiene 35 primaveras*** já tem 35 primaveras
primaveral [primaβe'ral] *adj.2g.* primaveril
primer [pri'mer] *adj.* primeiro; ***el primer día*** o primeiro dia; ***en primer lugar*** em primeiro lugar; ***vive en el primer piso*** vive no primeiro andar ◆ **en primer plano** em primeiro plano; **primer ministro** primeiro-ministro

---

primer é a forma apocopada de *primero*, usada antes de substantivos masculinos no singular.

---

primera [pri'mera] *s.f.* **1** (mudança de velocidade) primeira; ***meter la primera*** engatar a primeira **2** (meios de transporte) primeira (classe); ***viajar en primera*** viajar em primeira ◆ **a la primera** à primeira; *col.* **de primera** de primeira; **primera dama** primeira-dama
primeriz|o, -a [prime'riθo] *s.m.,f.* novat|o,-a, aprendiz*2g.*
primer|o, -a [pri'mero] *num.* primeir|o,-a; ***capítulo primero*** primeiro capítulo; ***la primera vez*** a primeira vez ■ *adj.* primeiro ■ *s.m.,f.* primeir|o,-a ■ *adv.* primeiro, em primeiro lugar ◆ **a primera vista** à primeira vista; (tempo) **a primeros de** no início/princípio, nos primeiros dias; **de primera mano** em primeira mão
prime time ['prajm'tajm] *s.m.* horário nobre
primicia [pri'miθja] *s.f.* **1** primícias*pl.* **2** notícia em primeira mão, novidade
primitivo [primi'tiβo] *adj.* primitivo
prim|o, -a ['primo] *s.m.,f.* **1** prim|o,-a; ***primo segundo*** primo em segundo grau **2** *col.* trouxa, pateta*2g.* **3** covarde, tímido ■ *adj.* **1** primo, primeiro **2** (número) primo **3** *col.* (pessoa) trouxa ◆ *col.* **hacer el primo** fazer papel de idiota
primogénit|o, -a [primo'xenito] *adj.,s.m.,f.* primogênit|o,-a
primor [pri'mor] *s.m.* primor
primordial [primor'ðjal] *adj.2g.* primordial
primoroso [primo'roso] *adj.* primoroso
princesa [priṇ'θesa] *s.f.* (*m.* príncipe) princesa
principado [priṇθi'paðo] *s.m.* principado
principal [priṇθi'pal] *adj.2g.* principal ■ *s.m.* rés*2n.* do chão, térreo
príncipe ['priṇθipe] *s.m.* (*f.* princesa) príncipe ◆ **príncipe azul** príncipe encantado; **príncipe de las tinieblas** príncipe das trevas

principiante [priṇθi'pjaṇte] *adj.,s.2g.* principiante
principio [priṇ'θipjo] *s.m.* princípio, início, começo ▪ **principios** *s.m.pl.* princípios ♦ **al principio** no início; **a principios de** a inícios de; **del principio al fin** do princípio ao fim; **en principio** em princípio
pringar [priŋ'gar] *v.* **1** (gordura) besuntar, untar **2** (molho) molhar **3** trabalhar (no duro) ▪ **pringarse 1** *(ensuciarse)* sujar se **2** *(comprometerse)* comprometer-se
pringue ['priŋge] *s.m./f.* **1** gordura*f.* (especialmente de toucinho), banha*f.* **2** *(suciedad)* gordura*f.*, sujidade*f.*
prior, -a [pri'or] *s.m.,f.* prior, -esa
prioridad [prjori'ðað] *s.f.* prioridade
prioritario [prjori'tarjo] *adj.* prioritário
prisa ['prisa] *s.f.* pressa ♦ **correr prisa** ser muito urgente; **darse prisa** apressar-se; **de prisa** depressa, rápido; **meter prisa** apressar
prisión [pri'sjon] *s.f.* **1** *(cárcel)* prisão, cadeia **2** DIR. prisão; *prisión preventiva* prisão preventiva
prisioner|o, -a [prisjo'nero] *s.m.,f.* prisioneir|o, -a
prisma ['prizma] *s.m.* **1** GEOM. prisma **2** *fig.* prisma, ponto de vista, perspectiva*f.*
privacidad [priβaθi'ðað] *s.f.* privacidade
privación [priβa'θjon] *s.f.* privação, perda ▪ **privaciones** *s.f.pl.* privações*pl.*; *pasar privaciones* passar privações
privado [pri'βaðo] *adj.* privado ♦ **en privado** em privado, em particular
privar [pri'βar] *v.* **1** privar (de, de), abster (de, de) **2** *col.* adorar **3** *col.* estar na moda **4** *cal.* beber uns copos ▪ **privarse** privar-se (de, de), abster-se (de, de)
privativo [priβa'tiβo] *adj.* privativo
privatización [priβatiθa'θjon] *s.f.* privatização
privilegiad|o, -a [priβile'xjaðo] *adj.,s.m.,f.* privilegiad|o, -a
privilegio [priβi'lexjo] *s.m.* privilégio
pro ['pro] *prep.* pró, a favor de ▪ *s.m.* pró, vantagem*f.*; *los pros y los contras* os prós e os contras ♦ **en pro de** em prol de; **ser un hombre de pro** ser um homem de bem
proa ['proa] *s.f.* proa
probabilidad [proβaβili'ðað] *s.f.* probabilidade
probable [pro'βaβle] *adj.2g.* **1** *(posible)* provável, possível **2** *(demostrable)* provável, demonstrável
probador [proβa'ðor] *s.m.* (loja) provador
probar [pro'βar] *v.* **1** (funcionamento, qualidade) experimentar, testar, provar **2** (alimento, bebida) provar, experimentar **3** *(demostrar)* provar, demonstrar **4** experimentar, tentar; *prueba a hacer eso otra vez* tente fazer isso outra vez ▪ **probarse** (roupa, calçado) experimentar
probeta [pro'βeta] *s.f.* proveta
probidad [proβi'ðað] *s.f.* probidade, honradez
problema [pro'βlema] *s.m.* **1** *(cuestión)* problema, questão*f.*; *crear problemas* criar problemas; *plantear un problema* colocar um problema **2** *(dificultad)* problema, dificuldade*f.*
problemático [proβle'matiko] *adj.* problemático
procedencia [proθe'ðeṇθja] *s.f.* **1** *(origen)* procedência, proveniência, origem **2** *(punto de partida)* procedência, ponto*m.* de partida
procedente [proθe'ðeṇte] *adj.2g.* procedente (de, de), proveniente (de, de); *procedente de Canarias* procedente das Canárias
proceder [proθe'ðer] *v.* **1** *(provenir)* proceder (de, de), provir (de, de) **2** (ação) proceder (a, a) **3** *(comportarse)* proceder, agir, atuar **4** *(ser conveniente)* convir, ser conveniente **5** DIR. instaurar processo (contra, contra), proceder (contra, contra) ▪ *s.m.* procedimento, comportamento
procedimiento [proθeði'mjeṇto] *s.m.* procedimento
procesad|o, -a [proθe'saðo] *s.m.,f.* acusad|o, -a
procesador [proθesa'ðor] *s.m.* processador ♦ **procesador de textos** processador de texto
procesal [proθe'sal] *adj.2g.* processual
procesamiento [proθesa'mjeṇto] *s.m.* processamento
procesar [proθe'sar] *v.* **1** DIR. processar **2** (produto) transformar
procesión [proθe'sjon] *s.f.* procissão
proceso [pro'θeso] *s.m.* **1** processo **2** DIR. processo, ação*f.* judicial
proclamación [proklama'θjon] *s.f.* proclamação
proclamar [prokla'mar] *v.* **1** *(decir)* proclamar, anunciar **2** (regime, reinado) proclamar, decretar, promulgar **3** (cargo, título) proclamar **4** (estado de espírito, marca) denotar ▪ **proclamarse** proclamar-se
proclítico [pro'klitiko] *adj.* proclítico
proclive [pro'kliβe] *adj.2g.* propenso (a, a)
procreación [prokrea'θjon] *s.f.* procriação
procrear [prokre'ar] *v.* procriar
procurador, -a [prokura'ðor] *s.m.,f.* **1** procurador, -a **2** solicitador, -a
procuraduría [prokuraðo'ria] *s.f.* (cargo, local) procuradoria
procurar [proku'rar] *v.* **1** tentar, procurar; *procura no llegar tarde* tente não chegar tarde **2** *(proporcionar)* proporcionar, conseguir
prodigio [pro'ðixjo] *s.m.* prodígio ♦ **niño prodigio** criança prodígio
prodigioso [proði'xjoso] *adj.* prodigioso
producción [proðuk'θjon] *s.f.* produção ♦ **producción en cadena** produção em cadeia
producir [proðu'θir] *v.* produzir ▪ **producirse** dar-se; *se ha producido un accidente en la carretera* houve um acidente na estrada
productividad [proðuktiβi'ðað] *s.f.* produtividade
productivo [proðuk'tiβo] *adj.* produtivo
producto [pro'ðukto] *s.m.* **1** produto; *productos agrícolas* produtos agrícolas; *productos de belleza* produtos de beleza; *productos de limpieza* produtos de limpeza; *productos químicos* produtos químicos **2** *(resultado)* produto, resultado; consequência*f.* **3** ECON. produto; *producto interior/nacional bruto* produto interno/nacional bruto **4** MAT. produto

productor, -a [proðuk'tor] *s.m.,f.* **1** produtor, -a, fabricante *2g.* **2** CIN., TV. produtor, -a ▪ *adj.* produtor
productora [proðuk'tora] *s.f.* produtora
proemio [pro'emjo] *s.m.* (livro) proêmio, prólogo
proeza [pro'eθa] *s.f.* proeza, façanha
profanación [profana'θjon] *s.f.* profanação
profanador, -a [profana'ðor] *adj.,s.m.,f.* profanador, -a
profanar [profa'nar] *v.* profanar
profan|o, -a [pro'fano] *s.m.,f.* leig|o, -a ▪ *adj.* profano
profe ['profe] *s.2g. col.* prof, professor, -a *m.f.*
profecía [profe'θia] *s.f.* profecia
profesión [profe'sjon] *s.f.* profissão
profesional [profesjo'nal] *adj.,s.2g.* profissional
profesionalidad [profesjonali'ðað] *s.f.* profissionalismo *m.*
profesionalismo [profesjona'lizmo] *s.m.* profissionalismo
profesor, -a [profe'sor] *s.m.,f.* professor, -a
profesorado [profeso'raðo] *s.m.* professorado
profeta [pro'feta] *s.m.* (*f.* profetisa) profeta
profético [pro'fetiko] *adj.* profético
profetisa [profe'tisa] *s.f.* (*m.* profeta) profetisa
profetizar [profeti'θar] *v.* profetizar
profiláctico [profi'laktiko] *adj.* MED. profilático, preventivo ▪ *s.m.* camisinha *f.*, preservativo
profilaxis [profi'laksis] *s.f.2n.* MED. profilaxia
prófug|o, -a ['profuγo] *adj.,s.m.,f.* foragid|o, -a, fugitiv|o, -a ▪ **prófugo** *s.m.* desertor
profundidad [profundi'ðað] *s.f.* profundidade ▪ **profundidades** *s.f.pl.* profundezas *pl.*
profundizar [profundi'θar] *v.* **1** *(ahondar)* aprofundar **2** (assunto, questão) aprofundar (en, -); *profundizar en un asunto* aprofundar um assunto
profundo [pro'fundo] *adj.* **1** profundo **2** *(hondo)* fundo
profusión [profu'sjon] *s.f.* profusão, abundância
profuso [pro'fuso] *adj.* profuso, abundante
progenitor, -a [proxeni'tor] *s.m.,f.* progenitor, -a
progesterona [proxeste'rona] *s.f.* progesterona
programa [pro'γrama] *s.m.* programa
programación [proγrama'θjon] *s.f.* programação
programador, -a [proγrama'ðor] *s.m.,f.* programador, -a
programar [proγra'mar] *v.* programar
progre ['proγre] *adj.,s.2g. col.* progressista
progresar [proγre'sar] *v.* progredir
progresión [proγre'sjon] *s.f.* progressão, progresso *m.* ◆ **progresión aritmética/geométrica** progressão aritmética/geométrica
progresismo [proγre'sizmo] *s.m.* progressismo
progresista [proγre'sista] *adj.,s.2g.* progressista
progresivo [proγre'siβo] *adj.* progressivo
progreso [pro'γreso] *s.m.* progresso
prohibición [proiβi'θjon] *s.f.* proibição
prohibido [proi'βiðo] *adj.* proibido; *prohibido aparcar* proibido estacionar; *prohibido bañarse* proibido nadar; *prohibido el paso* proibida a passagem; *prohibido fumar* proibido fumar
prohibir [proi'βir] *v.* proibir
prohibitivo [proiβi'tiβo] *adj.* proibitivo
prójimo ['proximo] *s.m.* próximo; *amar/ayudar al prójimo* amar/ajudar o próximo
prole ['prole] *s.f.* prole, descendência
prolepsis [pro'lepsis] *s.f.2n.* LING. prolepse
proletariado [proleta'rjaðo] *s.m.* proletariado
proletari|o, -a [prole'tarjo] *adj.,s.m.,f.* proletári|o, -a
proliferación [prolifera'θjon] *s.f.* proliferação
prolijidad [prolixi'ðað] *s.f.* prolixidade
prolijo [pro'lixo] *adj.* **1** prolixo **2** (trabalho) meticuloso
prólogo ['proloγo] *s.m.* prólogo
prolongación [prolonga'θjon] *s.f.* prolongação, prolongamento *m.*
prolongar [prolon'gar] *v.* prolongar ▪ **prolongarse** prolongar-se
promecio [pro'meθjo] *s.m.* ⇒ **prometio**
promedio [pro'meðjo] *s.m.* média *f.*
promesa [pro'mesa] *s.f.* promessa
prometedor [promete'ðor] *adj.* promissor, prometedor; *un futuro prometedor* um futuro promissor
prometer [prome'ter] *v.* prometer ▪ **prometerse** comprometer-se
prometid|o, -a [prome'tiðo] *s.m.,f.* noiv|o, -a ▪ *adj.* prometido ▪ **prometido** *s.m.* prometido; *cumplir lo prometido* cumprir o prometido ◆ **lo prometido es deuda** promessa é dívida
prometio [pro'metjo] *s.m.* promécio
prominencia [promi'nenθja] *s.f.* proeminência, saliência
prominente [promi'nente] *adj.2g.* **1** proeminente, saliente **2** *fig.* (pessoa) proeminente, distinto
promiscuidad [promiskwi'ðað] *s.f.* promiscuidade
promiscuo [pro'miskwo] *adj.* promíscuo
promisorio [promi'sorjo] *adj.* promissor
promoción [promo'θjon] *s.f.* **1** promoção **2** (curso, tropa) turma
promocional [promoθjo'nal] *adj.2g.* promocional
promocionar [promoθjo'nar] *v.* **1** (cargo, categoria) promover, elevar **2** (produto) promover
promotor, -a [promo'tor] *s.m.,f.* **1** promotor, -a **2** (de artista) empresári|o, -a
promover [promo'βer] *v.* **1** promover, fomentar **2** (cargo, categoria) promover, elevar **3** *col.* provocar, causar
promulgación [promulγa'θjon] *s.f.* promulgação
promulgar [promul'γar] *v.* promulgar
pronombre [pro'nombre] *s.m.* LING. pronome; *pronombre demostrativo* pronome demonstrativo; *pronombre indefinido* pronome indefinido; *pronombre interrogativo* pronome interrogativo; *pronombre personal* pronome pessoal; *pronombre posesivo* pronome possessivo; *pronombre relativo* pronome relativo
pronominal [pronomi'nal] *adj.2g.* pronominal

pronosticar [pronosti'kar] *v.* prognosticar, predizer
pronóstico [pro'nostiko] *s.m.* prognóstico
prontamente [pronta'mente] *adv.* prontamente, com prontidão
prontitud [pronti'tuδ] *s.f.* prontidão; *con prontitud* com prontidão
pronto ['pronto] *adj.* rápido, veloz ■ *s.m. col.* impulso, arrebate ■ *adv.* **1** *(rápidamente)* depressa; *tienes que hacer eso pronto* tens que fazer isso depressa **2** *(temprano)* cedo; *hoy has llegado muy pronto* hoje chegaste muito cedo ♦ **de pronto** de repente; **¡hasta pronto!** até breve!; **lo más pronto posible** o mais cedo possível; o mais depressa possível; **por lo/de pronto** por enquanto, por ora, por agora
prontuario [pron'twarjo] *s.m.* prontuário
pronunciación [pronunθja'θjon] *s.f.* pronúncia
pronunciamiento [pronunθja'mjento] *s.m.* **1** DIR. pronúncia*f.* **2** *(sublevación)* rebelião*f.*, levantamento
pronunciar [pronun'θjar] *v.* **1** (som, palavra) pronunciar, articular **2** (discurso, conferência) proferir, pronunciar **3** DIR. pronunciar ■ **pronunciarse 1** pronunciar-se, manifestar-se **2** (militar) revoltar se, sublevar se
propagación [propaɣa'θjon] *s.f.* propagação
propaganda [propa'ɣanda] *s.f.* **1** propaganda; *propaganda electoral* propaganda eleitoral **2** *(publicidad)* propaganda, publicidade
propagar [propa'ɣar] *v.* propagar ■ **propagarse** propagar-se
propano [pro'pano] *s.m.* propano
proparoxítono [proparok'sitono] *adj.* proparoxítono, esdrúxulo
propensión [propen'sjon] *s.f.* propensão, inclinação, tendência
propenso [pro'penso] *adj.* propenso (a, a); *ser propenso a algo* ser propenso a alguma coisa
propicio [pro'piθjo] *adj.* propício (a, a), favorável (a, a)
propiedad [propje'δaδ] *s.f.* propriedade ♦ **propiedad intelectual** propriedade intelectual; **propiedad privada** propriedade privada
propietari|o, -a [propje'tarjo] *s.m.,f.* proprietári|o, -a
propina [pro'pina] *s.f.* gorjeta, gratificação; *darle una propina a alguien* dar uma gorjeta a alguém
propio ['propjo] *adj.* próprio
proponer [propo'ner] *v.* **1** (ideia, plano) propor, sugerir **2** (cargo, função) propor ■ **proponerse** propor-se
proporción [propor'θjon] *s.f.* proporção
proporcionado [proporθjo'naδo] *adj.* proporcionado
proporcional [proporθjo'nal] *adj.2g.* proporcional
proporcionalidad [proporθjonali'δaδ] *s.f.* proporcionalidade
proporcionar [proporθjo'nar] *v.* **1** proporcionar, disponibilizar **2** (sentimento) causar
proposición [proposi'θjon] *s.f.* **1** *(propuesta)* proposta **2** (cargo, função) recomendação **3** FIL. proposição **4** LING. proposição
propósito [pro'posito] *s.m.* **1** *(intención)* propósito, intenção*f.*; *tengo el propósito de ir de compras* pretendo ir às compras **2** *(objetivo)* propósito, objetivo, finalidade*f.* ♦ **a propósito 1** a propósito **2** *(adrede)* de propósito; **a propósito de** a propósito de; **con el propósito de** a fim de; **fuera de propósito** fora de propósito
propuesta [pro'pwesta] *s.f.* **1** proposta; *presentar una propuesta* apresentar uma proposta **2** (cargo, prêmio) recomendação, escolha
propuesto [pro'pwesto] (*p.p. de* proponer) *adj.* proposto
propulsión [propul'sjon] *s.f.* propulsão, impulso*m.* ♦ **propulsión a chorro** propulsão a jato
prórroga ['proroɣa] *s.f.* **1** (prazo) prorrogação, adiamento*m.* **2** ESPOR. prorrogação, prolongamento*m.* **3** (serviço militar) adiamento*m.*
prorrogar [proro'ɣar] *v.* **1** *(prolongar)* prorrogar, prolongar, alargar **2** *(aplazar)* prorrogar, adiar, protelar **3** (prazo) alargar, estender
prosa ['prosa] *s.f.* **1** prosa **2** *col.* prosa, palavreado*m.*; *déjate de prosa* deixe de prosa
prosaico [pro'sajko] *adj.* prosaico
prosapia [pro'sapja] *s.f.* prosápia; ascendência; linhagem
proseguimiento [proseɣi'mjento] *s.m.* prosseguimento
proseguir [prose'ɣir] *v.* prosseguir, continuar
prosista [pro'sista] *s.2g.* prosador, -a*m.f.*
prosodia [pro'soδja] *s.f.* prosódia
prosódico [pro'soδiko] *adj.* prosódico
prosopopeya [prosopo'peja] *s.f.* prosopopeia, personificação
prospecto [pros'pekto] *s.m.* **1** (medicamento) bula*f.* **2** (obra) prospecto, programa
prosperar [prospe'rar] *v.* **1** (negócio, atividade) prosperar **2** (lei, proposta) ser aprovado
prosperidad [prosperi'δaδ] *s.f.* prosperidade
próspero ['prospero] *adj.* próspero
próstata ['prostata] *s.f.* próstata
prostíbulo [pros'tiβulo] *s.m.* prostíbulo, bordel
prostitución [prostitu'θjon] *s.f.* prostituição
prostitut|o, -a [prosti'tuto] *s.m.,f.* prostitut|o, -a
protactinio [protak'tinjo] *s.m.* protactínio
protagonismo [protaɣo'nizmo] *s.m.* protagonismo
protagonista [protaɣo'nista] *s.2g.* **1** (filme, obra) protagonista, personagem*m./f.* principal **2** (acontecimento) protagonista
protagonizar [protaɣoni'θar] *v.* protagonizar
protección [protek'θjon] *s.f.* proteção
proteccionismo [protekθjo'nizmo] *s.m.* protecionismo
proteccionista [protekθjo'nista] *adj.,s.2g.* protecionista
protector, -a [protek'tor] *adj.,s.m.,f.* protetor, -a ■ **protector** *s.m.* protetor ♦ **protector labial** protetor labial; **protector solar** protetor solar
proteger [prote'xer] *v.* proteger ■ **protegerse** proteger se
protegido [prote'xiδo] *adj.* protegido

proteína [prote'ina] *s.f.* proteína
protésic|o, -a [pro'tesiko] *s.m.,f.* protésic|o, -a
prótesis ['protesis] *s.f.2n.* prótese
protesta [pro'testa] *s.f.* protesto*m.*
protestante [protes'tante] *adj.,s.2g.* protestante
protestantismo [protestan'tizmo] *s.m.* protestantismo
protestar [protes'tar] *v.* protestar, reclamar
protocolo [proto'kolo] *s.m.* protocolo
protón [pro'ton] *s.m.* próton
protoplasma [proto'plazma] *s.m.* protoplasma
prototipo [proto'tipo] *s.m.* protótipo
protuberancia [protuβe'ranθja] *s.f.* protuberância
protuberante [protuβe'rante] *adj.2g.* protuberante
provecho [pro'βetʃo] *s.m.* proveito ♦ **¡buen provecho!** bom apetite/proveito!; **en provecho de** em proveito de; **en provecho propio** em proveito próprio; **sacar provecho de** tirar proveito de; **sin provecho** sem proveito
provechoso [proβe'tʃoso] *adj.* proveitoso, vantajoso
proveedor, -a [proβe(e)'ðor] *adj.,s.m.,f.* fornecedor, -a, abastecedor, -a ■ **proveedor** *s.m.* INFORM. provedor
proveer [proβe'er] *v.* prover (de, de), abastecer (de, de) ■ **proveerse** prover-se (de, de), abastecer-se (de, de)
proveniencia [proβe'njenθja] *s.f.* proveniência, procedência, origem
proveniente [proβe'njente] *adj.2g.* proveniente (de, de), procedente (de, de); *proveniente de París* proveniente de Paris
provenir [proβe'nir] *v.* provir (de, de)
proverbial [proβer'βjal] *adj.2g.* proverbial
proverbio [pro'βerβjo] *s.m.* provérbio
providencia [proβi'ðenθja] *s.f.* providência ■ **providencias** *s.f.pl.* providências*pl.*, medidas*pl.*
providencial [proβiðen'θjal] *adj.2g.* **1** providencial **2** *fig.* providencial, oportuno
providente [proβi'ðente] *adj.2g.* provident e, prudente
provincia [pro'βinθja] *s.f.* **1** província **2** distrito*m.*
provincial [proβin'θjal] *adj.2g.* provincial
provincialismo [proβinθja'lizmo] *s.m.* provincianismo
provincianismo [proβinθja'nizmo] *s.m.* provincianismo
provincian|o, -a [proβin'θjano] *adj.,s.m.,f.* **1** provincian|o, -a **2** *pej.* provincian|o, -a, caipira*2g.*
provisión [proβi'sjon] *s.f.* provisão, fornecimento*m.* ■ **provisiones** *s.f.pl.* provisões*pl.*, mantimentos*m. pl.*, víveres*m. pl.* ♦ **provisión de fondos** provisão de fundos
provisional [proβisjo'nal] *adj.2g.* provisório
provitamina [proβita'mina] *s.f.* provitamina
provocación [proβoka'θjon] *s.f.* provocação
provocador, -a [proβoka'ðor] *adj.,s.m.,f.* provocador, -a
provocar [proβo'kar] *v.* provocar ♦ **provocar el parto** induzir o parto
provocativo [proβoka'tiβo] *adj.* provocante
proxeneta [prokse'neta] *s.2g.* proxeneta
proximidad [proksimi'ðað] *s.f.* proximidade, vizinhança ■ **proximidades** *s.f.pl.* proximidades*pl.*, arredores*m. pl.*, imediações*pl.*
próximo ['proksimo] *adj.* próximo; *la próxima semana* na próxima semana; *yo me bajo en la próxima parada* eu desço na próxima parada/no próximo ponto
proyección [projek'θjon] *s.f.* projeção
proyectar [projek'tar] *v.* **1** *(lanzar)* projetar, lançar, arremessar **2** *(planear)* projetar, planejar **3** CIN., TV. projetar, passar, exibir
proyectil [projek'til] *s.m.* projétil
proyectista [projek'tista] *s.2g.* projetista
proyecto [pro'jekto] *s.m.* **1** *(propósito)* projeto, propósito, intenção*f.* **2** *(plan)* projeto, plano **3** ARQ. projeto ♦ **proyecto de ley** projeto de lei
proyector [projek'tor] *s.m.* **1** projetor; *proyector de diapositivas* projetor de diapositivos/slides **2** *(foco)* projetor, holofote
prudencia [pru'ðenθja] *s.f.* prudência
prudente [pru'ðente] *adj.2g.* prudente
prueba ['prweβa] *s.f.* **1** *(ensayo)* prova **2** *(demonstración)* prova **3** *(indicio)* prova **4** *(experimento)* experiência **5** *(examen)* teste*m.*, prova, exame*m.*; *prueba de alcohol* teste de álcool; *prueba de Pap* papanicolau; *prueba del embarazo* teste de gravidez **6** MED. análise **7** ESPOR. prova ■ **pruebas** *s.f.pl.* TIP. provas*pl.* ♦ **a prueba de** à prova de; **en prueba de** como prova de; **poner a prueba** pôr à prova
prurito [pru'rito] *s.m.* **1** prurido, coceira*f.* **2** *fig.* perfeccionismo; (excessivo) mania*f.* de perfeição
psicoanálisis [sikoa'nalisis] *s.m.2n.* psicanálise*f.*
psicoanalista [sikoana'lista] *s.2g.* psicanalista
psicoanalítico [sikoana'litiko] *adj.* psicanalítico
psicodélico [siko'ðeliko] *adj.* psicodélico
psicología [sikolo'xia] *s.f.* psicologia
psicológico [siko'loxiko] *adj.* psicológico
psicólog|o, -a [si'koloγo] *s.m.,f.* psicólog|o, -a
psicópata [si'kopata] *s.2g.* psicopata
psicopatía [sikopa'tia] *s.f.* psicopatia
psicosis [si'kosis] *s.f.2n.* psicose
psicotécnico [siko'tekniko] *adj.* psicotécnico; *examen/test psicotécnico* exame/teste psicotécnico
psicoterapeuta [sikotera'pewta] *s.2g.* psicoterapeuta
psicoterapia [sikote'rapja] *s.f.* psicoterapia
psique ['sike] *s.f.* psique, mente humana
psiquiatra [si'kjatra] *s.2g.* psiquiatra
psiquiatría [sikja'tria] *s.f.* psiquiatria
psiquiátrico [si'kjatriko] *adj.* psiquiátrico ■ *s.m.* hospital psiquiátrico, hospício
psíquico ['sikiko] *adj.* psíquico
psoriasis [so'rjasis] *s.f.2n.* psoríase

púa ['pua] *s.f.* **1** (de pente, escova) dente*m.* **2** (de ouriço) espinho*m.* **3** (de arame) farpa **4** MÚS. palheta
pub [paβ] *s.m.* pub
pubertad [puβer'taδ] *s.f.* puberdade
pubiano [pu'βjano] *adj.* púbico; ***vello pubiano*** pelos púbicos
pubis ['puβis] *s.m.2n.* púbis*m./f.*
publicación [puβlika'θjon] *s.f.* publicação
publicar [puβli'kar] *v.* publicar
publicidad [puβliθi'δaδ] *s.f.* publicidade ♦ **dar publicidad a** fazer publicidade de
publicista [puβli'θista] *s.2g.* publicitári|o, -a*m.f.*
publicitario [puβliθi'tarjo] *adj.* publicitário; ***anuncio publicitario*** anúncio publicitário
público ['puβliko] *adj.* público; ***funcionario público*** funcionário público; ***transportes públicos*** transportes públicos ▪ *s.m.* **1** público; ***abierto al público*** aberto ao público **2** *(audiencia)* público, audiência*f.*, assistência*f.* ♦ **el gran público** o grande público; **en público** em público; ***hablar en público*** falar em público; **hacer público** tornar público
puchero [pu'tʃero] *s.m.* **1** panela*f.* **2** *col.* alimento, sustento **3** CUL. cozido ♦ **hacer pucheros** fazer bico/biquinho
púdico ['puδiko] *adj.* pudico, recatado, casto
pudiente [pu'δjente] *adj.* rico
pudín [pu'δin] *s.m.* **1** pudim; ***pudín de huevos*** pudim de ovos **2** purê
pudor [pu'δor] *s.m.* pudor; ***atentado al pudor*** atentado ao pudor
pudrir [pu'δrir] *v.* apodrecer ▪ **pudrirse** apodrecer
pueblerin|o, -a [pweβle'rino] *s.m.,f.* **1** alde|ão, -ã **2** *pej.* campôni|o, -a
pueblo ['pweβlo] *s.m.* **1** vila*f.*, aldeia*f.*, povoação*f.* **2** povo*m.* ♦ *col., pej.* **pueblo de mala muerte** lugarejo
puente ['pwente] *s.m.* **1** ponte*f.*; ***puente aéreo*** ponte aérea; ***puente colgante*** ponte pênsil/suspensa; ***puente levadizo*** ponte levadiça/móvel **2** (dia) ponte, dia enforcado/imprensado; ***el lunes es puente*** segunda-feira é dia enforcado; ***hacer puente*** enforcar **3** (dentes) ponte*f.* **4** (ginástica) ponte*f.* **5** (veículo) ligação*f.* direta; ***hacer un puente*** fazer uma ligação direta
puerc|o, -a ['pwerko] *s.m.,f.* **1** porc|o, -a **2** *pej.* (pessoa) porc|o, -a ▪ *adj. pej.* (pessoa) porco ♦ **puerco espín/espino** porco-espinho
puericultor, -a [pwerikul'tor] *s.m.,f.* puericultor, -a
puericultura [pwerikul'tura] *s.f.* puericultura
pueril [pwe'ril] *adj.2g.* **1** pueril, infantil **2** fútil, trivial
puerilidad [pwerili'δaδ] *s.f.* puerilidade
puerro ['pwero] *s.m.* alho poró
puerta ['pwerta] *s.f.* **1** porta **2** portão*m.* **3** *gír.* baliza ♦ **a la puerta de** às portas de; ***a las puertas de la muerte*** à beira da morte; *col.* **a las puertas** à porta, muito próximo; **a puerta cerrada** a portas fechadas; *col.* **dar con la puerta en las narices** dar com a porta na cara; **de puertas adentro** entre portas; **puerta a puerta** porta a porta; de porta em porta; **salir por la puerta grande** sair triunfalmente
puerto ['pwerto] *s.m.* **1** (mar, rio) porto; ***puerto franco*** porto franco **2** (localidade) porto; ***puerto pesquero*** porto pesqueiro **3** INFORM. porta*f.*; ***puerto de infrarrojos*** porta de infravermelho; ***puerto de serie*** porta de série; ***puerto paralelo*** porta paralela; ***puerto USB*** entrada USB ♦ **llegar a buen puerto** chegar a bom porto; **puerto deportivo** marina
Puerto Rico ['pwerto'riko] *s.m.* Porto Rico
puertorriqueñ|o, -a [pwertori'keɲo] *adj.,s.m.,f.* porto-riquenh|o, -a
pues ['pwes] *conj.* pois ♦ **¡pues claro!** pois é!
puesta ['pwesta] *s.f.* **1** *(colocación)* colocação **2** (astro) ocaso*m.* **3** (ovos) postura ♦ **puesta en marcha** **1** (veículo) arranque **2** (plano, projeto) início
puesto ['pwesto] (*p.p. de* poner) *adj.* **1** posto, colocado **2** (sapato) calçado **3** (roupa) vestido **4** (aparência) trajado **5** *(enterado)* informado ▪ *s.m.* **1** *(sitio)* posto, lugar, sítio **2** *(empleo)* posto, emprego **3** (feira, mercado) posto
puf ['puf] *s.m.* pufe ▪ *interj.* puf!
pufo ['pufo] *s.m. col.* conto do vigário
púgil ['puxil] *s.m.* pugilista*2g.*
pugilismo [puxi'lizmo] *s.m.* pugilismo, boxe
pugna ['puγna] *s.f.* pugna, luta
pujante [pu'xante] *adj.2g.* pujante
pujanza [pu'xanθa] *s.f.* pujança
pulga ['pulγa] *s.f.* pulga ♦ *col.* **buscar las pulgas a alguien** chatear alguém; provocar alguém; *col.* **tener malas pulgas** estar furioso ou de mau humor
pulgada [pul'γaδa] *s.f.* (medida) polegada
pulgar [pul'γar] *s.m.* (dedo) polegar
pulgón [pul'γon] *s.m.* pulgão
pulido [pu'liδo] *adj.* polido ▪ *s.m.* polimento
pulimento [puli'mento] *s.m.* polimento
pulir [pu'lir] *v.* **1** (superfície) polir, alisar **2** (pessoa) polir, educar, civilizar **3** *(perfeccionar)* polir, aperfeiçoar **4** *col.* (carteira, dinheiro) bater, roubar ▪ **pulirse** *col.* (dinheiro) esbanjar
pulla ['puʎa] *s.f.* (dito) alfinetada
pullover [pu'loβer] *s.m.* pulôver
pulmón [pul'mon] *s.m.* pulmão
pulmonar [pulmo'nar] *adj.2g.* pulmonar
pulmonía [pulmo'nia] *s.f.* pneumonia
pulpa ['pulpa] *s.f.* polpa
púlpito ['pulpito] *s.m.* (igreja) púlpito
pulpo ['pulpo] *s.m.* polvo
pulsación [pulsa'θjon] *s.f.* **1** FISIOL. pulsação **2** (teclado) batida
pulsador [pulsa'δor] *s.m.* botão; (da luz) interruptor
pulsar [pul'sar] *v.* **1** pressionar, apertar; ***pulsar el botón*** pressionar/apertar o botão **2** (opinião) sondar **3** (coração) pulsar, bater
pulsera [pul'sera] *s.f.* **1** pulseira, bracelete*m./f.* **2** (relógio) pulseira, bracelete*m./f.* ♦ (recém nascido) **pulsera de identificación** pulseira de identificação
pulso ['pulso] *s.m.* **1** FISIOL. pulso, pulsação*f.*; ***tomar el pulso*** tomar o pulso **2** *(muñeca)* pulso **3** (mão) firmeza*f.*

4 *(tiento)* tino, tento ♦ **echar un pulso** jogar braço de ferro

pulverización [pulβeriθa'θjon] *s.f.* pulverização

pulverizador [pulβeriθa'ðor] *s.m.* pulverizador; vaporizador; borrifador

pum ['pum] *interj.* pum! ♦ *col.* **ni pum** patavina; absolutamente nada

puma ['puma] *s.m.* puma, suçuarana

pumba ['pumba] *interj.* pumba!

pumita [pu'mita] *s.f.* pedra-pomes

punción [puṇ'θjon] *s.f.* punção

pundonor [puṇdo'nor] *s.m.* pundonor, amor próprio, brio

punible [pu'niβle] *adj.2g.* punível

punición [puni'θjon] *s.f.* punição, castigo*m.*

punitivo [puni'tiβo] *adj.* punitivo

punk ['paŋk] *adj.,s.2g.* punk

punta ['puṇta] *s.f.* **1** ponta, bico*m.* **2** (quantidade) pitada **3** *(clavo pequeño)* tacha **4** (cigarro) bituca **5** GEOG. pontal*m.*, ponta ■ *s.2g.* ESPOR. ponta de lança

puntada [puṇ'taða] *s.f.* ponto*m.* (de costura) ♦ *col.* **no dar puntada sin hilo** não dar ponto sem nó

puntal [puṇ'tal] *s.m.* escora*f.*

puntapié [puṇta'pje] *s.m.* pontapé, chute ♦ *col.* **a puntapiés** aos pontapés

puntear [puṇte'ar] *v.* **1** pontilhar **2** MÚS. dedilhar

puntera [puṇ'tera] *s.f.* **1** (calçado) biqueira **2** (meia) ponta do pé

puntería [puṇte'ria] *s.f.* pontaria

puntero [puṇ'tero] *adj.* pioneiro; de ponta; *tecnología puntera* tecnologia de ponta ■ *s.m.* **1** (quadro, mapa) ponteiro **2** INFORM. cursor

puntiagudo [puṇtja'ɣuðo] *adj.* pontiagudo

puntilla [puṇ'tiʎa] *s.f.* *(encaje)* renda ♦ **de puntillas** na ponta dos pés

puntillero [puṇti'ʎero] *s.m.* TAUR. pontilheiro

puntilloso [puṇti'ʎoso] *adj.* **1** *(susceptible)* suscetível, melindroso **2** *(minucioso)* cuidadoso, minucioso, meticuloso

punto ['puṇto] *s.m.* **1** *(señal)* ponto **2** (costura) ponto; *punto de cruz* ponto de cruz **3** (jogo, prova) ponto **4** (meia) furo **5** *(sitio)* ponto, sítio, lugar **6** MED. ponto **7** (sinal gráfico) ponto; *punto y aparte* ponto e parágrafo; *punto y coma* ponto e vírgula; *puntos suspensivos* reticências ♦ **a punto** na hora; (claras) **a punto de nieve** em neve; **de punto** de malha; **dos puntos** dois-pontos; (horas) **en punto** em ponto; **estar a punto de** estar a ponto de; **hacer punto** fazer malha; **hasta cierto punto** até certo ponto; **poner los puntos sobre las íes** pôr os pontos nos ii; **punto cardinal** ponto cardeal; **punto de apoyo** ponto de apoio; **punto débil/flaco** ponto fraco; (livro) **punto de lectura** marcador; **punto de vista** ponto de vista; **punto muerto** ponto morto; **punto por punto** ponto por ponto; **punto verde** ecoponto

puntuación [puṇtwa'θjon] *s.f.* pontuação

puntual [puṇ'twal] *adj.2g.* **1** pontual **2** concreto

puntualidad [puṇtwali'ðað] *s.f.* pontualidade

puntuar [puṇ'twar] *v.* **1** (frase, texto) pontuar **2** (exercício, prova) pontuar, classificar **3** valer (pontos) **4** contar (para, para); *este examen puntúa para la nota final* este exame conta para a nota final

punzada [puṇ'θaða] *s.f.* (dor) pontada, dor viva e súbita

punzante [puṇ'θaṇte] *adj.2g.* **1** (objeto) pontiagudo **2** (dor) lancinante

punzón [puṇ'θon] *s.m.* **1** punção*f.* **2** buril

puñado [pu'ɲaðo] *s.m.* **1** mão-cheia*f.*, punhado **2** (quantidade) punhado

puñal [pu'ɲal] *s.m.* punhal ♦ *col.* **poner un puñal en el pecho (a alguien)** encostar (alguém) na parede

puñalada [puɲa'laða] *s.f.* punhalada ♦ **puñalada trapera** golpe baixo, punhalada

puñeta [pu'ɲeta] *s.f.* **1** *col.* chatice **2** *col.* porcaria *fig.* ♦ *col.* **hacer la puñeta** encher o saco; *col.* (plano) **irse a hacer puñetas** ir(-se) por água abaixo; *col.* **mandar a hacer puñetas** mandar às favas; *col.* **¡vete a hacer puñetas!** vá se danar!

puñetazo [puɲe'taθo] *s.m.* murro, soco; *dar/pegar un puñetazo a alguien* dar um murro em alguém

puño ['puɲo] *s.m.* **1** *(mano cerrada)* punho, mão*f.* fechada **2** (camisa) punho **3** (arma branca) punho, cabo; *puño de la espada* punho da espada ♦ (texto) **de puño y letra de alguien** de próprio punho

pupa ['pupa] *s.f.* **1** *col.* erupção labial **2** *infant.* dodói*m.*

pupila [pu'pila] *s.f.* pupila, menina do olho

pupil|o, -a [pu'pilo] *s.m.,f.* pupil|o, -a

pupitre [pu'pitre] *s.m.* (mesa) carteira*f.*

purasangre [pura'sangre] *s.m.* puro-sangue

puré [pu're] *s.m.* purê ♦ *col.* (pessoa) **estar hecho puré** estar acabado, estar moído

pureza [pu'reθa] *s.f.* pureza

purga ['purɣa] *s.f.* purga

purgante [pur'ɣante] *adj.2g.,s.m.* purgante

purgatorio [purɣa'torjo] *s.m.* Purgatório

purificación [purifika'θjon] *s.f.* purificação

purificador [purifika'ðor] *adj.,s.m.* purificador

purificante [purifi'kante] *adj.2g.* purificante

purificar [purifi'kar] *v.* purificar ■ **purificarse** purificar se

purismo [pu'rismo] *s.m.* purismo

purista [pu'rista] *adj.,s.2g.* purista

puritanismo [purita'nismo] *s.m.* puritanismo

puritan|o, -a [puri'tano] *adj.,s.m.,f.* puritan|o, -a

puro ['puro] *adj.* puro ■ *s.m.* **1** charuto **2** *col.* castigo

púrpura ['purpura] *adj.2g.,s.m.* (cor) púrpura

pus ['pus] *s.m.2n.* pus

pusilánime [pusi'lanime] *adj.,s.2g.* (pessoa) pusilânime

pústula ['pustula] *s.f.* pústula

putrefacción [putrefa(k)'θjon] *s.f.* **1** (matéria, cadáver) putrefação **2** (alimento) putrefação, apodrecimento*m.*

putrefacto [putre'fa(k)to] *adj.* **1** (matéria, cadáver) putrefato **2** (alimento) putrefato, podre

puzzle ['puθle] *s.m.* quebra-cabeça, puzzle

pyrex ['pire(k)s] *s.m.* pirex

Q

q ['ku] *s.f.* (letra) q*m.*

quark ['kwark] *s.m.* quark

que ['ke] *pron.rel.* que; *la muchacha que está en la ventana* a menina que está na janela ■ *conj.* **1** (integrante) que; *te dije que vendría* te disse que vinha/viria **2** (causal) que, porque; *me voy, que se hace tarde* vou me embora, que já é tarde **3** (comparativo) que; *es más lista que yo* é mais esperta (do) que eu **4** (final) para (que); *tómate esto, (para) que te mejores* tome isto, para que melhores/para melhorar **5** (consecutivo) que; *era tan barato que lo compré* era tão barato que o comprei **6** (condicional) se; *que no vienes, me llamas* se não vier, me ligue **7** (desejo, vontade) espero que; *¡que lo pases bien!* espero que se divirta! ◆ **el que más y el que menos** cada qual, todos; **que yo sepa** que eu saiba; **tener que** ter que/de; **yo que tú** se eu fosse você

qué ['ke] *adj.* **1** (interrogativa direta) que; *¿qué día es hoy?* que dia é hoje? **2** (interrogativa indireta) que; *preguntó qué autobús debería coger* perguntou que ônibus deveria pegar ■ *pron.interr.* **1** (interrogativa direta) (o) que; *¿qué es esto?* (o) que é isto? **2** (interrogativa indireta) (o) que; *no sé qué debo hacer* não sei (o) que devo fazer **3** (surpresa) (o) quê; *qué ¿las perdiste?* o quê! você as perdeu? ■ *adj.* que; *¡qué barbaridad!* que disparate! ◆ **no hay de qué** não tem de quê; **por qué** por que; **qué es lo que** o que é que; **¿qué pasa?** o que se passa?, o que aconteceu?; **¡qué sé yo!** sei lá!; **¿qué tal?** que tal?, tudo bem/bom?; **¿qué te pasa?** o que tens?; **¡qué va!** qual quê!; **un no sé qué** um não sei quê; **¿y qué?** e depois?

quebrada [ke'βraδa] *s.f.* **1** desfiladeiro*m.* **2** [AM.] arroio*m.*

quebradero [keβra'δero] ◆ *fig., col.* **quebradero de cabeza** dor de cabeça *fig.*, preocupação

quebradizo [keβra'δiθo] *adj.* **1** quebradiço, frágil **2** (saúde) frágil, débil

quebrado [ke'βraδo] *adj.* **1** *(roto)* quebrado, partido **2** (terreno) acidentado **3** (caminho) tortuoso, sinuoso **4** [AM.] *col.* falido, arruinado ■ *s.m.* MAT. quebrado, número fracionário

quebrantar [keβraṇ'tar] *v.* **1** (lei, norma) infringir, violar **2** *(romper)* quebrar, partir **3** *(cascar)* rachar, fender **4** (força física) enfraquecer, debilitar **5** (promessa) quebrar

quebranto [ke'βraṇto] *s.m.* **1** *(desaliento)* quebranto, desânimo, desalento **2** *(lástima)* pena*f.*, lástima*f.*, dó **3** (saúde) fraqueza*f.*, debilidade*f.* **4** (perdas materiais) dano, prejuízo **5** *(pérdida)* perda*f.*

quebrar [ke'βrar] *v.* **1** *(romper)* quebrar, partir **2** (corpo) dobrar, torcer **3** (esperança, ilusão) acabar **4** (empresa, negócio) falir, ir à falência ■ **quebrarse 1** *(romperse)* quebrar(-se) **2** *(interrumpirse)* interromper se

queda ['keδa] *s.f.* recolher*m.* obrigatório; *toque de queda* toque de recolher

quedar [ke'δar] *v.* **1** *(permanecer)* ficar, permanecer; *la ventana se ha quedado abierta* a janela ficou aberta **2** *(convenir)* ficar (en, de); *quedamos en volver más tarde* ficamos de voltar mais tarde **3** (encontro) combinar (con, com); *he quedado con él a las siete* combinei com ele às sete **4** *(sentar)* ficar; *ese color te queda bien* essa cor cai bem em você **5** *(restar)* restar, sobrar; *sólo me quedan dos billetes* só me restam duas notas **6** *(faltar)* faltar; *¿cuántas horas te quedan para llegar?* quantas horas faltam para você chegar? **7** *(estar situado)* ficar; *el museo queda cerca* o museu fica perto ■ **quedarse 1** *(permanecer)* ficar; *hoy me quedo en casa* hoje fico em casa **2** *(resultado de algo)* ficar; *me he quedado sin palabras* fiquei sem palavras **3** *(retener)* ficar (con, com); *quédese con el cambio* fique com o troco **4** (cego, surdo, solteiro, etc.) ficar; *quedarse soltero* ficar solteiro; *se quedó sordo* ficou surdo **5** *fig., col. (burlarse)* zombar, zoar, fazer pouco (con, de); *quedarse con alguien* zombar de alguém **6** *fig. (morirse)* morrer, ficar ◆ **¿en qué quedamos?** decida; o que decidiu?; *col.* **quedar como un señor/una señora** portar-se como um senhor/uma senhora; **quedar por** [+*inf.*] ficar por [+*inf.*]; *el trabajo quedó por hacer* o trabalho ficou por fazer

quedo ['keδo] *adj.* **1** quieto, imóvel **2** (voz) baixo ■ *adv.* baixinho, em voz baixa; *hablar quedo* falar baixinho

quehacer [kea'θer] *s.m.* ocupação*f.*; tarefa*f.* ■ **quehaceres** *s.m.pl.* afazeres

queja ['kexa] *s.f.* **1** *(lamentación)* queixa, lamento*m.* **2** *(protesta)* queixa, protesto*m.*; *presentar una queja ante* apresentar uma queixa a/em

quejarse [ke'xarse] *v.* **1** (dor) queixar-se, gemer **2** *(lamentarse)* queixar se (de, de), lamentar-se (de, de)

quejica [ke'xika] *adj.,s.2g.* [ESP.] *col.* queixinhas*2n.*

quejicoso [kexi'koso] *adj.* queixinhas

quejido [ke'xiδo] *s.m.* queixume

quejoso [ke'xoso] *adj.* queixoso

quema ['kema] *s.f.* **1** queima, queimada; *hacer quemas* fazer queimadas **2** *(incendio)* incêndio*m.* ◆ **huir de la quema** evitar um perigo

quemadero [kema'δero] *s.m.* incineradora*f.*

quemad|o, -a [ke'maδo] *s.m.,f.* queimad|o, -a; *unidad de quemados* unidade de queimados ■ *adj.* **1** queimado **2** [AM.] (sol) bronzeado, moreno, queimado *col.* **3** *fig.* queimado, desacreditado **4** *fig., col.* zangado, ressentido ◆ **oler a quemado** cheirar a queimado

quemador [kema'δor] *s.m.* **1** queimador **2** (fogão a gás) boca*f.*, bico de gás

quemadura [kema'δura] *s.f.* queimadura

quemar [ke'mar] *v.* **1** (fogo) queimar **2** (planta) queimar, secar **3** (dinheiro) esbanjar **4** (roupa) estragar **5** queimar, estar muito quente ■ **quemarse** queimar-se

quemazón [kema'θon] *s.f.* **1** calor*m.* **2** ardência **3** (sentimento) incômodo*m.*, aborrecimento*m.*

quepis ['kepis] *s.m.2n.* quépi
querella [ke'reʎa] *s.f.* **1** DIR. queixa-crime, querela; *presentar una querella contra alguien* apresentar uma queixa-crime contra alguém **2** *(discordia)* querela, discórdia
querellante [kere'ʎaṇte] *s.2g.* querelante, queixos|o, -a*m.f.*
querer [ke'rer] *v.* **1** *(amar)* amar; *¡cómo te quiero!* como te amo! **2** *(sentir cariño)* querer, gostar (-, de); *¡cuánto se quieren estos dos!* quanto se querem estes dois!; *querer bien/mal a alguien* querer bem/mal a alguém; *quiere mucho a su hermana* gosta muito da irmã **3** *(desear)* querer, desejar; *¿quieres café?* queres café?; *no quiero marcharme* não quero ir embora **4** *(pretender)* querer, ambicionar; *quiere ser cantante* quer ser cantor **5** *(necesitar)* pedir, necessitar, precisar; *esos zapatos quieren un bolso* esses sapatos pedem uma bolsa **6** (preço) querer; *¿cuánto quieres por el coche?* quanto você quer pelo carro? ■ *s.m.* querer, amor, carinho, afeto; *las cosas del querer* as coisas do amor ♦ **como quiera que** [+*sj.*] como quer que [+*sj.*]; **cuando quiera** quando quiser; **¡por lo que más quieras!** por tudo quanto é sagrado!; **querer** [+*inf.*] estar para [+*inf.*]; *hace días que quiere llover, pero no llueve* há dias que está para chover, mas não chove; **sin querer** sem querer
querid|o, -a [ke'riðo] *s.m.,f. pej.* amante*2g.* ■ *adj.* **1** querido, amado **2** (carta) caro, estimado, prezado; *querido amigo* caro amigo
quermes ['kermes] *s.m.2n.* quermes
quermés [ker'mes] *s.f.2n.* quermesse
queroseno [kero'seno] *s.m.* querosene
quesada [ke'saða] *s.f.* queijada
quesadilla [kesa'ðiʎa] *s.f. (quesada)* queijada
quesera [ke'sera] *s.f.* (recipiente) queijeira
quesería [kese'ria] *s.f.* queijaria
quesito [ke'sito] *s.m.* queijinho (porção de queijo cremoso)
queso ['keso] *s.m.* queijo; *queso de bola/fresco/rallado* queijo flamengo/fresco/ralado; *queso en lonchas* queijo às fatias
quia ['kja] *interj. col.* ora!
quiasmo ['kjazmo] *s.m.* quiasmo
quiche ['kiʃ] *s.f.* quiche
quicio ['kiθjo] *s.m.* (janela, porta) gonzo, quício, dobradiça*f.* ♦ *col.* **estar fuera de quicio** estar fora de si; *col.* **sacar a alguien de quicio** tirar alguém do sério
quid ['kið] *s.m.* cerne; *el quid de la cuestión* o cerne da questão
quiebra ['kjeβra] *s.f.* **1** ECON. falência, bancarrota; *entrar en quiebra* ir à falência; *ir a la quiebra* abrir falência **2** *(pérdida)* quebra, perda, diminuição **3** *(rotura)* quebra, ruptura
quiebro ['kjeβro] *s.m.* jogo de ancas
quien ['kjen] *pron.rel.* **1** [oração explicativa] quem, que; *llamé a mi amigo, quien me lo contó* liguei para o meu amigo, quem/que me contou isso **2** [oração restritiva] quem, que; *vi a los niños con quienes estudié* vi os meninos com quem estudei ■ *pron.indef.* quem; *quien quiera, que vaya* quem quiser, que vá ♦ **como quien no quiere la cosa** como quem não quer nada; **no ser quien para algo** não ser ninguém para; *col.* **quien más, quien menos** uns e outros; **quien mucho abarca, poco aprieta** quem tudo quer tudo perde
quién ['kjen] *pron.interr.* **1** (interrogativa direta) quem; *¿quién ha llegado?* quem chegou? **2** (interrogativa indireta) quem; *no sabía a quién había que preguntar* não sabia a quem perguntar ■ *pron.excl.* quem; *¡quién lo supiera!* oxalá eu o soubesse!
quienquiera [kjen'kjera] *pron.indef.* (*pl.* quienesquiera) qualquer um, -a, quem quer; *quienquiera que sea* quem quer que seja
quieto ['kjeto] *adj.* quieto; *¡estáte quieto!* está quieto!
quietud [kje'tuð] *s.f.* quietude
quif ['kif] *s.m. (hachís)* haxixe
quijote [ki'xote] *s.m.* **1** (pessoa) sonhador, -a*m.f.*, idealista*2g.* **2** (armadura) coxote
quilate [ki'late] *s.m.* quilate
quilla ['kiʎa] *s.f.* quilha
quilo ['kilo] *s.m.* **1** *(quilogramo)* quilo **2** FISIOL. quilo ♦ *col.* **sudar el quilo** trabalhar como um camelo, camelar
quilogramo [kilo'ɣramo] *s.m.* quilograma
quilolitro [kilo'litro] *s.m.* quilolitro
quilómetro [ki'lometro] *s.m.* quilômetro
quimera ['kimera] *s.f.* quimera
quimérico [ki'meriko] *adj.* quimérico
química ['kimika] *s.f.* **1** química **2** *fig.* química, entendimento*m.*, afinidade
químic|o, -a ['kimiko] *adj.,s.m.,f.* químic|o, -a
quimioterapia [kimjote'rapja] *s.f.* quimioterapia
quimono [ki'mono] *s.m.* quimono
quincalla [kiŋ'kaʎa] *s.f.* bugiganga, quinquilharia
quincallería [kiŋkaʎe'ria] *s.f.* **1** (estabelecimento) bazar*m.*, loja de bugigangas **2** *(quincalla)* bugiganga, quinquilharia
quince ['kiṇθe] *num.* quinze
quinceañer|o, -a [kiṇθea'ɲero] *s.m.,f.* adolescente*2g.* (com aproximadamente 15 anos)
quincena [kiṇ'θena] *s.f.* quinzena
quincenal [kiṇθe'nal] *adj.2g.* quinzenal
quincuagenari|o, -a [kiŋkwaxe'narjo] *s.m.,f.* quinquagenári|o, -a
quincuagésim|o, -a [kiŋkwa'xesimo] *num.* quinquagésim|o, -a
quingentésim|o, -a [kiŋxeṇ'tesimo] *num.* quingentésim|o, -a
quiniela [ki'njela] *s.f.* totobola*m.*; *jugar a la quiniela* jogar no totobola
quinientista [kinjeṇ'tista] *adj.2g.* quinhentista
quinient|os, -as [ki'njeṇtos] *num.* quinhent|os, -as ♦ *col.* **a las quinientas** às tantas, a altas horas da noite
quinina [ki'nina] *s.f.* quinina
quinquenal [kiŋke'nal] *adj.2g.* quinquenal

quinquenio [kiŋ'kenjo] *s.m.* quinquênio, lustro
quinta ['kiṇta] *s.f.* **1** *(casa)* fazenda **2** MIL. contingente *m.* **3** (idade) faixa etária, colheita *fig.* **4** (mudança de velocidade) quinta
quintaesencia [kiṇtae'seṇθja] *s.f.* quinta essência
quintal [kiṇ'tal] *s.m.* (medida) quintal
quinteto [kiṇ'teto] *s.m.* quinteto
quintilla [kiṇ'tiʎa] *s.f.* quintilha
quint|o, -a ['kiṇto] *num.* quint|o, -a ■ **quinto** *s.m.* MIL. recruta *2g.*
quíntuple ['kiṇtuple] *num.* ⇒ **quíntuplo**
quíntupl|o, -a ['kiṇtuplo] *num.* quíntupl|o, -a
quiosco ['kjosko] *s.m.* **1** quiosque **2** (jardim público, praça) coreto
quiquiriquí [kikiri'ki] *s.m.* cocoricó, quiquerіqui
quirófano [ki'rofano] *s.m.* sala *f.* de operações; bloco operatório
quiromancia [kiro'maṇθja], **quiromancía** [kiro maṇ'θia] *s.f.* quiromancia
quiromántic|o, -a [kiro'maṇtiko] *s.m.,f.* quiromante *2g.*
quiropráctica [kiro'praktika] *s.f.* quiroprática
quiropráctic|o, -a [kiro'praktiko] *s.m.,f.* quiroprátic|o, -a
quirúrgico [ki'rurxiko] *adj.* cirúrgico
quisque ['kiske], **quisqui** ['kiski] ♦ **cada quisque** cada um; **todo quisque** todos, todo o mundo
quisquilla [kis'kiʎa] *s.f.* camarão *m.* (pequeno) ■ *adj.,s.2g.* (pessoa) suscetível
quisquilloso [kiski'ʎoso] *adj.* **1** picuinhas **2** *(susceptible)* suscetível, melindroso
quiste ['kiste] *s.m.* quisto
quitaesmalte [kitaez'maḷte] *s.m.* acetona *f.* (para unhas)
quitagrapas [kita'ɣrapas] *s.m.2n.* utensílio para tirar grampos, extrator
quitamanchas [kita'manʲtʃas] *s.m.2n.* tira manchas
quitamiedos [kita'mjeðos] *s.m.2n.* **1** parapeito **2** (estrada) mureta *f.* de proteção
quitanieves [kita'njeβes] *s.m.2n.* [máquina usada para remover a neve do caminho]
quitar [ki'tar] *v.* **1** *(sacar)* tirar, retirar, remover; *¡quita esos libros de la estantería!* tira esses livros da estante! **2** *(eliminar)* eliminar, desaparecer, tirar; *este té me quita el sueño* este chá me tira o sono; *las manchas de grasa no se quitan* as manchas de gordura não desaparecem **3** *(robar)* roubar, tirar, furtar; *me han quitado el monedero* me roubaram o porta moedas **4** *(prohibir)* proibir; *el médico le ha quitado el tabaco* o médico proibiu-lhe o tabaco **5** *(impedir)* impedir, obstar; *eso me quitó de marcharme pronto* isso impediu me de ir embora logo **6** *(disminuir)* tirar, reduzir, diminuir; *eso no le quitará valor al libro* isso não diminuirá o valor do livro ■ **quitarse 1** (roupa, sapatos) tirar; *¡quítate el abrigo!* tira o casaco! **2** *col.* (vício) deixar (de, de); *se ha quitado de beber* deixou de beber **3** *col. (no estorbar)* retirar-se, sair; *¡quita/quítate de ahí!* sai daqui/daí! ♦ **de quita y pon** de pôr e tirar; **ni quitar ni poner** nem dizer que sim nem que não; *en ese tema, ni quito ni pongo* sobre esse assunto, nem digo que sim nem que não; **quitar algo/a alguien de delante** tirar algo/alguém do caminho; **quitar la mesa** levantar/limpar a mesa; **quitarse algo/a alguien de encima** livrar-se de algo/alguém; **quitarse la vida** suicidar-se; **sin quitar ni poner** sem tirar nem pôr
quitasol [kita'sol] *s.m.* guarda-sol
quite ['kite] *s.m.* TAUR. quite ♦ *col.* **estar al quite** estar de olho; **ir/salir al quite** sair em ajuda rápida
quivi ['kiβi] *s.m.* ⇒ **kiwi**
quizá [ki'θa], **quizás** [ki'θas] *adv.* **1** [+ *sj.*] talvez, quiçá; *quizá venga mañana* talvez venha amanhã **2** [+ *ind.*] se calhar; *quizá estoy equivocado* talvez eu esteja/vai ver estou enganado
quórum ['kworum] *s.m.2n.* quórum

R

r ['ere] *s.f.* (letra) r*m.*
rabanero [raβa'nero] *adj. col.* desavergonhado, sem-vergonha
rábano ['raβano] *s.m.* **1** rábano **2** rabanete ♦ *col.* **¡me importa un rábano!** não estou nem aí; *col.* **¡(y) un rábano!** nem pensar!; querias!
rabí [ra'βi] *s.m.* rabi, rabino
rabia ['raβja] *s.f.* **1** MED.,VET. raiva, hidrofobia; *coger la rabia* pegar raiva **2** *fig.* raiva, ira, cólera
rabiar [ra'βjar] *v.* **1** zangar-se, enfurecer-se **2** *fig.* sonhar (por, -), ansiar (por, por); *rabiaba por tener un coche nuevo* sonhava em ter um carro novo ♦ *col.* **a rabiar** muito
rabieta [ra'βjeta] *s.f. col.* birra; *coger una rabieta* fazer uma birra
rabillo [ra'βiʎo] *s.m.* **1** (de folha) pé, pecíolo; (de fruto) pedúnculo **2** (de olho) canto; *mirar con/por el rabillo del ojo* olhar pelo canto do olho **3** (de coisa) rabo
rabino [ra'βino] *s.m.* rabino
rabioso [ra'βjoso] *adj.* **1** (cão) raivoso, enraivecido **2** *fig.* raivoso, furioso, colérico **3** *fig.* grande; *temas de rabiosa actualidad* temas de grande atualidade
rabo ['raβo] *s.m.* **1** (animal) rabo, cauda*f.* **2** BOT. pé **3** *vulg.* pica*f.* ♦ *col.* **irse/salir con el rabo entre las piernas** meter o rabo entre as pernas
rácan|o, -a ['rakano] *adj.,s.m.,f.* **1** *col.* pão-duro, avaro, sovina*2g.*, avarent|o, -a **2** *col.* preguiços|o, -a
racha ['ratʃa] *s.f.* **1** rajada **2** *fig.* (período) maré; *buena/mala racha* maré de sorte/azar
racheado [ratʃe'aðo] *adj.* (vento) com rajadas
racial [ra'θjal] *adj.2g.* racial
racimo [ra'θimo] *s.m.* cacho; *racimo de uvas* cacho de uvas
raciocinio [raθjo'θinjo] *s.m.* raciocínio
ración [ra'θjon] *s.f.* **1** (para pessoa) dose, porção; (para animal) ração; *raciones individuales* doses individuais; *tres raciones diarias* três porções diárias **2** (de comida) dose; *pedir una ración para cada dos* pedir uma porção para dois **3** *col.* dose, cota
racional [raθjo'nal] *adj.2g.* racional
racionalismo [raθjona'lizmo] *s.m.* racionalismo
racionalista [raθjona'lista] *adj.,s.2g.* racionalista
racionalización [raθjonaliθa'θjon] *s.f.* racionalização
racionamiento [raθjona'mjento] *s.m.* racionamento
racionar [raθjo'nar] *v.* racionar
racismo [ra'θizmo] *s.m.* racismo
racista [ra'θista] *adj.,s.2g.* racista
radar [ra'ðar] *s.m.* radar
radiación [raðja'θjon] *s.f.* radiação
radiactividad [raðjaktiβi'ðað] *s.f.* radioatividade
radiactivo [raðjak'tiβo] *adj.* radioativo
radiador [raðja'ðor] *s.m.* **1** radiador, aquecedor; *radiador de aceite* radiador a óleo **2** MEC. radiador
radiante [ra'ðjante] *adj.2g.* **1** radiante, radioso, brilhante **2** *fig.* radiante, contente
radical [raði'kal] *adj.2g.* **1** radical **2** *fig.* radical, drástico, profundo **3** *fig.* (pessoa) radical, inflexível, intransigente ■ *s.2g.* radical ■ *s.m.* LING.,MAT. radical
radicalismo [raðika'lizmo] *s.m.* radicalismo
radicando [raði'kando] *s.m.* MAT. radicando
radicar [raði'kar] *v.* **1** *(consistir)* consistir (en, em), residir (en, em); *el problema radica en la falta de dinero* o problema consiste na falta de dinheiro **2** *(encontrarse)* encontrar-se (en, em), estar (en, em); *la sede de la empresa radica en Madrid* a sede da empresa está/é em Madri **3** (planta) enraizar, radicar ■ **radicarse** radicar-se (en, em), estabelecer-se (en, em); *se radicó en el campo* radicou se no campo
radio ['raðjo] *s.m.* **1** GEOM. raio; *radio de la circunferencia* raio da circunferência **2** ANAT. (osso) rádio **3** QUÍM. rádio **4** (espaço, distância) raio; *en un radio de cinco kilómetros* num raio de cinco quilômetros **5** (bicicleta) raio ■ *s.f.* **1** *(emisora)* rádio **2** (aparelho) rádio*m.* ♦ **radio de acción** raio de ação
radioaficionad|o, -a [raðjoafiθjo'naðo] *s.m.,f.* radioamador, -a
radiocasete [raðjoka'sete] *s.m.* toca-fitas, radiogravador
radiodifusión [raðjoðifu'sjon] *s.f.* radiodifusão
radiofonía [raðjofo'nia] *s.f.* radiofonia
radiofónico [raðjo'foniko] *adj.* radiofônico
radiografía [raðjoγra'fia] *s.f.* radiografia
radiograma [raðjo'γrama] *s.m.* radiograma
radiología [raðjolo'xia] *s.f.* radiologia
radiólog|o, -a [ra'ðjoloγo] *s.m.,f.* radiologista*2g.*
radioscopia [raðjos'kopja] *s.f.* radioscopia
radiotaxi [raðjo'taksi] *s.m.* radiotáxi
radioterapia [raðjote'rapja] *s.f.* radioterapia
radioyente [raðjo'jente] *s.2g.* radiouvinte
radón [ra'ðon] *s.m.* radônio
ráfaga ['rafaγa] *s.f.* **1** (vento) rajada, lufada **2** (luz) clarão*m.* **3** (veículo) sinal*m.* de luz; *me dio ráfagas* deu sinal de luz para mim **4** (tiros) rajada
rafia ['rafja] *s.f.* ráfia
rafting ['raftin] *s.m.* rafting
raído [ra'iðo] *adj.* (tecido) puído, gasto
raíl [ra'il] *s.m.* carril, trilho
raíz [ra'iθ] *s.f.* **1** (planta) raiz **2** (de cabelo, dente, unha) raiz **3** *fig.* raiz, causa, origem **4** MAT. raiz; *raíz cuadrada/cúbica* raiz quadrada/cúbica **5** LING. raiz ♦ **a raíz de** por causa de; devido a; **de raíz** pela raiz; *cortar el mal de raíz* cortar o mal pela raiz; **echar raíces** criar/lançar raízes

raja ['raxa] *s.f.* **1** *(hendidura)* racha, fenda **2** *(corte)* corte*m.* **3** (de alimento) fatia, lasca; (de melão, melancia) talhada

rajá [ra'xa] *s.m.* rajá

rajar [ra'xar] *v.* **1** *(agrietar)* rachar **2** (alimento, fruto) cortar em fatias **3** *gír.* apunhalar, esfaquear **4** *col.* tagarelar **5** [AM.] falar mal (-, de), desacreditar ▪ **rajarse 1** rachar **2** *col.* desistir

ralea [ra'lea] *s.f. pej.* laia

ralentí [raleṇ'ti] *s.m.* ralentado

rallado [ra'ʎaδo] *adj.* ralado

rallador [raʎa'δor] *s.m.* ralador

ralladura [raʎa'δura] *s.f.* raspa

rallar [ra'ʎar] *v.* **1** (alimento) ralar **2** *col.* chatear, importunar

rally ['rali] *s.m.* (*pl.* rallies) rali

ralo ['ralo] *adj.* (barba, vegetação) ralo

rama ['rama] *s.f.* **1** (de planta) ramo*m.*; (de árvore) galho*m.*, ramo*m.* **2** (ciência) ramo*m.* **3** (família) ramo*m.* ♦ *col.* **andarse/irse por las ramas** ficar com rodeios; não ir direto ao assunto; **en rama** em rama; ***algodón en rama*** algodão em rama; ***canela en rama*** pau de canela

ramadán [rama'δan] *s.m.* Ramadã

ramaje [ra'maxe] *s.m.* ramagem*f.*, rama*f.*

ramal [ra'mal] *s.m.* (estrada, ferrovia) ramal

ramalazo [rama'laθo] *s.m.* **1** *col.* (emoção) ataque **2** *col.* (dor) pontada*f.* **3** *col.* (ato) trejeito*m.* **4** *col.* modos*pl.* efeminados

rambla ['rambla] *s.f.* alameda, avenida

ramera [ra'mera] *s.f. pej.* rameira, meretriz, prostituta

ramificación [ramifika'θjon] *s.f.* ramificação

ramificarse [ramifi'karse] *v.* ramificar-se (en, em), dividir se (en, em)

ramillete [rami'ʎete] *s.m.* ramalhete; (de flores) buquê

ramo ['ramo] *s.m.* **1** (de flores) ramo **2** (de árvore) galho, ramo **3** *fig.* ramo, setor

rampa ['rampa] *s.f.* rampa ♦ **rampa de acceso** rampa de acesso; **rampa de lanzamiento** rampa de lançamento

ramplón [ram'plon] *adj.* cafona, brega; ***canciones ramplonas*** canções bregas

rana ['rana] *s.f.* rã ♦ **cuando las ranas críen pelo** quando as galinhas tiverem dentes; *col.* **salir rana** decepcionar; defraudar

ranchera [ranʲ'tʃera] *s.f. col.* caminhonete

rancho ['ranʲtʃo] *s.m.* **1** (comida) rancho (comida para muitas pessoas) **2** *(granja)* rancho, quinta*f.*, fazenda*f.*

rancio ['raṇθjo] *adj.* **1** (alimento) rançoso **2** *fig.* antigo, velho **3** *fig.* (pessoa) antipático **4** *fig.* (caráter) azedo

rand ['raṇd] *s.m.* rand (moeda sul africana)

rango ['raŋgo] *s.m.* categoria*f.*, classe*f.*

ranking ['raŋkiŋ] *s.m.* ranking, lista*f.*

ranura [ra'nura] *s.f.* ranhura

rapapolvo [rapa'polβo] *s.m. col.* bronca, reprimenda; ***echar un rapapolvo a alguien*** dar uma bronca em alguém

rapar [ra'par] *v.* **1** (barba) fazer a barba, barbear **2** (cabelo) rapar o cabelo ▪ **raparse** fazer a barba, barbear-se

rapaz, -a [ra'paθ] *s.m.,f. col.* rapa|z, -riga

rapaz [ra'paθ] *adj.2g.* (ave) de rapina

rape ['rape] *s.m.* **1** tamboril **2** *col.* raspagem ou corte de barba feito depressa e sem cuidado ♦ **al rape** com máquina zero; ***cortar el pelo al rape*** cortar o cabelo com máquina zero

rapé [ra'pe] *s.m.* rapé

rápel ['rapel] *s.m.* rapel

rapidez [rapi'δeθ] *s.f.* rapidez

rápido ['rapiδo] *adj.* **1** *(veloz)* rápido, veloz **2** *(breve)* rápido, breve **3** *(superficial)* rápido, superficial ▪ *s.m.* (trem) rápido, expresso ▪ *adv.* rápido, depressa; ***lo más rápido posible*** o mais rápido possível

rapiña [ra'piɲa] *s.f.* rapina, roubo*m.*, saque*m.* ♦ (ave) **de rapiña** de rapina

rapos|o, -a [ra'poso] *s.m.,f.* **1** rapos|o, -a **2** *fig.* (pessoa) raposa*f.*

rapsodia [rap'soδja] *s.f.* rapsódia

raptar [rap'tar] *v.* raptar

rapto ['rapto] *s.m.* **1** *(secuestro)* rapto, sequestro **2** *(arrebato)* impulso, arrebatamento

raptor, -a [rap'tor] *s.m.,f.* raptor, -a

raqueta [ra'keta] *s.f.* **1** (tênis, badminton) raquete, raqueta **2** (para a neve) raquete

raquítico [ra'kitiko] *adj.* raquítico

raquitismo [raki'tizmo] *s.m.* raquitismo

rarefacción [rarefak'θjon] *s.f.* rarefação

rareza [ra'reθa] *s.f.* **1** raridade **2** *(manía)* mania, esquisitice

raro ['raro] *adj.* **1** (pessoa, situação) esquisito, estranho; ***es un hombre raro*** é um homem esquisito; ***¡qué cosa más rara!*** que coisa mais estranha! **2** *(poco común)* raro, pouco comum; ***salvo raras excepciones*** salvo raras exceções **3** *(escaso)* raro, escasso

ras ['ras] *s.m.* nível ♦ **al ras** até a borda, até em cima; **a ras de** rente a; ***a ras de suelo*** rente ao chão

rasante [ra'saṇte] *adj.2g.* rasante; ***tiro/vuelo rasante*** tiro/voo rasante ♦ (estrada) **cambio de rasante** lombada

rasca ['raska] *s.f.* **1** *col.* frio*m.* intenso; ***¡hace una rasca!*** está um frio danado! **2** [AM.] bebedeira ▪ *adj.2g.* [AM.S.] *col.* pobre, ordinário, vulgar

rascacielos [raska'θjelos] *s.m.2n.* arranha-céu

rascar [ras'kar] *v.* **1** (com as unhas) coçar **2** *(arañar)* arranhar **3** (superfície) raspar **4** *col.* (instrumento) arranhar ▪ **rascarse 1** coçar-se **2** *(arañarse)* arranhar-se

rasero [ra'sero] ♦ **por el mismo rasero** não fazer distinção; (medir) pela mesma bitola

rasgado [raz'γaδo] *adj.* **1** (roupa, tecido) rasgado **2** (janela, varanda) rasgado, aberto, espaçoso **3** (boca, olhos) rasgado, largo, grande

rasgadura [razγa'δura] *s.f.* rasgão*m.*

rasgar [raz'γar] *v.* rasgar, romper ▪ **rasgarse** rasgar-se, romper se

rasgo ['razγo] *s.m.* **1** *(trazo)* traço, risco **2** *(peculiaridad)* peculiaridade*f.*, característica*f.* **3** *fig.* rasgo ■ **rasgos** *s.m.pl.* (rosto) traços ♦ **a rasgos largos** a traços largos, em linhas gerais, por alto
rasgón [raz'γon] *s.m.* rasgão, rasgo
rasguñar [razγu'ɲar] *v.* arranhar, esgadanhar
rasguño [raz'γuɲo] *s.m.* arranhão
raso ['raso] *adj.* **1** raso, plano, liso **2** (soldado) raso, sem graduação **3** (céu) limpo, claro **4** (recipiente) raso, cheio até a borda ■ *s.m.* cetim ♦ **al raso** ao ar livre/relento
raspa ['raspa] *s.f.* **1** (peixe) espinha **2** (cereais) barba **3** (milho) sabugo*m.*
raspado [ras'paðo] *s.m.* **1** raspagem*f.* **2** raspa*f.*; *raspadura de limón* raspa de limão **3** (superfície) risco, arranhadela*f.* **4** MED. raspagem*f.*
raspador [raspa'ðor] *s.m.* raspador
raspadura [raspa'ðura] *s.f.* **1** raspa; *raspadura de limón* raspa de limão **2** *(raspado)* raspagem*f.*
raspar [ras'par] *v.* **1** (superfície) raspar **2** *(arañar)* arranhar **3** *(rozar)* roçar, raspar, tocar de raspão **4** (material, tecido) arranhar **5** (vinho, licor) queimar, picar
raspilla [ras'piʎa] *s.f.* miosótis*m./f.2n.*
rasponazo [raspo'naθo] *s.m.* raspão, arranhão
rastra ['rastra] *s.f.* **1** AGR. ancinho*m.* **2** AGR. grade ♦ **a rastras 1** de rastos **2** arrastado, de má vontade
rastrear [rastre'ar] *v.* **1** rastrear, rastejar **2** *fig.* rastrear, indagar (por sinais)
rastreo [ras'treo] *s.m.* rastreio
rastrero [ras'trero] *adj.* **1** (planta) rasteiro **2** *fig.* vil, desprezível
rastrillo [ras'triʎo] *s.m.* **1** ancinho **2** *col.* brechó
rastro ['rastro] *s.m.* **1** *(huella)* rasto, rastro, pegada*f.* **2** *(vestigio)* rasto, rastro, vestígio; *sin dejar rastro* sem deixar rastro **3** *(mercadillo)* feira*f.* de antiguidades; brechó
rastrojo [ras'troxo] *s.m.* restolho
rata ['rata] *s.f.* **1** ratazana **2** *pej.* canalha*2g.* ■ *adj.,s.2g.* *pej.* sovina, avarento
rater|o, -a [ra'tero] *s.m.,f.* *(ladrón)* gatun|o, -a, larápi|o, -a
raticida [rati'θiða] *s.m.* raticida, mata ratos*2n.*
ratificación [ratifika'θjon] *s.f.* ratificação
ratificar [ratifi'kar] *v.* (promessa, declaração) ratificar
rato ['rato] *s.m.* **1** bocado; *pasar un buen/mal rato* passar um bom/mau bocado **2** momento, instante; *espera un rato* espere um momento ♦ **a cada rato** a todo momento, a toda hora; **al poco rato** pouco depois; **a ratos** com intervalos; **para rato** para muito tempo, para durar; *col.* **pasar el rato** passar o tempo; **ratos perdidos** tempo livre; *col.* **un rato (largo)** bastante, muito
rat|ón, -ona [ra'ton] *s.m.,f.* rat|o, -a ■ **ratón** *s.m.* INFORM. mouse ♦ *col.* **ratón de biblioteca** rato de biblioteca
ratonera [rato'nera] *s.f.* **1** ratoeira **2** *fig.* ratoeira, armadilha; *caer en la ratonera* cair na ratoeira **3** *fig.* (casa) gaiola
raudal [raw'ðal] *s.m.* **1** enxurrada*f.*, torrente*f.* **2** *fig.* enxurrada*f.*, abundância*f.* ♦ **a raudales** aos montes
raudo ['rawðo] *adj.* rápido, veloz
rave ['rejβ] *s.f.* rave
raviolis [ra'βjolis] *s.m.pl.* ravióli
raya ['raja] *s.f.* **1** *(línea)* linha, traço*m.*, risco*m.* **2** (papel, tecido) raia, risca; *a rayas* às riscas **3** (roupa) vinco*m.* **4** (cabelo) risca, risco*m.* **5** *(frontera)* fronteira, limite*m.* **6** (sinal ortográfico) travessão*m.* **7** ZOOL. raia ♦ **a raya** na linha; **pasarse de la raya** passar dos limites; (jogo) **tres en raya** três em linha
rayado [ra'jaðo] *adj.* **1** raiado **2** riscado **3** (papel) pautado ■ *s.m.* conjunto de riscas
rayar [ra'jar] *v.* **1** (superfície) riscar **2** *(subrayar)* sublinhar **3** *(amanecer)* raiar, amanhecer **4** *(limitar)* fazer fronteira **(con,** com), confinar **(con,** com)
rayo ['rajo] *s.m.* **1** (luz, sol) raio **2** MET. raio **3** *col.* (pessoa) ás ♦ *col.* (cheirar, saber) **a rayos** muito mal; **rayos ultravioleta** raios ultravioleta; **rayos X** raios X
rayón [ra'jon] *s.m.* seda*f.* artificial
rayuela [ra'jwela] *s.f.* (jogo infantil) amarelinha
raza ['raθa] *s.f.* raça ♦ (animal) **de raza** de raça; *caballo/perro de raza* cavalo/cão de raça
razón [ra'θon] *s.f.* **1** *(raciocinio)* razão, raciocínio*m.* **2** *(motivo)* razão, causa, motivo*m.* **3** MAT. razão **4** *(informaciones)* informações*pl.*; *dar razón* informar ♦ **dar la razón a** dar razão a; **perder la razón** perder a razão; **razón de ser** razão de ser; **tener razón** ter razão
razonable [raθo'naβle] *adj.2g.* razoável
razonamiento [raθona'mjento] *s.m.* **1** raciocínio **2** argumentação*f.*, argumentos*pl.*
razonar [raθo'nar] *v.* **1** raciocinar **2** argumentar
re ['re] *s.m.* MÚS. ré
reacción [reak'θjon] *s.f.* **1** reação; *reacción en cadena* reação em cadeia **2** QUÍM. reação **3** (medicamento, tratamento) reação, efeito*m.* secundário **4** (saúde) recuperação
reaccionar [reakθjo'nar] *v.* **1** reagir **(a,** a) **2** QUÍM. reagir
reaccionari|o, -a [reakθjo'narjo] *adj.,s.m.,f.* reacionári|o, -a
reacio [re'aθjo] *adj.* relutante **(a,** em)
reactivo [reak'tiβo] *s.m.* reativo, reagente
reactor [reak'tor] *s.m.* **1** (motor) reator, motor de reação **2** (avião) avião a jato, jato **3** FÍS. reator
reajuste [rea'xuste] *s.m.* reajuste
real [re'al] *adj.2g.* real ■ *s.m.* (moeda) real
realce [re'alθe] *s.m.* **1** realce, destaque, relevo **2** (adorno) relevo
realeza [rea'leθa] *s.f.* realeza
realidad [reali'ðað] *s.f.* realidade ♦ **en realidad** na realidade; **realidad virtual** realidade virtual
realismo [rea'lizmo] *s.m.* realismo
realista [rea'lista] *adj.,s.2g.* realista
realizable [reali'θaβle] *adj.2g.* realizável
realización [realiθa'θjon] *s.f.* **1** *(ejecución)* realização, execução; *realización de un trabajo* realização de um trabalho **2** CIN., TV. realização **3** (objetivo, sonho) realização; *realización personal/profesional* realização pessoal/profissional
realizador, -a [realiθa'ðor] *s.m.,f.* realizador, -a ■ *adj.* realizador, executor

realizar [reali'θar] *v.* realizar ▪ **realizarse** realizar-se
realzar [rea|'θar] *v.* realçar ▪ **realzarse** realçar-se
reanimación [reanima'θjon] *s.f.* **1** (ânimo, força) restabelecimento*m.* **2** (sentidos) recuperação **3** MED. reanimação
reanimar [reani'mar] *v.* **1** reanimar, restabelecer **2** MED. reanimar ▪ **reanimarse** reanimar-se
reanudar [reanu'ðar] *v.* **1** (aulas, reunião) reiniciar, recomeçar **2** (negociações) retomar **3** (amizade, relação) reatar
reaparición [reapari'θjon] *s.f.* reaparecimento*m.*
reapertura [reaper'tura] *s.f.* reabertura
rearme [re'arme] *s.m.* rearmamento
rebaja [re'βaxa] *s.f.* desconto*m.*, abatimento*m.*, rebaixa ▪ **rebajas** *s.f.pl.* saldos*m. pl.*; ***época de rebajas*** época de liquidações
rebajar [reβa'xar] *v.* **1** *(hacer más bajo)* rebaixar **2** (preço, valor) rebaixar, diminuir **3** (bebida, produto) diluir **4** *fig.* rebaixar, humilhar ▪ **rebajarse** *fig.* rebaixar se, humilhar-se
rebanada [reβa'naða] *s.f.* fatia (especialmente de pão)
rebaño [re'βaɲo] *s.m.* rebanho
rebasar [reβa'sar] *v.* **1** ultrapassar **2** transbordar
rebatir [reβa'tir] *v.* (argumento) rebater, refutar
rebeco [re'βeko] *s.m.* camurça*f.*
rebelarse [reβe'larse] *v.* **1** *(sublevarse)* revoltar-se (contra, contra), rebelar-se (contra, contra) **2** *(oponerse)* opor-se (contra, a)
rebelde [re'βelde] *adj.,s.2g.* rebelde
rebeldía [reβel'dia] *s.f.* rebeldia
rebelión [reβe'ljon] *s.f.* rebelião
reblandecimiento [reβlandeθi'mjento] *s.m.* amolecimento
reborde [re'βorðe] *s.m.* rebordo
rebosar [reβo'sar] *v.* **1** (líquido) transbordar **2** (recipiente) verter **3** (alegria, saúde) transbordar **4** (lugar) estar superlotado ▪ **rebosarse** transbordar
rebotar [reβo'tar] *v.* **1** ressaltar, ricochetear **2** *col.* zangar ▪ **rebotarse** *col.* zangar se
rebote [re'βote] *s.m.* **1** ressalto, ricochete **2** *col.* zanga*f.*
rebotica [reβo'tika] *s.f.* laboratório*m.* (de farmácia)
rebozado [reβo'θaðo] *adj.* empanado
rebozar [reβo'θar] *v.* **1** disfarçar, esconder **2** CUL. empanar ▪ **rebozarse** rebuçar-se
rebujado [reβu'xaðo] *adj.* **1** *(enredado)* emaranhado, enredado **2** *(desordenado)* desarrumado, desordenado
rebuscado [reβus'kaðo] *adj.* rebuscado
rebuznar [reβuθ'nar] *v.* (burro) zurrar
rebuzno [re'βuθno] *s.m.* (burro) zurro
recader|o, -a [reka'ðero] *s.m.,f.* mensageiro, -a
recado [re'kaðo] *s.m.* recado; ***dar un recado a alguien*** dar um recado a alguém; ***ir a hacer un recado*** ir entregar/levar um recado
recaer [reka'er] *v.* **1** *(reincidir)* recair, reincidir **2** (doença) ter uma recaída, piorar **3** (prêmio, responsabilidade) ser atribuído a (sobre, sobre); ***el premio ha recaído sobre un poeta*** o prêmio coube a um poeta **4** (acento) recair (en, em); ***el acento recae en la última sílaba*** o acento recai na última sílaba
recaída [reka'iða] *s.f.* recaída
recalcar [rekal'kar] *v.* sublinhar, enfatizar, acentuar
recalentamiento [rekalenta'mjento] *s.m.* **1** reaquecimento **2** superaquecimento
recalentar [rekalen'tar] *v.* (alimento) aquecer, requentar ▪ **recalentarse** **1** aquecer **2** reaquecer-se
recámara [re'kamara] *s.f.* **1** antecâmara **2** (arma) câmara
recambio [re'kambjo] *s.m.* **1** recarga*f.* **2** reposição*f.* **3** peça*f.* sobressalente; ***de recambio*** de substituição, sobressalente
recapacitar [rekapaθi'tar] *v.* (atitude, decisão) reconsiderar, repensar, ponderar
recapitulación [rekapitula'θjon] *s.f.* recapitulação
recarga [re'karɣa] *s.f.* recarga
recargable [rekar'ɣaβle] *adj.2g.* recarregável
recargo [re'karɣo] *s.m.* sobretaxa*f.*
recatado [reka'taðo] *adj.* recatado
recato [re'kato] *s.m.* recato
recauchutado [rekawtʃu'taðo] *s.m.* recauchutagem*f.*
recaudación [rekawða'θjon] *s.f.* **1** *(cobro)* cobrança; ***recaudación de impuestos*** cobrança de impostos **2** (bens, dinheiro) recolha, angariação; ***recaudación de fondos*** angariação de fundos **3** (repartição de finanças) tesouraria
recaudador, -a [rekawða'ðor] *s.m.,f.* cobrador, -a, recebedor, -a
recaudar [rekaw'ðar] *v.* **1** (dinheiro, imposto) cobrar, receber **2** (apoio, donativo) reunir, arrecadar
recaudo [re'kawðo] *s.m.* cobrança*f.*, recebimento ◆ **a (buen) recaudo** em lugar seguro, bem guardado
recelo [re'θelo] *s.m.* receio, medo
receloso [reθe'loso] *adj.* receoso
recensión [reθen'sjon] *s.f.* recensão, resenha
recepción [reθep'θjon] *s.f.* **1** *(acogida)* recepção, recebimento*m.*, acolhimento*m.* **2** (hotel, empresa) recepção **3** (cerimônia) recepção
recepcionista [reθepθjo'nista] *s.2g.* recepcionista
receptáculo [reθep'takulo] *s.m.* receptáculo
receptividad [reθeptiβi'ðað] *s.f.* receptividade
receptivo [reθep'tiβo] *adj.* receptivo (a, a)
receptor, -a [reθep'tor] *s.m.,f.* receptor, -a ▪ *adj.* receptor ▪ **receptor** *s.m.* receptor
recesión [reθe'sjon] *s.f.* **1** ECON. recessão **2** *(retroceso)* retrocesso*m.*, recessão
recesivo [reθe'siβo] *adj.* ECON. recessivo
receso [re'θeso] *s.m.* **1** *(apartamiento)* afastamento **2** (atividade, trabalho) pausa*f.*, interrupção*f.*
receta [re'θeta] *s.f.* **1** CUL. receita **2** MED.,FARM. receita, prescrição; ***extender una receta*** aviar uma receita
recetar [reθe'tar] *v.* (medicamento) receitar, prescrever
recetario [reθe'tarjo] *s.m.* **1** FARM.,MED. receituário **2** CUL. livro de receitas, receituário

rechazar [retʃa'θar] *v.* **1** (oferta, proposta) rejeitar, recusar **2** (órgão) rejeitar **3** (inimigo) repelir

rechazo [re'tʃaθo] *s.m.* **1** rejeição*f.*, recusa*f.* **2** MED. rejeição **3** *(negativa)* nega*f.*, negativa*f.* ♦ **de rechazo** de maneira incidental, ocasionalmente

rechistar [retʃis'tar] *v.* reclamar, protestar

rechoncho [re'tʃontʃo] *adj. col.* rechonchudo, gorducho

recibí [reθi'βi] *s.m.* [expressão que aparece num documento ou fatura abaixo da assinatura e indica que foi recebido]

recibidor [reθiβi'ðor] *s.m.* hall, antessala*f.*, sala de espera

recibimiento [reθiβi'mjento] *s.m.* recepção*f.*, acolhimento, acolhida*f.*

recibir [reθi'βir] *v.* **1** (oferta) receber, tomar; (sugestão) aceitar, admitir **2** (notícia) receber **3** (hóspedes) acolher; (visitas) receber **4** (paciente) receber, atender **5** (salário) ganhar

recibo [re'θiβo] *s.m.* **1** recibo, fatura*f.* **2** recepção*f.*, recebimento ♦ (correspondência, encomenda) **acusar recibo de** acusar a recepção de; *col.* **ser de recibo** ser aceitável/admissível

reciclable [reθi'klaβle] *adj.2g.* reciclável

reciclado [reθi'klaðo] *adj.* reciclado

reciclaje [reθi'klaxe] *s.m.* **1** (de matérias usadas) reciclagem*f.* **2** (de pessoa) reciclagem*f.*; *curso de reciclaje* curso de reciclagem

reciclar [reθi'klar] *v.* reciclar

recidiva [reθi'ðiβa] *s.f.* recidiva

recién [re'θjen] *adv.* recém, recentemente ♦ **recién casado** recém-casado; **recién llegado** recém-chegado; **recién nacido** recém-nascido; **recién pintado** (com) tinta fresca

reciente [re'θjente] *adj.2g.* **1** recente **2** (pão) fresco

recientemente [reθjente'mente] *adv.* recentemente

recinto [re'θinto] *s.m.* recinto

recio ['reθjo] *adj.* **1** *(fuerte)* forte, rijo **2** (pessoa) robusto **3** (clima) rigoroso **4** (vinho) encorpado ■ *adv.* com intensidade, muito; *nevó recio durante la noche* nevou intensamente durante a noite

recipiente [reθi'pjente] *s.m.* recipiente

reciprocidad [reθiproθi'ðað] *s.f.* reciprocidade

recíproco [re'θiproko] *adj.* recíproco, mútuo

recitación [reθita'θjon] *s.f.* recitação

recitado [reθi'taðo] *s.m.* **1** recitação*f.*, declamação*f.* **2** MÚS. recitativo

recital [reθi'tal] *s.m.* recital

recitar [reθi'tar] *v.* recitar, declamar

reclamación [reklama'θjon] *s.f.* reclamação

reclamar [rekla'mar] *v.* **1** reclamar **2** reclamar, protestar

reclamo [re'klamo] *s.m.* **1** (caça) chamariz, reclamo **2** *fig.* engodo ♦ **reclamo publicitario** anúncio, comercial

reclinatorio [reklina'torjo] *s.m.* genuflexório

recluir [reklu'ir] *v.* enclausurar, recluir ■ **recluirse** enclausurar-se

reclusión [reklu'sjon] *s.f.* reclusão

reclus|o, -a [re'kluso] *adj.,s.m.,f.* reclus|o, -a, pres|o, -a

recluta [re'kluta] *s.m.* recruta*2g.*

reclutamiento [rekluta'mjento] *s.m.* recrutamento

reclutar [reklu'tar] *v.* recrutar

recobrar [reko'βrar] *v.* recuperar, readquirir ■ **recobrarse** recuperar-se

recochineo [rekotʃi'neo] *s.m. col.* troça*f.*, escárnio, risota*f.*, galhofa*f.*

recodo [re'koðo] *s.m.* (caminho, rua, rio) curva*f.* acentuada, cotovelo

recogedor [rekoxe'ðor] *s.m.* pá*f.* de lixo

recogepelotas [rekoxepe'lotas] *s.2g.2n.* gandula

recoger [reko'xer] *v.* **1** *(coger)* pegar, recolher, apanhar **2** *(guardar)* guardar **3** (colheita, fruta) colher **4** *(ordenar)* arrumar **5** (cabelo) prender **6** *(ir a buscar)* ir buscar, pegar; *recoger a la niña al colegio* ir buscar a menina no colégio ■ **recogerse** recolher-se, retirar-se (para descansar)

recogida [reko'xiða] *s.f.* **1** recolha; *recogida de la basura* coleta do lixo **2** AGR. colheita, apanha

recogido [reko'xiðo] *adj.* recolhido, retraído, retirado ■ *s.m.* (penteado, vestuário) apanhado

recogimiento [rekoxi'mjento] *s.m.* recolhimento

recolección [rekolek'θjon] *s.f.* **1** (donativos, dados) recolha **2** AGR. colheita, ceifa

recolectar [rekolek'tar] *v.* **1** (donativos, dados) recolher, reunir **2** AGR. colher

recomendable [rekomen'daβle] *adj.2g.* recomendável

recomendación [rekomenda'θjon] *s.f.* **1** *(consejo)* recomendação, conselho*m.* **2** (para emprego) recomendação, referência(s)

recomendado [rekomen'dado] *adj.* **1** recomendado, aconselhado **2** (pessoa) recomendado

recomendar [rekomen'dar] *v.* **1** *(aconsejar)* recomendar, aconselhar **2** (para emprego) recomendar

recompensa [rekom'pensa] *s.f.* recompensa, prêmio*m.*

recompensar [rekompen'sar] *v.* recompensar

recomponer [rekompo'ner] *v.* reparar, recompor

reconciliación [rekonθilja'θjon] *s.f.* reconciliação

reconciliar [rekonθi'ljar] *v.* reconciliar ■ **reconciliarse** reconciliar-se

recóndito [re'kondito] *adj.* recôndito, escondido, oculto

reconfortante [rekomfor'tante] *adj.2g.* reconfortante

reconocer [rekono'θer] *v.* **1** *(identificar)* reconhecer, identificar **2** (erro, falta) admitir **3** *(agradecer)* reconhecer, agradecer **4** (paciente) examinar **5** (terreno) reconhecer, explorar ■ **reconocerse** reconhecer-se, declarar se

reconocible [rekono'θiβle] *adj.2g.* reconhecível

reconocimiento [rekonoθi'mjento] *s.m.* **1** reconhecimento **2** agradecimento ♦ **reconocimiento médico** exame médico

reconquista [rekoŋ'kista] *s.f.* reconquista

reconstitución [rekonstitu'θjon] *s.f.* reconstituição

reconstrucción [rekonstruk'θjon] *s.m.* reconstrução

reconstructivo [rekonstruk'tiβo] *adj.* reconstrutivo

reconstruir [rekonstru'ir] *v.* **1** reconstruir **2** *fig.* reconstituir

recopilación [rekopila'θjon] *s.f.* compilação, recopilação
récord ['rekor] *s.m.* recorde ▪ *adj.2g.2n.* recorde, imbatível; *en (un) tiempo récord* em tempo recorde
recordar [rekor'ðar] *v.* recordar, lembrar ♦ **que yo recuerde** tanto quanto me lembro; **si mal no recuerdo** se bem me lembro, se a memória não me falha
recordatorio [rekorða'torjo] *s.m.* **1** lembrete **2** lembrança*f.*, recordação*f.*
recorrer [reko'rer] *v.* percorrer
recorrido [reko'riðo] *s.m.* percurso, trajeto
recortable [rekor'taβle] *s.m.* figura*f.* para recortar
recortar [rekor'tar] *v.* recortar
recorte [re'korte] *s.m.* **1** recorte; *recorte de papel* recorte de papel **2** corte, restrição*f.*; *recorte de gastos* corte de despesas
recostar [rekos'tar] *v.* recostar, reclinar ▪ **recostarse** encostar-se, recostar-se
recreación [rekrea'θjon] *s.f.* recriação
recrear [rekre'ar] *v.* **1** *(entetener)* recrear, entreter **2** *(volver a crear)* recriar ▪ **recrearse** recrear-se, divertir se
recreativo [rekrea'tiβo] *adj.* recreativo
recreo [re'kreo] *s.m.* **1** *(diversión)* divertimento, diversão*f.*, recreio **2** (escola) recreio; (de aulas) intervalo
recriminación [rekrimina'θjon] *s.f.* recriminação, censura, crítica
recriminar [rekrimi'nar] *v.* recriminar, censurar, criticar
recta ['rekta] *s.f.* reta
rectangular [rektaŋgu'lar] *adj.2g.* retangular
rectángulo [rek'taŋgulo] *s.m.* retângulo
rectificación [rektifika'θjon] *s.f.* retificação, correção
rectificar [rektifi'kar] *v.* retificar, corrigir, emendar
rectilíneo [rekti'lineo] *adj.* retilíneo
rectitud [rekti'tuð] *s.f.* retidão
recto ['rekto] *adj.* **1** reto, direito **2** *fig.* reto, íntegro ▪ *adv.* direito; em frente; *siga todo recto* siga sempre em frente ▪ *s.m.* ANAT. reto
rector, -a [rek'tor] *s.m.,f.* reitor, -a
rectorado [rekto'raðo] *s.m.* **1** (edifício) reitoria*f.* **2** (cargo) reitoria*f.*, reitorado **3** (tempo) reitorado
recua ['rekwa] *s.f.* récua
recuadro [re'kwaðro] *s.m.* **1** quadrado **2** quadro
recubrimiento [rekuβri'mjeṇto] *s.m.* cobertura*f.*
recuento [re'kweṇto] *s.m.* **1** apuramento; *recuento de los votos* apuração dos votos **2** recontagem*f.*
recuerdo [re'kwerðo] *s.m.* **1** *(memoria)* lembrança*f.*, recordação*f.*, memória*f.* **2** *(regalo)* presente, lembrança*f.*, suvenir ▪ **recuerdos** *s.m.pl.* lembranças*f.*, cumprimentos
recuperación [rekupera'θjon] *s.f.* recuperação
recuperar [rekupe'rar] *v.* recuperar, readquirir, reaver ▪ **recuperarse** (saúde) recuperar, restabelecer se, ficar bem
recurrente [reku'reṇte] *adj.2g.* recorrente
recurrir [reku'rir] *v.* **1** recorrer (a, a) **2** DIR. recorrer (contra, de), apelar; *recurrir contra la sentencia* recorrer da sentença
recurso [re'kurso] *s.m.* **1** *(medio)* recurso, meio, expediente **2** DIR. recurso ▪ **recursos** *s.m.pl.* recursos; *recursos humanos* recursos humanos; *recursos naturales* recursos naturais
recusable [reku'saβle] *adj.2g.* recusável
red ['reð] *s.f.* **1** (tecido) rede **2** (caça, pesca) rede **3** *fig.* rede, cilada, armadilha; *caer en la red* cair na rede **4** ESPOR. rede **5** (comunicações, transportes) rede **6** (lojas, organizações) rede, cadeia **7** INFORM. rede
redacción [reðak'θjon] *s.f.* redação
redactar [reðak'tar] *v.* redigir, escrever
redactor, -a [reðak'tor] *s.m.,f.* redator, -a
redada [re'ðaða] *s.f.* (policial) batida policial
rededor [reðe'ðor] ♦ **al/en rededor** ao redor
redención [reðeṇ'θjon] *s.f.* redenção
redentor, -a [reðeṇ'tor] *adj.,s.m.,f.* redentor, -a
Redentor [reðeṇ'tor] *s.m.* Redentor
redicho [re'ðitʃo] *adj. col.* afetado
redil [r̄e'ðil] *s.m.* redil
redimensionamiento [reðimensjona'mjeṇto] *s.m.* redimensionamento
redoblar [reðo'βlar] *v.* **1** redobrar **2** (tambor) rufar
redoble [re'ðoβle] *s.m.* (tambor) rufo
redoma [re'ðoma] *s.f.* redoma
redomado [reðo'maðo] *adj.* inveterado; *mentiroso redomado* mentiroso inveterado
redonda [re'ðoṇda] *s.f.* MÚS. semibreve
redondear [reðoṇde'ar] *v.* **1** arredondar, redondear **2** (valor) arredondar
redondel [reðoṇ'del] *s.m.* **1** círculo, circunferência*f.* **2** (praça de touros) arena*f.*, redondel
redondilla [reðoṇ'diʎa] *s.f.* redondilha
redondo [re'ðoṇdo] *adj.* **1** redondo, circular, esférico; *la Tierra es redonda* a Terra é redonda **2** (número) redondo **3** *col.* claro, categórico **4** *col.* completo, perfeito ♦ **en redondo** redondamente, categoricamente
reducción [reðuk'θjon] *s.f.* **1** *(disminución)* redução, diminuição **2** (veículo) redução (de velocidade) **3** LING. redução
reducido [reðu'θiðo] *adj.* reduzido
reducir [reðu'θir] *v.* **1** *(disminuir)* reduzir, diminuir **2** *(vencer)* subjugar **3** (veículo) reduzir (velocidade) ▪ **reducirse** reduzir-se (a, a)
reductible [reðuk'tiβle] *adj.2g.* redutível
reducto [re'ðukto] *s.m.* reduto
reductor [reðuk'tor] *adj.* redutor; *faja reductora* cinta redutora
redundancia [reðuṇ'daṇθja] *s.f.* redundância
redundante [reðuṇ'daṇte] *adj.2g.* redundante
reedición [re(e)ði'θjon] *s.f.* reedição
reedificación [re(e)ðifika'θjon] *s.f.* reedificação
reeducación [re(e)ðuka'θjon] *s.f.* reeducação
reelección [re(e)lek'θjon] *s.f.* reeleição
reelecto [re(e)'lekto] ⟨*p.p. de* reelegir⟩ *adj.* reeleito

reelegir [re(e)le'xir] *v.* reeleger
reembolso [re(e)m'bolso] *s.m.* reembolso ◆ (encomenda) **contra reembolso** reembolso postal
reemplazable [re(e)mpla'θaβle] *adj.2g.* substituível
reemplazar [re(e)mpla'θar] *v.* substituir
reemplazo [re(e)m'plaθo] *s.m.* **1** substituição*f.* **2** MIL. recrutamento
reencarnación [re(e)ŋkarna'θjon] *s.f.* reencarnação
reencuentro [re(e)ŋ'kwentro] *s.m.* reencontro
reenvío [re(e)m'bio] *s.m.* reenvio
reestructuración [re(e)struktura'θjon] *s.f.* reestruturação
refectorio [re(e)fek'torjo] *s.m.* refeitório (de convento)
referencia [refe'renθja] *s.f.* **1** *(alusión)* referência, alusão; *hacer referencia a algo* fazer referência a alguma coisa **2** *(modelo)* referência, modelo*m.* ■ **referencias** *s.f.pl.* referências*pl.*, informações*pl.*
referendo [refe'rendo] *s.m.* ⇒ **referéndum**
referéndum [refe'rendum] *s.m.* (*pl.* referendos) referendo
referente [refe'rente] *adj.2g.* referente (a, a) ■ *s.m.* referente
referir [refe'rir] *v.* referir, aludir ■ **referirse** referir-se (a, a), aludir (a, a)
refinado [refi'naðo] *adj.* **1** (estilo, maneiras) refinado, delicado, requintado **2** (humor, sensibilidade) sutil, apurado **3** (crueldade, maldade) refinado, extremo ■ *s.m.* refinação*f.*
refinamiento [refina'mjento] *s.m.* refinamento, requinte
refinar [refi'nar] *v.* **1** (substância) refinar, purificar **2** *fig.* refinar, requintar ■ **refinarse** refinar-se, aperfeiçoar-se
refinería [refine'ria] *s.f.* refinaria; *refinería de azúcar* refinaria de açúcar
reflectante [reflek'tante] *adj.2g.* refletor
reflector [reflek'tor] *adj.* refletor ■ *s.m.* refletor
reflejar [refle'xar] *v.* **1** (imagem, luz) refletir **2** *(mostrar)* refletir, mostrar ■ **reflejarse** (dor, sensação) refletir-se, manifestar se
reflejo [re'flexo] *s.m.* reflexo ■ *adj.* reflexo ■ **reflejos** *s.m.pl.* **1** *(reacción)* reflexos **2** (cabelo) reflexos; madeixas*f.* ◆ **reflejo condicionado** reflexo condicionado
reflexión [reflek'sjon] *s.f.* **1** reflexão, meditação **2** FÍS. reflexão
reflexionar [refleksjo'nar] *v.* refletir (sobre, sobre)
reflexivo [reflek'siβo] *adj.* **1** reflexivo **2** LING. reflexo; *verbos reflexivos* verbos reflexos
reflexología [reflexolo'xia] *s.f.* reflexologia
reforestación [reforesta'θjon] *s.f.* reflorestação
reforestar [refores'tar] *v.* (terreno) reflorestar
reforma [re'forma] *s.f.* reforma; *reforma agraria* reforma agrária; *reforma ortográfica* reforma ortográfica
Reforma [re'forma] *s.f.* Reforma
reformar [refor'mar] *v.* **1** (lei) reformar, modificar **2** (edifício) reformar, reconstruir **3** (pessoa) corrigir, emendar
reformatorio [reforma'torjo] *s.m.* reformatório, casa*f.* de correção
reforzar [refor'θar] *v.* reforçar
refracción [refrak'θjon] *s.f.* refração
refractario [refrak'tarjo] *adj.* **1** (material) refratário **2** (pessoa) refratário, insubmisso
refrán [re'fran] *s.m.* provérbio, ditado; *como dice el refrán* como diz o provérbio ◆ **tener refranes para todo** ter resposta para tudo
refrescante [refres'kante] *adj.2g.* refrescante
refrescar [refres'kar] *v.* **1** refrescar, refrigerar **2** *fig.* (memória) reavivar, refrescar
refresco [re'fresko] *s.m.* **1** refresco **2** refrigerante **3** coquetel ◆ **de refresco** de reserva, fresco
refrigeración [refrixera'θjon] *s.f.* refrigeração
refrigerador [refrixera'ðor] *adj.* refrigerador ■ *s.m.* geladeira*f.*, refrigerador
refrigerar [refrixe'rar] *v.* refrigerar
refuerzo [re'fwerθo] *s.m.* reforço, fortalecimento ■ **refuerzos** *s.m.pl.* reforços
refugiad|o, -a [refu'xjaðo] *s.m.,f.* refugiad|o, -a
refugiar [refuxi'ar] *v.* abrigar, acolher ■ **refugiarse** refugiar-se (de, de)
refugio [re'fuxjo] *s.m.* refúgio ◆ **refugio antiaéreo** abrigo antiaéreo; **refugio atómico/nuclear** abrigo nuclear
refunfuñar [refuɱfu'ɲar] *v. col.* resmungar, rezingar, refilar
regadera [reɣa'ðera] *s.f.* regador*m.* ◆ *col.* **estar como una regadera** estar completamente louco/passado
regalar [reɣa'lar] *v.* oferecer, presentear ■ **regalarse** regalar-se (con, com)
regaliz [reɣa'liθ] *s.m.* alcaçuz
regalo [re'ɣalo] *s.m.* **1** *(obsequio)* presente; *regalo de cumpleaños* presente de aniversário **2** *(placer)* regalo, prazer ◆ **de regalo** (como) oferta
regañar [reɣa'ɲar] *v.* **1** *(reprender)* ralhar, repreender **2** (pessoas) discutir (con, com), brigar (con, com) **3** (cão) rosnar **4** (fruta) gretar
regar [re'ɣar] *v.* **1** (plantas) regar **2** (sangue) irrigar **3** (curso de água) banhar
regata [re'ɣata] *s.f.* regata
regatear [reɣate'ar] *v.* **1** (preço) regatear, discutir **2** ESPOR. fintar, driblar
regazo [re'ɣaθo] *s.m.* regaço, colo
regeneración [rexenera'θjon] *s.f.* regeneração
regente [re'xente] *s.2g.* regente
régimen ['reximen] *s.m.* **1** POL. regime **2** LING. regência*f.* **3** *(normas)* regime **4** *(dieta)* regime, dieta*f.* ◆ DIR. **régimen de bienes gananciales** regime de comunhão de bens
regimiento [rexi'mjento] *s.m.* **1** regimento **2** *col.* regimento, multidão*f.*
región [re'xjon] *s.f.* região ◆ ANAT. **región torácica** região toráxica
regional [rexjo'nal] *adj.2g.* regional

regir [re'xir] *v.* **1** reger **2** (lei) vigorar, estar em vigor **3** *col.* (pessoa) regular; *¡esa chica no rige muy bien!* essa menina não regula bem!

registrar [rexis'trar] *v.* **1** *(inscribir)* registrar **2** *(examinar)* revistar, inspecionar **3** (invento, marca comercial) registrar ■ **registrarse 1** *(matricularse)* matricular-se **2** *(ocurrir)* acontecer, suceder

registro [re'xistro] *s.m.* **1** *(inscripción)* registro **2** *(inspección)* revista*f.*, busca*f.*; *registro domiciliario* busca domiciliar **3** (documento, repartição) registro **4** MÚS. (instrumento, voz) registro, timbre **5** LING. registro ♦ **registro civil** registro civil; **registro de la propiedad** registro predial/de propriedade

regla ['reγla] *s.f.* **1** *(norma)* regra, norma **2** (instrumento) régua; *regla de cálculo* régua de cálculo **3** *col.* menstruação; *dolores de regla* cólicas menstruais ♦ **en regla** em ordem; **por regla general** em princípio, geralmente; **regla de tres** regra de três

reglamento [reγla'mento] *s.m.* regulamento

regresar [reγre'sar] *v.* **1** regressar, retornar **2** [AM.] devolver

regreso [re'γreso] *s.m.* regresso

regular [reγu'lar] *v.* **1** *(regularizar)* regular, regulamentar **2** *(ajustar)* regular, ajustar ■ *adj.2g.* **1** (norma, lei) regular **2** *(mediano)* regular, mediano, razoável **3** *(uniforme)* regular, uniforme **4** LING. regular; *participio regular* particípio regular; *verbo regular* verbo regular **5** REL. regular ■ *adv.* regular, regularmente ♦ **por lo regular** normalmente, habitualmente

regularidad [reγulari'δaδ] *s.f.* regularidade ♦ **con regularidad** com regularidade, regularmente

regularización [reγulariθa'θjon] *s.f.* regularização

regularizar [reγulari'θar] *v.* regularizar, regular

rehabilitación [reaβilita'θjon] *s.f.* **1** (doente, delinquente) reabilitação **2** (edifício) restauração

rehabilitar [reaβili'tar] *v.* **1** (pessoa) reabilitar, regenerar **2** (edifício) restaurar ■ **rehabilitarse** reabilitar-se, regenerar se

rehacer [rea'θer] *v.* refazer ■ **rehacerse** refazer-se

rehén [re'en] *s.2g.* refém

rehogar [reo'γar] *v.* refogar

rehuir [reu'ir] *v.* (perigo, pessoa) evitar

rehusar [reu'sar] *v.* recusar, rejeitar

reimpresión [reimpre'sjon] *s.f.* reimpressão

reina ['rejna] *s.f.* ⟨*m.* rey⟩ **1** rainha, soberana **2** (xadrez) rainha, dama **3** ZOOL. abelha rainha, abelha mestra

reinado [rej'naδo] *s.m.* reinado

reinar [rej'nar] *v.* **1** *(gobernar)* reinar **2** *fig.* reinar, prevalecer

reincorporar [reiŋkorpo'rar] *v.* reincorporar

reino ['rejno] *s.m.* reino

reintegración [rejnteγra'θjon] *s.f.* reintegração

reintegro [rejn'teγro] *s.m.* **1** (dinheiro) saque **2** *(devolución)* devolução, restituição*f.* **3** *(reintegración)* reintegração*f.*

reír [re'ir] *v.* rir ■ **reírse** rir-se (de, de) ♦ **reírse a carcajadas** rir(-se) às gargalhadas

reiterar [rejte'rar] *v.* reiterar, repetir

reivindicación [rejβindika'θjon] *s.f.* reivindicação

reivindicar [rejβindi'kar] *v.* reivindicar

reivindicativo [rejβindika'tiβo] *adj.* reivindicativo

reja ['rexa] *s.f.* **1** (arado) relha **2** (janela) grade ♦ *col.* **entre/tras las rejas** atrás das grades; na prisão

rejilla [re'xiʎa] *s.f.* **1** (porta, janela) grade **2** (fogão) grelha **3** *(desagüe)* ralo*m.* **4** (cadeiras) palhinha*m.*

rejuvenecer [rexuβene'θer] *v.* rejuvenescer

relación [rela'θjon] *s.f.* **1** (entre pessoas) relação, ligação **2** (entre coisas) relação, conexão **3** *(lista)* relação, lista; *relación de gastos* lista de despesas **4** *(relato)* narração, relato*m.* **5** *(trato social)* relação, relacionamento*m.* ■ **relaciones** *s.f.pl.* relações*pl.*; *relaciones sexuales* relações sexuais; *romper las relaciones con alguien* cortar relações com alguém ♦ **con relación a** com relação a, relativamente a; **en relación con** em relação a, relativamente a; **relaciones públicas** relações-públicas

relacionar [relaθjo'nar] *v.* **1** (fatos, ideias, pessoas) relacionar, associar **2** *(relatar)* relatar, narrar, relacionar ■ **relacionarse** relacionar-se (con, com)

relajación [relaxa'θjon] *s.f.* relaxação, relaxamento*m.*

relajar [rela'xar] *v.* **1** *(aflojar)* relaxar, afrouxar **2** (pessoa) relaxar, descontrair ■ **relajarse** relaxar-se, descontrair se

relámpago [re'lampaγo] *s.m.* relâmpago ■ *adj.2g.2n.* relâmpago; *viaje/visita relámpago* viagem/visita-relâmpago

relatar [rela'tar] *v.* relatar, contar

relatividad [relatiβi'δaδ] *s.f.* relatividade ♦ **teoría de la relatividad** teoria da relatividade

relativo [rela'tiβo] *adj.* relativo ♦ **en lo relativo a** no que se refere a

relato [re'lato] *s.m.* relato

relevante [rele'βante] *adj.2g.* relevante, importante

relevar [rele'βar] *v.* **1** *(sustituir)* substituir **2** *(destituir)* exonerar, destituir **3** *(eximir)* liberar (de, de)

relevo [re'leβo] *s.m.* **1** MIL. rendição*f.* **2** (pessoa) substituto **3** ESPOR. revezamento*f.*

relieve [re'ljeβe] *s.m.* **1** relevo, saliência*f.* **2** GEOG. relevo **3** *fig.* importância*f.*, influência*f.* ♦ **poner de relieve** pôr em relevo, destacar

religión [reli'xjon] *s.f.* religião

religiosidad [relixjosi'δaδ] *s.f.* religiosidade

religios|o, -a [reli'xjoso] *adj.,s.m.,f.* religios|o, -a

relinchar [relin'tʃar] *v.* (cavalo) relinchar

reliquia [re'likja] *s.f.* relíquia

rellano [re'ʎano] *s.m.* (escadas) patamar

rellenar [reʎe'nar] *v.* **1** *(volver a llenar)* encher, reencher **2** *(tapar)* encher **3** (alimento) rechear **4** (ficha, impresso) preencher

relleno [re'ʎeno] *adj.* **1** recheado **2** (ficha, impresso) preenchido ■ *s.m.* **1** CUL. recheio **2** (de almofadas) enchimento, recheio **3** (de cadeiras, sofás) estofo

reloj [re'lox] *s.m.* relógio; *reloj de cuco* (relógio de) cuco; *reloj de pulsera* relógio de pulso; *reloj de sol* relógio de sol; *reloj digital* relógio digital ♦ *col.* **como un reloj** como um relógio, muito bem; **contra reloj**

contrarrelógio; **reloj biológico** relógio biológico; **reloj de arena** ampulheta

relojería [reloxe'ria] *s.f.* (arte, estabelecimento) relojoaria ♦ **bomba de relojería** bomba-relógio

reluciente [relu'θjen̪te] *adj.2g.* reluzente

relucir [relu'θiɾ] *v.* reluzir, brilhar ♦ *col.* **sacar a relucir** trazer à baila

remangar [remaŋ'gaɾ] *v.* arregaçar

remar [re'maɾ] *v.* remar

rematar [rema'taɾ] *v.* **1** *(terminar)* rematar, concluir, terminar **2** ESPOR. rematar, chutar **3** (costura) rematar **4** ESPOR. rematar, chutar

remate [re'mate] *s.m.* **1** *(terminación)* remate, conclusão*f.* **2** remate, chute **3** (costura) remate, acabamento ♦ *col.* (qualidade negativa) **de remate** completamente

remediar [reme'ðjaɾ] *v.* **1** remediar, reparar; *remediar los daños causados* remediar os danos causados **2** evitar; *no lo pude remediar* não pude evitar

remedio [re'meðjo] *s.m.* **1** *(medicamento)* remédio, medicamento **2** *(solución)* remédio; *no tener remedio* não ter remédio ♦ **a grandes males, grandes remedios** para grandes males, grandes remédios; **¡qué remedio!** que remédio!; **ser peor el remedio que la enfermedad** é pior a emenda que o soneto

remendar [remen̪'daɾ] *v.* **1** (tecido) remendar **2** (texto) emendar, corrigir

remeter [reme'teɾ] *v.* meter

remiendo [re'mjen̪do] *s.m.* **1** (pano, tecido) remendo **2** *(arreglo)* remendo

remite [re'mite] *s.m.* remetente

remitente [remi'ten̪te] *adj.2g.* remitente ▪ *s.2g.* remetente

remitir [remi'tiɾ] *v.* **1** (correspondência) remeter, enviar **2** (obra, texto) remeter (a, para) **3** (febre) baixar, diminuir **4** (tempestade) abrandar ▪ **remitirse** remeter-se (a, a)

remo ['remo] *s.m.* remo

remojar [remo'xaɾ] *v.* **1** *(poner en remojo)* demolhar, pôr de molho **2** *(empapar)* embeber, empapar

remojo [re'moxo] *s.m.* molho; *poner a/en remojo* pôr de molho, demolhar

remolacha [remo'latʃa] *s.f.* beterraba

remolcar [remol'kaɾ] *v.* (veículo) rebocar

remolino [remo'lino] *s.m.* remoinho, redemoinho

remolque [re'molke] *s.m.* **1** reboque **2** (veículo) reboque, atrelado ♦ **a remolque** a reboque

remontar [remon̪'taɾ] *v.* **1** (declive) subir, transpor **2** (dificuldade) superar, ultrapassar

remordimiento [remorði'mjen̪to] *s.m.* remorso

remoto [re'moto] *adj.* **1** (no tempo, no espaço) remoto, distante **2** (recordação) vago

remover [remo'βeɾ] *v.* **1** (líquido, molho) remover, mexer **2** (terra) remexer, revolver, misturar **3** (assunto, tema) remexer, investigar **4** (funcionário) destituir, demitir

remuneración [remuneɾa'θjon] *s.f.* remuneração

remunerar [remune'ɾaɾ] *v.* remunerar, pagar

renacentista [renaθen̪'tista] *adj.2g.* renascentista

renacimiento [renaθi'mjen̪to] *s.m.* renascimento

renacuajo [rena'kwaxo] *s.m.* **1** girino **2** *col.* criança*f.*

renal [re'nal] *adj.2g.* renal; *insuficiencia renal* insuficiência renal

rencilla [reŋ'θiʎa] *s.f.* desavença, rixa

rencor [reŋ'koɾ] *s.m.* rancor, ressentimento

rendición [ren̪di'θjon] *s.f.* rendição, capitulação ♦ **rendición de cuentas** prestação de contas

rendido [ren̪'diðo] *adj.* **1** rendido, submisso **2** *(exhausto)* cansado, estourado, exausto

rendimiento [ren̪di'mjen̪to] *s.m.* **1** rendimento **2** (alunos) aproveitamento **3** *(cansancio)* cansaço, fadiga*f.* **4** *(sumisión)* submissão*f.*

rendir [ren̪'diɾ] *v.* **1** *(vencer)* render, vencer, derrotar **2** (homenagem, tributo) render, prestar; *rendir homenaje* render homenagem **3** (dinheiro) render, dar lucro **4** (pessoa) cansar, fatigar **5** render, ser produtivo ▪ **rendirse** render-se, submeter se; *rendirse ante la evidencia* render-se perante a(s) evidência(s)

renegar [rene'ɣaɾ] *v.* **1** renegar **2** (ideias, crenças) renegar (de, -); *renegó de su fe cristiana* renegou a fé cristã **3** *(maldecir)* praguejar **4** *(refunfuñar)* resmungar, protestar

renglón [reŋ'glon] *s.m.* **1** *(línea)* linha*f.* **2** (caderno, folha) pauta*f.* ▪ **renglones** *s.m.pl.* (carta) linhas*f.* ♦ **a renglón seguido** em seguida, imediatamente

renio ['renjo] *s.m.* rênio

reno ['reno] *s.m.* rena*f.*

renombre [re'nombɾe] *s.m.* renome, fama*f.*

renovable [reno'βaβle] *adj.2g.* renovável; *energías renovables* energias renováveis

renovación [renoβa'θjon] *s.f.* **1** (edifício) restauro*m.*, renovação **2** (equipamento) modernização, renovação **3** (documento) renovação, substituição **4** (discussão, projeto) recomeço*m.*, reatamento*m.*

renovador [renoβa'ðoɾ] *adj.* renovador

renovar [reno'βaɾ] *v.* **1** (edifício) restaurar, renovar **2** (equipamento) modernizar, renovar **3** (documento) renovar, substituir **4** (discussão, projeto) recomeçar, retomar ▪ **renovarse** renovar-se

renta ['ren̪ta] *s.f.* **1** *(rendimiento)* rendimento*m.*, lucro*m.*; *renta fija/variable* renda fixa/variável; *renta per cápita* renda per capita **2** *(alquiler)* aluguel*m.* **3** ECON. dívida pública ♦ *col.* **vivir de las rentas** viver de renda

rentabilidad [ren̪taβili'ðað] *s.f.* rentabilidade

rentabilización [ren̪taβiliθa'θjon] *s.f.* rentabilização

rentable [ren̪'taβle] *adj.2g.* rentável, lucrativo

renuncia [re'nun̪θja] *s.f.* renúncia

renunciar [renun̪'θjaɾ] *v.* **1** (direito, cargo) renunciar (a, a), abdicar (a, de); *renunció a su herencia* renunciou à sua herança **2** (projeto) desistir (a, de); *renunciar a los sueños* desistir dos seus sonhos

reñir [re'ɲiɾ] *v.* **1** *(reprender)* ralhar, repreender **2** *(discutir)* brigar, discutir

reo ['reo] *s.2g.* r|éu, -é*m.f.*

reocupación [reokupa'θjon] *s.f.* reocupação

reojo [re'oxo] ♦ **mirar de reojo** olhar de esguelha, olhar de soslaio

reordenación [reorδena'θjon] *s.f.* reordenação
reorganización [reorγaniθa'θjon] *s.f.* reorganização
reorganizar [reorγani'θar] *v.* reorganizar
reparación [repara'θjon] *s.f.* **1** reparação, consertom. **2** *fig.* desagravom.
reparar [repa'rar] *v.* **1** (aparelho, máquina) reparar, consertar **2** (erro, falta) reparar, corrigir **3** (forças, energias) restabelecer **4** *fig.* (ofensa) desagravar **5** reparar (en, em)
reparo [re'paro] *s.m.* reparo, advertênciaf., objeçãof. ♦ **(no) tener reparos en** (não) hesitar em; **poner reparos a** pôr defeitos em
repartir [repar'tir] *v.* **1** (alimentos, bens) repartir, dividir **2** (creme, substância) espalhar **3** (correspondência) entregar, distribuir **4** (texto) dividir, ordenar ■ **repartirse** (pessoas, recursos) distribuir se
reparto [re'parto] *s.m.* **1** *(distribución)* distribuiçãof., divisãof.; *reparto de beneficios* distribuição de lucros **2** *(entrega)* entregaf.; *reparto a domicilio* entrega em domicílio **3** CIN.,TEAT. elenco
repasar [repa'sar] *v.* **1** (texto) rever, reler **2** (lição) reexplicar, repetir **3** (assunto) retocar, repensar **4** (roupa) remendar, coser
repatriar [repatri'ar] *v.* repatriar
repelente [repe'lente] *adj.2g.* **1** (aspecto, cheiro) repelente, repugnante **2** *col.* (pessoa) presumido, sabichão ■ *s.m.* repelente
repeler [repe'ler] *v.* **1** (ataque) repelir **2** *(rechazar)* recusar, rejeitar **3** repugnar ■ **repelerse** repelir-se
repente [re'pente] *s.m.* *col.* impulso, ímpeto ♦ **de repente** de repente
repentino [repen'tino] *adj.* repentino, súbito
repercusión [reperku'sjon] *s.f.* repercussão
repercutir [reperku'tir] *v.* **1** repercutir (en, em) **2** (luz, som) repercutir, refletir
repertorio [reper'torjo] *s.m.* repertório
repetición [repeti'θjon] *s.f.* repetição
repetir [repe'tir] *v.* repetir ■ **repetirse** repetir-se
repicar [repi'kar] *v.* (sinos) repicar
repisa [re'pisa] *s.f.* **1** prateleira **2** ARQ. mísula
repleto [re'pleto] *adj.* repleto, abarrotado, cheio
réplica ['replika] *s.f.* **1** *(respuesta)* réplica, resposta **2** *(objeción)* contestação, objeção **3** (obra de arte) réplica, cópia
replicar [repli'kar] *v.* replicar
repoblar [repo'βlar] *v.* **1** (pessoas) repovoar **2** (árvores) reflorestar
repollo [re'poʎo] *s.m.* repolho
reponer [repo'ner] *v.* **1** repor, restituir, devolver **2** (espetáculo, filme) representar, reprisar ■ **reponerse** recuperar-se, recompor se
reportaje [repor'taxe] *s.m.* reportagemf.
reporter|o, -a [repor'tero] *s.m.,f.* repórter2g.
reposar [repo'sar] *v.* **1** *(descansar)* repousar, descansar **2** *(yacer)* repousar, jazer **3** (líquido) repousar
reposo [re'poso] *s.m.* repouso
repostería [reposte'ria] *s.f.* confeitaria, pastelaria
reprensible [repren'siβle] *adj.2g.* repreensível
reprensión [repren'sjon] *s.f.* repreensão, admoestação, descompostura
represalia [repre'salja] *s.f.* represália; retaliação
representación [representa'θjon] *s.f.* representação ♦ **en representación de** em representação de, em nome de
representante [represen'tante] *adj.,s.2g.* **1** representante **2** (artista, atleta) manager, representante
representar [represen'tar] *v.* **1** (imagem, símbolo) representar **2** (idade) aparentar; *representas más edad* aparentas ter mais idade **3** *(tener importancia)* representar, significar **4** CIN.,TEAT. pôr em cena
representatividad [representatiβi'δaδ] *s.f.* representatividade
representativo [representa'tiβo] *adj.* representativo
represión [repre'sjon] *s.f.* **1** repressão **2** PSIC. recalcamentom.
represivo [repre'siβo] *adj.* repressivo
reprimenda [repri'menda] *s.f.* reprimenda, repreensão, descompostura
reprimir [repri'mir] *v.* **1** (ato, impulso) reprimir, conter, refrear **2** (sentimento) reprimir, ocultar **3** (direito, manifestação) proibir, reprimir ■ **reprimirse** reprimir-se, conter-se
reprobable [repro'βaβle] *adj.2g.* reprovável
reprobación [reproβa'θjon] *s.f.* reprovação
reprobador [reproβa'δor] *adj.* reprovador
reprochar [repro'tʃar] *v.* reprovar, censurar, recriminar
reproche [re'protʃe] *s.m.* reprovaçãof., censuraf., recriminaçãof.
reproducción [reproδuk'θjon] *s.f.* reprodução
reproducir [reproδu'θir] *v.* reproduzir
reproductivo [reproδuk'tiβo] *adj.* reprodutivo
reproductor [reproδuk'tor] *adj.* reprodutor
reptar [rep'tar] *v.* rastejar
reptil [rep'til] *s.m.* réptil
república [re'puβlika] *s.f.* república ♦ *pej.* **república bananera** república das bananas
República Checa [re'puβlika'tʃeka] *s.f.* República Tcheca
República Dominicana [re'puβlikaδomini'kana] *s.f.* República Dominicana
republican|o, -a [repuβli'kano] *adj.,s.m.,f.* republican|o, -a
repudiar [repu'δjar] *v.* repudiar
repuesto [re'pwesto] ⟨*p.p. de* reponer⟩ *adj.* reposto ■ *s.m.* **1** peçaf. sobressalente **2** provisãof., reservaf. ♦ **de repuesto** de reserva, sobressalente
repugnancia [repuγ'nanθja] *s.f.* repugnância, aversão
repugnante [repuγ'nante] *adj.2g.* repugnante, repulsivo
repulsión [repul'sjon] *s.f.* repulsa, aversão
repulsivo [repul'siβo] *adj.* repulsivo, repelente
reputación [reputa'θjon] *s.f.* reputação; *tener buena/mala reputación* ter boa/má reputação

requerir [reke'rir] *v.* **1** requerer, exigir, solicitar **2** notificar
requesón [reke'son] *s.m.* requeijão
requisar [reki'sar] *v.* requisitar
requisito [reki'sito] *s.m.* requisito, condição*f.*
res ['res] *s.f.* rês
resaca [re'saka] *s.f.* **1** (mar) ressaca **2** *col.* (bebedeira) ressaca
resaltar [resal'tar] *v.* **1** ressaltar, sobressair **2** distinguir--se **3** fazer ressaltar **4** pôr em evidência, salientar
resbaladizo [rezβala'ðiθo] *adj.* **1** escorregadio; *¡cuidado, piso resbaladizo!* cuidado, piso escorregadio! **2** (assunto) delicado, melindroso
resbalar [rezβa'lar] *v.* **1** *(deslizarse)* resvalar, deslizar, escorregar **2** (suor) escorrer **3** *col.* deixar indiferente
resbalón [rezβa'lon] *s.m.* escorregão, escorregadela*f.* ♦ **dar un resbalón** dar um fora, cometer uma gafe
rescatar [reska'tar] *v.* **1** resgatar, libertar, salvar **2** recuperar, reaver
rescate [res'kate] *s.m.* resgate
reseco [re'seko] *adj.* **1** ressequido, ressecado **2** magro, definhado
resentimiento [resenti'mjento] *s.m.* ressentimento
resentirse [resen'tirse] *v.* ressentir-se
reseña [re'seɲa] *s.f.* resenha
reserva [re'serβa] *s.f.* **1** reserva **2** (bilhetes, mesa, quarto) reserva, marcação **3** MIL. reserva ■ *s.2g.* ESPOR. reserva ♦ **reserva natural** reserva natural; **sin reservas** sem reservas
reservado [reser'βaðo] *adj.* reservado
reservar [reser'βar] *v.* **1** reservar, guardar **2** (quarto, mesa) reservar
resfriado [res'frjaðo] *s.m.* resfriado; *coger un resfriado* pegar um resfriado
resfriarse [res'frjarse] *v.* resfriar se
resguardo [rez'ɣwarðo] *s.m.* **1** talão, recibo **2** resguardo, abrigo
residencia [resi'ðenθja] *s.f.* residência ♦ (estrangeiros) **permiso de residencia** autorização de residência; **residencia de ancianos** lar de idosos; **residencia universitaria** residência universitária
residente [resi'ðente] *adj.2g.* **1** residente; *residente en Madrid* residente em Madri **2** (funcionário) residente **3** (médico) interno ■ *s.2g.* residente
residir [resi'ðir] *v.* **1** *(morar)* residir (en, em), habitar (en, em) **2** *(radicar)* residir (en, em), consistir (en, em)
residuo [re'siðwo] *s.m.* resíduo, resto ■ **residuos** *s.m.pl.* resíduos; *residuos industriales* resíduos industriais
resignación [resiɣna'θjon] *s.f.* resignação
resina [re'sina] *s.f.* resina
resistencia [resis'tenθja] *s.f.* **1** *(oposición)* resistência, oposição **2** *(aguante)* resistência, força **3** ELETR. resistência
resistente [resis'tente] *adj.2g.* resistente
resistir [resis'tir] *v.* **1** resistir (a, a) **2** opor-se (a, a) **3** recusar-se (a, a) **4** resistir (-, a) ■ **resistirse** opor--se (a, a)

resolución [resolu'θjon] *s.f.* **1** *(decisión)* resolução, deliberação **2** *(solución)* resolução, solução **3** *téc.* definição, resolução
resolver [resol'βer] *v.* **1** resolver **2** decidir-se ■ **resolverse** resolver-se, decidir se
resonancia [reso'nanθja] *s.f.* **1** ressonância **2** eco*m.* ♦ MED. **resonancia magnética** ressonância magnética
resonar [reso'nar] *v.* **1** ressoar, repercutir **2** ecoar
resorte [re'sorte] *s.m.* *(muelle)* mola*f.* ♦ **tocar muchos resortes** mexer os pauzinhos
respaldar [respal'dar] *v.* apoiar, amparar ■ *s.m.* (cadeira) encosto, espaldar, costas*f. pl.*
respaldo [res'paldo] *s.m.* **1** (cadeira) encosto, espaldar, costas*f. pl.* **2** *fig.* apoio, proteção*f.*
respectivo [respek'tiβo] *adj.* respectivo
respecto [res'pekto] *s.m.* respeito, relação*f.* ♦ **al respecto** a respeito; **con respecto a** com respeito a; **respecto a** a respeito de
respetable [respe'taβle] *adj.2g.* respeitável
respetar [respe'tar] *v.* respeitar
respeto [res'peto] *s.m.* respeito
respetuoso [respe'twoso] *adj.* respeitoso
respingón [respin'gon] *adj. col.* arrebitado; *nariz respingona* nariz arrebitado
respiración [respira'θjon] *s.f.* **1** (seres vivos) respiração **2** (quarto, sala) ventilação ♦ **respiración artificial** respiração artificial; **respiración asistida** respiração assistida; **respiración boca a boca** respiração boca a boca
respirar [respi'rar] *v.* **1** respirar **2** arejar **3** (sentimento) manifestar, respirar
respiratorio [respira'torjo] *adj.* respiratório
respiro [res'piro] *s.m.* **1** descanso, pausa*f.*; *tomarse un respiro* fazer uma pausa **2** alívio
resplandecer [resplande'θer] *v.* resplandecer, brilhar
resplandeciente [resplande'θjente] *adj.2g.* resplandecente
resplandor [resplan'dor] *s.m.* resplendor
responder [respon'der] *v.* **1** responder, retorquir **2** (telefonema) atender **3** responder, replicar **4** *(corresponder)* responder, corresponder **5** *(reaccionar)* reagir
respond|ón, -ona [respon'don] *adj.,s.m.,f. col.* respond|ão, -ona
responsabilidad [responsaβili'ðað] *s.f.* responsabilidade
responsabilización [responsaβiliθa'θjon] *s.f.* responsabilização
responsable [respon'saβle] *adj.,s.2g.* responsável ♦ **ser responsable de** ser o responsável por
respuesta [res'pwesta] *s.f.* **1** (a pergunta) resposta **2** (a terapia, tratamento) reação, resposta **3** (a problema) solução, resposta
resta ['resta] *s.f.* **1** *(sustracción)* subtração **2** (resultado) resto*m.*
restablecer [restaβle'θer] *v.* restabelecer ■ **restablecerse** restabelecer-se
restablecimiento [restaβleθi'mjento] *s.m.* **1** restabelecimento **2** (de doente) recuperação*f.*

restante [res'tante] *adj.2g.* restante ▪ *s.m.* restante, resto
restar [res'tar] *v.* **1** diminuir, reduzir **2** MAT. subtrair **3** (tempo) faltar; *restan dos semanas para las vacaciones* faltam duas semanas para as férias **4** ESPOR. devolver (a bola)
restauración [restawra'θjon] *s.f.* **1** (edifício, obra de arte) restauro*m.*, restauração **2** (regime político) restauração **3** (atividade) restauração, hotelaria **4** *(restablecimiento)* restabelecimento*m.*
restaurante [restaw'rante] *s.m.* restaurante
restaurar [restaw'rar] *v.* **1** (edifício, obra de arte) restaurar, reparar, consertar **2** (ordem, paz) restaurar, restabelecer **3** (regime político) restaurar
restitución [restitu'θjon] *s.f.* **1** *(devolución)* restituição **2** *(restablecimiento)* restabelecimento*m.*
resto ['resto] *s.m.* **1** resto **2** MAT. resto **3** ESPOR. devolução*f.* (da bola) ▪ **restos** *s.m.pl.* **1** (comida) restos, sobras*f.* **2** *(ruínas)* restos ♦ **restos (mortales)** restos mortais
restregar [restre'γar] *v.* esfregar
restricción [restrik'θjon] *s.f.* restrição
restringir [restriŋ'xir] *v.* restringir
resucitar [resuθi'tar] *v.* ressuscitar
resuelto [re'swelto] (*p.p. de* resolver) *adj.* **1** *(solucionado)* resolvido **2** *(determinado)* decidido (a, a)
resultado [resul'taðo] *s.m.* resultado
resultar [resul'tar] *v.* **1** *(ser consecuencia de)* resultar **2** *(ser)* ser **3** *(dar resultado)* resultar, dar certo **4** *(salir)* sair, resultar **5** *(derivar)* resultar (en, em) **6** *col.* (impressão) parecer
resumen [re'sumen] *s.m.* resumo, síntese*f.*; *hacer un resumen* fazer um resumo ♦ **en resumen** resumindo; em resumo
resumir [resu'mir] *v.* resumir, abreviar ▪ **resumirse** resumir-se
resurgimiento [resurxi'mjento] *s.m.* ressurgimento
resurgir [resur'xir] *v.* **1** ressurgir, reaparecer **2** (saúde) restabelecer se
resurrección [resurek'θjon] *s.f.* ressurreição
retablo [re'taβlo] *s.m.* **1** painel **2** retábulo
retaguardia [reta'γwarðja] *s.f.* retaguarda ♦ **en/a retaguardia** à retaguarda; atrás
retal [re'tal] *s.m.* retalho (de tecido, outro material)
retar [re'tar] *v.* desafiar, reptar
retardar [retar'ðar] *v.* retardar, demorar, diferir
retención [reten'θjon] *s.f.* **1** (de informações) retenção **2** MED. retenção; *retención de orina* retenção de urina **3** ECON. retenção, dedução **4** (trânsito) engarrafamento*m.*, congestionamento*m.*
retener [rete'ner] *v.* **1** *(contener)* reter, conter **2** (dados, informações) fixar, reter **3** (porcentagem) deduzir, descontar **4** (pessoa) deter, reter
reticencia [reti'θenθja] *s.f.* reticência, reserva
reticente [reti'θente] *adj.2g.* reticente
retina [re'tina] *s.f.* retina
retirada [reti'raða] *s.f.* **1** retirada **2** (carteira de motorista) apreensão ♦ MIL. **batirse en retirada** bater em retirada
retirad|o, -a [reti'raðo] *s.m.,f.* reformad|o, -a, aposentad|o, -a ▪ *adj.* **1** retirado, isolado **2** (dinheiro) levantado
retirar [reti'rar] *v.* **1** *(quitar)* retirar, tirar **2** *(apartar)* retirar, afastar **3** (pessoa) reformar, aposentar **4** (acusação, denúncia) retirar ▪ **retirarse 1** retirar-se **2** *(jubilarse)* reformar-se, aposentar-se
retiro [re'tiro] *s.m.* **1** *(jubilación)* reforma*f.*, jubilação*f.* **2** *(pensión)* reforma*f.*, pensão*f.* **3** (lugar) retiro ♦ **retiro espiritual** retiro espiritual
reto ['reto] *s.m.* repto, desafio; *lanzar un reto a alguien* lançar um desafio para alguém
retocar [reto'kar] *v.* retocar
retoque [re'toke] *s.m.* retoque
retorcer [retor'θer] *v.* **1** retorcer, torcer **2** *fig.* distorcer, deturpar ▪ **retorcerse** retorcer-se, contorcer-se
retórica [re'torika] *s.f.* retórica ▪ **retóricas** *s.f.pl. pej.* palavreado*m.*
retorno [re'torno] *s.m.* retorno, volta*f.*, regresso
retraído [retra'iðo] *adj.* retraído, acanhado
retransmisión [retranzmi'sjon] *s.f.* **1** transmissão; *retransmisión en diferido/ directo* transmissão de programa gravado/direto **2** retransmissão
retransmitir [retranzmi'tir] *v.* **1** transmitir; *retransmitir en diferido/directo* transmitir em diferido/direto **2** retransmitir
retrasad|o, -a [retra'saðo] *s.m.,f.* atrasad|o, -a ▪ *adj.* **1** (pessoa) atrasado, retardado **2** (fruto) atrasado, temporão **3** (país) subdesenvolvido, atrasado **4** (pagamento) vencido, atrasado
retrasar [retra'sar] *v.* **1** (pagamento) atrasar, demorar **2** (relógio) atrasar ▪ **retrasarse** atrasar-se, chegar tarde
retraso [re'traso] *s.m.* **1** atraso, demora*f.* **2** (físico, mental) atraso ♦ **llegar con retraso** chegar atrasado; **retraso mental** retardo mental
retratar [retra'tar] *v.* **1** retratar **2** *fig.* retratar, descrever
retrato [re'trato] *s.m.* retrato ♦ **ser el vivo retrato de** ser a cara de
retrete [re'trete] *s.m.* **1** vaso sanitário **2** banheiro
retribución [retriβu'θjon] *s.f.* retribuição, remuneração, gratificação
retribuir [retriβu'ir] *v.* **1** *(pagar)* retribuir, remunerar **2** [AM.] (gesto, sentimento) retribuir, corresponder
retroceder [retroθe'ðer] *v.* retroceder, recuar
retroceso [retro'θeso] *s.m.* **1** retrocesso, recuo **2** *(retorno)* regresso **3** (doença) recaída*f.* **4** (arma) coice
retrógrad|o, -a [re'troγraðo] *adj.,s.m.,f.* retrógrad|o, -a
retroproyector [retroprojek'tor] *s.m.* retroprojetor
retrospectivo [retrospek'tiβo] *adj.* retrospectivo
retrovisor [retroβi'sor] *s.m.* retrovisor
retumbar [retum'bar] *v.* retumbar
reumátic|o, -a [rew'matiko] *adj.,s.m.,f.* reumátic|o, -a
reumatismo [rewma'tizmo] *s.m.* reumatismo

reunión [rew'njon] *s.f.* **1** reunião, assembleia; *reunión de la comunidad (de vecinos)* reunião do condomínio; *convocar una reunión* convocar uma reunião **2** (de dados, informação) reunião **3** *(reencuentro)* reencontro*m.*, reunião

reunir [rew'nir] *v.* reunir, juntar, agrupar ■ **reunirse** reunir-se

revancha [re'βan̟tʃa] *s.f.* desforra, vingança; *tomarse la revancha* desforrar-se

revelación [reβela'θjon] *s.f.* revelação

revelado [reβe'laδo] *s.m.* revelação*f.*

revelar [reβe'lar] *v.* **1** revelar, manifestar **2** (fotos) revelar ■ **revelarse** revelar-se

reventa [re'βen̟ta] *s.f.* revenda ■ *s.2g.* revendedor, -a*m.f.*

reventar [reβen̟'tar] *v.* **1** *(explodir)* rebentar, estourar **2** (balão) estourar **3** *col.* chatear, aborrecer, incomodar **4** (guerra, tempestade) rebentar **5** (flor) rebentar, desabrochar **6** *col.* (pessoa) morrer

reventón [reβen̟'ton] *s.m.* **1** estouro **2** (pneu) furo

reverencia [reβe'ren̟θja] *s.f.* **1** *(respeto)* reverência, respeito*m.* **2** (gesto) vênia, reverência; *hacer una reverencia* fazer uma vênia ◆ **Su Reverencia** Vossa Reverência

reversible [reβer'siβle] *adj.2g.* reversível

reverso [re'βerso] *s.m.* **1** (moeda, medalha) reverso **2** (página) verso **3** (roupa) avesso ◆ **el reverso de la medalla** o reverso da medalha

revés [re'βes] *s.m.* **1** *(parte opuesta)* revés, reverso, avesso **2** *(golpe con la mano)* bofetada*f.*; *le dio un revés* deu lhe uma bofetada **3** *(contratiempo)* revés, contratempo; *reveses de la fortuna* reveses da fortuna ◆ **al revés** do avesso; ao contrário; às avessas; **del revés** do avesso; ao contrário

revestimiento [reβesti'mjen̟to] *s.m.* revestimento

revisar [reβi'sar] *v.* rever, revisar

revisión [reβi'sjon] *s.f.* revisão ◆ **revisión de cuentas** auditoria; **revisión médica** check-up

revista [re'βista] *s.f.* **1** *(publicación)* revista **2** *(inspección)* revista, inspeção; *pasar revista* passar em revista, revistar **3** TEAT. revista, teatro*m.* de revista

revistero [reβis'tero] *s.m.* porta-revistas*2n.*

revivir [reβi'βir] *v.* reviver

revocación [reβoka'θjon] *s.f.* revogação, anulação

revoco [re'βoko] *s.m.* reboco

revolcar [reβol'kar] *v.* deitar abaixo, derrubar ■ **revolcarse** rebolar-se

revolcón [reβol'kon] *s.m. col.* queda*f.*, trambolhão

revolotear [reβolote'ar] *v.* (ave, inseto) esvoaçar

revoltijo [reβol̟'tixo] *s.m. col.* trapalhada*f.*, confusão*f.*

revoltos|o, -a [reβol̟'toso] *adj.,s.m.,f.* **1** revoltos|o, -a, rebelde*2g.* **2** (criança) traquina*2g.*, travess|o, -a

revolución [reβolu'θjon] *s.f.* **1** revolução; *revolución industrial* revolução industrial **2** rotação; *80 revoluciones por minuto* 80 rotações por minuto

revolucionari|o, -a [reβoluθjo'narjo] *adj.,s.m.,f.* revolucionári|o, -a

revolver [reβol'βer] *v.* **1** *(mesclar)* mexer, misturar **2** *(menear)* revolver, remexer **3** (terra) revolver **4** (olhos) revirar **5** *fig.* perturbar, inquietar ■ **revolverse** revolver-se

revólver [re'βolβer] *s.m.* revólver

revuelta [re'βwel̟ta] *s.f.* **1** *(revolución)* revolta, revolução; *(motín)* motim*m.* **2** *(tumulto)* tumulto*m.* **3** *(riña)* briga **4** (estrada) curva (acentuada)

revuelto [re'βwel̟to] *(p.p. de* revolver*) adj.* **1** revolto, revolvido **2** *(desordenado)* desarrumado, desarranjado **3** (tempo) inconstante **4** (alimento) salteado ■ *s.m.* prato de ovos mexidos

rey ['rej] *s.m. (f.* reina*)* **1** rei, monarca **2** (baralho de cartas, xadrez) rei ◆ **a rey muerto, rey puesto** rei morto, rei posto; **(día de) Reyes** Dia de Reis; **hablando del rey de Roma, por la puerta asoma** falar no diabo e ele aparecer; **los Reyes Magos** os Reis Magos

rezar [re'θar] *v.* **1** rezar **2** *col.* dizer, referir **3** rezar ◆ *col.* **eso no reza conmigo** isso não me diz respeito

ría ['ria] *s.f.* ria

riachuelo [rja'tʃwelo] *s.m.* riacho, ribeiro, regato

riada ['rjaδa] *s.f.* cheia, enchente, inundação

ribera [ri'βera] *s.f.* **1** (mar, rio) margem, orla **2** (terreno) ribeira

ribete [ri'βete] *s.m.* debrum ■ **ribetes** *s.m.pl.* laivos (de, de), indícios (de, de); *tener ribetes de científico* ter laivos de cientista

rico ['riko] *adj.* **1** *(adinerado)* rico, abastado **2** *(abundante)* rico (en, em), abundante (en, em); *rico en vitaminas* rico em vitaminas **3** (comida) saboroso, gostoso, delicioso **4** (terra) rico, fértil, produtivo **5** (tratamento) rico, querido ◆ **nuevo rico** novo-rico

ridiculizar [riδikuli'θar] *v.* ridicularizar

ridículo [ri'δikulo] *adj.* **1** ridículo, caricato **2** (quantidade, quantia) ridículo, insignificante, irrisório ◆ **hacer el ridículo** bancar o palhaço; **ponerse en ridículo** cair no ridículo; **quedar en ridículo** cair em ridículo

riego ['rjeɣo] *s.m.* **1** rega*f.* **2** irrigação*f.*

riel ['rjel] *s.m.* **1** (de ferrovia) carril, trilho **2** (de cortina) varão

rienda ['rjen̟da] *s.f.* rédea ◆ **a rienda suelta** à rédea solta; **dar rienda suelta** soltar as rédeas; **llevar las riendas** tomar as rédeas

riesgo ['rjezɣo] *s.m.* risco, perigo; *correr un riesgo* correr um risco; *poner en riesgo* pôr em risco ◆ (seguro) **a todo riesgos** contra todos os riscos

rifa ['rifa] *s.f.* rifa

rifar [ri'far] *v.* rifar, sortear

rifle ['rifle] *s.m.* rifle

rigidez [rixi'δeθ] *s.f.* **1** rigidez **2** *fig.* rigidez, inflexibilidade, severidade

rígido ['rixiδo] *adj.* **1** rígido, rijo **2** *fig.* rígido, austero

rigor [ri'ɣor] *s.m.* **1** *(severidad)* rigor, dureza*f.* **2** *(inflexibilidad)* rigor, intransigência*f.* **3** *(exactitud)* rigor, precisão*f.* ◆ **en rigor** a rigor

riguroso [riɣu'roso] *adj.* **1** *(severo)* rigoroso, exigente **2** *(exacto)* rigoroso, preciso **3** (clima) rigoroso, duro

rima ['rima] *s.f.* rima

rimar [ri'mar] *v.* rimar
rímel ['rimel] *s.m.* rímel, máscara*f.* para cílios
rincón [riŋ'kon] *s.m.* **1** *(ángulo)* canto, esquina*f.* **2** *(escondrijo)* recanto, esconderijo
rinoceronte [rinoθe'ronte] *s.m.* rinoceronte
riña ['riɲa] *s.f.* briga, rixa
riñón [ri'ɲon] *s.m.* rim ■ **riñones** *s.m.pl.* rins ♦ *col.* **costar un riñón** custar uma fortuna
riñonera [riɲo'nera] *s.f.* **1** faixa, cinta **2** bolsa de cintura, pochete
río ['rio] *s.m.* rio
riqueza [ri'keθa] *s.f.* riqueza
risa ['risa] *s.f.* riso*m.*; *fig.* ***entrar la risa*** desatar a rir; ***partirse de risa*** morrer de rir; ***¡qué risa!*** que engraçado!
risotada [riso'taδa] *s.f.* gargalhada, risada
risueño [ri'sweɲo] *adj.* **1** (pessoa) risonho **2** (futuro) risonho, promissor
rítmico ['ritmiko] *adj.* rítmico
ritmo ['ritmo] *s.m.* ritmo
rito ['rito] *s.m.* rito
ritual [ri'twal] *s.m.* ritual ■ *adj.2g.* ritual
rival [ri'βal] *adj.,s.2g.* rival
rivalidad [riβali'δaδ] *s.f.* rivalidade
rizar [ri'θar] *v.* (cabelo) frisar; encaracolar ■ **rizarse** (cabelo) encaracolar(-se)
rizo ['riθo] *s.m.* **1** (cabelo) caracol, cacho **2** (acrobacia aérea) parafuso
robar [ro'βar] *v.* roubar, furtar
roble ['roβle] *s.m.* carvalho
robo ['roβo] *s.m.* **1** roubo, furto **2** *fig.* roubalheira*f.*
robot [ro'βot] *s.m.* robô
robusto [ro'βusto] *adj.* robusto
roca ['roka] *s.f.* rocha
roce ['roθe] *s.m.* fricção*f.*, atrito
rociar [roθi'ar] *v.* **1** borrifar **2** cair orvalho, orvalhar
rocío [ro'θio] *s.m.* orvalho, rocio
rocoso [ro'koso] *adj.* rochoso
rodaja [ro'δaxa] *s.f.* rodela, fatia; ***rodaja de piña*** rodela de abacaxi
rodaje [ro'δaxe] *s.m.* **1** CIN., TV. rodagem*f.*, filmagem*f.* **2** MEC. rodagem*f.*
rodar [ro'δar] *v.* **1** rodar **2** CIN., TV. rodar, filmar **3** (mundo) percorrer **4** rodar, girar **5** rolar
rodear [roδe'ar] *v.* **1** rodear, circundar, cercar **2** rodear
rodeo [ro'δeo] *s.m.* **1** *(evasiva)* rodeio, subterfúgio, evasiva*f.*; ***andar con rodeos*** fazer rodeios **2** (de gado) rodeio
rodilla [ro'δiʎa] *s.f.* **1** joelho*m.* **2** (pano) rodilha ♦ **de rodillas** de joelhos
rodillera [roδi'ʎera] *s.f.* joelheira
rodillo [ro'δiʎo] *s.m.* **1** rolo da massa **2** (para pintar) rolo
rodio ['roδjo] *s.m.* ródio
roedor [roe'δor] *adj.,s.m.* roedor
rogar [ro'γar] *v.* rogar ♦ **hacerse de rogar** fazer-se rogado; **se ruega silencio** silêncio, por favor

rojo ['roxo] *adj.,s.m.* vermelho, encarnado ♦ **al rojo vivo** **1** em brasa, incandescente **2** em polvorosa, muito agitado

> Não confundir com a palavra em português roxo (*violeta*).

rol ['rol] *s.m.* **1** *(lista)* rol, relação*f.* **2** *(función)* papel, função*f.*
rollizo [ro'ʎiθo] *adj.* roliço
rollo ['roʎo] *s.m.* **1** rolo; ***rollo de papel higiénico*** rolo de papel higiênico **2** FOT. rolo, filme **3** *col.* chatice*f.*; ***es un rollo tener que...*** é uma chatice ter que... **4** *col.* caso amoroso ♦ *col.* **estar en el rollo** estar por dentro
romance [ro'manθe] *s.m.* **1** (língua) romance, românico **2** LIT. romance **3** (relação) romance, caso, aventura*f.* ♦ **hablar en romance** falar claramente
románico [ro'maniko] *adj.,s.m.* românico
roman|o, -a [ro'mano] *adj.,s.m.,f.* roman|o, -a
romanticismo [romanti'θizmo] *s.m.* romantismo
romántic|o, -a [ro'mantiko] *adj.,s.m.,f.* romântic|o, -a
rombo ['rombo] *s.m.* losango
romería [rome'ria] *s.f.* romaria
romer|o, -a [ro'mero] *s.m.,f.* romeir|o, -a ■ **romero** *s.m.* alecrim
rompecabezas [rompeka'βeθas] *s.m.2n.* **1** quebra-cabeça **2** *fig.* bicho de sete cabeças, quebra-cabeça
romper [rom'per] *v.* **1** quebrar, partir **2** (papel) rasgar **3** (braço, perna) partir **4** (roupa, sapatos) romper, gastar **5** (acordo, relação) romper, acabar **6** *(interrumpir)* romper, quebrar; ***romper el silencio*** quebrar o silêncio **7** (norma, tradição) quebrar, romper **8** (flor) brotar, desabrochar **9** (acordo, relação) romper (con, com), acabar (con, com) **10** (sol) romper ■ **romperse** **1** quebrar-se, partir-se **2** gastar-se, estragar-se ♦ *col.* (atitude, pessoa) **de rompe y rasga** muito determinada; **romper a** [+*inf.*] desatar a, começar a
ron ['ron] *s.m.* rum
roncar [roŋ'kar] *v.* roncar, ressonar
ronco ['roŋko] *adj.* **1** (pessoa) rouco; ***quedarse ronco*** ficar rouco **2** (voz, som) rouco, áspero
ronda ['ronda] *s.f.* **1** ronda, vigilância, patrulha; ***hacer la ronda*** fazer a ronda **2** (bebidas) rodada; ***pagar una ronda*** pagar uma rodada **3** (músicos) tuna
rondar [ron'dar] *v.* **1** rondar, vigiar **2** vaguear **3** (lugar) rondar
ronquera [roŋ'kera] *s.f.* rouquidão
ronquido [roŋ'kiδo] *s.m.* ronco
ronronear [ronrone'ar] *v.* ronronar
roña ['roɲa] *s.f.* **1** *(suciedad)* sujidade, porcaria **2** (pele) cascão*m.* **3** (metais) ferrugem **4** *col.* sovinice, mesquinhez **5** VET. ronha, sarna ■ *adj.,s.2g.* sovina, forreta
roñoso [ro'ɲoso] *adj.* **1** *(sucio)* sujo, encardido **2** (metal) oxidado, enferrujado **3** (animal) ronhoso, sarnento **4** *col.* mesquinho, tacanho
ropa ['ropa] *s.f.* roupa; ***ropa blanca*** roupa branca; ***ropa de cama*** roupa de cama; ***ropa interior*** roupa íntima ♦ *fig.* **nadar y guardar la ropa** ficar em cima do muro; **no tocarle ni um pelo de la ropa** não lhe tocar um dedo

ropero [ro'pero] *s.m.* **1** (móvel) guarda-roupa*m.*, roupeiro **2** (compartimento) quarto de vestir, roupeiro

rosa ['rosa] *s.f.* **1** rosa; *capullo de rosa* botão de rosa **2** ARQ. rosácea ■ *s.m.* (cor) rosa, cor-de-rosa ♦ **no hay rosa sin espinas** não há rosas sem espinhos; **rosa de los vientos** rosa dos ventos; **verlo todo de color rosa** ver tudo cor-de-rosa

rosado [ro'saðo] *adj.* **1** rosado **2** rosáceo

rosal [ro'sal] *s.m.* roseira*f.*

rosario [ro'sarjo] *s.m.* rosário ♦ *col.* **acabar como el rosario de la aurora** acabar mal

rosca ['roska] *s.f.* **1** (parafuso) rosca **2** CUL. rosca ♦ **no comerse una rosca** não conseguir nada; **pasarse de rosca** ir longe demais

roscón [ros'kon] *s.m.* **1** (bolo) rosca*f.*; (Páscoa) bolo de Páscoa **2** *col.* (nota escolar) zero ♦ **roscón de Reyes** bolo de Reis

roseta [ro'seta] *s.f.* **1** (face) roseta **2** (laço) roseta **3** (regador) raro*m.* ■ **rosetas** *s.f.pl.* pipocas*pl.*

rosquilla [ros'kiʎa] *s.f.* rosquilha

rostro ['rostro] *s.m.* **1** *(cara)* rosto, cara*f.*, face*f.* **2** (ave) bico **3** *col.* lata*f.* ♦ **echar en rostro** jogar na cara; *col.* **echarle (mucho) rostro** ter (muita) cara de pau; *col.* **tener (mucho) rostro** ter (muita) cara de pau; *col.* **¡vaya rostro!** que cara de pau!

rotación [rota'θjon] *s.f.* rotação ♦ **rotación de cultivos** rotação de culturas

roto ['roto] (*p.p. de* romper) *adj.* **1** *(quebrado)* partido **2** (papel, tecido) rasgado **3** (motor) avariado **4** *(usado)* gasto **5** *col.* exausto, estourado ■ *s.m.* rasgão, buraco ♦ *col.* **no haber roto nunca un plato (en su vida)** não fazer mal a uma mosca

rotonda [ro'toṇda] *s.f.* rotunda

rotulador [rotula'ðor] *s.m.* marcador, caneta*f.* hidrográfica

rotular [rotu'lar] *v.* rotular, etiquetar

rótulo ['rotulo] *s.m.* **1** (publicidade) letreiro **2** (frasco, caixa) rótulo, etiqueta*f.* **3** (texto) título

rotura [ro'tura] *s.f.* **1** ruptura, quebra **2** MED. fratura, ruptura; *rotura de ligamentos* ruptura de ligamentos

rozadura [roθa'ðura] *s.f.* **1** (pele) esfoladela; (de bebê) assadura **2** (superfície) arranhão*m.*, arranhadela

rozar [ro'θar] *v.* **1** roçar, raspar **2** *fig.* (assunto, tema) tocar, abordar ■ **rozarse** relacionar-se (con, com), dar se (con, com)

rubí [ru'βi] *s.m.* rubi

rubidio [ru'βiðjo] *s.m.* rubídio

rubi|o, -a ['ruβjo] *s.m.,f.* loir|o,-a, lour|o,-a ■ *adj.* **1** (pessoa) loiro, louro **2** (tabaco) americano ♦ **rubio de frasco** louro oxigenado; **rubio oxigenado** louro oxigenado

> Não confundir com a palavra em português ruivo (*pelirrojo*).

ruborizarse [ruβori'θarse] *v.* corar, ruborizar se

rúbrica ['ruβrika] *s.f.* **1** (assinatura) rubrica **2** (artigo, livro) rubrica, título*m.*

rudimentario [ruðimeṇ'tarjo] *adj.* rudimentar

rudimento [ruði'meṇto] *s.m.* embrião ■ **rudimentos** *s.m.pl.* rudimentos, conhecimentos básicos

rudo ['ruðo] *adj.* **1** (material, superfície) rude, áspero **2** (pessoa) rude, grosseiro, malcriado **3** (experiência, trabalho) rigoroso, duro

rueda ['rweða] *s.f.* **1** roda **2** pneu*m.*; *rueda de recambio/repuesto* pneu sobressalente, estepe ♦ **rueda dentada** engrenagem, roda dentada; **rueda de prensa** entrevista coletiva; *col.* **ir algo sobre ruedas** ir numa boa/muito bem

ruedo ['rweðo] *s.m.* **1** TAUR. arena*f.* **2** (saia) debrum, bainha*f.* **3** (tapete) capacho

ruego ['rweɣo] *s.m.* pedido, rogo, súplica*f.*

rufián [ru'fjan] *s.m.* **1** rufião, rufia **2** *(proxeneta)* chulo, rufia

rugby ['ruɣβi] *s.m.* rúgbi

rugido [ru'xiðo] *s.m.* (leão) rugido

rugir [ru'xir] *v.* (leão) rugir

ruido ['rwiðo] *s.m.* **1** ruído, barulho; *hacer ruido/meter ruido* fazer barulho; *ruido de fondo* ruído de fundo **2** *fig.* alvoroço, tumulto

ruidoso [rwi'ðoso] *adj.* ruidoso

ruina ['rwina] *s.f.* ruína ■ **ruinas** *s.f.pl.* ruínas*pl.*

ruiseñor [rwise'ɲor] *s.m.* rouxinol

ruleta [ru'leta] *s.f.* roleta ♦ **ruleta rusa** roleta-russa

rulo ['rulo] *s.m.* **1** bobe (para o cabelo) **2** *(rizo)* caracol, anel

Rumanía [ruma'nia] *s.f.* Romênia

ruman|o, -a [ru'mano] *adj.,s.m.,f.* romen|o,-a ■ **rumano** *s.m.* (língua) romeno

rumbo ['rumbo] *s.m.* **1** rumo, direção*f.*, sentido; *sin rumbo fijo* sem rumo fixo **2** *fig.* luxo, ostentação*f.* ♦ **cambiar de rumbo** mudar de rumo; **perder el rumbo** perder o rumo; **rumbo a** rumo a

rumiante [ru'mjaṇte] *adj.2g.,s.m.* ruminante

rumiar [ru'mjar] *v.* **1** ruminar **2** *col.* remoer, repensar, ruminar **3** *col.* resmungar

rumor [ru'mor] *s.m.* **1** rumor, murmúrio, burburinho **2** *fig.* boato, rumor

rupestre [ru'pestre] *adj.2g.* rupestre; *pintura rupestre* pintura rupestre

ruptura [rup'tura] *s.f.* ruptura

rural [ru'ral] *adj.2g.* rural

Rusia ['rusja] *s.f.* Rússia

rus|o, -a ['ruso] *adj.,s.m.,f.* russ|o,-a ■ **ruso** *s.m.* (língua) russo

rústico ['rustiko] *adj.* rústico ♦ (livro) **en rústica** brochura, de capa mole

ruta ['ruta] *s.f.* **1** *(trayecto)* rota, trajeto*m.* **2** *(autobús escolar)* ônibus*m.2n.* escolar **3** *(carretera)* estrada

rutenio [ru'tenjo] *s.m.* rutênio

rutherfordio [ruðer'forðjo] *s.m.* rutherfórdio

rutina [ru'tina] *s.f.* rotina; *rutina diaria* rotina diária ♦ **de rutina** de rotina; *consulta de rutina* consulta de rotina

rutinario [ruti'narjo] *adj.* rotineiro

S

s ['ese] *s.f.* (letra) s*m.*

sábado ['saβaðo] *s.m.* sábado; *el próximo sábado* no próximo sábado; *el sábado pasado* no sábado passado; *el sábado por la mañana/tarde/noche* no sábado de manhã/à tarde/à noite; *hoy es sábado* hoje é sábado; *los sábados* aos sábados; *todos los sábados* todos os sábados ♦ **Sábado Santo** Sábado de Aleluia

sabana [sa'βana] *s.f.* savana

sábana ['saβana] *s.f.* **1** lençol*m.*; *embozo de la sábana* dobra do lençol; *sábana bajera/encimera* lençol de baixo/cima **2** *col.* (tabaco) mortalha ♦ *col.* **pegársele las sábanas** acordar tarde

sabelotodo [saβelo'toðo] *s.2g.2n. col., pej.* sabich|ão, -ona*m.f.*

saber [sa'βer] *v.* **1** saber **2** *(tener noticias)* saber **3** *(tener sabor)* ter gosto de (a, de); *este helado sabe a naranja* este sorvete tem gosto de laranja ■ **saberse** saber; *me sé el poema de memoria* sei o poema de cor ■ *s.m.* saber, sabedoria*f.* ♦ **¿a que no sabes...?** nem imaginas...!; **a saber 1** a saber **2** sabe-se lá!; **¡haberlo sabido!** se eu soubesse/tivesse sabido!; **no saber por dónde se anda** não saber a quantas anda; **para que lo sepas** para tua informação, para teu conhecimento; **¡qué sé yo!** sei lá!, não faço a menor ideia!; [AM.S.] **saber** [+*inf.*] costumar [+*inf.*]; *sabía comer con nosotros a diario* costumava comer conosco todos os dias; **saber al dedillo/de carrerilla/de corrido** saber de cor e salteado; *col.* **saber lo que es bueno** saber o que é bom (para a tosse); **saber mal** [+*inf.*] **a alguien** lamentar [+*inf.*]; *me sabe mal decírselo* lamento dizê-lo; **según mi leal saber y entender** pelo que eu sei; **se las sabe todas** sabe-a toda; **un no sé qué** um não sei quê; *col.* **¡y yo que sé!** eu sei lá!

sabiduría [saβiðu'ria] *s.f.* sabedoria

sabiendas [sa'βjendas] ♦ **a sabiendas** com conhecimento de causa; com intenção; **a sabiendas que** sabendo que

sabi|o, -a ['saβjo] *adj.,s.m.,f.* sábi|o, -a

sablazo [sa'βlaθo] *s.m. col.* calote

sable ['saβle] *s.m.* sabre

sabor [sa'βor] *s.m.* sabor, gosto

saborear [saβore'ar] *v.* **1** saborear, degustar **2** *fig.* saborear, desfrutar, gozar

sabotaje [saβo'taxe] *s.m.* sabotagem*f.*

sabroso [sa'βroso] *adj.* **1** saboroso, gostoso **2** *(agradable)* saboroso, agradável

sacacorchos [saka'kortʃos] *s.m.2n.* saca-rolhas

sacamuelas [saka'mwelas] *s.2g.2n. col., pej.* tira-dentes

sacapuntas [saka'puntas] *s.m.2n.* apontador

sacar [sa'kar] *v.* **1** *(retirar)* tirar, retirar **2** (dinheiro) levantar **3** (dente) arrancar, tirar **4** (bilhete, entrada) comprar **5** (prêmio) ganhar **6** (obra, produto) editar, lançar **7** (problema) resolver **8** (nódoas) tirar, eliminar **9** *col.* (fotografia, fotocópia) tirar **10** (tênis, voleibol) sacar; (futebol) dar o pontapé inicial ♦ **sacar a bailar** convidar para dançar; **sacar adelante 1** (filhos) criar, educar **2** (negócio) levar adiante, concretizar (com sucesso); **sacar a la venta** pôr à venda; **sacar brillo** dar brilho; **sacar de paseo** levar para passear; **sacar el tema** tocar no assunto; **sacarse el carné de conducir** tirar a carteira de motorista; **sacar la lengua** colocar a língua de fora, mostrar a língua

sacarina [saka'rina] *s.f.* sacarina

sacerdote [saθer'ðote] *s.m.* **1** *(cura)* padre, sacerdote (*f.* sacerdotisa) **2** sacerdote; *sumo sacerdote* sumo sacerdote

sacerdotisa [saθerðo'tisa] *s.f.* (*m.* sacerdote) sacerdotisa

saciar [sa'θjar] *v.* **1** (fome, sede) saciar **2** (ambição, desejo) saciar, satisfazer ■ **saciarse** saciar-se

saciedad [saθje'ðað] *s.f.* saciedade ♦ **hasta la saciedad** até a saciedade, até não poder mais

saco ['sako] *s.m.* **1** saco **2** (para viajar) mala*f.* **3** *(robo)* saque; *entrar a saco* saquear, pilhar **4** [AM.] casaco; jaqueta*f.* **5** ANAT. saco ♦ *col.* **echar en saco roto** entrar por um ouvido e sair por outro; *col.* **meter en el mismo saco** meter no mesmo saco; **saco de dormir** saco de dormir; sleeping-bag

sacramento [sakra'mento] *s.m.* sacramento ♦ **Santísimo Sacramento** Santíssimo Sacramento; **últimos sacramentos** últimos sacramentos

sacrificar [sakrifi'kar] *v.* sacrificar ■ **sacrificarse** sacrificar-se (por, por); *se sacrificó mucho por ti* sacrificou se muito por ti

sacrificio [sakri'fiθjo] *s.m.* sacrifício

sacristán [sakris'tan] *s.m.* sacristão

sacudida [saku'ðiða] *s.f.* **1** sacudidela, sacudida **2** (veículo) solavanco*m.*

sacudir [saku'ðir] *v.* **1** *(agitar)* abanar, sacudir **2** (almofada, colchão) bater **3** *(limpiar)* sacudir, limpar **4** *(agredir)* bater ■ **sacudirse** (tarefa, problema) livrar-se (de, de)

sádic|o, -a ['saðiko] *adj.,s.m.,f.* sádic|o, -a

safari [sa'fari] *s.m.* safári

sagaz [sa'γaθ] *adj.2g.* sagaz, astuto

sagitario [saxi'tarjo] *adj.,s.2g.* sagitarian|o, -a*m.f.*

Sagitario [saxi'tarjo] *s.m.* ASTROL., ASTRON. Sagitário

sagrado [sa'γraðo] *adj. (sacro)* sagrado, sacro

sal ['sal] *s.f.* **1** sal*m.*; *sal común* sal de cozinha; *sal fina* sal fino; *sal gorda* sal grosso; *sal refinada* sal refinado **2** *fig.* sal*m.*, charme*m.* ■ **sales** *s.f.pl.* sais*m. pl.*; *sales de baño* sais de banho ♦ **sal gema** sal-gema

sala ['sala] *s.f.* sala; *sala de espectáculos* casa de espetáculos; *sala de espera* sala de espera; *sala de estar* sala de estar; *sala de fiestas* salão de festas; *sala de*

lectura sala de leitura; *sala de operaciones* sala de operações
salado [sa'laðo] *adj.* **1** (alimento) salgado **2** *fig.* (pessoa) engraçado, espirituoso
Salamanca [sala'maŋka] *s.f.* Salamanca
salamandra [sala'mandra] *s.f.* **1** ZOOL. salamandra **2** (fogão) salamandra, estufa
salar [sa'lar] *v.* (alimento) salgar
salario [sa'larjo] *s.m.* salário, ordenado; *salario base* salário-base; *salario mínimo* salário mínimo
salchicha [salʲ'tʃitʃa] *s.f.* salsicha
salchichón [salʲtʃi'tʃon] *s.m.* salsichão
saldo ['saldo] *s.m.* **1** (conta bancária) saldo **2** (dívida) liquidação*f.*, pagamento **3** (mercadoria) resto **4** *(liquidación)* saldos*pl.*, promoções*f. pl.*
salero [sa'lero] *s.m.* **1** saleiro **2** *col.* charme, graça*f.*, sal
saleroso [sale'roso] *adj. col.* gracioso, charmoso
salida [sa'liða] *s.f.* **1** (lugar) saída; *salida de emergencia* saída de emergência **2** (momento) saída; *a la salida del cine* à saída do cinema **3** *(partida)* saída, partida; *salida del tren* partida do trem **4** (mercadoria) venda, saída **5** *fig.* saída, comentário*m.*; *salida de tono* comentário inconveniente ■ **salidas** *s.f.pl.* saídas*pl.* (profissionais) ♦ **no tener otra salida** não ter outra hipótese/saída; **salida del sol** nascer do Sol; **salida nula** falsa partida
salir [sa'lir] *v.* **1** *(partir)* sair, partir; *el tren sale a las tres* o trem parte às três **2** *(pasar de dentro a fuera)* sair (de, de); *salir de casa* sair de casa **3** (astro) nascer, despontar **4** (obra, música) sair **5** (emprego, trabalho) arranjar **6** *(parecerse)* puxar (a, a), parecer-se (a, com); *ha salido a su madre* puxou à mãe **7** *(dar a)* dar (a, a), desembocar (a, em); *esta calle va a salir a mi casa* esta rua vai dar na minha casa ■ **salirse** **1** (líquido) derramar-se, espalhar-se **2** (associação, profissão) deixar (de, de), abandonar (de, -); *se ha salido de ese colegio* deixou essa escola ♦ **a lo que salga** à sorte, à toa; **salir adelante** superar as dificuldades; **salir bien/mal** dar/não dar certo; **salir caro** sair caro; **salir con alguien** sair com alguém; **salirse con la suya** conseguir o que se pretende
saliva [sa'liβa] *s.f.* saliva, cuspe*m.* ♦ *col.* **gastar saliva** gastar saliva; *col.* **tragar saliva** engolir sapos
salivar [sali'βar] *v.* salivar
salmón [sal'mon] *s.m.* **1** (peixe) salmão; *salmón ahumado* salmão defumado **2** (cor) salmão ■ *adj.2g.2n.* (cor) salmão
salón [sa'lon] *s.m.* **1** (casa) sala*f.* **2** (ato público, reunião) salão; *salón de fiestas* salão de festas **3** (estabelecimento, exposição) salão; *salón de belleza* salão de beleza; *salón del automóvil* salão do automóvel **4** [AM.] sala*f.* de aula
salpicadero [salpika'ðero] *s.m.* (automóvel) painel, quadro de instrumentos
salpicadura [salpika'ðura] *s.f.* salpico*m.*
salpicar [salpi'kar] *v.* (líquido) salpicar
salpicón [salpi'kon] *s.m.* [prato elaborado com peixe ou marisco esmiuçado cozido e temperado com sal, pimenta, azeite, vinagre e cebola]
salsa ['salsa] *s.f.* **1** CUL. molho*m.*; *salsa blanca* molho branco; *salsa mahonesa/mayonesa* maionese; *salsa verde* molho verde **2** MÚS. salsa ♦ **en su (propia) salsa** no seu ambiente/meio

> Não confundir com a palavra em português salsa como erva (*perejil*).

saltamontes [salta'montes] *s.m.2n.* gafanhoto, saltão
saltar [sal'tar] *v.* **1** *(brincar)* saltar, pular **2** *(tirarse)* saltar, atirar-se **3** (fechadura, vidro) partir-se **4** (barreiras) saltar, transpor **5** (leitura, escrita) saltar, omitir ■ **saltarse** **1** (lei, norma) passar por cima **2** (leitura, escrita) saltar, omitir
saltimbanqui [saltim'baŋki] *s.2g.* saltimbanco*m.*, acrobata
salto ['salto] *s.m.* **1** *(brinco)* salto, pulo, pincho **2** *(cambio)* salto **3** *(despeñadero)* despenhadeiro **4** (de água) cachoeira*f.*, cascata*f.*; *salto de agua* queda-d'água **5** ESPOR. salto; *salto con pértiga* salto com vara; *salto de altura* salto em altura; *salto de longitud* salto em distância; *salto mortal* salto mortal; *triple salto* salto triplo **6** (texto) omissão*f.*, lacuna*f.* ♦ **salto de cama** négligé, penhoar, robe
salubridad [saluβri'ðað] *s.f.* salubridade
salud [sa'luð] *s.f.* saúde ♦ (brinde) **¡a nuestra/su/tu salud!** à nossa/sua/tua saúde!; **beber a la salud de alguien** beber à saúde de alguém; **curarse en salud** prevenir-se; **estar bien de salud** estar bem de saúde; **salud de hierro** saúde de ferro
saludable [salu'ðaβle] *adj.2g.* saudável
saludar [salu'ðar] *v.* cumprimentar, saudar ♦ (carta, mensagem) **le saluda atentamente** com os melhores cumprimentos; **no saludarse** não falar com, estar de relações cortadas com
saludo [sa'luðo] *s.m.* **1** cumprimento, saudação*f.* **2** (gesto) aceno ■ **saludos** *s.m.pl.* cumprimentos; *mis saludos* os meus cumprimentos
salutación [saluta'θjon] *s.f.* saudação
salvación [salβa'θjon] *s.f.* salvação
salvador, -a [salβa'ðor] *adj.,s.m.,f.* salvador, -a
Salvador [salβa'ðor] *s.m.* Salvador
salvadoreñ|o, -a [salβaðo'reɲo] *adj.,s.m.,f.* salvadorenh|o, -a
salvaguarda [salβa'ɣwarða] *s.f.* ⇒ **salvaguardia**
salvaguardia [salβa'ɣwarðja] *s.f.* **1** salvaguarda, proteção **2** (documento) salvo-conduto*m.*
salvaje [sal'βaxe] *adj.,s.2g.* selvagem
salvamanteles [salβaman'teles] *s.m.2n.* base*f.* (para panela, travessa), descanso
salvamento [salβa'mento] *s.m.* salvamento
salvapantallas [salβapan'taʎas] *s.m.2n.* protetor de tela
salvar [sal'βar] *v.* **1** (perigo, risco) salvar **2** (obstáculo) vencer, superar **3** *(exceptuar)* salvar, excluir **4** (distância) percorrer **5** INFORM. guardar, gravar **6** REL. salvar ■ **salvarse** salvar-se ♦ **sálvese quien pueda** salve-se quem puder

salvavidas [salβa'βiδas] *s.m.2n.* boia de salvação ◆ **bote salvavidas** barco salva-vidas; **chaleco salvavidas** colete salva-vidas

salvo ['salβo] *adj.* salvo, ileso; *sano y salvo* são e salvo ■ *adv.* salvo, exceto, menos; *todos salvo él* todos menos ele ◆ **a salvo** a salvo; **salvo si** salvo se, a não ser que

samario [sa'marjo] *s.m.* samário

san ['san] *adj.* são; *San Juan* São João ◆ **san bernardo** são-bernardo

sanar [sa'nar] *v.* sarar

sanatorio [sana'torjo] *s.m.* **1** hospital **2** sanatório

sanción [saņ'θjon] *s.f.* **1** *(pena)* sanção **2** *(aprobación)* sanção, aprovação

sancionar [saņθjo'nar] *v.* **1** *(penalizar)* punir, sancionar **2** *(aprobar)* sancionar, autorizar **3** ESPOR. penalizar

sandalia [saņ'dalja] *s.f.* sandália

sandía [saņ'dia] *s.f.* melancia

sándwich ['saņ(g)witʃ] *s.m.* (*pl.* sándwiches) sanduíche ◆ **sándwich mixto** misto-quente

sangrar [saŋ'grar] *v.* **1** sangrar **2** sangrar, tirar sangue

sangre ['saŋgre] *s.f.* sangue*m.* ◆ **a sangre fría** a sangue-frio; **a sangre y fuego** a ferro e fogo; *col.* **chupar la sangre** aproveitar-se de, extorquir (dinheiro, etc.); **llevar algo en la sangre** estar/trazer no sangue; (cavalo) **pura sangre** puro-sangue; **sangre azul** sangue azul; *col.* **subírsele la sangre a la cabeza** subir o sangue à cabeça

sangría [saŋ'gria] *s.f.* sangria

sangriento [saŋ'grjeņto] *adj.* **1** sangrento **2** ensanguentado

sanguinario [saŋgi'narjo] *adj.* sanguinário

sanguíneo [saŋ'gineo] *adj.* sanguíneo

sanidad [sani'δaδ] *s.f.* **1** saúde; *Ministerio de Sanidad* Ministério da Saúde **2** *(salubridad)* sanidade

sanitari|o, -a [sani'tarjo] *s.m.,f.* sanitarista ■ *adj.* sanitário

sano ['sano] *adj.* **1** *(con buena salud)* são, sadio **2** *(saludable)* saudável ◆ *col.* **cortar por lo sano** cortar o mal pela raiz; **sano y salvo** são e salvo

sanseacabó [sanseaka'βo] *interj.* e ponto final!; e pronto!

santiamén [saņtja'men] ◆ **en un santiamén** num instante, num abrir e fechar de olhos

santidad [saņti'δaδ] *s.f.* santidade ◆ (Papa) **Su/Vuestra Santidad** Sua Santidade

santificación [saņtifika'θjon] *s.f.* santificação

santiguar [saņti'γwar] *v.* benzer ■ **santiguarse** fazer o sinal da cruz, benzer se

sant|o, -a ['saņto] *s.m.,f.* sant|o, -a ■ *adj.* santo ■ **santo** *s.m.* dia do santo onomástico ◆ **¿a santo de qué...?** a troco de quê...?; *col.* **írsele el santo al cielo** varrer se da memória; *col.* **llegar y besar el santo** conseguir de primeira; **¡por todos los santos!** pelo amor de Deus!; *col.* **quedarse para vestir santos** ficar para tia

santuario [saņ'twarjo] *s.m.* santuário

saña ['saɲa] *s.f.* cólera, ira, raiva

sapiencia [sa'pjeņθja] *s.f.* sapiência, sabedoria

sapo ['sapo] *s.m.* sapo ◆ *col.* **echar/soltar sapos y culebras** dizer cobras e lagartos; *col.* **tragar sapos** engolir sapo

saque ['sake] *s.m.* **1** (tênis, voleibol) saque **2** (futebol) jogada*f.* inicial; *saque inicial* pontapé inicial; *saque de esquina* escanteio

saquear [sake'ar] *v.* **1** (lugar) saquear, pilhar **2** *col.* roubar, esvaziar

sarampión [saram'pjon] *s.m.* sarampo

sarcasmo [sar'kazmo] *s.m.* sarcasmo

sarcástico [sar'kastiko] *adj.* sarcástico

sarcófago [sar'kofaγo] *s.m.* sarcófago

sardana [sar'δana] *s.f.* [dança típica da Catalunha]

sardina [sar'δina] *s.f.* sardinha ◆ *col.* **como sardinas en lata** como sardinhas em lata

sardinada [sarδi'naδa] *s.f.* sardinhada

sargento [sar'xeņto] *s.2g.* sargento

sarpullido [sarpu'ʎiδo] *s.m.* erupção*f.* cutânea

sarta ['sarta] *s.f.* **1** (corda, fio) enfiada **2** (de coisas, pessoas) fileira, fila **3** *fig.* série, enfiada

sartén [sar'ten] *s.f.* sertã, frigideira ◆ *col.* **tener el sartén por el mango** ter a faca e o queijo na mão

sastre ['sastre] *s.m.* alfaiate

Satanás [sata'nas] *s.m.* Satanás

satélite [sa'telite] *s.m.* satélite ■ *adj.2g.2n.* satélite; *ciudad satélite* cidade satélite

satén [sa'ten] *s.m.* cetim

sátira ['satira] *s.f.* sátira

satirizar [satiri'θar] *v.* satirizar

satisfacción [satisfak'θjon] *s.f.* satisfação

satisfacer [satisfa'θer] *v.* **1** (desejo) satisfazer **2** (dívida) pagar, liquidar **3** (fome, sede) satisfazer, saciar ■ **satisfacerse** satisfazer-se

satisfecho [satis'fetʃo] *adj.* **1** *(contento)* satisfeito, contente **2** *(saciado)* satisfeito, saciado, farto ◆ **darse por satisfecho** dar-se por satisfeito

saturación [satura'θjon] *s.f.* saturação

saturar [satu'rar] *v.* saturar

Saturno [sa'turno] *s.m.* Saturno

sauce ['sawθe] *s.m.* salgueiro ◆ **sauce llorón** chorão, salgueiro chorão

saudí [saw'δi] *adj.,s.2g.* saudita, árabe-saudita

saudita [saw'δita] *adj.,s.2g.* saudita, árabe-saudita

sauna ['sawna] *s.f.* sauna

savia ['saβja] *s.f.* seiva

saxofón [sakso'fon] *s.m.* saxofone

saxofonista [saksofo'nista] *s.2g.* saxofonista

saxófono [sa'ksofono] *s.m.* ⇒ **saxofón**

sazonar [saθo'nar] *v.* **1** (comida) temperar, condimentar **2** (fruta) amadurecer, maturar

scout [es'kawt] *s.2g.* escoteir|o, -a*m.f.*

se ['se] *pron.pess.* **1** (reflexo) se; *ella se ha vestido* ela vestiu se **2** (recíproco) se; *los novios se casaron* os noivos casaram se **3** (indeterminação) se; *se habla de eso* fala se nisso **4** (partícula apassivadora) se; *se venden pisos* vendem-se apartamentos **5** (complemento indireto) lhe

sebo ['seβo] *s.m.* sebo

seboso [se'βoso] *adj.* seboso

secador [seka'ðor] *s.m.* secador; ***secador de manos*** secador de mãos; ***secador de pelo*** secador de cabelo

secadora [seka'ðora] *s.f.* máquina de secar (roupa)

secar [se'kar] *v.* **1** *(dejar sin agua)* secar, enxugar **2** (ferida) secar, cicatrizar, fechar ■ **secarse 1** (roupa) secar **2** (planta) secar, murchar **3** (curso de água) secar **4** (pessoa, animal) enfraquecer, emagrecer

sección [sek'θjon] *s.f.* **1** *(corte)* seção, corte*m.*, separação **2** *(departamento)* seção, setor*m.*; ***sección de objetos perdidos*** seção de achados e perdidos **3** (jornal, revista) seção

seco ['seko] *adj.* **1** seco **2** (clima) árido, seco **3** (planta) seco, murcho **4** *(flaco)* magro, chupado, descarnado **5** (pessoa) áspero, insensível ◆ **a secas** nada mais, unicamente; **en seco 1** (lavar) a seco **2** (travar) de repente

secreción [sekre'θjon] *s.f.* **1** FISIOL. secreção **2** *(separación)* segregação, separação

secretaría [sekreta'ria] *s.f.* **1** (seção) secretaria **2** (escritório) secretariado*m.*

secretariado [sekreta'rjaðo] *s.m.* **1** (curso) secretariado **2** ⇒ **secretaría**

secretari|o, -a [sekre'tarjo] *s.m.,f.* secretári|o, -a ◆ **secretario de Estado** secretário de Estado; **secretario general** secretário-geral

secreto [se'kreto] *adj.* secreto; ***policía secreta*** polícia secreta ■ *s.m.* segredo; ***secreto de estado*** segredo de Estado; ***secreto de sumario*** segredo de Justiça

secta ['sekta] *s.f.* seita

sector [sek'tor] *s.m.* setor ◆ **sector primario/secundario/terciario** setor primário/secundário/terciário; **sector privado/público** setor privado/público

secuela [se'kwela] *s.f.* sequela, consequência, resultado*m.* ◆ **dejar secuelas** deixar sequelas

secuencia [se'kweṇθja] *s.f.* **1** *(serie)* sequência, série, sucessão **2** CIN., TV. sequência

secuencial [sekweṇ'θjal] *adj.2g.* sequencial

secuestrador, -a [sekwestra'ðor] *adj.,s.m.,f.* sequestrador, -a

secuestrar [sekwes'trar] *v.* **1** (pessoa) sequestrar, raptar **2** (meio de transporte) sequestrar **3** (publicação) censurar; embargar **4** DIR. sequestrar, arrestar, confiscar

secuestro [se'kwestro] *s.m.* **1** sequestro, rapto **2** DIR. sequestro, arresto, confiscação*f.*

secundario [sekuṇ'darjo] *adj.* secundário

sed ['seð] *s.f.* **1** sede; ***dar sed*** dar sede; ***tener sed*** ter sede **2** *fig.* sede; ***sed de justicia*** sede de justiça

seda ['seða] *s.f.* seda ◆ *col.* **como una/la seda** às mil maravilhas; (fibra) **seda artificial** seda artificial

sedante [se'ðaṇte] *adj.2g.,s.m.* sedativo, tranquilizante

sede ['seðe] *s.f.* **1** sede; ***sede social*** sede social **2** REL. sé ◆ **Santa Sede** Santa Sé

sedentarismo [seðeṇta'rizmo] *s.m.* sedentarismo

sediento [se'ðjeṇto] *adj.* **1** sedento, sequioso **2** *fig.* sedento (de, de), ávido (de, de), desejoso (de, de); ***sediento de poder*** sedento de poder

sedimentación [seðimeṇta'θjon] *s.f.* sedimentação

sedimentario [seðimeṇ'tarjo] *adj.* sedimentar

sedimento [seði'meṇto] *s.m.* **1** sedimento **2** (vinagre, vinho) borra*f.*, sedimento

sedoso [se'ðoso] *adj.* sedoso

seducir [seðu'θir] *v.* seduzir

seductor, -a [seðuk'tor] *adj.,s.m.,f.* sedutor, -a

segmento [seɣ'meṇto] *s.m.* segmento ◆ **segmento de mercado** segmento de mercado

segregación [seɣreɣa'θjon] *s.f.* **1** segregação **2** BIOL. secreção ◆ **segregación racial** segregação racial

seguido [se'ɣiðo] *adj.* **1** seguido, contínuo, consecutivo **2** direito, reto, em frente; ***toma la carretera toda seguida*** vai pela estrada sempre reto ■ *adv.* de seguida ◆ **en seguida** em seguida, logo

seguidor, -a [seɣi'ðor] *adj.,s.m.,f.* seguidor, -a

seguir [se'ɣir] *v.* **1** *(ir detrás, perseguir)* seguir, perseguir **2** (conselho, opinião) seguir **3** continuar, seguir, prosseguir ■ **seguirse** seguir-se ◆ **seguir siendo** continuar a ser

según [se'ɣun] *prep.* segundo; ***según la ley*** segundo a lei ■ *adv.* conforme; ***todo ocurrió según lo previsto*** tudo aconteceu conforme o previsto

segunda [se'ɣuṇda] *s.f.* **1** (chave) dupla volta **2** (meios de transporte) segunda classe; ***viajar en segunda*** viajar de segunda classe **3** (mudança de velocidade) segunda ■ **segundas** *s.f.pl.* segundas intenções*pl.*

segundero [seɣuṇ'dero] *s.m.* (relógio) ponteiro dos segundos

segund|o, -a [se'ɣuṇdo] *num.* segund|o, -a; ***en segundo lugar*** em segundo lugar ■ **segundo** *s.m.* **1** (tempo) segundo; ***5 minutos y 32 segundos*** 5 minutos e 32 segundos; ***vuelvo en un segundo*** volto num segundo **2** *fig.* segundo, momento, instante ◆ **de segunda mano** em segunda mão

seguridad [seɣuri'ðað] *s.f.* **1** segurança **2** certeza; ***con toda seguridad*** com toda a certeza ◆ **seguridad social** previdência social

seguro [se'ɣuro] *adj.* **1** *(a salvo)* seguro, livre (de perigo) **2** *(firme)* seguro, firme, certo **3** *(confiado)* confiante; ***está muy seguro de sí mismo*** está muito confiante ■ *s.m.* **1** seguro; ***seguro a terceros*** seguro contra terceiros; ***seguro a todo riesgo*** seguro contra todos os riscos; ***seguro contra/de incendios*** seguro contra incêndio; ***seguro del coche*** seguro do carro **2** (porta do carro) trava **3** (arma) dispositivo de segurança ■ *adv.* com certeza, seguramente, certamente

seis ['sejs] *num.* seis

seiscient|os, -as [sejs'θjeṇtos] *num.* seiscent|os, -as

seísmo [se'izmo] *s.m.* sismo, terremoto, tremor de terra

selección [selek'θjon] *s.f.* **1** *(elección)* seleção, escolha; ***hacer una selección*** fazer uma seleção **2** ESPOR. seleção; ***selección nacional*** seleção nacional **3** BIOL. seleção; ***selección natural*** seleção natural

seleccionador, -a [selekθjona'ðor] *s.m.,f.* selecionador, -a ■ *adj.* selecionador

seleccionar [selekθjo'nar] *v.* selecionar, eleger, escolher, preferir

selectividad [selektiβi'ðað] *s.f.* vestibular*m.*
selecto [se'lekto] *adj.* seleto
selector, -a [selek'tor] *s.m.,f.* seletor, -a
selenio [se'lenjo] *s.m.* selênio
sellar [se'ʎar] *v.* **1** (carta) selar, estampilhar **2** (documento) carimbar, selar **3** (pacto, acordo) concluir, pôr fim **4** (janelas, fendas) vedar, fechar, tapar
sello ['seʎo] *s.m.* **1** (carta) selo, estampilha*f.* **2** (documento) carimbo, chancela*f.*, sinete **3** *fig.* cunho, marca*f.*
selva ['selβa] *s.f.* **1** selva **2** *col.* selva, confusão, desordem ♦ **selva virgen** floresta virgem
semáforo [se'maforo] *s.m.* semáforo
semana [se'mana] *s.f.* semana; *de aquí a una semana* daqui a uma semana; *entre semana* durante a semana; *la semana pasada* na semana passada; *la semana que viene* na semana que vem; *por la semana* durante a semana; *semana tras semana* uma semana após a outra
semanal [sema'nal] *adj.2g.* semanal
semanario [sema'narjo] *s.m.* semanário
semántico [se'mantiko] *adj.* semântico
semblante [sem'blante] *s.m.* (rosto) semblante, expressão*f.*
sembrar [sem'brar] *v.* semear
semejante [seme'xante] *adj.2g.* semelhante ▪ *s.m.* semelhante, próximo
semejanza [seme'xanθa] *s.f.* semelhança, parecença
semen ['semen] *s.m.* sêmen, esperma
semestral [semes'tral] *adj.2g.* semestral
semestre [se'mestre] *s.m.* semestre
semifinal [semifi'nal] *s.f.* semifinal
semilla [se'miʎa] *s.f.* semente ♦ **lanzar la semilla de la discordia** lançar a semente da discórdia
seminario [semi'narjo] *s.m.* seminário
sémola ['semola] *s.f.* sêmola
senado [se'naðo] *s.m.* senado
senador, -a [sena'ðor] *s.m.,f.* senador, -a
sencillez [senθi'ʎeθ] *s.f.* simplicidade, singeleza
sencillo [sen'θiʎo] *adj.* **1** *(simple)* simples **2** *(fácil)* simples, fácil ▪ *s.m.* PER., BOL., AM.C., MÉX. troco
sendero [sen'dero] *s.m.* trilho, senda*f.*
seno ['seno] *s.m.* **1** *(mama)* seio, peito **2** *(matriz)* útero, ventre **3** *(hueco, concavidad)* concavidade*f.*, reentrância*f.*, buraco **4** *fig.* seio, âmago, coração **5** MAT. seno
sensación [sensa'θjon] *s.f.* sensação ♦ **dar/tener la sensación** ter a sensação; **causar sensación** causar sensação
sensacional [sensaθjo'nal] *adj.2g.* sensacional
sensacionalista [sensaθjona'lista] *adj.2g.* sensacionalista
sensatez [sensa'teθ] *s.f.* sensatez, bom-senso, prudência, cordura
sensato [sen'sato] *adj.* sensato, prudente, cordato
sensibilidad [sensiβili'ðað] *s.f.* sensibilidade
sensibilización [sensiβiliθa'θjon] *s.f.* **1** sensibilização **2** *(concienciación)* conscientização
sensible [sen'siβle] *adj.2g.* sensível
sensiblería [sensiβle'ria] *s.f. pej.* pieguice, lamechice
sensiblero [sensi'βlero] *adj. pej.* piegas, lamecha
sensitivo [sensi'tiβo] *adj.* sensitivo
sensor [sen'sor] *s.m.* sensor
sensorial [senso'rjal] *adj.2g.* sensorial
sensual [sen'swal] *adj.2g.* sensual
sensualidad [senswali'ðað] *s.f.* sensualidade
sentar [sen'tar] *v.* **1** sentar **2** estabelecer, assentar **3** (comida) assentar, cair (bem/mal); *me ha sentado mal la comida* a comida me caiu mal **4** (cor, roupa) assentar, ficar (bem/mal); *estos pantalones te sientan bien* estas calças ficam bem em você ▪ **sentarse 1** sentar-se; *sentarse a la mesa* sentar-se à mesa **2** (líquido) assentar
sentencia [sen'tenθja] *s.f.* **1** DIR. sentença; *dictar sentencia* proferir a sentença; *recurrir la sentencia* recorrer da sentença **2** *(refrán)* ditado, provérbio*m.*, máxima
sentido [sen'tiðo] *s.m.* **1** sentido; *los cinco sentidos* os cinco sentidos **2** (faculdade) senso, entendimento **3** *(significado)* sentido, significado **4** *(dirección)* sentido, direção*f.*, rumo ♦ **en sentido lato** em sentido lato; **perder el sentido** perder os sentidos; **sentido común** bom-senso; **sentido de giro obligatorio** sentido obrigatório; **sentido del humor** senso de humor
sentimental [sentimen'tal] *adj.2g.* sentimental
sentimentalismo [sentimenta'lizmo] *s.m.* sentimentalismo
sentimiento [senti'mjento] *s.m.* sentimento ♦ **le acompaño en el sentimiento** os meus pêsames
sentir [sen'tir] *v.* sentir ▪ **sentirse** sentir-se ♦ **lo siento** lamento, sinto muito
seña ['seɲa] *s.f.* **1** *(indicio)* sinal*m.*, indício*m.* **2** *(gesto)* sinal*m.*, gesto*m.* ▪ **señas** *s.f.pl.* morada, endereço*m.* ♦ **señas personales** características físicas
señal [se'ɲal] *s.f.* **1** *(marca)* sinal*m.*, marca **2** *(placa)* sinal*m.* **3** *(indicio)* sinal*m.*, indício*m.* **4** (dinheiro) sinal*m.* **5** (pele) cicatriz, marca ♦ **hacer señales** acenar, fazer gestos; **no dar señales de vida** não dar sinal de vida; **señal de la cruz** sinal da cruz
señalado [seɲa'laðo] *adj.* **1** assinalado **2** notável, importante
señalar [seɲa'lar] *v.* **1** *(marcar)* assinalar **2** *(apuntar)* apontar (com o dedo), indicar, mostrar **3** (dia, hora) marcar, fixar ▪ **señalarse** assinalar-se, distinguir-se, destacar se
señalizar [seɲali'θar] *v.* sinalizar
señor, -a [se'ɲor] *s.m.,f.* **1** senhor, -a **2** *(dueño)* don|o, -a, senhor, -a
señorita [seɲo'rita] *s.f.* **1** (tratamento) senhorita **2** *(maestra)* professora
señorit|o, -a [seɲo'rito] *s.m.,f.* **1** filh|o, -a de pessoa importante **2** *pej.* filhinho de papai
separable [sepa'raβle] *adj.2g.* separável
separación [separa'θjon] *s.f.* separação ♦ **separación de bienes** separação de bens

separar [sepa'rar] *v.* **1** separar **2** (cargo) afastar, demitir ▪ **separarse** separar-se
sepia ['sepja] *s.f.* sépia ▪ *adj.2g.2n.* (cor) sépia
septentrional [septentrjo'nal] *adj.2g.* setentrional
septiembre [sep'tjembre] *s.m.* setembro
séptim|o, -a ['septimo] *num.* sétim|o, -a
sepulcral [sepul'kral] *adj.2g.* sepulcral
sepulcro [se'pulkro] *s.m.* sepulcro, túmulo, sepultura*f.*, jazigo ♦ **Santo Sepulcro** Santo Sepulcro
sepultar [sepul'tar] *v.* sepultar, enterrar
sepultura [sepul'tura] *s.f.* **1** (ato) enterro*m.*, funeral*m.* **2** (lugar) sepultura, túmulo*m.*
sequía [se'kia] *s.f.* seca
séquito ['sekito] *s.m.* séquito, comitiva*f.*
ser ['ser] *v.* **1** (qualidade) ser; *ser alto/bajo* ser alto/baixo; *ser rubio* ser louro; *ser portugués* ser português **2** (origem) ser (de, de); *ese abanico es de Sevilla* esse leque é de Sevilha **3** (tempo, horas) ser; *es la una en punto* é uma hora; *hoy es viernes* hoje é sexta-feira **4** (posse) ser (de, de); *esas gafas son del abuelo* esses óculos são do avô **5** (profissão) ser; *ser camarero* ser garçom **6** (matéria) ser (de, de); *ese vaso es de cristal* esse copo é de vidro **7** *(pertenecer)* ser (de, de), pertencer (de, a); *esos médicos son de una ONG* esses médicos pertencem a uma ONG **8** *(ser propio)* ser próprio (de, de); *esa manera de hablar no es de un político* essa maneira de falar não é própria de um político **9** *(costar)* ser, custar; *¿cuánto es todo?* quanto é tudo? **10** *(ocurrir)* ser (en, em), ocorrer (en, em); *el evento será en el rectorado* o evento será na reitoria **11** *(consistir)* ser; *matar es un crimen* matar é um crime ▪ *s.m.* ser; *ser humano* ser humano; *ser vivo* ser vivo ♦ **a no ser que** [+*sj.*] a não ser que [+*sj.*]; **dar el ser** dar à luz, trazer ao mundo; **érase una vez** era uma vez; **es que** é que; **o sea** ou seja; **por si fuera poco** como se não bastasse; (passiva) **ser** [+*p.p.*] ser [+*p.p.*]; *el viaje fue pagado por la empresa* a viagem foi paga pela empresa; **ser alguien muy suyo** ser muito senhor do seu nariz; *siempre viaja sólo, es muy suyo* viaja sempre sozinho, é muito senhor do seu nariz; **sea como sea** seja como for; **ser de** [+*inf.*] ser digno de se [+*inf.*]; *ese paisaje es de ver* essa paisagem é digna de se ver
Serbia ['serβja] *s.f.* Sérvia
serbi|o, -a ['serβjo] *adj.,s.m.,f.* sérvi|o, -a ▪ **serbio** *s.m.* (língua) sérvio
serbocroata [serβokro'ata] *adj.,s.2g.* servo croata ▪ *s.m.* (língua) servo croata
serenar [sere'nar] *v.* serenar, acalmar, sossegar ▪ **serenarse** serenar-se
serenata [sere'nata] *s.f.* serenata
serenidad [sereni'ðað] *s.f.* serenidade
sereno [se'reno] *adj.* **1** (céu) limpo; (tempo) bom **2** *(tranquilo)* sereno, sossegado, tranquilo **3** *(sobrio)* sóbrio ▪ *s.m.* relento, orvalho ♦ **al sereno** ao relento
serie ['serje] *s.f.* série ♦ **en serie** em série; **fuera de serie** fora de série
seriedad [serje'ðað] *s.f.* seriedade
serio ['serjo] *adj.* **1** *(poco sonriente)* sério, sisudo **2** *(responsable)* sério, cumpridor, rigoroso **3** *(importante)* sério, grave ♦ **en serio** a sério; **ir en serio** ser a sério; **tomar en serio** levar a sério
sermón [ser'mon] *s.m.* **1** sermão **2** *col.* sermão, repreensão*f.*; *echar un sermón a alguien* pregar um sermão para alguém
serpentina [serpen'tina] *s.f.* serpentina
serpiente [ser'pjente] *s.f.* serpente, cobra ♦ **serpiente de cascabel** cascavel
serraduras [sera'ðuras] *s.f.pl.* **1** serragem*s.f.* **2** serrilhas*s.f.pl.*
serrar [se'rar] *v.* serrar
serrín [se'rin] *s.m.* serragem*s.f.*
serrucho [se'rutʃo] *s.m.* serrote
servicial [serβi'θjal] *adj.2g.* serviçal
servicio [ser'βiθjo] *s.m.* **1** *(funcionamiento)* serviço **2** *(beneficio)* favor, obséquio **3** (local público) banheiro; sanitários*pl.* **4** (louça) serviço; *servicio de té* serviço de chá; *servicio de mesa* serviço de jantar **5** ESPOR. serviço ♦ **servicio (de) posventa** serviço pós-venda; **servicio de urgencia** serviço de urgência; **servicio militar** serviço militar; **servicio técnico** assistência técnica
servidor [serβi'ðor] *s.m.* servidor ♦ (chamada) **¡servidor!** presente!; (carta) **su seguro(a) servidor(a)** atenciosamente
servilleta [serβi'ʎeta] *s.f.* guardanapo*m.*
servilletero [serβiʎe'tero] *s.m.* **1** argola*f.* de guardanapo **2** porta-guardanapos*2n.*
servio, -a ['serβjo] *adj.,s.m.,f.* sérvi|o, -a ▪ **servio** *s.m.* (língua) sérvio
servir [ser'βir] *v.* **1** *(ser útil)* servir, valer, prestar **2** *(estar al servicio)* servir **3** ESPOR. servir, sacar **4** (alimento, refeição) servir, pôr na mesa **5** (cliente) servir, atender **6** (jogo de cartas) assistir **7** (mercadorias) fornecer ▪ **servirse 1** servir-se (de, de) **2** (carta formal) dignar-se, querer ♦ **servir de consuelo** servir de consolo
sesenta [se'senta] *num.* sessenta
sesión [se'sjon] *s.f.* **1** *(reunión)* sessão, reunião **2** (cinema, espetáculos) sessão; *sesión de tarde* sessão da tarde, matinê
seso ['seso] *s.m.* juízo ▪ **sesos** *s.m.pl. fig., col.* miolos ♦ **beberse el seso** perder o juízo
seta ['seta] *s.f.* cogumelo*m.*

> Não confundir com a palavra em português **seta** *(flecha)*.

setecient|os, -as [sete'θjentos] *num.* setecent|os, -as
setenta [se'tenta] *num.* setenta
setiembre [se'tjembre] *s.m.* setembro
seto ['seto] *s.m.* sebe*f.*
seudónimo [sew'ðonimo] *s.m.* pseudônimo
severo [se'βero] *adj.* severo
sevillanas [seβi'ʎanas] *s.f.pl.* sevilhanas*pl.*
sevillan|o, -a [seβi'ʎano] *adj.,s.m.,f.* sevilhan|o, -a
sexista [sek'sista] *adj.,s.2g.* sexista

sexo ['sekso] *s.m.* sexo ♦ **sexo débil/fuerte** sexo fraco/forte
sexta ['seksta] *s.f.* sexta
sext|o, -a ['seksto] *num.* sext|o, -a
sexual [sek'swal] *adj.2g.* sexual; *órganos sexuales* órgãos sexuais; *relación sexual* relação sexual
sexualidad [sekswali'ðað] *s.f.* sexualidade
sexy ['seksi] *adj.2g.* (*pl.* sexys) sexy
shorts ['ʃorts] *s.m.pl.* short
si ['si] *s.m.* MÚS. si ▪ *conj.* **1** (condicional) se; *si necesitas, voy a buscarte* se precisares, vou buscar-te **2** *(en caso contrario)* se não; *si quieres, voy contigo; si no me quedaré aquí* se quiseres vou contigo; se não, fico aqui **3** (interrogativa indireta) se; *dime si vienes o no* diz me se vens ou não **4** (valor disjuntivo) se; *si lo veo, mal, si no lo veo, peor* se o vir, é mau, se não o vir, ainda pior **5** (valor desiderativo) quem me dera; *¡si me tocara el gordo!* quem me dera ganhar o prêmio de loteria mais alto **6** (surpresa) *(pero si)* mas não é que; *¡si no es el presidente!* mas não é que é o presidente! ♦ **como si** como se; **si bien** embora
sí ['si] *pron.pess.* si; *lo solucionó por sí mismo* resolveu-o por si mesmo/próprio ▪ *s.m.* sim; *le dio el sí* disse-lhe o sim ▪ *adv.* **1** (afirmação) sim; *¿comes con nosotros? – ¡sí!* almoças conosco? – sim! **2** (ênfase) sim; *a ti sí que te gustan las fresas* tu sim, gostas de morangos ♦ **¡a que sí!** vais ver!; **de por sí** por si mesmo, por si; *col.* **porque sí** porque sim
siam|és, -esa [sja'mes] *adj.,s.m.,f.* siam|ês, -esa ▪ *adj.* siamês
SIDA ['siða] (*sigla de* Síndrome de Inmunodeficiencia Adquirida) AIDS (*sigla de* Síndrome da Imunodeficiência Adquirida)
siderurgia [siðe'rurxja] *s.f.* siderurgia
sidra ['siðra] *s.f.* sidra
siembra ['sjembra] *s.f.* sementeira, semeadura
siempre ['sjempre] *adv.* sempre ♦ **casi siempre** quase sempre; **de siempre** de sempre; **¡hasta siempre!** até sempre!; **no siempre** nem sempre; **para siempre** para sempre; **siempre que** sempre que; **siempre y cuando** desde que
sien ['sjen] *s.f.* fonte, têmpora
sierra ['sjera] *s.f.* **1** (ferramenta) serra; *sierra de mano* serra manual; *sierra eléctrica* serra elétrica **2** GEOG. serra
siesta ['sjesta] *s.f.* sesta; *dormir/echarse la siesta* dormir a sesta
siete ['sjete] *num.* sete ▪ *s.m. col.* rasgão
sifón [si'fon] *s.m.* **1** (garrafa, tubo) sifão **2** (bebida) água*f.* gasosa
sigilo [si'xilo] *s.m.* sigilo; *sigilo profesional* sigilo profissional
sigla ['siγla] *s.f.* sigla
siglo ['siγlo] *s.m.* século; *cuarta parte del siglo/cuarto de siglo* quartel do século ♦ **hace siglos que no lo veo** há séculos que não o vejo
significación [siγnifika'θjon] *s.f.* **1** significação **2** *(trascendencia)* importância, valor*m.*, relevância
significado [siγnifi'kaðo] *adj.* conhecido, importante ▪ *s.m.* significado
significante [siγnifi'kante] *s.m.* significante
significar [siγnifi'kar] *v.* significar ▪ **significarse** distinguir-se, destacar-se, evidenciar se
significativo [siγnifika'tiβo] *adj.* significativo
signo ['siγno] *s.m.* **1** *(señal)* signo, símbolo **2** *(indicio)* sinal, indício **3** (gesto, movimento) sinal ♦ **signo de admiración** ponto de exclamação; **signo de interrogación** ponto de interrogação; **signo del zodiaco** signo do zodíaco
siguiente [si'γjente] *adj.2g.* seguinte
sílaba ['silaβa] *s.f.* sílaba
silabear [silaβe'ar] *v.* soletrar
silbar [sil'βar] *v.* **1** assobiar **2** *(abuchear)* vaiar, apupar, assobiar
silbato [sil'βato] *s.m.* apito, assobio
silbido [sil'βiðo] *s.m.* **1** assobio **2** silvo, sibilo
silenciador [silenθja'ðor] *s.m.* **1** (arma) silenciador **2** (escapamento) silencioso
silencio [si'lenθjo] *s.m.* silêncio
silencioso [silen'θjoso] *adj.* silencioso
silicio [si'liθjo] *s.m.* silício
silicona [sili'kona] *s.f.* silicone*m.*
silla ['siʎa] *s.f.* **1** cadeira; *silla de ruedas* cadeira de rodas; *silla eléctrica* cadeira elétrica **2** (bebês) carrinho*m.* ♦ **quien fue a Sevilla perdió su silla** quem foi para Portugal perdeu o lugar; (jogo infantil) **silla de la reina** cadeirinha; (cavalgadura) **silla (de montar)** sela
sillín [si'ʎin] *s.m.* **1** (bicicleta) selim **2** (cavalgadura) selim, sela
sillón [si'ʎon] *s.m.* poltrona*f.*, cadeirão
silueta [si'lweta] *s.f.* silhueta
silvestre [sil'βestre] *adj.2g.* silvestre
simbólico [sim'boliko] *adj.* simbólico
simbolismo [simbo'lizmo] *s.m.* simbolismo
simbolista [simbo'lista] *adj.,s.2g.* simbolista
simbolizar [simboli'θar] *v.* simbolizar
símbolo ['simbolo] *s.m.* símbolo
simbología [simbolo'xia] *s.f.* simbologia
simetría [sime'tria] *s.f.* simetria
simétrico [si'metriko] *adj.* simétrico
similar [simi'lar] *adj.2g.* similar
similitud [simili'tuð] *s.f.* similitude, semelhança
simi|o, -a ['simjo] *s.m.,f.* símí|o, -a
simpatía [simpa'tia] *s.f.* simpatia
simpático [sim'patiko] *adj.* simpático
simpatizante [simpati'θante] *adj.,s.2g.* simpatizante
simpatizar [simpati'θar] *v.* simpatizar (con, com)
simple ['simple] *adj.2g.* simples ▪ *s.2g.* simplóri|o, -a*m.f.*, ingênu|o, -a*m.f.*
simplemente [simple'mente] *adv.* simplesmente
simplicidad [simpliθi'ðað] *s.f.* **1** *(sencillez)* simplicidade **2** *(ingenuidad)* ingenuidade
simplificar [simplifi'kar] *v.* simplificar

simular [simu'lar] v. simular, fingir
simultaneidad [simultaneʝ'ðað] s.f. simultaneidade
simultáneo [simul'taneo] adj. simultâneo
sin ['sin] prep. sem; *sin azúcar* sem açúcar ♦ **sin** [+inf.] por [+inf.]; **sin embargo** contudo, todavia, porém, mas; **sin que** sem que
sinagoga [sina'ɣoɣa] s.f. sinagoga
sinceridad [sinθeri'ðað] s.f. sinceridade, franqueza
sincero [sin'θero] adj. sincero, franco
sincronización [siŋkroniθa'θjon] s.f. sincronização
sincronizar [siŋkroni'θar] v. sincronizar
sindical [sindi'kal] adj.2g. sindical
sindicato [sindi'kato] s.m. sindicato
síndrome ['sindrome] s.m. síndrome f., síndroma f. ♦ **síndrome de abstinencia** síndrome de abstinência; **síndrome de Down** síndrome de Down, mongolismo; **síndrome de inmunodeficiencia adquirida** síndrome da imunodeficiência adquirida, AIDS
sinfín [siɱ'fin] s.m. sem-fim, infinidade f.; *un sinfín de* um sem fim de
sinfonía [siɱfo'nia] s.f. sinfonia
sinfónico [siɱ'foniko] adj. sinfônico; *orquesta sinfónica* orquestra sinfônica
singular [siŋgu'lar] adj.2g. **1** *(único)* singular, único **2** *(extraordinario)* singular, excelente, extraordinário ■ s.m. LING. singular; *en singular* no singular
siniestro [si'njestro] adj. **1** (lado, mão) esquerdo **2** (pessoa) malvado, perverso, cruel **3** (situação) sinistro, funesto, tenebroso ■ s.m. sinistro, desastre
sino ['sino] s.m. sina f., destino, fado ■ conj. **1** (oposição) mas **2** (exceção) senão, a não ser ♦ **no sólo... sino también** não só... mas também
sinónimo [si'nonimo] s.m. sinônimo
sintáctico [sin'taktiko] adj. sintático
sintaxis [sin'taksis] s.f.2n. sintaxe
síntesis ['sintesis] s.f.2n. síntese
sintético [sin'tetiko] adj. sintético
sintetizar [sinteti'θar] v. sintetizar
síntoma ['sintoma] s.m. **1** MED. sintoma **2** *(indicio)* sintoma, indício, sinal
sintonía [sinto'nia] s.f. sintonia
sintonizar [sintoni'θar] v. **1** sintonizar **2** entender-se
sinusitis [sinu'sitis] s.f.2n. sinusite
sinvergüenza [simber'ɣweŋθa] adj.,s.2g. sem vergonha
siquiera [si'kjera] adv. pelo menos ■ conj. **1** ainda que, nem que; *llega temprano, siquiera por una vez* chega cedo, ainda que seja por uma vez **2** quer ♦ **ni siquiera** nem sequer
sirena [si'rena] s.f. **1** MIT. sereia **2** (veículo, fábrica) sirene **3** (barco) buzina, sirene, apito
sirvient|e, -a [sir'βjente] s.m.,f. criad|o, -a, servente 2g.
sísmico ['sizmiko] adj. sísmico
sistema [sis'tema] s.m. sistema ♦ **por sistema** por sistema; **sistema operativo** sistema operativo; **sistema planetario** sistema planetário; **sistema solar** sistema solar
sitiar [si'tjar] v. sitiar, cercar
sitio ['sitjo] s.m. **1** *(lugar)* sítio, lugar **2** MIL. sítio, cerco **3** INFORM. site, sítio ♦ col. **dejar/quedarse en el sitio** ir desta para melhor
situación [sitwa'θjon] s.f. situação
situar [si'twar] v. situar ■ **situarse 1** *(colocarse)* situar-se **2** (socialmente) alcançar boa posição
sobaco [so'βako] s.m. sovaco, axila f.
sobar [so'βar] v. **1** amassar, sovar, manusear **2** (couro, pele) surrar, curtir **3** col. bater, sovar **4** col. apalpar **5** col. dormir
soberan|o, -a [soβe'rano] s.m.,f. soberan|o, -a ■ adj. **1** soberano **2** col. grande
soberbia [so'βerβja] s.f. soberba, arrogância, altivez
sobornar [soβor'nar] v. subornar
soborno [so'βorno] s.m. suborno
sobra ['soβra] s.f. sobra, demasia ■ **sobras** s.f.pl. sobras pl., restos m. pl. ♦ **de sobra** de sobra
sobrar [so'βrar] v. **1** sobrar **2** (pessoa) estar a mais **3** (dinheiro, troco) restar, ficar
sobre ['soβre] prep. **1** *(encima de)* sobre; *sobre la mesa* sobre a mesa **2** *(acerca de)* sobre; *escribir sobre política* escrever sobre política **3** *(por encima de)* acima de; *sobre el nivel del mar* acima do nível do mar **4** *(cerca de)* sobre, por volta de; *llegaré sobre las diez* chegarei por volta das dez (horas) **5** (direção) sobre; *las tropas avanzaban sobre el enemigo* as tropas avançavam sobre o inimigo **6** (autoridade, domínio) sobre; *el teniente está sobre el alférez* o tenente está acima do alferes ■ s.m. **1** envelope, sobrescrito; *sobre de ventanilla* envelope de janela **2** pacote; *sopa de sobre* sopa de pacote **3** col. cama f. ♦ **sobre todo** sobretudo
sobrecarga [soβre'karɣa] s.f. sobrecarga
sobrecoger [soβreko'xer] v. **1** *(impresionar)* impressionar, surpreender **2** *(asustar)* assustar, intimidar ■ **sobrecogerse** impressionar-se
sobredosis [soβre'ðosis] s.f.2n. overdose
sobrehumano [soβreu'mano] adj. sobre-humano
sobremesa [soβre'mesa] s.f. [período em que se está à mesa após a refeição] depois do almoço/jantar ♦ **de sobremesa 1** que acontece após a refeição **2** próprio para ser colocado em cima da mesa

> Não confundir com a palavra em português **sobremesa** (*postre*).

sobrenatural [soβrenatu'ral] adj.2g. sobrenatural
sobrenombre [soβre'nombre] s.m. sobrenome
sobrepasar [soβrepa'sar] v. ultrapassar, exceder
sobresaliente [soβresa'ljente] adj.2g. **1** saliente **2** sobressalente ■ s.m. (classificação escolar) excelente; muito bom ■ s.2g. (tourada, teatro) substitut|o, -a m.f.
sobresalir [soβresa'lir] v. **1** sobressair, realçar **2** fig. sobressair, destacar se
sobresaltar [soβre'saltar] v. sobressaltar, assustar ■ **sobresaltarse** sobressaltar-se, assustar-se
sobresalto [soβre'salto] s.m. sobressalto, susto
sobresueldo [soβre'sweldo] s.m. gratificação f., prêmio, bônus 2n.

sobreviviente [soβreβi'βjeṇte] *adj.,s.2g.* sobrevivente
sobrevivir [soβreβi'βir] *v.* **1** sobreviver (a, a); *sobrevivió al naufragio* sobreviveu ao naufrágio **2** *(subsistir)* sobreviver, subsistir
sobriedad [soβrje'ðað] *s.f.* **1** *(moderación)* sobriedade, comedimento*m.*, moderação **2** *(sencillez)* sobriedade, simplicidade
sobrin|o, -a [so'βrino] *s.m.,f.* sobrinh|o, -a
sobrio ['soβrjo] *adj.* **1** sóbrio, comedido, moderado **2** *(no borracho)* sóbrio **3** (decoração, estilo) sóbrio, simples
socavón [soka'βon] *s.m.* **1** *(excavación)* escavação*f.* **2** *(hoyo)* buraco, cova*f.* **3** (mina) galeria*f.*
sociable [so'θjaβle] *adj.2g.* sociável
social [so'θjal] *adj.2g.* social
socialismo [soθja'lizmo] *s.m.* socialismo
socialista [soθja'lista] *adj.,s.2g.* socialista
sociedad [soθje'ðað] *s.f.* sociedade ♦ **sociedad anónima** sociedade anônima; **sociedad civil** sociedade civil; **sociedad de consumo** sociedade de consumo; **sociedad en comandita** comandita; **sociedad secreta** sociedade secreta
soci|o, -a ['soθjo] *s.m.,f.* **1** sóci|o, -a **2** *col.* sóci|o, -a, companheir|o, -a, parceir|o, -a
sociocultural [soθjokuḷtu'ral] *adj.2g.* sociocultural
socioeconómico [soθjoeko'nomiko] *adj.* socioeconômico
sociología [soθjolo'xia] *s.f.* sociologia
sociológico [soθjo'loxiko] *adj.* sociológico
sociólog|o, -a [so'θjoloɣo] *s.m.,f.* sociólog|o, -a
socorrer [soko'rer] *v.* socorrer, auxiliar, ajudar
socorrismo [soko'rizmo] *s.m.* socorrismo
socorrista [soko'rista] *s.2g.* **1** socorrista **2** (praia) salva-vidas*2n.*
socorro [so'koro] *s.m.* socorro, auxílio, ajuda*f.* ■ *interj.* socorro!
soda ['soða] *s.f.* (bebida) soda
sodio ['soðjo] *s.m.* sódio
sofá [so'fa] *s.m.* sofá; *sofá de dos plazas* sofá de dois lugares; *sofá cama* sofá cama
sofisticado [sofisti'kaðo] *adj.* **1** (comportamento, pessoa) sofisticado, afetado, artificial **2** (aparelho, técnica) sofisticado, complexo
sofocante [sofo'kaṇte] *adj.2g.* **1** sufocante **2** (dia, tempo) sufocante, abafado
sofocar [sofo'kar] *v.* **1** *(ahogar)* sufocar, asfixiar, abafar **2** (incêndio) apagar, abafar, extinguir **3** *fig.* (pessoa) sufocar, importunar ■ **sofocarse** envergonhar-se
sofoco [so'foko] *s.m.* **1** sufoco, sufocação*f.* **2** *col.* vergonha*f.* **3** *col.* desgosto
software ['sof(ɣ)wer] *s.m.* software
soga ['soɣa] *s.f.* soga, corda (grossa) ♦ **estar con la soga al cuello** estar com a corda no pescoço
soja ['soxa] *s.f.* soja
sol ['sol] *s.m.* **1** sol; *sol de justicia* sol abrasador; *hace sol* está sol; *salida del sol* nascer do Sol; *tomar el sol* pegar sol **2** *col.* encanto; amor; *este niño es un sol* este menino é um amor **3** MÚS. sol ♦ **de sol a sol** de sol a sol; *col.* **no dejar ni a sol ni a sombra** não desgrudar; não deixar em paz
Sol ['sol] *s.m.* Sol
solamente ['solameṇte] *adv.* somente, só
solapa [so'lapa] *s.f.* **1** (roupa) lapela **2** (livro) badana, orelha **3** (envelope) aba
solar [so'lar] *v.* **1** assoalhar, soalhar **2** ladrilhar **3** lajear ■ *adj.2g.* solar ■ *s.m.* **1** lote **2** terreno
soldado [soḷ'daðo] *s.2g.* soldado ♦ **soldado desconocido** soldado desconhecido
soldadura [soḷda'ðura] *s.f.* **1** (ação) soldadura **2** (material) solda
soldar [soḷ'dar] *v.* soldar
soleado [sole'aðo] *adj.* **1** de sol **2** (lugar) soalheiro
soledad [sole'ðað] *s.f.* solidão
solemne [so'lemne] *adj.2g.* solene
solemnidad [solemni'ðað] *s.f.* solenidade
soler [so'ler] *v.* costumar; *suelo cenar a las nueve de la noche* costumo jantar às nove da noite
solfeo [sol'feo] *s.m.* solfejo
solicitar [soliθi'tar] *v.* **1** *(pedir)* solicitar, requerer **2** (pessoa) cortejar ♦ **solicitar un empleo** candidatar-se a um emprego
solicitud [soliθi'tuð] *s.f.* **1** (documento) requerimento*m.* **2** *(diligencia)* solicitude, diligência; *(prontitud)* prontidão
solidaridad [soliðari'ðað] *s.f.* solidariedade
solidario [soli'ðarjo] *adj.* solidário
solidez [soli'ðeθ] *s.f.* solidez
solidificar [soliðifi'kar] *v.* solidificar ■ **solidificarse** solidificar-se
sólido ['soliðo] *adj.* **1** (corpo, substância) sólido, compacto **2** (estrutura, organização) sólido, firme **3** *fig.* sólido, inabalável ■ *s.m.* sólido
solista [so'lista] *s.2g.* solista
solitaria [soli'tarja] *s.f.* solitária, tênia
solitario [soli'tarjo] *adj.* **1** (lugar) solitário, deserto **2** (pessoa) solitário, só ■ *s.m.* **1** (anel, joia) solitário **2** (jogo) paciência*f.*
sollozar [soʎo'θar] *v.* (choro) soluçar
sollozo [so'ʎoθo] *s.m.* (choro) soluço
solo ['solo] *adj.* **1** *(sin compañía)* só, sozinho **2** *(único)* só, único ■ *s.m.* **1** MÚS. solo **2** (café) café ■ *adv.* ⇒ **sólo** ♦ **a solas** a sós
sólo ['solo] *adv.* somente, só, apenas; *sólo me quedan 10 euros* só me restam 10 euros ♦ **ser sólo 1** não passar de **2** ser apenas
solomillo [solo'miʎo] *s.m.* acém
soltar [soḷ'tar] *v.* **1** *(desprender)* soltar, desprender **2** *(desasir)* largar **3** (nó) desfazer **4** (bofetada, gargalhada) dar ■ **soltarse** soltar-se ♦ **no soltar prenda** não abrir a boca
solter|o, -a [soḷ'tero] *adj.,s.m.,f.* solteir|o, -a
solter|ón, -ona [soḷte'ron] *adj.,s.m.,f.* solteir|ão, -ona

soltura [soḷ'tura] *s.f.* **1** agilidade **2** facilidade **3** desenvoltura **4** fluência; ***habla español con soltura*** fala espanhol com fluência
soluble [so'luβle] *adj.2g.* solúvel
solución [solu'θjon] *s.f.* solução ♦ **solución de continuidad** solução de continuidade
solucionar [soluθjo'nar] *v.* (assunto) solucionar, resolver
solvente [sol'βeṇte] *adj.2g.,s.m.* solvente
sombra ['sombra] *s.f.* sombra ♦ **a la sombra 1** à sombra **2** *col.* atrás das grades, na cadeia; **hacer sombra a alguien** fazer sombra para alguém; *col.* **mala sombra** má intenção; (cosmética) **sombra (de ojos)** sombra
sombrero [som'brero] *s.m.* chapéu ♦ **quitarse el sombrero** de tirar o chapéu; **sombrero de copa** cartola; **sombrero hongo** chapéu-coco
sombrilla [som'briʎa] *s.f.* **1** guarda-sol*m.*, chapéu*m.* de sol, para-sol*m.* **2** (para senhoras) sombrinha
sombrío [som'brio] *adj.* **1** (lugar) sombrio, escuro **2** *fig.* sombrio, melancólico, triste
someter [some'ter] *v.* submeter, sujeitar ■ **someterse** submeter-se (a, a), sujeitar-se (a, a)
somnífero [som'nifero] *s.m.* sonífero
somnolencia [somno'leṇθja] *s.f.* sonolência
son ['son] *s.m.* **1** som **2** *fig.* modo, maneira*f.* **3** MÚS. son cubano ♦ **¿a son de qué?** por obra de quem?; **bailar al son que tocan** dançar conforme a música; **en son de** em missão de; **sin ton ni son** sem tom nem som
sonajero [sona'xero] *s.m.* guizo
sonámbul|o, -a [so'nambulo] *adj.,s.m.,f.* sonâmbul|o, -a
sonar [so'nar] *v.* **1** (som) soar, ecoar **2** (telefone, despertador) soar, tocar **3** (sino) soar, bater **4** *(mencionarse)* ser mencionado, ser citado **5** *col.* ser familiar ■ **sonarse** assoar(-se); ***sonarse la nariz*** assoar o nariz ■ *s.m.* sonar ♦ **como suena** literalmente
sonata [so'nata] *s.f.* sonata
sonda ['soṇda] *s.f.* **1** MED. sonda, cateter*m.* **2** NÁUT. sonda ♦ **sonda espacial** sonda espacial
sondear [soṇde'ar] *v.* **1** sondar **2** *fig.* sondar, investigar, indagar
sondeo [soṇ'deo] *s.m.* sondagem*f.*
soneto [so'neto] *s.m.* soneto
sonido [so'niðo] *s.m.* som
sonoridad [sonori'ðað] *s.f.* sonoridade
sonoro [so'noro] *adj.* sonoro; CIN. ***banda sonora*** trilha sonora; LING. ***consonante sonora*** consoante sonora; ***película sonora*** filme sonoro
sonreír [sonre'ir] *v.* **1** (pessoa) sorrir **2** (sorte, vida) sorrir, ser favorável ■ **sonreírse** sorrir
sonriente [son'rjeṇte] *adj.2g.* sorridente
sonrisa [son'risa] *s.f.* sorriso*m.*
sonrojar [sonro'xar] *v.* corar ■ **sonrojarse** corar, ruborizar se
sonrojo [son'roxo] *s.m.* (face) rubor
sonrosado [sonro'saðo] *adj.* corado, ruborizado
sonsacar [sonsa'kar] *v.* (informação) sacar, obter
soñador, -a [soɲa'ðor] *adj.,s.m.,f.* sonhador, -a
soñar [so'ɲar] *v.* **1** sonhar **2** sonhar (con, com); ***soñar con ladrones*** sonhar com ladrões **3** *fig.* sonhar (con, com), ansiar (con, por); ***el niño sueña con ser piloto*** o menino sonha (vir a) ser piloto ♦ *col.* **¡ni soñarlo!** nem em sonhos!, nem pensar nisso!; **soñar despierto** sonhar acordado
soñoliento [soɲo'ljeṇto] *adj.* sonolento
sopa ['sopa] *s.f.* sopa, caldo*m.*; ***sopa de gallina*** canja (de galinha); ***sopa de guisantes*** sopa de ervilhas; ***sopa de sobre*** sopa de pacote; ***sopa instantánea*** sopa instantânea ♦ *col.* **comer la sopa boba** viver à custa de; **estar hecho una sopa** estar todo molhado/encharcado; *col.* **estar sopa** estar dormindo; *col.* **hasta en la sopa** em toda parte; *col.* **quedarse sopa** adormecer
sopapo [so'papo] *s.m.* sopapo, bofetada*f.*
sopera [so'pera] *s.f.* sopeira, terrina da sopa
soplar [so'plar] *v.* **1** (vento) soprar, assoprar **2** (álcool) beber **3** soprar, bufar **4** (em voz baixa) soprar, segredar, sussurrar **5** *col.* acusar, denunciar, delatar **6** *col.* furtar, gamar, surripiar ■ **soplarse** *col.* embriagar-se, embebedar-se
soplido [so'pliðo] *s.m.* sopro, assopro
soplo ['soplo] *s.m.* **1** *(soplido)* sopro, assopro **2** MED. sopro; ***soplo cardíaco*** sopro cardíaco **3** (tempo) instante, momento; ***en un soplo*** num ápice, num instante **4** *col.* denúncia*f.*, delação*f.* ♦ **soplo de aire fresco** lufada de ar fresco
sopor [so'por] *s.m.* **1** *(somnolencia)* sopor, sonolência*f.* **2** MED. torpor
soportable [sopor'taβle] *adj.2g.* suportável
soportal [sopor'tal] *s.m.* alpendre ■ **soportales** *s.m.pl.* arcada*f.*
soportar [sopor'tar] *v.* **1** (carga, peso) suportar, suster, sustentar **2** (problema, sofrimento) suportar, aguentar, tolerar, aturar
soporte [so'porte] *s.m.* suporte, apoio, sustentáculo
soprano [so'prano] *s.2g.* soprano
sorber [sor'βer] *v.* **1** (líquido) sorver, beber aspirando **2** (mucosidades) fungar **3** *fig.* absorver, sugar
sorbete [sor'βete] *s.m.* sorvete
sorbo ['sorβo] *s.m.* sorvo, gole, trago ♦ **a sorbos** aos goles
sordera [sor'ðera] *s.f.* surdez
sórdido ['sorðiðo] *adj.* **1** (coisa) sórdido, sujo, imundo **2** (pessoa) sórdido, mesquinho, avarento
sord|o, -a ['sorðo] *adj.,s.m.,f.* surd|o, -a ♦ **sordo como/más sordo que una tapia** surdo como uma porta
sordomud|o, -a [sorðo'muðo] *adj.,s.m.,f.* surdo mudo, surda muda
sorprendente [sorpreṇ'deṇte] *adj.2g.* surpreendente
sorprender [sorpreṇ'der] *v.* **1** *(coger desprevenido)* surpreender, pegar desprevenido **2** *fig.* descobrir, encontrar **3** *fig.* surpreender, espantar ■ **sorprenderse** surpreender-se

sorpresa [sor'presa] *s.f.* surpresa ♦ **coger a alguien de/por sorpresa** pegar alguém de surpresa
sortear [sorte'ar] *v.* **1** sortear **2** (obstáculo, problema) contornar, evitar, tornear
sorteo [sor'teo] *s.m.* sorteio
sortija [sor'tixa] *s.f.* **1** *(anillo)* anel*m.* **2** *(rizo)* caracol*m.*, cacho*m.*, anel*m.*
SOS *sigla* (pedido de auxilio en una emergencia) SOS (pedido de socorro numa emergência)
sosaina [so'sajna] *s.2g. col.* insoss|o, -a*m.f.*, desenxabid|o, -a*m.f.*
sosiego [so'sjeγo] *s.m.* sossego, tranquilidade*f.*
soso ['soso] *adj.* **1** (alimento) insosso, insulso, insípido **2** (pessoa) insosso, desinteressante, desenxabido
sospecha [sos'petʃa] *s.f.* suspeita
sospechar [sospe'tʃar] *v.* **1** suspeitar, supor **2** suspeitar (de, de), desconfiar (de, de)
sospechos|o, -a [sospe'tʃoso] *adj.,s.m.,f.* suspeit|o, -a
sostén [sos'ten] *s.m.* **1** suporte, apoio **2** *(sujetador)* sutiã
sostener [soste'ner] *v.* **1** (estrutura) suster, segurar, suportar **2** (com dinheiro) sustentar, manter **3** (ideia, opinião) sustentar, defender, afirmar **4** (conversa, polêmica) manter, prosseguir ▪ **sostenerse** sustentar-se, manter-se
sostenible [soste'niβle] *adj.2g.* sustentável
sostenido [soste'niðo] *s.m.* MÚS. sustenido
sota ['sota] *s.f.* (baralho espanhol) valete*m.*
sotana [so'tana] *s.f.* sotaina, batina
sótano ['sotano] *s.m.* cave*f.*
souvenir [suβe'nir] *s.m.* suvenir, lembrança*f.*, recordação*f.*
soviétic|o, -a [so'βjetiko] *adj.,s.m.,f.* soviétic|o, -a
sport [es'por] ♦ **de sport** esportivo, esporte
spray [es'praj] *s.m.* spray
squash [es'kwas] *s.m.* squash
stop [es'top] *s.m.* placa, sinal de parada obrigatória; *paró en el stop* parou no sinal
su ['su] *adj.poss.* [antes de *s.*] o seu, a sua, del|e, -a; *éste es su abrigo* este é o seu casaco; *ésta es su habitación* este é o seu quarto, este é o quarto dele
suave ['swaβe] *adj.2g.* **1** suave **2** (pessoa) dócil; afável
suavidad [swaβi'ðað] *s.f.* **1** suavidade **2** maciez **3** *fig.* docilidade; afabilidade
suavizante [swaβi'θante] *s.m.* **1** (cabelo) condicionador **2** (roupa) amaciante
suavizar [swaβi'θar] *v.* suavizar ▪ **suavizarse** suavizar se
subalimentación [suβalimenta'θjon] *s.f.* subalimentação
subasta [su'βasta] *s.f.* **1** leilão*m.* **2** hasta pública
subcampe|ón, -ona [suβkampe'on] *s.m.,f.* vice-campe|ão, -ã
subconsciente [suβkons'θjente] *adj.2g.,s.m.* subconsciente
subcontratación [suβkontrata'θjon] *s.f.* subcontratação
subdesarrollado [suβðesaro'ʎaðo] *adj.* subdesenvolvido
subdesarrollo [suβðesa'roʎo] *s.m.* subdesenvolvimento
subdirector, -a [suβðirek'tor] *s.m.,f.* subdiretor, -a
súbdit|o, -a ['suβðito] *s.m.,f.* súdit|o, -a
subida [su'βiða] *s.f.* **1** subida, ascensão, escalada **2** *(pendiente)* subida, encosta **3** (valor, temperatura) subida, aumento*m.*
subir [su'βir] *v.* **1** subir, ascender, escalar **2** (valor, temperatura) subir, aumentar **3** (meio de transporte) subir (a, para), entrar (a, em); *subimos al coche* entramos no carro **4** (cortina, persiana) subir, elevar, levantar
súbito ['suβito] *adj.* súbito, repentino, inesperado ♦ **de súbito** de súbito, de repente
subjetividad [suβxetiβi'ðað] *s.f.* subjetividade
subjetivismo [suβxeti'βizmo] *s.m.* subjetivismo
subjetivo [suβxe'tiβo] *adj.* subjetivo, individual, pessoal
sublevación [suβleβa'θjon] *s.f.* sublevação, rebelião
sublevar [suβle'βar] *v.* **1** sublevar, revoltar **2** *(enfadar)* indignar; irritar ▪ **sublevarse** **1** sublevar-se, revoltar-se **2** *(enfadarse)* indignar-se; irritar se
sublime [su'βlime] *adj.2g.* sublime
submarinismo [suβmari'nizmo] *s.m.* mergulho
submarinista [suβmari'nista] *s.2g.* mergulhador, -a*m.f.*, submarinista, escafandrista, homem rã*m.*
submarino [suβma'rino] *adj.* submarino ▪ *s.m.* submarino
subnormal [suβnor'mal] *adj.2g.* **1** deficiente mental **2** *col., pej.* atrasado mental
subrayar [suβra'jar] *v.* **1** (texto escrito) sublinhar **2** *fig.* (texto oral) enfatizar, frisar
subsidio [suβ'siðjo] *s.m.* subsídio ♦ **subsidio de familia/familiar** salário-família; **subsidio de/por desempleo** seguro-desemprego
subsiguiente [suβsi'γjente] *adj.2g.* subsequente
subsistencia [suβsis'tenθja] *s.f.* subsistência, sustento*m.*
subsistir [suβsis'tir] *v.* subsistir
subsuelo [suβ'swelo] *s.m.* subsolo
subterráneo [suβte'raneo] *adj.* subterrâneo ▪ *s.m.* **1** subterrâneo **2** [ARG., URUG.] metrô, metropolitano
subtítulo [suβ'titulo] *s.m.* **1** (filme, documentário) legenda*f.* **2** (obra, artigo) subtítulo
suburbio [su'βurβjo] *s.m.* subúrbio
subvención [su(β)βen'θjon] *s.f.* subsídio*m.*, subvenção
subvencionar [su(β)βenθjo'nar] *v.* subsidiar, subvencionar
subversión [su(β)βer'sjon] *s.f.* subversão
subyugar [suβju'γar] *v.* **1** subjugar, submeter, sujeitar **2** *fig.* fascinar, cativar
succión [suk'θjon] *s.f.* sucção
succionar [sukθjo'nar] *v.* sugar
sucedáneo [suθe'ðaneo] *adj.* sucedâneo
suceder [suθe'ðer] *v.* suceder

sucedido [suθe'ðiðo] *s.m. col.* sucedido, ocorrido

sucesión [suθe'sjon] *s.f.* **1** *(serie)* sucessão, série **2** (cargo, função) sucessão; ***sucesión al trono*** sucessão ao trono **3** (bens, herança) sucessão; ***derecho de sucesión*** direito de sucessão **4** *(descendencia)* sucessão, descendência

sucesivo [suθe'siβo] *adj.* sucessivo ◆ **en lo sucesivo** daqui em diante, daqui para a frente

suceso [su'θeso] *s.m.* **1** *(acontecimiento)* acontecido, acontecimento **2** *(accidente)* incidente, acidente

sucesor, -a [suθe'sor] *adj.,s.m.,f.* sucessor, -a

suciedad [suθje'ðað] *s.f.* sujidade, sujeira, porcaria

sucio ['suθjo] *adj.* **1** sujo, porco **2** (cor, tom) manchado, turvo **3** (pessoa) desmazelado, desleixado **4** *fig.* sujo, desonesto ■ *adv.* sujo, desonesto; ***jugar sucio*** fazer (um) jogo sujo

sucursal [sukur'sal] *s.f.* sucursal

sudadera [suða'ðera] *s.f.* blusão de agasalho, às vezes com capuz

sudafrican|o, -a [suðafri'kano] *adj.,s.m.,f.* sul-african|o, -a

sudamerican|o, -a [suðameri'kano] *adj.,s.m.,f.* ⇒ **suramericano**

sudar [su'ðar] *v.* **1** suar, transpirar **2** (plantas) exsudar

sudeste [su'ðeste] *s.m.* sudeste, sueste

sudoeste [suðo'este] *s.m.* sudoeste

sudor [su'ðor] *s.m.* **1** suor **2** *fig.* suor

Suecia ['sweθja] *s.f.* Suécia

suec|o, -a ['sweko] *adj.,s.m.,f.* suec|o, -a ■ **sueco** *s.m.* (língua) sueco ◆ *col.* **hacerse alguien el sueco** fazer-se de desentendido, fazer ouvidos de mercador

suegr|o, -a ['sweɣro] *s.m.,f.* sogr|o, -a

suela ['swela] *s.f.* **1** (calçado) sola **2** (taco de bilhar) ponta (onde se passa o giz) ◆ *col.* **no llegarle a la suela del zapato** não chegar aos pés de

sueldo ['sweldo] *s.m.* ordenado, salário, vencimento; ***sueldo base*** ordenado base; ***sueldo mínimo*** salário mínimo

suelo ['swelo] *s.m.* **1** *(pavimento)* chão **2** *(tierra)* solo, terra*f.*

suelto ['swelto] (*p.p. de* soltar) *adj.* **1** solto **2** (dinheiro) trocado **3** (produto) solto, avulso, separado; ***comprar algo suelto*** comprar alguma coisa avulso **4** (verso) branco, livre ■ *s.m.* (dinheiro) trocado, troco

sueño ['sweɲo] *s.m.* **1** sono; ***caerse de sueño*** cair de sono; ***coger el sueño*** dar o sono, adormecer; ***conciliar el sueño*** conseguir dormir **2** sonho **3** *fig.* sonho, desejo ◆ **ni en sueños** nem em sonhos, jamais; **quitar el sueño a (alguien)** tirar o sono de (alguém), preocupar (alguém)

suero ['swero] *s.m.* soro ◆ **suero fisiológico** soro fisiológico

suerte ['swerte] *s.f.* **1** *(fortuna)* sorte, felicidade **2** *(destino)* sorte, fado*m.*, destino*m.* **3** *(tipo)* tipo*m.*, espécie, gênero*m.*; ***de toda suerte*** de todo tipo ◆ **¡buena suerte!** boa sorte!, felicidades!; **de suerte que** de modo/forma que; **echar a suerte** tirar a sorte; **mala suerte** azar

suéter ['sweter] *s.m.* suéter*f.*

suficiente [sufi'θjente] *adj.2g.* suficiente ■ *s.m.* (classificação escolar) suficiente

sufijo [su'fixo] *s.m.* sufixo

sufragar [sufra'ɣar] *v.* custear, financiar

sufragio [su'fraxjo] *s.m.* sufrágio; ***sufragio directo/universal*** sufrágio direto/universal

sufrido [su'friðo] *adj.* **1** (pessoa) resignado, conformado **2** (cor) que esconde a sujidade

sufrimiento [sufri'mjento] *s.m.* sofrimento, padecimento, dor*f.*

sufrir [su'frir] *v.* **1** (dor física ou moral) sofrer, padecer **2** (mudanças) experimentar, sofrer **3** (peso) suportar, aguentar

sugerencia [suxe'renθja] *s.f.* sugestão; ***hacer una sugerencia*** dar uma sugestão

sugerir [suxe'rir] *v.* sugerir

sugestión [suxes'tjon] *s.f.* sugestão

sugestionable [suxestjo'naβle] *adj.2g.* sugestionável

sugestionar [suxestjo'nar] *v.* sugestionar, influenciar ■ **sugestionarse** sugestionar-se

sugestivo [suxes'tiβo] *adj.* **1** sugestivo **2** *(atrayente)* atraente

suicida [swi'θiða] *adj.,s.2g.* suicida

suicidarse [swiθi'ðarse] *v.* suicidar se, matar-se

suicidio [swi'θiðjo] *s.m.* suicídio

Suiza ['swiθa] *s.f.* Suíça

suiz|o, -a ['swiθo] *adj.,s.m.,f.* suíç|o, -a

sujetador [suxeta'ðor] *s.m.* sutiã; ***sujetador para la lactancia*** sutiã de amamentação

sujetar [suxe'tar] *v.* **1** *(fijar)* segurar, fixar **2** *(sostener)* segurar, suster, agarrar **3** *fig.* sujeitar, dominar ■ **sujetarse 1** *(agarrarse)* segurar-se (a, a) **2** *(someterse)* sujeitar-se (a, a)

sujeto [su'xeto] (*p.p. de* sujetar) *adj.* **1** *(fijo)* seguro, fixo **2** *(atado)* preso, ligado **3** *(propenso)* sujeito (a, a), propenso (a, a); ***programa sujeto a alteraciones*** programa sujeito a alterações **4** *(sometido)* submetido (a, a); ***fue sujeto a un estricto examen médico*** foi submetido a um rigoroso exame médico ■ *s.m.* **1** sujeito, indivíduo **2** LING. sujeito ◆ DIR. **sujeto pasivo** sujeito passivo

sultán [sul'tan] *s.m.* sultão

suma ['suma] *s.f.* **1** MAT. soma, adição **2** (dinheiro) soma, quantia, montante*m.* ◆ **en suma** resumidamente, em suma/resumo

sumar [su'mar] *v.* **1** MAT. somar, adicionar **2** *(añadir)* somar, acrescentar ■ **sumarse 1** (iniciativa) aderir (a, a); ***sumarse a una huelga*** aderir a uma greve **2** (partido) filiar-se (a, em); ***sumarse a un partido*** filiar se num partido

sumergible [sumer'xiβle] *adj.2g.* submergível, submersível

sumergir [sumer'xir] *v.* **1** (líquido) submergir (en, em), mergulhar (en, em); ***sumergir una blusa en agua*** mergulhar uma blusa em água **2** (atividade, época) mergulhar (en, em); ***el autor sumerge el lector en la ficción*** o autor mergulha o leitor na ficção ■ **su-**

mergirse 1 mergulhar (en, em) **2** *fig.* concentrar-se (en, em); *sumergirse en la lectura* concentrar-se na leitura
suministrar [suminis'tɾar] *v.* fornecer, abastecer
suministro [sumi'nistɾo] *s.m.* fornecimento, abastecimento, provisão*f.*
sumisión [sumi'sjon] *s.f.* submissão, sujeição, subserviência
sumo ['sumo] *adj.* **1** sumo, supremo; *sumo sacerdote/pontífice* sumo sacerdote/pontífice **2** *fig.* sumo, enorme; *con sumo cuidado* com extremo cuidado ■ *s.m.* ESPOR. sumô
suntuosidad [suntwosi'ðað] *s.f.* suntuosidade, luxo*m.*
súper ['super] *adj.2g. col.* legal; maneiro ■ *s.f.* (gasolina) aditivada ■ *s.m. col.* supermercado
superar [supe'rar] *v.* **1** *(ser superior)* superar **2** (dificuldade, obstáculo) superar; vencer **3** (marca, limite) ultrapassar **4** *(exceder)* suplantar ■ **superarse** superar-se ♦ **esto me supera** *col.* isso é demais para mim
superestructura [superestɾuk'tura] *s.f.* superestrutura
superficial [superfi'θjal] *adj.2g.* superficial
superficie [super'fiθje] *s.f.* superfície ♦ **grandes superficies** grandes superfícies (comerciais); **salir a la superficie** vir à tona
superfluo [su'perflwo] *adj.* supérfluo, desnecessário
superior [supe'rjor] *adj.2g.* superior; *enseñanza superior* ensino superior; *labio superior* lábio superior; *planta superior* andar de cima ■ *s.m.* superior
superioridad [superjori'ðað] *s.f.* superioridade
superlativo [superla'tiβo] *adj.,s.m.* superlativo
supermercado [supermer'kaðo] *s.m.* supermercado
superstición [supersti'θjon] *s.f.* superstição
supervisar [superβi'sar] *v.* supervisionar
superviviente [superβi'βjente] *adj.,s.2g.* sobrevivente
suplemento [suple'mento] *s.m.* **1** *(complemento)* suplemento, complemento **2** (jornal, revista) suplemento, anexo **3** LING. complemento verbal
suplente [su'plente] *adj.,s.2g.* suplente
supletorio [suple'torjo] *adj.* suplementar, extra; (hotel) *cama supletoria* cama extra ■ *s.m.* (telefone) extensão*f.*
suplicar [supli'kar] *v.* suplicar, implorar, rogar
suplicio [su'pliθjo] *s.m.* **1** *(tortura)* suplício, tortura*f.* **2** *(sufrimiento)* suplício, sofrimento
suponer [supo'ner] *v.* **1** *(creer)* supor, achar, presumir; *supongo que sí* suponho que sim **2** *(conllevar)* implicar, acarretar **3** *(significar)* representar, significar ■ *s.m.* suposição*f.*
suposición [suposi'θjon] *s.f.* suposição
supositorio [suposi'torjo] *s.m.* supositório
supremacía [suprema'θia] *s.f.* supremacia
supremo [su'premo] *adj.* supremo
suprimir [supri'mir] *v.* **1** *(eliminar)* suprimir, eliminar **2** *(omitir)* omitir
supuesto [su'pwesto] *(p.p. de* suponer*) adj.* suposto ■ *s.m.* **1** *(suposición)* suposição*f.* **2** *(hipótesis)* hipótese*f.* ♦ **dar por supuesto que** presumir que; **¡por supuesto!** com certeza!, claro!
sur ['sur] *s.m.* sul
suramerican|o, -a [surameri'kano] *adj.,s.m.,f.* sul-americano|o, -a
surco ['surko] *s.m.* **1** (terra) sulco, rego **2** (pele) sulco, ruga*f.*
sureste [su'reste] *s.m.* sudeste, sueste
surf ['surf] *s.m.* surfe; *hacer surf* surfar, fazer surfe
surfear [surfe'ar] *v.* **1** ESPOR. surfar **2** INFORM. surfar, navegar; *surfear en Internet* surfar/navegar na Internet
surfing ['surfiŋ] *s.m.* ⇒ **surf**
surgir [sur'xir] *v.* **1** surgir, aparecer **2** (água) repuxar, esguichar
suroeste [suro'este] *s.m.* sudoeste
surtido [sur'tiðo] *adj.* sortido, variado ■ *s.m.* sortido; *un surtido de galletas* bolachas sortidas
surtidor [surti'ðor] *adj.* fornecedor ■ *s.m.* **1** (gasolina) bomba*f.* **2** (água) esguicho, repuxo
surtir [sur'tir] *v.* **1** abastecer (de, de), sortir (de, de) **2** brotar; esguichar; repuxar ■ **surtirse** sortir-se (de, de) ♦ **surtir efecto** surtir efeito
susceptible [susθep'tiβle] *adj.2g.* **1** (pessoa) suscetível (a, a); *ser susceptible a las críticas* ser suscetível a críticas **2** (programa, projeto) suscetível (de, de), passível (de, de); *susceptible de cambios* suscetível de mudança(s)
suscitar [susθi'tar] *v.* suscitar, provocar
suscribir [suskri'βir] *v.* **1** *(firmar)* subscrever, assinar **2** (opinião, proposta) subscrever, aceitar ■ **suscribirse** (jornal, revista) subscrever (a, -), assinar (a, -); *se suscribió a una revista* assinou uma revista
suscripción [suskrip'θjon] *s.f.* (revista, jornal) subscrição, assinatura
suscriptor, -a [suskrip'tor] *s.m.,f.* subscritor, -a, assinante*2g.*
suspender [suspen'der] *v.* **1** *(colgar)* suspender, pendurar **2** *(interrumpir)* suspender, interromper **3** (função, cargo) suspender **4** (exame) reprovar, levar bomba*gír.* **5** reprovar, ser reprovado
suspense [sus'pense] *s.m.* suspense
suspensión [suspen'sjon] *s.f.* **1** *(interrupción)* suspensão, interrupção **2** MEC. suspensão ♦ **en suspensión** em suspensão; **suspensión de empleo y sueldo** suspensão de trabalho; **suspensión de pagos** suspensão de pagamento
suspenso [sus'penso] *(p.p. de* suspender*) adj.* **1** suspenso, pendurado **2** (exame) reprovado **3** *fig.* perplexo, pasmado ■ *s.m.* **1** (exame, disciplina) reprovação*f.* **2** [AM.] suspense ♦ **en suspenso** em suspenso
suspicaz [suspi'kaθ] *adj.2g.* desconfiado
suspirar [suspi'rar] *v.* suspirar; *suspirar de alivio* suspirar de alívio ♦ **suspirar por** suspirar por, desejar, querer
suspiro [sus'piro] *s.m.* suspiro ♦ *col.* **en un suspiro** num instante; **exhalar el último suspiro** dar o último suspiro
sustancia [sus'tanθja] *s.f.* substância
sustantivo [sustan'tiβo] *s.m.* nome, substantivo

sustentar [susteṇ'tar] *v.* **1** (economicamente) sustentar, manter **2** *(sostener)* sustentar, suster, apoiar **3** (ideia, opinião) sustentar, defender **4** (hipótese, teoria) fundamentar, apoiar ■ **sustentarse** sustentar-se

sustento [sus'teṇto] *s.m.* sustento

sustitución [sustitu'θjon] *s.f.* substituição

sustituir [sustitu'ir] *v.* substituir

sustitut|o, -a [susti'tuto] *adj.,s.m.,f.* substitut|o, -a

susto ['susto] *s.m.* susto; ***dar/pegar un susto a alguien*** pregar um susto em alguém; ***darse/pegarse/llevarse un gran susto*** levar um grande susto; ***¡qué susto!*** que susto!

sustracción [sustrak'θjon] *s.f.* **1** MAT. subtração **2** *(robo)* subtração, furto*m.*, roubo*m.*

sustraer [sustra'er] *v.* **1** *(robar)* subtrair, furtar, roubar **2** MAT. subtrair ■ **sustraerse** (obrigação, problema) subtrair-se (a, a), esquivar-se (a, a)

susurrar [susu'rar] *v.* **1** sussurrar, segredar **2** (água, vento) sussurrar, murmurar

susurro [su'suro] *s.m.* sussurro, murmúrio

sutil [su'til] *adj.2g.* sutil

sutura [su'tura] *s.f.* sutura

suturar [sutu'rar] *v.* suturar

suy|o, -a ['sujo] *adj.poss.* **1** *(de usted)* [depois de *s.*] s|eu, -ua; ***son parientes suyos*** são parentes seus **2** *(de él)* [depois de *s.*] del|e, -a; ***son amigas suyas*** são amigas dele ■ *pron.poss.* **1** *(de usted)* s|eu, -ua; ***este piso es suyo*** este apartamento é seu **2** *(de él)* s|eu, -ua, del|e, -a; ***esta casa es suya*** esta casa é dele ♦ **hacer de las suyas** aprontar, fazer das suas; *col.* **la suya** a vez del|e, -a, a sua vez; *col.* **lo suyo es...** o forte del|e, -a é...; *col.* **salirse con la suya** levar a sua avante

T

t ['te] *s.f.* (letra) t*m.*

tabaco [ta'βako] *s.m.* **1** tabaco; ***tabaco de pipa*** tabaco para cachimbo; ***tabaco rubio*** tabaco americano **2** *(cigarrillos)* tabaco, cigarros*pl.*; ***un paquete/una cajetilla de tabaco*** um maço de tabaco

tábano ['taβano] *s.m.* mutuca*f.*, moscardo

tabarra [taβa'ra] *s.f. col.* chatice ◆ *col.* **dar la tabarra** importunar

taberna [ta'βerna] *s.f.* taberna, tasca

tabernáculo [taβer'nakulo] *s.m.* **1** (templo) tabernáculo **2** *(sagrario)* sacrário, tabernáculo

tabique [ta'βike] *s.m.* tabique ◆ ANAT. **tabique nasal** septo nasal

tabla ['taβla] *s.f.* **1** (de madeira) tábua **2** *(lista)* tabela, lista, catálogo*m.* **3** (pintura) tábua, painel*m.* **4** (tecido) prega, dobra; ***una falda de tablas*** uma saia de pregas **5** ESPOR. prancha; ***tabla de surf*** prancha de surfe ■ **tablas** *s.f.pl.* **1** (xadrez, damas) empate*m.* **2** (teatro) palco*m.* **3** *(soltura)* traquejo*m.*; ***tener muchas tablas*** ter muito traquejo **4** (praça de touros) barreira ◆ **hacer tabla rasa de** fazer tábua rasa de; **tabla de multiplicar** tabuada; **tabla de planchar** tábua de passar a ferro; **tabla de salvación** tábua de salvação; **tabla periódica** tabela periódica

tablado [ta'βlaðo] *s.m.* **1** *(suelo)* soalho **2** *(entarimado)* estrado **3** *(escenario)* palco

tablao [ta'βlao] *s.m.* [ESP.] [local para espetáculos de flamenco]

tablero [ta'βlero] *s.m.* **1** *(tablón)* tábua*f.* **2** (jogos de mesa) tabuleiro; ***tablero de ajedrez*** tabuleiro de xadrez **3** (mesa) tampo **4** (para informações) placar, mural **5** (motor, instalação) painel; ***tablero de mandos*** painel de comandos **6** (ponte, viaduto) tabuleiro **7** (basquetebol) tabela*f.*

tableta [ta'βleta] *s.f.* **1** tablete, barra; ***tableta de chocolate*** tablete de chocolate **2** comprimido*m.*, pastilha

tablón [ta'βlon] *s.m.* **1** tábua*f.* grande, prancha*f.* **2** *col.* bebedeira*f.*, porre, pileque; ***coger/agarrar un tablón*** tomar um porre ◆ **tablón de anuncios** quadro de avisos, mural

tabú [ta'βu] *s.m.* tabu

tacañ|o, -a [ta'kaɲo] *adj.,s.m.,f.* sovina*2g.*, tacanh|o, -a, avarent|o, -a

tacha ['tatʃa] *s.f.* *(defecto)* defeito*m.*

tachar [ta'tʃar] *v.* **1** *(rayar)* rasurar, riscar **2** *(tildar)* tachar (de, de); ***lo tachan de irresponsable*** tacham no de irresponsável

tachuela [ta'tʃwela] *s.f.* tachinha, tacha

taco ['tako] *s.m.* **1** *(cuña)* calço, cunha*f.* **2** (bilhar) taco **3** (buraco) bucha*f.* **4** (papel) maço, bloco **5** *col.* (calçado esportivo, chuteira) trava*f.* **6** [AM.] salto **7** [ESP.] *col.* pedaço **8** [ESP.] *col.* palavrão **9** [ESP.] *col.* confusão*f.*, trapalhada*f.* ■ **tacos** *s.m.pl.* [ESP.] *col.* anos

tacón [ta'kon] *s.m.* salto; ***zapatos de tacón alto*** sapatos de salto alto

taconear [takone'ar] *v.* sapatear

táctica ['taktika] *s.f.* tática, estratégia

táctico ['taktiko] *adj.* tático

tacto ['takto] *s.m.* **1** (sentido) tato **2** (ação) toque **3** *fig.* tato, diplomacia*f.*, delicadeza*f.*

tailand|és, -esa [tajlan̪'des] *adj.,s.m.,f.* tailand|ês, -esa

Tailandia [taj'lan̪dja] *s.f.* Tailândia

tajada [ta'xaða] *s.f.* **1** pedaço*m.*, fatia, posta, talhada **2** [ESP.] *col.* bebedeira, pileque*m.*, porre*m.* ◆ **llevarse la mejor tajada** ficar com a parte maior; *col.* **sacar tajada de** tirar proveito de

tajante [ta'xan̪te] *adj.2g.* taxativo

tajo ['taxo] *s.m.* **1** *(corte)* talho, corte; ***darse un tajo en el dedo*** cortar se no dedo **2** *(filo)* gume, fio **3** (para cortar a carne) tábua*f.* **4** [ESP.] *col.* tarefa*f.* **5** [ESP.] *col.* trabalho

tal ['tal] *adj.2g.* **1** *(semejante)* tal; ***nunca he escuchado tal cosa*** nunca ouvi tal coisa **2** (intensidade) tal, tanto; ***hacía tal calor que no se aguantaba*** fazia tal/tanto calor que não se aguentava **3** (indeterminação) tal; ***me dijo que vendría tal día*** disse-me que viria em tal dia **4** [+*nome próprio*] tal; ***vino por aquí un tal Paco buscándote*** veio cá um tal de Chico à tua procura ■ *pron.dem.* **1** (objeto) tal, tal coisa; ***nunca he visto tal*** nunca vi tal (coisa) **2** (pessoa) alguém, tal; ***el tal vino por aquí*** alguém veio cá ■ *adv.* de tal forma/maneira/modo; ***tal corría que parecía que huía de algo*** corria de tal modo que parecia que fugia de alguma coisa ◆ **con tal de** no caso de; (cumprimento) **¿qué tal?** tudo bem?; **tal cual** tal e qual; **tal para cual** (estar) bem um para o outro; **tal vez** talvez; **un tal** um tal

taladradora [talaðra'ðora] *s.f.* furadeira, broca

taladro [ta'laðro] *s.m.* **1** (instrumento) furadeira*f.*, broca*f.* **2** *(agujero)* furo, buraco

talante [ta'lan̪te] *s.m.* **1** *(humor)* humor, disposição*f.*, ânimo; ***estar de buen/mal talante*** estar de bom/mau humor **2** *(actitud)* atitude*f.* **3** *(gana)* vontade*f.*

talar [ta'lar] *v.* (árvore) abater, cortar, derrubar

talco ['talko] *s.m.* talco

talento [ta'len̪to] *s.m.* **1** talento, jeito, habilidade*f.*, aptidão*f.*; ***tener talento para*** ter jeito para **2** *fig.* (pessoa) talento, gênio

talio ['taljo] *s.m.* tálio

talla ['taʎa] *s.f.* **1** *(estatura física)* estatura, altura **2** (roupa) tamanho*m.*, número*m.*, medida **3** (obra de arte) talhe*m.* **4** ART.PL. escultura (especialmente de madeira) **5** *fig.* envergadura, valor*m.*, importância ◆ **dar la talla** estar à altura de, ser apto para

tallar [ta'ʎar] *v.* **1** (madeira) talhar, entalhar, esculpir **2** (pedra preciosa) lapidar **3** (pessoa) medir **4** [AM.] esfregar **5** [CUB.] *col.* cortejar

talle ['taʎe] *s.m.* **1** ANAT. cintura*f.* **2** (vestuário) cintura*f.*, cinta*f.*; *pantalones de talle bajo* calças de cintura baixa

taller [ta'ʎer] *s.m.* **1** (costura, artes plásticas) ateliê **2** (ciências, artes) oficina*f.*; *taller de baile* oficina de dança **3** (consertos) oficina*f.*; *llevar el coche al taller* levar o carro à oficina

tallo ['taʎo] *s.m.* caule; talo

talón [ta'lon] *s.m.* **1** ANAT. calcanhar **2** *(recibo)* talão, recibo **3** *(cheque)* cheque; *talón en blanco* cheque em branco; *talón sin fondos* cheque sem fundos **4** (pneu) aro ♦ **pisarle los talones a alguien** ir no encalço de alguém, seguir alguém de perto; **talón de Aquiles** calcanhar de aquiles

talonario [talo'narjo] *s.m.* talão de cheques

tamaño [ta'maɲo] *adj.* tamanho; *nunca había visto tamaña confusión* nunca vi tamanha confusão ■ *s.m.* tamanho

tambalearse [tambale'arse] *v.* cambalear

también [tam'bjen] *adv.* **1** *(igualmente)* também; *yo también trabajo en Madrid* eu também trabalho em Madri **2** *(además)* além disso, também; *mi casa tiene tres habitaciones y también tiene un estudio* a minha casa tem três quartos e além disso tem um escritório

tambor [tam'bor] *s.m.* tambor

tamiz [ta'miθ] *s.m.* peneira*f.* ♦ **pasar por el tamiz** passar a pente fino

tampoco [tam'poko] *adv.* tampouco, também não, muito menos; *eso tampoco es posible* isso também não é possível; *si tú no vas yo tampoco* se tu não vais, eu muito menos

tampón [tam'pon] *s.m.* **1** (vaginal) absorvente interno **2** [ESP.] almofada*f.* (para carimbo)

tan ['tan] *adv.* **1** (intensidade) tão; *¡qué película tan buena!* que filme tão bom! **2** (comparativo) tão; *ella es tan alta como tú* ela é tão alta quanto você ♦ **tan pronto como** logo que; **tan siquiera** pelo menos; **tan solo** apenas; só

---

tan é a forma apocopada de *tanto*, usada antes de adjetivos ou advérbios: *es una persona tan amable* é uma pessoa tão amável.

---

tanda ['taṇda] *s.f.* **1** *(serie)* série **2** *(turno)* vez, turno*m.* **3** (bilhar) partida

tangencial [taŋxeṇ'θjal] *adj.2g.* tangencial

tango ['taŋgo] *s.m.* tango

tanque ['taŋke] *s.m.* **1** MIL. tanque **2** (líquidos, gases) tanque, reservatório, depósito; *tanque de gasolina* tanque de gasolina

tantear [taṇte'ar] *v.* **1** (valor, tamanho, peso) estimar, calcular (a olho) **2** (intenção, opinião) averiguar, sondar **3** (situação, assunto) avaliar, ponderar **4** (gols, pontos) marcar

tant|o, -a ['taṇto] *adj.* **1** (quantidade) tant|o,-a; *¡hay tanta gente!* há tanta gente! **2** (comparação) tant|o,-a; *has hecho tantas fotos como yo* tiraste tantas fotografias quanto eu ■ *pron.dem.* tant|o,-a; *eran tantos que no había plazas para todos* eram tantos que não havia lugares para todos ■ **tanto** *s.m.* **1** (quantidade) tanto; *le dio un tanto* deu lhe um tanto **2** (futebol) ponto; gol; *apuntar un tanto* fazer/marcar um ponto/gol ■ *adv.* **1** (quantidade, intensidade) tanto; *¡hemos comido tanto!* comemos tanto! **2** (tempo) tanto; *esperé tanto* esperei tanto **3** (comparação) tanto; *estudia tanto como yo* estuda tanto quanto eu ♦ *col.* (hora) **a las tantas** às tantas; **algún/un tanto** um pouco; **entre tanto** entretanto; **estar al tanto de** estar a par de, estar ao corrente de; **no es para tanto** não é para tanto; **por lo tanto** portanto; **tanto por ciento** tantos por cento; **tanto si... como si...** quer... quer; **¡y tanto!** pois!, eu também acho!

tañer [ta'ɲer] *v.* (instrumento) tanger, tocar

tapa ['tapa] *s.f.* **1** (caixa, recipiente) tampa **2** (panela) tampa **3** (mesa, piano) tampo*m.* **4** (livro) capa, encadernação; *en tapa blanda/dura* em capa mole/dura **5** [ESP.] tapa, petisco*m.*, aperitivo*m.*

As *tapas* são aperitivos típicos da Espanha com embutidos diversos, entre eles, chouriço, morcela, presunto cru, queijos, salame espanhol e azeitonas.

---

tapadera [tapa'ðera] *s.f.* **1** tampa **2** *fig.* fachada, disfarce*m.*

tapar [ta'par] *v.* **1** *(cubrir)* tapar, cobrir **2** (buraco, entrada) tapar, fechar, obstruir **3** (pessoa) encobrir, dissimular **4** *(encubrir)* tapar, encobrir, esconder **5** (para proteger) cobrir, tapar; (roupa) agasalhar, aconchegar ■ **taparse** cobrir-se, tapar se

tapete [ta'pete] *s.m.* **1** pano; toalha*f.* **2** [AM.] tapete ♦ (assunto, tema) **poner sobre el tapete** pôr na mesa

tapia ['tapja] *s.f.* **1** muro*m.* **2** tapume*m.* ♦ *col.* **más sordo que una tapia** mais surdo que uma porta

tapiar [ta'pjar] *v.* **1** (área, terreno) murar **2** (buraco, janela, porta) fechar, tapar, vedar

tapicería [tapiθe'ria] *s.f.* **1** (revestimento) estofo*m.* **2** (arte, técnica) tapeçaria

tapiz [ta'piθ] *s.m.* (parede) tapeçaria*f.*

tapizar [tapi'θar] *v.* **1** (sofá, cadeira) estofar, forrar; (parede) forrar, revestir **2** *(cubrir)* cobrir, revestir

tapón [ta'pon] *s.m.* **1** (garrafa) tampa*f.*, rolha*f.* **2** (trânsito) engarrafamento, congestionamento **3** (ouvidos) acumulação*f.* de cera **4** (basquetebol) bloqueio

taponar [tapo'nar] *v.* **1** (orifício, canal) tapar, obstruir **2** (ferida, lesão) tapar **3** (passagem) obstruir, bloquear

taquigrafía [takiɣra'fia] *s.f.* taquigrafia, estenografia

taquilla [ta'kiʎa] *s.f.* **1** (transportes, espetáculos) bilheteria; guichê*m.* **2** *(recaudación)* receita **3** [ESP.] cacifo*m.* ♦ (espetáculo, filme) **éxito de taquilla** êxito de bilheteria

taquillero [taki'ʎero] *adj.* com sucesso/êxito de bilheteria; *una película taquillera* um filme com sucesso de bilheteria

tara ['tara] *s.f.* **1** (físico, psíquico) defeito*m.* **2** (produto) defeito*m.*, imperfeição **3** (veículo, embalagem) tara

tarántula [ta'raṇtula] *s.f.* tarântula

tararear [tarare'ar] *v.* trautear, cantarolar
tardar [tar'ðar] *v.* demorar; *¿cuánto tiempo tarda?* quanto tempo demora?; *el tren tarda en llegar* o trem demora a chegar ◆ **a más tardar** o mais tardar
tarde ['tarðe] *s.f.* tarde; *a media tarde* a meio da tarde; *por la tarde* à tarde ■ *adv.* tarde; *demasiado tarde* tarde demais; *llegué tarde a casa* cheguei tarde a casa ◆ **¡buenas tardes!** boa-tarde!; **de tarde en tarde** de longe a longe, de tempos em tempos, de vez em quando; **tarde o temprano** mais tarde ou mais cedo
tardío [tar'ðio] *adj.* tardio
tarea [ta'rea] *s.f.* **1** tarefa, trabalho*m.* **2** [CUB., VEN.] *(deberes escolares)* deveres*m. pl.* ◆ **tareas domésticas** lida da casa
tarifa [ta'rifa] *s.f.* **1** tarifa **2** tabela de preços, tarifário*m.*, tarifa ◆ **tarifa plana** tarifa única/fixa
tarima [ta'rima] *s.f.* **1** estrado*m.* **2** soalho*m.*
tarjeta [tar'xeta] *s.f.* **1** cartão*m.*; *tarjeta de crédito* cartão de crédito; *tarjeta de cumpleaños* cartão de aniversário; *tarjeta de Navidad* cartão de boas-festas; *tarjeta de visita* cartão de visita **2** ESPOR. *(cartulina)* cartão*m.*; *tarjeta amarilla/roja* cartão amarelo/vermelho **3** INFORM. placa; *tarjeta de red* placa de rede; *tarjeta de sonido* placa de som; *tarjeta gráfica* placa gráfica ◆ **pagar con tarjeta** pagar através do débito automático; **tarjeta de residencia** autorização de residência; **tarjeta postal** cartão-postal
tarro ['taro] *s.m.* **1** boião, frasco, pote **2** *col.* cachola*f.*, cuca*f.* ◆ [ESP.] *col.* **comer el tarro a alguien** fazer a cabeça de alguém; [ESP.] *col.* **comerse el tarro** preocupar-se, esquentar a cabeça
tarta ['tarta] *s.f.* **1** bolo*m.*; *tarta de cumpleaños* bolo de aniversário **2** torta; *tarta de manzana* torta de maçã; *tarta helada* torta gelada
tartaja [tar'taxa] *s.2g. col.* gag|o, -a*m.f.*, tartamud|o, -a*m.f.*
tartamudear [tartamuðe'ar] *v.* gaguejar
tartamudez [tartamu'ðeθ] *s.f.* gagueira, gaguez
tartamud|o, -a [tarta'muðo] *adj.,s.m.,f.* gag|o, -a, tartamud|o, -a
tasa ['tasa] *s.f.* **1** (imposto) taxa **2** (percentagem) taxa, índice*m.*; *tasa de desempleo* taxa de desemprego **3** moderação, comedimento*m.*
tasación [tasa'θjon] *s.f.* taxação
tasar [ta'sar] *v.* **1** (preço, valor) avaliar, calcular **2** (preço) fixar, taxar, tabelar
tasca ['taska] *s.f.* [ESP.] tasca, taberna
tatarabuel|o, -a [tatara'βwelo] *s.m.,f.* tatarav|ô, -ó
tataraniet|o, -a [tatara'njeto] *s.m.,f.* tataranet|o, -a
tatuaje [ta'twaxe] *s.m.* tatuagem*f.*
tatuar [ta'twar] *v.* tatuar
taurino [taw'rino] *adj.* taurino
Tauro ['tawro] *s.m.* ASTROL., ASTRON. Touro
taxi ['taksi] *s.m.* táxi
taxímetro [ta'ksimetro] *s.m.* taxímetro
taxista [ta'ksista] *s.2g.* taxista
taza ['taθa] *s.f.* **1** xícara **2** vaso*m.* sanitário **3** [AM.] taça, tigela, malga
tazón [ta'θon] *s.m.* tigela*f.*, taça*f.*, malga*f.*
te ['te] *pron.pess.* te; *no te vi ayer* não te vi ontem; *te agradezco* agradeço-te; *¿te acuerdas de mí?* lembras-te de mim? ■ *s.f.* (letra) tê*m.*
té ['te] *s.m.* chá
teatral [tea'tral] *adj.2g.* teatral
teatro [te'atro] *s.m.* teatro ◆ **teatro de la guerra** teatro de guerra; **teatro de operaciones** teatro de operações
tebeo [te'βeo] *s.m.* [ESP.] revista*f.* de histórias em quadrinhos, gibi ◆ *col.* **más visto que el tebeo** muito conhecido
techo ['tetʃo] *s.m.* **1** teto; *falso techo* teto falso **2** *(tejado)* telhado ◆ (pessoas) **los sin techo** os sem-teto; **vivir bajo el mismo techo** viver debaixo do mesmo teto
tecla ['tekla] *s.f.* tecla
teclado [te'klaðo] *s.m.* (computador, instrumento musical) teclado
teclear [tekle'ar] *v.* **1** teclar, bater as teclas **2** digitar **3** *(tamborilear)* tamborilar
tecnecio [tek'neθjo] *s.m.* tecnécio
técnica ['teknika] *s.f.* técnica
técnic|o, -a ['tekniko] *s.m.,f.* **1** técnic|o, -a; *técnico en informática* técnico de informática; *técnico de sonido* técnico de som **2** *(entrenador)* técnic|o, -a, treinador, -a ■ *adj.* técnico
tecnología [teknolo'xia] *s.f.* tecnologia; *tecnología de punta* tecnologia de ponta ◆ **tecnologías de información** tecnologias de informação
tedio ['teðjo] *s.m.* tédio, aborrecimento
teja ['texa] *s.f.* telha ◆ [ESP.] *col.* **a toca teja** à vista
tejado [te'xaðo] *s.m.* telhado
tejer [te'xer] *v.* **1** tecer **2** tricotar **3** *col.* (plano, projeto) tecer, arquitetar, tramar ◆ **tejer y destejer** fazer e desfazer
tejido [te'xiðo] *s.m.* tecido ◆ **tejido industrial** tecido industrial; **tejido urbano** tecido urbano
tela ['tela] *s.f.* **1** *(tejido)* tecido*m.*, pano*m.* **2** *(lienzo)* tela, quadro*m.* **3** [ESP.] *col.* *(dinero)* grana, bufunfa ◆ **haber tela que cortar** ter pano para mangas; **tela de araña** teia de aranha
telar [te'lar] *s.m.* **1** (máquina) tear **2** (fábrica) tecelagem*f.* **3** (teatro) armação*f.* (que sustenta os cenários)
telaraña [tela'raɲa] *s.f.* teia de aranha
tele ['tele] *s.f. col.* televisão, TV
telecompra [tele'kompra] *s.f.* telecompra
telecomunicaciones [telekomunika'θjones] *s.f.pl.* telecomunicações*pl.*
telediario [tele'ðjarjo] *s.m.* telejornal, noticiário
teledirigido [teleðiri'xiðo] *adj.* telecomandado, teledirigido, teleguiado
teleférico [tele'feriko] *s.m.* teleférico
telefonear [telefone'ar] *v.* **1** telefonar, ligar **2** comunicar por telefone
telefónico [tele'foniko] *adj.* telefônico

telefonista [telefo'nista] *s.2g.* telefonista
teléfono [te'lefono] *s.m.* **1** (aparelho) telefone; ***teléfono fijo*** telefone fixo; ***teléfono inalámbrico*** telefone sem fio; ***teléfono móvil/celular*** celular; ***teléfono público*** telefone público; ***descolgar/colgar el teléfono*** ligar/desligar o telefone; ***estar hablando por teléfono*** estar ao telefone; ***llamar por teléfono*** telefonar, ligar **2** *(número)* telefone, número de telefone; ***dame tu teléfono*** dá-me o teu número de telefone
telégrafo [te'leγrafo] *s.m.* telégrafo
telegrama [tele'γrama] *s.m.* telegrama
telenovela [teleno'βela] *s.f.* telenovela, novela
teleobjetivo [teleoβxe'tiβo] *s.m.* teleobjetiva*f.*
telepatía [telepa'tia] *s.f.* telepatia
telepático [tele'patiko] *adj.* telepático
teleproceso [telepro'θeso] *s.m.* teleprocessamento
telescópico [teles'kopiko] *adj.* telescópico
telescopio [teles'kopjo] *s.m.* telescópio
telesilla [tele'siʎa] *s.f.* teleférico*m.* de cadeira
telespectador, -a [telespekta'ðor] *s.m.,f.* telespectador, -a
telesquí [teles'ki] *s.m.* telesqui
teletexto [tele'teksto] *s.m.* teletexto
televidente [teleβi'ðente] *s.2g.* telespectador, -a*m.f.*
televisar [teleβi'sar] *v.* transmitir (por televisão), televisionar
televisión [teleβi'sjon] *s.f.* **1** (sistema) televisão **2** (aparelho) televisão, televisor*m.*; ***televisión en color*** televisão em cores; ***televisión por cable*** televisão a cabo
televisor [teleβi'sor] *s.m.* televisor, televisão*f.*
télex ['teleks] *s.m.2n.* telex
telón [te'lon] *s.m.* cortina*f.* ◆ **telón de acero** Cortina de Ferro; **telón de boca** pano/cortina de boca; **telón de fondo** pano de fundo
telurio [te'lurjo] *s.m.* telúrio
teluro [te'luro] *s.m.* ⇒ **telurio**
tema ['tema] *s.m.* tema ◆ **cada loco con su tema** cada louco com sua mania; **sacar el tema** tocar no assunto; **salirse del tema** fugir do assunto
temática [te'matika] *s.f.* temática
temblar [tem'blar] *v.* tremer; ***temblar de frío/miedo*** tremer de frio/medo
temblor [tem'blor] *s.m.* tremor ◆ **temblor de tierra** tremor de terra, terremoto
tembloroso [temblo'roso] *adj.* **1** (corpo, mãos) trêmulo **2** (voz) tremido
temer [te'mer] *v.* **1** *(tener miedo)* temer **2** *(sospechar)* temer, suspeitar, recear **3** temer (por, por); ***temo por mis hijos*** temo pelos meus filhos ■ **temerse** temer, suspeitar, recear
temeroso [teme'roso] *adj.* (pessoa) temeroso, medroso, receoso
temible [te'miβle] *adj.2g.* temível
temor [te'mor] *s.m.* **1** temor, medo, receio **2** *(sospecha)* suspeita*f.*
temperamental [temperamen'tal] *adj.2g.* temperamental
temperamento [tempera'mento] *s.m.* temperamento
temperatura [tempera'tura] *s.f.* **1** temperatura **2** *col.* temperatura, febre; ***tomar la temperatura*** medir a temperatura; ***tener temperatura*** estar com febre
tempestad [tempes'tað] *s.f.* tempestade, temporal*m.* ◆ **tempestad de arena** tempestade de areia
tempestuoso [tempes'twoso] *adj.* tempestuoso
templado [tem'plaðo] *adj.* **1** *(tibio)* temperado, morno, tépido **2** (comportamento, costumes) moderado, temperado, sóbrio **3** (clima) temperado, suave, ameno **4** (metal) temperado, com têmpera **5** MÚS. afinado, harmônico
templar [tem'plar] *v.* **1** (comportamento, acontecimento) moderar, temperar, suavizar **2** (temperatura) temperar, amornar **3** (metais, cristais) temperar, dar têmpera **4** (cores) casar, ligar **5** MÚS. afinar, harmonizar
temple ['temple] *s.m.* **1** *(carácter)* temperamento, caráter, feitio **2** *(valentía)* valentia*f.*, coragem*f.* **3** MÚS. afinação*f.*, harmonia*f.* ◆ ART.PL. **pintura al temple** pintura a têmpera
templo ['templo] *s.m.* templo
temporada [tempo'raða] *s.f.* temporada ◆ **de temporada** da época/estação/temporada; ***fruta de temporada*** fruta da época; **temporada alta/baja/media** alta/média/baixa temporada
temporal [tempo'ral] *adj.2g.* temporário, temporal, transitório, passageiro ■ *s.m.* **1** MET. temporal; tempestade*f.*, tormenta*f.* **2** ANAT. temporal
temporalidad [temporali'ðað] *s.f.* temporalidade
temporizador [temporiθa'ðor] *s.m.* temporizador
tempranero [tempra'nero] *adj.* **1** precoce **2** (pessoa) madrugador
temprano [tem'prano] *adj.* **1** precoce, prematuro **2** (fruto) temporão ■ *adv.* cedo; ***llegué temprano*** cheguei cedo; ***todavía es muy temprano*** ainda é muito cedo
tenacillas [tena'θiʎas] *s.f.pl.* ferro*m.* para frisar o cabelo
tenaz [te'naθ] *adj.2g.* tenaz
tendencia [ten'denθja] *s.f.* tendência ◆ **tener tendencia a** ter tendência para
tender [ten'der] *v.* **1** (roupa) estender, pendurar **2** *(desdoblar)* estender, desdobrar **3** (cabo, corda) esticar, estender **4** (pessoa) deitar, estender **5** (emboscada, armadilha) preparar, armar **6** *(suspender)* estender, suspender **7** *(aproximar)* estender, aproximar **8** tender (a, a), ter tendência (a, para) **9** aproximar-se (a, de); ***un verde que tiende a negro*** um verde que tende a preto ■ **tenderse** estender-se, deitar-se; ***tenderse en la cama*** estender se na cama
tender|o, -a [ten'dero] *s.m.,f.* lojista*2g.*; (de comestíveis) merceeir|o, -a
tendón [ten'don] *s.m.* tendão ◆ **tendón de Aquiles** tendão de Aquiles
tenedor, -a [tene'ðor] *s.m.,f.* portador, -a; ***tenedor de una letra de cambio*** portador de uma letra de câmbio ■ **tenedor** *s.m.* **1** (talher) garfo **2** (símbolo) estrela*f.* (símbolo com a forma de garfo que indica a

categoria dos restaurantes) ♦ **tenedor de libros** guarda-livros

tener [te'ner] v. **1** *(poseer)* ter, possuir; *tengo un apartamento en la playa* tenho um apartamento na praia **2** (família) ter; *tengo una hermana mayor que tiene un hijo* tenho uma irmã mais velha que tem um filho **3** (idade) ter; *tengo veinte años* tenho vinte anos **4** *(coger)* pegar, agarrar, tomar; *tenga su cambio, por favor* tome o seu troco, por favor **5** (sensação, sentimento, doença) ter, sentir; *tener hambre* ter fome; *tener fiebre* ter febre **6** (ocupação) ter; *tener clase* ter aulas **7** *(contener)* ter, conter, compreender; *este libro tiene 20 capítulos* este livro tem 20 capítulos **8** *(mantener)* manter; *el café me ha tenido despierta* o café tem-me mantido acordada **9** *(recibir)* ter, receber; *tener una sorpresa/un disgusto* ter uma surpresa/um desgosto ▪ **tenerse 1** *(sostenerse)* aguentar-se, segurar se, equilibrar-se; *tenerse en pie* aguentar se em pé **2** *(considerarse)* achar-se (por, -), considerar-se (por, -); *tenerse por listo* achar se esperto **3** *(dominarse)* controlar se; ter calma; *¡téngase el caballero!* o senhor controle-se! ♦ **¡ahí (lo) tienes!** ora aí está!; *col.* **¿conque ésas tenemos?** então é assim?; *col.* **no tenerlas todas consigo** não ter bem a certeza de algo; **no tener que ver con** não ter a ver com; **tener** [+*p.p.*] ter [+*p.p.*]; *tiene una habitación alquilada* tem um quarto alugado; (cortesia) **tener a bien** [+*inf.*] ter a delicadeza de [+*inf.*]; fazer o favor de [+*inf.*]; **tener lo suyo** ter qualquer coisa; *no es un hombre guapo pero tiene lo suyo* não é um homem bonito, mas tem seu charme; *col., vulg.* **tenerlos bien puestos** ter coragem; **tener para sí** pensar; achar; (obrigação) **tener que** [+*inf.*] ter de/que [+*inf.*]; *tengo que leer más* tenho de ler mais

teniente [te'njente] *s.2g.* **1** tenente **2** substitut|o, -a*m.f.*, vice; *teniente de alcalde* vice-presidente da câmara ▪ *adj.2g. col.* mouco, surdo ♦ **teniente coronel** tenente-coronel; **teniente general** tenente-general

tenis ['tenis] *s.m.2n.* tênis ▪ *s.m.pl.* tênis, sapatilhas*f.* ♦ **tenis de mesa** tênis de mesa, pingue pongue

tenista [te'nista] *s.2g.* tenista

tenor [te'nor] *s.m.* tenor ♦ **a tenor de** segundo; tendo em conta

tensar [ten'sar] *v.* esticar; *tensar una cuerda* esticar uma corda

tensión [ten'sjon] *s.f.* **1** ELETR. tensão, voltagem; *alta/baja tensión* alta/baixa tensão **2** MED. tensão, pressão; *bajada de tensión* queda de tensão; *tensión arterial* tensão/pressão arterial **3** *(estrés)* tensão, estresse*m.*

tenso ['tenso] *adj.* **1** (corpo) tenso, esticado, retesado **2** (pessoa) tenso, nervoso, exaltado **3** (situação) tenso, difícil

tentación [tenta'θjon] *s.f.* tentação; *caer en la tentación* cair em tentação

tentáculo [ten'takulo] *s.m.* tentáculo

tentador [tenta'ðor] *adj.* tentador

tentar [ten'tar] *v.* **1** *(palpar)* apalpar, tatear, tocar **2** *(incitar)* tentar, instigar, induzir **3** *(atraer)* seduzir, atrair, aliciar ♦ **¡no me tientes!** não me tentes!

tentativa [tenta'tiβa] *s.f.* tentativa

tenue ['tenwe] *adj.2g.* tênue

teñir [te'ɲir] *v.* **1** (tecido) tingir **2** (cabelo) pintar **3** *fig.* (palavras, sentimentos) impregnar, tingir, encher

teología [teolo'xia] *s.f.* teologia

teoría [teo'ria] *s.f.* teoria ♦ **en teoría** em teoria

teóric|o, -a [te'oriko] *adj.,s.m.,f.* teóric|o, -a

terapéutico [tera'pewtiko] *adj.* terapêutico

terapia [te'rapja] *s.f.* terapia ♦ **terapia de grupo** terapia de grupo; **terapia del habla** terapia da fala; **terapia ocupacional** terapia ocupacional

terbio ['terβjo] *s.m.* térbio

tercer [ter'θer] *num.* terceiro

> tercer é a forma apocopada de *tercero*, usada antes de substantivos masculinos no singular: *en tercer lugar* em terceiro lugar.

tercer|o, -a [ter'θero] *num.* terceir|o, -a; *capítulo tercero* terceiro capítulo; *la tercera vez* a terceira vez ▪ *s.m.,f.* **1** *(mediador)* terceir|o, -a, mediador, -a **2** (relação amorosa) alcoviteir|o, -a, terceir|o, -a ♦ **seguro a terceros** seguro contra terceiros; (pessoa) **tercero en discordia** mediador

tercio ['terθjo] *s.m.* **1** terço, terça parte **2** [ESP.] garrafa*f.* de cerveja (de 330 ml)

terciopelo [terθjo'pelo] *s.m.* veludo

terc|o, -a ['terko] *adj.,s.m.,f.* teimos|o, -a

termas ['termas] *s.f.pl.* termas*pl.*, caldas*pl.*

térmico ['termiko] *adj.* térmico

terminación [termina'θjon] *s.f.* **1** *(conclusión)* conclusão, término, fim*m.* **2** *(parte final)* final*m.* **3** LING. terminação ♦ **terminación nerviosa** terminação nervosa

terminal [termi'nal] *adj.2g.* terminal; *enfermos terminales* doentes terminais ▪ *s.m.* terminal ▪ *s.f.* (transportes públicos) terminal*m.*

terminar [termi'nar] *v.* **1** terminar, concluir, acabar **2** (relacionamento, namoro) terminar (con, com); *ha terminado con su novio* terminou com o namorado ▪ **terminarse** terminar-se, esgotar-se, acabar-se

término ['termino] *s.m.* **1** *(fin)* término, fim, termo **2** *(límite)* fronteira*f.* **3** (tempo) prazo, período; *en el término de* no prazo de **4** *(palabra)* termo, vocábulo ▪ **términos** *s.m.pl.* termos; *en términos generales* em termos gerais; *los términos de un contrato* os termos de um contrato ♦ **en último término** em último caso; **término medio** média

termo ['termo] *s.m.* (recipiente) termo, garrafa*f.* térmica

termómetro [ter'mometro] *s.m.* termômetro

termostato [termos'tato] *s.m.* termostato

ternera [ter'nera] *s.f.* vitela

ternero [ter'nero] *s.m.* vitelo

ternura [ter'nura] *s.f.* ternura, carinho*m.*

terquedad [terke'ðað] *s.f.* teimosia, obstinação

terraplén [tera'plen] *s.m.* **1** ribanceira*f.* **2** terrapleno, terreno aplanado

terráqueo [te'rakeo] *adj.* terráqueo, terrestre; *globo terráqueo* globo terrestre

terraza [te'raθa] *s.f.* **1** (casa) terraço*m.* **2** (café, restaurante) esplanada **3** (encosta) socalco*m.* **4** AGR. plataforma de plantio

terremoto [tere'moto] *s.m.* terremoto, tremor de terra, sismo

terreno [te'reno] *adj.* terreno, terrestre ■ *s.m.* **1** *(tierra)* terreno **2** ESPOR. campo; *terreno de juego* campo **3** *fig.* terreno, campo ♦ **ganar terreno** ganhar terreno; **perder terreno** perder terreno, ficar para trás; **preparar el terreno** preparar o terreno

terrestre [te'restre] *adj.2g.* terrestre

terrible [te'riβle] *adj.2g.* **1** terrível, assustador, temível **2** *(insoportable)* terrível, insuportável; *hace un calor terrible* está um calor insuportável **3** *col.* terrível, enorme, muito; *estoy con una prisa terrible* estou com muita pressa

territorio [teri'torjo] *s.m.* **1** território **2** *fig.* área*f.*, campo, terreno

terrón [te'ron] *s.m.* (terra) torrão ♦ **terrón de azúcar** torrão de açúcar

terror [te'ror] *s.m.* **1** terror, medo, pavor **2** *fig.*, *col.* (pessoa) terror ♦ (gênero cinematográfico/literário) **de terror** de terror

terrorífico [tero'rifiko] *adj.* aterrorizador, aterrador, terrorífico

terrorismo [tero'rizmo] *s.m.* terrorismo

terrorista [tero'rista] *adj.,s.2g.* terrorista

terso ['terso] *adj.* (pele) liso, sem rugas

tertulia [ter'tulja] *s.f.* tertúlia ♦ *col.* **estar de tertulia** conversar; falar

tesis ['tesis] *s.f.2n.* tese ♦ **tesis de doctorado/doctoral** tese de doutorado

tesorer|o, -a [teso'rero] *s.m.,f.* tesoureir|o, -a

tesoro [te'soro] *s.m.* **1** tesouro **2** ECON. erário, tesouro público **3** *fig.* (pessoa) tesouro, joia*f.*

test ['test] *s.m.* (*pl.* tests) teste; *examen tipo test* teste de múltipla escolha; *test de embarazo* teste de gravidez; *test de inteligencia* teste de inteligência

testamento [testa'mento] *s.m.* testamento; *hacer testamento* fazer um testamento ♦ **Antiguo Testamento** Antigo/Velho Testamento; **Nuevo Testamento** Novo Testamento

testarud|o, -a [testa'ruðo] *adj.,s.m.,f.* teimos|o, -a, cabeçud|o, -a, casmurr|o, -a

testículo [tes'tikulo] *s.m.* testículo

testificar [testifi'kar] *v.* **1** testemunhar, depor, testificar **2** *(ser prueba de)* testemunhar, provar, demonstrar

testigo [tes'tiγo] *s.2g.* testemunha*f.*; *testigo de cargo* testemunha de acusação; *testigo de descargo* testemunha de defesa; *testigo de oídas* testemunha auricular; *testigo ocular/presencial* testemunha ocular; *poner por testigo* apresentar como testemunha

testimonio [testi'monjo] *s.m.* **1** testemunho; *falso testimonio* falso testemunho **2** depoimento

teta ['teta] *s.f.* **1** *vulg.* (mulher) mama, peito*m.*; *niñ|o, -a de teta* criança de peito **2** (animal) teta, úbere*m.* ♦ *pop.* **dar la teta** dar de mamar, amamentar

tetera [te'tera] *s.f.* **1** (para chá) bule*m.* **2** (para ferver água) chaleira

tetina [te'tina] *s.f.* (mamadeira) bico

tétrico ['tetriko] *adj.* tétrico, triste

textil [teks'til] *adj.2g.* têxtil

texto ['teksto] *s.m.* texto ♦ **libro de texto** livro didático

textura [teks'tura] *s.f.* textura

tez ['teθ] *s.f.* tez

ti ['ti] *pron.pess.* ti; *lo haré por ti* farei isso por você ♦ **de ti para mí** cá entre nós

Tíbet ['tiβet] *s.m.* Tibete

tibetan|o, -a [tiβe'tano] *adj.,s.m.,f.* tibetan|o, -a

tibia ['tiβja] *s.f.* tíbia

tibio ['tiβjo] *adj.* **1** morno, tépido, tíbio **2** *fig.* indiferente ♦ [ESP.] **poner tibio a alguien** falar mal de alguém; [ESP.] **ponerse tibio** empanturrar-se

tiburón [tiβu'ron] *s.m.* tubarão

tic ['tik] *s.m.* tique; *tic nervioso* tique nervoso

tiempo ['tjempo] *s.m.* **1** (duração) tempo **2** *(época)* tempo, época*f.*, período; *en tiempo de Cristo* na época de Cristo **3** (clima) tempo; *hacer buen/mal tiempo* fazer bom/mau tempo **4** (bebê, cria) tempo, idade*f.* **5** *(temporada)* época*f.*, tempo; *fruta del tiempo* fruta da época **6** *(momento)* momento, ocasião*f.*, tempo; *ahora no es tiempo* agora não é o momento **7** LING. tempo; *tiempo compuesto/simple* tempo composto/simples ♦ **al mismo tiempo** ao mesmo tempo; **a tiempo** a tempo; **con tiempo** com tempo; **dar tiempo al tiempo** dar tempo ao tempo; **tiempo de antena** tempo de transmissão; **tiempo libre** tempo livre, tempo de lazer; **y, si no, al tiempo** o tempo o dirá

tienda ['tjenda] *s.f.* **1** loja; *tienda de comestibles* mercearia; *tienda de recuerdos* loja de lembranças **2** barraca; *tienda de campaña* barraca de camping ♦ *col.* **ir de tiendas** ir às compras

tierno ['tjerno] *adj.* **1** (alimento) tenro; mole **2** *fig.* (pessoa) terno, meigo, carinhoso ♦ **tierna edad** tenra idade

tierra ['tjera] *s.f.* terra ♦ **besar la tierra que otra pisa** beijar o chão que outro pisa; **caer por tierra** cair por terra; *col.* **echar por tierra** deitar por terra; **echar tierra a/sobre** pôr uma pedra (em cima do assunto); *col.* **quedarse en tierra** ficar em terra

tieso ['tjeso] *adj.* **1** *(rígido)* teso, rijo, duro, firme **2** *(tirante)* teso, esticado **3** *fig.* (pessoa) teso, inflexível

tiesto ['tjesto] *s.m.* vaso (para plantas) ♦ *pop.* **mear fuera del tiesto** mijar fora do penico; *col.* **salirse alguien del tiesto** sair da casca

tifón [ti'fon] *s.m.* tufão

tigre ['tiγre] *s.m.* tigre ♦ **oler a tigre** feder, cheirar mal

tijeras [ti'xera] *s.f.pl.* tesoura; *pásame las tijeras* me passe a tesoura ♦ **meter la tijera** cortar, censurar

tila ['tila] *s.f.* **1** chá*m.* de tília **2** BOT. tília

tildar [til'dar] v. **1** tachar (de, de), apelidar (de, de), rotular fig. (de, de); *me tildaron de antipático* tacharam me de antipático **2** (palavra) acentuar

tilde ['tilde] s.f. **1** acento m. gráfico **2** til m. (~)

timar [ti'mar] v. **1** surripiar, furtar, roubar **2** (venda, acordo, contrato) vigarizar, enganar ■ **timarse** [ESP.] col. fazer olhinhos; insinuar-se

timbre ['timbre] s.m. **1** campainha f.; *tocar el timbre* tocar à campainha **2** *(sello)* selo fiscal **3** MÚS. timbre

timidez [timi'ðeθ] s.f. timidez, acanhamento m.

tímido ['timiðo] adj. tímido, acanhado

timo ['timo] s.m. **1** col. trapaça, logro **2** ANAT. timo ♦ **timo de la estampita** conto do vigário

timón [ti'mon] s.m. **1** leme, timão **2** fig. direção f., governo

timor|és, -esa [timo'res] adj.,s.m.,f. timorense 2g.

tímpano ['timpano] s.m. **1** ANAT. tímpano **2** MÚS. marimba f. **3** MÚS. timbale **4** ARQ. tímpano

tiniebla [ti'njeβla] s.f. treva, escuridão, obscuridade ■ **tinieblas** s.f.pl. trevas pl.

tinta ['tinta] s.f. tinta ♦ **de buena tinta** de fonte segura; **medias tintas** meias-medidas, rodeios; **sudar tinta** suar a camisa, fazer um grande esforço; **tinta china** nanquim

tinte ['tinte] s.m. **1** tintura f., coloração f. **2** (substância) tinta f., tintura f., corante **3** *(tintorería)* tinturaria f. **4** fig. tom

tintero [tin'tero] s.m. tinteiro ♦ **dejar(se) en el tintero** ficar no tinteiro

tinto ['tinto] adj. tinto, vermelho escuro ■ s.m. **1** vinho tinto **2** [COL.] café simples

tintorería [tintore'ria] s.f. tinturaria

tí|o, -a ['tio] s.m.,f. **1** ti|o, -a **2** col. cara ♦ col. **cuéntaselo a tu tía** vai contar essa a outro; col. **no hay tu tía** sem chance; **tío abuelo** tio-avô

tiovivo [tio'βiβo] s.m. carrossel, carrocel

típico ['tipiko] adj. típico

tipo ['tipo] s.m. **1** *(clase)* tipo, gênero **2** *(ejemplo)* modelo **3** (corpo) físico, figura f., silhueta f.; *tener buen tipo* ter boa figura **4** pej. (pessoa) indivíduo, sujeito **5** ECON. taxa f.; *tipo de interés* taxa de juros **6** LIT.,CIN.,TEAT. personagem tipo 2g. ♦ col. **jugarse el tipo** arriscar a vida; col. **mantener el tipo** manter a compostura

tipografía [tipoγra'fia] s.f. tipografia

tipográfico [tipo'γrafiko] adj. tipográfico

tipógraf|o, -a [ti'poγrafo] s.m.,f. tipógraf|o, -a

tiquismiquis [tikiz'mikis] adj.2g.2n. (pessoa) melindroso, suscetível ■ s.m.pl. esquisitices f.

tira ['tira] s.f. tira, faixa, banda ♦ col. **la tira de** um montão de, um ror de; **tira cómica** tira, história em quadrinhos

tirachinas [tira'tʃinas] s.m.2n. fisga f.

tirada [ti'raða] s.f. **1** TIP. tiragem **2** ESPOR. lançamento m., arremesso m. **3** col. (distância) tirada, estirão m. ♦ **de una tirada** de uma só vez

tirado [ti'raðo] adj. **1** col. (preço) dado, muito barato **2** col. (problema, assunto) fácil **3** col. *(sin ayuda)* abandonado

tiranía [tira'nia] s.f. tirania

tiran|o, -a [ti'rano] s.m.,f. tiran|o, -a, déspota 2g.

tirante [ti'rante] adj.2g. **1** esticado **2** fig. tenso ■ s.m. (sutiã, camiseta) alça f. ■ **tirantes** s.m.pl. suspensórios

tirar [ti'rar] v. **1** *(lanzar)* atirar, lançar, arremessar **2** *(hacer caer)* deixar cair **3** (muro, prédio) derrubar **4** *(desechar)* jogar fora **5** (arma) atirar, disparar **6** (bomba, foguetes) lançar **7** (fotografia) tirar **8** (publicação periódica) tirar, imprimir, publicar **9** (dinheiro, bens) esbanjar, desperdiçar **10** (corda, trela, correia) esticar (de, -), estirar (de, -), puxar (de, -); *tiró de la correa de su perro* esticou a guia/trela do seu cão **11** *(disparar)* atirar **12** *(atraer)* agradar, atrair **13** (direção) virar (a, a), voltar (a, a); *tire a la derecha* vire à direita **14** (aparelho, mecanismo) funcionar ■ **tirarse** **1** *(lanzarse)* atirar-se, lançar-se **2** *(tumbarse)* deitar se, estender-se **3** (tempo) passar

tirita [ti'rita] s.m. band-aid

tiritar [tiri'tar] v. tiritar

tiro ['tiro] s.m. **1** (arma) tiro, disparo **2** (esporte) lançamento, remate, chute **3** (chaminé) tiragem f. ♦ **ni a tiros** de forma alguma; **salir el tiro por la culata** sair o tiro pela culatra; **sentar como un tiro** cair mal; **tiro al blanco** tiro ao alvo; **tiro con arco** tiro ao arco; **ver por dónde van los tiros** ver de que lado sopra o vento

tirón [ti'ron] s.m. **1** puxão; *dar un tirón de orejas a alguien* dar um puxão de orelhas em alguém **2** *(acelerón brusco)* aceleração f. brusca, arranque brusco **3** (músculo) cãibra f. **4** col. arrastão ♦ **de un tirón** de uma só vez

tiroteo [tiro'teo] s.m. tiroteio

tisana [ti'sana] s.f. tisana

titanio [ti'tanjo] s.m. titânio

títere ['titere] s.m. **1** (com a mão) fantoche; (com fios) marionete f., títere **2** fig. (pessoa) joguete, fantoche, marionete f. ♦ col. **no dejar títere con cabeza** **1** *(destruir)* dar cabo de tudo **2** *(criticar)* não poupar ninguém

titubear [tituβe'ar] v. **1** *(tartamudear)* titubear, gaguejar, balbuciar **2** *(vacilar)* titubear, vacilar, hesitar **3** *(tambalearse)* cambalear, vacilar, titubear

titular [titu'lar] v. (obra) intitular, titular ■ **titularse** diplomar-se (en, em), formar se (en, em) ■ s.2g. titular ■ adj.2g. (professor) titular ■ s.m. (jornal, revista) título, manchete f.

titularidad [titulari'ðað] s.f. titularidade

título ['titulo] s.m. título ♦ **a título de** a título de; **título académico** título acadêmico; **título de propiedad** título de propriedade

tiza ['tiθa] s.f. giz m.

toalla [to'aʎa] s.f. toalha; *toalla de baño/cara* toalha de banho/rosto ♦ col. **arrojar/tirar la toalla** dar-se por vencido; desistir de (algo)

toallero [toa'ʎero] s.m. toalheiro

tobillo [to'βiʎo] s.m. tornozelo

tobogán [toβo'γan] s.m. **1** escorregador **2** *(trineo)* tobogã, trenó baixo

tocadiscos [toka'ðiskos] s.m.2n. toca-discos

tocador [toka'ðor] *s.m.* (móvel) toucador

tocar [to'kar] *v.* **1** tocar, palpar **2** (instrumento, campainha) tocar, fazer soar; *tocar el timbre* tocar à campainha **3** (assunto) tocar, tratar **4** *(ser el turno)* ser a vez de **5** *(corresponder)* caber, calhar, tocar **6** *(afectar)* tocar, importar, afetar **7** (avião, navio) fazer escala (en, em) ▪ **tocarse** tocar-se

tocino [to'θino] *s.m.* toucinho; *tocino entreverado* toucinho entremeado; *tocino ahumado* toucinho defumado, bacon ♦ **tocino de cielo** toucinho do céu

todavía [toða'βia] *adv.* **1** ainda; *¿todavía estabas durmiendo?* ainda estava dormindo? **2** *(incluso)* mesmo assim, apesar disso; *es muy celoso, pero todavía le quiero* é muito ciumento, mas mesmo assim gosto dele

tod|o, -a ['toðo] *adj.indef.* **1** tod|o, -a; *hice todo el trabajo* fiz o trabalho todo **2** qualquer, cada um; *todo niño necesita una madre* qualquer criança precisa de uma mãe ▪ *pron.indef.* **1** tod|o, -a; *vinieron todos* vieram todos **2** tudo; *le dije todo* disse-lhe tudo ▪ *adj.* **1** exatamente igual; *tiene todos los ojos de su madre* tem os olhos exatamente iguais aos da mãe **2** verdadeiro, direito; *ser todo un hombre* ser um verdadeiro homem ▪ **todo** *s.m.* todo; *el todo es la suma de las partes* o todo é a soma das partes ▪ *adv.* **1** todo; *el coche está todo sucio* o carro está todo sujo **2** o mais, tão; *corre todo lo deprisa que puedas* corra o mais depressa que puder ♦ **ante todo** antes de tudo; **así y todo** mesmo assim; (valor concessivo) **con todo** [+*s.*] apesar de todo(a); **de todas formas** de qualquer modo; **de todas todas** com certeza; **del todo** de modo geral; **después de todo** afinal de contas; **jugarse el todo por el todo** arriscar tudo; **ser todo uno 1** ser a mesma coisa **2** ser inevitável; **sobre todo** sobretudo, principalmente

todopoderoso [toðopoðe'roso] *adj.* todo poderoso

toga ['toγa] *s.f.* **1** (romanos) toga **2** (magistrados, catedráticos) toga, beca

toldo ['to̯ldo] *s.m.* toldo

tolerable [tole'raβle] *adj.2g.* tolerável

tolerancia [tole'raṇθja] *s.f.* tolerância

tolerante [tole'raṇte] *adj.2g.* tolerante

tolerar [tole'rar] *v.* tolerar

toma ['toma] *s.f.* **1** *(conquista)* tomada, conquista **2** (de medicamento) dose **3** ELETR. tomada **4** (ar, água) saída, torneira **5** CIN. filmagem

tomar [to'mar] *v.* **1** *(coger)* tomar, pegar, agarrar **2** (alimento, bebida) comer, beber, tocar **3** *(conquistar)* tomar, conquistar **4** (transporte público) pegar **5** *(aceptar)* aceitar, receber **6** (atitude, medidas) tomar, adotar **7** (direção) virar; *tomó por la derecha* virou à direita **8** [AM.] *col.* beber (álcool)

tomate [to'mate] *s.m.* **1** tomate **2** *col.* (meia) furo, buraco **3** *col.* confusão*f.*, alvoroço, tumulto ♦ *col.* **ponerse como un tomate** ficar vermelho como um pimentão

tómbola ['tombola] *s.f.* tômbola

tomillo [to'miʎo] *s.m.* tomilho

tomo ['tomo] *s.m.* (obra) tomo, volume ♦ *col.* **de tomo y lomo** de marca maior; *un mentiroso de tomo y lomo* um mentiroso de marca maior

tomografía [tomoγra'fia] *s.f.* tomografia; *tomografía axial computarizada* tomografia axial computorizada

ton ['ton] *s.m.* tom ♦ **sin ton ni son** sem tom nem som

tonalidad [tonali'ðað] *s.f.* **1** (cor) tonalidade **2** LING. entonação

tonel [to'nel] *s.m.* **1** tonel **2** *fig., col.* (pessoa) barril

tonelada [tone'laða] *s.f.* tonelada

tónica ['tonika] *s.f.* **1** (bebida) água tônica, tônica **2** MÚS. tônica

tónico ['toniko] *adj.* tônico ▪ *s.m.* tônico

tonificante [tonifi'kaṇte] *adj.2g.* tonificante

tono ['tono] *s.m.* tom ♦ **a tono con** combinando com; **de buen/mal tono** de bom/mau tom; **fuera de tono** disparatado, fora de propósito; **subido de tono** indecente, obsceno, grosseiro; **subir de tono** aquecer, esquentar; *la discusión subió de tono* a discussão esquentou

tontería [toṇte'ria] *s.f.* tolice, disparate*m.*

tonto ['toṇto] *adj.* tonto, babaca ♦ **a tontas y a locas** de qualquer jeito, nas coxas *col.*

topar [to'par] *v.* **1** (coisa) chocar, esbarrar, bater **2** (pessoa) encontrar (con, -) ▪ **toparse** encontrar; *toparse con alguien* encontrar alguém (con, -)

tope ['tope] *s.m.* **1** limite, máximo **2** topo **3** (mecanismo) trava*f.* ♦ *col.* **a tope** ao máximo; **hasta los topes** muito cheio

tópico ['topiko] *adj.* **1** (ideia) preconcebido **2** FARM. tópico, de uso externo ▪ *s.m.* **1** tópico, lugar-comum **2** FARM. tópico

topo ['topo] *s.m.* **1** toupeira*f.* **2** *col.* cegueta*2g.* **3** *col.* espião

Não confundir com a palavra em português **topo** (*cumbre*).

toque ['toke] *s.m.* toque ♦ **toque de atención** chamada de atenção; **toque de diana** toque de alvorada; **toque de queda** toque de recolher

tórax ['toraks] *s.m.2n.* tórax

torbellino [torβe'ʎino] *s.m.* **1** redemoinho, remoinho, turbilhão **2** *fig.* enxurrada*f.* **3** *col.* (pessoa) furacão

torcer [tor'θer] *v.* **1** *(doblar)* torcer **2** (palavras, significados) distorcer **3** (direção) virar **4** MED. torcer, fazer entorse ▪ **torcerse 1** *(doblarse)* torcer se **2** (plano) frustrar se

torcido [tor'θiðo] *adj.* **1** torto, torcido **2** *fig.* depravado

tordo ['torðo] *s.m.* tordo

torear [tore'ar] *v.* **1** (touros) tourear, lidar **2** *fig.* (pessoa) evitar, esquivar **3** *fig.* (assunto, problema) lidar, conduzir habilmente

torer|o, -a [to'rero] *s.m.,f.* toureir|o, -a

torio ['torjo] *s.m.* tório

tormenta [tor'meṇta] *s.f.* **1** tempestade, tormenta **2** trovoada ◆ **tormenta de arena** tempestade de areia; **tormenta de ideas** brainstorming
tormento [tor'meṇto] *s.m.* **1** *(angustia)* tormento, aflição*f.*, angústia*f.* **2** *(malos tratos)* tortura*f.*
tornado [tor'naδo] *s.m.* tornado
tornar [tor'nar] *v.* **1** tornar, transformar, mudar **2** (lugar) retornar, regressar, voltar ◆ **tornar a** [+*inf.*] tornar a [+*inf.*], voltar a [+*inf.*]; *tornó a llorar* voltou a chorar
torneo [tor'neo] *s.m.* torneio
tornillo [tor'niʎo] *s.m.* parafuso ◆ *col.* **faltarle un tornillo** ter um parafuso a menos
torno ['torno] *s.m.* **1** (aparelho) torno **2** (máquina) sarilho **3** (dentista) broca*f.* ◆ **en torno a** em torno de
toro ['toro] *s.m.* touro ■ **toros** *s.m.pl.* tourada*f.* ◆ **coger el toro por los cuernos** agarrar o touro pelos chifres
torpe ['torpe] *adj.2g.* **1** torpe, desajeitado, inábil **2** (comentário) inconveniente, inoportuno **3** *col., pej.* lerdo, bronco, tapado*fig.*
torpedo [tor'peδo] *s.m.* torpedo
torpeza [tor'peθa] *s.f.* **1** falta de jeito, inabilidade **2** lentidão, vagar*m.* **3** (comentário) tolice, estupidez
torre ['tore] *s.f.* torre ◆ **torre de control** torre de controle; **torres gemelas** torres gêmeas
torrencial [toreṇ'θjal] *adj.2g.* torrencial
torrente [to'reṇte] *s.m.* **1** (de água) torrente*f.*, enxurrada*f.* **2** (de sangue) corrente*f.*
torta ['torta] *s.f.* **1** biscoito*m.* **2** *col.* bofetada, tapa, tabefe*m.* **3** *col.* bebedeira **4** *col.* tombo*m.* ◆ **ni torta** nada; *no entendí ni torta* não entendi nada
tortazo [tor'taθo] *s.m. col.* bofetão, tapa*f.*, bofetada
tortícolis [tor'tikolis] *s.f.2n.* torcicolo*m.*
tortilla [tor'tiʎa] *s.f.* **1** tortilha; *tortilla española* tortilha de batatas; *tortilla francesa* omeleta **2** [AM.] panqueca ◆ *col.* **volverse la tortilla** virar-se o feitiço contra o feiticeiro, virar a mesa
tortolito [torto'lito] *adj.* inexperiente ■ **tortolitos** *s.m.pl. col. (pareja enamorada)* pombinhos
tórtol|o, -a ['tortolo] *s.m.,f.* rol|o, -a ■ **tórtolos** *s.m.pl. fig., col.* pombinhos, casal de namorados
tortuga [tor'tuγa] *s.f.* tartaruga ◆ **a paso de tortuga** a passo de tartaruga
tortuosidad [tortwosi'δaδ] *s.f.* tortuosidade, sinuosidade
tortuoso [tor'twoso] *adj.* tortuoso, sinuoso
tortura [tor'tura] *s.f.* tortura
torturar [tortu'rar] *v.* torturar
tos ['tos] *s.f.* tosse ◆ **tos ferina** tosse convulsa, coqueluche
tosco ['tosko] *adj.* **1** (material, objeto) tosco, grosseiro **2** *fig.* (pessoa) rude, inculto
toser [to'ser] *v.* tossir ◆ *col.* **toser a alguien** fazer frente a alguém; *no hay quien le tosa* não há quem lhe faça frente
tosquedad [toske'δaδ] *s.f.* rudeza, rusticidade
tostada [tos'taδa] *s.f.* torrada; *tostadas untadas con mantequilla* torradas com manteiga
tostador [tosta'δor] *s.m.* torradeira*f.*
tostadora [tosta'δora] *s.f.* torradeira
tostar [tos'tar] *v.* **1** (alimento) torrar, tostar **2** (pele) bronzear, queimar ■ **tostarse** bronzear-se
tostón [tos'ton] *s.m.* **1** *(garbanzo)* grão de-bico torrado **2** *(picatoste)* pão frito **3** (antiga moeda) tostão **4** *fig., col.* chatice*f.*
total [to'tal] *adj.2g.* total ■ *s.m.* total, soma*f.* ■ *adv.* em resumo, resumindo, em suma ◆ **en total** no total, ao todo
totalidad [totali'δaδ] *s.f.* totalidade
tóxico ['toksiko] *adj.,s.m.* tóxico
toxicomanía [toksikoma'nia] *s.f.* toxicomania
toxicóman|o, -a [toksi'komano] *adj.,s.m.,f.* toxicomaníac|o, -a, toxicôman|o, -a
tozudo [to'θuδo] *adj.* teimoso, obstinado
trabajador, -a [traβaxa'δor] *adj.,s.m.,f.* trabalhador, -a ◆ **trabajador autónomo** trabalhador autônomo
trabajar [traβa'xar] *v.* trabalhar
trabajo [tra'βaxo] *s.m.* trabalho; *trabajo en equipo* trabalho em equipe; *trabajo que hacer* trabalho para fazer; *trabajo temporal* trabalho temporário ■ **trabajos** *s.m.pl.* trabalhos, desgostos, dificuldades*f.* ◆ **tomarse el trabajo** dar-se ao trabalho
trabajoso [traβa'xoso] *adj.* trabalhoso
trabalenguas [traβa'leŋgwas] *s.m.2n.* trava-língua
trabar [tra'βar] *v.* **1** *(prender)* prender, agarrar **2** (ideias) juntar, unir **3** (negociações) impedir, dificultar **4** (relação) travar, estabelecer **5** (molho, líquido) engrossar, espessar ■ **trabarse** (por nervosismo) gaguejar
tracción [trak'θjon] *s.f.* tração ◆ **tracción a las cuatro ruedas** tração nas quatro rodas
tractor [trak'tor] *s.m.* trator
tradición [traδi'θjon] *s.f.* tradição
tradicional [traδiθjo'nal] *adj.2g.* tradicional
tradicionalismo [traδiθjona'lizmo] *s.m.* tradicionalismo
tradicionalista [traδiθjona'lista] *adj.,s.2g.* tradicionalista
traducción [traδuk'θjon] *s.f.* tradução; *traducción literal* tradução literal; *traducción simultánea* tradução simultânea
traducible [traδu'θiβle] *adj.2g.* traduzível
traducir [traδu'θir] *v.* traduzir (a, para); *traducir al español* traduzir para espanhol ■ **traducirse** traduzir se (en, em), resultar (en, em), converter se (en, em)
traductor, -a [traδuk'tor] *s.m.,f.* tradutor, -a; *traductor jurado* tradutor juramentado
traer [tra'er] *v.* **1** trazer **2** (roupa) vestir, usar, trazer **3** (problemas) causar, acarretar, provocar **4** *(atraer)* atrair **5** (informação) conter, ter
traficante [trafi'kaṇte] *adj.,s.2g.* traficante
traficar [trafi'kar] *v.* (negócios ilegais) traficar

tráfico ['trafiko] *s.m.* **1** (veículos) tráfego, trânsito; ***tráfico rodado*** tráfego rodoviário **2** *pej.* tráfico, contrabando, negócio ilegal; ***tráfico de droga*** tráfico de droga ♦ **tráfico de influencias** tráfico de influências

tragaderas [traɣa'ðeras] *s.f.pl. col.* credulidade, ingenuidade ♦ *col.* **tener tragaderas** ter estômago

tragaluz [traɣa'luθ] *s.m.* claraboia*f.*

tragaperras [traɣa'peras] *s.f.2n.* máquina de jogos (que funciona com moedas), caça-níqueis

tragar [tra'ɣar] *v.* **1** engolir **2** tragar, devorar ♦ **no poder tragar a alguien** não poder com alguém, não gostar de alguém

tragedia [tra'xeðja] *s.f.* **1** tragédia **2** *fig.* tragédia, desgraça

trágico ['traxiko] *adj.* trágico

trago ['traɣo] *s.m.* **1** (bebida) trago, gole, sorvo; ***beber de un trago*** beber de um gole **2** *col.* (bebida alcoólica) copo; ***tomar un trago*** beber um copo **3** *col. (disgusto)* desgosto ♦ **a tragos** pouco a pouco; **de un trago** de um trago; **pasar un mal trago** passar um mau bocado

traición [traj'θjon] *s.f.* traição ♦ **a traición** à traição, à falsa fé

traicionar [trajθjo'nar] *v.* **1** trair, atraiçoar **2** *fig.* atraiçoar, denunciar

traicionero [trajθjo'nero] *adj.* traiçoeiro, traidor, desleal

traidor, -a [traj'ðor] *adj.,s.m.,f.* **1** traidor, -a **2** traiçoeir|o, -a

tráiler ['trajler] *s.m.* **1** (caminhão grande) reboque **2** CIN. trailer, tailleur

traje ['traxe] *s.m.* traje; ***traje de chaqueta/traje sastre*** conjunto de saia e casaco, tailleur; ***traje de etiqueta*** traje de cerimônia; ***traje de gala*** traje de gala; ***traje de luces*** traje do toureiro; ***traje pantalón*** terno; ***traje regional*** traje regional

trajín [tra'xin] *s.m. col.* azáfama*f.*, agitação*f.*

trajinar [traxi'nar] *v.* **1** (mercadorias) transportar, carregar **2** *col.* andar de um lado para o outro

trama ['trama] *s.f.* **1** (tecido) trama **2** (obra literária) trama, enredo*m.*, intriga **3** *fig.* trama, conspiração, intriga

tramar [tra'mar] *v.* **1** (tecidos) tramar, tecer **2** *fig.* tramar, intrigar, conspirar, enredar

tramitar [trami'tar] *v.* (assunto, negócio) tramitar, seguir os trâmites

trámite ['tramite] *s.m.* trâmites*pl.*

tramo ['tramo] *s.m.* **1** (via, estrada) trecho **2** (escada) lance **3** (terreno) lote, porção*f.*

tramoya [tra'moja] *s.f.* **1** TEAT. tramoia **2** *col.* tramoia, enredo*m.*, intriga

trampa ['trampa] *s.f.* **1** armadilha **2** trapaça; ***hacer trampa*** roubar no jogo, trapacear **3** alçapão*m.* **4** *fig.* cilada, armadilha, emboscada, trapaça **5** *col.* calote*m.* ♦ **caer en la trampa** cair na armadilha

trampolín [trampo'lin] *s.m.* trampolim

trampos|o, -a [tram'poso] *adj.,s.m.,f.* trapaceir|o, -a, embusteir|o, -a

tranca ['traŋka] *s.f.* **1** tranca **2** *col.* bebedeira, pileque*m.*, porre*m.* ♦ **a trancas y barrancas 1** aos trancos e barrancos **2** a muito custo, com dificuldade

tranquilidad [traŋkili'ðað] *s.f.* tranquilidade, serenidade

tranquilizador [traŋkiliθa'ðor] *adj.* tranquilizador

tranquilizante [traŋkili'θan̪te] *adj.2g.* tranquilizante

tranquilizar [traŋkili'θar] *v.* tranquilizar, sossegar, acalmar ▪ **tranquilizarse** tranquilizar-se, acalmar-se

tranquillo [traŋ'kiʎo] *s.m. fig.* jeito, maneira*f.*; ***coger el tranquillo*** pegar o jeito, pegar a manha*col.*

tranquilo [traŋ'kilo] *adj.* tranquilo, sossegado, calmo

transacción [transak'θjon] *s.f.* transação

transatlántico [transa'tlan̪tiko] *adj.* transatlântico

transbordador [tranzβorða'ðor] *s.m.* **1** balsa **2** AERON. vaivém

transbordar [tranzβor'ðar] *v.* **1** transbordar, baldear **2** fazer baldeação

transbordo [tranz'βorðo] *s.m.* transbordo, baldeação

transcendencia [transθen̪'den̪θja] *s.f.* ⇒ **trascendencia**

transcendental [transθen̪den̪'tal] *adj.2g.* ⇒ **trascendental**

transcendente [transθen̪'den̪te] *adj.2g.* ⇒ **trascendente**

transcribir [transkri'βir] *v.* transcrever

transcripción [transkrip'θjon] *s.f.* transcrição ♦ LING. **transcripción fonética** transcrição fonética

transcurrir [transku'rir] *v.* decorrer, passar, transcorrer

transcurso [trans'kurso] *s.m.* decurso, transcurso; ***en el transcurso de*** no decorrer de

transeúnte [transe'un̪te] *s.2g. (peatón)* transeunte, pedestre

transferencia [transfe'ren̪θja] *s.f.* transferência ♦ **transferencia bancaria** transferência bancária

transferir [transfe'rir] *v.* **1** *(cambiar de lugar)* transferir, passar **2** (dinheiro) transferir

transfiguración [transfiɣura'θjon] *s.f.* transfiguração

transfigurar [transfiɣu'rar] *v.* transfigurar ▪ **transfigurarse** transfigurar-se

transformable [transfor'maβle] *adj.2g.* transformável

transformación [transforma'θjon] *s.f.* **1** *(cambio)* transformação **2** ESPOR. conversão

transformador [transforma'ðor] *s.m.* transformador

transformar [transfor'mar] *v.* **1** transformar **2** (gol, pontos) marcar ▪ **transformarse 1** *(cambiar)* transformar se **2** *(convertirse)* tornar-se (en, em)

transfusión [transfu'sjon] *s.f.* transfusão; ***transfusión de sangre*** transfusão de sangue

transgénico [trans'xeniko] *adj.* (animal, planta) transgênico

transgresión [tranzγre'sjon] *s.f.* transgressão, infração
transgresor, -a [tranzγre'sor] *adj.,s.m.,f.* transgressor, -a, infrator, -a
transición [transi'θjon] *s.f.* transição
transigencia [transi'xeṇθja] *s.f.* transigência, tolerância, condescendência
transigente [transi'xeṇte] *adj.2g.* transigente, tolerante, condescendente
transistor [transis'tor] *s.m.* transístor
transitivo [transi'tiβo] *adj.* (verbo) transitivo
tránsito ['transito] *s.m.* **1** *(tráfico)* trânsito **2** *(paso)* passagem*f.* **3** *lit.* morte*f.* ♦ **estar de tránsito** estar de passagem
transitorio [transi'torjo] *adj.* transitório, passageiro, temporário
transmisión [tranzmi'sjon] *s.f.* **1** *(propagación)* transmissão, propagação **2** (televisão, rádio) transmissão, emissão; ***transmisión en directo*** transmissão ao vivo/direta **3** (doenças) transmissão, contágio*m.*
transmisor, -a [tranzmi'sor] *adj.,s.m.,f.* transmissor, -a
transmitir [tranzmi'tir] *v.* **1** (mensagem, notícia) transmitir **2** (televisão, rádio) transmitir, emitir **3** (doença) transmitir, contagiar, pegar **4** DIR. transferir, transmitir, alienar
transparencia [transpa'reṇθja] *s.f.* **1** transparência **2** (retroprojetor) acetato*m.*, transparência
transparentar [transpareṇ'tar] *v.* **1** transparentar, transparecer **2** *fig.* esclarecer, revelar ■ **transparentarse 1** ser transparente **2** *fig.* (emoções, sentimentos) transparecer, revelar se
transparente [transpa'reṇte] *adj.2g.* **1** transparente **2** *fig.* transparente, evidente, claro ■ *s.m.* transparente, cortina*f.*
transpiración [transpira'θjon] *s.f.* transpiração
transpirar [transpi'rar] *v.* transpirar, suar
transponer [transpo'ner] *v.* transpor ■ **transponerse 1** ocultar-se, desaparecer **2** dormitar
transportable [transpor'taβle] *adj.2g.* transportável
transportador, -a [transporta'ðor] *adj.,s.m.,f.* transportador, -a ■ **transportador** *s.m.* transferidor
transportar [transpor'tar] *v.* transportar ■ **transportarse** *fig.* transportar se, enlevar se, extasiar se
transporte [trans'porte] *s.m.* transporte; ***transporte aéreo*** transporte aéreo; ***transporte de mercancías*** transporte de mercadorias; ***transporte por carretera*** transporte rodoviário; ***transporte público*** transporte público
transportista [transpor'tista] *s.2g.* transportador, -a*m.f.*
transvasar [tranzβa'sar] *v.* transvasar, transferir
tranvía [tram'bia] *s.m.* bonde
trapecio [tra'peθjo] *s.m.* trapézio
trapo ['trapo] *s.m.* **1** trapo, farrapo, rodilha*f.* **2** (tarefas domésticas) pano **3** NÁUT. pano, velame **4** *col.* capa*f.* de toureiro ■ **trapos** *s.m.pl. col.* roupas*f.* ♦ **estar hecho un trapo** estar arrasado; *col.* **poner alguien como un trapo** pôr alguém abaixo de zero
tráquea ['trakea] *s.f.* traqueia
traqueotomía [trakeoto'mia] *s.f.* traqueotomia
tras ['tras] *prep.* **1** depois de, após **2** atrás de ♦ **uno tras otro** um atrás do outro
trasbordar [trazβor'ðar] *v.* ⇒ **transbordar**
trascendencia [trasθeṇ'deṇθja] *s.f.* **1** *(importancia)* importância, transcendência **2** FIL. transcendência
trascendental [trasθeṇdeṇ'tal] *adj.2g.* transcendental
trascendente [trasθeṇ'deṇte] *adj.2g.* transcendente
trascribir [traskri'βir] *v.* ⇒ **transcribir**
trascurrir [trasku'rir] *v.* ⇒ **transcurrir**
trasero [tra'sero] *adj.* traseiro ■ *s.m.* traseiro, nádegas*f. pl.*
trasferencia [trasfe'reṇθja] *s.f.* ⇒ **transferencia**
trasferir [trasfe'rir] *v.* ⇒ **transferir**
trasfigurar [trasfiγu'rar] *v.* ⇒ **transfigurar**
trasformador, -a [trasforma'ðor] *adj.,s.m.,f.* ⇒ **transformador**
trasformar [trasfor'mar] *v.* ⇒ **transformar**
trasladar [trazla'ðar] *v.* **1** (lugar) trasladar, mudar, transferir **2** (cargo, posto) transferir **3** (data) adiar, transferir **4** (escrito, discurso) traduzir ■ **trasladarse** trasladar-se, mudar-se
traslado [traz'laðo] *s.m.* **1** *(cambio de sitio)* trasladação*f.* **2** (lugar, residência) mudança*f.*, deslocação*f.* **3** (cargo, posto) transferência*f.* **4** (data) adiamento **5** *(copia)* traslado, cópia*f.*
trasluz [traz'luθ] ♦ **al trasluz** à contraluz
trasnochar [trazno'tʃar] *v.* tresnoitar
traspasar [traspa'sar] *v.* **1** *(cambiar de lugar)* passar, transferir **2** *(atravesar)* atravessar **3** (arma, instrumento) trespassar **4** (negócio) passar o ponto **5** *(sobrepasar)* ultrapassar
traspaso [tras'paso] *s.m.* **1** trespasse **2** (jogador) transferência*f.*
traspié [tras'pje] *s.m.* **1** tropeção **2** *fig.* erro, engano
trasplantar [trasplaṇ'tar] *v.* transplantar
trasplante [tras'plaṇte] *s.m.* transplante
trasportador [trasporta'ðor] *adj.,s.m.* ⇒ **transportador**
trasporte [tras'porte] *s.m.* ⇒ **transporte**
trastada [tras'taða] *s.f. col.* travessura
traste ['traste] *s.m.* traste ♦ **dar al traste con** dar cabo de; **irse al traste** ir por água abaixo
trastero [tras'tero] *s.m.* quarto de despejo, quarto de guardados
trastienda [tras'tjeṇda] *s.f.* **1** (loja) fundos*m. pl.* **2** *fig.* astúcia, cautela, reserva
trasto ['trasto] *s.m.* **1** *col.* (móvel, aparelho) traste **2** *col.* (pessoa) diabrete, peste*f.*, criança*f.* travessa ■ **trastos** *s.m.pl.* **1** *(utensilios)* ferramentas*f.*, utensílios **2** *(pertenencias)* pertences
trastornar [trastor'nar] *v.* **1** *(alterar)* alterar, mudar **2** *(molestar)* incomodar, aborrecer **3** *(perturbar)* transtornar, perturbar, inquietar
trastorno [tras'torno] *s.m.* **1** *(alteración)* transtorno, contrariedade*f.*, alteração*f.* **2** *(molestia)* incômodo, transtorno **3** MED. distúrbio, perturbação*f.*

tratado [tra'taðo] *s.m.* **1** (obra) tratado **2** *(acuerdo)* tratado, acordo, convênio

tratamiento [trata'mjento] *s.m.* tratamento ♦ **hacer un tratamiento** fazer um tratamento; **tratamiento de belleza** tratamento de beleza; **tratamiento de choque** tratamento de choque

tratar [tra'tar] *v.* **1** (pessoa, animal, coisa) tratar **2** (assunto, tema) tratar, abordar **3** (tratamento) tratar (de, por) *me trates de usted* me trate de você **4** *(manejar)* tratar, manejar **5** *(comerciar)* negociar **6** *(intentar)* tentar **7** INFORM. processar ■ **tratarse 1** *(ser acerca de)* tratar-se (de, de) **2** *(relacionarse)* relacionar-se (con, com)

trato ['trato] *s.m.* **1** *(tratamiento)* tratamento, trato **2** *(relación)* relação*f.*; *trato carnal* relação sexual **3** *(acuerdo)* trato, ajuste, acordo; *hacer un trato* fazer um trato **4** (cortesia) tratamento ♦ **malos tratos** maus-tratos

trauma ['trawma] *s.m.* **1** PSIC. trauma; *trauma infantil* trauma de infância **2** *(traumatismo)* traumatismo, trauma

través [tra'βes] *s.m.* **1** inclinação*f.* **2** *fig.* revés, desgraça*f.*, vicissitude*f.* ♦ **a través de** através de; **mirar de través** olhar de lado

travesía [traβe'sia] *s.f.* **1** *(callejuela)* viela **2** *(viaje)* travessia, viagem **3** (parte de rua) travessa

travesti [tra'βesti], **travestí** [traβes'ti] *s.m.* travesti*2g.*

travesura [traβe'sura] *s.f.* travessura, traquinice

traviesa [tra'βjesa] *s.f.* (ferrovia) dormente*m.*

travieso [tra'βjeso] *adj.* travesso, traquina

trayecto [tra'jekto] *s.m.* trajeto, percurso; *final de trayecto* fim do trajeto

trayectoria [trajek'torja] *s.f.* **1** trajetória **2** *fig.* percurso*m.*

trazar [tra'θar] *v.* **1** (linha, desenho) traçar, riscar **2** *fig.* (plano) traçar, delinear, esboçar

trazo ['traθo] *s.m.* **1** *(línea)* traço, risco, linha*f.* **2** (fisionomia) traçado, traço ♦ LING. **trazo fonológico** traço fonológico

trébol ['treβol] *s.m.* trevo; *trébol de cuatro hojas* trevo--de quatro folhas ■ **tréboles** *s.m.pl.* (baralho) paus

trece ['treθe] *num.* treze ♦ **mantenerse/seguir en sus trece** teimar; ficar na sua

trecho ['tretʃo] *s.m.* trecho, espaço, intervalo

tregua ['treγwa] *s.f.* trégua

treinta ['trejnta] *num.* trinta ♦ (jogo) **treinta y una** trinta e um

tremendo [tre'mendo] *adj.* **1** tremendo, terrível **2** *fig.* tremendo, enorme, extraordinário ♦ **tomarse algo a la tremenda** dar muita importância a algo

tren ['tren] *s.m.* trem; *tren de alta velocidad* trem de alta velocidade; *tren de mercancías* trem de mercadorias; *tren de pasajeros* trem de passageiros; *tren expreso* trem expresso; *ir en tren* ir de trem ♦ **a todo tren 1** de arromba **2** a todo o gás; *col.* (pessoa) **estar como un tren** ser muito atraente; **tren de aterrizaje** trem de pouso; **tren de vida** nível de vida

trenza ['trenθa] *s.f.* trança

trenzar [tren'θar] *v.* trançar, entrançar, fazer tranças

trepar [tre'par] *v.* **1** *(subir)* trepar, subir; *trepar a los árboles* trepar nas árvores **2** (plantas) trepar **3** *col.* subir na vida **4** perfurar, furar

trepidación [trepiða'θjon] *s.f.* trepidação

trepidante [trepi'ðante] *adj.2g.* trepidante

tres ['tres] *num.* três ♦ *col.* **de tres al cuarto** de meia--tigela; *col.* **ni a la de tres** de jeito nenhum, de forma alguma

trescient|os, -as [tres'θjentos] *num.* trezent|os, -as

tresillo [tre'siʎo] *s.m.* **1** sofá de três lugares **2** conjunto (de sofá e poltronas)

treta ['treta] *s.f.* artimanha, estratagema*m.*, macete*m.*

triangular [trjangu'lar] *adj.2g.* triangular

triángulo ['trjangulo] *s.m.* **1** GEOM. triângulo **2** MÚS. triângulo, ferrinhos*pl.* ♦ (relação) **triángulo amoroso** triângulo amoroso

tribalismo [triβa'lizmo] *s.m.* tribalismo

tribu ['triβu] *s.f.* tribo

tribulación [triβula'θjon] *s.f.* tribulação, aflição

tribuna [tri'βuna] *s.f.* **1** (para oradores) tribuna **2** (espetáculos) tribuna, galeria **3** (desfiles, competições desportivas) tribuna

tribunal [triβu'nal] *s.m.* **1** tribunal **2** (exames, concurso) júri

triciclo [tri'θiklo] *s.m.* triciclo

tricolor [triko'lor] *adj.2g.* tricolor

tridimensional [triðimensjo'nal] *adj.2g.* tridimensional

trigal [tri'γal] *s.m.* trigal

trigésim|o, -a [tri'xesimo] *num.* trigésim|o, -a

trigo ['triγo] *s.m.* trigo ♦ *col.* **no ser trigo limpio** não ser flor que se cheire

trilingüe [tri'lingwe] *adj.2g.* trilingue

trillar [tri'ʎar] *v.* **1** (cereais) trilhar, debulhar, malhar **2** *fig., col.* (tema) estar muito batido

trimestral [trimes'tral] *adj.2g.* trimestral

trimestre [tri'mestre] *s.m.* trimestre

trinar [tri'nar] *v.* **1** (ave) trinar, gorjear, chilrear **2** MÚS. trinar, trilar ♦ *col.* **estar que trina** estar de mau humor

trinchar [trinʲtʃar] *v.* (comida) trinchar, fatiar

trinchera [trinʲtʃera] *s.f.* trincheira

trineo ['trineo] *s.m.* trenó

trío ['trio] *s.m.* trio

tripa ['tripa] *s.f.* **1** *(intestino)* tripa, intestino*m.* **2** *col.* ventre*m.*, barriga **3** *fig., col.* barriga, pança; *echar tripa* criar/ganhar barriga **4** *fig.* interior ♦ **hacer de tripas corazón** fazer das tripas coração; *col.* **¿qué tripa se le ha roto?** o que é que aconteceu?; *col.* **revolver las tripas** embrulhar o estômago

triple ['triple] *num.* triplo ■ *adj.2g.* triplo ■ *s.m.* (basquetebol) triplo ♦ **triple salto** salto triplo

triplicar [tripli'kar] *v.* triplicar

trípode ['tripoðe] *s.m.* tripé

tripulación [tripula'θjon] *s.f.* tripulação

tripulante [tripu'lan̪te] *s.2g.* tripulante
tripular [tripu'lar] *v.* (avião, embarcação) tripular, pilotar
triste ['triste] *adj.2g.* triste
tristeza [tris'teθa] *s.f.* tristeza
trituradora [tritura'ðora] *s.f.* moedor*m.*
triturar [tritu'rar] *v.* **1** triturar, moer, esmagar **2** *(mascar)* triturar, mastigar **3** *fig.* contestar, censurar, refutar **4** *col.* vencer, derrotar
triunfador [trjuɱfa'ðor] *adj.* triunfador
triunfal [trjuɱ'fal] *adj.2g.* triunfal
triunfar [trjuɱ'far] *v.* triunfar
triunfo ['trjuɱfo] *s.m.* **1** *(victoria)* triunfo, vitória*f.* **2** *(éxito)* triunfo, êxito **3** (cartas de baralho) trunfo; *echar un triunfo* jogar um trunfo ♦ **costar un triunfo** custar os olhos da cara
trivial [tri'βjal] *adj.2g.* trivial, banal
triza ['triθa] *s.f.* pedaço*m.*, bocado*m.*, fragmento*m.*; (de vidro) caco*m.*
trofeo [tro'feo] *s.m.* troféu
trola ['trola] *s.f. col. (mentira)* peta, mentira
tromba ['tromba] *s.f.* tromba ♦ **en tromba** de rompante; **tromba de agua** tromba-d'água
trompa ['trompa] *s.f.* **1** trompa **2** (elefante, insetos) tromba **3** ANAT. trompa; *trompa de Eustaquio/Falopio* trompa de Eustáquio/Falópio **4** *col.* bebedeira, pileque*m.*, porre*m.*; *agarrar/coger/pillar una trompa* tomar um porre ■ *s.2g.* trompista
trompazo [trom'paθo] *s.m.* trombada*f.*, encontrão, pancada*f.*; *darse un trompazo* dar uma trombada
trompeta [trom'peta] *s.f.* trompete ■ *s.2g.* trompetista
trompetista [trompe'tista] *s.2g.* trompetista
tronar [tro'nar] *v.* trovejar
tronco ['troŋko] *s.m.* **1** BOT. tronco **2** ANAT. tronco **3** *fig.* tronco, ascendência*f.*, linhagem*f.* ♦ *col.* **dormir como un tronco** dormir como uma pedra, ferrar a dormir; *col.* **¿qué pasa, tronco?** o que é que se passa, cara/meu?
trono ['trono] *s.m.* trono
tropa ['tropa] *s.f.* tropa
tropezar [trope'θar] *v.* tropeçar (con, em); *tropezó con mi pie* tropeçou no meu pé
tropical [tropi'kal] *adj.2g.* tropical
trópico ['tropiko] *s.m.* trópico; *trópico de Cáncer/Capricornio* trópico de Câncer/Capricórnio
tropiezo [tro'pjeθo] *s.m.* **1** *(obstáculo)* tropeço, obstáculo, dificuldade*f.*, contratempo **2** *(discusión)* desavença*f.* **3** *fig.* erro, deslize
trotar [tro'tar] *v.* **1** (cavalo) trotar **2** *col.* (pessoa) andar (muito ou depressa)
trozo ['troθo] *s.m.* pedaço, bocado, naco
trucha ['trutʃa] *s.f.* truta
truco ['truko] *s.m.* **1** truque; *truco de magia* truque de magia **2** *fig.* truque, ardil, manha*f.* ♦ **coger el truco** pegar o jeito
trueno ['trweno] *s.m.* trovão
trueque ['trweke] *s.m.* **1** *(intercambio)* troca*f.*, permuta*f.*, intercâmbio **2** *(alteración)* alteração*f.*, mudança*f.*
trufa ['trufa] *s.f.* trufa
tu ['tu] *adj.poss.* [antes de *s.*] o teu, a tua ⇒ **tuyo**; *es tu bolígrafo* é a tua caneta; *es tu novia* é a tua namorada
tú ['tu] *pron.pess.* tu; *tú no lo conoces* tu não o conheces ♦ **tratar de tú** tratar por tu; **¡tú!** ei!, tu aí!; **tú por tú** tu cá tu lá
tuberculosis [tuβerku'losis] *s.f.2n.* tuberculose
tubería [tuβe'ria] *s.f.* canalização, tubagem
tubo ['tuβo] *s.m.* **1** (peça) tubo **2** *(envase)* tubo, bisnaga*f.*; *tubo de pasta de dientes* tubo de pasta de dentes **3** *col.* (transporte) metrô **4** [ARG., URUG.] (telefone) fone ♦ *col.* **por un tubo** aos montes; **tubo de ensayo** tubo de ensaio; **tubo de escape** escapamento; **tubo fluorescente** lâmpada fluorescente; **tubo digestivo** tubo digestivo/digestório
tuerca ['twerka] *s.f.* porca (de parafuso) ♦ *col.* **apretar las tuercas a alguien** apertar/pressionar alguém
tuerto ['twerto] *adj.* (pessoa) zarolho
tuétano ['twetano] *s.m.* tutano, medula*f.* ♦ *col.* **hasta los tuétanos** até ao tutano/à medula
tufo ['tufo] *s.m.* **1** cheiro, exalação*f.*, emanação*f.* **2** *col.* fedor, mau cheiro **3** *fig.* ar, suspeita*f.*
tulio ['tuljo] *s.m.* túlio
tulipa [tu'lipa] *s.f.* tulipa, quebra luz*m.*
tulipán [tuli'pan] *s.m.* tulipa*f.*
tumba ['tumba] *s.f.* tumba, túmulo*m.*, sepultura ♦ **a tumba abierta** a toda a velocidade; *col.* **ser una tumba** ser um túmulo
tumbar [tum'bar] *v.* **1** *(derribar)* tombar, derrubar **2** *(acostar)* deitar **3** (exame, prova) reprovar **4** *col.* matar ■ **tumbarse** deitar-se
tumbona [tum'bona] *s.f.* espreguiçadeira
tumor [tu'mor] *s.m.* tumor; *tumor benigno/maligno* tumor benigno/maligno
tumulto [tu'mul̪to] *s.m.* tumulto, alvoroço, motim
tunecin|o, -a [tune'θino] *adj.,s.m.,f.* tunisian|o, -a
túnel ['tunel] *s.m.* túnel
Túnez ['tuneθ] *s.f.* Tunísia
tungsteno [tuŋs'teno] *s.m.* tungstênio, volfrâmio
túnica ['tunika] *s.f.* túnica
tuntún [tun̪'tun] ♦ *col.* **al (buen) tuntún** à sorte, ao acaso, à toa; sem pensar
tupé [tu'pe] *s.m.* **1** (cabelo) topete **2** *fig.* atrevimento, descaramento, topete
tupido [tu'piðo] *adj.* denso, espesso
turbante [tur'βan̪te] *s.m.* turbante
turbar [tur'βar] *v.* perturbar
turbina [tur'βina] *s.f.* turbina
turbio ['turβjo] *adj.* **1** (líquido) turvo **2** *fig.* desonesto; duvidoso **3** *fig.* confuso
turbulencia [turβu'len̪θja] *s.f.* turbulência
turc|o, -a ['turko] *adj.,s.m.,f.* turc|o, -a ■ **turco** *s.m.* (língua) turco

turismo [tu'rizmo] *s.m.* **1** turismo; *oficina de turismo* posto de turismo **2** (veículo) ligeiro

turista [tu'rista] *s.2g.* turista ◆ (avião) **clase turista** classe turística

turístico [tu'ristiko] *adj.* turístico

turnarse [tur'narse] *v.* revezar-se

turno ['turno] *s.m.* **1** (trabalho, serviço) turno; *turno de noche* turno da noite; *trabajar por turnos* trabalhar por turnos **2** *(vez)* vez*f.*, turno ◆ **de turno** de plantão; *médico de turno* médico de plantão

turquesa [tur'kesa] *adj.2g.2n.,s.m.* (cor) turquesa ■ *s.f.* turquesa

Turquía [tur'kia] *s.f.* Turquia

turrón [tu'ron] *s.m.* torrão

tutear [tute'ar] *v.* tratar por tu ■ **tutearse** tratar-se por tu

tutela [tu'tela] *s.f.* tutela ◆ **estar bajo la tutela de alguien** estar sob a tutela de alguém

tutor, -a [tu'tor] *s.m.,f.* tutor, -a

tuy|o, -a ['tujo] *adj.poss.* [depois de *s.*] teu, tua; ⇒ **tu**; *son asuntos tuyos* são assuntos teus ■ *pron.poss.* teu, tua; *este coche es tuyo* este carro é teu; *esta goma es tuya* esta borracha é tua

TV (*sigla de* televisión) TV (*sigla de* televisão)

U

u[1] ['u] *n.f.* (letra) u*m.*
u[2] ['u] *conj.* ou; ***diez u once*** dez ou onze; ***mujer u hombre*** mulher ou homem

> A conjunção **u** substitui o **o** antes de palavras iniciadas por *o* ou *ho*: *diez u once* dez ou onze; *mujer u hombre* mulher ou homem.

ubicación [uβika'θjon] *s.f.* localização
ubicar [uβi'kar] *v.* localizar, situar ▪ **ubicarse** localizar se (en, em), situar-se (en, em), ficar (en, em); ***el ayuntamiento se ubica en el centro de la ciudad*** a câmara fica no centro da cidade
ubicuidad [uβikwi'ðað] *s.f.* ubiquidade, onipresença
ubicuo [u'βikwo] *adj.* ubíquo, onipresente
ubre ['uβre] *s.f.* (mamífero) úbere*m.*, teta
UCI MED. (*sigla de* Unidad de Cuidados Intensivos) UTI (*sigla de* Unidade de Terapia Intensiva)
Ucrania [ukra'nja] *s.f.* Ucrânia
ucranian|o, -a [ukra'njano] *adj.,s.m.,f.* ucranian|o, -a ▪ **ucraniano** *s.m.* (língua) ucraniano
Ud(s). (*abreviatura de* usted(es)) o(s) senhor(es), a(s) senhora(s); você(s)
UE (*sigla de* Unión Europea) UE (*sigla de* União Europeia)
uf ['uf] *interj.* (cansaço, alívio) uf!, ufa!
UHF *sigla* (frecuencia ultra alta) UHF (frequência ultraelevada)
ujier [u'xjer] *s.m.* **1** (edifício público) porteiro **2** (tribunal, repartições públicas) contínuo
úlcera ['ulθera] *s.f.* úlcera
ulterior [ul'terjor] *adj.2g.* ulterior, posterior
ultimar [ulti'mar] *v.* **1** ultimar, terminar, acabar **2** [AM.] matar; assassinar
ultimátum [ultima'tum] *s.m.* ultimato; ***dar un ultimátum*** fazer um ultimato
último ['ultimo] *adj.* último ◆ *col.* **a la última 1** na moda **2** (conhecimentos, matéria) por dentro; atualizado; (atividade, processo) **a lo último** no final; (tempo) **a últimos de** no final de; ***a últimos de mes*** no final do mês; **en último caso** em último caso; *col.* **estar en las últimas** estar nas últimas; **fin último** último objetivo; **por última vez** pela última vez; ***¿cuándo lo viste por última vez?*** quando o viu pela última vez?; **por último** por último, por fim, finalmente; *col.* **ser lo último** ser o cúmulo
ultra ['ultra] *s.2g.* ultra
ultrajante [ultra'xante] *adj.2g.* ultrajante, ofensivo
ultraje [ul'traxe] *s.m.* ultraje, ofensa*f.*, insulto
ultraligero [ultrali'xero] *adj.2g.,s.m.* ultraleve
ultramar [ultra'mar] *s.m.* ultramar, além mar
ultramarino [ultrama'rino] *adj.* ultramarino
ultranza [ul'tranθa] ◆ **a ultranza** a todo custo; a qualquer preço
ultrarrojo [ultra'roxo] *adj.* infravermelho
ultravioleta [ultraβjo'leta] *adj.* ultravioleta; ***rayos ultravioleta(s)*** raios ultravioleta
umbilical [umbili'kal] *adj.2g.* umbilical; ***cordón umbilical*** cordão umbilical
umbral [um'bral] *s.m.* soleira*f.*, umbral, ombreira*f.* ◆ **en los umbrales de** no limiar de
un, -a ['un] *art.indef.* um, -a; ***un cierto entusiasmo*** algum/certo entusiasmo; ***una tostada*** uma torrada; ***un águila*** [antes de *s.f.* começados por *a* tônico] uma águia; ***un hada*** [antes de *s.f.* começados por *ha* tônico] uma fada ▪ *adj.* [antes de *s.m.*] um, -a

> **un** é a forma apocopada de *uno*, usada antes de substantivos masculinos no singular: *quiero un café solo* quero um café.

unánime [u'nanime] *adj.2g.* unânime
unanimidad [unanimi'ðað] *s.f.* unanimidade ◆ **por unanimidad** por unanimidade
undécim|o, -a [un'deθimo] *num.* undécim|o, -a
Unesco *sigla* (Organización de las Naciones Unidas para la Educación, la Ciencia y la Cultura) Unesco (Organização das Nações Unidas para a Educação, Ciência e Cultura)
ungüento [un'gwento] *s.m.* unguento
Unicef *sigla* (Fondo de las Naciones Unidas para la Infancia) Unicef (Fundo das Nações Unidas para a Infância)
único ['uniko] *adj.* **1** único; ***hijo único*** filho único; ***talla única*** tamanho único **2** *fig.* único, excepcional, fora de série ◆ **lo único que** a única coisa que
unidad [uni'ðað] *s.f.* **1** *(unanimidad)* unidade **2** (produto) unidade, peça; ***comprar a unidad*** comprar à unidade **3** (grandeza) unidade; ***unidad de medida*** unidade de medida; ***unidad monetaria*** unidade monetária **4** (organização) unidade, seção, equipe; ***Unidad de Cuidados Intensivos/Vigilancia Intensiva*** Unidade de Terapia Intensiva; ***unidad militar*** unidade militar **5** *(número uno)* unidade, (número) um*m.* **6** *(unión)* unidade, união ◆ INFORM. **unidad de disco** drive
unido [u'niðo] *adj.* **1** unido, junto **2** ligado
unificar [unifi'kar] *v.* unificar
uniforme [uni'forme] *adj.2g.* uniforme ▪ *s.m.* uniforme, farda*f.*; ***llevar uniforme*** usar uniforme
uniformidad [uniformi'ðað] *s.f.* uniformidade
unión [u'njon] *s.f.* **1** *(enlace)* união, junção, ligação **2** *(entendimiento)* união **3** *(asociación)* união, associação ◆ **la unión hace la fuerza** a união faz a força; **Unión Europea** União Europeia
unir [u'nir] *v.* **1** *(juntar)* unir, juntar **2** *(enlazar)* ligar **3** (sentimento) unir, aproximar, relacionar ▪ **unirse** unir-se ◆ **unirse en matrimonio** casar-se
unisex [uni'seks] *adj.2g.2n.* unissex

unísono [u'nisono] *adj.* (som, voz) uníssono

unitario [uni'tarjo] *adj.* unitário

universal [uniβer'sal] *adj.2g.* universal

universalidad [uniβersali'ðað] *s.f.* universalidade

universidad [uniβersi'ðað] *s.f.* (instituição, edifícios) universidade

universitari|o, -a [uniβersi'tarjo] *s.m.,f.* (estudante) universitári|o, -a; (com título) licenciad|o, -a ■ *adj.* universitário

universo [uni'βerso] *s.m.* universo

univitelino [uniβite'lino] *adj.* univitelino; *gemelos univitelinos* gêmeos univitelinos

unívoco [u'niβoko] *adj.* unívoco

un|o, -a ['uno] *adj.* um, -a; *las clases empiezan el día uno de mayo* as aulas começam no dia primeiro de maio; *sólo tengo una hoja* só tenho uma folha ■ *pron. indef.* **1** *(alguien)* alguém, uma pessoa; *vino uno por aquí buscándote* veio aqui alguém/uma pessoa à tua procura **2** *(yo)* uma pessoa, eu; *¿qué puede hacer uno en tal caso?* que pode fazer uma pessoa em tal situação? ■ *s.m.,f.* (numeral) um ■ *adj.* uno, indivisível, inseparável ■ *adj.indef.pl.* **1** *(alguno)* alguns, algumas, uns, umas; *me hizo unas preguntas* fez-me algumas perguntas **2** *(aproximadamente)* uns, umas; *estábamos unos diez en la clase* éramos uns dez na aula ◆ **a cada uno** para cada um; **de uno en uno** um a um; **uno de cada** um em cada; **una de dos** das duas uma; **unos(as) cuantos(as)** uns(umas) quantos(as)

> Antes de substantivos masculinos no singular usa se **un**.

untar [un̪'tar] *v.* **1** (pão) cobrir com; *untar el pan con mantequilla* passar manteiga no pão **2** (matéria gordurosa) untar (con, com), besuntar (con, com); *untar un molde con mantequilla* untar uma forma com manteiga **3** *fig., col.* (pessoa) subornar

uña ['uɲa] *s.f.* **1** (de pessoa) unha; *uña encarnada* unha encravada; *arreglarse/hacerse las uñas* fazer as unhas; *comerse las uñas* roer as unhas; *cortarse/pintarse las uñas* cortar/pintar as unhas **2** (de felino, ave de rapina) garra; (de cavalo) casco*m.* ◆ *col.* **con uñas y dientes** com unhas e dentes; *col.* **estar de uñas** ser hostil, estar agressivo; *col.* **enseñar/sacar las uñas** mostrar as unhas; **ser uña y carne** ser unha e carne

uranio [u'ranjo] *s.m.* urânio

Urano [u'rano] *s.m.* Urano

urbanización [urβaniθa'θjon] *s.f.* **1** (processo) urbanização **2** (núcleo residencial) urbanização, condomínio*m.*

urbanizar [urβani'θar] *v.* (terreno) urbanizar

urbano [ur'βano] *adj.* **1** urbano, citadino; *contribución urbana* contribuição predial; *guardia urbano* polícia municipal **2** *fig.* (pessoa) educado, civilizado, cortês

urbe ['urβe] *s.f.* urbe, cidade

uretra [u'retra] *s.f.* uretra

urgencia [ur'xen̪θja] *s.f.* **1** urgência **2** *(necesidad)* necessidade; *urgencias alimentarias y sanitarias* necessidades fisiológicas ■ **urgencias** *s.f.pl.* (hospital) emergência; *servicio de urgencias* serviço de emergência ◆ **en caso de urgencia** em caso de emergência

urgente [ur'xen̪te] *adj.2g.* **1** urgente **2** (correio) urgente; expresso; *correo urgente* correio azul

urinario [uri'narjo] *adj.* urinário ■ *s.m.* urinol, mictório

urna ['urna] *s.f.* urna ◆ **acudir a las urnas** ir às urnas, votar; **a pie de urna** na boca de urna; **urna electoral** urna eleitoral

urología [urolo'xia] *s.f.* urologia

urraca [u'raka] *s.f.* **1** ZOO. gralha **2** *fig.* (pessoa) matraca

urticaria [urti'karja] *s.f.* urticária

Uruguay [uru'ɣwaj] *s.m.* Uruguai

uruguay|o, -a [uru'ɣwajo] *adj.,s.m.,f.* uruguai|o, -a

usado [u'saðo] *adj.* **1** usado, utilizado **2** *(gastado)* usado, gasto, velho

usanza [u'san̪θa] *s.f.* costume*m.*, uso*m.*, moda; *a la antigua usanza* à moda antiga

usar [u'sar] *v.* **1** *(utilizar)* usar, utilizar **2** (produto, alimento) utilizar, consumir, gastar **3** *(llevar puesto)* usar, vestir; *usa pendientes* usa brincos **4** (hábito) costumar; *usa decir mentiras* ele costuma mentir **5** fazer uso (de, de) ■ **usarse** usar-se, estar na moda; *eso ya no se usa* isso já não se usa mais

uso ['uso] *s.m.* **1** *(utilización)* uso, utilização*f.* **2** *(utilidad)* uso, utilidade*f.*; *tener muchos usos* ter muitos usos **3** *(costumbre)* uso, costume, hábito; *al uso* na moda **4** *(gasto)* consumo, uso; *uso de drogas* consumo de drogas ◆ **estar en buen/mal uso** estar em bom/mau estado; **uso de razón** uso da razão

usted [us'teð] *pron.pess.* (*pl.* ustedes) **1** (sujeito) o senhor, a senhora; *como usted quiera* como o(a) senhor(a) quiser **2** (sujeito) você; *¿usted bebe algo?* (você) bebe alguma coisa? ◆ **a usted** a si; a você; ao senhor, à senhora; **con usted** consigo; com o senhor, com a senhora; **tratar de usted** tratar por você

usual [u'swal] *adj.2g.* usual, habitual, frequente

usuari|o, -a [u'swarjo] *s.m.,f.* usuári|o, -a; *usuarios de un servicio público* usuários de um serviço público

usufructo [usu'frukto] *s.m.* usufruto

usurer|o, -a [usu'rero] *s.m.,f.* usurári|o, -a, agiota*2g.*

utensilio [uten'siljo] *s.m.* **1** (uso manual) utensílio, instrumento; *utensilios de cocina* utensílios de cozinha **2** (ofício, arte) instrumento; *(herramienta)* ferramenta*f.*

útero ['utero] *s.m.* útero

útil ['util] *adj.2g.* útil ■ **útiles** *s.m.pl.* utensílios*pl.*, ferramentas*f. pl.*, apetrechos*pl.* ◆ **¿en qué puedo serle útil?** em que posso lhe ser útil?; **ser declarado útil** estar apto

utilidad [utili'ðað] *s.f.* utilidade

utilización [utiliθa'θjon] *s.f.* utilização, uso*m.*

utilizar [utili'θar] *v.* **1** *(usar)* utilizar, usar **2** *(emplear)* utilizar, empregar **3** *fig.* utilizar, aproveitar-se (-, de)

utopía [uto'pia] *s.f.* utopia

utópico [u'topiko] *adj.* utópico

uva ['uβa] *s.f.* uva ◆ *col.* **de uvas a peras** de longe em longe, de vez em quando; *col.* **estar de mala uva** estar de mau humor; *col.* **tener mala uva** ter mau feitio, má intenção

UVI MED. (*sigla de* Unidad de Vigilancia Intensiva) UTI (*sigla de* Unidade de Terapia Intensiva)

úvula ['uβula] *s.f.* úvula

V

v ['uβe] *s.f.* (letra) v*m.*

vaca ['baka] *s.f.* (*m.* buey) vaca; *vaca lechera* vaca leiteira; *col. vaca loca* vaca louca ♦ **época de las vacas gordas/flacas** tempo de vacas gordas/magras

vacaciones [baka'θjones] *s.f.pl.* férias*pl.*; *vacaciones de Navidad* férias de Natal; *vacaciones de verano* férias de verão; *estar/irse de vacaciones* estar/sair de férias; *pasar las vacaciones en...* passar as férias em...

vacante [ba'kan̪te] *adj.2g.* vago, vacante; *cargo vacante* cargo vago; *una plaza vacante* um lugar vago ■ *s.f.* (cargo, posto) vaga; *cubrir una vacante* preencher uma vaga

vaciar [ba'θjaɾ] *v.* **1** (recipiente) esvaziar, vazar **2** (conteúdo) despejar (en, em), verter (en, em) **3** (escultura, objeto) moldar, modelar **4** (corpo sólido) esvaziar, tornar oco **5** (dados, informação) extrair **6** (rio) desaguar (en, em), desembocar (en, em) **7** (maré) baixar, vazar

vacilación [baθila'θjon] *s.f.* vacilação

vacilar [baθi'laɾ] *v.* **1** *(oscilar)* vacilar, oscilar **2** (mesa, cadeira) abanar **3** *(tambalearse)* cambalear **4** (luz) cintilar, faiscar **5** *fig.* vacilar, hesitar **6** *col.* tirar sarro (con, de); *no vaciles con tus colegas* não tire sarro de seus colegas; *deja de vacilarme* para de me gozar

vacío [ba'θio] *adj.* **1** vazio **2** *(hueco)* oco **3** (lugar) desabitado, despovoado **4** (fêmea) infértil ■ *s.m.* **1** vazio, abismo, precipício **2** *fig.* vazio; *sentir un gran vacío* sentir um grande vazio **3** FÍS. vácuo ♦ **al vacío** a vácuo; *col.* **hacerle el vacío a alguien** dar um gelo em alguém

vacuna [ba'kuna] *s.f.* vacina

vacunación [bakuna'θjon] *s.f.* vacinação

vacunar [baku'naɾ] *v.* **1** vacinar (contra, contra); *vacunar al niño contra el tétanos* vacinar o menino contra o tétano **2** *fig.* (experiência) vacinar, imunizar ■ **vacunarse** ser vacinado (contra, contra); *se vacunó contra la hepatitis* foi vacinado contra a hepatite

vacuno [ba'kuno] *adj.* (gado) bovino

vagabundeo [baɣaβun̪'deo] *s.m.* vadiagem*f.*

vagabund|o, -a [baɣa'βun̪do] *s.m.,f.* vagabund|o, -a, vadi|o, -a ■ *adj.* vagabundo, vadio, errante; *perro vagabundo* cão vadio

vagar [ba'ɣaɾ] *v.* vaguear, vagabundear, errar

vagina [ba'xina] *s.f.* vagina

vago ['baɣo] *adj.* **1** *(impreciso)* vago, impreciso **2** *(holgazán)* preguiçoso, ocioso, mandrião

vagón [ba'ɣon] *s.m.* vagão; carruagem*f.*; *vagón restaurante* vagão restaurante

vaho ['bao] *s.m.* **1** (vidro, plástico, metal) vapor; *llenarse de vaho* embaçar **2** (boca) bafo **3** MED. inalação

vaina ['bajna] *s.f.* **1** (arma, instrumento) bainha **2** BOT. vagem ♦ *col.* **ser un vaina** ser um traste

vainilla [baj'niʎa] *s.f.* baunilha

vaivén [baj'βen] *s.m.* **1** (movimento) vaivém, balanço **2** *fig.* vicissitude*f.*; *los vaivenes de la vida* os altos e baixos da vida

vajilla [ba'xiʎa] *s.f.* (serviço de mesa) louça, baixela

vale ['bale] *s.m.* vale ■ *interj.* [ESP.] *col.* OK!; está bem!; de acordo!

valentía [balen̪'tia] *s.f.* valentia, coragem

valer [ba'leɾ] *v.* **1** (dinheiro) custar, valer; *¿cuánto vale?* quanto custa? **2** *(proteger)* proteger, amparar **3** *(equivaler)* valer **4** (qualidade, capacidade) valer **5** *(ser útil)* prestar, servir; *¡esto no vale para nada!* isto não presta para nada! ■ **valerse** valer-se (de, de), servir-se (de, de) ♦ **más vale prevenir que curar** mais vale prevenir do que remediar; **más vale tarde que nunca** antes tarde do que nunca; *col.* **¿vale?** está bem?; OK!; **¡válgame, Dios!** valha-me, Deus!

validación [baliða'θjon] *s.f.* validação

validez [bali'ðeθ] *s.f.* validade

válido ['baliðo] *adj.* válido

valiente [ba'ljen̪te] *adj.2g.* valente, corajoso

valija [ba'lixa] *s.f.* **1** *(maleta)* mala de mão, maleta **2** *(saco para correspondencia)* mala, bolsa **3** *(correspondencia)* correspondência, cartas*pl.* ♦ **valija diplomática** mala diplomática

valioso [ba'ljoso] *adj.* valioso

valla ['baʎa] *s.f.* **1** *(cerca)* vedação, cerca, tapume*m.* **2** (publicidade) painel*m.* **3** ESPOR. barreira, obstáculo*m.*; *100 metros vallas* 100 metros com barreiras

vallar [ba'ʎaɾ] *v.* cercar, tapar

valle ['baʎe] *s.m.* **1** (montanhas) vale **2** (rio) vale, bacia*f.* ♦ **valle de lágrimas** vale de lágrimas

valor [ba'loɾ] *s.m.* **1** *(cualidad)* valor, mérito **2** *(precio)* valor, preço **3** *(validez)* valor **4** *(importancia)* valor, importância*f.* **5** *(coraje)* coragem*f.*, audácia*f.*; *armarse de valor* encher se de coragem **6** *(descaro)* descaramento, atrevimento **7** MAT. valor **8** MÚS. duração*f.* ■ **valores** *s.m.pl.* **1** valores, princípios **2** ECON. valores ♦ **valor añadido** valor agregado

valoración [balora'θjon] *s.f.* **1** (preço) avaliação, estimativa **2** (valor) avaliação, apreciação, reconhecimento*m.* **3** *(aumento del valor)* valorização

valorar [balo'raɾ] *v.* **1** (preço) avaliar, calcular, estimar **2** (valor, mérito) valorizar, reconhecer, apreciar **3** *(aumentar el valor)* valorizar

valorización [baloriθa'θjon] *s.f.* **1** *(aumento del valor)* valorização **2** (pessoas, mérito) avaliação **3** (preço) avaliação

valquiria [bal'kirja] *s.f.* MIT. valquíria

vals ['bals] *s.m.* valsa*f.*

valse ['balse] *s.m./f.* [AM.] ⇒ **vals**

válvula ['balβula] *s.f.* válvula ♦ **válvula de escape** válvula de escape; *el baile es su válvula de escape* a dança é a sua válvula de escape; **válvula de seguridad** válvula de segurança
vamos ['bamos] *interj.* vamos (lá)!
vampiresa [bampi'resa] *s.f. col.* vampe, mulher-fatal
vampir|o, -a [bam'piro] *s.m.,f.* vampiro ■ **vampiro** *s.m.* ZOOL. vampiro, morcego
vanadio [ba'naδjo] *s.m.* vanádio
vanagloria [bana'γlorja] *s.f.* vanglória; bazófia; presunção
vandalismo [banda'lizmo] *s.m.* vandalismo
vándal|o, -a ['bandalo] *s.m.,f.* vândal|o, -a, selvagem*2g.*
vanguardia [baŋ'gwarδja] *s.f.* vanguarda
vanguardismo [baŋgwar'δizmo] *s.m.* vanguardismo
vanguardista [baŋgwar'δista] *adj.,s.2g.* vanguardista
vanidad [bani'δaδ] *s.f.* vaidade
vanidoso [bani'δoso] *adj.* vaidoso, presunçoso
vano ['bano] *adj.* **1** *(inútil)* vão, inútil **2** *(infundado)* vão, infundado **3** *(vacío)* vão, vazio, oco **4** *(frívolo)* arrogante, presunçoso **5** (fruto seco) oco ■ *s.m.* vão ♦ **en vano** em vão; debalde
vapor [ba'por] *s.m.* vapor ♦ **(cocer) al vapor** (cozinhar) a vapor
vaporización [baporiθa'θjon] *s.f.* vaporização
vaporizador [baporiθa'δor] *s.m.* **1** (recipiente) vaporizador, pulverizador **2** (aparelho) vaporizador
vapuleo [bapu'leo] *s.m.* **1** surra*f.*, sova*f.* **2** *fig.* crítica*f.* severa, tareia*f. fig.*
vaquería [bake'ria] *s.f.* vacaria
vaquer|o, -a [ba'kero] *s.m.,f.* vaqueir|o, -a ■ *adj.* **1** vaqueiro **2** (tecido) jeans; *pantalón vaquero* calças jeans; *tela vaquera* jeans ■ **vaqueros** *s.m.pl.* calças*f. pl.* jeans*pl.*; *llevar vaqueros* usar calças jeans
vara ['bara] *s.f.* **1** *(palo)* vara, pau*m.* **2** (juízes, vereadores) vara, insígnia **3** (árvore) galho*m.*, ramo*m.* ♦ *col.* **dar la vara** importunar; **tener vara alta** ter muita autoridade/influência
variabilidad [barjaβili'δaδ] *s.f.* **1** variabilidade **2** instabilidade, inconstância
variable [ba'rjaβle] *adj.2g.* **1** variável **2** *fig.* inconstante, instável **3** LING. (palavra) variável ■ *s.f.* MAT. variável
variación [barja'θjon] *s.f.* variação, alteração, mudança
variado [ba'rjaδo] *adj.* variado, diverso, sortido; *galletas variadas* bolachas sortidas
variante [ba'rjante] *adj.2g.* variável, variante ■ *s.f.* **1** *(versión)* variante, versão **2** [ESP.] (estrada) variante, desvio*m.* ■ **variantes** *s.m.pl.* picles
variar [ba'rjar] *v.* variar ♦ **para variar** para variar
varicela [bari'θela] *s.f.* varicela
variedad [barje'δaδ] *s.f.* variedade, diversidade ■ **variedades** *s.f.pl.* (espetáculo) variedades*pl.*
varilla [ba'riʎa] *s.f.* (de guarda-chuva, leque) vareta ♦ **varilla del aceite** vareta de óleo
vario ['barjo] *adj.* **1** (valor indefinido) vário, variado; *hay varios libros* há vários livros **2** *(diverso)* vário, diverso **3** *lit.* inconstante, volúvel
varios ['barjos] *adj.pl.* **1** *(diversos)* vários, diversos; *hay varias personas en el espectáculo* há várias pessoas no espetáculo **2** *(algunos)* alguns, uns quantos; *tengo varios días para decidirme* tenho alguns dias para me decidir ■ *pron.indef.pl.* vári|os, -as, algu|ns, -mas; *varios de ellos quisieron hablar* vários deles quiseram falar
varita [ba'rita] *s.f.* varinha ♦ (contos populares) **varita mágica** varinha mágica/de condão
variz [ba'riθ] *s.f.* variz
varón [ba'ron] *s.m.* varão, homem ♦ **hijo varón** filho varão
vasallaje [basa'ʎaxe] *s.m.* vassalagem*f.* ♦ **rendir vasallaje** prestar vassalagem
vasall|o, -a [ba'saʎo] *s.m.,f.* vassal|o, -a
vasc|o, -a ['basko] *adj.,s.m.,f.* basc|o, -a ■ **vasco** *s.m.* (língua) basco
vascular [basku'lar] *adj.2g.* vascular
vaselina [base'lina] *s.f.* **1** vaselina **2** (futebol) chapéu*m.*
vasija [ba'sixa] *s.f.* vasilha
vaso ['baso] *s.m.* **1** copo; *un vaso de agua* um copo de água **2** ANAT. vaso ♦ *col.* **ahogarse en un vaso de agua** fazer tempestade em copo d'água

> Não confundir com a palavra em português **vaso** (*macetero*).

vástago ['bastaγo] *s.m.* **1** rebento, renovo, vergôntea*f.* **2** *fig.* rebento, filho; descendente*2g.* **3** *téc.* haste*f.*
vastedad [baste'δaδ] *s.f.* vastidão, extensão
vasto ['basto] *adj.* vasto, amplo, extenso
váter ['bater] *s.m.* **1** *(inodoro)* privada*f.*, vaso*m.* sanitário **2** *(cuarto de baño)* banheiro
Vaticano [bati'kano] *s.m.* Vaticano
vaticinar [batiθi'nar] *v.* vaticinar, profetizar, prognosticar
vaticinio [bati'θinjo] *s.m.* vaticínio, profecia*f.*, prognóstico
vatio ['batjo] *s.m.* watt, vátio
vaya ['baja] *interj.* **1** (surpresa, admiração) eta!; puxa! **2** (ênfase) que; *¡vaya calor!* que calor! **3** (intensificação) grande; *¡vaya mentira!* grande mentira!
vecinal [beθi'nal] *adj.2g.* de vizinhos; *asociación vecinal* associação de vizinhos
vecindad [beθin'daδ] *s.f.* vizinhança
vecindario [beθin'darjo] *s.m.* vizinhança*f.*, vizinhos*pl.*
vecin|o, -a [be'θino] *s.m.,f.* **1** vizinh|o, -a **2** *(residente)* morador, -a, residente*2g.*; *vecino de un municipio* munícipe **3** *(habitante)* habitante*2g.* **4** *(copropietario)* condômin|o, -a; *reunión de vecinos* reunião de condomínio ■ *adj.* **1** *(cercano)* vizinho, próximo **2** *fig.* (ideias, posições) parecido, semelhante
vector [bek'tor] *s.m.* **1** FÍS. vetor **2** BIOL. vetor, portador
vectorial [bekto'rjal] *adj.2g.* vetorial

veda ['beða] *s.f.* **1** *(prohibición)* proibição **2** (caça, pesca) defeso*m.*
vedado [be'ðaðo] *adj.* vedado, interdito, proibido ■ *s.m.* reserva*f.* de caça
vedette [be'ðet] *s.f.* vedete (artista principal de um espetáculo de variedades)
vega ['beɣa] *s.f.* várzea
vegetación [bexeta'θjon] *s.f.* vegetação ■ **vegetaciones** *s.f.pl.* MED. adenoides*pl.*
vegetal [bexe'tal] *adj.2g.* vegetal ■ *s.m.* vegetal, planta*f.*
vegetarianismo [bexetarja'nizmo] *s.m.* vegetarianismo
vegetarian|o, -a [bexeta'rjano] *adj.,s.m.,f.* vegetarian|o, -a
vegetativo [bexeta'tiβo] *adj.* vegetativo
vehemencia [bee'meṇθja] *s.f.* veemência
vehemente [bee'meṇte] *adj.2g.* veemente
vehículo [be'ikulo] *s.m.* **1** veículo, viatura*f.*; *vehículo ligero/pesado* veículo ligeiro/pesado **2** *(coche)* carro, automóvel, veículo **3** *fig.* veículo, transmissor; *ser un vehículo de* ser um veículo de
veinte ['bejṇte] *num.* vinte
veinteañer|o, -a [bejṇtea'ɲero] *s.m.,f. col.* jovem*2g.* (entre os 20 e os 29 anos)
veintena [bejṇ'tena] *s.f.* vintena
veinticinco [bejṇti'θiŋko] *num.* vinte e cinco
veinticuatro [bejṇti'kwatro] *num.* vinte e quatro
veintidós [bejṇti'ðos] *num.* vinte e dois
veintinueve [bejṇti'nweβe] *num.* vinte e nove
veintiocho [bejṇ'tjotʃo] *num.* vinte e oito
veintiséis [bejṇti'sejs] *num.* vinte e seis
veintisiete [bejṇti'sjete] *num.* vinte e sete
veintitrés [bejṇti'tres] *num.* vinte e três
veintiún [bejṇti'un] *num.* [antes de *s.m.* e *s.f.* iniciado por *a* tônica] vinte e um, -a; *veintiún águilas* vinte e uma águias
veintiun|o, -a [bejṇti'uno] *num.* vinte e um, -a
vejación [bexa'θjon] *s.f.* vexação, vexame*m.*, humilhação
vejez [be'xeθ] *s.f.* velhice
vejiga [be'xiɣa] *s.f.* **1** bexiga **2** (pele) bolha
vela ['bela] *s.f.* **1** *(candela)* vela **2** *(vigilia)* vigília, serão*m.* **3** ESPOR. vela; *hacer vela* praticar vela **4** *fig., col. (moco nasal)* meleca ♦ *col.* **a dos velas** sem entender nada; **en vela** sem dormir; *pasar la noche en vela* passar a noite sem dormir; *col.* **estar a dos velas** estar liso, estar sem dinheiro; *col.* **no dar vela en este entierro** não pedir opinião
velada [be'laða] *s.f.* **1** serão*m.* **2** sarau*m.*
velador [bela'ðor] *s.m.* **1** [ESP.] mesa*f.* de pé de galo **2** [AM.] mesa*f.* de cabeceira
velar [be'lar] *v.* **1** (véu) velar, cobrir **2** (espaço) velar, vigiar **3** (doente, morto) velar, cuidar, assistir **4** *(estar sin dormir)* velar, ficar acordado **5** *(cuidar)* zelar (por, por), velar (por, por); *tienes que velar por tu salud* tens que zelar pela tua saúde **6** *fig.* ocultar, dissimular ■ **velarse** (filme fotográfico) expor-se à luz, queimar se ■ *adj.2g.* velar
velatorio [bela'torjo] *s.m.* velório
veleidad [belej'ðað] *s.f.* **1** veleidade, inconstância **2** capricho*m.*
velero [be'lero] *s.m.* veleiro
veleta [be'leta] *s.f.* cata vento*m.* ■ *s.2g. fig.* (pessoa) vira-casaca, volúvel
vello ['beʎo] *s.m.* **1** (pessoa) pelo; (lábio superior) buço **2** (fruta, planta) penugem*f.*
velludo [be'ʎuðo] *adj.* (pessoa) peludo
velo ['belo] *s.m.* **1** véu; *velo de novia* véu de noiva **2** *fig.* véu, manto ♦ **correr un tupido velo (sobre algo)** pôr uma pedra (sobre alguma coisa); (freira) **tomar el velo** tomar o véu, professar; **velo del paladar** véu palatino
velocidad [beloθi'ðað] *s.f.* **1** velocidade; *exceso de velocidad* excesso de velocidade **2** *(rapidez)* velocidade, rapidez, ligeireza **3** (veículo) mudança, velocidade ♦ **a toda velocidad** a toda a velocidade; FÍS. **velocidad de la luz** velocidade da luz; FÍS. **velocidad del sonido** velocidade do som
velocímetro [belo'θimetro] *s.m.* velocímetro
velocípedo [belo'θipeðo] *s.m.* velocípede
velocista [belo'θista] *s.2g.* velocista (pessoa que pratica corridas de velocidade)
velódromo [be'loðromo] *s.m.* velódromo
veloz [be'loθ] *adj.2g.* veloz, rápido, ligeiro
vena ['bena] *s.f.* **1** ANAT. veia, vaso*m.* sanguíneo **2** *fig.* veia, vocação, inclinação **3** MIN. veia, veio*m.*, filão*m.* **4** BOT. nervura ♦ *col.* **darle la vena** dar na veneta; **estar en/de vena** estar inspirado
venada [be'naða] *s.f.* veneta, ataque*m.* de loucura
venado [be'naðo] *s.m.* veado, cervo ■ *adj. col.* tresloucado, desvairado
vencedor, -a [beṇθe'ðor] *adj.,s.m.,f.* vencedor, -a
vencer [beṇ'θer] *v.* **1** *(derrotar)* vencer, derrotar **2** (dificuldade, problema) vencer, ultrapassar, superar **3** (prazo) vencer, expirar, terminar
vencido [beṇ'θiðo] *adj.* **1** (pessoa) vencido, derrotado **2** (prazo) vencido ♦ **darse por vencido** dar-se por vencido
vencimiento [beṇθi'mjeṇto] *s.m.* **1** inclinação*f.* **2** (prazo) vencimento, termo, expiração*f.*
venda ['beṇda] *s.f.* atadura; *venda de gasa* atadura de gaze; *venda elástica* atadura elástica ♦ **tener una venda en los ojos** ter uma venda nos olhos
vendaje [beṇ'daxe] *s.m.* atadura*f.*
vendar [beṇ'dar] *v.* cubrir/prender (com atadura)
vendaval [beṇda'βal] *s.m.* vendaval
vendedor, -a [beṇde'ðor] *s.m.,f.* vendedor, -a
vender [beṇ'der] *v.* **1** vender; *vender al contado* vender em dinheiro, à vista; *vender a plazos* vender a prestações **2** *fig.* (pessoa) vender, trair ■ **venderse** vender-se ♦ **se vende piso** vende-se apartamento
vendimia [beṇ'dimja] *s.f.* vindima
veneno [be'neno] *s.m.* veneno
venenoso [bene'noso] *adj.* venenoso

venera [be'nera] *s.f.* (concha) vieira
venerable [bene'raβle] *adj.2g.* venerável
veneración [benera'θjon] *s.f.* veneração, respeito*m.*, reverência
venerar [bene'rar] *v.* venerar, respeitar, reverenciar
venéreo [be'nereo] *adj.* venéreo; *enfermedad venérea* doença venérea
venero [be'nero] *s.m.* **1** nascente*f.*, fonte*f.* **2** *fig.* fonte*f.*, origem*f.*
venezolan|o, -a [beneθo'lano] *adj.,s.m.,f.* venezuelan|o, -a
Venezuela [bene'θwela] *s.f.* Venezuela
vengador, -a [beŋga'ðor] *adj.,s.m.,f.* vingador, -a
venganza [beŋ'ganθa] *s.f.* vingança
vengar [beŋ'gar] *v.* vingar ■ **vengarse** vingar-se (de, de), desforrar se (de, de); *vengarse de alguien* vingar se de alguém
vengativo [beŋga'tiβo] *adj.* vingativo
venial [be'njal] *adj.2g.* (falta, pecado) venial
venida [be'niða] *s.f.* **1** *(llegada)* vinda, chegada; *la venida de la primavera* a chegada da primavera **2** *(vuelta)* vinda, regresso*m.*, volta; *billete de ida y venida* bilhete de ida e volta
venidero [beni'ðero] *adj.* vindouro, futuro; *generaciones venideras* gerações vindouras
venir [be'nir] *v.* **1** *(llegar)* vir; *no vengas tarde* não venha tarde **2** *(suceder)* vir; *el año que viene* o ano que vem **3** *(proceder)* vir (de, de), provir (de, de), derivar (de, de); *esta palabra viene del latín* esta palavra vem do latim **4** *(aparecer)* vir, surgir, aparecer; *eso no viene en el diccionario* isso não aparece no dicionário **5** (roupa) ficar, estar; *este pantalón me viene bien* esta calça fica bem em mim **6** *(acometer)* dar; *le vino sueño* deu lhe sono ■ **venirse** vir; *¿te has venido en coche?* você veio de carro? ♦ **¿a qué viene** [+*inf.*]**?** para/por que, com que propósito [+*ger.*]?; *¿a qué vienes llamarme tan tarde?* para que você está me ligando tão tarde?; **(no) venir a cuento/al caso** (não) vir a propósito; (não) vir ao caso; **¡venga! 1** OK!, pronto!; *¿quedamos así? – ¡venga!* combinamos assim? – OK! **2** vamos, vá lá; *venga, date prisa que llegamos tarde* vamos, se apresse ou chegaremos tarde; **¡venga ya!** ora essa!; **venir** [+*ger.*] vir [+*ger.*], estar [+*ger.*]; *viene lloviendo desde hace tiempo* está chovendo há algum tempo; **venir a** [+*inf.*] **1** (aproximação) dever [+*inf.*]; *viene a tener la misma talla que tú* deve ter a mesma estatura que você **2** (conclusão) acabar por [+*ger.*]; *vino a casarme con ella* acabei me casando com ela; **venir a parar** [+*s.*] chegar [+*s.*], ir dar a [+*s.*]; **venir bien** é melhor; calhar bem; *me viene mejor pagarte hoy* é melhor para mim te pagar hoje; **venirse abajo** ir abaixo
venoso [be'noso] *adj.* venoso
venta ['beṇta] *s.f.* **1** venda; *estar en venta* estar à venda; *venta al contado* venda em cash, em dinheiro, à vista; *venta a plazos* venda a prestações/prazo **2** *(hostal)* pensão, estalagem, pousada
ventaja [beṇ'taxa] *s.f.* vantagem ♦ **estar en ventaja** estar em vantagem; **sacar ventaja de algo** tirar partido de alguma coisa
ventajoso [beṇta'xoso] *adj.* vantajoso, proveitoso
ventana [beṇ'tana] *s.f.* **1** janela; *estar en la ventana* estar à janela **2** (nariz) narina **3** INFORM. janela ♦ **tirar por la ventana** jogar pela janela
ventanal [beṇta'nal] *s.m.* janela*f.* grande
ventanilla [beṇta'niʎa] *s.f.* **1** (banco, repartição) guichê*m.* **2** (teatro, cinema) bilheteria **3** (veículo) vidro*m.*; (avião, trem) janela; (navio) vigia **4** (envelope) janela **5** (nariz) narina
ventarrón [beṇta'ron] *s.m.* ventania*f.*, vendaval
ventilación [beṇtila'θjon] *s.f.* ventilação
ventilador [beṇtila'ðor] *s.m.* **1** ventilador **2** ventoinha*f.*
ventilar [beṇti'lar] *v.* **1** (lugar) ventilar **2** *(airear)* arejar, ventilar **3** (pessoa) desanuviar **4** *col.* (assunto) resolver, solucionar; despachar ■ **ventilarse 1** [ESP.] *col.* (pessoa) liquidar, matar **2** *col.* (comida, bebida) comer, beber ♦ **ventilárselas** desenrascar-se
ventisca [beṇ'tiska] *s.f.* nevasca (tempestade de vento e neve)
ventolera [beṇto'lera] *s.f.* **1** ventania **2** *col.* veneta; *darle la ventolera* dar-lhe na veneta
ventosa [beṇ'tosa] *s.f.* ventosa
ventosidad [beṇtosi'ðað] *s.f.* ventosidade
ventoso [beṇ'toso] *adj.* ventoso
ventrículo [beṇ'trikulo] *s.m.* ventrículo
ventrílocu|o, -a [beṇ'trilokwo] *s.m.,f.* ventríloqu|o, -a
ventura [beṇ'tura] *s.f.* ventura ♦ **a la ventura** ao acaso; **echar la buena ventura** ler a sorte
Venus ['benus] *s.f.* MIT. Vênus ■ *s.m.* ASTRON. Vênus*f.*
ver ['ber] *v.* **1** ver; *no veo nada* não vejo nada; *ver bien/mal* ver bem/mal; *ver televisión* ver TV*col.*, assistir à televisão **2** *(entender)* ver; *¿no ves que eso se va a romper?* não vês que isso vai rasgar? **3** *(considerar)* ver, analisar, refletir; *mañana veremos ese problema* amanhã veremos esse problema **4** *(visitar)* ver, visitar; *ayer fui a ver a mi hermano al hospital* ontem fui ao hospital ver o meu irmão ■ **verse** ver-se ■ *s.m.* **1** *(vista)* vista*f.*, visão*f.* **2** *(apariencia)* aspecto; *estar de buen ver* estar com bom aspecto ♦ **allá veremos** logo se vê; *col.* **a ver** deixa-me ver; **a ver si** a ver se; **hasta más ver** até a vista, até logo; **no tener nada que ver** não ter nada a ver; **se ve que** parece que; *col.* **vérselas y deseárselas** sofrer, ter de fazer o diabo
vera ['bera] *s.f.* margem (de rio) ♦ **a la vera de** ao lado de; à beira de
veracidad [beraθi'ðað] *s.f.* veracidade
veranear [berane'ar] *v.* veranear
veraneo [bera'neo] *s.m.* veraneio, férias*f. pl.* de verão; *época de veraneo* época de veraneio; *estar de veraneo* estar em férias de verão; *sitio de veraneo* lugar de veraneio
veraniego [bera'njeɣo] *adj.* estival, do verão
veranillo [bera'niʎo] *s.m.* [época de calor no outono]
verano [be'rano] *s.m.* verão, estio; *en verano* no verão
verbal [ber'βal] *adj.2g.* verbal
verbena [ber'βena] *s.f.* **1** BOT. verbena **2** *(fiesta)* arraial*m.* (normalmente noturno), festa popular

verbo ['berβo] *s.m.* verbo
verdad [ber'ðað] *s.f.* verdade ◆ **a decir verdad** a verdade é que; para dizer a verdade; **de verdad** de verdade; a sério; *col.* **decir a alguien cuatro verdades** dizer poucas e boas; **¡es verdad!** é verdade!; **faltar a la verdad** faltar com a verdade, mentir; **¿verdad?** não é verdade?
verdadero [berða'ðero] *adj.* verdadeiro
verde ['berðe] *adj.2g.* **1** (cor) verde **2** (fruto) verde, não maduro **3** *fig.* (pessoa) verde, inexperiente, imaturo **4** (vinho) verde **5** *col.* (anedota) picante; obsceno ■ *s.m.* **1** (cor) verde; ***verde botella*** verde garrafa; ***verde claro*** verde-claro; ***verde oscuro*** verde escuro **2** *(hierba)* erva*f.*; *(césped)* grama*f.* ■ **verdes** *s.m.pl.* verdes, ecologistas ◆ *col.* **poner verde a alguien** falar mal de alguém
verdín [ber'ðin] *s.m.* **1** (plantas) limo **2** (objetos de cobre) verdete
verdor [ber'ðor] *s.m.* (plantas) verdor, verdura*f.*
verdoso [ber'ðoso] *adj.* esverdeado
verdugo [ber'ðuγo] *s.m.* **1** (pena de morte) carrasco, algoz **2** (vestuário) gorro, capuz **3** (árvore, planta) vergôntea*f.*, rebento **4** *fig.*, *pej.* carrasco
verduler|o, -a [berðu'lero] *s.m.,f.* vendedor, -a de hortaliças
verdura [ber'ðura] *s.f.* **1** (plantas) verdura, verdor*m.* **2** *(hortaliza)* verdura, hortaliça
vereda [be'reða] *s.f.* **1** *(senda, camino)* vereda, caminho*m.*, trilho*m.* **2** [AM.S., CUB.] *(acera)* passeio*m.* ◆ *col.* **meter en vereda** pôr nos eixos, colocar na linha
veredicto [bere'ðikto] *s.m.* **1** DIR. veredicto, sentença*f.* **2** *fig.* veredicto, opinião*f.*, juízo
verga ['berγa] *s.f.* **1** NÁUT. verga **2** *vulg.* *(pene)* verga, pênis*m.2n.*
vergel [ber'xel] *s.m.* pomar
vergonzoso [berγoṇ'θoso] *adj.* **1** vergonhoso **2** (pessoa) envergonhado, tímido
vergüenza [ber'γweṇθa] *s.f.* vergonha ◆ **dar vergüenza** ter vergonha de; **¡qué poca vergüenza!** que pouca-vergonha!
verídico [be'riðiko] *adj.* verídico
verificación [berifika'θjon] *s.f.* verificação
verificar [berifi'kar] *v.* **1** verificar, confirmar, comprovar, conferir **2** (máquina, aparelho) testar ■ **verificarse** verificar-se, realizar se, cumprir se, acontecer
verja ['berxa] *s.f.* **1** *(reja)* grade **2** *(cerca)* vedação, cerca
vermicida [bermi'θiða] *adj.2g.,s.m.* vermicida
vermífugo [ber'mifuγo] *adj.,s.m.* vermicida
vermú [ber'mu], **vermut** [ber'mut] *s.m.* **1** (licor) vermute **2** (bebida) aperitivo
vernáculo [ber'nakulo] *adj.* vernáculo
verosímil [bero'simil] *adj.2g.* **1** *(creíble)* verossímil, credível **2** *(probable)* verossímil, provável
verosimilitud [berosimili'tuð] *s.f.* verossimilhança
verruga [be'ruγa] *s.f.* verruga
versalita [bersa'lita] *s.f.* versalete*m.*
versátil [ber'satil] *adj.2g.* versátil, inconstante, volúvel
versatilidad [bersatili'ðað] *s.f.* versatilidade
versículo [ber'sikulo] *s.m.* versículo
versificación [bersifika'θjon] *s.f.* versificação
versión [ber'sjon] *s.f.* versão ◆ **en versión original** em versão original
verso ['berso] *s.m.* verso
vértebra ['berteβra] *s.f.* vértebra
vertebrado [berte'βraðo] *adj.* (animal) vertebrado
vertebral [berte'βral] *adj.2g.* vertebral
vertedero [berte'ðero] *s.m.* lixeira*f.* ◆ **vertedero de basura** aterro sanitário
verter [ber'ter] *v.* **1** *(echar)* verter **2** (líquido) derramar, verter, entornar **3** (texto) verter (a, para), traduzir (a, para); ***verter al español*** traduzir para o espanhol **4** (corrente de água) verter, desaguar, desembocar
vertical [berti'kal] *adj.2g.,s.f.* vertical
verticalidad [bertikali'ðað] *s.f.* verticalidade
vértice ['bertiθe] *s.m.* **1** *(ápice)* vértice, ápice **2** GEOM. vértice
vertido [ber'tiðo] *s.m.* derrame, derramamento ■ **vertidos** *s.m.pl.* detritos, resíduos
vertiente [ber'tjeṇte] *s.f.* **1** (montanha) vertente, declive*m.*, encosta **2** (assunto) ponto*m.* de vista, ângulo*m.*, vertente
vertiginoso [bertixi'noso] *adj.* vertiginoso
vértigo ['bertiγo] *s.m.* vertigem*f.*, tontura*f.*; ***dar vértigo*** dar vertigens; ***tener vértigo*** ter vertigens ◆ **de vértigo** vertiginoso, muito rápido
vesícula [be'sikula] *s.f.* **1** vesícula; ***vesícula biliar*** vesícula biliar **2** (pele) bolha
vespertino [besper'tino] *adj.* vespertino
vestíbulo [bes'tiβulo] *s.m.* **1** (casa, edifício) hall, vestíbulo **2** (ouvido) vestíbulo
vestido [bes'tiðo] *s.m.* **1** vestido; ***vestido de fiesta*** vestido de baile; ***vestido de noche*** vestido de noite; ***vestido de novia*** vestido de noiva **2** *(vestimenta)* vestuário, roupa*f.* ■ *adj.* vestido; ***estar vestido de negro*** estar vestido de preto
vestidor [besti'ðor] *s.m.* quarto de vestir
vestidura [besti'ðura] *s.f.* vestimenta, roupa ■ **vestiduras** *s.f.pl.* vestes*pl.* sacerdotais, vestimentas*pl.*, hábito*m.* ◆ **rasgarse las vestiduras** ficar escandalizado
vestigio [bes'tixjo] *s.m.* vestígio, sinal, marca*f.*
vestimenta [besti'meṇta] *s.f.* vestimenta, vestuário*m.*, roupa, indumentária ■ **vestimentas** *s.f.pl.* vestimentas*pl.*, vestes*pl.*, hábito*m.*
vestir [bes'tir] *v.* vestir ■ **vestirse 1** vestir-se; ***el niño ya se viste solo*** o menino já se veste sozinho **2** *(disfrazarse)* vestir-se (de, de), fantasiar-se (de, de); ***vestirse de romano*** vestir-se de romano ◆ **de vestir** social; *col.* **el mismo que viste y calza** o próprio
vestuario [bes'twarjo] *s.m.* **1** *(ropas)* vestuário, roupa*f.* **2** (companhia de dança, teatral) guarda-roupa **3** *(camerino)* camarim **4** (academia) vestiário
veta ['beta] *s.f.* **1** (madeira) veio*m.* **2** (mineral) filão*m.*, veio*m.*; ***una veta de oro*** um filão de ouro **3** (presunto) gordura

veteran|o, -a [bete'rano] *adj.,s.m.,f.* veteran|o, -a
veterinaria [beteri'narja] *s.f.* veterinária
veterinari|o, -a [beteri'narjo] *adj.,s.m.,f.* veterinári|o, -a
veto ['beto] *s.m.* veto; ***derecho a veto*** direito de veto
vez ['beθ] *s.f.* **1** *(ocasión)* vez, ocasião **2** [ESP.] vez, turno*m.* ◆ **a su vez** por sua vez; **a veces** às vezes; **cada vez más** cada vez mais; **de una vez para siempre/por todas** de uma vez para sempre/por todas; **de vez en cuando** de vez em quando; **en vez de** em vez de; (contos infantis) **érase/había una vez** era uma vez; **por última vez** pela última vez; **tal vez** talvez; **una vez más** mais uma vez
VHF *sigla* (frecuencia muy alta) VHF (frequência muito elevada)
vía ['bia] *s.f.* **1** *(camino)* via, caminho*m.*; ***vía de comunicación*** via de comunicação; ***vía pública*** via pública **2** (de trem) via, linha; (de estação) plataforma **3** ANAT. via, canal*m.* **4** *fig.* via, meio*m.* ■ *prep.* via, através de; ***transmisión vía satélite*** transmissão via satélite ◆ **estar en vías de** estar em vias de, estar prestes a; **vía crucis** via-sacra, via-crúcis; **Vía Láctea** Via Láctea
viabilidad [bjaβili'ðað] *s.f.* viabilidade
viable ['bjaβle] *adj.2g.* **1** *(posible)* viável, possível **2** (caminho) viável, transitável
viaducto [bja'ðukto] *s.m.* viaduto
viajante [bja'xante] *s.2g.* representante comercial
viajar [bja'xar] *v.* **1** viajar; ***viajar en avión*** viajar de avião; ***viajar a Polonia*** viajar para a Polônia **2** (mercadoria) ser transportada, viajar; ***las cajas han viajado de noche*** as caixas foram transportadas à noite
viaje ['bjaxe] *s.m.* viagem*f.*; ***viaje de ida y vuelta*** viagem de ida e volta; ***viaje de negocios*** viagem de negócios; ***viaje de novios*** viagem de lua de mel; ***¡buen viaje!*** boa viagem!; ***hacer un viaje*** fazer uma viagem; ***irse de viaje*** ir de viagem
viajer|o, -a [bja'xero] *adj.,s.m.,f.* viajante*2g.*
vial ['bjal] *adj.2g.* rodoviário; ***seguridad vial*** segurança rodoviária
víbora ['biβora] *s.f.* víbora
vibración [biβra'θjon] *s.f.* vibração
vibrador [biβra'ðor] *s.m.* vibrador
vibrante [bi'βrante] *adj.2g.* vibrante
vibrar [bi'βrar] *v.* **1** (objetos) vibrar **2** (voz, som) vibrar, tremer **3** (emoção) comover se, entusiasmar se, emocionar se
vibratorio [biβra'torjo] *adj.* vibratório
vicealmirante [biθealmi'rante] *s.2g.* vice almirante
vicepresident|e, -a [biθepresi'ðente] *s.m.,f.* vice--presidente*2g.*
vicerrector, -a [biθe'rektor] *s.m.,f.* vice reitor, -a
vicesecretari|o, -a [βiθesekre'tarjo] *s.m.,f.* vice--secretári|o, -a
viceversa [biθe'βersa] *adv.* vice versa
viciado [bi'θjaðo] *adj.* (ar) viciado
vicio ['biθjo] *s.m.* vício, mau hábito ◆ [ESP.] *col.* **estar de vicio** estar muito bom/bem; *col.* **quejarse de vicio** queixar-se sem motivo/razão; **vicio de dicción** vício de linguagem
vicisitud [biθisi'tuð] *s.f.* vicissitude
víctima ['biktima] *s.f.* vítima ◆ **hacerse la víctima** fazer-se de vítima
victoria [bik'torja] *s.f.* vitória, triunfo*m.* ◆ **cantar victoria** cantar vitória
victorioso [bikto'rjoso] *adj.* vitorioso
vid ['bið] *s.f.* videira
vida ['biða] *s.f.* vida ◆ *col.* **buscarse la vida** fazer pela vida; ir à luta; **de por vida** para toda a vida, para sempre; *col.* **de toda la vida** da vida toda; de sempre; **en la vida** nunca na vida; **entre la vida y la muerte** entre a vida e a morte; **ganarse la vida** ganhar a vida; *col.* **hacer la vida imposible a alguien** fazer a vida impossível a alguém; *col.* **pasar a mejor vida** ir desta para melhor, morrer; **pasarse la vida** [+*ger.*] passar a vida [+*inf.*]; **quitarse la vida** suicidar-se; pôr fim à vida; **vida de perros** vida de cão
vidente [bi'ðente] *s.2g.* vidente
vídeo ['biðeo] *s.m.* **1** (aparelho) vídeo, videogravador; ***grabar en vídeo*** gravar em vídeo **2** (cassete) vídeo, cassete*f.* de vídeo, videocassete*f.*
videocámara [biðeo'kamara] *s.f.* câmara de vídeo
videocasete [biðeoka'sete] *s.m.* ⇒ **videocinta**
videocinta [biðeo'θinta] *s.f.* cassete de vídeo, videocassete
videoclip [biðeo'klip] *s.m.* videoclipe
videoclub [biðeo'kluβ] *s.m.* (*pl.* videoclubs, videoclubes) videoclube
videoconferencia [biðeokomfe'renθja] *s.f.* videoconferência
videoconsola [biðeokon'sola] *s.f.* controle (de jogos)
videófono [biðe'ofono] *s.m.* videofone
videojuego [biðeo'xweγo] *s.m.* videojogo
videollamada [biðeoʎa'maða] *s.f.* chamada telefônica com imagem e som
videoteca [biðeo'teka] *s.f.* videoteca
videotexto [biðeo'teksto] *s.m.* videotexto
vidorra [bi'ðora] *s.f. col.* vida regalada, vida boa
vidriera [bi'ðrjera] *s.f.* **1** vidraça **2** [AM.C., MÉX.] (móvel) mostrador*m.* **3** [CUB., MÉX.] *(escaparate)* vitrine ◆ **vidriera de colores** vitral
vidriería [biðrje'ria] *s.f.* vidraria
vidrier|o, -a [bi'ðrjero] *s.m.,f.* vidraceir|o, -a
vidrio ['biðrjo] *s.m.* vidro; ***vidrio antirreflectante*** vidro antirreflexo; ***vidrio mate*** vidro fosco ◆ *col.* **pagar los vidrios rotos** arcar com as consequências, pagar o pato
vidrioso [bi'ðrjoso] *adj.* **1** *(quebradizo)* frágil, quebradiço **2** (olhos) vidrado **3** (assunto, questão) delicado
vieira ['bjeira] *s.f.* vieira
viejales [bje'xales] *s.2g.2n. col.* velhot|e, -a*m.f.*
viej|o, -a ['bjexo] *s.m.,f.* **1** velh|o, -a, idos|o, -a **2** *col.* (pais) velhot|e, -a ■ *adj.* **1** velho **2** *(antiguo)* velho, antiquado, antigo **3** *(desgastado)* velho, usado, gasto
viento ['bjento] *s.m.* vento; ***hace viento*** está ventando ◆ **a los cuatro vientos** aos quatro ventos; *col.* **beber**

los vientos por (alguien) estar louco por (alguém), estar caído por (alguém); **contra viento y marea** contra ventos e marés; contra tudo e contra todos; *col.* **irse a tomar viento** ir por água abaixo; *col.* **mandar a tomar viento** mandar dar uma volta/passear; mandar embora; **quien siembra vientos recoge tempestades** quem semeia ventos colhe tempestades; **viento en popa** de vento em popa

vientre ['bjentre] *s.m.* ventre, barriga*f.* ♦ **bajo vientre** baixo-ventre; *pop.* **hacer de vientre** obrar; defecar; *col.* **sacar el vientre de mal año/penas** tirar a barriga da miséria

viernes ['bjernes] *s.m.2n.* sexta feira*f.*, sexta*f.*; *el próximo viernes* na próxima sexta-feira; *el viernes pasado* na sexta feira passada; *el viernes por la mañana/tarde/noche* na sexta-feira de manhã/à tarde/à noite; *hoy es viernes* hoje é sexta-feira; *los viernes* às sextas feiras; *todos los viernes* todas as sextas-feiras ♦ **Viernes Santo** Sexta-Feira Santa

Vietnam [bje'tnam] *s.m.* Vietnã

vietnamita [bjetna'mita] *adj.,s.2g.* vietnamita

viga ['biɣa] *s.f.* viga, trave; *viga maestra* trave/viga--mestra

vigencia [bi'xen̪θja] *s.f.* vigência; *entrar en vigencia* entrar em vigência; *tener vigencia* ter vigência

vigente [bi'xen̪te] *adj.2g.* vigente

vigésim|o, -a [bi'xesimo] *num.* vigésim|o, -a

vigía [bi'xia] *s.2g.* vigia, vigilante, sentinela*f.* ▪ *s.f.* vigia, atalaia

vigilancia [bixi'lan̪θja] *s.f.* **1** (serviço) vigilância; *estar bajo vigilancia* estar sob vigilância **2** *(cuidado)* vigilância, cuidado*m.*; atenção

vigilante [bixi'lan̪te] *adj.2g.* vigilante, atento ▪ *s.2g.* **1** *(vigía)* vigilante, guarda, segurança; *vigilante jurado* segurança; *vigilante nocturno* guarda-noturno **2** (exames) vigilante

vigilar [bixi'lar] *v.* vigiar

vigilia [bi'xilja] *s.f.* **1** vigília **2** (comida) abstinência de carne

vigor [bi'ɣor] *s.m.* vigor ♦ **entrar/estar en vigor** entrar/estar em vigor

vigorizante [biɣori'θan̪te] *adj.2g.* vigorante

vigoroso [biɣo'roso] *adj.* vigoroso, robusto, forte

VIH (*sigla de* Virus de Inmunodeficiencia Humana) HIV (*sigla de* Vírus da Imunodeficiência Humana)

viking|o, -a [bi'kiŋgo] *adj.,s.m.,f.* viking*2g.*

vil ['bil] *adj.2g.* vil, desprezível, infame

vileza [bi'leθa] *s.f.* **1** (atributo) vileza **2** (ato) vileza, baixeza

villa ['biʎa] *s.f.* **1** *(pueblo)* vila **2** *(casa)* casa de campo, quinta, vila ♦ **villa olímpica** vila olímpica

villancico [biʎan̪'θiko] *s.m.* **1** cântico de Natal **2** LIT. vilancico

villanía [biʎa'nia] *s.f.* vilania

villan|o, -a [bi'ʎano] *s.m.,f.* vil|ão, -ã ▪ *adj.* **1** vilão **2** *fig.* rústico

vinagre [bi'naɣre] *s.m.* vinagre

vinagrera [bina'ɣrera] *s.f.* galheta (do vinagre) ▪ **vinagreras** *s.f.pl.* galheteiro*m.*

vinagreta [bina'ɣreta] *s.f.* vinagrete*m.*

vinajera [bina'xera] *s.f.* galheta (da missa) ▪ **vinajeras** *s.f.pl.* galhetas*pl.* (da missa)

vinculación [biŋkula'θjon] *s.f.* vinculação

vinculante [biŋku'lan̪te] *adj.2g.* vinculativo

vincular [biŋku'lar] *v.* **1** *(enlazar)* vincular, ligar **2** *(obligar)* vincular, obrigar, sujeitar ▪ **vincularse** vincular-se (a, a), ligar-se (a, a), unir se (a, a)

vínculo ['biŋkulo] *s.m.* vínculo

vinícola [bi'nikola] *adj.2g.* vinícola

vinicultor, -a [binikul̪'tor] *s.m.,f.* vinicultor, -a

vinicultura [binikul̪'tura] *s.f.* vinicultura

vinilo [bi'nilo] *s.m.* vinil ♦ **disco de vinilo** disco de vinil

vino ['bino] *s.m.* vinho; *vino blanco/rosado/tinto* vinho branco/rosê/tinto; *vino de mesa* vinho de mesa; *vino dulce/seco* vinho doce/seco; *vino espumoso* vinho espumante

vinoterapia [binote'rapja] *s.f.* vinoterapia

viña ['biɲa] *s.f.* vinha

viñeta [bi'ɲeta] *s.f.* vinheta

viola ['bjola] *s.f.* viola (da família do violino)

violáceo [bjo'laθeo] *adj.,s.m.* (cor) violeta, roxo

violación [bjola'θjon] *s.f.* **1** (lei, norma) violação, transgressão, infração **2** (pessoa) violação, estupro*m.*

violado [bjo'laðo] *adj.,s.m.* (cor) violeta, roxo

violador, -a [bjola'ðor] *s.m.,f.* violador, -a

violar [bjo'lar] *v.* violar

violencia [bjo'len̪θja] *s.f.* violência ♦ **violencia doméstica** violência doméstica

violentar [bjolen̪'tar] *v.* **1** *(forzar)* forçar, obrigar, violentar **2** (porta) arrombar; (fechadura) forçar, violentar

violento [bjo'len̪to] *adj.* **1** (pessoa) violento, agressivo, bruto **2** (movimento) brusco, rápido **3** (situação) constrangedor, embaraçoso **4** (fenômeno, ação) violento, intenso, impetuoso

violeta [bjo'leta] *adj.2g.2n.,s.m.* (cor) violeta, roxo ▪ *s.f.* (planta) violeta

violín [bjo'lin] *s.m.* violino

violinista [bjoli'nista] *s.2g.* violinista

violón [bjo'lon] *s.m.* contrabaixo

violonchelista [bjolonʲtʃe'lista] *s.2g.* violoncelista

violonchelo [bjolonʲ'tʃelo] *s.m.* violoncelo

VIP ['bip] *sigla* (persona muy importante) VIP (personalidade, pessoa muito importante)

viperino [bipe'rino] *adj.* viperino

viraje [bi'raxe] *s.m.* **1** (veículo) viragem*f.*, mudança*f.* de direção **2** *fig.* (ideias, opiniões) reviravolta*f.*, mudança*f.*

virar [bi'rar] *v.* virar

virgen ['birxen] *adj.,s.2g.* virgem

virginal [birxi'nal] *adj.2g.* virginal

virginidad [birxini'ðað] *s.f.* virgindade
virgo ['birɣo] *s.2g.* ASTROL. virginian|o, -a *m.f.* ■ *s.m.* ANAT. hímen
Virgo ['birɣo] *s.m.* Virgem *f.*
virgulilla [birɣu'liʎa] *s.f.* **1** traço *m.* **2** *(acento)* acento *m.* **3** *(coma)* vírgula **4** *(cedilla)* cedilha **5** *(tilde de la ñ)* til *m.* **6** *(apóstrofo)* apóstrofo *m.*
viril [bi'ril] *adj.2g.* viril
virilidad [birili'ðað] *s.f.* virilidade
virosis [bi'rosis] *s.f.2n.* virose
virreina [bi'rejna] *s.f.* (*m.* virrey) vice rainha
virrey [bi'rej] *s.m.* (*f.* virreina) vice rei
virtual [bir'twal] *adj.2g.* virtual
virtud [bir'tuð] *s.f.* **1** virtude **2** *(propiedad)* propriedade; *con virtudes curativas* com propriedades curativas ♦ **en virtud de** em virtude de
virtuosismo [birtwo'sizmo] *s.m.* virtuosismo
virtuoso [bir'twoso] *adj.* virtuoso
viruela [bi'rwela] *s.f.* varíola
virus ['birus] *s.m.2n.* vírus
viruta [bi'ruta] *s.f.* apara, limalha
visa ['bisa] *s.f.* [AM.] visto *m.*
visado [bi'saðo] *s.m.* visto
víscera ['bisθera] *s.f.* víscera, entranha
visceral [bisθe'ral] *adj.2g.* visceral
viscosa [bis'kosa] *s.f.* viscose
viscosidad [biskosi'ðað] *s.f.* viscosidade
viscoso [bis'koso] *adj.* viscoso, pegajoso
visera [bi'sera] *s.f.* **1** (boné) pala, viseira **2** *(gorra)* boné *m.* **3** (capacete) viseira **4** (automóvel) pala, para-sol *m.*
visibilidad [bisiβili'ðað] *s.f.* visibilidade
visible [bi'siβle] *adj.2g.* visível
visiblemente [bisiβle'mente] *adv.* visivelmente
visillo [bi'siʎo] *s.m.* cortina *f.* (de tecido muito fino)
visión [bi'sjon] *s.f.* visão ♦ *col.* **ver visiones** ter visões
visionari|o, -a [bisjo'narjo] *s.m.,f.* visionári|o, -a
visir [bi'sir] *s.m.* vizir
visita [bi'sita] *s.f.* **1** visita; *hacer una visita a alguien* fazer uma visita a alguém; *fig. visita de médico* visita de médico **2** (pessoa) visita, visitante *2g.*; *tengo visitas en casa* tenho visitas em casa ♦ **de visita** de visita
visitador, -a [bisita'ðor] *s.m.,f.* delegad|o, -a de informação médica
visitante [bisi'tante] *adj.,s.2g.* visitante
visitar [bisi'tar] *v.* **1** (pessoa) visitar, ir ver **2** (lugar) visitar **3** (médico) atender, examinar
vislumbrar [bizlum'brar] *v.* vislumbrar, entrever
vislumbre [bizlum'bre] *s.m./f.* vislumbre *m.*
viso ['biso] *s.m.* **1** (roupa interior) saiote, saia *f.* de baixo **2** *(reflejo)* reflexo **3** *fig.* aparência *f.*, aspecto; *tener visos de* ter aspecto de
visón [bi'son] *s.m.* vison
visor [bi'sor] *s.m.* **1** (máquina fotográfica) visor **2** (arma) mira *f.*
víspera ['bispera] *s.f.* véspera ♦ **en vísperas de** às vésperas de
vista ['bista] *s.f.* **1** (sentido) vista, olhos *m. pl.* **2** *(mirada)* vista, olhar *m.*; *bajar la vista* baixar o olhar **3** *(panorama)* vista, panorama *m.* **4** DIR. audiência ♦ **a la vista** à vista; **a primera/simple vista** à primeira vista; **comerse con la vista** comer com os olhos; **con vistas a 1** com vista para; *con vistas al mar* com vista para o mar **2** tendo em vista; **conocer de vista a alguien** conhecer alguém de vista; **echar la vista encima** passar os olhos por; **hacer la vista gorda** fazer vista grossa; **¡hasta la vista!** até a vista!; **pasar la vista por** passar uma vista-d'olhos; **saltar a la vista** saltar à vista; dar nas vistas; **tener a la vista** ter em vista; **tener vista de lince** ter olhos de lince
vistazo [bis'taθo] *s.m.* olhadela *f.*, vista *f.* de olhos; *dar/echar un vistazo a algo* dar uma vista de olhos em alguma coisa
visto ['bisto] (*p.p.* de ver) *adj.* visto ♦ **bien/mal visto** bem-visto/malvisto; **por lo visto** pelo visto; **visto bueno** visto; **visto que** visto que; uma vez que; **visto y no visto** num abrir e fechar de olhos, num instante
vistoso [bis'toso] *adj.* vistoso
visual [bi'swal] *adj.2g.* visual
visualización [biswaliθa'θjon] *s.f.* visualização
vital [bi'tal] *adj.2g.* vital
vitalicio [bita'liθjo] *adj.* vitalício ■ *s.m.* **1** *(seguro)* seguro de vida **2** *(pensión)* pensão *f.* vitalícia
vitalidad [bitali'ðað] *s.f.* vitalidade
vitamina [bita'mina] *s.f.* vitamina
vitaminado [bitami'naðo] *adj.* vitaminado
vitamínico [bita'miniko] *adj.* vitamínico
vitelino [bite'lino] *adj.* vitelino
vitícola [bi'tikola] *adj.2g.* vitícola
viticultor, -a [bitikul'tor] *s.m.,f.* viticultor, -a
viticultura [bitikul'tura] *s.f.* viticultura
vitivinícola [bitiβi'nikola] *adj.2g.* vitivinícola
vitivinicultor, -a [βitiβinikul'tor] *s.m.,f.* vitivinicultor, -a
vitivinicultura [βitiβinikul'tura] *s.f.* vitivinicultura
vitola [bi'tola] *s.f.* tira (que rodeia um charuto)
vitorear [bitore'ar] *v.* aclamar, aplaudir
vitral [bi'tral] *s.m.* vitral
vítreo ['bitreo] *adj.* vítreo
vitrina [bi'trina] *s.f.* (móvel) mostrador *m.*
vitrocerámica ['bitroθe'ramika] *s.f.* vitrocerâmica
vitrocerámico ['bitroθe'ramiko] *adj.* vitrocerâmico
viudedad [bjuðe'ðað] *s.f.* **1** (pensão) viuvez **2** *(viudez)* viuvez
viudez [bju'ðeθ] *s.f.* viuvez
viud|o, -a ['bjuðo] *adj.,s.m.,f.* viúv|o, -a
viva ['biβa] *interj.* viva! ■ *s.m.* viva
vivacidad [biβaθi'ðað] *s.f.* vivacidade
vivencia [bi'βenθja] *s.f.* vivência, experiência de vida
vivencial [biβen'θjal] *adj.2g.* vivencial

víveres ['biβeres] *s.m.pl.* víveres, mantimentos, gêneros alimentícios
vivero [bi'βero] *s.m.* viveiro
vivienda [bi'βjenda] *s.f.* **1** habitação; ***el problema de la vivienda*** o problema habitacional **2** vivenda, casa, moradia
vivíparo [bi'βiparo] *adj.* (animal) vivíparo
vivir [bi'βir] *v.* **1** viver, existir; ***mientras yo viva*** enquanto eu viver **2** *(residir)* viver (en/con, em/com), morar (en/con, em/com), residir (en/con, em/com); ***vivimos en el centro de la ciudad*** vivemos no centro da cidade **3** viver, experimentar, vivenciar; ***han vivido juntos buenos y malos momentos*** viveram juntos bons e maus momentos ■ *s.m.* vida*f.*
vivo ['biβo] *adj.* vivo ♦ **en vivo** ao vivo
Vizcaya [biθ'kaja] *s.f.* Biscaia
vizconde [biθ'konde] *s.m.* (*f.* vizcondesa) visconde
vizcondesa [biθkon'desa] *s.f.* (*m.* vizconde) viscondessa
vocablo [bo'kaβlo] *s.m.* vocábulo, palavra*f.*
vocabulario [bokaβu'larjo] *s.m.* vocabulário
vocación [boka'θjon] *s.f.* vocação ♦ **tener vocación para** ter vocação para
vocacional [bokaθjo'nal] *adj.2g.* vocacional; ***orientación vocacional*** orientação vocacional
vocal [bo'kal] *adj.2g.* vocal; ***cuerdas vocales*** cordas vocais ■ *s.f.* vogal ■ *s.2g.* vogal
vocálico [bo'kaliko] *adj.* vocálico
vocalista [boka'lista] *s.2g.* vocalista
vocalización [bokaliθa'θjon] *s.f.* **1** pronúncia **2** LING. vocalização **3** MÚS. vocalização, exercício*m.* de canto
vocativo [boka'tiβo] *adj.,s.m.* vocativo
vocear [boθe'ar] *v.* vociferar, gritar, berrar
vocerío [boθe'rio] *s.m.* gritaria*f.*, vozerio, clamor
vociferar [boθife'rar] *v.* vociferar, gritar
vodca ['boδka], **vodka** ['boδka] *s.m./f.* vodca*f.*
voladizo [bola'δiθo] *s.m.* **1** (construção) sacada*f.* **2** (telhado) beiral, beira*f.*
volador [bola'δor] *adj.* voador
volandas [bo'landas] ♦ **en volandas** pelos ares; num ápice
volantazo [βolan'taθo] *s.m.* guinada*f.*
volante [bo'lante] *adj.2g.* voador ■ *s.m.* **1** (veículo) volante **2** (documento) requisição*f.* **3** (badminton) volante **4** (peça de vestuário) folho
volar [bo'lar] *v.* **1** voar **2** *fig.* (tempo) passar rapidamente, correr; ***¡cómo vuela el tiempo!*** como o tempo voa! **3** *col. (desaparecer)* voar, evaporar-se **4** *col.* (notícia) voar, propagar se, divulgar se
volátil [bo'latil] *adj.2g.* **1** volátil **2** *fig.* volátil, inconstante
volatín [bola'tin] *s.m.* **1** (exercício) acrobacia*f.*; ***hacer volatines*** fazer acrobacias **2** (pessoa) equilibrista*2g.*, acrobata*2g.*
volatiner|o, -a [bolati'nero] *s.m.,f.* equilibrista*2g.*, acrobata*2g.*
volcán [bol'kan] *s.m.* vulcão
volcánico [bol'kaniko] *adj.* vulcânico
volcar [bol'kar] *v.* **1** virar, entornar, derramar **2** (veículo) capotar ■ **volcarse 1** entornar-se **2** *fig.* dedicar-se (en/a, a); ***volcarse en algo*** dedicar-se a alguma coisa
voleibol [bolej'βol] *s.m.* voleibol, vôlei*col.*; ***voleibol de playa*** vôlei de praia; ***jugar al voleibol*** jogar voleibol
volframio [bol'framjo] *s.m. (tungsteno)* volfrâmio, tungstênio
volquete [bol'kete] *s.m.* caminhão basculante
volt ['bolt] *s.m.* ⇒ **voltio**
voltaje [bol'taxe] *s.m.* voltagem*f.*
voltereta [bolte'reta] *s.f.* cambalhota; pirueta
voltímetro [bol'timetro] *s.m.* voltímetro
voltio ['boltjo] *s.m.* **1** volt, vóltio **2** *col. (paseo)* passeio, volta*f.*
voluble [bo'luβle] *adj.2g.* **1** volúvel, inconstante **2** (caule) volúvel
volumen [bo'lumen] *s.m.* volume
voluminoso [bolumi'noso] *adj.* volumoso
voluntad [bolun'taδ] *s.f.* vontade ♦ **a voluntad** à vontade; **buena voluntad** boa vontade; **fuerza de voluntad** força de vontade; **última voluntad** última vontade
voluntariado [bolunta'rjaδo] *s.m.* voluntariado
voluntari|o, -a [bolun'tarjo] *s.m.,f.* voluntári|o, -a ■ *adj.* voluntário
voluntarioso [bolunta'rjoso] *adj.* **1** esforçado, cumpridor **2** caprichoso, obstinado, voluntarioso
voluntarismo [bolunta'rizmo] *s.m.* voluntarismo
voluntarista [bolunta'rista] *adj.,s.2g.* voluntarista
voluptuosidad [boluptwosi'δaδ] *s.f.* volúpia, sensualidade
voluptuoso [bolup'twoso] *adj.* voluptuoso, sensual
volver [bol'βer] *v.* **1** *(girar)* virar, voltar; ***volver a la derecha/izquierda*** virar à direita/esquerda; ***volver la cabeza*** voltar a cabeça; ***volver la hoja del libro*** virar a página do livro **2** (roupa) virar; ***volvió el jersey del revés*** virou a camisa do avesso **3** *(devolver)* devolver, restituir; ***le volvió el dinero*** devolveu-lhe o dinheiro **4** *(convertir)* pôr, tornar; ***ese chico me vuelve loca*** esse rapaz me deixa maluca **5** *(regresar)* voltar (a, a), regressar (a, a); ***volver al tema*** voltar ao assunto ■ **volverse 1** *(darse la vuelta)* virar se, voltar-se; ***se volvió para despedirse*** virou se para se despedir **2** *(convertirse)* tornar se, ficar; ***se ha vuelto muy presumida*** tornou se muito convencida ♦ **no volver la vista atrás** não olhar para trás; **volver a** [+*inf.*] voltar a [+*inf.*]; ***ha vuelto a decírmelo*** voltou a me dizer; **volver atrás** voltar atrás; **volver en sí** voltar a si, recuperar os sentidos
vomitar [bomi'tar] *v.* vomitar
vómito ['bomito] *s.m.* **1** vômito; ***tener vómitos*** ter vômitos **2** vomitado
vomitona [bomi'tona] *s.f. col.* vômito*m.* abundante
voracidad [boraθi'δaδ] *s.f.* voracidade
voraz [bo'raθ] *adj.2g.* **1** voraz, ávido **2** *fig.* voraz, destruidor
vos ['bos] *pron.pess.* [AM.] tu; ***¿vos te acuerdas de mí?*** tu te lembras de mim?

voseo [bo'seo] *s.m.* [uso da forma pronominal *vos* em vez de *tú*]

vosotr|os, -as [bo'sotros] *pron.pess.* **1** vocês; *¿cuándo llegasteis vosotros?* quando é que vocês chegaram?; *con vosotros* convosco, com vocês; *creo que esto es de vosotros* acho que isto é de vocês **2** vós [LUS.]; *¿quienes sois vosotros?* quem sois vós?

votación [bota'θjon] *s.f.* votação; *por votación* por votação

votante [bo'tante] *adj.,s.2g.* votante

votar [bo'tar] *v.* votar

voto ['boto] *s.m.* **1** voto; *votos a favor/en contra* votos a favor/contra; *voto en blanco* voto em branco **2** *(papeleta)* voto, cédula*f.* **3** *(promesa)* voto, promessa*f.* ■ **votos** *s.m.pl.* *(deseos)* votos, desejos ♦ **voto de confianza** voto de confiança

voyeur [bwa'jer] *s.2g.* voyeur

voyeurismo [bwaje'rizmo] *s.m.* voyeurismo

voz ['boθ] *s.f.* **1** voz; *en voz baja/alta* em voz baixa/alta; *quedarse sin voz* ficar sem voz **2** *(grito)* berro*m.*, grito*m.*; *a voz en cuello/grito* aos berros/gritos; *pedir algo a voces* pedir algo aos berros **3** *(vocablo)* palavra, vocábulo*m.* **4** LING. voz; *voz activa/pasiva* voz ativa/passiva ♦ **a media voz** a meia-voz; **correr la voz** correr o boato/rumor; **de viva voz** de viva-voz; **levantarle la voz a alguien** levantar a voz para alguém; **no tener ni voz ni voto** não ter nem voz nem voto; **voz de mando** voz de comando; **voz en off** voz exterior à cena, que comenta os acontecimentos

vozarrón [boθa'ron] *s.m.* vozeirão

vudú [bu'ðu] *s.m.* vudu

vuelco ['bwelko] *s.m.* **1** tombo **2** *fig.* reviravolta*f.*, viragem*f.* ♦ **darle un vuelco el corazón** sentir um aperto no coração

vuelo ['bwelo] *s.m.* **1** voo; *vuelo en picado* voo picado/em mergulho; *vuelo rasante* voo rasante **2** (saia, vestido) roda*f.* **3** ARQ. avançamento ♦ *col.* **(coger) al vuelo** (pegar) no ar/de primeira; *pillar todo al vuelo* entender tudo de primeira; **de altos vuelos** de altos voos

vuelta ['bwelta] *s.f.* **1** *(giro)* volta **2** *(regreso)* volta, regresso*m.* **3** *(paseo)* volta, passeio*m.*; *dar una vuelta* dar uma volta **4** (tecido) avesso*m.* **5** [ESP.] (dinheiro) troco*m.* **6** (ciclismo) volta; *vuelta ciclista* volta ciclística ♦ *col.* **a la vuelta de la esquina** à porta, muito próximo; *col.* **dar cien/cincuenta vueltas** ser mil vezes melhor; **media vuelta** meia-volta; **no tener vuelta de hoja** não haver volta a dar; **poner a alguien de vuelta y media** insultar alguém, rebaixar essa pessoa

vuestr|o, -a ['bwestro] *adj.poss.* voss|o, -a; *vuestro libro* o vosso livro; *una amiga vuestra* uma amiga vossa ■ *pron.poss.* voss|o, -a; *eso es vuestro* isso é vosso; *la casa es vuestra* a casa é vossa ♦ *col.* **esta es la vuestra** esta é a vossa oportunidade

vulcanología [bulkanolo'xia] *s.f.* vulcanologia

vulcanólog|o, -a [bulka'noloɣo] *s.m.,f.* vulcanólog|o, -a

vulgar [bul'ɣar] *adj.2g.* **1** *(común)* vulgar, comum, corrente **2** *(grosero)* vulgar, ordinário, grosseiro

vulgaridad [bulɣari'ðað] *s.f.* vulgaridade

vulgarismo [bulɣa'rizmo] *s.m.* vulgarismo

vulgarmente [bul'ɣar'mente] *adv.* vulgarmente

vulgo ['bulɣo] *s.m.* vulgo, povo, plebe*f.*

vulnerabilidad [bulnerali'ðað] *s.f.* vulnerabilidade

vulnerable [bulne'raβle] *adj.2g.* vulnerável

vulnerar [bulne'rar] *v.* **1** (lei, norma) transgredir, infringir, violar **2** *fig.* vulnerar, prejudicar

vulva ['bulβa] *s.f.* vulva

w [uβe'ðoβle] *s.f.* (letra) w*m.*

walkie-talkie ['walki'talki] *s.m.* (*pl.* walkie-talkies) walkie talkie

wáter ['bater] *s.m.* (*pl.* wáteres) **1** *(inodoro)* privada*f.* **2** *(cuarto de baño)* banheiro

waterpolista [waterpo'lista] *s.2g.* jogador, -a*m.f.* de polo aquático

waterpolo [water'polo] *s.m.* polo aquático

watt ['bat] *s.m.* watt, vátio

WC *sigla* (váter, cuarto de baño) WC (banheiro)

web ['weβ] *s.m./f.* web*f.*

week-end ['wiken(d)] *s.m.* fim de semana

western ['western] *s.m.* filme de caubói, filme de bangue-bangue

whisky ['wiski] *s.m.* (*pl.* whiskys) whisky, uísque; *whisky con/sin hielo* whisky com/sem gelo

windsurf [win'surf] *s.m.* windsurfe

windsurfista [winsur'fista] *s.2g.* windsurfista

workshop ['workʃop] *s.m.* workshop

www *sigla* (red informática mundial) www (rede mundial de computadores), web

x ['ekis] *s.f.* (letra) X*m.* ◆ **rayos X** raios X
xenofilia [seno'filja] *s.f.* xenofilia
xenófil|o, -a [se'nofilo] *adj.,s.m.,f.* xenófil|o, -a
xenofobia [seno'foβja] *s.f.* xenofobia
xenófob|o, -a [se'nofoβo] *adj.,s.m.,f.* xenófob|o, -a
xenón [se'non] *s.m.* xenônio
xerocopia [sero'kopja] *s.f.* xerocópia
xerófilo [se'rofilo] *adj.* xerófilo
xerófito [se'rofito] *adj.* xerófito
xeroftalmia [serof'talmja], **xeroftalmía** [seroftal'mia] *s.f.* xeroftalmia
xerografía [seroγra'fia] *s.f.* xerografia
xifoides [si'fojðes] *adj.2g.2n.* xifoide
xilófago [xi'lofaγo] *adj.* (inseto) xilófago
xilofonista [silofo'nista] *s.2g.* xilofonista
xilófono [si'lofono] *s.m.* xilofone
xilografía [siloγra'fia] *s.f.* xilografia
xilográfico [silo'γrafiko] *adj.* xilográfico
xilógraf|o, -a [si'loγrafo] *s.m.,f.* xilógraf|o, -a

Y

y[1] ['i'γrjeγa] *s.f.* (letra) Y*m.*
y[2] ['i] *conj.* e; ***hombres y mujeres*** homens e mulheres; ***días y días*** dias e dias; ***son las cinco y media*** são cinco e meia ◆ *col.* **¿y qué?** e daí?; *col.* **¡y yo qué sé!** sei lá!
ya ['dʒa] *adv.* **1** (passado) já; ***ya he visto esa película*** já vi esse filme **2** (presente) agora, já; ***ya entiendo perfectamente*** agora entendo perfeitamente **3** (futuro) logo; ***ya veremos*** logo se verá/vê **4** *(ahora, inmediatamente)* já; ***¡ya voy!*** já vou! ■ *conj.* quer... quer, seja... seja; ***ya sea por una cosa ya sea por otra nunca quiere salir*** seja por uma coisa seja por outra nunca quer sair ◆ **desde ya** desde já; a partir deste momento; **no ya** não só; **ya que** já que, uma vez que
yacaré [dʒaka're] *s.m.* [AM.] jacaré, caimão
yacer [dʒa'θer] *v.* **1** (pessoa) jazer; ***aquí yace...*** aqui jaz... **2** (ato sexual) ter relações sexuais (con, com), copular (con, com)
yacimiento [dʒaθi'mjento] *s.m.* GEOL. jazigo, jazida*f.* ◆ **yacimiento arqueológico** jazida arqueológica; sítio arqueológico
yaguar [dʒa'γwar] *s.m.* jaguar
yang ['dʒaŋ] *s.m.* yang
yanqui ['dʒaŋki] *adj.,s.2g.* ianque
yarda ['dʒarða] *s.f.* jarda
yate ['dʒate] *s.m.* iate
ye ['ie] *s.f.* (letra) ípsilon*m.*
yedra ['dʒeðra] *s.f.* hera
yegua ['dʒeγwa] *s.f.* égua
yeísmo [dʒe'izmo] *s.m.* [pronúncia de *ll* (lateral, palatal e sonora) como *y* (fricativa, palatal e sonora)]
yelmo ['dʒelmo] *s.m.* elmo
yema ['dʒema] *s.f.* **1** (ovo) gema **2** (planta) rebento*m.*, botão*m.*, gema **3** (dedo) ponta, polpa **4** [doce de gema de ovo e açúcar] ◆ *col.* **dar en la yema** acertar em cheio
yen ['dʒen] *s.m.* (*pl.* yenes) yen, iene (moeda japonesa)
yerba ['dʒerβa] *s.f.* ⇒ **hierba** ◆ **yerba mate** mate
yermo ['dʒermo] *adj.* **1** (lugar) ermo, despovoado, deserto **2** (terreno) baldio; estéril ■ *s.m.* ermo
yerno ['dʒerno] *s.m.* genro
yerro ['dʒero] *s.m.* erro, equívoco, engano
yerto ['dʒerto] *adj.* hirto, teso, rígido
yesca ['dʒeska] *s.f.* acendalha
yeso ['dʒeso] *s.m.* gesso ◆ **yeso blanco** gesso fino; **yeso muerto** gesso de estuque; **yeso negro** gesso grosso
yeyuno [dʒe'juno] *s.m.* jejuno
yin ['dʒin] *s.m.* yin
yippie [dʒi'pi] *s.2g.* hippie
yo ['dʒo] *pron.pess.* eu; ***yo hablo portugués*** eu falo português; ***tú y yo*** tu e eu ■ *s.m.* eu, ego ◆ *col.* **¡qué sé yo!** sei lá!; *col.* **yo que tú** se eu fosse você; se eu estivesse no teu lugar
yodo ['dʒoðo] *s.m.* iodo
yoga ['dʒoγa] *s.m.* ioga, yoga
yogui ['dʒoγi] *s.2g.* iogue
yogur [dʒo'γur] *s.m.* iogurte
yogurtera [dʒoγur'tera] *s.f.* (eletrodoméstico) iogurteira

yonqui ['dʒoŋki] *s.2g. cal.* drogad|o, -a*m.f.*, toxicodependente
yóquey ['dʒokej], **yoqui** ['dʒoki] *s.m.* jóquei
yoyó [dʒo'jo] *s.m.* ioiô
yuan ['dʒwan] *s.m.* yuan (moeda chinesa)
yudo ['dʒuðo] *s.m.* judô
yudoca [dʒu'ðoka] *s.2g.* judoca
yugada [dʒu'ɣaða] *s.f.* junta (de animais de carga)
yugo ['dʒuɣo] *s.m.* **1** jugo, canga*f.* **2** *fig.* jugo, domínio, submissão*f.* **3** *fig.* fardo, cruz*f.*
Yugoslavia [dʒuɣoz'laβja] *s.f.* Iugoslávia (atualmente, Sérvia e Montenegro)
yugoslav|o, -a [dʒuɣoz'laβo] *adj.,s.m.,f.* iugoslav|o, -a
yugular [dʒuɣu'lar] *adj.2g.* jugular
yunque ['dʒuŋke] *s.m.* **1** (metais) bigorna*f.*, safra*f.* **2** ANAT. bigorna*f.*
yunta ['dʒun̪ta] *s.f.* (animais de carga) junta, parelha ▪ **yuntas** *s.f.pl.* [AM.] botões*m. pl.* de punho
yuppie ['dʒupi] *s.2g.* yuppie
yuxtaposición [dʒukstaposi'θjon] *s.f.* justaposição

Z

z ['θeta] *s.f.* (letra) z*m.*
zabila [θa'βila] *s.f.* aloé*m.*
zafacón [θafa'kon] *s.m.* **1** [P.RIC., R.DOM.] lata*f.* de lixo **2** [P.RIC.] cesto dos papéis
zafarrancho [θafa'ranʲtʃo] *s.m.* **1** *col.* faxina*f.*, limpeza*f.* geral **2** *col.* destroço **3** *col.* briga*f.*, rixa*f.*
zafarse [θa'farse] *v.* **1** safar-se (de, de), livrar-se (de, de) **2** [AM.] (osso) deslocar
zafio ['θafjo] *adj.* (pessoa) grosseiro, rude, tosco
zafiro [θa'firo] *s.m.* safira*f.*
zafra ['θafra] *s.f.* colheita (de cana-de-açúcar)
zaga ['θaɣa] *s.f.* **1** traseira, retaguarda **2** ESPOR. zaga ◆ **a la zaga** atrás; *col.* **no irle/quedarse a la zaga** não ficar atrás
zagal, -a [θa'ɣal] *s.m.,f.* **1** rapa|z, -riga **2** pastor, -a jovem
zaguán [θa'ɣwan] *s.m.* vestíbulo
zaguer|o, -a [θa'ɣero] *s.m.,f.* (futebol) zagueir|o, -a
zahorí [θao'ri] *s.2g.* vidente, adivinh|o, -a*m.f.*; (nascentes de água) vedor, -a*m.f.*
zahúrda [θa'urða] *s.f.* pocilga, chiqueiro*m.*
zaino ['θajno] *adj.* **1** (cavalo, touro) zaino **2** (pessoa) traidor; desleal
zaire ['θajre] *s.m.* zaire (moeda do Zaire)
zaireñ|o, -a [θaj'reɲo] *adj.,s.m.,f.* zairense*2g.*
zalamería [θalame'ria] *s.f.* salamaleque*m.*, bajulação, adulação
zalema [θa'lema] *s.f.* **1** reverência **2** bajulação, adulação
zamarra [θa'mara] *s.f.* samarra
Zambia ['θambia] *s.f.* Zâmbia
zambian|o, -a [θam'bjano] *adj.,s.m.,f.* zambian|o, -a
zambo ['θambo] *adj.* (pessoa) cambaio
zambombazo [θambom'baθo] *s.m.* **1** estrondo **2** *col.* pancada*f.* (forte)
zambra ['θambra] *s.f.* zambra (festa cigana)
zambullida [θambu'ʎiða] *s.f.* mergulho*m.*
zambullir [θambu'ʎir] *v.* mergulhar (en, em) ▪ **zambullirse** mergulhar (en, em); *zambullirse en la piscina* mergulhar na piscina
zampabollos [θampa'βoʎos] *s.2g.2n. col.* comil|ão, -ona*m.f.*, glut|ão, -ona*m.f.*
zampar [θam'par] *v. col.* comer (com avidez), devorar; *se pasa el día zampando* passa o dia comendo; *no come, zampa* ele não come, devora
zamp|ón, -ona [θam'pon] *adj.,s.m.,f. col.* comil|ão, -ona, glut|ão, -ona
zanahoria [θana'orja] *s.f.* cenoura
zanca ['θaŋka] *s.f.* **1** (ave) sanco*m.* **2** *col.* (pessoa) perna comprida e magra
zancada [θaŋ'kaða] *s.f.* passada larga
zancadilla [θaŋka'ðiʎa] *s.f.* **1** rasteira; *poner/echar la zancadilla a alguien* passar uma rasteira em alguém **2** *fig.* cilada, ardil*m.*
zancajo [θaŋ'kaxo] *s.m.* **1** (osso) calcâneo **2** *(talón)* calcanhar **3** *fig.* (de meia, calçado) calcanhar ◆ [ESP.] *col.* **no llegar a los zancajos** não chegar aos calcanhares/pés
zanco ['θaŋko] *s.m.* andas*f. pl.*
zancudo [θaŋ'kuðo] *adj.* **1** pernalta; *aves zancudas* aves pernaltas **2** *col.* (pessoa) pernalta (que tem pernas altas) ▪ *s.m.* [AM.] mosquito
zángano ['θaŋgano] *s.m.* zangão
zanja ['θaŋxa] *s.f.* vala
zanjar [θaŋ'xar] *v.* **1** abrir valas **2** *fig.* (assunto) resolver, encerrar
zapa ['θapa] *s.f.* escavação
zapallo [θa'paʎo] *s.m.* [AM.S.] abóbora*f.*
zapapico [θapa'piko] *s.m.* *(pico)* picareta*f.*
zapata [θa'pata] *s.f.* **1** MEC. calço*m.* (de freio) **2** ARQ. sapata
zapatazo [θapa'taθo] *s.m.* sapatada*f.*; *le dio un zapatazo* deu lhe uma sapatada

zapateado [θapate'aðo] *s.m.* sapateado (baile popular espanhol)
zapatería [θapate'ria] *s.f.* sapataria
zapater|o, -a [θapa'tero] *s.m.,f.* sapateir|o, -a ■ **zapatero** *s.m.* (móvel) sapateira*f.*
zapatilla [θapa'tiʎa] *s.f.* **1** (para casa) chinelo*m.*; chinela; pantufa **2** (calçado desportivo) tênis*m.2n.* **3** (balé) sapatilha
zapato [θa'pato] *s.m.* sapato; *zapatos de tacón* sapatos de salto alto
zar ['θar] *s.m.* (*f.* zarina) czar
zaragata [θara'ɣata] *s.f.* zaragata, alvoroço*m.*, desordem
Zaragoza [θara'ɣoθa] *s.f.* Saragoça
zarandajas [θaraṇ'daxas] *s.f.pl. col.* ninharias*pl.*, bagatelas*pl.*
zarandear [θaraṇde'ar] *v.* **1** abanar, sacudir **2** *fig.* (pessoa) ridicularizar; insultar
zarandillo [θaraṇ'diʎo] *s.m. col.* (criança) traquina*2g.*, diabrete
zarcillo [θar'θiʎo] *s.m.* **1** brinco; (em forma de aro) argola*f.*; *llevar zarcillos de oro* usar brinco de ouro **2** (planta) gavinha*f.*
zarina [θa'rina] *s.f.* (*m.* zar) czarina
zarpa ['θarpa] *s.f.* **1** (animal) garra **2** *col.* pata, mão
zarpar [θar'par] *v.* zarpar
zarrapastroso [θarapas'troso] *adj. col.* maltrapilho, andrajoso, esfarrapado
zarza ['θarθa] *s.f.* silva, sarça
zarzal [θar'θal] *s.m.* silvado, sarçal
zarzamora [θarθa'mora] *s.f.* amora silvestre
zarzaparrilla [θarθapa'riʎa] *s.f.* salsaparrilha
zarzuela [θar'θwela] *s.f.* **1** MÚS. zarzuela **2** CUL. caldeirada (prato de peixes e mariscos variados)
zas ['θas] *interj. col.* zás!
zen ['θen] *s.m.* zen
zenit ['θenit] *s.m.* **1** ASTRON. zênite **2** *fig.* zênite, apogeu, auge
zepelín [θepe'lin] *s.m.* zepelim
zeta ['θeta] *s.f.* **1** (letra) zê*m.* **2** (letra grega) teta*m.* ■ *s.m.* carro de polícia
zeugma ['θewɣma] *s.m.* zeugma
zigoto [θi'ɣoto] *s.m.* BIOL. zigoto
zigzag [θiɣ'θaɣ] *s.m.* (*pl.* zigzags) zigue zague ♦ **en zigzag** em zigue-zague
zigzaguear [θiɣθaɣe'ar] *v.* ziguezaguear
zinc ['θiŋk] *s.m.* zinco
zíper ['θiper] *s.m.* [AM.] zíper
zipizape [θipi'θape] *s.m. col.* algazarra*f.*, alvoroço
zirconio [θir'konjo] *s.m.* zircônio
zloty [ez'loti] *s.m.* zloty, zlóti (moeda polaca)
zócalo ['θokalo] *s.m.* **1** *(rodapié)* rodapé **2** [MÉX.] praça*f.* principal
zocat|o, -a [θo'kato] *adj.,s.m.,f. col. (zurdo)* canhot|o, -a
zoco ['θoko] *s.m.* mercado (em alguns países muçulmanos)
zodiacal [θoðja'kal] *adj.2g.* zodiacal
zodíaco [θo'ðiako], **zodiaco** [θo'ðjako] *s.m.* zodíaco
zombi ['θombi] *s.m.* zumbi
zona ['θona] *s.f.* zona ♦ **zona ecuatorial** zona equatorial; **zona franca** zona franca; **zona glacial** zona glacial; **zona industrial** zona industrial; **zona protegida** zona protegida; **zona residencial** zona residencial; **zona templada** zona temperada; **zona tropical** zona tropical; **zona urbana** zona urbana; **zona verde** zona verde
zoo ['θoo] *s.m.* zoo, jardim zoológico
zoofilia [θoo'filja] *s.f.* zoofilia
zoofílic|o, -a [θoo'filiko] *adj.,s.m.,f.* zoófil|o, -a
zoología [θoolo'xia] *s.f.* zoologia
zoológico [θoo'loxiko] *adj.* zoológico ■ *s.m.* jardim zoológico, zoo
zoólog|o, -a [θo'oloɣo] *s.m.,f.* zoologista*2g.*, zoólog|o, -a
zoom ['θum] *s.m.* zoom
zoquete [θo'kete] *adj.2g. col., pej.* (pessoa) lerdo, estúpido, palerma ■ *s.m.* **1** [ESP.] pedaço de madeira **2** [AM.S.] meia*f.*
zorra ['θora] *s.f.* **1** ⇒ **zorro 2** *vulg.* prostituta, puta*vulg.* ♦ *col.* **no tener ni zorra idea** não fazer a mínima ideia
zorrera [θo'rera] *s.f.* **1** raposeira **2** *fig.* quarto*m.* cheio de fumo
zorrería [θore'ria] *s.f.* manha, astúcia, esperteza
zorr|o, -a ['θoro] *s.m.,f.* **1** rapos|o, -a **2** *fig., col.* (pessoa) raposa*f.fig.* ♦ *col.* **estar hecho unos zorros** estar um trapo/muito cansado; estar furioso
zote ['θote] *adj.2g. col., pej.* (pessoa) tapado*fig.*, ignorante
zozobra [θo'θoβra] *s.f.* **1** NÁUT. soçobro*m.* **2** *fig.* (plano, projeto) fracasso*m.* **3** *fig. (congoja)* inquietação, aflição
zozobrar [θoθo'βrar] *v.* **1** NÁUT. soçobrar, naufragar **2** *fig.* (plano, projeto) fracassar
zueco ['θweko] *s.m.* tamanco
zulo ['θulo] *s.m.* esconderijo (geralmente subterrâneo)
zum ['θum] *s.m.* zoom
zumba ['θumba] *s.f.* **1** zombaria, troça, chacota **2** *col.* surra, sova
zumbado [θum'baðo] *adj. col.* maluco, louco, pirado
zumbar [θum'bar] *v.* **1** zumbir **2** *col.* bater
zumbido [θum'bido] *s.m.* **1** (inseto) zumbido, zum-zum **2** (ouvidos) zumbido
zumbón [θum'bon] *adj. col.* brincalhão, gozão
zumo ['θumo] *s.m.* suco
zurcir [θur'θir] *v.* cerzir; coser; remendar ♦ *col.* **¡que te zurzan!** vai plantar batata!
zurd|o, -a ['θurðo] *adj.,s.m.,f.* canhot|o, -a ♦ *col.* **no ser zurdo** ser hábil e inteligente
zurra ['θura] *s.f. col.* surra, sova
zurrapa [θu'rapa] *s.f.* (líquido) sedimento*m.*, depósito*m.*, borra
zurrar [θu'rar] *v.* **1** (peles) surrar, curtir **2** *col.* bater, espancar
zurriagazo [θurja'ɣaθo] *s.m.* chicotada*f.*
zurriago [θu'rjaɣo] *s.m. (látigo)* chicote, látego
zutan|o, -a [θu'tano] *s.m.,f.* beltran|o, -a; *fulano, mengano y zutano* fulano, sicrano e beltrano

Anexos

Correspondência

Numerais

Medidas

Falsos amigos

Nomes geográficos

Conjugação de verbos espanhóis

Correspondência

Correspondência informal

E-mail

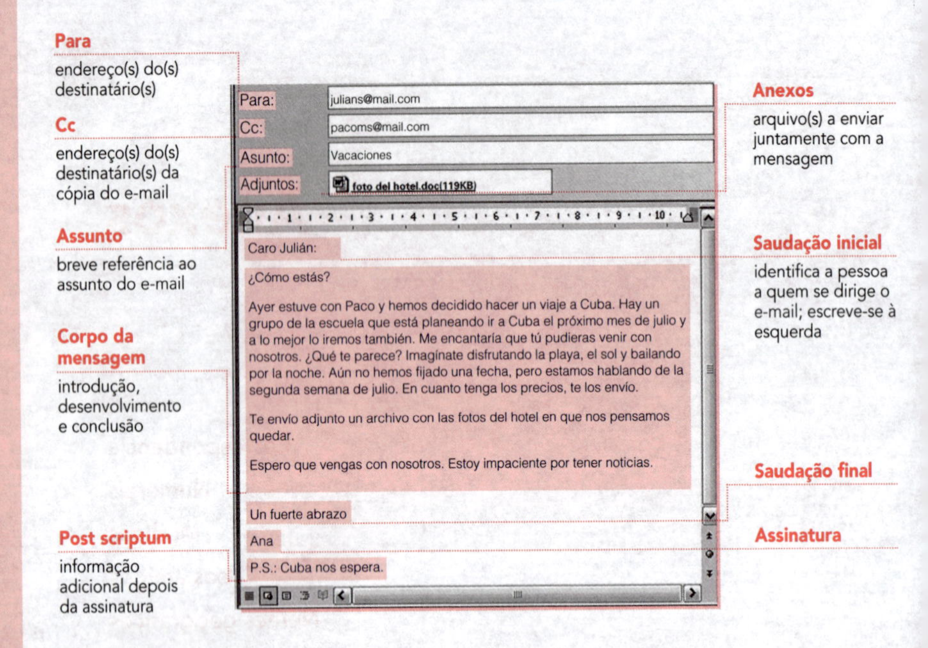

Vocabulário	Vocabulario
anexar um arquivo	adjuntar un archivo
apagar uma mensagem	eliminar un mensaje
arroba	arroba
assunto	asunto
caixa de entrada	bandeja de entrada
correio eletrônico	correo electrónico; e-mail
data	fecha
emoticon; smiley	emoticono
endereço eletrônico; e-mail	dirección de correo electrónico
enviar/receber spam	enviar/recibir correo basura
enviar/receber um e-mail	enviar/recibir correo electrónico
arquivo	archivo; fichero
gerenciar pastas	administrar carpetas
guardar/gravar uma mensagem	guardar mensaje
lista de contatos	lista de contactos
lixo eletrônico	correo no deseado
mensagens enviadas	mensajes enviados
rascunhos	borradores

Carta

Madrid, 06 de agosto de 2010

Data
local, dia, mês e ano

Saudação inicial

Querida Marta:

Es con mucha satisfacción que te comunico y quiero compartir contigo que he terminado la carrera. Me encuentro algo cansada por los exámenes finales, pero valió la pena. Estoy muy contenta y mis padres están muy orgullosos.

Voy a empezar a enviar currículos para algunas empresas. A ver si tengo alguna suerte y me llaman pronto a una entrevista.

¿Cuándo piensas visitarnos? Hace buen tiempo y podríamos ir juntas a la playa. Además, estaba pensando en ir a Granada por la última semana del mes, ¿no quieres venir conmigo?

Te espero.

Corpo da mensagem
introdução, desenvolvimento e conclusão

Saudação final

Un abrazo,

Ana

Assinatura

Saudações iniciais informais

Caro(a)
Oi; Olá
Bom dia
Boa tarde
Boa noite
Querido(a)
Querido(a)/Caro(a) amigo(a)

Saludos iniciales coloquiales

Caro(a)
Hola
Buenos días
Buenas tardes
Buenas noches
Querido(a)
Querido(a)/Estimado(a) amigo(a)

Saudações finais informais

Até logo/já
Beijos
Com afeto/carinho
Um abraço

Saludos finales coloquiales

Hasta pronto
Besos
Con afecto
Un abrazo

Correspondência formal

Resposta a um anúncio

Av. Paulista, 26.
São Paulo – SP
Brasil
CEP 01311-940
Tel.: 00 55 11 3265-3436
E-mail: nuralopez@correio.br

Remetente
identificação (endereço e contatos) no canto superior esquerdo

30 de junio de 2010

Data
dia, mês e ano

INFO & INFO
Carretera Granada 82, Almería
04009, Granada
España

Destinatário
identificação (nome e endereço) à esquerda, após identificação do remetente

Estimados señores:

Saudação inicial
designa a pessoa a quem se dirige a carta; escreve-se à esquerda

En relación con su oferta de "Técnico de Mantenimiento Informático" publicado en el diario "El Mundo" el pasado 12 de abril, remito mi curriculum con el objetivo de participar en el proceso de selección.

Me desenvuelvo sin problemas en las tareas de reparación de PCs y configuración de sistemas, así como en tareas relacionadas con tienda de informática como: atención de clientes, asistencia telefónica, venta de consumibles y accesorios y todo lo que conlleva. Mi formación me capacita para completar dichas tareas.

Corpo da carta
resumo da experiência profissional

La forma más fácil de contactar conmigo es por teléfono (679306458). Confío poder recibir más informaciones sobre el puesto de trabajo con una entrevista personal.

Proposta de entrevista

Sin otro particular, agradezco su tiempo y consideración.

Muy atentamente,

Saudação final

Nura Lopéz

Assinatura

Adj.: CV

Anexos
abreviatura da palavra *adjunto* para indicar que há anexo(s) na carta

Saudações iniciais formais	Saludes iniciales formales
Caro(a) colega	Estimado(a) Colega
Caro/Prezado Senhor .../Cara/Prezada Senhora ...	Estimado Señor.../Estimada Señora...
Exmo/Exmo. Senhor	Muy señor mío
Ex.^{mos}/Exmos. Senhores	Muy señores míos
Senhor ...	Señor ...

Saudações finais formais	Saludes finales formales
Atenciosamente Cordialmente Subscrevo-me cordialmente	Le saluda atentamente
Saudações Saudações cordiais	Saludos; Recuerdos
Grato Grato por sua atenção	Agradecido por su atención

Carta comercial

Beth's Beauty Parlour
321, Purley Street
Cambridge AD17 0CA
United Kingdom
Tel: 01227 88 88
FAX: 01227 88 89
beth.salon@web.com

Remetente
identificação (nome, endereço e contatos)

Data
dia, mês e ano

17 de diciembre de 2010

Cosméticas
Carrera de San Francisco, 7
28005 Madrid
España

Destinatário
identificação (nome e endereço)

Estimados Señores:

Saudação inicial
identifica a pessoa a quem se dirige a carta

Acusamos recibo de su atenta carta del día 15 de noviembre en la que nos solicita el envío del catálogo y la lista de precios de nuestros productos.

Atendiendo a su pedido, remitimos adjunto una relación pormenorizada de nuestros productos y sus respectivos precios.

He solicitado al Sr. Francisco Martinez, nuestro agente local, que concierte una cita con vd. con el fin de os enseñar a fondo la oferta. Nuestra facturación es a 30 días y el pago deberá efectuarse a través de giro bancario.

Estamos a su entera disposición para cualquier otra información que puedan necesitar.

Saudação final

Reciban nuestros atentos saludos,

Paolo León
(Jefe de Ventas)

Assinatura
identificação de quem redige a carta (com referência ao cargo que ocupa na empresa ou ao departamento a que pertence)

Adj.: Catálogo y lista de precios.

Vocabulário	Vocabulario
folha de selos	pliego de sellos
caixa do correio	buzón
caixa postal	apartado de correos
carta registrada	carta certificada
carta registrada com aviso de recebimento	carta certificada con acuse de recibo
CEP	código postal
correios	correos
encomenda postal	paquete postal
envelope	sobre
enviar pelo correio	enviar por correo
endereço	dirección
remetente	remitente
selo	sello
telegrama	telegrama
ordem de pagamento	giro postal

Numerais

	Numerais cardinais	Numerales cardinales
0	zero	cero
1	um	uno
2	dois	dos
3	três	tres
4	quatro	cuatro
5	cinco	cinco
6	seis	seis
7	sete	siete
8	oito	ocho
9	nove	nueve
10	dez	diez
11	onze	once
12	doze	doce
13	treze	trece
14	catorze	catorce
15	quinze	quince
16	dezesseis	dieciséis
17	dezessete	diecisiete
18	dezoito	dieciocho
19	dezenove	diecinueve
20	vinte	veinte
21	vinte e um	veintiuno
22	vinte e dois	veintidós
23	vinte e três	veintitrés
24	vinte e quatro	veinticuatro
25	vinte e cinco	veinticinco
26	vinte e seis	veintiséis
27	vinte e sete	veintisiete
28	vinte e oito	veintiocho
29	vinte e nove	veintinueve
30	trinta	treinta
40	quarenta	cuarenta
50	cinquenta	cincuenta
60	sessenta	sesenta
70	setenta	setenta
80	oitenta	ochenta
90	noventa	noventa
100	cem	cien
101	cento e um	ciento uno
200	duzentos	doscientos
500	quinhentos	quinientos
1000	mil	mil
10 000	dez mil	diez mil
1 000 000	um milhão	un millón
1 000 000 000	um bilhão	mil millones

	Numerais ordinais	Numerales ordinales
1º	primeiro	primero
2º	segundo	segundo
3º	terceiro	tercero
4º	quarto	cuarto
5º	quinto	quinto
6º	sexto	sexto
7º	sétimo	séptimo
8º	oitavo	octavo
9º	nono	noveno
10º	décimo	décimo
11º	décimo primeiro; undécimo	decimoprimero; undécimo
12º	décimo segundo; duodécimo	decimosegundo; duodécimo
13º	décimo terceiro	decimotercero
14º	décimo quarto	decimocuarto
15º	décimo quinto	decimoquinto
16º	décimo sexto	decimosexto
17º	décimo sétimo	decimoséptimo
18º	décimo oitavo	decimoctavo
19º	décimo nono	decimonono
20º	vigésimo	vigésimo
21º	vigésimo primeiro	vigesimoprimero
22º	vigésimo segundo	vigesimosegundo
30º	trigésimo	trigésimo
40º	quadragésimo	cuadragésimo
50º	quinquagésimo	quincuagésimo
60º	sexagésimo	sexagésimo
70º	septuagésimo	septuagésimo
80º	octogésimo	octogésimo
90º	nonagésimo	nonagésimo
100º	centésimo	centésimo
101º	centésimo primeiro	centésimo primero
200º	ducentésimo	ducentésimo
500º	quingentésimo	quingentésimo
1 000º	milésimo	milésimo
1 000 000º	milionésimo	millonésimo

	Numerais fracionários	Numerales fraccionarios
1/2	meio	medio
1/3	um terço	un tercio
2/3	dois terços	dos tercios
1/4	um quarto	un cuarto
2/4	dois quartos	dos cuartos
1/5	um quinto	un quinto
1/8	um oitavo	un octavo
1/10	um décimo	un décimo
1/12	um duodécimo; um doze avos	un doceavo
1/20	um vigésimo; um vinte avos	un veinteavo
1/100	um centésimo; um cem avos	un centésimo
1/1 000	um milésimo; um mil avos	un milésimo
1/1 000 000	um milionésimo	un millonésimo

Numerais multiplicativos	Numerales multiplicativos
duplo	doble; duplo
triplo	triple; triplo
quádruplo	cuádruple; cuádruplo
quíntuplo	quíntuple; quíntuplo
sêxtuplo	séxtuple; séxtuplo
sétuplo	séptuplo
óctuplo	óctuple; óctuplo
nônuplo	nónuplo
décuplo	décuplo
cêntuplo	céntuplo

Medidas

	Medidas de comprimento	Medidas de longitud
mm	milímetro	milímetro
cm	centímetro	centímetro
dm	decímetro	decímetro
m	metro	metro
dam	decâmetro	decámetro
hm	hectômetro	hectómetro
km	quilômetro	kilómetro

	Medidas de superfície	Medidas de superficie
mm^2	milímetro quadrado	milímetro cuadrado
cm^2	centímetro quadrado	centímetro cuadrado
dm^2	decímetro quadrado	decímetro cuadrado
m^2	metro quadrado	metro cuadrado
a	are	área
ha	hectare	hectare
km^2	quilômetro quadrado	kilómetro cuadrado

	Medidas de volume	Medidas de volumen
mm^3	milímetro cúbico	milímetro cúbico
cm^3	centímetro cúbico	centímetro cúbico
dm^3	decímetro cúbico	decímetro cúbico
m^3	metro cúbico	metro cúbico
hm^3	hectômetro cúbico	hectómetro cúbico
km^3	quilômetro cúbico	kilómetro cúbico

	Medidas de capacidade	Medidas de capacidad
ml	mililitro	mililitro
cl	centilitro	centilitro
dl	decilitro	decilitro
l	litro	litro
dal	decalitro	decalitro
hl	hectolitro	hectolitro
kl	quilolitro	kilolitro

	Medidas de massa	Medidas de masa
mg	miligrama	miligramo
cg	centigrama	centigramo
dg	decigrama	decigramo
g	grama	gramo
dag	decagrama	decagramo
hg	hectograma	hectogramo
kg	quilo(grama)	kilo(gramo)
t	tonelada	tonelada

Falsos amigos

Português	Espanhol	Espanhol	Português
aborrecer	aburrir; molestar	aborrecer	detestar
acordar	despertar	acordarse	lembrar-se
alargar	ampliar	alargar	alongar
aliás	además	alias	apelido
anedota	chiste	anécdota	história breve
ano	año	ano	ânus
apaixonado	enamorado	apasionado	afeiçoado
apenas	solamente	apenas	mal
assinatura	firma	asignatura	disciplina; cadeira
aula	clase	aula	sala (de aula)
azar	mala suerte	azar	casualidade
balão	globo	balón	bola
balcão	mostrador	balcón	varanda
batata	patata	batata	batata-doce
berro	grito	berro	agrião
bilheteria	taquilla	billetera	carteira de dinheiro
borrar	emborronar	borrar	apagar
botequim	bar; taberna	botiquín	maleta de primeiros socorros
brincar	jugar	brincar	saltar
brinco	pendiente	brinco	salto
cacho	racimo	cacho	pedaço
cadeira	silla	cadera	anca
caiado	encalado	callado	calado
caiar	encalar	callar	calar
calções	pantalones cortos	calzones	cueca
camelo	camello	camelo	mentira
cana	caña	cana	cabelo branco
carpete	moqueta	carpeta	pasta para papéis
cena	escena	cena	jantar
certo	correcto	cierto	verdadeiro; certo
cigarro	cigarrillo	cigarro	charuto
coelho	conejo	cuello	pescoço
conosco	con nosotros	conozco	conheço
copo	vaso; copa	copo	floco (de neve)
corrida	carrera	corrida	tourada
cravo	clavel	clavo	prego
desenho	dibujo	diseño	design
despido	desnudo	despido	demissão
doce	dulce	doce	doze

Português	Espanhol
engraçado	gracioso
escova	cepillo
escritório	oficina
espantoso	extraordinario
estafa	cansancio
fechar	cerrar
férias	vacaciones
funcionário	empleado
gabinete	despacho
grade	reja
largo	ancho
legenda	subtítulo
lentilha	lenteja
logo	de inmediato
manteiga	mantequilla
marmelada	dulce de membrillo
mas	pero
namorado	novio
oficina	taller
osso	hueso
palco	escenario
polvo	pulpo
presunto cozido	jamón de York
procurar	buscar
pronto	listo
romance	novela
roxo	morado; violeta
ruivo	pelirrojo
salada	ensalada
salsa	perejil
seta	flecha
sobremesa	postre
sótão	buhardilla
sucesso	éxito
surdo	sordo
talher	cubierto
todavia	no obstante
troço	cosa; trasto
vaso	maceta

Espanhol	Português
engrasado	lubrificado
escoba	vassoura
escritorio	escrivaninha
espantoso	horrível
estafa	roubo; fraude
fechar	datar
feria	feira
funcionario	funcionário público
gabinete	antessala
grada	degrau
largo	comprido
leyenda	lenda
lentilla	lente de contato
luego	depois
manteca	banha
mermelada	doce; geleia
más	mais
enamorado	apaixonado
oficina	escritório; agência
oso	urso
palco	camarote
polvo	pó
presunto	suposto
procurar	tentar
pronto	rápido
romance	caso amoroso
rojo	vermelho
rubio	loiro
salada	salgada
salsa	molho
seta	cogumelo
sobremesa	conversa após a refeição
sótano	porão
suceso	acontecimento
zurdo	canhoto
taller	oficina
todavía	ainda
trozo	pedaço
vaso	copo

Nomes geográficos

Afeganistão	Afganistán
África	África
África do Sul	Sudáfrica
Albânia	Albania
Alemanha	Alemania
Alicante	Alicante
América	América
Amsterdã	Ámsterdam
Andaluzia	Andalucía
Andorra	Andorra
Angola	Angola
Antígua e Barbuda	Antigua y Barbuda
Arábia Saudita	Arabia Saudí
Argélia	Argelia
Argentina	Argentina
Armênia	Armenia
Ásia	Asia
Atenas	Atenas
Austrália	Australia
Áustria	Austria
Azerbaijão	Azerbaiyán
Bahamas	Bahamas
Bagdá	Bagdad
Bálcãs	Balcanes
Bangladesh	Bangladesh
Barbados	Barbados
Barcelona	Barcelona
Barein	Bahráin
Beirute	Beirut
Bélgica	Bélgica
Belgrado	Belgrado
Belize	Belice
Benin	Benín
Berlim	Berlín
Berna	Berna
Bielorrússia	Bielorrusia
Bilbao	Bilbao
Birmânia[1]	Birmania
Boêmia	Bohemia
Bolívia	Bolivia
Bornéu	Borneo
Bósnia-Herzegovina	Bosnia y Herzegovina
Botsuana	Botsuana
Brasil	Brasil
Bratislava	Bratislava
Brunei	Brunéi
Bruxelas	Bruselas
Bucareste	Bucarest
Budapeste	Budapest
Bulgária	Bulgaria
Burkina Fasso	Burkina Faso
Burundi	Burundi
Butão	Bután
Cabo Verde	Cabo Verde
Camarões	Camerún
Camboja	Camboya
Canadá	Canadá
Canárias	Canarias
Caribe	Caribe
Castela	Castilla
Catalunha	Cataluña
Catar	Qatar
Casaquistão	Kazajstán; Kazakistán
Ceilão[2]	Ceilán
Chade	Chad
Chile	Chile
China	China
Chipre	Chipre
Colômbia	Colombia
Comores	Comores
Copenhague	Copenhague
Córdoba	Córdoba
Coreia do Norte	Corea del Norte
Coreia do Sul	Corea del Sur
Córsega	Córcega
Corunha	La Coruña
Costa do Marfim	Costa de Marfil
Costa Rica	Costa Rica
Croácia	Croacia
Cuba	Cuba
Dacar	Dakar
Délhi	Delhi
Dinamarca	Dinamarca
Djibuti	Yibuti

[1] Atual Mianmar
[2] Atual Sri Lanka

Dominica	Dominica
Dublim	Dublín
Edimburgo	Edimburgo
Egito	Egipto
El Salvador	El Salvador
Emirados Árabes Unidos	Emiratos Árabes Unidos
Equador	Ecuador
Eritreia	Eritrea
Escandinávia	Escandinavia
Escócia	Escocia
Eslováquia	Eslovaquia
Eslovênia	Eslovenia
Espanha	España
Estados Unidos da América	Estados Unidos da América
Estocolmo	Estocolmo
Estônia	Estonia
Etiópia	Etiopía
Europa	Europa
Fiji	Fiyi
Filipinas	Filipinas
Finlândia	Finlandia
França	Francia
Frankfurt	Francfort
Gabão	Gabón
Galícia ou Galiza	Galicia
Gâmbia	Gambia
Gana	Ghana
Genebra	Ginebra
Geórgia	Georgia
Gibraltar	Gibraltar
Golfo de Biscaia	Golfo de Vizcaya
Grã-Bretanha	Gran Bretaña
Granada	Granada
Grécia	Grecia
Groenlândia	Groenlandia
Guatemala	Guatemala
Guiana	Guyana
Guiné	Guinea
Guiné-Bissau	Guinea-Bissau
Guiné Equatorial	Guinea Ecuatorial

Haiti	Haití
Hamburgo	Hamburgo
Havaí	Hawai
Helsinque	Helsinki
Himalaias	Himalaya
Holanda	Holanda
Honduras	Honduras
Hungria	Hungría
Iêmen	Yemen
Ilha de Norfolk	Isla Norfolk
Ilhas Galápagos	Islas Galápagos
Ilhas Malvinas	Islas Malvinas
Ilhas Marshall	Islas Marshall
Ilhas Salomão	Islas Solomón
Índia	India
Indonésia	Indonesia
Irã	Irán
Iraque	Iraq; Irak
Irlanda	Irlanda
Irlanda do Norte	Irlanda del Norte
Islândia	Islandia
Israel	Israel
Istambul	Estambul
Itália	Italia
Jamaica	Jamaica
Japão	Japón
Jerusalém	Jerusalén
Jordânia	Jordania
Kiev	Kiev
Kiribati	Kiribati
Kuwait	Kuwait
Laos	Laos
Lapônia	Laponia
Las Palmas	Las Palmas
Leão	León
Lesoto	Lesoto
Letônia	Letonia
Líbano	Líbano
Libéria	Liberia
Líbia	Libia
Liechtenstein	Liechtenstein
Lisboa	Lisboa

Lituânia	Lituania
Londres	Londres
Luxemburgo	Luxemburgo
Macau	Macao
Macedônia	Macedonia
Madagascar	Madagascar
Madri	Madrid
Magreb	Magreb
Maiorca	Mallorca
Malásia	Malasia
Malavi	Malaui
Maldivas	Maldivas
Mali	Malí
Malta	Malta
Marbella	Marbella
Marrocos	Marruecos
Marselha	Marsella
Maurício	Mauricio
Mauritânia	Mauritania
Meca	Meca
Melanésia	Melanesia
Mérida	Mérida
Mesopotâmia	Mesopotamia
México	México; Méjico
Mianmá	Myanmar
Micronésia	Micronesia
Milão	Milán
Moçambique	Mozambique
Moldávia	Moldavia
Mônaco	Mónaco
Mongólia	Mongolia
Montenegro	Montenegro
Moscou	Moscú
Namíbia	Namibia
Nauru	Nauru
Navarra	Navarra
Nepal	Nepal
Nicarágua	Nicaragua
Níger	Níger
Nigéria	Nigeria
Noruega	Noruega
Nova York	Nueva York
Nova Zelândia	Nueva Zelanda
Oceania	Oceanía
Omã	Omán
Oslo	Oslo
País Basco	País Vasco
País de Gales	Gales
Países Baixos	Países Bajos
Palestina	Palestina
Palma de Maiorca	Palma de Mallorca
Panamá	Panamá
Papua-Nova Guiné	Papúa Nueva Guinea
Paquistão	Paquistán
Paraguai	Paraguay
Paris	París
Patagônia	Patagonia
Península Ibérica	Península Ibérica
Peru	Perú
Pireneus	Pirenéus
Polinésia	Polinesia
Polônia	Polonia
Porto	Oporto
Porto Rico	Puerto Rico
Portugal	Portugal
Praga	Praga
Quebec	Quebec
Quênia	Kenia
Quirguistão	Kirguizistán
Reino Unido	Reino Unido
República Centro-Africana	República Centroafricana
República Tcheca	República Checa
República Democrática do Congo	República Democrática del Congo
República do Congo	República del Congo
República Dominicana	República Dominicana
Reykjavik	Reikiavik
Riga	Riga
Roma	Roma
Romênia	Rumania; Rumanía
Ruanda	Ruanda
Rússia	Rusia
Salamanca	Salamanca
Samoa	Samoa
Santa Cruz de Tenerife	Santa Cruz de Tenerife
Santa Lúcia	Santa Lucía
São Cristóvão e Nevis	San Cristóbal y Nevis

San Marino	San Marino
São Tomé e Príncipe	Santo Tomé y Príncipe
São Vicente e Granadinas	San Vicente y las Granadinas
Saara	Sahara
Saragoça	Zaragoza
Senegal	Senegal
Serra Leoa	Sierra Leona
Sérvia	Serbia
Seul	Seúl
Sevilha	Sevilla
Seychelles	Seychelles
Sibéria	Siberia
Sicília	Sicilia
Singapura	Singapur
Síria	Siria
Skopie	Skopie
Sófia	Sofía
Somália	Somalia
Sri Lanka	Sri Lanka
Suazilândia	Suazilandia
Sudão	Sudán
Suécia	Suecia
Suíça	Suiza
Suriname	Surinam
Tailândia	Tailandia
Taiti	Tahití
Taiwan	Taiwán
Tajiquistão	Tayikistán
Tânger	Tánger
Tanzânia	Tanzania
Tasmânia	Tasmania
Teerã	Teherán
Terra Nova	Terranova
Tibete	Tíbet
Timor-Leste	Timor Oriental
Tirana	Tirana
Togo	Togo
Tokelau	Tokelau
Tóquio	Tokio
Toronto	Toronto
Trinidad e Tobago	Trinidad y Tobago
Túnis	Túnez
Tunísia	Túnez
Turcomenistão	Turkmenistán
Turquestão	Turkestán
Turquia	Turquía
Tuvalu	Tuvalu
Ucrânia	Ucrania
Uganda	Uganda
Uruguai	Uruguay
Usbequistão	Uzbekistán
Vaduz	Vaduz
Vanuatu	Vanuatu
Varsóvia	Varsovia
Vaticano	Vaticano
Venezuela	Venezuela
Viena	Viena
Vietnã	Vietnam
Zagreb	Zagreb
Zâmbia	Zambia
Zimbábue	Zimbabue

Conjugação de verbos espanhóis

verbos regulares

1ª conjugação – amar

Presente Indicativo	amo, amas, ama, amamos, amáis, aman
Pretérito Perfecto Simple	amé, amaste, amó, amamos, amasteis, amaron
Pretérito Imperfecto Indicativo	amaba, amabas, amaba, amábamos, amabais, amaban
Futuro Indicativo	amaré, amarás, amará, amaremos, amaréis, amarán
Condicional	amaría, amarías, amaría, amaríamos, amaríais, amarían
Presente Subjuntivo	ame, ames, ame, amemos, améis, amen
Pretérito Imperfecto Subjuntivo	amara/amase, amaras/amases, amara/amase, amáramos/amásemos, amarais/amaseis, amaran/amasen
Futuro Subjuntivo	amare, amares, amare, amáremos, amareis, amaren
Imperativo	ama, ame, amemos, amad, amen
Gerundio	amando
Participio	amado

2ª conjugação – temer

Presente Indicativo	temo, temes, teme, tememos, teméis, temen
Pretérito Perfecto Simple	temí, temiste, temió, temimos, temisteis, temieron
Pretérito Imperfecto Indicativo	temía, temías, temía, temíamos, temíais, temían
Futuro Indicativo	temeré, temerás, temerá, temeremos, temeréis, temerán
Condicional	temería, temerías, temería, temeríamos, temeríais, temerían
Presente Subjuntivo	tema, temas, tema, temamos, temáis, teman
Pretérito Imperfecto Subjuntivo	temiera/temiese, temieras/temieses, temiera/temiese, temiéramos/temiésemos, temierais/temieseis, temieran/temiesen
Futuro Subjuntivo	temiere, temieres, temiere, temiéremos, temiereis, temieren
Imperativo	teme, tema, temamos, temed, teman
Gerundio	temiendo
Participio	temido

3ª conjugação – partir

Presente Indicativo	parto, partes, parte, partimos, partís, parten
Pretérito Perfecto Simple	partí, partiste, partió, partimos, partisteis, partieron
Pretérito Imperfecto Indicativo	partía, partías, partía, partíamos, partíais, partían
Futuro Indicativo	partiré, partirás, partirá, partiremos, partiréis, partirán
Condicional	partiría, partirías, partiría, partiríamos, partiríais, partirían
Presente Subjuntivo	parta, partas, parta, partamos, partáis, partan
Pretérito Imperfecto Subjuntivo	partiera/partiese, partieras/partieses, partiera/partiese, partiéramos/partiésemos, partierais/partieseis, partieran/partiesen
Futuro Subjuntivo	partiere, partieres, partiere, partiéremos, pariereis, partieren
Imperativo	parte, parta, partamos, partid, partan
Gerundio	partiendo
Participio	partido

verbos irregulares

acertar (*e > ie nas sílabas tônicas*)

Presente Indicativo acierto, aciertas, acierta, acertamos, acertáis, aciertan
Presente Subjuntivo acierte, aciertes, acierte, acertemos, acertéis, acierten
Imperativo acierta, acierte, acertemos, acertad, acierten

adquirir (*i > ie nas sílabas tônicas*)

Presente Indicativo adquiero, adquieres, adquiere, adquirimos, adquirís, adquieren
Presente Subjuntivo adquiera, adquieras, adquiera, adquiramos, adquiráis, adquieran
Imperativo adquiere, adquiera, adquiramos, adquirid, adquieran

agradecer (*c > zc antes de a e o*)

Presente Indicativo agradezco, agradeces, agradece, agradecemos, agradecéis, agradecen
Presente Subjuntivo agradezca, agradezcas, agradezca, agradezcamos, agradezcáis, agradezcan
Imperativo agradece, agradezca, agradezcamos, agradeced, agradezcan

andar

Pretérito Perfecto Simple anduve, anduviste, anduvo, anduvimos, anduvisteis, anduvieron
Pretérito Imperfecto Subjuntivo anduviera/anduviese, anduvieras/anduvieses, anduviera/anduviese, anduviéramos/anduviésemos, anduvierais/anduvieseis, anduvieran/anduviesen
Futuro Subjuntivo anduviere, anduvieres, anduviere, anduviéremos, anduviereis, anduvieren

argüir (*i > y antes de a, e e o; gü > gu antes de y*)

Presente Indicativo arguyo, arguyes, arguye, argüimos, argüís, arguyen
Pretérito Perfecto Simple argüí, argüiste, arguyó, argüimos, argüisteis, arguyeron
Presente Subjuntivo arguya, arguyas, arguya, arguyamos, arguyáis, arguyan
Pretérito Imperfecto Subjuntivo arguyera/arguyese, arguyeras/arguyeses, arguyera/arguyese, arguyéramos/arguyésemos, arguyerais/arguyeseis, arguyeran/arguyesen
Futuro Subjuntivo arguyere, arguyeres, arguyere, arguyéremos, arguyereis, arguyeren
Imperativo arguye, arguya, arguyamos, argüid, arguyan

avergonzar (*o > ue nas sílabas tônicas; g > gü antes de e; z > c antes de e*)

Presente Indicativo avergüenzo, avergüenzas, avergüenza, avergonzamos, avergonzáis, avergüenzan
Pretérito Perfecto Simple avergoncé, avergonzaste, avergonzó, avergonzamos, avergonzasteis, avergonzaron
Presente Subjuntivo avergüence, avergüences, avergüence, avergoncemos, avergoncéis, avergüencen
Imperativo avergüenza, avergüénce, avergoncemos, avergonzad, avergüencen

caber

Presente Indicativo	quepo, cabes, cabe, cabemos, cabéis, caben
Pretérito Perfecto Simple	cupe, cupiste, cupo, cupimos, cupisteis, cupieron
Futuro Indicativo	cabré, cabrás, cabrá, cabremos, cabréis, cabrán
Condicional	cabría, cabrías, cabría, cabríamos, cabríais, cabrían
Presente Subjuntivo	quepa, quepas, quepa, quepamos, quepáis, quepan
Pretérito Imperfecto Subjuntivo	cupiera/cupiese, cupieras/cupieses, cupiera/cupiese, cupiéramos/cupiésemos, cupierais/cupieseis, cupieran/cupiesen
Futuro Subjuntivo	cupiere, cupieres, cupiere, cupiéremos, cupiereis, cupieren
Imperativo	cabe, quepa, quepamos, cabed, quepan

caer

Presente Indicativo	caigo, caes, cae, caemos, caéis, caen
Pretérito Perfecto Simple	caí, caíste, cayó, caímos, caísteis, cayeron
Presente Subjuntivo	caiga, caigas, caiga, caigamos, caigáis, caigan
Pretérito Imperfecto Subjuntivo	cayera/cayese, cayeras/cayeses, cayera/cayese, cayéramos/cayésemos, cayerais/cayeseis, cayeran/cayesen
Futuro Subjuntivo	cayere, cayeres, cayere, cayéremos, cayereis, cayeren
Imperativo	cae, caiga, caigamos, caed, caigan

ceñir

Presente Indicativo	ciño, ciñes, ciñe, ceñimos, ceñís, ciñen
Pretérito Perfecto Simple	ceñí, ceñiste, ciñó, ceñimos, ceñisteis, ciñeron
Presente Subjuntivo	ciña, ciñas, ciña, ciñamos, ciñáis, ciñan
Pretérito Imperfecto Subjuntivo	ciñera/ciñese, ciñeras/ciñeses, ciñera/ciñese, ciñéramos/ciñésemos, ciñerais/ciñeseis, ciñeran/ciñesen
Futuro Subjuntivo	ciñere, ciñeres, ciñere, ciñéremos, ciñereis, ciñeren
Imperativo	ciñe, ciña, ciñamos, ceñid, ciñan

cocer (*o* > *ue* *nas sílabas tônicas;* *c* > *z* *antes de* *a* e *o*)

Presente Indicativo	cuezo, cueces, cuece, cocemos, cocéis, cuecen
Presente Subjuntivo	cueza, cuezas, cueza, cozamos, cozáis, cuezan
Imperativo	cuece, cueza, cozamos, coced, cuezan

colgar (*o* > *ue* *nas sílabas tônicas;* *g* > *gu* *antes de* *e*)

Presente Indicativo	cuelgo, cuelgas, cuelga, colgamos, colgáis, cuelgan
Pretérito Perfecto Simple	colgué, colgaste, colgó, colgamos, colgasteis, colgaron
Presente Subjuntivo	cuelgue, cuelgues, cuelgue, colguemos, colguéis, cuelguen
Imperativo	cuelga, cuelgue, colguemos, colgad, cuelguen

conducir (*c* > *zc* antes de *a* e *o*)

Presente Indicativo	conduzco, conduces, conduce, conducimos, conducís, conducen
Pretérito Perfecto Simple	conduje, condujiste, condujo, condujimos, condujisteis, condujeron
Presente Subjuntivo	conduzca, conduzcas, conduzca, conduzcamos, conduzcáis, conduzcan
Pretérito Imperfecto Subjuntivo	condujera/condujese, condujeras/condujeses, condujera/condujese, condujéramos/condujésemos, condujerais/condujeseis, condujeran/condujesen
Futuro Subjuntivo	condujere, condujeres, condujere, condujéremos, condujereis, condujeren
Imperativo	conduce, conduzca, conduzcamos, conducid, conduzcan

conocer (*c > zc antes de a e o*)

Presente Indicativo	conozco, conoces, conoce, conocemos, conocéis, conocen
Presente Subjuntivo	conozca, conozcas, conozca, conozcamos, conozcáis, conozcan
Imperativo	conoce, conozca, conozcamos, conoced, conozcan

contar (*o > ue nas sílabas tônicas*)

Presente Indicativo	cuento, cuentas, cuenta, contamos, contáis, cuentan
Presente Subjuntivo	cuente, cuentes, cuente, contemos, contéis, cuenten
Imperativo	cuenta, cuente, contemos, contad, cuenten

dar

Presente Indicativo	doy, das, da, damos, dais, dan
Pretérito Perfecto Simple	di, diste, dio, dimos, disteis, dieron
Presente Subjuntivo	dé, des, dé, demos, deis, den
Pretérito Imperfecto Subjuntivo	diera/diese, dieras/dieses, diera/diese, diéramos/diésemos, dierais/dieseis, dieran/diesen
Futuro Subjuntivo	diere, dieres, diere, diéremos, diereis, dieren
Imperativo	da, dé, demos, dad, den

decir

Presente Indicativo	digo, dices, dice, decimos, decís, dicen
Pretérito Perfecto Simple	dije, dijiste, dijo, dijimos, dijisteis, dijeron
Futuro Indicativo	diré, dirás, dirá, diremos, diréis, dirán
Condicional	diría, dirías, diría, diríamos, diríais, dirían
Presente Subjuntivo	diga, digas, diga, digamos, digáis, digan
Pretérito Imperfecto Subjuntivo	dijera/dijese, dijeras/dijeses, dijera/dijese, dijéramos/dijésemos, dijerais/dijeseis, dijeran/dijesen
Futuro Subjuntivo	dijere, dijeres, dijere, dijéremos, dijereis, dijeren
Imperativo	di, diga, digamos, decid, digan
Participio	dicho

delinquir (*qu > c antes de a e o*)

Presente Indicativo	delinco, delinques, delinque, delinquimos, delinquís, delinquen
Presente Subjuntivo	delinca, delincas, delinca, delincamos, delincáis, delincan
Imperativo	delinque, delinca, delincamos, delinquid, delincan

dirigir (*g > j antes de a e o*)

Presente Indicativo	dirijo, diriges, dirige, dirigimos, dirigís, dirigen
Presente Subjuntivo	dirija, dirijas, dirija, dirijamos, dirijáis, dirijan
Imperativo	dirige, dirija, dirijamos, dirigid, dirijan

discernir (*e > ie nas sílabas tônicas*)

Presente Indicativo	discierno, disciernes, discierne, discernimos, discernís, disciernen
Presente Subjuntivo	discierna, disciernas, discierna, discernamos, discernáis, disciernan
Imperativo	discierne, discierna, discernamos, discernid, disciernan

distinguir (*gu > g antes de a e o*)

Presente Indicativo	distingo, distingues, distingue, distinguimos, distinguís, distinguen
Presente Subjuntivo	distinga, distingas, distinga, distingamos, distingáis, distingan
Imperativo	distingue, distinga, distingamos, distinguid, distingan

dormir (*o > ue nas sílabas tônicas ou > u em algumas pessoas de determinados tempos*)

Presente Indicativo	duermo, duermes, duerme, dormimos, dormís, duermen
Pretérito Perfecto Simple	dormí, dormiste, durmió, dormimos, dormisteis, durmieron
Presente Subjuntivo	duerma, duermas, duerma, durmamos, durmáis, duerman
Pretérito Imperfecto Subjuntivo	durmiera/durmiese, durmieras/durmieses, durmiera/durmiese, durmiéramos/durmiésemos, durmierais/durmieseis, durmieran/durmiesen
Futuro Subjuntivo	durmiere, durmieres, durmiere, durmiéremos, durmiereis, durmieren
Imperativo	duerme, duerma, durmamos, dormid, duerman

elegir (*e > i em algumas pessoas dos tempos simples; g > j antes de a e o*)

Presente Indicativo	elijo, eliges, elige, elegimos, elegís, eligen
Pretérito Perfecto Simple	elegí, elegiste, eligió, elegimos, elegisteis, eligieron
Presente Subjuntivo	elija, elijas, elija, elijamos, elijáis, elijan
Pretérito Imperfecto Subjuntivo	eligiera/eligiese, eligieras/eligieses, eligiera/eligiese, eligiéramos/eligiésemos, eligierais/eligieseis, eligieran/eligiesen
Futuro Subjuntivo	eligiere, eligieres, eligiere, eligiéremos, eligiereis, eligieren
Imperativo	elige, elija, elijamos, elegid, elijan

empezar (*e > ie nas sílabas tônicas; z > c antes de e*)

Presente Indicativo	empiezo, empiezas, empieza, empezamos, empezáis, empiezan
Pretérito Perfecto Simple	empecé, empezaste, empezó, empezamos, empezasteis, empezaron
Presente Subjuntivo	empiece, empieces, empiece, empecemos, empecéis, empiecen
Imperativo	empieza, empiece, empecemos, empezad, empiecen

enraizar (*í em algumas pessoas dos tempos simples; z > c antes de e*)

Presente Indicativo	enraízo, enraízas, enraíza, enraizamos, enraizáis, enraízan
Pretérito Perfecto Simple	enraicé, enraizaste, enraizó, enraizamos, enraizasteis, enraizaron
Presente Subjuntivo	enraíce, enraíces, enraíce, enraicemos, enraicéis, enraícen
Imperativo	enraíza, enraíce, enraicemos, enraizad, enraícen

entender (*e > ie nas sílabas tônicas*)

Presente Indicativo	entiendo, entiendes, entiende, entendemos, entendéis, entienden
Presente Subjuntivo	entienda, entiendas, entienda, entendamos, entendáis, entiendan
Imperativo	entiende, entienda, entendamos, entended, entiendan

erguir

Presente Indicativo	irgo/yergo, irgues/yergues, irgue/yergue, erguimos, erguís, irgen/yergen
Pretérito Perfecto Simple	erguí, erguiste, irguió, erguimos, erguisteis, irguieron
Presente Subjuntivo	irga/yerga, irgas/yergas, irga/yerga, irgamos/yergamos, irgáis/yergáis, irgan/yergan
Pretérito Imperfecto Subjuntivo	irguiera/irguiese, irguieras/irguieses, irguiera/irguiese, irguiéramos/irguiésemos, irguierais/irguieseis, irguieran/irguiesen
Futuro Subjuntivo	irguiere, irguieres, irguiere, irguiéremos, irguiereis, irguieren
Imperativo	irgue/yergue, irga/yerga, irgamos, erguid, irgan/yergan

errar (*e > ye nas sílabas tônicas*)

Presente Indicativo	yerro, yerras, yerra, erramos, erráis, yerran
Presente Subjuntivo	yerre, yerres, yerre, erremos, erréis, yerren
Imperativo	yerra, yerre, erremos, errad, yerren

estar

Presente Indicativo	estoy, estás, está, estamos, estais, están
Pretérito Imperfecto Indicativo	estaba, estabas, estaba, estábamos, estabais, estaban
Pretérito Perfecto Simple	estuve, estuviste, estuvo, estuvimos, estuvisteis, estuvieron
Futuro Indicativo	estaré, estarás, estará, estaremos, estaréis, estarán
Condicional	estaría, estarías, estaría, estaríamos, estaríais, estarían
Presente Subjuntivo	esté, estés, esté, estemos, estéis, estén
Pretérito Imperfecto Subjuntivo	estuviera/estuviese, estuvieras/estuvieses, estuviera/estuviese, estuviéramos/estuviésemos, estuvierais/estuvieseis, estuvieran/estuviesen
Futuro Subjuntivo	estuviere, estuvieres, estuviere, estuviéremos, estuviereis, estuvieren
Imperativo	está, esté, estemos, estad, estén

forzar (*o > ue nas sílabas tônicas; z > c antes de e*)

Presente Indicativo	fuerzo, fuerzas, fuerza, forzamos, forzáis, fuerzan
Pretérito Perfecto Simple	forcé, forzaste, forzó, forzamos, forzasteis, forzaron
Presente Subjuntivo	fuerce, fuerces, fuerce, forcemos, forcéis, fuercen
Imperativo	fuerza, fuerce, forcemos, forzad, fuercen

haber

Presente Indicativo	he, has, ha, hemos, habéis, han
Pretérito Imperfecto Indicativo	había, habías, había, habíamos, habíais, habían
Pretérito Perfecto Simple	hube, hubiste, hubo, hubimos, hubisteis, hubieron
Futuro Indicativo	habré, habrás, habrá, habremos, habréis, habrán
Condicional	habría, habrías, habría, habríamos, habríais, habrían
Presente Subjuntivo	haya, hayas, haya, hayamos, hayáis, hayan
Pretérito Imperfecto Subjuntivo	hubiera/hubiese, hubieras/hubieses, hubiera/hubiese, hubiéramos/hubiésemos, hubierais/hubieseis, hubieran/hubiesen
Futuro Subjuntivo	hubiere hubieres, hubiere, hubiéremos, hubiereis, hubieren
Imperativo	he, haya, hayamos, habed, hayan

hacer

Presente Indicativo	hago, haces, hace, hacemos, hacéis, hacen
Pretérito Perfecto Simple	hice, hiciste, hizo, hicimos, hicisteis, hicieron
Futuro Indicativo	haré, harás, hará, haremos, haréis, harán
Condicional	haría, harías, haría, haríamos, haríais, harían
Presente Subjuntivo	haga, hagas, haga, hagamos, hagáis, hagan
Pretérito Imperfecto Subjuntivo	hiciera/hiciese, hicieras/hicieses, hiciera/hiciese, hiciéramos/hiciésemos, hicierais/hicieseis, hicieran/hiciesen
Futuro Subjuntivo	hiciere, hicieres, hiciere, hiciéremos, hiciereis, hicieren
Imperativo	haz, haga, hagamos, haced, hagan
Participio	hecho

hervir (*e > ie nas sílabas tônicas ou > i em algumas pessoas de determinados tempos*)

Presente Indicativo	hiervo, hierves, hierve, hervimos, hervís, hierven
Pretérito Perfecto Simple	herví, herviste, hirvió, hervimos, hervisteis, hirvieron
Presente Subjuntivo	hierva, hiervas, hierva, hirvamos, hirváis, hiervan
Pretérito Imperfecto Subjuntivo	hirviera/hirviese, hirvieras/hirvieses, hirviera/hirviese, hirviéramos/hirviésemos, hirvierais/hirvieseis, hirvieran/hirviesen
Futuro Subjuntivo	hirviere, hirvieres, hirviere, hirviéremos, hirviereis, hirvieren
Imperativo	hierve, hierva, hirvamos, hervid, hiervan

huir (*i > y antes de a, e e o*)

Presente Indicativo	huyo, huyes, huye, huimos, huís, huyen
Pretérito Perfecto Simple	huí, huiste, huyó, huimos, huisteis, huyeron
Presente Subjuntivo	huya, huyas, huya, huyamos, huyáis, huyan
Pretérito Imperfecto Subjuntivo	huyera/huyese, huyeras/huyeses, huyera/huyese, huyéramos/huyésemos, huyerais/huyeseis, huyeran/huyesen
Futuro Subjuntivo	huyere, huyeres, huyere, huyéremos, huyereis, huyeren
Imperativo	huye, huya, huyamos, huid, huyan

ir

Presente Indicativo	voy, vas, va, vamos, vais, van
Pretérito Imperfecto Indicativo	iba, ibas, iba, íbamos, ibais, iban
Pretérito Perfecto Simple	fui, fuiste, fue, fuimos, fuisteis, fueron
Presente Subjuntivo	vaya, vayas, vaya, vayamos, vayáis, vayan
Pretérito Imperfecto Subjuntivo	fuera/fuese, fueras/fueses, fuera/fuese, fuéramos/fuésemos, fuereis/fueseis, fueran/fuesen
Futuro Subjuntivo	fuere, fueres, fuere, fuéremos, fuereis, fueren
Imperativo	ve, vaya, vayamos, id, vayan

jugar (*u > ue nas sílabas tônicas e g > gu antes de e*)

Presente Indicativo	juego, juegas, juega, jugamos, jugáis, juegan
Pretérito Perfecto Simple	jugué, jugaste, jugó, jugamos, jugasteis, jugaron
Presente Subjuntivo	juegue, juegues, juegue, juguemos, juguéis, jueguen
Imperativo	juega, juegue, juguemos, jugad, jueguen

leer (*i final > y antes de e e o*)

Pretérito Perfecto Simple	leí, leíste, leyó, leímos, leísteis, leyeron
Pretérito Imperfecto Subjuntivo	leyera/leyese, leyeras/leyeses, leyera/leyese, leyéramos/leyésemos, leyerais/leyeseis, leyeran/leyesen
Futuro Subjuntivo	leyere, leyeres, leyere, leyéremos, leyereis, leyeren

llegar (*g > gu antes de e*)

Pretérito Perfecto Simple	llegué, llegaste, llegó, llegamos, llegasteis, llegaron
Presente Subjuntivo	llegue, llegues, llegue, lleguemos, lleguéis, lleguen
Imperativo	llega, llegue, lleguemos, llegad, lleguen

lucir (*c > zc antes de a e o*)

Presente Indicativo	luzco, luces, luce, lucimos, lucís, lucen
Presente Subjuntivo	luzca, luzcas, luzca, luzcamos, luzcáis, luzcan
Imperativo	luce, luzca, luzcamos, lucid, luzcan

mecer (*c > z antes de a e o*)

Presente Indicativo	mezo, meces, mece, mecemos, mecéis, mecen
Presente Subjuntivo	meza, mezas, meza, mezamos, mezáis, mezan
Imperativo	mece, meza, mezamos, meced, mezan

mover (*o > ue nas sílabas tônicas*)

Presente Indicativo	muevo, mueves, mueve, movemos, movéis, mueven
Presente Subjuntivo	mueva, muevas, mueva, movamos, mováis, muevan
Imperativo	mueve, mueva, movamos, moved, muevan

nacer (*c* > *zc* antes de *a* e *o*)

Presente Indicativo	nazco, naces, nace, nacemos, nacéis, nacen
Presente Subjuntivo	nazca, nazcas, nazca, nazcamos, nazcáis, nazcan
Imperativo	nace, nazca, nazcamos, naced, nazcan

oír

Presente Indicativo	oigo, oyes, oye, oímos, oís, oyen
Pretérito Perfecto Simple	oí, oíste, oyó, oímos, oísteis, oyeron
Presente Subjuntivo	oiga, oigas, oiga, oigamos, oigáis, oigan
Pretérito Imperfecto Subjuntivo	oyera/oyese, oyeras/oyeses, oyera/oyese, oyéramos/oyésemos, oyerais/oyeseis, oyeran/oyesen
Futuro Subjuntivo	oyere, oyeres, oyere, oyéremos, oyereis, oyeren
Imperativo	oye, oiga, oigamos, oíd, oigan

oler (*o* > *hue* nas sílabas tônicas)

Presente Indicativo	huelo, hueles, huele, olemos, oléis, huelen
Presente Subjuntivo	huela, huelas, huela, olamos, oláis, huelan
Imperativo	huele, huela, olamos, oled, huelan

placer

Presente Indicativo	plazco, places, place, placemos, placéis, placen
Pretérito Perfecto Simple	plací, placiste, plació/plugo, placimos, placisteis, placieron/pluguieron
Presente Subjuntivo	plazca, plazcas, plazca, plegue/plega, plazcamos, plazcáis, plazcan
Pretérito Imperfecto Subjuntivo	placiera/placiese, placieras/placieses, placiera/pluguiera/placiese/pluguiese, placiéramos/placiésemos, placierais/placieseis, placieran/placiesen
Futuro Subjuntivo	placiere, placieres, placiere/pluguiere, placiéremos, placiereis, placieren
Imperativo	place, plazca, plazcamos, placed, plazcan

poder

Presente Indicativo	puedo, puedes, puede, podemos, podéis, pueden
Pretérito Perfecto Simple	pude, pudiste, pudo, pudimos, pudisteis, pudieron
Futuro Indicativo	podré, podrás, podrá, podremos, podréis, podrán
Condicional	podría, podrías, podría, podríamos, podríais, podrían
Presente Subjuntivo	pueda, puedas, pueda, podamos, podáis, puedan
Pretérito Imperfecto Subjuntivo	pudiera/pudiese, pudieras/pudieses, pudiera/pudiese, pudiéramos/pudiésemos, podierais/pudieseis, pudieran/pudiesen
Futuro Subjuntivo	pudiere, pudieres, pudiere, pudiéremos, pudiereis, pudieren
Imperativo	puede, pueda, podamos, poded, puedan

poner

Presente Indicativo	pongo, pones, pone, ponemos, ponéis, ponen
Pretérito Perfecto Simple	puse, pusiste, puso, pusimos, pusisteis, pusieron
Futuro Indicativo	pondré, pondrás, pondrá, pondremos, pondréis, pondrán
Condicional	pondría, pondrías, pondría, pondríamos, pondríais, pondrían
Presente Subjuntivo	ponga, pongas, ponga, pongamos, pongáis, pongan
Pretérito Imperfecto Subjuntivo	pusiera/pusiese, pusieras/pusieses, pusiera/pusiese, pusiéramos/pusiésemos, pusierais/pusieseis, pusieran/pusiesen
Futuro Subjuntivo	pusiere, pusieres, pusiere, pusiéremos, pusiereis, pusieren
Imperativo	pon, ponga, pongamos, poned, pongan
Participio	puesto

predecir

Presente Indicativo	predigo, predices, predice, predecimos, predecís, predicen
Pretérito Perfecto Simple	predije, predijiste, predijo, predijimos, predijisteis, predijeron
Presente Subjuntivo	prediga, predigas, prediga, predigamos, predigáis, predigan
Pretérito Imperfecto Subjuntivo	predijera/predijese, predijeras/predijeses, predijera/predijese, predijéramos/predijésemos, predijerais/predijeseis, predijeran/predijesen
Futuro Subjuntivo	predijere, predijeres, predijere, predijéremos, predijereis, predijeren
Imperativo	predice, prediga, predigamos, predecid, predigan

proteger (g > j antes de a e o)

Presente Indicativo	protejo, proteges, protege, protegemos, protegéis, protegen
Presente Subjuntivo	proteja, protejas, proteja, protejamos, protejáis, protejan
Imperativo	protege, proteja, protejamos, proteged, protejan

querer

Presente Indicativo	quiero, quieres, quiere, queremos, queréis, quieren
Pretérito Perfecto Simple	quise, quisiste, quiso, quisimos, quisisteis, quisieron
Futuro Indicativo	querré, querrás, querrá, querremos, querréis, querrán
Condicional	querría, querrías, querría, querríamos, querríais, querrían
Presente Subjuntivo	quiera, quieras, quiera, queramos, queráis, quieran
Pretérito Imperfecto Subjuntivo	quisiera/quisiese, quisieras/quisieses, quisiera/quisiese, quisiéramos/quisiésemos, quisierais/quisieseis, quisieran/quisiesen
Futuro Indicativo	quisiere, quisieres, quisiere, quisiéremos, quisiereis, quisieren
Imperativo	quiere, quiera, queramos, quered, quieran

realizar (z > c antes de e)

Pretérito Perfecto Simple	realicé, realizaste, realizó, realizamos, realizasteis, realizaron
Presente Subjuntivo	realice, realices, realice, realicemos, realicéis, realicen
Imperativo	realiza, realice, realicemos, realizad, realicen

regar (e > ie nas sílabas tônicas; g > gu antes de e)

Presente Indicativo	riego, riegas, riega, regamos, regáis, riegan
Pretérito Perfecto Simple	regué, regaste, regó, regamos, regasteis, regaron
Presente Subjuntivo	riegue, riegues, riegue, reguemos, reguéis, rieguen
Imperativo	riega, riegue, reguemos, regad, rieguen

reír

Presente Indicativo	río, ríes, ríe, reímos, reís, ríen
Pretérito Perfecto Simple	reí, reíste, rió, reímos, reísteis, rieron
Presente Subjuntivo	ría, rías, ría, riamos, riáis, rían
Pretérito Imperfecto Subjuntivo	riera/riese, rieras/rieses, riera/riese, riéramos/riésemos, rierais/rieseis, rieran/riesen
Futuro Subjuntivo	riere, rieres, riere, riéremos, riereis, rieren
Imperativo	ríe, ría, riamos, reíd, rían

roer

Presente Indicativo	roo/roigo/royo, roes, roe, roemos, roéis, roen
Pretérito Perfecto Simple	roí, roíste, royó, roímos, roísteis, royeron
Presente Subjuntivo	roa/roiga/roya, roas/roigas/royas, roa/roiga/roya, roamos/roigamos/royamos, roáis/roigáis/royáis, roan/roigan/royan
Pretérito Imperfecto Subjuntivo	royera/royese, royeras/royeses, royera/royese, royéramos/royésemos, royerais/royeseis, royeran/royesen
Futuro Subjuntivo	royere, royeres, royere, royéremos, royereis, royeren
Imperativo	roe, roa/roiga/roya, roamos /roigamos /royamos, roed, roan/roigan/royan

saber

Presente Indicativo	sé, sabes, sabe, sabemos, sabéis, saben
Pretérito Perfecto Simple	supe, supiste, supo, supimos, supisteis, supieron
Futuro Indicativo	sabré, sabrás, sabrá, sabremos, sabréis, sabrán
Condicional	sabría, sabrías, sabría, sabríamos, sabríais, sabrían
Presente Subjuntivo	sepa, sepas, sepa, sepamos, sepáis, sepan
Pretérito Imperfecto Subjuntivo	supiera/supiese, supieras/supieses, supiera/supiese, supiéramos/supiésemos, supierais/supieseis, supieran/supiesen
Futuro Subjuntivo	supiere, supieres, supiere, supiéremos, supiereis, supieren
Imperativo	sabe, sepa, sepamos, sabed, sepan

sacar (*c* > *qu* antes de *e*)

Pretérito Perfecto Simple	saqué, sacaste, sacó, sacamos, sacasteis, sacaron
Presente Subjuntivo	saque, saques, saque, saquemos, saquéis, saquen
Imperativo	saca, saque, saquemos, sacad, saquen

salir

Presente Indicativo	salgo, sales, sale, salimos, salís, salen
Futuro Indicativo	saldré, saldrás, saldrá, saldremos, saldréis, saldrán
Condicional	saldría, saldrías, saldría, saldríamos, saldríais, saldrían
Presente Subjuntivo	salga, salgas, salga, salgamos, salgáis, salgan
Imperativo	sal, salga, salgamos, salid, salgan

satisfacer

Presente Indicativo	satisfago, satisfaces, satisface, satisfacemos, satisfacéis, satisfacen
Pretérito Perfecto Simple	satisfice, satisficiste, satisfizo, satisficimos, satisficisteis, satisficieron
Futuro Indicativo	satisfaré, satisfarás, satisfará, satisfaremos, satisfaréis, satisfarán
Condicional	satisfaría, satisfarías, satisfaría, satisfaríamos, satisfaríais, satisfarían
Presente Subjuntivo	satisfaga, satisfagas, satisfaga, satisfagamos, satisfagáis, satisfagan
Pretérito Imperfecto Subjuntivo	satisficiera/satisficiese, satisficieras/satisficieses, satisficiera/satisficiese, satisficiéramos/satisficiésemos, satisficierais/satisficieseis, satisficieran/satisficiesen
Futuro Subjuntivo	satisficiere, satisficieres, satisficiere, satisficiéremos, satisficiereis, satisficieren
Imperativo	satisfaz, satisface, satisfaga, satisfagamos, satisfaced, satisfagan
Participio	satisfecho

seguir (*e > i em algumas pessoas de determinados tempos; gu > g antes de a e o*)

Presente Indicativo	sigo, sigues, sigue, seguimos, seguís, siguen
Pretérito Perfecto Simple	seguí, seguiste, siguió, seguimos, seguisteis, siguieron
Presente Subjuntivo	siga, sigas, siga, sigamos, sigáis, sigan
Pretérito Imperfecto Subjuntivo	siguiera/siguiese, siguieras/siguieses, siguiera/siguiese, siguiéramos/siguiésemos, siguierais/siguieseis, siguieran/siguiesen
Futuro Subjuntivo	siguiere, siguieres, siguiere, siguieremos, siguiereis, siguieren
Imperativo	sigue, siga, sigamos, seguid, sigan

ser

Presente Indicativo	soy, eres, es, somos, sois, son
Pretérito Imperfecto Indicativo	era, eras, era, éramos, erais, eran
Pretérito Perfecto Simple	fui, fuiste, fue, fuimos, fuisteis, fueron
Futuro Indicativo	seré, serás, será, seremos, seréis, serán
Condicional	sería, serías, sería, seríamos, seríais, serían
Presente Subjuntivo	sea, seas, sea, seamos, seáis, sean
Pretérito Imperfecto Subjuntivo	fuera/fuese, fueras/fueses, fuera/fuese, fuéramos/fuésemos, fuerais/fueseis, fueran/fuesen
Futuro Subjuntivo	fuere, fueres, fuere, fuéremos, fuereis, fueren
Imperativo	sé, sea, seamos, sed, sean
Participio	sido

servir (*e > i em algumas pessoas de determinados tempos*)

Presente Indicativo	sirvo, sirves, sirve, servimos, servís, sirven
Pretérito Perfecto Simple	serví, serviste, sirvió, servimos, servisteis, sirvieron
Presente Subjuntivo	sirva, sirvas, sirva, sirvamos, sirváis, sirvan
Pretérito Imperfecto Subjuntivo	sirviera/sirviese, sirvieras/sirvieses, sirviera/sirviese, sirviéramos/sirviésemos, sirvierais/sirvieseis, sirvieran/sirviesen
Futuro Subjuntivo	sirviere, sirvieres, sirviere, sirviéremos, sirviereis, sirvieren
Imperativo	sirve, sirva, sirvamos, servid, sirvan

tener

Presente Indicativo	tengo, tienes, tiene, tenemos, tenéis, tienen
Pretérito Perfecto Simple	tuve, tuviste, tuvo, tuvimos, tuvisteis, tuvieron
Futuro Indicativo	tendré, tendrás, tendrá, tendremos, tendréis, tendrán
Condicional	tendría, tendrías, tendría, tendríamos, tendríais, tendrían
Presente Subjuntivo	tenga, tengas, tenga, tengamos, tengáis, tengan
Pretérito Imperfecto Subjuntivo	tuviera/tuviese, tuvieras/tuvieses, tuviera/tuviese, tuviéramos/tuviésemos, tuvierais/tuvieseis, tuvieran/tuviesen
Futuro Subjuntivo	tuviere, tuvieres, tuviere, tuviéremos, tuviereis, tuvieren
Imperativo	ten, tenga, tengamos, tened, tengan

traer

Presente Indicativo	traigo, traes, trae, traemos, traéis, traen
Pretérito Perfecto Simple	traje, trajiste, trajo, trajimos, trajisteis, trajeron
Presente Subjuntivo	traiga, traigas, traiga, traigamos, traigáis, traigan
Pretérito Imperfecto Subjuntivo	trajera/trajese, trajeras/trajeses, trajera/trajese, trajéramos/trajésemos, trajerais/trajeseis, trajeran/trajesen
Futuro Subjuntivo	trajere, trajeres, trajere, trajéramos, trajereis, trajeren
Imperativo	trae, traiga, traigamos, traed, traigan

trocar (o > ue nas sílabas tônicas; c > qu antes de e)

Presente Indicativo	trueco, truecas, trueca, trocamos, trocáis, truecan
Pretérito Perfecto Simple	troqué, trocaste, trocó, trocamos, trocasteis, trocaron
Presente Subjuntivo	trueque, trueques, trueque, troquemos, troquéis, truequen
Imperativo	trueca, trueque, troquemos, trocad, truequen

valer

Presente Indicativo	valgo, vales, vale, valemos, valéis, valen
Futuro Indicativo	valdré, valdrás, valdrá, valdramos, valdréis, valdrán
Condicional	valdría, valdrías, valdría, valdríamos, valdríais, valdrían
Presente Subjuntivo	valga, valgas, valga, valgamos, valgáis, valgan
Imperativo	vale, valga, valgamos, valed, valgan

venir

Presente Indicativo	vengo, vienes, viene, venimos, venís, vienen
Pretérito Perfecto Simple	vine, viniste, vino, vinimos, vinisteis, vinieron
Futuro Indicativo	vendré, vendrás, vendrá, vendremos, vendréis, vendrán
Condicional	vendría, vendrías, vendría, vendríamos, vendríais, vendrían
Presente Subjuntivo	venga, vengas, venga, vengamos, vengáis, vengan
Pretérito Imperfecto Subjuntivo	viniera/viniese, vinieras/vinieses, viniera/viniese, viniéramos/viniésemos, vinierais/vinieseis, vinieran/viniesen
Futuro Subjuntivo	viniere, vinieres, viniere, viniéremos, viniereis, vinieren
Imperativo	ven, venga, vengamos, venid, vengan

ver

Presente Indicativo	veo, ves, ve, vemos, veis, ven
Pretérito Perfecto Simple	vi, viste, vio, vimos, visteis, vieron
Pretérito Imperfecto Subjuntivo	viera/viese, vieras/vieses, viera/viese, viéramos/viésemos, vierais/vieseis, vieran/viesen
Futuro Subjuntivo	viere, vieres, viere, viéremos, viereis, vieren
Imperativo	ve, vea, veamos, ved, vean
Participio	visto

yacer

Presente Indicativo	yazco/yazgo/yago, yaces, yace, yacemos, yacéis, yacen
Presente Subjuntivo	yazca/yazga/yaga, yazcas/yazgas/yagas, yazca/yazga/yaga, yazcamos/yazgamos/yagamos, yazcáis/yazgáis/yagáis, yazcan/yazgan/yagan
Imperativo	yace/yaz, yazca/yazga/yaga, yazcamos/yazgamos/yagamos, yaced, yazcan/yazgan/yagan

zurcir (c > z antes de a e o)

Presente Indicativo	zurzo, zurces, zurce, zurcimos, zurcís, zurcen
Presente Subjuntivo	zurza, zurzas, zurza, zurzamos, zurzáis, zurzan
Imperativo	zurce, zurza, zurzamos, zurcid, zurzan

Guia do Acordo Ortográfico

Alfabeto

As letras **k**, **w** e **y** passam oficialmente a fazer parte do alfabeto da língua portuguesa, que é, desse modo, constituído por vinte e seis letras.

a A (á)
b B (bê)
c C (cê)
d D (dê)
e E (é ou ê)
f F (efe ou fê)
g G (gê ou guê)
h H (agá)
i I (i)
j J (jota ou ji)
k K (cá ou capa)
l L (ele ou lê)
m M (eme ou mê)
n N (ene ou nê)
o O (ó)
p P (pê)
q Q (quê)
r R (erre ou rê)
s S (esse)
t T (tê)
u U (u)
v V (vê)
w W (dáblio ou dábliu)
x X (xis)
y Y (ípsilon)
z Z (zê)

Os nomes das letras acima apresentados não excluem outras formas de as designar.

Usos de k, w e y

- nomes de pessoas (antropônimos) e seus derivados originários de línguas estrangeiras

Kant – kantiano
Weber – weberiano
Yang – yanguiano

- nomes de localidades (topônimos) e seus derivados originários de línguas estrangeiras

Kosovo – kosovar
Washington – washingtoniano
Yorkshire – yorkshiriano

- siglas, símbolos e unidades de medida internacionais

WC
KB
kg

Acentuação gráfica

Supressão do acento

Palavras paroxítonas com ditongos tônicos *éi*

assembléia > ***assembleia***
idéia > ***ideia***

Palavras paroxítonas terminadas em vogal tônica *ô*

vôo > ***voo***
enjôo > ***enjoo***

Palavras com trema

lingüista > *linguista*
tranqüilo > *tranquilo*

Excetuam-se as palavras com trema que derivam de nomes próprios estrangeiros.
*müllerian*o *(de Müller)*

Palavras paroxítonas com *í* e *ú* tônicos, precedidos de ditongo

baiúca > ***baiuca***
feiúra > ***feiura***

Palavras paroxítonas com ditongos tônicos *ói*

bóia > ***boia***
jóia > ***joia***

Formas verbais paroxítonas terminadas em *-êem*

dêem > ***deem***
crêem > ***creem***

Palavras paroxítonas homógrafas de palavras proclíticas

pára > ***para***

- *para* /á/ (presente do indicativo e imperativo do verbo parar) não se distingue de *para* (preposição)

pélo > ***pelo***

- *pelo* /é/ (presente do indicativo do verbo pelar) não se distingue de *pelo* /ê/ (nome) nem de *pelo* (contração de *por* + *o*)

péla > ***pela***

- *pela* /é/ (presente do indicativo e imperativo do verbo pelar) não se distingue de *pela* /é/ (nome) nem de *pela* (contração de *por* + a) *pólo* > ***polo***

- *polo* /ó/ (nome) e *polo* /ô/ (nome) não se distinguem de *polo* (antiga contração de *por* + *o*)

pêra > ***pera***

- *pera* /ê/ (nome) não se distingue do arcaísmo *pera* (preposição)

pêro > ***pero***

- *pero* /ê/ (nome) não se distingue do arcaísmo *pero* (conjunção)

Verbos *arguir* e *redarguir* perdem acento no *ú* na flexão do presente do indicativo

argúis, argúi, argúem > ***arguis, argui, arguem***
redargúis, redargúi, redargúem > ***redarguis, redargui, redarguem***

Dupla acentuação

Palavras oxítonas com ê e ô tônicos, geralmente provenientes do francês, em que há oscilação de pronúncia

bebê e ***bebé***
cocô e ***cocó***

Palavras paroxítonas ou proparoxítonas com ê e ô tônicos, seguidos das consoantes nasais *m* ou *n*, com as quais não formam sílaba

acadêmico e ***acadêmico***
anatômico e ***anatómico***
tênis e ***ténis***
tônico e ***tónico***

Verbos terminados em *-guar*, *-quar* ou *-quir* que apresentam dois paradigmas de conjugação

- ou perdem a acentuação gráfica (mas não a tónica) em *ú*

averigue / averigues / averiguem

- ou acentuam tônica e graficamente as vogais *a* e *i* radicais

averígue / averígues / averíguem

Uso facultativo do acento

Formas verbais terminadas em *-amos* no pretérito perfeito do indicativo

amamos / amámos

Forma verbal *demos* ou *dêmos* no presente do subjuntivo

Nome feminino *fôrma* ou *forma* (com sentido de molde)

Hifenização

Uso obrigatório do hífen

Formas compostas que designam espécies zoológicas ou botânicas

estrela-do-mar
couve-flor

Formações por prefixação, recomposição e sufixação

- com os prefixos *circum-* e *pan-*, quando o 2º elemento começa por vogal, *h*, *m* ou *n*

circum-ambiência
circum-hospitalar
circum-navegação
pan-africano

- com os prefixos *hiper-*, *inter-* e *super-*, quando o 2º elemento começa por *r*

hiper-realista
inter-regional
super-realista

- com os prefixos *pós-*, *pré-* e *pró-*

***pós**-graduação*
***pré**-fabricado*
***pré**-natal*

- quando o 2º elemento começa pela mesma vogal com que termina o prefixo

anti-ibérico
infra-axilar
micro-ondas

Supressão do hífen

Compostos em que se perdeu a noção de composição. Passa a aglutinar-se:

manda-chuva > *mandachuva*
pára-quedas > *paraquedas*

Formas derivadas

- quando o prefixo ou falso prefixo termina em vogal e o 2º elemento começa por *r* ou *s*, duplicando-se a consoante

anti-reflexo > *antirreflexo*
auto-suficiente > *autossuficiente*
auto-retrato > *autorretrato*

- quando o prefixo ou falso prefixo termina em vogal e o 2º elemento começa por vogal diferente

auto-estrada > ***autoestrada***
extra-escolar > ***extraescolar***
intra-ósseo > ***intraósseo***

- com o prefixo co-

co-edição > ***coedição***
co-herdeiro > ***coerdeiro***

Na maior parte das locuções

bicho-de-sete-cabeças > ***bicho de sete cabeças***
cor-de-burro-quando-foge > ***cor de burro quando foge***

Minúsculas e maiúsculas

Uso obrigatório de minúscula

Pontos cardeais e colaterais

*Viajei de **n**orte a **s**ul do país.*

Uso obrigatório de maiúscula

Pontos cardeais empregados absolutamente quando designam regiões e abreviaturas correspondentes

*Vivo no **N**ordeste (do Brasil)*
***SE** (abreviatura de sudeste)*

Uso facultativo: maiúscula ou minúscula

Disciplinas escolares, cursos e domínios de saber

__m__atemática / __M__atemática
__m__edicina / __M__edicina

Lugares públicos, templos e edifícios

__a__venida Paulista / __A__venida Paulista
__p__alácio de Cristal / __P__alácio de Cristal
__i__greja de Nossa Senhora Aparecida / __I__greja de Nossa Senhora Aparecida

Formas de tratamento (axiônimos) e nomes sagrados (hierônimos)

__p__rofessor __d__outor Luís Rocha / __P__rofessor __D__outor Luís Rocha
__s__ão Sebastião / __S__ão Sebastião

Nomes de livros ou obras (bibliônimos), exceto o primeiro elemento e os nomes próprios, que têm necessariamente de aparecer em maiúscula

__O__lhai os __L__írios do __C__ampo / __O__lhai os __l__írios do __c__ampo
__M__emórias __P__óstumas de __B__rás __C__ubas / __M__emórias __p__óstumas de __B__rás __C__ubas

Português-Espanhol

a[1] /á/ *s.m.* (letra) a*f.* ◆ **de a a z** de pe a pa; **por a mais b** de manera irrefutable

a[2] /a/ *art.def.f.* la; *a mãe e a filha* la madre y la hija; *as mulheres* las mujeres ■ *pron.pess.f.* la; (leísmo) le; *eu a vejo* la veo; *não as vejo há anos* no las veo hace años ■ *pron.dem.f.* la; *esta saia era a que eu queria* esta falda era la que yo quería ■ *prep.* **1** (direção) a; *ir à casa de alguém* ir a casa de alguien **2** (posição) a; *à direita* a la derecha **3** (tempo) a; en; por; *à meia-noite* a medianoche; *à noite* por la noche; *dia a dia* día a día **4** (distância) a; *a uns metros daqui* a unos metros de aquí **5** (modo) a; *a pé* a pie **6** (instrumento) a; *feito à mão* hecho a mano **7** (preço) a; por; *as maçãs estão a um 1 real* las manzanas están a 1 real; *comprei-o a 20 euros* lo compré por 20 euros **8** (velocidade) a; *ir a 120 quilômetros por hora* ir a 120 kilómetros por hora **9** (sucessão) a; *pouco a pouco* poco a poco **10** (frequência) a; *duas vezes ao dia* dos veces al día **11** (pontuação) a; *perdemos de quatro a zero* perdimos por cuatro a cero **12** (complemento indireto) a; *telefonou ao pai* llamó a su padre **13** (construções perifrásticas) - ; *continuar a estudar* seguir estudiando **14** (regência verbal) a; *atreveu-se a falar comigo* se atrevió a hablar conmigo **15** (locuções) a; *passo a passo* paso a paso

à *contr. da prep.* a + *art.def.f.* a a la; *ir à praia* ir a la playa

> Reparar na diferença entre **à** (prep.) e **há** (forma do verbo haver): *vamos à festa* vamos **a la** fiesta; *há muito barulho* **hay** mucho ruido

AA (*sigla de* Alcoólicos Anônimos) AA (*sigla de* Alcohólicos Anónimos)

aba *s.f.* **1** (chapéu) ala **2** (roupa) faldón*m.* **3** (montanha) falda **4** (mesa) ala

abacate *s.m.* aguacate, palta*f.* [AM.S.]

abacateiro *s.m.* aguacate, palta*f.* [AM.S.]

abacaxi *s.m.* **1** (fruto) piña*f.*, ananás [AM.] **2** *fig.,col.* lío, embrollo **3** *fig.,col.* pesadez*f.* ◆ *col.* **descascar um abacaxi** arreglárselas, componérselas; resolver un problema

ábaco *s.m.* ábaco

abade *s.m.* (*f.* abadessa) abad

abadessa *s.f.* (*m.* abade) abadesa

abadia *s.f.* abadía

abafado *adj.* **1** (som, voz) ahogado, apagado, sordo **2** (lugar) ahogado **3** (tempo) sofocante, cargado, bochornoso **4** (fato, informação) encubierto, ocultado **5** (pessoa) sofocado, asfixiado **6** (choro, riso) contenido, reprimido

abafar *v.* **1** (fogo) apagar, extinguir **2** (som, ruído) amortiguar, ensordecer **3** (fato, informação) encubrir, ocultar **4** (pessoa) asfixiar, sofocar, ahogar **5** *col.* *(roubar)* mangar

abaixamento *s.m.* abajamiento

abaixar *v.* **1** bajar; *abaixa as persianas* baja las persianas **2** bajar, agachar; *abaixa a cabeça!* ¡agacha la cabeza! **3** (valor, intensidade) disminuir, reducir ■ **abaixar-se 1** (pessoa) agacharse **2** *fig.* rebajarse, humillarse

abaixo *adv.* **1** (lugar) abajo **2** (movimento) abajo ■ *interj.* ¡abajo! ◆ (pessoa) **abaixo assinado** abajo firmante; **abaixo de** debajo de; inferior a; **abaixo de zero** bajo cero

abaixo-assinado *s.m.* (*pl.* abaixo-assinados) (documento) petición*f.*, recogida*f.* de firmas

abajur *s.m.* lámpara*f.*

abalado *adj.* **1** *fig.* (saúde) debilitado **2** *fig.* (pessoa) conmovido, impresionado

abalar *v.* **1** *(fazer tremer)* sacudir **2** (força, resistência) quebrantar, debilitar **3** (choque, comoção) conmover, trastornar **4** *col.* (pessoa) largarse, pirarse

abalo *s.m.* **1** sacudida*f.* **2** *fig.* conmoción*f.*, trastorno ◆ **abalo sísmico/de terra** seísmo, temblor de tierra, terremoto

abalroamento *s.m.* (de veículos) choque, colisión*f.*; (de embarcações) abordaje

abalroar *v.* **1** (embarcação) chocar (-, con), abordar (-, a/con) **2** (veículo) chocar (-, con), colisionar (-, con)

abanador *s.m.* **1** *(leque)* abanico **2** (para atear o fogo) soplillo, abanador [AM.]

abanão *s.m.* *col.* sacudida*f.* (fuerte)

abanar *v.* **1** tambalearse **2** (com leque, abano) abanicar **3** *(sacudir)* sacudir **4** (animal) menear, mover **5** (cabeça, mão) sacudir, agitar, mover ■ **abanar-se** abanicarse (com, con); *abanava-se com o chapéu* se abanicaba con el sombrero

abandonado *adj.* **1** abandonado **2** *(desleixado)* dejado, descuidado

abandonar *v.* **1** (pessoa, animal) abandonar, desamparar **2** (ideia, plano) abandonar, dejar **3** (competição) retirarse (-, de) **4** (local) abandonar, salir (-, de)

abandono *s.m.* **1** abandono **2** *(desleixo)* dejadez*f.*, descuido ◆ **ao abandono** abandonado

abanico *s.m.* abanico

abano *s.m.* **1** *(leque)* abanico **2** (fogo) soplillo

abarcar *v.* **1** abarcar **2** *(açambarcar)* acaparar, monopolizar

abarrotado *adj.* **1** abarrotado, colmado, atestado, lleno **2** *fig.,col.* *(empanturrado)* atiborrado

abarrotar *v.* **1** abarrotar, colmar, atestar, llenar **2** *fig.,col.* *(empanturrar)* atiborrar ■ **abarrotar-se** *fig.,col.* *(empanturrar-se)* atiborrarse (de, de)

abastado *adj.* adinerado, acaudalado, rico

abastecedor, -a *adj.,s.m.,f.* proveedor, -a, abastecedor, -a ♦ **mercado abastecedor** mercado de abastos

abastecer *v.* proveer (de, de), abastecer (de, de), aprovisionar (de, de) ▪ **abastecer se** proveerse (de, de), abastecerse (de, de), aprovisionarse (de, de)

abastecimento *s.m.* **1** abastecimiento, aprovisionamiento; suministro **2** (veículo) repostaje, reabastecimiento de combustible

abate *s.m.* **1** (árvores) tala*f.*, corte **2** (animais) matanza*f.* **3** (preços) rebaja*f.*, descuento

abatedouro *s.m.* matadero

abater *v.* **1** hundirse **2** *(derrubar)* abatir, derribar **3** (árvore) talar, cortar **4** (pessoa, animal) matar, sacrificar **5** (preço) rebajar **6** *fig.* abatir, desalentar

abatido *adj.* **1** *(derrubado)* abatido, derribado **2** *(cansado)* cansado **3** *(deprimido)* desanimado, desalentado, cabizbajo **4** *(morto)* muerto

abatimento *s.m.* **1** (preço) rebaja*f.*, descuento **2** (terreno) desnivelación*f.*, depresión*f.* **3** (estado de espírito) abatimiento, bache, desánimo **4** (prédio) demolición*f.*, desmoronamiento, derrumbamiento

abc *s.m.* **1** *(abecedário)* abecé **2** (livro) cartilla*f.* **3** *fig.* abecé, nociones*f. pl.*, rudimentos*pl.*

abcissa *s.f.* abscisa

abdicar *v.* **1** (cargo, dignidade) abdicar (de, -), renunciar (de, a); ***o rei abdicou do trono em favor do seu filho*** el rey abdicó el trono en favor de su hijo **2** *(desistir)* abdicar (de, de), desistir (de, de), renunciar (de, a); ***abdicar de alguma coisa*** renunciar a algo

abdome *s.m.* ⇒ **abdômen**

abdômen *s.m.* abdomen

abdominais *s.m.pl.* abdominales; ***fazer abdominais*** hacer abdominales

abdominal *adj.2g.* abdominal

abdução *s.f.* ANAT. abducción

abduzir *v.* **1** ANAT. abducir **2** *(afastar)* alejar

abecê/á-bê-cê *s.m.* (*pl.* á-bê-cês) **1** *(abecedário)* abecé, abecedario **2** (livro) cartilla*f.* **3** *fig.* abecé, nociones*f. pl.*, rudimentos*pl.*

abecedário *s.m.* **1** *(alfabeto)* abecedario, alfabeto **2** (livro) abecedario, cartilla*f.*

abelha *s.f.* abeja

abelhudo *adj. pej.* entrometido, entremetido, metomentodo... ticón

abençoado *adj.* **1** bendecido, bendito **2** *fig.* afortunado, dichoso **3** *fig.* protegido

abençoar *v.* **1** bendecir; ***que Deus te abençoe!*** ¡que Dios te bendiga! **2** *fig.* bendecir, alabar **3** *fig.* proteger

aberração *s.f.* aberración ♦ **aberração da natureza** aberración de la naturaleza

aberta *s.f.* **1** *(orifício)* abertura, orificio*m.*; *(fresta)* grieta, hendidura; *(buraco)* agujero*m.* **2** *(passagem, acesso)* paso*m.*, acceso*m.* **3** (atividade, discurso) intervalo*m.* **4** (chuva) escampada, clara **5** claro*m.* **6** *fig. (oportunidade)* oportunidad **7** *fig.* (problema, dificuldade) salida

abertamente *adv.* abiertamente, francamente

aberto (*p.p. de* abrir) *adj.* **1** abierto; ***aberto ao público*** abierto al público **2** (pessoa) abierto, franco, sincero **3** (espírito, mentalidade) abierto, tolerante, liberal **4** (céu) abierto, despejado ▪ *s.m.* ESPOR. abierto, open ♦ **em aberto 1** por resolver **2** indefinido; **estar aberto a** estar abierto a; ***estar aberto a novas sugestões*** estar abierto a nuevas sugerencias

abertura *s.f.* **1** (ação) abertura **2** *(buraco)* abertura, agujero*m.* **3** *(início)* principio*m.*, comienzo*m.*, inicio*m.* **4** (espetáculo, cerimônia) apertura, inauguración **5** (de espírito, ideológica) apertura, tolerancia **6** (xadrez) apertura **7** (jornalismo) entradilla **8** MÚS. obertura

abismado *adj. fig.* pasmado, asombrado, atónito

abismal *adj.2g.* abismal

abismar *v.* **1** abismar **2** *fig.* pasmar, asombrar, sorprender

abismo *s.m.* abismo ♦ **estar à beira do abismo** estar al borde del abismo

abissal *adj.2g.* **1** abisal **2** *fig.* abismal

abjeção *s.f.* abyección, vileza, bajeza

abjeto *adj.* abyecto, despreciable, vil

abjudicação *s.f.* DIR. abjudicación

abjudicar *v.* DIR. abjudicar; excluir por ley

abjuração *s.f.* abjuración

abjurar *v.* **1** abjurar (-, de), renunciar (-, a), apostatar (-, de); ***abjurar a fé*** abjurar de la fe **2** *fig.* retractarse (-, de)

ablação *s.f.* ablación

ablativo *adj.,s.m.* ablativo

abnegação *s.f.* abnegación

abóbada *s.f.* bóveda ♦ ASTRON. **abóbada celeste** bóveda celeste; ANAT. **abóbada palatina** bóveda palatina

abobado *adj.* abobado, bobo

abobalhado *adj.* abobado, bobo

abóbora *s.f.* calabaza, zapallo*m.* [AM.S.]

aboboreira *s.f.* calabaza, calabacera

abocanhar *v.* **1** coger (algo) con la boca **2** *(morder)* morder, dentellear **3** *fig. (difamar)* difamar **4** *col.* mangar, choricear

abolição *s.f.* abolición

abolicionismo *s.m.* abolicionismo

abolicionista *adj.,s.2g.* abolicionista

abolir *v.* abolir

abominação *s.f.* abominación

abominar *v.* abominar, aborrecer, detestar

abominável *adj.2g.* abominable ♦ **o abominável homem das neves** el abominable hombre de las nieves

abonação *s.f.* **1** *(fiança)* fianza; *(garantia)* garantía **2** DIR. aval*m.* **3** LING. cita

abonado *adj.* **1** *(conceituado)* acreditado **2** *(endinheirado)* adinerado, acaudalado, rico

abonar *v.* **1** *(afiançar)* abonar, afianzar **2** *(comprovar)* comprobar, confirmar **3** (dinheiro) adelantar, anticipar; *(emprestar)* prestar **4** LING. citar **5** DIR. avalar, garantizar ■ **abonar-se** jactarse (de, de), vanagloriarse (de, de)

abonatório *adj.* abonador

abono *s.m.* **1** *(subsídio)* ayuda*f.*, subvención*f.*, subsidio **2** (dinheiro) adelanto, anticipo **3** DIR. aval, garantía*f.*

abordagem *s.f.* **1** (assunto, tema) enfoque*m.* **2** NÁUT. abordaje*m.*

abordar *v.* **1** NÁUT. abordar, atracar **2** (pessoa) abordar

aborígene *adj.,s.2g.* aborigen

aborígine *adj.,s.2g.* aborigen

aborrecer *v.* **1** *(desgostar)* disgustar, enfadar, irritar **2** *(entediar)* aburrir **3** *(importunar)* molestar ■ **aborrecer-se 1** *(irritar-se)* enfadarse (com, con); *ela aborreceu-se com a mãe* se ha enfadado con su madre **2** *(entediar-se)* aburrirse (de, de), hartarse (de, de); *ele aborreceu-se de tanto esperar* se aburrió de tanto esperar

aborrecido *adj.* **1** *(zangado)* enfadado, irritado; *estar aborrecido com alguém* estar enfadado con alguien **2** *(maçador)* aburrido, fastidioso, pesado

aborrecimento *s.m.* **1** *(tédio)* aburrimiento, tedio **2** *(contrariedade)* disgusto, contrariedad*f.* **3** *(irritação)* enfado

abortar *v.* **1** (missão, plano) abortar, interrumpir, frustar **2** (gravidez) abortar **3** INFORM. abortar **4** *fig.* abortar, fallar, fracasar

abortivo *adj.,s.m.* abortivo

aborto *s.m.* **1** aborto **2** *fig.,pej.* anormalidad*f.*, anomalía*f.* ♦ **aborto da natureza** aborto de la naturaleza

abotinado *adj.* (sapato) abotinado

abotoar *v.* abotonar, abrochar

abracadabra *s.m.* abracadabra

abraçar *v.* **1** (pessoa) abrazar; *abraçar alguém* abrazar a alguien **2** *fig.* (ideia, crença) abrazar, seguir, adoptar ■ **abraçar se** abrazarse

abraço *s.m.* abrazo; *dar um abraço em alguém* darle un abrazo a alguien ♦ (carta, mensagem) **um abraço** un abrazo

abrandar *v.* **1** (velocidade) reducir **2** *(amolecer)* ablandar **3** (pessoa) calmarse **4** (vento) amainar; (chuva) escampar **5** (dor) calmar **6** *fig.* (dor, sofrimento) atenuar, mitigar **7** *fig.* (fúria, irritação) aplacar, serenar ■ **abrandar se** ablandarse

abrangência *s.f.* alcance*m.*

abrangente *adj.2g.* **1** abarcador **2** *(amplo)* amplio, vasto

abranger *v.* **1** *(conter)* abarcar, contener, incluir **2** *(compreender)* abarcar, comprender **3** *(avistar)* abarcar (con la vista), avistar **4** *(atingir)* alcanzar

abrasador *adj.* abrasador

abrasar *v.* **1** abrasar **2** abrasar, quemar **3** *fig.* exaltar, entusiasmar ■ **abrasar se 1** abrasarse **2** *fig.* ponerse rojo/colorado, ruborizarse

abrasivo *adj.,s.m.* abrasivo

abre-alas *s.m.2n.* [coche alegórico que abre el desfile de una escuela de samba]

abre-latas *s.m.2n.* abrelatas, abridor

abreviação *s.f.* **1** *(encurtamento)* abreviación **2** *(abreviatura)* abreviatura **3** *(resumo)* resumen*m.*

abreviar *v.* **1** *(encurtar)* abreviar, acortar, reducir **2** (texto) resumir, condensar **3** (acontecimento) anticipar **4** (conversa) acortar, abreviar

abreviatura *s.f.* abreviatura

abridor *s.m.* abridor

abrigar *v.* **1** *(acolher)* abrigar **2** *(agasalhar)* abrigar **3** *fig.* ocultar ■ **abrigar-se 1** abrigarse (de, de), cobijarse (de, de), resguardarse (de, de); *abrigar-se da chuva* resguardarse de la lluvia **2** *fig.* ocultarse

abrigo *s.m.* **1** *(proteção)* abrigo, protección*f.* **2** *(agasalho)* abrigo **3** *fig.* apoyo, amparo **4** MIL. refugio ♦ **abrigo antiaéreo** refugio antiaéreo; **ao abrigo de** al abrigo de; **procurar abrigo** buscar cobijo

abril *s.m.* abril

abrilhantador *s.m.* abrillantador

abrilhantar *v.* abrillantar; pulir; *fig.* honrar

abrir *v.* **1** (flor) abrirse, desabotonar **2** *(descerrar)* abrir **3** (cor) ponerse más claro **4** (garrafa) abrir, destapar; (champanhe) descorchar **5** (tempo) despejarse **6** (conta, empresa, negócio) abrir **7** (processo, sessão) empezar **8** (camisa, blusa) desabotonar, desabrochar **9** (acesso, caminho) abrir **10** (tempo, clima, sol) abrir, encender **11** (aquecimento) encender **12** (sessão, curso) abrir, inaugurar, comenzar **13** (buraco) abrir, escavar ■ **abrir-se** *fig.* (pessoa) abrirse (com, a); *abrir-se com alguém* abrirse a alguien

abrótea *s.f.* **1** BOT. gamón blanco **2** ZOOL. brótola

abrunheiro *s.m.* BOT. endrino

abrunho *s.m.* BOT. endrina*f.*

abrupto *adj.* **1** (terreno) abrupto, escarpado **2** (fato, resposta) inesperado, súbito **3** *fig.* (pessoa) abrupto, áspero, rudo

ABS *sigla* (sistema antibloqueio de frenagem) ABS (sistema antibloqueo de frenos)

abscesso *s.m.* absceso

abscissa *s.f.* abscisa

absentismo *s.m.* **1** absentismo **2** POL. abstencionismo

absentista *adj.,s.2g.* **1** absentista **2** POL. abstencionista

abside *s.f.* ARQ. ábside*m.*

absolutamente *adv.* absolutamente, totalmente ♦ **absolutamente!** ¡en absoluto!, ¡de ningún modo!

absolutismo *s.m.* absolutismo

absolutista *adj.,s.2g.* absolutista

absoluto *adj.* **1** absoluto **2** *(forçoso)* urgente, imperioso

absolver *v.* **1** DIR. absolver **2** REL. absolver, perdonar **3** (obrigação, compromisso) eximir (de, de)

absolvição *s.f.* **1** (de acusações) absolución **2** (de pecados) absolución, perdón*m.*

absolvido *adj.* **1** (acusado) absuelto, declarado inocente **2** (penitente) absuelto, perdonado

absorção *s.f.* **1** absorción **2** (conhecimento, cultura, crença) asimilación

absorto *adj.* absorto (em, en), inmerso (em, en); *estar absorto no trabalho* estar absorto en el trabajo

absorvente *adj.2g.* **1** absorbente **2** *fig.* (livro, filme, história) cautivador **3** *fig.* (pessoa, trabalho) absorbente, monopolizador ▪ *s.m.* absorbente ♦ **absorvente diário** salvaslip; **absorvente higiênico/íntimo** compresa

absorver *v.* **1** (líquidos) absorber; embeber **2** *fig.* (crenças, conhecimentos, cultura) absorber; asimilar; incorporar **3** *fig.* (atenção) absorber, acaparar, atraer la atención ▪ **absorver se** concentrarse (em, en); *absorver-se no trabalho* concentrarse en el trabajo

absorvido *adj.* **1** (líquido) embebido **2** (alimento) digerido **3** (dinheiro) consumido **4** (pessoa) absorto, concentrado

abstêmi|o, -a *adj.,s.m.,f.* abstemi|o, -a

abstenção *s.f.* abstención

abstencionismo *s.m.* abstencionismo

abstencionista *adj.,s.2g.* abstencionista

abster *v.* impedir (de, -), privar (de, de); *o acidente absteve-o de trabalhar* el accidente le impidió trabajar ▪ **abster-se 1** (eleições) abstenerse (de, de) **2** *(privar-se)* abstenerse (de, de), privarse (de, de); *abster-se de comentários* abstenerse de comentarios **3** *(refrear-se)* contenerse, refrenarse

abstinência *s.f.* abstinencia

abstração *s.f.* **1** abstracción **2** ART.PL. obra abstracta

abstraído *adj.* abstraído (em, en), absorto (em, en)

abstrair *v.* **1** abstraer **2** *(pôr de lado)* no considerar ▪ **abstrair-se 1** *(alhear-se)* abstraerse (de, de); *é difícil abstrair-se de tudo isto* es difícil abstraerse de todo esto **2** *(concentrar-se)* concentrarse (em, en)

abstrato *adj.* **1** abstracto **2** *fig.* distraído **3** *fig.* incomprensible, obscuro ▪ *s.m.* abstracto

absurdo *adj.* absurdo, ilógico, disparatado ▪ *s.m.* **1** absurdo **2** disparate, tontería*f.*

abundância *s.f.* **1** abundancia, hartura **2** opulencia, riqueza ♦ **em abundância** en abundancia; **viver na abundância** vivir en la abundancia

abundante *adj.2g.* abundante

abundar *v.* **1** abundar (em, en); *o país abunda em cereais* el país abunda en cereales **2** *(sobrar)* sobrar, exceder

abusar *v.* **1** *(usar em excesso)* abusar (de, de); *abusar do álcool* abusar de la bebida **2** *(aproveitar-se)* abusar (de, de), aprovecharse (de, de) **3** (sexualmente) abusar (de, de); *abusar de alguém* abusar de alguien

abusivo *adj.* abusivo

abuso *s.m.* **1** *(uso impróprio)* abuso **2** *(uso excessivo)* exceso, exageración*f.* **3** *(violação)* abuso, violación*f.* ♦ **abuso de autoridade** abuso de autoridad; **abuso de confiança** abuso de confianza; **abuso sexual** abuso sexual; **que abuso!** ¡qué atrevimiento!

abutre *s.m.* buitre

a.C. (*abrev. de* antes de Cristo) a.C. (*abrev. de* antes de Cristo)

acabado *adj.* **1** acabado, terminado **2** *(perfeito)* perfecto **3** *fig.* (pessoa) acabado, gastado, envejecido

acabamento *s.m.* acabado

acabar *v.* **1** (findar) acabar, finalizar, terminar **2** *(pôr fim)* acabar (com, con); *acabem com essa discussão!* ¡acabad con esa discusión! **3** *(rematar)* acabar, perfeccionar, rematar, retocar **4** *(matar)* acabar (com, con), matar (com, -); *acabar com o inimigo* acabar con el enemigo **5** *(prejudicar)* acabar (com, con), destruir (com, -); *aquele boato acabou com a sua carreira* aquel rumor acabó con su carrera/se cargó su carrera **6** *col.* (relação amorosa) acabar, romper, cortar; *acabar com alguém* cortar con alguien ▪ **acabar-se** acabarse ♦ **acabar** [+*ger.*] acabar [+*ger.*], acabar por [+*inf.*]; *acabei ficando* acabé quedándome, acabé por quedarme; **acabar de** [+*inf.*] acabar de [+*inf.*]; *acabei de chegar* acabé de llegar; **acabar por** [+*inf.*] acabar [+*ger.*]; *acabei por ir* acabé yendo; *acabei por comprar um celular* acabé comprando un móvil; *col.* **acabou-se (o que era doce)!** ¡se acabó (lo que se daba)!; **um nunca acabar de** un sinfín/sinnúmero de

acácia *s.f.* acacia

academia *s.f.* **1** academia; *academia de artes* academia de artes **2** gimnasio*m.*

acadêmic|o, -a *s.m.,f.* **1** académic|o, -a **2** estudiante*2g.* universitari|o, -a ▪ *adj.* **1** académico **2** (estilo) académico, convencional, conservador

açafrão *s.m.* azafrán

açaí *s.m.* asaí

acalentar *v.* **1** dormir, acunar, adormecer, arrullar **2** *fig.* (ideias, planos, projetos) alimentar, acariciar

acalmar *v.* **1** (pessoa) calmar(se) **2** (tempestade, vento) amainar **3** *fig.* (conflito) reprimir ▪ **acalmar-se** (pessoa) calmarse, tranquilizarse

acalorado *adj.* **1** (pessoa) caluroso, acalorado **2** (debate, discussão) acalorado

acalorar *v.* **1** calentar **2** *fig.* (discussão, debate) calentar, caldear ▪ **acalorar-se** acalorarse, caldearse

acamar *v.* **1** caer/ponerse enfermo, enfermarse **2** disponer en capas

açambarcamento *s.m.* acaparamiento

acampamento *s.m.* **1** acampada*f.* **2** MIL. campamento **3** camping ♦ *col.* **levantar acampamento** liar los bártulos

acampar *v.* **1** acampar, hacer camping **2** MIL. acampar

acanhado *adj.* **1** *(tímido)* apocado, tímido, vergonzoso **2** *(pequeno)* pequeño **3** *(estreito)* estrecho, apretado **4** *fig.* mezquino, tacaño

acanhamento *s.m.* **1** timidez*f.*, vergüenza*f.* **2** (espaço) estrechez*f.*; encogimiento, apretamiento

acanhar *v.* **1** (pessoa) apocar, acoquinar, intimidar **2** (espaço) apretar; estrechar ▪ **acanhar se 1** *(envergonhar-se)* apocarse **2** *(acovardar-se)* acobardarse

ação *s.f.* **1** *(ato)* acción, acto*m.* **2** *(efeito)* acción, efecto*m.* **3** (obra, filme) acción **4** DIR. acción judicial, demanda, denuncia **5** ECON. acción ♦ REL. **ação de graças** acción de gracias; **ficar sem ação** no poder reaccionar; (plano, projeto) **pôr em ação** poner en marcha

acariciar *v.* acariciar

acarinhar *v.* **1** (pessoa) mimar **2** *fig.* (ideia, projeto) acariciar

ácaro *s.m.* ácaro

acarretar *v.* **1** acarrear, transportar, cargar **2** *fig.* (problemas, dificuldades) acarrear, ocasionar, provocar
acasalar *v.* **1** (animal) aparearse, acoplarse **2** (animal) aparear, acoplar **3** *fig.* amancebarse
acaso *s.m.* **1** casualidad*f.*, azar **2** destino, suerte*f.* ■ *adv.* acaso ♦ **ao acaso** al azar; **por acaso** por casualidad; **se por acaso** si acaso
acastanhado *adj.* **1** (cor) pardusco **2** (cabelo) castaño; (olhos) marrón
acatar *v.* **1** *(respeitar)* respetar, venerar **2** (ordem, regulamento) acatar, observar, cumplir
acautelar *v.* precaver, prevenir ■ **acautelar-se 1** precaverse **2** *fig.* resguardarse (em, en)
acefalia *s.f.* acefalia
acéfalo *adj.* **1** acéfalo **2** *fig.* imbécil, tonto
aceitação *s.f.* **1** aceptación **2** *(receptividade)* acogida; éxito*m.* **3** (produto) aceptación
aceitar *v.* **1** aceptar **2** (letra de câmbio) aceptar **3** (fato, notícia desagradável) encajar ♦ **aceitar que** [+*conj.*] aceptar que [+*conj.*]
aceitável *adj.2g.* aceptable
aceleração *s.f.* **1** aceleración **2** *(pressa)* prisa
acelerado *adj.* **1** *(rápido)* acelerado, rápido **2** *(apressado)* apresurado **3** *col.* (pessoa) acelerado
acelerador *s.m.* acelerador ♦ FÍS. **acelerador de partículas** acelerador de partículas
acelerar *v.* **1** acelerarse **2** (veículo, motor) acelerar **3** (processo, trabalho) acelerar, apresurar **4** *(apressar-se)* acelerarse, apresurarse, darse prisa
acelga *s.f.* acelga
acém *s.m.* solomillo
acenar *v.* **1** hacer señas; (com a mão, cabeça) saludar (con la mano/cabeza) **2** decir adiós con la mano, despedirse
acendalha *s.f.* **1** (aparas de madeira) yesca **2** (barbecue, lareira) pastilla de encendido
acender *v.* **1** (fogo) encender **2** (luz, aparelho) encender; conectar; dar **3** *fig.* (sentimento, desejo) encender, excitar **4** (debate, discussão) animar, entusiasmar, excitar ■ **acender se 1** (aparelho, luz) encenderse **2** (debate, discussão) encenderse, caldearse
aceno *s.m.* **1** gesto, ademán, seña*f.* **2** (cumprimento, despedida) saludo (con la mano/cabeza)
acento *s.m.* **1** acento, tilde **2** acento, deje ♦ **pôr acento em** cargar/poner el acento en
acentuação *s.f.* acentuación
acentuar *v.* **1** (palavras) acentuar, tildar **2** *fig.* *(salientar)* acentuar, realzar, resaltar ■ **acentuar se** acentuarse
acepção *s.f.* acepción, significado*m.* ♦ **na verdadeira acepção da palavra** en toda la extensión de la palabra, en el sentido estricto de la palabra
acepipe *s.m.* manjar, exquisitez*f.* ■ **acepipes** *s.m.pl.* entremeses
acéquia *s.f.* acequia
acercar *v.* acercar (de, a), aproximar (de, a) ■ **acercar se** acercarse (de, a), aproximarse (de, a)
aceroso *adj.* acerado
acérrimo *adj.* (*superl. de* acre) acérrimo
acertado *adj.* **1** correcto **2** *fig.* atinado
acertar *v.* **1** (teste, jogo) acertar **2** (resposta) acertar **3** *(ganhar)* acertar, ganar **4** (relógio) poner en hora **5** *(combinar)* concertar, acordar, pactar ♦ **acertar em** acertar en; *acertar no alvo* acertar en el blanco; *acertar na resposta* acertar la respuesta; *col.* **não acertar uma** no dar una, no dar pie con bola
acerto *s.m.* **1** *(correção)* acierto **2** *(ajuste)* ajuste **3** *(sensatez)* acierto, tino, tacto ♦ **acerto de contas** ajuste de cuentas
acervo *s.m.* **1** *(montão)* pila*f.*, montón **2** *(patrimônio)* acervo, patrimonio
aceso (*p.p. de* acender) *adj.* **1** (luz) encendido; conectado **2** *fig.* (debate, discussão) encendido, animado **3** *fig.* excitado, encendido; arrebatado
acessar *v.* acceder (a, a)
acessibilidade *s.f.* accesibilidad ■ **acessibilidades** *s.f.pl.* vías de acceso, accesos*m.*
acessível *adj.2g.* **1** (lugar) accesible **2** (preço) asequible **3** (pessoa) accesible, sociable **4** *(inteligível)* accesible, inteligible, comprensible
acesso *s.m.* **1** (a lugar) acceso, entrada*f.* **2** (a curso) acceso **3** (fúria, raiva, cólera, tosse) acceso, ataque ♦ **dar acesso a 1** (lugar) acceder a **2** (objetivo) permitir alcanzar
acessório *s.m.* **1** accesorio, complemento; *acessórios de moda* complementos de moda **2** accesorio, adorno **3** CIN.,TEAT. atrezo ■ *adj.* **1** accesorio; secundario **2** complementario, suplementario, supletorio
acetato *s.m.* **1** acetato **2** (retroprojetor) transparencia*f.*
acético *adj.* acético
acetinado *adj.* satinado
acetinar *v.* satinar
acetona *s.f.* **1** acetona **2** (para unhas) quitaesmalte*m.*
acha *s.f.* leño*m.*
achado *s.m.* **1** hallazgo **2** *col.* *(pechincha)* ganga*f.* ♦ (seção) **achados e perdidos** sección de hallados y perdidos
achaque *s.m.* achaque, indisposición*f.*, enfermedad*f.* de poca importancia
achar *v.* **1** *(encontrar)* encontrar, hallar **2** *(julgar)* creer, suponer **3** *(considerar)* parecer, encontrar **4** *fig.* encontrar, descubrir ■ **achar-se 1** *(julgar-se)* creerse **2** (em lugar) encontrarse, estar ♦ **achar-se dono da verdade** creerse en posesión de la verdad (absoluta)
achatado *adj.* **1** achatado, llano, plano **2** (nariz) chato
achatar *v.* achatar ■ **achatar-se** achatarse
achegar *v.* allegar, juntar
achocolatado *adj.* achocolatado
acicatar *v.* **1** (cavalgadura) espolear **2** *fig.* incentivar, estimular, incitar
acidentad|o, -a *s.m.,f.* accidentad|o, -a, siniestrad|o, -a ■ *adj.* **1** (terreno) accidentado, irregular **2** *fig.* accidentado, lleno de incidentes, agitado ■ **acidentado** *s.m.* (terreno) accidente, irregularidad*f.*

acidental *adj.2g.* **1** *(casual)* accidental, casual, fortuito **2** *(suplementar)* suplementario, adicional

acidentalmente *adv.* accidentalmente, por casualidad

acidente *s.m.* **1** accidente **2** *(acaso)* casualidad*f.* ♦ **acidente de trânsito** accidente de tráfico; **por acidente** por casualidad

acidez *s.f.* **1** acidez **2** *fig.* acidez, aspereza ♦ **acidez gástrica** acidez de estómago

ácido *adj.* **1** (sabor) ácido, agrio **2** *fig.* ácido, mordaz, irónico **3** QUÍM. ácido ▪ *s.m.* ácido

acima *adv.* arriba ▪ *interj.* ¡arriba! ♦ **acima de 1** (espaço) antes de **2** *(mais)* más de; *tem acima de quarenta anos* tiene más de cuarenta años **3** (série) por encima de; **acima de tudo** por encima de todo, sobre todo; **acima mencionado** susodicho

acinzentado *adj.* grisáceo

acinzentar *v.* acenizar ▪ **acinzentar-se** tomar el color de la ceniza

acionamento *s.m.* **1** activación*f.* **2** (plano, projeto) ejecución*f.*; puesta*f.* en marcha

acionar *v.* **1** (mecanismo) accionar, activar, conectar **2** DIR. demandar, procesar

acionista *s.2g.* accionista ▪ *adj.2g.* accionario

acirrar *v.* **1** (pessoa) irritar **2** (cavalo) espolear **3** (cão) azuzar

aclamação *s.f.* aclamación ♦ **por aclamação** por aclamación; *eleito por aclamação* elegido por aclamación

aclamar *v.* **1** *(aplaudir)* aclamar, aplaudir **2** (cargo, função) aclamar, proclamar

aclarar *v.* **1** (cor) aclarar **2** *(explicar)* aclarar, explicar, clarificar, esclarecer

aclimatação *s.f.* aclimatación, adaptación

aclive *s.m.* ladera*f.*, declive, cuesta*f.*

acne *s.f.* acné*m./f.*

aço *s.m.* acero ♦ **de aço** de acero

acobardar *v.* ⇒ **acovardar**

acobreado *adj.* cobrizo

açoitar *v.* azotar

açoite *s.m.* **1** (instrumento) azote, látigo **2** (golpe) azote **3** *(palmada)* azote, palmada*f.*

acolá *adv.* allá ♦ **aqui e acolá** acá y acullá

acolchoado *adj.* **1** (assento) acolchado **2** *(estofado)* tapizado **3** (roupa) forrado ▪ *s.m.* colcha*f.*

acolchoamento *s.m.* acolchamiento

acolchoar *v.* acolchar

acolhedor *adj.* **1** (local) acogedor, agradable, cómodo **2** (pessoa) acogedor, hospitalario

acolher *v.* **1** *(abrigar)* acoger, hospedar **2** (visita) acoger, recibir **3** (ideia, proposta) aceptar, acatar ▪ **acolher se** hospedarse

acolhimento *s.m.* **1** *(recepção)* acogida*f.*, recepción*f.*, recibimiento, hospitalidad*f.* **2** *(refúgio)* refugio, abrigo

acometer *v.* **1** *(atacar)* acometer, embestir, atacar **2** (doença) atacar, acometer

acomodar *v.* **1** *(alojar)* alojar, acomodar, hospedar **2** *(arrumar)* acomodar, arreglar, disponer **3** *(adaptar)* adaptar, adecuar ▪ **acomodar se 1** *(instalar-se)* acomodarse, instalarse **2** *(conformar-se)* acomodarse (a, a), conformarse (a, con), avenirse (a, a), resignarse (a, a) **3** *(adaptar-se)* adaptarse (a, a), adecuarse (a, a)

acompanhado *adj.* **1** (pessoa) acompañado (de/por, de/por); *estar bem/mal acompanhado* estar bien/mal acompañado **2** (comida, bebida) acompañado (com, de); *bife acompanhado com batatas fritas* bistec acompañado de patatas fritas ♦ **antes só que mal acompanhado** más vale estar solo que mal acompañado

acompanhamento *s.m.* **1** *(comitiva)* acompañamiento, comitiva*f.*, séquito **2** (por profissional) asistencia*f.*; supervisión*f.* **3** MÚS. acompañamiento **4** CUL. acompañamiento, guarnición*f.*

acompanhante *adj.,s.2g.* acompañante

acompanhar *v.* **1** (pessoa) acompañar **2** (acontecimento) cubrir **3** (programa) seguir **4** (doente) tratar **5** (comida, bebida) acompañar (com, con) **6** acompañar (a, a); *acompanhar alguém ao piano* acompañar a alguien al piano

aconchegado *adj.* **1** *(confortável)* acogedor, cómodo, confortable **2** *(agasalhado)* abrigado, arropado

aconchegante *adj.2g.* **1** *(acolhedor)* acogedor, agradable **2** *(confortável)* confortable, cómodo

aconchegar *v.* **1** coger **2** *(agasalhar)* abrigar, arropar **3** *(tornar confortável)* hacer confortable ▪ **aconchegar-se** abrigarse (em, en)

aconchego *s.m.* **1** *(conforto)* comodidad*f.*, confort, bienestar **2** *(amparo)* acogida*f.*, protección*f.*

acondicionamento *s.m.* **1** *(arrumação)* acondicionamiento **2** (mercadorias) acondicionamiento, empaquetamiento **3** *(embalagem)* embalaje

acondicionar *v.* **1** *(arrumar)* acondicionar, disponer **2** (mercadorias) embalar, empaquetar, empacar

aconselhado *adj.* **1** aconsejado **2** *(recomendado)* sugerido, recomendado

aconselhar *v.* **1** aconsejar, dar consejo **2** *(recomendar)* aconsejar, recomendar ▪ **aconselhar-se** aconsejarse (com, de/con), consultar (com, -); *aconselhar-se com alguém* aconsejarse con alguien, consultar a alguien; *deves aconselhar-te com um bom advogado* debes aconsejarte de/con un buen abogado, debes consultar a un buen abogado

aconselhável *adj.2g.* aconsejable

acontecer *v.* **1** acontecer, ocurrir, suceder **2** *fig.* tener éxito ♦ **aconteça o que acontecer** pase lo que pase; **acontece que** lo que pasa es que

acontecimento *s.m.* **1** *(ocorrência)* acontecimiento, suceso, hecho **2** *(acaso)* azar, suerte*f.* **3** *fig.* acontecimiento, suceso, éxito ♦ **estar em cima do acontecimento** estar al loro *col.*

acoplamento *s.m.* acoplamiento

acoplar *v.* (corpos, objetos) acoplar, juntar, unir

açor *s.m.* azor

acordado *adj.* **1** despierto **2** (acordo, contrato) acordado, pactado

acordar *v.* **1** *(despertar)* despertarse **2** (pessoa) despertar **3** *(concordar)* acordar (em, -); *acordaram em vender a casa* han acordado vender la casa **4** *(combinar)* acordar, ponerse de acuerdo **5** *(tomar consciência)* despertar, abrir los ojos **6** *(conciliar)* acordar, conciliar

acorde *s.m.* acorde

acordeom *s.m.* acordeón

acordeonista *s.2g.* acordeonista

acordo *s.m.* **1** *(concordância)* acuerdo, conformidad *f.*, concordancia *f.* **2** *(pacto)* acuerdo, pacto, convenio ♦ **de acordo!** ¡vale!, ¡de acuerdo!; **de acordo com** de acuerdo con, según; **de comum acordo** de común acuerdo; **estar de acordo com** estar de acuerdo con

acorrentar *v.* **1** encadenar **2** *fig.* subyugar, someter, sujetar

acostamento *s.m.* arcén

acostumado *adj.* acostumbrado (a, a); *está acostumado a deitar-se cedo* está acostumbrado a acostarse temprano

acostumar *v.* acostumbrar (a, a), habituar (a, a); *acostumar o corpo ao frio* acostumbrar el cuerpo al frío ▪ **acostumar-se** acostumbrarse (a, a), habituarse (a, a); *acostumar-se a alguma coisa* acostumbrarse a algo

acotovelar *v.* **1** codear, dar codazos **2** *(empurrar)* empujar ▪ **acotovelar-se 1** darse codazos **2** (na multidão) empujarse

açougue *s.m.* carnicería *f.*

açougueiro *s.m.* carnicero

acovardar *v.* **1** *(amedrontar)* acobardar, atemorizar, asustar **2** *(intimidar)* acobardar, intimidar ▪ **acovardar se** acobardarse, intimidarse

acre *adj.2g.* **1** acre, picante **2** *fig.* áspero, desabrido ▪ *s.m.* acre

acreditação *s.f.* acreditación

acreditado *adj.* **1** acreditado, reputado **2** (diplomata) acreditado

acreditar *v.* **1** *(ter fé)* creer (em, en); *acreditar em Deus* creer en Dios **2** creer, considerar, suponer **3** *(dar crédito)* creer (em, en); *acreditar em alguém* creer en alguien **4** *(dar crédito)* acreditar, garantizar, avalar ♦ **não posso acreditar!** ¡no me lo puedo creer!

acrescentar *v.* **1** *(adicionar)* añadir, agregar **2** (quantidade, tamanho) aumentar, acrecentar, incrementar

acrescer *v.* **1** sumarse (a, a), juntarse (a, a); *à fome acresce a pobreza* el hambre se suma a la pobreza **2** *(aumentar)* aumentar **3** *(acrescentar)* añadir ♦ **acresce que** además

acréscimo *s.m.* añadidura *f.* ♦ **por acréscimo** por añadidura

acrílico *adj.* acrílico

acrimônia *s.f. fig.* acrimonia, mordacidad

acrobacia *s.f.* acrobacia ♦ **acrobacia aérea** acrobacia aérea

acrobata *s.2g.* acróbata

acrobático *adj.* acrobático

acromático *adj.* acromático

acrônimo *s.m.* acrónimo

acrópole *s.f.* acrópolis *2n.*

acróstico *adj.,s.m.* acróstico

actínia *s.f.* actinia, anémona de mar

actínio *s.m.* actinio

açúcar *s.m.* azúcar *m./f.*

açucarado *adj.* **1** azucarado **2** *fig.* empalagoso, pegajoso

açucarar *v.* **1** azucarar, endulzar **2** *fig.* suavizar

açucareiro *adj.* azucarero ▪ *s.m.* (recipiente) azucarero, azucarera *f.*

açucena *s.f.* azucena

açude *s.m.* **1** azud, presa *f.* **2** dique, embalse, presa *f.*

acudir *v.* **1** replicar **2** ayudar, socorrer, auxiliar; *acudam(-me)!* ¡socorro! **3** (pedido, convite, ordem) acudir (a, a); *acudir ao chamamento* acudir a su llamada

acuidade *s.f.* **1** *(perspicácia)* perspicacia, agudeza **2** MED. agudeza; *acuidade visual* agudeza visual **3** (assunto, problema) importancia, relevancia

aculturar-se *v.* adaptarse a otra cultura

acumulação *s.f.* **1** acumulación **2** (cargo, função) pluriempleo *m.*

acumulado *adj.* **1** *(amontoado)* acumulado, amontonado, apilado **2** *(armazenado)* almacenado, acaparado **3** (dinheiro) acumulado, ahorrado **4** (cargo, função) pluriempleado

acumulador *adj.* acumulador ▪ *s.m.* acumulador

acumular *v.* **1** *(amontoar)* acumular, amontonar **2** *(armazenar)* almacenar, acaparar **3** (dinheiro, riquezas) acumular, reunir **4** (cargos, funções) acumular, estar pluriempleado ▪ **acumular se** acumularse, amontonarse

acumulativo *adj.* acumulativo

acúmulo *s.m.* cúmulo

acupuntura *s.f.* acupuntura

acupunturista *s.2g.* acupuntor, -a *m.f.*, acupunturista

acusação *s.f.* **1** *(incriminação)* acusación, incriminación **2** *(denúncia)* acusación, inculpación **3** *(confissão)* confesión

acusad|o, -a *s.m.,f.* acusad|o, -a, re|o, -a, procesad|o, -a ▪ *adj.* acusado, incriminado

acusador, -a *s.m.,f.* acusador, -a; demandante *2g.*, querellante *2g.*

acusar *v.* **1** acusar, imputar; acusar, culpar **2** denunciar, delatar, acusar, inculpar **3** *fig.* acusar, mostrar, revelar **4** (carta, encomenda) acusar, notificar, comunicar; *acusar o recebimento de* acusar el recibo de ▪ **acusar se** acusarse, confesarse

acusativo *adj.,s.m.* acusativo

acústica *s.f.* acústica

acústico *adj.* acústico

adágio *s.m.* **1** *(aforismo)* adagio; aforismo; proverbio; refrán **2** MÚS. adagio
adaptação *s.f.* **1** *(acomodação)* adaptación, acomodación **2** (espaço, edifício) remodelación **3** (obra, música) adaptación
adaptador *s.m.* adaptador
adaptar *v.* adaptar ▪ **adaptar-se** adaptarse (a, a); amoldarse (a, a), adecuarse (a, a); *adaptar-se às suas possibilidades* adaptarse a sus posibilidades
adaptável *adj.2g.* adaptable (a, a)
adega *s.f.* bodega
adelgaçar *v.* **1** adelgazar; estrechar **2** *(diminuir)* disminuir; reducir ▪ **adelgaçar se** adelgazar
adenda *s.f.* adenda, apéndice*m.*
adentro *adv.* adentro; *noite adentro* noche adentro
adept|o, -a *s.m.,f.* (de doutrina, religião) adept|o, -a, partidari|o, -a
adequado *adj.* adecuado (a, a), adaptado (a, a), apropiado (a, a/para); *adequado às necessidades* adecuado a las necesidades
adequar *v.* adecuar (a, a), adaptar (a, a); *adequar às necessidades* adecuar a las necesidades ▪ **adequar se** adecuarse (a, a), adaptarse (a, a)
aderecista *s.2g.* decorador, -a*m.f.* (persona encargada del atrezo)
adereço *s.m.* aderezo; adorno; ornamento; atavío ▪ **adereços** *s.m.pl.* atrezo, utilería*f.*
aderência *s.f.* **1** adherencia **2** *fig.* (causa, projeto) adhesión (a, a)
aderente *adj.2g.* adherente ▪ *s.2g.* **1** (ideia, movimento) partidari|o, -a*m.f.*, seguidor, -a*m.f.* **2** (serviço) abonad|o, -a*m.f.*
aderir *v.* **1** *(colar)* adherir, pegar **2** adherir; *estes pneus aderem bem à estrada* estos neumáticos se adhieren bien a la carretera **3** (causa, ideia, partido) adherirse (a, a); afiliarse (a, a); *aderir a um partido* afiliarse a un partido
adesão *s.f.* **1** *(aderência)* adherencia **2** (causa, ideia, partido) adhesión (a, a) **3** FÍS. adhesión
adesivo *adj.* adhesivo ▪ *s.m.* pegatina*f.*, adhesivo
adestramento *s.m.* adiestramiento, amaestramiento
adestrar *v.* **1** (animal) adiestrar, amaestrar **2** (pessoa) instruir, enseñar
adeus *interj.* ¡adiós! ▪ *s.m.* adiós ♦ *col.* **dizer adeus a alguma coisa** decirle adiós a algo, despedirse de algo
adiado *adj.* aplazado, pospuesto, retrasado
adiamento *s.m.* aplazamiento, prórroga*f.*
adiantadamente *adv.* adelantadamente
adiantado *adj.* **1** *(avançado)* adelantado **2** *(antecipado)* adelantado, anticipado; (pessoa) *chegar adiantado* llegar adelantado **3** *(desenvolvido)* adelantado, desarrollado **4** (pagamento) adelantado ▪ *adv.* por adelantado; *pagar adiantado* pagar por adelantado ♦ **devido ao adiantado da hora** por causa de la hora avanzada
adiantamento *s.m.* **1** (dinheiro) adelanto, anticipo **2** *(vantagem)* delantera*f.*, ventaja*f.* **3** *(desenvolvimento)* desarrollo
adiantar *v.* **1** aprovechar; servir; *não adianta nada* no sirve de nada **2** *(avançar)* adelantar, avanzar **3** *(fazer progredir)* adelantar **4** (dinheiro) anticipar, adelantar **5** (o relógio) adelantar **6** *(apressar)* apresurar, aligerar ▪ **adiantar-se 1** adelantarse (a, a); *adiantar-se a alguém* adelantarse a alguien **2** (tempo) adelantarse
adiante *adv.* **1** (lugar, posição) adelante; delante **2** (tempo futuro) después; más adelante; posteriormente **3** *(avante)* adelante ▪ *interj.* ¡adelante!
adiar *v.* aplazar, posponer, retrasar
adiável *adj.2g.* aplazable, prorrogable
adição *s.f.* **1** adición, añadidura **2** MAT. adición, suma
adicional *adj.2g.* **1** adicional **2** (quantia) extra
adicionar *v.* **1** adicionar, añadir **2** MAT. adicionar, sumar
adipose *s.f.* adiposis*2n.*, obesidad
adiposidade *s.f.* adiposidad
adiposo *adj.* **1** adiposo **2** (pessoa) gordo, obeso
aditamento *s.m.* aditamento; añadidura*f.*; suplemento; *em aditamento* como suplemento
adivinha *s.f.* **1** *(enigma)* adivinanza, acertijo*m.* **2** (pessoa) adivina
adivinhação *s.f.* adivinación
adivinhar *v.* adivinar
adjacência *s.f.* adyacencia, contigüidad
adjacente *adj.2g.* adyacente (a, a), contigüo (a, a)
adjetivação *s.f.* adjetivación
adjetival *adj.2g.* adjetival
adjetivar *v.* adjetivar
adjetivo *s.m.* adjetivo
adjudicação *s.f.* adjudicación
adjudicador, -a *adj.,s.m.,f.* adjudicador, -a
adjudicar *v.* adjudicar (a, a), conceder (a, a); *adjudicar um contrato a uma firma* adjudicarle un contrato a una empresa
adjudicatári|o, -a *s.m.,f.* adjudicatari|o, -a
adjunção *s.f.* **1** *(junção)* unión **2** DIR. adjunción
adjunt|o, -a *s.m.,f.* adjunt|o, -a ▪ **adjunto** *s.m.* LING. adjunto ▪ *adj.* adjunto
adjuvante *adj.2g.* adyuvante, auxiliar
administração *s.f.* administración
administrador, -a *s.m.,f.* administrador, -a
administrar *v.* **1** *(gerir)* administrar, gestionar, dirigir **2** (medicamento, sacramento) administrar
administrativo *adj.* administrativo
admiração *s.f.* admiración
admirado *adj.* **1** *(estimado)* admirado (**por**, por); *ele era admirado por toda a gente* era admirado por todo el mundo **2** *(surpreendido)* sorprendido (**com**, con); *fiquei admirado com o resultado* me he quedado sorprendido con el resultado
admirador, -a *s.m.,f.* admirador, -a

admirar *v.* **1** admirar **2** *(surpreender)* sorprender ▪ **admirar se** admirarse
admirável *adj.2g.* admirable
admissão *s.f.* (empresa, escola) ingreso*m.*, acceso*m.*, admisión
admissível *adj.2g.* admisible
admitir *v.* **1** *(aceitar)* admitir, reconocer; *admite!* ¡admítelo!, ¡reconócelo! **2** *(permitir)* admitir, permitir **3** (funcionário) contratar, emplear **4** *(consentir)* consentir **5** *(supor)* suponer, admitir
admoestação *s.f.* **1** *(advertência)* amonestación, advertencia, aviso*m.* **2** *(repreensão)* reprensión, reprimenda
adoçante *s.m.* edulcorante
adoção *s.f.* **1** *(perfilhação)* adopción **2** (princípio, ideia) adopción, aceptación **3** (lei, medida) aprobación, adopción
adoçar *v.* **1** endulzar; azucarar **2** *fig.* suavizar
adocicado *adj.* **1** algo dulce **2** *pej.* afectado, afeminado
adocicar *v.* endulzar
adoecer *v.* enfermar (com, de), ponerse enfermo (com, de); *ela adoeceu com gripe* ella se ha enfermado de gripe, se ha puesto enferma de gripe
adoentado *adj.* algo enfermo, pachucho*col.*, pocho*col.*
adoentar *v.* enfermar ligeramente ▪ **adoentar-se** ponerse pachucho
adolescência *s.f.* adolescencia
adolescente *adj.,s.2g.* adolescente
adoração *s.f.* adoración
adorar *v.* **1** (divindade) adorar, venerar **2** (pessoa) adorar, querer; *te adoro!* ¡te quiero! **3** *col. (gostar muito)* encantar; *eu adoro chocolate* me encanta el chocolate ◆ **adorar** [+*inf.*] encantar [+*inf.*]; *ele adoraria ir a Itália* le encantaría ir a Italia; **adorar que** [+*conj.*] encantar que [+*conj.*]; *eu adoraria que você viesse aqui* me encantaría que vinieses aquí
adorável *adj.2g.* adorable
adormecer *v.* **1** dormirse, adormecerse; quedarse dormido, no despertarse a tiempo **2** dormir, adormecer **3** (parte do corpo) entumecerse **4** *fig.* (dor, sentimento) adormecer, calmar
adormecido *adj.* **1** (pessoa) dormido **2** (parte do corpo) dormido, entumecido **3** *fig. (acalmado)* calmado ◆ (conto) **a Bela Adormecida** la Bella Durmiente
adornar *v.* adornar, ornamentar, ornar
adorno *s.m.* adorno ◆ **de adorno** de adorno
adotar *v.* **1** (criança) adoptar, prohijar **2** (ideia, doutrina) adoptar; seguir **3** (lei, medida) aprobar **4** (atitude, comportamento) adoptar, asumir **5** (livro) escoger, elegir
adotivo *adj.* adoptivo
adquirir *v.* **1** *(comprar)* adquirir, comprar **2** *(obter)* adquirir, cobrar, conseguir, ganar
adrenalina *s.f.* adrenalina
adriático *adj.* adriático
Adriático *s.m.* Adriático
adro *s.m.* atrio (de iglesia)
ADSL *sigla* (linha digital assimétrica para assinantes) ADSL (línea digital asimétrica de usuario)
adstringência *s.f.* astringencia
adstringente *adj.2g.* (substância) astringente
adstringir *v.* (tecido orgânico) astringir, contraer, estrechar
adstrito *adj.* **1** *(ligado)* unido **2** *(contraído)* contraído **3** *(sujeito)* sujeto (a, a)
aduana *s.f.* aduana
aduaneiro *adj.* aduanero
adubar *v.* **1** abonar, fertilizar **2** (comida) condimentar
adubo *s.m.* abono, fertilizante
adulação *s.f.* adulación, halago*m.*, lisonja
adulador, -a *adj.,s.m.,f.* adulador, -a
adular *v.* adular, halagar, lisonjear
adulteração *s.f.* adulteración
adulterar *v.* **1** cometer adultério **2** adulterar, corromper, alterar **3** *(falsificar)* adulterar, falsear ▪ **adulterar-se** corromperse
adultério *s.m.* adulterio
adúlter|o, -a *adj.,s.m.,f.* adúlter|o, -a
adult|o, -a *adj.,s.m.,f.* adult|o, -a
advento *s.m.* llegada*f.*, venida*f.*, advenimiento
Advento *s.m.* Adviento
adverbial *adj.2g.* adverbial
advérbio *s.m.* adverbio
adversári|o, -a *adj.,s.m.,f.* adversari|o, -a, rival*2g.*
adversativo *adj.* adversativo
adversidade *s.f.* **1** *(contrariedade)* adversidad, contrariedad **2** *(infortúnio)* adversidad, desdicha, infortunio*m.*
adverso *adj.* **1** *(contrário)* adverso, opuesto, contrario **2** *(desfavorável)* adverso, desfavorable
advertência *s.f.* **1** advertencia, aviso*m.* **2** reprimenda, reprensión, amonestación **3** información
advertido *adj.* **1** *(avisado)* atento, avisado, advertido **2** *(repreendido)* repreendido, regañado **3** *(prudente)* prudente, cauteloso
advertir *v.* **1** *(avisar)* advertir, prevenir, avisar **2** *(repreender)* reprender, amonestar, regañar **3** *(informar)* informar
advir *v.* **1** *(suceder)* advenir; sobrevenir; suceder **2** *(ser consequência)* resultar (de, de)
advocacia *s.f.* abogacía
advogad|o, -a *s.m.,f.* abogad|o, -a, letrad|o, -a ◆ *col.* **advogado do diabo** abogado del diabo
advogar *v.* **1** ejercer la abogacía **2** abogar (por, por), interceder (por, por); *advogar a favor de alguém* abogar en favor de alguien
aéreo *adj.* **1** aéreo **2** *fig.* (pessoa) distraído, despistado
aeróbata *s.2g.* acróbata aéreo
aeróbica *s.f.* aeróbic*m.*, aerobic*m.*
aeróbio *adj.* aerobio
aeroclube *s.m.* aeroclub
aerodinâmica *s.f.* aerodinámica

aerodinâmico *adj.* aerodinámico
aeródromo *s.m.* aeródromo
aeroespacial *adj.2g.* aeroespacial
aeromoça *s.f. col.* azafata, aeromoza [AM.]
aeromodelismo *s.m.* aeromodelismo
aeromodelista *s.2g.* aeromodelista
aeromotor *s.m.* aeromotor
aeronauta *s.2g.* aeronauta
aeronáutica *s.f.* aeronáutica
aeronáutico *adj.* aeronáutico
aeronaval *adj.2g.* aeronaval
aeronave *s.f.* aeronave
aeroplano *s.m.* aeroplano
aeroporto *s.m.* aeropuerto
aerossol *s.m.* aerosol
aerostática *s.f.* aerostática
aerostático *adj.* aerostático
aeróstato *s.m.* aeróstato, aerostato
aerovia *s.f.* aerovía
afã *s.m.* **1** *(afinco)* afán, ahínco **2** *(ânsia)* ansia*f.*, inquietud*f.* **3** *(fadiga)* fatiga*f.*, cansancio **4** *(pressa)* prisa*f.*
afabilidade *s.f.* afabilidad
afagar *v.* acariciar
afago *s.m.* caricia*f.*
afamado *adj.* famoso, afamado, renombrado
afamar *v.* afamar ▪ **afamar-se** afamarse
afastado *adj.* **1** *(distante)* apartado (de, de), lejano (de, de); ***manter-se afastado de*** mantenerse apartado de **2** *(retirado)* apartado, destituído **3** (lugar) apartado, alejado **4** (parentesco) lejano **5** *fig.* (fato) remoto, distante
afastamento *s.m.* **1** *(separação)* alejamiento, apartamiento, separación*f.* **2** *(rejeição)* rechazo **3** *(distância)* distancia*f.*
afastar *v.* **1** *(distanciar)* apartar, alejar **2** (função, cargo) despedir ▪ **afastar se 1** *(distanciar-se)* apartarse (de, de), alejarse (de, de); ***nos afastamos gradualmente um do outro*** nos alejamos poco a poco el uno del otro **2** *(desviar-se)* desviarse (de, de) **3** *(retirar-se)* apartarse (de, de), retirarse (de, de)
afável *adj.2g.* afable
afazeres *s.m.pl.* quehaceres
afecção *s.f.* afección
Afeganistão *s.m.* Afganistán
afeg|ão, -ã *adj.,s.m.,f.* afgan|o, -a
afeição *s.f.* **1** afecto*m.*, cariño*m.*, simpatía, apego*m.* **2** *(inclinação)* apego*m.*
afeiçoado *adj.* **1** apegado (a, a), encariñado (a, con) **2** (ideia, política) afecto (a, a)
afeiçoar *v.* **1** hacer tomar cariño **2** *(dar forma)* modelar ▪ **afeiçoar se 1** encariñarse (a, con); ***afeiçoou-se às crianças*** se ha encariñado con los chicos **2** *(amoldar-se)* adaptarse (a, a), amoldarse (a, a)
afeminado *adj.* afeminado
aferido *adj.* **1** *(avaliado)* evaluado, estimado **2** *(comparado)* comparado
aferir *v.* **1** *(avaliar)* evaluar, estimar **2** (medida, peso) contrastar
aferrar *v.* aferrar, agarrar ▪ **aferrar-se** *fig.* aferrarse (a, a); ***aferrar-se a uma ideia*** aferrarse a una idea
aferrolhar *v.* acerrojar; *fig.* cerrar con cuidado; encadenar
afetação *s.f.* afectación
afetado *adj.* **1** *(pedante)* afectado, amanerado, remilgado **2** (pronúncia) redicho *col.*
afetar *v.* **1** *(influenciar)* afectar, influir **2** *(prejudicar)* afectar, perjudicar, dañar **3** *(fingir)* afectar, aparentar, fingir **4** *(dizer respeito)* afectar, concernir, atañer
afetividade *s.f.* afectividad
afetivo *adj.* afectivo
afeto *s.m.* afecto, cariño, apego; ***sentir muito afeto por alguém*** sentir mucho afecto por alguien ▪ *adj.* afecto (a, a), adscrito (a, a); ***um ministro afeto ao governo*** un ministro afecto al gobierno
afetuoso *adj.* afectuoso, cariñoso
afiado *adj.* **1** afilado **2** *fig.* (língua) afilado, mordaz **3** *fig.* (pessoa) irritado
afiador *s.m.* (instrumento) afilador
afiançar *v.* **1** *(garantir)* garantizar, asegurar, afianzar **2** dar fianza
afiar *v.* (objeto cortante) afilar
aficionad|o, -a *s.m.,f.* aficionad|o, -a (de, a), entusiasta*2g.* (de, de), forof|o, -a (de, de); ***é um aficionado do surfe*** es un aficionado al surf
afilado *adj.* (dedos, nariz, rosto) afilado
afilar-se *v.* afilarse, adelgazarse
afilhad|o, -a *s.m.,f.* **1** ahijad|o, -a **2** *fig.* protegid|o, -a
afiliar *v.* (corporação, sociedade) afiliar ▪ **afiliar se** afiliarse (a, a); ***filiar-se a um partido*** afiliarse a un partido
afim *adj.2g.* afín ▪ *s.2g.* afín, pariente por afinidad
afinação *s.f.* **1** (de veículo) puesta a punto; (de máquina) ajuste*m.* **2** MÚS. afinación
afinador, -a *s.m.,f.* afinador, -a ▪ **afinador** *s.m.* afinador
afinal *adv.* **1** *(por fim)* al fin; por fin; finalmente; ***afinal de contas*** a fin de cuentas, al final **2** (ênfase) entonces; ***que queres afinal?*** ¿qué es lo que quieres?, ¿qué quieres entonces?
afinar *v.* **1** (lápis) afilar **2** (motor) hacer la puesta a punto, poner a punto **3** afinar, templar **4** *fig.* (gosto, sensibilidade) aguzar
afinco *s.m.* ahínco
afinidade *s.f.* afinidad
afirmação *s.f.* afirmación
afirmar *v.* afirmar, aseverar ▪ **afirmar-se** (pessoa) afirmarse
afirmativa *s.f.* afirmativa
afirmativo *adj.* afirmativo
afixação *s.f.* **1** (cartaz, aviso) fijación **2** LING. afijación
afixar *v.* (cartaz, aviso) fijar

afixo *s.m.* afijo
aflição *s.f.* aflicción
afligir *v.* afligir, angustiar ▪ **afligir se** afligirse, angustiarse, apenarse
aflitivo *adj.* aflictivo
aflito (*p.p. de* afligir) *adj.* **1** afligido **2** *(agoniado)* agobiado
aflorar *v.* **1** aflorar, asomar **2** (superfície) nivelar, allanar **3** (assunto, questão) abordar
afluência *s.f.* afluencia
afluente *s.m.* (rio) afluente
afluir *v.* **1** afluir, concurrir, acudir **2** (rio) afluir (a, a), desembocar (a, en)
afluxo *s.m.* **1** (pessoas) afluencia*f.*, aflujo, concurrencia*f.* **2** (sangue) aflujo
afobado *adj.* apresurado
afogad|o, -a *s.m.,f.* ahogad|o, -a ▪ *adj.* **1** ahogado **2** *(sufocado)* sofocado, asfixiado
afogamento *s.m.* **1** ahogamiento **2** *(sufocação)* sofoco, sofocación*f.*, ahogo
afogar *v.* **1** (motor) ahogarse **2** ahogar **3** *fig.* ahogar, reprimir ▪ **afogar-se** ahogarse, morir ahogado
afogueado *adj.* **1** *(ardente)* ardiente **2** *fig.* ruborizado, sofocado, abochornado, rojo de vergüenza
afoguear *v.* prender fuego; incendiar, quemar ▪ **afoguear se** ruborizarse, sonrojarse
afoito *adj.* osado, audaz
afonia *s.f.* afonía
afônico *adj.* afónico
aforismo *s.m.* aforismo
aforístico *adj.* aforístico
afortunado *adj.* afortunado, venturoso, dichoso, feliz
afrancesado *adj.* afrancesado
África *s.f.* África ♦ **África do Sul** Sudáfrica
africanismo *s.m.* africanismo
africanista *s.2g.* africanista
african|o, -a *adj.,s.m.,f.* african|o, -a
afro-american|o, -a *adj.,s.m.,f.* afroamerican|o, -a
afrodisíaco *adj.,s.m.* afrodisíaco, afrodisiaco
afronta *s.f.* **1** *(ofensa)* afrenta, ofensa **2** *(vergonha)* vergüenza
afrontamento *s.m.* **1** *(afronta)* afrenta*f.* **2** (indigestão) empacho, empalago **3** *(dispneia)* disnea*f.*
afrontar *v.* **1** *(pôr frente a frente)* enfrentar, confrontar **2** (inimigo, perigo) afrontar, hacer frente a **3** *(ofender)* afrentar, ofender
afrouxamento *s.m.* aflojamiento
afrouxar *v.* **1** (corda) aflojar **2** (normas, princípios) ablandar **3** (músculos) relajar, descontraer **4** (velocidade) reducir **5** (dor) calmar **6** *(diminuir)* flojear, disminuir ▪ **afrouxar se** **1** *(relaxar-se)* relajarse **2** *(descuidar-se)* relajarse, descuidarse
afta *s.f.* afta
aftoso *adj.* aftoso
afugentar *v.* ahuyentar, espantar
afundamento *s.m.* hundimiento
afundar *v.* **1** (embarcação) hundir **2** (cavidade) ahondar, profundizar ▪ **afundar-se** **1** (embarcação) hundirse **2** *fig.* (projeto) hundirse, arruinarse, fracasar
afunilado *adj.* **1** *(estreito)* estrecho **2** *(pontiagudo)* puntiagudo
afunilamento *s.m.* estrechamiento
afunilar *v.* estrechar (en forma de embudo)
agá *s.m.* (letra) hache*f.*
agachar-se *v.* agacharse, ponerse en cuclillas
agarrado *adj.* **1** *(preso)* agarrado **2** *(avarento)* agarrado, avaro, tacaño ♦ **ficou muito agarrado aos sobrinhos** se ha encariñado mucho con sus sobrinos
agarrar *v.* **1** agarrar **2** coger **3** aprovechar **4** *(capturar)* coger, detener, agarrar ▪ **agarrar-se** **1** *(segurar-se)* agarrarse (a, a); *agarra-te ao corrimão* agárrate a la barandilla **2** (ideia, opinião) aferrarse (a, a)
agasalhado *adj.* **1** abrigado, arropado **2** cobijado, resguardado, guarecido
agasalhar *v.* **1** abrigar, arropar, cubrir **2** *(hospedar)* alojar, albergar, cobijar ▪ **agasalhar-se** **1** abrigarse, arroparse, cubrirse **2** (da chuva, do vento) resguardarse (de, de), guarecerse (de, de)
agasalho *s.m.* **1** (roupa) prenda*f.* de abrigo **2** *(abrigo)* abrigo, cobijo, protección*f.*
agência *s.f.* **1** (empresa) agencia **2** *(sucursal)* agencia, sucursal ♦ **agência de correios** oficina de correos
agenciar *v.* agenciar; tratar de negocio ajeno; conseguir
agenda *s.f.* **1** (livro) agenda **2** (reunião) agenda, orden*m.* del día ♦ **agenda eletrônica** agenda electrónica
agendamento *s.m.* **1** (agenda) anotación*f.* de una fecha **2** (reunião) orden del día
agendar *v.* **1** (compromisso, data) apuntar en la agenda **2** (assunto, data) incluir en el orden del día
agente *s.m.* agente ▪ *s.2g.* (pessoa) agente ▪ *adj.2g.* agente
ágil *adj.2g.* ágil
agilidade *s.f.* agilidad
agilizar *v.* agilizar
agiota *adj.,s.2g.* agiotista
agir *v.* **1** *(atuar)* actuar **2** *(proceder)* proceder, obrar
agitação *s.f.* **1** *(movimento)* agitación **2** *(alvoroço)* ajetreo*m.*, trajín*m.* **3** *fig.* *(inquietação)* agitación, inquietud
agitado *adj.* **1** *(movimentado)* agitado **2** (mar) agitado, revuelto **3** (dia, situação) agitado, ajetreado, movido **4** *fig.* inquieto, intranquilo
agitador, -a *s.m.,f.* agitador, -a
agitar *v.* **1** agitar **2** (questão, problema) discutir **3** *fig.* *(perturbar)* inquietar ▪ **agitar-se** **1** agitarse, moverse **2** agitarse, inquietarse ♦ **agitar antes de usar** agítese antes de usar
aglomeração *s.f.* aglomeración
aglomerado *s.m.* **1** *(aglomeração)* aglomeración*f.* **2** (material) aglomerado **3** GEOL. conglomerado
aglomerar *v.* aglomerar, reunir, amontonar ▪ **aglomerar se** aglomerarse, reunirse, amontonarse

aglutinação *s.f.* aglutinación
aglutinar *v.* *(colar)* aglutinar, pegar; *(ligar)* unir
agnóstic|o, -a *adj.,s.m.,f.* agnóstic|o, -a
agonia *s.f.* **1** (morte) agonía **2** *(sofrimento)* agonía, sufrimiento*m.* **3** *col.* *(enjoo)* mareo*m.*; náuseas*pl.*
agoniado *adj.* **1** *(aflito)* angustiado, afligido **2** *col.* indispuesto; *(enjoado)* mareado
agoniar *v.* **1** angustiar, agobiar, afligir **2** *col.* marear ▪ **agoniar-se** **1** angustiarse, agobiarse, afligirse **2** *col.* marearse
agonizante *adj.2g.* **1** *(moribundo)* agonizante, moribundo **2** *(aflitivo)* aflictivo, angustioso
agonizar *v.* agonizar
agora *adv.* **1** *(neste instante)* ahora, ya **2** *(hoje em dia)* ahora, actualmente, hoy (en) día ▪ *conj.* ahora ♦ **agora mesmo** ahora mismo; **agora ou nunca** ahora o nunca; **ainda agora** ahora mismo; **até agora** hasta ahora; **de agora em diante** de ahora en adelante; **e agora?** ¿y ahora qué?; **essa agora!** ¿será posible?; **por agora** por ahora
agosto *s.m.* agosto
agourar *v.* **1** *(prever)* predecir; presagiar, presentir **2** *(augurar)* augurar, vaticinar
agourento *adj.* agorero
agouro *s.m.* agüero ♦ **ser de bom/mau agouro** ser de buen/mal agüero
agraciar *v.* agraciar (com, con), condecorar (com, con)
agradar *v.* agradar, gustar
agradável *adj.2g.* **1** agradable **2** (pessoa) agradable, amable
agradecer *v.* agradecer; *agradeço a ajuda dos amigos* agradezco la ayuda de amigos
agradecido *adj.* agradecido
agradecimento *s.m.* **1** agradecimiento; gratitud*f.* **2** agradecimiento, gracias*f. pl.*
agrado *s.m.* **1** agrado; satisfacción*f.*; gusto **2** *col.* propina*f.*; *(presente)* regalo ♦ **ser do agrado de alguém** ser del agrado de alguien
agrário *adj.* agrario
agravamento *s.m.* agravamiento
agravante *adj.2g.* agravante ▪ *s.f.* (circunstancia) agravante
agravar *v.* **1** *(piorar)* agravar, empeorar **2** *(aumentar)* subir, aumentar **3** apelar, interponer (recurso de alzada), recurrir ▪ **agravar-se** agravarse, empeorarse
agredir *v.* **1** *(atacar)* agredir, atacar **2** *(bater)* agredir, golpear, pegar **3** (com palavras) agredir de palabra, insultar
agregado *s.m.* **1** agregado **2** (material) conglomerado ♦ **agregado familiar** unidad familiar
agregar *v.* **1** *(acrescentar)* añadir, agregar **2** *(reunir)* congregar, reunir, juntar **3** (funcionário) agregar (a, a)
agremiação *s.f.* agremiación, asociación
agressão *s.f.* agresión
agressividade *s.f.* agresividad
agressivo *adj.* agresivo
agressor, -a *s.m.,f.* agresor, -a
agreste *adj.2g.* **1** (terreno) agreste, silvestre **2** (clima) riguroso **3** *fig.* agreste, basto, rudo
agrião *s.m.* berro
agrícola *adj.2g.* agrícola
agricultor, -a *s.m.,f.* agricultor, -a
agricultura *s.f.* agricultura
agridoce *adj.2g.* agridulce
agrimensor, -a *s.m.,f.* agrimensor, -a
agrimensura *s.f.* agrimensura
agro *adj.* agrio
agroalimentar *adj.2g.* agroalimentario
agronomia *s.f.* agronomía
agronômico *adj.* agronómico
agrônom|o, -a *s.m.,f.* agrónom|o, -a
agropecuária *s.f.* agricultura y ganadería
agropecuário *adj.* agropecuario
agrupamento *s.m.* **1** agrupamiento, grupo **2** *(grupo organizado)* agrupación*f.*
agrupar *v.* agrupar ▪ **agrupar-se** agruparse
água *s.f.* agua ▪ **águas** *s.f.pl.* FISIOL. aguas ♦ **água benta** agua bendita; **água mole em pedra dura tanto bate até que fura** agua es blanda y la piedra dura, pero gota a gota hace cavadura; **água sanitária** lejía; **claro como água** claro como el agua; más claro que el agua; **dar água na boca** hacerse la boca agua; **ferver em pouca água** enfadarse por nada; *col.* **ir por água abaixo** hacer agua, irse al garete; **levar a água ao seu moinho** llevar el agua a su molino; **não dizer desta água não beberei** nunca digas de esta agua no beberé; *col.* **tirar água do joelho** orinar; *pop.* **verter águas** hacer aguas; orinar
aguaceiro *s.m.* aguacero, chaparrón
água-de-colônia *s.f.* (*pl.* águas-de-colônia) agua de colonia, colonia
aguado *adj.* aguado
água oxigenada *s.f.* (*pl.* águas oxigenadas) agua oxigenada
aguar *v.* **1** *col.* salivar, hacerse la boca agua **2** *(dissolver)* disolver en agua **3** *(molhar)* mojar **4** (bebida) aguar
aguardar *v.* aguardar, esperar
aguardente *s.f.* aguardiente*m.*
água-viva *s.f.* (*pl.* águas-vivas) medusa
aguçado *adj.* **1** *(afiado)* afilado **2** *(pontiagudo)* puntiagudo **3** *fig.* (comentário) punzante **4** *fig.* (sentido, espírito) perspicaz; atento
aguçar *v.* **1** (lápis, lâmina) aguzar, afilar **2** *fig.* aguzar, estimular, incitar
agudeza *s.f.* **1** agudeza **2** *fig.* agudeza, perspicacia, ingenio*m.*
agudo *adj.* agudo
aguentar *v.* **1** aguantar, resistir **2** aguantar **3** *fig.* aguantar, soportar, sufrir ▪ **aguentar-se** mantenerse ♦ *col.* **aguentar e não bufar** aguantar mecha
águia *s.f.* águila ♦ **águia-real** águila real

aguilhoar *v.* **1** (animal) aguijonear, aguijar, picar **2** *fig.* *(espicaçar)* aguijonear, incitar, estimular

agulha *s.f.* **1** (costura, crochê, etc.) aguja **2** (seringa) aguja **3** (bússola) aguja **4** (relógio) aguja, manecilla **5** (ferrovias) aguja ◆ **procurar uma agulha em palheiro** buscar una aguja en un pajar

ah *interj.* ¡ah!

ai *interj.* ¡ay!; *ai de mim!* ¡ay de mí! ■ *s.m.* ay; quejido; suspiro

aí *adv.* **1** (lugar) ahí; *aí embaixo* ahí abajo; *aí em cima* ahí arriba **2** (tempo) en ese momento, entonces; *até aí* hasta ese momento **3** *(nesse caso)* en ese caso, entonces; *se alguém perguntar, aí você explica* si alguien pregunta, entonces explícalo ◆ **e por aí afora** y además; y otras cosas; **por aí** por ahí

AIDS (*sigla de* Síndrome da Imunodeficiência Adquirida) SIDA (*sigla de* Síndrome de Inmunodeficiencia Adquirida)

ainda *adv.* **1** *(até agora)* aún, todavía; *ele ainda está na cama* todavía está en la cama **2** *(agora mesmo)* ahora mismo; *ainda agora estava aqui* ahora mismo estaba aquí **3** *(no futuro)* todavía; *você ainda vai se arrepender* todavía te vas a arrepentir **4** *(além disso)* todavía, encima; *dei-lhe as notas e ainda resmunga* le he dado los apuntes y todavía refunfuña ◆ **ainda agora** ahora mismo; justo ahora; **ainda assim** aun así; **ainda bem** menos mal; **ainda bem que** menos mal que; **ainda mais** aún más; **ainda não** todavía no; **ainda por cima** encima; **ainda que** [+*conj.*] aunque [+*conj.*]; **mas ainda assim** pero incluso así

aipo *s.m.* apio

airbag *s.m.* (automóvel) airbag

airoso *adj.* **1** (pessoa) airoso, garboso **2** *(decoroso)* decoroso, digno ◆ **ter uma saída airosa** salir airoso

ajantarado *adj.* servido más tarde, en vez de la cena

ajardinado *adj.* ajardinado

ajardinar *v.* ajardinar

ajeitar *v.* *(arranjar)* arreglar, apañar ■ **ajeitar se** **1** apañarse, adaptarse **2** *col.* apañarse **3** *col.* arreglárselas

ajoelhado *adj.* **1** arrodillado **2** *fig.* humillado

ajoelhar *v.* arrodillarse, ponerse de rodillas

ajuda *s.f.* **1** *(auxílio)* ayuda, auxilio*m.*; *com a ajuda de* con la ayuda de **2** (dinheiro) subsidio*m.*, subvención; *ajuda de custo* dietas

ajudante *s.2g.* ayudante

ajudar *v.* ayudar, auxiliar; *ajudar alguém a fazer alguma coisa* ayudar a alguien a hacer algo

ajuizado *adj.* juicioso, sensato, prudente

ajuizar *v.* **1** reflexionar, meditar **2** *(julgar)* juzgar **3** *(calcular)* calcular, evaluar **4** DIR. enjuiciar, procesar, encausar

ajuntamento *s.m.* aglomeración*f.*

ajustado *adj.* **1** *(adequado)* ajustado, adecuado, apropiado **2** *(combinado)* ajustado, acordado **3** (roupa) ajustado, apretado, ceñido

ajustamento *s.m.* **1** (peças) ajustamiento, ajuste **2** *(acordo)* acuerdo, concertación*f.* **3** (preços) ajuste

ajustar *v.* ajustar ■ **ajustar-se** ajustarse (a, a), adaptarse (a, a); *ajustar-se a alguma coisa* ajustarse a algo

ajustável *adj.2g.* ajustable

ajuste *s.m.* **1** ajuste **2** *(acordo)* acuerdo ◆ **ajuste de contas** **1** ajuste de cuentas **2** *fig.* ajuste de cuentas, venganza; **não estar pelos ajustes** no estar de acuerdo

ala *s.f.* **1** *(fileira)* hilera, fila **2** POL. ala, facción **3** ARQ. ala, flanco*m.* **4** MIL. ala **5** ESPOR. ala ◆ **abrir alas** abrir paso

alado *adj.* alado

alagar *v.* *(encharcar)* encharcar, inundar, empantanar ■ **alagar-se** **1** *(inundar-se)* encharcarse, inundarse **2** *(desmoronar-se)* desmoronarse

alamar *s.m.* alamar

alameda *s.f.* alameda, rambla

álamo *s.m.* álamo

alar *v.* **1** halar **2** (bandeira) izar

alaranjado *adj.* anaranjado

alarde *s.m.* alarde, ostentación*f.*; *fazer alarde de* hacer alarde de, alardear de

alardear *v.* alardear (-, de), hacer alarde (-, de); *alardear riquezas* alardear de dinero

alargamento *s.m.* **1** *(ampliação)* ampliación*f.*, ensanchamiento, ensanche **2** (prazo) prolongación*f.*, prolongamiento

alargar *v.* **1** (tecido) ensanchar, estirar **2** *(tornar mais largo)* ensanchar **3** *(ampliar)* ampliar **4** (prazo, férias) alargar, prolongar **5** *(afrouxar)* aflojar, ensanchar ■ **alargar-se** **1** (debate, discurso) explayarse, extenderse, alargarse **2** *(propagar-se)* expandirse, difundirse

alarido *s.m.* **1** *(algazarra)* alboroto, tumulto **2** *(gritaria)* griterío, vocerío

alarmante *adj.2g.* alarmante

alarmar *v.* alarmar ■ **alarmar se** alarmarse

alarme *s.m.* **1** alarma*f.* **2** (dispositivo) alarma*f.* **3** *fig.* alarma*f.*, sobresalto, susto **4** *(gritaria)* griterío, vocerío

alarmismo *s.m.* alarmismo

alarmista *adj.,s.2g.* alarmista

alastrar *v.* **1** (fogo) propagarse **2** extender ■ **alastrar-se** extenderse

alaúde *s.m.* laúd

alavanca *s.f.* **1** palanca **2** *fig.* palanca, trampolín*m.* ◆ **alavanca de comando** (avião) palanca de comando; **alavanca de câmbio** (automóvel) palanca de cambio/velocidades

alavancar *v.* fomentar, promover, estimular

alazão *adj.* (cavalo) alazán

alba *s.f.* **1** *(aurora)* alba, aurora **2** (de sacerdote) alba **3** LIT. alborada

alban|ês, -esa *adj.,s.m.,f.* alban|és, -esa

Albânia *s.f.* Albania

albatroz *s.m.* albatros*n.*
albergar *v.* **1** *(hospedar)* albergar, hospedar, alojar **2** *fig. (conter)* albergar, contener, encerrar
albergaria *s.f.* albergue*m.*
albergue *s.m.* **1** albergue, hospedería*f.* **2** *(asilo)* albergue, asilo, refugio
alberguista *adj.,s.2g.* alberguista
albinismo *s.m.* albinismo
albin|o, -a *adj.,s.m.,f.* albin|o, -a
albite *s.f.* MIN. feldspato blanco
albufeira *s.f.* **1** *(lagoa)* albufera, laguna **2** (artificial) embalse*m.*, pantano*m.*
álbum *s.m.* álbum
alça *s.f.* **1** (roupa) tirante*m.* **2** (objeto) asa, mango*m.* **3** (bolsa) asa, agarradero*m.*
alcachofra *s.f.* alcachofa, alcaucil*m.*
alcaguete *s.2g. gír.* sopl|ón, -ona*m.f.*, chivat|o, -a*m.f.*
alcaide *s.m.* **1** HIST. alcaide **2** POL. alcalde
alcali *s.m.* álcali
alcalinidade *s.f.* alcalinidad
alcalino *adj.* alcalino
alcalinoterroso *adj.* QUÍM. alcalinotérreo
alcaloide *s.m.* alcaloide
alcançar *v.* **1** (pessoa, coisa) alcanzar **2** *(apanhar)* alcanzar, coger **3** (objetivo, desejo) alcanzar, lograr, conseguir **4** *fig.* comprender, entender
alcance *s.m.* **1** alcance **2** (arma, projétil) alcance **3** *fig.* alcance, importancia*f.* **4** *fig.* intención*f.*, propósito ♦ **ao alcance de** al alcance de; **fora do alcance de** fuera del alcance de
alcantil *s.m.* **1** (rocha) cantil **2** *(precipício)* despeñadero **3** (montanha) cumbre*f.*
alçapão *s.m.* **1** trampilla*f.* **2** *fig. (armadilha)* ardid, trampa*f.*
alcaparra *s.f.* **1** (planta, botão floral) alcaparra **2** (fruto) alcaparrón*m.*
alçar *v.* **1** *(levantar)* alzar, levantar **2** (bandeira) izar **3** *(construir)* alzar, construir, edificar ▪ **alçar se 1** *(levantar-se)* alzarse, levantarse **2** *(sobressair)* sobresalir
alcateia *s.f.* **1** (lobos) manada de lobos **2** *fig.* (ladrões) camada, banda (de ladrones)
alcatroar *v.* (pavimento) alquitranar
alce *s.m.* alce
álcool *s.m.* **1** alcohol **2** *(bebida)* alcohol, bebida*f.* alcohólica ♦ (bebida) **sem álcool** sin alcohol; *cerveja sem álcool* cerveza sin alcohol
alcoólatra *s.2g.* alcohólic|o, -a*m.f.*
alcoolemia *s.f.* alcoholemia
alcoólic|o, -a *adj.,s.m.,f.* alcohólic|o, -a
alcoolismo *s.m.* alcoholismo
alcoolização *s.f.* alcoholización
alcoolizado *adj.* alcoholizado
alcoolizar *v.* alcoholizar ▪ **alcoolizar se** emborracharse
Alcorão *s.m.* **1** (livro) Alcorán, Corán **2** (religião) islamismo
alcovitar *v.* **1** intrigar **2** alcahuetear
alcoviteir|o, -a *s.m.,f.* **1** *(casamenteiro)* alcahuet|e, -a, celestin|o, -a **2** *(mexeriqueiro)* alcahuet|e, -a, chismos|o, -a
alde|ão, -ã *adj.,s.m.,f.* aldean|o, -a, lugareñ|o, -a
aldeia *s.f.* pueblo*m.*, aldea ♦ **aldeia global** aldea global
aleatório *adj.* aleatorio
alecrim *s.m.* romero
alegar *v.* **1** alegar **2** (motivos, razões) alegar, declarar
alegoria *s.f.* alegoría
alegórico *adj.* alegórico
alegrar *v.* alegrar, animar ▪ **alegrar-se 1** alegrarse, animarse **2** *col. (embriagar-se)* alegrarse
alegre *adj.2g.* **1** *(contente)* alegre, contento **2** *(animado)* alegre, animado, divertido **3** (cor) alegre, vistoso, vivo **4** *col. (embriagado)* alegre, contento
alegria *s.f.* alegría
aleijad|o, -a *s.m.,f.* lisiad|o, -a, tullid|o, -a ▪ *adj.* **1** lisiado; *(ferido)* herido; *(lesionado)* lesionado **2** *fig.* imperfecto; defectuoso
aleijar *v.* lisiar; lesionar ▪ **aleijar-se** lisiarse; lesionarse
aleitamento *s.m.* amamantamiento
aleitar *v.* amamantar
aleluia *s.f.* aleluya*m./f.* ▪ *interj.* ¡aleluya!
além *adv.* **1** *(ali)* allá, allí, acullá **2** *(mais adiante)* adelante **3** *(também)* además ▪ *s.m.* el más allá, la eternidad*f.* ♦ **além de** además; **além disso** además de; **mais além** más allá; **além de 1** encima de; *além da gasolina, tenho de pagar o seguro* encima de la gasolina, tengo que pagar el seguro **2** al otro lado de; *além dos montes* al otro lado del monte
Alemanha *s.f.* Alemania
alem|ão, -ã *adj.,s.m.,f.* alem|án, -ana ▪ **alemão** *s.m.* (língua) alemán
além-mar *s.m.* (*pl.* além-mares) ultramar ▪ *adv.* en ultramar
alentar *v.* **1** *(animar)* alentar, animar **2** *fig.* (sonho, esperança) alimentar
alento *s.m.* **1** *(fôlego)* aliento, respiración*f.* **2** *fig.* aliento, ánimo, coraje
alergia *s.f.* **1** alergia **2** *fig.* alergia, aversión, antipatía, ojeriza, tirria
alérgico *adj.* **1** alérgico **2** (pessoa) alérgico (a, a); *sou alérgico a gatos* soy alérgico a los gatos
alergologia *s.f.* alergología
alergologista *s.2g.* alergólog|o, -a*m.f.*
alerta *adv.* alerta ▪ *adj.2g.* alerta, vigilante, atento ▪ *s.m.* alerta*f.* ▪ *interj.* ¡alerta! ♦ **de ouvido alerta** de oído alerta; **em estado de alerta** en estado de alerta; **ficar alerta** estar en alerta
alertar *v.* alertar, advertir, avisar, llamar
aleta *s.f.* (nariz) aleta
aletria *s.f.* **1** (massa) fideos*m. pl.* **2** CUL. [dulce hecho con fideos, huevos, leche, azúcar y canela]

alfabético *adj.* alfabético
alfabetismo *s.m.* **1** escritura*f.* **2** *(instrução)* alfabetización*f.*
alfabetização *s.f.* alfabetización
alfabetizar *v.* alfabetizar
alfabeto *s.m.* **1** *(abecedário)* alfabeto, abecedario **2** LING. alfabeto; ***alfabeto fonético*** alfabeto fonético
alface *s.f.* lechuga
alfafa *s.f.* alfalfa
alfaiataria *s.f.* sastrería
alfaiate *s.m.* sastre
alfândega *s.f.* aduana
alfandegagem *s.f.* **1** cobro*m.* de derechos de aduana **2** almacenaje*m.* en aduana
alfandegar *v.* **1** guardar en la aduana **2** pagar aduana
alfandegário *adj.* aduanero
alfanumérico *adj.* alfanumérico
alfazema *s.f.* espliego*m.*, lavanda
alfinetada *s.f.* **1** *(picada)* alfilerazo*m.*, pinchazo*m.* **2** *(dor)* punzada **3** *fig.* (dito) pulla, alfilerazo*m.*
alfinetar *v.* **1** *(picar)* pinchar (con alfiler) **2** *(prender)* poner un alfiler **3** *fig.* criticar
alfinete *s.m.* **1** (costura) alfiler **2** (gravata) alfiler de corbata, pillacorbatas*2n.* ♦ **alfinete de fralda** imperdible, alfiler de gancho/seguridad[AM.]; **alfinete de segurança** imperdible
alforria *s.f.* **1** HIST. manumisión **2** *(libertação)* liberación, emancipación
alforriar *v.* (escravo) manumitir, libertar
alga *s.f.* alga
algaliar *v.* **1** MED. introducir algalia **2** MED. examinar con algalia
algarismo *s.m.* guarismo, cifra*f.*
algazarra *s.f.* **1** *(gritaria)* algazara, vocerío*m.*, griterío*m.* **2** *(tumulto)* alboroto*m.*, lío*m.*
álgebra *s.f.* álgebra
algema *s.f.* esposas*pl.*
algemar *v.* esposar
algo *pron.indef.* algo ▪ *adv. (um pouco)* algo, un poco, un tanto
algodão *s.m.* algodón ♦ **algodão em rama** algodón en rama
algodão-doce *s.m.* (*pl.* algodões-doces) algodón dulce/de azúcar
algodoeiro *s.m.* algodón ▪ *adj.* algodonero
algorítmico *adj.* algorítmico
algoritmo *s.m.* algoritmo
alguém *pron.indef.* alguien ♦ **ser alguém (na vida)** ser alguien (en la vida)
algum, -a *pron.indef.* **1** (antes de *s.*) alg|ún, -una; (depois de *s.*) algun|o, -a; ***algum dia*** algún día; ***alguma coisa*** alguna cosa **2** algun|o, -a; ***alguns ficaram reprovados*** han suspendido algunos ♦ *col.* **fazer/aprontar alguma** hacer alguna
alguma *s.f. col.* disparate*m.*, tontería; ***fazer alguma*** hacer una de las suyas
algures *adv.* en algún lugar, en alguna parte
alhear *v.* **1** (direito, propriedade) enajenar **2** (atenção) distraer ▪ **alhear-se** abstraerse (de, de)
alheio *adj.* **1** (pertence) ajeno **2** *(estranho)* ajeno, extraño **3** *(afastado)* ajeno (a, a), alejado (a, de) **4** *(desatento)* ajeno (a, a), inatento (a, a)
alheta *s.f.* aleta
alho *s.m.* **1** ajo **2** *fig.* (pessoa) zorro ♦ *col.* **misturar alhos com bugalhos** mezclar las churras con las merinas
alho-poró *s.m.* (*pl.* alhos-porós) puerro
ali *adv.* **1** (lugar) allí; ***está ali*** está allí; ***para ali*** hacia allí; ***por ali*** por allí **2** (tempo) allí, entonces; ***até ali*** hasta allí
aliad|o, -a *adj.,s.m.,f.* aliad|o, -a
aliança *s.f.* **1** *(união)* alianza, unión **2** *(pacto)* alianza, acuerdo*m.*, pacto*m.* **3** (de casamento) alianza, anillo*m.* de boda; (de noivado) anillo*m.* de compromiso
aliar *v.* aliar ▪ **aliar-se** aliarse
aliás *adv.* **1** (reformulação) mejor dicho, es decir, o mejor **2** (acréscimo) además **3** (oposição) de lo contrario, de otra manera, sin embargo **4** *(a propósito)* por cierto

> Não confundir com a palavra espanhola **alias** (*apelido*).

álibi *s.m.* **1** coartada*f.*, alibi **2** *col.* justificación*f.*
Alicante *s.m.* Alicante
alicate *s.m.* alicates*pl.*
alicerçar *v.* **1** (construção, edifício) cimentar, fundar **2** *fig.* (amizade, acordo, negócio) cimentar, consolidar, reforzar
alicerce *s.m.* **1** cimientos*pl.*, bases*f. pl.* **2** *fig.* base*f.*, fundamento
aliciante *adj.2g.* **1** atractivo, atrayente **2** tentador, seductor ▪ *s.m.* aliciente
aliciar *v.* **1** seducir **2** sobornar
alienação *s.f.* **1** *(distanciamento)* alienación, distanciamiento*m.* **2** DIR. enajenación
alienad|o, -a *s.m.,f.* alienad|o, -a, enajenad|o, -a ▪ *adj.* **1** (propriedade, domínio) enajenado **2** (pessoa) distraído, enajenado
alienar *v.* **1** DIR. enajenar, conceder, tranferir **2** enajenar, alienar ▪ **alienar-se** alienarse, enajenarse
alienígena *adj.,s.2g.* alienígena
alienismo *s.m.* locura*f.*, demencia*f.*
alimentação *s.f.* alimentación
alimentador *s.m.* **1** ELETR. alimentador **2** (fotocopiadora, impressora) alimentador, bandeja*f.* (de entrada/salida) de papel **3** (arma de fogo) muelle
alimentar *v.* **1** alimentar **2** *fig.* (esperança) alimentar, albergar ▪ **alimentar se** alimentarse (de, de); ***estes animais alimentam-se de raízes*** estos animales se alimentan de raíces ▪ *adj.2g.* **1** alimentario, alimenticio; ***cadeia alimentar*** cadena alimentaria; ***intoxicação alimentar*** intoxicación alimenticia **2** *(nutritivo)* alimenticio, nutritivo

alimentício *adj.* alimenticio

alimento *s.m.* alimento ■ **alimentos** *s.m.pl.* DIR. alimentos

alínea *s.f.* **1** (parágrafo) primera línea **2** (escritura, decreto) párrafo*m.*, parágrafo*m.*

alinhado *adj.* **1** *fig. (correto)* íntegro, recto **2** *fig.* acicalado, arreglado, elegante, compuesto **3** POL. alineado

alinhamento *s.m.* alineación*f.*

alinhar *v.* **1** alinear **2** (grupo, equipe) alinear **3** (automóvel) alinear; *alinhar a direção* alinear la dirección **4** (causa, projeto) alinear **5** *col. (participar)* apuntarse

alinhavar *v.* **1** (costura) hilvanar **2** *fig. (esboçar)* bosquejar, esbozar

alinhavo *s.m.* **1** hilván **2** *fig. (esboço)* bosquejo, esbozo

alisar *v.* **1** (superfície) alisar **2** (cabelo) poner lacio

alísios *s.m.pl.* (ventos) alisios

alistamento *s.m.* alistamiento

alistar *v.* alistar

alistar-se *v.* alistarse (como/em, como/en); *alistar-se como voluntário* alistarse como voluntario; *alistar-se no exército* alistarse en el ejército

aliteração *s.f.* aliteración

aliviar *v.* **1** (dor) aliviar, calmar **2** (dor, sofrimento) aliviar, atenuar, calmar **3** (tempo) despejarse, escampar **4** (carga, peso) aliviar, aligerar **5** *(consolar)* aliviar, consolar

alívio *s.m.* alivio

alma *s.f.* alma ♦ **alma gêmea** alma gemela; **alma penada/do outro mundo** alma en pena; **dar/entregar a alma a Deus** dar/entregar el alma a Dios; **de corpo e alma** con todo el alma; **vender a alma ao Diabo** vender el alma al diablo

almaço *adj.* (papel) de barba

almanaque *s.m.* almanaque

almejar *v.* anhelar, ansiar

almirante *s.m.* almirante

almoçar *v.* comer, almorzar

almoço *s.m.* comida*f.*, almuerzo

almofada *s.f.* **1** (de cama) almohada; (de sofá, cadeira) cojín*m.*, almohadón*m.* **2** (carimbo) almohadilla, tampón*m.* [ESP.]

almofadado *adj.* **1** almohadillado **2** (envelope) acolchado

almofadar *v.* acolchar, almohadillar

almofariz *s.m.* almirez

almôndega *s.f.* albóndiga, almóndiga

almoxarifado *s.m.* depósito de existencias

alô *interj.* **1** (ao telefone) ¿dígame?; ¿diga?; ¿sí? **2** (cumprimento) ¡hola! ■ *s.m.* hola

alocação *s.f.* asignación

alocar *v.* **1** asignar **2** destinar

aloé *s.m.* áloe, aloe

aloés *s.m.* BOT. áloe, planta liliácea

aloirar *v.* ⇒ **alourar**

alojamento *s.m.* **1** alojamiento, hospedaje*f.* **2** (lugar) alojamiento **3** acuartelamiento

alojar *v.* **1** alojar, hospedar **2** acuartelar ■ **alojar se** **1** (pessoa) alojarse (em, en), hospedarse (em, en); *alojar-se num hotel* alojarse en un hotel **2** (bala) alojarse (em, en); *a bala alojou-se na cabeça* la bala se alojó en la cabeza

alongamento *s.m.* **1** *(extensão)* alargamiento **2** (ginástica) estiramiento **3** (prazo) prolongación*f.*

alongar *v.* **1** *(tornar longo)* alargar **2** (tempo) alargar, prolongar **3** (ginástica) estirar, alargar ■ **alongar se** **1** *(demorar-se)* alargarse (em, en) **2** *fig.* (pessoa) explayarse (em, en), extenderse (em, en), alargarse (em, en); *alongar-se num discurso* explayarse en un discurso

alourado *adj.* **1** (cabelo) rubio **2** (alimento) dorado, tostado

alourar *v.* **1** (cabelo) poner(se) rubio **2** (alimento) dorar(se), tostar(se)

alpendre *s.m.* porche

alperce *s.m.* ⇒ **damasco**

alperceiro *s.m.* ⇒ **damasqueiro**

Alpes *s.m.pl.* Alpes

alpinismo *s.m.* alpinismo

alpinista *s.2g.* alpinista

alpino *adj.* alpino

alpiste *s.m.* alpiste

alquimia *s.f.* alquimia

alquímico *adj.* alquímico

alquimista *adj.,s.2g.* alquimista

alta *s.f.* **1** (preços) alza, subida **2** alta ♦ **dar alta** dar de alta, dar el alta; **ter/receber alta** tener/recibir el alta

alta-costura *s.f.* (*pl.* altas-costuras) alta costura

alta-fidelidade *s.f.* (*pl.* altas-fidelidades) alta fidelidad

altar *s.m.* altar ♦ **levar alguém ao altar** llevar a alguien al altar

altar-mor *s.m.* (*pl.* altares-mores) altar mayor

alta-roda *s.f.* (*pl.* altas-rodas) alta sociedad, elite

altear *v.* **1** crecer **2** elevar ■ **altear-se** elevarse

alterabilidade *s.f.* alterabilidad

alteração *s.f.* alteración, cambio*m.*, modificación

alterado *adj.* **1** *(modificado)* alterado, cambiado, modificado **2** *fig. (perturbado)* alterado, perturbado

alterar *v.* alterar ■ **alterar-se** **1** alterarse, modificarse **2** *fig.* alterarse, enfadarse

alterável *adj.2g.* alterable

altercação *s.f.* altercado*m.*, discusión

altercar *v.* altercar, discutir, disputar

alternadamente *adv.* **1** alternativamente, alternadamente **2** por turno

alternado *adj.* alterno

alternador *s.m.* alternador

alternância *s.f.* alternancia

alternar *v.* **1** alternar (com, con); *os dias de chuva se alternam com os dias de sol* los días de lluvia alternan con los (dias) de sol **2** alternar

alternativa *s.f.* alternativa, elección, opción
alternativo *adj.* alternativo
alterno *adj.* alterno
alteza *s.f.* (tratamento) alteza
altímetro *s.m.* altímetro
altíssimo (*superl. de* alto) *adj.* altísimo
Altíssimo *s.m.* Altísimo
altista *adj.,s.2g.* alcista
altitude *s.f.* altitud
altivez *s.f.* altivez , orgulho*m.*
altivo *adj.* altivo, orgulloso
alto *adj.* **1** alto **2** *fig.* (cargo, nível) alto, importante **3** (tecnologia) alto ■ *s.m.* **1** *(cume)* alto, cima*f.* **2** *(altura)* alto, altura*f.* **3** (terreno) altozano, alto, elevación*f.* ■ *adv.* (som) alto; ***lê alto, por favor*** lee alto, por favor ■ *interj.* ¡alto!; ***alto (lá)!*** ¡alto ahí! ♦ **altos e baixos** altibajos; **do alto** desde lo alto; **em alto grau** en alto grado; **os altos e baixos** los altos y bajos; **por alto** por encima; de pasada; ***falando por alto*** hablando de pasada; ***ler o jornal por alto*** leer el periódico por encima
alto-astral *s.m.* (*pl.* altos-astrais) buen humor, optimismo ■ *adj.2g.* **1** de buen humor **2** agradable
alt|o-comissário, -a-comissária *s.m.,f.* alt|o,-a comisaria comisario
alto-falante *s.m.* (*pl.* alto-falantes) altavoz, altoparlante [AM.]
alto-mar *s.m.* alta*f.* mar
alto-relevo *s.m.* (*pl.* altos-relevos) altorrelieve
altruísmo *s.m.* altruismo
altruísta *adj.,s.2g.* altruista
altura *s.f.* **1** (edifício) altura **2** (pessoa) altura, estatura **3** *(altitude)* altitud **4** (montanha) altitud, altura **5** (mar) profundidad **6** (som) volumen*m.* **7** (tempo) momento*m.*, instante*m.*, ocasión; ***em qualquer altura*** en cualquier momento **8** GEOM. altura ■ **alturas** *s.f.pl.* alturas, cielo*m.*, paraíso*m.* ♦ (medida) **de altura** de alto; **estar à altura de** estar a la altura de; ***estar à altura das circunstâncias*** estar a las alturas de las circunstancias
aluado *adj. (amalucado)* lunático
alucinação *s.f.* alucinación
alucinado *adj.* alucinado
alucinante *adj.2g.* alucinante
alucinar *v.* alucinar
alucinógeno *adj.,s.m.* alucinógeno
aludir *v.* aludir (a, a), referirse (a, a), hacer alusión (a, a)
alugar *v.* alquilar ♦ **aluga-se** se alquila; ***alugam se apartamentos*** se alquilan pisos
aluguel *s.m.* **1** alquiler **2** (preço) alquiler, renta*f.*
aluimento *s.m.* **1** (terras) desprendimiento, corrimiento **2** (estrutura) derrumbe, desmoronamiento
aluir *v.* derrumbarse, desmoronarse
alumiar *v.* alumbrar, iluminar
alumínio *s.m.* aluminio
alunagem *s.f.* alunizaje*m.*
alunar *v.* (astronauta, míssil) aterrizar en la luna
alun|o, -a *s.m.,f.* alumn|o,-a
alusão *s.f.* alusión, referencia
alusivo *adj.* alusivo (a, a), referente (a, a)
aluviano *adj.* (terreno) aluvial
aluvião *s.f.* aluvión*m.*
alva *s.f.* alba
alvará *s.m.* licencia*f.*, permiso
alvejado *adj.* herido con arma de fuego
alvejante *s.m.* blanqueador
alvejar *v.* **1** (roupa) blanquear **2** (com arma) disparar (dando en el banco) **3** apuntar (al blanco)
alvenaria *s.f.* **1** albañilería **2** mampostería, calicanto*m.*
alveolado *adj.* **1** alveolado **2** alveolar
alveolar *adj.2g.* alveolar
alvéolo *s.m.* **1** (colmeia) alvéolo, celdilla*f.*, celda*f.* **2** ANAT. alvéolo, alveolo
alvo *s.m.* **1** (tiro) blanco, diana*f.* **2** *fig.* objetivo, finalidad*f.* ■ *adj.* **1** *(branco)* albo, blanco **2** *fig.* puro, inocente ♦ **ser o alvo de** ser el blanco de; ***ser o alvo de todas as críticas*** ser el blanco de todas las críticas
alvorada *s.f.* alborada ♦ **toque de alvorada** toque de diana
alvorecer *v.* alborear
alvoroçar *v.* **1** alborotar, agitar **2** alborozar
alvoroço *s.m.* **1** *(agitação)* agitación*f.* **2** (alegria) alborozo **3** (medo) susto, sobresalto **4** alboroto, vocerío
a.m. (*abrev. de* ante meridiem (antes do meio-dia)) a.m. (*abrev. de* ante meridiem (antes del mediodía))
AM (*sigla de* Amplitude Modulada) AM (*sigla de* Modulación de Amplitud)
amabilidade *s.f.* amabilidad
amaciante *adj.,s.m.* suavizante
amaciar *v.* suavizar
amador, -a *s.m.,f.* **1** *(amante)* amador,-a, amante*2g.* **2** *(entusiasta)* aficionad|o,-a, amante*2g.* **3** *(diletante)* amateur*2g.*, aficionad|o,-a **4** *pej.* novat|o,-a, aprendiz,-a
amadurecer *v.* **1** (fruto) madurar **2** madurar **3** *fig.* (pessoa) madurar, curtirse
amadurecido *adj.* **1** (fruto) maduro **2** *fig.* (pessoa) maduro, experimentado **3** *fig.* *(refletido)* pensado, maduro
amadurecimento *s.m.* **1** (fruto) madurez*f.* **2** *fig.* (pessoa) madurez*f.*
amaldiçoar *v.* maldecir
amálgama *s.m./f.* **1** QUÍM. amalgama*f.* **2** *fig.* amalgama*f.*, mezcla*f.*, mezcolanza*f.pej.*
amamentação *s.f.* lactancia
amamentar *v.* amamantar, dar de mamar
amancebar-se *v.* amancebarse (com, con), juntarse (com, con)
amanhã *s.m.* *(futuro)* mañana, futuro, porvenir ■ *adv.* mañana ♦ **amanhã é outro dia** mañana será otro día; **até amanhã!** ¡hasta mañana!; **de hoje para amanhã** de un momento a otro; **depois de amanhã** pasado mañana

amanhecer *v.* amanecer ▪ *s.m.* amanecer, alba*f.* ♦ **ao amanhecer** al amanecer
amansar *v.* **1** amansarse **2** *(domar)* amansar, domar **3** *fig. (acalmar-se)* amansarse, tranquilizarse **4** *fig. (acalmar)* amansar, apaciguar, aplacar, tranquilizar
amante *s.2g.* amante
amanteigado *adj.* mantecoso ▪ *s.m.* mantecada*f.*
amar *v.* **1** querer, amar; ***te amo*** te amo/quiero **2** encantar; ***amo a vida*** me encanta la vida
amarelado *adj.* **1** (cor) amarillento **2** (aparência) macilento, pálido
amarelar *v.* **1** amarillear **2** *gír.* acobardarse
amarelinha *s.f.* (jogo infantil) tejo*m.*, rayuela
amarelo *s.m.* (cor) amarillo ▪ *adj.* **1** (cor) amarillo **2** *fig.* amarillo, pálido **3** *fig.* (sorriso) forzado
amargar *v.* **1** (sabor) amargar, saber amargo **2** *(tornar amargo)* amargar, agriar **3** *fig. (sofrer)* padecer, sufrir **4** *fig.* amargar, acibarar
amargo *adj.* **1** *(acre)* amargo, agrio, acre **2** *(azedo)* ácido **3** *fig.* amargo, doloroso, penoso, triste **4** *fig.* (pessoa) amargado
amargor *s.m.* amargor
amargura *s.f.* **1** (sabor) amargor*m.* **2** *fig.* amargura, aflicción, angustia, disgusto*m.*
amargurado *adj.* amargado, angustiado
amargurar *v.* **1** amargar **2** *fig.* amargar, afligir ▪ **amargurar-se** amargarse
amarração *s.f.* **1** NÁUT. amarre*m.*, amarradura **2** NÁUT. amarrazón **3** *col.* pasión, relación amorosa
amarrado *adj.* **1** *col.* (por noivado) comprometido; (por casamento) casado **2** *col.* enamorado (em, de), colado (em, por)
amarrar *v.* **1** amarrar, echar amarras **2** *(atar)* amarrar (a, a), atar (a, a); ***amarrar a corda no barco*** amarrar la cuerda al barco **3** (pessoa) amarrar **4** (cabelo) recoger **5** NÁUT. amarrar ▪ **amarrar se 1** (com corda) amarrarse **2** (a ideia) aferrarse (a, a), obstinarse (a, en) **3** *col.* comprometerse (a, con) **4** (a pessoa) enamorarse (em, de), colarse (em, por)
amarronzado *adj.* acastañado
amassar *v.* **1** (substância) amasar **2** (veículo) abollar **3** (tecido) arrugar **4** (papel) estrujar **5** *(esmagar)* aplastar
amável *adj.2g.* amable
amazona *s.f.* amazona
Amazonas *s.m.* Amazonas
âmbar *s.m.* ámbar
ambição *s.f.* ambición
ambicionar *v.* ambicionar
ambicioso *adj.* **1** ambicioso **2** *(ganancioso)* codicioso **3** (projeto, desafio) ambicioso, arriesgado, osado
ambidestro *adj.* ambidiestro, ambidextro
ambiental *adj.2g.* ambiental
ambientalista *adj.,s.2g.* ecologista, ambientalista
ambientar *v.* ambientar ▪ **ambientar se** ambientarse (a, a), adaptarse (a, a)
ambiente *s.m.* **1** *(meio físico)* ambiente **2** *(meio social)* ambiente, entorno **3** *(atmosfera)* ambiente, atmósfera*f.* **4** *(espaço)* ambiente, espacio, recinto ▪ *adj.2g.* ambiente ♦ **música ambiente** música ambiental
ambíguo *adj.* ambiguo
âmbito *s.m.* ámbito
amb|os, -as *pron.indef.* **1** amb|os, -as **2** amb|os, -as, l|os, -as dos, un|o, -a y otr|o, -a; ***gosto de ambas*** me gustan ambas/las dos
ambulância *s.f.* ambulancia
ambulante *adj.2g.* ambulante
ameaça *s.f.* **1** amenaza, aviso*m.* **2** *(advertência)* amenaza, advertencia **3** *(prenúncio)* amago*m.*, conato*m.*
ameaçador *adj.* amenazador
ameaçar *v.* **1** amenazar, estar a punto de **2** amenazar **3** intimidar **4** *(pôr em perigo)* amenazar, poner en peligro **5** *(dar indícios)* amenazar, amagar
ameba *s.f.* ameba, amiba
amedrontar *v.* amedrentar, asustar, atemorizar ▪ **amedrontar-se** amedrentarse, asustarse, atemorizarse
ameixa *s.f.* ciruela ♦ **ameixa seca** ciruela pasa/seca
ameixeira *s.f.* ciruelo*m.*
amém *interj.* ¡amén! ▪ *s.m.* aprobación*f.*, concordancia*f.*, consentimiento ♦ *col.* **dizer amém a tudo** decir amén a todo
amêndoa *s.f.* almendra
amendoado *adj.* almendrado
amendoeira *s.f.* almendro*m.*
amendoim *s.m.* cacahuete, maní, cacahuate [MÉX.]
amenidade *s.f.* amenidad
amenizar *v.* amenizar
ameno *adj.* **1** *(agradável)* ameno, agradable **2** (clima) cálido, agradable
América *s.f.* América ♦ **América Central** América Central; **América do Norte** América del Norte; **América do Sul** América del Sur, Sudamérica; **América Latina** América Latina
americanizar *v.* americanizar
american|o, -a *adj.,s.m.,f.* american|o, -a
amestrar *v.* (animal) amaestrar, domar
ametista *s.f.* amatista
amianto *s.m.* amianto
amídala *s.f.* amígdala
amidalite *s.f.* amigdalitis*2n.*
amido *s.m.* almidón
amigável *adj.2g.* amigable
amígdala *s.f.* amígdala
amig|o, -a *adj.,s.m.,f.* amig|o, -a ♦ **amigo da onça** *col.* amigo falso, hipócrita*2g.*; **amigo do peito** amigo del alma; [LUS.] *col.* **fiel amigo** bacalao
amimar *v.* **1** mimar **2** *pej.* consentir, malcriar, mimar demasiado **3** *(acarinhar)* acariciar
amistoso *adj.* **1** *(amigável)* amistoso, amigable **2** (competição) amistoso; ***jogo amistoso*** partido amistoso
amiúde *adv.* a menudo, frecuentemente
amizade *s.f.* amistad ▪ **amizades** *s.f.pl.* amistades, amigos*m.* ♦ *col.* **amizade-colorida** rollo, rollete

amnésia *s.f.* amnesia
amniótico *adj.* amniótico
amo *s.m.* **1** *(dono)* amo, dueño **2** *(chefe)* amo, jefe*2g.*
amolação *s.f. fig.,col.* pesadez, lata, molestia, aburrimiento*m.*
amolador, -a *s.m.,f.* afilador, -a
amolar *v.* **1** *(afiar)* afilar, amolar **2** *col.* fastidiar, molestar, amolar
amolecer *v.* **1** (substância) ablandarse, reblandecerse **2** (substância) ablandar, reblandecer **3** *fig.* (pessoa) ablandarse, conmoverse **4** *fig.* (pessoa) ablandar, conmover
amônia *s.f.* (líquido) amoniaco*m.*
amoniacal *adj.2g.* amoniacal
amoníaco *s.m.* amoniaco, amoníaco
amontoado *s.m.* montón, pila*f.*
amontoar *v.* amontonar, apilar ■ **amontoar-se** amontonarse, apilarse
amor *s.m.* amor ♦ **amor à primeira vista** amor a primera vista, flechazo *col.*; **amor com amor se paga** amor con amor se paga; **fazer amor** hacer el amor; **(não) morrer de amores por** (no) perder la cabeza por; **por amor de** a causa de; **por amor de Deus!** ¡por amor de Dios!; *col.* **ser um amor** ser un ángel
amora *s.f.* mora
amordaçar *v.* **1** (pessoa) amordazar **2** (animal) poner un bozal a **3** *fig.* amordazar, hacer callar, reprimir
amoreira *s.f.* moral*m.*
amoroso *adj.* amoroso
amor-perfeito *s.m.* (*pl.* amores-perfeitos) pensamiento
amortalhar *v.* (defunto) amortajar
amortecedor *s.m.* amortiguador
amortecer *v.* **1** (som) amortiguar **2** (dor) aliviar, atenuar **3** (impacto) amortiguar, suavizar
amortizar *v.* (dívida) amortizar
amostra *s.f.* **1** muestra **2** *(indício)* prueba, señal, muestra
amostrar *v.* **1** (amostra) recojer muestras de **2** *(mostrar)* enseñar, mostrar
amotinar *v.* amotinar, sublevar ■ **amotinar se** amotinarse, sublevarse
amparar *v.* **1** (coisa) apoyar, sujetar, sustentar **2** (pessoa) amparar, proteger ■ **amparar se 1** (coisa) apoyarse (em, en), sujetarse (em, a) **2** (pessoa) ampararse (em, en), protegerse (de, de)
amparo *s.m.* **1** *(proteção)* amparo, protección*f.* **2** *(apoio)* apoyo
ampliação *s.f.* **1** ampliación, aumento*m.* **2** (estrada, ponte) ensanchamiento*m.*, ensanche*m.*
ampliar *v.* **1** ampliar, aumentar **2** (estrada, ponte) ensanchar
amplificador *s.m.* amplificador
amplificar *v.* **1** (som) amplificar **2** *(ampliar)* ampliar, aumentar
amplitude *s.f.* **1** amplitud **2** *fig. (importância)* dimensión, calibre*m.*, importancia
amplo *adj.* **1** *(espaçoso)* amplio, espacioso, ancho **2** *(vasto)* amplio **3** *(abundante)* amplio, abundante, copioso **4** *(folgado)* holgado, amplio **5** *(abrangente)* amplio, lato **6** (sorriso) amplio, franco, sincero
ampola *s.f.* ampolla
ampulheta *s.f.* reloj*m.* de arena
amputação *s.f.* amputación
amputar *v.* amputar
amuar *v.* enfurruñarse, enfadarse
anabolizante *adj.2g.,s.m.* anabolizante
anacrônico *adj.* anacrónico
anal *adj.2g.* anal
analfabetismo *s.m.* analfabetismo
analfabet|o, -a *adj.,s.m.,f.* analfabet|o, -a
analgésico *adj.,s.m.* analgésico
analisador, -a *adj.,s.m.,f.* analizador, -a ■ **analisador** *s.m.* analizador
analisar *v.* analizar
análise *s.f.* **1** análisis*m.2n.* **2** psicoanálisis*m.2n.* ♦ **em última análise** en última instancia; **análise morfológica** análisis morfológico
analista *s.2g.* **1** analista **2** *(psicanalista)* psicoanalista
analítico *adj.* analítico
analogia *s.f.* analogía ♦ **por analogia** por analogía
analógico *adj.* analógico
ananás *s.m.* (fruto) piña*f.*, ananás [AM.]
ananaseiro *s.m.* (planta) piña*f.*, ananás [AM.]
an|ão, -ã *adj.,s.m.,f.* enan|o, -a
anarquia *s.f.* anarquía
anarquismo *s.m.* anarquismo
anarquista *adj.,s.2g.* anarquista
anarquizar *v.* anarquizar
anatomia *s.f.* anatomía
anatômico *adj.* anatómico
anca *s.f.* **1** (pessoa) cadera **2** (animal) anca; (cavalo) grupa
anchova *s.f.* **1** ZOOL. boquerón*m.* **2** CUL. anchoa
anci|ão, -ã *s.m.,f.* ancian|o, -a ■ *adj.* **1** (pessoa) mayor, de edad, anciano **2** *(antiquado)* anticuado, pasado de moda
ancinho *s.m.* rastrillo
âncora *s.f.* ancla, áncora; *lançar âncora* echar anclas
ancorar *v.* **1** anclar, fondear **2** *fig.* establecerse (em, en), afincarse (em, en), radicarse (em, en)
andaço *s.m. col.* epidemia*f.*
andador *s.m.* andador
andaime *s.m.* andamio
Andaluzia *s.f.* Andalucía
andamento *s.m.* **1** *(prosseguimento)* marcha*f.* **2** *(curso)* evolución*f.*, curso **3** *(ritmo)* paso, ritmo **4** *(desenvolvimento)* desarrollo, progreso **5** (veículo) marcha*f.* **6** MÚS. ritmo ♦ **dar andamento a alguma coisa** dar curso a algo; **em andamento** en marcha
andante *adj.2g.* andante ■ *s.m.* MÚS. andante

andar *v.* **1** *(caminhar)* andar, caminar, ir **2** (meio de transporte) ir (de/a, en/a), pasear (de/a, en/a), montar (a, a/en); *andar de avião* ir en avión; *andar de bicicleta* montar en bicicleta; *andar de carro* ir en coche; *andar a cavalo* montar a caballo **3** (mecanismo) andar, funcionar **4** (tempo) andar, pasar, correr **5** *(progredir)* avanzar, progresar; *as obras andaram depressa* se han progresado las obras muy deprisa **6** (companhia) andar (com, con), estar (com, con), ir (com, con); *anda sempre com pessoas estranhas* anda siempre con gente rara **7** *col. (namorar)* salir (com, con); *andar com alguém* salir con alguien **8** (estado, situação) *(estar)* andar, estar **9** (quantia) rondar (por, -) ▪ *s.m.* **1** paso **2** *(modo de andar)* andares*pl.* **3** (edifício) piso, planta*f.* **4** *(apartamento)* piso ♦ **anda cá!** ¡ven aquí!; **anda (lá)!** ¡vamos!; **andar** [+*ger.*] andar [+*ger.*]; *anda dormindo muito* anda durmiendo mucho; **andar a** [+*inf.*] estar [+*ger.*]; *ando lendo um livro* estoy leyendo un libro; **andar atrás de alguém 1** (relação) ir detrás de alguien; *você está apaixonado, anda sempre atrás dela* estás enamorado, siempre vas detrás de ella **2** *(procurar)* buscar a alguien; *ando atrás do senhorio para lhe pagar* busco al dueño para pagarle; **andar bem/mal de** estar bien/mal, andar; *anda mal do estômago* está mal del estómago; **diga-me com quem andas, e eu te direi quem és** dime con quién andas y te diré quién eres; *col.* **ir andando** ir tirando; **não saber a quantas anda** no saber de qué pie cojea alguien

andorinha *s.f.* golondrina

Andorra *s.f.* Andorra

androide *adj.2g.* antropoide ▪ *s.m.* androide

andropausa *s.f.* andropausia

anedota *s.f.* **1** chiste*m.* **2** anécdota, historieta ♦ **anedota picante** chiste verde

anel *s.m.* **1** (joia) anillo, sortija*f.* **2** (cabelo) rizo, bucle **3** (corrente) eslabón

anelar *adj.2g.* anular

anemia *s.f.* anemia

anêmic|o, -a *adj.,s.m.,f.* anémic|o, -a

anemômetro *s.m.* MET. anemómetro

anêmona *s.f.* anémona, anemona

anestesia *s.f.* anestesia

anestesiar *v.* anestesiar

anestésico *adj.,s.m.* anestésico

anestesista *s.2g.* anestesista

aneurisma *s.m.* aneurisma*m./f.*

anexar *v.* **1** (documento) adjuntar, agregar **2** (país, região) anexionar ▪ **anexar se 1** (país, região) anexionarse (a, a) **2** *(juntar-se)* unirse (a, a), juntarse (a, a)

anexo *s.m.* **1** (edifício) anexo, anejo; (casa) cuarto trastero **2** (documento) anexo, anejo ▪ *adj.* adjunto, anexo ♦ (cartas comerciais) **em anexo** como anexo

anfíbio *adj.,s.m.* anfibio

anfiteatro *s.m.* anfiteatro

anfitri|ão, -ã *s.m.,f.* anfitri|ón, -ona

angariar *v.* **1** (apoio, dinheiro) recaudar, recolectar **2** (pessoas) reclutar

angelical *adj.2g.* angelical

angina *s.f.* angina ♦ **angina do peito** angina de pecho

anglican|o, -a *adj.,s.m.,f.* anglican|o, -a

anglo-sax|ão, -ã *adj.,s.m.,f.* (*pl.* anglo-sax|ões, -ãs) anglosaj|ón, -ona ▪ **anglo-saxão** *s.m.* (língua) anglosajón

anglo-saxônic|o, -a *adj.,s.m.,f.* (*pl.* anglo-saxônicos) ⇒ **anglo-saxão**

Angola *s.f.* Angola

angolan|o, -a *adj.,s.m.,f.* angoleñ|o, -a

ângulo *s.m.* **1** ángulo **2** *(esquina, canto)* ángulo, esquina*f.*, rincón **3** *fig.* ángulo, punto de vista

angústia *s.f.* angustia, aflicción, agobio*m.*

angustiado *adj.* angustiado, afligido, agobiado

angustiante *adj.2g.* agobiante, angustioso, aflictivo

angustiar *v.* angustiar, afligir ▪ **angustiar-se** angustiarse (com/por, con/por), afligirse (com/por, con/por)

anilina *s.f.* anilina

animação *s.f.* animación

animado *adj.* **1** (ser) animado **2** (local) animado, alegre, concurrido **3** (pessoa) alegre, animado, entusiasmado **4** CIN. animado; *desenhos animados* dibujos animados

animador, -a *s.m.,f.* **1** animador, -a **2** (rádio, televisão) presentador, -a ▪ *adj.* animador

animal *adj.2g.,s.m.* **1** animal **2** *fig.,pej.* (pessoa) animal, bestia*2g.*, brut|o, -a*m.f.* ♦ **animal de estimação** animal de compañía, mascota

animar *v.* **1** animar **2** alegrar ▪ **animar-se 1** animarse **2** alegrarse

ânimo *s.m.* **1** *(coragem)* ánimo, valor **2** *(disposição)* ánimo, espíritu ▪ *interj.* ¡ánimo!; ¡arriba!

animosidade *s.f.* animadversión, antipatía, animosidad

aninhar *v.* **1** *fig.* acoger **2** *fig.* ocultar, esconder

aniquilar *v.* **1** aniquilar, destruir, exterminar **2** *fig.* abatir, deprimir

anis *s.m.* (planta, bebida) anís

anistia *s.f.* **1** amnistía **2** *(perdão)* perdón*m.*

aniversariante *s.2g.* cumpleañer|o, -a*m.f.* (persona que celebra su cumpleaños)

aniversário *s.m.* **1** (pessoa) cumpleaños*2n.* **2** (evento) aniversario ♦ **feliz aniversário!** ¡feliz cumpleaños!

anjo *s.m.* **1** ángel; *anjo da guarda* ángel de la guarda, ángel custodio **2** *fig.* (pessoa) ángel

ano *s.m.* año ▪ **anos** *s.m.pl.* (idade) años*m.* ♦ **ano a ano** cada año; **ano bissexto** año bisiesto; (escola) **ano letivo** año académico/escolar; **ano lunar** año lunar; **Ano-Novo** año nuevo; *feliz Ano-Novo!* ¡feliz año nuevo!; **ano santo/de jubileu** año santo/jubilar; (escola) **passar de ano** pasar de curso; **por ano** al año; (escola) **repetir de ano** no pasar de curso

anoitecer *v.* anochecer, oscurecer ▪ *s.m.* anochecer ♦ **ao anoitecer** al anochecer

anomalia *s.f.* anomalía

anonimato *s.m.* anonimato
anônim|o, -a *adj.,s.m.,f.* anónim|o, -a
anorexia *s.f.* anorexia
anoréxic|o, -a *adj.,s.m.,f.* anoréxic|o, -a
anormal *adj.2g.* **1** anormal **2** anómalo, irregular **3** imprevisto, insólito **4** *pej.* perverso, depravado ■ *s.2g. col.* imbécil
anotação *s.f.* **1** *(apontamento)* anotación, nota, apunte*m.* **2** *(comentário)* comentario*m.*
anotador, -a *s.m.,f.* **1** comentador, -a, comentarista*2g.* **2** CIN.,TV. script*2g.*
anotar *v.* **1** *(apontar)* anotar, apuntar **2** (texto) anotar
anseio *s.m.* **1** *(desejo)* anhelo, ansia*f.* **2** *(aflição)* aflicción*f.*, sufrimiento, pena*f.*
ânsia *s.f.* **1** *(desejo)* ansia, anhelo*m.* **2** *(ansiedade)* ansia, ansiedad; *(angústia)* angustia
ansiar *v.* **1** ansiar, anhelar, desear **2** *(afligir)* afligir, angustiar
ansiedade *s.f.* **1** *(desejo)* anhelo*m.*, deseo*m.* **2** ansiedad, angustia
ansioso *adj.* **1** *(desejoso)* ansioso (por, de/por); ***estou ansioso por saber as novidades*** estoy ansioso por tener novedades **2** *(angustiado)* ansioso, angustiado **3** *(inquieto)* ansioso, inquieto, intranquilo
anta *s.f.* ZOOL. tapir*m.*
antagonizar *v.* antagonizar
antártico *adj.* antártico
antebraço *s.m.* antebrazo
antecedência *s.f.* antelación
antecedente *adj.2g.* antecedente, precedente, anterior ■ *s.m. (precedente)* antecedente, precedente ■ **antecedentes** *s.m.pl.* **1** antecedentes **2** *(antepassados)* antepasados ♦ **antecedentes criminais** antecedentes criminales
anteceder *v.* anteceder, preceder ■ **anteceder-se** anticiparse (a, a), adelantarse (a, a)
antecessor, -a *s.m.,f.* **1** *(predecessor)* antecesor, -a, predecesor, -a **2** *(antepassado)* antecesor, -a, antepasad|o, -a, predecesor, -a
antecipação *s.f.* **1** anticipación, antelación **2** *(previsão)* previsión, pronóstico*m.* **3** *(adiantamento)* anticipo*m.* ♦ **com/por antecipação** con antelación
antecipadamente *adv.* anticipadamente, por anticipado
antecipar *v.* **1** *(adiantar)* anticipar, adelantar **2** *(prever)* prever, pronosticar ■ **antecipar se** anticiparse (a, a), adelantarse (a, a)
antemão ♦ **de antemão** de antemano
antena *s.f.* **1** antena **2** ZOOL. antena
anteontem *adv.* anteayer, antes de ayer; ***anteontem à noite*** antenoche [AM.], anteanoche
antepassad|o, -a *s.m.,f.* antepasad|o, -a
antepenúltimo *adj.* antepenúltimo
antepor *v.* anteponer (a, a); ***antepor uma coisa a outra*** anteponer una cosa a otra
anterior *adj.2g.* anterior
anteriormente *adv.* anteriormente, antes

antes *adv.* **1** (tempo) antes; ***alguns dias antes*** unos días antes **2** (opção, preferência) antes, antes bien, mejor **3** *(pelo contrário)* antes, más bien; ***não era uma pessoa paciente, antes se revela muito ansiosa*** no era una persona paciente, más bien bastante ansiosa **4** *(antigamente)* antes, antiguamente; ***antes não havia nada disso*** antes no había nada de eso ♦ **antes assim** mejor así; **antes de mais nada/de tudo** antes que nada; **antes que** antes de que; ***antes que comece*** antes de que empiece; **ou antes** o mejor; **o quanto antes** cuanto antes
antever *v.* prever, antever
antiácido *s.m.* antiácido
antiaderente *adj.2g.* (produto) antiadherente
antiaéreo *adj.* antiaéreo
antibiótico *s.m.* antibiótico
anticaspa *adj.2g.2n.* anticaspa
anticiclone *s.m.* anticiclón
anticoncepcional *adj.2g.,s.m.* anticonceptivo
anticonceptivo *adj.,s.m.* ⇒ **anticoncepcional**
anticorpo *s.m.* anticuerpo
Anticristo *s.m.* Anticristo
antidepressivo *adj.,s.m.* antidepresivo
antídoto *s.m.* antídoto
antigamente *adv.* antiguamente
antigo *adj.* **1** antiguo **2** anterior
antiguidade *s.f.* antigüedad ■ **antiguidades** *s.f.pl.* antigüedades
Antiguidade *s.f.* Antigüedad
anti-higiênico *adj.* antihigiénico
anti-horário *adj.* en sentido contrario a las agujas del reloj
anti-inflamatório *adj.,s.m.* (*pl.* anti-inflamatórios) antiinflamatorio
Antilhas *s.f.pl.* Antillas
antílope *s.m.* antílope
antipatia *s.f.* antipatía
antipático *adj.* antipático
antipatizar *v.* tener antipatía (com, -); ***antipatizar com alguém*** tener/coger antipatía a alguien
antiquado *adj.* anticuado, pasado de moda
antiquári|o, -a *s.m.,f.* anticuari|o, -a ■ **antiquário** *s.m.* anticuario, tienda*f.* de antigüedades
antiqueda *adj.2g.2n.* contra la caída del cabello
antisséptico *adj.,s.m.* (*pl.* antissépticos) antiséptico
antissocial *adj.2g.* antisocial
antiterrorismo *s.m.* antiterrorismo
antiterrorista *adj.2g.* antiterrorista
antítese *s.f.* antítesis*2n.*
antitetânico *adj.,s.m.* antitetánico
antitóxico *adj.,s.m.* antitóxico
antivírus *s.m.2n.* antivirus, cazavirus
antônimo *adj.,s.m.* antónimo
antraz *s.m.* **1** MED. ántrax*2n.* **2** MED.,VET. ántrax*2n.* maligno, carbunco
antro *s.m.* antro

antropologia *s.f.* antropología
anual *adj.2g.* anual
anualmente *adv.* anualmente
anuidade *s.f.* (quantia) anualidad
anulação *s.f.* **1** (lei) anulación, revocación, derogación **2** (contrato) anulación, invalidación **3** (gol) anulación **4** *(extermínio)* exterminio*m.*
anular *v.* **1** (lei, ordem) anular, abolir, revocar, derogar **2** (contrato) anular, invalidar **3** *(exterminar)* exterminar **4** (gol) anular ▪ **anular se** anularse ▪ *adj.2g.* anular ▪ *s.m.* (dedo) anular
Anunciação *s.f.* REL. Anunciación
anunciar *v.* **1** *(divulgar)* anunciar, divulgar **2** (publicidade) anunciar, hacer publicidad **3** *(prever)* anunciar, presagiar
anúncio *s.m.* **1** *(publicidade)* anuncio, publicidad*f.*; *(reclame)* reclamo **2** *(aviso)* anuncio, aviso **3** *(indício)* anuncio, indicio, señal*f.* ♦ **anúncio classificado** anuncio clasificado
ânus *s.m.2n.* ano
anzol *s.m.* anzuelo ♦ **cair no anzol** morder/picar (en) el anzuelo
ao *contr. da prep.* a + *art.def.m.* o al; *ir ao cinema* ir al cine
aonde *pron.rel.* *(ao qual)* adonde, al/a la que; *a loja aonde fui* la tienda adonde fui; *o jardim aonde estiveste* el jardín adonde estuviste ▪ *adv.* **1** *(a que lugar)* ¿adónde?, ¿a qué lugar?; *aonde vamos?* ¿adónde vamos? **2** *pop.* *(em que lugar)* ¿dónde?; *aonde ficaste?* ¿dónde te has quedado? ♦ **aonde quer que** adondequiera que
aorta *s.f.* aorta
apadrinhar *v.* **1** apadrinar **2** *fig.* apadrinar, apoyar, proteger; *(patrocinar)* patrocinar
apagador *s.m.* borrador (de pizarra)
apagão *s.m.* apagón
apagar *v.* **1** (luz, aparelho) apagar, desconectar **2** (fogo) apagar, extinguir; (cigarro) apagar **3** (com borracha, corretor) borrar **4** *fig.* olvidar, borrar ▪ **apagar se 1** (fogo) apagarse **2** (luz, aparelho) apagarse, desconectarse **3** (traço, marca) borrarse
apaixonad|o, -a *s.m.,f.* amante*2g.* ▪ *adj.* **1** (pessoa) enamorado **2** (entusiasmo) apasionado, fanático, forofo*col.* **3** (discurso) apasionado, arrebatado
apaixonar *v.* **1** (amor) enamorar **2** (entusiasmo) apasionar, entusiasmar ▪ **apaixonar se 1** (amor) enamorarse (**por**, de) **2** (entusiasmo) apasionarse (**por**, por), entusiasmarse (**por**, con)
apalpar *v.* palpar
apanhado *s.m.* resumen ▪ *adj.* **1** cogido, recogido **2** (produto agrícola) cosechado, recolectado, cogido **3** (animal) capturado, cogido ♦ **ser apanhado de surpresa** ser cogido por sorpresa
apanhar *v.* **1** *(fazer a colheita)* cosechar, recoger **2** (produto agrícola) cosechar, recoger, recolectar **3** (objeto caído) coger, recoger **4** *(levar pancada)* cobrar, recibir una paliza **5** (animal) capturar, coger **6** *(agarrar)* coger, tomar **7** (em flagrante) coger, sorprender, pillar **8** (pancada) llevarse **9** *(pescar, caçar)* coger, pescar, cazar **10** (susto) darse **11** (flores, fruta) coger
apara *s.f.* (de madeira) viruta; (de papel) recorte*m.*; (de ferro, metal) limaduras*pl.*
aparador *s.m.* (móvel) aparador
aparafusar *v.* atornillar
aparar *v.* **1** (lápis) afilar, sacar punta **2** (madeira) alisar **3** (cabelo) cortar las puntas **4** (folha de papel) recortar, cortar los bordes
aparato *s.m.* aparato, pompa*f.*, ostentación*f.*
aparecer *v.* **1** aparecer **2** (televisão, filme) salir
aparelhagem *s.f.* **1** equipo*m.* de música, equipo*m.* de sonido, equipo*m.* hi-fi; (portátil) minicadena **2** *(equipamento)* equipo*m.*
aparelhar *v.* **1** *(preparar)* aparejar, aprestar **2** (cavalo) aparejar, ensillar, enalbardar **3** (tinta, verniz) dar la primera mano
aparelho *s.m.* **1** aparato **2** ANAT. aparato **3** *(sistema)* sistema **4** (de cavalo) aparejo, arreos*pl.* **5** (dentes) aparato **6** ARQ. aparejo ♦ **aparelho auditivo** audífono; **aparelho auditivo/circulatório/digestório** aparato auditivo/circulatorio/digestivo; **aparelho de som** equipo de sonido
aparência *s.f.* **1** apariencia, aspecto*m.*, pinta **2** forma, figura **3** *fig.* ilusión ♦ **as aparências enganam** las apariencias engañan; **manter as aparências** cubrir/guardar/salvar las apariencias
aparentar *v.* **1** (idade) aparentar, parecer **2** *(fingir)* aparentar, fingir, simular ▪ **aparentar-se** emparentar
aparente *adj.2g.* **1** aparente **2** *(visível)* aparente, visible
aparição *s.f.* **1** *(aparecimento)* aparición **2** *(fantasma)* aparición, fantasma*m.*
apartado *adj.* apartado ▪ *s.m.* apartado de correos, casilla*f.* postal[AM.]
apartamento *s.m.* **1** (edifício) piso, apartamento **2** *(separação)* apartamiento, alejamiento
aparte *s.m.* **1** TEAT. aparte **2** (conversa, conferência) aparte, comentario
apassivar *v.* (verbo, construção) utilizar en voz pasiva
apatia *s.f.* apatía
apático *adj.* apático
apavorar *v.* aterrar, aterrorizar ▪ **apavorar se** aterrarse, aterrorizarse
apaziguar *v.* apaciguar ▪ **apaziguar-se** apaciguarse
apedrejar *v.* **1** *(atirar pedras)* apedrear **2** *(matar a pedradas)* apedrear, lapidar **3** *fig.* ofender, insultar
apegar *v.* apegar ▪ **apegar se** *fig.* apegarse
apegar-se *v.* encariñarse (a, con), apegarse (**a**, a); *apegou-se ao gato* se ha encariñado con el gato
apego *s.m.* apego, afecto, cariño
apelação *s.f.* apelación, recurso*m.* de apelación
apelar *v.* **1** apelar (a, a), recurrir (a, a); *apelar aos amigos* recurrir a los amigos **2** DIR. apelar, recurrir
apelativo *adj.* **1** LING. apelativo **2** atractivo

apelidar *v.* apellidar; apodar ▪ **apelidar-se** apellidarse
apelido *s.m.* apodo, mote
apelo *s.m.* **1** *(chamamento)* llamamiento, apelación*f.* **2** *(rogo)* ruego, llamamiento **3** apelación*f.*, recurso de alzada
apenas *adv.* sólo, solamente, únicamente; *li apenas um livro* sólo he leído un libro; *isto é apenas um exemplo* esto es sólo un ejemplo ▪ *conj.* *(logo que, mal)* apenas; en cuanto
apêndice *s.m.* **1** (livro, documento) apéndice, anejo, suplemento **2** ANAT. apéndice
apendicite *s.f.* apendicitis*2n.*
aperceber-se *v.* percatarse (de, de), darse cuenta (de, de), apercibirse (de, de); *ele apercebeu-se do seu erro* se ha percatado de su error
aperfeiçoamento *s.m.* **1** *(melhoramento)* perfeccionamiento, mejora*f.* **2** *(acabamento)* acabado, retoque **3** (estudos, profissão) perfeccionamiento, especialización*f.*
aperfeiçoar *v.* **1** perfeccionar **2** *(melhorar)* perfeccionar, mejorar ▪ **aperfeiçoar se** perfeccionarse
aperitivo *s.m.* aperitivo; tapa*f.* ▪ **aperitivos** *s.m.pl.* entremeses
aperreado *adj.* **1** *col.* oprimido **2** *fig.* enfadado
aperrear *v.* **1** *fig.* oprimir **2** *fig.* enfadar
apertado *adj.* **1** (lugar) estrecho **2** (roupa, calçado) apretado, ajustado, ceñido **3** (prazo) corto **4** *(avarento)* tacaño **5** (curva) cerrado, pronunciado **6** *col.* (falta de dinheiro) apretado, apurado **7** *col.* con ganas de orinar/defecar ♦ *col.* **estar apertado** tener ganas de orinar
apertão *s.m.* apretón
apertar *v.* **1** (calçado) apretar **2** apretar **3** (chuva, calor, frio) arreciar **4** *(comprimir)* apretar, comprimir **5** (tempo, prazo) apretarse **6** (parafuso) atornillar; (rosca) apretar **7** (roupa) apretar; *(abotoar)* abrochar, abotonar **8** *(pressionar)* apretar **9** (roupa) apretar **10** (disciplina) apretar **11** *(afligir)* agobiar, angustiar, apesadumbrar **12** (custos, despesas) disminuir, reducir **13** (com os braços) apretar, estrechar **14** (cinto) abrochar **15** (cumprimento) estrechar, apretar **16** (sapatos) atarse **17** *fig.* (pessoa) apretar, coaccionar ▪ **apertar-se** *fig.* (pessoa) afligirse, angustiarse
aperto *s.m.* **1** *(pressão)* apretón **2** *(dificuldade)* aprieto, apuro **3** (pessoas) aprieto, apretura*f.*, aglomeración*f.* **4** (de espaço) apretura*f.* **5** (de tempo) prisa*f.*, urgencia*f.* **6** *fig.* agobio, pesar **7** *fig.* coacción*f.*, presión*f.* ♦ **aperto de mão** apretón de manos; **sentir um aperto no coração** tener el corazón en un puño
apesar ♦ **apesar de** a pesar de, pese a, pese a que; *apesar da chuva* a pesar de estar lloviendo; **apesar de** [+*inf.*] aunque [+*conj.*]; *apesar de eu ir, não gosto disso* aunque vaya, no me gusta nada eso; **apesar de que** a pesar de que, aunque; **apesar disso/de tudo** a pesar de eso/de todo
apetite *s.m.* apetito ♦ **bom apetite!** ¡buen provecho!; ¡que aproveche!
apetitoso *adj.* **1** apetitoso, sabroso, exquisito **2** *fig.* apetitoso, apetecible, tentador
apetrechos *s.m.pl.* bártulos*pl.*; utensilios*pl.*; herramientas*f. pl.*
apicultor, -a *s.m.,f.* apicultor, -a
apicultura *s.f.* apicultura
apiedar-se *v.* apiadarse (de, de), compadecerse (de, de)
apimentado *adj.* **1** (comida) sazonado con pimienta **2** (comentário, dito) picante
apimentar *v.* **1** (comida) sazonar con pimienta **2** *fig.* (conversa, comentário) tergiversar
Ápis *s.m.2n.* ASTRON. Apis
apitar *v.* **1** pitar, señalar **2** (polícia) pitar; silbar; (sirene) sonar; (trem, chaleira) pitar **3** (veículo) pitar; dar un bocinazo/pitido; (condutor) tocar la bocina
apito *s.m.* **1** (instrumento) silbato, pito **2** (som) pitido
aplainar *v.* **1** (madeira) cepillar **2** *(nivelar)* aplanar, allanar, nivelar
aplanar *v.* (superfície) aplanar, allanar, nivelar
aplaudir *v.* aplaudir
aplauso *s.m.* aplauso
aplicação *s.f.* **1** *(uso)* aplicación, empleo*m.* **2** (de materiais) aplicación, colocación **3** (de leis, programas) cumplimiento*m.* **4** (estudo, trabalho) empeño*m.*, afán*m.* **5** (de dinheiro) inversión **6** (de costura) aplicación, adorno*m.*, encaje*m.*
aplicar *v.* **1** aplicar **2** (dinheiro) invertir **3** (lei, programa) cumplir **4** (medicamento) aplicar, administrar ▪ **aplicar-se** **1** aplicarse, utilizarse, usarse **2** (pessoa) aplicarse, esforzarse
aplicativo *s.m.* aplicación*f.*
aplicável *adj.2g.* aplicable
aplique *s.m.* **1** aplique **2** (de cabelo) extensión
apocalipse *s.m.* apocalipsis*2n.*
Apocalipse *s.m.* REL. Apocalipsis*2n.*
apoderar-se *v.* apoderarse (de, de), adueñarse (de, de), apropiarse (de, de)
apodrecer *v.* **1** pudrirse **2** pudrir **3** *fig.* (moralmente) corromperse **4** *fig.* (moralmente) corromper
apoiar *v.* **1** apoyar **2** ayudar; defender **3** patrocinar **4** (argumento, estudo) apoyar, basar, fundamentar ▪ **apoiar se** apoyarse (em, en)
apoio *s.m.* **1** *(suporte)* apoyo, soporte, sostén **2** (financeiro) apoyo, ayuda*f.* financiera, patrocinio **3** *fig.* apoyo, ayuda*f.* ♦ **apoio de cabeça** (automóvel) reposacabezas
apólice *s.f.* **1** póliza **2** acción ♦ **apólice de seguro** póliza de seguro
apologia *s.f.* apología
apontador *s.m.* **1** (relógio) manecilla*f.*, aguja*f.* **2** (lápis) sacapuntas*2n.*, afilalápices*2n.*
apontar *v.* **1** (com o dedo) apuntar (para, a), señalar; *ele está apontando para o balão* él está apuntando al globo **2** *(anotar)* apuntar, anotar **3** *(mostrar)* apuntar, señalar **4** (com arma) encañonar, apuntar **5** (lápis) afilar, sacar punta (-, a)

apoquentar *v.* **1** *(preocupar)* afligir, preocupar **2** *(aborrecer)* molestar ■ **apoquentar se** afligirse, preocuparse

aporrinhar *v. col.* molestar

aportar *v.* **1** (embarcação) arribar (a, a); ***o navio aporta em Hamburgo*** el barco arriba al puerto de Hamburgo **2** llevar a puerto, fondear

após *prep.* **1** (espaço) detrás de, tras **2** (tempo) después de; ***logo após*** enseguida ■ *adv.* después, enseguida

aposentad|o, -a *adj.,s.m.,f.* jubilad|o, -a, retirad|o, -a

aposentadoria *s.f.* jubilación

aposentar *v.* jubilar, retirar ■ **aposentar-se** jubilarse, retirarse

aposento *s.m.* aposento, habitación*f.*

aposição *s.f.* **1** *(justaposição, união)* yuxtaposición, unión **2** LING. aposición

apossar-se *v.* apoderarse (de, de), adueñarse (de, de), apropiarse (de, de), posesionarse (de, de)

aposta *s.f.* apuesta

apostar *v.* **1** apostar (em, por), jugar (em, a); ***apostar na loteria*** jugar a la lotería **2** *(arriscar)* apostar, arriesgar, jugarse **3** *(garantir)* apostar, garantizar

apostatar *v.* apostatar (de, de); ***apostatou do judaísmo*** apostató del judaísmo

apostila *s.f.* apuntes*m. pl.*

apóstolo *s.m.* apóstol

apóstrofe *s.f.* apóstrofe*m./f.*

apóstrofo *s.m.* apóstrofo

apótema *s.f.* GEOM. apotema

apreciação *s.f.* **1** *(avaliação)* apreciación, evaluación **2** *(juízo)* juicio*m.*, opinión **3** *(apreço)* aprecio*m.*, estima

apreciador, -a *s.m.,f.* apreciador, -a

apreciar *v.* **1** *(estimar)* apreciar, estimar, valorar **2** *(avaliar)* tasar, evaluar, calcular

apreço *s.m.* aprecio, estima*f.*, consideración*f.* ♦ (assunto, problema) **em apreço** en cuestión

apreender *v.* **1** (mercadoria, objeto) aprehender, confiscar, incautar **2** (pessoa) capturar, apresar, aprehender **3** (ideia, informação) aprehender, entender, comprender, percibir

apreensão *s.f.* **1** (de pessoa) aprehensión, captura **2** (de mercadoria) confiscación, incautación **3** (de carteira de motorista) retirada **4** *(receio)* aprensión, recelo*m.* **5** *(compreensão)* comprensión

apreensivo *adj.* aprensivo

apregoar *v.* **1** (mercadoria, produto) pregonar, anunciar **2** *(divulgar)* pregonar, divulgar

aprender *v.* aprender ♦ **aprender a** [+*inf.*] aprender a [+*inf.*]; ***aprender a escrever*** aprender a escribir

aprendiz, -a *s.m.,f.* aprendiz, -a

aprendizado *s.m.* aprendizaje

aprendizagem *s.f.* aprendizaje*m.*

apresentação *s.f.* **1** (de pessoas) presentación **2** (de objeto, documento, etc.) presentación **3** (de produto) presentación, lanzamiento*m.* **4** (de filme, peça) presentación **5** *(aparência)* presentación, aspecto*m.*, pinta **6** (obstetrícia) presentación

apresentador, -a *s.m.,f.* presentador, -a

apresentar *v.* **1** (pessoas) presentar **2** (cumprimentos, sentimentos) presentar **3** (documento, texto) presentar **4** (argumento, justificação) presentar, argumentar, alegar **5** (candidatura, tese) evaluar **6** (ideia, tese, programa) presentar, exponer, mostrar **7** (programa) presentar **8** (espetáculo, obra) presentar ■ **apresentar-se 1** (a uma pessoa) presentarse, hacerse conocer **2** (num local) presentarse, comparecer **3** presentarse

apresentável *adj.2g.* presentable

apressado *adj.* **1** apresurado **2** *(impaciente)* impaciente

apressar *v.* **1** apresurar, acelerar, adelantar **2** *(antecipar)* anticipar **3** (pessoa) apresar ■ **apressar-se** apresurarse, darse prisa

aprimorar *v.* perfeccionar ■ **aprimorar-se** perfeccionarse

aprisionar *v.* **1** aprisionar, apresar, capturar **2** (pessoa) encarcelar

aprofundado *adj.* **1** ahondado **2** *fig.* profundizado, detallado

aprofundamento *s.m.* **1** profundización*f.*, ahondamiento **2** *fig.* (assunto, estudo) profundización*f.*

aprofundar *v.* **1** (buraco) profundizar, ahondar **2** *fig.* (assunto, questão) profundizar (-, en); ***aprofundar um assunto*** profundizar en un asunto

aprontar *v.* preparar, aprestar ■ **aprontar-se** *col.* arreglarse (para, para), vestirse (para, para)

apropriação *s.f.* apropiación

apropriado *adj.* apropiado (para, para), adecuado (para, para); ***ser apropriado para alguma coisa*** ser apropiado para algo

apropriar *v.* adaptar, adecuar, apropiar ■ **apropriar se** apropiarse (de, de), adueñarse (de, de), apoderarse (de, de); ***apropriar-se de alguma coisa*** apropiarse de algo

aprovação *s.f.* **1** *(consentimento)* aprobación, consentimiento*m.*, beneplácito*m.* **2** (proposta) aprobación, aceptación **3** (exame) aprobado*m.*

aprovado *adj.* **1** *(autorizado)* aprobado, autorizado **2** (proposta, método) aprobado, aceptado **3** (exame) aprobado

aprovar *v.* **1** *(autorizar)* aprobar, autorizar **2** (proposta) aprobar, aceptar **3** (exame) aprobar, pasar

aproveitamento *s.m.* **1** aprovechamiento **2** (terreno, materiais) aprovechamiento, explotación*f.* **3** (escolar) aprovechamiento, rendimiento

aproveitar *v.* **1** aprovechar; disfrutar **2** (espaço, oportunidade, tempo) aprovechar **3** (objeto) aprovechar (para, para), usar (para, para) **4** (terreno, recurso) aprovechar, explotar ■ **aproveitar-se 1** *(servir-se)* aprovecharse (de, de), servirse (de, de) **2** *(abusar)* aprovecharse (de, de), abusar (de, de) ♦ **aproveite enquanto pode!** ¡aprovecha mientras puedas!

aprovisionar *v.* aprovisionar (de, de), abastecer (de, de) ■ **aprovisionar-se** aprovisionarse (de, de), abastecerse (de, de)

aproximação *s.f.* **1** acercamiento*m.*, aproximación **2** (loteria) aproximación
aproximado *adj.* aproximado
aproximar *v.* **1** acercar, aproximar **2** *fig.* (ideias, fatos) confrontar, comparar ▪ **aproximar se** **1** acercarse (de, a), aproximarse (de, a), arrimarse (de, a); *aproximou-se dos guardas* se aproximó a los guardias **2** (data, tempo) avecinarse
aprumar *v.* **1** aplomar **2** *(endireitar)* enderezar ▪ **aprumar-se** **1** enderezarse **2** *fig.* arreglarse, acicalarse
aptidão *s.f.* aptitud
apto *adj.* apto (para, para); *apto para o trabalho* apto para el trabajo
apunhalar *v.* **1** apuñalar **2** *fig. (trair)* traicionar; *apunhalar alguém pelas costas* dar una puñalada trapera en alguien
apurar *v.* **1** (fato, problema) investigar, averiguar **2** (verdade) revelar, descubrir **3** *(aperfeiçoar)* perfeccionar **4** (humor, sentidos) aguzar **5** (alimentos) condimentar **6** (concorrente, finalista) elegir, seleccionar **7** (votos) escrutar, contar
aquaplanagem *s.f.* aquaplaning*m.*
aquaplanar *v.* **1** *col.* (veículo) patinar **2** hacer esquí acuático
aquaplano *s.m.* esquí acuático
aquarela *s.f.* acuarela
aquarian|o, -a *adj.,s.m.,f.* acuario*2g.*
aquário *s.m.* (pequeno) pecera*f.*; (grande) acuario
Aquário *s.m.* ASTROL.,ASTRON. Acuario
aquartelar *v.* (tropas) acuartelar
aquático *adj.* acuático
aquecedor *s.m.* (a eletricidade, gás) calentador, radiador; (de ambiente) estufa*f.*
aquecer *v.* **1** (ambiente) subir **2** (comida, corpo) calentar **3** *fig. (exaltar)* calentar, exaltar **4** *fig.* (situação) complicarse **5** ESPOR. calentar ▪ **aquecer se** calentarse
aquecimento *s.m.* **1** (temperatura) calentamiento **2** (equipamento) calefacción*f.* **3** ESPOR. calentamiento ♦ **aquecimento a gás** calefacción a gas; **aquecimento global** calentamiento global
aqueduto *s.m.* acueducto
aquel|e, -a *pron.dem.* **1** aquel, -la; *aquele carro* aquel coche; *aquela bicicleta* aquella bicicleta; *aqueles carros* aquellos coches; *aquelas bicicletas* aquellas bicicletas **2** aquel, -la; (contextos ambíguos) aquél, -la; *quem é aquele?* ¿quién es aquel?; *prefiro aquele* prefiero aquél
àquele *contr. da prep.* a + *pron.dem.m.* aquele a aquel
aquém *adv.* en el lado de acá; de este lado ♦ **aquém de** **1** a este lado **2** antes de **3** por debajo de; **ficar aquém de** ser inferior a
aqui *adv.* **1** (lugar) aquí; *moro aqui perto* vivo aquí cerca; *por aqui, por favor* por aquí por favor **2** (tempo) aquí, en este momento, ahora; *até aqui tudo correu bem* hasta aquí todo fue bien ♦ **aqui e agora** inmediatamente; **aqui e ali** aquí y allá
aquietar *v.* aquietar, calmar, tranquilizar ▪ **aquietar se** aquietarse, calmarse, tranquilizarse
aquilo *pron.dem.* aquello; lo; *o que é aquilo?* ¿qué es aquello?
àquilo *contr. da prep.* a + *pron.dem.* aquilo a aquello
aquisição *s.f.* adquisición
ar *s.m.* **1** aire **2** *(aragem)* brisa*f.* **3** *fig. (aspecto)* aire, aspecto **4** *fig. (indício)* indicio ♦ **ao ar livre** al aire libre; **dar o ar de sua graça** dejarse ver; **ir pelos ares** saltar por los aires; **mudar de ares** cambiar de aires; (rádio, televisão) **pôr no ar** estar en el aire
árabe *adj.,s.2g.* árabe ▪ *s.m.* (língua) árabe
arabesco *s.m.* arabesco
Arábia *s.f.* Arabia ♦ **Arábia Saudita** Arabia Saudí/Saudita
arábico *adj.* arábigo
aracnídeo *s.m.* arácnido
arado *s.m.* arado
arame *s.m.* alambre ♦ **arame farpado** alambre de espino/púas
aranha *s.f.* araña
arapuca *s.f.* **1** trampa para pájaros **2** *fig.* emboscada ♦ **cair na arapuca** caer en la trampa
arar *v.* (terra) arar, labrar
arara *s.f.* guacamayo*m.*
arbitragem *s.f.* arbitraje*m.*
arbitrar *v.* **1** (conflito) arbitrar, mediar **2** ESPOR. arbitrar, pitar
arbitrário *adj.* arbitrario
arbítrio *s.m.* arbitrio, albedrío ♦ **livre-arbítrio** libre albedrío
árbitr|o, -a *s.m.,f.* **1** árbitr|o, -a, mediador, -a **2** ESPOR. árbitr|o, -a; (tênis) juez*2g.* de silla
arborizar *v.* arborizar
arbusto *s.m.* arbusto
arca *s.f.* **1** *(baú)* arcón*m.*, arca, baúl*m.* **2** *(cofre)* caja fuerte ♦ **Arca da Aliança** Arca de la Alianza; **Arca de Noé** Arca de Noé
arcada *s.f.* arcada
arcaico *adj.* arcaico
arcar *v.* **1** arquear, curvar, encorvar **2** cargar (com, con), acarrear (com, con); *arcar com as consequências* cargar con la consecuencias; *arcar com uma responsabilidade* cargar con una responsabilidad **3** correr (com, con); *arcar com as despesas* correr con los gastos
arcebispo *s.m.* arzobispo
arco *s.m.* **1** (arma) arco **2** (violino) arco **3** (brinquedo) aro **4** arco
arco-íris *s.m.2n.* arco iris, iris
ardência *s.f.* **1** ardor*m.*, quemazón **2** (paladar) picor*m.* **3** (pele) escozor*m.*
ardente *adj.2g.* **1** ardiente **2** (comida) picante **3** *fig.* ardiente, apasionado, intenso
arder *v.* **1** arder, quemar **2** (comida) picar **3** (ferida, pele) escocer **4** *fig. (ter calor)* asarse **5** *fig.* (pessoa) arder, encenderse

ardil *s.m.* ardid, treta*f.*, artimaña*f.*
ardor *s.m.* **1** ardor, quemazón*f.* **2** sabor picante **3** *fig.* encendimiento, pasión*f.* **4** *fig.* ardor, afán, entusiasmo, ánimo
ardósia *s.f.* pizarra
árduo *adj.* **1** (trabalho) arduo, costoso, dificultoso **2** (caminho) arduo, escarpado, abrupto **3** *fig.* doloroso, penoso
área *s.f.* **1** (terreno) área, zona, territorio*m.* **2** área **3** (perto da baliza) área **4** *(esfera de ação)* área, terreno*m.*, campo*m.*
arear *v.* **1** enarenar, arenar **2** (metais) bruñir **3** (açúcar) refinar **4** (panela) fregar
areia *s.f.* arena ♦ **areia movediça** arenas movedizas; **escrever na areia** edificar sobre arena; escribir en la arena; *col.* **ser muita areia para o caminhão de alguém** ser mucho pan para la perrina
arejado *adj.* **1** (recinto) ventilado, aireado **2** *fig.* (pessoa) abierto, tolerante, liberal
arejamento *s.m.* ventilación*f.*, aireación*f.*
arejar *v.* **1** airearse, tomar aire **2** (recinto) ventilar, airear
arena *s.f.* **1** (anfiteatro romano) arena **2** (circo) pista **3** (praça de touros) arena, ruedo*m.*
arenoso *adj.* arenoso
aresta *s.f.* arista
arfar *v.* jadear
argamassa *s.f.* argamasa
Argélia *s.f.* Argelia
Argentina *s.f.* Argentina
argentin|o, -a *s.m.,f.* argentin|o, -a ▪ *adj.* **1** *(da Argentina)* argentino **2** (prata) argénteo
argentite *s.f.* MIN. argentita
argila *s.f.* arcilla
argiloso *adj.* arcilloso
Argo *s.m.* ASTRON. Argo
argola *s.f.* **1** *(aro)* argolla, aro*m.* **2** *(brinco)* zarcillo*m.*, pendiente*m.* **3** (porta) tranca **4** (encadernação) canutillo*m.* ▪ **argolas** *s.f.pl.* ESPOR. anillas
arguir *v.* **1** argüir **2** argüir, argumentar **3** (tese) examinar
argumentação *s.f.* **1** argumentación, razonamiento*m.* **2** *(discussão)* discusión, controversia **3** DIR. argumentación
argumentar *v.* **1** argumentar, discutir, debatir; *argumentar contra/a favor de* argumentar en contra de/a favor de **2** argumentar, argüir, defender **3** argumentar, alegar
argumento *s.m.* **1** *(razão)* argumento, razón*f.*, motivo **2** *(assunto)* asunto, tema **3** DIR. argumento (a favor de/contra, a favor/en contra), prueba*f.* **4** CIN.,TEAT.,TV. argumento, guión
arian|o, -a *s.m.,f.* aries*2g.2n.*
árido *adj.* árido, seco
Áries *s.m.2n.* ASTROL.,ASTRON. Aries
arisco *adj.* **1** (pessoa) arisco, esquivo, huraño **2** (animal) arisco, bravío
aristocracia *s.f.* aristocracia
aristocrata *s.2g.* aristócrata
aristocrático *adj.* aristocrático
aritmética *s.f.* aritmética
arma *s.f.* **1** arma **2** *fig. (meio)* arma, medio*m.* ▪ **armas** *s.f.pl.* (heráldica) armas, blasones*m.* ♦ **arma de dois gumes** arma de doble filo; **de armas e bagagem** con la casa a cuestas; **depor as armas** rendir las armas
armação *s.f.* **1** armazón*m./f.* **2** *(estrutura)* estructura **3** (óculos) montura **4** (animal) cuerno*m.*; (veado) cornamenta **5** (cama) armazón*m./f.* (de la cama)
armadilha *s.f.* trampa ♦ **cair na armadilha** caer en la trampa
armadura *s.f.* **1** (guerreiro) armadura **2** (animal) defensas*pl.* **3** (edifício) armadura
armamento *s.m.* **1** MIL. armamento **2** NÁUT. equipamiento
armar *v.* **1** (com armas) armar **2** *(equipar)* equipar (com, con) **3** (loja, vitrine) montar **4** (barraca, tenda) armar, montar **5** *fig.* maquinar, urdir, tender **6** *fig.* (situações incômodas) armar, formar ▪ **armar se 1** (para defesa) armarse, protegerse **2** *col.* hacerse **3** *fig.* precaverse (de, de) **4** *fig.* armarse (de, de); *ela armou-se de coragem para lhe contar a verdade* se armó de valor para contarle la verdad ♦ **armar uma cilada (contra alguém)** tenderle una trampa a alguien
armarinho *s.m.* mercería*f.*
armário *s.m.* armario; ***armário embutido*** armario empotrado ♦ *col.* **sair do armário** salir del armario
armazém *s.m.* **1** almacén, depósito **2** (estabelecimento comercial) grandes*pl.* almacenes
armazenar *v.* **1** (mercadoria) almacenar, guardar **2** INFORM. almacenar
Armênia *s.f.* Armenia
aro *s.m.* **1** *(argola)* aro; *(anel)* anillo **2** (bicicleta) llanta*f.* **3** (óculos) montura*f.* **4** (porta, janela) marco
aroma *s.m.* aroma
aromaterapia *s.f.* aromaterapia
aromático *adj.* aromático
aromatizar *v.* **1** *(perfumar)* aromatizar, perfumar **2** (comida) sazonar (com, con), condimentar (com, con), aliñar (com, con)
arpão *s.m.* arpón
arqueação *s.f.* **1** *(curvatura)* arqueo*m.* **2** cálculo*m.* de la capacidad de un recipiente **3** NÁUT. arqueo*m.*, tonelaje*m.*
arquear *v.* **1** arquear, enarcar, doblar **2** NÁUT. arquear **3** (recipiente) calcular la capacidad de un recipiente ▪ **arquear se** arquearse, encorvarse
arqueir|o, -a *s.m.,f.* arquer|o, -a
arqueologia *s.f.* arqueología
arqueológico *adj.* arqueológico
arqueólog|o, -a *s.m.,f.* arqueólog|o, -a
arquibancada *s.f.* gradas*pl.*, graderías*pl.*
arquipélago *s.m.* archipiélago

arquitetar *v.* **1** (obra, edifício) construir, edificar **2** *(projetar)* proyectar, planear **3** (plano) tramar, planear

arquitet|o, -a *s.m.,f.* arquitect|o, -a

arquitetônico *adj.* arquitectónico

arquitetura *s.f.* arquitectura

arquivar *v.* **1** (documentos) archivar **2** (investigação, processo) archivar **3** *fig.* (ensinamento, lição) grabar **4** *fig.* (divergência, problema) borrar, olvidar

arquivo *s.m.* **1** (local) archivo **2** (móvel) archivador **3** (pasta) archivador, carpeta*f.* **4** INFORM. archivo, fichero

arraia *s.f. pej.* plebe, populacho*m.*

arraigar *v.* **1** (planta) arraigarse, echar raízes, enraizar **2** (planta) arraigar **3** *fig.* (pessoa) arraigarse (em, en), afincarse (em, en), establecerse (em, en)

arrancada *s.f.* arrancada

arrancar *v.* **1** (veículo) arrancar **2** *(tirar)* arrancar, sacar **3** (avião) despegar **4** (planta, árvore) arrancar, desraizar **5** (máquina) ponerse en marcha **6** (segredo, informação) arrancar, sacar, obtener **7** (processo) arrancar, empezar, iniciarse **8** (dente) sacar, extraer **9** (uma pessoa de outra) separar

arranha-céu *s.m.* rascacielos*2n.*

arranhão *s.m.* arañazo, rasguño

arranhar *v.* **1** (pele) arañar, rasguñar **2** (móvel, superfície) arañar, raspar, rascar **3** (gatos) arañar **4** *fig.* (instrumento) rascar **5** *fig.* (idioma) chapurrear ▪ **arranhar-se** arañarse, rasguñarse

arranjar *v.* **1** *(ordenar, compor)* arreglar, ordenar **2** *(conseguir)* conseguir, encontrar **3** *(consertar)* arreglar, reparar **4** (casaco, gravata) ponerse bien **5** (refeição) cocinar **6** (namorado) echarse **7** (tempo) encontrar ▪ **arranjar se 1** (na vida) apañarse, manejarse **2** (para sair) arreglarse, acicalarse, ataviarse ◆ **arranjar as unhas/o cabelo** hacerse las uñas/arreglarse el pelo

arranjo *s.m.* **1** *(arrumação)* arreglo, orden **2** *(acordo)* acuerdo **3** MÚS. arreglo **4** *pej.* chanchullo ◆ **arranjo de flores** centro/ramo de flores

arranque *s.m.* **1** *(extração)* extracción*f.* **2** (projeto) arranque, inicio, comienzo **3** (veículo) puesta*f.* en marcha **4** (máquina, motor) arranque

arrasado *adj.* **1** *(humilhado)* humillado, ultrajado **2** *(falido)* arruinado, hundido **3** *(cansado)* agotado, exhausto **4** (lugar) arrasado, derruido, devastado **5** (terreno) plano, raso

arrasar *v.* **1** (construção, edifício) arrasar, destruir, demolir **2** (terreno) enrasar, aplanar, allanar **3** *fig.* (pessoa) humillar **4** *fig. (prostrar)* agotar, postrar, destrozar

arrastão *s.m.* **1** *(puxão)* tirón **2** NÁUT. bou

arrasta-pé *s.m.* (*pl.* arrasta-pés) *col.* [baile popular]

arrastar *v.* **1** arrastrar **2** (pelo chão) arrastrar ▪ **arrastar se 1** (pelo chão) arrastrarse **2** (tempo) alargarse, prolongarse

arrear *v.* **1** (cavalo) arrear, aparejar **2** (vela, bandeira) arriar **3** *pop. (enfeitar)* adornar, engalanar, emperifollar

arrebatador *adj.* arrebatador

arrebatar *v.* **1** arrebatar, quitar **2** *fig.* arrebatar, entusiasmar

arrebentar *v.* **1** romper **2** *(estourar)* reventar **3** *fig.* tener éxito, triunfar

arrebitado *adj.* **1** (nariz) respingón **2** *fig.* vivo, despierto; listo **3** *fig.* pedante, engreído

arrebitar *v.* erguir, levantar ▪ **arrebitar-se 1** erguirse, levantarse **2** *fig.* espabilarse, avisparse **3** *fig.* engreírse, ponerse engreído

arrecadação *s.f.* (renda, imposto) recaudación, cobro*m.*

arrecadar *v.* **1** (renda, imposto) recaudar, cobrar **2** *(guardar)* guardar

arredar *v.* apartar ▪ **arredar se** apartarse

arredio *adj.* esquivo

arredondado *adj.* **1** (forma) redondeado, circular **2** (valor, resultado) redondeado, aproximado

arredondar *v.* **1** redondear **2** *fig.* engordar

arredores *s.m.pl.* alrededores, afueras*f.*

arrefecer *v.* **1** (comida, bebida) enfriarse **2** enfriar **3** (temperatura) enfriar, refrescar **4** *fig.* (sentimentos, relação) enfriarse, entibiarse, debilitarse **5** *(abrandar)* ablandarse

arregaçar *v.* (peça de roupa) remangar, arremangar

arregalado *adj.* (olhos) muy abierto

arregalar *v.* (olhos) abrir mucho

arreganhar *v.* **1** (boca) abrir mucho (la boca) **2** (dentes) mostrar (los dientes)

arreios *s.m.pl.* arreos

arreliar *v.* enfadar, enojar, irritar ▪ **arreliar se** enfadarse, enojarse, irritarse

arrematar *v.* **1** (leilão) rematar; subastar **2** *(acabar)* rematar, terminar **3** (costura) rematar

arremedar *v.* imitar, remedar

arremessar *v.* arrojar, tirar, lanzar

arremesso *s.m.* **1** lanzamiento **2** *(ameaça)* amenaza*f.* **3** *(ímpeto)* arrebato, pronto, ímpetu ◆ **arma de arremesso** arma arrojadiza

arremeter *v.* **1** arremeter (contra, contra) **2** *(acometer)* arremeter, acometer, atacar **3** (animal) azuzar

arrepender-se *v.* **1** arrepentirse (de, de); ***não me arrependo de nada*** no me arrepiento de nada **2** (promessa, compromisso) arrepentirse (de, de), desdecirse (de, de)

arrependid|o, -a *s.m.,f.* arrepentid|o, -a ▪ *adj.* arrepentido (de, de); ***não estou arrependido de nada*** no estoy arrepentido de nada

arrependimento *s.m.* arrepentimiento

arrepiado *adj.* **1** (cabelo) erizado, de punta **2** (pele) arrugado **3** (com frio, medo) con escalofríos ◆ **pele arrepiada** piel/carne de gallina

arrepiante *adj.2g.* horripilante

arrepiar *v.* **1** (cabelo) erizar **2** (medo, frio) producir escalofríos, escalofriar ▪ **arrepiar se 1** (cabelo) erizarse, ponerse el pelo de punta **2** (pessoa) tener escalofríos

arrepio *s.m.* escalofrío ♦ **ao arrepio** contracorriente; **ao arrepio de** al contrario de
arresto *s.m.* DIR. embargo judicial
arriar *v.* **1** *(ceder)* ceder **2** *(deitar abaixo)* tirar, echar abajo **3** *(render-se)* rendirse **4** (vela, bandeira) arriar, bajar
arriscado *adj.* arriesgado, peligroso
arriscar *v.* **1** arriesgar, jugarse **2** aventurar ■ **arriscar se** arriesgarse (a, a); *ela arrisca-se a perder tudo* ella se arriesga a perderlo todo ♦ **quem não arrisca não petisca** el que no se arriesga no pasa el río
arritmia *s.f.* arritmia
arroba *s.f.* **1** (medida) arroba **2** INFORM. arroba (@)
arrogância *s.f.* **1** *(presunção)* arrogancia, altivez, presunción **2** *(insolência)* descaro*m.*, desfachatez, insolencia
arrogante *adj.2g.* **1** *(presunçoso)* arrogante, altivo, presuntuoso **2** *(insolente)* descarado, insolente
arrogar *v.* (direito, privilégio) arrogar ■ **arrogar-se** (direito, privilégio) arrogarse, adjudicarse
arrojado *adj.* **1** *(ousado)* arrojado, osado **2** *(resoluto)* decidido, resoluto
arrojar *v.* arrojar, tirar, lanzar ■ **arrojar se 1** arrojarse, lanzarse **2** *fig.* arriesgarse (a, a), aventurarse (a, a), atreverse (a, a)
arromba ♦ **de arromba** de alucine, de muerte
arrombar *v.* **1** (cofre, porta, janela) forzar, violentar **2** *(deitar abaixo)* derrumbar, derribar
arrotar *v.* eructar
arroto *s.m.* eructo
arroz *s.m.* arroz
arrozal *s.m.* arrozal
arroz-doce *s.m.* (*pl.* arrozes-doces) arroz con leche
arruaça *s.f.* alboroto*m.*, bronca, trifulca
arruaceir|o, -a *s.m.,f.* alborotador, -a, pendencier|o, -a, gamberr|o, -a, macarra*2g.*
arruinar *v.* arruinar ■ **arruinar se** arruinarse
arrulhar *v.* (pombo, rola) arrullar
arrumação *s.f.* **1** arreglo*m.* **2** *col.* *(trabalho)* curro*m.*
arrumadeira *s.f.* criada
arrumado *adj.* **1** (casa) arreglado, limpio, ordenado **2** (pessoa) organizado **3** (pessoa) arreglado, acicalado, ataviado **4** *col.* resuelto **5** *col.* casado
arrumar *v.* **1** arreglar, ordenar, recoger, limpiar **2** (emprego) conseguir, obtener **3** (assunto, problema) solucionar, arreglar, resolver **4** (veículo) aparcar **5** (embarcação) hacer rumbo ■ **arrumar-se 1** (emprego) colocarse **2** *col.* casarse **3** arreglarse, acicalarse
arsenal *s.m.* **1** (armas, munições) arsenal; (navios) astillero **2** *fig.* arsenal (de, de)
arsênico *adj.,s.m.* QUÍM. arsénico
arsênio *s.m.* arsénico
arte *s.f.* **1** arte*m./f.* **2** *(jeito)* arte*m./f.*, habilidad, destreza **3** *(artimanha)* arte*m./f.*, maña, astucia, ardid*m.* ♦ **arte abstrata** arte abstracto; **arte poética** arte poética; **artes marciais** artes marciales; **artes plásticas** artes plásticas; **belas-artes** bellas artes; **sétima arte** séptimo arte
arteiro *adj.* travieso
artéria *s.f.* **1** ANAT. arteria **2** *fig.* (estrada) arteria
arterial *adj.2g.* arterial
artesanal *adj.2g.* artesano, artesanal
artesanato *s.m.* artesanía*f.*
artes|ão, -ã *s.m.,f.* artesan|o, -a, artífice*2g.*
articulação *s.f.* **1** articulación **2** (pensamento) exteriorización
articulado *adj.* **1** articulado **2** *(ligado)* articulado, unido **3** (pensamento) lógico **4** (sons) articulado **5** (veículo) articulado **6** *(portátil)* plegable
articular *v.* **1** (peças) articular, unir, juntar **2** (som) articular, pronunciar **3** (pensamentos) expresar
artificial *adj.2g.* **1** artificial **2** *fig.* artificial, afectado, falso
artifício *s.m.* **1** *(habilidade)* artificio, habilidad*f.* **2** *(estratagema)* artificio, engaño, trampa*f.*
artigo *s.m.* **1** (jornal, revista) artículo **2** *(mercadoria)* artículo, producto **3** (matéria) asunto, cuestión*f.*, materia*f.* **4** LING. artículo **5** DIR. artículo ♦ **artigo de fé** artículo de fe
artilhar *v.* **1** (lugar, navio) artillar **2** (motor, carro) trucar **3** *fig.* *(equipar)* armar, aviar
artilharia *s.f.* artillería
artilheir|o, -a *s.m.,f.* **1** artiller|o, -a **2** ESPOR. goleador, -a
artimanha *s.f.* artimaña, engaño*m.*, ardid*m.*
artista *s.2g.* **1** artista **2** *(artesão)* artesan|o, -a*m.f.*, artífice **3** *fig.* artista, hacha
artístico *adj.* artístico
artrite *s.f.* artritis*2n.*
artrose *s.f.* artrosis*2n.*
arvorar *v.* **1** (bandeira) enarbolar, arbolar, levantar **2** (mastro, escada) arbolar, levantar **3** *(levantar)* alzar, levantar **4** *(ostentar)* alardear, jactarse ■ **arvorar-se** creerse (em, -); *ele arvora-se em profeta* se cree que es un profeta
árvore *s.f.* **1** BOT. árbol*m.* **2** *(mastro)* árbol*m.*, palo*m.* **3** MEC. árbol*m.* ♦ **árvore de Natal** árbol de Navidad; **árvore genealógica** árbol genealógico
arvoredo *s.m.* arboleda*f.*
ás *s.m.* **1** (carta) as **2** *fig.* (pessoa) as, hacha
asa *s.f.* **1** (de ave, inseto, avião) ala **2** (de xícara, panela) mango*m.* **3** (de bolsa, saco) asa, agarradero*m.* ♦ **arrastar a asa para alguém** tirar los tejos a alguien; *col.* **bater as asas** ahuecar el ala, esfumarse; **cortar as asas de alguém** cortarle las alas a alguien; **dar asas a alguém** dar alas a alguien; **dar asas à imaginação** darle alas a la imaginación, darle rienda suelta a la imaginación
asa-delta *s.f.* (*pl.* asas-deltas) ala delta
ascendência *s.f.* **1** *(origem)* ascendencia, origen*m.* **2** *(antepassados)* ascendencia, ascendiente*m.*, antepasados*m. pl.* **3** *(influência)* ascendiente*m.* (sobre, sobre), influencia (sobre, sobre); ***tinha grande ascendência sobre os filhos*** tenía una gran influencia sobre los hijos

ascendente *adj.2g.* ascendente ▪ *s.2g.* ascendiente, antepasad|o, -a*m.f.* ▪ *s.m.* **1** *(influência)* ascendiente, influencia*f.* **2** ascendente
ascender *v.* **1** ascender, subir **2** (pessoa) ascender (a, a); *ascender ao trono* ascender al trono **3** (conta, preço) ascender, subir, aumentar
ascensão *s.f.* **1** *(subida)* ascensión, subida **2** (cargo) ascensión **3** (funcionário) ascenso*m.*, promoción
Ascensão *s.f.* Ascensión
ascensor *s.m.* ascensor, elevador [AM.]
ascensorista *s.2g.* ascensorista
asco *s.m.* asco, aversión*f.* ♦ **ter asco de/por alguém/alguma coisa** tenerle asco a alguien/algo; **isso me dá asco** eso me da asco
asfaltar *v.* (pavimento) asfaltar
asfalto *s.m.* asfalto
asfixia *s.f.* **1** *(falta de ar)* asfixia **2** *fig.* asfixia, opresión, agobio*m.*
asfixiante *adj.2g.* asfixiante, sofocante
asfixiar *v.* **1** asfixiarse, sofocarse, ahogarse **2** asfixiar, sofocar, ahogar
Ásia *s.f.* Asia
asiátic|o, -a *adj.,s.m.,f.* asiátic|o, -a
asilar *v.* asilar, acoger, albergar, refugiar ▪ **asilar se** asilarse (em, en), acogerse (em, en), albergarse (em, en), refugiarse (em, en)
asilo *s.m.* **1** asilo **2** (de idosos, órfãos) asilo, orfanato, casa*f.* de beneficencia **3** *fig.* asilo, ayuda*f.*, protección*f.*, amparo
asma *s.f.* asma
asmátic|o, -a *adj.,s.m.,f.* asmátic|o, -a
asneira *s.f.* tontería, burrada, bobada
asn|o, -a *s.m.,f.* **1** asn|o, -a, burr|o, -a **2** *pej.* (pessoa) asn|o, -a, burr|o, -a, ignorante*2g.*
aspas *s.f.pl.* comillas; *pôr entre aspas* entrecomillar
aspecto *s.m.* **1** aspecto, pinta*f.*, apariencia*f.* **2** *(ponto de vista)* aspecto
aspereza *s.f.* **1** (superfície) aspereza, rugosidad **2** *fig.* aspereza, rudeza, desabrimiento*m.*
áspero *adj.* áspero
aspiração *s.f.* **1** aspiración **2** aspiración, ambición, deseo*m.*, anhelo*m.* **3** LING. aspiración
aspirador *s.m.* aspiradora*f.*, aspirador
aspirante *adj.2g.* aspirante ▪ *s.2g.* **1** aspirante (a, a), candidat|o, -a*m.f.* (a, a); *aspirante ao cargo de diretor* aspirante al cargo de director **2** suboficial
aspirar *v.* **1** aspirar (a, a), ambicionar (a, -), desear (a, -); *ela aspira a ser bailarina* ella aspira a ser bailarina **2** *(inalar)* inhalar, aspirar, inspirar **3** (poeira) aspirar, absorber
aspirina *s.f.* aspirina
asqueroso *adj.* asqueroso, repugnante
assado *s.m.* asado ▪ *adj.* **1** asado **2** (pele) escocido ♦ *col.* **assim ou assado** así o asá/asao; de un modo o de otro
assadura *s.f.* **1** asado*m.* **2** (pele) escocedura
assalariad|o, -a *s.m.,f.* asalariad|o, -a
assalariar *v.* **1** (salário) pagar **2** *(contratar)* asalariar, contratar
assaltante *s.2g.* asaltante, atracador, -a*m.f.*
assaltar *v.* **1** *(roubar)* asaltar, atracar, allanar **2** *(lembrar)* asaltar, ocurrirse
assalto *s.m.* **1** (a pessoa, banco, casa) asalto, atraco **2** *(ataque)* embestida*f.*, arremetida*f.* **3** (boxe) asalto, round
assanhado *adj.* **1** airado, colérico, cabreado *vulg.* **2** *col.* (pessoa) fresco, atrevido
assanhar *v.* irritar, cabrear *vulg.*
assar *v.* **1** (pele) escocerse **2** (alimento) asar, tostar **3** *fig.* (calor) asarse, abrasarse **4** *(queimar)* quemar, abrasar
assassinar *v.* **1** (pessoa) asesinar, matar **2** *fig.* destruir, aniquilar **3** *fig.* asesinar, cargarse *col.*
assassinato *s.m.* **1** asesinato, homicidio, crimen **2** *fig.* destrucción*f.*, extinción*f.*
assassin|o, -a *s.m.,f.* asesin|o, -a ▪ *adj.* asesino
asseado *adj.* aseado, limpio
assear *v.* asear, limpiar, lavar ▪ **assear-se** asearse; arreglarse, acicalarse
assediar *v.* **1** *(cercar)* asediar, cercar, sitiar **2** *(importunar)* acosar, asediar, importunar **3** (sexualmente) acosar
assédio *s.m.* **1** *(cerco)* asedio, cerco, sitio **2** *fig.* acoso, impertinencia*f.* ♦ **assédio moral** acoso moral; **assédio sexual** acoso sexual
assegurar *v.* **1** *(afirmar)* asegurar, afirmar, aseverar **2** *(garantir)* asegurar, garantizar ▪ **assegurar se** asegurarse (de, de), cerciorarse (de, de); *assegura-te de que está tudo em ordem* asegúrate de que todo está en orden
asseio *s.m.* aseo, limpieza*f.*
assembleia *s.f.* asamblea ♦ **Assembleia da República** Parlamento, las Cortes
assemelhar *v.* asemejar ▪ **assemelhar-se** asemejarse (a, a), parecerse (a, a); *ele assemelha-se muito ao seu pai* se asemeja mucho a su padre
assentamento *s.m.* asentamiento
assentar *v.* **1** (pó, poeira) asentarse, depositarse, posarse **2** (em assento) sentar **3** (comportamento) centrarse **4** *(anotar)* asentar, apuntar **5** (roupa) sentar **6** (cabos, vigas) asentar, asegurar **7** *(basear-se)* basarse (em, en) **8** (estrutura, construção) asentar **9** (tijolos) poner ▪ **assentar-se** sentarse
assento *s.m.* **1** *(banco)* asiento, banco **2** *(tampo)* asiento **3** (contabilidade) asiento, partida*f.*
assertivo *adj.* asertivo
assessor, -a *s.m.,f.* asesor, -a; *assessor de imprensa* agente de prensa
assessorar *v.* asesorar, aconsejar
assessoria *s.f.* asesoría
assexuado *adj.* asexuado
assiduidade *s.f.* asiduidad
assíduo *adj.* **1** asiduo **2** aplicado
assim *conj.* así que ▪ *adv.* así; *é melhor fazer assim* es mejor hacer así ▪ *adj.2g.* *(igual)* así, igual; *queria um carro assim* me gustaría tener un coche así; *nunca vi*

uma coisa assim nunca he visto una cosa igual ◆ **ainda/mesmo assim** no obstante; **assim como** así como; *col.* **assim ou assado** así o asá/asao; de un modo o de otro; **assim que** [+*conj.*] en cuanto, así como/que; **assim seja!** ¡así sea!; **como assim?** ¿cómo?; **mesmo assim** aun así; **por assim dizer** es un decir/ digamos; **e assim por diante** etcétera

assimilação *s.f.* **1** asimilación **2** (pessoas) integración

assimilar *v.* **1** asimilar **2** (pessoas) integrar

assinalar *v.* **1** *(marcar)* señalar, marcar **2** (época, autor) señalar; distinguir ▪ **assinalar-se** señalarse (por, por), distinguirse (por, por), destacarse (por, por)

assinante *s.2g.* **1** (publicação, serviço) suscriptor, -a*m.f.* **2** (serviço) abonad|o, -a*m.f.* **3** (documento, papel) firmante, signatari|o, -a*m.f.*

assinar *v.* **1** (texto, documento) firmar **2** (jornal, revista) suscribirse (-, a) **3** (espetáculo) abonarse (-, a)

assinatura *s.f.* **1** *(nome)* firma **2** (revista, jornal) suscripción

assistência *s.f.* **1** asistencia **2** *(público)* asistencia, audiencia, público*m.* **3** *(auxílio)* asistencia, ayuda, auxilio*m.*

assistente *adj.2g.* asistente, ayudante, auxiliar ▪ *s.2g.* **1** asistente; azafata*f.* **2** (universidade) adjunt|o, -a*m.f.* ◆ **assistente social** asistente social, visitador social

assistido *adj.* **1** asistido, auxiliado, socorrido **2** MEC. asistido

assistir *v.* **1** asistir (a, a); *assistir a um espetáculo* asistir a un espectáculo **2** asistir, socorrer

assoalhada *s.f.* habitación, pieza [AM.]

assoalho *s.m.* entarimado

assoar *v.* (nariz) sonar ▪ **assoar se** sonarse

assobiar *v.* **1** silbar **2** *(vaiar)* silbar, abuchear, pitar

assobio *s.m.* **1** (som) silbido, pitido **2** (ave, cobra) silbido **3** (instrumento) silbato, pito **4** (vaias) silbido, abucheo

associação *s.f.* asociación ◆ (escola, colégio) **Associação de Pais** Asociación de Padres

associad|o, -a *s.m.,f.* **1** asociad|o, -a, soci|o, -a **2** (universidade) profesor, -a asociado ▪ *adj.* asociado

associar *v.* **1** asociar, juntar, unir **2** (ideias, pessoas) asociar, relacionar ▪ **associar se** asociarse, juntarse, unirse

assolar *v.* asolar, devastar, destruir

assomar *v.* **1** asomarse **2** *(surgir)* asomar, surgir, aparecer

assombração *s.f.* **1** aparición, fantasma*m.* **2** terror*m.*, pavor*m.*

assombrado *adj.* **1** (lugar) encantado, embrujado **2** *(assustado)* aterrado, asustado, espantado **3** *(pasmado)* asombrado, sorprendido, pasmado

assombrar *v.* **1** *(assustar)* asustar, aterrar, espantar **2** *(pasmar)* asombrar ▪ **assombrar se** **1** *(assustar-se)* asustarse, espantarse **2** *(maravilhar-se)* maravillarse, asombrarse, sorprenderse

assombro *s.m.* **1** *(espanto)* asombro, espanto **2** *(maravilha)* maravilla*f.* **3** (medo) espanto, terror

assoviar *v.* silbar

assumir *v.* **1** (cargo, responsabilidade) asumir, encargarse, hacerse cargo **2** (erro, falta) asumir, admitir **3** (atitude) asumir, adoptar **4** (ideologia, posição) revelar ▪ **assumir se** declararse

assunto *s.m.* asunto ◆ *col.* **ir direto ao assunto** ir derecho al asunto, ir al grano; (cartas) **sem outro assunto** sin otro asunto

assustado *adj.* asustado, atemorizado

assustador *adj.* atemorizador, terrorífico

assustar *v.* asustar, atemorizar; *você me assustou!* ¡me has asustado! ▪ **assustar-se** asustarse, atemorizarse

astenia *s.f.* MED. astenia

asterisco *s.m.* asterisco

astigmatismo *s.m.* astigmatismo

astral *adj.2g.* astral

astro *s.m.* astro

astrologia *s.f.* astrología

astrólog|o, -a *s.m.,f.* astrólog|o, -a

astronauta *s.2g.* astronauta

astronomia *s.f.* astronomía

astronômico *adj.* astronómico

astrônom|o, -a *s.m.,f.* astrónom|o, -a

astúcia *s.f.* astucia

Astúrias *s.f.pl.* Astúrias

astuto *adj.* astuto

ata *s.f.* acta

atacado *adj.* atacado, agredido ◆ **por atacado** al por mayor

atacante *s.2g.* **1** atacante, agresor, -a*m.f.* **2** ESPOR. delanter|o, -a*m.f.* ▪ *adj.2g.* atacante, agresor

atacar *v.* **1** (inimigo, país) atacar, agredir **2** (sapato) atarse **3** *col.* atacar, perjudicar **4** *fig.* atacar, criticar

atadura *s.f.* **1** atadura, ligadura **2** venda

atalho *s.m.* **1** (caminho) atajo **2** INFORM. acceso directo

atapetar *v.* alfombrar

ataque *s.m.* **1** ataque **2** (nervos, ciúmes, tosse) ataque, acceso **3** ESPOR. ofensiva*f.* ◆ **ao ataque!** al ataque!; **ataque aéreo** ataque aéreo; **ataque cardíaco** ataque cardiaco; **ter um ataque** tener un ataque

atar *v.* (com fio, corda) atar, sujetar ◆ **não atar nem desatar** no atar ni desatar

atarefado *adj.* atareado

atarefar-se *v.* atarearse (com, con)

atarraxar *v.* atornillar

ataviar *v.* ataviar, adornar ▪ **ataviar-se** ataviarse, adornarse

atazanar *v. col.* molestar

atchim *interj.* (espirro) ¡achís!

até *prep.* **1** (tempo) hasta; *até às 15 horas* hasta las tres de la tarde; *até o joelho* hasta las rodillas; *até em cima* hasta arriba; *até agora* hasta el momento, por ahora **2** (espaço) hasta; *até Paris* hasta París **3** (quantidade) hasta; *contar até cem* contar hasta cien ▪ *adv.* hasta, incluso; *até o Pedro sabe isso* hasta Pedro se ha enterado de eso ◆ **até certo ponto** hasta cierto punto; **até agora** hasta el momento, por ahora; **até amanhã!** ¡hasta mañana!; **até aqui tudo bem** hasta aquí todo normal; **até já!** ¡hasta ahora!; **até logo!** ¡hasta luego!; **até mesmo** incluso; inclusive; **até que enfim!** ¡por fin!; **até que** hasta que

atear *v.* **1** (fogo) prender (fuego) **2** (sentimento, reação) atizar

atemorizar *v.* atemorizar ▪ **atemorizar se** atemorizarse

atenção *s.f.* **1** atención **2** *(cuidado)* cuidado*m.*, esmero*m.* **3** *(cortesia)* atención, cortesía **4** *(respeito)* atención, consideración, respeto*m.* ▪ *interj.* ¡atención! ◆ (correspondência) **à atenção de** a la atención de; **em atenção a** en atención a; **prestar atenção** prestar atención

atencioso *adj.* **1** atento **2** *(respeitoso)* respetuoso

atendente *adj.,s.2g.* persona*f.* que atiende a los clientes

atender *v.* **1** atender (a, a) **2** *(prestar atenção)* atender **3** (cliente, paciente) atender **4** (telefone) contestar, responder **5** (loja) despachar

atendimento *s.m.* atención*f.*

atentado *s.m.* **1** atentado **2** *(ofensa)* atentado, ofensa*f.*

atentar *v.* **1** atentar (contra, contra); *atentar contra a vida de alguém* atentar contra la vida de alguien **2** *(prestar atenção a)* fijarse (em, en)

atento *adj.* **1** atento (a, a); *estar atento a alguma coisa* estar atento a algo **2** *(amável)* atento, amable, cortés

atenuar *v.* **1** atenuar, mitigar **2** reducir

aterrar *v.* **1** (avião, helicóptero) aterrizar (em, en) **2** *(assustar)* aterrar, aterrorizar, asustar

aterrissagem *s.f.* aterrizaje*m.*

aterrissar *s.f.* aterrizar

aterro *s.m.* terraplén ◆ **aterro sanitário** vertedero de basura

aterrorizar *v.* aterrorizar, amedrentar, asustar ▪ **aterrorizar se** aterrorizarse, amedrentarse, asustarse

ater-se *v.* **1** *(apoiar-se)* apoyarse (a, en) **2** *(subordinar-se)* atenerse (a, a)

atestado *s.m.* **1** (documento) certificado **2** *col.* prueba*f.*, demostración*f.* ▪ *adj.* **1** *(certificado)* certificado, probado **2** *(cheio)* atestado (de, de), lleno (de, de)

atestar *v.* **1** *(declarar oficialmente)* certificar **2** *(testemunhar)* testemoniar **3** (depósito) llenar

ateu *s.m.* (*f.* ateia) ateo

atiçar *v.* **1** (fogo) atizar, avivar **2** *fig.* atizar, incitar

atinar *v.* **1** *(acertar)* atinar **2** *(entender)* entender, comprender **3** *col.* *(pegar o jeito)* atinar (com, con) **4** *col.* *(ganhar juízo)* espabilar ◆ *col.* **atinar com alguém/alguma coisa** gustarle a uno alguien/alguna cosa

atingir *v.* **1** *(alcançar)* alcanzar **2** (objetivo) conseguir **3** *(acertar)* acertar, atinar **4** *(dizer respeito a)* incumbir, atañer, concernir **5** *fig.,col.* comprender, pillar, coger

atirador, -a *s.m.,f.* tirador, -a ◆ **atirador de elite** francotirador

atirar *v.* **1** *(disparar)* tirar, disparar **2** *(lançar)* tirar, lanzar, echar ▪ **atirar-se 1** *(lançar-se)* tirarse, lanzarse **2** *(atacar)* atacar (a, a), echarse encima (a, -); *o cão atirou-se a mim* el perro se me echó encima

atitude *s.f.* actitud; *tomar uma atitude* hacer algo

ativar *v.* activar

atividade *s.f.* actividad ◆ **em atividade** en actividad; *um vulcão em atividade* un volcán en actividad; **em plena atividade** en plena actividad

ativo *adj.* **1** activo **2** (vulcão) en actividad **3** INFORM. operativo ▪ *s.m.* ECON. activo ◆ (funcionário) **estar na ativa** estar en activo

atlântico *adj.* atlántico

Atlântico *s.m.* Atlántico

atlas *s.m.2n.* atlas

atleta *s.2g.* atleta

atlético *adj.* atlético

atletismo *s.m.* atletismo

atmosfera *s.f.* atmósfera

atmosférico *adj.* atmosférico

ato *s.m.* acto, acción*f.* ◆ **ato contínuo** acto seguido; **ato de contrição** acto de contrición; **ato de fala** acto de habla; **ato sexual** acto sexual; **no ato** en el acto

atoalhados *s.m.pl.* (de mesa) mantelería*f.*; (de casa de banho) toallas*f. pl.*

atolar *v.* atascar ▪ **atolar-se** atascarse, atollarse

atômico *adj.* atómico

átomo *s.m.* átomo

atônito *adj.* atónito, estupefacto, pasmado

átono *adj.* átono

ator *s.m.* (*f.* atriz) actor

atordoado *adj.* aturdido, atolondrado

atordoar *v.* aturdir, atolondrar

atormentar *v.* atormentar ▪ **atormentar-se** atormentarse

atração *s.f.* **1** FÍS. atracción **2** *(inclinação)* atracción, inclinación **3** *(sedução)* atracción, seducción **4** (pessoa, coisa) atractivo*m.*, encanto*m.* ◆ **atração turística** atracción turística

atracar *v.* (embarcação) atracar (em, -/en); *o barco atracou no porto* el barco atracó en el puerto

atraente *adj.2g.* **1** atrayente **2** atractivo

atraiçoar *v.* traicionar

atrair *v.* atraer

atrapalhado *adj.* **1** *(atabalhoado)* desordenado, confuso **2** *(embaraçado)* cortado, apocado, cohibido **3** *col.* (falta de dinheiro) mal de dinero **4** *col.* (doença, mal estar) fastidiado

atrapalhar *v.* **1** *(estorvar)* estorbar **2** *(confundir)* confundir, abrumar ▪ **atrapalhar-se 1** *(confundir-se)* confundirse, abrumarse **2** (ao falar) vacilar, titubear **3** *(embaraçar-se)* ahogarse, agobiarse

atrás *adv.* **1** (posição, lugar) atrás, detrás; *atrás de uma árvore* detrás de un árbol; *o carro que vinha atrás* el coche que venia detrás; *voltar atrás* volver atrás **2** (temporal) atrás; *dois meses atrás* dos meses atrás

3 *(fundo)* atrás, detrás; *aí atrás, conseguem ouvir-me?* ¿ahí detrás, me oyen? ♦ **andar/ir atrás de alguém** ir detrás de alguien; **andar atrás de alguma coisa** ir detrás de algo; **atrás de** detrás de; **deixar para trás** dejar atrás; **uns atrás dos outros** unos detrás de los otros

atrasad|o, -a *s.m.,f.* retrasad|o, -a ▪ *adj.* **1** retrasado, atrasado **2** (país) atrasado, subdesarrollado

atrasar *v.* **1** atrasar, retrasar **2** (pagamento) retrasar ▪ **atrasar se** atrasarse, retrasarse

atraso *s.m.* **1** retraso, atraso **2** (país) atraso ♦ *col.* **atraso de vida** pérdida de tiempo

atrativo *adj.* atractivo, fascinante ▪ *s.m.* **1** *(encanto)* atractivo **2** *(estímulo)* aliciente

através *adv.* a través; *aprender através de um livro* aprender a través de un libro; *conheci-a através da Maria* la he conocido a través de María ♦ **através de** a través de; *através dos séculos* a través de los siglos

atravessar *v.* **1** atravesar, cruzar **2** (crise, dificuldade) atravesar, pasar, soportar **3** (caminho) traspasar ▪ **atravessar se 1** (automóvel) atravesarse, cruzarse **2** *(intrometer-se)* interponerse, entrometerse

atrelar *v.* **1** (cavalo) enjaezar, poner los arreos **2** (veículo) enganchar ▪ **atrelar-se** *pej.* pegarse (a, -); *atrelar-se a alguém* pegarse a alguien

atrever-se *v.* atreverse (a, a); *como te atreves a falar comigo assim?* ¿cómo te atreves a hablarme así?; *não me atrevo a pedir-te outro favor* no me atrevo a pedirte otro favor

atrevido *adj.* **1** *(ousado)* atrevido, osado **2** *(insolente)* atrevido, insolente

atrevimento *s.m.* atrevimiento

atribuir *v.* atribuir (a, a) ▪ **atribuir se** atribuirse

atribular *v.* atribular, afligir ▪ **atribular se** atribularse, afligirse

atributo *s.m.* **1** *(característica)* atributo, característica*f.*, cualidad*f.* **2** LING. atributo

atrito *s.m.* **1** fricción*f.*, roce **2** *fig.* *(desentendimento)* desavenencia*f.*, roce **3** rozamiento

atriz *s.f.* (*m.* ator) actriz

atrocidade *s.f.* atrocidad, crueldad

atrofiar *v.* **1** atrofiar **2** *col.* (pessoa) atrofiar, consumirse

atropelamento *s.m.* **1** (pessoa, animal) atropello, atropellamiento **2** (lei, norma) violación*f.*, transgresión*f.*

atropelar *v.* **1** (pessoa, animal) atropellar **2** (lei, norma) transgredir, violar, desacatar **3** (direitos) atropellar

atuação *s.f.* **1** actuación **2** *(conduta)* conducta

atual *adj.2g.* **1** *(presente)* actual, presente **2** *(moderno)* actual, moderno

atualidade *s.f.* actualidad ▪ **atualidades** *s.f.pl.* noticias ♦ **na atualidade** en la actualidad

atualização *s.f.* actualización

atualizar *v.* actualizar, poner al día, modernizar

atualmente *adv.* actualmente, hoy en día, en la actualidad

atuar *v.* **1** *(agir)* actuar **2** (artista) actuar, representar **3** influir **4** (medicamento) actuar (sobre, sobre)

atum *s.m.* atún

aturar *v.* soportar, aguantar

aturdir *v.* **1** aturdir, atolondrar **2** *(pasmar)* asombrar, pasmar

audácia *s.f.* **1** *(coragem)* audacia, valentía, osadía **2** *(desplante)* atrevimiento*m.*, descaro*m.*, insolencia

audacioso *adj.* audaz, valiente, osado

audição *s.f.* **1** (sentido) oído*m.*, audición **2** (dança, teatro, música) audición, prueba **3** MÚS. audición; recital*m.*; concierto*m.*

audiência *s.f.* **1** *(entrevista)* audiencia **2** *(público)* audiencia, asistencia, auditorio*m.*, público*m.* **3** (televisão, rádio) audiencia **4** vista (de una causa)

áudio *s.m.* audio

auditivo *adj.* auditivo

auditório *s.m.* **1** (lugar) auditorio **2** *(público)* auditorio, asistencia*f.*, público

auferir *v.* obtener, conseguir

auge *s.m.* auge

augurar *v.* augurar, presagiar

aula *s.f.* **1** *(lição)* clase, lección **2** (local) aula ♦ **aulas de direção** clases de conducir

aumentar *v.* **1** *(crescer)* aumentar, crecer **2** aumentar **3** (preço, temperatura) subir **4** (som, volume) subir

aumento *s.m.* aumento

auréola *s.f.* **1** aureola, auréola, nimbo*m.* **2** *fig.* *(fama)* aureola, fama

aurora *s.f.* aurora, crepúsculo*m.* matutino ♦ **aurora boreal/polar** aurora boreal/polar

auscultar *v.* auscultar

ausência *s.f.* **1** ausencia **2** *(falta)* ausencia, falta

ausentar-se *v.* ausentarse (de, de)

ausente *adj.2g.* ausente

austeridade *s.f.* austeridad

austero *adj.* austero

Austrália *s.f.* Australia

australian|o, -a *adj.,s.m.,f.* australian|o, -a

Áustria *s.f.* Austria

austríac|o, -a *adj.,s.m.,f.* austriac|o, -a, austríac|o, -a

autárquico *adj.* **1** autárquico **2** municipal ♦ **eleições autárquicas** elecciones municipales

autenticação *s.f.* autenticación; (de assinatura, documento) legalización, legitimación

autenticar *v.* **1** (assinatura, documento) autenticar, legalizar **2** (cópia, fotocópia) compulsar

autenticidade *s.f.* autenticidad

autêntico *adj.* **1** auténtico, verdadero **2** (documento, assinatura) autenticado, legalizado

autismo *s.m.* autismo

autista *adj.,s.2g.* autista

auto *s.m.* DIR.,LIT. auto

autoajuda *s.f.* (*pl.* autoajudas) autoayuda

autoavaliação *s.f.* (*pl.* autoavaliações) autoevaluación

autobiografia *s.f.* autobiografía

autoconfiança *s.f.* autoconfianza
autoconfiante *adj.2g.* seguro de sí mismo
autocrítica *s.f.* autocrítica
autocrítico *adj.* autocrítico
autodefesa *s.f.* autodefensa
autodestruição *s.f.* autodestrucción
autodidata *s.2g.* autodidacta, autodidact|o, -a *m.f.*
autódromo *s.m.* autódromo
autoescola *s.f.* (*pl.* autoescolas) autoescuela
autoestima *s.f.* (*pl.* autoestimas) autoestima
autoestrada *s.f.* (*pl.* autoestradas) autopista
autografar *v.* firmar; rubricar
autógrafo *s.m.* autógrafo
automaticamente *adv.* automáticamente
automático *adj.* **1** automático **2** *fig.* automático, involuntario, inconsciente
automatismo *s.m.* automatismo
automatizar *v.* **1** (indústria, processo) automatizar, mecanizar **2** *fig.* (movimento, reação) automatizar
automedicar-se *v.* automedicarse
automobilismo *s.m.* automovilismo
automobilista *s.2g.* automovilista
automóvel *s.m.* automóvil, coche ▪ *adj.2g.* automóvil
autonomia *s.f.* **1** *(independência)* autonomía, independencia **2** (veículo) autonomía **3** (bateria) autonomía
autonomizar *v.* autonomizar
autônomo *adj.* autónomo
autopista *s.f.* autopista; ***autopista com pedágio*** autopista de peaje
autópsia *s.f.* autopsia
autopsiar *v.* hacer la autopsia a, practicar la autopsia a
autor, -a *s.m.,f.* **1** autor, -a **2** DIR. demandante *2g.*
autorama *s.m.* autopista en miniatura, slot, escaléxtric®
autoria *s.f.* autoría
autoridade *s.f.* **1** autoridad, poder *m.*, mando *m.* **2** autoridad, especialista *2g.* ▪ **autoridades** *s.f.pl.* (pessoa, instituição) autoridad
autoritário *adj.* autoritario
autorização *s.f.* **1** permiso *m.*, autorización **2** (documento) autorización, permiso *m.*
autorizado *adj.* **1** *(permitido)* autorizado, permitido **2** (pessoa) autorizado, competente, respetado
autorizar *v.* autorizar, permitir
autorretrato *s.m.* (*pl.* autorretratos) autorretrato
autossugestionar-se *v.* autosugestionarse
autuar *v.* **1** multar, poner una multa **2** DIR. procesar, encausar
auxiliar *adj.2g.* auxiliar ▪ *s.2g.* auxiliar, asistente, ayudante ▪ *v.* auxiliar, ayudar
auxílio *s.m.* **1** auxilio, ayuda *f.* **2** *(subsídio)* subvención *f.*
aval *s.m.* **1** aval **2** *fig.* respaldo, apoyo; ***dar o seu aval a*** respaldar a
avalanche *s.f.* **1** avalancha, alud *m.* **2** *fig.* avalancha, oleada
avaliação *s.f.* **1** *(cálculo)* tasación, valoración **2** (escolar) evaluación
avaliar *v.* **1** (valor) tasar, valorar **2** *(calcular, estimar)* evaluar **3** *(julgar)* juzgar **4** (escola) evaluar
avalizar *v.* avalar
avançado *adj.* **1** *(adiantado)* avanzado, adelantado **2** (tempo) avanzado, adelantado **3** *(moderno)* avanzado, moderno, inovador
avançar *v.* **1** (sobre o inimigo) avanzar, marchar, ir hacia adelante **2** (processo) avanzar, progresar, adelantar **3** *(progredir)* avanzar, progresar, ir adelante; ***avançar com alguma coisa*** ir adelante con algo **4** (notícia) anunciar **5** (dinheiro) adelantar
avanço *s.m.* **1** (movimento) avance **2** *(progresso)* avance, progreso, adelanto **3** *(melhoria)* mejora *f.* **4** *(vantagem)* ventaja *f.*
avantajado *adj.* **1** aventajado **2** (pessoa) corpulento, robusto
avantajar *v.* **1** aventajar **2** *(melhorar)* mejorar
avarent|o, -a *s.m.,f.* avar|o, -a, tacañ|o, -a ▪ *adj.* avaro, tacaño, mezquino
avariado *adj.* **1** estropeado, averiado **2** *fig.* (pessoa) loco, chalado *col.*, chiflado *col.*
avariar *v.* **1** estropearse, averiarse **2** estropear, averiar **3** *fig.* enloquecer, volverse loco ▪ **avariar-se** estropearse, averiarse
avassalador *adj.* avasallador
avassalar *v.* **1** *(submeter)* avasallar, someter **2** *(destruir)* arrasar, destruir
ave *s.f.* ave ◆ (pessoa) **ave rara** rara avis
aveia *s.f.* avena
avelã *s.f.* avellana
aveludado *adj.* aterciopelado
ave-maria *s.f.* (*pl.* ave-marias) avemaría
avenida *s.f.* avenida
avental *s.m.* delantal, mandil
aventura *s.f.* **1** *(peripécia)* aventura, peripecia **2** *(risco)* aventura, riesgo *m.* **3** *(caso amoroso)* aventura, lío *m. col.*
aventurar *v.* aventurar, arriesgar ▪ **aventurar-se** aventurarse (**a/em**, a/en)
aventureir|o, -a *adj.,s.m.,f.* aventurer|o, -a
averiguar *v.* (assunto) averiguar, indagar, investigar
avermelhado *adj.* rojizo
avermelhar *v.* enrojecer
aversão *s.f.* aversión, antipatía; ojeriza, manía
avesso *s.m.* reverso, revés ▪ *adj.* opuesto (**a**, a), contrario (**a**, a) ◆ (lugar) **estar virado do avesso** estar patas arriba
avestruz *s.m./f.* avestruz *m.*
aviação *s.f.* aviación
aviador, -a *s.m.,f.* aviador, -a
avião *s.m.* avión ◆ (correio) **por avião** por avión
aviar *v.* **1** (cliente) atender, despachar **2** (trabalho, tarefa) ejecutar, llevar a cabo **3** (encomenda) expedir, enviar **4** (medicamento) preparar ▪ **aviar-se 1** *(despachar-se)* darse prisa **2** *(arranjar-se)* arreglárselas

aviário *s.m.* granja*f.* avícola
avicultor, -a *s.m.,f.* avicultor, -a
aviltar *v.* **1** *(tornar vil)* envilecer **2** *(desonrar)* deshonrar **3** *(humilhar)* humillar, rebajar **4** (preço) bajar ▪ **aviltar-se** envilecerse
avinagrar *v.* **1** aliñar (con vinagre) **2** (vinho) avinagrar ▪ **avinagrar se** avinagrarse
avisar *v.* **1** avisar, informar, comunicar **2** avisar, advertir
aviso *s.m.* **1** *(advertência)* aviso, advertencia*f.* **2** *(notificação)* aviso, notificación*f.* ◆ **sem aviso** sin avisar
avistar *v.* avistar
avivar *v.* **1** *(animar)* avivar, animar **2** (cor, luz) avivar, realzar **3** (fogo) avivar, atizar **4** (memórias, recordações) recordar, hacer recordar ▪ **avivar se** avivarse
avizinhar-se *v.* **1** *(estar iminente)* avecinarse **2** *(aproximar-se)* acercarse (de, a), aproximarse (de, a)
avó *s.f.* (*f.* avô) abuela
avô *s.m.* (*f.* avó) abuelo
avoado *adj.* distraído
avolumar *v.* **1** (em volume) abultar **2** (em tamanho) agrandar, ensanchar **3** (em quantidade) aumentar, incrementar ▪ **avolumar se** **1** (em volume) abultarse **2** (em tamanho) agrandarse, ensancharse **3** *(inchar)* hincharse
avulso *adj.* suelto
avultar *v.* **1** *(exagerar)* abultar **2** *(ampliar)* agrandar, ensanchar **3** *(sobressair)* sobresalir, destacar **4** *(sobressair)* resaltar
axila *s.f.* **1** axila, sobaco*m.* **2** BOT. axila
áxis *s.m.2n.* **1** *(eixo)* eje **2** ANAT. axis
azaleia *s.f.* azalea
azar *s.m.* **1** *(falta de sorte)* mala suerte*f.*, mala pata*f.col.*; *estar com azar* tener mala suerte **2** *(acaso)* azar, casualidad*f.* ◆ **que azar!** ¡qué mala suerte!
azaração *s.f. col.* ligue*m.*
azarado *adj.* (pessoa) gafe, que tiene mala suerte
azarar *v.* gafar
azarento *adj.* **1** (dia, período de tempo) aciago, desgraciado **2** (pessoa) gafe, que tiene mala suerte
azedar *v.* **1** (comida) agriarse **2** (comida) agriar, acedar **3** (leite) agriarse, cortarse **4** *fig.* (atitude, caráter) agriar **5** *fig.* (pessoa) irritar, amargar
azedo *adj.* **1** (comida) agrio, ácido **2** (leite) agrio, cortado **3** *col.* (sabor) amargo **4** *fig.* (pessoa) malhumorado **5** *fig.* (tom) áspero, rudo
azeite *s.m.* aceite de oliva
azeitona *s.f.* aceituna, oliva
azia *s.f.* acidez/ardor*m.* de estómago
azoto *s.m.* QUÍM. *(nitrogênio)* nitrógeno, ázoe*ant.*
azucrinar *v.* molestar, incordiar, fastidiar
azul *adj.2g.,s.m.* azul
azular *v.* azular
azul-celeste *adj.2g.2n.,s.m.* (*pl. do s.* azuis-celestes) azul celeste
azulejo *s.m.* azulejo
azul-marinho *adj.2g.2n.,s.m.* (*pl. do s.* azuis-marinhos) azul marino
azul-turquesa *adj.2g.2n.,s.m.* (*pl. do s.* azuis-turquesa(s)) azul turquesa

B

b *s.m.* (letra) b*f.*

baba *s.f.* **1** baba, saliva **2** (animal, planta) baba ♦ **chorar baba e ranho** llorar a moco tendido

babá *s.f.* niñera ♦ **babá eletrônica** escucha bebés

babaca *s.2g. col.* tont|o, -a*m.f.*, idiota

babado *adj.* mojado de baba, babeado

babador *s.m.* babero

baba-ovo *s.2g.* (*pl.* baba-ovos) adulador, -a*mf.*

babaquice *s.f. col.* tontería, idiotez

babar *v.* babosear, mojar con baba ■ **babar-se** **1** babear **2** *fig.* caérsele la baba (por, por)

baboseira *s.f.* disparate*m.*, despropósito*m.*, bobada

babuíno *s.m.* babuino

baby-doll *s.m.* (*pl.* baby-dolls) picardías*2n.*

baby-sitter *s.2g.* (*pl.* baby-sitters) baby-sitter, niñera, canguro*col.*

bacalhau *s.m.* bacalao

bacana *adj.2g.* **1** *col.* simpático **2** *col.* bueno; estupendo; guay ■ *s.2g. col.* ricach|ón, -ona*m.f.*, ric|o, -a*m.f.*

bacanal *s.m.* bacanal*f.*, orgía*f.* ■ *s.f.* HIST. bacanal

bacharel *s.2g.* diplomad|o, -a*m.f.*

bacharelato *s.m.* diplomatura*f.*

bacia *s.f.* **1** (recipiente) palangana, vasija **2** pelvis*2n.* **3** cuenca, valle*m.* ♦ **bacia hidrográfica** cuenca hidrográfica

bacilo *s.m.* bacilo

bacilose *s.f.* MED.,VET. bacilosis

backup *s.m.* backup, copia*f.* de seguridad; *fazer um backup* hacer un backup

baço *adj.* **1** *(embaciado)* empañado **2** *(trigueiro)* trigueño, moreno ■ *s.m.* ANAT. bazo

bacon *s.m.* beicon, tocino ahumado

bactéria *s.f.* bacteria

bacteriano *adj.* bacteriano

badalada *s.f.* campanada

badalar *v.* **1** (sino) hacer sonar **2** (sino) sonar, repicar; (relógio) dar (la hora), sonar **3** *fig.* (segredo) contar **4** *fig.* cotillear, chismorrear

badejo *s.m.* abadejo

baderna *s.f.* **1** *pej.* desorden*m.*, confusión **2** riña, bronca **3** *pej.* chusma, gentuza

bafafá *s.m. col.* tumulto, alboroto, confusión*f.*

bafejar *v.* **1** echar vaho **2** *(soprar)* soplar **3** *fig.* (sorte, destino) favorecer **4** *fig.* (sentimento, ideia) inspirar

bafo *s.m.* **1** *(hálito)* aliento **2** *(sopro)* soplo **3** *fig.* inspiración*f.* ♦ *col.* **bafo de onça** mal aliento

bafômetro *s.m.* alcoholímetro, alcohómetro

baforada *s.f.* **1** (de vento) ráfaga **2** (de fumo) bocanada, humareda **3** *(mau hálito)* mal aliento*m.*

bagaço *s.m.* *(resíduo de frutos)* orujo (residuos de fruta exprimida) ♦ *fig.* **estar um bagaço** estar un trapo

bageiro *s.m.* baca*f.*, portaequipajes*2n.*

bagagem *s.f.* **1** equipaje*m.* **2** (de tropa, exército) bagaje*m.* **3** *fig.* bagaje*m.*, conocimientos*m. pl.*

bagatela *s.f.* bagatela, niñería

baguete *s.f.* baguette, barra de pan

bagulho *s.m.* **1** semilla*f.* de la uva **2** trasto **3** *col.* feto

bagunça *s.f. col.* desorden*m.*, desbarajuste*m.*, caos*m.2n.*

bagunçar *v.* **1** *col.* desordenarse **2** *col.* desordenar, desbarajustar

baía *s.f.* bahía

bailar *v.* bailar, danzar

bailarin|o, -a *s.m.,f.* bailar|ín, -ina

baile *s.m.* **1** *(dança)* baile, danza*f.* **2** (festa) baile; *baile à fantasia* baile de disfraces ♦ *col.* **dar um baile em alguém** burlarse de alguien

bainha *s.f.* **1** (costura) dobladillo*m.* **2** (faca, espada) vaina **3** BOT. vaina

bairro *s.m.* barrio, barriada*f.*

baixa *s.f.* **1** (de preço, produção) baja, bajada, descenso*m.* **2** (por doença) baja **3** (documento) parte*m.* de baja por enfermedad **4** MIL. baja ♦ (soldado) **dar baixa** **1** licenciarse **2** (produto) dar de baja

baixar *v.* **1** (valor, intensidade) bajar, disminuir **2** (avião) aterrizar **3** (parte do corpo) bajar **4** INFORM. descargar ■ **baixar-se** **1** *(curvar-se)* agacharse, inclinarse **2** *fig. (humilhar-se)* humillarse, someterse

baixaria *s.f. col.* grosería; bajeza; ordinariez

baixo *adj.* **1** (pessoa) bajo, pequeño **2** (preço) bajo, barato **3** (som, voz) bajo **4** *fig.* bajo, despreciable, vil ■ *s.m.* **1** (instrumento) bajo **2** (voz) bajo, voz*f.* de bajo ■ *adv.* bajo; *fala mais baixo!* ¡habla más bajo! ♦ **de cima a baixo** de arriba abajo; **estar para baixo** estar de capa caída; **para baixo** hacia abajo; **por baixo de** debajo de; *o jornal está por baixo do livro* el periódico está debajo del libro

baixo-astral *s.m.* (*pl.* baixos-astrais) malhumor ■ *adj.2g.* malhumorado

baixo-relevo *s.m.* (*pl.* baixos-relevos) ART.PL. bajorrelieve

baixo-ventre *s.m.* (*pl.* baixos-ventres) ANAT. bajovientre

bajulador, -a *adj.,s.m.,f.* adulador, -a, zalamer|o, -a, halagador, -a

bajular *v.* adular, halagar, dar coba

bala *s.f.* **1** bala **2** (guloseima) caramelo*m.* ♦ *col.* **como uma bala** como una bala

balada *s.f.* balada

balança *s.f.* **1** balanza; báscula **2** *fig.* equilibrio*m.* ♦ **balança comercial** balanza comercial; **balança de pagamentos** balanza de pagos

balançar *v.* **1** balancearse, moverse **2** balancear, mover; *(embalar)* mecer **3** *fig. (hesitar)* vacilar, dudar

balanço *s.m.* **1** balanceo **2** ECON. balance **3** *fig.* balance, examen **4** (brinquedo) columpio

balão *s.m.* **1** (brinquedo) globo **2** *(aeróstato)* globo **3** (história em quadrinhos) bocadillo, globo **4** (recipiente) balón

balbuciar *v.* **1** balbucear, balbucir **2** *(gaguejar)* tartamudear

balbúrdia *s.f.* algazara, jaleo*m.*, desorden*m.*

balcão *s.m.* **1** (bar, café) barra*f.* **2** (loja) mostrador **3** (sala de espetáculos) anfiteatro **4** (cozinha) encimera*f.* **5** (banco) agencia*f.* **6** ARQ. balcón

balconista *s.2g.* dependient|e,-a*m.f.*

balde *s.m.* **1** cubo, balde **2** (uso especial) cubeta*f.*; *balde de gelo* cubeta de hielo ♦ *fig.* **balde de água fria** jarro de agua fría; **de balde** en balde/vano; *col.* **chutar o balde** armar un lío

baldeação *s.f.* transbordo*m.*, trasbordo*m.*

baldio *adj.* (terreno) baldío, inculto ■ *s.m.* baldío

balé *s.m.* ballet

balear *adj.2g.* balear; *ilhas Baleares* islas Baleares ■ *s.2g.* balear

baleia *s.f.* **1** ballena **2** *pej.* (pessoa) foca

baleote *s.m.* ZOOL. ballenato

balir *v.* (ovelha, cordeiro) balar, dar balidos

baliza *s.f.* **1** (terreno) hito*m.*, mojón*m.*, jalón*m.* **2** (mar) baliza **3** (pista de aterrissagem) baliza **4** ESPOR. portería ■ *s.2g.* [persona que abre un desfile]

balizar *v.* **1** (lugar) balizar, jalonar, delimitar **2** NÁUT. abalizar

balneário *adj.,s.m.* balneario

balofo *adj.* **1** *(fofo)* fofo **2** *(volumoso)* voluminoso **3** (pessoa) gordo, rechoncho **4** *fig.* superficial

balsa *s.f.* balsa

bálsamo *s.m.* **1** bálsamo **2** *fig.* bálsamo, consuelo, alivio

Báltico *s.m.* Báltico

bambo *adj.* **1** *(frouxo)* flojo **2** (móvel, cadeira) cojo

bambolê *s.m.* hula hoop®

bambolear *v.* bambolear ■ **bambolear se** bambolearse

bambu *s.m.* bambú

banal *adj.2g.* banal, trivial

banalidade *s.f.* banalidad, trivialidad

banalizar *v.* banalizar, vulgarizar, trivializar ■ **banalizar se** banalizarse, vulgarizarse

banana *s.f.* **1** (fruto) plátano*m.*, banana[AM.] **2** (cabelo) moño*m.* francês ■ *s.2g.* **1** *col.,pej.* floj|o,-a*m.f.*, indolente **2** *col.,pej.* imbécil, idiota

banca *s.f.* **1** (de cozinha) fregadero*m.*, pila **2** (de jornais, revistas) quiosco*m.*, kiosco*m.* **3** (de advogado) bufete*m.*, despacho*m.* **4** ECON. banca **5** (jogos de azar) banca **6** *(mesa)* mesa rectangular ♦ *col.* **botar banca** vanagloriarse; **banca examinadora** tribunal

bancada *s.f.* **1** *(banco comprido)* banco*m.* largo **2** (estádio, praça de touros) grada, graderío*m.* **3** (cozinha) encimera **4** grupo*m.* parlamentario

bancar *v.* **1** financiar **2** *col.* hacerse; *bancar o forte* hacerse el fuerte

bancári|o, -a *s.m.,f.* emplead|o,-a de banco ■ *adj.* bancario

banco *s.m.* **1** *(assento)* banco, asiento **2** (instituição financeira) banco **3** MED. banco **4** GEOL. banco **5** ESPOR. banquillo ♦ **banco de areia** banco de arena; **banco de dados** banco de datos; ESPOR. **banco de reservas** banquillo; **banco de sangue** banco de sangre; **banco dos réus** *fig.* banquillo (de los acusados)

banda *s.f.* **1** *(lado)* banda, lado*m.* **2** MÚS. banda, grupo*m.* musical **3** *(faixa)* banda, cinta, faja, tira **4** *(margem)* orilla **5** NÁUT. banda ■ **bandas** *s.f.pl. (paragens)* parajes*m.* ♦ **banda de frequência** banda de frecuencia; **banda larga** banda ancha; **banda magnética** banda magnética

band-aid *s.m.* curita*f.*[AM.], tirita*f.*

bandeira *s.f.* bandera ♦ **arriar a bandeira** arriar (la) bandera, rendirse; *col.* **dar bandeira** revelar por descuido; contar

bandeirada *s.f.* (táxi) bajada de bandera

bandeirinha *s.2g.* (futebol) juez de línea, linier*m.*

bandeja *s.f.* bandeja ♦ **dar/entregar de bandeja** servir en bandeja

bandejão *s.m. col.* [restaurante que sirve la comida a precios muy accesibles]

bandid|o, -a *s.m.,f.* bandid|o,-a, bandoler|o,-a

bando *s.m.* **1** (aves) bandada*f.* **2** (bandidos) banda*f.* **3** (pessoas) grupo, multitud*f.*, pelotón **4** *(facção)* bando, facción*f.*

bandolim *s.m.* bandolina*f.*

bandurra *s.f.* MÚS. bandurria

bangalô *s.m.* bungalow

bangue-bangue *s.m.* (*pl.* bangue-bangues) **1** western, película*f.* de vaqueros **2** tiroteo

banha *s.f.* **1** (animal) grasa **2** (pessoa) grasa, molla*col.* ♦ **banha de porco** manteca

banhar *v.* **1** *(dar banho)* bañar, lavar **2** *(molhar)* mojar, bañar **3** (rio, mar) bañar ■ **banhar-se** *(tomar banho)* bañarse

banheira *s.f.* bañera, baño*m.*, bañadera[AM.]

banheiro *s.m.* cuarto de baño

banhista *s.2g.* bañista

banho *s.m.* baño ■ **banhos** *s.m.pl.* **1** *(termas)* baños, termas*f.* **2** amonestaciones*f.* ♦ **banho de chuveiro** ducha; **banho de imersão** baño entero; *col.* **banho de loja** compra de artículos de moda; **banho turco** baño turco; *col.* **dar um banho** demostrar excelencia; **tomar banhos de sol** tomar el sol

banho-maria *s.m.* (*pl.* banhos-marias) baño (de) María

banir *v.* **1** desterrar, exilar **2** (sociedade, recinto) expulsar

banqueir|o, -a *s.m.,f.* banquer|o,-a

banquete *s.m.* banquete; festín; convite

baque *s.m.* **1** *(queda)* batacazo, caída*f.* **2** *fig.* presentimiento, corazonada*f.*

bar *s.m.* **1** (estabelecimento) bar **2** (móvel) mueble bar **3** FÍS. bar

baralho *s.m.* baraja*f.*

barão *s.m.* (*f.* baronesa) barón

barata *s.f.* cucaracha ♦ *col.* **entregue às baratas** abandonado; *col.* **estar como uma barata tonta** estar más perdido que un pulpo en un garaje

baratear *v.* abaratar

barateiro *adj.* que/quien vende barato

barato *adj.* **1** barato **2** *(banal)* banal, ordinario, vulgar ■ *adv.* barato ♦ **o maior barato** muy bueno; estupendo; **um barato** muy bueno; estupendo

barba *s.f.* **1** barba **2** *(queixo)* barbilla, mentón*m.* ♦ **fazer a barba** afeitarse; **nas barbas de alguém** en las barbas de alguien

barbante *s.m.* bramante, cordel

barbaridade *s.f.* **1** *(crueldade)* barbaridad, crueldad **2** *(disparate)* absurdo*m.*, disparate*m.*

barbárie *s.f.* barbarie

bárbaro *adj.* **1** *(cruel)* bárbaro, cruel, inhumano **2** *(rude)* rudo, grosero

barbatana *s.f.* (peixes) aleta

barbeador *s.m.* **1** navaja*f.* de afeitar **2** (elétrico) afeitadora*f.*

barbear *v.* afeitar ■ **barbear se** afeitarse

barbearia *s.f.* barbería

barbeiragem *s.f. col.* incompetencia

barbeiro *s.m.* **1** (pessoa) barbero **2** (estabelecimento) barbería*f.*, peluquería*f.* de caballeros **3** *col.* frío

barbudo *adj.* barbudo

barca *s.f.* barca

Barcelona *s.f.* Barcelona

barco *s.m.* barco; bote, barca*f.* ♦ **deixar o barco correr** dejar correr; **estar no mesmo barco** estar en el misma barca

baricentro *s.m.* **1** FÍS. baricentro, centro de gravedad **2** GEOM. (triângulo) baricentro

barman *s.m.* (*pl.* barmen) barman, camarero

barômetro *s.m.* barómetro

barquilha *s.f.* NÁUT. barquilla

barra *s.f.* **1** barra **2** (de ouro) lingote*m.*, barra **3** (de sabão) pastilla **4** (roupa) bajo*m.* **5** (ginástica) listón*m.* **6** (balé) barra (fija) **7** MÚS. barra **8** (tribunal) barra **9** (gol) travesaño*m.*, larguero*m.* **10** (de chocolate) tableta ♦ *col.* **aguentar/segurar a barra** aguantar mecha; **barra de espaço** espaciador; **barra de ferramentas** barra de herramientas; **barra de rolagem** barra de desplazamiento; **barra de menu** barra de menú; **barra fixa** barra fija; **barras paralelas** barras paralelas; **forçar a barra** ser un pesado

barraca *s.f.* **1** barraca, chabola **2** *(tenda)* tienda **3** (de feira) caseta **4** *(cabana)* choza, cabaña

barracão *s.m.* barracón

barraco *s.m.* (favela) chabola*f.* ♦ *gír., pej.* **armar (o maior) barraco** armar un lío

barragem *s.f.* embalse*m.*, presa

barranco *s.m.* barranco

barra-pesada *adj.2g.* **1** peligroso **2** difícil, complicado

barraqueiro *adj.* alborotador, gamberro

barrar *v.* (acesso, passagem) obstruir, cerrar el paso a

barreira *s.f.* **1** barrera **2** *fig.* barrera, obstáculo*m.* **3** ESPOR. valla **4** (jogadores) barrera ♦ **barreira do som** barrera del sonido

barricada *s.f.* barricada

barriga *s.f.* barriga ♦ **barriga da perna** pantorrilla; *col.* **empurrar com a barriga** aplazar; *col.* **estar de barriga** estar preñada; **falar/reclamar de barriga cheia** quejarse de vicio; **tirar a barriga da miséria** **1** tirar/echar la casa por la ventana **2** disfrutar de algo que antes no se tenía

barrigudo *adj.* barrigudo, barrigón, panzudo

barril *s.m.* barril ♦ **ser um barril de pólvora** ser un barril de pólvora

barrisco *s.m.* [LUS.] barrizal

barro *s.m.* barro

barroco *adj.* **1** barroco **2** *fig.* barroco, excesivo, exagerado ■ *s.m.* barroco

barulheira *s.f.* alboroto*m.*, ruido*m.*, estrépito*m.*

barulhento *adj.* **1** ruidoso, estrepitoso **2** agitado

barulho *s.m.* **1** ruido **2** *(alvoroço)* barullo **3** *(alarde)* alarde, ostentación*f.* ♦ *col.* **do barulho** extraordinario

base *s.f.* **1** *(suporte)* base, soporte*m.* **2** *(fundamento)* base, fundamento*m.* **3** base, pedestal*m.* **4** QUÍM. base **5** (cosmética) base de maquillaje **6** CUL. base **7** (panela, travessa) salvamanteles*m.2n.*; (copo) posavasos*m.2n.* ♦ **base aérea** base aérea; **base de dados** base de datos; **base de operações** base de operaciones; **de base** básico, inicial; **na base de** sobre la base de

baseado *adj.* basado (em, en), fundamentado (em, en); *ser/estar baseado em alguma coisa* estar basado en algo ■ *s.m. col.* porro, canuto

basear *v.* basar, fundar, fundamentar ■ **basear-se** basarse (em, en), fundarse (em, en); *em que te baseias?* ¿en qué te basas?

basebol *s.m.* béisbol

básico *adj.* **1** básico **2** (nível de ensino) primario; *ensino básico* enseñanza primaria **3** QUÍM. básico

basquete *s.m.* baloncesto, básquet

basquetebol *s.m.* baloncesto

basta *interj.* ¡basta! ♦ **dar o/um basta** acabar con

bastante *adj.2g.* bastante; *há bastante arroz* hay bastante arroz ■ *adv.* **1** *(suficientemente)* bastante; *conheço-o bastante bem* lo conozco bastante bien **2** *(muito)* bastante; *ela melhorou bastante* está bastante mejor; *está bastante calor* hace bastante calor ■ *s.m.* lo que basta/es suficiente; *não se falou o bastante sobre a revolução* no se habló lo suficiente en lo que concierne a la revolución ■ *pron.indef.* bastante; *eram bastantes os que emigravam* eran bastantes los que emigraban

bastão *s.m.* bastón

bastar *interj.* ¡basta! ■ *v.* bastar, ser suficiente ■ **bastar se** bastarse, ser autosuficiente

bastidor *s.m.* (para bordar) bastidor ■ **bastidores** *s.m.pl.* TEAT. bastidor ♦ **nos bastidores** entre bastidores

bata *s.f.* **1** (blusa) blusa, batín, bata **2** (jaleco) guardapolvo
batalha *s.f.* batalla; (jogo) hundir la flota
batalhador *adj.* batallador
batalhão *s.m.* batallón
batalhar *v.* **1** batallar, combatir, luchar **2** *fig. (esforçar-se)* pelear
batata *s.f.* **1** (tubérculo) patata **2** *col.* nariz chata ♦ *col.* **passar a batata-quente** pasar la patata caliente; *col.* **vá plantar batatas!** ¡vete a freír espárragos!

Não confundir com a palavra espanhola **batata** (*batata-doce*).

batata-doce *s.f.* (*pl.* batatas-doces) boniato*m.*, batata, camote*m.* [AM.]
bate-boca *s.m.* (*pl.* bate-bocas) *col.* pelotera*f.*, trifulca*f.*, discusión*f.*
bate-bola *s.m.* (*pl.* bate-bolas) **1** (futebol) [calentamiento que consiste en realizar pases antes de la partida] **2** (Carnaval) [folión de Rio de Janeiro, que usa máscara y cuelga una pelota de la mano]
batedeira *s.f.* batidora
batente *s.m.* **1** (janela, porta) batiente **2** *(aldraba)* aldaba*f.* **3** (costa) batiente
bate-papo *s.m.* (*pl.* bate-papos) *col.* charla*f.*, palique, cháchara*f.*
bater *v.* **1** agredir, golpear **2** pegar, golpear **3** (porta, janela) golpear **4** (coração) latir, pulsar, batir **5** (recorde, marca) batir **6** (sol) dar, pegar **7** (adversário) batir, vencer, derrotar **8** (horas) dar **9** (ingredientes) batir **10** (veículo) chocar **11** (metais) batir, forjar, golpear **12** (moeda) batir, acuñar **13** (dentes) castañetear **14** (asas) batir ■ **bater-se** luchar, esforzarse, superarse ♦ *col.* **bater pernas** callejear
bateria *s.f.* **1** batería **2** MÚS. batería ♦ **carregar as baterias** cargar las pilas
baterista *s.2g.* batería
batida *s.f.* **1** golpe*m.* **2** (coração) latido*m.* **3** (caminho, terreno) batida **4** (caça) batida **5** *col.* ritmo*m.* **6** (veículos) choque*m.*, colisión **7** bebida hecha con aguardiente de caña, azúcar y fruta
batido *adj.* **1** (caminho) explorado, conocido **2** (roupa) usado, gastado; pasado de moda **3** (assunto, expressão) manido, conocido **4** (pessoa) vencido, derrotado
batimento *s.m.* (coração) latido
batina *s.f.* (sacerdote) sotana
batismal *adj.2g.* bautismal
batismo *s.m.* bautismo ♦ **batismo de fogo** bautismo de fuego; **batismo do ar** bautismo de aire
batizado *s.m.* (ato, cerimônia) bautizo, bautismo
batizar *v.* **1** bautizar **2** poner nombre, llamar
batom *s.m.* **1** barra*f.* de labios, pintalabios*2n.* **2** (esqui) bastón
batucar *v.* tamborilear
baú *s.m.* baúl
baunilha *s.f.* vainilla
bazar *s.m.* bazar ■ *v. col.* pirarse, fugarse
bazofiar *v.* jactarse (de, de)
bazuca *s.f.* bazuca*m.*
bê *s.m.* (letra) be*f.*, be*f.* larga [AM.]
bê-á-bá *s.m.* (*pl.* bê-á-bás) **1** *(abecedário)* abecedario, abecé **2** *fig. (noções)* abecé, nociones*f. pl.*
beatificar *v.* beatificar
beat|o, -a *adj.,s.m.,f.* beat|o, -a
bêbad|o, -a *adj.,s.m.,f.* borrach|o, -a
bebê *s.2g.* bebé*m.*
bebedeira *s.f.* borrachera
bebedouro *s.m.* (de aves) bebedero; (de gado) abrevadero, bebedero
beber *v.* **1** (álcool) beber, pimplar, soplar*col.*, tomar[AM.], empinar el codo*col.* **2** (bebida) beber **3** *(embriagar-se)* beber, emborracharse **4** (líquido) absorber **5** *pop.* (combustível) consumir, gastar ♦ **beber à saúde de alguém** beber a la salud de alguien; brindar por alguien
bêbera *s.f.* BOT. breva
bebericar *v.* beber (poco pero frecuentemente)
bebes *s.m.pl.* bebidas*f.* ♦ **comes e bebes** comidas y bebidas
bebida *s.f.* **1** bebida **2** *(alcoolismo)* bebida, vicio*m.* de beber
beca *s.f.* toga
beça, à ♦ **à beça** mucho, a montones
beco *s.m.* callejón ♦ *fig.* **beco sem saída** callejón sin salida
bedelho *s.m.* **1** pestillo, cerrojo **2** (criança) mocos|o, -a*m.f.* ♦ *pop.* **meter o bedelho** meter baza, meter las narices
bege *adj.2g.2n.,s.m.* beige, beis
beiço *s.m.* labio ♦ **andar de beiço caído (por alguém)** estar muy enamorado; **lamber os beiços** chuparse los dedos; **morder os beiços** morderse los labios
beija-flor *s.m.* (*pl.* beija-flores) colibrí, picaflor
beijar *v.* **1** besar **2** *fig.* besar, tocar, rozar ■ **beijar-se** besarse
beijo *s.m.* beso ♦ **beijo de Judas** beso de Judas
beijoca *s.f. col.* besote*m.*, besazo*m.*, beso*m.* sonoro
beijocar *v. col.* besuquear
beira *s.f.* **1** *(borda)* borde*m.*, orilla **2** (rio, mar) orilla, margen*m.*, ribera **3** (telhado) alero*m.* **4** *(proximidade)* lado*m.* ♦ **à beira de** al borde de; *estar à beira de um ataque de nervos* estar al borde de un ataque de nervios; **estar à beira de um abismo** al borde del abismo
beirada *s.f.* alero*m.*
beira-mar *s.f.* (*pl.* beira-mares) **1** orilla del mar, costa, litoral*m.* **2** *(praia)* playa
beirar *v.* bordear
beisebol *s.m.* béisbol
belas-artes *s.f.pl.* bellas artes
beldade *s.f.* beldad
beleza *s.f.* belleza ♦ *col.* **cansar a beleza de alguém** fastidiar
Bélgica *s.f.* Bélgica

beliche *s.m.* **1** (camas) litera*f.* **2** (barco) camarote
bélico *adj.* bélico
beliscão *s.m.* pellizco
beliscar *v.* **1** pellizcar **2** *fig.* (comida) picar, picotear, pellizcar
belo *adj.* **1** *(bonito)* bello, bonito **2** *(agradável)* bello, bueno **3** *(lucrativo)* bueno; ***fez um belo negócio*** ha hecho un buen negocio
beltran|o, -a *s.m.,f.* zutan|o, -a ♦ **fulano, sicrano e beltrano** fulano, mengano y zutano
bem *adv.* **1** bien; ***cheirar bem*** oler bien **2** bien, correctamente; ***responder bem*** responder bien **3** bien, con buena salud; ***estás bem?*** ¿estás bien? **4** bien, muy; ***está bem sujo*** está bien sucio **5** exactamente; ***não foi bem assim que aconteceu*** no sucedió exactamente así **6** bien; ***pareceu-lhes bem*** les ha parecido bien ■ *adj.2g.2n.* bien, esnob ■ *s.m.* **1** bien; ***bens de consumo*** bienes de consumo **2** *(benefício)* beneficio, ventaja*f.*; ***a bem de alguém*** a beneficio de alguien **3** *(bem-estar)* bien, felicidad*f.*; ***isto é para o teu bem*** esto es por tu bien **4** (moral) (el) bien; ***praticar/fazer o bem*** hacer el bien **5** (pessoa amada) amor, cariño; ***meu bem*** amor mío, cariño **6** DIR. bien; ***bens imóveis*** bienes inmuebles ■ **bens** *s.m.pl.* bienes*pl.*, posesiones*f. pl.* ♦ **bem como** así como; *irôn.* **bem feito!** ¡bien hecho!; **a bem de** a favor de; **está bem!** ¡vale!; **por bem** con buena intención
bem-apessoado *adj.* (*pl.* bem-apessoados) *col.* buena pinta
bem-aventurado *adj.* bienaventurado, afortunado, dichoso
bem-comportado *adj.* educado
bem-disposto *adj.* **1** (disposição) de buen humor **2** (característica) alegre, jovial **3** (saúde) bien (de salud)
bem-estar *s.m.* (*pl.* bem-estares) bienestar
bem-humorado *adj.* **1** que tiene buen humor **2** de buen humor
bem-intencionado *adj.* bienintencionado
bem-me-quer *s.m.* (*pl.* bem-me-queres) margarita*f.*
bem-parecido *adj.* bien parecido
bem-vindo *adj.* bienvenido
bem-visto *adj.* bien visto, estimado, considerado
bênção *s.f.* bendición; ***dar a bênção*** echar/dar la bendición
bendito *adj.* **1** bendito **2** *(feliz)* bendito, feliz
bendizer *v.* **1** *(abençoar)* bendecir **2** *(elogiar)* alabar
beneficência *s.f.* beneficencia
beneficente *adj.2g.* benéfico
beneficiar *v.* **1** beneficiarse (de, de); ***eles se beneficiaram do desconto*** se han beneficiado del descuento **2** *(favorecer)* beneficiar, favorecer **3** *(melhorar)* mejorar
beneficiári|o, -a *s.m.,f.* beneficiari|o, -a
benefício *s.m.* **1** *(favor)* beneficio, favor **2** *(proveito)* beneficio, lucro, provecho, ventaja*f.*; ***em benefício de*** en beneficio de, a favor de ♦ **dar o benefício da dúvida a alguém** conceder a alguien el beneficio de la duda
benéfico *adj.* **1** beneficioso, bueno **2** *(proveitoso)* beneficioso, provechoso, ventajoso
benemérito *adj.* **1** (ato) benemérito, loable **2** (pessoa) que contribuye financieramente a una causa o institución
benevolência *s.f.* benevolencia
benevolente *adj.2g.* **1** benévolo, benevolente **2** bondadoso
benfeitor, -a *s.m.,f.* bienhechor, -a, benefactor, -a
bengala *s.f.* bastón*m.*
benigno *adj.* benigno
benjamim *s.m.* **1** benjam|ín, -ina*m.f.* **2** enchufe múltiple
bento *adj.* bendito; ***água benta*** agua bendita
benzer *v.* bendecir ■ **benzer-se** persignarse, santiguarse
berçário *s.m.* **1** (hospital, maternidade) nido **2** *(creche)* guardería*f.* infantil
berço *s.m.* **1** cuna*f.* **2** *fig.* cuna*f.*, patria*f.*
berinjela *s.f.* berenjena
berlinda *s.f.* berlina ♦ **estar na berlinda** ser el centro de la atención
bermuda *s.f.* bermudas*m./f. pl.*
berrar *v.* **1** gritar, chillar **2** (choro) berrear, llorar a lágrima viva
berreiro *s.m.* **1** *(gritaria)* griterío **2** *(choradeira)* llorera*f.*, lloro; ***abrir o berreiro*** llorar mucho
berro *s.m.* **1** (pessoa) berrido, grito **2** (animal) berrido, rugido
besouro *s.m.* abejorro
besta[1] /ê/ *s.f.* **1** (animal) bestia **2** *pej.* bestia, animal*m.*, brut|o, -a*m.f.* ■ *adj.2g.* **1** bestia, animal, bruto **2** *col.* arrogante, pedante **3** *col.,fig.* insignificante ♦ **besta quadrada** (insulto) animal de bellota; *cal.* **fazer-se de besta** hacerse el tonto; *col.* **ser metido a besta** hacerse el listo
besta[2] /é/ *s.f.* (arma) ballesta
besteira *s.f. col.* bobada, tontería
beterraba *s.f.* remolacha
betonar *v.* cubrir con hormigón/cemento
betumar *v.* **1** embetunar **2** (janela, porta) sellar
betume *s.m.* **1** (para fixar vidros) masilla*f.* **2** QUÍM. betún
bexiga *s.f.* vejiga ■ **bexigas** *s.f.pl. pop. (varíola)* viruela
bezerr|o, -a *s.m.,f.* becerr|o, -a
Bíblia *s.f.* Biblia
bíblico *adj.* bíblico
bibliografia *s.f.* bibliografía
bibliográfico *adj.* bibliográfico
biblioteca *s.f.* biblioteca
bibliotecári|o, -a *s.m.,f.* bibliotecari|o, -a
bica *s.f.* **1** canalón*m.* **2** *(chafariz)* fuente (con caños), fontana **3** *(torneira)* grifo*m.* **4** [LUS.] café*m.* solo ♦ **suar em bica** sudar la gota gorda
bicada *s.f.* (de ave) picotazo*m.*
bicampe|ão, -ã *s.m.,f.* bicampe|ón, -ona
bicar *v.* (ave) picotear
bicarbonato *s.m.* bicarbonato; ***bicarbonato de sódio*** bicarbonato sódico
bíceps *s.m.2n.* (músculo) bíceps

bicha *s.f.* **1** *(lombriga, verme)* lombriz, gusano*m.* **2** *pej. (homossexual)* sarasa, marica*m.*, maricón*m.*
bicho *s.m.* bicho ♦ **que bicho te mordeu?** ¿qué mosca te ha picado?
bicho-carpinteiro *s.m.* (*pl.* bichos-carpinteiros) carcoma*f.* ♦ *col.* **ter bicho-carpinteiro** ser un culo de mal asiento
bicho-da-seda *s.m.* (*pl.* bichos-da-seda) gusano de seda
bicho do mato *s.m.* (*pl.* bichos do mato) *fig.* (pessoa) hurón
bicho-papão *s.m.* (*pl.* bichos-papões) *infant.* coco, ogro
bicicleta *s.f.* **1** bicicleta **2** (ginástica) bicicleta fija
bico *s.m.* **1** (ave) pico **2** *(ponta)* punta*f.* **3** (caneta) plumilla*f.* **4** (chaleira, gás) pitorro **5** (jarra) pico **6** (fogão) quemador **7** (trabalho) chapuza*f.* **8** *col.* pico ♦ *col.* **abrir o bico** abrir el pico; **calar o bico** cerrar el pico; **molhar o bico** beber; **não abrir o bico** no soltar prenda
bico de papagaio *s.m.* MED. enfermedad ósea, osteopatía
bicolor *adj.2g.* bicolor
bicudo *adj.* **1** picudo **2** puntiagudo **3** *fig.* (situação) complicado, difícil, peliagudo*col.* **4** (pessoa) de morro(s); enfadado, cabreado ♦ **um caso bicudo** un caso peliagudo
bidê *s.m.* bidé
bife *s.m.* **1** bistec, bisté **2** filete ♦ **bife à cavalo** bistec con un huevo frito encima
bifocal *adj.2g.* bifocal
bifurcação *s.f.* bifurcación
bifurcar-se *v.* bifurcarse (em, en)
bigode *s.m.* **1** bigote; (farfalhudo) mostacho **2** *col.* bigote, bigotera*f.* ■ **bigodes** *s.m.pl.* (gato, rato) bigotes
bigorna *s.f.* **1** (metais) yunque*m.* **2** ANAT. yunque*m.*
bijuteria *s.f.* bisutería
bilhão *s.m.* mil millones
bilhar *s.m.* billar
bilhete *s.m.* **1** (transportes) billete **2** *(recado)* nota*f.* **3** (espetáculo) entrada*f.*, billete, localidad*f.* **4** (loteria) billete, boleto **5** (rifa) papeleta*f.*
bilheteiro|-a *s.* vendedor|-a de billetes, taquiller|o,-a, boleter|o,-a
bilheteria *s.f.* boletería [AM.], taquilla [ESP.] ♦ **um êxito de bilheteria** un éxito de taquilla
bilíngue *adj.2g.* bilingüe
bilinguismo *s.m.* bilingüismo
bílis *s.f.2n.* bilis
bimensal *adj.2g.* bimensual
bimestral *adj.2g.* bimestral
bimestre *s.m.* bimestre
bimotor *s.m.* bimotor
bingo *s.m.* bingo ■ *interj.* ¡bingo!
binóculo *s.m.* prismáticos*pl.*, gemelos*pl.*
biodegradável *adj.2g.* biodegradable
biografar *v.* biografiar
biografia *s.f.* biografía
biográfico *adj.* biográfico
biologia *s.f.* biología
biológico *adj.* biológico
biólog|o, -a *s.m.,f.* biólog|o,-a
biombo *s.m.* biombo, mampara*f.*
biomédico *adj.* biomédico
biópsia *s.f.* biopsia
bioquímica *s.f.* bioquímica
bioquímic|o, -a *s.m.,f.* bioquímic|o, -a ■ *adj.* bioquímico
biosfera *s.f.* biosfera
bip *s.m.* (*pl.* bips) **1** (aparelho) buscapersonas*2n.*, busca **2** (som) pitido
bipolar *adj.2g.* bipolar
biquíni *s.m.* biquini, bikini
birra *s.f.* **1** *(teimosia)* terquedad, obstinación, capricho*m.* **2** (de crianças) berrinche*m.*, rabieta, pataleta **3** *(aversão)* tirria ♦ **fazer birra** coger/llevarse un berrinche
biruta *s.f.* manga de viento ■ *adj.2g. col.* chalado, chiflado, loco
bis *adv.* bis ■ *s.m.2n.* (espetáculo) bis ■ *interj.* ¡otra!
bisão *s.m.* bisonte
bisavó *s.f.* (*m.* bisavô) bisabuela
bisavô *s.m.* (*f.* bisavó) bisabuelo
bisbilhotar *v.* **1** *(mexericar)* cotillear, chismorrear **2** *(indagar)* curiosear, fisgar, fisgonear
bisbilhoteir|o, -a *s.m.,f.* **1** *(mexeriqueiro)* cotilla*2g.*, chismos|o, -a **2** *(curioso)* fisg|ón, -ona
bisbilhotice *s.f.* cotilleo*m.*, chismorreo*m.*, chisme*m.*
biscate *s.m.* (trabalho) chapuza*f.*
biscoito *s.m.* galleta*f.*
biselar *v.* biselar
bisnaga *s.f.* **1** (de pasta dentífrica, tinta) tubo*m.* **2** (pão) barra de pan
bisnet|o, -a *s.m.,f.* bisniet|o, -a, bizniet|o, -a
bispo *s.m.* **1** obispo **2** (xadrez) alfil
bissetriz *s.f.* bisectriz
bissexto *adj.* bisiesto
bissexual *adj.,s.2g.* **1** bisexual **2** BIOL. hermafrodita
bisteca *s.f.* **1** bistec*m.* **2** chuleta
bisturi *s.m.* bisturí, escalpelo
bizarro *adj.* **1** *(estranho)* raro, extraño; *(excêntrico)* excéntrico, extravagante **2** *(corajoso)* bizarro, animoso, valiente
blá-blá-blá *s.m.* (*pl.* bla-bla-blás) *col.* bla bla-bla, palabrería*f.*
blackout *s.m.* (*pl.* blackouts) apagón
blasfemar *v.* **1** maldecir **2** blasfemar (contra, contra)
blasfêmia *s.f.* **1** blasfemia **2** *(maldição)* maldición
blaterar *v.* (camelo) bramar
blecaute *s.m.* apagón
blefar *v.* **1** dar (el) camelo, engañar **2** mentir **3** (jogo de cartas) tirarse un farol
blefe *s.m.* **1** camelo, engaño **2** (jogo de cartas) farol

blindado *adj.* blindado
blindar *v.* blindar
bloco *s.m.* **1** bloque **2** (caderno) bloc, cuaderno, libreta*f.* **3** conjunto, grupo **4** (prédio) bloque de pisos ♦ **bloco operatório/cirúrgico** quirófano; sala de operaciones; **em bloco** en bloque; en conjunto
bloquear *v.* **1** (pessoa) bloquearse **2** bloquear, cercar **3** (passagem) bloquear, obstruir **4** *(travar)* frenar **5** (conta) bloquear **6** INFORM. bloquear, colgar*col.*
bloqueio *s.m.* **1** bloqueo **2** cerco, asedio, bloqueo **3** PSIC. bloqueo
blusa *s.f.* blusa, bata
blusão *s.m.* **1** (casaco) cazadora*f.* **2** *(blusa grande)* blusón
blush *s.m.* (*pl.* blushes) (cosmética) colorete
boa *s.f.* **1** boa **2** (estola) boa*m.* ■ *adj.* (*m.* bom) buena ■ *interj.* ¡bien! ♦ *col.* **dizer umas boas a alguém** cantarle las cuarenta a alguien; (repreensão) leerle la cartilla a alguien; *col.,irôn.* **essa é boa!** ¡estaría bueno!; *col.* **numa boa 1** satisfecho; despreocupado **2** sin dificuldades
boa-fé *s.f.* (*pl.* boas-fés) buena fe ♦ **de boa-fé** de buena fe
boa-noite *s.f.* (*pl.* boas-noites) buenas*pl.* noches
boa-pinta *adj.2g. col.* buena pinta
boa-praça *adj.2g. pop.* simpático
boas-festas *s.f.pl.* [felicitación en Navidad y Año Nuevo]; *desejar as boas-festas a alguém* desear felices fiestas a alguien; *cartão de boas-festas* christma(s), crismas[ESP.] ■ *interj.* felices fiestas!
boas-vindas *s.f.pl.* bienvenida; *dar as boas-vindas* dar la bienvenida
boato *s.m.* rumor, bulo
boa-vida *s.2g.* **1** *pej.* vividor, -a*m.f.* **2** *pej.* vivalavirgen
bobagem *s.f.* bobada, tontería
bobear *v.* distraerse
bobina *s.f.* **1** (linhas, fios) bobina **2** CIN.,FOT. carrete*m.*
bob|o, -a *s.m.,f.* **1** bob|o, -a **2** inocente*2g.* ■ *adj.* **1** bobo, tonto **2** insignificante ■ **bobo** *s.m.* bufón ♦ **ser o bobo da corte** ser el hazmerreír
boca *s.f.* **1** boca **2** (rio) boca, desembocadura **3** (calças) pernera **4** (fogão) quemador*m.* **5** (instrumento cortante) mella ♦ **abrir a boca** abrir la boca; bostezar; *col.* **arrebentar a boca do balão** ser un éxito; **da boca para fora** de boquilla; **dar água na boca** hacérsele la boca agua a alguien; **pegar alguém com a boca na botija** coger a alguien con las manos en la masa; **quem tem boca vai a Roma** preguntando se llega a Roma; **ser pego com a boca na botija** sorprendido con las manos en la masa
boca de siri *s.f.* (*pl.* bocas de siri) *col.* silencio*m.* ♦ *col.* **fazer boca de siri** cerrar el pico, no decir ni pío
bocado *s.m.* **1** *(pedaço)* trozo, pedazo **2** (tempo) rato, momento, instante; *passar um mau bocado* pasar (un) mal rato **3** (alimento) trozo, pedazo
boca-mole *s.m.* (*pl.* bocas-moles) *pop.* parlanch|ín, -ina*m.f.*, hablador, -a*m.f.*, charlat|án, -ana*m.f.*
bocejar *v.* bostezar
bocejo *s.m.* bostezo
boceta *s.f.* **1** cajita (redonda u ovalada) **2** *vulg.* coño*m.*, chocho*m.* ♦ *fig.* **boceta de Pandora** caja de Pandora
bochecha *s.f.* mejilla, carrillo*m.*
bochechar *v.* enjuagarse (com, con); *bochechar com água morna* enjuagarse con agua tibia
bochecho *s.m.* bocanada*f.* (de líquido)
bochechudo *adj.* mofletudo
bócio *s.m.* bocio, coto[AM.]
bocó *s.2g. col.,pej.* bob|o, -a*m.f.*, tont|o, -a*m.f.*, mem|o, -a*m.f.*
bodas *s.f.pl.* boda, casamiento*m.* ♦ **bodas de diamante** bodas de diamante; **bodas de ouro** bodas de oro; **bodas de prata** bodas de plata
bode *s.m.* **1** (*f.* cabra) macho cabrío, cabrón **2** *col.* contratiempo ♦ **bode expiatório** chivo expiatorio, cabeza de turco
bodega *s.f.* **1** *(taberna)* taberna, tasca[ESP.] **2** *col.* porquería, cochambre*m./f.*
boêmi|o, -a *adj.,s.m.,f.* bohemi|o, -a
bofetada *s.f.* bofetada, galleta*col.*, torta*col.* ♦ **bofetada com luvas de pelica** insulto disimulado
boi *s.m.* (*f.* vaca) buey ♦ *fig.* **ter boi na linha** haber moros en la costa
boia *s.f.* **1** boya, baliza **2** (para nadar) flotador*m.* ♦ **boia salva-vidas** salvavidas
boia-fria *s.2g.* (*pl.* boias-frias) jornaler|o, -a*m.f.*
boiar *v.* **1** (pessoa, barco) flotar **2** *fig.* fluctuar, vacilar **3** *col.* no entender nada
boicotar *v.* boicotear
boicote *s.m.* boicot, boicoteo
boina *s.f.* boina
bojo *s.m.* **1** (garrafa) panza*f.* **2** *fig. (envergadura)* capacidad*f.*
bola *s.f.* **1** balón*m.*; pelota **2** (de sabão) pompa **3** (objeto) bola **4** *col.* (cabeça) chola, azotea ♦ **bolas!** ¡mecachis!, ¡jolines!; ¡ostras!; **dar bola a** dar confianza, coquetear, hacer caso a; *col.* **não bater bem da bola** no estar bien de la cabeza; **não dar bola para** no hacer caso a; no prestar atención a; **bola/bolinha de gude** canica; *col.* **pisar na bola** meter la pata; *col.* **bom de bola** que juega bien al fútbol; *col.* **ruim de bola** que no juega bien al fútbol; **bater bola** calentar los músculos a través de la realización de pases antes de la partida; *fig., col.* **não estar com essa bola toda** tener menos suerte de lo que parece; tener menos control sobre una situación de lo que parece o intenta mostrar
bolacha *s.f.* **1** galleta **2** *col. (bofetada)* galleta, torta
bolada *s.f.* **1** (pancada) balonazo*m.*, pelotazo*m.* **2** *col.* (dinheiro) millonada
bolar *v.* **1** *col.* planear, idear, proyectar **2** dar con la pelota **3** (tênis, voleibol) servir, sacar
boleia *s.f.* (caminhão) cabina
bolero *s.m.* **1** MÚS. bolero **2** (casaco) bolero
boletim *s.m.* **1** *(impresso)* boletín, formulario, impreso **2** (informação) comunicado, boletín **3** parte; informe ♦ **boletim meteorológico** parte meteorológico

bolha *s.f.* **1** (pele) ampolla **2** (de ar, gás) burbuja; (de sabão) pompa
boliche *s.m.* **1** (jogo) bolos*pl.*, boliche[AM.] **2** (estabelecimento) bolera*f.*
bólide *s.m.* **1** ASTRON. bólido **2** (veículo) bólido, automóvil de carreras
Bolívia *s.f.* Bolivia
bolivian|o, -a *adj.,s.m.,f.* bolivian|o, -a ▪ **boliviano** *s.m.* (moeda da Bolívia) boliviano
bolo *s.m.* **1** pastel; tarta*f.*; torta*f.* **2** *col.* palmada*f.* ♦ **bolo alimentar** bolo alimenticio; *col.* (compromisso) **dar um bolo em alguém** dar (un) plantón a alguien
bolor *s.m.* moho
bolsa *s.f.* **1** bolso*m.* **2** *(porta-moedas)* monedero*m.*, cartera **3** (subsídio) beca **4** ECON. bolsa ♦ MET. **bolsa de ar** bache; **bolsa de estudos** beca de estudios; **bolsa de valores** bolsa de valores; ZOOL. **bolsa marsupial** bolsa marsupial, marsupio
bolsista *s.2g.* **1** ECON. bolsista **2** becari|o, -a*m.f.* ▪ *adj.2g.* bursátil, de la bolsa
bolso *s.m.* bolsillo ♦ **de bolso** de bolsillo; *um livro de bolso* un libro de bolsillo
bom *adj.* **1** bueno; (antes de *s.m.*) buen **2** *(agradável)* bueno; *o tempo está bom* hace buen tiempo **3** *(cordial)* bueno, cordial; *ele é muito bom com toda a gente* es muy bueno con todo el mundo **4** (com saúde) bueno; *ficar bom* ponerse bueno/bien **5** *(competente)* bueno; *uma boa médica* una buena médica **6** *(vantajoso)* bueno, ventajoso **7** (qualidade) bueno; *é um livro muito bom* es un libro muy bueno **8** (quantidade) mucho, bueno; *já não o vejo há uns bons tempos* no lo veo desde hace un buen tiempo ♦ **do bom e do melhor** de buena cepa; **que bom!** ¡qué bien!
bomba *s.f.* **1** (máquina) bomba **2** (explosivo) bomba **3** (pneus) bombín*m.* **4** (para extrair leite) mamadera **5** *fig.* (notícia) bombazo*m.*, bomba ♦ **cair como uma bomba** caer como una bomba
bombardear *v.* **1** bombardear **2** *fig.* bombardear (com, con), acosar (com, con); *bombardearam o presidente com perguntas* bombardearon al presidente con preguntas
bombardeio *s.m.* bombardeo
bomba-relógio *s.f.* ⟨*pl.* bombas-relógio⟩ bomba de relojería
bombear *v.* (líquido) bombear
bombeir|o, -a *s.m.,f.* **1** bomber|o, -a **2** fontaner|o, -a; plomero
bombom *s.m.* bombón
bombril *s.m.* estropajo de aluminio
bom-dia *s.m.* ⟨*pl.* bons-dias⟩ buenos días*pl.*
bom senso *s.m.* ⟨*pl.* bons sensos⟩ sentido común, sensatez*f.*
bom-tom *s.m.* ⟨*pl.* bons-tons⟩ distinción*f.*, (buena) educación*f.*, civismo ♦ **ser de bom-tom** ser de buen tono; ser de buena educación
bonança *s.f.* **1** (mar) bonanza **2** *fig.* tranquilidad, calma
bondade *s.f.* bondad ♦ **ter a bondade de** [+*inf.*] tener la bondad de [+*inf.*]; *tenha a bondade de entrar* tenga la bondad de entrar
bonde *s.m.* tranvía
bondoso *adj.* bondadoso
boné *s.m.* gorra*f.* (generalmente con visera)
boneca *s.f.* muñeca, chupete; muñeca (para pulir); *fig.* mujer muy arreglada, pequeñita y perfecta
bonec|o, -a *s.m.,f.* muñec|o, -a ▪ **boneco** *s.m. pej.* (pessoa) títere, muñeco ▪ **bonecos** *s.m.pl. infant. (desenhos animados)* dibujos animados
bonificar *v.* bonificar
bonito *adj.* **1** (pessoa) guapo, bonito **2** (objeto) precioso **3** (dia, flor) bonito **4** *irôn.* bonito, lamentable ▪ *s.m.* bonito
bônus *s.m.2n.* **1** (salário) premio, plus, gratificación*f.* **2** *(desconto)* rebaja*f.*, descuento
boquiaberto *adj.* **1** boquiabierto **2** *fig.* boquiabierto, pasmado
boquiabrir *v.* dejar boquiabierto ▪ **boquiabrir se** quedarse boquiabierto
boquim *s.m.* MÚS. boquilla*f.* (de instrumento de viento)
borboleta *s.f.* **1** mariposa **2** (natação) mariposa
borbulha *s.f.* **1** (líquido) burbuja **2** *(bolha)* ampolla
borbulhar *v.* burbujear
borda *s.f.* **1** *(beira)* borde*m.* **2** (passeio) bordillo*m.* **3** *(margem)* orilla **4** NÁUT. borda
bordão *s.m.* **1** *(cajado)* cayado **2** (escrita, fala) latiguillo, muletilla*f.* **3** (corda) bordón
bordar *v.* **1** bordar **2** *fig.* (histórias) tejer
bordejar *v.* NÁUT. bordear
bordel *s.m.* burdel, casa*f.* de prostitución
borracha *s.f.* **1** (matéria) caucho*m.* **2** (objeto) goma (de borrar), borrador*m.* ♦ **passar uma borracha sobre** pasar un tupido velo
borracharia *s.f.* gomería[AM.], taller*m.* de reparación de neumáticos
borrach|o, -a *s.m.,f.* **1** *pop. (bêbado)* borrach|o, -a **2** *col.* guap|o, -a*m.f.* ▪ *adj. col.* borracho, como una cuba ▪ **borracho** *s.m.* ZOOL. pichón
borrar *v.* emborronar, manchar ▪ **borrar-se 1** *col. (sujar-se)* emborronarse, mancharse **2** *col. (defecar)* defecar, cagar *vulg.* ♦ *col.* **borrar-se de medo** cagarse de miedo
borrifar *v.* rociar, salpicar ▪ **borrifar-se** *col.* pasar de
Bósnia *s.f.* Bosnia
bosque *s.m.* bosque
bota *s.f.* bota ♦ *col.* **bater as botas** estirar la pata, morir, palmarla; *col.* **lamber as botas de alguém** lamer las botas a alguien, hacer la pelota a alguien
bota-fora *s.m.2n.* **1** *(despedida)* despedida*f.* **2** NÁUT. botadura*f.*
botânica *s.f.* botánica
botânic|o, -a *s.m.,f.* botánic|o, -a ▪ *adj.* botánico
botão *s.m.* **1** (roupa) botón **2** (aparelho, mecanismo) botón, pulsador **3** *(rebento)* brote, yema*f.*; (de flor) capullo ♦ **falar com os seus botões** hablar para el cuello de su camisa

botar *v.* **1** *pop. (pôr)* poner **2** *pop. (lançar fora)* echar, arrojar; lanzar **3** *pop.* poner

bote *s.m.* bote

botequim *s.m.* taberna*f.*, tasca*f.* [ESP.]

botijão *s.m.* bombona*f.*

bouquet *s.m.* ⇒ **buquê**

boutique *s.f.* boutique, tienda de moda

boxe *s.m.* boxeo ■ *s.f.* (cavalo) box*m.*, compartimiento*m.* individual ■ **boxes** *s.f.pl.* (automobilismo) box*m.*

boxeador, -a *s.m.,f.* boxeador, -a

braçada *s.f.* **1** (natação) brazada **2** (quantidade) brazada (de, de)

bracejar *v.* bracear

bracelete *s.m./f.* **1** *(pulseira)* brazalete*m.*, pulsera*f.* **2** (relógio) correa*f.*, pulsera*f.*

braço *s.m.* **1** brazo **2** (instrumento musical) mástil ♦ **de braços abertos** con los brazos abiertos; **ficar de braços cruzados** quedarse con los brazos cruzados, cruzarse de brazos; **(não) dar o braço a torcer** (no) dar el brazo a torcer; **de braço dado** cogidos del/por el brazo; **braço de mar/rio** brazo de mar/río

bradar *v.* gritar

braguilha *s.f.* (calças, short) bragueta

bramir *v.* **1** bramar, rugir **2** *(berrar)* gritar, chillar, berrear

branc|o, -a *s.m.,f.* blanc|o, -a ■ *adj.* (cor) blanco, claro ■ **branco** *s.m.* (cor) blanco ♦ **dar um branco** quedarse en blanco

brancura *s.f.* blancura, blancor*m.*

brandir *v.* (arma) blandir

brando *adj.* **1** *(mole)* blando **2** (pessoa) blando, indulgente, benévolo **3** *(fraco)* blando, débil **4** (clima) ameno **5** (fogo) lento; *em fogo brando* a fuego lento

branqueador *adj.,s.m.* blanqueador

branqueamento *s.m.* **1** blanqueo **2** *fig.* (dinheiro) blanqueo, lavado

branquear *v.* **1** blanquear **2** (cal) blanquear, encalar, enjalbegar **3** *fig.* (dinheiro) blanquear, lavar

brânquia *s.f.* branquia, agalla

branquial *adj.2g.* branquial

brasa *s.f.* **1** brasa, ascua **2** brasa, cosa muy caliente **3** *fig.* pasión, fuego*m.*, llama ♦ **estar em brasas** estar en ascuas; **na brasa** a la brasa; **puxar a brasa para a sua sardinha** arrimar el ascua a su sardina; *col.* **mandar brasa** poner manos a la obra

brasão *s.m.* blasón, escudo de armas

braseiro *s.m.* brasero

Brasil *s.m.* Brasil

brasileir|o, -a *adj.,s.m.,f.* brasileñ|o, -a

bravo *adj.* **1** (pessoa) bravo, valiente **2** (animal) bravo, salvaje, feroz **3** (mar) embravecido ■ *interj.* ¡bravo!

bravura *s.f.* **1** *(valentia)* valentía; *(coragem)* valor*m.*, coraje*m.* **2** *(ferocidade)* bravura, ferocidad

brecar *v.* frenar

brecha *s.f.* **1** grieta, brecha, fisura; (parede) boquete*m.* **2** *(lacuna)* laguna, fallo*m.*, omisión

brega *adj.2g. col.,pej.* hortera, cursi, de mal gusto

brejeirice *s.f.* **1** *pej.* pillería, granujada **2** picardía

brejo *s.m.* ciénaga*f.*, pantano, lodazal, barrizal ♦ *col.* **ir para o brejo** salir mal; fracasar

breque *s.m.* freno

breu *s.m.* brea*f.* mineral ♦ **escuro como breu** como la boca del lobo

breve *adj.2g.* breve; *em breves palavras* en pocas palabras ■ *adv.* pronto, en breve ■ *s.f.* **1** LING. vocal/sílaba breves **2** MÚS. breve ♦ **até breve!** ¡hasta pronto!; **em breve** en breve

brevemente *adv.* **1** *(sucintamente)* brevemente **2** *(dentro de pouco tempo)* en breve

bricolagem *s.f.* bricolaje*m.*

briga *s.f.* **1** *(luta)* pelea, lucha **2** *(discussão)* bronca, discusión **3** *(desentendimento)* pelea, desavenencia

brigada *s.f.* **1** brigada **2** unidad de la fuerza aérea **3** conjunto*m.* de agentes de inspección policial

brigadeiro *s.m.* **1** MIL. general de brigada (del ejército) **2** CUL. [pastelito redondo de leche condensada y chocolate]

brigão *adj.* peleón, pendenciero, camorrista

brigar *v.* **1** *(lutar)* luchar, pelearse **2** *(discutir)* discutir, reñir **3** *(zangar-se)* enfadarse, disgustarse, pelearse

briguento *adj.* pendenciero

brilhante *adj.2g.* **1** (luz, cor) brillante, reluciente, lustroso **2** *fig. (notável)* brillante **3** *fig.* brillante, prometedor ■ *s.m.* brillante, diamante

brilhar *v.* **1** (metal) brillar, relucir **2** (sol) brillar, resplandecer **3** *fig.* (pessoa) brillar, sobresalir, destacar(se)

brilho *s.m.* **1** (metais, olhos) brillo **2** (do sol) brillo, resplandor, destello **3** *fig.* brillo, esplendor **4** *fig.* inteligencia*f.*, chispa*f.*

brincadeira *s.f.* **1** (de crianças) juego*m.* **2** *(divertimento)* entretenimiento*m.* **3** *(gracejo)* broma, guasa **4** *col.* juego*m.* de niños ♦ **brincadeira de mau gosto** broma pesada, broma de mal gusto; **fora de brincadeira** bromas aparte; (hablando) en serio, fuera de bromas; **por brincadeira** de broma

brincalh|ão, -ona *s.m.,f.* bromista*2g.*, guas|ón, -ona ■ *adj.* juguetón, bromista, guasón

brincar *v.* **1** (crianças) jugar **2** *(gracejar)* bromear, contar chistes ♦ **brincar de esconde-esconde** jugar al escondite; **estava brincando contigo!** ¡estaba bromeando contigo!

brinco *s.m.* pendiente

brindar *v.* **1** regalar, ofrecer, brindar **2** brindar (a, por)

brinde *s.m.* **1** brindis*2n.* **2** *(presente)* regalo

brinquedo *s.m.* juguete ♦ **loja de brinquedos** juguetería

brisa *s.f.* brisa, viento*m.* blando ♦ **brisa marítima** brisa marina

brita *s.f.* grava, gravilla

britânic|o, -a *adj.,s.m.,f.* británic|o, -a

broa *s.f.* pan*m.* de maíz

broca *s.f.* **1** (instrumento) broca, taladro*m.*, barrena **2** (de dentista) fresa **3** *(mentira)* mentira
broche *s.m.* **1** (joia) broche, prendedor **2** *(colchete)* broche, corchete
brócolis *s.m.pl.* brécol, bróculi
bronca *s.f.* **1** *col.* *(repreensão)* bronca, rapapolvo*m.*; *dar uma bronca* cantarle las cuarenta a alguien; leerle la cartilla a alguien **2** *col.* *(cisma)* antipatía
bronco *adj.* (pessoa) rudo, grosero, bronco
brônquio *s.m.* bronquio
bronquite *s.f.* bronquitis*2n.*
bronze *s.m.* **1** bronce **2** *col.* *(bronzeado)* bronce, bronceado **3** *fig.* insensibilidad*f.*
bronzeado *adj.* bronceado, moreno ■ *s.m.* bronceado
bronzeador *adj.* bronceador ■ *s.m.* bronceador, loción*f.* bronceadora
bronzear *v.* broncear ■ **bronzear-se** broncearse
brotar *v.* **1** (planta) brotar, germinar **2** (líquido) brotar (de, de), manar (de, de), salir (de, de); *a água brotava da torneira* el agua brotaba del grifo **3** *fig.* brotar, surgir, salir
browser *s.m.* (Internet) navegador, explorador
bruaca *s.f.* **1** alforja **2** *col.,pej.* mujer vieja y fea **3** *pej.* prostituta
brusco *adj.* **1** (movimento) brusco, repentino **2** (pessoa, resposta) brusco, rudo
brutal *adj.2g.* **1** brutal, violento **2** *fig.,col.* brutal, enorme, colosal
brutalidade *s.f.* **1** brutalidad, violencia **2** grosería
brutalizar *v.* embrutecer ■ **brutalizar se** embrutecerse
bruto *adj.* **1** (pessoa) bruto, grosero **2** (material) bruto, tosco **3** (valor) bruto
bruxa *s.f.* **1** ⇒ **bruxo** **2** *fig.,pej.* bruja, arpía
bruxaria *s.f.* brujería, hechicería
brux|o, -a *s.m.,f.* bruj|o, -a, hechicer|o, -a
bucal *adj.2g.* bucal
bucha *s.f.* **1** (para lavar) estropajo*m.* **2** *col.* (de parafuso) taco*m.* **3** (para buracos) cuña*f.* **4** (de arma) tapón*m.* **5** (de balão) mecha*f.*
buço *s.m.* **1** vello sobre el labio superior **2** *(bigodinho)* bozo
budismo *s.m.* budismo
budista *adj.,s.2g.* budista
bueiro *s.m.* alcantarilla*f.*
búfalo *s.m.* búfalo
bufar *v.* **1** (ar) bufar, resoplar **2** *col.* *(denunciar)* soplar, chivarse, acusar, delatar **3** *fig.* alardear, presumir, fanfarronear
bufê *s.m.* (refeição, serviço) bufé, bufet
bugiganga *s.f.* baratija, chuchería
bujão *s.m.* bombona*f.*
bula *s.f.* **1** REL. bula **2** (medicamento) prospecto*m.*
bule *s.m.* tetera*f.*
Bulgária *s.f.* Bulgaria
búlgar|o, -a *adj.,s.m.,f.* búlgar|o, -a ■ **búlgaro** *s.m.* (língua) búlgaro
bulimia *s.f.* bulimia
bulir *v.* **1** *(mexer)* mover **2** *(tocar)* toquetear **3** *(agitar)* bullir, agitarse **4** *pop.* revolver
bumbum *s.m.* *col.* culo, pompis*2n.*, nalgas*f. pl.*
bunda *s.f.* *col.* culo*m.*, pompis*m.2n.*, nalgas*pl.*
bunda-mole *s.2g.* (*pl.* bundas-moles) *col.,pej.* gallina, cobarde
buquê *s.m.* **1** (flores) ramillete, buqué, ramo pequeño **2** (vinho, licor) buqué, aroma
buraco *s.m.* **1** *(orifício)* agujero, orificio **2** (terreno) hoyo **3** (estrada, rua) bache **4** (agulha, fechadura) ojo **5** (por traça) apolilladura*f.* **6** *fig.,col.* (dinheiro) agujero ♦ **buraco (na camada) de ozônio** agujero (en la capa) de ozono; **buraco negro** agujero negro; *fig.* **tapar buracos** tapar agujeros
burgau *s.m.* **1** grava*f.* **2** ZOOL. bígaro
burgo *s.m.* HIST. burgo
burgu|ês, -esa *adj.,s.m.,f.* **1** burgu|és, -esa **2** *pej.* burgu|és, -esa
burguesia *s.f.* burguesía
burlar *v.* burlar, engañar
burocracia *s.f.* **1** burocracia **2** *pej.* burocracia; papeleo*m.*
burocrata *s.2g.* burócrata
burocrático *adj.* burocrático
burocratizar *v.* burocratizar
burrice *s.f.* **1** *(estupidez)* necedad, estupidez **2** *(besteira)* burrada, barbaridad, tontería **3** *(teimosia)* terquedad
burr|o, -a *s.m.,f.* **1** burr|o, -a, asn|o, -a **2** *pej.* (pessoa) burr|o, -a, estúpid|o, -a ■ *adj. pej.* (pessoa) burro, estúpido ■ **burro** *s.m.* (jogo de cartas) burro ♦ *col.* (pessoa) **burro de carga** burro de carga; *col.* **pra burro** una burrada, como un burro; *col.* **ser burro que nem uma porta** ser más corto que las mangas de un chaleco; no saber hacer la o con un canuto
bus *s.m.* (*pl.* buses) **1** *(ônibus)* bus, autobús **2** INFORM. bus
busca *s.f.* **1** busca, búsqueda **2** *(investigação)* búsqueda, investigación ♦ **em busca de** en busca de
buscar *v.* **1** *(procurar)* buscar **2** *(ir ao encontro de)* buscar, recoger **3** *(investigar)* indagar, investigar
bússola *s.f.* brújula
busto *s.m.* **1** ART.PL. busto **2** (corpo humano) busto, pecho **3** *(seios)* senos*pl.*, pecho, busto
butique *s.f.* boutique, tienda de moda
buzina *s.f.* claxon*m.*, bocina, pito*m.*
buzinada *s.f.* bocinazo*m.*
buzinar *v.* **1** tocar el claxon/la bocina/el pito, pitar **2** *fig.* machacar, repetir, insistir
búzio *s.m.* caracola*f.*
byte *s.m.* byte

C

c *s.m.* (letra) c *f.*

cá *adv.* aquí, acá ♦ **cá entre nós** aquí entre nosotros; **de cá para lá** de acá para allá; **de lá para cá** desde entonces

cabalístico *adj.* cabalístico

cabana *s.f.* cabaña; choza

cabaré *s.m.* cabaré

cabeça *s.f.* **1** cabeza **2** (gravador, vídeo) cabezal *m.* **3** *fig.* cabeza, juicio *m.* ■ *s.2g.* cabecilla, cabeza, jef|e, -a *m.f.* ♦ **à cabeça de** a la cabeza de, en cabeza; **andar com a cabeça na lua** estar en la Luna; **cabeça de alho** cabeza de ajo; **cada cabeça sua sentença** cada cabeza su sentencia; **de cabeça 1** de cabeza; *atirar-se de cabeça* tirarse de cabeza **2** *(de cor)* de cabeza/memoria; **de cabeça para baixo/cima** cabeza abajo/arriba; **esquentar a cabeça** preocuparse; *col.* **meter na cabeça** meter en la cabeza; **passar pela cabeça** pasarse por la imaginación; **perder a cabeça** perder la cabeza; **por cabeça** por persona/cabeza; **quebrar a cabeça** quebrarse/romperse la cabeza; **subir à cabeça** subírsele a la cabeza; **ter a cabeça a prêmio** poner precio a la cabeza (de alguien); **ter a cabeça no lugar** tener la cabeza bien puesta; **virar a cabeça de alguém** influenciar alguien

cabeçada *s.f.* **1** cabezazo *m.*; testarazo *m.* **2** (futebol) cabezazo *m.*, remate *m.* de cabeza

cabeça-dura *s.2g.* (*pl.* cabeças-duras) cabeza dura

cabeçalho *s.m.* **1** encabezamiento **2** (artigo, texto) cabecera *f.* **3** (cartas) membrete

cabecear *v.* **1** (futebol) cabecear **2** *(mexer a cabeça)* cabecear **3** (sono) cabecear, dar cabezadas

cabeceira *s.f.* **1** (cama, mesa) cabecera **2** *(almofada)* almohada

cabeçudo *adj.* **1** cabezudo, cabezón **2** *fig.* cabezota, testarudo, terco, obstinado

cabeleira *s.f.* **1** *(cabelo)* melena, cabellera **2** *(peruca)* peluca **3** (cometa) cabellera

cabeleireir|o, -a *s.m.,f.* peluquer|o, -a ■ **cabeleireiro** *s.m.* peluquería *f.*

cabelo *s.m.* pelo, cabello; ***cabelo branco/grisalho*** cana ♦ **pôr os cabelos em pé** poner los pelos de punta

cabeludo *adj.* **1** (cabelo) melenudo, peludo **2** (pelo) peludo

caber *v.* **1** caber **2** *(passar por)* caber **3** tocar, pertenecer **4** caber, tocar, corresponder ♦ **eu não caibo em mim (de felicidade)** no quepo en mí (de felicidad)

cabide *s.m.* **1** percha *f.* **2** *(gancho)* colgador **3** (móvel) perchero, percha *f.*

cabimento *s.m.* **1** cabida *f.*, capacidad *f.* **2** *fig.* sentido; ***não ter cabimento*** no tener sentido

cabine *s.f.* **1** cabina **2** (navio) camarote *m.*; (trem) compartimento *m.*; (avião) cabina del piloto, carlinga

cabisbaixo *adj.* cabizbajo

cabo *s.m.* **1** *(extremidade)* cabo, extremidad *f.*, extremo **2** (de faca, utensílios) cabo, mango; (de vassoura) palo; (de bengala, guarda-chuva) empuñadura *f.* **3** *(corda)* cable **4** GEOG. cabo; ***Cabo da Boa Esperança*** Cabo de Buena Esperanza **5** ELETR. cable, hilo conductor **6** MIL. cabo ♦ **ao cabo de** al cabo de; **dar cabo de** acabar con; **de cabo a rabo** de cabo a rabo; **levar a cabo** llevar a cabo

cabotagem *s.f.* **1** NÁUT. cabotaje *m.* **2** NÁUT. navegación costera

Cabo Verde *s.m.* Cabo Verde

cabra *s.f.* (*m.* bode) cabra; *col.* **cabra da peste** hombre valiente

cabra-cega *s.f.* (*pl.* cabras-cegas) (jogo infantil) gallina/gallinita ciega

cabrit|o, -a *s.m.,f.* cabrit|o, -a, chot|o, -a

caça *s.f.* **1** (atividade) caza **2** (animais) caza **3** *fig.* caza, persecución ■ *s.m.* (avião) caza ♦ *col.* **andar à caça de** andar a la caza de; **caça submarina** pesca submarina; *col.* **espantar a caça** espantar la caza

caçada *s.f.* **1** *(caça)* caza **2** (excursão) cacería

caçador, -a *s.m.,f.* cazador, -a

caça-níqueis *s.m.2n.* tragaperras *f.*

caçar *v.* **1** ir de caza **2** *(perseguir)* cazar **3** *(apanhar)* cazar, atrapar, pescar, coger **4** *fig.* cazar, perseguir

cacarejar *v.* (galinha, galo) cacarear

cacarejo *s.m.* cacareo

caçarola *s.f.* cacerola, cazuela, cazo *m.*; *(panela)* olla

cacatua *s.f.* cacatúa

cacau *s.m.* **1** cacao **2** (bebida) cacao **3** *col.* *(dinheiro)* pasta *f.*, guita *f.*, pelas *f. pl.*, parné

cacetada *s.f.* porrazo *m.*, cachiporrazo *m.*

cacete *s.m.* **1** (pau) porra *f.*; cachiporra *f.* **2** *vulg.* pene ■ *adj.2g.* *pej.* pesado, aburrido, peñazo, tostón ■ *interj.* *vulg.* ¡hostia!

cachaça *s.f.* cachaza, aguardiente *m.* de caña

cache *s.m.* INFORM. cache

cachê *s.m.* caché

cachecol *s.m.* bufanda *f.*

cachimbo *s.m.* pipa *f.*

cacho *s.m.* **1** (de uvas) racimo; (de bananas) piña *f.* **2** (de cabelo) rizo, tirabuzón

cachoeira *s.f.* cascada, salto *m.* de agua

cachorrada *s.f.* guarrada

cachorr|o, -a *s.m.,f.* **1** perr|o, -a **2** *pej.* (pessoa) perr|o, -a

cachorro-quente *s.m.* (*pl.* cachorros-quentes) perrito caliente

cacique *s.m.* cacique

caco *s.m.* **1** (louça) casco; añicos *pl.* **2** *(objeto velho)* trasto viejo **3** *col.* chola *f.*, cabeza *f.* ♦ *fig.* **estar um caco** estar envejecido

caçoar *v.* burlar, escarnecer

cacoete *s.m.* **1** manía *f.*, hábito **2** tic

cacto *s.m.* cactus *2n.*, cacto

caçula *s.2g.* **1** benjam|ín, -ina *m.f.* **2** herman|o, -a *m.f.* menor

cada *pron.indef.* **1** cada **2** *col.* (ênfase) cada; *tens cada uma!* ¡tienes cada una! **3** cada; *quero quatro de cada* quiero cuatro de cada ♦ **cada qual** cada cual; **cada um(a)** cada uno(a); **cada vez mais/menos** cada vez más/menos; **cada vez que** cada vez que

cadarço *s.m.* (sapatos) cordón; *amarrar o cadarço* atarse el cordón

cadastrar *v.* (bens, pessoas) registrar, fichar

cadastro *s.m.* **1** ficha *f.* policial, registro de antecedentes penales **2** (propriedades) catastro **3** (recenseamento) padrón, censo de población, empadronamiento

cadáver *s.m.* cadáver

cadê *adv. col.* ¿dónde está?

cadeado *s.m.* **1** *(aloquete)* candado **2** *(corrente)* cadena *f.*

cadeia *s.f.* **1** *(série)* cadena, serie **2** *(prisão)* cárcel ♦ **em cadeia** en cadena

cadeira *s.f.* **1** silla; *cadeira de balanço* mecedora; (de avião) asiento *m.* **2** (universidade) asignatura **3** *(quadril)* cadera

cadela *s.f.* (*m.* cão) perra

cadência *s.f.* cadencia

cadenciar *v.* dar cadencia a

cadente *adj.2g.* **1** que cae **2** (estrela) fugaz

caderneta *s.f.* **1** *(caderno pequeno)* libreta, cuaderno *m.* pequeño **2** libreta de ahorros, cartilla de ahorros **3** (de aluno) boletín **4** (obra literária) fascículo *m.*, entrega

caderno *s.m.* **1** cuaderno **2** TIP. pliego

cadete *s.2g.* cadete

caducar *v.* **1** (validade) caducar **2** *(decair)* declinar, decaer **3** (pessoa) chochear, envejecer

caduco *adj.* **1** caduco **2** (validade) caducado **3** *pej.* caduco, chocho

cafajeste *adj.2g.* **1** bruto, grosero, tosco **2** sinvergüenza, golfo, canalla, granuja

café *s.m.* **1** (bebida) café; *café expresso* café solo **2** (estabelecimento) cafetería *f.*, café ♦ **café da manhã** desayuno

cafeeiro *s.m.* BOT. cafeto

cafeína *s.f.* cafeína

cafetão *s.m.* proxeneta *2g.*

cafeteira *s.f.* **1** cafetera **2** (para aquecer água) hervidor *m.*

cafona *adj.2g. col.,pej.* hortera ■ *s.2g.* **1** *col.,pej.* hortera **2** *col.,pej.* cursi

cafuné *s.m.* caricia *f.* en el pelo

cagaço *s.m. pop.* cague, canguelo, canguis *2n.*, miedo

cagada *s.f.* **1** *cal.* (ação) cagada *vulg.*, mierda *vulg.* **2** *cal.* (trabalho) chapuza

cágado *s.m.* galápago, tortuga *f.* de agua dulce

caganeira *s.f. pop.* cagalera *vulg.*, diarrea

cagar *v. pop.* cagar ♦ *fig., col.* **cagar e andar** no dar importancia

caiaque *s.m.* kayak

cãibra *s.f.* calambre *m.*

caído *adj.* **1** caído **2** *fig.* (psicologicamente) alicaído **3** *col. (apaixonado)* enamorado, colado, loco ♦ *col.* **estar caído por (alguém)** beber los vientos por (alguien)

caipirinha *s.f.* caipiriña

cair *v.* **1** *(ser enganado)* caer, ser engañado **2** *(ser vencido)* caer, sucumbir **3** (chamada telefônica) cortarse **4** *(ir ao chão)* caerse **5** *(desabar)* caerse, derrumbarse **6** *(diminuir)* caer, disminuir **7** *(ir ter a)* caer, aparecer, pasarse por ♦ **cair bem** (roupa) quedar bien; **cair bem/mal** sentar bien/mal; **cair em si** entrar en razón; **cair fora** darse el piro, irse, marcharse

cais *s.m.2n.* **1** (porto de mar) muelle **2** (de ferrovia, metrô) andén

caixa *s.f.* **1** caja **2** *(estojo)* estuche *m.* **3** (loja) caja **4** (de som) columna, bafle *m.* ■ *s.2g.* cajer|o, -a *m.f.* ■ *s.m.* libro diario ♦ **caixa automático** (operações bancárias) cajero automático; **caixa de correio** buzón; **caixa de câmbio** caja de cambios, caja de velocidades; **caixa de som** columna, bafle; **caixa eletrônico** cajero automático; **caixa hermética** tartera; **caixa postal** apartado de correos; **caixa registradora** caja registradora

caixa-d'água *s.f.* (*pl.* caixas-d'água) deposito de agua

caixa-forte *s.f.* (*pl.* caixas-fortes) caja fuerte/de caudales

caixão *s.m.* **1** ataúd, féretro **2** cajón, caja *f.* grande

caixa-preta *s.f.* (*pl.* caixas-pretas) (avião) caja negra

caixote *s.m.* caja *f.*

caju *s.m.* anacardo

cal *s.f.* cal

calabouço *s.m.* **1** *(prisão subterrânea)* calabozo **2** (castelo, fortaleza) calabozo

calado *adj.* callado ■ *s.m.* NÁUT. calado

calafetar *v.* **1** (frestas, fendas) sellar **2** NÁUT. calafatear

calafrio *s.m.* escalofrío

calamidade *s.f.* calamidad, desgracia

calar *v.* **1** callar **2** hacer callar ■ **calar-se** callarse ♦ **cala a boca!** ¡cállate!; **quem cala consente** quien calla otorga

calça *s.f.* pantalón *m.*, pantalones *m.*; *calça jeans* pantalones vaqueros

calçada *s.f.* adoquinado *m.*; (passeio) acera

calçadão *s.m.* [acera larga y ancha que posee elementos paisajísticos]

calçadeira *s.f.* calzador *m.*

calçado *s.m.* calzado

calcanhar *s.m.* **1** talón, calcañar **2** *fig.* (de meia, calçado) talón, zancajo ♦ **calcanhar de aquiles** talón

de Aquiles; **não chegar aos calcanhares de alguém** no llegar a la suela de los zapatos *col.*; no llegar a los zancajos *col.*
calção *s.m.* calzón; calceta; *fig.* jinete
calcar *v.* **1** (com os pés) pisotear, pisar **2** *fig.* pisotear, humillar
calçar *v.* **1** (calçado) calzar **2** (luvas) ponerse **3** (rua) empedrar, pavimentar, adoquinar **4** (calço) calzar ■ **calçar se** calzarse
calcetar *v.* (ruas, caminhos) empedrar, adoquinar
calcificar *v.* calcificar
calcinar *v.* calcinar
calcinha *s.f.* calzones *m. pl.* [AM.]; bragas *pl.* [ESP.]
cálcio *s.m.* calcio
calço *s.m.* **1** calzo, taco, calza *f.*, cuña *f.* **2** zancadilla *f.*; traspié
calculadora *s.f.* calculadora
calcular *v.* **1** calcular **2** *(imaginar)* imaginar, creer **3** *(supor)* suponer
cálculo *s.m.* **1** MAT. cálculo **2** *(suposição)* suposición *f.* **3** MED. cálculo
calda *s.f.* **1** almíbar *m.* **2** caldo *m.* (que sirve para cocer algo) ■ **caldas** *s.f.pl.* caldas, termas
caldeira *s.f.* caldera
caldeirão *s.m.* **1** caldera *f.* grande **2** MÚS. calderón
caldo *s.m.* **1** caldo, sopa *f.* **2** (para cozinhar) pastilla *f.* de caldo ♦ **caldo verde** [sopa típica portuguesa hecha con repollo cortado en julianas, espesada con patatas y aliñada con aceite, sal y una rodaja de chorizo]
calejado *adj.* **1** calloso **2** *fig.* encallecido, endurecido **3** *fig.* experimentado, curtido
calendário *s.m.* calendario
calha *s.f.* **1** *(rego)* reguera, reguero *m.* **2** (ferrovia) vía, raíl *m.*
calhandra *s.f.* ZOOL. calandria
calhar *v.* **1** *(acontecer)* ocurrir, acontecer **2** *(coincidir)* caer, coincidir **3** *(caber em sorte)* tocar, corresponder ♦ **vir mesmo a calhar** venir de perilla(s), venir al pelo
calibragem *s.f.* (de arma) calibración; (de pneus) equilibrado *m.*
calibrar *v.* **1** (peças) calibrar **2** *(medir)* calibrar, medir **3** (pneus) equilibrar
calibre *s.m.* **1** calibre **2** *fig.* tamaño **3** *fig.* calibre, importancia *f.*
cálice *s.m.* **1** (copo) copa *f.* **2** cáliz **3** *fig.* sufrimiento, padecimiento, cruz *f.*; humillación *f.*
caligrafar *v.* caligrafiar
caligrafia *s.f.* caligrafía
calma *s.f.* **1** calma, tranquilidad, sosiego *m.* **2** (vento, mar) calma
calmante *s.m.* calmante
calmaria *s.f.* **1** (vento, mar) bonanza, calma **2** (calor) bochorno *m.* **3** *fig.* tranquilidad
calmo *adj.* **1** calmado, tranquilo, sosegado **2** (mar) calmado, sereno
calo *s.m.* callo ♦ **criar calo** curtirse; *col.* **pisar nos calos de alguém** tocar las narices/pelotas/los cojones a alguien *vulg.*
calor *s.m.* **1** calor; ***estar calor*** hacer calor; ***estar com calor*** tener calor **2** *fig.* calor, entusiasmo, ardor
calorento *adj.* **1** (pessoa) caluroso **2** (tempo) caluroso, cálido
caloria *s.f.* caloría
calórico *adj.* **1** calórico **2** (alimento) rico en calorías
caloroso *adj.* **1** caluroso **2** (recepção, cumprimento, aplauso) cálido **3** *(afetuoso)* caluroso, afectuoso **4** *(entusiasta)* entusiasta, fervoroso **5** *(enérgico)* enérgico
calosidade *s.f.* callosidad, dureza
calota *s.f.* **1** casquete *m.* **2** plato *m.* de llanta [AM.], tapacubos *m.* ♦ **calota esférica** casquete esférico; **calota polar** casquete glaciar
calote *s.m. col.* sablazo; ***dar/passar um calote*** sablear
caloteir|o, -a *s.m.,f. col.* moros|o, -a ♦ *col.* **passar por caloteiro** parecer un moroso
calour|o, -a *s.m.,f.* **1** *gír.* [estudiante de primer curso de una carrera universitaria] **2** *fig.* novat|o, -a, principiante *2g.* **3** *fig.* inexpert|o, -a **4** (rádio, televisão) [amateur que se presenta en la televisión/radio]
calúnia *s.f.* calumnia, difamación
caluniar *v.* calumniar, difamar
calvície *s.f.* **1** calvicie **2** *(queda de cabelo)* caída del pelo
calvo *adj.* (pessoa) calvo
cama *s.f.* cama ♦ (doença) **cair de cama** caer en (la) cama; **cama de casal/solteiro** cama de matrimonio/individual; (doença) **estar/ficar de cama** estar en (la) cama; *irôn.* **fazer a cama a alguém** hacerle la cama a alguien; **ficar de cama** guardar cama; **ir para a cama com** acostarse con; **ter cama, mesa e roupa lavada** a mesa puesta
camada *s.f.* **1** (superfície) capa **2** *(classe social)* capa, clase social, nivel *m.* **3** (tinta, verniz) capa, mano ♦ **camada de ozônio** capa de ozono
camaleão *s.m.* camaleón
câmara *s.f.* **1** (instituição) cámara, asamblea de legisladores elegidos por el pueblo; ***câmara municipal*** ayuntamiento; ***presidente de câmara*** alcalde, alcaldesa **2** ayuntamiento *m.*, edificio *m.* donde se realizan las sesiones de una asamblea **3** (aparelho) cámara ■ *s.2g.* cámara ♦ **câmara de gás** cámara de gás; **câmara escura** cámara oscura; **câmara frigorífica** cámara frigorífica; **câmara lenta** cámara lenta; **em câmara lenta** a cámara lenta
camarada *s.2g.* **1** compañer|o, -a *m.f.*, colega **2** (partido político) camarada **3** *(amigo)* amig|o, -a *m.f.*
camaradagem *s.f.* camaradería
camarão *s.m.* camarón, quisquilla *f.*; (grande) gamba *f.*
camarim *s.m.* **1** (teatro) camerino **2** *(quarto de vestir)* vestidor
camarote *s.m.* **1** (navio) camarote **2** (teatro) palco
cambada *s.f.* **1** (quantidade) montón *m.*, pila, sarta **2** *pej.* caterva, manada
cambalacho *s.m.* **1** *col.,pej.* chanchullo, apaño, amaño **2** embuste, engaño, tramoya *f.*

cambalear *v.* tambalearse
cambalhota *s.f.* **1** voltereta **2** (queda) revolcón*m.*
cambial *adj.2g.* (letra) cambial
cambiar *v.* (moeda) cambiar
câmbio *s.m.* **1** cambio **2** (moeda) cambio
cambista *s.2g.* cambista
cambota *s.f. col.* voltereta
camélia *s.f.* (flor) camelia
camel|o, -a *s.m.,f.* **1** camell|o, -a **2** *col.,pej.* (pessoa) burr|o, -a, melón*m.*, mendrugo*m.*
camelô *s.2g.* vendedor, -a*m.f.* ambulante
câmera *s.f.* cámara
camicaze *adj.2g.,s.m.* (*pl.* camicazes) kamikaze, camicace
caminhada *s.f.* **1** *(passeio)* caminata, paseo*m.* a pie, excursión **2** (distância) recorrido*m.*, jornada
caminhão *s.m.* camión
caminhar *v.* caminar, andar
caminho *s.m.* **1** *(via)* camino **2** *(extensão percorrida)* camino, recorrido **3** *(passagem)* camino **4** *(direção)* camino, dirección*f.*, trayectoria*f.*, ruta*f.* **5** *fig.* camino, medio ♦ **abrir caminho** abrir paso; **a caminho** de camino, de paso; **de caminho** de camino, de paso; **estar no bom caminho** ir por buen camino; **ficar pelo caminho** quedarse a medio camino/a mitad de camino; **ser meio caminho andado** ser medio camino andado; **voltar pelo mesmo caminho** volverse por donde ha venido
caminhoneir|o, -a *s.m.,f.* camioner|o, -a
caminhonete *s.f.* camioneta
caminhonista *s.2g.* camioner|o, -a*m.f.*
camisa *s.f.* camisa ♦ *col.* **camisa de vênus** preservativo*m.*, condón*m.*; **camisa de força** camisa de fuerza
camiseta *s.f.* **1** camisa (de hombre de manga corta) **2** blusa, camisa **3** camiseta
camisinha *s.f. col.* preservativo*m.*, condón*m.*
camisola *s.f.* camisón*m.*, camisa de dormir[AM.]
camomila *s.f.* manzanilla, camomila
campainha *s.f.* **1** timbre*m.* **2** *(sininho)* campanilla **3** farolillo*m.*
campanha *s.f.* campaña
campe|ão, -ã *s.m.,f.* campe|ón, -ona
campeonato *s.m.* campeonato
campestre *adj.2g.* campestre, campesino
campo *s.m.* **1** (terra de cultivo) campo **2** *(aldeia)* campo, pueblo **3** (acampamento militar) campamento **4** (zona de combate) campo de batalla **5** ESPOR. campo; cancha*f.* **6** (área de atividade) campo ♦ **campo de concentração** campo de concentración; **campo de tiro** campo/polígono de tiro; **pôr em campo** poner en juego
campon|ês, -esa *s.m.,f.* campesin|o, -a
campus *s.m.2n.* campus
camuflagem *s.f.* camuflaje*m.*
camuflar *v.* camuflar
camurça *s.f.* **1** (pele) ante*m.* **2** ZOOL. rebeco*m.*, gamuza

cana *s.f.* **1** caña **2** *(bengala)* bastón*m.* **3** (pesca) caña de pescar **4** canilla, garrón*m.* **5** *col.* prisión; *em cana* preso
Canadá *s.m.* Canadá
cana-de-açúcar *s.f.* (*pl.* canas-de-açúcar) caña de azúcar
canadense *adj.,s.2g.* canadiense
canal *s.m.* canal
canalha *s.2g.* canalla, granuja ■ *s.f. pej.* chusma, gentuza
canalização *s.f.* **1** (instalação) fontanería **2** *(canos)* cañería, tubería **3** *(canais)* canalización
canalizar *v.* canalizar
canapé *s.m.* **1** *(sofá)* canapé, sofá **2** CUL. canapé
Canárias *s.f.pl.* Canarias
canário *s.m.* canario
canavial *s.m.* cañaveral
canção *s.f.* canción
cancela *s.f.* **1** (passagem de nível) barrera **2** (porta gradeada) cancela, verja
cancelamento *s.m.* cancelación*f.*
cancelar *v.* **1** *(anular)* cancelar, anular **2** (fechar conta, processo) cancelar **3** (reunião) anular, desconvocar
câncer *s.m.* MED. cáncer
Câncer *s.m.* ASTROL.,ASTRON. Cáncer
cancerian|o, -a *adj.,s.m.,f.* ASTROL. cáncer*2g.2n.*
cancerígeno *adj.* cancerígeno
canceroso *adj.* canceroso
candidatar-se *v.* **1** presentarse/proponerse como candidato **2** *fig.* ofrecerse **3** *fig.* arriesgarse, jugársela alguien
candidat|o, -a *s.m.,f.* candidat|o, -a; (a concurso público) opositor, -a
candidatura *s.f.* candidatura
candomblé *s.m.* [religión afrobrasileña]
caneca *s.f.* taza; (de cerveja) jarra, jarro*m.*
canela *s.f.* **1** canela; *canela em pó/pau* canela en polvo/rama **2** espinilla ♦ *col.* **dar às canelas** salir por piernas/pies; *col.* **esticar a(s) canela(s)** estirar la pata
caneleira *s.f.* **1** BOT. canelo*m.* **2** ESPOR. espinillera
caneta *s.f.* pluma ♦ **caneta esferográfica** bolígrafo; **caneta óptica** lápiz óptico
caneta-tinteiro *s.f.* pluma fuente, pluma estilográfica
cânfora *s.f.* alcanfor*m.*
canga *s.f.* yugo*m.*
cangote *s.m.* cogote
canguru *s.m.* canguro
canhão *s.m.* **1** (artilharia) cañón **2** (fechadura) bombín **3** (manga) puño, vuelta*f.*
canhot|o, -a *adj.,s.m.,f.* zurd|o, -a, zocat|o, -a*col.*
canibal *adj.,s.2g.* caníbal
canibalismo *s.m.* canibalismo
canil *s.m.* perrera*f.*

canino *s.m.* (dente) colmillo, canino ▪ *adj.* canino; *fome canina* hambre canina
canivete *s.m.* cortaplumas*2n.*, navaja*f.* ♦ **nem que chovam canivetes** aunque caigan chuzos de punta
canja *s.f.* sopa de pollo con arroz ♦ *col.* **ser canja** ser pan comido; estar chupado; *col.* **dar uma canja** tocar/cantar aparte del programado
cano *s.m.* **1** (condução de líquidos) tubo, caño **2** (arma de fogo) cañón **3** (bota) caña*f.* **4** *col.* lío, jaleo ♦ *col.* **entrar pelo cano** cagarla *vulg.*
canoa *s.f.* canoa, piragua
canoagem *s.f.* piragüismo*m.*
canonização *s.f.* canonización
canonizar *v.* canonizar
cansaço *s.m.* cansancio
cansado *adj.* **1** cansado, fatigado **2** (olhos, vista) cansado **3** *fig.* harto, cansado, aburrido
cansar *v.* cansar, fatigar ▪ **cansar se** cansarse
cansativo *adj.* cansado, fatigoso
canseira *s.f.* **1** *(fadiga)* cansancio*m.*, fatiga **2** *(esforço)* paliza, esfuerzo*m.*
cantar *v.* cantar ▪ *s.m.* cantar
cantarolar *v.* **1** tararear **2** canturrear
canteiro *s.m.* parterre
cântico *s.m.* cántico ♦ **cânticos de Natal** villancicos
cantiga *s.f.* **1** canción; *cantiga de ninar* canción de cuna **2** cantiga **3** *col.* trola, bola
cantil *s.m.* cantimplora*f.*
cantina *s.f.* cantina, comedor*m.*
canto *s.m.* **1** (mesa, objeto) esquina*f.*, canto **2** *(esquina)* rincón **3** (emissão de sons) canto **4** (folha) pico **5** MÚS. canto **6** (olho) rabillo ♦ **canto da boca** comisura de los labios; **ser posto em um canto** ser dado de lado
cantor, -a *s.m.,f.* cantante*2g.*; (de flamenco) cantaor, -a
cantoria *s.f.* canturreo*m.*
canudo *s.m.* **1** *(tubo)* canuto, tubo **2** paja*f.*, pajita*f.* **3** *col.* diploma de carrera superior
canutilho *s.m.* canutillo
cão *s.m.* (*f.* cadela) perro; *cão vira-lata* chucho ♦ **cão que ladra não morde** perro ladrador, poco mordedor
caolho *adj.* **1** tuerto **2** bizco
caos *s.m.2n.* caos, confusión*f.*, desorden
caótico *adj.* caótico
capa *s.f.* **1** (vestuário) capa; *capa de chuva* impermeable **2** (livro, revista) cubierta, tapa **3** (CD, DVD, disco) carátula **4** *(pasta)* carpeta **5** *(revestimento)* capa, revestimiento*m.* **6** *fig.* capa, apariencia, aspecto*m.* **7** capa, capote*m.* de brega, trapo*m.* ▪ *s.m.* (alfabeto grego) kappa*f.*
capacete *s.m.* **1** casco **2** (ciclismo) chichonera*f.*
capacho *s.m.* **1** (tapete) felpudo **2** *fig.,pej.* (pessoa) lameculos*2g.2n.*
capacidade *s.f.* **1** *(aptidão)* capacidad, aptitud, habilidad **2** (recipiente) capacidad, cabida **3** (sala, estádio) cabida **4** capacidad ♦ **ter a capacidade de** tener el valor de; atreverse a
capacitação *s.f.* capacitación
capacitar *v.* **1** capacitar (para, para) **2** convencer (de, de), persuadir (de, de) ▪ **capacitar se** convencerse (de, de), persuadirse (de, de)
capanga *s.m.* matón, guardaespaldas*2g.2n.*, gorila*2g.*
capar *v.* (animal) capar, castrar
capataz *s.2g.* capataz, -a*m.f.*
capaz *adj.2g.* capaz
capela *s.f.* capilla
capelão *s.m.* capellán
capenga *adj.* **1** cojo*m.* **2** defectuoso; que no está completo
capeta *s.m.* **1** *col.* diablo **2** *col.* chiquillo travieso
capilar *adj.2g.* capilar
capim *s.m.* **1** BOT. capín **2** revoque
capital *adj.2g.* capital ▪ *s.f.* (cidade) capital ▪ *s.m.* capital
capitalismo *s.m.* capitalismo
capitalista *adj.,s.2g.* capitalista
capitalização *s.f.* capitalización
capitalizar *v.* capitalizar
capitania *s.f.* capitanía
capit|ão, -ã *s.m.,f.* **1** capitán*2g.* **2** ESPOR. capit|án, -ana
capitular *v.* capitular, rendirse
capítulo *s.m.* capítulo
capô *s.m.* capó
capoeira *s.f.* **1** gallinero*m.* **2** (arte marcial, dança) capoeira
capotar *v.* **1** (veículo) volcar, dar una vuelta de campana, capotar **2** *fig.,col.* (pessoa) quedarse sopa
caprichar *v.* **1** *(esmerar-se)* esmerarse (em, en) **2** *(teimar)* porfiar
capricho *s.m.* **1** *(desejo repentino)* capricho, antojo **2** *(esmero)* esmero **3** *(teima)* terquedad*f.*
caprichoso *adj.* **1** caprichoso **2** esmerado
capricornian|o, -a *s.m.,f.* capricornio*2g.*
Capricórnio *s.m.* ASTROL.,ASTRON. Capricornio
cápsula *s.f.* **1** (medicamento) cápsula **2** (bala) casquillo*m.* **3** (astronáutica) cápsula espacial
captar *v.* **1** *(atrair a si)* captar **2** (água) captar, recoger **3** (programa) captar **4** *(entender)* captar, entender **5** *(cativar)* captar, cautivar, atraer
captura *s.f.* captura
capturar *v.* capturar
capucho *s.m.* **1** (frade) capuchino **2** capullo
capuz *s.m.* capucha*f.*
caqui *s.m.* *(fruto)* caqui
cáqui *adj.* *(cor)* caqui
cara *s.f.* **1** *(rosto)* cara, rostro*m.* **2** *(semblante)* cara, semblante*m.*, expresión **3** (moeda) cara **4** *fig.* cara, apariencia, aspecto*m.* ▪ *s.m.* tío*col.*, tipo*pej.* ♦ **cara a cara** cara a cara; **cara de enterro** cara de viernes, cara triste, cara larga; **dar a cara** dar la cara; **dar de caras com alguém** darse de narices con alguien, toparse/tropezarse con alguien; **estar com/ter cara de poucos amigos** tener cara de po-

cos amigos; **ficar com cara de tacho** quedarse con cara de tonto; **(não) ir com a cara de alguém** (no) caer bien a alguien; **quem vê cara não vê coração** las apariencias engañan; **ser a cara de** ser el vivo retrato de, ser calcado a alguien

caracol *s.m.* **1** ZOOL. caracol **2** (cabelo) rizo, bucle, tirabuzón

caractere *s.m.* carácter

característica *s.f.* característica

característico *adj.* característico

caracterização *s.f.* caracterización

caracterizar *v.* caracterizar

cara de pau *adj.2g.* **1** *pop.* cara dura; sinvergüenza **2** *pop.* fresco; atrevido

caramba *interj. col.* ¡caramba!; ¡hombre!

carambola *s.f.* carambola

caramelo *s.m.* (açúcar) caramelo

cara-metade *s.f. col.* media naranja

caramujo *s.m.* **1** ZOOL. bígaro, caracol de mar **2** CUL. [pastel con forma de espiral y relleno de crema]

caranguejo *s.m.* cangrejo

carapaça *s.f.* caparazón*m.*

carapuça *s.f.* caperuza ♦ **servir/vestir a carapuça** darse por aludido

caratê *s.m.* kárate, karate

caráter *s.m.* carácter

caravana *s.f.* (pessoas, veículos) caravana

caravela *s.f.* carabela

carboidrato *s.m.* hidrato de carbono

carbônico *adj.* carbónico

carbonização *s.f.* carbonización

carbonizar *v.* carbonizar ■ **carbonizar se** carbonizarse

carbono *s.m.* carbono

carburador *s.m.* carburador

carburar *v.* carburar

carcaça *s.f.* *(armação)* carcasa, armazón*m./f.*

cárcere *s.m.* **1** *(prisão)* cárcel*f.*, prisión*f.* **2** *(cela)* celda*f.*, calabozo ♦ **cárcere privado** local donde uno es preso ilegalmente

carcereir|o, -a *s.m.,f.* carceler|o, -a

carcomer *v.* **1** carcomer, apolillar **2** *fig.* carcomer, destruir, corroer

cardápio *s.m.* menú, carta*f.*

cardeal *adj.2g.* **1** cardinal, principal **2** GEOG. cardinal; *pontos cardeais* puntos cardinales ■ *s.m.* **1** REL. cardenal **2** ZOOL. cardenal

cardíac|o, -a *adj.,s.m.,f.* cardíac|o, -a, cardiac|o, -a

cardinal *adj.2g.* (número) cardinal

cardiologia *s.f.* cardiología

cardiologista *s.2g.* cardiólog|o, -a*m.f.*

cardiovascular *adj.2g.* cardiovascular

cardume *s.m.* **1** (peixes) banco, cardumen **2** *fig. (montão)* montón (de, de)

careca *s.f.* calva ■ *s.2g.* (pessoa) calv|o, -a*m.f.* ■ *adj.2g.* **1** calvo **2** (pneu) liso, gastado ♦ *col.* **estar careca de saber** saber perfectamente algo

carecer *v.* **1** *(ter falta de)* carecer, tener falta **2** *(precisar de)* necesitar

careiro *adj.* carero

carência *s.f.* **1** *(falta)* carencia, falta, déficit*m.* **2** *(necessidade)* necesidad **3** *(privação)* privación

carente *adj.2g.* **1** falto (de, de), necesitado (de, de) **2** (afetos) carente de cariño

careta *s.f.* **1** mueca **2** *(máscara)* careta, máscara ■ *adj.2g. col.* carca, tradicional, conservador

carga *s.f.* carga ♦ (animal) **de carga** de carga; **por que cargas d'água?** ¿por qué?; **voltar à carga** volver a la carga

cargo *s.m.* **1** *(função)* cargo; puesto, función*f.* **2** *(responsabilidade)* cargo, responsabilidad*f.*

cargueiro *s.m.* buque de carga, carguero

cariar *v.* cariar

caricatura *s.f.* caricatura

caricaturar *v.* caricaturizar

carícia *s.f.* caricia, mimo*m.*

caridade *s.f.* **1** *(bondade)* caridad, bondad **2** *(compaixão)* caridad, compasión **3** *(ato de beneficência)* obra de beneficencia

caridoso *adj.* caritativo

cárie *s.f.* caries*2n.*

caril *s.m.* curry

carimbar *v.* **1** (documento, passaporte) sellar **2** (nos correios) timbrar, sellar con matasellos **3** *fig.* certificar, autenticar, legalizar

carimbo *s.m.* **1** (documento, passaporte) sello, timbre **2** (nos correios) matasellos*2g.* **3** (marca) sello

carinho *s.m.* **1** cariño, afecto, amor **2** *(carícia)* mimo, cariño, caricia*f.*

carinhoso *adj.* cariñoso, afectuoso

carisma *s.m.* carisma

carismático *adj.* carismático

carma *s.m.* karma

Carnaval *s.m.* carnaval

carnavalesco *adj.* carnavalesco

carne *s.f.* **1** carne **2** (alimento) carne **3** (frutos) carne, pulpa **4** *(matéria)* carne, materia ♦ **carne moída** carne picada; **em carne e osso** en persona; **em carne viva** en carne viva; **não ser nem carne nem peixe** no ser ni carne ni pescado; no ser ni chicha ni limonada *col.*; *col.* **ser carne de pescoço** ser inflexible

carnê *s.m.* talonario (con las mensualidades de una compra)

carneiro *s.m.* carnero

carnívoro *adj.* carnívoro

caro *adj.* **1** (preço) caro, costoso **2** *(querido)* caro, estimado, querido ■ *adv.* caro

caroço *s.m.* **1** (frutos) hueso **2** MED. bulto **3** *pop. (dinheiro)* pasta*f.*, parné

carona *s.f.* autostop*m.*, autoestop*m.* ♦ **de carona** en autostop; **dar carona a alguém** llevar a alguien en coche; **pedir carona** hacer autostop, hacer dedo

carpete *s.m.* moqueta

carpintaria *s.f.* carpintería
carpinteir|o, -a *s.m.,f.* carpinter|o, -a
carpo *s.m.* **1** ANAT. carpo **2** BOT. fruto
carrancudo *adj.* ceñudo
carrapato *s.m.* garrapata*f.*
carrasco *s.m.* **1** (pena de morte) verdugo **2** *fig.,pej.* verdugo
carregador, -a *s.m.,f.* **1** (mercadorias) cargador, -a **2** (pessoa) maletero*m.*, mozo*m.* de estación ▪ **carregador** *s.m.* **1** (arma) cargador **2** (baterias, pilhas) cargador
carregamento *s.m.* **1** cargamento **2** carga*f.* **3** (contrabando) alijo
carregar *v.* **1** *(premir)* pulsar (em, -); *carregar no botão* pulsar el botón **2** cargar **3** *(transportar)* cargar, transportar **4** *(encher)* cargar, llenar
carreira *s.f.* **1** *(fila)* fila, hilera **2** (transportes públicos) carrera **3** *(itinerário)* itinerario*m.* **4** *(percurso profissional)* carrera
carretel *s.m.* carrete
carrinho *s.m.* **1** carrito **2** (para crianças) cochecito, carricoche **3** (aeroporto, hipermercado) carro ♦ **carrinho de compras** carrito de la compra; **carrinho de bebê** cochecito de niño; **carrinho de mão** carretilla
carro *s.m.* **1** coche, automóvil, carro [AM.] **2** (cortejo, desfile) carroza*f.* ♦ *col.* **pôr o carro à frente dos bois** poner el carro delante de las mulas/los bueyes
carroça *s.f.* **1** carreta, carro*m.* **2** *col.* cacharro*m.*, tartana, cafetera ♦ *col.* **pôr a carroça à frente dos bois** poner el carro delante de las mulas/los bueyes
carro-chefe *s.m.* (*pl.* carros-chefe, carros-chefes) **1** [el principal coche alegórico de un desfile] **2** [elemento que se destaca en un conjunto]
carrossel *s.m.* tiovivo, carrusel; caballitos*pl.*
carruagem *s.f.* **1** (trem, metrô) vagón*m.*, coche*m.* **2** (viatura antiga) carruaje*m.*
carta *s.f.* **1** *(missiva)* carta, misiva **2** *(mapa)* carta, mapa*m.* **3** (de baralho) naipe*m.*, carta **4** (restaurante) carta ♦ **carta de vinhos** carta de vinos; **carta registrada** carta certificada; **dar as cartas** cortar el bacalao; **dar carta branca** dar carta blanca; **deitar as cartas** echar las cartas; **pôr as cartas na mesa** poner las cartas sobre la mesa
cartão *s.m.* **1** (papel) cartón **2** (identificação) tarjeta*f.* **3** *(cartão de visita)* tarjeta*f.*, tarjeta*f.* de visita **4** (caixa eletrônico) tarjeta*f.* (de banco) ♦ **cartão amarelo/vermelho** tarjeta/cartulina amarilla/roja; **cartão de crédito** tarjeta de crédito; **cartão de sócio** carné de socio
cartão-postal *s.m.* (*pl.* cartões-postais) tarjeta*f.* postal
cartaz *s.m.* **1** cartel **2** (manifestações) pancarta*f.* ♦ (espetáculos) **em cartaz** en cartel; *col.* **ter cartaz** tener buen cartel
carteira *s.f.* **1** (dinheiro, cartões) cartera, monedero*m.*, billetero*m.* **2** (mesa) pupitre*m.* **3** ECON. cartera ♦ **carteira de identidade** carné de identidad, Documento Nacional de Identidad (DNI); **carteira de motorista** carné/permiso de conducir
carteir|o, -a *s.m.,f.* carter|o, -a
cartela *s.f.* blíster*m.*
cartilagem *s.f.* cartílago*m.*
cartilha *s.f.* **1** cartilla **2** catecismo*m.* ♦ **ler/rezar pela mesma cartilha** andar tras el hilo de alguien
cartola *s.f.* sombrero*m.* de copa, chistera*col.*
cartolina *s.f.* cartulina
cartomante *s.2g.* cartomántic|o, -a*m.f.*
cartório *s.m.* notaría*f.* ♦ **casar no cartório** casarse por lo civil
cartucho *s.m.* **1** (de papel) cucurucho, cartucho **2** (arma, impressora) cartucho ♦ **queimar o último cartucho** quemar el último cartucho
carvão *s.m.* **1** carbón **2** (desenho) carboncillo **3** *fig.* tizón **4** *fig.* tizne, hollín
casa *s.f.* **1** (habitação) casa, vivienda **2** (botão) ojal*m.* **3** *(firma)* casa, empresa **4** (damas, xadrez) casilla ♦ (estabelecimento) **casa da moeda** casa de la moneda; **casa de saúde** centro de salud; **casa funerária** tanatorio; **casa de ferreiro, espeto de pau** en casa de herrero cuchillo de palo; (time) **jogar em casa** jugar en casa
casaca *s.f.* casaca ♦ **virar a casaca** cambiar de chaqueta
casaco *s.m.* **1** abrigo **2** chaqueta*f.*, americana*f.*, blazer*f.*
casado *adj.* casado
casal *s.m.* **1** pareja*f.*; (marido e mulher) matrimonio; (namorados) novios*pl.* **2** *(povoado)* aldea*f.*
casamento *s.m.* **1** matrimonio, casamiento **2** (cerimônia) boda*f.*
casar *v.* casar ▪ **casar se** casarse
casca *s.f.* **1** (frutos) cáscara, mondadura, monda, peladura **2** (de queijo) corteza **3** (de ovo) cascarón*m.* **4** (ferida, pão) costra ♦ **escorregar numa casca de banana** caer en la trampa, picar el anzuelo
cascalho *s.m.* **1** grava*f.* **2** *col.* (dinheiro) calderilla*f.*, chatarra*f.*
cascar *v. col.* (pessoa) cascar, golpear
cascata *s.f.* cascada
cascavel *s.f.* **1** serpiente de cascabel, crótalo*m.* **2** *fig.,pej.* víbora, cotilla*2g.* ▪ *s.m. (guizo)* cascabel, sonajero
casco *s.m.* **1** (animais) cascos*pl.*; (de vaca, porco) pezuña*f.* **2** (construção, barco) casco **3** (vasilhame) casco, envase
casebre *s.m.* tugurio
caseir|o, -a *s.m.,f.* **1** (pessoa que explora) caser|o, -a **2** (aquele que dirige) caser|o, -a, patr|ón, -ona **3** inquilin|o, -a ▪ *adj.* **1** (relativo a casa) casero **2** *(feito em casa)* hecho en casa, casero **3** (pessoa) casero, hogareño
caso *s.m.* **1** caso, suceso, acontecimiento **2** (relação amorosa) rollo, lío, amorío **3** LING. caso ♦ **caso contrário** en otro caso; **caso de vida ou morte** caso de vida o muerte; **em caso de** en caso de; **em caso de emergência** en caso de emergencia/urgencia; **em todo caso** a pesar de todo; **fazer caso de** hacer caso de/a; **vir ao caso** venir al caso

caspa *s.f.* caspa
casquilho *s.m.* **1** (lâmpada) casquillo (de bombilla) **2** MEC. buje
casquinha *s.f.* **1** cáscara fina **2** baño*m.* finísimo de oro o plata **3** (sorvete) cucurucho
cassar *v.* casar, anular
cassete *s.f.* cinta, casete
cassetete *s.m.* porra*f.*
cassino *s.m.* casino
castanha *s.f.* castaña
castanho *s.m.* **1** (cor) marrón, castaño **2** (madeira) castaño ▪ *adj.* **1** marrón **2** (cabelo) castaño
castanholas *s.f.pl.* castañuelas
castelhan|o, -a *adj.,s.m.,f.* castellan|o, -a ▪ **castelhano** *s.m.* (língua) castellano
castelo *s.m.* castillo ♦ **fazer castelos no ar** hacer castillos en el aire
castiçal *s.m.* candelero
castidade *s.f.* castidad
castigar *v.* **1** *(punir)* castigar **2** *(repreender)* reprender, regañar
castigo *s.m.* castigo
castor *s.m.* castor
castrar *v.* castrar, capar
casual *adj.2g.* casual, accidental, fortuito
casualidade *s.f.* casualidad
casulo *s.m.* **1** (bicho-da seda, insetos) capullo **2** BOT. vaina*f.*
catalisar *v.* catalizar
catalogar *v.* catalogar
catálogo *s.m.* catálogo
Catalunha *s.f.* Cataluña
catapora *s.f.* varicela
catapultar *v.* catapultar, lanzar
catar *v.* **1** (piolhos) despiojar, quitar los piojos **2** *(examinar)* investigar, examinar ♦ *col.* **ir se catar** irse por ahí
catarata *s.f.* **1** catarata, cascada **2** (olho) catarata
catarro *s.m.* catarro
catástrofe *s.f.* catástrofe
catecismo *s.m.* catecismo
catedral *s.f.* catedral
catedrátic|o, -a *s.m.,f.* catedrátic|o, -a
categoria *s.f.* **1** categoría, clase **2** (hierarquia social) categoría, rango*m.*
categórico *adj.* categórico
catequese *s.f.* catequesis*2n.*
catequista *s.2g.* catequista
catequizar *v.* catequizar
cateter *s.m.* catéter
catimba *s.f.* **1** maña; astucia **2** recurso*m.* antideportivo
cativante *adj.2g.* cautivador
cativar *v.* cautivar, seducir, atraer
cativeiro *s.m.* cautiverio
cativ|o, -a *adj.,s.m.,f.* cautiv|o, -a
catolicismo *s.m.* catolicismo
católic|o, -a *adj.,s.m.,f.* católic|o, -a ♦ *col.* **não estar muito católico** no estar muy católico
catorze *s.m.* catorce
caução *s.f.* fianza, caución
cauda *s.f.* **1** (animais) cola; rabo*m.* **2** (vestido) cola **3** (cometa) cola **4** (em último lugar) cola
caule *s.m.* tallo
causa *s.f.* **1** *(motivo)* causa, motivo*m.*, razón **2** *(ideal)* causa, ideal*m.* **3** causa ♦ **em causa** en duda; **por causa de** a causa de; **pôr em causa** poner en causa
causar *v.* causar
cáustico *adj.* **1** (substância) cáustico **2** *fig.* cáustico, mordaz, sarcástico ▪ *s.m.* cáustico
cautela *s.f.* **1** cautela, cuidado*m.*, precaución **2** (documento) recibo*m.*
cauteloso *adj.* cauteloso
cavaca *s.f.* **1** astilla **2** CUL. [rosquilla cubierta de crema almibarada cristalizada]
cavaco *s.m.* **1** (de madeira) astilla*f.* **2** *col.* (conversa amigável) palique, charla*f.* **3** [pequeña guitarra de cuatro cuerdas]
cavalaria *s.f.* **1** caballería **2** *(equitação)* equitación
cavaleiro *s.m.* **1** jinete **2** (militar) soldado de caballería
cavalete *s.m.* caballete
cavalgar *v.* cabalgar
cavalheiro *s.m.* caballero ♦ HIST. **cavaleiro andante** caballero andante
cavalo *s.m.* **1** caballo **2** (xadrez) caballo **3** caballo (de vapor) **4** (ginástica) potro; cavalo **5** *gír.* caballo, heroína*f.* ♦ **de cavalo dado não se olham os dentes** a caballo regalado no le mires el diente; **cair do cavalo** llevarse un chasco; **passar de cavalo a burro** salir de Guatemala y entrar en Guatepeor; ir de mal en peor; *col.* **tirar o cavalo/cavalinho da chuva** desistir
cavalo-marinho *s.m.* (*pl.* cavalos-marinhos) caballito de mar
cavaquear *v. col.* charlar
cavaquinho *s.m.* [pequeño instrumento de cuerdas de origen portugués]
cavar *v.* cavar
cave *s.f.* **1** (casa) sótano*m.* **2** *(adega)* bodega
caveira *s.f.* calavera
caverna *s.f.* **1** cueva, caverna, gruta **2** MED. caverna
caviar *s.m.* caviar
cavidade *s.f.* **1** cavidad **2** *(buraco)* agujero*m.*
cavilha *s.f.* **1** clavija **2** MÚS. clavija
caxumba *s.f.* parotiditis*2n.*
CD *sigla* (disco compacto) CD (disco compacto)
CD-R *sigla* (disco compacto gravável) CD-R (disco compacto grabable)
CD-ROM *sigla* (disco compacto só de leitura) CD-ROM (disco compacto de sólo lectura)

CD-RW *sigla* (disco compacto regravável) CD-RW (disco compacto regrabable)
cê *s.m.* (letra) ce*f.* ◆ **cê agá** ch; **cê cedilhado** cedilla
cear *v.* cenar (tarde)
cebola *s.f.* cebolla
cebolinha *s.f.* cebolleta
cê-dê-efe *s.2g.* (*pl.* cê-dê-efes) *col.* empoll|ón, -ona*f.*
ceder *v.* **1** *(não resistir)* ceder **2** (lugar) ceder, dejar, dar **3** *(conceder)* ceder, conceder **4** *(pôr à disposição)* ceder **5** *(ir abaixo)* ceder, fallar, romperse **6** *(desistir)* ceder, desistir **7** *(deixar)* ceder, dejar **8** *(renunciar)* ceder, claudicar, renunciar
cedilha *s.f.* cedilla
cedo *adv.* **1** temprano, pronto **2** deprisa **3** por la mañana ◆ **mais cedo ou mais tarde** tarde o temprano
cedro *s.m.* cedro
cédula *s.f.* **1** (documento) cédula **2** (dinheiro) papel*m.* moneda **3** certificación de deuda sin carácter legal **4** título*m.* de deuda pública ◆ **cédula hipotecária** cédula hipotecaria; **cédula de identidade** carné de identidad
cefaleia *s.f.* cefalea
cegar *v.* **1** cegar, quedarse ciego **2** cegar **3** *fig.* deslumbrar ■ **cegar se** cegarse, ofuscarse
ceg|o, -a *s.m.,f.* cieg|o, -a, invidente*2g.* ■ *adj.* **1** ciego **2** (lâmina, faca) desafilado, embotado **3** *fig.* ciego, obcecado, ofuscado **4** *fig.* deslumbrado ■ **cego** *s.m.* ANAT. ciego ◆ **às cegas** a ciegas
cegonha *s.f.* **1** (ave) cigüeña **2** (engenho) cigoñal*m.*
cegueira *s.f.* ceguera, ceguedad
cegueta *s.2g. col.* cegat|o, -a*m.f.*
ceia *s.f.* cena (antes de acostarse) ◆ **ceia de Natal** cena de Navidad; **Última Ceia** Última Cena
ceifar *v.* segar
cela *s.f.* celda
celebração *s.f.* celebración
celebrar *v.* **1** *(festejar)* celebrar, festejar, conmemorar **2** (contrato, acordo) firmar, cerrar **3** *(exaltar os méritos)* celebrar, alabar **4** (missa) celebrar, oficiar
célebre *adj.2g.* **1** célebre, famoso **2** *(notável)* notable
celebridade *s.f.* **1** *(fama)* celebridad, fama **2** (pessoa) celebridad
celebrizar *v.* celebrar, festejar, conmemorar
celeiro *s.m.* granero
celeste *adj.2g.* **1** celeste **2** (cor) celeste **3** *fig.* perfecto
celofane *s.m.* celofán
Celsius *adj.2g.2n.* (escala, grau) Celsius
célula *s.f.* **1** célula **2** (colmeia) celda, celdilla **3** *(cubículo)* cubículo*m.* **4** INFORM. celda
celular *adj.2g.* celular ■ *s.m.* móvil, teléfono móvil, celular [AM.]
celulite *s.f.* celulitis*2n.*
cem *s.m.* cien ◆ *col.* **cem por cento** cien por cien, absolutamente
cemitério *s.m.* cementerio

cena *s.f.* **1** *(palco)* escenario*m.*, escena **2** (peça teatral) escena **3** *(alarido)* escena, número*m.*, numerito*m.* ◆ **entrar em cena** entrar en escena

> Não confundir com a palavra espanhola **cena** (*jantar*).

cenário *s.m.* **1** (teatro) decorado **2** (estúdio, televisão) plató **3** (de acontecimento) escenario **4** *fig.* *(situação)* escenario
cenoura *s.f.* zanahoria
censo *s.m.* censo, padrón
censor, -a *s.m.,f.* censor, -a
censura *s.f.* **1** censura, crítica, reproche*m.* **2** (filme, obra) censura
censurar *v.* **1** censurar, criticar, reprochar **2** (filme, obra) censurar
centavo *s.m.* centavo
centeio *s.m.* centeno
centena *s.f.* centena ◆ **às centenas** a/por centenares
centenári|o, -a *s.m.,f.* centenari|o, -a ■ *adj.* centenario ■ **centenário** *s.m.* (comemoração) centenario
centésim|o, -a *s.m.* centésim|o, -a ◆ **é a centésima vez que te digo isso** es la enésima vez que te digo eso
centígrado *adj.* centígrado
centilitro *s.m.* centilitro
centímetro *s.m.* centímetro ◆ **centímetro cúbico/quadrado** centímetro cúbico/cuadrado
cêntimo *s.m.* céntimo
cento *s.m.* ciento ■ *s.m.* ciento
central *adj.2g.* **1** céntrico **2** central, fundamental, principal ■ *s.f.* central ■ *s.2g.* (futebol) central ◆ **central elétrica** central eléctrica; **central telefônica** centralita
centralização *s.f.* centralización, concentración
centralizar *v.* centralizar, concentrar
centrar *v.* **1** centrar **2** (esporte) centrar **3** (imagem) centrar
centrífuga *s.f.* centrifugadora
centrifugação *s.f.* QUÍM. centrifugación
centrifugar *v.* centrifugar
centro *s.m.* **1** centro **2** *(lugar de convergência)* centro **3** *(núcleo)* centro, núcleo **4** (cidade, vila) centro **5** *(sociedade)* centro, institución*f.*, club **6** POL. centro ◆ **centro comercial** centro comercial; **centro de gravidade** centro de gravedad; **centro de saúde** centro de salud
centroavante *s.2g.* delantero*m.* centro, ariete*m.*
centuplicar *v.* centuplicar
cêntupl|o, -a *s.m.* céntupl|o, -a
CEP (*abrev. de* Código de Endereçamento Postal) Código Postal
cera *s.f.* **1** (abelhas) cera **2** (madeira) cera **3** cera, cerumen*m.* ◆ *col.* **fazer cera** hacerse el remolón
cerâmica *s.f.* cerámica
Cérbero *s.m.* MIT. Cerbero

cerca *s.f.* **1** *(muro)* cerca; valla **2** *(vedação)* cercado*m.* **3** *(sebe)* seto*m.* **4** (terreno vedado) cercado*m.* ♦ **cerca de 1** *(aproximadamente)* cerca de, alrededor de **2** *(perto de)* cerca de; ***cerca das três horas*** cerca de tres horas; ***deve ter cerca de quarenta anos*** debe tener alrededor de cuarenta años

cercado *s.m.* cercado ▪ *adj.* **1** cercado, rodeado **2** amurallado **3** vallado

cercar *v.* **1** *(pôr cerca a)* cercar, vallar **2** *(murar)* cercar, amurallar **3** *(pôr cerco a)* cercar, asediar, sitiar **4** *(rodear)* cercar, rodear **5** perseguir por todas las partes

cerco *s.m.* **1** MIL. cerco, sitio **2** *(bloqueio)* bloqueo

cerda *s.f.* cerda

cereal *s.m.* cereal ▪ **cereais** *s.m.pl.* cereales

cerebral *adj.2g.* cerebral

cérebro *s.m.* **1** cerebro **2** *fig.* cerebro, inteligencia*f.* **3** *fig.* (pessoa) cerebro ♦ **cérebro eletrônico** cerebro electrónico

cereja *s.f.* cereza

cerejeira *s.f.* cerezo*m.*

cerimônia *s.f.* **1** (festa, acontecimento solene) ceremonia **2** (formalidades convencionais) ceremonia; etiqueta **3** *(acanhamento)* timidez ♦ **fazer cerimônia** hacer el paripé

cerimonial *adj.2g.* ceremonial ▪ *s.m.* ceremonial, protocolo

cerração *s.f.* niebla

cerrado *adj.* **1** *(fechado)* cerrado **2** (bosque) cerrado, denso **3** (céu) cerrado, oscuro **4** (fala, pronúncia) cerrado

cerrar *v.* **1** *(fechar)* cerrar **2** *(vedar)* cerrar, tapar **3** *(unir)* cerrar, pegar **4** *(concluir)* cerrar, clausurar, terminar

certamente *adv.* ciertamente

certeiro *adj.* **1** certero **2** *(acertado)* certero, acertado

certeza *s.f.* **1** certeza, certidumbre **2** *(evidência)* certeza, evidencia **3** *(firmeza)* seguridad, firmeza, convicción ♦ **com certeza!** ¡por supuesto!; **ter certeza** estar seguro

certidão *s.f.* **1** (documento legal) partida **2** *(atestado)* certificado*m.*

certificação *s.f.* certificación

certificado *s.m.* certificado

certificar *v.* **1** *(atestar)* certificar, legalizar **2** (certidão) certificar ▪ **certificar se** asegurarse (de, de), cerciorarse (de, de); ***certifique-se de que está tudo em ordem*** asegurése de que todo está en orden

certo *adj.* **1** cierto, seguro **2** *(exato)* correcto, exacto **3** *(garantido)* seguro **4** *(convencido)* seguro, confiado ▪ *pron.indef.* cierto, un; ***um certo homem*** cierto hombre ▪ *s.m.* **1** seguridad*f.* **2** certeza*f.* ▪ *adv.* *(com certeza)* seguro, con seguridad ♦ **ao certo** con exactitud; **bater certo** tener sentido; **dar certo** salir bien; **por certo** sin duda

cerveja *s.f.* cerveza

cervejaria *s.f.* (estabelecimento, fábrica) cervecería

cervical *adj.2g.* cervical

cérvix *s.m.* cuello uterino

cesárea *s.f.* cesárea

cesariana *s.f.* cesárea

cessação *s.f.* cesación, suspensión, interrupción

cessante *adj.2g.* **1** *(terminado)* terminado **2** *(interrompido)* interrumpido

cessar *v.* cesar

cessar-fogo *s.m.2n.* alto el fuego

cesta *s.f.* **1** cesta **2** (basquetebol) canasta, cesta **3** (pontos) canasta*f.*, enceste ♦ **cesta básica** cesta de la compra

cesto *s.m.* cesto

ceticismo *s.m.* escepticismo

cétic|o, -a *adj.,s.m.,f.* escéptic|o,-a

cetim *s.m.* satén, raso

céu *s.m.* **1** cielo, firmamento **2** *fig.* cielo, paraíso ▪ **céus** *interj.* ¡cielos! ♦ **a céu aberto** a cielo abierto/descubierto; **cair do céu** caer del cielo; **céu da boca** paladar; **estar no sétimo céu** estar en el (séptimo) cielo, estar en la gloria

cevada *s.f.* **1** BOT. cebada **2** (bebida) café*m.* de cebada/malta

chá *s.m.* té ♦ *col.,fig.* **chá de cadeira** espera muy larga; *col., fig.* **chá de sumiço** desaparición

chácara *s.f.* chacra

chacina *s.f.* **1** *(matança)* carnicería, matanza **2** *(carne suína)* chacina

chacinar *v.* matar (brutalmente)

chacoalhar *v.* mecer

chacota *s.f.* burla, mofa

chafariz *s.m.* fuente*f.*

chaga *s.f.* **1** *(ferida)* llaga **2** (marca) cicatriz **3** *fig.* *(problema)* lacra

chagar *v.* **1** llagar, herir **2** *fig.* dar la vara, molestar, importunar

chalé *s.m.* chalé

chaleira *s.f.* **1** hervidor*m.* de agua, pava **2** tetera

chama *s.f.* **1** llama **2** *fig.* (sentimento) llama, ánimo*m.* **3** *fig.* inspiración

chamada *s.f.* **1** (telefone) llamada; ***chamada a cobrar*** llamada a cobro revertido **2** *(chamamento)* llamada, llamamiento*m.* **3** (escola) acto*m.* de pasar lista; ***fazer a chamada*** pasar lista

chamamento *s.m.* **1** llamamiento, llamada*f.* **2** *(convocação)* llamamiento, apelación*f.*, exhortación*f.* **3** *fig.* vocación*f.*

chamar *v.* **1** llamar **2** *(dizer o nome)* llamar **3** *(mandar vir)* llamar; convocar **4** *(dar nome a)* llamar **5** (cargo) nombrar, designar **6** (escola) pasar lista ▪ **chamar-se** (nome) llamarse

chamariz *s.m.* **1** reclamo, señuelo **2** (instrumento) reclamo **3** cebo

chamativo *adj.* llamativo

chamego *s.m.* **1** apego; afecto **2** pasión*f.*

chaminé *s.f.* **1** chimenea **2** *(lareira)* chimenea, hogar*m.* **3** GEOL. chimenea

champanhe *s.m.* champán
champignon *s.m.* champiñón
chamuscar *v.* chamuscar ▪ **chamuscar se** chamuscarse
chance *s.f.* oportunidad ♦ **sem chance!** ¡ni pensar!
chantagear *v.* chantajear
chantagem *s.f.* chantaje*m.*
chantagista *s.2g.* chantajista
chantili *s.m.* nata*f.* montada, chantillí
chão *s.m.* **1** *(solo)* suelo **2** *(terreno)* suelo, terreno **3** *(pavimento)* suelo, pavimento ▪ *adj.* llano, liso, plano
chapa *s.f.* **1** chapa, plancha **2** (distintivo) placa, chapa **3** (radiografia) placa **4** (veículo) placa ▪ *s.2g.* colega, amig|o, -a*m.f.* ♦ (alimento) **na chapa** a la plancha
chapada *s.f.* **1** llanura, planicie **2** *pop.* bofetada, bofetón*m.*, hostia*vulg.* **3** (mergulho) planchazo*m.*
chapado *adj.* **1** *col.* que ni pintado, perfecto **2** *col.* exacto, idéntico
chapelaria *s.f.* sombrerería
chapeleiro *s.m.,f.* sombrerer|o, -a
chapéu *s.m.* **1** sombrero **2** ESPOR. (futebol, handebol) vaselina*f.* ♦ **de se tirar o chapéu** de quitarse el sombrero
chapinha *s.f.* **1** (garrafa) chapa **2** (cabelo) plancha (de pelo)
chapinhar *v.* **1** chapotear **2** *(borrifar)* rociar
charada *s.f.* acertijo*m.*, charada ♦ *fig.* **matar a charada** encontrar solución para un problema
charlat|ão, -ona *adj.,s.m.,f.* charlat|án, -ana
charme *s.m.* encanto ♦ **jogar charme** coquetear
charmoso *adj.* encantador
charuto *s.m.* puro, cigarro (puro)
chassi *s.m.* **1** MEC. chasis*2n.*, bastidor **2** FOT. chasis*2n.*
chassis *s.m.2n.* **1** MEC. chasis, bastidor **2** FOT. chasis
chat *s.m.* (*pl.* chats) chat
chatear *v.* **1** *col. (importunar)* molestar, fastidiar **2** *col. (irritar)* enfadar, enojar **3** *col.* (aborrecimento) aburrir ▪ **chatear se** **1** *col. (zangar-se)* enfadarse (com, con), enojarse (com, con) **2** *col.* (aborrecimento) aburrirse
chatice *s.f.* pesadez
chat|o, -a *s.m.,f. col.* pelmaz|o, -a, pelma*2g.*, pesad|o, -a ▪ *adj.* **1** plano, liso, llano **2** *col.* pesado, aburrido, latoso ▪ **chato** *s.m. col.* (piolho) ladilla*f.* ♦ *col.* **chato de galocha** plomo
chave *s.f.* **1** llave **2** (ferramenta) llave; *chave de fenda/parafuso* destornillador*m.* **3** *fig.* clave, solución ♦ **a sete chaves** bajo (siete) llave(s)
chaveiro *s.m.* **1** llavero **2** (pessoa) cerrajero
checar *v.* comprobar
check-in *s.m.* (*pl.* check-ins) **1** facturación*f.*; (aeroporto) *fazer o check-in* facturar **2** *(registro de entrada)* registro de entrada
checkup *s.m.* chequeo, revisión*f.* médica, reconocimiento médico; *fazer um checkup* hacerse un chequeo
chef *s.m.* chef, jefe de cocina
chefe *s.2g.* jef|e, -a*m.f.* ♦ **chefe de família** cabeza de familia
chefia *s.f.* **1** *(direção)* dirección **2** (cargo) jefatura
chefiar *v.* dirigir, comandar
chegada *s.f.* **1** llegada, regreso*m.* **2** *(aproximação)* aproximación, acercamiento*m.* **3** *(meta)* llegada, meta
chegado *adj.* **1** *(próximo)* cercano, próximo **2** *(íntimo)* allegado, íntimo, cercano ♦ **não ser chegado a algo** no gustar de algo
chegar *v.* **1** llegar **2** *(aproximar)* acercar, aproximar **3** *(aproximar-se)* llegarse, acercarse **4** *(passar)* pasar **5** *(ser suficiente)* bastar, llegar **6** *(entender)* llegar, entender ▪ **chegar se** acercarse (a, a), aproximarse (a, a); *ele chegou-se à janela* él se ha acercado a la ventana ♦ **chegar** [+*inf.*] llegar [+*inf.*]; *chegou a insultar me em público* ha llegado a insultarme en público; **chegar a** **1** *(atingir, alcançar)* llegar, alcanzar **2** (pessoa) llegar **3** (lugar) llegar; *cheguei ao trabalho às 9 horas* he llegado al trabajo a las 9; *chegar a chefe* llegar a jefe; *o prejuízo chegou aos 500 euros* las pérdidas han llegado a los 500 euros; *chegar a um acordo* llegar a un acuerdo; *chegar a uma conclusão* llegar a una conclusión; *chegou aos 80 anos* ha llegado a los 80; *ela chega ao teto* ella llega al techo; **chegar de** **1** *(regressar de)* llegar, volver; *chegou de Angola* ha vuelto de Angola **2** *(bastar de)* bastar; *chega de brincadeira!* ¡basta de bromas!; **chegar para** *(ser suficiente para)* llegar; *a comida (não) chega para todos* la comida (no) llega para todos; **(já) chega!** ¡basta (ya)!; **não chegar aos pés de alguém** no llegarle a la suela del zapato
cheia *s.f.* crecida, riada
cheio *adj.* **1** *(completo)* lleno, completo **2** *(repleto)* lleno, repleto **3** *(carregado)* lleno, cargado **4** *(saciado)* lleno, saciado **5** *(farto)* harto, hasta las narices **6** (traço) ancho ♦ **cheio de si** satisfecho de sí mismo; ancho; ufano; **em cheio** de lleno; *acertar em cheio* acertar/dar de lleno
cheirar *v.* **1** oler **2** *(ter cheiro)* oler **3** (animais) olfatear, ventear **4** *col. (bisbilhotar)* oler **5** *fig. (intrometer-se)* oler, husmear, curiosear **6** *fig. (suspeitar)* oler, dar en la nariz ♦ *col.* **isso não me cheira nada bem!** ¡eso no huele nada bien!; **não cheirar nem feder** ni pinchar ni cortar
cheiro *s.m.* **1** olfato **2** *(aroma)* olor, aroma, fragancia*f.* **3** *(fedor)* mal olor, hedor, peste*f.* **4** (animais) olfato
cheiroso *adj.* oloroso, perfumado
cheque *s.m.* **1** cheque, talón **2** *fig.* jaque, peligro
cherne *s.m.* ZOOL. mero, cherna*f.*
chiadeira *s.f.* **1** chillido*m.*, chirrido*m.* **2** ZOOL. felosa
chiar *v.* **1** (sons agudos) pitar **2** *(ranger)* chirriar, rechinar
chiclete *s.f.* chicle*m.*, goma de mascar
chicotada *s.f.* latigazo*m.*
chicote *s.m.* látigo
chicotear *v.* azotar, golpear con el látigo
chifrada *s.f.* cornada

chifrar *v.* cornear
chifre *s.m.* cuerno, asta*f.*; (de veado) cornamenta*f.* ♦ **botar chifre** poner los cuernos
Chile *s.m.* Chile
chilen|o, -a *adj.,s.m.,f.* chilen|o, -a
chilique *s.m. col.* desmayo
chimpanzé *s.m.* chimpancé
China *s.f.* China
chinelo *s.m.* zapatilla*f.* (de casa) ♦ *col.* **botar no chinelo** dejar a la altura del betún
chin|ês, -esa *adj.,s.m.,f.* chin|o, -a ▪ **chinês** *s.m.* (língua) chino ♦ **isso para mim é chinês** eso es chino para mí; eso me suena a chino
chinfrim *s.m.* jaleo
chip *s.m.* (*pl.* chips) chip
Chipre *s.m.* Chipre
chique *adj.2g.* chic, elegante
chiqueirinho *s.m.* (móvel) corralito
chiqueiro *s.m.* **1** pocilga*f.*, zahúrda*f.*, cochiquera*f.*, gorrinera*f.* **2** *fig.* pocilga*f.*; cuchitril
chispar *v.* **1** chispear, centellear, brillar **2** *fig.* echar chispas **3** *col.* desaparecer del mapa, esfumarse ♦ **chispa daqui!** ¡fuera de aquí!
chocalhar *v.* **1** tocar el cencerro **2** (líquido) agitar, revolver, remover **3** *fig.* chismorrear
chocalho *s.m.* **1** (para animais) cencerro **2** *(guizo)* sonajero
chocante *adj.2g.* chocante
chocar *v.* **1** *(colidir)* chocar (contra, contra); *o carro chocou contra uma árvore* el coche ha chocado contra un árbol **2** (ovo) empollar, incubar **3** *col.* (doença) incubar **4** *(escandalizar)* chocar, escandalizar **5** *(transtornar)* chocar, perturbar, trastornar
chocho *adj.* **1** *(seco)* seco **2** *(oco)* hueco **3** (ovo) infecundo, estéril, huero **4** *fig.* insípido, soso ▪ *s.m. col.* pico
chocolate *s.m.* **1** chocolate **2** (bebida) chocolate
chofer *s.2g.* chófer
chope *s.m.* tubo (de cerveza)
choque *s.m.* **1** *(colisão)* choque, colisión*f.* **2** *(abalo)* shock, conmoción*f.*, choque **3** descarga*f.* eléctrica, calambre **4** *(luta)* choque, conflicto, discusión*f.* **5** (pessoas, ideias) choque, conflicto
choradeira *s.f.* **1** *(choro)* llorera, llantina **2** *(lamúria)* lloriqueo*m.*, quejido*m.*, gimoteo*m.*
choramingar *v.* lloriquear
chor|ão, -ona *s.m.,f.* llor|ón, -ona, llorica*2g.*; (criança) chill|ón, -ona ▪ **chorão** *s.m.* BOT. sauce llorón
chorar *v.* llorar
chorinho *s.m.* MÚS. *(chorinho)* [música brasileña tocada por un instrumental compuesto de bandolín, guitarras, pandero y instrumentos de viento]
choro *s.m.* **1** lloro **2** MÚS. *(chorinho)* [música brasileña tocada por un instrumental compuesto de bandolín, guitarras, pandero y instrumentos de viento]
choroso *adj.* lloroso
chouriço *s.m.* **1** chorizo **2** (janela, porta) burlete
chover *v.* llover
chuchu *s.m.* güisquil[AM.], chayote ♦ *col.* **pra chuchu** mucho
chulé *s.m. pop.* mal olor de los pies
chumaço *s.m.* **1** hombrera*f.* **2** compresa*f.*, gasa*f.*
chumbar *v.* soldar (con plomo)
chumbo *s.m.* **1** QUÍM. plomo **2** (arma de fogo) plomo, bala*f.* **3** (peso) plomo, plomada*f.* **4** tiro, disparo
chupar *v.* **1** chupar, sorber, absorber **2** *fig. (esgotar)* agotar
chupeta *s.f.* chupete*m.*
churrascada *s.f.* barbacoa
churrascaria *s.f.* [restaurante que sirve carne asada a la plancha o a la parrilla]
churrasco *s.m.* **1** (refeição) barbacoa*f.* **2** (carne) churrasco
churrasqueira *s.f.* parrilla
chutar *v.* chutar
chute *s.m.* patada*f.*
chuteira *s.f.* bota/botín*m.* de fútbol
chuva *s.f.* **1** lluvia **2** *fig.* lluvia ♦ **chuva ácida** lluvia ácida; **chuva de estrelas** lluvia de estrellas; **chuva de granizo** granizada
chuveiro *s.m.* **1** (dispositivo) ducha*f.*, alcachofa*f.* **2** (banho) ducha*f.* **3** (chuva) chaparrón*m.*
chuviscar *v.* lloviznar
chuvisco *s.m.* llovizna*f.*, calabobos*2n.col.*
chuvoso *adj.* lluvioso
cicatriz *s.f.* cicatriz
cicatrização *s.f.* cicatrización
cicatrizar *v.* **1** cicatrizarse **2** cicatrizar
cíclame *s.m.* BOT. ciclamen
ciclismo *s.m.* ciclismo
ciclista *s.2g.* ciclista
ciclo *s.m.* ciclo
ciclone *s.m.* ciclón
ciclovia *s.f.* vía para bicicletas
cidadania *s.f.* ciudadanía
cidad|ão, -ã *s.m.,f.* ciudadan|o, -a
cidade *s.f.* ciudad
cidreira *s.f.* **1** (árvore) cidro*m.* **2** *(erva-cidreira)* melisa
ciência *s.f.* ciencia
ciente *adj.2g.* consciente
científico *adj.* científico
cientista *s.2g.* científic|o, -a*m.f.*
cigan|o, -a *adj.,s.m.,f.* gitan|o, -a
cigarra *s.f.* cigarra, chicharra
cigarro *s.m.* cigarrillo, pitillo
cilada *s.f.* emboscada
cilindrada *s.f.* cilindrada
cilindro *s.m.* cilindro
cílio *s.m.* pestaña*f.*
cima *s.f.* cima, cumbre ♦ **ainda por cima** además, encima (de) que; *col.* **dar em cima de** cortejar; **de cima** de/desde arriba; **de cima a baixo** de arriba

abajo; **em cima** arriba, encima; **em cima de** encima de; **lá em cima** arriba; **para cima** hacia arriba; **por cima de** por encima de

címbalo *s.m.* MÚS. címbalo

cimeira *s.f.* **1** *(cume)* cumbre, cima **2** POL. cumbre

cimentar *v.* **1** unir con cemento **2** *fig.* cementar, consolidar

cimento *s.m.* cemento ♦ **cimento armado** cemento/hormigón armado

cinco *s.m.* cinco

cineasta *s.2g.* cineasta

cinema *s.m.* cine

cingir *v.* ceñir ▪ **cingir se** ceñirse (a, a), limitarse (a, a)

cínic|o, -a *adj.,s.m.,f.* cínic|o, -a

cinismo *s.m.* cinismo

cinquenta *s.m.* cincuenta

cinquent|ão, -ona *s.m.,f. col.* cincuent|ón, -ona

cinta *s.f.* **1** *(faixa)* faja **2** (roupa interior) faja **3** *(cintura)* cintura, talle*m.* **4** (livros, jornais) faja

cintar *v.* **1** fajar **2** *(cingir)* ceñir, ajustar, apretar **3** (peça de vestuário) entallar, ceñir

cintilante *adj.2g.* **1** centelleante, resplandeciente **2** brillante **3** deslumbrante, radiante

cintilar *v.* **1** centellear, destellar **2** resplandecer, brillar

cinto *s.m.* cinturón ♦ *fig.* **apertar o cinto** apretarse el cinturón

cintura *s.f.* **1** ANAT. cintura, talle*m.* **2** (vestuário) cintura, talle*m.*

cinza *s.f.* ceniza ▪ *adj.2g.* (cor) ceniciento ▪ **cinzas** *s.f.pl.* cenizas, restos*m.* mortales ♦ **reduzir a cinzas** convertir en/reducir a cenizas

cinzeiro *s.m.* cenicero

cinzelar *v.* cincelar

cinzento *adj.,s.m.* gris*2n.*

cio *s.m.* celo

cirandar *v.* ir de acá para allá, ir de un lado para otro, dar vueltas

circo *s.m.* **1** circo, anfiteatro **2** (espetáculo) circo

circuito *s.m.* **1** *(volta)* circuito **2** *(linha que limita)* circuito, contorno **3** circuito, recorrido **4** ELETR. circuito

circulação *s.f.* **1** *(deslocação)* circulación, movimiento*m.* **2** (organismos) circulación **3** (ar) circulación **4** *(trânsito)* circulación, tráfico*m.*, tránsito*m.* **5** *(divulgação)* divulgación, difusión

circular *v.* **1** circular, girar **2** circular, andar, transitar **3** circular, pasar de mano en mano **4** (notícia, boato) circular, correr ▪ *adj.2g.* circular ▪ *s.f.* (carta) circular

circulatório *adj.* circulatorio

círculo *s.m.* **1** círculo **2** *(anel)* anillo, aro **3** (pessoas em círculo) corro

circuncidar *v.* circuncidar

circuncisão *s.f.* circuncisión

circundar *v.* rodear, circundar, cercar

circunferência *s.f.* circunferencia

circunflexo *adj.* **1** *(encurvado)* arqueado **2** circunflejo

circunscrever *v.* **1** *(marcar limites)* circunscribir, limitar **2** *(abranger)* abarcar, englobar ▪ **circunscrever se** circunscribirse (a, a), limitarse (a, a)

circunspecto *adj.* circunspecto

circunstância *s.f.* **1** *(particularidade)* circunstancia, particularidad **2** *(ocasião)* ocasión ▪ **circunstâncias** *s.f.pl.* circunstancias

circunvalação *s.f.* circunvalación

cirrose *s.f.* cirrosis*2n.*

cirurgia *s.f.* cirugía

cirurgi|ão, -ã *s.m.,f.* cirujan|o, -a

cirúrgico *adj.* quirúrgico

cisco *s.m.* **1** (carvão) cisco **2** (pó) mota*f.* **3** *(lixo)* basura*f.* **4** (visão) chiribitas*pl.*

cisma *s.f.* **1** cavilación **2** idea fija, fijación, obsesión **3** preocupación ▪ *s.m.* cisma

cismado *adj.* desconfiado

cismar *v.* **1** preocuparse **2** cavilar, meditar

cisne *s.m.* cisne

cisterna *s.f.* **1** cisterna, aljibe*m.* **2** pozo*m.* estrecho

citação *s.f.* **1** (texto) cita **2** DIR. citación

citar *v.* **1** (texto, fato) citar, mencionar **2** DIR. citar, emplazar

cítrico *adj.* cítrico

citrinos *s.m.pl.* cítricos

ciúme *s.m.* **1** celos*pl.*; *fazer ciúme* dar celos **2** *(inveja)* envidia*f.*

ciumento *adj.* celoso

cívico *adj.* cívico

civil *adj.2g.* **1** civil **2** cívico **3** (nem militar nem religioso) civil ▪ *s.2g.* (não militar) civil

civilização *s.f.* civilización

civilizar *v.* civilizar ▪ **civilizar-se** civilizarse

civismo *s.m.* civismo

clã *s.m.* clan

clamar *v.* clamar

clamor *s.m.* **1** *(queixume)* quejido, lamento, lamentación*f.* **2** *(gritaria)* clamor, griterío **3** *(súplica)* súplica*f.*, ruego

clandestino *adj.* clandestino

clara *s.f.* (ovo) clara ♦ **claras em neve** claras batidas a punto de nieve

clarão *s.m.* **1** resplandor, luz*f.* intensa, destello **2** gran claridad*f.*, luminosidad*f.* **3** rayo

clarear *v.* **1** (céu) clarear **2** *(tornar claro)* aclarar **3** *(fazer-se dia)* clarear, amanecer

clareira *s.f.* claro*m.*

clareza *s.f.* **1** (de explicação, ideia) claridad **2** *(luminosidade)* claridad, luminosidad

claridade *s.f.* **1** *(luminosidade)* claridad, luminosidad **2** *(brilho)* brillo*m.*

clarificar *v.* clarificar, aclarar, esclarecer

clarinete *s.m.* clarinete

claro *adj.* **1** claro, luminoso **2** (ideias, explicações) claro **3** *(transparente)* claro, transparente **4** (cor) claro

5 *(evidente)* claro, evidente ■ *adv.* claro, claramente ■ *interj.* ¡claro!, ¡por supuesto! ♦ **às claras** a las claras; **em claro** en vela

classe *s.f.* clase ♦ (avião) **classe executiva** clase ejecutiva/preferente; (avião) **classe turística** clase turista

clássico *adj.* clásico ■ *s.m.* clásico

classificação *s.f.* 1 *(ordenação)* clasificación 2 *(avaliação)* evaluación 3 (nota de teste) calificación 4 ESPOR. clasificación

classificado *adj.* calificado ■ **classificados** *s.m.pl.* aviso clasificado [AM.], clasificado, anuncio

classificar *v.* 1 clasificar 2 calificar ■ **classificar se** clasificarse

claustrofobia *s.f.* claustrofobia

cláusula *s.f.* cláusula, estipulación

clausura *s.f.* clausura

clavícula *s.f.* clavícula

clemência *s.f.* clemencia

cleptomania *s.f.* cleptomanía

cleptomaníac|o, -a *adj.,s.m.,f.* cleptóman|o, -a

clero *s.m.* clero

clicar *v.* 1 (mouse) hacer clic 2 (comando) pulsar

cliente *s.2g.* client|e, -a*m.f.* ■ *s.m.* cliente ♦ **o cliente tem sempre razão** el cliente siempre tiene razón

clientela *s.f.* clientela

clima *s.m.* 1 clima 2 *fig.* clima, ambiente, entorno ♦ *fig., col.* **rola um clima entre eles** hay una atracción entre ellos

climatizar *v.* climatizar

clímax *s.m.* clímax

clínica *s.f.* 1 (estabelecimento) clínica 2 MED. clínica; *clínica geral* medicina general

clínic|o, -a *s.m.,f.* clínic|o, -a, médic|o, -a ■ *adj.* clínico

clipe *s.m.* 1 (para prender papéis) clip 2 CIN.,TV. clip, videoclip

clique *s.m.* clic

clitóris, clítoris *s.m.2n.* clítoris

clonagem *s.f.* clonación

clonar *v.* clonar

clone *s.m.* clon

cloro *s.m.* cloro

clorofila *s.f.* clorofila

close *s.m.* primer plano ♦ **dar um close** hacer un primer plano

clube *s.m.* club

coabitar *v.* cohabitar

coadjuvante *adj.,s.2g.* coadyuvante

coador *s.m.* colador

coagir *v.* coaccionar (a, a), obligar (a, a)

coagulação *s.f.* coagulación

coagular *v.* 1 coagularse 2 (líquido) coagular, solidificar

coágulo *s.m.* 1 coágulo 2 (leite) cuajo

coala *s.m.* koala, coala

coalhar *v.* 1 cuajarse 2 cuajar ■ **coalhar-se** cuajarse

coar *v.* (líquido) colar

coarctar *v.* coartar, limitar, restringir

coaxar *v.* (rã) croar

cobaia *s.f.* 1 cobaya 2 (experiências científicas) conejillo*m.* de Indias

coberta *s.f.* 1 colcha, manta, cubrecama*m.* 2 NÁUT. cubierta

coberto ⟨*p.p. de* cobrir⟩ *adj.* 1 cubierto 2 *(cheio)* lleno, repleto 3 (piscina) cubierto, techado

cobertor *s.m.* manta*f.*, cobertor, cobija*f.* [AM.] ♦ **cobertor elétrico** manta eléctrica

cobertura *s.f.* 1 (casa) cubierta, cobertura 2 *(teto)* cubierta, techo*m.*, tejado*m.* 3 (bolo) cobertura 4 (jornalismo) cobertura 5 (seguros) cobertura 6 (apartamento) ático*m.* ♦ **dar cobertura a** 1 aprobar 2 proteger

cobiça *s.f.* codicia

cobiçar *v.* codiciar

cobra *s.f.* 1 culebra; serpiente 2 *fig.* (pessoa) mal bicho*m.* ♦ *col.* **dizer cobras e lagartos de** hablar muy mal de; poner a parir; echar pestes; *col.* **matar a cobra e mostrar o pau** decir algo y probarlo; *col.* **ser cobra criada** ser muy experimentado

cobrador, -a *s.m.,f.* cobrador, -a

cobrança *s.f.* cobro*m.*

cobrar *v.* 1 cobrar 2 *(receber)* cobrar, recibir 3 (forças) recuperar

cobre *s.m.* cobre ■ **cobres** *s.m.pl. pop.* (dinheiro) cambio, suelto

cobrir *v.* 1 *(tapar)* cubrir, tapar 2 *(revestir)* cubrir, revestir 3 (custos, prejuízos) cubrir 4 *(encher)* cubrir, llenar 5 *(proteger)* cubrir, proteger 6 *(abranger)* abarcar ■ **cobrir-se** 1 (chapéu) cubrirse 2 *(encher-se)* cubrirse 3 *(proteger-se)* cubrirse, protegerse

cocaína *s.f.* cocaína

cocar *v.* acechar, espiar

coçar *v.* 1 rascar 2 (tecido) gastar ■ **coçar-se** rascarse

cóccix *s.m.2n.* cóccix, coxis

cócegas *s.f.pl.* cosquillas

coceira *s.f.* 1 comezón 2 prurito*m.*

coche *s.m.* 1 *(carruagem)* coche de caballos, carroza*f.* 2 coche fúnebre

cocheira *s.f.* cuadra, caballeriza

cochichar *v.* cuchichear

cochicho *s.m.* cuchicheo

cochilar *v.* dar una cabezada, dormitar

cochilo *s.m.* 1 sueño, cabeceo 2 descuido, despiste

cockpit *s.m.* ⟨*pl.* cockpits⟩ (de avião) cabina*f.* del piloto, carlinga*f.*; (de carro de corrida) cabina*f.*

coco *s.m.* 1 (fruto) coco 2 (chapéu) sombrero hongo, bombín 3 *col.* coco, chola*f.*

cocô *s.m. infant.* caca*f.*

cocoricó *s.m.* quiquiriquí

coda *s.f.* MÚS. coda

codificar *v.* codificar

código *s.m.* **1** (normas, leis) código **2** *(conjunto de regras)* código, reglamento **3** LING. código **4** *(palavra-chave)* contraseña*f.* ◆ **código de barras** código de barras; **código postal** código postal
codorna *s.f.* codorniz
coeficiente *s.m.* coeficiente
coelh|o, -a *s.m.,f.* conej|o, -a ◆ *fig.* **matar dois coelhos com uma só cajadada** matar dos pájaros de un tiro
coentro *s.m.* cilantro
coerência *s.f.* coherencia
coerente *adj.2g.* coherente
coesão *s.f.* **1** cohesión **2** *fig. (harmonia)* armonía
coeso *adj.* **1** unido **2** *fig.* coherente
coexistir *v.* coexistir
cofre *s.m.* **1** (dinheiro) caja*f.* fuerte/de caudales **2** *(baú)* cofre ◆ **cofres públicos** arcas del estado/de la nación
cogitar *v.* meditar, reflexionar
cogumelo *s.m.* champiñón; seta*f.*
COI (*sigla de* Comitê Olímpico Internacional) COI (*sigla de* Comité Olímpico Internacional)
coibir *v.* cohibir, reprimir ■ **coibir-se** cohibirse, contenerse, reprimirse
coice *s.m.* **1** (de animal) coz*f.* **2** (arma de fogo) retroceso, culatazo
coincidência *s.f.* coincidencia
coincidir *v.* **1** (tempo) coincidir (com, con); *as minhas férias coincidem com as tuas* mis vacaciones coinciden con las tuyas **2** *(concordar)* coincidir (com, con)
coisa *s.f.* **1** cosa **2** *(assunto)* cosa, asunto*m.* ◆ **alguma coisa** algo; **não dizer coisa com coisa** hablar por hablar
coitado *adj.* desgraciado, pobre, infeliz ■ *interj. col.* ¡pobre!
cola *s.f.* **1** pegamento*m.*, cola **2** *col.* chuleta
colaboração *s.f.* colaboración
colaborador, -a *s.m.,f.* colaborador, -a
colaborar *v.* colaborar, cooperar
colagem *s.f.* collage*m.*
colapsar *v.* colapsar
colapso *s.m.* colapso
colar *v.* **1** pegar **2** pegar, adherir **3** *col.* (prova, teste) copiar ■ *s.m.* **1** (joia) collar **2** *(colarinho)* cuello ◆ **colar cervical** collarín
colarinho *s.m.* cuello (de la camisa)
colcha *s.f.* colcha, cubrecama*m.*
colchão *s.m.* colchón
colchete *s.m.* **1** (costura) corchete **2** *(parêntese reto)* corchete
coleção *s.f.* colección
colecionador, -a *s.m.,f.* coleccionista*2g.*
colecionar *v.* coleccionar
colega *s.2g.* **1** (profissão) colega, compañer|o, -a*m.f.* **2** (escola) compañer|o, -a*m.f.*
colegial *adj.2g.* colegial ■ *s.2g.* colegial, -a*m.f.*
colégio *s.m.* colegio (privado)
coleira *s.f.* (animal) collar*m.*
cólera *s.f.* **1** *(ira)* cólera, ira **2** MED. cólera*m.*
colesterol *s.m.* colesterol
colete *s.m.* chaleco
coletivizar *v.* colectivizar
coletivo *adj.* colectivo ■ *s.m.* autobús, colectivo [AM.], guagua*f.* [AM.]
colheita *s.f.* cosecha
colher[1] /é/ *s.f.* **1** (utensílio) cuchara; *colher de café* cucharilla de café; *colher de chá* cucharilla de té; *colher de pau* cuchara de madera/palo; *colher de sobremesa* cuchara de postre; *colher de sopa* cuchara sopera **2** (conteúdo) cuchara, cucharada; *uma colher de farinha* una cuchara de harina ◆ *col.* (assunto) **meter a colher** meter (la) cuchara, entrometerse; *col.* **dar uma colher de chá 1** dar una oportunidad **2** facilitar
colher[2] /ê/ *v.* **1** (fruta) cosechar, recolectar, recoger **2** (flores) coger, recoger **3** (informações) obtener, conseguir **4** *(surpreender)* coger, pillar, sorprender **5** (pessoa, animal) coger, atropellar, arrollar
colibri *s.m.* colibrí, picaflor
cólica *s.f.* cólico*m.*; *cólica menstrual* dolor menstrual
colidir *v.* colisionar (com, con), chocar (com, con)
coligar *v.* coligar, coaligar ■ **coligar-se** coligarse (com, con); *coligar-se com alguém* coligarse con alguien
coligir *v.* reunir, juntar
colina *s.f.* colina
colírio *s.m.* colirio
colisão *s.f.* **1** *(choque)* colisión, choque*m.* **2** *(luta)* colisión, lucha, combate*m.* **3** *(divergência)* colisión, conflicto*m.*
colmeia *s.f.* **1** colmena **2** *(enxame)* enjambre*m.*
colo *s.m.* **1** *(regaço)* regazo, falda*f.* **2** *(pescoço)* cuello; *(peito)* pecho ◆ **no colo** en brazos; **pegar no colo** coger en brazos; **trazer no colo** llevar en palmitas
colocação *s.f.* **1** *(instalação)* colocación, instalación **2** *(posição)* colocación, posición **3** *(emprego)* colocación, empleo*m.*, ocupación
colocar *v.* **1** *(pôr)* colocar, poner **2** (produtos) colocar, ordenar **3** (questão, problema) plantear, proponer, exponer **4** (emprego) colocar, emplear
Colômbia *s.f.* Colombia
colombian|o, -a *adj.,s.m.,f.* colombian|o, -a
colônia *s.f.* **1** (de pessoas) colonia **2** (território) colonia **3** (perfume) agua de colonia ◆ **colônia de férias** campamento de vacaciones
colonial *adj.2g.* colonial
colonização *s.f.* colonización
colonizar *v.* colonizar
colon|o, -a *s.m.,f.* **1** colon|o, -a **2** *(lavrador)* colon|o, -a, labrador, -a
coloquial *adj.2g.* **1** del coloquio **2** coloquial
coloração *s.f.* coloración
colorau *s.m.* pimentón

colorido *adj.* coloreado ■ *s.m.* colorido
colorir *v.* colorear
coluna *s.f.* **1** columna **2** (jornal, livro) columna ♦ **coluna vertebral** columna vertebral, espina dorsal
colunista *s.2g.* columnista
com *prep.* **1** (companhia) con; ***com a família*** con la familia **2** (instrumento, meio) con; ***cortar com uma tesoura*** cortar con una(s) tijera(s) **3** (modo, circunstância) con; ***enriqueceu com o trabalho*** se ha hecho rico con el trabajo **4** (entendimento, acordo) con; ***conviver com todos*** convivir con todos **5** (conteúdo) con; ***uma mala com roupa*** una maleta con ropa ♦ **isso é com ela/comigo!** ¡eso es asunto suyo/mío!
coma *s.m.* coma
comadre *s.f.* (*m.* compadre) comadre
comandante *s.2g.* **1** MIL. comandante **2** NÁUT. capitán*m.*
comandar *v.* **1** (força militar) comandar **2** (máquina, navio) controlar, dirigir **3** *(dirigir)* dirigir
comando *s.m.* **1** mando **2** *téc.* mando **3** MIL. comando **4** INFORM. comando
combate *s.m.* **1** (exército) combate **2** (oposição entre grupos) combate **3** *fig.* controversia*f.*, discusión*f.*, disputa*f.* ♦ **fora de combate** fuera de combate
combatente *s.2g.* combatiente
combater *v.* **1** *(lutar contra)* combatir, luchar **2** *(opor-se a)* combatir, oponerse **3** (doença) combatir
combinação *s.f.* **1** *(ligação)* combinación, unión **2** *(acordo)* acuerdo*m.*, pacto*m.* **3** (roupa interior) combinación **4** QUÍM. combinación
combinado *s.m.* **1** *(acordo)* acuerdo, pacto **2** CUL. plato combinado **3** (eletrodoméstico) combi
combinar *v.* **1** (cores, formas, posições) combinar **2** *(ligar coisas)* combinar **3** (encontro) concertar **4** (condições) establecer **5** (cores, formas, posições) entonar **6** QUÍM. combinar
combustão *s.f.* combustión
combustível *adj.2g.,s.m.* combustible
começar *v.* **1** empezar, comenzar, principiar **2** comenzar, empezar, principiar ♦ **começar** [+*ger.*] comenzar [+*ger.*]; ***começou lendo*** empezó leyendo; **começar a** [+*inf.*] empezar a [+*inf.*]; ***começou a chover*** empezó a llover; *irôn.* **começou bem!** ¡empieza bien!; **começar com** empezar con, comenzar con; ***começou com a conversa de costume*** empezó con el rollo de siempre; **começar por** [+*inf./s.*.] comenzar por [+*inf./s.*], empezar por [+*inf./s.*]; ***começou por dizer que ia*** comenzó por decir que iba; **para começar** para empezar
começo *s.m.* **1** *(início)* comienzo, principio, inicio **2** *(origem)* comienzo, origen ■ **começos** *s.m.pl.* *(primeiras experiências)* comienzos
comédia *s.f.* comedia ♦ *col.* **ser uma comédia** ser divertidísimo
comediante *s.2g.* cómic|o, -a*m.f.*, act|or, -riz*m.f.* de comedias
comedir *v.* contener, moderar ■ **comedir se** comedirse, contenerse, moderarse
comemoração *s.f.* conmemoración, celebración
comemorar *v.* **1** (acontecimento) conmemorar **2** *(festejar)* conmemorar, celebrar, festejar [AM.]
comemorativo *adj.* conmemorativo
comentar *v.* **1** (texto) comentar, explicar **2** (acontecimento, filme) comentar **3** (jogo) comentar
comentário *s.m.* comentario ♦ *col.* **sem comentários** sin comentarios
comentarista *s.2g.* comentarista
comer *v.* **1** comer, alimentarse **2** (alimentos) comer **3** (jogo de xadrez, de damas) comerse **4** (ferrugem) comer, corroer, carcomer **5** (palavra) comer, omitir **6** *vulg.* (relações sexuais) tirarse ♦ **comer de se lambuzar** de chuparse los dedos
comercial *adj.2g.* comercial ■ *s.m.* (publicidade) anuncio, cuña*f.* publicitaria
comercializar *v.* comercializar
comerciante *s.2g.* comerciante
comerciar *v.* comerciar
comércio *s.m.* **1** (atividade) comercio **2** *(lojas)* comercio, tiendas*f. pl.* **3** (classe) comercio, comerciantes*pl.* **4** (lojas) comercio ♦ *col.* **de fechar o comércio** magnífico
comes *s.m.pl.* comida*f.* ♦ **comes e bebes** comidas y bebidas
comestível *adj.2g.* comestible
cometa *s.m.* cometa
cometer *v.* **1** (crime, delito) cometer, perpetrar **2** (tarefa) confiar, encargar, encomendar
comício *s.m.* mitin
cômic|o, -a *s.m.,f.* cómic|o, -a ■ *adj.* **1** (ator, obra) cómico **2** *(divertido)* cómico, divertido, gracioso, cachondo
comida *s.f.* **1** (aquilo que serve para comer) comida; (aquilo que se come) comida; alimento*m.* **2** *(refeição)* comida
comigo *pron.pess.* conmigo; ***vem comigo!*** ¡vente conmigo!; ***não te preocupes comigo*** no te preocupes por mí; ***a conversa é comigo?*** ¿me hablas a mí?; ***deixa o assunto comigo*** yo resuelvo este asunto; ***o documento está comigo*** el documento lo tengo yo
comil|ão, -ona *s.m.,f. col.* comil|ón, -ona, trag|ón, -ona, zamp|ón, -ona, glot|ón, -ona ■ *adj.* **1** comilón, glotón, tragón, zampón **2** *fig. (interesseiro)* aprovechado, interesado
cominho *s.m.* comino ■ **cominhos** *s.m.pl.* (especiaria) comino
comiserar *v.* apenar, causar pena ■ **comiserar se** compadecerse, apiadarse
comissão *s.f.* **1** *(comitê)* comisión, comité*m.* **2** ECON. comisión
comissári|o, -a *s.m.,f.* comisari|o, -a ♦ **comissário de polícia** comisario; **comissário de bordo/voo** auxiliar de vuelo
comitê *s.m.* comité, comisión*f.*
comitiva *s.f.* comitiva, séquito*m.*
como *conj.* **1** *(do mesmo modo que)* como, igual que **2** (causal) como; ***como não vieste, fui embora*** como

no viniste, me fui **3** *(de acordo com)* como, conforme **4** *(enquanto)* como, en calidad de, con carácter de, en concepto de ■ *adv.* **1** *(de que maneira)* cómo; *como te atreves a falar assim comigo?* ¿cómo te atreves a hablarme así? **2** *(quanto)* cómo ♦ **como está?** ¿cómo está?, ¿qué tal?

comoção *s.f.* **1** *(emoção forte)* conmoción **2** *(abalo)* estremecimiento*m.* **3** *(revolta popular)* motín*m.*, conmoción

cômoda *s.f.* cómoda

comodidade *s.f.* comodidad

comodismo *s.m.* **1** comodidad*f.*, confort **2** *pej.* egoísmo **3** *pej.* pereza*f.*

comodista *adj.,s.2g.* **1** comod|ón, -ona*m.f.* **2** *pej.* egoísta

cômodo *adj.* **1** *(confortável)* cómodo, confortable **2** *(fácil de utilizar)* cómodo, manejable **3** *(adequado)* adecuado, apropiado **4** (casa) habitación

comovente *adj.2g.* conmovedor, emocionante, enternecedor

comover *v.* conmover, afectar, emocionar ■ **comover-se** conmoverse, emocionarse, enternecerse

comovido *adj.* conmovido, emocionado, enternecido

compactar *v.* **1** compactar **2** (dados, ficheiros) comprimir

compacto *adj.* **1** *(comprimido)* compacto, comprimido **2** *(espesso)* compacto, denso, espeso **3** *(breve)* conciso, breve ■ *s.m.* **1** TV. resumen **2** (disco) compact disc, disco compacto

compactuar *v.* pactar (com, con)

compadecer *v.* **1** compadecer **2** dar lástima ■ **compadecer-se** compadecerse (de, de), apiadarse (de, de)

compadre *s.m.* (*f.* comadre) compadre

compaixão *s.f.* **1** *(piedade)* compasión, piedad **2** *(pesar)* pena, pesadumbre, pesar*m.*

companheirismo *s.m.* compañerismo

companheir|o, -a *s.m.,f.* **1** compañer|o, -a, camarada*2g.*, colega*2g.* **2** (casal) compañer|o, -a

companhia *s.f.* **1** (pessoa que acompanha) compañía **2** (casal) compañer|o, -a*m.f.* **3** (teatro) compañía **4** *(firma)* compañía, sociedad, empresa ♦ **fazer companhia (a alguém)** hacer compañía (a alguien)

comparação *s.f.* comparación, cotejo*m.* ♦ **em comparação com** en comparación con; **sem comparação** sin comparación

comparar *v.* comparar (a/com, a/con), cotejar (a/com, -/con)

comparativo *adj.* comparativo ■ *s.m.* LING. comparativo

comparecer *v.* comparecer, presentarse

comparecimento *s.m.* presencia*f.*

comparsa *s.2g.* cómplice

comparticipar *v.* **1** participar, colaborar **2** subvencionar

compartilhar *v.* **1** intervenir, tomar parte en **2** compartir, dividir

compartimentar *v.* compartimentar

compartimento *s.m.* **1** compartimento **2** (de casa) habitación*f.*

compasso *s.m.* **1** (instrumento) compás **2** MÚS. compás ♦ **compasso de espera** compás de espera

compatibilidade *s.f.* compatibilidad

compatibilizar *v.* compatibilizar

compatível *adj.2g.* compatible (com, con)

compatriota *s.2g.* compatriota

compenetrado *adj.* **1** *(concentrado)* absorto **2** *(convicto)* convencido

compensação *s.f.* compensación ♦ **em compensação** en compensación, a cambio

compensar *v.* **1** compensar **2** *(indenizar)* compensar, indemnizar ♦ **o crime não compensa** no hay crimen sin castigo

competência *s.f.* **1** competencia **2** *(idoneidade)* idoneidad

competente *adj.2g.* **1** (pessoa) competente, capaz **2** (tribunal) competente

competição *s.f.* **1** *(luta)* competición, lucha **2** LING. competición

competidor, -a *s.m.,f.* competidor, -a, adversari|o, -a, rival*2g.*

competir *v.* **1** *(rivalizar)* competir, rivalizar **2** *(ser da competência de)* competer, corresponder, incumbir

competitividade *s.f.* competitividad

competitivo *adj.* competitivo

compilar *v.* compilar, recopilar

complementar *adj.2g.* complementario ■ *v.* complementar, concluir, finalizar, terminar ■ **complementar se** complementarse

complemento *s.m.* **1** complemento, suplemento **2** complemento, remate **3** LING. complemento, objeto

completamente *adv.* completamente

completar *v.* completar

completo *adj.* **1** (trabalho, coleção) completo, entero, íntegro **2** (trem, hotel) completo, lleno, repleto **3** *(total)* completo, absoluto, total ♦ **por completo** por completo

complexado *adj.* (pessoa) acomplejado

complexo *adj.* **1** complejo, complicado, intrincado **2** *(obscuro)* confuso, complicado ■ *s.m.* **1** complejo **2** PSIC. complejo

complicação *s.f.* complicación

complicado *adj.* complicado

complicar *v.* complicar ■ **complicar-se** **1** complicarse **2** (saúde) complicarse, agravarse, empeorar

complô *s.m.* complot, conspiración*f.*

componente *adj.2g.,s.m./f.* componente

compor *v.* **1** (música) componer **2** componer, constituir **3** (música) componer, escribir **4** (obra de arte) componer **5** (peça, mecanismo) componer, arreglar, reparar ■ **compor-se** **1** *(ser composto)* componerse (de, de) **2** *(arranjar-se)* componerse, acicalarse, arreglarse **3** (tempo) componerse, arreglarse

comporta *s.f.* compuerta

comportado *adj.* (bien/mal) educado
comportamento *s.m.* comportamiento, conducta*f.*
comportar *v.* comportar, implicar, llevar consigo ■ **comportar-se** 1 comportarse, portarse, proceder 2 *(reagir)* comportarse, reaccionar
composição *s.f.* 1 (constituição) composición, constitución, estructura 2 (obra) composición 3 (redação) redacción, composición 4 LING. composición
compositor, -a *s.m.,f.* compositor, -a
composto (*p.p. de* compor) *adj.* 1 compuesto 2 *(arrumado)* ordenado ■ *s.m.* 1 QUÍM. compuesto 2 LING. palabra*f.* compuesta
compostura *s.f.* 1 *(composição)* composición 2 *(reparação)* arreglo*m.* 3 *(educação)* compostura, comedimiento*m.*, decoro*m.*
compota *s.f.* mermelada
compra *s.f.* 1 (ação) compra; *fazer compras* hacer la(s) compra(s) 2 compra, adquisición 3 *fig.* soborno*m.*, corrupción ◆ **compra e venda** compraventa; **comprar briga** meterse en líos
comprador, -a *s.m.,f.* comprador, -a
comprar *v.* 1 comprar 2 (para si próprio) comprarse 3 *(atingir)* alcanzar, conseguir 4 (num jogo de cartas) robar 5 *fig.* comprar, sobornar
comprazer *v.* 1 consentir, complacer 2 transigir, condescender ■ **comprazer-se** regozijarse, complacerse
compreender *v.* comprender
compreensão *s.f.* comprensión
compreensível *adj.2g.* comprensible, inteligible
compreensivo *adj.* comprensivo
compressa *s.f.* compresa (para cubrir heridas)
comprido *adj.* 1 largo, extenso 2 *fig.* largo, pesado
comprimento *s.m.* largo, longitud*f.*, anchura*f.*
comprimido *adj.* comprimido ■ *s.m.* comprimido, pastilla*f.*
comprimir *v.* 1 *(apertar)* comprimir, prensar 2 (gás) comprimir 3 (dados, ficheiros) comprimir, zipear 4 *(achatar)* comprimir, apretar ■ **comprimir se** 1 comprimirse 2 *(encolher-se)* comprimirse, encogerse
comprometedor *adj.* comprometedor
comprometer *v.* comprometer ■ **comprometer-se** 1 comprometerse (a, a) 2 (noivos) prometerse (com, con)
comprometido *adj.* 1 (assunto) comprometido, apurado, delicado 2 *(implicado)* comprometido, involucrado 3 *(noivo)* prometido, comprometido [AM.]
compromisso *s.m.* 1 *(obrigação)* compromiso, obligación*f.* 2 *(acordo)* compromiso, acuerdo
comprovação *s.f.* comprobación
comprovante *adj.2g.* comprobante ■ *s.m.* comprobante, recibo
comprovar *v.* 1 *(provar)* comprobar, probar, verificar 2 *(confirmar)* comprobar, confirmar
comprovativo *adj.* comprobatorio ■ *s.m.* (documento) justificante
compulsão *s.f.* compulsión
compulsivo *adj.* compulsivo
computador *s.m.* ordenador
comum *adj.2g.* común ◆ **de comum acordo** de común acuerdo; **em comum** en común
comuna *s.2g. pej. (comunista)* roj|o, -a*m.f.*, rojill|o, -a*m.f.* ■ *s.f.* municipio*m.*, comuna [AM.]
comungar *v.* 1 comulgar 2 *fig.* (ideias, opiniões) compartir, participar, comulgar
comunhão *s.f.* 1 comunión 2 (ideias, opiniões) comunión, acuerdo*m.* 3 régimen*m.*; *comunhão de bens* régimen de bienes gananciales
comunicação *s.f.* 1 *(troca de informação entre pessoas)* comunicación 2 *(ligação)* comunicación 3 *(aviso)* comunicación, comunicado*m.* 4 comunicación, ponencia; *apresentar uma comunicação sobre* presentar una comunicación/ponencia sobre
comunicado *s.m.* comunicado
comunicador, -a *s.m.,f.* 1 emisor, -a 2 TV. comunicador, -a
comunicar *v.* 1 comunicarse 2 (sinal, mensagem) comunicar, transmitir ■ **comunicar se** comunicarse
comunicativo *adj.* (pessoa) comunicativo, sociable, expansivo
comunidade *s.f.* 1 comunidad, sociedad 2 *(grupo)* comunidad
comunismo *s.m.* comunismo
comunista *adj.,s.2g.* comunista
comunitário *adj.* comunitario
comutação *s.f.* 1 *(permuta)* trueque*m.*, conmutación 2 ELETR. conmutación 3 DIR. conmutación
comutar *v.* 1 conmutar, cambiar, permutar 2 (castigo, pena) conmutar
conceber *v.* 1 *(engravidar)* concebir 2 concebir
conceder *v.* 1 *(fazer a concessão de)* conceder, otorgar 2 *(admitir por hipótese)* conceder, reconocer, aceptar
conceito *s.m.* concepto
conceituado *adj.* prestigioso, reputado
concentração *s.f.* concentración
concentrar *v.* concentrar ■ **concentrar se** concentrarse
concepção *s.f.* concepción
concepcional *adj.2g.* de la concepción
concernir *v.* concernir (a, a), atañer (a, a)
concertar *v.* 1 concertarse, ponerse de acuerdo 2 *(conciliar)* concertar, coordinar 3 *(combinar)* concertar, acordar, convenir
concerto *s.m.* concierto; *ir a um concerto* ir a un concierto
concessão *s.f.* 1 concesión 2 *(permissão)* autorización, permiso*m.*
concessionar *v.* otorgar
concessionária *s.f.* concesionario*m.* de coches/automóviles
concha *s.f.* 1 ZOOL. concha 2 (colher) cucharón*m.*, cazo*m.*, cacillo*m.* 3 ANAT. pabellón*m.* auricular
conchavo *s.m.* trama*f.*

conciliação *s.f.* **1** conciliación, reconciliación **2** acuerdo*m.*, concordancia, conformidad, avenencia **3** (coisas contraditórias) conciliación

conciliar *v.* **1** conciliar, reconciliar **2** (coisas contraditórias) compaginar (com, con), conciliar (com, con) ■ **conciliar se** conciliarse, reconciliarse

concluir *v.* **1** *(terminar)* concluir, acabar, finalizar, terminar **2** *(deduzir)* concluir, deducir, inferir

conclusão *s.f.* **1** conclusión, fin*m.*, término*m.* **2** *(dedução)* conclusión, deducción ♦ **em conclusão** en conclusión

concordância *s.f.* **1** concordancia, conformidad **2** LING. concordancia

concordar *v.* **1** estar de acuerdo, concordar **2** concordar, coincidir, corresponder **3** (palavras) concordar, concertar

concorrência *s.f.* **1** (empresas) competencia **2** *(afluência)* concurrencia

concorrente *s.2g.* competidor, -a*m.f.*; (num concurso) concursante; (num emprego) candidat|o, -a*m.f.*

concorrer *v.* **1** (rivais) competir (com, con) **2** (concurso, competição) concursar, concurrir, participar **3** *(candidatar-se)* presentar la candidatura, presentarse como candidato **4** *(afluir)* concurrir, afluir, converger

concorrido *adj.* (lugar) concurrido, frecuentado

concretizar *v.* concretar, realizar ■ **concretizar se** concretarse, realizarse

concreto *adj.* **1** concreto **2** consistente, espeso ■ *s.m.* hormigón, concreto[AM.]

concurso *s.m.* **1** *(competição)* concurso, certamen **2** (televisão) concurso ♦ **concurso de beleza** concurso de belleza; **concurso público** concurso de méritos; oposiciones

conde *s.m.* (*f.* condessa) conde

condecoração *s.f.* **1** (ação) condecoración, distinción honorífica **2** *(insígnia)* condecoración

condecorar *v.* condecorar

condenação *s.f.* **1** *(sentença)* condena, sentencia; *condenação à morte* condena a muerte **2** *(pena)* condena, pena **3** *(censura)* condena, censura, crítica **4** REL. condenación

condenar *v.* **1** *(sentenciar)* condenar, sentenciar **2** *(criticar)* condenar, reprobar, censurar **3** (doente) desahuciar

condensação *s.f.* **1** condensación **2** *(resumo)* condensación, resumen*m.*, síntesis*2n.*

condensador *s.m.* **1** FÍS. condensador **2** ELETR. condensador (eléctrico)

condensar *v.* condensar

condescender *v.* condescender

condessa *s.f.* (*m.* conde) condesa

condição *s.f.* **1** *(situação)* condición, situación **2** (classe social) condición **3** *(requisito)* condición, requisito*m.* ■ **condições** *s.f.pl.* condiciones; *condições de pagamento* condiciones de pago ♦ **sem condições** totalmente imposible

condicionador *s.m.* (cabelo) acondicionador, suavizante ♦ **condicionador de ar** acondicionador de aire

condicional *adj.2g.* **1** condicional **2** LING. condicional ■ *s.m.* condicional, potencial

condicionar *v.* condicionar

condimentar *v.* (comida) condimentar, aderezar

condimento *s.m.* condimento, aderezo

condizer *v.* **1** (roupa, cor) cuadrar (com, con), hacer juego (com, con) **2** *(estar de acordo)* coincidir (com, con), estar de acuerdo (com, con) ♦ **a condizer** a juego

condoer-se *v.* condolerse (de, de), compadecerse (de, de)

condolência *s.f.* condolencia ■ **condolências** *s.f.pl.* pésame*m.*

condomínio *s.m.* **1** (propriedade) condominio **2** (de edifícios) comunidad*f.* de vecinos ♦ **condomínio fechado** urbanización privada

condor *s.m.* cóndor

condução *s.f.* **1** (veículo) conducción **2** *(direção)* dirección; *(governo)* gobierno*m.* **3** FÍS. conducción **4** medio*m.* de transporte

conduta *s.f.* **1** (canalização) conducto*m.*, cañería, tubería **2** *(comportamento)* conducta, comportamiento*m.*

condutor, -a *s.m.,f.* (pessoa) conductor, -a ■ *adj.* conductor ■ **condutor** *s.m.* FÍS. conductor

conduzir *v.* **1** conducir, manejar[AM.] **2** *(orientar)* conducir, dirigir, guiar **3** (veículo) conducir, manejar[AM.], pilotar **4** (barco) pilotar ■ **conduzir-se** conducirse, comportarse

cone *s.m.* cono

conector *s.m.* **1** ELETR. conector **2** LING. nexo

conexão *s.f.* **1** *(relação)* conexión, relación **2** ELETR. conexión **3** (transporte) enlace*m.*, conexión

confecção *s.f.* **1** confección **2** (indústria) confecciones*pl.*

confeccionar *v.* confeccionar

confederação *s.f.* confederación

confeitar *v.* confitar

confeitaria *s.f.* confitería

conferência *s.f.* **1** *(palestra)* conferencia, ponencia, charla **2** *(reunião)* conferencia, reunión

conferenciar *v.* conferenciar

conferir *v.* **1** (contas) cuadrar **2** *(verificar)* comprobar, verificar **3** *(confrontar)* cotejar

confessar *v.* confesar ■ **confessar se** confesarse

confete *s.m.* (Carnaval) confeti

confiança *s.f.* **1** *(certeza)* confianza, seguridad **2** *(fé)* confianza, fe **3** *(familiaridade)* confianza ♦ (pessoa) **de confiança** de confianza

confiante *adj.2g.* confiado

confiar *v.* **1** (um segredo) confiar, contar **2** confiar (em, en) **3** (responsabilidade) confiar, encargar, encomendar

confiável *adj.* fiable

confidência *s.f.* confidencia, secreto*m.*

confidencial *adj.2g.* confidencial
confidencialidade *s.f.* **1** confidencialidad **2** secretismo*m.*
confidente *s.2g.* confident|e, -a*m.f.*
configuração *s.f.* configuración
configurar *v.* configurar ▪ **configurar-se** configurarse
confinar *v.* **1** confinar (com, con), lindar (com, con) **2** *(limitar)* confinar, limitar **3** (terreno) demarcar
confirmação *s.f.* **1** confirmación **2** REL. *(crisma)* confirmación
confirmar *v.* confirmar
confiscar *v.* confiscar
confissão *s.f.* confesión
conflito *s.m.* conflicto
confluir *v.* **1** confluir, converger, convergir **2** *(coincidir)* asemejarse, coincidir
conformar *v.* acomodar, adaptar, ajustar, conformar ▪ **conformar se** conformarse, contentarse
conforme *adj.2g.* **1** *(idêntico)* idéntico, semejante **2** *(de acordo)* conforme, acorde, de acuerdo ▪ *conj.* conforme; según; ***conforme li no jornal*** según he leído en el periódico ▪ *prep.* según; ***fez tudo conforme o previsto*** ha hecho todo según lo previsto ♦ *col.* **estar tudo nos (seus) conformes** estar todo en orden
conformidade *s.f.* conformidad ♦ **em conformidade com alguma coisa** en conformidad con algo
confortar *v.* **1** confortar **2** *(consolar)* confortar, animar, consolar
confortável *adj.2g.* confortable, cómodo
conforto *s.m.* confort, comodidad*f.*, bienestar
confraternização *s.f.* confraternización
confraternizar *v.* confraternizar
confrontar *v.* **1** (pessoas) confrontar, carear **2** *(comparar)* confrontar, comparar, cotejar ▪ **confrontar-se** confrontarse, enfrentarse
confronto *s.m.* **1** *(encontro face a face)* confrontación*f.*, enfrentamiento, careo **2** *(oposição)* enfrentamiento, oposición*f.* **3** *(comparação)* confrontación*f.*, comparación*f.*, cotejo
confundir *v.* **1** confundir, perturbar **2** (causar embaraço) confundir, avergonzar ▪ **confundir se** confundirse
confusão *s.f.* confusión ♦ **fazer confusão** confundir
confuso *adj.* confuso
congelado *adj.* **1** (alimentos) congelado **2** *(frio)* congelado, helado **3** (preço, salário) congelado **4** (conta bancária) bloqueado
congelador *s.m.* congelador
congelamento *s.m.* congelación*f.*
congelar *v.* **1** congelarse, helarse **2** (líquido) congelar, helar **3** (alimentos) congelar **4** (preços, salários) congelar **5** (conta bancária) bloquear
congênito *adj.* congénito
congestão *s.f.* MED. congestión
congestionado *adj.* **1** congestionado **2** (trânsito) congestionado, obstruido **3** (pessoa, rosto) enrojecido, encrespado, enfurecido
congestionamento *s.m.* **1** congestión*f.* **2** (trânsito) congestión*f.*, atasco
congestionar *v.* congestionar ▪ **congestionar-se** **1** congestionarse **2** (trânsito) atascarse, embotellarse
congratulação *s.f.* congratulación, felicitación ▪ **congratulações** *s.f.pl.* congratulaciones
congratular *v.* felicitar, congratular ▪ **congratular-se** congratularse, felicitarse
congregação *s.f.* congregación
congregar *v.* congregar, reunir
congresso *s.m.* congreso
conhaque *s.m.* coñac
conhecedor, -a *adj.,s.m.,f.* conocedor, -a, entendid|o, -a, expert|o, -a
conhecer *v.* conocer ▪ **conhecer se** conocerse ♦ **prazer em conhecê-lo** encantado de conocerlo
conhecid|o, -a *adj.,s.m.,f.* conocid|o, -a
conhecimento *s.m.* **1** *(saber)* conocimiento **2** *(entendimento)* conocimiento, entendimiento **3** *(consciência)* conocimiento, conciencia*f.* ▪ **conhecimentos** *s.m.pl.* *(noções)* conocimientos, nociones*f.* ♦ **tomar conhecimento de algo** enterarse de algo
cônico *adj.* cónico
conivência *s.f.* connivencia
conivente *adj.2g.* connivente
conjecturar *v.* conjeturar, presumir, suponer
conjugação *s.f.* **1** *(combinação)* conjugación, combinación **2** LING. conjugación
conjugal *adj.2g.* conyugal
conjugar *v.* **1** *(combinar)* conjugar, combinar **2** LING. conjugar
cônjuge *s.m.* cónyuge*2g.*
conjunção *s.f.* **1** conjunción, unión **2** LING. conjunción
conjuntivite *s.f.* conjuntivitis*2n.*
conjuntivo *adj.* conjuntivo ▪ *s.m.* LING. subjuntivo
conjunto *s.m.* **1** *(todo)* conjunto **2** *(grupo de coisas)* conjunto, colección*f.*, grupo **3** *(grupo de pessoas)* conjunto, equipo, grupo **4** *(grupo musical)* conjunto musical, banda*f.*, grupo **5** (peças de roupa) conjunto
conjuntura *s.f.* coyuntura
conosco *pron.pess.* con nosotr|os, -as; ***conversou conosco*** conversó con nosotros; ***deixa o problema conosco*** nosotros resolvemos el problema
conotar *v.* connotar
conquista *s.f.* conquista
conquistador, -a *s.m.,f.* conquistador, -a
conquistar *v.* conquistar
consagração *s.f.* consagración
consagrar *v.* **1** *(dedicar)* consagrar (a, a), dedicar (a, a) **2** (liturgia católica) consagrar ▪ **consagrar-se** **1** *(dedicar-se)* consagrarse (a, a), dedicarse (a, a) **2** *(alcançar fama)* consagrarse
consciência *s.f.* **1** (moral) conciencia, consciencia **2** *(conhecimento)* conciencia, conocimiento*m.*
consciente *adj.2g.* **1** consciente **2** (ato) consciente, responsable **3** (pessoa) consciente, sensato

conscientizar *v.* concienciar
consecutivo *adj.* **1** *(seguido)* consecutivo, seguido, sucesivo **2** LING. consecutivo
conseguir *v.* **1** *col.* (objetivo) alcanzar, lograr **2** conseguir, lograr, obtener **3** (capacidade) poder
conselheir|o, -a *s.m.,f.* **1** consejer|o, -a **2** *(membro de conselho)* consejer|o, -a
conselho *s.m.* **1** *(sugestão)* consejo, sugerencia*f.*; *dar conselho* aconsejar; *pedir conselho* aconsejarse **2** *(assembleia)* consejo, asamblea*f.*, junta*f.*
consenso *s.m.* consenso
consentimento *s.m.* consentimiento
consentir *v.* consentir, autorizar, permitir
consequência *s.f.* **1** *(efeito)* consecuencia **2** *(conclusão)* consecuencia, conclusión ♦ **em consequência de** a consecuencia de; **por consequência** por consiguiente
consequente *adj.2g.* consecuente
consertar *v.* **1** arreglar, reparar **2** remendar
conserto *s.m.* **1** arreglo, reparación*f.* **2** remiendo
conserva *s.f.* conserva ♦ **em conserva** en conserva
conservação *s.f.* conservación
conservador, -a *s.m.,f.* **1** (museu) conservador, -a **2** (registro civil/predial) emplead|o, -a del registro **3** POL. conservador, -a ■ *adj.* conservador
conservante *s.m.* conservante
conservar *v.* conservar ■ **conservar-se** conservarse ♦ **conservar em lugar fresco** mantener en lugar fresco
conservatório *s.m.* conservatorio
consideração *s.f.* **1** *(ponderação)* consideración, reflexión **2** *(cuidado)* consideración, miramiento*m.*, respeto*m.*
considerando *s.m.* DIR. considerando, motivo
considerar *v.* **1** *(ponderar)* considerar, examinar, sopesar **2** *(ter em conta)* considerar, tener en cuenta ■ **considerar se** *(julgar-se)* considerarse, creerse
considerável *adj.2g.* considerable
consignar *v.* consignar
consigo *pron.pess. (com ele/ela)* consigo; *trouxeram consigo os presentes* han traído consigo todos los regalos
consistência *s.f.* consistencia
consistente *adj.2g.* consistente
consistir *v.* consistir (em, en)
consoante *s.f.* (letra) consonante ■ *adj.2g.* consonante, armonioso ■ *prep.,conj.* según, conforme, de acuerdo con
consolação *s.f.* consolación, consuelo*m.*, alivio*m.*
consolar *v.* consolar, confortar, aliviar ■ **consolar--se** consolarse
console *s.m.* (móvel) consola
consolidar *v.* consolidar, fortalecer ■ **consolidar--se** consolidarse, fortalecerse
consolo *s.m.* consuelo, alivio
consórcio *s.m.* consorcio
conspiração *s.f.* conspiración
conspirar *v.* conspirar
conspurcar *v.* **1** ensuciar **2** *fig.* manchar, ensuciar, difamar
constante *adj.2g.* constante ■ *s.f.* MAT. constante
constar *v.* **1** *(ser do conhecimento geral)* constar **2** *(ser formado por)* constar (de, de) **3** *(estar escrito)* constar, figurar
constatação *s.f.* constatación, comprobación, verificación
constatar *v.* constatar, comprobar, verificar
constelação *s.f.* constelación
consternação *s.f.* consternación, abatimiento*m.*
consternado *adj.* consternado, abatido
consternar *v.* consternar, abatir ■ **consternar se** consternarse, abatirse
constitucional *adj.2g.* constitucional
constituição *s.f.* **1** constitución, complexión, contextura **2** *(fundação)* constitución, creación, fundación **3** *(composição)* constitución, composición
constituir *v.* **1** *(fundar)* constituir, erigir, establecer **2** *(formar)* constituir, componer, formar
constrangedor *adj.* apremiante
constranger *v.* **1** *(forçar)* constreñir, compeler, forzar **2** *(intimidar)* constreñir, coartar, cohibir
constrangido *adj.* **1** *(forçado)* constreñido, forzado **2** *(intimidado)* constreñido, coartado, cohibido
constrangimento *s.m.* **1** *(obrigação)* constreñimiento, coacción*f.* **2** *(acanhamento)* constreñimiento
construção *s.f.* **1** construcción **2** *(edifício)* construcción, edificio*m.* **3** LING. construcción
construir *v.* construir
construtivo *adj.* constructivo
construtora *s.f.* empresa de construcción, constructora
cônsul *s.m.* (*f.* consulesa) cónsul*2g.*
consulado *s.m.* consulado
consulta *s.f.* **1** (médico) cita, consulta **2** *(referendo)* referéndum*m.* **3** (livro, dicionário, etc.) consulta
consultar *v.* **1** *(pedir conselho)* consultar, aconsejarse, asesorarse **2** (pessoa) consultar **3** (livro, dicionário) consultar **4** *(inquirir)* encuestar, sondear
consultório *s.m.* **1** consultorio **2** *(gabinete médico)* consulta*f.*, consultorio ♦ **consultório sentimental** consultório sentimental
consumação *s.f.* consumación
consumar *v.* consumar
consumidor, -a *s.m.,f.* consumidor, -a
consumir *v.* consumir ■ **consumir-se 1** consumirse, carcomerse **2** *fig.* consumirse, afligirse, preocuparse ♦ **consumir de preferência antes de** consumir preferentemente antes de
consumista *adj.,s.2g.* consumista
consumo *s.m.* **1** *(gasto)* consumo, gasto **2** ECON. consumo **3** (comida, bebida) consumo **4** (bar, café, restaurante) consumición*f.*

conta *s.f.* cuenta ♦ **à conta de** por culpa de; **afinal de contas** a fin de cuentas; **ajustar contas com alguém** ajustar las cuentas a alguien; **conta-corrente** cuenta corriente; **dar(-se) conta de** darse cuenta de; **dar conta do recado** hacer bien su tarea; (preço) **em conta** barato; **fazer de conta** disimular, hacer como que; **no fim das contas** a fin de cuentas; **pedir as contas** dimitir; **por conta de** a cuenta de; **por conta própria** por cuenta propia; **prestar contas a** rendir cuentas a; **por conta de outrem** por cuenta ajena; **ter em conta** tener en cuenta

contabilidade *s.f.* **1** (cálculo das operações comerciais) contabilidad **2** contabilidad, teneduría de libros

contabilizar *v.* **1** contabilizar, calcular, contar **2** ECON. contabilizar

contador, -a *s.m.,f.* cuenta*2g.* cuentos ■ **contador** *s.m.* (aparelho) contador

contagem *s.f.* recuento*m.* ♦ **contagem regressiva** cuenta atrás

contagiante *adj.2g.* (alegria, riso) contagioso

contagiar *v.* **1** (doença contagiosa) contagiar, pegar **2** *fig.* contagiar, transmitir ■ **contagiar se 1** (doença contagiosa) contagiarse **2** *fig.* contagiarse, transmitirse

contágio *s.m.* contagio

contagioso *adj.* contagioso

conta-gotas *s.m.2n.* cuentagotas ♦ **a conta-gotas** a cuentagotas, poco a poco

container *s.m.* contenedor

contaminação *s.f.* **1** *(contágio)* contaminación, contagio*m.*, infección **2** *(poluição)* contaminación, polución

contaminar *v.* **1** *(contagiar)* contaminar, contagiar, infectar **2** *(poluir)* contaminar

contanto ♦ **contanto que** con la condición de, a condición de; una vez que; si, con tal que

contar *v.* **1** (números) contar **2** *(calcular)* contar, calcular **3** (pessoa, ajuda) contar (com, con); *contar com alguém/alguma coisa* contar con alguien/algo **4** (uma história) contar, narrar, relatar **5** (o tempo) contar, medir **6** *(englobar)* contar, incluir ■ **contar se** *(considerar-se como parte de)* contarse

contatar *v.* **1** entrar en contacto con **2** ponerse en contacto con, contactar

contato *s.m.* **1** (entre corpos) contacto **2** *(comunicação)* contacto, comunicación*f.* **3** (pessoa) contacto **4** número de teléfono

contêiner *s.m.* contenedor

contemplar *v.* **1** contemplar, considerar **2** contemplar, observar **3** (um pedido) atender, despachar **4** *(conceder)* contemplar, tratar con contemplaciones

contemporâne|o, -a *adj.,s.m.,f.* contemporáne|o, -a

contemporizar *v.* contemporizar, transigir

contenção *s.f.* contención; *contenção de despesas* reducción de gastos

contentamento *s.m.* contento, contentamiento, alegría*f.*, satisfacción*f.*

contentar *v.* contentar, alegrar, satisfacer ■ **contentar-se** contentarse (com, con); *não te contentas com pouco!* ¡no te contentas con poco!

contente *adj.2g.* contento, alegre

contento *s.m.* contento; *a contento* a experiencia; a ver si agrada

conter *v.* **1** *(incluir)* contener, encerrar, abarcar **2** *(refrear)* contener, refrenar **3** *(controlar)* contener, aguantar, dominar ■ **conter se** *(controlar-se)* contenerse, dominarse, reprimirse ♦ **conter os gastos** restringir gastos

conterrâne|o, -a *s.m.,f.* conterráne|o, -a

contestação *s.f.* **1** *(protesto)* contestación, protesta **2** *(controvérsia)* polémica, controversia

contestar *v.* **1** *(contradizer)* contradecir **2** *(refutar)* rebatir, refutar, contestar **3** *(questionar)* cuestionar

contestável *adj.2g.* contestable

conteúdo *s.m.* contenido

contexto *s.m.* contexto

contextualizar *v.* contextualizar

contigo *pron.pess.* contigo; *me aborreci contigo* me he enfadado contigo; *falou contigo?* ¿habló contigo?; *isto não é contigo* esto no te incumbe; *o cartão está contigo* la tarjeta la tienes tú

continência *s.f.* **1** (prazeres sexuais) continencia, castidad **2** (palavras, gestos) autodominio*m.*, mesura, moderación **3** MIL. saludo*m.*

continental *adj.2g.* continental

continente *s.m.* continente ■ *adj.2g.* **1** continente **2** (continência sexual) casto, recatado **3** *(moderado)* circunspecto, comedido

contingente *adj.2g.* contingente ■ *s.m.* **1** MIL. contingente **2** *(cota)* contingente, cuota*f.*

continuação *s.f.* continuación

continuar *v.* **1** continuar, seguir, persistir **2** continuar, proseguir, seguir **3** (estado) seguir ♦ (série televisiva) **continua** continuará; **continuar** [+*ger.*] seguir [+*ger.*], continuar [+*ger.*]; *continua lendo* sigue leyendo; **continuar a** [+*inf.*] seguir [+*ger.*]; *continuar a ler* seguir leyendo; **continuar com** seguir, continuar; *ele continua com febre* él sigue con fiebre; **continuar por** [+*inf.*] estar por [+*inf.*]; *o trabalho continua por fazer* el trabajo está por hacer

continuidade *s.f.* continuidad

contínuo *s.m.* bedel, -a*m.f.*, celador, -a*m.f.*, conserje*2g.* ■ *adj.* **1** continuo, ininterrumpido, seguido **2** *(repetido)* continuo, sucesivo

conto *s.m.* **1** LIT. cuento; *conto de fadas* cuento de hadas **2** *(relato)* cuento, relato **3** *(mentira)* cuento, cuento chino, mentira*f.* ♦ *fig.* **conto de fadas** de ensueño; **conto do vigário** embuste

contorcer *v.* **1** *(torcer)* torcer **2** *(contrair)* contraer ■ **contorcer se** contorsionarse, retorcerse

contorcionista *s.2g.* contorsionista

contornar *v.* **1** (lugar) bordear; (rotunda) dar la vuelta **2** *(rodear)* rodear **3** (problema, dificuldade) sortear, superar **4** (figura) contornear

contorno *s.m.* contorno

contra *prep.* 1 (oposição) contra 2 (direção) contra 3 (contato) contra 4 (troca) contra 5 (confronto) frente, enfrente ▪ *adv.* en contra; *não ter nada contra* no tener nada en contra ▪ *s.m.* contra ♦ **contra tudo e contra todos** contra viento y marea; **os prós e os contras** los pros y los contras; **ser do contra** estar a la contra

contra-atacar *v.* contraatacar

contra-ataque *s.m.* (*pl.* contra-ataques) contraataque

contrabaixo *s.m.* 1 (instrumento) contrabajo, violón 2 (voz, pessoa) contrabajo

contrabalançar *v.* contrabalancear

contrabandista *s.2g.* contrabandista

contrabando *s.m.* contrabando

contração *s.f.* contracción

contracapa *s.f.* (livro, revista) contracubierta

contracenar *v.* (com outos atores) compartir escena (com, con)

contraceptivo *adj.,s.m.* anticonceptivo, contraceptivo

contradição *s.f.* contradicción

contraditar *v.* contradecir, refutar; DIR. replicar

contraditório *adj.* contradictorio

contradizer *v.* contradecir ▪ **contradizer-se** contradecirse

contraente *s.2g.* 1 contrayente 2 DIR. (parte) *f.* contratante

contragosto *s.m.* desagrado, desgana *f.*, disgusto; *a contragosto* de mala gana

contraindicar *v.* contraindicar

contrair *v.* 1 *(encolher)* contraer, encoger, achicar 2 (obrigação, compromisso) contraer 3 (doença, hábito) contraer, contagiarse 4 (dívida) contraer, endeudarse 5 (casamento) contraer 6 LING. contraerse ▪ **contrair-se** contraerse, encogerse, achicarse

contramão ♦ **na contramão** a contramano

contrapartida *s.f.* contrapartida ♦ **em contrapartida** a cambio; por otro lado

contraponto *s.m.* 1 MÚS. contrapunto 2 *fig.* contrapunto, contraste

contrapor *v.* contraponer (a, a); *contrapor uma coisa a outra* contraponer una cosa a otra

contraprova *s.f.* 1 DIR. contraprueba 2 *(verificação)* comprobación 3 TIP. contraprueba

contrariar *v.* contrariar

contrári|o, -a *s.m.,f.* contrari|o, -a, adversari|o, -a, rival *2g.* ▪ *adj.* contrario ♦ **ao contrário** al contrario; al revés; **ao contrário de** al contrario de; **caso contrário** de lo contrario; **pelo contrário** por el contrario

contrastar *v.* contrastar

contraste *s.m.* contraste

contratar *v.* 1 *(assalariar)* contratar, colocar, emplear; (jogador) fichar 2 *(combinar)* contratar, acordar, ajustar

contratempo *s.m.* contratiempo

contrato *s.m.* contrato

contratorpedeiro *s.m.* cazatorpedero, contratorpedero

contratura *s.f.* contractura

contravenção *s.f.* contravención, infracción

contravir *v.* contravenir, transgredir

contribuição *s.f.* contribución

contribuinte *s.2g.* contribuyente

contribuir *v.* 1 *(colaborar)* contribuir, colaborar, ayudar 2 (imposto) contribuir, pagar impuestos 3 (quantia) contribuir, aportar

controlador, -a *s.m.,f.* controlador, -a ♦ **controlador de voo** controlador aéreo/de vuelo

controlar *v.* 1 controlar, inspeccionar 2 (uma situação) controlar, dominar 3 (sentimentos) controlar, contener ▪ **controlar-se** controlarse, contenerse, dominarse

controle *s.m.* 1 control, inspección *f.* 2 *téc.* control 3 joystick, videoconsola *f.* ♦ **controle de qualidade** control de calidad; *téc.* **controle remoto** control remoto; **estar sob controle** estar bajo control; **perder o controle** perder el control

controvérsia *s.f.* controversia, polémica

controverso *adj.* controvertido, polémico

contudo *conj.* no obstante, pero, sin embargo

contundir *v.* (parte do corpo) contusionar

conturbar *v.* perturbar, trastornar, turbar

contusão *s.f.* contusión

convalescença *s.f.* convalecencia

convalescer *v.* convalecer (de, de), recuperarse (de, de); *convalescer de uma doença grave* convalecer de una grave enfermedad

convenção *s.f.* convención

convencer *v.* convencer, persuadir ▪ **convencer-se** convencerse, persuadirse

convencido *adj.* 1 convencido, seguro 2 *col.* presumido, creído, chulo

convencional *adj.2g.* convencional

convencionar *v.* convenir, estipular, acordar

conveniência *s.f.* conveniencia ▪ **conveniências** *s.f.pl.* (convenções sociais) conveniencias/convenciones sociales

conveniente *adj.2g.* 1 *(apropriado)* conveniente, apropiado, adecuado 2 *(vantajoso)* conveniente, ventajoso, provechoso 3 *(cômodo)* conveniente, cómodo

convênio *s.m.* convenio

convento *s.m.* convento

convergir *v.* converger, convergir

conversa *s.f.* conversación, charla ♦ **conversa-fiada** *col.* conversación sin importancia, palabrerío con el objetivo de engañar, cháchara, palabrería; **ir na conversa de (alguém)** dejarse llevar por (alguien); **puxar conversa com** entablar/trabar conversación; **ser outra conversa** ser harina de otro costal

conversação *s.f.* conversación

conversão *s.f.* 1 conversión 2 REL. conversión

conversar *v.* 1 conversar, hablar, charlar 2 discutir

conversível *adj.2g.* convertible

conversor *s.m.* **1** ELETR. convertidor **2** INFORM. conversor

converter *v.* **1** *(transformar)* convertir (en, em) **2** (moeda, medida) convertir **3** (crença, opinião) convertir (a, a) ▪ **converter se 1** *(transformar-se)* convertirse (en, em) **2** (crença, opinião, etc.) convertirse (a, a)

convés *s.m.* cubierta*f.* (superior)

convicção *s.f.* convicción ▪ **convicções** *s.f.pl.* convicciones, creencias

convicto *adj.* **1** convencido (de, de), seguro (de, de); *estar convicto de alguma coisa* estar convencido de algo **2** DIR. convicto

convidad|o, -a *s.m.,f.* invitad|o, -a, convidad|o, -a

convidar *v.* **1** invitar, convidar **2** *(induzir)* inducir, provocar **3** *(despertar a vontade de)* invitar, convidar, incitar

convidativo *adj.* apetecible

convincente *adj.2g.* convincente

convir *v.* **1** *(ser apropriado)* convenir, ser adecuado **2** *(ser vantajoso)* convenir, ser conveniente **3** *(concordar)* convenir, acordar

convite *s.m.* **1** invitación*f.* **2** (ingresso gratuito num espetáculo) invitación*f.*

convivência *s.f.* **1** *(convívio)* convivencia **2** *(intimidade, familiaridade)* intimidad; familiaridad

conviver *v.* **1** *(viver em comum)* convivir, cohabitar **2** *(coexistir)* convivir, coexistir **3** (dificuldade, doença) sobrellevar, conllevar

convívio *s.m.* **1** *(convivência)* convivencia*f.*, familiaridad*f.*, intimidad **2** *(reunião)* reunión*f.*

convocação *s.f.* **1** convocatoria **2** *(convite)* invitación **3** MIL. llamada a filas

convocar *v.* **1** *(mandar comparecer)* convocar, citar **2** (grupo de trabalho) constituir, formar **3** (pessoas) convocar, reunir, congregar **4** MIL. llamar a filas

convocatória *s.f.* **1** MIL. llamamiento*m.* a filas **2** (reunião, greve) convocatoria

convosco *pron.pess.* con vosotr|os, -as; con ustedes; *estiveram convosco?* ¿estuvieron con ustedes/vosotros?; *partimos convosco* nos marchamos con ustedes/vosotros; *viajamos convosco* viajamos con ustedes/vosotros

convulsão *s.f.* **1** MED. convulsión **2** *fig.* convulsión, agitación

convulsivo *adj.* convulsivo

convulso *adj.* **1** MED. convulso, convulsivo **2** *(agitado)* convulso, excitado

cooperação *s.f.* cooperación, colaboración; *em cooperação com* en cooperación con

cooperar *v.* cooperar, colaborar

cooperativa *s.f.* cooperativa

coordenação *s.f.* coordinación

coordenada *s.f.* LING. coordinada ▪ **coordenadas** *s.f.pl.* **1** GEOM. coordenada **2** *(diretrizes)* coordenadas, directrices

coordenador, -a *adj.,s.m.,f.* coordinador, -a

coordenar *v.* coordinar

copa *s.f.* **1** (árvore) copa, cima **2** (cozinha) antecocina, office*m.* **3** (sutiã) copa, cazuela **4** ESPOR. copa ▪ **copas** *s.f.pl.* (baralho) copas; corazones*m.* ♦ **fechar-se em copas** cerrarse en banda, darse un punto en la boca, echar la cremallera, guardar silencio

cópia *s.f.* **1** copia **2** *fig.* (pessoa) copia ♦ **cópia de segurança** copia de seguridad; **cópia pirata** copia pirata

copiar *v.* copiar

copiloto *s.m.* copiloto

copo *s.m.* **1** vaso; (com pé) copa*f.* **2** *col.* (bebida) copa*f.* ♦ *col.* **ser um bom copo** ser un buen bebedor

copular *v.* copular (com, con)

coque *s.m.* **1** coscorrón **2** QUÍM. coque

coqueiro *s.m.* cocotero, coco

coqueluche *s.f.* **1** MED. coqueluche, tos ferina **2** *col.* moda pasajera

coquetel *s.m.* cóctel

cor[1] /ô/ *s.f.* **1** color*m.* **2** (substância) color*m.*, pintura, tinte*m.* ♦ **de cor** de color

cor[2] /ó/ ♦ **de cor** de memoria/cabeza; **de cor e salteado** al dedillo

coração *s.m.* **1** corazón **2** *fig.* corazón, centro ♦ **com o coração na mão** con el corazón en un puño; **do fundo do coração** de (todo) corazón; **partir o coração** romper/partir el corazón; **ter um coração de ouro** tener un corazón de oro, ser todo corazón

corado *adj.* **1** colorado, enrojecido, ruborizado **2** (rosto) sonrosado **3** *fig.* colorado, avergonzado, enrojecido

coragem *s.f.* coraje*m.*, valor*m.*, ánimo*m.* ♦ **encher-se de coragem** armarse de valor

corajoso *adj.* **1** *(bravo)* valiente, corajudo, animoso **2** *(ousado)* osado

coral *s.m.* **1** ZOOL. coral **2** MÚS. (grupo de cantores) coral*f.* **3** MÚS. (canto) coral ▪ *adj.2g.* MÚS. coral

corante *adj.2g.,s.m.* colorante

corar *v.* **1** enrojecerse, ruborizarse; (de vergonha) sonrojarse, ponerse colorado **2** colorear, teñir **3** *fig. (envergonhar-se)* sonrojarse, enrojecerse, ponerse colorado **4** (roupa) blanquear

corça *s.f.* ZOOL. corza (hembra del corzo)

corcunda *s.f.* joroba, giba ▪ *adj.,s.2g.* jorobad|o, -a*m.f.*, gibos|o, -a*m.f.*

corda *s.f.* **1** cuerda; (fina) guita; (grossa) soga **2** (instrumentos) cuerda **3** (de relógio) cuerda **4** (para a roupa) cuerda (de tender la ropa), tendedero*m.* **5** (para saltar) comba ♦ **cordas vocais** cuerdas vocales; *col.* **dar corda a alguém** dar cuerda a alguien; *fig.* **estar com a corda no pescoço** estar contra las cuerdas; estar con la soga al cuello; **estar na corda bamba** estar en la cuerda floja; *fig., col.* **estar com a corda toda** estar muy entusiasmado

cordão *s.m.* **1** *(fio)* cordón, hilo **2** (joia) cadena*f.* **3** *(fileira)* cadena*f.*, fila*f.*, hilera*f.* ♦ **cordão policial** cordón policial; **cordão umbilical** cordón umbilical

cordeiro *s.m.* cordero

cordel *s.m.* cordel

cor-de-rosa *adj.2g.2n.,s.m.2n.* rosa
cordial *adj.2g.* cordial
cordialidade *s.f.* cordialidad
cordilheira *s.f.* cordillera, cadena montañosa
corean|o, -a *adj.,s.m.,f.* corean|o, -a ▪ **coreano** *s.m.* (língua) coreano
Coreia *s.f.* Corea ♦ **Coreia do Norte** Corea del Norte; **Coreia do Sul** Corea del Sur
coreografia *s.f.* coreografía
coreógraf|o, -a *s.m.,f.* coreógraf|o, -a
coreto *s.m.* quiosco de música
corista *s.2g.* **1** corista **2** *col.* cuentista ▪ *s.f.* corista
corja *s.f. pej.* chusma, gentuza, canalla
córnea *s.f.* córnea
corneta *s.f.* **1** corneta **2** (usado no exército) cornetín*m.*
corno *s.m.* **1** cuerno, asta*f.* **2** *vulg.* cornudo
cornucópia *s.f.* **1** MIT. cornucopia, cuerno*m.* de la abundancia **2** [elemento decorativo en forma de cornucopia]
coro *s.m.* **1** coro **2** *col.* bola*f.*, trola*f.* ♦ **em coro** a coro
coroa *s.f.* **1** corona, diadema **2** (unidade monetária) corona **3** (reverso de moeda) cruz **4** (dente) funda ▪ *s.2g. col.* (pessoa) carroza
coroação *s.f.* coronación
coroar *v.* coronar
corola *s.f.* BOT. corola
coronel *s.2g.* coronel
corpete *s.m.* corpiño
corpo *s.m.* **1** ANAT. cuerpo **2** cuerpo, cadáver **3** cuerpo, objeto **4** cuerpo, corporación*f.*, entidad*f.* ♦ **corpo a corpo** cuerpo a cuerpo; *fig.* **de corpo e alma** en cuerpo y alma; **corpo mole** sin vigor/entusiasmo; **ganhar corpo** tomar cuerpo; **tirar o corpo fora** huir a un compromiso u obligación
corporação *s.f.* corporación
corporal *adj.2g.* corporal
corporativo *adj.* corporativo
correção *s.f.* corrección
corredor, -a *s.m.,f.* (atleta) corredor, -a ▪ **corredor** *s.m.* **1** (casa, edifício) pasillo, corredor **2** (passagem) corredor
correia *s.f.* **1** correa **2** (bicicleta) cadena **3** (relógio) correa, pulsera
correio *s.m.* **1** *(correspondência)* correo, correspondencia*f.* **2** (serviço de distribuição de correspondência) correo, correos*pl.* **3** *(carteiro)* carter|o, -a*m.f.*, correo ▪ **correios** *s.m.pl.* (edifício) correos ♦ **caixa de correio** buzón; **correio eletrônico** correo electrónico, e-mail
corrente *s.f.* **1** (movimento das águas) corriente **2** MET. corriente **3** (cadeia de argolas metálicas) cadena **4** ELETR. corriente ▪ *adj.2g.* **1** (mês, ano) corriente, en curso **2** (água) corriente **3** (moeda) corriente, de curso legal **4** (fato, hábito) corriente, común ♦ **ao corrente de** al corriente de
correr *v.* **1** correr, aligerar(se), apresurarse **2** (um percurso) correr, recorrer **3** (tempo, processo) correr, pasar, transcurrir **4** (risco) correr **5** (água) correr, fluir **6** (cortinas) correr; descorrer **7** (boato) correr, circular, propagarse ♦ **correr com alguém** expulsar/echar a alguien; **de correr** corredero
correria *s.f.* **1** desbandada, huída **2** prisa **3** MIL. correría
correspondência *s.f.* **1** *(correlação)* correspondencia, correlación **2** *(cartas)* correspondencia, cartas*pl.* ♦ (curso) **por correspondência** por correspondencia
correspondente *s.2g.* **1** (jornalista) corresponsal **2** amig|o, -a*m.f.* por correspondencia ▪ *adj.2g.* correspondiente (a, a)
corresponder *v.* corresponder (a, a); *corresponder às expectativas* corresponder a las expectativas ▪ **corresponder-se** mantener correspondencia (com, con)
corretivo *s.m.* correctivo
correto *adj.* **1** *(certo)* correcto, acertado **2** *(exato)* correcto, exacto
corretor, -a *s.m.,f.* **1** corrector, -a (de pruebas) **2** corredor, -a; *corretor de bolsa* corredor de valores/bolsa, agente de bolsa ▪ *adj.* corrector ▪ **corretor** *s.m.* (líquido) líquido corrector, típex; (fita) cinta*f.* correctora
corretora *s.f.* correduría, agencia de valores
corrida *s.f.* **1** ESPOR. carrera **2** *fig.* carrera **3** corrida (de toros) **4** *col.* rapapolvo*m.*
corrigir *v.* **1** corregir, enmendar, rectificar **2** corregir, mejorar, retocar ▪ **corrigir-se** corregirse, enmendarse
corrimão *s.m.* pasamanos*2n.*, barandilla*f.*
corrimento *s.m.* flujo
corriqueiro *adj.* **1** corriente, ordinario **2** baladí, banal, trivial
corroborar *v.* corroborar, confirmar
corroer *v.* corroer ▪ **corroer-se** corroerse
corroído *adj.* **1** corroído, desgastado, roído **2** corroído, dañado
corromper *v.* **1** *(subornar)* corromper, sobornar **2** *(perverter)* corromper, pervertir, depravar ▪ **corromper se** corromperse, pervertirse, depravarse
corrosivo *adj.* corrosivo
corrupção *s.f.* **1** (de matéria) corrupción, descomposición, putrefacción **2** *(suborno)* corrupción, soborno*m.*
corrupto *adj.* **1** *(podre)* corrompido, podrido **2** *(depravado)* corrupto, depravado, pervertido **3** *(subornável)* corrupto, sobornable
cortar *v.* **1** cortar **2** (água, gás, luz) cortar, cerrar **3** (rua, estrada) cerrar **4** (partes de um texto) cortar, suprimir **5** (cabelo) cortarse ▪ **cortar se** cortarse
corte[1] /ó/ *s.m.* **1** (com tesoura, faca) corte, tajo **2** (de árvores) tala*f.* **3** (de relações) ruptura*f.* **4** (de cabelo) corte **5** (de roupa) corte **6** *(gume)* corte, filo ♦ **corte de energia** apagón, corte de luz

corte[2] /ô/ *s.f.* **1** (residência) corte **2** (pessoas) corte, séquito ♦ **fazer a corte a alguém** hacerle la corte a alguien, cortejar a alguien
cortejar *v.* cortejar, galantear
cortejo *s.m.* cortejo, séquito, comitiva*f.*
cortês *adj.2g.* cortés, atento, educado
cortesia *s.f.* **1** cortesía **2** *(oferta)* cortesía, regalo*m.* **3** *(vênia)* reverencia
córtex *s.m.* **1** ANAT. córtex **2** BOT. corteza*f.*
cortiça *s.f.* corcho*m.*
cortiço *s.m.* **1** *(colmeia)* colmena*f.* **2** cuchitril
cortina *s.f.* **1** cortina; (de tecido muito fino) visillo*m.* **2** (palco) telón*m.* ♦ **Cortina de Ferro** telón de acero, cortina de hierro AM.
coruja *s.f.* lechuza ♦ **mãe coruja** madraza; **pai coruja** padrazo
corvo *s.m.* cuervo
cós *s.m.2n.* cinturilla*f.*
coscuvilhar *v.* chismorrear, cotillear
coser *v.* **1** coser **2** (ferida) suturar, coser
cosmética *s.f.* cosmética
cosmético *adj.,s.m.* cosmético
cossecante *s.f.* (*pl.* cossecantes) MAT. cosecante
costa *s.f.* **1** *(litoral)* costa, litoral*m.* **2** *(encosta)* cuesta, declive*m.*, pendiente ■ **costas** *s.f.pl.* **1** espalda, espaldas **2** (natação) espalda, dorso*m.* **3** (papel) reverso*m.* ♦ **dar à costa** alcanzar la orilla; **de costas para** de espaldas a; **pelas costas** por la espalda; **ter as costas largas** tener buenas espaldas; tener las espaldas anchas; **ter as costas quentes** tener las espaldas cubiertas/guardadas; **virar as costas** volver la espalda
costado *s.m.* **1** costado, flanco, lado **2** NÁUT. borda*f.*
Costa Rica *s.f.* Costa Rica
costa-riquenh|o, -a *adj.,s.m.,f.* costarricense*2g.*
costela *s.f.* costilla
costeleta *s.f.* **1** CUL. chuleta **2** patillas*pl.*
costumar *v.* soler, acostumbrar
costume *s.m.* **1** costumbre*f.*, usanza **2** traje de chaqueta ■ **costumes** *s.m.pl.* costumbres*f.*, hábitos
costura *s.f.* **1** costura **2** (ferida) sutura **3** *(cicatriz)* cicatriz
costurar *v.* coser
costureira *s.f.* costurera
costureir|o, -a *s.m.,f.* sastr|e, -a; modist|o, -a ■ **costureiro** *s.m.* (alta costura) modisto, diseñador de moda
cota *s.f.* **1** *(cota)* cuota **2** GEOM. cota
cotação *s.f.* **1** ECON. cotización **2** *gír.* puntuación **3** *fig.* cotización, valorización
cotangente *s.f.* (*pl.* cotangentes) MAT. cotangente
cotar *v.* **1** ECON. cotizar **2** *fig.* cotizar, valorar
cotejar *v.* cotejar, comparar
cotidiano *adj.* **1** *(diário)* cotidiano, diario, de todos los días **2** *(habitual)* cotidiano, habitual, frecuente ■ *s.m.* día a día, vida*f.* cotidiana
cotoco *s.m.* **1** (membro) muñón **2** *(pedaço pequeno)* trozo
cotonete *s.m.* bastoncillo*m.*
cotovelada *s.f.* codazo*m.*
cotoveleira *s.f.* **1** (esportista) codera **2** (armadura) codal*m.*
cotovelo *s.m.* **1** ANAT. codo **2** (estrada, rio) recodo **3** (roupa) codo ♦ *col.* **falar pelos cotovelos** hablar por los codos
couraçar *v.* acorazar
couro *s.m.* **1** (de animal) piel*f.*, pellejo, cuero **2** (curtido) cuero **3** *pop.* (de pessoa) piel*f.*, pellejo ♦ **couro cabeludo** cuero cabelludo
couve *s.f.* col
couve-flor *s.f.* (*pl.* couves-flor(es)) coliflor
cova *s.f.* **1** *(buraco)* hoyo*m.* **2** *(sepultura)* sepultura, tumba **3** *(caverna)* cueva, caverna **4** (rosto) hoyuelo*m.* **5** (estrada) bache*m.*
covarde *adj.,s.2g.* cobarde
covardia *s.f.* cobardía
covinha *s.f.* (face, queixo) hoyuelo*m.*
coxa *s.f.* muslo*m.* ♦ *col.* **nas coxas** con dejadez
coxear *v.* cojear, renquear
coxo *adj.* cojo
cozer *v.* cocer
cozido *adj.,s.m.* cocido
cozinha *s.f.* **1** cocina **2** (arte) cocina, arte*m.* culinario
cozinhar *v.* **1** cocinar, guisar **2** *fig.* cocerse, tramarse
cozinheir|o, -a *s.m.,f.* cociner|o, -a
crachá *s.m.* chapa, botón*m.* [AM.]
crack *s.m.* (*pl.* cracks) (droga) crack
crânio *s.m.* **1** cráneo **2** *fig.* (pessoa) cerebro
crápula *s.2g. pej.* canalla
craque *s.2g. col.* as; (esportes) crack ■ *s.m.* **1** (droga) ⇒ **crack** **2** ECON. crac, crack
crase *s.f.* crasis*2n.*
cratera *s.f.* cráter*m.*
cravar *v.* **1** *(pregar)* clavar **2** (olhos) clavar, fijar **3** *col.* (dinheiro, favor) gorronear, sablear **4** (pedras preciosas) engastar, engarzar
cravina *s.f.* **1** BOT. clavellina **2** *col.* carabina, arma
cravinho *s.m.* **1** BOT. clavo (de especia/olor) **2** BOT. *(cravo-da-índia)* clavero **3** CUL. clavo
cravo *s.m.* **1** (flor) clavel; (de cor vermelha) clavel reventón **2** (pele) verruga*f.* **3** (prego) clavo **4** (instrumento) clavecín, clavicémbalo **5** CUL. clavo ♦ **dar uma no cravo e outra na ferradura** dar una en el clavo y ciento en la herradura
cravo-da-índia *s.m.* (*pl.* cravos-da-índia) clavero
creche *s.f.* guardería
credencial *s.f.* credencial, documento*m.* ■ **credenciais** *s.f.pl.* (cartas) credenciales
crediário *s.m.* [sistema de ventas a plazo]
credibilidade *s.f.* credibilidad
creditar *v.* (quantia) ingresar, abonar

crédito *s.m.* **1** *(credibilidade)* crédito, credibilidad*f.* **2** ECON. crédito, préstamo

credo *s.m.* **1** REL. credo **2** *fig.* credo, creencias*f. pl.* ■ *interj.* ¡qué me dices!; ¡anda!

credor, -a *s.m.,f.* acreedor, -a

cremar *v.* (cadáver) incinerar

creme *s.m.* **1** *(molho branco)* salsa*f.* bechamel **2** (leite) nata*f.* **3** (sopa) crema*f.*, puré **4** (sobremesa) natillas*f. pl.* **5** (cosmética) crema*f.* ■ *adj.2g.2n.* (cor) crema ♦ **creme de leite** nata

cremoso *adj.* cremoso

crença *s.f.* creencia

crendice *s.f. pej.* superstición

crente *adj.,s.2g.* creyente

crepe *s.m.* **1** (tecido) crespón, crep **2** CUL. crepe*f.*

crepitar *v.* (madeira) crepitar

crepúsculo *s.m.* crepúsculo

crer *v.* **1** creer (em, en) **2** creer ■ **crer se** creerse ♦ **ver para crer** ver y (para) creer

crescendo *s.m.* MÚS. crescendo; *fig.* progreso en gradación

crescente *s.m.* (lua) cuarto creciente ■ *adj.2g.* creciente; *em ordem crescente* en orden ascendente

crescer *v.* **1** crecer **2** *(inchar)* hincharse

crescimento *s.m.* crecimiento

crespo *adj.* **1** (cabelo) crespo, rizado **2** (mar) agitado, picado, revuelto **3** (superfície) áspero, rugoso

crestar *v.* chamuscar(se)

cretin|o, -a *adj.,s.m.,f. pej.* cretin|o, -a, estúpid|o, -a

cria *s.f.* cría; (de leoa, tigre) cachorr|o, -a*m.f.*

criação *s.f.* creación

criad|o, -a *s.m.,f.* **1** *(empregado doméstico)* criad|o, -a, sirvient|e, -a **2** *(garçom)* camarer|o, -a ■ *adj.* **1** *(concebido)* creado, producido **2** *(educado)* educado

criado-mudo *s.m.* (*pl.* criados-mudos) mesilla*f.*, mesa*f.* de noche

criador, -a *s.m.,f.* **1** (obra, projeto, arte, moda) creador, -a **2** (gado) criador, -a

Criador *s.m.* Creador

criança *s.f.* **1** niñ|o, -a*m.f.*, crí|o, -a*m.f.*, chiquill|o, -a*m.f.* **2** *fig.* (pessoa ingênua) niñ|o, -a*m.f.*, crí|o, -a*m.f.* ■ **crianças** *s.f.pl.* niños*m.*

criançada *s.f.* grupo*m.* de niños, chiquillería*col.*

criancice *s.f. pej.* niñería, niñada, chiquillada

criar *v.* **1** *(produzir)* crear **2** *(conceber)* crear, concebir **3** *(fundar)* crear, fundar, establecer **4** (pessoas) criar, educar **5** (animais) criar **6** (dificuldades, problemas) crear, causar **7** (plantas) echar, criar

criatividade *s.f.* creatividad

criativo *adj.* creativo

criatura *s.f.* **1** criatura **2** *(pessoa)* individuo*m.*, fulano*m.*, persona

crime *s.m.* **1** *(delito)* crimen, delito **2** *(ato condenável)* falta*f.*, infracción*f.* ♦ **crime organizado** crimen organizado

criminalidade *s.f.* criminalidad

criminalizar *v.* criminalizar

criminos|o, -a *s.m.,f.* criminal*2g.* ■ *adj.* criminal

crina *s.f.* **1** (cavalo) crin **2** (tecido) crin

crioul|o, -a *adj.,s.m.,f.* crioll|o, -a ■ **crioulo** *s.m.* (língua) criollo

crise *s.f.* **1** crisis*2n.* **2** (ciúmes, nervos) ataque*m.*

crisma *s.m.* **1** (sacramento) confirmación*f.* **2** (óleo) crisma*m./f.*

crismar *v.* **1** REL. confirmar **2** *(mudar o nome)* cambiar el nombre

crispar *v.* crispar, contraer ■ **crispar-se** crisparse, contraerse

crista *s.f.* **1** (galo) cresta **2** (cabelo) cresta **3** (onda) cresta ♦ *col.* **baixar a crista** bajar el gallo; **estar na crista da onda** estar en la cresta de la ola

cristal *s.m.* cristal

cristaleira *s.f.* cristalera

cristalino *adj.* cristalino ■ *s.m.* cristalino

cristalizado *adj.* **1** cristalizado **2** (fruta) escarchado

cristalizar *v.* **1** cristalizar(se) **2** cristalizar **3** *fig.* estancarse, paralizarse **4** (fruta) escarchar **5** *fig.* estancar, paralizar

crist|ão, -ã *adj.,s.m.,f.* cristian|o, -a

cristianismo *s.m.* cristianismo

Cristo *s.m.* Cristo

critério *s.m.* **1** *(norma)* criterio, norma*f.* **2** *(capacidade de distinção)* criterio

crítica *s.f.* **1** *(censura)* crítica, censura **2** (intelectual, artística ou literária) crítica, análisis*m.2n.* **3** (conjunto de pessoas) crítica, críticos*m. pl.*

criticar *v.* criticar

crític|o, -a *s.m.,f.* crític|o, -a ■ *adj.* crítico

crivar *v.* **1** *(furar)* acribillar, agujerear **2** *(peneirar)* cribar, tamizar, cerner

Croácia *s.f.* Croacia

crocante *adj.2g.* crujiente

crochê *s.m.* ganchillo, croché

crocodilo *s.m.* cocodrilo

croissant *s.m.* (*pl.* croissants) cruasán

cromado *adj.* cromado

cromo *s.m.* **1** *(figurinha)* cromo **2** QUÍM. cromo

cromossomo *s.m.* cromosoma

crônica *s.f.* crónica

crônico *adj.* crónico

cronista *s.2g.* cronista

cronologia *s.f.* cronología

cronometragem *s.f.* cronometraje*m.*

cronometrar *v.* cronometrar

cronômetro *s.m.* cronómetro

croquete *s.m.* croqueta*f.*

crosta *s.f.* **1** costra, corteza **2** (ferida) costra, postilla ♦ **crosta terrestre** corteza terrestre

cru *adj.* crudo ♦ **verdade nua e crua** la cruda verdad

crucial *adj.2g.* crucial

crucificar *v.* crucificar

crucifixo *s.m.* crucifijo
cruel *adj.2g.* cruel
crueldade *s.f.* crueldad
crustáceo *s.m.* crustáceo
cruz *s.f.* cruz ◆ **carregar a sua cruz** llevar su cruz; **cruz suástica/gamada** cruz gamada, esvástica; **Cruz Vermelha** Cruz Roja; **entre a cruz e a espada** entre la espalda y la pared; **fazer o sinal da cruz** santiguarse
cruzada *s.f.* **1** cruzada **2** *fig.* cruzada, campaña
cruzado *adj.* **1** cruzado **2** (raça) cruzado, mestizo **3** (cheque) cruzado ■ *s.m.* HIST. cruzado
cruzamento *s.m.* **1** *(interseção)* cruce, intersección*f.* **2** (vias) cruce **3** cruzamiento
cruzar *v.* **1** cruzarse **2** *(intersectar)* cruzar, atravesar, entrecortar **3** (animais) cruzar **4** (cheque) cruzar ■ **cruzar-se** cruzarse (com, con), encontrarse (com, con)
cruzeiro *s.m.* **1** (viagem) crucero **2** (cruz) crucero **3** (igreja) crucero
cruzes *interj.* ¡Dios mío!
cu *s.m. cal.* culo ◆ **cu de ferro** *adj.,s.2g. vulg.* empoll|ón, -ona*f.*
Cuba *s.f.* Cuba
cuba-libre *s.f.* (*pl.* cubas-libres) cubalibre*m.*, cubata*m.col.*
cuban|o, -a *adj.,s.m.,f.* cuban|o, -a
cúbico *adj.* cúbico
cubículo *s.m.* cubículo
cubo *s.m.* **1** GEOM. cubo **2** MAT. cubo, tercera potencia*f.* ◆ **cubo de açúcar** terrón de azúcar; **cubo de gelo** cubito de hielo
cuca *s.f.* **1** coco*m.* **2** *col.* coco*m.*, azotea, cabeza
cuco *s.m.* **1** ZOOL. cuco, cuclillo **2** (relógio) reloj de cuco
cueca *s.f.* calzoncillo(s)*m.*
cueiro *s.m.* pañal
cuíca *s.f.* zambomba
cuidado *s.m.* **1** *(esmero)* cuidado **2** *(cautela)* cuidado, precaución*f.*, cautela*f.* ■ *interj.* ¡cuidado! ◆ **ao cuidado de** al cuidado de
cuidadoso *adj.* cuidadoso
cuidar *v.* cuidar (de, de); ***cuida do pai*** cuida de su padre ■ **cuidar se** cuidarse
cuj|o, -a *pron.rel.* cuy|o, -a; ***o homem, cuja mala se perdeu, chegou hoje*** el hombre, cuya maleta se perdió, ha llegado hoy
culinária *s.f.* cocina, arte*m.* culinario
culminar *v.* culminar
culpa *s.f.* **1** (responsabilidade) culpa **2** *(arrependimento)* arrepentimiento*m.* **3** *(falta, pecado)* culpa ◆ **por culpa de** por culpa de; **ter culpa no cartório** estar implicado
culpabilizar *v.* culpabilizar, culpar ■ **culpabilizar-se** culpabilizarse
culpad|o, -a *adj.,s.m.,f.* **1** culpable*2g.*, responsable*2g.* **2** inculpad|o, -a, acusad|o, -a ◆ **declarar-se culpado** declararse culpable
culpar *v.* culpar ■ **culpar-se** culparse
cultivar *v.* **1** (terra) cultivar, labrar **2** (relação, sentimento) cultivar **3** (educação) culturizar, educar ■ **cultivar se** culturizarse, instruirse
culto *s.m.* **1** culto, devoción*f.*, adoración*f.*; ***prestar culto a*** rendir culto a **2** culto, liturgia*f.*, rito ■ *adj.* **1** (terra) cultivado **2** (pessoa) culto, ilustrado, instruido
cultura *s.f.* **1** (conhecimentos) cultura, erudición, sabiduría **2** (povo, comunidade) cultura, civilización **3** (terra) cultivo*m.* **4** BIOL. cultivo*m.*
cultural *adj.2g.* cultural
cume *s.m.* **1** (montanha) cumbre*f.*, cima*f.*, pico **2** *fig.* cumbre*f.*, apogeo, auge
cúmplice *s.2g.* cómplice
cumplicidade *s.f.* complicidad
cumprido *adj.* cumplido; ***missão cumprida!*** ¡misión cumplida!
cumprimentar *v.* **1** *(saudar)* saludar **2** *(felicitar)* felicitar (por, por)
cumprimento *s.m.* **1** (de lei, ordem) cumplimiento, acatamiento **2** (de tarefa, obrigação) cumplimiento ■ **cumprimentos** *s.m.pl.* saludos
cumprir *v.* **1** (obrigação) cumplir **2** (lei, ordem) cumplir, acatar, respetar **3** (promessa) cumplir **4** (tarefa) cumplir, ejecutar, realizar **5** (promessa) cumplir **6** (requisito) cumplir
cumular *v.* acumular
cúmulo *s.m.* **1** colmo **2** MET. cúmulo ◆ **ser o cúmulo da estupidez** ser el colmo de la estupidez
cunhad|o, -a *s.m.,f.* cuñad|o, -a
cunho *s.m.* **1** (moedas, medalhas) cuño, troquel **2** *(carimbo)* cuño, sello
Cupido *s.m.* MIT. Cupido
cupom *s.m.* cupón
cúpula *s.f.* **1** cúpula **2** *fig. (chefia)* cúpula
cura *s.f.* **1** (de doença) cura, curación **2** *(tratamento)* cura ■ *s.m.* cura, párroco ◆ *col.* **não tem cura** no tiene cura
curandeir|o, -a *s.m.,f.* curander|o, -a
curar *v.* **1** (pessoa) curar, sanar **2** (queijo) curar **3** (carne, enchido) curar ■ **curar-se** curarse, sanar, mejorarse
curativo *adj.* curativo ■ *s.m.* cura*f.*
curiosidade *s.f.* curiosidad
curioso *adj.* **1** curioso (por, por) **2** *(indiscreto)* curioso, preguntón **3** *(estranho)* curioso, raro, extraño
curral *s.m.* corral
curricular *adj.2g.* curricular
currículo *s.m.* **1** (documento) currículo, currículum vitae **2** *(plano de estudos)* currículo, plan de estudios
curriculum vitæ *s.m.* currículum vitae, currículo
curry *s.m.* curry
cursar *v.* cursar
curso *s.m.* **1** *(sucessão temporal)* curso, decurso, transcurso **2** *(sentido)* curso, dirección*f.* **3** (formação) curso; (de pouca duração) cursillo **4** (universidade) ca-

rrera*f.* ◆ **em curso** en curso; *o ano em curso* el año en curso, el año corriente; **tirar um curso** estudiar una carrera

curta-metragem *s.f.* (*pl.* curtas-metragens) cortometraje*m.*

curtição *s.f.* **1** *col.* farra, juerga, parranda **2** (peles) zurra

curtir *v.* **1** *col.* divertirse, pasarlo bien **2** (couros, peles) curtir **3** *col. (namorar)* enrollarse **4** (alimentos) remojar **5** *col.* (sofrimento, ressaca) curtir, soportar **6** *col.* molar, disfrutar, gustar

curto *adj.* **1** (tamanho) corto, pequeño **2** (duração) corto, breve ■ *s.m.* cortocircuito

curto-circuito *s.m.* (*pl.* curtos-circuitos) cortocircuito

curva *s.f.* curva ■ **curvas** *s.f.pl.* (pessoa) curvas

curvar *v.* **1** curvar, encorvar, arquear **2** *fig.* doblegar ■ **curvar-se** **1** curvarse **2** inclinarse **3** *fig.* doblegarse, someterse

cuspe *s.m.* saliva*f.*

cuspir *v.* escupir

custar *v.* **1** *(ser difícil)* costar **2** *(ter determinado preço)* costar, valer **3** *(demorar)* costar, tardar **4** *(adquirir)* costar ◆ **custe o que custar** cueste lo que cueste; a toda costa

custear *v.* **1** (despesa) costear **2** (estudos) pensionar

custo *s.m.* **1** *(gasto)* coste, costo **2** *(preço)* precio **3** *(esforço)* esfuerzo ◆ **com muito custo** a duras penas; **a todo custo** a ultranza; **custo de vida** coste de la vida

custódia *s.f.* **1** (criança) guarda y custodia **2** *(vigilância)* custodia, protección, vigilancia **3** REL. custodia

custodiar *v.* custodiar, guardar

customizar *v.* customizar

cutâneo *adj.* cutáneo

cutelaria *s.f.* cuchillería

cutícula *s.f.* **1** (unha) cutícula **2** *(epiderme)* epidermis*2n.*, cutícula

cutucar *v.* **1** pinchar **2** codear como forma de aviso

CV (*sigla de* curriculum vitae) CV (*sigla de* curriculum vitae)

D

d *s.m.* (letra) d*f.*
da *contr. da prep.* de + *art.def.f.* a de la
dáblio *s.m.* (letra) uve*f.* doble
dádiva *s.f.* dádiva
dado *s.m.* **1** (jogo) dado **2** *(informação)* dato **3** INFORM. dato ■ *adj.* **1** *(ofertado)* gratuito **2** (pessoa) afable, amable **3** *(propenso)* dado (a, a), propenso (a, a) **4** *(determinado)* dado, determinado ♦ **dado que** dado que
daí *contr. da prep.* de + *adv.* aí **1** (lugar) de ahí; *sai daí!* ¡sal de ahí! **2** (tempo) de ahí, de entonces; *a partir daí* a partir de entonces; *daí em diante* desde entonces ♦ **e daí?** ¿y qué?
dali *contr. da prep.* de + *adv.* ali **1** (lugar) de allí; *ele vem dali* él viene de allí **2** (tempo) de allí, de entonces; *a partir dali* a partir de entonces; *dali em diante* desde entonces, de allí en adelante
dálmata *s.2g.* dálmata
daltônico *adj.* daltónico
daltonismo *s.m.* daltonismo
dama *s.f.* **1** *(senhora)* dama, señora **2** (xadrez) reina, dama **3** (damas, cartas) dama ■ **damas** *s.f.pl.* (jogo) damas
damasco *s.m.* **1** (fruto) albaricoque **2** (tecido) damasco
damasqueiro *s.m.* (árvore) albaricoque
danado *adj.* **1** *(furioso)* furioso, colérico **2** *col.* *(malandro)* travieso, pillo **3** *col.* malvado ♦ **estar com uma fome danada** estar muerto de hambre; **um susto danado** un susto de muerte
dança *s.f.* **1** baile*m.*, danza **2** *fig.* agitación, ajetreo*m.*, trajín*m.* ♦ *col.* **entrar na dança** participar
dançar *v.* **1** bailar, danzar **2** *col.* fracasar, fallar, cagarla *vulg.*
dançarin|o, -a *s.m.,f.* bailar|ín, -ina; (flamenco) bailaor, -a; (danças populares andaluzas) bailador, -a
danificar *v.* dañar, estropear ■ **danificar se** dañarse, estropearse
dano *s.m.* daño, perjuicio ♦ **perdas e danos** daños y perjuicios
daquele *contr. da prep.* de + *pron.dem.m.* aquele de aquel; *quero um livro daquele* deseo un libro de aquel
daqui *contr. da prep.* de + *adv.* aqui **1** (lugar) de aquí; *sai daqui!* ¡sal de aquí! **2** (tempo) de aquí, dentro de; *daqui a pouco* dentro de poco; *daqui até lá* hasta entonces; *daqui em diante* de ahora en adelante; *daqui a um mês* de aquí a un mes; *daqui para a frente* de ahora en adelante
daquilo *contr. da prep.* de + *pron.dem.* aquilo de aquello
dar *v.* **1** *(ser possível)* ser posible, poder ser; *não dá!* ¡no puede ser! **2** *(oferecer)* dar, regalar **3** *(entregar)* dar, entregar **4** (notícia, informação) echar **5** *(conceder)* dar, conceder **6** (cumprimentos, parabéns) dar, felicitar, mandar; *dar os parabéns a alguém* dar la enhorabuena a alguien **7** *(causar)* dar, causar **8** (sangue) donar **9** (aulas) dar **10** (flor, fruto) dar, producir **11** (filme, programa) poner, echar **12** (matéria) dar **13** (cálculo) ser **14** (som) dar, soltar **15** *(atribuir)* dar **16** *(transmitir)* dar, transmitir **17** *(pagar)* pagar; *quanto é que deste por isso?* ¿cuánto has pagado por esto? **18** *(passar)* dar, pasar **19** *(manifestar)* dar; *dar mostras de* dar muestras de **20** *(soar)* dar ■ **dar-se 1** *(entender-se)* llevarse **2** *(acontecer)* darse, producirse **3** (planta) crecer ♦ **dar alguém como** dar a alguien por; *deram-na como morta* la dieron por muerta; **dar a entender que...** dar a entender que...; **dar com 1** *(deparar-se com)* encontrarse con; *dei com eles nas escadas* me los encontré en las escaleras, me encontré con ellos en las escaleras **2** *(encontrar)* dar, encontrar; *não dei com a tua casa* no he dado con tu casa **3** *(bater)* dar, golpear; *dei com o braço na porta* me he dado con el brazo en la puerta **4** (roupa, móvel) combinar; condizer; *as cortinas não dão com o sofá* las cortinas no combinan con el sofá; **dar de si** dar de sí, ceder; **dar em 1** *(tornar-se)* volverse; *dar em doido* volverse loco **2** *(resultar em)* resultar en; *o projeto não deu em nada* el proyecto no resultó en nada; **dar (o) que falar** dar que hablar; **dar para 1** *(estar voltado)* dar; *o meu quarto dá para o jardim* mi habitación da al jardín **2** *(ir ter)* ir a dar; *este caminho dá para o rio* este camino va a dar al río **3** *(ser suficiente)* dar; *isto não dá para todos* esto no da para todos **4** *(ter tendência para)* dar; *agora dá-lhe para chorar* ahora le ha dado por llorar **5** *col.* *(poder-se)* poder; *dá para ver/ouvir alguma coisa?* ¿se puede ver/oír algo?; *não dá para acreditar!* ¡no me lo puedo creer!; **dar por 1** *(considerar)* dar; *dar a reunião por concluída* dar la reunión por concluida **2** *(reparar em)* darse cuenta; *não dei pela tua presença* no me he dado cuenta de que estabas (aquí); *não dar por nada* no darse cuenta de nada; **dar que fazer** dar que hacer; **dar-se por** darse por; *dar-se por satisfeito* darse por satisfecho; *dar se por vencido* darse por vencido; **isso vai dar no mesmo!** ¡es igual!; **para o que der e vier** para lo que venga; **quem me dera!** ¡ojalá!
dardo *s.m.* **1** (arma) dardo **2** ESPOR. jabalina*f.*
data *s.f.* fecha ♦ **de longa data** de muchos años; **data de validade** fecha de caducidad
datar *v.* **1** datar (de, de); *este documento data de 2004* este documento data de 2004 **2** fechar, poner la fecha
datilografar *v.* mecanografiar, escribir a máquina
datilografia *s.f.* mecanografía, dactilografía
datilógraf|o, -a *s.m.,f.* mecanógraf|o, -a, dactilógraf|o, -a
d.C. (*abrev. de* depois de Cristo) d.C. (*abrev. de* después de Cristo)

de *prep.* **1** (posse) de; ***o livro do Rui*** el libro de Rui **2** (ponto de partida) de; ***chegou de Madri*** ha llegado de Madrid **3** (origem) de; ***sou do Brasil*** soy de Brasil **4** (meio de transporte) en; ***viagem de trem*** viaje en tren **5** (tempo, horas) de; ***às onze da manhã*** a las once de la mañana; ***de noite*** de noche **6** (causa) de; ***morrer de fome*** morir de hambre **7** (lugar de onde) desde; ***te telefono de casa*** te llamo desde mi casa **8** (meio) de; ***vive do trabalho*** vive del trabajo **9** (modo) de; ***pôs-se de joelhos*** se puso de rodillas **10** (matéria) de; ***mesa de madeira*** mesa de madera **11** (conteúdo) de; ***prato de sopa*** plato de sopa **12** (autoria) de; ***texto da aluna*** texto de la alumna **13** (assunto) de; ***filme de terror*** película de terror **14** (composição) de; ***bolo de caramelo*** tarta de caramelo **15** (valor) de; ***livro de vinte euros*** libro de veinte euros **16** (finalidade) de; ***máquina de escrever*** máquina de escribir **17** (tamanho, medida) de; ***de dois metros de comprimento*** de dos metros de largo **18** (superlativo) de; ***o melhor de todos*** el mejor de todos **19** (partitivo) de; ***dois copos de vinho*** dos vasos de vino

dê *s.m.* (letra) de*f.*

deambular *v.* deambular

debaixo *adv.* debajo ◆ **debaixo de** debajo de; ***debaixo da mesa*** debajo de la mesa

debandar *v.* salir en desbandada, huir desordenadamente, dispersar

debate *s.m.* debate

debater *v.* debatir ▪ **debater se** debatirse

debelar *v.* **1** (crise, doença) combatir **2** (inimigo) vencer **3** *(dominar)* dominar

debicar *v.* (pássaro) picotear, picar

débil *adj.2g.* débil, flaco ▪ *s.2g.* deficiente ◆ **débil mental 1** deficiente mental **2** *col., pej.* idiota

debilitar *v.* debilitar ▪ **debilitar-se** debilitarse

debitar *v.* (quantia) cargar en cuenta, adeudar

débito *s.m.* **1** ECON. cargo **2** *(dívida)* débito, deuda*f.*

debochar *v.* **1** burlarse (de, de), mofarse (de, de) **2** corromper, viciar

deboche *s.m.* burla*f.*, mofa*f.*

debruar *v.* orlar, ribetear

debruçar *v.* **1** *(pôr de bruços)* poner boca abajo **2** *(inclinar)* inclinar ▪ **debruçar se 1** *(inclinar-se)* inclinarse, asomarse **2** (assunto) estudiar minuciosamente

debulhar *v.* (cereal) trillar; (fruto) desgranar

debutante *s.2g.* **1** (atividade) debutante, principiante **2** (baile, festa de gala) debutante ▪ *s.f.* debutante

debutar *v.* debutar, estrenarse

década *s.f.* década

decadência *s.f.* decadencia

decadente *adj.2g.* decadente

decágono *s.m.* decágono

decair *v.* decaer

decalcar *v.* **1** (desenho) calcar **2** *fig.* calcar, imitar, copiar

decalque *s.m.* calco

decapitar *v.* decapitar, degollar

decência *s.f.* decencia

decente *adj.2g.* decente

decepar *v.* **1** cortar, cercenar; (dedo, perna) amputar; (cabeça) decapitar; (árvores) talar **2** *fig.* (ação, processo) interrumpir, detener

decepção *s.f.* decepción, desilusión

decepcionado *adj.* decepcionado, desilusionado

decepcionante *adj.2g.* decepcionante

decepcionar *v.* decepcionar, desilusionar, defraudar ▪ **decepcionar-se** decepcionarse

decibel *s.m.* decibelio

decidido *adj.* decidido

decidir *v.* decidir ▪ **decidir-se 1** decidirse **2** decidirse (a/por, a/por); ***decidiu-se a comprar um carro novo*** se decidió a comprar un coche nuevo; ***decidiu-se pelo curso de Medicina*** se decidió por la carrera de medicina

decifrar *v.* (escrita) descifrar; (mensagem) descodificar; (enigma) resolver

decimal *adj.2g.* decimal

decímetro *s.m.* decímetro

décim|o, -a *s.m.* décim|o, -a ▪ *s.m.* (loteria) décimo ◆ (salário) **décimo terceiro** paga extraordinaria de Navidad

decisão *s.f.* **1** decisión **2** (concursos) fallo*m.* **3** sentencia

decisivo *adj.* decisivo, determinante

declamar *v.* declamar, recitar

declaração *s.f.* declaración

declarado *adj.* declarado

declarante *s.2g.* declarante

declarar *v.* declarar ▪ **declarar-se** declararse

declinação *s.f.* **1** declinación, decadencia **2** LING. declinación

declinar *v.* **1** *(decair)* declinar, decaer **2** declinar, rechazar **3** *(enfraquecer)* debilitarse **4** LING. declinar

declive *s.m.* declive, desnivel, pendiente*f.* ◆ **em declive** en declive

decodificação *s.f.* descodificación, decodificación, desciframiento*m.*

decodificador *s.m.* descodificador

decodificar *v.* descodificar, descifrar

decolagem *s.f.* despegue*m.*

decolar *v.* despegar

decompor *v.* descomponer ▪ **decompor-se** descomponerse

decomposição *s.f.* **1** descomposición **2** *(putrefação)* putrefacción, descomposición

decoração *s.f.* **1** decoración **2** (cenário) decorado*m.* **3** *(enfeite)* adorno*m.*, ornamento*m.*

decorador, -a *s.m.,f.* decorador, -a

decorar *v.* **1** *(ornamentar)* decorar, ornamentar **2** *(memorizar)* aprender de memoria, memorizar

decorativo *adj.* decorativo

decorrer *v.* **1** (tempo) transcurrir, pasar, discurrir **2** (acontecimento) suceder, celebrar **3** *(resultar)* resultar (de, de) ◆ **no decorrer de** en el transcurso de

decotado *adj.* escotado
decote *s.m.* escote
decrescente *adj.2g.* decreciente
decrescer *v.* **1** decrecer, disminuir **2** (lua) menguar
decretar *v.* (decreto, lei) decretar
decreto *s.m.* **1** decreto **2** *fig.* voluntad*f.*, designio ◆ *col.* **nem por decreto** ¡ni hablar!
dedal *s.m.* dedal
dedaleira *s.f.* BOT. dedalera, digital
dedicação *s.f.* **1** dedicación **2** *(afeição)* afecto*m.*
dedicado *adj.* dedicado (a, a), entregado (a, a); *dedicado ao seu trabalho* entregado a su trabajo
dedicar *v.* dedicar ▪ **dedicar-se** dedicarse (a, a); *dedica-se à pintura* se dedica a la pintura
dedicatória *s.f.* dedicatoria
dedilhar *v.* puntear
dedo *s.m.* dedo; *dedo anular/anelar* dedo anular; *dedo indicador* dedo índice; *dedo médio* dedo corazón; *dedo mínimo/mindinho* dedo meñique; *dedo polegar* dedo gordo/pulgar ◆ **a dedo** cuidadosamente, con cuidado; *col.* **dar dois dedos de prosa** charlar un rato; *col.* **ficar chupando dedo** llevarse un chasco; **pôr o dedo na ferida** poner el dedo en la llaga; **ter dedo para** tener mano izquierda para
dedo-duro *adj.2g., s.m.* (*pl.* dedos-duros) chivato
dedução *s.f.* **1** *(ilação)* deducción, ilación, conclusión **2** (quantia) deducción, descuento*m.*, desgravación; (imposto) retención
dedurar *v. col.* denunciar, delatar
deduzir *v.* **1** (quantia) deducir, descontar, desgravar; (imposto) retener **2** *(inferir)* deducir, inferir, concluir; *daí deduz-se que* de ahí se puede deducir
defecar *v.* defecar
defeito *s.m.* defecto ◆ **achar defeitos em** poner reparos a; **estar com defeito** tener una avería
defeituoso *adj.* defectuoso, imperfecto
defender *v.* **1** *(proteger)* defender, proteger **2** (causa, ideia, posição) defender ▪ **defender se** defenderse, protegerse
defensiva *s.f.* defensiva ◆ **estar/pôr-se na defensiva** estar/ponerse a la defensiva
defensor, -a *s.m.,f.* defensor, -a
deferir *v.* **1** conceder, otorgar **2** (pedido, petição) atender **3** (prêmio) otorgar, conceder
defesa *s.f.* **1** defensa **2** (elefante) colmillo*m.* **3** (futebol) zaga, defensa ▪ *s.2g.* defensa, zaguer|o, -a*m.f.* ◆ **defesa dos direitos dos consumidores** defensa de los derechos del consumidor; **em legítima defesa** en legítima defensa; **testemunha de defesa** testigo de descargo
deficiência *s.f.* **1** minusvalía, discapacidad **2** *(falta)* deficiencia, falta **3** *(imperfeição)* deficiencia, imperfección
deficiente *s.2g.* (mentalmente) deficiente, subnormal; (fisicamente) discapacitad|o, -a*m.f.*, minusválid|o, -a*m.f.* ▪ *adj.2g.* **1** *(insuficiente)* deficiente, insuficiente **2** *(imperfeito)* imperfecto
déficit *s.m.* (*pl.* déficits) **1** ECON. déficit **2** déficit, falta*f.*, escasez*f.*
definhar *v.* **1** debilitarse, desfallecerse **2** (planta) marchitarse, secarse
definição *s.f.* definición ◆ (imagem) **alta definição** alta definición
definido *adj.* **1** LING. (artigo) definido **2** *(determinado)* definido, determinado, fijo **3** *(preciso)* preciso, exacto **4** (imagem) nítido
definir *v.* **1** (palavra) definir **2** (situação, ideia) definir **3** *(fixar)* fijar, determinar **4** *(delimitar)* delimitar, demarcar ▪ **definir-se** **1** *(decidir-se)* definirse, decidirse **2** *(explicar-se)* definirse, explicarse
definitivamente *adv.* **1** *(sem dúvida)* definitivamente, sin duda **2** *(de modo definitivo)* definitivamente, para siempre
definitivo *adj.* definitivo
deflagrar *v.* **1** (bomba) explotar, estallar **2** (incêndio) deflagrar **3** quemar **4** *fig.* (conflito, guerra) estallar, irrumpir
deformação *s.f.* **1** deformación **2** *(desfiguração)* desfiguración **3** MED. malformación, deformación ◆ **deformação profissional** deformación profesional
deformar *v.* **1** deformar **2** *(desfigurar)* desfigurar ▪ **deformar-se** deformarse
defraudar *v.* estafar, defraudar
defrontar *v.* **1** *(estar situado defronte)* estar enfrente **2** (adversário, perigo) afrontar, enfrentar, encarar **3** *(encontrar inesperadamente)* topar, encontrar
defumado *adj.* ahumado
defumar *v.* **1** (alimento) ahumar **2** (casa) perfumar (con humo)
defunt|o, -a *adj.,s.m.,f.* difunt|o, -a
degelar *v.* **1** deshelarse, derretirse **2** deshelar, derretir
degeneração *s.f.* degeneración
degenerar *v.* degenerar (em, en)
deglutir *v.* (alimento) deglutir, tragar
degolar *v.* degollar, decapitar
degradação *s.f.* degradación
degradante *adj.2g.* degradante
degradar *v.* degradar, envilecer ▪ **degradar-se** **1** degradarse, envilecerse **2** dañarse **3** *fig.* corromperse
degradável *adj.2g.* degradable
dégradé *s.m.* dégradé
degrau *s.m.* **1** (de escada) escalón, peldaño **2** *fig.* medio, recurso **3** *fig.* escalón
degredar *v.* desterrar, exiliar
degustação *s.f.* degustación, cata
degustar *v.* **1** (vinho) catar, degustar **2** (alimento) probar **3** *(saborear)* saborear
deitar *v.* **1** *(colocar na horizontal)* echar, tumbar, tender **2** (na cama) acostar **3** *(atirar)* echar, arrojar, tirar **4** (líquidos) echar, verter **5** (cheiro, odor) echar, despedir **6** (folha, flor) echar ▪ **deitar se** **1** *(colocar-se na horizontal)* acostarse, tumbarse, tenderse **2** *(ir para a*

cama) acostarse ◆ **deitar abaixo** echar abajo; **deitar a perder** echar a perder; **deitar e rolar** hacer todo lo que se quiere, sin límites

deixar *v.* **1** dejar, consentir, permitir **2** *(permitir)* dejar, permitir **3** *(levar)* llevar **4** *(esquecer)* dejar, olvidar **5** *(colocar)* dejar, poner **6** *(abandonar)* dejar, abandonar **7** (mensagem) dejar **8** *(largar, soltar)* dejar, soltar **9** (bens, herança) dejar, legar **10** (sensações, impressões) poner, dejar ■ **deixar de 1** *(permitir)* dejarse (de, de); *deixe de conversa* déjate de tonterías **2** *(não alterar)* dejarse; *deixe estar que ainda temos tempo* no te preocupes, que todavía tenemos tiempo ◆ **deixar a desejar** dejar (mucho) que desear; quedarse corto; **deixar (algo) por** [+*inf.*] dejar sin [+*inf.*]; *deixou a cama por fazer* ha dejado la cama sin hacer; **deixar alguém triste** poner triste a alguien; **deixar andar/correr** dejar pasar; (tarefa, responsabilidade) **deixar com** ocuparse de; *deixa isso comigo* yo me ocupo de eso; **deixar de** [+*inf.*] dejar de [+*inf.*]; *deixou de fumar* ha dejado de fumar; *col.* **deixar estar** dejar de preocuparse; **deixar para** dejar, aplazar; *deixar para depois* dejar para luego; *col.* **deixar para lá** dejar de preocuparse, pasar (de todo); **não deixar de** no dejar de; *não deixa de ser verdade* no deja de ser verdad

déjà-vu *s.m.* déjà vu, sensación*f.* de déjà vu

dela *contr. da prep.* de + *pron.pess.f.* ela de ella; su; suyo; suya; *falaram muito dela* hablarón mucho de ella; *o guarda-chuva dela* su paraguas; *a esferográfica é dela* el bolígrafo es suyo; *a casa é dela* la casa es suya

delatar *v.* **1** (pessoa) delatar, acusar **2** (à polícia) delatar, denunciar

dele *contr. da prep.* de + *pron.pess.m.* ele de él; su; suyo; suya; *falaram muito dele* hablaron mucho de él; *o guarda-chuva dele* su paraguas; *a esferográfica é dele* el bolígrafo es suyo; *a casa é dele* la casa es suya

delegação *s.f.* **1** (de poder) delegación **2** *(representantes)* delegación; *delegação brasileira* delegación de Brasil

delegacia *s.f.* **1** (cargo) delegación **2** comisaría

delegad|o, -a *s.m.,f.* **1** delegad|o, -a **2** (da polícia) comisario*m.*

delegar *v.* **1** (poder) delegar **2** (cargo, responsabilidades) encargar, incumbir

deleitar *v.* deleitar, agradar ■ **deleitar se** deleitarse

deletar *v.* (informação, arquivo) borrar

delfim *s.m.* **1** *(golfinho)* delfín **2** HIST. delfín **3** (xadrez) alfil **4** *fig.* delfín; sucesor; heredero

deliberar *v.* deliberar ■ **deliberar se** decidirse

delicadeza *s.f.* **1** (qualidade) delicadeza **2** *(tato)* delicadeza, tacto*m.* **3** (de saúde) fragilidad, debilidad

delicado *adj.* delicado

delícia *s.f.* **1** *(prazer)* delicia, deleite*m.* **2** (comida) exquisitez

deliciar *v.* deleitar, alegrar ■ **deliciar se** deleitarse (com, con)

delicioso *adj.* delicioso

delimitar *v.* **1** (terreno) delimitar, demarcar **2** *(circunscrever)* delimitar, circunscribir

delineador *s.m.* eyeliner

delinear *v.* **1** (desenho) delinear, trazar, esbozar, perfilar **2** *fig.* (plano, projeto) delinear, perfilar **3** *(descrever)* describir, trazar ■ **delinear se** delinearse

delinquência *s.f.* delincuencia

delinquente *s.2g.* delincuente

delirante *adj.2g.* **1** delirante **2** *col.* increíble

delirar *v.* **1** (febre) delirar, desvariar **2** *col.* (prazer) vibrar, entusiasmarse **3** *(dizer disparates)* desvariar, delirar, disparatar

delírio *s.m.* **1** delirio **2** alucinación*f.* **3** *col.* entusiasmo

delito *s.m.* delito, crimen ◆ **em flagrante delito** en flagrante delito, in fraganti

deltoide *s.m.* deltoides*2n.*

demagogia *s.f.* demagogia

demais *adv.* **1** demasiado; *comi demais* he comido demasiado **2** muchísimo, intensamente, demasiado; *amam-se demais* se quieren muchísimo ■ *pron.indef.* **1** demás; *os demais alunos* los demás alumnos **2** demás; *ajudar os demais* ayudar a los demás ■ *adj.2g.* estupendo, fantástico ◆ **por demais** demasiado; **ser demais 1** ser demasiado **2** *col.* ser una pasada

demanda *s.f.* **1** demanda **2** *(disputa)* disputa; lucha **3** *(procura)* búsqueda, busca; *em demanda de* en busca de

demandar *v.* **1** *(exigir)* exigir, reclamar **2** DIR. demandar, querellarse

demão *s.f.* mano (capa de pintura o de otra sustancia); *dar uma demão de verniz a* dar una mano de barniz a

demarcar *v.* **1** (território) demarcar, delimitar **2** *fig.* separar, distinguir **3** *fig.* definir, determinar; (assunto) deslindar

demasia *s.f.* demasía, exceso*m.* ◆ **em demasia** en demasía

demência *s.f.* demencia

demente *adj.2g.* demente, loco

demissão *s.f.* **1** (do próprio) dimisión, renuncia **2** (da empresa, patrão) despido*m.*, expulsión, destitución

demitir *v.* despedir ■ **demitir se** dimitir (de, de), despedirse (de, de); *demitiu-se* ha dimitido, se ha despedido; *demitir-se do cargo* dimitir de su cargo

demo *s.m.* **1** *col.* demonio, diablo **2** *fig.* persona*f.* inquieta **3** INFORM. demo

democracia *s.f.* democracia

democrata *adj.,s.2g.* demócrata

democrático *adj.* democrático

democratizar *v.* democratizar

demolhar *v.* remojar, poner en remojo

demolição *s.f.* demolición, derribo*m.*

demolir *v.* **1** (construção) demoler, derribar **2** *fig.* (vitória esmagadora) arrasar, destrozar

demônio *s.m. fig.* demonio

demonstração *s.f.* demostración

demonstrar *v.* **1** (argumento, fato) demostrar, probar **2** (aparelho) demostrar, enseñar **3** (sentimentos) demostrar, manifestar

demonstrativo *adj.* demostrativo

demora *s.f.* demora, tardanza, retraso*m.* ♦ **sem demora** sin demora

demorar *v.* **1** (acontecimento) durar **2** (pessoa) retrasarse, tardar, demorarse ■ **demorar se 1** demorarse **2** *(atrasar-se)* retrasarse **3** *(permanecer)* quedarse

demover *v.* disuadir (de, de); *demover alguém de algo* disuadir a alguien de algo

denegar *v.* denegar

denegrir *v.* **1** *(escurecer)* ennegrecer, denegrir **2** *fig.* (reputação) denigrar, difamar, enturbiar

dengue *s.f.* dengue

denominação *s.f.* denominación

denominador *s.m.* MAT. denominador

denominar *v.* denominar, nombrar ■ **denominar-se** denominarse, llamarse

denotar *v.* denotar, significar, indicar

densidade *s.f.* **1** densidad **2** *(espessura)* espesor*m.* ♦ **densidade populacional** densidad de población

densitometria *s.f.* MED. densitometría

denso *adj.* **1** denso **2** *fig.* confuso, oscuro

dentada *s.f.* dentellada, mordisco*m.*, bocado*m.*; (de cão) mordedura

dentadura *s.f.* **1** dentadura **2** (postiça) dentadura postiza, prótesis*2n.* dental

dentar *v.* dentar

dentário *adj.* dental, dentario

dente *s.m.* **1** diente; *dente canino* diente canino, colmillo; *dente de leite* diente de leche; *dente de siso* muela del juicio; *dente incisivo* diente incisivo; *dente molar* diente molar, muela **2** (de elefante) colmillo **3** (de alho) diente **4** (de garfo, serra) diente **5** (de pente, escova) púa*f.* ♦ *col.* **bater os dentes** tiritar, dar diente con diente, castañetear los dientes; **falar entre dentes** hablar entre dientes; **mostrar os dentes** enseñar los dientes

dentear *v.* dentar

dentífrico *adj.* dentífrico ■ *s.m.* dentífrico, pasta*f.* de dientes

dentista *s.2g.* dentista

dentro *adv.* **1** (local) dentro; adentro; *dentro de casa* dentro de casa; *para dentro!* ¡adentro!; *vai lá para dentro* ve adentro **2** (temporal) dentro; *dentro de pouco tempo* dentro de poco ♦ **estar por dentro de** (assunto) estar enterado de, estar en la onda *col.*; estar en órbita; **falar para dentro** hablar para el cuello de la camisa; *col.* **não dar uma dentro** no dar pie con bola

dentuço *adj.* dentudo

denúncia *s.f.* denuncia

denunciar *v.* **1** (crime, falta) denunciar, acusar, delatar **2** *(revelar)* revelar

deparar *v.* toparse (com, con), encontrarse (com, con)

departamento *s.m.* **1** (empresa, loja) departamento, sección*f.* **2** (universidade) departamento

depenar *v.* **1** (ave) desplumar, pelar **2** *fig. (extorquir dinheiro)* desplumar

dependência *s.f.* **1** dependencia; *estar sob a dependência de* estar bajo la dependencia de **2** (drogas) adicción, dependencia **3** (casa) dependencia, habitación

dependente *adj.2g.* **1** dependiente (de, de) **2** (droga, álcool) adicto (de, a)

depender *v.* depender (de, de); *isso depende de ti* eso depende de ti

dependurar *v.* **1** colgar **2** (roupa) tender

depilação *s.f.* depilación; *fazer (a) depilação* depilarse

depilar *v.* depilar(se) ■ **depilar-se** depilarse

deplorar *v.* deplorar, lamentar ■ **deplorar-se** lamentarse

deplorável *adj.2g.* **1** *(lastimável)* deplorable, lastimoso **2** *(detestável)* deplorable, detestable

depoente *s.2g.* DIR. deponente, declarante ■ *adj.2g.* LING. (verbo) deponente

depoimento *s.m.* declaración*f.*

depois *adv.* **1** (temporal) después, enseguida **2** *(mais tarde)* después **3** (espacial) después ♦ **depois de** después de; tras; **depois de amanhã** pasado mañana; **pouco depois** al poco rato

depor *v.* **1** argumentar **2** (armas) deponer, abandonar **3** DIR. declarar **4** (governo) deponer, destituir

deportado *adj.,s.m.* deportado

deportar *v.* deportar, desterrar

depositar *v.* **1** (dinheiro) ingresar, imponer **2** *(pôr)* depositar **3** (bens, valores) depositar **4** (confiança) depositar, confiar ■ **depositar-se** (substância) depositarse, posarse

depósito *s.m.* **1** (de dinheiro) ingreso, imposición*f.*; *fazer um depósito* ingresar **2** (líquidos) depósito, poso, sedimento **3** *(armazém)* depósito, almacén ♦ **depósito legal** depósito legal

depravação *s.f.* depravación; corrupción; perversión

depravad|o, -a *adj.,s.m.,f.* depravad|o, -a

depravar *v.* depravar, corromper, pervertir ■ **depravar se** depravarse, corromperse, pervertirse

depreciar *v.* **1** depreciar, desvalorizar **2** *fig.* despreciar, menospreciar

depreciativo *adj.* despreciativo, despectivo

depreender *v.* deducir, inferir, desprenderse; *daí depreende-se que...* de ahí se puede deducir...

depressa *adv.* deprisa, de prisa

depressão *s.f.* depresión, hundimiento*m.*

depressiv|o, -a *s.m.,f.* depresiv|o, -a ■ *adj.* depresivo

deprimente *adj.2g.* deprimente

deprimir *v.* **1** deprimir **2** (força, vigor físico) debilitar

depurar *v.* depurar, purificar, limpiar

deputad|o, -a *s.m.,f.* POL. diputad|o, -a; (Parlamento Europeu) eurodiputad|o, -a

deputar *v.* **1** (pessoa) diputar **2** (poderes) delegar
derivação *s.f.* **1** desviación **2** *(origem)* origen*m.*
derivado *adj.,s.m.* derivado
derivar *v.* **1** derivar (de, de) **2** NÁUT. derivar, desviar
dermatologia *s.f.* dermatología
dermatológico *adj.* dermatológico
dermatologista *s.2g.* dermatólog|o, -a*m.f.*
derradeiro *adj.* último, postrero
derramamento *s.m.* derramamiento
derramar *v.* **1** *(entornar)* derramarse, verterse **2** derramar
derrame *s.m.* **1** derrame **2** MED. derrame
derrapar *v.* (veículo) derrapar, patinar
derrear *v.* agotar, extenuar, dejar rendido
derreter *v.* **1** derretir **2** *fig.* enternecer ▪ **derreter-se** **1** (gelo, manteiga, neve) derretirse **2** *fig.* derretirse (por, por); *derreter-se por alguém* derritirse por alguien
derrocar *v.* **1** (governo, pessoa) derrocar, destituir **2** (construção) derrocar, derribar, demoler
derrogar *v.* derogar, anular
derrota *s.f.* derrota
derrotar *v.* derrotar, vencer
derrubar *v.* **1** (objeto) derrumbar, derribar **2** (governo, pessoa) derribar, destituir **3** (árvore) talar
desabafar *v.* (emoções, sentimentos) desahogarse
desabafo *s.m.* **1** (sentimentos) desahogo **2** *(alívio)* desahogo, alivio
desabamento *s.m.* **1** desmoronamiento, caída*f.*; corrimiento de tierras **2** (de projeto, instituição) venido abajo
desabar *v.* **1** (terra) correrse **2** (telhado, muro) desplomarse, desmoronarse **3** (projeto) malograrse, venirse abajo
desabitado *adj.* (lugar) deshabitado, desierto
desabituar *v.* deshabituar (de, de), desacostumbrar (de, de) ▪ **desabituar se** deshabituarse (de, de), desacostumbrarse (de, de)
desabotoar *v.* (roupa) desabrochar, desabotonar
desabrigado *adj.* (lugar) descubierto, desabrigado ♦ **os desabrigados** la gente sin techo
desabrochar *v.* (flor) abrirse ▪ *s.m.* principio, inicio, comienzo
desacatar *v.* desacatar
desacato *s.m.* desacato, falta*f.* de respeto
desacelerar *v.* desacelerar, reducir (la velocidad)
desaconselhar *v.* desaconsejar
desacordado *adj.* (pessoa) desmayado
desacordo *s.m.* desacuerdo
desacorrentar *v.* desencadenar
desacostumar *v.* desacostumbrar (de, de), deshabituar (de, de) ▪ **desacostumar se** desacostumbrarse (de, de), deshabituarse (de, de)
desacreditar *v.* desacreditar, difamar
desafeiçoar-se *v.* **1** *(distanciar-se)* despegarse (de, de), distanciarse (de, de); *desafeiçoar-se de alguém* despegarse de alguien **2** *(perder interesse)* perder el interés (de, por)
desafiar *v.* **1** (competição, duelo) desafiar (para, a), retar (para, a) **2** *(desobedecer)* desacatar, desobedecer
desafinar *v.* desafinar
desafio *s.m.* **1** *(provocação)* desafío, reto **2** ESPOR. enfrentamiento
desafogar *v.* **1** desahogar **2** *fig.* desahogarse (com, con)
desaforado *adj.* insolente, descarado
desaforo *s.m.* insolencia*f.*, descaro
desagradar *v.* desagradar, disgustar
desagradável *adj.2g.* desagradable
desagravar *v.* **1** desagraviar **2** aminorar, atenuar
desagregar *v.* disgregar ▪ **desagregar-se** disgregarse
desaguar *v.* (rio) desembocar (em, en), desaguar (em, en); *o Amazonas deságua no Atlântico* el Amazonas desemboca en el Atlántico
desajeitado *adj.* patoso, torpe
desajustamento *s.m.* **1** (de peças) desencaje **2** PSIC. (de pessoa) inadaptación*f.*
desajustar *v.* **1** desajustar **2** (peças) desencajar ▪ **desajustar se** desajustarse
desalentar *v.* **1** desalentarse, desanimarse **2** desalentar, desanimar
desalinhar *v.* **1** desalinear **2** *(desarranjar)* desaliñar, desarreglar
desalinhavar *v.* deshilvanar
desalmado *adj.* desalmado, cruel
desalojar *v.* (pessoa) desalojar
desamarrar *v.* **1** soltar amarras **2** desatar, soltar ▪ **desamarrar se** desatarse
desamparar *v.* desamparar, abandonar
desamparo *s.m.* desamparo, abandono
desancar *v. col.* poner a caldo, censurar
desancorar *v.* desanclar
desandar *v.* **1** (caminho, trajeto) volver; retroceder; ir hacia atrás **2** (parafuso) desatornillar **3** *col.* empeorar **4** *col.* irse, marcharse
desanimar *v.* **1** desanimarse **2** desanimar, desalentar
desânimo *s.m.* desánimo, desaliento
desanuviar *v.* **1** (céu) despejar **2** (pessoa) tranquilizarse
desaparafusar *v.* desatornillar, desenroscar
desaparecer *v.* desaparecer
desaparecid|o, -a *s.m.,f.* desaparecid|o, -a ▪ *adj.* desaparecido ♦ **andas desaparecido!** ¡andas muy perdido!
desaparecimento *s.m.* desaparición*f.*
desaparelhar *v.* (cavalgadura) desaparejar
desapegar-se *v.* desapegarse (de, de), desprenderse (de, de)
desapertar *v.* **1** *(soltar, alargar)* desapretar, aflojar **2** (peça de roupa) desabrochar **3** (cinto) desabrochar

4 (sapatos) desatarse 5 (parafuso) desatornillar, desenroscar
desapontar *v.* decepcionar, desilusionar, defraudar
desaprender *v.* desaprender (olvidar lo que se ha aprendido)
desapropriar *v.* (bem, propriedade) expropiar
desaprovar *v.* desaprobar, reprobar
desaproveitar *v.* desaprovechar, desperdiciar
desarborizar *v.* deforestar; talar
desarmamento *s.m.* desarme
desarmar *v.* 1 MIL. desarmar 2 (tropas, pessoas) desarmar 3 (bomba) desactivar 4 (máquina) desmontar, desarmar
desarranjar *v.* 1 desarreglar, desordenar 2 *(estragar)* estropear 3 *(transtornar)* trastonar
desarregaçar *v.* bajarse las mangas
desarrolhar *v.* (garrafa) descorchar, destapar
desarrumação *s.f.* desorden*m.*
desarrumar *v.* desordenar, desarreglar
desarticular *v.* 1 (articulação) desarticular, descoyuntar; (osso) dislocar(se) 2 (peças) desarticular
desassossegar *v.* inquietar, desasosegar ■ **desassossegar-se** inquietarse, desasosegarse
desastrado *adj.* 1 (pessoa) torpe, patoso 2 (acontecimento) desastroso
desastre *s.m.* 1 desastre, catástrofe*f.* 2 accidente 3 *fig.,col.* (pessoa) desastre
desastroso *adj.* desastroso
desatar *v.* 1 echar/echarse (a, a); *desatou a chorar/rir* se echó a llorar/reír 2 desatar, desanudar
desatarraxar *v.* desatornillar, desenroscar
desatento *adj.* desatento, distraído
desatinar *v.* 1 desatinar 2 *(perder o juízo)* desquiciarse ♦ *col.* **desatinar com alguém** 1 enfadarse con alguien 2 sacar a alguien de quicio
desativar *v.* desactivar
desatolar *v.* (veículo) desatascar
desatracar *v.* 1 *(desprender-se)* desprenderse, soltarse 2 NÁUT. desatracar
desatrelar *v.* 1 *(soltar)* aflojar, soltar 2 (atrelado, cavalo) desenganchar ■ **desatrelar se** aflojarse, soltarse
desatualizado *adj.* 1 *(fora de moda)* pasado de moda 2 *(antiquado)* anticuado 3 (bilhete, cartão) caducado
desautorizar *v.* desautorizar, desacreditar
desavença *s.f.* desavenencia, discordia
desbaratar *v.* 1 (bens, dinheiro) desbaratar, derrochar, malgastar 2 (inimigo) derrotar
desbastar *v.* 1 (cabelo) entresacar 2 (madeira) desbastar, pulir 3 (mato) entresacar
desbloquear *v.* 1 (acesso, passagem) desbloquear 2 (dificuldade, problema) resolver
desbocado *adj.* 1 (pessoa) deslenguado, malhablado 2 (cavalo) desenfrenado
desbotar *v.* desteñir, descolorir
desbravar *v.* 1 AGR. (terreno) roturar 2 (animal) desbravar, amansar, domar 3 (lugar) explorar 4 (desafio, obstáculo) vencer, superar
desbundar *v.* 1 *col.* juerguearse, divertirse 2 *col.* desparramarse
desburocratizar *v.* simplificar
descabelado *adj.* 1 calvo 2 desgreñado 3 *fig.* descabellado, disparatado
descabelar *v.* 1 descabellar 2 TAUR. descabellar ■ **descabelar-se** irritarse
descafeinado *adj.,s.m.* (café) descafeinado
descair *v.* (superfície) inclinarse
descalçar *v.* 1 (sapatos) descalzar 2 (luvas, meias) quitarse 3 (rua, estrada) desempedrar ■ **descalçar-se** (sapatos) descalzarse
descalcificar *v.* descalcificar ■ **descalcificar se** descalcificarse
descalço *adj.* 1 descalzo 2 *fig.* desprevenido
descamar *v.* descamar
descambar *v.* 1 resbalar 2 *fig.* ir de mal en peor
descampado *s.m.* descampado
descansar *v.* 1 (corpo) descansar 2 descansar, reposar 3 tranquilizar, calmar 4 dormir, descansar
descanso *s.m.* 1 *(repouso)* descanso 2 *(sossego)* tranquilidad*f.* 3 *(folga)* descanso 4 (telefone) soporte 5 (bicicleta) pata*f.* de cabra 6 (pés) descanso 7 (utensílio) salvamanteles*2n.* ♦ **sem descanso** sin parar
descapitalizar *v.* descapitalizar ■ **descapitalizar-se** descapitalizarse
descaracterizar *v.* 1 despersonalizar 2 desfigurar
descarado *adj.* descarado, insolente
descaramento *s.m.* descaro, insolencia*f.*, desfachatez*f.*
descarga *s.f.* 1 descarga 2 tromba de agua, aguacero*m.* 3 (vaso sanitário) cisterna; *dar descarga* tirar de la cadena
descarregar *v.* 1 (carga) descargar 2 (arma de fogo) descargar, disparar 3 *fig.* descargar, desahogarse 4 *fig.* (raiva) desfogar 5 descargar, bajar
descarrilhamento *s.m.* 1 descarrilamiento 2 *fig.* descarrío
descarrilhar *v.* 1 descarrilar 2 *fig.* descarriarse
descartável *adj.2g.* desechable
descasar *v.* divorciarse
descascar *v.* 1 (pele, tinta) descascarillarse 2 (fruta, batata) pelar 3 (animal) mudar la piel 4 (ervilhas) pelar, desvainar 5 *fig.,col.* (pessoa) regañar (em, -), reñir (em, -) 6 (árvore) descortezar
descendência *s.f.* 1 descendencia 2 *(filiação)* filiación
descendente *adj.2g.* 1 *(proveniente)* procedente (de, de), proveniente (de, de) 2 *(decrescente)* descendente ■ *s.2g.* descendiente
descender *v.* descender (de, de), proceder (de, de)
descentralizar *v.* descentralizar
descentrar *v.* descentrar
descer *v.* 1 (de meio de transporte) bajarse 2 (escadas, rua, montanha) bajar, descender 3 (qualidade, nível)

empeorar **4** (persiana) bajar **5** (de paraquedas) tirarse **6** (preço) bajar **7** (terreno) bajar **8** (preço, temperatura, pressão) bajar

descida *s.f.* **1** descenso*m.*, bajada **2** (de terreno) declive*m.*, pendiente **3** (de divisão) descenso*m.*

desclassificação *s.f.* descalificación

desclassificar *v.* (concurso, competição) descalificar

descoberta *s.f.* **1** *(descobrimento)* descubrimiento*m.* **2** *(invenção)* invento*m.*, invención

descobridor, -a *s.m.,f.* descubridor, -a

descobrimento *s.m.* descubrimiento, hallazgo

descobrir *v.* descubrir ■ **descobrir-se** descubrirse

descolar *v.* **1** (o que está colado) despegar **2** conseguir; obtener

descolonizar *v.* descolonizar

descoloração *s.f.* decoloración

descolorante *adj.2g.,s.m.* decolorante

descolorar *v.* **1** decolorarse **2** decolorar

descompactar *v.* descomprimir

descompor *v.* **1** descomponer, desordenar **2** reprender **3** insultar

descompressão *s.f.* **1** FÍS. descompresión **2** *(alívio)* alivio*m.*

descomprimir *v.* **1** descomprimir **2** *(aliviar)* aliviar

descomprometer-se *v.* (compromisso, tarefa) liberarse (de, de)

descomunal *adj.2g.* descomunal, enorme, colosal

desconcentrado *adj.* (pessoa) desconcentrado, distraido

desconcentrar *v.* **1** *(distrair)* distraer **2** *(dispersar)* dispersar ■ **desconcentrar-se** desconcentrarse, distraerse

desconcertar *v.* desconcertar, desorientar

desconchavar *v.* **1** disparatar, desvariar **2** desarticular ■ **desconchavar se** desarticularse

desconexão *s.f.* **1** desconexión **2** *(incoerência)* incoherencia

desconfiança *s.f.* desconfianza, sospecha

desconfiar *v.* **1** *(suspeitar)* sospechar **2** desconfiar (de, de); *desconfiar de alguém* desconfiar de alguien **3** *(supor)* suponer, no creer; *desconfio que...* no creo que... **4** *(duvidar)* dudar

desconfortável *adj.2g.* **1** incómodo **2** *(desagradável)* desagradable

desconforto *s.m.* **1** (de sofá, postura) incomodidad*f.* **2** incomodidad*f.*, molestia*f.* **3** *fig.* desánimo, desaliento

descongelar *v.* descongelar ■ **descongelar se** descongelarse

descongestionamento *s.m.* **1** MED. descongestión*f.* **2** (trânsito) descongestión*f.*

descongestionar *v.* descongestionar

desconhecer *v.* desconocer

desconhecid|o, -a *adj.,s.m.,f.* desconocid|o, -a

desconjuntar *v.* **1** (articulação, osso) descoyuntar, dislocar **2** *(desencaixar)* desencajar ■ **desconjuntar--se** descoyuntarse

desconsagrar *v.* profanar

desconsertar *v.* estropear, averiar

desconsiderar *v.* desconsiderar

desconsolado *adj.* **1** desconsolado **2** desilusionado

descontaminar *v.* descontaminar

descontar *v.* **1** *(abater)* descontar, rebajar **2** (imposto) desgravar

descontente *adj.2g.* descontento

descontinuar *v.* discontinuar, interrumpir

descontínuo *adj.* discontinuo

desconto *s.m.* **1** *(abatimento)* descuento, rebaja*f.* **2** (imposto) desgravación*f.* ◆ *col.* **dar um desconto a alguém** tener que ser indulgente con alguien

descontrair *v.* **1** relajar **2** estar a gusto ■ **descontrair-se** relajarse

descontrolar-se *v.* descontrolarse

descontrole *s.m.* descontrol

desconversar *v.* cambiar de tema

descoordenar *v.* desorganizar

descorar *v.* **1** decolorarse **2** decolorar **3** *(empalidecer)* palidecer

descordar *v.* TAUR. descabellar

descortês *adj.2g.* **1** *(indelicado)* descortés, desatento **2** *(grosseiro)* grosero

descortinar *v.* **1** (janela) correr (la cortina) **2** *(avistar)* divisar

descoser *v.* descoser ■ **descoser-se** **1** descoserse **2** *pop.* (segredo) soplar

descosturar *v.* descoser

descrédito *s.m.* descrédito

descrente *s.2g.* **1** incrédul|o, -a*m.f.*, descreíd|o, -a*m.f.* **2** REL. no creyente ■ *adj.2g.* incrédulo, descreído

descrever *v.* describir

descrição *s.f.* descripción

descriminalizar *v.* **1** absolver **2** legalizar

descuidar *v.* descuidar ■ **descuidar se** descuidarse

descuido *s.m.* **1** *(negligência)* descuido **2** *(lapso)* descuido, error ◆ **por descuido** por descuido

desculpa *s.f.* disculpa ◆ **desculpa esfarrapada** excusa barata

desculpar *v.* disculpar, perdonar ■ **desculpar se** disculparse, excusarse ◆ **desculpe!** ¡disculpe!, ¡perdón!, ¡perdone!

descurar *v.* descuidar ■ **descurar se** descuidarse, dejarse

desde *prep.* **1** (lugar) desde; *caminhei desde a praia até o restaurante* he andado desde mi casa hasta el/al restaurante **2** (tempo) desde; *desde há muito tempo* desde hace mucho tiempo ◆ (temporal) **desde que** **1** desde que; *ainda não disse nada desde que chegou* todavía no ha dicho nada desde que ha llegado **2** siempre que, siempre y cuando, si; *eu vou, desde que me convidem* yo voy a la fiesta, siempre y cuando me inviten

desdém *s.m.* desdén, desprecio ◆ **com desdém** con desdén

desdenhar *v.* desdeñar, menospreciar

desdentado *adj.* desdentado, mellado
desdizer *v.* **1** desmentir, negar **2** contradecir ▪ **desdizer se 1** desdecirse **2** contradecirse
desdobrar *v.* **1** (lençol, mapa, toalha) desplegar, desdoblar **2** (esforços) redoblar ▪ **desdobrar se 1** desplegarse **2** *fig.* empeñarse
desdramatizar *v.* desdramatizar
desejar *v.* **1** *(querer)* desear **2** *(ansiar)* anhelar **3** (atração sexual) desear ♦ **deixar (muito) a desejar** dejar (mucho) que desear; **que deseja?** ¿qué desea?
desejo *s.m.* **1** deseo **2** (gravidez) antojo
desemaranhar *v.* **1** (fio) desenmarañar, desenredar **2** (assunto) desenmarañar
desembaçar *v.* (vidro, espelho) desempañar
desembalar *v.* desembalar; desempaquetar
desembaraçar *v.* **1** (caminho, passagem) desembarazar **2** (cabelo, fio) desenredar ▪ **desembaraçar-se** desembarazarse (de, de)
desembaraço *s.m.* desenvoltura*f.*, desparpajo
desembarcar *v.* desembarcar
desembargador *adj.,s.m.* HIST. desembargador; magistrado de Audiencia; magistrado del Tribunal Supremo de Justicia
desembargar *v.* **1** desembargar, alzar el embargo **2** (obstáculo) desembargar, desembarazar
desembarque *s.m.* **1** desembarque, desembarco **2** (aeroporto) llegadas*f. pl.* **3** desembarco
desembocar *v.* **1** (rio) desembocar (em, en), desaguar (em, en) **2** (rua) desembocar (em, en), acabar (em, en)
desembolsar *v.* (dinheiro) desembolsar
desembraiar *v.* (veículo) desembragar
desembrulhar *v.* (encomenda, presente) desenvolver
desembuchar *v. col.* desembuchar, desahogarse; *desembucha de uma vez!* ¡desembucha de una vez!
desempacotar *v.* (embrulho, pacote) desempaquetar
desempanar *v.* (veículo) arreglar, reparar
desempatar *v.* **1** desempatar **2** (jogo, votação) desempatar **3** (dificuldade, problema) solucionar
desempate *s.m.* **1** desempate **2** solución*f.*
desempenhar *v.* **1** (obrigação, tarefa) desempeñar, cumplir **2** (cargo, função) desempeñar, ejercer **3** (papel) desempeñar **4** (objeto penhorado) desempeñar
desempenho *s.m.* **1** (de obrigação, tarefa) desempeño, cumplimiento **2** (de cargo, função) desempeño, ejercicio **3** (de um papel) desempeño **4** (de máquina) desempeño, funcionamiento
desempregad|o, -a *adj.,s.m.,f.* parad|o, -a, desemplead|o, -a
desemprego *s.m.* paro, desempleo
desencadear *v.* **1** *(provocar)* desencadenar, provocar **2** *(desprender)* desencadenar ▪ **desencadear se** desencadenarse
desencadernar *v.* (caderno, livro) desencuadernar, descuadernar
desencaixar *v.* **1** desencajar **2** desempaquetar ▪ **desencaixar se** desencajarse
desencaixotar *v.* desencajonar, desembalar, desempaquetar
desencalhar *v.* **1** NÁUT. desencallar **2** *pop.* casarse; encontrar pareja
desencaminhar *v.* descaminar, desencaminar
desencantar *v.* **1** desencantar **2** *col.* encontrar; *onde é que foste desencantar isso?* ¿dónde has encontrado eso?
desencanto *s.m.* desencanto, desilusión*f.*, decepción*f.*
desencontrar-se *v.* no encontrarse (de, con)
desencontro *s.m.* **1** (compromisso, encontro) no comparecencia **2** *(divergência)* divergencia*f.*
desencorajar *v.* desanimar, desalentar, descorazonar
desencostar *v.* apartar (de, de); *desencostar alguma coisa da parede* apartar algo de la pared ▪ **desencostar-se** apartarse (de, de)
desencravar *v.* **1** *(despregar)* desclavar **2** (pelo, unha) sacar **3** *fig.* *(desenrascar)* salir del paso
desenferrujar *v.* **1** (metal) desoxidar, desherrumbrar **2** (pernas) desentumecer
desenformar *v.* (bolo) desmoldar, sacar del molde
desenfreado *adj.* desenfrenado
desenfrear *v.* desenfrenar
desenganar *v.* **1** *(desiludir)* desengañar **2** (doente) desahuciar
desenganchar *v.* desenganchar
desengano *s.m.* desengaño, desilusión*f.*
desengatar *v.* (veículos) desenganchar
desengatilhar *v.* (arma de fogo) descargar, disparar
desengonçado *adj.* **1** (peça, objeto) desvencijado, descuajaringado, destartalado **2** (pessoa) patoso, torpe
desengonçar *v.* **1** desvencijar, descuajeringar, desarticular **2** (porta, janela) desquiciar
desengordurar *v.* desengrasar
desenhar *v.* **1** dibujar **2** (mobiliário, produtos, vestuário) diseñar **3** *fig.* dibujar, describir ▪ **desenhar se** dibujarse
desenhista *s.2g.* dibujante; (de mobiliário, produtos, vestuário) diseñador, -a*m.f.*
desenho *s.m.* dibujo, diseño ♦ **desenhos animados** dibujos animados
desenjoar *v.* **1** quitar las náuseas **2** *fig.* distraer
desenquadrar *v.* sacar del marco
desenraizar *v.* desarraigar ▪ **desenraizar se** desarraigarse
desenrascar *v.* desembarazar ▪ **desenrascar-se 1** desembarazarse **2** *col.* (dificuldade, problema) apañárselas; *desenrasca-te!* ¡apáñatelas (como puedas)!
desenredar *v.* **1** (cabelo, fio) desenredar **2** (problema, situação) desenredar, desenmarañar **3** (mistério) esclarecer
desenrolar *v.* **1** desenrollar **2** (ideia, narrativa) desarrollar ▪ **desenrolar se 1** desenrollarse **2** *(passar-se)* desarrollarse
desenroscar *v.* **1** *(desaparafusar)* desenroscar, desatornillar **2** *(desenrolar)* desenrollar

desenrugar *v.* desarrugar, alisar ▪ **desenrugar-se** desarrugarse, alisarse
desentalar *v.* **1** desprender, soltar **2** *fig.* (pessoa) librar de dificultades
desentender-se *v.* **1** *(zangar-se)* pelearse (com, con) **2** *(discordar)* chocar (em, en)
desentendido *adj.* incomprendido ♦ **fazer-se de desentendido** hacerse el desentendido
desentendimento *s.m.* **1** *(mal-entendido)* malentendido **2** *(discussão)* discusión*f.*
desenterrar *v.* **1** desenterrar **2** (cadáver) desenterrar, exhumar **3** *fig.* (passado, lembranças) desenterrar
desentortar *v.* enderezar
desentupidor *s.m.* desatascador
desentupir *v.* desatascar
desenvoltura *s.f.* desenvoltura
desenvolver *v.* **1** desarrollar **2** (ideia, plano) desenvolver, desarrollar ▪ **desenvolver-se** desarrollarse
desenvolvimento *s.m.* desarrollo; *países em desenvolvimento* países en vías de desarrollo
desequilibrar *v.* desequilibrar ▪ **desequilibrar-se** desequilibrarse
desequilíbrio *s.m.* **1** desequilibrio **2** (mental) desequilibrio, locura*f.*
deserdar *v.* desheredar
desertar *v.* **1** abandonar **2** (soldado) desertar
desertificação *s.f.* **1** GEOG. desertización **2** *(despovoamento)* despoblación
deserto *adj.* desierto, despoblado, deshabitado ▪ *s.m.* desierto
desesperançar *v.* desesperanzar ▪ **desesperançar se** desesperanzarse
desesperar *v.* **1** perder las esperanzas, desesperar **2** desesperar ▪ **desesperar se** desesperarse
desespero *s.m.* desesperación*f.*
desestabilizar *v.* desestabilizar ▪ **desestabilizar-se** desestabilizarse
desfalcar *v.* **1** *(defraudar)* desfalcar **2** *(diminuir)* disminuir
desfalecer *v.* desfallecer, desmayarse
desfalque *s.m.* desfalco
desfasar *v.* desfasar
desfavorável *adj.2g.* **1** *(prejudicial)* desfavorable, perjudicial **2** *(adverso)* desfavorable, adverso, contrario
desfavorecer *v.* desfavorecer, perjudicar
desfavorecido *adj.* **1** (classe, grupo) desfavorecido **2** *(que está em desvantagem)* desaventajado
desfazer *v.* deshacer ▪ **desfazer se** **1** (costura, penteado) deshacerse **2** (grupo) disolverse **3** (substância) desahacerse (em, en); *desfazer-se em pó* deshacerse en polvo **4** *(livrar-se de)* deshacerse (de, de), desasirse (de, de) **5** (choro, desculpas) deshacerse (em, en); *desfez-se em lágrimas* se deshizo en lágrimas
desfechar *v.* **1** (arma) dispararse **2** (tiro) disparar, descargar **3** (olhar) echar (una mirada)
desfecho *s.m.* desenlace
desfeita *s.f.* ofensa, afrenta
desfeito *(p.p. de* desfazer) *adj.* deshecho
desfiar *v.* **1** (costura, tecido) deshilar, deshilachar, deshacer **2** (alimento) desmenuzar ▪ **desfiar-se** (costura, tecido) deshilacharse
desfigurado *adj.* **1** (forma) desfigurado **2** (fisionomia) desfigurado **3** (fato) tergiversado
desfigurar *v.* **1** (figura, forma) desfigurar, deformar **2** (feições) desfigurar **3** (fatos) desfigurar, tergiversar ▪ **desfigurar-se** desfigurarse
desfilar *v.* (tropas, modelo) desfilar
desfile *s.m.* desfile
desflorestamento *s.m.* deforestación*f.*
desflorestar *v.* deforestar
desfocar *v.* desenfocar
desforrar-se *v.* desquitarse (de, de), vengarse (de, de)
desfrisar *v.* (cabelo) desrizar, alisar
desfrutar *v.* disfrutar
desgarrar *v.* (navio) desviar del rumbo ▪ **desgarrar-se** (navio) destorcerse
desgastar *v.* **1** (material) desgastar **2** (roupa) desgastar, gastar **3** (pessoa) desgastar, cansar ▪ **desgastar-se** desgastarse
desgaste *s.m.* **1** desgaste **2** (pessoa) desgaste, cansancio
desgostar *v.* **1** desagradar **2** disgustar ▪ **desgostar-se** disgustarse
desgosto *s.m.* disgusto
desgostoso *adj.* disgustado
desgovernado *adj.* **1** (animal, veículo) desbocado, descontrolado **2** (pessoa) derrochador, disipador
desgovernar *v.* **1** (país) desgobernar **2** (dinheiro) derrochar, disipar ▪ **desgovernar se** descontrolarse
desgraça *s.f.* desgracia
desgraçad|o, -a *s.m.,f.* desgraciad|o, -a, desdichad|o, -a ▪ *adj.* **1** *(infeliz)* desgraciado **2** pobre **3** *col.* (calor, fome) tremendo
desgraçar *v.* desgraciar ▪ **desgraçar-se** desgraciarse
desgravar *v.* (disco, cassete) desgrabar, borrar
desgrenhar *v.* desgreñar, despeinar
desgrudar *v.* **1** despegarse (de, de) **2** *(descolar)* despegar
desidratação *s.f.* deshidratación
desidratar *v.* deshidratar ▪ **desidratar-se** deshidratarse
design *s.m.* (*pl.* designs) diseño
designar *v.* **1** *(denominar)* designar, denominar **2** (cargo, função) designar, nombrar
designer *s.2g.* (*pl.* designers) diseñador, -a*m.f.*
desigual *adj.2g.* desigual
desigualdade *s.f.* desigualdad
desiludir *v.* desilusionar, decepcionar, defraudar ▪ **desiludir se** desilusionarse, decepcionarse
desilusão *s.f.* desilusión, decepción
desimpedido *adj.* **1** libre **2** *col.* (pessoa) libre, soltero
desimpedir *v.* desobstruir
desincentivar *v.* desincentivar

desinchar *v.* **1** *(perder inchaço)* deshincharse **2** *(desinflamar)* desinflamarse
desinência *s.f.* desinencia
desinfestar *v.* desinsectar
desinfetante *adj.2g.,s.m.* desinfectante
desinfetar *v.* desinfectar
desinformar *v.* desinformar
desinibido *adj.* desinhibido
desinibir *v.* desinhibir ▪ **desinibir se** deshinibirse
desinquietar *v.* inquietar
desinstalar *v.* desinstalar
desintegrar *v.* desintegrar, disgregar ▪ **desintegrar se** desintegrarse, disgregarse
desinteressar-se *v.* desinteresarse (por, de)
desinteresse *s.m.* **1** *(indiferença)* desinterés, indiferencia*f.* **2** *(desapego)* desinterés, desapego, generosidad*f.*
desintoxicação *s.f.* desintoxicación
desintoxicar *v.* desintoxicar ▪ **desintoxicar-se** desintoxicarse
desistência *s.f.* **1** desistencia, desistimiento*m.* **2** renuncia
desistir *v.* desistir (de, de)
desleal *adj.2g.* desleal
deslealdade *s.f.* deslealtad
desleixado *adj.* dejado, descuidado, negligente
desleixar-se *v.* dejarse, descuidarse, abandonarse
desleixo *s.m.* descuido, dejadez*f.*, abandono
desligar *v.* **1** (aparelho) desconectar, apagar **2** (da tomada) desenchufar **3** (telefone) colgar **4** (luz) apagar
deslizante *adj.2g.* **1** deslizante **2** *(escorregadio)* resbaladizo, deslizante
deslizar *v.* **1** *(escorregar)* resbalar **2** deslizar
deslize *s.m.* **1** *(escorregadela)* desliz, resbalón **2** *fig.* desliz, lapsus*2n.*
deslocado *adj.* **1** (articulação, osso) dislocado **2** (crítica) inoportuno **3** (pessoa) desplazado
deslocar *v.* **1** desplazar, mover **2** (objeto, móvel) cambiar, trasladar **3** (osso, membro) dislocar ▪ **deslocar-se** desplazarse, moverse
deslumbrante *adj.2g.* deslumbrante
deslumbrar *v.* **1** (luz) deslumbrar, ofuscar **2** *(maravilhar)* deslumbrar, fascinar ▪ **deslumbrar-se** deslumbrarse
desmagnetizar *v.* desmagnetizar ▪ **desmagnetizar se** desmagnetizarse
desmaiado *adj.* **1** (pessoa) desmayado **2** (cor) desmayado, apagado **3** (som) imperceptible
desmaiar *v.* (pessoa) desmayarse
desmaio *s.m.* desmayo
desmamar *v.* destetar
desmancha-prazeres *s.2g.2n.* aguafiestas
desmanchar *v.* **1** (nó) desanudar **2** (namoro, noivado) romper **3** (máquina) desmontar **4** *(desfazer)* deshacer ▪ **desmanchar se** **1** (nó) desanudarse **2** (máquina) desmontarse **3** *(desfazer-se)* deshacerse
desmantelar *v.* **1** (aparelho, sistema) desmantelar, desmontar **2** (construção) desmantelar, demoler **3** (grupo, organização) desarticular, desmantelar ▪ **desmantelar-se** **1** (construção) desmoronarse **2** (aparelho, sistema) desmontarse **3** (grupo) desintegrarse
desmaquiar *v.* desmaquillar
desmarcar *v.* (compromisso) cancelar, anular ▪ **desmarcar se** desmarcarse
desmascarar *v.* desenmascarar ▪ **desmascarar-se** desenmascararse
desmatamento *s.m.* deforestación*f.*
desmazelado *adj.* dejado, descuidado, negligente
desmazelar-se *v.* dejarse, descuidarse
desmembrar *v.* desmembrar ▪ **desmembrar-se** desmembrarse
desmentir *v.* desmentir, refutar
desmerecer *v.* desmerecer
desmilitarizar *v.* desmilitarizar
desmiolado *adj. col.* descerebrado, insensato
desmistificar *v.* **1** desmitificar **2** *(desmascarar)* desenmascarar
desmobilizar *v.* desmovilizar, licenciar
desmontar *v.* **1** (de cavalo) desmontar(se) **2** (peça, máquina) desmontar, desarmar **3** (tenda) desarmar
desmontável *adj.2g.* desmontable
desmoralizar *v.* desmoralizar
desmoronamento *s.m.* desmoronamiento, derrumbamiento
desmoronar *v.* desmoronar, derrumbar ▪ **desmoronar-se** desmoronarse, derrumbarse
desmotivação *s.f.* desmotivación
desmotivante *adj.2g.* desalentador, desmotivante
desmotivar *v.* desmotivar ▪ **desmotivar-se** desmotivarse
desnatado *adj.* desnatado, descremado
desnatar *v.* desnatar, descremar
desnaturado *adj.* inhumano, cruel
desnecessário *adj.* innecesario
desnível *s.m.* desnivel
desnivelar *v.* **1** desnivelar **2** *fig.* distinguir
desnorteado *adj.* desorientado, sin rumbo
desnortear *v.* desorientar ▪ **desnortear-se** desorientarse
desnudar *v.* desnudar, desvestir ▪ **desnudar se** desnudarse, desvestirse
desnutrição *s.f.* desnutrición
desnutrido *adj.* desnutrido
desobedecer *v.* desobedecer (a, -)
desobediência *s.f.* desobediencia
desobediente *adj.2g.* desobediente, insubordinado, insumiso
desobrigar *v.* (obrigação) eximir (de, de), liberar (de, de)
desobstruir *v.* desobstruir
desocupar *v.* desocupar

desodorante *s.m.* desodorante
desolado *adj.* **1** (pessoa) desolado, triste **2** (lugar) desolado, despoblado, deshabitado
desolar *v.* **1** (pessoa) desolar, apenar **2** (lugar) asolar, desolar, devastar
desonestidade *s.f.* deshonestidad, deslealtad
desonesto *adj.* deshonesto, desleal
desonra *s.f.* deshonra, deshonor *m.*
desonrar *v.* deshonrar, infamar
desordem *s.f.* desorden *m.*
desordenar *v.* desordenar ■ **desordenar-se** desordenarse
desorganização *s.f.* desorganización
desorganizar *v.* desorganizar, desordenar ■ **desorganizar se** desorganizarse
desorientar *v.* desorientar ■ **desorientar se** desorientarse
desossar *v.* (animal) deshuesar
desovar *v.* desovar, frezar
despachado *adj.* **1** (assunto, problema) resuelto, terminado **2** (pessoa) desenvuelto, expedito
despachar *v.* **1** (encomenda, cartas) despachar, enviar **2** (bagagem) facturar **3** (assunto) despachar **4** (cliente) despachar, atender ■ **despachar se** apresurarse
desparasitar *v.* desparasitar
despedaçar *v.* despedazar ■ **despedaçar se** despedazarse
despedida *s.f.* despedida, adiós *m.* ◆ **despedida de solteiro** despedida de soltero
despedir *v.* despedir ■ **despedir se 1** (de uma pessoa) despedirse (de, de); *despedir-se de alguém* despedirse de alguien **2** (de um emprego) despedirse (de, de)
despegar *v.* despegar, desprender, separar ■ **despegar se** despegarse, desprenderse
despeitado *adj.* despechado, ofendido
despeitar *v.* despechar, ofender
despeito *s.m.* despecho ◆ **a despeito de** a despecho de
despejar *v.* **1** (inquilino) desalojar, desahuciar **2** (líquido) verter **3** (lugar) vaciar, evacuar
despenalizar *v.* despenalizar
despencar *v.* caer (de, de)
despenhadeiro *s.m.* despeñadero, precipicio, derrumbadero
despenhar *v.* despeñar, precipitar ■ **despenhar se** despeñarse, precipitarse
despensa *s.f.* despensa; (armário) alacena
despentear *v.* despeinar ■ **despentear se** despeinarse
despercebido *adj.* desapercibido
desperdiçar *v.* **1** (tempo) malgastar **2** (dinheiro) derrochar, desperdiciar **3** (ocasião, oportunidade) desperdiciar, desaprovechar
desperdício *s.m.* **1** (dinheiro, tempo) desperdicio; (dinheiro) derroche **2** (oportunidade) desperdicio, desaprovechamiento ■ **desperdícios** *s.m.pl.* desperdicios
despertador *s.m.* despertador
despertar *v.* **1** despertarse **2** despertar
despesa *s.f.* gasto *m.*; *arcar com as despesas* correr con los gastos
despido *adj.* **1** desnudo **2** (lugar) vacío
despir *v.* desnudar, desvestir ■ **despir se 1** desnudarse, desvestirse **2** *(despojar-se)* desnudarse (de, de), desprenderse (de, de)
despistar *v.* **1** (polícia) despistar **2** *(desorientar)* despistar, desorientar, confundir **3** *(enganar)* engañar, burlar ■ **despistar-se** despistarse
desplante *s.m.* desplante, descaro
despolarizar *v.* FÍS. despolarizar; *fig.* desorientar
despoluir *v.* descontaminar
despontar *v.* **1** (dia) despuntar **2** (planta) despuntar, echar brotes
desposar *v.* desposarse (com, con), casarse (com, con)
despovoado *adj.* despoblado, deshabitado ■ *s.m.* despoblado, desierto
despovoar *v.* (lugar) despoblar
desprazer *s.m.* desagrado, descontento, disgusto ■ *v.* desagradar, disgustar
despregar *v.* **1** *(separar)* despegar **2** *(tirar)* quitar, desprender **3** (pregos) desclavar ■ **despregar-se** despegarse
desprender *v.* desprender, soltar ■ **desprender-se** desprenderse, soltarse
despreocupar *v.* despreocuparse
desprestigiar *v.* desprestigiar
desprevenido *adj.* desprevenido
desprezado *adj.* despreciado
desprezar *v.* despreciar
desprezível *adj.2g.* despreciable
desprezo *s.m.* desprecio
despromover *v.* rebajar de categoría; degradar
desproporcional *adj.* desproporcionado
desproteger *v.* desproteger
desprotegido *adj.* **1** *(sem proteção)* desprotegido, sin protección **2** *(abandonado)* abandonado, desamparado
desprover *v.* desproveer (de, de), privar (de, de)
desprovido *adj.* desprovisto (de, de)
desqualificar *v.* (concurso, competição) descalificar
desquitar-se *v.* (cônjuges) separarse
desquite *s.m.* separación *f.* (matrimonial)
desregrado *adj.* desregulado
desrespeitar *v.* **1** (pessoa) faltar (tratar sin respeto a una persona); *não desrespeites a tua mãe* no faltes a tu madre **2** (lei) infringir
desrespeito *s.m.* **1** falta *f.* de respeto **2** desacato
desresponsabilizar *v.* eludir responsabilidades
dessalgar *v.* desalar
desse *contr. da prep.* de + *pron.dem.m.* esse de ese

destacamento *s.m.* MIL. destacamento
destacar *v.* **1** destacar, sobresalir, subrayar **2** MIL. destacar **3** (funcionário) destinar ■ **destacar se** destacarse
destacável *adj.2g.* separable; de quita y pon ■ *s.m.* suplemento, separata*f.*
destapar *v.* destapar
destaque *s.m.* relieve
deste *contr. da prep.* de + *pron.dem.m.* este de este
destemido *adj.* intrépido
desterrar *v.* desterrar, exiliar
destilar *v.* destilar
destilaria *s.f.* destilería
destinar *v.* destinar ■ **destinar-se** estar destinado (a, a)
destinatári|o, -a *s.m.,f.* **1** destinatari|o, -a **2** receptor, -a
destino *s.m.* **1** *(sina)* destino, sino **2** (local, viagem) destino **3** *(finalidade)* destino, fin
destituir *v.* destituir
destoar *v.* **1** desentonar **2** MÚS. desentonar, desafinar
destrambelhado *adj. pop.* chiflado, alocado
destrancar *v.* (porta, janela) desatrancar
destravar *v.* **1** (veículo) soltar el freno **2** (porta, janela) abrir
destreinado *adj.* desentrenado
destreinar-se *v.* desentrenarse
destreza *s.f.* destreza, maña
destrinchar *v.* **1** desmenuzar, deslindar **2** distinguir, discernir
destro *adj.* **1** (pessoa) diestro **2** *(ágil)* diestro, ágil, hábil
destroçar *v.* destrozar
destróier *s.m.* cazatorpedero, contratorpedero
destronar *v.* destronar
destroncar *v.* (articulação, osso) dislocar
destruição *s.f.* destrucción
destruído *adj.* destruído
destruir *v.* destruir
desumanizar *v.* deshumanizar ■ **desumanizar se** deshumanizarse
desumano *adj.* inhumano, cruel
desunião *s.f.* **1** desunión, separación **2** *fig.* desunión, discordia
desunir *v.* **1** *(separar)* desunir **2** *fig.* desunir, causar discordia
desuso *s.m.* desuso; *cair em desuso* caer en desuso
desvairado *adj.* trastornado, desquiciado
desvairar *v.* desvariar
desvalorização *s.f.* devaluación, desvalorización
desvalorizar *v.* **1** devaluarse, desvalorizarse **2** devaluar, desvalorizar
desvanecer *v.* desvanecer, disipar ■ **desvanecer-se** **1** desvanecerse **2** envanecerse; *(ficar orgulhoso)* enorgullecerse
desvanecimento *s.m.* desvanecimiento
desvantagem *s.f.* desventaja
desvantajoso *adj.* desventajoso
desvencilhar *v.* desvencijar, desenmarañar, desenredar ■ **desvencilhar-se** desenredarse (de, de), librarse (de, de)
desvendar *v.* **1** (olhos) desvendar **2** *(revelar)* descubrir, revelar **3** (segredo) desvelar, revelar
desvestir *v.* desvestir, desnudar
desviar *v.* desviar ■ **desviar se** desviarse (de, de)
desvincular *v.* desvincular ■ **desvincular-se** desvincularse (de, de)
desvio *s.m.* **1** desvío, desviación*f.* **2** (avião) secuestro **3** (estrada) desvío **4** (dinheiro) desvío
detalhar *v.* detallar, pormenorizar
detalhe *s.m.* detalle, pormenor
detectar *v.* detectar
detector *s.m.* detector
detenção *s.f.* **1** *(parada)* detención, parada **2** DIR. detención, arresto*m.*
deter *v.* **1** *(fazer parar)* detener **2** *(prender)* detener, arrestar **3** *(possuir)* poseer
detergente *s.m.* (da louça) lavavajillas*2n.*
deteriorar *v.* deteriorar ■ **deteriorar-se** deteriorarse
determinação *s.f.* **1** *(definição)* determinación, definición **2** *(decisão)* determinación, decisión
determinar *v.* **1** *(definir)* determinar, definir **2** *(establecer)* determinar, establecer **3** *(decidir)* determinar, decidir **4** *(causar)* determinar, causar
detestar *v.* detestar, odiar, aborrecer
detestável *adj.2g.* detestable, odioso, aborrecible;
detetive *s.2g.* detective
detid|o, -a *s.m.,f.* DIR. detenid|o, -a ■ *adj.* **1** DIR. detenido **2** (trânsito) detenido, parado
detonador *s.m.* detonador
detonar *v.* detonar
detrás *adv.* **1** (espaço) detrás **2** (tempo) después ♦ **detrás de** detrás de; **por detrás de** por detrás de
detrito *s.m.* detritus*2n.*, detrito ■ **detritos** *s.m.pl.* vertidos
deturpar *v.* **1** (palavras, acontecimentos) tergiversar **2** *(desfigurar)* deformar, desfigurar
deus, -a *s.m.,f.* dios, -a
Deus *s.m.* Dios ♦ **Deus queira!** ¡ojalá!; **meu Deus!** ¡Dios mío!; **pelo amor de Deus!** ¡por Dios!; **se Deus quiser** si Dios quiere
deus-dará *s.m.* acaso ♦ **ao deus-dará** a la buena de Dios
devagar *adv.* despacio
devassado *adj.* DIR. procesado; investigado
devass|o, -a *adj.,s.m.,f.* libertin|o, -a
devastar *v.* devastar, asolar, destruir
devedor, -a *s.m.,f.* deudor, -a
dever *s.m.* **1** deber, obligación*f.*; *cumprir os seus deveres* cumplir con sus deberes **2** *(tarefa)* deber; *fazer o dever (de casa)* hacer el deber ■ *v.* **1** deber, tener

deudas **2** deber ▪ **dever-se** deberse (a, a); *isso deve-se ao mau tempo* eso se debe al mal tiempo ♦ (obrigação moral) **dever** [+*inf.*] deber [+*inf.*], tener que [+*inf.*], haber de [+*inf.*]; *deve obedecer aos mais velhos* debes obedecer a los mayores; *ele devia ir ao médico* él debería ir al médico; (probabilidade) **dever** [+*inf.*] deber de [+*inf.*]; *ele ainda não deve ter chegado* él todavía no debe de haber llegado; *ela deve estar em casa* ella debe de estar en casa

devidamente *adv.* debidamente

devido *adj.* debido ♦ **devido a** debido a

devoção *s.f.* **1** REL. devoción **2** *(dedicação)* devoción, dedicación, afición

devolução *s.f.* devolución

devoluto *adj.* desocupado; deshabitado

devolver *v.* devolver, restituir

devorar *v.* devorar

devotar *v.* consagrar, dedicar ▪ **devotar-se** consagrarse (a, a), dedicarse (a, a)

devot|o, -a *adj.,s.m.,f.* devot|o, -a

dez *s.m.* diez

dezembro *s.m.* diciembre

dezena *s.f.* decena

dezenove *s.m.* diecinueve

dezesseis *s.m.* dieciséis

dezessete *s.m.* diecisiete

dezoito *s.m.* dieciocho

dia *s.m.* dia ♦ **de um dia para o outro** de la noche a la mañana; **dia sim, dia não** un día sí y otro no; **dia útil** día laborable; **em dia** al día; **mais dia, menos dia** tarde o temprano; **nos dias de hoje** hoy en día, en nuestros días, actualmente; **todo santo dia** todos los días; **um dia daqueles** uno de esos días; **bom dia!** ¡buenos días!, ¡buen día! AM.

diabetes *s.f.2n.* diabetes

diabétic|o, -a *adj.,s.m.,f.* diabétic|o, -a

diabo *s.m.* diablo, demonio ▪ *interj.* ¡diablos!; ¡demonios! ♦ **estar o diabo à solta** andar el diablo suelto; *col.* **como o diabo** como el diablo; mucho; *col.* **dos diabos** del diablo/de mil diablos; *está um frio dos diabos* hace un frío de mil diablos; **enquanto o diabo esfrega um olho** en un abrir y cerrar de ojos; **estar com o diabo no corpo** tener el diablo en el cuerpo; **falando no diabo, aparece o rabo** hablando del rey de Roma, por la puerta asoma; **o diabo a quatro** escándalo; *col.* **que diabo!** ¡diablos!

Diabo *s.m.* Diablo

diabólico *adj.* diabólico

diadema *s.m.* diadema*f.*, tiara*f.*

diafragma *s.m.* diafragma

diagnosticar *v.* **1** (doença) diagnosticar **2** (problema, situação) analizar

diagnóstico *s.m.* **1** diagnóstico **2** (problema, situação) análisis*2n.*

diagonal *adj.2g.,s.f.* diagonal ♦ **na diagonal** en diagonal

dialeto *s.m.* dialecto

diálise *s.f.* **1** QUÍM. diálisis*2n.* **2** MED. *(hemodiálise)* hemodiálisis*2n.*, diálisis*2n.*

dialogar *v.* dialogar

diálogo *s.m.* diálogo ♦ *col.* **diálogo de surdos** diálogo de sordos

diamante *s.m.* diamante

diâmetro *s.m.* diámetro

diante *adv.* **1** (posicionamento) delante **2** *(perante)* delante, ante ♦ **diante de** delante de; **de hoje em diante** de hoy en adelante; **para diante** adelante; **por diante** en adelante

dianteira *s.f.* **1** *(frente)* delantera; *a dianteira do carro* la delantera del coche **2** *(vanguarda)* delantera; *tomar a dianteira* tomar la delantera

diária *s.f.* precio*m.* por día

diário *adj.* diario, cotidiano ▪ *s.m.* **1** (livro) diario **2** (jornal) diario, periódico ♦ **diário de bordo** cuaderno de bitácora

diarreia *s.f.* diarrea

dica *s.f.* **1** *col.* indicación, información **2** *col. (informação nova)* pista **3** *col.* consejo*m.* (práctico) **4** *col.* sugerencia

dicção *s.f.* dicción

dicionário *s.m.* diccionario

dicionarizar *v.* **1** registrar (en diccionario) **2** organizar (en forma de diccionario)

didática *s.f.* didáctica

didático *adj.* didáctico

diesel *s.m.* diésel

dieta *s.f.* dieta, régimen*m.*

dietético *adj.* dietético

difamação *s.f.* difamación

difamar *v.* difamar, desacreditar, calumniar

diferença *s.f.* diferencia ♦ **não faz diferença** no importa

diferençar *v.* diferenciar, distinguir

diferencial *adj.2g.* diferencial ▪ *s.f.* MAT. diferencial ▪ *s.m.* MEC. diferencial

diferenciar *v.* diferenciar, distinguir ▪ **diferenciar-se** diferenciarse, distinguirse

diferendo *s.m.* desacuerdo, diferendo [AM.]

diferente *adj.2g.* diferente, distinto

diferir *v.* **1** *(ser diferente)* diferir, distinguirse **2** *(adiar)* diferir, aplazar, retrasar **3** (opiniões) diferir (de, de), discordar (de, de)

difícil *adj.2g.* difícil ♦ **fazer-se de difícil** hacerse difícil

dificuldade *s.f.* dificultad

dificultar *v.* dificultar

difteria *s.f.* MED. difteria

difundir *v.* **1** *(divulgar)* difundir, divulgar, propagar **2** *(espalhar)* extender, esparcir ▪ **difundir se** difundirse

difusão *s.f.* **1** *(divulgação)* difusión, divulgación, propagación **2** TV. emisión **3** FÍS. difusión

digerir *v.* **1** (alimentos) digerir **2** *fig.* digerir, asimilar

digestão *s.f.* digestión

digestivo *adj.* digestivo ▪ *s.m.* licor digestivo

digestório *adj.* digestivo
digital *adj.2g.* **1** (dedos) dactilar, digital **2** (aparelho, instrumento) digital
digitalização *s.f.* INFORM. digitalización; (com scanner) escaneo*m.*
digitalizar *v.* INFORM. digitalizar; (com scanner) escanear
digitar *v.* **1** (computador) teclear **2** (número de telefone) marcar
dígito *s.m.* dígito
dignar-se *v.* dignarse (a, a); *ele não se dignou a aparecer* él no se dignó a aparecer
dignidade *s.f.* dignidad
digno *adj.* **1** digno (de, de), merecedor (de, de); *digno de confiança* digno de confianza **2** digno, honrado
dilacerar *v.* **1** *(despedaçar)* dilacerar, despedazar; *(rasgar)* romper **2** *fig.* afligir **3** *fig.* (reputação) difamar, desacreditar
dilapidar *v.* **1** *(esbanjar)* dilapidar, derrochar, despilfarrar **2** *(arruinar)* arruinar, destruir
dilatação *s.f.* dilatación, alargamiento*m.*
dilatar *v.* **1** dilatar **2** (prazo) prorrogar, dilatar, diferir ■ **dilatar se** dilatarse
dilema *s.m.* dilema
diligência *s.f.* diligencia
diligente *adj.2g.* **1** *(cuidadoso)* diligente, cuidadoso, aplicado **2** *(rápido)* diligente, rápido
diluir *v.* diluir, disolver ■ **diluir-se** diluirse, disolverse
dilúvio *s.m.* diluvio
dimensão *s.f.* dimensión ♦ **em três dimensões** en tres dimensiones
dimensionar *v.* dimensionar
diminuição *s.f.* **1** disminución, reducción **2** (velocidade) reducción **3** MAT. resta, sustracción
diminuir *v.* **1** disminuir **2** *(reduzir)* disminuir, reducir **3** (preço) bajar **4** restar, sustraer
diminutivo *adj.,s.m.* diminutivo
Dinamarca *s.f.* Dinamarca
dinamarqu|ês, -esa *adj.,s.m.,f.* dan|és, -esa, dinamarqu|és, -esa ■ **dinamarquês** *s.m.* (língua) danés, dinamarqués
dinâmica *s.f.* dinámica
dinâmico *adj.* **1** dinámico **2** *fig.* dinámico, activo
dinamismo *s.m.* dinamismo
dinamitar *v.* dinamitar
dinamite *s.f.* dinamita
dinamizar *v.* dinamizar
dinastia *s.f.* dinastía
dinheiro *s.m.* dinero ♦ (pagamento) **em dinheiro** en efectivo; **fazer dinheiro** hacer dinero
dinossauro *s.m.* dinosaurio
diocese *s.f.* diócesis*2n.*
diploma *s.m.* diploma
diplomacia *s.f.* diplomacia
diplomata *s.2g.* diplomátic|o, -a*m.f.*
diplomático *adj.* diplomático
direção *s.f.* **1** *(sentido)* dirección, rumbo*m.*, sentido*m.*; *em direção a* en dirección a, rumbo a **2** (associação, empresa, etc.) dirección, administración, gestión **3** *(orientação)* dirección **4** MEC. dirección; *direção hidráulica* dirección asistida
direcionar *v.* dirigir (para, a)
direita *s.f.* **1** derecha **2** POL. derecha ♦ **à direita** a la derecha; **às direitas** a derechas
direito *adj.* **1** *(destro)* derecho **2** *(reto)* derecho, recto **3** *(certo)* correcto **4** (pessoa) íntegro, recto, honesto ■ *s.m.* **1** derecho **2** (ciência, curso) derecho ■ *adv.* derecho ■ **direitos** *s.m.pl.* derechos ♦ **direitos humanos** derechos humanos
direto *adj.* directo ■ *adv.* derecho
diretor, -a *s.m.,f.* director, -a
diretoria *s.f.* **1** junta directiva **2** (cargo) dirección
diretório *s.m.* directorio
diretriz *s.f.* directriz
dirigente *s.2g.* dirigente
dirigir *v.* **1** conducir **2** (atividade, negócio) dirigir **3** (olhar, atenção) dirigir **4** (veículo) conducir ■ **dirigir se 1** (a alguém) dirigirse (a, a) **2** (a lugar) dirigirse (a, a); *dirija-se às informações* diríjase a información
dirigível *s.m.* dirigible
discar *v.* marcar (un número); *discar um número no telefone* marcar un número en el teléfono
discente *adj.2g.* discente
discernimento *s.m.* discernimiento
discernir *v.* discernir, distinguir
disciplina *s.f.* **1** (escola, universidade) asignatura, disciplina **2** *(ordem)* disciplina
disciplinar *adj.2g.* disciplinario, disciplinar ■ *v.* disciplinar
discípul|o, -a *s.m.,f.* discípul|o, -a
disco *s.m.* **1** disco **2** (atletismo) disco ♦ **disco voador** platillo volante/volador; *col.* **mudar/trocar de disco** cambiar el disco; *col.* **parecer um disco riscado** parecer un disco rayado
discografia *s.f.* discografía
discordar *v.* discordar, discrepar, divergir
discórdia *s.f.* discordia
discorrer *v.* (assunto, tema) disertar (sobre, sobre), hablar (sobre, sobre)
discoteca *s.f.* discoteca
discrepância *s.f.* discrepancia, discordancia, diferencia
discrepar *v.* **1** *(diferir)* discrepar (de, de), diferenciarse (de, de) **2** *(discordar)* discrepar (de, de), disentir (de, de), divergir (de, de)
discreto *adj.* **1** (pessoa, comportamento) discreto **2** (dor, sintoma) leve, ligero
discrição *s.f.* discreción, reserva ♦ **à discrição** a discreción
discriminação *s.f.* **1** discriminación **2** discernimiento*m.*

discriminar *v.* **1** (raça, sexo) discriminar **2** *(distinguir)* diferenciar, distinguir **3** (produto, fatura) detallar
discursar *v.* **1** *(fazer discurso)* pronunciar discursos **2** *(dissertar)* disertar (sobre, sobre); ***discursar sobre política*** disertar sobre política
discurso *s.m.* discurso
discussão *s.f.* **1** *(debate)* discusión, debate*m.*, polémica **2** *(briga)* discusión, altercado*m.*, pelea
discutir *v.* **1** discutir (com, con); ***discutir com alguém*** discutir con alguien **2** discutir, debatir **3** *(brigar)* discutir, pelear
discutível *adj.2g.* discutible
disfarçar *v.* **1** disimular **2** *(mascarar)* disfrazar **3** (voz) cambiar, modificar **4** *fig.* disfrazar, disimular ▪ **disfarçar se** disfrazarse (de, de); ***disfarçar-se de pirata*** disfrazarse de pirata
disfarce *s.m.* **1** (roupa, máscara) disfraz **2** *(dissimulação)* disimulación*f.*
disjuntor *s.m.* cortacircuitos*2n.*
disparar *v.* **1** (pessoa) salir apresuradamente **2** (arma de fogo) disparar **3** (arma de fogo) dispararse **4** (preços) dispararse
disparatar *v.* disparatar, decir disparates
disparate *s.m.* disparate
dispendioso *adj.* dispendioso, caro, costoso
dispensa *s.f.* **1** *(isenção)* exención **2** *(autorização)* permiso*m.* **3** DIR. dispensa
dispensar *v.* **1** (dever, obrigação) dispensar (de, de) **2** *(prescindir)* prescindir (de, de) **3** *(ceder, emprestar)* prestar, dejar
dispensável *adj.2g.* dispensable, innecesario
dispersão *s.f.* dispersión
dispersar *v.* **1** dispersarse **2** dispersar ▪ **dispersar--se** dispersarse
disperso *adj.* disperso
displicência *s.f.* displicencia
displicente *adj.2g.* displicente, desagradable
disponibilidade *s.f.* disponibilidad; ***ter disponibilidade para*** tener disponibilidad para ▪ **disponibilidades** *s.f.pl.* (dinheiro, bens) disponibilidades
disponibilizar *v.* hacer disponible ▪ **disponibilizar--se** ofrecerse (para, a); ***disponibilizar-se para ajudar*** ofrecerse a ayudar
disponível *adj.2g.* disponible
dispor *v.* **1** disponer (de, de) **2** disponer ▪ **dispor--se** disponerse (a, a) ▪ *s.m.* disposición*f.*; ***ao seu dispor*** a su disposición
disposição *s.f.* disposición ♦ **à disposição de** a la disposición de; **estar com a disposição de** estar dispuesto a
dispositivo *s.m.* dispositivo ♦ **dispositivo intrauterino (DIU)** dispositivo intrauterino (DIU)
disposto (*p.p. de* dispor) *adj.* dispuesto (a, a); ***ela está disposta a ajudar*** ella está dispuesta a ayudar ♦ **bem disposto/maldisposto** bien/mal dispuesto
disputa *s.f.* disputa
disputar *v.* disputar
disquete *s.m.* disquete
dissecar *v.* diseccionar
disseminação *s.f.* diseminación, dispersión
disseminar *v.* **1** *(espalhar)* diseminar, esparcir **2** *(divulgar)* difundir, divulgar ▪ **disseminar-se** diseminarse
dissentir *v.* disentir (de, de), discordar (de, de)
dissertação *s.f.* **1** tesina, tesis*2n.* **2** *(discurso)* disertación
dissertar *v.* disertar (sobre, sobre)
dissimular *v.* **1** *(fingir)* disimular, disfrazar **2** *(ocultar)* disimular, ocultar
dissipar *v.* **1** disipar **2** (fortuna, dinheiro) disipar, derrochar ▪ **dissipar se** (nevoeiro) disiparse
disso *contr. da prep.* de + *pron.dem.* isso de eso
dissociar *v.* disociar
dissolução *s.f.* **1** (organização) disolución, extinción **2** (acordo) disolución, anulación **3** QUÍM. disolución, solución
dissolvente *s.m.* disolvente
dissolver *v.* **1** (substância) disolver **2** (acordo) disolver, anular ▪ **dissolver-se** disolverse
dissonância *s.f.* **1** MÚS. disonancia **2** *fig.* disonancia, discordancia
dissuadir *v.* disuadir (de, de); ***dissuadir alguém de algo*** disuadir a alguien de algo
distância *s.f.* distancia ♦ **a distância** a distancia; **distância de segurança** distancia de seguridad
distanciar *v.* distanciar, alejar ▪ **distanciar-se** distanciarse (de, de), alejarse (de, de)
distante *adj.2g.* **1** distante, lejano, apartado **2** *fig.* (pessoa) distante, frío
distender *v.* **1** dilatar **2** expandir **3** estirar
distensão *s.f.* distensión
dístico *s.m.* **1** LIT. dístico **2** *(letreiro)* letrero
distinção *s.f.* **1** *(diferença)* distinción, diferencia **2** *(elegância)* distinción, elegancia
distinguir *v.* distinguir ▪ **distinguir-se 1** *(diferenciar-se)* distinguirse (por, por), diferenciarse (por, por) **2** *(destacar-se)* distinguirse (em, en)
distintivo *s.m.* distintivo; (de polícia) placa*f.*, chapa*f.*
distinto *adj.* **1** *(diferente)* distinto, diferente **2** *(ilustre)* distinguido
disto *contr. da prep.* de + *pron.dem.* isto de esto
distorção *s.f.* distorsión
distorcer *v.* **1** (imagem, som) distorsionar, deformar **2** (fato, verdade) distorsionar
distração *s.f.* **1** *(descuido)* despiste*m.*, distracción **2** *(divertimento)* distracción, entretenimiento*m.*
distrair *v.* **1** (atenção) distraer **2** *(divertir)* distraer, entretener ▪ **distrair se 1** (atenção) distraerse **2** *(divertir-se)* distraerse, entretenerse
distribuição *s.f.* **1** distribuición **2** reparto*m.* **3** (abastecimento de água, gás) suministro*m.*
distribuidor, -a *s.m.,f.* distribuidor, -a ▪ **distribuidor** *s.m.* delco, distribuidor (del encendido)
distribuir *v.* **1** distribuir **2** repartir

distrito *s.m.* distrito
distúrbio *s.m.* **1** disturbio **2** trastorno
ditado *s.m.* **1** dictado **2** *(provérbio)* dicho, refrán, proverbio; *como diz o ditado...* como dice el refrán...
ditador, -a *s.m.,f.* dictador, -a
ditadura *s.f.* dictadura
ditar *v.* (texto) dictar
dito (*p.p. de* dizer) *adj.* dicho ▪ *s.m.* **1** dicho **2** *(provérbio)* dicho, refrán ♦ **dar o dito por não dito** decir donde dije digo, digo Diego; **dito e feito** dicho y hecho
dito-cujo *s.m.* (*pl.* ditos-cujos) fulano, individuo
ditongo *s.m.* diptongo
DIU (*sigla de* Dispositivo Intrauterino) DIU (*sigla de* Dispositivo Intrauterino)
diurese *s.f.* MED. diuresis *2n.*
diurético *s.m.* diurético
diurno *adj.* diurno
diva *s.f.* diva
divã *s.m.* diván
divagação *s.f.* divagación
divagar *v.* **1** (falando, pensando) divagar **2** (andando) divagar, errar, deambular
divergência *s.f.* **1** (linhas) divergencia **2** (opiniões) divergencia, discordancia
divergir *v.* **1** (linhas) divergir **2** (opiniões) divergir, disentir
diversão *s.f.* diversión, distracción, entretenimiento *m.*
diversidade *s.f.* diversidad
diversificar *v.* diversificar ▪ **diversificar-se** diversificarse
diverso *adj.* diverso, diferente
divertido *adj.* divertido
divertimento *s.m.* diversión *f.*, entretenimiento, divertimiento
divertir *v.* divertir, entretener, distraer ▪ **divertir-se** divertirse, entretenerse, distraerse; *diverti-me imenso* me he divertido muchísimo
dívida *s.f.* **1** deuda, débito *m.* **2** (moral) deuda **3** deber *m.*
dividir *v.* **1** dividir **2** (tarefas, despesas) repartir **3** MAT. dividir ▪ **dividir se** dividirse
divindade *s.f.* divinidad
divinizar *v.* divinizar
divino *adj.* **1** divino **2** *fig.* divino, magnífico
divisa *s.f.* **1** *(lema)* divisa, lema *m.* **2** galón *m.* ▪ **divisas** *s.f.pl.* divisas
divisão *s.f.* **1** división **2** (linha) divisoria; (parede) tabique *m.* **3** (tarefas, despesas) repartición **4** MAT. división **5** ESPOR. división **6** MIL. división
divisar *v.* **1** *(avistar)* divisar, avistar **2** (território, região) demarcar, delimitar
divisória *s.f.* **1** (linha) divisoria **2** (parede) tabique *m.*
divisório *adj.* divisorio
divorciad|o, -a *adj.,s.m.,f.* divorciad|o, -a
divorciar *v.* divorciar ▪ **divorciar se** divorciarse
divórcio *s.m.* divorcio
divulgação *s.f.* divulgación
divulgar *v.* **1** (notícia, boato) divulgar **2** *(difundir)* difundir **3** (obra) publicar ▪ **divulgar se** divulgarse
dizer *v.* **1** *(exprimir)* decir **2** *(afirmar)* decir, afirmar **3** (carta, cartaz) poner **4** *(garantir)* garantizar ▪ **dizer-se 1** decirse **2** considerarse ♦ **por assim dizer** por decirlo de alguna manera; **quer dizer** es decir
dizimar *v.* diezmar
DJ *sigla* (disc-jóquei) DJ (pinchadiscos; pincha)
DNA (*sigla de* ácido desoxirribonucleico) ADN (*sigla de* ácido desoxirribonucleico)
do *contr. da prep.* de + *art.def.m.* o del
dó *s.m.* **1** compasión *f.*, piedad *f.* **2** MÚS. do
doação *s.f.* donación
doador, -a *s.m.,f.* donante *2g.*
doar *v.* (bens, órgãos, sangue) donar
dobermann *s.m.* (*pl.* dobermanns) dóberman
dobra *s.f.* **1** (papel, tecido) pliegue *m.*, doblez *m.* **2** (calças) falso *m.* **3** (lençol) embozo *m.* **4** GEOL. plegamiento *m.*, pliegue *m.*
dobradiça *s.f.* bisagra, gozne *m.*
dobrar *v.* **1** *(duplicar-se)* duplicarse **2** (papel, tecido) doblar, plegar **3** (sino) doblar **4** (número, valor) doblar, duplicar **5** (braço, joelho) doblar **6** (arame) torcer, curvar **7** (esquina) doblar ▪ **dobrar se** doblarse
dobrável *adj.2g.* doblable
dobro *s.m.* doble
doca *s.f.* dársena
doce *adj.2g.* **1** (alimento) dulce **2** (água) dulce **3** *fig.* (pessoa) dulce, tierno, delicado ▪ *s.m.* **1** dulce, golosina *f.* **2** *(geleia)* mermelada *f.* ♦ *col.* **fazer doce** hacerse de rogar

> Não confundir com a palavra espanhola **doce** (*doze*).

docência *s.f.* **1** docencia **2** *(ensino)* enseñanza
docente *adj.,s.2g.* docente
doceria *s.f.* confitería
dócil *adj.2g.* **1** *(submisso)* dócil, sumiso **2** *(flexível)* flexible
documentação *s.f.* documentación
documentar *v.* documentar ▪ **documentar-se** documentarse (**sobre**, sobre)
documentário *s.m.* documental
documento *s.m.* documento ♦ **documento comprovativo** resguardo
doçura *s.f.* dulzura
dodô *s.m.* ZOOL. dodo
dodói *s.m. infant.* pupa *f.*, herida *f.* ▪ *adj.* enfermo
doença *s.f.* enfermedad
doente *s.2g.* **1** enferm|o, -a *m.f.* **2** paciente ▪ *adj.2g.* enfermo
doentio *adj.* **1** (pessoa) enfermizo **2** (clima) poco saludable, malsano **3** *pej.* (curiosidade, interesse) morboso, malsano

doer *v.* **1** (fisicamente) doler **2** (moralmente) doler, dar lástima
dogmatizar *v.* dogmatizar
doideira *s.f.* locura
doidice *s.f.* **1** *(loucura)* locura **2** *(disparate)* tontería, disparate*m.*, despropósito*m.*
doid|o, -a *adj.,s.m.,f.* loc|o, -a ♦ **ser doido varrido** estar loco perdido; **estar doido por alguém** estar loco por alguien
dois *s.m.* (*f.* duas) dos; ***os dois rapazes*** los dos chicos ♦ **dois a dois** de dos en dos; (produto) **dois em um** dos en uno; **somar dois mais dois** atar cabos
dólar *s.m.* dólar
dolo *s.m.* **1** *(fraude)* engaño, fraude **2** DIR. dolo **3** *(má-fé)* mala fe*f.*
doloroso *adj.* doloroso ♦ *col.* **a dolorosa** la dolorosa (la factura)
doloso *adj.* **1** fraudulento **2** DIR. doloso
dom *s.m.* **1** *(dádiva)* don, dádiva*f.*, regalo **2** *(talento)* don, talento, dotes*f. pl.* **3** (título honorífico) don
domador, -a *s.m.,f.* domador, -a
domar *v.* domar
doméstica *s.f.* **1** *(dona de casa)* ama de casa **2** *(empregada)* criada, muchacha, chacha*col.*
domesticar *v.* domesticar ■ **domesticar-se** domesticarse
doméstic|o, -a *s.m.,f.* (na própria casa) am|o, -a de casa; (na casa de outrem) criad|o, -a, emplead|o, -a ■ *adj.* doméstico
domicílio *s.m.* domicilio, residencia*f.*
dominador, -a *adj.,s.m.,f.* dominador, -a
dominante *adj.2g.* dominante
dominar *v.* **1** (rei, povo) dominar **2** dominar **3** *(preponderar)* dominar, predominar, preponderar **4** *(reprimir)* dominar, contener, reprimir **5** (arte, ciência) dominar, conocer **6** (língua, vocabulário) manejar ■ **dominar se** *(conter-se)* dominarse, contenerse, reprimirse
domingo *s.m.* domingo ♦ **Domingo de Páscoa** Domingo de Resurrección; **Domingo de Ramos** Domingo de Ramos; **Domingo Gordo** Domingo de Piñata
dominical *adj.2g.* dominical
dominican|o, -a *adj.,s.m.,f.* dominican|o, -a
domínio *s.m.* dominio ♦ **ser de domínio público** ser de dominio público
dominó *s.m.* (jogo) dominó
dona *s.f.* **1** (tratamento) doña, señora **2** ⇒ **dono 3** mujer, tía ♦ **dona de casa** ama de casa
donativo *s.m.* donativo
dondoca *s.f. col.* pija
don|o, -a *s.m.,f.* **1** *(proprietário)* dueñ|o, -a, propietari|o, -a **2** (de casa alugada) caser|o, -a, arrendador, -a **3** (de animal) am|o, -a, dueñ|o, -a ♦ **dar o seu a seu dono** dar a alguien su merecido; **ser dono do seu nariz** ser dueño de sí mismo
donzela *s.f.* **1** mujer soltera **2** *(virgem)* doncella
dopar *v.* dopar ■ **dopar se** (atleta) doparse
dor *s.f.* **1** (física) dolor*m.* **2** (moral) dolor, pena ♦ **dor de alma** dolor del alma; **dor de cabeça** quebradero de cabeza; *col.* **dor de cotovelo** celos; **dor de dente** dolor de muelas
dormência *s.f.* **1** *(sonolência)* somnolencia **2** *(entorpecimento)* entorpecimiento*m.*
dormente *adj.2g.* **1** durmiente **2** (parte do corpo) dormido ■ *s.m.* (ferrovia) traviesa*f.*
dorminhoc|o, -a *adj.,s.m.,f.* dormil|ón, -ona
dormir *v.* **1** dormir **2** *col. (ter relações sexuais)* acostarse (com, con), dormir (com, con); ***dorme com o marido*** se acuesta con su marido
dormitar *v.* dormitar, adormilarse
dormitório *s.m.* **1** dormitorio con muchas camas **2** *(quarto de dormir)* dormitorio
dorso *s.m.* **1** ANAT. dorso **2** (animal) lomo **3** (objeto) dorso, parte*f.* posterior **4** (livro) lomo
dosagem *s.f.* **1** dosificación, dosis*2n.* **2** (medicamento) posología
dosar *v.* dosificar
dose *s.f.* **1** dosis*2n.*, toma **2** (comida) ración **3** (bebida) vaso*m.* ♦ *col.* **ser dose** ser pesado; *col.* **ser dose para leão** ser muy arduo para que alguien lo soporte
dotado *adj.* dotado
dotar *v.* dotar (de, de), equipar (de, con)
dote *s.m.* **1** (de casamento) dote*f.* **2** *fig.* dotes*f. pl.*, talento
dourar *v.* **1** dorar **2** CUL. dorar, sofreír, rehogar ■ **dourar-se** dorarse
doutor, -a *s.m.,f.* **1** *(médico)* doctor, -a, médic|o, -a **2** (grau acadêmico) doctor, -a
doutorad|o, -a *s.m.,f.* doctor, -a ■ *adj.* doctorado ■ **doutorado** *s.m.* doctorado
doutorar *v.* doctorar ■ **doutorar-se** doctorarse (em, en); ***doutorou-se em Lexicografia*** se doctoró en Lexicografía
doutrina *s.f.* **1** doctrina **2** *(erudição)* doctrina, erudición
doze *s.m.* doce
draga *s.f.* draga
dragão *s.m.* dragón
dragar *v.* dragar
drama *s.m.* drama
dramalhão *s.m. pej.* dramón
dramático *adj.* **1** dramático **2** *fig.* dramático, conmovedor
dramatismo *s.m.* dramatismo
dramatização *s.f.* dramatización, adaptación teatral
dramatizar *v.* **1** dramatizar **2** (peça, texto) llevar a escena
dramaturgia *s.f.* dramaturgia
dramaturg|o, -a *s.m.,f.* dramaturg|o, -a
drástico *adj.* drástico
drenagem *s.f.* drenaje*m.*
drenar *v.* drenar
driblagem *s.f.* regateo*m.*, dribling*m.*
driblar *v.* **1** ESPOR. regatear **2** ESPOR. driblar

drible *s.m.* regate, finta*f.*
drinque *s.m.* aperitivo; vermú, vermut
droga *s.f.* **1** droga **2** *pej.* porquería, caca ■ *interj. col.* ¡porra!; ¡mierda! *vulg.*; ¡joder! *vulg.*
drogad|o, -a *s.m.,f.* drogadict|o, -a, yonqui *2g.cal.* ■ *adj.* drogado
drogar *v.* drogar ■ **drogar-se** drogarse
drogaria *s.f.* droguería
dropes *s.m.2n.* caramelo
duas *s.m.* (*m.* dois) dos; *as duas moças* las dos chicas ♦ **das duas uma** una de dos
dublado *adj.* (filme) doblado
dublagem *s.f.* doblaje *m.*
dublar *v.* (filme) doblar
dublê *s.2g.* doble
ducha *s.f.* ducha
duelo *s.m.* duelo
duende *s.m.* duende
dueto *s.m.* dueto, dúo
duna *s.f.* duna
duo *s.m.* **1** MÚS. dúo **2** (pessoas) dúo, pareja *f.*
dupla *s.f.* **1** pareja, dúo *m.* **2** ESPOR. (tênis) dobles *m. pl.*
duplicar *v.* **1** duplicarse, doblarse **2** duplicar, doblar **3** (documento) duplicar, hacer una copia (-, de)
dupl|o, -a *s.m.* doble ■ *adj.* doble
duque *s.m.* (*f.* duquesa) duque
duração *s.f.* duración
duradouro *adj.* duradero
durante *prep.* durante
durar *v.* durar
durex *s.m.2n.* (cinta*f.*) durex [AM.], celo [ESP.]
dureza *s.f.* dureza ♦ *fig., col.* **estar na maior dureza** estar tieso
duro *adj.* duro ♦ **dar um duro** trabajar duro; *col.* **estar duro** estar tieso
dúvida *s.f.* **1** *(incerteza)* duda, incertidumbre **2** *(pergunta)* duda, cuestión **3** *(suspeita)* sospecha ♦ **por via das dúvidas** por si acaso; **sem dúvida** sin duda; **ficar na dúvida** vacilar
duvidar *v.* **1** dudar (de, de); *duvidar de alguém* dudar de alguien **2** dudar **3** *(suspeitar)* sospechar ♦ **não duvides!** ¡no lo dudes!
duvidoso *adj.* **1** *(incerto)* dudoso, incierto **2** *(suspeito)* sospechoso
duzent|os, -as *s.m.* doscient|os, -as
dúzia *s.f.* docena ♦ *col.* **às dúzias** por/a docenas; a montones
DVD *sigla* (disco digital versátil) DVD (disco versátil digital)

E

e[1] /é/ *s.m.* (letra) e*f.*
e[2] /i/ *conj.* **1** y; ***cães, gatos e pássaros*** perros, gatos y pájaros **2** (antes de palavras começadas por *i* ou *hi*) e; ***economia e indústria*** economía e industria; ***pais e filhos*** padres e hijos
ébano *s.m.* ébano
ébri|o, -a *s.m.,f.* ebri|o, -a, borrach|o, -a ■ *adj.* ebrio (de, de), ciego (de, de); ***ébrio de ódio*** ebrio de odio
ebulição *s.f.* ebullición
ECG (*sigla de* eletrocardiograma) ECG (*sigla de* electrocardiograma)
eclipsar *v.* eclipsar ■ **eclipsar-se** eclipsarse
eclipse *s.m.* eclipse
eclodir *v.* **1** aparecer, surgir **2** BIOL. eclosionar
eco *s.m.* eco
ecoar *v.* resonar, retumbar, hacer eco
ecocardiograma *s.m.* ecocardiograma
ecologia *s.f.* ecología
ecológico *adj.* ecológico
economia *s.f.* (ciência) economía ■ **economias** *s.f.pl.* *(poupanças)* ahorros*m.*, economías ♦ **economia de escala** economía de escala; **economia de mercado** economía de mercado
econômico *adj.* económico
economizar *v.* economizar, ahorrar
ecossistema *s.m.* ecosistema
eczema *s.m.* eccema, eczema
edema *s.m.* edema
éden *s.m. fig.* edén, paraíso
Éden *s.m.* Edén
edição *s.f.* **1** edición **2** *(tiragem)* edición, tirada **3** (concurso, festival, exposição) edición ♦ (jornal) **edição especial** edición especial
edificar *v.* edificar
edifício *s.m.* edificio
edital *s.m.* bando, edicto
editar *v.* **1** *(publicar)* editar, publicar **2** INFORM. editar
editor, -a *s.m.,f.* editor, -a ♦ **editor de texto** editor de texto
editora *s.f.* editorial
editorial *adj.2g.* editorial ■ *s.m.* editorial, artículo de fondo ■ *s.f.* editorial
edredom *s.m.* edredón
educação *s.f.* educación
educacional *adj.2g.* educacional
educado *adj.* educado
educador, -a *adj.,s.m.,f.* educador, -a ♦ **educador, -a de infância** auxiliar de jardín de infancia
educar *v.* **1** (pessoa) educar, criar **2** (animal) educar, adiestrar **3** *(instruir)* educar, instruir; *(ensinar)* enseñar ■ **educar se** educarse
educativo *adj.* **1** educativo, educacional **2** *(instrutivo)* educativo, instructivo
edulcorante *s.m.* edulcorante, adoçante
efe *s.m.* (letra) efe*f.*
efeito *s.m.* efecto ♦ **com efeito** con/en efecto; **efeito estufa** efecto invernadero; **efeitos especiais** efectos especiales; **efeitos secundários** efectos secundarios; **fazer efeito** surtir efecto; **para efeitos de** a efectos de; **para todos os efeitos** para los efectos; **produzir efeito** producir efecto
efeminar *v.* afeminar ■ **efeminar se** *pej.* afeminarse
efervescência *s.f.* efervescencia
efervescente *adj.2g.* efervescente
efervescer *v.* entrar en efervescencia
efetivar *v.* **1** llevar a cabo, realizar, efectuar **2** (funcionário) hacer efectivo/fijo, hacer fijo ■ **efetivar-se** (funcionário) hacerse efectivo/fijo
efetivo *adj.* **1** *(que produz efeito)* efectivo **2** *(real)* efectivo, real **3** (funcionário) fijo, efectivo, numerario, de plantilla ■ *s.m.* efectivo ■ **efetivos** *s.m.pl.* efectivos
efetuar *v.* efectuar, realizar ■ **efetuar se** efectuarse
eficácia *s.f.* (coisas) eficacia; (pessoas) eficiencia
eficaz *adj.2g.* eficaz
eficiência *s.f.* (de pessoas) eficiencia; (de máquina) rendimiento*m.*
eficiente *adj.2g.* eficiente
egípci|o, -a *adj.,s.m.,f.* egipci|o, -a
Egito *s.m.* Egipto
ego *s.m.* **1** ego, amor propio, autoestima*f.* **2** PSIC. ego
egocêntrico *adj.* egocéntrico
egocentrismo *s.m.* egocentrismo
egoísmo *s.m.* egoísmo
egoísta *adj.,s.2g.* egoísta
égua *s.f.* yegua
eh *interj.* (chamamento) ¡eh!
eis *adv.* he aquí; aquí está ♦ **eis senão quando** de repente/pronto
eita *interj.* ¡vaya!
eixo *s.m.* eje ♦ **eixo das abscissas** eje de abscisas; **eixo das coordenadas** eje de ordenadas; **eixo de transmissão** eje de transmisión; **entrar/pôr nos eixos** entrar/poner en vereda, meter en vereda; **estar fora dos eixos** estar fuera de sí; **sair dos eixos** salirse de madre
ejaculação *s.f.* eyaculación
ejacular *v.* eyacular
ejetar *v.* eyectar ■ **ejetar se** eyectarse
ela *pron.pess.f.* ⇒ **ele** ♦ **agora/aí é que são elas** ahí está el problema
elaboração *s.f.* elaboración
elaborar *v.* elaborar

elasticidade *s.f.* **1** elasticidad **2** *fig.* elasticidad, flexibilidad
elástico *adj.* **1** elástico **2** *fig.* flexible ▪ *s.m.* **1** (para papéis) goma*f.* **2** (roupa) elástico **3** (para cabelo) goma*f.*
el|e, -a *pron.pess.* él, ella; *ele chegou* ha llegado él; *saí com ele* he salido con él; *falei com ela* he hablado con ella ♦ *col.* **ser/ficar ela(s) por ela(s)** ser más o menos igual
ele *s.m.* (letra) ele*f.*
elefante *s.m.* elefante ♦ **elefante branco** elefante blanco
elegância *s.f.* elegancia
elegante *adj.2g.* elegante
eleger *v.* **1** *(escolher)* elegir, escoger **2** POL. elegir
eleição *s.f.* **1** *(escolha)* elección **2** (cargo, função) nombramiento*m.* ▪ **eleições** *s.f.pl.* elecciones, comicios*m.* ♦ **de eleição** preferido
eleitor, -a *s.m.,f.* elector, -a
eleitorado *s.m.* electorado
eleitoral *adj.2g.* electoral
elementar *adj.2g.* elemental
elemento *s.m.* elemento ♦ **estar no seu elemento** estar en su elemento; **os quatro elementos** los cuatro elementos
elencar *v.* hacer una lista de
elenco *s.m.* **1** lista*f.* **2** (de atores) elenco
eletricidade *s.f.* **1** electricidad **2** *col.* corriente eléctrica
eletricista *s.2g.* electricista
elétrico *adj.* **1** eléctrico **2** *fig.,col.* (pessoa) nervioso; excitado; agitado
eletrificar *v.* electrificar
eletrizar *v.* electrizar ▪ **eletrizar se** electrizarse
eletrocardiograma *s.m.* electrocardiograma
eletrocutar *v.* electrocutar
eletrodoméstico *s.m.* electrodoméstico
elétron *s.m.* electrón
eletrônica *s.f.* electrónica
eletrônico *adj.* electrónico
eletrotecnia *s.f.* electrotecnia
eletrotécnico *adj.* electrotécnico
elevação *s.f.* **1** elevación **2** (terreno) elevación, alto*m.* **3** (preço, temperatura) subida, aumento*m.*, elevación **4** *(promoção)* ascenso*m.* **5** REL. (hóstia) elevación
elevado *adj.* elevado ♦ (número) **elevado a** elevado a
elevador *s.m.* ascensor, elevador[AM.]
elevar *v.* **1** *(levantar)* elevar, levantar, alzar **2** (preço, quantidade) aumentar, subir, elevar **3** (edifício) elevar, construir, erguir **4** (voz) subir, levantar **5** *(promover)* ascender ▪ **elevar se** elevarse
eliminação *s.f.* eliminación
eliminar *v.* **1** eliminar **2** (candidato, time) eliminar, derrotar **3** (toxinas) eliminar, expeler, expulsar **4** (possibilidade) eliminar, descartar, excluir **5** *col.* eliminar, matar
eliminatória *s.f.* eliminatoria
eliminatório *adj.* eliminatorio
elipse *s.f.* **1** GEOM. elipse **2** LING. elipsis*2n.*
elisão *s.f.* **1** *(eliminação)* eliminación **2** LING. elisión
elite *s.f.* élite, elite
elixir *s.m.* elixir ♦ **elixir da longa vida** elixir de larga vida
elo *s.m.* **1** eslabón **2** *fig.* lazo, vínculo
elogiar *v.* elogiar, alabar
elogio *s.m.* elogio, alabanza*f.*
El Salvador *s.m.* El Salvador
elucidar *v.* aclarar, esclarecer, explicar
em *prep.* **1** (lugar) en; *ficar em casa* quedarse en casa **2** (tempo) en; *nasceu em outubro* nació en octubre **3** (modo) en; *em voz baixa* en voz baja **4** (estado) en; *em dúvida* en duda **5** (forma) en; *em espiral* en espiral **6** (complemento nominal, verbal) en; *insistir num assunto* insistir en un asunto; *penso em ti* pienso en ti
ema *s.f.* ñandú*m.*
emagrecer *v.* adelgazar
emagrecimento *s.m.* adelgazamiento
e-mail *s.m.* (*pl.* e-mails) e mail, correo electrónico
emanar *v.* **1** *(provir)* emanar (de, de), proceder (de, de), provenir (de, de) **2** (cheiro, gás) emanar (de, de)
emancipação *s.f.* emancipación
emancipar *v.* emancipar ▪ **emancipar se** emanciparse
emaranhar *v.* **1** *(enredar)* enmarañar **2** *fig.* enmarañar, complicar ▪ **emaranhar-se** enmarañarse
embaçado *adj.* **1** *(sem brilho)* mate **2** (superfície) empañado
embaçar *v.* empañar(se)
embaixada *s.f.* embajada
embaixador, -a *s.m.,f.* embajador, -a
embaixatriz *s.f.* embajadora
embaixo *adv.* debajo; abajo
embalado *adj.* **1** (criança) mecido **2** *(empacotado)* embalado, envasado, empaquetado **3** *col. (com velocidade)* embalado
embalagem *s.f.* **1** (ação) embalaje*m.*, envase*m.* **2** *(invólucro)* envase*m.*, embalaje*m.* **3** *fig.,col.* apariencia
embalar *v.* **1** (velocidade) embalar(se) **2** (criança) mecer, acunar **3** (mercadoria, produto) embalar, envasar, empaquetar
embalo *s.m.* balanceo
embalsamado *adj.* (cadáver) embalsamado
embalsamar *v.* (cadáver) embalsamar
embaraçado *adj.* **1** (cabelos, fios) enredado, enmarañado **2** *(confuso)* liado, confuso **3** *(difícil)* complicado, difícil **4** *(envergonhado)* avergonzado, cohibido, abochornado
embaraçar *v.* **1** (cabelos, fios) enredar, enmarañar **2** dificultar, complicar **3** avergonzar, cohibir **4** estorbar ▪ **embaraçar se** **1** (cabelos, fios) enredarse, enmarañarse **2** avergonzarse, cohibirse
embaraçoso *adj.* embarazoso
embarcação *s.f.* embarcación
embarcar *v.* **1** embarcar(se) **2** embarcar

embargar *v.* embargar
embargo *s.m.* **1** *(estorvo)* embargo, obstáculo, estorbo **2** DIR. embargo
embarque *s.m.* embarque
embarrar *v.* **1** tocar ligeramente, rozar **2** chocar
embasbacado *adj.* pasmado, sorprendido, asombrado
embasbacar *v.* pasmar, sorprender, asombrar ▪ **embasbacar se** pasmarse, sorprenderse, asombrarse
embater *v.* chocar (contra/em, contra/con)
embebedar *v.* emborrachar, embriagar ▪ **embebedar se** emborracharse, embriagarse
embeber *v.* embeber, empapar ▪ **embeber-se** **1** embeberse, empaparse **2** *fig.* embeberse (em, en), enfrascarse (em, en)
embelezar *v.* embellecer
embirrar *v.* **1** *(teimar)* empeñarse (em, en), emperrarse (em, en), empecinarse (em, en), obstinarse (em, en) **2** *col.* (pessoa) tener antipatía a; *embirrar com alguém* tener antipatía a alguien
emblema *s.m.* emblema, insignia*f.*, divisa*f.*
emblemático *adj.* emblemático
embocadura *s.f.* **1** (canal, rio, rua) desembocadura **2** MÚS. boquilla, embocadura **3** (rua, estrada) bocacalle
embora *conj.* aunque; [+*conj.*] *embora tenha tido educação, é um grosseiro* aunque haya tenido educación, es un borde; [+*ind.*] *embora esteja doente, vai às aulas* aunque está enfermo, va a clase ♦ **ir-se embora** irse/marcharse; *vou-me embora* me voy/me marcho
emborcar *v.* **1** volcar, derramar **2** *pop.* pimplar, soplar, empinar el codo
emborrachar *v.* emborrachar, embriagar ▪ **emborrachar-se** emborracharse, embriagarse
emboscada *s.f.* emboscada
embraiar *v.* (veículo) embragar
embreagem *s.f.* embrague*m.*
embrenhar-se *v.* **1** (mato, selva) adentrarse (em, en), internarse (em, en) **2** *fig.* (leitura, trabalho) enfrascarse (em, en), concentrarse (em, en), abstraerse (em, en)
embriagado *adj.* **1** embriagado, bebido, borracho **2** *lit.* embriagado, extasiado
embriagar *v.* **1** embriagar, emborrachar **2** *lit.* embriagar, extasiar ▪ **embriagar se** **1** embriagarse, emborracharse **2** *fig.* embriagarse, extasiarse
embriaguez *s.f.* **1** embriaguez, borrachera **2** *fig.* embriaguez, éxtasis*m.2n.*
embrião *s.m.* embrión
embromação *s.f.* [uso de astucia y otros artificios para postergar la resolución de algo]
embromar *v.* [usar astucia y otros artificios para postergar la resolución de algo]
embrulhar *v.* **1** envolver; empaquetar; embalar **2** *fig.* embrollar, complicar ▪ **embrulhar se** (situação) embrollarse
embrulho *s.m.* **1** *(pacote)* paquete **2** *fig.* *(embrulhada)* lío, embrollo
embrutecer *v.* embrutecer ▪ **embrutecer se** embrutecerse
embruxar *v.* embrujar, hechizar
emburrado *adj.* ceñudo
embutido *adj.* empotrado ▪ *s.m.* mueble empotrado
embutir *v.* **1** embutir **2** (armário) empotrar
eme *s.m.* (letra) eme*f.*
emenda *s.f.* **1** (texto) enmienda, corrección **2** (comportamento) enmienda **3** (peças) ensamblaje ♦ **é pior a emenda que o soneto** es peor el remedio que la enfermedad; **não ter emenda** no tener enmienda/arreglo; **servir de emenda** servir de lección/ejemplo
emendar *v.* **1** *(corrigir)* enmendar, corregir **2** *(ligar)* unir, juntar ▪ **emendar se** **1** (pessoa) enmendarse, corregirse **2** *(ligar-se)* unirse, juntarse
emergência *s.f.* emergencia ♦ **em caso de emergência** en caso de emergencia
emergir *v.* emerger
emigração *s.f.* **1** (pessoas) emigración **2** (aves) migración
emigrante *s.2g.* emigrante
emigrar *v.* **1** (pessoas) emigrar **2** (aves) migrar
eminência *s.f.* **1** elevación, eminencia, altura **2** (tratamento de cardeais) eminencia
emissão *s.f.* **1** (de gases) emisión **2** (notas, selos) emisión **3** (documentos) expedición **4** (televisão, rádio) emisión, retransmisión
emissor, -a emissor *s.m.,f.* emisor, -a ▪ *adj.* emisor ▪ *s.m.* (aparelho) emisor
emissora *s.f.* emisora
emitir *v.* **1** (som, luz, calor) emitir **2** (notas, selos) emitir **3** (televisão, rádio) emitir, transmitir, retransmitir **4** (opiniões, juízos) emitir, manifestar, exponer
emoção *s.f.* emoción
emocional *adj.2g.* emocional
emocionante *adj.2g.* emocionante
emocionar *v.* emocionar, conmover ▪ **emocionar-se** emocionarse, conmoverse
emoldurar *v.* encuadrar, enmarcar
emotivo *adj.* **1** emotivo **2** (pessoa) emotivo, sensible
empacar *v.* **1** (cavalo, burro) pararse, no seguir adelante **2** (ao falar) atascarse
empacotar *v.* empaquetar, embalar
empada *s.f.* empanada
empalhar *v.* empajar
empalidecer *v.* palidecer
empanado *adj.* empanado; *costeletas empanadas* chuletas empanadas
empanar *v.* CUL. empanar, rebozar
empancar *v.* **1** *col.* (veículo) pararse **2** *col.* (trânsito) congestionarse **3** *col.* (lendo, falando) atascarse
empanturrar *v.* atiborrar, hartar, empachar ▪ **empanturrar se** atiborrarse (com/de, de), empacharse (com/de, con/de), hartarse (com/de, de)
empapar *v.* empapar, embeber ▪ **empapar-se** empaparse

emparedar *v.* emparedar
empastar *v.* empastar
empata *s.2g. col.,pej.* estorbo*m.*
empatar *v.* **1** (jogo, votação) empatar **2** (jogo, votação) empatar **3** (dinheiro) invertir **4** (pessoa) hacer esperar **5** *fig.* estorbar
empate *s.m.* **1** (jogo, votação) empate **2** *(estorvo)* estorbo
empatia *s.f.* empatía
empecilho *s.m.* estorbo, obstáculo, impedimento
empedrar *v.* empedrar, adoquinar
empenar *v.* **1** (madeira) abombarse, combarse, deformarse, torcerse **2** (madeira) abombar, combar, deformar, torcer
empenhado *adj.* **1** *(penhorado)* empeñado **2** *(endividado)* empeñado, endeudado **3** *(esforçado)* empeñado (em, en)
empenhar *v.* empeñar ▪ **empenhar-se 1** *(endividar-se)* empeñarse, endeudarse **2** *(esforçar-se)* empeñarse (em, en), afanarse (em, en)
empenho *s.m.* **1** *(esforço)* empeño, esfuerzo, ahínco, afán **2** *(penhora)* empeño
emperiquitado *adj. col.* peripuesto, acicalado
emperiquitar *v.* emperejilar*col.*, emperifollar*col.* ▪ **emperiquitar-se** emperejilarse*col.*, emperifollarse*col.*
emperrar *v.* **1** trabarse **2** trabar, prender **3** *fig.* pararse
empestar *v.* **1** apestar, oler mal **2** apestar ▪ **empestar se** apestarse
empilhar *v.* apilar, amontonar
empinar *v.* **1** *(erguer)* erguir; *(endireitar)* enderezar **2** (garrafa) empinar **3** *gír.* memorizar, empollar, chapar ▪ **empinar se** empinarse
empobrecer *v.* **1** empobrecerse **2** empobrecer
empoeirado *adj.* polvoriento
empoeirar *v.* empolvar
empolar *v.* (pele) ampollar; hinchar ▪ **empolar se** ampollarse
empoleirar *v.* encaramar ▪ **empoleirar se** encaramarse
empolgado *adj.* entusiasmado (com, con)
empolgante *adj.2g.* emocionante, excitante, alucinante, entusiasmante
empolgar *v.* **1** agarrar **2** entusiasmar ▪ **empolgar-se** entusiasmarse (com, con)
empreendedor, -a *adj.,s.m.,f.* emprendedor, -a
empreender *v.* emprender
empreendimento *s.m.* emprendimiento; empresa*f.*; proyecto
empregad|o, -a *adj.,s.m.,f.* emplead|o, -a ♦ **dar por bem empregado** dar por bien empleado
empregar *v.* **1** (pessoas) emplear, colocar, dar empleo **2** *(usar)* emplear, usar ▪ **empregar se** emplearse, usarse
emprego *s.m.* **1** *(trabalho)* empleo, trabajo **2** *(uso)* empleo, uso **3** *(cargo)* empleo, puesto
empregue (*p.p. de* empregar) *adj.2g.* empleado
empreitada *s.f.* **1** contrata **2** (trabalho) destajo*m.*; *por empreitada* a destajo **3** *fig.,col.* empresa, tarea difícil y larga
empreiteir|o, -a *s.m.,f.* contratista*2g.*
empresa *s.f.* **1** *(firma)* empresa, firma, compañía **2** *(tarefa difícil)* empresa, labor*m.*, tarea
empresarial *adj.2g.* empresarial
empresári|o, -a *s.m.,f.* **1** *(dono, gerente)* empresari|o, -a **2** (de ator, jogador) empresari|o, -a, manager*2g.*
emprestar *v.* prestar
empréstimo *s.m.* préstamo; (oficial, institucional) empréstito
emproar *v.* NÁUT. aproar ▪ **emproar-se** (pessoa) ensoberbecerse
empunhar *v.* empuñar
empurrão *s.m.* empujón, empellón ♦ **aos empurrões** a (los) empujones
empurrar *v.* empujar
emudecer *v.* enmudecer
emular *v.* emular
enaltecer *v.* enaltecer, ensalzar
enamorar *v.* enamorar ▪ **enamorar-se** enamorarse (de, de)
encabeçar *v.* **1** (grupo, partido) encabezar, liderar, dirigir **2** (escrito) encabezar **3** (carta, artigo) encabezar, empezar
encabritar-se *v.* (cavalgadura) encabritarse
encabulado *adj.* avergonzado, cortado, tímido, apocado
encabular *v.* avergonzar ▪ **encabular-se** avergonzarse, cortarse
encadear *v.* **1** encadenar **2** (ideias) encadenar, concatenar ▪ **encadear-se** encadenarse
encadernação *s.f.* encuadernación
encadernar *v.* (folhas, livro) encuadernar
encafifado *adj.* **1** avergonzado, abochornado **2** pensativo, ensimismado
encafifar *v.* cavilar
encafuar *v.* esconder, ocultar ▪ **encafuar se** esconderse, ocultarse
encaixar *v.* **1** encajar **2** *(meter)* encajar, meter **3** (peças) encajar, ensamblar **4** (em caixas) empaquetar, embalar **5** *fig.,col.* meter en la cabeza
encaixe *s.m.* **1** encaje **2** *(ranhura)* ranura*f.*
encaixilhar *v.* (quadro, foto) enmarcar, encuadrar
encaixotar *v.* poner en una caja, embalar
encalhar *v.* **1** encallar, embarrancar **2** acantilar **3** *fig.* pararse, interrumpirse, detenerse
encaminhar *v.* **1** encaminar, dirigir **2** (assunto) encauzar **3** aconsejar ▪ **encaminhar-se 1** encaminarse (para, hacia) **2** *fig.* resolverse, solucionarse
encanado *adj.* **1** canalizado **2** *col.* enchironado, encarcelado, preso
encanador, -a *s.m.,f.* fontaner|o, -a, plomer|o, -a[AM.]
encanamento *s.m.* cañería*f.*, tubería*f.*
encandear *v.* (luz) deslumbrar, encandilar, ofuscar

encantador, -a *adj.,s.m.,f.* encantador, -a; *um encantador de serpentes* un encantador de serpientes
encantar *v.* **1** *(enfeitiçar)* encantar, hechizar **2** *(seduzir)* encantar ■ **encantar-se** maravillarse
encanto *s.m.* **1** encanto **2** (magia) encantamiento, hechizo
encapar *v.* (livro, caderno) encuadernar, empastar
encapotar *v.* **1** encapotar **2** *fig.* disimular ■ **encapotar-se** (céu) encapotarse
encaracolado *adj.* acaracolado, rizado
encaracolar *v.* rizar, encrespar ■ **encaracolar-se** rizarse, encresparse
encarar *v.* **1** toparse (com, con) **2** *(olhar)* mirar fijamente **3** (problema) encarar, enfrentar, hacer frente **4** (hipótese, ideia) considerar, examinar, sopesar ♦ **encarar as coisas como elas são** hacer frente a un problema
encarcerar *v.* **1** *(prender)* encarcelar, recluir, aprisionar **2** *(isolar)* enclaustrar, aislar
encardir *v.* **1** enmugrecer **2** criar cochambre
encarecer *v.* **1** encarecerse **2** encarecer
encargo *s.m.* **1** *(incumbência)* cometido **2** encargo, responsabilidad*f.* **3** obligación*f.*, deber **4** gasto
encarnação *s.f.* **1** REL. encarnación **2** *fig.* encarnación, personificación
encarnar *v.* **1** REL. encarnar(se) **2** REL. encarnar **3** *fig.* encarnar, personificar
encarquilhar *v.* (pele, cara) acartonarse, arrugar
encarregar *v.* encargar ■ **encarregar se** encargarse (de, de)
encarreirar *v.* **1** encarrilarse, encaminar **2** encarrilar, encaminar
encarrilar *v.* **1** encarrilarse **2** encarrilar, encaminar **3** *fig.* encarrilar, orientar, meter en vereda
encarte *s.m.* separata*f.*
encasquetar *v. fig.* meterse en la cabeza
encastrar *v.* encastrar, encajar
encavalitar-se *v.* subirse a cuestas
encefálico *adj.* encefálico
encéfalo *s.m.* encéfalo
encefalograma *s.m.* encefalograma
encefalopatia *s.f.* encefalopatía ♦ VET. **encefalopatia espongiforme bovina** encefalopatía espongiforme bovina
encenação *s.f.* **1** escenificación, puesta en escena **2** dirección **3** *fig.* simulación, fingimiento*m.*
encenar *v.* **1** escenificar, poner en escena **2** *fig.* simular, fingir
enceradeira *s.f.* enceradora
encerar *v.* encerar
encerramento *s.m.* **1** (ação) cierre **2** (eventos) clausura*f.*
encerrar *v.* **1** *(fechar)* cerrar **2** *(conter)* encerrar, contener **3** *(concluir)* zanjar, terminar **4** (eventos) clausurar ■ **encerrar-se** encerrarse, enclaustrarse, aislarse
encestar *v.* (basquetebol) encestar
encetar *v.* **1** *(começar)* empezar, comenzar **2** *(estrear)* estrenar
encharcado *adj.* empapado, calado hasta los huesos*fig.*
encharcar *v.* encharcar ■ **encharcar-se 1** (terreno) encharcarse **2** (pessoa) empaparse, calarse, ensoparse[AM.] **3** emborracharse
enchente *s.f.* **1** (rio) crecida, avenida **2** inundación **3** *fig.* (pessoas) aluvión*m.*
encher *v.* **1** (maré) subir **2** llenar **3** (até cima) colmar **4** (pneu, balão) inflar, hinchar **5** (buraco) rellenar ■ **encher-se** llenarse
enchimento *s.m.* **1** llenado **2** *(recheio)* relleno **3** (dente) empaste
enchouriçar *v.* espesar ■ **enchouriçar-se 1** espesarse **2** *fig.* envanecerse
enchova *s.f.* **1** ZOOL. boquerón*m.* **2** CUL. anchoa
enciclopédia *s.f.* enciclopedia ♦ **ser uma enciclopédia ambulante** ser una enciclopedia viviente
enciclopédico *adj.* enciclopédico
enciumar *v.* provocar celos ■ **enciumar-se** tener celos
enclaustrar *v.* enclaustrar ■ **enclaustrar-se** enclaustrarse
enclausurado *adj.* enclaustrado
enclausurar *v.* enclaustrar, recluir ■ **enclausurar-se** recluirse, enclaustrarse
enclítica *s.f.* LING. enclítica
encoberto (*p.p. de* encobrir) *adj.* **1** *(escondido)* encubierto, escondido, oculto **2** (céu) cubierto, encapotado
encobrir *v.* **1** (céu) cubrirse, nublarse **2** *(ocultar)* encubrir, esconder, ocultar **3** (pessoa) encubrir, proteger ■ **encobrir se 1** (céu) cubrirse, nublarse, encapotarse **2** *(ocultar-se)* ocultarse, esconderse
encolher *v.* **1** encoger(se) **2** (corpo) encoger; *fig. encolher os ombros* encogerse de hombros **3** (roupa) encoger ■ **encolher se** encogerse
encomenda *s.f.* encargo*m.*, pedido*m.* ♦ **encomenda postal** paquete postal, encomienda AM.
encomendar *v.* encargar, pedir, encomendar
encontrão *s.m.* encontronazo, choque
encontrar *v.* encontrar ■ **encontrar-se 1** *(estar)* encontrarse, hallarse **2** *(ter encontro)* encontrarse (com, con); *encontrar-se com alguém* encontrarse con alguien
encontro *s.m.* **1** encuentro **2** *(embate)* encontronazo, choque **3** *(congresso)* encuentro, congreso ♦ **ao encontro de** a la búsqueda de; **de encontro a** en contra de, contra; **encontro marcado** cita; **ir ao encontro de alguém** ir al encuentro de alguien; **ir de encontro a alguém/algo** chocarse con alguien/algo; **marcar encontro** citarse
encorajamento *s.m.* encorajamiento
encorajar *v.* animar
encorpado *adj.* **1** (pessoa) corpulento, fuerte **2** *(grosso)* grueso **3** (vinho) con cuerpo
encorrilhar *v.* arrugar
encosta *s.f.* cuesta, pendiente

encostar *v.* **1** (veículo) parar; aparcar **2** arrimar **3** *(apoiar)* apoyar **4** (porta, janela) cerrar, dejar entreabierto ▪ **encostar se 1** arrimarse **2** apoyarse **3** (para repousar) reclinarse, recostarse

encosto *s.m.* **1** (cadeira, sofá) respaldo **2** *fig.* respaldo, apoyo, sostén

encravado *adj.* **1** (pelo, unha) encarnado **2** estropeado, averiado

encravar *v.* **1** (pelo, unha) encarnarse **2** *(cravar)* clavar **3** (aparelho) estropearse, averiarse **4** (aparelho) estropear, averiar **5** *col.* estar en apuros

encrenca *s.f. pop.* lío*m.*

encrencar *v.* complicar ▪ **encrencar se** complicarse

encrespado *adj.* **1** (cabelo) encrespado, rizado **2** (mar) agitado, encrespado **3** (pessoa) crispado, encrespado, irritado, enfurecido

encrespar *v.* (cabelo) encrespar, rizar ▪ **encrespar--se 1** (cabelo) encresparse **2** (mar) picarse, agitarse, encresparse **3** (pessoa) crisparse, encresparse, irritarse, enfurecerse

encruzilhada *s.f.* encrucijada, cruce*m.* ♦ **estar numa encruzilhada** estar/encontrarse en una encrucijada

encucação *s.f. col.* cavilación; quebradero*m.* de cabeza

encucar *v. col.* cavilar; quebrarse la cabeza

encurralar *v.* acorralar, cercar, arrinconar

encurtar *v.* **1** (caminho, distância) acortar, atajar **2** (bainha, roupa) meter, acortar

encurvado *adj.* encorvado

encurvar *v.* encorvar

endemia *s.f.* endemia

endereçar *v.* **1** (carta, encomenda) poner la dirección (a, en) **2** (discurso, pedido) dirigir (a, a)

endereço *s.m.* **1** dirección*f.* **2** INFORM. dirección*f.*; *endereço de correio eletrônico* dirección de correo electrónico

endeusar *v.* endiosar

endiabrado *adj.* **1** endiablado, endemoniado **2** *fig.* (criança) endiablado, travieso

endinheirado *adj.* adinerado, acaudalado, rico

endireitar *v.* **1** *(pôr direito)* enderezar, poner derecho **2** *fig.* corregir, enmendar ▪ **endireitar se 1** (pessoa) enderezarse, ponerse derecho **2** *fig.* (coisas) enderezarse, arreglarse

endividado *adj.* endeudado

endividamento *s.m.* endeudamiento

endividar *v.* endeudar ▪ **endividar se** endeudarse

endocrinologia *s.f.* endocrinología

endocrinologista *s.2g.* endocrinólog|o, -a*m.f.*

endoidar *v.* enloquecer

endoidecer *v.* enloquecer

endoscopia *s.f.* endoscopia

endossar *v.* (cheque, letra) endosar

endosso *s.m.* (cheque, letra) endoso

endurecer *v.* **1** endurecerse **2** endurecer

endurecimento *s.m.* **1** endurecimiento **2** *fig.* endurecimiento, insensibilidad*f.* **3** *fig.* obstinación*f.*

ene *s.m.* (letra) ene*f.*

eneágono *s.m.* eneágono

enegrecer *v.* ennegrecer

energético *adj.* energético

energia *s.f.* **1** energía **2** *fig.* energía, fuerza, ánimo*m.*

enérgico *adj.* enérgico

enervante *adj.2g.* enervante

enervar *v.* poner nervioso, irritar, enervar ▪ **enervar se** ponerse nervioso, irritarse

enfadar *v.* **1** *(irritar)* enfadar **2** *(aborrecer)* aburrir, tediar **3** *(incomodar)* fastidiar, molestar ▪ **enfadar se 1** *(irritar-se)* enfadarse **2** *(aborrecer-se)* aburrirse

enfadonho *adj.* aburrido, latoso, fastidioso, pesado

enfaixar *v.* vendar, fajar

enfardar *v.* **1** empacar, enfardar, hacer pacas/fardos **2** *col.* darse un atracón

enfartar *v.* atiborrar, hartar, saciar ▪ **enfartar-se** atiborrarse, hartarse, saciarse

enfarte *s.m.* infarto

ênfase *s.f.* énfasis*m.2n.*, realce*m.* ♦ **dar ênfase a** dar énfasis a

enfatizar *v.* enfatizar, recalcar

enfeitar *v.* **1** adornar, arreglar **2** *(decorar)* adornar, decorar **3** (vitrine) decorar **4** TAUR. banderillear

enfeite *s.m.* adorno, ornamento

enfeitiçar *v.* **1** hechizar, embrujar **2** *fig.* hechizar, seducir, encantar

enfermagem *s.f.* (curso, profissão) enfermería

enfermaria *s.f.* (lugar) enfermería

enfermeir|o, -a *s.m.,f.* enfermer|o, -a

enferrujado *adj.* oxidado, herrumbrado, herrumbroso

enferrujar *v.* **1** oxidarse, herrumbrarse **2** oxidar, herrumbrar

enfiar *v.* **1** ensartar, enfilar, enhebrar **2** *(introduzir)* meter **3** (roupa) ponerse, enfundarse **4** (chapéu) calarse, ponerse ▪ **enfiar se** (lugar) meterse (em, en), entrar (em, en)

enfileirar *v.* enfilar, colocar en fila

enfim *adv.* **1** *(por fim)* por fin; *até que enfim!* ¡por fin! **2** *(resumindo)* en fin; *enfim, não sei o que dizer* en fin, no sé qué decir

enfocar *v.* enfocar

enfoque *s.m.* enfoque

enforcad|o, -a *s.m.,f.* ahorcad|o, -a ▪ *adj. pop. (sem dinheiro)* apurado (de dinero)

enforcar *v.* ahorcar ▪ **enforcar-se 1** ahorcarse **2** *pop.* (dinheiro) estar con la soga al cuello **3** *col.,irôn.* casarse

enfraquecer *v.* **1** (fisicamente) debilitarse, desgastarse **2** (fisicamente) debilitar, enflaquecer **3** (psicologicamente) abatir, desanimar

enfraquecimento *s.m.* **1** (pessoa, saúde) debilitamiento **2** *(desânimo)* desánimo

enfrascar *v.* **1** enfrascar; *(engarrafar)* envasar **2** *col.* *(beber muito)* emborrachar ▪ **enfrascar-se 1** *col.* (de perfume) impregnarse, echarse perfume **2** *col.* *(embebedar-se)* emborracharse

enfrentar *v.* **1** *(encarar)* enfrentar, encarar **2** (perigo, problema) afrontar, enfrentar, hacer frente a

enfurecer *v.* enfurecer, poner furioso ▪ **enfurecer-se** enfurecerse, ponerse furioso

enfurecido *adj.* furioso, colérico

engaiolar *v.* **1** enjaular **2** *col.* enjaular, encarcelar

engalfinhar *v.* agarrar ▪ **engalfinhar-se** *fig.* reñir (com, con), pelearse (com, con)

enganado *adj.* **1** *(errado)* engañado, burlado, estafado **2** (o próprio) equivocado, confundido

enganador *adj.* **1** engañador **2** engañoso, falaz

enganar *v.* engañar ▪ **enganar-se 1** equivocarse **2** engañarse

enganchar *v.* enganchar, sujetar con gancho ▪ **enganchar-se** engancharse

engano *s.m.* **1** engaño, equívoco **2** *(ardil)* engaño, burla*f.*, trampa*f.* **3** *(erro)* equivocación*f.*, error **4** *(infidelidade)* engaño, traición*f.*, infidelidad*f.* **5** *(mal-entendido)* error, malentendido ◆ (telefone) **é engano** se ha equivocado; **por engano** por equivocación

enganoso *adj.* engañoso, falaz; ***propaganda enganosa*** publicidad engañosa

engarrafado *adj.* **1** (bebida) embotellado, envasado **2** *fig.* (trânsito) embotellado, congestionado, atascado

engarrafamento *s.m.* **1** (garrafas) embotellado, embotellamiento **2** (trânsito) atasco, embotellamiento

engarrafar *v.* **1** (bebidas) embotellar, envasar **2** (veículos) atascar, embotellar

engasgado *adj.* atragantado

engasgar *v.* **1** atragantar **2** *fig.* (discurso) confundir, equivocar ▪ **engasgar-se 1** atragantarse **2** *fig.* (discurso) atragantarse, balbucear, titubear

engastar *v.* (pedra preciosa) engastar, engarzar

engatar *v.* **1** enganchar **2** *(atrelar)* enganchar **3** (automóvel) desembragar **4** *col.* ligar, flirtear

engatinhar *v.* gatear, andar a gatas

engelhar *v.* arrugar

engendrar *v.* **1** *(gerar)* engendrar, generar **2** *(produzir)* producir

engenharia *s.f.* ingeniería

engenheir|o, -a *s.m.,f.* ingenier|o, -a

engenho *s.m.* **1** artefacto; artilugio, ingenio **2** *fig.* ingenio, talento, perspicacia*f.*

engenhoso *adj.* ingenioso

engessado *adj.* **1** escayolado **2** enyesado

engessar *v.* **1** enyesar, enlucir **2** (fratura) escayolar, enyesar

englobar *v.* englobar

engolir *v.* **1** (alimento) tragar, engullir **2** *fig.* tragar, soportar, sufrir **3** *fig.* (mentira) tragar(se), creer

engomar *v.* **1** (roupa) almidonar, dar almidón **2** *(passar a ferro)* planchar

engordar *v.* **1** engordar, ponerse gordo **2** engordar, cebar

engordurar *v.* **1** engrasar, untar, embadurnar; lubrificar **2** pringar, embadurnar

engraçado *adj.* **1** *(com graça)* gracioso, divertido, chistoso, salado **2** *(bonito)* gracioso, bonito, mono ◆ **que engraçado!** ¡qué gracioso/bueno!

engraçar-se *v.* **1** simpatizar (com, con) **2** enamorarse (com, de) **3** (confiança indevida) propasarse

engrandecer *v.* **1** *(tornar-se maior)* engrandecer, agrandar, crecer **2** *(valorizar)* engrandecer, ennoblecer, enaltecer

engravatar-se *v.* encorbatarse

engravidar *v.* **1** quedarse embarazada **2** dejar embarazada, dejar encinta, embarazar

engraxar *v.* **1** (calçado) dar lustre, embetunar **2** *fig.* hacer la pelota/pelotilla

engraxate *s.2g.* lustrabotas*2n.* [AM.], limpiabotas*2n.*

engrenagem *s.f.* engranaje*m.*

engrenar *v.* **1** MEC. engranar **2** (mudança de velocidade) meter una marcha; ***engrenar a primeira*** meter la primera **3** *fig.* (ideias) engranar, enlazar, relacionar

engrossar *v.* **1** engrosarse, engordarse **2** (culinária) espesarse

enguiçar *v.* **1** averiarse, estropearse **2** (azar) gafar, dar mala suerte

enigma *s.m.* enigma

enjaular *v.* **1** enjaular **2** *fig.* poner entre rejas, encarcelar, aprisionar

enjeitar *v.* **1** *(rejeitar)* rechazar **2** (filhos, ninho, ovos) abandonar **3** *(desprezar)* despreciar **4** desaprobar, reprobar

enjoado *adj.* **1** *(com náuseas)* mareado **2** (com *estar*) harto, cansado, aburrido **3** (com *ser*) desagradable, antipático ◆ **estar enjoado** tener náuseas; **estar enjoado de algo** estar harto de algo

enjoar *v.* **1** marearse **2** repugnar, asquear **3** enfadarse, cabrearse*vulg.* **4** marear ◆ **enjoar de algo** estar harto de algo

enjoativo *adj.* **1** empalagoso, pesado **2** nauseabundo, repugnante

enjoo *s.m.* **1** mareo, náusea*f.* **2** tedio, aburrimiento, desgana*f.* **3** repugnancia*f.*, asco

enlaçar *v.* **1** *(prender)* enlazar, atar **2** *(unir)* enlazar, unir, empalmar **3** *(abraçar)* abrazar **4** *(relacionar)* enlazar, relacionar, asociar

enlace *s.m.* **1** *(união)* enlace, unión*f.*, ligazón*f.*, empalme **2** *(casamento)* enlace, boda*f.*, casamiento

enlatado *adj.* enlatado ▪ *s.m.* **1** conserva*f.* **2** [película o programa de televisión de mala calidad]

enlatar *v.* enlatar, envasar

enlouquecer *v.* enloquecer, volver loco; trastocarse, trastornarse, volverse loco

enojar *v.* **1** asquear, repugnar, dar náuseas **2** *fig.* aburrir, hastiar **3** molestar, incomodar ▪ **enojar-se 1** repugnar, dar asco, dar náuseas **2** *fig.* aburrirse, hastiarse

enorme *adj.2g.* enorme

enquadramento *s.m.* **1** encuadramiento, contextualización*f.* **2** CIN.,FOT. encuadre

enquadrar *v.* **1** encuadrar **2** encuadrar, enmarcar **3** CIN.,FOT. encuadrar ▪ **enquadrar-se** encuadrarse, enmarcarse

enquanto *conj.* **1** (simultaneidade temporal) mientras; *enquanto esteve no hospital* mientras estuvo en el hospital **2** (contraste) mientras que; *enquanto uns enriquecem, outros empobrecem* mientras que unos se enriquecen, otros se empobrecen **3** (conformativa) *(na qualidade de)* como, en cuanto; *ele foi muito conhecido como ator* él fue muy famoso como actor ♦ **enquanto isso** mientras tanto; **enquanto** mientras; **por enquanto** de/por el momento

enraivecer *v.* enrabiar ▪ **enraivecer se** enrabiarse

enraivecido *adj.* **1** (cão) rabioso **2** *(irado)* rabioso, airado

enraizar *v.* **1** enraizar, arraigar **2** enraizar, arraigar, echar raíces ▪ **enraizar se 1** enraizarse, arraigarse **2** *fig.* enraizarse, arraigarse, afincarse

enrascada *s.f. col.* embolado, apuro*m.*, berenjenal*m.col.*, atolladero*m.*

enrascar *v.* enredar, liar, maquinar, embrollar ▪ **enrascar se** *col.* enredarse, meterse en un berenjenal

enredo *s.m.* **1** *(situação complicada)* enredo, lío, jaleo, intriga*f.* **2** LIT. (narrativa) enredo, trama*f.*, intriga*f.*

enrijecer *v.* endurecer(se), fortalecer(se), poner(se) rígido

enriquecer *v.* **1** enriquecerse **2** enriquecer

enriquecimento *s.m.* enriquecimiento

enrolação *s.f. col.* [uso de astucia y otros artificios para postergar la resolución de algo]

enrolamento *s.m.* **1** rollo **2** rollo*col.*, bola*f.col.*, mentira*f.* **3** ELETR. bobinado

enrolar *v.* **1** enrollar **2** envolver, empaquetar **3** (cabelo) rizar **4** (cigarro) liar **5** *fig.,col.* *(enganar)* engañar, meter un rollo ▪ **enrolar-se 1** enrollarse, envolverse **2** *fig.* complicarse

enroscar *v.* enroscar, atornillar, arroscar ▪ **enroscar se** enroscarse, encogerse

enrouquecer *v.* enronquecer

enrubescer *v.* ruborizar(se), sonrojar(se), enrojecer(se), ponerse colorado

enrugar *v.* **1** (pele) arrugar **2** (roupa) arrugar **3** (papel) arrugar **4** (testa) fruncir ▪ **enrugar se 1** arrugarse **2** *fig.* ajarse, envejecer **3** (pessoa) llenarse de arrugas

ensaboar *v.* **1** (roupa) enjabonar, jabonar **2** *fig.* echar un rapapolvo, reprender; regañar ▪ **ensaboar se** enjabonarse

ensacar *v.* **1** embolsar, ensacar, entalegar, meter en bolsas **2** (carne) embutir

ensaiar *v.* ensayar, entrenar; probar ▪ **ensaiar se** ensayarse, ejercitarse

ensaio *s.m.* ensayo ♦ **ensaio geral** ensayo general

ensanguentar *v.* ensangrentar ▪ **ensanguentar-se** ensangrentarse

ensartar *v.* (contas, pérolas) ensartar, enfilar

enseada *s.f.* ensenada

ensebar *v.* ensebar; manchar

ensimesmar-se *v.* ensimismarse, abstraerse, concentrarse

ensinamento *s.m.* enseñanza*f.*, lección*f.*

ensinar *v.* **1** enseñar, dar clases **2** (pessoa) enseñar, instruir, educar **3** (animal) amaestrar, adiestrar, enseñar **4** *(mostrar)* enseñar, mostrar

ensino *s.m.* **1** enseñanza*f.*, educación*f.*, enseño **2** (animais) adiestramiento, amaestramiento **3** (área profissional) enseñanza*f.* ♦ **ensino básico/primário** enseñanza primaria; **ensino secundário** enseñanza secundaria; **ensino superior** enseñanza superior/universitaria

ensolarado *adj.* soleado

ensopado *adj.* empapado, calado ▪ *s.m.* [guiso con mucho caldo]

ensopar *v.* **1** mojar **2** *(encharcar)* empapar, calar **3** CUL. guisar ▪ **ensopar se** empaparse, calarse

ensurdecedor *adj.* (som) ensordecedor

ensurdecer *v.* **1** ensordecer, quedarse sordo **2** (som) ensordecer

ensurdecimento *s.m.* ensordecimiento

entaipar *v.* tapiar, cerrar, cercar

entalado *adj.* **1** apretado **2** (fratura) entablillado **3** *(engasgado)* atragantado ♦ **estar entalado** estar en un aprieto

entalar *v.* **1** pillarse **2** apretar **3** (fratura) entablar, entablillar **4** *fig.* enredar, comprometer ▪ **entalar se** apretarse

entalhar *v.* tallar, esculpir, cincelar, entallar

entanto *adv.* mientras; en/entre tanto ♦ (oposição) **no entanto** sin embargo

então *adv.* entonces ♦ **desde então** desde entonces

entardecer *v.* atardecer ▪ *s.m.* atardecer ♦ **ao entardecer** al atardecer

ente *s.m.* **1** *(entidade)* ente, ser, cosa*f.* **2** *(pessoa)* ente, ser, persona*f.*

entead|o, -a *s.m.,f.* hijastr|o, -a

entediar *v.* aburrir, hastiar, fastidiar ▪ **entediar-se** aburrirse, hastiarse, fastidiarse

entendedor, -a *adj.,s.m.,f.* entendedor, -a ♦ **para bom entendedor, meia palavra basta** a buen entendedor, pocas palabras bastan

entender *v.* **1** entender, comprender, enterarse **2** entender, comprender **3** entender (de, de); *entendia de futebol* entendía de fútbol **4** *(achar)* entender, opinar **5** *(ouvir)* entender, enterarse, oír ▪ **entender se 1** *(concordar)* compenetrarse, entenderse **2** *(dar-se bem)* entenderse (com, con) ▪ *s.m.* **1** *(inteligência)* entender, entendimiento **2** *(opinião)* entender, opinión*f.* ♦ **dar a entender** dar a entender/insinuar; **fazer-se entender** darse a entender

entendid|o, -a *s.m.,f.* entendid|o, -a, expert|o, -a, especialista*2g.* ▪ *adj.* entendido

entendimento *s.m.* entendimiento

enternecer *v.* enternecer(se), conmover(se), emocionar(se) ▪ **enternecer-se** enternecerse, conmoverse, emocionarse

enterrar *v.* **1** enterrar **2** (na pele) clavar **3** *fig.* enterrar, olvidar ▪ **enterrar se 1** *(comprometer-se)* mojarse, pringarse*col.*, comprometerse **2** *(concentrar-se)* entregarse, dedicarse **3** *fig.* entramparse, endeudarse **4** *(refastelar-se)* echarse (**em**, en), ponerse cómodo; *enterrar-se numa poltrona* ponerse cómodo en un sillón

enterro *s.m.* entierro, funeral

entidade *s.f.* **1** *(ser)* entidad, ente*m.* **2** *(instituição)* entidad, sociedad, organismo*m.*, asociación

entoação *s.f.* **1** (de voz) entonación, modulación **2** LING. entonación

entoar *v.* entonar, cantar

entonação *s.f.* entonación

entontecer *v.* **1** (tontura) marearse **2** (tontura) marear **3** *(perder o juízo)* entontecerse, atontarse, volverse tonto, agilipollarse*vulg.* **4** *(perder o juízo)* entontecer, atontar, agilipollar*vulg.*

entornar *v.* **1** *pop.* empinar el codo, emborracharse **2** (líquido) derramar, tirar, verter ▪ **entornar-se** (recipiente) derramarse

entorpecente *adj.2g.* entorpecedor, molesto, engorroso

entorpecer *v.* **1** entorpecerse **2** (membros) entorpecer, entumecer **3** *(perder o ânimo)* desalentarse, desanimarse **4** *fig.* entorpecer, dificultar, estorbar

entorpecido *adj.* **1** (físico) entorpecido, entumecido **2** (psicológico) desanimado, abatido

entorpecimento *s.m.* **1** entorpecimiento, entumecimiento, torpeza*f.* **2** *fig.* desánimo, desaliento

entortar *v.* **1** torcer, entortar **2** *fig.* desviar, descaminar ▪ **entortar-se 1** torcerse, entortarse **2** *fig.* desviarse, descaminarse, descarriarse

entrada *s.f.* **1** (local) entrada **2** *(admissão)* entrada, ingreso*m.* **3** (dinheiro) entrada **4** (dicionário, enciclopédia) entrada, verbete **5** (refeição) entrada ▪ **entradas** *s.f.pl.* (cabelo) entradas ♦ **dar entrada no hospital** ingresar en el hospital

entrançar *v.* trenzar, entrelazar, entrenzar

entranhar *v.* **1** incrustar, clavar, entrañar **2** (no espírito, nos hábitos) arraigar, enraizar ▪ **entranhar se 1** incrustarse, clavarse, entrañarse **2** (no espírito, nos hábitos) arraigarse, enraizarse **3** *fig.* dedicarse con ahínco, concentrarse

entranhas *s.f.pl.* entrañas, vísceras

entrar *v.* **1** entrar **2** *(estar incluído)* entrar **3** (associação, clube, tropa) entrar, ingresar ♦ **entre!** ¡adelante!

entrave *s.m.* traba*f.*, obstáculo, impedimento

entre *prep.* **1** (espaço) entre; *entre a porta e a janela* entre la puerta y la ventana **2** (tempo) entre; *entre hoje e amanhã* entre hoy y mañana **3** (lugar) entre; *voo entre Barcelona e Madri* vuelo entre Barcelona y Madrid **4** (relação) entre; *uma conversa entre pai e filho* una charla entre padre y hijo

entreaberto (*p.p. de* entreabrir) *adj.* entreabierto, entornado

entreabrir *v.* **1** entreabrirse **2** entreabrir **3** (tempo) despejarse, aclararse **4** (flor) abrir

entrecortar *v.* **1** entrecortar, interrumpir **2** entrecortar ▪ **entrecortar se** cruzarse, entrecortarse

entrecosto *s.m.* entrecot

entrega *s.f.* **1** (produto, encomenda) entrega **2** (guerra) entrega, rendición **3** *(dedicação)* entrega, devoción ♦ **entrega em domicílio** entrega a domicilio; **entrega contra reembolso** entrega contra reembolso

entregar *v.* **1** entregar, devolver **2** *(denunciar)* entregar, traicionar, delatar ▪ **entregar-se 1** (à leitura, ao álcool) entregarse, dedicarse, abandonarse **2** (guerra) entregarse, rendirse

entregue (*p.p. de* entregar) *adj.2g.* entregado

entrelaçado *adj.* entrelazado; enmarañado ▪ *s.m.* obra de entrelazamiento, lazo, enlazado o entrelazado

entrelaçar *v.* entrelazar

entrelinha *s.f.* **1** interlínea; interlineado*m.* **2** interlineado*m.*, entrelínea ♦ **ler nas entrelinhas** leer entre líneas

entremear *v.* entremezclar

entremeter *v.* entremeter

entreposto *s.m.* **1** *(empório)* emporio **2** *(armazém)* almacén, depósito de mercancías

entretanto *adv.* **1** mientras, mientras tanto, entreanto **2** sin embargo ▪ *s.m.* intervalo

entretenimento *s.m.* entretenimiento, diversión*f.*, distracción*f.*

entreter *v.* entretener, divertir ▪ **entreter-se** entretenerse, divertirse, pasarlo bien

entrevad|o, -a *adj.,s.m.,f.* tullid|o, -a, paralític|o, -a

entrever *v.* entrever

entrevista *s.f.* entrevista ♦ **entrevista coletiva** conferencia/rueda de prensa

entrevistador, -a *s.m.,f.* entrevistador, -a

entrevistar *v.* entrevistar

entristecer *v.* **1** entristecerse, ponerse triste **2** entristecer, poner triste

entroncamento *s.m.* **1** entroncamiento, entronque, empalme **2** (estrada) nudo; cruce **3** junta*f.*, juntura*f.*, unión

entronizar *v.* entronizar

entulhar *v.* abarrótar ▪ **entulhar-se** abarrotarse; hartarse

entulho *s.m.* **1** escombros, cascotes **2** basura*f.* **3** *fig.* trasto, cachivache, chisme

entupimento *s.m.* (cano, conduta) atasco

entupir *v.* **1** atascarse, obstruirse **2** (cano, conduta) atascar, obstruir, atrancar, entupir **3** *fig.* enmudecerse, callarse **4** (nariz) taponarse **5** *fig.* enmudecer, callar **6** *col.* llenarse, atestar **7** (trânsito) atascar **8** *col.* llenar, abarrotar ▪ **entupir se** atascarse, obstruirse, atrancarse

entusiasmado *adj.* entusiasmado, animado, emocionado

entusiasmar *v.* entusiasmar ▪ **entusiasmar se** entusiasmarse

entusiasmo *s.m.* entusiasmo

entusiasta *s.2g.* entusiasta

enumeração *s.f.* enumeración

enumerar *v.* enumerar

enunciação *s.f.* **1** *(exposição)* enunciación, exposición **2** MAT. enunciación
enunciado *s.m.* **1** enunciado **2** examen escrito ▪ *adj.* enunciado, declarado, expuesto
enunciar *v.* enunciar, exponer, formular ▪ **enunciar-se** manifestarse, expresarse
envaidecer *v.* envanecer ▪ **envaidecer se** envanecerse
envasilhar *v.* envasar; embotellar
envelhecer *v.* **1** envejecer, volverse viejo **2** envejecer, aviejar **3** *fig.* madurar, envejecer **4** *fig.* envejecer, madurar
envelhecimento *s.m.* envejecimiento
envelope *s.m.* sobre
envenenamento *s.m.* envenenamiento, emponzoñamiento
envenenar *v.* **1** envenenar, emponzoñar **2** *fig.* envenenar ▪ **envenenar se** envenenarse
envergadura *s.f.* envergadura
envergar *v.* NÁUT. envergar; vestir
envergonhado *adj.* **1** avergonzado **2** vergonzoso, tímido, cortado [ESP.]
envergonhar *v.* avergonzar ▪ **envergonhar-se** avergonzarse (de, de)
envernizar *v.* barnizar
enviar *v.* enviar, mandar, remitir
envidraçado *adj.* acristalado
envidraçar *v.* acristalar
enviesado *adj.* **1** *(cortado obliquamente)* sesgo **2** *(oblíquo)* oblicuo **3** (olhar) bizco
enviesar *v.* sesgar, cortar al bies
envio *s.m.* envío
enviuvar *v.* enviudar, quedarse viudo/a
envolver *v.* **1** *(embrulhar)* envolver (em, en) **2** *(implicar)* envolver (em, en), involucrar (em, en), implicar (em, en) **3** *(rodear)* envolver, rodear **4** *(abranger)* abarcar ▪ **envolver se 1** (assunto, crime) envolverse (em, en), involucrarse (em, en) **2** (relação amorosa) liarse (com, con)
envolvimento *s.m.* **1** envolvimiento **2** implicación*f.*, participación*f.* **3** *(relação amorosa)* relación*f.*, aventura*f.*, lío
enxada *s.f.* azada
enxaguar *v.* aclarar, enjuagar
enxame *s.m.* **1** (abelhas) enjambre **2** *fig.* (pessoas) enjambre, multitud*f.*
enxaqueca *s.f.* jaqueca, migraña
enxergar *v.* **1** ver **2** *(divisar)* entrever, divisar **3** *(avistar)* avistar **4** *(notar)* percibir, notar
enxerido *adj.* (pessoa) entrometido, metičón
enxertar *v.* injertar
enxerto *s.m.* injerto
enxofre *s.m.* azufre
enxotar *v.* ahuyentar
enxoval *s.m.* (de noiva) ajuar; (de bebê) canastilla*f.*
enxovalhar *v.* **1** *(sujar)* ensuciar **2** (tecido) arrugar **3** *fig.* humillar, injuriar, ofender
enxugar *v.* **1** (roupa) secarse **2** enjugar, secar **3** (suor, lágrimas) enjugar(se)
enxurrada *s.f.* **1** torrente*m.* **2** *fig.* *(quantidade)* torrente*m.* (de, de)
enxuto *adj.* (*p.p. de* enxugar) seco
enzima *s.f.* enzima
epicentro *s.m.* epicentro
épico *adj.* épico
epidemia *s.f.* epidemia
epiderme *s.f.* **1** epidermis*2n.*, cutícula **2** epidermis*2n.*
epidural *s.f.* (anestesia) epidural
epiglote *s.f.* epiglotis*2n.*
epígrafe *s.f.* **1** (texto) epígrafe*m.* **2** (edifício, monumento) epígrafe*m.*, inscripción
epigrama *s.m.* LIT. epigrama
epilepsia *s.f.* epilepsia
epilétic|o, -a *adj.,s.m.,f.* epiléptic|o,-a
episcopal *adj.2g.* episcopal, obispal
episódio *s.m.* episodio
epístola *s.f.* **1** *(carta)* epístola, carta, misiva **2** REL. epístola
epitélio *s.m.* ANAT. epitelio
epíteto *s.m.* **1** *(apelido)* apodo **2** LING. epíteto
época *s.f.* **1** *(período)* época, período*m.* **2** (turismo) temporada ♦ **fazer época** hacer época; **naquela época** en aquel entonces
epopeia *s.f.* epopeya
equação *s.f.* ecuación
equacionar *v.* (problema, questão) analizar, examinar
equador *s.m.* ecuador, línea*f.* equinoccial
Equador *s.m.* Ecuador
equatorian|o, -a *adj.,s.m.,f.* ecuatorian|o, -a
equestre *adj.2g.* ecuestre
equidistante *adj.2g.* equidistante
equilibrado *adj.* equilibrado
equilibrar *v.* **1** *(contrabalançar)* equilibrar, contrapesar **2** *(compensar)* equilibrar, compensar ▪ **equilibrar se** equilibrarse (em, en)
equilíbrio *s.m.* equilibrio ♦ **manter o equilíbrio** mantener el equilibrio; **perder o equilíbrio** perder el equilibrio
equilibrista *s.2g.* equilibrista; (na corda) funámbul|o, -a*m.f.*
equipagem *s.f.* NÁUT. equipaje, tripulación; comitiva; MIL. bagage
equipamento *s.m.* equipo, equipamiento
equipar *v.* equipar (com, con) ▪ **equipar-se** equiparse (de, de)
equiparar *v.* equiparar (a/com, a/con), comparar (a/com, a/con); *equiparar uma coisa a outra* equiparar una cosa a otra ▪ **equiparar-se** equipararse (a/com, a/con), compararse (a/com, a/con)
equipe *s.f.* equipo*m.*
equitação *s.f.* equitación
equivalência *s.f.* **1** equivalencia **2** (estudos) convalidación

equivalente *adj.2g.* equivalente (a, a) ▪ *s.m.* equivalente
equivaler *v.* equivaler (a, a)
equivocado *adj.* equivocado, errado
equivocar *v.* equivocar ▪ **equivocar-se** equivocarse
equívoco *s.m.* **1** *(engano)* equivocación*f.*, error, equívoco **2** *(mal-entendido)* malentendido ▪ *adj.* equívoco, ambiguo
era *s.f.* **1** *(época)* era, época, período*m.* **2** GEOL. era
ereção *s.f.* erección
eremita *s.2g.* ermitañ|o, -a*m.f.*, eremita
ergonomia *s.f.* ergonomía
erguer *v.* **1** erguir **2** (edifício) levantar ▪ **erguer se** erguirse
eriçar *v.* erizar ▪ **eriçar-se** erizarse
erigir *v.* **1** (obra arquitetônica) erigir, levantar, construir **2** *(fundar)* erigir, fundar
ermo *adj.* (lugar) yermo, despoblado, desierto ▪ *s.m.* yermo
erosão *s.f.* erosión
erosivo *adj.* erosivo
erótico *adj.* erótico
erotismo *s.m.* erotismo
erradicação *s.f.* erradicación
erradicar *v.* erradicar
errar *v.* **1** *(equivocar-se)* equivocarse, errar **2** equivocar, errar **3** *(agir mal)* errar, faltar **4** *(falhar)* errar, fallar **5** *(andar sem destino)* errar, vagar
errata *s.f.* fe de erratas
erre *s.m.* (letra r) ere*f.* (som suave); erre*f.* (som forte)
erro *s.m.* error, equivocación*f.*, yerro ♦ **erro de palmatória** error de (mucho) bulto, error imperdonable
erudição *s.f.* erudición
erudit|o, -a *adj.,s.m.,f.* erudit|o, -a
erupção *s.f.* **1** GEOL. erupción **2** MED. erupción, sarpullido*m.* [AM.]
erva *s.f.* **1** hierba, yerba **2** *gír.* hierba, maría, marihuana ♦ **erva aromática** hierba aromática; **erva daninha** mala hierba
erva-cidreira *s.f.* (*pl.* ervas-cidreiras) melisa
erva-doce *s.f.* (*pl.* ervas-doces) anís*m.*
ervilha *s.f.* guisante*m.*, arveja [AM.]
esbaforido *adj.* **1** *(ofegante)* jadeante, anhelante **2** *(com pressa)* apresurado
esbanjador, -a *adj.,s.m.,f.* derrochador, -a, despilfarrador, -a
esbanjar *v.* derrochar, despilfarrar
esbarrar *v.* **1** chocar (contra, contra) **2** (pessoa) toparse (com, con)
esbater *v.* **1** ART. rebajar **2** suavizar, atenuar ▪ **esbater se** suavizarse, atenuarse
esbelto *adj.* esbelto, elegante
esboçar *v.* **1** esbozar, bosquejar **2** *fig.* esbozar, diseñar ▪ **esboçar se** esbozarse, dibujarse
esboço *s.m.* **1** boceto, esbozo, bosquejo **2** (pintura) borrador
esbofetear *v.* abofetear
esborrachar *v.* aplastar ▪ **esborrachar-se** aplastarse
esbranquiçado *adj.* blanquecino
esburacar *v.* agujerear
escada *s.f.* escalera ♦ **escada rolante** escalera mecánica
escadaria *s.f.* escalinata
escala *s.f.* escala ♦ **em grande/larga escala** a gran escala
escalada *s.f.* **1** escalada **2** *fig.* escalada, aumento*m.*
escalão *s.m.* escalón
escalar *v.* **1** (montanha) escalar, subir **2** *(graduar)* escalonar, graduar **3** (cabelo) cortar (el pelo) a/en capas, hacer un corte escalonado, escalonar
escaldar *v.* **1** abrasar, quemar **2** escaldar ▪ **escaldar-se** escaldarse
escalfar *v.* (ovo) escalfar
escalonar *v.* escalonar, graduar
escama *s.f.* **1** (peixes, répteis) escama **2** (pele) escama
escamar *v.* (peixe) escamar, descamar
escancarar *v.* (janela, porta) abrir de par en par
escanchar *v.* abrir por la mitad ▪ **escanchar-se** despatarrarse, escarrancharse
escandalizado *adj.* escandalizado
escandalizar *v.* escandalizar ▪ **escandalizar-se** escandalizarse
escândalo *s.m.* escándalo
escandaloso *adj.* escandaloso
Escandinávia *s.f.* Escandinavia
escanear *v.* INFORM. escanear
escâner *s.m.* INFORM. escáner
escangalhar *v.* **1** *(desfazer)* descuajaringar, desarmar, desvencijar **2** *(estragar)* estropear **3** *(desmontar)* desmontar ▪ **escangalhar-se** descuajaringarse ♦ **escangalhar-se de rir** partirse de risa, descuajaringarse de risa
escaninho *s.m.* casillero
escanteio *s.m.* córner, tiro/saque de esquina
escapamento *s.m.* escape
escapar *v.* **1** escapar (de, de), huir; *escapar da polícia* huir de la policía **2** (de um acidente) escapar, sobrevivir **3** (situação, dever) escapar **4** (situação, pergunta) evadir, esquivar, eludir **5** *fig.* (segredo) dejar escapar, contar ▪ **escapar se** **1** (de prisão) escaparse, fugarse, evadirse **2** *(escapulir-se)* escaparse (de, de), escabullirse (de, de) **3** (esquecimento, deslize) escaparse, irse
escapatória *s.f.* escapatoria, evasiva, excusa
escape *s.m.* **1** escape, salida*f.* **2** (automóvel) escape **3** (de gás, líquido) escape, fuga*f.*
escápula *s.f.* escápula
escapulário *s.m.* escapulario
escapulir *v.* escabullirse, escaparse

escaravelho *s.m.* escarabajo
escarcéu *s.m.* **1** *(grande onda)* escarceo **2** *fig.* alboroto, griterío, algazara*f.*
escargot *s.m.* bígaro
escarlatina *s.f.* escarlatina
escarnecer *v.* escarnecer (de, -), burlarse (de, de), reírse (de, de), mofarse (de, de); *escarnecer dos outros* burlarse de los otros
escarpado *adj.* (terreno) escarpado, abrupto
escarrar *v.* escupir
escarro *s.m.* escupitajo, lapo [ESP.], escupo [VEN.], pollo
escassear *v.* escasear, faltar
escassez *s.f.* escasez, falta
escasso *adj.* escaso, falto
escavação *s.f.* excavación
escavadeira *s.f.* excavadora
escavar *v.* excavar
esclarecer *v.* aclarar, esclarecer ■ **esclarecer-se** instruirse
esclarecimento *s.m.* aclaración*f.*, esclarecimiento, elucidación*f.*
esclerosado *adj.* esclerosado
esclerose *s.f.* esclerosis*2n.*
escoamento *s.m.* **1** escurrimiento **2** desagüe
escoar *v.* **1** (líquido) escurrir **2** ECON. (bens, produtos) dar salida
escoc|ês, -esa *s.m.,f.* escoc|és, -esa ■ *adj.* **1** (Escócia) escocés **2** (tecido) escocés ■ **escocês** *s.m.* (língua) escocés
Escócia *s.f.* Escocia
escola *s.f.* (edifício, instituição) escuela, colegio*m.* ♦ **fazer escola** crear/hacer escuela
escolado *adj.* listo, vivo
escolar *adj.2g.* escolar
escolaridade *s.f.* escolaridad
escolarizar *v.* escolarizar
escolha *s.f.* elección, opción, selección ♦ **à escolha** a elegir
escolher *v.* elegir, escoger, seleccionar
escolhido *adj.* **1** escogido, elegido, seleccionado **2** *(seleto)* escogido
escoliose *s.f.* escoliosis*2n.*
escolta *s.f.* escolta, convoy, guardaespaldas*2g.2n.*, gorila*m.col.*
escoltar *v.* escoltar
escombros *s.m.pl.* escombros
esconde-esconde *s.m.* (*pl.* esconde-escondes, esconde-escondes) escondite
esconder *v.* esconder, ocultar ■ **esconder se** esconderse, ocultarse
esconderijo *s.m.* escondrijo, escondite
escopo *s.m.* **1** *(alvo)* blanco, punto de mira **2** *(objetivo)* objetivo, fin, propósito
escora *s.f.* **1** puntal*m.* **2** NÁUT. escora **3** *fig.* *(amparo)* apoyo*m.*
escorar *v.* apoyar; (escora) apuntalar
escória *s.f.* **1** (metais) escoria **2** *fig.,pej.* (pessoas) escoria **3** GEOL. escoria
escoriação *s.f.* **1** MED. excoriación, escoriación **2** *(arranhão)* rasguño*m.*
escorpian|o, -a *s.m.,f.* escorpión*2g.*
escorpião *s.m.* escorpión, alacrán
Escorpião *s.m.* ASTROL.,ASTRON. Escorpión, Escorpio
escorraçar *v.* expulsar, echar (a la calle)
escorredor *s.m.* escurreplatos*2n.*, escurridor
escorrega *s.m.* tobogán
escorregadio *adj.* *(que faz escorregar)* resbaladizo; *(que escorrega)* escurridizo
escorregador *s.m.* tobogán
escorregão *s.m.* **1** *(queda)* resbalón **2** *(escorrega)* tobogán
escorregar *v.* **1** resbalar(se) **2** *fig.* resbalar, cometer un desliz
escorrego *s.m.* tobogán
escorrer *v.* **1** escurrirse **2** (líquido) escurrir **3** (roupa) escurrir
escoteir|o, -a *s.m.,f.* scout*2g.*, boy-scout*m.*
escova *s.f.* **1** cepillo*m.* **2** (vaso sanitário) escobilla **3** (cabelo) brushing; *fazer escova* hacerse el brushing
escovar *v.* **1** cepillar **2** (dentes) cepillarse **3** (cabelo) cepillarse, peinarse
escravatura *s.f.* esclavitud
escravidão *s.f.* **1** esclavitud **2** *fig.* esclavitud, sujeción
escravizar *v.* esclavizar
escrav|o, -a *adj.,s.m.,f.* esclav|o, -a
escrever *v.* **1** escribir **2** escribir, redactar **3** (caneta, lápis) pintar ■ **escrever se** escribirse
escrita *s.f.* **1** *(sistema de caracteres)* escritura **2** *(caligrafia)* letra, caligrafía **3** contabilidad, teneduría de libros
escrito (*p.p. de* escrever) *adj.* escrito ■ *s.m.* **1** (documento, obra) escrito **2** *(anúncio de aluguel)* anuncio de alquiler ♦ **por escrito** por escrito
escritor, -a *s.m.,f.* escritor, -a
escritório *s.m.* **1** (local de trabalho) oficina*f.*; (de advogado) bufete, despacho **2** (casa) despacho

> Não confundir com a palavra espanhola escritorio (*escrivaninha*).

escritura *s.f.* escritura ♦ **Sagrada(s) Escritura(s)** Sagrada(s) Escritura(s)
escriturar *v.* escriturar ■ **escriturar-se** contratarse por medio de escritura
escrivaninha *s.f.* buró*m.*, escritorio*m.*, secreter*m.*
escriv|ão, -ã *s.m.,f.* escriban|o, -a
escroto *s.m.* escroto
escrúpulo *s.m.* escrúpulo ♦ **pessoa sem escrúpulos** persona inescrupulosa
escrutar *v.* escrutar
escudar *v.* escudar, proteger, defender ■ **escudar--se** escudarse (em, en), apoyarse (em, en)

escudo *s.m.* **1** (arma) escudo **2** (antiga moeda portuguesa) escudo **3** (heráldica) escudo
esculpir *v.* (pedra, madeira) esculpir
escultor, -a *s.m.,f.* escultor, -a
escultura *s.f.* (arte, obra) escultura
escumadeira *s.f.* espumadera
escurecer *v.* **1** oscurecer, ensombrecer **2** oscurecer, anochecer **3** (dia, tempo) oscurecerse
escuridão *s.f.* **1** oscuridad, obscuridad **2** *fig.* ignorancia **3** *lit.* ceguera
escuro *adj.* oscuro ■ *s.m.* oscuridad*f.* ♦ **às escuras** a oscuras; **escuro como breu** oscuro como boca de lobo
escusar *v.* **1** no ser necesario, no hacer falta **2** *(dispensar)* librar (de, de), eximir (de, de), dispensar (de, de) **3** *(desculpar)* excusar, disculpar
escuta *s.f.* escucha ■ *s.2g.* **1** escucha **2** *(escoteiro)* scout, boy-scout*m.* ♦ **estar à escuta** estar a la escucha
escutar *v.* **1** escuchar, oír; *escuta!* ¡oye! **2** escuchar
esfacelar *v.* desmenuzar, despedazar, destrozar; (rasgando) desgarrar
esfaquear *v.* acuchillar
esfarelar *v.* **1** desmenuzarse **2** desmenuzar; (pão) desmigajar
esfarrapado *adj.* **1** (tecido) roto, desgarrado **2** (pessoa) andrajoso, harapiento **3** *fig.* ridículo; *desculpa esfarrapada* excusa ridícula
esfarrapar *v.* desgarrar, rasgar
esfarripar *v.* **1** (em farripas) deshilachar, deshilar **2** (tecido) desgarrar, rasgar
esfera *s.f.* esfera, globo*m.* ♦ **esfera armilar** esfera armilar; **esfera celeste** esfera celeste
esferográfica *s.f.* bolígrafo*m.*, boli*m.col.*
esfiapar *v.* deshilachar, deshilar ■ **esfiapar-se** deshilacharse, deshilarse
esfinge *s.f.* esfinge
Esfinge *s.f.* MIT. Esfinge
esfolar *v.* **1** desollarse, escoriar, despellejar(se) **2** despellejar, desollar, escoriar **3** *(arranhar)* arañar
esfoliação *s.f.* exfoliación
esfoliante *adj.2g.,s.m.* exfoliante
esfoliar *v.* exfoliar
esfomeado *adj.* hambriento
esforçado *adj.* esforzado
esforçar-se *v.* esforzarse (por, por), afanarse (por, por); *esforçar-se por fazer alguma coisa* esforzarse por hacer algo
esforço *s.m.* esfuerzo
esfregar *v.* **1** frotar, fregar **2** *(friccionar)* frotarse, restregarse
esfriar *v.* **1** enfriarse **2** enfriar, refrescar **3** (relação) enfriar
esfumaçar *v.* llenar de humo
esfumar *v.* (pintura, desenho) esfumar, difuminar ■ **esfumar se** esfumarse, disiparse, desvanecerse
esgaçar *v.* **1** deshilacharse, deshilarse **2** deshilachar, deshilar
esgalhar *v.* **1** (árvore) ramificarse **2** ramonear **3** *pop.* ajetrearse, bregar, trajinar
esganar *v.* **1** *(estrangular)* estrangular **2** *(sufocar)* ahogar
esganiçar *v.* agudizar un sonido ■ **esganiçar-se** chillar
esgaravatar *v.* **1** escarbar **2** *fig.* escarbar, investigar, curiosear, escudriñar
esgoelar-se *v.* hablar muy alto
esgotado *adj.* agotado ♦ **lotação esgotada** aforo completo
esgotamento *s.m.* **1** agotamiento, gasto total **2** agotamiento, cansacio
esgotar *v.* **1** (mercadoria) agotarse, gastarse **2** agotar ■ **esgotar-se** agotarse
esgoto *s.m.* **1** (cano, conduta) alcantarilla*f.*, cloaca*f.*, sumidero **2** (conjunto) alcantarillado
esgravatar *v.* ⇒ **esgaravatar**
esgrima *s.f.* esgrima
esgrimir *v.* **1** ESPOR. praticar esgrima **2** (arma) esgrimir **3** *fig.* esgrimir
esgueirar *v.* desviar ■ **esgueirar-se** escabullirse, escaquearse *col.*
esguichar *v.* salir a chorros, chorrear
esguicho *s.m.* **1** *(jato)* chorro **2** *(repuxo)* surtidor
esmagar *v.* **1** aplastar, machacar **2** (alho) machacar **3** (uvas) prensar, pisar **4** *fig.* aplastar, destruir **5** *fig.* oprimir, subyugar, dominar
esmaltar *v.* esmaltar
esmalte *s.m.* esmalte ♦ **esmalte de unhas** esmalte/laca de uñas
esmeralda *s.f.* esmeralda ■ *adj.2g.2n.,s.m.* (cor) esmeralda
esmerar *v.* perfeccionar ■ **esmerar se** esmerarse, esforzarse
esmerilar *v.* esmerilar, pulir
esmero *s.m.* esmero
esmigalhar *v.* **1** (pão, bolachas) desmigajar, desmigar **2** *(despedaçar)* despedazar, desmenuzar **3** *(esmagar)* aplastar, machacar ■ **esmigalhar-se** despedazarse, desmenuzarse
esmiuçar *v.* **1** (objeto) desmenuzar, partir **2** *fig.* desmenuzar, analizar
esmola *s.f.* limosna
esmorecer *v.* **1** desalentar, desanimar **2** desalentar, desanimar, desmoralizar **3** decaer
esmurrar *v.* **1** (pessoa) pegarle a, darle un puñetazo a **2** (veículo) abollar **3** *(estragar)* dañar, estropear
esnobar *v.* **1** menospreciar **2** hacerse el esnob, presumir
esnobe *adj.,s.2g.* esnob, snob
és-nordeste *s.m.* (*pl.* és-nordestes) estenordeste
esôfago *s.m.* esófago
esotérico *adj.* esotérico
esoterismo *s.m.* esoterismo
espaçar *v.* espaciar

espacial *adj.2g.* espacial
espaço *s.m.* **1** espacio **2** (tecla) espaciador ◆ **de espaço a espaço** a ratos; **espaço de manobra** margen de maniobra; **espaços verdes** espacios verdes
espaçoso *adj.* espacioso, amplio
espada *s.f.* (arma) espada, hoja ■ *s.m.* TAUR. espada, matador ■ **espadas** *s.f.pl.* (baralho espanhol) espadas; (baralho francês) picas ◆ **entre a espada e a parede** entre la espada y la pared; **espada de dois gumes** arma de doble filo/dos filos
espádua *s.f.* **1** ANAT. escápula, omóplato*m.* **2** ANAT. hombro*m.*
espaguete *s.m.* espagueti, spaghetti
espairecer *v.* **1** distraerse **2** pasearse, dar un paseo
espalhafatoso *adj.* **1** *(barulhento)* bullicioso, alborotador **2** *(espampanante)* despampanante, extravagante, estrafalario
espalhar *v.* **1** esparcir, derramar **2** extender **3** divulgar, difundir **4** *(barrar)* untar **5** (pomada) untar, extender ■ **espalhar-se 1** esparcirse, derramarse **2** extenderse **3** (notícia) divulgarse, difundirse **4** *pop.* caer **5** *gír.* catear, suspender
espalmar *v.* aplanar, achatar, aplastar
espanador *s.m.* plumero
espanar *v.* desempolvar (con el plumero)
espancar *v.* apalear, aporrear, golpear
Espanha *s.f.* España
espanhol, -a *adj.,s.m.,f.* español, -a ■ **espanhol** *s.m.* (língua) español
espanholizar *v.* españolizar
espantado *adj.* **1** admirado, sorprendido, asombrado **2** asustado, atemorizado
espantalho *s.m.* **1** espantapájaros*2n.*, espantajo **2** *fig.* (pessoa) espantajo, mamarracho, adefesio
espantar *v.* **1** *(surpreender)* sorprender, maravillar, pasmar **2** *(assustar)* asustar, espantar **3** *(afugentar)* espantar, ahuyentar ■ **espantar se 1** *(surpreender-se)* sorprenderse, maravillarse, pasmarse **2** *(assustar-se)* asustarse, espantarse
espanto *s.m.* **1** *(surpresa)* asombro, maravilla*f.*, sorpresa*f.*, pasmo **2** *(terror)* miedo, espanto, susto
espantoso *adj.* asombroso, sorprendente, extraordinario, increíble
esparadrapo *s.m.* esparadrapo
espargir *v.* (líquido) rociar, salpicar
espartilho *s.m.* corsé
espasmo *s.m.* espasmo
espatifar *v.* despedazar, destrozar; estropear ■ **espatifar se** despedazarse
espátula *s.f.* espátula
especial *adj.2g.* **1** *(particular)* especial, particular; individual **2** *(fora do comum)* especial, diferente, peculiar
especialidade *s.f.* especialidad
especialista *s.2g.* especialista, expert|o, -a*m.f.* ■ *adj.2g.* especialista
especialização *s.f.* especialización
especializado *adj.* especializado
especializar *v.* especializar ■ **especializar-se** especializarse (em, en); *especializar-se em cirurgia* especializarse en cirugía
especialmente *adv.* **1** *(principalmente)* especialmente, particularmente, en particular **2** *(de propósito)* especialmente
especiaria *s.f.* especia
espécie *s.f.* especie ◆ **causar espécie** causar extrañeza; **da pior espécie** de mala calaña; **em espécie** en especie; **fazer espécie** causar mala impresión, desagradar
especificação *s.f.* especificación
especificar *v.* especificar
específico *adj.* específico
espécime *s.m.* espécimen, muestra*f.*, ejemplar, modelo
espectador, -a *s.m.,f.* espectador, -a
especulação *s.f.* **1** especulación **2** *(conjectura)* suposición, conjetura
especulador, -a *adj.,s.m.,f.* especulador, -a
especular *v.* **1** *(conjecturar)* especular (sobre, sobre) **2** *(investigar)* indagar, investigar **3** especular (em, en); *especular na Bolsa* especular en bolsa **4** *(refletir)* especular
especulativo *adj.* especulativo
espelhar *v.* **1** *(refletir)* reflejar **2** *(polir)* pulir, lustrar **3** (parede) revestir con espejo ■ **espelhar se** reflejarse
espelho *s.m.* **1** espejo **2** (fechadura) bombín **3** *fig.* espejo, reflejo, imagen*f.* ◆ (veículo) **espelho retrovisor** espejo retrovisor
espelunca *s.f.* antro*m.*, covacha, tugurio*m.*
espera *s.f.* espera ◆ **estar à espera de** estar a la/en espera de
esperança *s.f.* esperanza ◆ **a esperança é a última que morre** la esperanza es lo último que se pierde; **andar de esperanças** estar en estado de buena esperanza; **alimentar esperanças** alimentarse de esperanzas; **dar esperanças a alguém** dar esperanzas a alguien; **esperança de vida** esperanza de vida
esperançoso *adj.* **1** esperanzado **2** esperanzador, prometedor
esperar *v.* esperar ◆ **é de esperar que** es de esperar que; **esperar a vez** esperar la vez/el turno; **espero que não/sim** espero que no/sí; **esperar sentado** esperar sentado
esperma *s.m.* esperma*m./f.*
espermatozoide *s.m.* espermatozoide
espermicida *adj.2g.,s.m.* espermicida
espernear *v.* patalear
espertalh|ão, -ona *s.m.,f.* listill|o, -a
esperteza *s.f.* **1** *(astúcia)* listeza, astucia **2** *(manha)* artimaña, triquiñuela, treta
esperto *adj.* listo, astuto, sagaz
espesso *adj.* **1** (sólido) espeso, denso **2** (líquido) espeso, cremoso, consistente

espessura *s.f.* **1** espesor*m.*, grosor*m.* **2** (floresta, bosque) espesura
espetacular *adj.2g.* **1** espectacular **2** *col.* estupendo, fantástico, fenomenal
espetáculo *s.m.* **1** espectáculo **2** *irôn.* espectáculo, escándalo **3** *col.* pasada*f.*; ***que espetáculo!*** ¡qué pasada!
espetada *s.f.* **1** (utensílio) pincho*m.*, brocheta **2** CUL. pincho*m.*, brocheta
espetar *v.* pinchar ▪ **espetar se 1** pincharse **2** *col.* tener un accidente con el coche, chocar
espeto *s.m.* **1** espetón, asador de varilla **2** *fig.* (pessoa) fideo
espevitado *adj.* despabilado, listo, vivo
espevitar *v.* despabilar
espezinhar *v.* **1** pisotear **2** *fig.* pisotear, humillar
espia *s.2g.* **1** espía **2** MIL. centinela ▪ *s.f.* NÁUT. espía
espi|ão, -a *s.m.,f.* espía*2g.*
espiar *v.* espiar, acechar, avizorar
espiga *s.f.* **1** espiga **2** (de milho) mazorca **3** *fig.* rollo*m.*, aburrimiento*m.*
espigado *adj.* **1** (cereal) espigado **2** (cabelo) con las puntas abiertas **3** (pessoa) espigado, alto
espigar *v.* **1** (cereal) espigar **2** (pontas do cabelo) abrirse las puntas **3** (pessoa) crecer, dar un estirón
espinafre *s.m.* espinaca*f.*
espingarda *s.f.* escopeta, espingarda
espinha *s.f.* **1** espina, columna (vertebral) **2** (peixe) espina **3** (pele) espinilla, grano*m.*
espinho *s.m.* **1** (planta) espina*f.* **2** (de ouriço) púa*f.* **3** *(ponta aguçada)* pincho **4** *fig. (dificuldade)* espina*f.*, dificultad*f.*
espionagem *s.f.* espionaje*m.*
espionar *v.* espiar
espiral *s.f.* **1** espiral **2** (encadernação) canutillo*m.* ▪ *adj.2g.* espiral
espirar *v.* respirar
espírita *adj.,s.2g.* espiritista
espiritismo *s.m.* espiritismo
espírito *s.m.* espíritu ♦ **em espírito** en espíritu; **espírito do vinho** espíritu de vino; **Espírito Santo** Espíritu Santo
espiritual *adj.2g.* espiritual ▪ *s.m.* espiritual
espiritualidade *s.f.* espiritualidad
espiritualismo *s.m.* espiritualismo
espirituoso *adj.* **1** (pessoa) ingenioso **2** (bebida) espiritoso, espirituoso
espirrar *v.* **1** *(dar espirro)* estornudar **2** *(esguichar)* chorrear
espirro *s.m.* **1** estornudo **2** *(esguicho)* chorro
esplêndido *adj.* espléndido, magnífico, maravilloso
espoliar *v.* expoliar, despojar
esponja *s.f.* esponja ♦ *col.* **beber como uma esponja** beber como una esponja, beber como un cosaco; *fig.,col.* **passar uma esponja sobre** correr/echar un tupido velo (sobre algo); pasar página
esponjoso *adj.* esponjoso, poroso, fungoso
espontaneidade *s.f.* espontaneidad, naturalidad
espontâneo *adj.* espontáneo
espontar *v.* **1** despuntar, surgir, nacer, brotar, asomar **2** cortar las puntas
espora *s.f.* espuela
esporádico *adj.* esporádico, ocasional
esporão *s.m.* **1** espolón, garrón **2** ARQ. machón
esporear *v.* espolear
esporro *s.m. vulg.* bronca*f.*
esporte *s.m.* deporte ▪ *adj.2g.2n.* **1** (roupa) deportivo, de sport **2** (automóvel) deportivo ♦ (vestuário) **esporte fino** elegante pero no formal; **por esporte** por deporte
esportista *adj.,s.2g.* deportista
esportiva *s.f. col.* deportividad ♦ **perder a esportiva** perder la paciencia
esportivo *adj.* deportivo
espos|o, -a *s.m.,f.* espos|o, -a
espreguiçadeira *s.f.* hamaca, tumbona, reposera[AM.]
espreguiçar-se *v.* desperezarse, estirarse
espreitar *v.* **1** mirar, fisgar **2** acechar, avizorar
espremedor *s.m.* exprimidor
espremer *v.* **1** (laranja, limão) exprimir **2** *(esgotar)* exprimir, estrujar **3** *fig.* interrogar, coaccionar, presionar
espuma *s.f.* **1** espuma **2** (cabelo) espuma **3** espumarajo*m.* ♦ **espuma de barbear** espuma de afeitar
espumar *v.* **1** espumar, espumear[MÉX.] **2** espumar, despumar **3** *fig.* echar espumarajos por la boca, ponerse furioso
esquadra *s.f.* **1** NÁUT. escuadra, armada **2** MIL. escuadra **3** *(posto policial)* comisaría (de policía)
esquadrilha *s.f.* escuadrilla
esquadrinhar *v.* escudriñar
esquadro *s.m.* cartabón, escuadra*f.*
esquartejar *v.* descuartizar, despedazar, desmembrar
esquecer *v.* olvidar ▪ **esquecer-se** olvidarse
esquecido *adj.* **1** olvidado, abandonado **2** *(com má memória)* olvidadizo, desmemoriado, despistado
esquecimento *s.m.* **1** olvido **2** despiste, descuido, fallo ♦ (assunto, conversa) **cair no esquecimento** caer en el olvido
esquelético *adj.* esquelético
esqueleto *s.m.* esqueleto ♦ *col.* **chacoalhar o esqueleto** danzar, bailar
esquema *s.m.* **1** esquema **2** *(esboço)* esquema, bosquejo, esbozo
esquematizar *v.* esquematizar
esquentar *v.* **1** calentarse **2** calentar ▪ **esquentar-se** *fig.* calentarse, enfadarse
esquerda *s.f.* **1** izquierda **2** POL. izquierda
esquerdo *adj.* **1** izquierdo **2** *(canhoto)* zurdo
esquete *s.m.* sketch
esqui *s.m.* esquí ♦ **esqui aquático** esquí acuático

esquiar *v.* esquiar
esquilo *s.m.* ardilla*f.*
esquimó *adj.,s.2g.* esquimal
esquina *s.f.* esquina, arista, vértice*m.*
esquisitice *s.f.* rareza, extrañeza
esquisito *adj.* raro, extraño

> Não confundir com a palavra espanhola exquisito (*delicioso*).

esquivar *v.* esquivar
esquivar-se *v.* escabullirse (a, de, de), escaparse (a, de, de), esfumarse*col.* (a, de, de)
esquizofrenia *s.f.* esquizofrenia
esquizofrênic|o, -a *adj.,s.m.,f.* esquizofrénic|o, -a
essa *pron.dem.f.* ⇒ **esse** ♦ **ainda mais essa!** ¡lo que faltaba!; **essa agora!** ¡ahora me vienes con esas!; **essa é boa!** ¡eso tiene gracia!; **ora essa! 1** (cortesia) ¡no hay de qué! **2** (indignação) ¡ni hablar!; **por essas e por outras** por eso
ess|e, -a *pron.dem.* **1** es|e, -a; *esse livro* ese libro; *essa casa* esa casa; *esses senhores* esos señores; *essas senhoras* esas señoras **2** es|e, -a; (contextos ambíguos) és|e, -a; *quem é esse?* ¿quién es ese?; *prefiro esse* prefiero ése
esse *s.m.* (letra) ese*f.*
essência *s.f.* esencia
essencial *adj.2g.* **1** esencial, fundamental, necesario **2** (óleo) esencial
és-sudeste *s.m.* (*pl.* és-sudestes) estesudeste
és-sueste *s.m.* (*pl.* és-suestes) estesudeste
esta *pron.dem.f.* ⇒ **este**
estabelecer *v.* establecer ▪ **estabelecer se 1** (*fixar-se*) establecerse (em, en), afincarse (em, en) **2** (negócio) establecerse
estabelecimento *s.m.* **1** (*loja, casa, instituição*) establecimiento, tienda*f.* **2** definición*f.*, determinación*f.*
estabilidade *s.f.* estabilidad
estabilizar *v.* estabilizar
estábulo *s.m.* establo
estaca *s.f.* **1** (*pau*) estaca, palo*m.* **2** (planta) estaca, esqueje*m.* ♦ **voltar à estaca zero** volver al punto de partida
estação *s.f.* **1** (transportes) estación **2** (do ano) estación **3** (rádio) emisora; estación ♦ **estação de serviço** estación de servicio; **estação espacial** estación espacial; **estação dos correios** oficina de correos
estacionamento *s.m.* aparcamiento, estacionamiento
estacionar *v.* aparcar, estacionar
estada *s.f.* estancia, estada[AM.], permanencia, estadía[AM.]
estadia *s.f.* estadía[AM.], estada[AM.], estancia, permanencia
estádio *s.m.* **1** estadio **2** (*fase*) estadio, fase*f.*, etapa*f.*
estado *s.m.* estado, condición*f.*, situación*f.* ♦ **estado civil** estado civil; **estado de choque** estado de choque/shock; **estado de emergência** estado de excepción; **estado de espírito** estado de ánimo; **estado interessante** estado de buena esperanza/interesante
Estado *s.m.* Estado ♦ **Estado de direito** Estado de derecho
Estados Unidos da América *s.m.pl.* Estados Unidos de América
estafa *s.f. col.* fatiga, cansancio*m.*, agotamiento*m.*
estafado *adj. col.* agotado, fatigado, cansado
estafar *v. col.* fatigar, cansar ▪ **estafar-se** *col.* fatigarse, cansarse
estafeta *s.2g.* **1** estafeta **2** mensajer|o, -a*m.f.* ▪ *s.f.* ESPOR. relevos*m. pl.*
estagiar *v.* hacer prácticas
estagiári|o, -a *s.m.,f.* **1** (empresa) [persona que está haciendo prácticas] **2** estudiante*2g.* de magisterio **3** médic|o, -a residente
estágio *s.m.* **1** prácticas*f. pl.* **2** (*fase*) estadio, fase*f.*
estagnado *adj.* **1** (líquido) estancado, parado **2** (processo) estancado, paralizado **3** (pessoa) anticuado
estagnar *v.* **1** (líquido) estancarse **2** (líquido) estancar **3** (pessoa, situação) anquilosarse, no evolucionar **4** (*paralisar*) paralizar
estai *s.m.* NÁUT. estay
estalada *s.f.* **1** (*bofetada*) torta, guantazo*m.*, bofetón*m.* **2** (ruído) estallido*m.*
estalar *v.* **1** (madeira) crujir, estallar **2** (dedos, língua) chascar, chasquear **3** *fig.* estallar, surgir, principiar
estaleiro *s.m.* astillero
estalo *s.m.* **1** estallido **2** (madeira) crujido, chasquido **3** *pop.* bofetón, guantazo, manotazo
estampa *s.f.* **1** (*aparência*) estampa, aire*m.*, aspecto*m.* **2** (*ilustração*) estampa, grabado*m.*, dibujo*m.* ♦ **dar à estampa** imprimir, publicar
estampado *adj.* **1** (tecido) estampado **2** (*publicado*) impreso, publicado **3** (*patente*) patente, visible, perceptible ▪ *s.m.* tela*f.* estampada, estampado
estampar *v.* **1** (tecido) estampar **2** (livro) imprimir, publicar ▪ **estampar-se** *col.* estamparse
estancar *v.* estancar, restañar, detener ▪ **estancar-se 1** (líquido) estancar(se), restañar(se) **2** anquilosarse
estância *s.f.* **1** estancia, estación **2** estancia, estrofa ♦ **estância balnear** lugar de veraneo; **estância de esqui** estación de esquí
estandardizar *v.* estandarizar
estandarte *s.m.* estandarte, bandera*f.*
estande *s.m.* **1** (exposição, feira) stand **2** (veículos) concesionario de coches
estanho *s.m.* estaño
estante *s.f.* **1** estantería; (para livros) librería, biblioteca **2** (suporte) atril*m.*
estar *v.* **1** (*encontrar-se*) estar; *onde é que estavas?* ¿dónde estabas?; *estava na faculdade* estaba en la facultad **2** (estado, qualidade) estar; *estar doente/chateado* estar enfermo/enfadado **3** (lugar) estar; *nunca estive em Madri* nunca he estado en Madrid; *estamos perto* estamos cerca **4** (data, tempo) estar; *estamos em de-*

zembro estamos en diciembre **5** (calor, fome, medo) tener (com, -); *estou com fome* tengo hambre **6** (temperatura, preço) estar; *quanto está a maçã?* ¿a cuánto están las manzanas?; *estamos a 2 graus abaixo de zero* estamos a 2 grados bajo cero **7** (roupa) llevar; *estavam com roupa de festa* llevaban ropa de Domingo **8** (clima) hacer; *estar frio/calor* hacer frío/calor ♦ **estar** [+*ger.*] estar [+*ger.*]; *estava conversando* estaba charlando; **estar** [+*p.p.*] estar [+*p.p.*]; *estou surpreso com os resultados* estoy sorprendido con los resultados; **estar** [+*ger.*] estar [+*ger.*]; *estou lendo* estoy leyendo; **estar para** [+*inf.*] **1** (intenção) querer [+*inf.*]; *estive para te telefonar* quería llamarte **2** (iminência) estar a punto de [+*inf.*], estar al [+*inf.*]; *o trem está para chegar* el tren está a punto de llegar; **estar por** [+*inf.*] estar por [+*inf.*]; *o trabalho está por acabar* el trabajo está por terminar; **não estar nem aí** no dar importancia

estardalhaço *s.m.* **1** *col.* alboroto, follón, bulla*f.* **2** *fig.* alarde, ostentación*f.*

estarrecer *v.* aterrorizar, aterrar

estatelado *adj.* tumbado, derribado

estatelar *v.* tumbar, derribar ▪ **estatelar-se** tumbarse, derribarse, caerse

estático *adj.* estático

estatística *s.f.* estadística

estatístic|o, -a *adj.,s.m.,f.* estadístic|o, -a

estátua *s.f.* estatua

estatura *s.f.* **1** *(altura)* estatura, altura **2** (moral, intelectual) talla **3** *fig.* importancia, valor*m.*, magnitud

estatuto *s.m.* **1** estatuto, norma*f.*, reglamento **2** (social) categoría*f.*, condición*f.*, clase*f.* ♦ **estatuto autônomo/de autonomia** estatuto de autonomía

estável *adj.2g.* estable

este *s.m.* este, levante

est|e, -a *pron.dem.* **1** est|e, -a; *este livro* este libro; *esta casa* esta casa; *estes senhores* estos señores; *estas senhoras* estas señoras **2** est|e, -a; (contextos ambíguos) ést|e, -a; *quem é este?* ¿quién es este?; *prefiro este* prefiero éste

esteira *s.f.* **1** *(tapete de junco)* estera, esterilla **2** *(vestígio)* estela, huella, rastro*m.* ♦ **ir na esteira de alguém** seguir los pasos de alguien

estelar *adj.2g.* estelar

estelionato *s.m.* estafa*f.*, fraude*f.*

estender *v.* **1** (mapa, toalha) tender, extender **2** (braços, pernas) extender **3** (prazo) prolongar **4** (roupa) colgar, tender **5** (mão) tender ▪ **estender se** **1** (na cama) tenderse, acostarse **2** (temporal) prolongarse **3** (discurso) espaciarse, extenderse

estepe *s.f.* **1** estepa **2** (pneu) neumático de recambio/repuesto

esterco *s.m.* **1** estiércol, excremento, boñiga, abono **2** *cal.* mierda*f.*

estéreo *adj. col.* estéreo

estereótipo *s.m.* estereotipo

estéril *adj.2g.* estéril

esterilidade *s.f.* esterilidad

esterilização *s.f.* esterilización

esterilizar *v.* esterilizar

esterno *s.m.* esternón

estética *s.f.* estética

esteticista *s.2g.* esteticista

estético *adj.* estético

estetoscópio *s.m.* estetoscopio

estiada *s.f.* cese*m.* de la lluvia

estibordo *s.m.* estribor

esticar *v.* **1** *(braços, pernas, corda)* estirar, tensar **2** (prazo) prolongar ▪ **esticar-se** (na cama) estirarse, acostarse, tenderse

estigma *s.m.* **1** estigma, marca*f.*, señal*f.* **2** *fig.* estigma, deshonra*f.*, mancha*f.*

estigmatizar *v.* estigmatizar, marcar

estilete *s.m.* **1** MED. estilete **2** cúter, cutter

estilhaçar *v.* astillar(se), despedazar(se), fragmentar(se)

estilhaço *s.m.* astilla*f.*, esquirla*f.*; lasca*f.*

estilingue *s.m.* tirachinas

estilismo *s.m.* estilismo

estilista *s.2g.* estilista

estilizar *v.* estilizar, esquematizar

estilo *s.m.* estilo ♦ *col.* **em grande estilo** por todo lo alto

estima *s.f.* estima, aprecio*m.*

estimação *s.f.* estimación

estimado *adj.* **1** estimado, apreciado, querido **2** *(calculado)* estimado, valorado

estimar *v.* **1** estimar, apreciar, valorar **2** *(avaliar)* estimar, valorar, evaluar ♦ **estimo as (suas) melhoras** que se mejore

estimativa *s.f.* evaluación, estimación, cálculo*m.*

estimulante *adj.2g.,s.m.* estimulante

estimular *v.* estimular, incitar; excitar

estímulo *s.m.* estímulo

estipular *v.* estipular, determinar, establecer

estirar *v.* estirar, extender

estirpe *s.f.* **1** BOT. raíz **2** *fig.* estirpe, linaje*m.*, abolengo*m.*

estivador, -a *s.m.,f.* estibador, -a

estocar *v.* hacer acopio/stock, almacenar

estofado *adj.* (enchimento) acolchado ▪ *s.m.* juego de sofás acolchados

estofador, -a *s.m.,f.* tapicer|o, -a

estofar *v.* **1** tapizar **2** acolchar

estofo *s.m.* **1** tapicería*f.* **2** relleno (de sillas, sofás) **3** estofa*f.* ♦ **ter estofo para** tener madera para

estojo *s.m.* estuche; funda*f.*

estomacal *adj.2g.* estomacal

estômago *s.m.* **1** estómago **2** *fig.* sangre*f.* fría, coraje ♦ **revirar o estômago** revolvérsele a alguien el estómago; **de estômago vazio** con el estómago vacío, en ayunas; **enganar o estômago** engañar al estómago; **não ter estômago para** não tener estómago para; *col.* **ter o estômago colado nas costas** tener el estómago en los talones/pies

estontear *v.* atontar, aturdir, perturbar, deslumbrar
estopa *s.f.* estopa
estoque *s.m.* estoque
estorno *s.m.* **1** reembolso **2** BOT. barrón
estorricar *v.* **1** achicharrarse **2** achicharrar, churruscar
estorvar *v.* estorbar, impedir, molestar
estourar *v.* **1** reventar, estallar, explotar **2** (bomba) explosionar **3** *(explodir)* estallar, explotar **4** (escândalo, guerra, bomba) estallar
estouro *s.m.* estallido, estruendo, reventón ♦ **ser um estouro** ser bárbaro
estrábico *adj.* (pessoa) estrábico, bizco, ojituerto
estrabismo *s.m.* estrabismo
estraçalhar *v.* despedazar, destrozar
estrada *s.f.* **1** carretera **2** *fig.* camino*m.*, medio*m.* ♦ **estrada de ferro** ferrocarril, vía férrea, línea férrea
estrado *s.m.* **1** tarima, tablado **2** (cama) somier
estragar *v.* **1** estropear **2** *col.* mimar demasiado ■ **estragar-se** (comida) estropearse, alterarse, pudrirse
estrago *s.m.* **1** estrago, daño, destrozo, estropicio, rotura*f.* **2** *(avaria)* avería*f.* ♦ **fazer/causar estragos** hacer estragos
estrangeir|o, -a *adj.,s.m.,f.* extranjer|o, -a ■ *s.m.* extranjero
estrangulamento *s.m.* **1** *(morte)* estrangulamiento, estrangulación*f.* **2** *(aperto)* estrangulamiento, estrechamiento
estrangular *v.* **1** *(matar)* estrangular **2** (canal) estrangular, estrechar
estranhar *v.* **1** extrañar, sorprenderse **2** extrañarse, sorprender **3** costarle a alguien acostumbrarse
estranh|o, -a *s.m.,f.* extrañ|o, -a, desconocid|o, -a; extranjero ■ *adj.* raro, extraño
estratégia *s.f.* **1** estrategia, táctica **2** estrategia, plan*m.*
estratégico *adj.* estratégico
estrato *s.m.* **1** GEOL. estrato **2** MET. (nuvem) estrato **3** (sociedade) estrato, clase*f.*, nivel social
estrear *v.* **1** (filme, peça) estrenarse **2** estrenar ■ **estrear se** estrenarse
estrebuchar *v.* convulsionar, agitarse
estreitamento *s.m.* estrechamiento
estreitar *v.* estrechar(se), apretar(se), reducir(se)
estreito *adj.* **1** estrecho **2** (lugar) angosto, estrecho **3** (parentesco) cercano, estrecho **4** (caminho) angosto, estrecho **5** (espírito, mentalidade) estrecho, anticuado ■ *s.m.* estrecho
estrela *s.f.* **1** estrella **2** *fig. (sina)* estrella, destino*m.*, fortuna, suerte **3** *fig.* estrella, artista*2g.* ♦ **estrela cadente** estrella fugaz; **estrela da manhã** lucero del alba/de la mañana; **estrela da tarde** lucero de la tarde; **estrela polar** estrella polar; **ver estrelas** ver las estrellas
estrelado *adj.* estrellado
estrela-do-mar *s.f.* (*pl.* estrelas-do-mar) estrella de mar
estrelar *v.* (ovo) freír (un huevo)
estremecer *v.* **1** estremecerse, sacudirse **2** estremecer, sacudir, hacer temblar **3** estremecerse, asustarse
estrepar-se *v. col.* darse mal, salirse mal
estressado *adj.* estresado
estressante *adj.2g.* estresante
estressar *v.* estresar
estresse *s.m.* estrés
estria *s.f.* **1** (superfície) estría, surco*m.* **2** (pele) estría
estribeira *s.f.* estribo*m.* ♦ *col.* **perder as estribeiras** perder los estribos
estribilho *s.m.* LIT. estribillo
estribo *s.m.* **1** (equitação) estribo **2** TAUR. estribo
estridente *adj.2g.* (som) estridente, chillón, agudo
estrofe *s.f.* estrofa
estroncar *v.* tronchar, romper, partir, estropear
estrondo *s.m.* (ruído) estruendo, estrépito, zambombazo
estrondoso *adj.* **1** estruendoso, ruidoso, estrepitoso **2** *col.* estrepitoso, espectacular
estropiar *v.* mutilar, amputar; tullir
estrume *s.m.* estiércol, abono, fimo, ciemo
estrutura *s.f.* estructura
estruturar *v.* estructurar
estucar *v.* (superfície) estucar; (muro, teto) enlucir
estudante *s.2g.* estudiante
estudantil *adj.2g.* estudiantil
estudar *v.* **1** *(ser estudante)* estudiar **2** (assunto, proposta) estudiar, pensar (-, en/sobre) ■ **estudar-se** estudiarse, observarse
estúdio *s.m.* (de pintura, de gravação) estudio
estudios|o, -a *s.m.,f.* estudios|o, -a ■ *adj.* estudioso, aplicado
estudo *s.m.* **1** *(aprendizagem)* estudio **2** *(trabalho científico)* estudio, investigación*f.* ♦ **abandonar os estudos** dejar los estudios; colgar los libros *col.*; **estudo de mercado** estudio de mercado
estufa *s.f.* invernadero*m.*

> Não confundir com a palavra espanhola estufa (*aquecedor*).

estufar *v.* estofar
estupefato *adj.* estupefacto, sorprendido, asombrado
estupendo *adj.* estupendo, admirable, maravilloso
estupidez *s.f.* estupidez, necedad
estúpido *adj.* estúpido, tonto, bobo
estupor *s.m.* **1** MED. estupor **2** *cal.* (pessoa) canalla*2g.*, miserable*2g.*
estuprador *s.m.* violador
estuprar *v.* estuprar, violar
estupro *s.m.* estupro
estuque *s.m.* escayola*f.*, yeso, estuco
esturricar *v.* churruscar

esvair-se *v.* **1** desvanecerse **2** *(desmaiar)* desmayarse ♦ **esvair-se em sangue** desangrarse
esvanecer *v.* desvanecerse, disiparse, desaparecer
esvaziar *v.* vaciar; desocupar ■ **esvaziar se 1** vaciarse; desocuparse **2** *fig.* perder el significado
esverdeado *adj.* verdoso
esvoaçar *v.* aletear, revolotear
eta *interj.* ¡vaya! ■ *s.m.* (alfabeto grego) eta*f.*
ETA (*sigla de* Euzkadi ta Askatsuna) ETA (*sigla de* Euzkadi ta Askatasuna)
etapa *s.f.* etapa, fase ♦ **por etapas** por etapas
etário *adj.* etario
éter *s.m.* éter
eternidade *s.f.* eternidad
eternizar *v.* eternizar ■ **eternizar-se** eternizarse
eterno *adj.* eterno
ética *s.f.* ética
ético *adj.* ético
etílico *adj.* etílico
etimologia *s.f.* etimología
etimológico *adj.* etimológico
Etiópia *s.f.* Etiopía
etiqueta *s.f.* **1** etiqueta **2** *(protocolo)* etiqueta, protocolo*m.*, cerimonial*m.*
etiquetar *v.* etiquetar
etnia *s.f.* etnia
étnico *adj.* étnico
etnografia *s.f.* etnografía
etnográfico *adj.* etnográfico
etnógraf|o, -a *s.m.,f.* etnógraf|o, -a
etnologia *s.f.* etnología
etnólog|o, -a *s.m.,f.* etnólog|o, -a
eu *pron.pess.* yo; *eu falo português* yo hablo portugués ■ *s.m.* yo, ego ♦ *col.* **e o que é que eu tenho a ver com isso?** ¿qué tengo yo que ver con eso?; ¡a mí qué!
EUA (*sigla de* Estados Unidos da América) EE UU (*sigla de* Estados Unidos de América)
eucalipto *s.m.* eucalipto
Eucaristia *s.f.* Eucaristía
eufemismo *s.m.* eufemismo
eufonia *s.f.* eufonía
euforia *s.f.* euforia
eufórico *adj.* eufórico
euro *s.m.* euro
Europa *s.f.* Europa
europe|u, -ia *adj.,s.m.,f.* europe|o, -a
eutanásia *s.f.* eutanasia
evacuação *s.f.* **1** (lugar, ocupantes) evacuación, desalojo*m.* **2** *(defecação)* evacuación, defecación
evacuar *v.* **1** *(defecar)* evacuar, defecar **2** evacuar, desocupar, desalojar
evadir-se *v.* evadirse (de, de), huir (de, de), fugarse (de, de)
Evangelho *s.m.* Evangelio
evangélico *adj.* evangélico
evangelista *s.m.* evangelista
evangelização *s.f.* evangelización
evangelizar *v.* evangelizar
evaporação *s.f.* evaporación
evaporar *v.* evaporar ■ **evaporar-se 1** evaporarse **2** *col.* esfumarse, desaparecer
evasão *s.f.* evasión, fuga, huida ♦ **evasão fiscal** evasión fiscal/de impuestos
evasiva *s.f.* evasiva, subterfugio*m.*
evasivo *adj.* evasivo
evento *s.m.* evento, suceso, acontecimiento
eventual *adj.2g.* eventual, posible, ocasional
eventualidade *s.f.* eventualidad, posibilidad, casualidad
evidência *s.f.* evidencia, certeza, certidumbre
evidenciar *v.* evidenciar, demostrar
evidente *adj.2g.* evidente, claro
evitar *v.* evitar
evocar *v.* evocar, recordar
evolução *s.f.* evolución
evolucionismo *s.m.* evolucionismo
evolucionista *adj.,s.2g.* evolucionista
evoluir *v.* evolucionar
exacerbar *v.* **1** exacerbar, irritar **2** (doença, sentimento) exacerbar, agravar ■ **exacerbar se** exacerbarse, agravarse
exagerar *v.* exagerar
exagero *s.m.* exageración*f.*
exalar *v.* **1** (vapor, cheiro) exhalar, emitir **2** *fig.* exhalar
exaltação *s.f.* **1** *(excitação)* exaltación, excitación **2** *(irritação)* irritación, enfado*m.* **3** *(elogio)* alabanza, elogio*m.*, exaltación
exaltar *v.* exaltar ■ **exaltar se** exaltarse
exame *s.m.* **1** *(análise)* examen, análisis*2n.* **2** *(prova)* examen, prueba*f.* **3** MED. reconocimiento, examen
examinador, -a *s.m.,f.* examinador, -a
examinar *v.* **1** examinar, observar **2** (pessoa) examinar
exasperar *v.* exasperar, irritar, enfurecer ■ **exasperar se** exasperarse, irritarse, enfurecerse
exatamente *adv.* exactamente
exatidão *s.f.* exactitud
exato *adj.* **1** *(correto)* correcto, exacto **2** *(preciso)* exacto, preciso
exaustão *s.f.* agotamiento*m.*
exaustivo *adj.* **1** *(minucioso)* exhaustivo **2** *(cansativo)* agotador
exausto *adj.* exhausto, agotado
exaustor *s.m.* **1** extractor **2** (cozinha) campana*f.* extractora
exceção *s.f.* excepción ♦ **de exceção** de excepción, excepcional; **a exceção confirma a regra** la excepción confirma la regla
excedente *s.m.* excedente, sobrante

exceder *v.* exceder, sobrepasar ▪ **exceder-se 1** excederse, sobrepasarse **2** (comportamento) excederse, pasarse, ir demasiado lejos
excelência *s.f.* excelencia ♦ **por excelência** por excelencia; **Sua/Vossa Excelência** Su/Vuestra Excelencia
excelente *adj.2g.* excelente, magnífico ▪ *s.m.* (classificação escolar) sobresaliente
excentricidade *s.f.* excentricidad
excêntrico *adj.* excéntrico ▪ *s.m.* leva*f.*
excepcional *adj.2g.* excepcional
excessivo *adj.* excesivo, exagerado, desmedido
excesso *s.m.* exceso ♦ **em excesso** en exceso, excesivamente; **por excesso** por exceso
exceto *prep.* excepto, salvo, menos
excetuar *v.* exceptuar, excluir
excitação *s.f.* excitación
excitante *adj.2g.* excitante
excitar *v.* excitar, estimular ▪ **excitar se** excitarse, alterarse, exaltarse
exclamação *s.f.* exclamación ♦ **ponto de exclamação** signo de admiración/exclamación (!)
exclamar *v.* exclamar
exclamativo *adj.* exclamativo
excluído *adj.* **1** excluido, apartado, exceptuado **2** *gír.* cateado*col.*, suspendido, suspenso, pendiente
excluir *v.* **1** excluir, apartar, eliminar **2** excluir, omitir **3** (exame) suspender, catear*col.*
exclusão *s.f.* exclusión, eliminación; omisión ♦ **exclusão social** discriminación social; **por exclusão de partes** por eliminación
exclusivamente *adv.* exclusivamente
exclusividade *s.f.* **1** exclusividad, monopolio*m.* **2** exclusiva ♦ **cláusula de exclusividade** cláusula de exclusividad
exclusivo *adj.* exclusivo, único, sólo ▪ *s.m.* exclusiva*f.*, monopólio
excomungar *v.* excomulgar
excremento *s.m.* excrementos*pl.*, heces*f. pl.*
excursão *s.f.* excursión; *fazer uma excursão* ir de excursión
execução *s.f.* **1** ejecución, realización **2** (de pena de morte) ejecución, ajusticiamiento*m.* **3** (de peça musical) ejecución, interpretación
executar *v.* ejecutar
executável *adj.2g.* ejecutable, realizable ▪ *s.m.* INFORM. ejecutable
executiv|o, -a *s.m.,f.* ejecutiv|o, -a ▪ *adj.* ejecutivo ▪ **executivo** *s.m.* ejecutivo, gobierno
exemplar *adj.2g.* ejemplar, perfecto ▪ *s.m.* **1** ejemplar, individuo, espécimen **2** (obra impressa, peça de coleção) ejemplar
exemplificar *v.* ejemplificar, demostrar
exemplo *s.m.* ejemplo, modelo ♦ **a exemplo de** a ejemplo de; **dar o exemplo** dar ejemplo, poner de ejemplo; **por exemplo** por ejemplo; **sem exemplo** sin precedente
exercer *v.* ejercer, poner en práctica, ejercitar
exercício *s.m.* ejercicio ♦ **em exercício** en ejercicio; **fazer exercício** hacer ejercicio
exercitar *v.* ejercitar ▪ **exercitar se** ejercitarse
exército *s.m.* ejército
exibição *s.f.* exhibición, exposición, demostración ♦ **em exibição** en cartelera
exibicionismo *s.m.* exhibicionismo
exibicionista *adj.,s.2g.* exhibicionista
exibido *adj.* **1** mostrado, proyectado **2** *pop.* presumido, exhibicionista
exibir *v.* **1** exhibir, mostrar, ostentar **2** (filme) exhibir, proyectar **3** (televisão) echar (una película), poner ▪ **exibir-se** exhibirse, hacer alarde, lucirse
exigência *s.f.* **1** exigencia, pedido*m.*, reinvindicación **2** requisito*m.*
exigente *adj.2g.* exigente
exigir *v.* **1** exigir, reivindicar, reclamar **2** requerir
exilar *v.* exiliar, expatriar ▪ **exilar se** exiliarse, expatriarse
exílio *s.m.* **1** exilio, destierro **2** *fig.* aislamiento
exímio *adj.* eximio, excelente, eminente
existência *s.f.* existencia
existencial *adj.2g.* existencial
existente *adj.2g.* existente
existir *v.* **1** *(haver)* existir, haber **2** *(viver)* existir, vivir
êxito *s.m.* éxito ♦ **êxito de bilheteria** éxito de taquilla
êxodo *s.m.* éxodo
exonerar *v.* **1** *(demitir)* destituir, despedir **2** *(desobrigar)* exonerar ▪ **exonerar se** dimitir
exorbitante *adj.2g.* exorbitante, excesivo
exorcismo *s.m.* exorcismo
exorcista *s.2g.* exorcista ▪ *s.m.* exorcista
exorcizar *v.* exorcizar
exortar *v.* exhortar (a, a); ***exortar alguém a fazer alguma coisa*** exhortar a alguien a hacer algo
exótico *adj.* exótico
expandir *v.* **1** expandir, dilatar, extender **2** (emoções, sentimentos) manifestar, expresar ▪ **expandir-se** expandirse, dilatarse, extenderse
expansão *s.f.* expansión, propagación, difusión
expansionismo *s.m.* expansionismo
expansionista *adj.,s.2g.* expansionista
expansivo *adj.* (pessoa) expansivo, extrovertido, abierto, franco
expatriar *v.* expatriar, exiliar ▪ **expatriar se** expatriarse, exiliarse
expectante *adj.2g.* expectante
expectativa *s.f.* **1** expectativa, esperanza **2** *(interesse)* espectación, curiosidad ♦ **estar na expectativa** estar a la expectativa
expectoração *s.f.* expectoración
expectorante *adj.2g.,s.m.* expectorante
expectorar *v.* expectorar
expedição *s.f.* **1** expedición, excursión **2** *(envio)* expedición, remesa **3** MIL. expedición

expediente *s.m.* **1** expediente, recurso, medio **2** correspondencia*f.*
expedir *v.* expedir, enviar, remitir
expelir *v.* expeler
experiência *s.f.* **1** experiencia, práctica, conocimiento*m.* **2** *(prova)* intento*m.*, prueba, ensayo*m.* **3** (científica) experimento*m.*
experiente *adj.2g.* experimentado, experto, ducho
experimental *adj.2g.* experimental
experimentar *v.* **1** experimentar, poner en práctica **2** probar **3** (roupa) probarse
expiar *v.* (falta, culpa) expiar
expiatório *adj.* expiatorio
expiração *s.f.* **1** (respiração) espiración **2** (prazo) expiración, término*m.*, vencimiento*m.*
expirar *v.* **1** (respiração) espirar **2** expirar **3** (prazo) expirar, cumplirse, vencer **4** *(morrer)* expirar, fenecer, morir
explanar *v.* explicar, explanar
explicação *s.f.* **1** explicación, justificación, disculpa **2** *(aula particular)* clase particular
explicador, -a *s.m.,f.* **1** explicador, comentador **2** (aulas particulares) profesor particular **3** (para exame) preparador
explicar *v.* **1** explicar, exponer **2** (aulas particulares) dar clases particulares ■ **explicar-se** explicarse, justificarse, disculparse
explicativo *adj.* explicativo
explicitar *v.* explicitar
explícito *adj.* explícito
explodir *v.* **1** explosionar **2** explotar, reventar, estallar **3** *fig.* (riso, choro, etc.) irrumpir **(em, en)** **4** *fig.* (raiva, zanga) explotar, saltar **5** *fig.* descontrolarse
exploração *s.f.* **1** (científico) exploración, investigación **2** (econômico) explotación, abuso*m.* **3** (de pessoas) explotación, abuso*m.* **4** (instalações) explotación
explorador, -a *s.m.,f.* **1** (científico) explorador, -a, investigador, -a **2** (de recursos, de pessoas) explotador, -a
explorar *v.* **1** (científico) explorar, investigar **2** (econômico) explotar, engañar, obtener provecho, abusar
explosão *s.f.* **1** (de bomba) explosión **2** MEC. explosión **3** *fig.* explosión, ataque*m.* ◆ **explosão demográfica** explosión demográfica
explosivo *s.m.* explosivo ■ *adj.* **1** (substância) explosivo **2** *fig.* (pessoa) impulsivo
expoente *s.m.* **1** MAT. exponente **2** *fig.* (pessoa) exponente, prototipo
expor *v.* exponer, mostrar, exhibir ■ **expor se** **1** darse a conocer **2** exponerse, arriesgarse
exportação *s.f.* exportación
exportador, -a *adj.,s.m.,f.* exportador, -a
exportar *v.* exportar
exposição *s.f.* **1** exposición **2** FOT. exposición
expositor *s.m.* expositor
expressão *s.f.* expresión ◆ **expressão algébrica** expresión algebraica; **expressão corporal** expresión corporal; **expressão idiomática** expresión idiomática, modismo; **reduzir à expressão mais simples** reducir a la mínima expresión
expressar *v.* expresar ■ **expressar se** expresarse
expressivo *adj.* expresivo
expresso (*p.p. de* exprimir) *adj.* **1** expreso **2** (correio) urgente ■ *s.m.* **1** (trem) expreso, exprés **2** (bebida) café solo
exprimir *v.* expresar ■ **exprimir-se** expresarse
expropriar *v.* expropiar
expugnar *v.* expugnar, conquistar
expulsão *s.f.* expulsión
expulsar *v.* expulsar, echar
expurgar *v.* **1** expurgar, purificar, limpiar **2** MED. desinfectar una herida
êxtase *s.m.* éxtasis*2n.*, trance, embeleso
extasiado *adj.* extasiado, ensimismado, absorto
extasiar *v.* extasiar ■ **extasiar-se** extasiarse
extensão *s.f.* **1** extensión **2** ELETR. cable*m.* alargador ◆ **em toda a extensão da palavra** en toda la extensión de la palabra
extenso *adj.* extenso ◆ **por extenso** por extenso
extenuar *v.* extenuar, agotar, cansar ■ **extenuar-se** extenuarse
exterior *adj.2g.* exterior ■ *s.m.* **1** *(lado de fora)* exterior **2** *(estrangeiro)* exterior, extranjero **3** *(aparência)* exterior, apariencia*f.*, aspecto
exteriorizar *v.* exteriorizar, manifestar
exterminar *v.* exterminar, destruir, aniquilar
extermínio *s.m.* exterminio, destrucción*f.*, aniquilación*f.*
extern|o, -a *s.m.,f.* (aluno) extern|o, -a ■ *adj.* externo
extinção *s.f.* **1** extinción **2** *(abolição)* abolición
extinguir *v.* **1** (fogo) extinguir, apagar **2** (espécie, povo) extinguir, exterminar ■ **extinguir se** **1** (fogo) extinguirse, apagarse **2** (espécie, povo) extinguirse, desaparecer
extintor *s.m.* extintor
extirpar *v.* extirpar
extorquir *v.* extorsionar
extorsão *s.f.* extorsión
extra *s.m.* (pagamento) extra, plus*2n.* ■ *adj.2g.2n.* **1** (qualidade) extra **2** (despesas, trabalho) extra, extraordinario
extração *s.f.* **1** (dente) extracción **2** (loteria) sorteo*m.*, extracción **3** MAT. extracción ◆ **extração de dados** extracción de datos
extraconjugal *adj.2g.* extraconyugal, extramatrimonial
extradição *s.f.* extradición
extraditar *v.* (pessoa) extraditar
extrair *v.* **1** (dente, órgão, tecido) extraer, sacar **2** (minério) extraer **3** MAT. extraer
extrajudicial *adj.2g.* extrajudicial
extraordinário *adj.* extraordinario
extrapolar *v.* extrapolar
extraterrestre *adj.,s.2g.* extraterrestre

extrato *s.m.* **1** (substância) extracto, esencia*f.* **2** (obra) pasaje, fragmento **3** (bancário) extracto; ***extrato bancário*** extracto de cuenta

extravagância *s.f.* extravagancia, excentricidad

extravagante *adj.2g.* extravagante, raro, excéntrico, estrafalario *col.*

extravasar *v. fig.* manifestar

extraviar *v.* **1** *(perder)* extraviar, perder **2** *(desencaminhar)* desencaminar **3** (documentos) traspapelar ▪ **extraviar-se** **1** (carta, pessoa) extraviarse, perderse **2** (animal) descarriarse **3** (documentos) traspapelarse

extravio *s.m.* **1** (dinheiro, fundos) desviación*f.* **2** *(perda)* extravío, pérdida*f.* **3** *(desfalque)* desfalco

extremidade *s.f.* extremidad, extremo*m.* ▪ **extremidades** *s.f.pl.* ANAT. extremidades

extremo *adj.,s.m.* extremo ♦ **extremo Oriente** extremo Oriente; **levar ao extremo** llevar al extremo

extrovertido *adj.* extrovertido, extravertido

exuberância *s.f.* exuberancia, abundancia, riqueza

exuberante *adj.2g.* exuberante, abundante, rico

exultar *v.* exultar, regocijarse

exumação *s.f.* (cadáver) exhumación

exumar *v.* (cadáver) exhumar, desenterrar

F

f *s.m.* (letra) f*f.*
fá *s.m.* fa
fã *s.2g.* **1** fan, admirador, -a*m.f.* **2** (de atividade) aficionad|o, -a*m.f.*
fábrica *s.f.* fábrica
fabricação *s.f.* **1** fabricación, producción **2** *fig.* invención ◆ **de fabricação caseira** casero
fabricado *adj.* fabricado
fabricante *s.2g.* fabricante
fabricar *v.* **1** fabricar, producir **2** *fig.* fabricar, inventar, idear
fabril *adj.2g.* fabril
fábula *s.f.* fábula
fabuloso *adj.* **1** (fábula) fabuloso, imaginario, ficticio **2** *(fantástico)* fabuloso, fantástico, magnífico
faca *s.f.* **1** cuchillo*m.* **2** (cavalo, égua) jaca ◆ (ambiente, situação) **de cortar à faca** irrespirable; *col.* **ir à faca** ir a quirófano, operarse; *col.* **ter a faca e o queijo na mão** tener la sartén por el mango
facada *s.f.* **1** cuchillada **2** *fig.* puñalada trapera **3** *col.* sablazo*m.*
façanha *s.f.* hazaña, proeza
facção *s.f.* **1** facción **2** POL. facción, partido*m.*
face *s.f.* **1** *(rosto)* cara, rostro*m.* **2** *(bochecha)* mejilla **3** *(superfície)* cara, faz, superficie **4** *(moeda)* cara **5** *(tecido)* haz **6** *fig. (problema)* faceta ◆ **à face de** en presencia de; **em face de** delante de, ante; **face a face** cara a cara; **fazer face a 1** *(dificuldade, pessoa)* hacer frente a, plantar cara a **2** *(opor-se)* oponerse a **3** *(custear)* costear, hacerse cargo de
faceta *s.f.* **1** *(face)* faceta, cara; *(superfície)* superficie **2** *(aspecto)* faceta, cara, aspecto*m.*
fachada *s.f.* **1** fachada **2** *fig.,col.* fachada, apariencia
facho *s.m.* antorcha*f.*, tea*f.* ◆ **sossegar o facho** aquietarse
facial *adj.2g.* facial, de la cara
fácies *s.f.2n.* MED.,VET. facies
fácil *adj.2g.* **1** fácil; *(simples)* sencillo **2** *pej.* (pessoa) fácil
facilidade *s.f.* **1** facilidad **2** *(aptidão)* facilidad, aptitud ■ **facilidades** *s.f.pl.* facilidades
facilitar *v.* **1** descuidarse **2** facilitar **3** *(pôr à disposição)* facilitar, poner a disposición
fã-clube *s.m.* club de fans
faculdade *s.f.* **1** *(capacidade)* facultad, capacidad; *(aptidão)* aptitud **2** *(poder)* facultad, poder*m.* **3** *(universidade)* facultad **4** (substância) propriedad, virtud
facultar *v.* **1** *(permitir)* facultar **2** *(conceder)* conceder
facultativo *adj.* facultativo, opcional
fada *s.f.* **1** hada **2** *fig. (mulher bela)* beldad
fadiga *s.f.* fatiga, cansancio*m.*
fado *s.m.* **1** *(destino)* hado, destino, sino **2** MÚS. fado
fagulha *s.f.* chispa, chiribita
Fahrenheit *adj.2g.2n.* Fahrenheit
faina *s.f.* **1** *(trabalho)* faena, trabajo*m.* **2** *(tarefa)* tarea **3** NÁUT. servicio*m.* a bordo **4** TAUR. faena
faisão *s.m.* faisán
faísca *s.f.* **1** *(chispa)* chispa; *(centelha)* centella **2** (descarga elétrica) chispa **3** *(raio)* rayo*m.*, centella
faiscar *v.* **1** *(lançar faíscas)* chispear **2** *(cintilar)* centellear, brillar
faixa *s.f.* **1** *(para a cintura)* faja **2** *(ligadura)* vendaje*m.* **3** *(porção)* porción, parte **4** *(estrada)* carril*m.* **5** (CD, disco) pista, corte*m.* ◆ **faixa de pedestres** paso de peatones; **faixa etária** franja etaria
fajuto *adj.* **1** *pop.* malo **2** *pop.* falso **3** *pop.* (pessoa) de mala ley
fala *s.f.* habla ◆ **ficar sem fala** quedarse sin habla; **perder a fala** perder el habla
falador, -a *adj.,s.m.,f.* hablador, -a
falante *s.2g.* **1** hablante **2** LING. hablante, emisor*m.*
falar *v.* **1** hablar **2** *(dizer)* hablar **3** decir **4** *(língua estrangeira)* hablar ■ **falar se** hablarse; ***há meses que não se falam*** llevan meses sin hablarse ■ *s.m.* **1** habla*f.* **2** *(linguagem)* lenguaje **3** *(dialeto)* dialecto ◆ **dar que falar** dar que hablar; **falar por falar** hablar por hablar; **por falar nisso** hablando de eso, a propósito
falatório *s.m.* **1** *(murmúrio)* murmullo **2** *(comentário sem valor)* parloteo, charla*f.* **3** *(má-língua)* maledicencia*f.*, mala*f.* lengua, murmuración*f.* **4** *(boato infundado)* habladuría*f.*, chismorreo, cotilleo
falcão *s.m.* halcón
falcatrua *s.f.* **1** *(fraude)* fraude*m.*, estafa, timo*m.* **2** *(ardil)* ardid*m.*, artimaña
falecer *v.* fallecer, morir
falecid|o, -a *s.m.,f.* fallecid|o, -a, difunt|o, -a
falecimento *s.m.* fallecimiento, defunción*f.*, muerte*f.*
falência *s.f.* quiebra, bancarrota
falha *s.f.* **1** *(erro)* fallo*m.*, error*m.*, falla **2** *(defeito)* defecto*m.*, falta **3** *(greta)* grieta, hendidura **4** *(máquina)* avería **5** *(lacuna)* laguna, omisión **6** *(dente)* mella **7** GEOL. falla
falhar *v.* **1** *(não ter sucesso)* fallar, fracasar **2** fallar, frustrar **3** *(forças, memória)* fallar, faltar **4** *(tiro)* fallar **5** *(plano)* fracasar, frustrarse, malograrse **6** *(gol)* fallar
falho *adj.* falto
falir *v.* **1** *(empresa, negócio)* quebrar **2** *(fracassar)* fracasar, fallar
falsear *v.* **1** *(fatos, dados)* falsear, falsificar **2** *(adulterar)* adulterar
falsidade *s.f.* falsedad
falsificação *s.f.* falsificación

falsificado *adj.* falsificado
falsificador, -a *s.m.,f.* falsificador, -a
falsificar *v.* **1** falsificar **2** (bebida, alimento) adulterar
falso *adj.* **1** falso **2** (pessoa) falso, desleal ♦ **em falso** **1** en falso; *dar um passo em falso* dar un paso en falso; *jurar em falso* jurar en falso **2** *(em vão)* en vano
falta *s.f.* **1** *(escassez)* falta **2** *(erro)* fallo*m.* **3** *(ausência)* falta, ausencia **4** ESPOR. falta ♦ **estar em falta** estar en deuda; **falta de educação** falta de educación; **sem falta** sin falta; **sentir a falta de** echar de menos
faltar *v.* **1** *(não haver)* faltar **2** (às aulas) faltar, hacer novillos*col.* **3** (a promessa, contrato) faltar, incumplir ♦ *col.* **era só o que (me) faltava!** ¡lo que (me) faltaba!
fama *s.f.* **1** *(celebridade)* fama, celebridad **2** *(reputação)* fama, reputación
família *s.f.* familia ♦ *col.* **acontece até nas melhores famílias** pasa/ocurre en las mejores familias; **em família** en familia; **ser como se fosse da família** ser como de la familia; **ser de boa família** ser de buena familia
familiar *adj.2g.* **1** familiar **2** LING. familiar, coloquial ■ *s.2g.* familiar, pariente
familiarizado *adj.* familiarizado (com, con); *estar familiarizado com alguma coisa* estar familiarizado con algo
familiarizar *v.* familiarizar (com, con) ■ **familiarizar-se** familiarizarse (com, con); *familiarizar-se com a aplicação* familiarizarse con la aplicación
faminto *adj.* **1** *(esfomeado)* hambriento, famélico **2** *fig.* *(ávido)* ávido (de, de); *faminto de riqueza* ávido de riqueza
famoso *adj.* famoso, célebre ♦ *col.* **não ficar muito famoso** no salir muy bien
fanátic|o, -a *adj.,s.m.,f.* fanátic|o, -a
fanatismo *s.m.* fanatismo
fanfarr|ão, -ona *s.m.,f.* fanfarr|ón, -ona
fanho *adj.* fañoso[AM.], gangoso
fanhoso *adj.* fañoso[AM.], gangoso
faniquito *s.m. col.* patatús*2n.*, telele
fantasia *s.f.* **1** fantasía **2** (traje) disfraz*m.* ♦ **de fantasia** de fantasía; *joias/meias de fantasia* joyas/medias de fantasía
fantasiar *v.* **1** fantasear, soñar **2** fantasear, imaginar ■ **fantasiar se** disfrazarse (de, de); *fantasiou-se de palhaço* se disfrazó de payaso
fantasma *s.m.* **1** fantasma, espectro **2** *fig.,irôn.* (pessoa) esqueleto
fantástico *adj.* **1** *(imaginário)* fantástico, imaginario **2** *(extraordinário)* fantástico, estupendo, extraordinario
fantoche *s.m.* **1** (boneco) títere, marioneta*f.* **2** *fig.* (pessoa) títere, pelele
faqueiro *s.m.* cubertería*f.*
faraó *s.m.* faraón
farda *s.f.* uniforme*m.*
fardar *v.* uniformar, poner un uniforme ■ **fardar-se** ponerse un uniforme
fardo *s.m.* **1** fardo **2** *fig.* carga*f.*
farejar *v.* **1** husmear **2** olfatear, oler, olisquear, husmear
farelo *s.m.* salvado
faringe *s.f.* faringe
faringite *s.f.* faringitis*2n.*
farinha *s.f.* harina ♦ **não fazer farinha com (alguém)** hacer malas migas con (alguien); *col.* **ser farinha do mesmo saco** cortado por el mismo patrón; **farinha de mandioca** harina de mandioca; **farinha de rosca** pan rallado
farmacêutic|o, -a *adj.,s.m.,f.* farmacéutic|o, -a
farmácia *s.f.* farmacia
faro *s.m.* **1** olfato (de animales) **2** *fig.* olfato, intuición*f.*, instinto
faroeste *s.m.* Lejano Oeste
farofa *s.f.* [harina de mandioca frita en mantequilla, con huevos, carne y otros ingredientes]
farol *s.m.* **1** (torre) faro **2** (veículo) faro **3** semáforo
farpa *s.f.* **1** (de madeira, metal) astilla, espina; (de arame) púa **2** *fig.* *(dito mordaz)* pulla **3** pica, banderilla
farpado *adj.* farpado ♦ **arame farpado** alambre de espino
farra *s.f.* **1** farra, juerga, diversión **2** *(brincadeira)* broma
farrapo *s.m.* **1** trapo, harapo, andrajo **2** *fig.* pingajo
farsa *s.f.* farsa
fartar *v.* **1** hartar, atiborrar **2** *fig.* hartar, cansar, fastidiar ■ **fartar se** **1** hartarse (de, de), atiborrarse (de, de) **2** *fig.* hartarse (de, de), cansarse (de, de) ♦ **que se farta** mucho; *está frio que se farta* hace mucho frío
farto *adj.* **1** *(empanturrado)* harto, atiborrado **2** *(abundante)* harto, lleno, rico **3** *fig.* *(cansado)* harto (de, de), cansado (de, de); *estar farto de alguém/alguma coisa* estar harto de alguien/algo
fartura *s.f.* **1** *(abundância)* abundancia **2** churro*m.*
fascículo *s.m.* (de obra) fascículo, entrega*f.*; (de revista) número
fascinação *s.f.* fascinación
fascinado *adj.* fascinado (com, con), encantado (com, con)
fascinante *adj.2g.* fascinante
fascinar *v.* **1** *(deslumbrar)* fascinar, deslumbrar, encantar **2** *(atrair)* fascinar, atraer, seducir
fascínio *s.m.* **1** *(encantamento)* fascinación*f.*, encanto **2** *(atração)* fascinación*f.*, seducción*f.*, atractivo
fascismo *s.m.* fascismo
fascista *adj.,s.2g.* fascista
fase *s.f.* fase
fatal *adj.2g.* **1** fatal, mortal **2** *lit.* fatal, inevitable
fatalidade *s.f.* **1** *(destino)* fatalidad, destino*m.*, suerte **2** *(desgraça)* fatalidad, desgracia, desdicha
fatalmente *adv.* **1** fatalmente, inevitablemente **2** fatalmente, desgraciadamente

fatia *s.f.* 1 (de queijo, enchidos) loncha; (de pão) rebanada; (de melão) tajada 2 *fig. (parcela)* tajada
fatídico *adj.* fatídico
fatigar *v.* fatigar, cansar ▪ **fatigar se** fatigarse, cansarse
fato *s.m.* hecho ♦ **de fato** de hecho, realmente; **ser um fato consumado** ser un hecho consumado
fator *s.m.* 1 factor 2 MAT. factor
fatura *s.f.* factura
faturar *v.* 1 facturar 2 sacar provecho
fauna *s.f.* fauna
favela *s.f.* favela, barrio*m.* de chabolas
favelad|o, -a *s.m.,f.* chabolista*2g.*
favo *s.m.* panal
favor *s.m.* 1 *(serviço)* favor, servicio 2 *(benefício)* favor, beneficio, interés ♦ **és a favor ou contra?** ¿estás a favor o en contra?; **fazer o favor de** hacer el favor de; **por favor** por favor
favorável *adj.2g.* 1 a favor (a, de); *mostrar-se favorável à proposta* estar a favor de la propuesta 2 (situação, vento) favorable
favorecer *v.* 1 *(apoiar)* favorecer, ayudar, beneficiar 2 *(ficar bem)* agraciar, favorecer, sentar bien
favorecido *adj.* favorecido, privilegiado
favorit|o, -a *s.m.,f.* favorit|o, -a ▪ *adj.* favorito, preferido, predilecto
fax *s.m.* (*pl.* faxes) fax
faxina *s.f.* limpieza
faxineir|o, -a *s.m.,f.* encargad|o, -a de la limpieza
faz de conta *s.m.2n.* fantasía*f.*, imaginación*f.*
fazenda *s.f.* 1 (tecido) tela, tejido*m.* 2 *(finanças)* hacienda 3 *(quinta)* hacienda, finca
fazendeir|o, -a *s.m.,f.* dueñ|o, -a de una hacienda, hacendad|o, -a
fazer *v.* 1 *(representar)* hacer (de, de); *fez de D. Quixote* hizo de Quijote 2 hacer 3 (frio, calor, vento) hacer; *faz um frio de rachar* hace un frío que pela 4 (período de tempo) hacer; *faz muito tempo que não te vejo* hace mucho tiempo que no te veo ▪ **fazer se** 1 *(tornar-se)* hacerse, convertirse, ponerse; *fez-se uma bela mulher* se hizo una mujer muy guapa 2 *(fingir-se)* hacer (de, -); *fazer-se de bobo* hacer el tonto ♦ **fazer** [+*inf.*] hacer [+*inf.*]; *o barulho fez chorar o menino* el ruido hizo llorar al niño; **fazer por** [+*inf.*] hacer por [+*inf.*]; *fez por merecê lo* hizo por merecerlo
faz-tudo *s.2g.2n.* factótum
FBI *sigla* (Serviço Federal de Investigação norte-americano) FBI (Buró Federal de Investigación norteamericano)
fé *s.f.* fe ♦ **à falsa fé** de mala fe; *col.* **dar fé de alguma coisa** darse cuenta de algo; **de boa/má-fé** de buena/mala fe; **levar fé** creer
febre *s.f.* 1 fiebre, calentura 2 *fig.* fiebre, excitación ♦ **febre amarela** fiebre amarilla
febril *adj.2g.* febril
fechadura *s.f.* cerradura
fechar *v.* 1 (fábrica, loja) cerrar 2 (porta, loja, olhos) cerrar 3 *(trancar)* cerrar con llave 4 (água, gás) cerrar 5 *(tapar)* cerrar, obstruir 6 (estabelecimento) cerrar 7 (negócio) cerrar, ultimar ▪ **fechar-se** 1 encerrarse 2 *fig.* aislarse, retraerse
fecho *s.m.* 1 (de porta, janela) cierre, cerrojo 2 (de roupa) cremallera*f.* 3 *fig. (fim)* final, colofón ♦ (veículos) **fecho centralizado** cierre centralizado; **fecho ecler** cremallera
fecundação *s.f.* fecundación ♦ **fecundação artificial** fecundación artificial; **fecundação in vitro** fecundación in vitro
fecundar *v.* fecundar
fecundidade *s.f.* 1 *(fertilidade)* fecundidad, fertilidad 2 *(produtividade)* fecundidad, productividad
fedelh|o, -a *s.m.,f.* 1 *pop. (criança)* mocos|o, -a, crí|o, -a, niñ|o, -a 2 *pej.* niñat|o, -a
feder *v.* heder, apestar, oler mal
federação *s.f.* federación
federado *adj.,s.m.* federado
federal *adj.2g.* federal
federalismo *s.m.* federalismo
fedido *adj.* apestoso, hediondo
fedor *s.m.* peste*f.*, hedor, pestilencia*f.*
fedorento *adj.* apestoso, fétido, hediondo
feição *s.f.* 1 *(forma)* forma, aspecto*m.* 2 *(temperamento)* carácter*m.* ▪ **feições** *s.f.pl.* (rosto) facciones, rasgos*m.* ♦ **à feição** a su gusto; **estar de feição** ser propicio
feijão *s.m.* 1 *(feijoeiro)* judía*f.*, habichuela*f.*, alubia*f.* 2 (semente) judía*f.*, habichuela*f.*, alubia*f.*
feijão-fradinho *s.m.* (*pl.* feijões-fradinho(s)) alubia*f.* de ojo negro
feijoada *s.f.* [plato preparado con judías y varios tipos de carne]
feio *adj.* 1 (pessoa, objeto) feo 2 (atitude, situação) feo, indelicado
feioso *adj.* feíllo
feira *s.f.* 1 *(mercado)* mercadillo*m.* 2 *(exposição)* feria, exposición 3 *fig.* jaleo*m.*
feirante *s.2g.* feriante
feitiçaria *s.f.* 1 hechicería, brujería 2 *fig.* seducción, fascinación
feiticeir|o, -a *s.m.,f.* hechicer|o, -a, bruj|o, -a
feitiço *s.m.* hechizo, encanto ♦ **o feitiço virar contra o feiticeiro** salir el tiro por la culata
feitio *s.m.* 1 *(forma)* forma*f.*, aspecto 2 (roupa) talle 3 *(temperamento)* carácter, personalidad*f.*
feixe *s.m.* haz
fel *s.m.* 1 FISIOL. hiel*f.* 2 *fig.* hiel*f.*, amargura*f.*
felicidade *s.f.* felicidad ♦ (casamentos, ocasiões especiais) **felicidades!** ¡enhorabuena!, ¡felicidades!
felicíssimo (*superl. de* feliz) *adj.* felicísimo
felicitar *v.* felicitar ▪ **felicitar-se** congratularse
felino *adj.* 1 (animal) felino 2 *fig.* felino 3 *fig.* traicionero ▪ *s.m.* felino
feliz *adj.2g.* feliz, dichoso, venturoso, afortunado
felizard|o, -a *adj.,s.m.,f.* suertud|o, -a

felizmente *adv.* felizmente
felpo *s.m.* felpa*f.*
felpudo *adj.* felposo, felpudo
feltro *s.m.* fieltro
fêmea *s.f.* **1** (animal) hembra **2** *pej.* hembra, mujer **3** *téc.* (peça) hembra
feminilidade *s.f.* feminidad
feminino *adj.* femenino ▪ *s.m.* femenino
feminismo *s.m.* feminismo
feminista *adj.,s.2g.* feminista
fêmur *s.m.* fémur
fenda *s.f.* grieta, raja, hendidura
fenomenal *adj.2g.* **1** fenomenal, fenoménico **2** *fig.* fenomenal, estupendo
fenômeno *s.m.* **1** (natureza) fenómeno **2** *(acontecimento)* fenómeno, suceso **3** *(ser/coisa extraordinária)* fenómeno, anormalidad*f.*
fera *s.f.* **1** (animal) fiera **2** *fig.* (pessoa) fiera, genio*m.*
feriado *s.m.* día festivo, fiesta*f.*, feriado [AM.]
férias *s.f.pl.* vacaciones
ferida *s.f.* herida ♦ **mexer/tocar na ferida** hurgar/tocar en la herida, poner/meter el dedo en la llaga
ferid|o, -a *adj.,s.m.,f.* herid|o, -a
ferimento *s.m.* *(ferida)* herida*f.*
ferir *v.* **1** herir **2** *fig.* herir, maltratar, ofender ▪ **ferir-se** herirse, hacerse daño
fermentação *s.f.* fermentación
fermentar *v.* fermentar
fermento *s.m.* **1** fermento **2** (pão, bolos) levadura*f.*
ferocidade *s.f.* ferocidad
feroz *adj.2g.* feroz
ferrado *adj.* **1** obstinado, terco **2** *col.* apurado
ferradura *s.f.* herradura
ferramenta *s.f.* **1** herramienta, utensilio*m.* **2** INFORM. herramienta
ferrão *s.m.* **1** *(aguilhão)* aguijón, pincho **2** (insetos) aguijón
ferrar *v.* **1** (inseto, cobra) picar **2** (cavalo) herrar, poner herradura **3** (gado) herrar, marcar con hierro candente ♦ **ferrar no sono** dormir como un tronco
ferreir|o, -a *s.m.,f.* herrer|o, -a
ferro *s.m.* **1** hierro **2** (eletrodoméstico) plancha*f.* **3** (utensílio, objeto) hierro **4** ancla*f.* ♦ **a ferro e fogo** a sangre y fuego; **de ferro** de hierro; **ferro de passar** plancha; **lançar ferro** echar el ancla; **malhar em ferro frio** perder el tiempo; **não ser de ferro** no ser de piedra; **passar a ferro** planchar
ferro-velho *s.m.* (*pl.* ferros-velhos) **1** (objetos) chatarra*f.* **2** (estabelecimento) chatarrería*f.*
ferrovia *s.f.* **1** *(linha férrea)* vía/línea férrea **2** (empresa) ferrocarril*m.*
ferroviário *adj.* ferroviario
ferrugem *s.f.* **1** herrumbre; (sobre metal) óxido*m.*, orín*m.* **2** *col.* (articulações) entorpecimiento*m.*, entumecimiento*m.*
fértil *adj.2g.* fértil
fertilidade *s.f.* **1** fertilidad **2** *fig.* fertilidad, abundancia **3** *fig.* creatividad, imaginación
fertilização *s.f.* **1** (terra) fertilización **2** *(fecundação)* fertilización, fecundación
fertilizante *s.m.* fertilizante, abono
fertilizar *v.* (terra) fertilizar, abonar
fervente *adj.2g.* **1** hirviente **2** *fig.* (sentimento, discussão) ardiente
ferver *v.* **1** hervir **2** quemar
fervilhar *v.* **1** (líquido) hervir **2** *fig.* hervir, abundar
fervor *s.m.* **1** *(ardor)* fervor, ardor, entusiasmo **2** (sentimento religioso) fervor, devoción*f.*
fervoroso *adj.* fervoroso, ardiente, apasionado
fervura *s.f.* hervor*m.*, ebullición
festa *s.f.* **1** fiesta **2** *(carícia)* caricia ▪ **festas** *s.f.pl.* fiestas, festividades
festança *s.f.* fiesta, jolgorio*m.*
festão *s.m.* fiesta*f.* grande, fiestón
festejar *v.* **1** *(comemorar)* celebrar, festejar, conmemorar **2** *(saudar)* festejar, agasajar, obsequiar
festejo *s.m.* **1** *(comemoração)* festejo, conmemoración*f.* **2** (solenidade) festejo
festim *s.m.* festín, banquete
festival *s.m.* festival
festividade *s.f.* festividad
festivo *adj.* **1** *(de festa)* festivo **2** *(alegre)* festivo, alegre, divertido
fetal *adj.2g.* fetal
fetiche *s.m.* fetiche
feto *s.m.* feto, embrión
feudalismo *s.m.* feudalismo
fevereiro *s.m.* febrero
fezes *s.f.pl.* heces
fiabilidade *s.f.* fiabilidad
fiação *s.f.* hilandería
fiado *adj.* **1** fiado **2** *(confiante)* confiado, fiado ♦ **comprar/vender fiado** comprar/vender al fiado
fiador, -a *s.m.,f.* fiador, -a, avalista*2g.*, garante*2g.*
fiança *s.f.* fianza ♦ **sob fiança** bajo fianza
fiapo *s.m.* **1** *(fio estreito)* hilo delgado **2** *(fio pendente)* fleco
fiar *v.* **1** *(reduzir a fio)* hilar **2** *(vender fiado)* fiar **3** *(confiar)* fiarse, confiar ▪ **fiar-se** fiarse, confiar
fiasco *s.m.* fiasco, chasco, fracaso
fibra *s.f.* **1** fibra **2** *fig.* fibra, carácter*m.*, nervio*m.*, energía ♦ **fibra alimentar** fibra alimentaria; **fibra artificial** fibra artificial; **fibra de vidro** fibra de vidrio; **fibra óptica** fibra óptica
fibroso *adj.* fibroso
ficar *v.* **1** *(permanecer)* quedar(se), permanecer; *ficar em casa* quedar en casa **2** *(estar situado)* estar; *onde fica o estádio?* ¿dónde está el estadio? **3** *(sobrar)* quedar; *só ficou um bocado de pão* sólo me ha quedado un trozo de pan **4** (roupa) quedar, estar, sentar; *essa cor te cai bem* ese color te queda bien **5** *(tornar-se)* quedarse, ponerse, volverse; *ficou maluco* se volvió

loco **6** (fome, frio, pressa) entrar (com, -); *fiquei com frio* me ha entrado frío **7** *(adquirir)* quedarse (com, con); *ficamos com o apartamento* nos quedamos con el piso ▪ **ficar se** desistir, darse por vencido ♦ **ficar** [+*ger.*] estar [+*ger.*]; *ficamos trabalhando* estuvimos trabajando; **ficar** [+*p.p.*] quedar [+*p.p.*]; *ficou decidido* quedó decidido; **ficar a** [+*inf.*] estar [+*ger.*]; *fiquei lendo até tarde* estuve leyendo hasta tarde; **ficar de** quedar en; *ficou de vir hoje* ha quedado en venir hoy; **ficar para** dejar para; *este assunto fica para amanhã* este tema lo dejamos para mañana; **ficar para trás** quedar atrás; **ficar por** [+*inf.*] quedar por [+*inf.*]; *o trabalho ficou por fazer* el trabajo quedó por hacer; (preço) **ficar por** costar; *isso ficou por 100 euros* eso ha costado 100 euros

ficção *s.f.* ficción ♦ **ficção científica** ciencia ficción

ficha *s.f.* **1** (jogo) ficha **2** *(impresso)* ficha, impreso*m.* **3** (registro de dados) ficha **4** *(exame)* prueba, examen*m.* ♦ **ficha técnica** títulos de crédito

fichário *s.m.* fichero

fictício *adj.* ficticio, irreal

fidedigno *adj.* fidedigno

fidelidade *s.f.* fidelidad

fidelização *s.f.* fidelización

fidelizar *v.* (cliente) fidelizar

fiel *adj.2g.* **1** (pessoa) fiel, leal **2** (descrição) fiel, exacto ▪ *s.2g.* fiel ▪ *s.m.* (balança) fiel

FIFA *sigla* (Federação Internacional de Futebol) FIFA (Asociación Internacional de Fútbol Asociación)

figa *s.f.* higa ♦ **duma figa** *pej.* despreciable; *col.* **fazer figas** cruzar los dedos

fígado *s.m.* hígado ♦ *col.* **ter maus fígados** tener mala leche

figo *s.m.* higo

figura *s.f.* **1** *(forma)* figura, forma, imagen **2** *(gravura)* figura, ilustración, dibujo*m.* **3** GEOM. figura **4** (pessoa) figura, personalidad, personaje*m.* **5** LING. figura ♦ **fazer boa/má figura** quedar bien/mal; causar buena/mala impresión; *col.* **fazer figura de urso** hacer el oso; **figura de proa** figurón de proa, mascarón; **figura de urso** hacer figuras

figurado *adj.* figurado

figurante *s.2g.* figurante, extra, comparsa

figurar *v.* **1** *(representar)* figurar, representar **2** *(fazer parte)* figurar, hallarse, encontrarse

figurativo *adj.* figurativo

figurinha *s.f.* (álbum) cromo*m.*

figurino *s.m.* (modelo, revista) figurín

fila *s.f.* cola, fila

filantropia *s.f.* filantropía

filantrópico *adj.* filantrópico

filão *s.m.* **1** GEOL. filón; veta*f.* **2** *fig.* filón, chollo*col.*

filarmônica *s.f.* filarmónica, orquesta filarmónica

filarmônico *adj.* filarmónico

filé *s.m.* bife[AM.], filete ♦ *col.,fig.* **filé de borboleta** persona muy delgada

fileira *s.f.* hilera, fila

filete *s.m.* filamento

filhinh|o, -a *s.m.,f.* hijit|o, -a ♦ **filhinho de mamãe** hijo mimado y sobreprotegido (por su madre); **filhinho de papai** hijo de papá

filh|o, -a *s.m.,f.* hij|o, -a ▪ **filhos** *s.m.pl.* hijos, descendientes*2g.* ♦ *pop.* **filho da mãe** canalla, hijo de su madre; **filho de peixe peixinho é** de tal palo tal astilla

filhote *s.m.* (animal) cría*f.*; (de ave) polluelo; (de cão, leão) cachorro

filiação *s.f.* filiación

filial *s.f.* filial, sucursal

filiar *v.* **1** *(perfilhar)* ahijar, adoptar **2** (partido, corporação) afiliar ▪ **filiar se** (partido, corporação) afiliarse (em, a)

Filipinas *s.f.pl.* Filipinas

filmagem *s.f.* rodaje*m.*

filmar *v.* filmar

filme *s.m.* **1** película*f.*, film, filme **2** *col.* película*f.* ♦ *col.* **ver o filme** entender, cogerlo

filologia *s.f.* filología

filólog|o, -a *s.m.,f.* filólog|o, -a

filosofal *adj.2g.* filosofal

filosofar *v.* filosofar

filosofia *s.f.* filosofía

filósof|o, -a *s.m.,f.* filósof|o, -a

filtração *s.f.* filtración

filtrar *v.* **1** *(coar)* filtrar **2** *(reter)* retener **3** *fig.* filtrar, seleccionar

filtro *s.m.* **1** filtro **2** (cigarros) boquilla*f.*

fim *s.m.* **1** *(final)* fin, final **2** *(objetivo)* fin, finalidad*f.*, propósito ♦ **a fim de (que)** a fin de (que); **ao fim e ao cabo** al fin y al cabo; **estar a fim de** tener ganas de; estar por; **estar a fim de alguém** estar enamorado de alguien; **por fim** por fin, al fin; **sem fim** sin fin; **ser o fim da picada** ser el colmo

final *adj.2g.* final ▪ *s.m.* final, fin, término ▪ *s.f.* ESPOR. final

finalidade *s.f.* finalidad, objetivo*m.*, propósito*m.*

finalização *s.f.* **1** finalización, conclusión **2** ESPOR. (futebol) remate*m.*

finalizar *v.* **1** finalizar **2** finalizar, concluir, terminar **3** ESPOR. (futebol) rematar

finalmente *adv.* finalmente

finanças *s.f.pl.* **1** finanzas **2** (organismo público) hacienda pública ♦ *col.* **estar mal de finanças** estar mal de fondos

financeira *s.f.* financiera

financeiro *adj.* financiero

financiamento *s.m.* financiación*f.*

financiar *v.* financiar

fincar *v.* hincar

findar *v.* **1** (prazo) expirar, vencer **2** acabar, terminar

fingidor, -a *s.m.,f.* fingidor, -a

fingimento *s.m.* **1** fingimiento, simulación*f.* **2** *(hipocrisia)* hipocresía*f.*

fingir *v.* **1** disimular, fingir **2** fingir, aparentar, simular ▪ **fingir se** fingirse, hacerse

Finlândia *s.f.* Finlandia
fino *adj.* **1** *(pouco espesso)* fino, delgado **2** *col.* *(esperto)* fino, listo **3** *(requintado)* fino, exquisito, selecto **4** (som, voz) agudo **5** *pop.* tieso ■ *adv.* **1** con voz de pito **2** en regla
finta *s.f.* finta
fintar *v.* **1** ESPOR. fintar **2** *(enganar)* engañar, timar
fio *s.m.* **1** *(filamento têxtil)* hilo **2** (sangue, água) hilo, corriente*f.* **3** (adorno) cadena*f.* **4** *(gume)* hilo **5** cable, hilo ♦ **a fio** de un tirón; **de fio a pavio** de cabo a rabo; **estar por um fio** pender de un hilo; **fio condutor** hilo conductor; **fio dental 1** hilo dental **2** tanga; **perder o fio da meada** perder el hilo; **um fio de cabelo** un cabello
firma *s.f.* empresa, firma, compañía
firmar *v.* **1** (objeto) fijar **2** (acordo) firmar, establecer **3** *(fincar)* hincar **4** (relação, amizade) consolidar, reforzar
firme *adj.2g.* **1** (objeto) firme, fijo, estable **2** (pessoa) firme, determinado, decidido **3** (decisão) firme, inalterable
firmeza *s.f.* firmeza
fiscal *adj.2g.* fiscal ■ *s.2g.* **1** inspector,-a*m.f.* de hacienda **2** aduaner|o,-a*m.f.*
fiscalização *s.f.* fiscalización
fiscalizar *v.* **1** inspeccionar **2** fiscalizar, vigilar
fisgada *s.f.* *col.* (dor) punzada
fisgar *v.* **1** fisgar (pescar con fisga); agarrar **2** *fig.* husmear
física *s.f.* física
físic|o, -a *s.m.,f.* físic|o, -a ■ *adj.* **1** físico **2** *(corporal)* físico, corporal ■ **físico** *s.m.* (corpo) físico
fisiologia *s.f.* fisiología
fisiológico *adj.* fisiológico
fisionomia *s.f.* fisonomía
fisioterapeuta *s.2g.* fisioterapeuta
fisioterapia *s.f.* fisioterapia
fissura *s.f.* **1** *(greta)* fisura, grieta, hendidura **2** MED. fisura
fita *s.f.* **1** cinta **2** *(filme)* película, cinta ♦ **fita adesiva** celo; **fita isolante** cinta aislante; **fita magnética** cinta magnética; **fita métrica** cinta métrica
fitar *v.* clavar la vista, mirar con atención
fivela *s.f.* hebilla
fixação *s.f.* **1** fijación **2** *(cisma)* fijación, obsesión
fixador *s.m.* **1** (cabelo) fijador **2** FOT. fijador
fixar *v.* **1** *(prender)* fijar, sujetar, hincar **2** *(determinar)* fijar, determinar, establecer **3** *(fitar)* clavar los ojos, fijar la mirada **4** *(memorizar)* memorizar ■ **fixar se 1** fijarse **2** establecerse
fixo *adj.* **1** *(imóvel)* fijo, inmóvil **2** *(constante)* fijo, determinado, invariable
flacidez *s.f.* flacidez
flácido *adj.* flácido
flagelar *v.* **1** flagelar **2** atormentar ■ **flagelar se** flagelarse
flagelo *s.m.* **1** *(chicote)* flagelo, látigo, azote **2** *fig.* flagelo, calamidad*f.*, lacra*f.* **3** BIOL. flagelo
flagra *s.m.* *col.* [acción sorprendida en flagrante]
flagrante *adj.2g.* flagrante ♦ **em flagrante** in franganti, en flagrante; *pegar em flagrante* pillar in fraganti
flagrar *v.* pillar en flagrante
flamingo *s.m.* flamenco
flâmula *s.f.* flámula
flanco *s.m.* **1** ANAT. costado **2** flanco, lado **3** MIL. costado
flanela *s.f.* franela
flat *s.f.* (*pl.* flats) piso*m.*, apartamento*m.*
flatulência *s.f.* flatulencia
flauta *s.f.* flauta
flautista *s.2g.* flautista
flecha *s.f.* flecha ♦ **sair como uma flecha** salir como una flecha; **subir em flecha** subir como un cohete
flectir *v.* (corpo, membro) flexionar
flertar *v.* flirtear
fleuma *s.f.* **1** MED.,VET. flema **2** *fig.* tardanza **3** impasibilidad
flexão *s.f.* **1** *(curvatura)* flexión, curvatura **2** ESPOR. flexión **3** LING. flexión
flexibilidade *s.f.* **1** flexibilidad, elasticidad **2** *fig.* flexibilidad, maleabilidad
flexibilizar *v.* flexibilizar
flexionar *v.* **1** (corpo, membro) flexionar **2** LING. (verbo) conjugar; (adjetivo, nome) declinar
flexível *adj.2g.* **1** (material) flexible, blando, elástico **2** (pessoa) flexible, amoldable, dócil
flipar *v.* *col.* flipar
flirtar *v.* flirtear, coquetear
floco *s.m.* **1** (de neve) copo **2** (de lã) vedija*f.* ■ **flocos** *s.m.pl.* (cereais) copos
flor *s.f.* flor ♦ **a fina flor** la flor y nata; **à flor da pele** a flor de piel; *com os nervos à flor da pele* con los nervios a flor de piel; **à flor de** a flor de; (pessoa) **flor de estufa** flor de estufa; **na flor da idade** en la flor de la vida/edad; **não ser flor que se cheire** no ser trigo limpio
flora *s.f.* **1** flora **2** MED. flora
Flora *s.f.* MIT. Flora
floração *s.f.* BOT. floración
floral *adj.2g.* floral
florescente *adj.2g.* (planta) floreciente
florescer *v.* florecer
floresta *s.f.* **1** bosque*m.*, floresta*lit.*, selva **2** *fig.* (de coisas) montón*m.*, pila
florestal *adj.2g.* forestal
floricultura *s.f.* floricultura
florido *adj.* **1** (campo, jardim) florido **2** (tecido) floreado, florido
florir *v.* florecer, florar
florista *s.2g.* florista ■ *s.f.* (estabelecimento) floristería
fluência *s.f.* soltura, fluidez
fluente *adj.2g.* fluente, fluido, fluyente ♦ **é fluente em português** habla portugués con soltura

fluidez *s.f.* fluidez
fluido *s.m.* fluido ■ *adj.* **1** fluido **2** *fig.* fluido, natural, fácil
fluir *v.* **1** (líquido) fluir, correr, brotar **2** (palavras) fluir, brotar, manar
flúor *s.m.* flúor
fluorescente *adj.2g.* fluorescente
flutuar *v.* **1** (barco) flotar **2** (preço, valor) fluctuar, oscilar, variar **3** (ao vento) ondear, balancearse
fluvial *adj.2g.* fluvial
fluxo *s.m.* **1** flujo, corriente*f.* **2** (de pessoas) flujo
FM (*sigla de* frequência modulada) FM (*sigla de* frecuencia modulada)
FMI (*sigla de* Fundo Monetário Internacional) FMI (*sigla de* Fondo Monetario Internacional)
fobia *s.f.* **1** *(medo)* fobia **2** *(aversão)* fobia, aversión
foca *s.f.* foca
focagem *s.f.* **1** FOT. enfoque*m.* **2** *(destaque)* enfoque*m.*
focalização *s.f.* **1** LIT. focalización, enfoque*m.* **2** *(destaque)* enfoque*m.* **3** FOT. ⇒ **focagem**
focalizar *v.* **1** focalizar, subrayar, destacar **2** FÍS. focalizar
focar *v.* **1** FOT. enfocar **2** (assunto, questão) enfocar, analizar
focinheira *s.f.* **1** (porco) jeta; muserola; bozal*m.* **2** [LUS.] barco de pesca **3** *fig.* rostro avinagrado
focinho *s.m.* hocico, morro ♦ *col.* **meter o focinho em** meter el hocico en
foco *s.m.* **1** foco, lámpara*f.* **2** *(centro)* foco, centro ♦ **pôr em foco** poner de relieve, poner en evidencia
foder *v. vulg.* joder
fofo *adj.* **1** (material) blando **2** (massa) esponjoso **3** (pessoa) dulce, tierno
fofoca *s.f. col.* cotilleo*m.*, chisme*m.*
fofocar *v. col.* cotillear, chismorrear
fofoqueir|o, -a *s.m.,f. col.* cotilla*2g.*, chismos|o, -a
fogão *s.m.* **1** (aparelho) cocina*f.* **2** (a lenha) fogón ♦ **fogão de sala** chimenea
fogo *s.m.* **1** fuego **2** MIL. fuego **3** *(incêndio)* fuego, incendio **4** *(lareira)* fuego, hogar, chimenea*f.* **5** *fig.* fuego, pasión*f.*, entusiasmo, excitación*f.* ♦ **abrir fogo** abrir fuego; **brincar com o fogo** jugar con fuego; **com fogo no rabo** echando leches *vulg.*; **fogos de artifício** fuegos artificiales/de artificio
fogueira *s.f.* hoguera, fogata
foguete *s.m.* **1** cohete **2** (meia) carrera*f.* ♦ **soltar foguetes antes da festa** echar las campanas a/al vuelo
foice *s.f.* hoz ♦ **meter foice em seara alheia** meterse donde no lo llaman
folclore *s.m.* folclore, folclor
folclórico *adj.* **1** folclórico **2** *pej.* chillón, llamativo
fôlego *s.m.* **1** aliento, respiración*f.* **2** *fig.* aliento, ánimo ♦ **de um fôlego** de un aliento; **recuperar o fôlego** cobrar el aliento; **sem fôlego** sin aliento
folga *s.f.* **1** descanso*m.*, holganza **2** desahogo*m.*, alivio*m.*
folgado *adj.* **1** (roupa) holgado, ancho **2** (vida) despreocupado, desahogado **3** (pessoa) holgazán, vago
folgar *v.* **1** *(descansar)* descansar, librar **2** *(distrair-se)* distraerse, divertirse **3** *(alegrar-se)* alegrarse, felicitarse, congratularse
folha *s.f.* **1** (planta) hoja **2** (papel) hoja **3** (material) hoja, lámina ♦ **folha de cálculo** hoja de cálculo; **folha de pagamento(s)** nómina, hoja de pagos; **folha de presença** hoja de asistencia; **folha de serviço** hoja de servicios; **novo em folha** novísimo; flamante
folhagem *s.f.* follaje*m.*
folhear *v.* **1** (livro) hojear **2** bañar; *folheado a ouro* bañado en oro
folheto *s.m.* folleto
folhinha *s.f.* calendario*m.*
folia *s.f.* farra, juerga
foli|ão, -ona *s.m.,f.* holg|ón, -ona, fiester|o, -a, juerguista*2g.*
folículo *s.m.* **1** farfolla; hoja pequeña **2** ANAT. folículo
fome *s.f.* hambre; *estar com fome* tener hambre ♦ **enganar a fome** engañar el hambre; **fome canina** hambre canina, gusa *col.*, carpanta *col.*; **matar a fome** matar el hambre; **passar fome** pasar hambre
fomentar *v.* fomentar
fone *s.m.* (telefone) auricular ♦ **fone de ouvido** auriculares
fonema *s.m.* fonema
fonética *s.f.* fonética
fonte *s.f.* **1** *(nascente)* fuente, manantial*m.*, nacimiento*m.* **2** *(chafariz)* fuente, chafariz*m.* **3** sien **4** *(origem)* fuente, causa, origen*m.* ♦ **fonte de alimentação** toma de corriente; **fonte de rendimento** recursos económicos
fora *adv.* **1** *(no exterior)* fuera, afuera **2** *(no estrangeiro)* fuera **3** (da residência habitual) fuera ■ *prep.* excepto ■ *interj.* ¡fuera!; ¡largo! ♦ **cair fora** marcharse, largarse; **dar o fora** darse el piro; largarse; **dar um fora em alguém** dar una respuesta grosera a alguien; **estar por fora** estar fuera de órbita; **ficar de fora** quedarse fuera; **fora de si** fuera de sí; **fora de moda** pasado de moda; **fora do alcance** lejos del alcance; **jogar fora** echar, tirar; **levar um fora** recibir una respuesta grosera de alguien
fora da lei *s.2g.2n.* delincuente; forajid|o, -a*m.f.*
foragid|o, -a *adj.,s.m.,f.* forajid|o, -a
foral *s.m.* HIST. foral
forasteir|o, -a *adj.,s.m.,f.* foraster|o, -a
forca *s.f.* horca
força *s.f.* **1** fuerza **2** MIL. fuerza; *força aérea* fuerza aérea; *forças armadas* fuerzas armadas ♦ **à força** a/por la fuerza; **à força de** a fuerza de; **a toda a força** con todos los medios; *col.* **dar uma força** echar una mano; **força de vontade** fuerza de voluntad
forçar *v.* **1** *(obrigar)* forzar, obligar **2** (porta, janela) forzar, entrar forzando **3** (com violência) forzar, someter, forcejear
forcejar *v.* forcejear

fórceps *s.m.2n.* fórceps
forjar *v.* **1** (metal) forjar, fraguar **2** *fig.* forjar, falsificar, inventar
forma[1] /ó/ *s.f.* forma ◆ **dar forma a** dar forma a; **de forma alguma/nenhuma** de ninguna manera, en absoluto; **desta/dessa forma** de este/ese modo; **de qualquer forma** de cualquier forma, de todas formas; **estar em forma** estar en forma; **estar fora de forma** estar en baja forma
forma[2] /ô/ *s.f.* **1** (para bolos) molde*m.* **2** (para calçado) horma ◆ **forma de gelo** cubitera
formação *s.f.* **1** *(criação)* formación, constitución **2** *(educação)* formación, educación **3** MIL. formación
formado *adj.* **1** formado (por, por); *ser formado por* estar formado por **2** (pessoa) licenciado (em, en), diplomado (em, en); *ela é formada em Direito* es licenciada en derecho
formal *adj.2g.* formal
formalidade *s.f.* **1** *(regra)* formalidad, norma **2** *(convenção)* formalidad, protocolo*m.*
formalismo *s.m.* formalismo
formalizar *v.* formalizar, ejecutar
formand|o, -a *s.m.,f.* estudiante*2g.*
formar *v.* **1** MIL. formar **2** *(dar forma)* formar, hacer **3** (empresa, equipe, instituição) formar, constituirse, hacerse **4** *(educar)* formar, educar, enseñar **5** *(compor)* formar, componer, constituir, integrar ■ **formar-se 1** formarse, constituirse **2** (na universidade) licenciarse (em, en), diplomarse (em, en); *a minha filha formou-se em Medicina* mi hija se formó en Medicina
formatação *s.f.* formateo*m.*
formatar *v.* formatear
formativo *adj.* formativo
formato *s.m.* **1** formato **2** *(tamanho)* tamaño **3** forma*f.*
formatura *s.f.* **1** formación **2** (universidade) graduación
fórmica *s.f.* formica
formidável *adj.2g.* formidable
formiga *s.f.* hormiga
formigamento *s.m.* hormigueo
formigar *v.* hormiguear
formigueiro *s.m.* **1** (de formigas) hormiguero **2** (de pessoas) hormiguero, hervidero, muchedumbre*f.* **3** *(coceira)* hormigueo, cosquilleo
formol *s.m.* formol
formoso *adj.* hermoso, bello
formosura *s.f.* hermosura, belleza
fórmula *s.f.* **1** (de cortesia) fórmula **2** fórmula, modelo*m.* **3** MAT. fórmula, expresión **4** ESPOR. fórmula
formulação *s.f.* formulación
formular *v.* **1** *(enunciar)* formular, exponer, expresar **2** *(conceber)* formular, formar, constituir
formulário *s.m.* formulario, impreso
fornecedor, -a *s.m.,f.* abastecedor, -a, proveedor, -a, distribuidor, -a
fornecer *v.* abastecer, proveer, distribuir
fornecimento *s.m.* abastecimiento, provisión*f.*, suministro
fornicar *v.* fornicar
forno *s.m.* horno
foro *s.m.* **1** *(alçada)* fuero **2** (tribunal) tribunal/corte*f.* (de justicia) [AM.] ◆ **foro íntimo** fuero interno
forrar *v.* **1** (roupa) forrar **2** (parede) forrar, empapelar, recubrir
forro *s.m.* forro
forró *s.m.* [baile popular originario del norte de Brasil]
fortalecer *v.* fortalecer ■ **fortalecer-se** fortalecerse
fortalecimento *s.m.* fortalecimiento
fortaleza *s.f.* fortaleza
forte *adj.2g.* **1** fuerte **2** (café) cargado ■ *s.m.* **1** (castelo) fuerte, fortaleza*f.* **2** *(talento)* talento, maña*f.*, destreza*f.*, habilidad*f.* ■ *adv.* fuerte, duro, fuertemente
fortificante *adj.2g.* fortificante ■ *s.m.* (medicamento) reconstituyente
fortificar *v.* **1** *(fortalecer)* fortificar, fortalecer **2** (lugar) fortificar
fortuna *s.f.* **1** *(riqueza)* fortuna, bienes*m. pl.*, dinero*m.* **2** *(fado)* fortuna, destino*m.*, suerte, sino*m.*
fórum *s.m.* **1** fórum, foro **2** HIST. foro ◆ (Internet) **fórum de discussão** foro de discusión
fosco *adj.* **1** *(sem brilho)* mate **2** *(opaco)* opaco
fosfato *s.m.* fosfato
fosforescente *adj.2g.* fosforescente
fósforo *s.m.* **1** fósforo **2** cerilla*f.*, fósforo
fossa *s.f.* **1** pozo*m.* negro **2** *(cova)* fosa, hoyo*m.* **3** *col.* depre; *estar na fossa* estar deprimido ◆ **fossas nasais** fosas nasales
fóssil *s.m.* fósil
fossilizar *v.* fosilizarse
foto *s.f. col.* foto, fotografía; *tirar uma foto* sacar una foto
fotocópia *s.f.* fotocopia
fotocopiadora *s.f.* fotocopiadora
fotocopiar *v.* fotocopiar
fotogênico *adj.* fotogénico
fotografar *v.* fotografiar, hacer fotos
fotografia *s.f.* fotografía
fotográfico *adj.* fotográfico
fotógraf|o, -a *s.m.,f.* fotógraf|o, -a
fotonovela *s.f.* fotonovela
fotossíntese *s.f.* fotosíntesis*2n.*
fototerapia *s.f.* MED.,VET. fototerapia
foz *s.f.* desembocadura
fração *s.f.* **1** *(porção)* fracción, porción, parte **2** MAT. fracción
fracassar *v.* fracasar, fallar, frustrarse
fracasso *s.m.* fracaso
fracionar *v.* fraccionar ■ **fracionar se** fraccionarse
fraco *adj.* **1** (pessoa) flojo, débil **2** (objeto) endeble, malo **3** (café, bebida) flojo ■ *s.m.* (punto) flaco, predilección*f.*, favoritismo

frágil *adj.2g.* **1** (objeto) frágil, débil, endeble, quebradizo **2** (saúde) frágil, débil, quebradizo **3** (pessoa) frágil, endeble, delgado ◆ **sexo frágil** sexo débil
fragilidade *s.f.* fragilidad
fragilizar *v.* fragilizar, debilitar, enflaquecer
fragmentação *s.f.* fragmentación
fragmentar *v.* fragmentar ■ **fragmentar-se** fragmentarse
fragmentário *adj.* fragmentario
fragmento *s.m.* fragmento, pedazo, trozo
fragrância *s.f.* fragancia, aroma*m.*
fralda *s.f.* **1** pañal*m.* **2** (camisa) faldón*m.*
fraldário *s.m.* cambiador (de pañales)
framboesa *s.f.* frambuesa
França *s.f.* Francia
francamente *adv.* francamente
franc|ês, -esa *adj.,s.m.,f.* franc|és, -esa ■ **francês** *s.m.* (língua) francés ◆ **à grande e à francesa** a lo grande; **despedir-se/sair à francesa** despedirse/marcharse a la francesa
francesinha *s.f.* [estilo de pintura que consiste en pintar las puntas de las uñas de blanco]
franchising *s.m.* franquicia*f.*, franchising
franco *adj.* **1** franco, sincero **2** *(sem obstáculos)* franco, libre, expedito ■ *s.m.* (antiga moeda) franco
frango *s.m.* **1** pollo **2** *gír.* (futebol) cantada*f.* ◆ **frango de churrasco** pollo a la barbacoa
franja *s.f.* **1** (tecido) fleco*m.* **2** (cabelo) flequillo*m.*
franqueza *s.f.* franqueza, sinceridad
franquia *s.f.* **1** (impostos, taxas) franquicia, exención **2** (correspondência, encomenda) franqueo*m.*
franquiar *v.* (correspondência, encomenda) franquear
franzino *adj.* delgado, flaco, esmirriado
franzir *v.* **1** (tecido) fruncir **2** (sobrancelhas, testa) fruncir
fraque *s.m.* frac
fraquejar *v.* **1** *(enfraquecer)* flaquear, fallar, debilitarse **2** *(desanimar)* flaquear, desanimarse
fraqueza *s.f.* **1** (físico) flojedad, debilidad **2** (moral) debilidad **3** *(imperfeição)* fallo*m.*, imperfección **4** *(fome)* hambre
frasco *s.m.* frasco; bote
frase *s.f.* frase ◆ **frase feita** frase hecha
fraternal *adj.2g.* **1** fraternal **2** *fig.* afectuoso, amable, cariñoso
fraternidade *s.f.* fraternidad
fratura *s.f.* **1** fractura, rotura **2** *(quebra)* quiebra, rotura, rompimiento*m.*
fraturar *v.* **1** fracturar(se) **2** *(quebrar)* fracturar, romper
fraudar *v.* estafar, engañar, defraudar
fraude *s.f.* **1** fraude*m.*, estafa, engaño*m.* **2** (marcas, produtos) falsificación
fraudulento *adj.* fraudulento
freada *s.f.* frenazo*m.*
frear *v.* frenar
fregu|ês, -esa *s.m.,f. pop.* cliente*2g.*, feligr|és, -esa
freguesia *s.f.* **1** (concelho) parroquia **2** *(clientela)* clientela ◆ *col.* **ir pregar para outra freguesia** irse con la música a otra parte
freio *s.m.* **1** (cavalgadura) freno **2** (máquina) freno **3** *fig.* freno **4** frenillo ◆ *col.* **não ter freio na língua** no tener pelos/frenillo en la lengua
freira *s.f.* monja
frenesi *s.m.* frenesí
frenético *adj.* frenético
frente *s.f.* **1** *(lado frontal)* frente **2** (edifício) frente*m.*, cara, fachada **3** frente*m.*, línea de batalla **4** MET. frente*m.* ◆ **de frente** frontal; **em frente** enfrente; **fazer frente a** hacer frente a; **ir em frente** ir adelante; **na frente** delante; **para a frente** hacia delante
frentista *s.2g.* gasoliner|o, -a*m.f.*
frequência *s.f.* **1** frecuencia **2** asiduidad ◆ **com frequência** con frecuencia; (rádio) **frequência modulada** frecuencia modulada
frequentado *adj.* **1** frecuentado **2** (lugar) concurrido
frequentador, -a *s.m.,f.* frecuentador, -a
frequentar *v.* **1** (lugar) frecuentar **2** (aula, curso) asistir
frequente *adj.2g.* frecuente
frequentemente *adv.* frecuentemente
fresco *adj.* **1** (temperatura) fresco **2** (roupa, tecido) fresco, ligero **3** (pintura, tinta) fresco, húmedo, recién pintado **4** *fig.* fresco, recién hecho **5** (alimento) fresco; recién hecho; del día ■ *s.m.* (pintura) fresco ◆ (no café) **água fresca** agua fría; **pôr-se ao fresco** ahuecar el ala
frescor *s.m.* frescor
frescura *s.f.* **1** frescura, frescor*m.* **2** *(aragem fresca)* brisa **3** *fig.* frescura, energía, vigor*m.* **4** *col.* desfachatez, frescura
fresta *s.f.* rendija, raja, grieta, fisura
fretar *v.* fletar
frete *s.m.* flete
frevo *s.m.* [ritmo y baile típicos de Brasil]
fricassê *s.m.* fricasé
fricativa *s.f.* LING. fricativa
fricção *s.f.* **1** fricción **2** *fig.* *(divergência)* fricción, enfrentamiento*m.*, roce*m.*
friccionar *v.* **1** friccionar **2** (chão, móvel) frotar, estregar, restregar
frieira *s.f.* sabañón*m.*
frieza *s.f.* **1** frialdad **2** *fig.* frialdad, indiferencia
frigideira *s.f.* sartén
frigorífico *s.m.* cámara*f.* oscura
frio *adj.* **1** frío **2** *fig.* frío, insensible, indiferente ■ *s.m.* frío ◆ **a frio** en frío
friorento *adj.* friolero, friolento[AM.]
frisa *s.f.* (teatro, sala de espetáculos) palco*m.* de platea
frisado *adj.* (cabelo) rizado
frisar *v.* **1** (cabelo) rizar, encrespar **2** *fig.* subrayar, destacar

friso *s.m.* **1** ARQ. friso **2** (parede) friso; *(rodapé)* rodapié, zócalo
fritadeira *s.f.* freidora
fritar *v.* (alimento) freír
frito *adj.* (*p.p. de* fritar) (alimento) frito ◆ *col.* (pessoa) **estar frito** estar en apuros
fritura *s.f.* fritura, fritos*m. pl.*
frívolo *adj.* frívolo, ligero
fronha *s.f.* **1** funda (de almohada), almohadón*m.*, almohada **2** *pop. (cara)* jeta
frontal *adj.2g.* **1** *(de frente)* frontal **2** (pessoa) directo **3** *(sincero)* franco, sincero **4** ANAT. frontal ■ *s.m.* ANAT. frontal
frontalmente *adv.* **1** frontalmente, de frente **2** abiertamente
frontão *s.m.* **1** ARQ. frontón **2** (jogo) frontón
fronte *s.f.* **1** *(testa)* frente **2** *(parte da frente)* parte delantera
fronteira *s.f.* **1** frontera **2** *fig.* frontera, límite*m.*
frontispício *s.m.* **1** fachada*f.* **2** (livro) portada*f.*
frota *s.f.* **1** NÁUT. flota, armada **2** (veículos) flota
frouxo *adj.* **1** (corda) flojo, suelto **2** (músculo) flácido **3** (pessoa) flojo, perezoso, vago **4** *fig.* (argumento, desculpa) inconsistente, endeble
fruir *v.* **1** *(gozar)* disfrutar (de, de), gozar (de, de) **2** *(estar na posse de)* poseer
frustração *s.f.* frustración, decepción, desilusión, desengaño*m.*
frustrante *adj.2g.* frustrante
frustrar *v.* **1** (projeto) frustrar, hacer fracasar **2** (pessoa) frustrar, decepcionar, defraudar
fruta *s.f.* fruta
fruta-do-conde *s.f.* (*pl.* frutas-do-conde) anona
fruteira *s.f.* frutero*m.*
frutífero *adj.* fructífero
fruto *s.m.* **1** fruto **2** *fig.* fruto, resultado ◆ **colher os frutos de** sacar fruto; **dar frutos** dar fruto; **frutos do mar** mariscos; (Bíblia) **fruto proibido** fruto prohibido
fubá *s.m.* harina*f.* de maíz o de arroz
fuça *s.f. pop.* morro*m.*, jeta
fuga *s.f.* **1** *(evasão)* huida, fuga, evasión **2** MÚS. fuga ◆ **uma fuga de prisioneiros causou pânico no bairro** la huida de detenidos llevó pánico al barrio
fugaz *adj.2g.* **1** rápido, veloz **2** *fig.* fugaz, efímero, pasajero
fugida *s.f.* **1** *(fuga)* huida, fuga **2** *(escapadela)* escapada **3** *fig.* escapatoria, subterfugio*m.* ◆ **de fugida** deprisa
fugir *v.* **1** huir, marcharse **2** *(afastar-se)* huir, apartarse **3** (prisioneiro) huir, escaparse, evadirse **4** (de situação) huir, esquivar, evitar, rehuir
fugitiv|o, -a *s.m.,f.* fugitiv|o, -a
fulan|o, -a *s.m.,f.* **1** fulan|o, -a **2** *col.* tip|o, -a
fulgor *s.m.* fulgor, resplandor, brillo intenso
fuligem *s.f.* hollín*m.*, tizne*m./f.*
fulminante *adj.2g.* fulminante
fulminar *v.* fulminar
fumaça *s.f.* **1** *(nuvem de fumo)* humareda **2** humo*m.* ◆ *col.* **e lá vai fumaça** y pico, y tantos; *col.* **soltar fumaça (pelas ventas)** echar humo; *col.* **virar fumaça** hacerse humo, desaparecer
fumaceira *s.f. col.* humareda
fumante *s.2g.* fumador, -a*m.f.*
fumar *v.* **1** (tabaco) fumar(se) **2** (salmão, carne) ahumar
fumegar *v.* **1** (fumo) humear, echar humo **2** (vapor) salir echando humo
fumigar *v.* fumigar, desinfectar
fumo *s.m.* humo ◆ **não há fumo sem fogo** cuando el río suena, agua lleva
função *s.f.* función ◆ **em função de** en función de; **entrar em funções** entrar en funciones
funcional *adj.2g.* funcional
funcionalidade *s.f.* funcionalidad
funcionamento *s.m.* funcionamiento, marcha*f.*
funcionar *v.* **1** funcionar **2** *fig.* funcionar, salir bien, tener éxito
funcionári|o, -a *s.m.,f.* emplead|o, -a

> Não confundir com a palavra espanhola funcionario (*funcionário público*).

fundação *s.f.* **1** *(criação)* fundación, creación **2** *(instituição)* fundación **3** (obra de beneficência) patronato*m.* **4** (construção) cimiento*m.*
fundador, -a *adj.,s.m.,f.* fundador, -a
fundamental *adj.2g.* fundamental
fundamentar *v.* fundamentar (em, en)
fundamento *s.m.* fundamento
fundar *v.* **1** (cidade, instituição) fundar, crear, erigir **2** (argumento, opinião) fundar, basar, apoyar
fundição *s.f.* fundición
fundir *v.* **1** (lâmpada, fusível) fundirse **2** *(derreter)* fundir, derretir **3** (metal) fundir **4** (empresas) fusionar **5** *(unir)* fundir, unir ■ **fundir-se 1** *(derreter-se)* fundirse, derretirse **2** (empresas) fusionarse
fundo *s.m.* **1** (do rio, do copo) fondo **2** (da casa, da rua) parte*f.* de tras **3** *fig. (âmago)* fondo, interior, intimidad*f.* ■ *adj. (profundo)* hondo, profundo ■ **fundos** *s.m.pl.* (dinheiro) fondos ◆ **a fundo** a fondo; **no fundo** en el fondo
fúnebre *adj.2g.* fúnebre
funeral *s.m.* funeral, entierro
funerária *s.f.* funeraria, agencia funeraria
fungar *v.* **1** sorber la nariz **2** *fig. (resmungar)* refunfuñar
fungo *s.m.* hongo
funil *s.m.* embudo
furacão *s.m.* huracán
furadeira *s.f.* taladradora
furado *adj.* **1** agujereado, perforado **2** (orelha) agujereado **3** (pneu) pinchado **4** *col.* (negócio) frustado

furador *s.m.* (para papel) taladradora*f.*
fura-greve *s.2g.* esquirol*m.*, rompehuelgas [AM.]
furar *v.* **1** *(fazer furos)* agujerear, perforar, horadar; (com furadeira/broca) taladrar **2** (através de multidão) penetrar; ***furar a fila*** colarse en una fila **3** (pneu) pinchar **4** *col. (frustrar)* aguar, frustrar
furgão *s.m.* **1** *(caminhonete)* furgón **2** (trem) furgón, vagón
fúria *s.f.* furia, rabia, cólera
furioso *adj.* furioso, rabioso
furo *s.m.* **1** *(orifício)* orificio; *(buraco)* agujero **2** (pneu) pinchazo **3** *gír.* (horário) hora*f.* libre
furor *s.m.* furor, cólera*f.*, ira*f.* ◆ **fazer furor** hacer furor
furreca *adj.2g.* **1** de mala cualidad **2** insignificante
furtar *v.* **1** *(roubar)* hurtar, robar **2** *(falsificar)* falsificar ■ **furtar-se** esquivarse (a, a)
furto *s.m.* hurto, robo
furúnculo *s.m.* forúnculo, furúnculo
fusão *s.f.* fusión ◆ **fusão nuclear** fusión nuclear
fusca *s.m. col.* escarabajo
fuselagem *s.f.* fuselaje*m.*
fusível *s.m.* fusible
fuso *s.m.* huso ◆ **fuso horário** huso horario
futebol *s.m.* fútbol, balompié ◆ **futebol americano** fútbol americano; **futebol de areia/praia** fútbol playa; **futebol de salão** fútbol sala, futbito; **futebol totó** futbolín
fútil *adj.2g.* **1** *(insignificante)* fútil, insignificante **2** (pessoa) frívolo, leviano **3** *(inútil)* vano, inútil
futilidade *s.f.* futilidad
futsal *s.m.* fútbol sala
futurismo *s.m.* futurismo
futurista *adj.,s.2g.* futurista
futuro *s.m.* futuro ■ *adj.* futuro, venidero ◆ (pessoa) **com futuro** con futuro; (pessoa, projeto) **ter futuro** tener futuro; prometer
fuxico *s.m.* **1** *col.* chisme **2** [técnica artesanal que consiste en coser pedazos de tejido]
fuzil *s.m.* fusil
fuzilar *v.* fusilar
fuzuê *s.m.* **1** *col.* juerga*f.* **2** *col.* confusión*f.*

G

g *s.m.* (letra) g*f.*

gabar *v.* alabar, elogiar ■ **gabar-se** jactarse (de, de), alabarse (de, de), vanagloriarse (de, de); *gaba-se de ser muito inteligente* se jacta de ser muy inteligente

gabarito *s.m.* **1** *(modelo, padrão)* modelo, patrón **2** *fig.* clase*f.*, categoría*f.*, nivel **3** (teste) solucionario, clave*f.*

gabinete *s.m.* **1** *(escritório)* despacho **2** (compartimento) gabinete, despacho **3** POL. gabinete

gadanheira *s.f.* AGR. segadora

gado *s.m.* ganado

gafanhoto *s.m.* saltamontes*2n.*, langosta*f.*

gafe *s.f.* **1** *col.* metedura de pata **2** *col. (erro)* planchazo*m.*

gagá *adj.2g. col.* gagá, chocho

gag|o, -a *adj.,s.m.,f.* tartamud|o, -a

gagueira *s.f.* tartamudez

gaguejar *v.* **1** (ao falar) tartamudear **2** (por nervosismo) trabarse

gaiola *s.f.* **1** jaula **2** *col. (cadeia)* chirona, trena **3** *col.* (casa) ratonera

gaita *s.f.* **1** MÚS. armónica **2** *pop.* pasta, plata

gaivota *s.f.* (ave) gaviota

gala *s.f.* **1** (festa) gala **2** *(pompa)* pompa, lujo*m.* **3** (traje) galas*pl.*

galã *s.m.* galán

galactose *s.f.* **1** FISIOL. galactopoyesis*2n.* **2** QUÍM. galactosa

galantear *v.* galantear, cortejar

galanteio *s.m.* **1** (ação) galanteo **2** (dito) piropo, requiebro

galão *s.m.* **1** MIL. galón **2** (medida) galón

galar *v.* **1** (galinha) gallar, gallear **2** *pop.* lanzar miradas

galáxia *s.f.* galaxia

galé *s.f.* NÁUT. galera ■ **galés** *s.f.pl.* HIST. galeras

galera *s.f.* **1** *col.* (amigos) panda, pandilla **2** *col.* (futebol) afición, hinchada **3** (embarcação) galera

galeria *s.f.* galería ♦ **galeria de arte** galería de arte

galgar *v.* **1** saltar **2** trepar

galho *s.m.* **1** (árvore) rama*f.* **2** (animal) cuerno, asta*f.* **3** *(cacho)* racimo **4** *col.* dificultad*f.* ♦ **quebrar o galho de/para alguém** sacarle las castañas del fuego a alguien

galinha *s.f.* **1** gallina **2** *pop. (azar)* mala suerte ♦ **a galinha dos ovos de ouro** la gallina de los huevos de oro; *col.* **deitar-se com as galinhas** acostarse con las gallinas; *col.* **quando as galinhas tiverem dentes** cuando las ranas críen pelo

galinha-d'angola *s.f.* (*pl.* galinhas-d'angola) ZOOL. pintada

galinheiro *s.m.* **1** *(capoeira)* gallinero **2** *col.* (sala de espetáculo) gallinero, paraíso, cazuela*f.*

gálio *s.m.* QUÍM. galio

Galiza *s.f.* Galicia

galo *s.m.* **1** gallo **2** *col.* chichón, bollo ♦ *col.* **cantar de galo** dar órdenes; *col.* **ouvir o galo cantar sem saber onde** oír campanas y no saber dónde

galocha *s.f.* botas*pl.* de agua, katiuskas*pl.*

galopante *adj.2g.* galopante

galopar *v.* galopar

galope *s.m.* galope

galpão *s.m.* galpón [AM.], depósito

galvanizar *v.* galvanizar

gamação *s.f.* pasión intensa

gamado *adj. col.* colado (em, por), loco (em, por)

gamar *v.* **1** *col.* enamorarse (em/por, por) **2** *col.* mangar, birlar, afanar

gambá *s.m.* zorrillo [AM.], mofeta*f.*

ganância *s.f.* codicia, avaricia

ganancioso *adj.* codicioso, ambicioso

gancho *s.m.* **1** gancho, garfio **2** (pesca) anzuelo **3** (cabelo) horquilla*f.* **4** (telefone) base*f.* **5** (calças) tiro **6** (boxe) croché ♦ (pessoa) **ser de gancho** ser duro de pelar

gandaia *s.f. col.* vagancia ♦ **cair na gandaia** irse de parranda

gandula *s.2g.* recogepelotas*2n.*

gang *s.m.* (*pl.* gangs) **1** banda*f.* de criminales, gang **2** *col.* panda*f.*, pandilla*f.*

ganga *s.f.* **1** (tecido) tela vaquera **2** MIN. ganga

gangorra *s.f.* subeibaja*m.*, balancín*m.*

gangrena *s.f.* gangrena

gângster *s.m.* gángster

gangue *s.m.* ⇒ **gang**

ganha-pão *s.m.* (*pl.* ganha-pães) pan*fig.*, sustento

ganhar *v.* **1** ganar **2** (competição) ganar, vencer **3** (prêmio) ganar, sacar **4** (por esforço, reconhecimento) ganarse **5** *(adquirir)* ganar, adquirir

ganir *v.* **1** (cão) gañir **2** (pessoa) gemir

gans|o, -a *s.m.,f.* gans|o, -a, oca*f.* ♦ *vulg.* **afogar o ganso** follar

garagem *s.f.* **1** garaje*m.*, cochera **2** *(oficina)* taller*m.* (mecánico), garaje*m.*

garanhão *s.m.* **1** (cavalo) semental, garañón **2** *fig.* (homem) mujeriego

garantia *s.f.* **1** garantía **2** prenda **3** fianza

garantir *v.* **1** garantizar **2** proporcionar **3** garantizar, hacerse responsable **4** defender

garça *s.f.* garza ♦ **garça-real** garza real

garçom *s.m.* (*f.* garçonete) camarero

garçonete *s.f.* (*m.* garçon) camarera

garfo *s.m.* tenedor ♦ **ser um bom garfo** ser de buen comer

gargalhada *s.f.* carcajada, risotada
gargalhar *v.* carcajearse
gargalo *s.m.* (de garrafa) cuello, gollete; (de bilha) pitón, pitorro
garganta *s.f.* **1** garganta **2** GEOG. garganta, desfiladero*m.* **3** *fig.* voz **4** *fig.* palique*m.*, palabrería ♦ **ter muita garganta** ponerse muy chulo
gargantilha *s.f.* gargantilla
gargarejar *v.* hacer gárgaras
gargarejo *s.m.* **1** (ato) gárgara*f.*, gargarismo **2** (líquido) gargarismo
gari *s.2g.* barrender|o, -a*m.f.*
garoa *s.f.* llovizna
garotada *s.f.* muchachada, grupo*m.* de muchachos
garot|o, -a *s.m.,f.* chic|o, -a, niñ|o, -a
garra *s.f.* **1** garra, zarpa **2** *fig.* garra, entusiasmo*m.*, tesón*m.* ♦ **cair nas garras de alguém** caer en las garras de alguien
garrafa *s.f.* botella ♦ **garrafa térmica** termo
garrafal *adj.2g.* **1** que tiene forma de botella **2** garrafal **3** (letra) grande
garrafão *s.m.* garrafa*f.*, damajuana*f.*
garrancho *s.m.* (letra) garabato
garupa *s.f.* **1** (cavalo) grupa **2** *(alforge)* alforja **3** (moto) asiento*m.* trasero
gás *s.m.* **1** gas **2** *fig.* entusiasmo, animación*f.* ■ **gases** *s.m.pl.* gases ♦ **a todo o gás** a todo gas
gaseificado *adj.* (bebida) gaseoso, con gas
gaseificar *v.* gasificar
gasolina *s.f.* gasolina
gasosa *s.f.* (bebida) gaseosa
gasoso *adj.* gaseoso
gastar *v.* **1** (dinheiro) gastar **2** (fortuna, herança) malgastar, derrochar, despilfarrar, dilapidar **3** (energia, combustível) gastar, consumir **4** *(deteriorar)* gastar **5** (roupa, calçado) gastar, desgastar ■ **gastar se** gastarse, desgastarse
gasto (*p.p. de* gastar) *adj.* **1** gastado **2** gastado, deteriorado, usado, estropeado ■ *s.m.* **1** consumo **2** *(despesa)* gasto
gastrenterologia *s.f.* gastroenterología
gastrenterologista *s.2g.* gastroenterólog|o, -a*m.f.*
gástrico *adj.* gástrico; ***suco gástrico*** juco gástrico
gastrintestinal *adj.2g.* gastrointestinal
gastrite *s.f.* gastritis*2n.*
gastroenterite *s.f.* MED. gastroenteritis
gastronomia *s.f.* gastronomía
gastronômico *adj.* gastronómico
gata *s.f.* **1** ⇒ **gato** **2** mujer atractiva
gatafunhar *v.* garabatear, garrapatear
gatilho *s.m.* (arma de fogo) gatillo
gat|o, -a *s.m.,f.* **1** gat|o, -a **2** tí|o, -a buen|o, -a ■ **gato** *s.m.* *col.* ligación*f.* eléctrica clandestina ♦ **gato escaldado tem medo de água fria** gato escaldado del agua fría huye; **vender gato por lebre** dar gato por liebre; **fazer de gato e sapato** tener debajo de la pata
gatun|o, -a *s.m.,f.* rater|o, -a, ladr|ón, -ona, caco*m.*
gaveta *s.f.* cajón*m.* ♦ **ficar na gaveta** dejarse en el tintero
gavião *s.m.* **1** ZOOL. gavilán, esparaván **2** *fig.* conquistador
gay *adj.2g.2n.,s.2g.* (*pl.* gays) *col.* gay*m.*, homosexual
gaze *s.f.* **1** (tecido) gasa **2** FARM. gasa
gazela *s.f.* gacela
gê *s.m.* (letra) ge*f.*
geada *s.f.* MET. helada; escarcha
gear *v.* helar, escarchar
gêiser *s.m.* géiser
gel *s.m.* **1** gel **2** (para cabelo) gel (para el pelo), gomina*f.*
geladeira *s.f.* nevera
gelar *v.* **1** helar(se) **2** helar
gelatina *s.f.* gelatina
gelatinoso *adj.* gelatinoso
geleia *s.f.* jalea ♦ **geleia real** jalea real
geleira *s.f.* **1** GEOG. glaciar*m.* **2** GEOG. iceberg*m.* **3** *(caixa isotérmica)* nevera
gelificar *v.* helarse, congelarse
gelo *s.m.* hielo ♦ **dar um gelo** tratar con indiferencia; **quebrar o gelo** romper el hielo
gema *s.f.* **1** (ovo) yema **2** MIN. gema, piedra preciosa **3** *fig.* *(âmago)* esencia **4** (planta) yema, brote*m.* ♦ **da gema** de pura cepa; ***um carioca de gema*** un carioca de pura cepa
gemada *s.f.* [pasta de yema de huevo, batida con azúcar]
gême|o, -a *s.m.,f.* gemel|o, -a ■ *adj.* **1** gemelo **2** gemelo, idéntico **3** mellizo
Gêmeos *s.m.pl.* ASTROL.,ASTRON. Géminis
gemer *v.* gemir
gemido *s.m.* gemido
geminar *v.* **1** geminar, duplicar **2** (casa) adosar
geminian|o, -a *s.m.,f.* géminis*2g.2n.*
gene *s.m.* gen
genealógico *adj.* genealógico
general *s.2g.* **1** general **2** *fig.* *(chefe)* cabecilla
generalizado *adj.* generalizado
generalizar *v.* generalizar ■ **generalizar se** generalizarse
genericamente *adv.* genéricamente, en general
genérico *s.m.* FARM. genérico ■ *adj.* **1** genérico **2** indeterminado, indefinido, impreciso
gênero *s.m.* **1** género, especie*f.* **2** estilo, tipo **3** LING. género **4** BIOL. género **5** LIT. género ♦ **gêneros alimentícios** generos/productos alimenticios; **não fazer o gênero de alguém** no ser del tipo de alguien
generosidade *s.f.* generosidad
generoso *adj.* **1** (pessoa) generoso, desprendido **2** (vinho) generoso
Gênesis *s.m.2n.* REL. Génesis
genética *s.f.* genética
genético *adj.* genético
gengibre *s.m.* jengibre

gengiva *s.f.* encía
gengivite *s.f.* gingivitis*2n.*
genial *adj.2g.* **1** genial **2** *fig.* genial, estupendo, formidable
gênio *s.m.* **1** *(temperamento)* genio **2** *(caráter)* genio, carácter **3** *(talento)* genio **4** *fig.* (pessoa) genio, fiera*f.*
genital *adj.2g.* genital
genocídio *s.m.* genocidio
genro *s.m.* yerno
gentalha *s.f. pej.* gentuza, chusma
gente *s.f.* **1** *(pessoas)* gente; ***havia muita gente no concerto*** había mucha gente en el concierto **2** *(alguém)* alguien; ***tem gente*** hay alguien **3** *col. (nós)* nosotr|os, -as*m.f. pl.*; ***a gente vai embora*** nosotros nos vamos ♦ **gente de palmo e meio** niños; *col.* **ser boa gente** ser buena gente; **toda a gente** todo el mundo
gentil *adj.2g.* gentil, amable
gentileza *s.f.* gentileza, amabilidad ♦ **é muita gentileza da sua parte** eres muy amable
genuflexão *s.f.* genuflexión
genuíno *adj.* **1** *(puro)* genuino, puro **2** (pessoa) sincero, franco
geografia *s.f.* geografía
geográfico *adj.* geográfico
geologia *s.f.* geología
geológico *adj.* geológico
geólog|o, -a *s.m.,f.* geólog|o, -a
geometria *s.f.* geometría
geométrico *adj.* geométrico
geração *s.f.* **1** (pessoas) generación **2** *(procriação)* generación, procreación ♦ **de última geração** de última generación; **geração espontânea** generación espontánea
gerador, -a *adj.,s.m.,f.* generador, -a ■ *s.m.* ELETR. generador
geral *adj.2g.* **1** general **2** genérico, universal **3** vago, indeterminado ■ *s.f.* (sala de espetáculo) gallinero*m.*, galería, paraíso*m.* ♦ **em geral** en/por lo general
geralmente *adv.* **1** generalmente **2** normalmente
gerar *v.* **1** *(conceber)* generar, concebir **2** *(produzir)* generar, producir **3** *(provocar)* causar, provocar ■ **gerar se** gestarse, formarse
gerência *s.f.* gerencia
gerenciar *v.* dirigir, administrar
gerente *s.2g.* gerente, director, -a*m.f.*; (de hotel) gobernanta*f.*
gergelim *s.m.* ajonjolí, sésamo
geriatra *s.2g.* geriatra
geriatria *s.f.* geriatría
geriátrico *adj.* geriátrico
geringonça *s.f.* **1** (objeto) trasto*m.*, cachivache*m.*, chisme*m.* **2** *(coisa malfeita)* chapuza, chapucería **3** (linguagem) jerga, jerigonza
gerir *v.* **1** administrar, dirigir **2** (conflito, problema) solucionar, resolver
germânico *adj.,s.m.* germánico
germe *s.m.* **1** germen, embrión **2** *(micróbio)* germen, microbio **3** (planta) germen **4** *fig. (origem)* germen, origen
germinação *s.f.* **1** BIOL. germinación **2** BOT. germinación, brote*m.* **3** *fig.* evolución
germinar *v.* **1** BOT. germinar **2** *fig.* (ideias, sentimentos) brotar
gerúndio *s.m.* gerundio
gesso *s.m.* **1** yeso **2** escayola*f.*
gestação *s.f.* **1** *(gravidez)* gestación, embarazo*m.* **2** *fig.* gestación, elaboración, preparación
gestante *s.f.* mujer embarazada
gestão *s.f.* **1** (de empresa, instituição) gestión, administración **2** (de bens) gestión ♦ **gestão do tempo** gestión del tiempo
gesticulação *s.f.* gesticulación
gesticular *v.* gesticular
gesto *s.m.* **1** *(aceno)* gesto, ademán **2** (ato) gesto
gestual *adj.2g.* gestual
gibi *s.m.* cómic, tebeo, historieta*f.*, tira*f.* ♦ **não estar no gibi** ser increíble
gigante *adj.2g.* gigante, gigantesco, enorme ■ *s.2g.* gigant|e, -a*m.f.*
gigantesco *adj.* gigantesco
gigolô *s.m.* gigoló
gilete *s.f.* **1** (utensílio) maquinilla (de afeitar) **2** (lâmina) cuchilla, hoja de afeitar, gillette
ginásio *s.m.* gimnasio
ginasta *s.2g.* gimnasta
ginástica *s.f.* gimnasia
gincana *s.f.* gincana
gineceu *s.m.* **1** BOT. gineceo, pistilo **2** HIST. gineceo
ginecologia *s.f.* ginecología
ginecológico *adj.* ginecológico
ginecologista *s.2g.* ginecólog|o, -a*m.f.*
ginga *s.f.* espadilla
gingado *s.m. fig. (ginga)* meneo
gingar *v.* (corpo, membro) mover, oscilar, balancear
girafa *s.f.* **1** ZOOL. jirafa **2** (microfone) jirafa **3** *fig.,col.* (pessoa) jirafa
girar *v.* **1** girar **2** *fig.* (conversa, debate) girar, tratarse
girassol *s.m.* girasol
giratório *adj.* giratorio
gíria *s.f.* jerga, argot*m.*
giro *s.m.* giro, rotación*f.*
giz *s.m.* **1** tiza*f.* **2** (bilhar) tiza*f.* **3** (de alfaiate) jaboncillo, jabón de sastre
glacê *s.m.* azúcar glas/glasé
glaciar *s.m.* glaciar
glamoroso *adj.* glamouroso, encantador
glamour *s.m.* glamour, encanto
glande *s.f.* glande*m.*
glândula *s.f.* glándula
glaucoma *s.m.* glaucoma
glicerina *s.f.* glicerina
glicose *s.f.* glucosa

global *adj.2g.* global
globalidade *s.f.* globalidad
globalização *s.f.* globalización
globalizar *v.* globalizar
globo *s.m.* **1** globo **2** *(esfera terrestre)* globo terráqueo/terrestre **3** (lâmpada) pantalla*f.*, tulipa*f.* ◆ **globo ocular** globo ocular
glóbulo *s.m.* glóbulo ◆ **glóbulo branco** glóbulo blanco, leucócito; **glóbulo vermelho** glóbulo rojo, eritrócito
glória *s.f.* gloria
glorioso *adj.* glorioso
glosa *s.f.* **1** (texto) glosa; explicación; comentario*m.* **2** LIT. glosa
glossário *s.m.* glosario
glucose *s.f.* ⇒ **glicose**
glúten *s.m.* gluten
glúteo *s.m.* glúteo
gnomo *s.m.* gnomo
goela *s.f. col.* garganta ◆ **molhar a goela** remojar el gaznate, echarse un trago
goiaba *s.f.* guayaba
goiabada *s.f.* dulce*m.* de guayaba
goiabeira *s.f.* guayabo*m.*
gol *s.m.* **1** gol; *gol contra* autogol **2** portería*f.*
gola *s.f.* cuello*m.*; escote*m.*
gole *s.m.* trago, sorbo
goleada *s.f.* goleada
goleador, -a *s.m.,f.* goleador, -a
golear *v.* golear
goleiro *s.m.* portero
golfada *s.f.* **1** *(jorro)* chorro*m.* **2** *(vômito)* vómito*m.*, devuelto*m.*
golfar *v.* vomitar
golfe *s.m.* golf
golfinho *s.m.* delfín
golfista *s.2g.* golfista, jugador, -a*m.f.* de golf
golfo *s.m.* golfo
golpe *s.m.* **1** (ferida) corte **2** (pancada) golpe **3** *(lance)* golpe de suerte ◆ **golpe baixo** golpe bajo; **golpe de Estado** golpe de Estado; **golpe de mestre** golpe maestro; **golpe do baú** braguetazo *col.*; **golpe de misericórdia** golpe de gracia
golpear *v.* golpear
goma *s.f.* **1** (substância) goma **2** (para roupa) almidón*m.* ◆ **goma de mascar** goma de mascar, chicle*m.*
gomo *s.m.* **1** brote, yema*f.* **2** (frutos) gajo
gôndola *s.f.* góndola
gongo *s.m.* gong ◆ **ser salvo pelo gongo** escapar de una dificultad por poco
gorar *v.* frustar, aguar ■ **gorar se** frustarse, malograrse, irse al garete
gord|o, -a *s.m.,f.* gord|o, -a ■ *adj.* (pessoa) gordo ◆ *col.* **nunca o vi mais gordo** nunca lo he visto
gorducho *adj.* gordinflón, rechoncho, regordete
gordura *s.f.* **1** (substância) grasa **2** *(obesidade)* gordura, obesidad **3** *(banha)* grasa, manteca **4** (sujidade) grasa, mugre, suciedad
gorduroso *adj.* **1** (pele, mãos) grasiento **2** (comida) graso **3** aceitoso, oleoso
gorgulho *s.m.* ZOOL. gorgojo
gorila *s.m.* gorila
gorjeta *s.f.* propina
gorro *s.m.* gorro
gospel *s.m.* gospel
gostar *v.* **1** gustar **2** querer bien; ***ela não gosta mais dele*** ella no le quiere más **3** saborear, apreciar **4** caer bien
gosto *s.m.* **1** gusto, sabor **2** gusto, placer **3** afición*f.* ◆ **gostos não se discutem** sobre gustos no hay nada escrito; **ter mau/bom gosto** tener mal/buen gusto; **tomar gosto por** tomar gusto a
gostoso *adj.* **1** (alimento) rico, sabroso, exquisito, gustoso **2** *(agradável)* agradable **3** *fig.* (pessoa) atractivo, resultón [ESP.]
gota *s.f.* **1** (líquido) gota **2** gota ◆ **gota a gota 1** gota a gota **2** *fig.* poco a poco; **ser a gota d'água** ser la gota que colma el vaso
goteira *s.f.* canalón*m.*
gotejar *v.* gotear, chorrear
gótico *adj.,s.m.* gótico
governado *adj.* **1** gobernado, administrado, dirigido **2** (pessoa) económico, ahorrativo
governador, -a *s.m.,f.* gobernador, -a
governamental *adj.2g.* gubernamental
governanta *s.f.* ama de llaves, gobernanta
governante *s.2g.* gobernante
governar *v.* gobernar ■ **governar se** gobernarse
governativo *adj.* gubernativo
governo *s.m.* gobierno
gozação *s.f. col.* burla, broma
gozar *v.* **1** gozar (de, de); ***gozar de boa saúde*** gozar de buena salud **2** *(fruir)* gozar **3** tomar el pelo (com, -); ***gozar com alguém*** tomar el pelo a alguien **4** *(troçar)* tomar el pelo a, cachondearse *col.* **5** *(desfrutar)* gozar, disfrutar **6** *(usufruir)* tener
gozo *s.m.* **1** *(prazer)* gozo, placer **2** *(troça)* burla*f.*, mofa*f.*, cachondeo **3** *(desfrute)* disfrute
Grã-Bretanha *s.f.* Gran Bretaña
graça *s.f.* **1** *(favor)* gracia; *(mercê)* merced **2** *(graça)* gracia, broma **3** *(graciosidade)* gracia, salero*m.* **4** REL. gracia ◆ **cair nas graças de** caer en gracia; **de graça** gratis, gratuito; **ficar sem graça** avergonzarse; **graças a** gracias a; ***graças à sua ajuda*** gracias a su ayuda; **graças a Deus** gracias a Dios; **não tem graça!** ¡no me hace ninguna gracia!
gracejar *v.* bromear
graciosidade *s.f.* gracia, donaire*m.*
gracioso *adj.* gracioso, chistoso, divertido
gradativo *adj.* gradual
grade *s.f.* **1** reja **2** (para garrafas) caja **3** rastra ◆ **atrás das grades** entre/tras las rejas; en la cárcel
gradear *v.* **1** (janela, porta) enrejar **2** (terreno) vallar

graduação *s.f.* **1** graduación **2** (óptica) graduación **3** (universidade) graduación
graduado *adj.* **1** graduado **2** (grau acadêmico) graduado, licenciado
gradual *adj.2g.* gradual
gradualmente *adv.* gradualmente
graduar *v.* graduar ■ **graduar-se** graduarse (em, en), licenciarse (em, en); ***graduar-se em Biologia*** licenciarse en Biología
grafar *v.* escribir
gráfica *s.f.* imprenta, tipografía
gráfic|o, -a *s.m.,f.* diseñador, -a gráfic|o, -a ■ *adj.* gráfico ■ **gráfico** *s.m.* gráfico
grã-fin|o, -a *s.m.,f.* (*pl.* grã-fin|os, -as) *pej.* pij|o, -a
grafite *s.f.* grafito*m.*
gralha *s.f.* **1** grajo*m.* **2** *fig.* (pessoa) cotorra, parlanch|ín, -ina*m.f.* **3** TIP. errata, gazapo*m.*
grama *s.m.* gramo ■ *s.f.* BOT. grama
gramado *s.m.* **1** gramal; césped **2** (futebol) césped, terreno de juego ■ *adj.* con grama, con césped
gramar *v.* **1** *col.* soportar, aguantar **2** *col.* molar
gramática *s.f.* **1** gramática **2** (livro) gramática
gramatical *adj.2g.* gramatical
grampeador *s.m.* grapadora*f.*
grampear *v.* **1** engrapar [AM.], grapar **2** *col.* (telefone) poner escucha
grampo *s.m.* **1** grapa*f.* **2** horquilla*f.*
grana *s.f. col.* pasta, plata [AM.], guita
granada *s.f.* **1** granada **2** granate*m.*
Granada *s.f.* Granada
grandalh|ão, -ona *adj.,s.m.,f. col.* grandull|ón, -ona
grande *adj.2g.* **1** grande; (antes de *s.sing.*) gran; ***grande cidade*** gran ciudad **2** *(espaçoso)* grande; ***uma sala grande*** una sala grande **3** (pessoa) grande; ***ser grande para a idade*** estar grande para la edad **4** (quantia) grande; ***uma grande quantidade de*** una gran cantidad de **5** *(notável)* grande, magnífico; ***um grande poeta*** un gran poeta ◆ **à grande** a lo grande; **em grande** por todo lo alto; **quando eu for grande** cuando sea mayor
grandeza *s.f.* **1** *(tamanho)* magnitud, tamaño*m.* **2** *(importância)* grandeza, magnitud, importancia ◆ **grandeza de alma** grandeza de alma; **mania de grandeza** delirios de grandeza
grandiosidade *s.f.* grandiosidad
grandioso *adj.* grandioso
granito *s.m.* granito
granizo *s.m.* granizo
granja *s.f.* granja
granulado *adj.* granulado
grão *s.m.* **1** (cereal, legume) grano **2** *(partícula)* grano; ***grão de areia*** grano de arena **3** FOT. grano
grão-de-bico *s.m.* (*pl.* grãos-de-bico) garbanzo
grasnar *v.* (ave) graznar
grassar *v.* propagarse, extenderse
gratidão *s.f.* gratitud, reconocimiento*m.*
gratificação *s.f.* **1** gratificación, remuneración, prima **2** *(gorjeta)* propina **3** recompensa
gratificante *adj.2g.* gratificante
gratificar *v.* **1** gratificar, satisfacer **2** gratificar, recompensar
gratinar *v.* gratinar
grátis *adv.* gratis ■ *adj.2g.2n.* gratis, gratuito
grato *adj.* **1** agradecido; ***estou-lhe muito grato*** le estoy muy agradecido; ***grato pela ajuda*** gracias por la ayuda **2** *(agradável)* grato, agradable
gratuito *adj.* **1** *(grátis)* gratuito, gratis **2** *(infundado)* gratuito, infundado
grau *s.m.* **1** *(categoria)* grado **2** (escala) grado; ***queimaduras de terceiro grau*** quemaduras de tercer grado **3** grado; ***grau de parentesco*** grado **4** (medida) grado; ***zero graus centígrados*** cero grados centígrados **5** (título acadêmico) grado; ***grau de Doutor*** grado de Doctor **6** grado; ***grau comparativo/superlativo*** grado comparativo/superlativo **7** grado; ***ângulo de 90 graus*** ángulo de 90 grados **8** *(nível)* grado, nivel; ***elevado grau de dificuldade*** elevado grado de dificultad
graúdo *adj.* **1** (coisa) grande **2** (pessoa) crecido
gravação *s.f.* **1** (sons, imagens) grabación **2** (imagem) grabado*m.* **3** (madeira) talla
gravador, -a *s.m.,f.* grabador, -a ■ **gravador** *s.m.* (aparelho) grabadora*f.*
gravar *v.* **1** (pedra, madeira) grabar, tallar **2** (recordação, sentimento) grabar, fijar **3** (dados, ficheiros) salvar, guardar, grabar **4** (sons, imagens) grabar **5** *col.* (CD, DVD) planchar
gravata *s.f.* corbata
gravata-borboleta *s.f.* (*pl.* gravatas-borboleta(s)) pajarita
grave *adj.2g.* **1** grave **2** (assunto) grave, serio **3** (tom) grave, solemne **4** grave, pesado **5** (palavra) grave, llano **6** (acento) grave **7** (som, voz) grave, bajo
graveto *s.m.* leña*f.* menuda
grávida *adj.* embarazada
gravidade *s.f.* **1** FÍS. gravedad; ***lei da gravidade*** ley de la gravedad **2** *(seriedade)* gravedad, seriedad, importancia; ***assunto de extrema gravidade*** asunto de extrema gravedad
gravidez *s.f.* embarazo*m.*, gravidez; ***gravidez de risco*** embarazo de riesgo
gravitar *v.* **1** FÍS. gravitar **2** *fig.* girar; ***a sua vida gravita em torno dos filhos*** su vida gira en torno a sus hijos
gravura *s.f.* grabado*m.*, estampa ◆ **gravura rupestre** pintura rupestre
graxa *s.f.* **1** (calçado) betún*m.*, crema (para el calzado) **2** *col.* coba; ***dar graxa a alguém*** dar coba a alguien, hacer la pelota a alguien
Grécia *s.f.* Grecia
gregoriano *adj.* gregoriano
grelar *v.* (semente, tubérculo) germinar; (cereal) espigar
grelha *s.f.* **1** (para grelhar, assar) parrilla, grill*m.* **2** (de automóvel) rejilla **3** (janela, vedação) reja, rejilla **4** (lareira) rejilla

grelhado *adj.* a la parrilla; ***peixe grelhado*** pescado a la parrilla ■ *s.m.* CUL. parrillada*f.*

grelhador *s.m.* **1** grill, gratinador **2** barbacoa*f.*, parrilla*f.*

grelhar *v.* asar a la parrilla

grêmio *s.m.* gremio

grená *s.m.* grana*f.*

grenha *s.f.* greña

gretar *v.* agrietar ■ **gretar se** agrietarse

greve *s.f.* huelga; ***greve geral*** huelga general; ***convocar uma greve*** convocar una huelga; ***estar em greve*** estar en/de huelga; ***fazer greve*** hacer huelga ♦ **greve de fome** huelga de hambre

grevista *s.2g.* huelguista

grifar *v.* subrayar

grifo *s.m.* **1** ZOOL. buitre leonado **2** MIT. grifo **3** (cabelo) rizo, bucle **4** TIP. (letra) bastardilla*f.*, (letra) cursiva*f.*

grilado *adj.* **1** *col.* (pessoa) preocupado **2** *col.* (plano) frustrado, malogrado

grilo *s.m.* grillo

grinalda *s.f.* guirnalda

gring|o, -a *s.m.,f. col.,pej.* guiri*2g.*

gripado *adj.* griposo

gripar *v.* **1** (pessoa) pillar/coger una gripe **2** (motor) griparse

gripe *s.f.* gripe; ***pegar uma gripe*** coger una gripe ♦ **gripe aviária** gripe aviar, gripe de las aves

grisalho *adj.* **1** grisáceo **2** (cabelo) canoso, entrecano

gritante *adj.2g.* gritante

gritar *v.* **1** gritar, proferir; ***gritar o nome de alguém*** gritar el nombre de alguien **2** gritar; ***gritar com alguém*** gritarle a alguien; ***não grite comigo!*** ¡no me grites!

gritaria *s.f.* griterío*m.*

grito *s.m.* grito, berro; ***aos gritos*** a gritos ♦ **no grito** a/por la fuerza; *col.* **ser o último grito** ser el último grito

grogue *s.m.* (bebida) grog ■ *adj.2g. col.* grogui

grosa *s.f.* **1** *(doze dúzias)* gruesa, doce docenas **2** *(lima)* escofina, lima gruesa

grosar *v.* escofinar

groselha *s.f.* grosella; ***xarope de groselha*** jarabe*m.* de grosella

grosseiro *adj.* **1** (pessoa) grosero, descortés, bruto **2** (material, objeto) basto, tosco

grosseria *s.f.* grosería, descortesía

grosso *s.m.* grueso; ***o grosso do exército*** el grueso del ejército ■ *adj.* **1** (objeto) grueso, voluminoso **2** (líquido) denso, consistente **3** (livro, tecido) grueso, gordo; ***camisa grossa*** camisa gruesa **4** (voz) grave, ronco **5** (pessoa) grosero **6** (sal) gordo

grossura *s.f.* grosor*m.*; espesor*m.*

grotesco *adj.* grotesco, ridículo

grua *s.f.* grúa

grudar *v.* **1** *(colar)* pegarse **2** pegar **3** *col.* pegarse; ***grudar em alguém*** pegarse a alguien

grude *s.m.* pegamento (para madera), cola*f.*

grunhir *v.* **1** (porco, javali) gruñir **2** *fig.* (pessoa) gruñir, refunfuñar

grupo *s.m.* **1** grupo; ***grupo de amigos*** grupo de amigos **2** grupo, banda*f.*; ***um grupo de rock*** un grupo de rock ♦ **grupo de pressão** grupo de presión; MED. **grupo sanguíneo** grupo sanguíneo

gruta *s.f.* gruta, cueva

guaraná *s.m.* **1** [espécie de planta amazónica] **2** [bebida hecha con esta planta]

guarda *s.2g.* **1** guarda; ***guarda prisional*** carcelero, oficial de prisiones **2** *(polícia)* guardia ■ *s.f.* **1** *(vigilância)* guardia; ***estar de guarda*** estar de guardia **2** *(corporação)* guardia; ***guarda civil*** guardia civil; ***guarda costeira*** guardia costera

guarda-chuva *s.m.* (*pl.* guarda-chuvas) paraguas*2n.*

guarda-costas *s.2g.2n.* (pessoa) guardaespaldas ■ *s.m.2n.* guardacostas

guarda-florestal *s.2g.* (*pl.* guardas-florestais) guardabosques*2n.*, guardaparques, guarda forestal

guardanapo *s.m.* servilleta*f.*

guardar *v.* **1** *(proteger)* guardar **2** *(conservar)* guardar, conservar **3** *(colocar)* guardar, recoger **4** INFORM. guardar, archivar

guarda-rios *s.m.2n.* **1** guarda de pesca **2** ZOOL. martín*m.* pescador

guarda-roupa *s.m.* (*pl.* guarda-roupas) **1** (móvel) armario, ropero **2** (teatro) vestuario **3** (vestuário) vestuario, guardarropa

guarda-sol *s.m.* (*pl.* guarda-sóis) sombrilla*f.*, parasol, quitasol

guarda-vento *s.m.* (*pl.* guarda-ventos) contraventana*f.*

guardi|ão, -ã *s.m.,f.* guardi|án, -ana ■ **guardião** *s.m.* ESPOR. portero, guardameta*2g.*

guarida *s.f.* **1** *(covil)* guarida, cubil*m.* **2** *fig.* guarida, refugio*m.*, cobijo*m.*; ***dar guarida a alguém*** dar guarida a alguien

guarita *s.f.* garita

guarnecer *v.* **1** *(prover)* proveer, suministrar, abastecer **2** *(enfeitar)* guarnecer, adornar **3** (parede) guarnecer, revocar, estucar **4** MIL. guarnecer

guarnição *s.f.* **1** *(adorno)* guarnición, adorno*m.* **2** CUL. guarnición, acompañamiento*m.* **3** MIL. guarnición

Guatemala *s.f.* Guatemala

guatemaltec|o, -a *adj.,s.m.,f.* guatemaltec|o, -a

guaxinim *s.m.* mapache

gude *s.m.* (jogo) canicas*f. pl.*, bolas*f. pl.*, gua

gueixa *s.f.* geisha

guelra *s.f.* agalla, branquia

guerra *s.f.* **1** guerra; ***guerra aberta*** guerra abierta; ***guerra atômica/nuclear*** guerra atómica/nuclear; ***guerra biológica/bacteriológica*** guerra biológica/bacteriológica; ***guerra civil*** guerra civil; *fig.* ***guerra de nervos*** guerra de nervios; ***guerra fria*** guerra fría; ***guerra química*** guerra química; ***guerra santa*** guerra santa; ***declarar guerra*** declarar la guerra; ***estar em guerra*** estar en guerra **2** *(concorrência)* competencia

guerrear *v.* guerrear

guerreir|o, -a *s.m.,f.* guerrer|o, -a ■ *adj.* guerrero

guerrilha *s.f.* guerrilla
guerrilheir|o, -a *s.m.,f.* guerriller|o, -a
gueto *s.m.* gueto
guia *s.2g.* **1** (excursão, visita turística) guía, cicerone; ***guia turístico*** guía turístico **2** *(orientador)* guía; ***guia espiritual*** guía espiritual ■ *s.m.* guía*f.*; ***guia de conversação*** guía de conversación; ***guia de espetáculos*** cartelera ■ *s.f.* (documento) albarán*m.*; ***guia de remessa*** albarán de entrega ■ **guias** *s.f.pl.* (em estrada) línea*f.* de arcén
guião *s.m. (estandarte)* estandarte, pendón
guiar *v.* **1** conducir; ***aprender a guiar*** aprender a conducir; ***guiar sem carta*** conducir sin carné **2** guiar; ***guiar um turista*** guiar a un turista **3** (veículo) conducir; ***guiar um carro*** conducir un coche **4** *(aconselhar)* guiar, orientar, aconsejar ■ **guiar-se** guiarse (por, por); ***guiar-se pelo mapa*** guiarse por el mapa
guichê *s.m.* ventanilla*f.*; taquilla*f.*
guidom *s.m.* (bicicleta) manillar
guilhotina *s.f.* guillotina
guilhotinar *v.* **1** (pessoa) guillotinar, decapitar **2** (papel) guillotinar, cortar
guinada *s.f.* **1** (veículo) volantazo*m.*, viraje*m.* brusco **2** (embarcação) bandazo*m.*, desvío*m.* brusco **3** (dor) punzada, dolor*m.* agudo; ***uma guinada nas costas*** una punzada en la espalda
guinar *v.* **1** (veículo) dar un volantazo, desviar(se) repentinamente; ***guinar para a direita/esquerda*** dar un volantazo a la derecha/izquierda **2** (embarcação) guiñar
guinchar *v.* chillar
guincho *s.m.* **1** (som) chillido, grito **2** (objeto pesado) cabrestante, torno **3** *(reboque)* grúa*f.*
guindaste *s.m.* grúa*f.*
guisar *v.* guisar
guitarra *s.f.* guitarra ◆ **guitarra elétrica** guitarra eléctrica
guitarrista *s.2g.* guitarrista
guizo *s.m.* sonajero; cascabel
gula *s.f.* gula
guloseima *s.f.* golosina, chuchería
guloso *adj.* goloso
gume *s.m.* filo, corte ◆ **de dois gumes** de doble filo
guri, -a *s.m.,f.* niñ|o, -a, gur|í, -isa [AM.]
guru *s.m.* gurú
gutural *adj.2g.* gutural

h *s.m.* (letra) h*f.*
hã *interj.* **1** (interrogação) ¿cómo?; ¿qué? **2** (espanto) ¡ah!
hábil *adj.2g.* **1** *(capaz)* hábil, diestro **2** *(astuto)* hábil, sutil, inteligente
habilidade *s.f.* habilidad, destreza, pericia ▪ **habilidades** *s.f.pl.* **1** habilidades manuales **2** acrobacias, malabarismos*m.*
habilidosamente *adv.* hábilmente
habilidoso *adj.* habilidoso
habilitação *s.f.* **1** *(capacidade)* habilitación, capacidad; *(aptidão)* aptitud **2** (acadêmicas) formación académica **3** *(conhecimentos)* conocimientos*m.pl.*
habilitado *adj.* habilitado (para, para), apto (para, para); ***estava habilitado para fazer o trabalho*** estaba habilitado para hacer el trabajo
habilitar *v.* habilitar
habilmente *adv.* **1** hábilmente **2** *fig.* astutamente, sagazmente
habitação *s.f.* vivienda, casa, morada
habitacional *adj.2g.* de la vivienda; ***o problema habitacional*** el problema de la vivienda
habitante *s.2g.* habitante
habitar *v.* **1** habitar (em, en) **2** habitar
habitat *s.m.* (*pl.* habitats) hábitat
hábito *s.m.* **1** hábito, costumbre*f.* **2** (traje) hábito ◆ **o hábito não faz o monge** el hábito no hace al monje
habitual *adj.2g.* habitual, usual, frecuente
habituar *v.* habituar (a, a), acostumbrar (a, a) ▪ **habituar se** habituarse (a, a), acostumbrarse (a, a)
hacker *s.2g.* (*pl.* hackers) hacker
Hades *s.m.* MIT. Hades
Haiti *s.m.* Haití
hálito *s.m.* aliento, hálito; ***mau hálito*** mal aliento
halogênio *s.m.* halógeno
haltere *s.m.* haltera*f.*
halterofilia *s.f.* ⇒ **halterofilismo**
halterofilismo *s.m.* halterofilia*f.*
hambúrguer *s.m.* hamburguesa*f.*
hamster *s.m.* hámster
handebol *s.m.* balonmano
hangar *s.m.* hangar
harém *s.m.* **1** (aposento) harén, serrallo **2** (mulheres) harén
harmonia *s.f.* armonía
harmônico *adj.* armónico
harmonioso *adj.* armonioso
harmonização *s.f.* armonización
harmonizar *v.* armonizar ▪ **harmonizar se** coincidir (com, con), estar de acuerdo (com, con)
harpa *s.f.* arpa
haste *s.f.* **1** (bandeira) asta, mástil*m.* **2** (pau) mástil*m.* **3** (óculos) patilla **4** (animal) asta, cuerno*m.* **5** *(caule)* tallo*m.*
hastear *v.* (bandeira) izar, enarbolar
Havaí *s.m.* Hawai
havaian|o, -a *adj.,s.m.,f.* hawaian|o, -a
haver *v.* **1** *(existir)* haber, existir; ***não há problema*** no hay problema **2** (período de tempo) hacer; ***há uma semana*** hace una semana **3** *(acontecer)* haber, ocurrir; ***houve um acidente*** ocurrió un accidente ▪ **haver-se** **1** *pop.* *(prestar contas)* ajustar las cuentas; ***se não me pagar, você vai se haver comigo*** si no me pagas, vas a ajustar las cuentas conmigo **2** *pop.* *(avir-se)* arreglarse, apañarse; ***tinha que se haver com o serviço da casa*** tenía que apañarse con las faenas domésticas ▪ *s.m.* ECON. haber ▪ **haveres** *s.m.pl.* bienes, posesiones*f.* ◆ **bem haja!** ¡bendito sea!; **haja o que houver** pase lo que pase; (tempos compostos) **haver** [+*p.p.*] haber [+*p.p.*]; ***quando chegamos, já havia saído*** cuando llegamos, ya había salido; **haver de** [+*inf.*] **1** (obrigação) deber [+*inf.*]; ***ele havia de ir ao médico*** él debería irse al médico; ***não sei o que hei de fazer*** no sé que debo hacer **2** (desejo, intenção) querer [+*inf.*]; ***hei de ganhar o prêmio*** quiero ganar el premio; **haver por bem** creer oportuno; ***o juiz houve por bem encerrar a sessão*** el juez creyó oportuno levantar la sesión; (necessidade) **haver que** [+*inf.*] haber que [+*inf.*]; ***há que trabalhar mais*** hay que trabajar más; **não haver como** no haber manera de
headphone *s.m.* auriculares*pl.*
hebraico *adj.* hebreo ▪ **hebraico** *s.m.* (língua) hebreo
hectare *s.m.* hectárea*f.*
hediondo *adj.* hediondo
hein *interj.* ¡eh!
hélice *s.f.* **1** AERON.,NÁUT. hélice **2** GEOM. hélice ▪ *s.m.* ANAT. hélice*f.*
helicóptero *s.m.* helicóptero
heliporto *s.m.* helipuerto
hem *interj.* **1** (dúvida, pedido de repetição) ¿eh?; ¿qué? **2** (espanto) ¡ah!
hematoma *s.m.* hematoma
hemisfério *s.m.* **1** hemisferio **2** GEOM. hemisfério, semiesfera*f.*
hemodiálise *s.f.* hemodiálisis*2n.*
hemofilia *s.f.* hemofilia
hemofílic|o, -a *adj.,s.m.,f.* hemofílic|o, -a
hemorragia *s.f.* hemorragia
hepatite *s.f.* hepatitis*2n.*
heptágono *s.m.* heptágono
hera *s.f.* hiedra, yedra
herança *s.f.* herencia

herbívoro *adj.* herbívoro
Hércules *s.m.* MIT. Hércules
herdar *v.* heredar
herdeir|o, -a *s.m.,f.* heredero|o, -a
hereditariedade *s.f.* herencia
hereditário *adj.* hereditario
herege *s.2g.* **1** hereje **2** *pej. (ateu)* ate|o, -a*m.f.*
heresia *s.f.* herejía
hermafrodita *adj.,s.2g.* hermafrodita
hermético *adj.* hermético
hérnia *s.f.* hernia
herói *s.m.* (*f.* heroína) **1** héroe **2** (livro, filme) héroe, protagonista*2g.*
heroico *adj.* heroico
heroína *s.f.* **1** (*m.* herói) heroína **2** (droga) heroína
heroísmo *s.m.* heroísmo
herpes *s.m.2n.* herpes*m./f.*
hesitação *s.f.* vacilación, titubeo*m.*; ***sem a mínima hesitação*** sin la menor vacilación
hesitante *adj.2g.* vacilante, titubeante
hesitar *v.* vacilar, titubear ♦ **hesitar em** [+ *inf.*] dudar en [+ *inf.*]; ***não hesites em perguntar*** no dudes en preguntar
Hespéridas *s.f.pl.* MIT. ⇒ **Hespérides**
Hespérides *s.f.pl.* MIT. Hespérides
heterogêneo *adj.* heterogéneo
heterossexual *adj.,s.2g.* heterosexual
heureca *interj.* ¡eureka!
hexagonal *adj.2g.* hexagonal
hexágono *s.m.* hexágono
hiato *s.m.* **1** LING. hiato **2** *fig.* intervalo, interrupción*f.*, pausa*f.*
hibernar *v.* hibernar
hidrante *s.f.* (*pl.* hidrantes) boca de inciendios/riego, toma de agua
hidratação *s.f.* hidratación
hidratado *adj.* hidratado
hidratante *adj.2g.* hidratante; ***creme hidratante*** crema hidratante ■ *s.m.* hidratante*f.*
hidratar *v.* hidratar ■ **hidratar se** hidratarse
hidráulica *s.f.* hidráulica
hidráulico *adj.* hidráulico
hidrelétrica *s.f.* central hidroeléctrica
hidrocefalia *s.f.* hidrocefalia
hidrodinâmica *s.f.* hidrodinámica
hidrofobia *s.f.* **1** hidrofobia **2** MED.,VET. rabia, hidro - fobia
hidrogenar *v.* (substância) hidrogenar
hidrogênio *s.m.* hidrógeno
hidroginástica *s.f.* hidrogimnasia, gimnasia acuática
hidrografia *s.f.* hidrografía
hidromassagem *s.f.* hidromasaje*m.*
hidrômetro *s.m.* hidrómetro
hidroterapia *s.f.* hidroterapia
hiena *s.f.* hiena
hierarquia *s.f.* jerarquía
hierárquico *adj.* jerárquico
hierarquizar *v.* jerarquizar
hieróglifo *s.m.* jeroglífico
hífen *s.m.* guión
hifenizar *v.* (palavra) escribir con guión
higiene *s.f.* higiene
higiênico *adj.* higiénico
hilariante *adj.2g.* hilarante; ***gás hilariante*** gas hilarante
Hilárias *s.f.pl.* MIT. Hilarias
hímen *s.m.* himen, virgo
hino *s.m.* himno; ***hino nacional*** himno nacional
hiperatividade *s.f.* hiperactividad
hiperativo *adj.* hiperactivo
hipérbole *s.f.* **1** LING. hipérbole **2** GEOM. hipérbola
hiperglicemia *s.m.* hiperglucemia
hipermercado *s.m.* hipermercado
hipermetropia *s.f.* hipermetropía
hiperonímia *s.f.* LING. hiperonimia
hipertensão *s.f.* hipertensión
hipertens|o, -a *adj.,s.m.,f.* hipertens|o, -a
hipismo *s.m.* hípica*f.*
hipnose *s.f.* hipnosis*2n.*
hipnótico *adj.* **1** hipnótico **2** FARM. hipnótico, narcótico ■ *s.m.* hipnótico, narcótico
hipnotismo *s.m.* hipnotismo
hipnotizante *adj.2g.* hipnotizante
hipnotizar *v.* hipnotizar
hipocondria *s.f.* hipocondría
hipocondríac|o, -a *adj.,s.m.,f.* hipocondríac|o, -a, hipocondriac|o, -a
hipocrisia *s.f.* hipocresía
hipócrita *adj.,s.2g.* hipócrita
hipódromo *s.m.* hipódromo
hipoglicemia *s.f.* hipoglucemia
hiponímia *s.f.* LING. hiponimia
hipopótamo *s.m.* hipopótamo
hipoteca *s.f.* hipoteca
hipotecar *v.* hipotecar
hipotenusa *s.f.* hipotenusa
hipotermia *s.f.* hipotermia
hipótese *s.f.* hipótesis*2n.* ♦ **na melhor/pior das hipóteses** en el mejor/peor de los casos
hipotético *adj.* hipotético
hispânico *adj.* hispánico, español
hispanismo *s.m.* hispanismo
hispano-american|o, -a *adj.,s.m.,f.* hispanoamerican|o, -a
histerectomia *s.f.* histerectomía
histeria *s.f.* histeria
histéric|o, -a *adj.,s.m.,f.* histéric|o, -a
história *s.f.* historia ♦ **ficar para contar história** ser el único en salvarse; **história em quadrinhos** cómic; **história da carochinha** **1** cuento chino **2** cuento de

la ratita presumida; **história do arco-da-velha** cuento chino; **não me venha com histórias!** ¡no me vengas con historias!; **passar à história** pasar a la historia; **história para boi dormir** mentira

historiador, -a s.m.,f. historiador, -a

historial s.m. historial

histórico adj. histórico ▪ s.m. historial ♦ **histórico escolar** expediente académico

HIV (abrev. de Vírus da Imunodeficiência Humana) VIH (abrev. de Virus de la Inmunodeficiencia Humana)

hobby s.m. (pl. hobbies) hobby, afición f., pasatiempo

hoje adv. hoy; *hoje à tarde/noite* hoy por la tarde/noche ♦ **até hoje** hasta hoy; **de hoje a oito (dias)** de hoy en una semana/ocho días; **hoje em dia** hoy (en) día; hoy por hoy; **de hoje em diante** de hoy en adelante; **de hoje para amanhã** de hoy a/para mañana; **hoje à noite** esta noche

Holanda s.f. Holanda

holand|ês, -esa adj.,s.m.,f. holand|és, -esa ▪ **holandês** s.m. (língua) holandés, neerlandés

holocausto s.m. **1** *(massacre)* holocausto, masacre, matanza f. **2** REL. holocausto

Holocausto s.m. HIST. Holocausto

holofote s.m. foco, cañón de luz

holograma s.m. holograma

homem s.m. **1** *(ser humano)* hombre **2** hombre, varón **3** pop. esposo, marido ♦ **de homem para homem** de hombre a hombre; **homem de negócios** hombre de negocios; **homem de palavra** hombre de palabra; **homem feito** hombre hecho y derecho

homenagead|o, -a adj.,s.m.,f. homenajead|o, -a

homenagear v. homenajear, rendir homenaje a

homenagem s.f. homenaje m.; *em homenagem a* en homenaje a; *prestar homenagem a alguém* rendir homenaje a alguien

homeopata s.2g. homeópata

homeopatia s.f. homeopatía

homeopático adj. homeopático

homicida adj.,s.2g. homicida

homicídio s.m. homicidio

homilia s.f. homilía

homogeneidade s.f. homogeneidad

homogeneização s.f. homogeneización

homogeneizar v. homogeneizar

homogêneo adj. homogéneo

homologação s.f. homologación

homologar v. **1** (produto) homologar **2** (lei) aprobar

homossexual adj.,s.2g. homosexual

homossexualidade s.f. homosexualidad

Honduras s.f.pl. Honduras

hondurenh|o, -a adj.,s.m.,f. hondureñ|o, -a

honestidade s.f. honestidad

honesto adj. honesto, digno, honrado

honorário adj. honorario

honorários s.m.pl. honorarios

honorável adj.2g. honorable

honorificar v. honrar

honra s.f. **1** (qualidades morais) honor m.; *dar a sua palavra de honra a alguém* dar su palabra de honor a alguien **2** (reputação) honor m., dignidad **3** honor m., orgullo m.; *tenho a honra de apresentar* tengo el honor de presentar **4** honra, decencia ♦ **com muita honra** con sumo placer; **em honra de** en honor de/a; **fazer as honras da casa** hacer los honores; **honras fúnebres** honras fúnebres; **prestar honras a alguém** rendir honores a alguien

honrado adj. honrado, honesto

honrar v. honrar ▪ **honrar se** honrarse

hora s.f. **1** *(60 minutos)* hora; *que horas são?* ¿qué hora es?; *ser pago à hora* cobrar por horas **2** *(momento)* hora, momento m.; *está na hora de ir embora* ser la hora de irse; *está na hora de dormir* es hora de acostarse ▪ **horas** s.f.pl. (livro) horas, rezos m. ♦ **a altas horas da noite** a altas horas de la noche; **a toda hora** a cada rato, a todas horas; **de hora em hora** de hora en hora; **em cima da hora** justo a tiempo; **estar na hora** ir siendo hora de; **estar pela hora da morte** estar por las nubes; **fazer hora (para)** hacer hora; **fora de hora** a deshora; **hora do rush** hora pico, hora punta; **na hora agá** en la hora hache; **não ver a hora de** no ver la hora de; **são sete horas** son las siete

horário adj. horario; *fuso horário* huso horario; *mudança horária* cambio horario ▪ s.m. horario; *horário de atendimento* horario de consulta/despacho; *horário de expediente* horario laboral; *horário de funcionamento* horario comercial; *horário de trabalho* horario laboral ♦ **horário nobre** prime time, horario estelar/de máxima audiencia

horizontal adj.2g.,s.f. horizontal

horizonte s.m. horizonte ♦ **ter horizontes curtos** ser estrecho de miras; **ter horizontes largos** ser ambicioso

hormonal adj.2g. hormonal

hormônio s.m. hormona f.

horóscopo s.m. horóscopo

horrendo adj. horrendo

horripilante adj.2g. horripilante

horripilar v. horripilar

horrível adj.2g. horrible

horror s.m. horror ▪ **horrores** adv. col. mucho ♦ **dizer horrores de algo/alguém** decir/echar pestes de algo/alguien; (indignação, cólera) **que horror!** ¡qué horror!; **ter horror a** tener horror a

horrorizado adj. horrorizado

horrorizar v. horrorizar ▪ **horrorizar-se** horrorizarse

horroroso adj. horroroso

horta s.f. huerto m.; huerta

hortaliça s.f. hortaliza

hortelã s.f. hierbabuena

horto s.m. huerto

hospedagem s.f. **1** (ato) hospedaje m. **2** (estabelecimento) hospedería

hospedar *v.* hospedar, alojar ■ **hospedar se** hospedarse (em, en), alojarse (em, en); ***hospedar-se num hotel*** hospedarse en un hotel

hospedaria *s.f.* **1** hospedería; hostal*m.*; hostería **2** (para peregrinos, viajantes) hospedería

hóspede *s.2g.* huésped, huésped,-a*m.f.*

hospedeiro *adj.* **1** *(hospitaleiro)* hospitalario, acogedor **2** BIOL. hospedador, huésped

hospício *s.m.* **1** (para loucos) manicomio, psiquiátrico **2** (para pobres) hospicio, asilo

hospital *s.m.* hospital ♦ **hospital militar** hospital militar

hospitalar *adj.2g.* hospitalario, del hospital

hospitaleiro *adj.* (pessoa, lugar) hospitalario, acogedor

hospitalidade *s.f.* hospitalidad

hospitalizado *adj.* hospitalizado, internado

hospitalizar *v.* hospitalizar, internar

hóstia *s.f.* hostia

hostil *adj.2g.* hostil

hostilidade *s.f.* hostilidad

hostilizar *v.* **1** hostilizar **2** *(prejudicar)* perjudicar

hotel *s.m.* hotel

hotelaria *s.f.* hostelería

hoteleiro *adj.* hostelero

humanidade *s.f.* humanidad ■ **humanidades** *s.f.pl.* (área de estudo) humanidades

humanismo *s.m.* humanismo

humanista *adj.,s.2g.* humanista

humanitário *adj.* humanitario

humanitarismo *s.m.* humanitarismo

humanizar *v.* humanizar ■ **humanizar-se** humanizarse

humano *adj.* **1** humano; ***direitos humanos*** derechos humanos; ***natureza humana*** naturaleza humana; ***ser humano*** ser humano **2** *(bondoso)* humano, bondadoso, benévolo; ***uma pessoa muito humana*** una persona muy humana ■ *s.m.* (ser) humano

humidificar *v.* humidificar

humildade *s.f.* humildad

humilde *adj.2g.* humilde

humilhação *s.f.* humillación

humilhante *adj.2g.* humillante

humilhar *v.* humillar, vejar, rebajar ■ **humilhar-se** humillarse, rebajarse; ***humilhava-se perante o chefe*** se humillaba ante el jefe

humor *s.m.* humor ♦ **estar de bom/mau humor** estar de buen/mal humor; **humor negro** humor negro

humorismo *s.m.* humorismo

humorista *s.2g.* **1** humorista, cómic|o,-a*m.f.* **2** (desenhos, textos) humorista (gráfico)

humorístico *adj.* humorístico

húngar|o, -a *adj.,s.m.,f.* húngar|o,-a ■ **húngaro** *s.m.* (língua) húngaro

Hungria *s.f.* Hungría

husky *s.m.* (*pl.* huskies) husky

i *s.m.* (letra) i*f.*
iate *s.m.* yate
ibérico *adj.* ibérico ♦ **Península Ibérica** Península Ibérica
ibope *s.m.* **1** (TV, rádio) índice de audiencia **2** *fig.* prestigio
içar *v.* (bandeira, vela) izar
iceberg *s.m.* iceberg
ícone *s.m.* icono
icterícia *s.f.* ictericia
ictiologia *s.f.* ictiología
ida *s.f.* **1** ida; ***ida e volta*** ida y vuelta **2** *(partida)* partida; salida; *(viagem)* viaje*m.*
idade *s.f.* **1** (pessoa, coisa) edad; ***de idade*** mayor; ***ela tem a minha idade*** tiene mi edad; ***em idade escolar*** en edad escolar; ***na minha idade*** a mi edad; ***que idade você tem?*** ¿qué edad tienes?; ***ser maior/menor de idade*** ser mayor/menor de edad; ***um homem de meia-idade*** un hombre de mediana edad **2** HIST. edad; ***Idade da Pedra*** Edad de Piedra; ***Idade do Bronze*** Edad de Bronce; ***Idade do Ferro*** Edad de Hierro; ***Idade Média*** Edad Media; ***Idade Moderna*** Edad Moderna ♦ **a terceira idade** la tercera edad
ideal *adj.2g.* ideal ■ *s.m.* ideal
idealismo *s.m.* idealismo
idealista *adj.,s.2g.* idealista
idealização *s.f.* idealización
idealizar *v.* **1** idealizar **2** *(projetar)* idear, proyectar
ideia *s.f.* idea; ***acostumar-se à ideia de*** hacerse a la idea de; ***não fazer (a mínima) ideia*** no tener (ni) idea; ***não fazer ideia de que*** no tener ni idea de que; *col.* ***trocar uma ideia*** conversar, charlar
idem *pron.dem.* ídem
idêntico *adj.* idéntico (a, a); ***é idêntico ao meu*** es idéntico al mío
identidade *s.f.* identidad
identificação *s.f.* **1** *(reconhecimento)* identificación, reconocimiento*m.* **2** (documentação) identificación, documentos*m.pl.*
identificar *v.* **1** *(reconhecer)* identificar, reconocer **2** *(equiparar)* identificar (com, con) ■ **identificar se** **1** (empatia) identificarse (com, con); ***identificar-se com a personagem*** identificarse con el personaje **2** (documentação) identificarse
ideologia *s.f.* ideología
ideológico *adj.* ideológico
ideólog|o, -a *s.m.,f.* ideólog|o, -a
idílio *s.m.* **1** *(relação amorosa)* idilio, relación*f.* amorosa **2** LIT. idilio
idioma *s.m.* idioma, lengua*f.*
idiomático *adj.* idiomático; ***expressão idiomática*** expresión idiomática
idiota *adj.,s.2g.* idiota
idiotice *s.f.* idiotez
idolatrar *v.* **1** (ídolo) idolatrar, adorar **2** *fig.* (pessoa) idolatrar, amar ciegamente
idolatria *s.f.* **1** idolatría **2** *fig.* idolatría, amor*m.* ciego
ídolo *s.m.* ídolo
idoneidade *s.f.* idoneidad
idôneo *adj.* idóneo (para, para); ***uma pessoa idônea para ocupar o cargo*** una persona idónea para ocupar el cargo
idos|o, -a *s.m.,f.* ancian|o, -a, persona*f.* mayor ■ *adj.* mayor, de edad, viejo
iglu *s.m.* **1** iglú **2** (tenda) iglú*f.*
ignição *s.f.* **1** ignición **2** MEC. encendido*m.*
ignorado *adj.* ignorado
ignorância *s.f.* ignorancia ♦ **partir para a ignorância** recurrir a la violencia física/verbal
ignorante *adj.,s.2g.* ignorante
ignorar *v.* **1** *(desconhecer)* ignorar, desconocer; ***ignorar o fato*** ignorar el hecho **2** *(não prestar atenção)* ignorar; ***ignorou-a durante todo o dia*** la ignoró durante todo el día
igreja *s.f.* iglesia; ***igreja matriz*** iglesia matriz
Igreja *s.f.* Iglesia
igual *adj.2g.* **1** igual; ***dividir em partes iguais*** dividir en partes iguales **2** *(idêntico)* igual (a, a/que), idéntico (a, a); ***é igual à irmã*** es igual que su hermana **3** MAT. igual; ***três mais três é igual a seis*** tres más tres es igual a seis ■ *s.m.* MAT. igual (=) ♦ **de igual para igual** de igual a igual; **é igual!** ¡da igual!; ¡es igual!; **sem igual** sin igual
igualar *v.* **1** ser igual **2** *(equiparar)* igualar, equiparar **3** ESPOR. empatar, igualar el marcador **4** (superfície, terreno) igualar, allanar ■ **igualar se** igualarse (a, a), equipararse (a, a)
igualdade *s.f.* igualdad; ***em igualdade de circunstâncias*** en igualdad de condiciones; ***em pé de igualdade com*** en pie de igualdad con
igualmente *adv.* igualmente
iguana *s.m.* iguana*f.*
iguaria *s.f.* **1** manjar*m.* (exquisito), exquisitez **2** *(qualquer alimento)* comida
ilegal *adj.2g.* ilegal
ilegalidade *s.f.* ilegalidad
ilegitimidade *s.f.* ilegitimidad
ilegítimo *adj.* ilegítimo
ilegível *adj.2g.* ilegible
ileso *adj.* ileso
ilha *s.f.* **1** isla **2** (tráfego) isleta*f.*
ilh|éu, -oa *s.m.,f.* isleñ|o, -a ■ *adj.* isleño, insular ■ **ilhéu** *s.m. (ilhota)* islote
ilhós *s.2g.2n.* ojete*m.*

ilibar *v.* (de culpa) exculpar, exonerar; ***ilibar alguém de um crime*** exculpar a alguien de un delito
ilícito *adj.* ilícito
ilimitado *adj.* ilimitado
ilíquido *adj.* ECON. (quantia) bruto; ***ganha dois mil euros ilíquidos por ano*** gana dos mil euros brutos al año
iludir *v.* **1** ilusionar **2** *(enganar)* engañar ■ **iludir-se 1** ilusionarse (com, con); ***iludir-se com alguém/alguma coisa*** ilusionarse con alguien/algo **2** *(enganar-se)* engañarse, equivocarse
iluminação *s.f.* **1** iluminación; ***iluminação artificial/natural*** iluminación artificial/natural **2** (pública) alumbrado*m.* **3** *fig.* iluminación, esclarecimiento*m.* ■ **iluminações** *s.f.pl.* (de festas) iluminaciones; (de Natal) luces de Navidad
iluminado *adj.* iluminado, alumbrado
iluminar *v.* **1** iluminar, alumbrar **2** (cidade, edifício) iluminar **3** *fig.* iluminar, esclarecer ■ **iluminar-se** iluminarse; ***a cara dele iluminou-se*** se le iluminó la cara
Iluminismo *s.m.* Ilustración*f.*
ilusão *s.f.* ilusión; ***viver de ilusões*** vivir de ilusiones ♦ **ilusão de óptica** ilusión óptica
ilusionismo *s.m.* ilusionismo, prestidigitación*f.*
ilusionista *s.2g.* ilusionista, prestidigitador, -a*m.f.*
ilustração *s.f.* **1** ilustración, dibujo*m.*, imagen **2** instrucción, ilustración **3** *fig.* ilustración, aclaración
ilustrado *adj.* **1** (texto) ilustrado; ***edição ilustrada*** edición ilustrada **2** (pessoa) ilustrado, erudito, instruido
ilustrador, -a *adj.,s.m.,f.* ilustrador, -a
ilustrar *v.* **1** (texto) ilustrar **2** *(esclarecer)* ilustrar, aclarar **3** *(instruir)* instruir, ilustrar
ilustrativo *adj.* **1** ilustrativo **2** esclarecedor
ilustre *adj.2g.* **1** ilustre, nobre; ***família ilustre*** familia ilustre **2** *(célebre)* ilustre, célebre, distinguido
ilustríssimo *adj.* **1** (*superl.* de ilustre) ilustrísimo **2** (cartas) ilustrísimo; ***Ilustríssimo Senhor*** Ilustrísimo Señor
imã *s.m.* imán
ímã *s.m.* imán
imaculado *adj.* inmaculado
imagem *s.f.* **1** imagen **2** *fig.* imagen, aspecto*m.*, apariencia; ***ela preocupa-se muito com a imagem*** se preocupa mucho de su imagen; ***manter a imagem*** mantener la imagen **3** LING. imagen **4** MAT. imagen ♦ **imagem de marca** imagen de marca; **ser a imagem viva de alguém** ser la viva imagen de alguien
imaginação *s.f.* **1** imaginación; ***dar asas à imaginação*** dar rienda suelta a la imaginación **2** *(cisma)* imaginación; ***isso é imaginação sua!*** ¡eso son imaginaciones tuyas!
imaginar *v.* **1** imaginar, imaginarse **2** (plano, método) imaginar, idear **3** *(supor)* suponer; ***imagino que sim*** supongo que sí ■ **imaginar se** *(julgar-se)* creerse
imaginário *adj.* imaginario, ficticio ■ *s.m.* imaginario, simbología*f.*
imaturidade *s.f.* inmadurez
imaturo *adj.* inmaduro
imbatível *adj.2g.* imbatible, invencible
imbecil *adj.,s.2g.* imbécil
imbecilidade *s.f.* **1** imbecilidad **2** tontería
imediatamente *adv.* inmediatamente, enseguida
imediato *adj.* **1** inmediato; ***de efeito imediato*** de efecto inmediato **2** *(contíguo)* inmediato (a, a), contiguo (a, a) ♦ **de imediato** de inmediato
imensidade *s.f.* ⇒ **imensidão**
imensidão *s.f.* inmensidad
imenso *adj.* inmenso; enorme ■ *adv.* mucho
imergir *v.* sumergir (em, en)
imersão *s.f.* inmersión, sumersión
imerso *adj.* **1** *(submerso)* inmerso (em, en), sumergido (em, en) **2** *fig.* *(absorto)* inmerso (em, en), absorto (em, en)
imigração *s.f.* inmigración
imigrante *adj.,s.2g.* inmigrante
imigrar *v.* inmigrar
iminência *s.f.* inminencia; ***o prédio está na iminência de ruir*** el edificio está a punto de derrumbarse
iminente *adj.2g.* inminente
imitação *s.f.* **1** imitación **2** *(falsificação)* imitación, falsificación; ***o quadro é uma imitação*** el cuadro es una imitación
imitar *v.* **1** (ação) imitar **2** *(falsificar)* imitar, falsificar; ***imitar uma assinatura*** imitar una firma
imobiliária *s.f.* inmobiliaria
imobiliário *adj.* inmobiliario; ***agência imobiliária*** agencia inmobiliaria
imobilizar *v.* **1** inmovilizar **2** *(paralisar)* paralizar ■ **imobilizar-se** inmovilizarse
imoral *adj.2g.* inmoral
imoralidade *s.f.* inmoralidad
imortal *adj.,s.2g.* inmortal
imortalidade *s.f.* inmortalidad
imortalizar *v.* inmortalizar ■ **imortalizar se** inmortalizarse
imóvel *adj.2g.* **1** inmóvil; ***ficar imóvel*** quedarse inmóvil **2** (bem) inmueble; ***bens imóveis*** bienes inmuebles ■ *s.m.* *(edifício)* inmueble
impaciência *s.f.* impaciencia
impacientar *v.* impacientar ■ **impacientar-se** impacientarse
impaciente *adj.2g.* **1** *(sem paciência)* impaciente **2** *(ansioso)* impaciente (por, por), ansioso (por, por); ***impaciente pelas férias*** impaciente por las vacaciones
impacto *s.m.* **1** impacto, choque **2** *fig.* impacto; ***causar impacto*** causar impacto; ***de grande impacto*** de gran impacto ♦ **impacto ambiental** impacto ambiental
impagável *adj.2g.* **1** impagable **2** *fig.* impagable, inestimable **3** *fig.* cómico, muy gracioso; ***ele é impagável!*** ¡él es una panzada de reír!
impaludismo *s.m.* MED., VET. paludismo
ímpar *adj.2g.* **1** MAT. (número) impar, non **2** *(único)* solo, único
imparcial *adj.2g.* imparcial

impasse *s.m.* impasse, punto muerto; ***estar num impasse*** estar en un impasse/en punto muerto
impecável *adj.2g.* impecable
impedido *adj.* **1** impedido, imposibilitado **2** (trânsito) obstruido, atascado **3** (linha telefônica) comunicando; ***estar ocupado*** estar comunicando
impedimento *s.m.* **1** impedimento, obstáculo **2** ESPOR. fuera de juego
impedir *v.* **1** impedir; ***impedir alguém de fazer alguma coisa*** impedir a alguien que haga una cosa; ***impedir alguma coisa*** impedir algo; ***impedir a passagem*** impedir el paso **2** *(evitar)* impedir, evitar **3** (rua) impedir, cortar; ***impedir a passagem*** cortar el paso
impelir *v.* **1** impeler, impulsar, empujar **2** *fig.* impeler, incitar, estimular
impenetrável *adj.2g.* impenetrable
impensado *adj.* **1** *(irrefletido)* impensado, irreflexivo **2** *(inesperado)* inesperado, imprevisto
imperador *s.m.* (*f.* imperatriz) emperador
imperar *v.* imperar
imperativo *adj.* **1** imperativo; autoritario; categórico; ***tom imperativo*** tono imperativo **2** LING. imperativo; ***modo imperativo*** modo imperativo ■ *s.m.* **1** *(obrigação)* imperativo, obligación*f.*; ***imperativo legal*** imperativo legal **2** LING. imperativo
imperatriz *s.f.* (*m.* imperador) emperatriz
imperceptível *adj.2g.* imperceptible
imperdível *adj.2g.* imperdible
imperdoável *adj.2g.* imperdonable, inexcusable
imperfeição *s.f.* **1** imperfección **2** *(defeito)* imperfección, defecto*m.*, fallo*m.*
imperfeito *adj.* **1** imperfecto **2** *(defeituoso)* defectuoso **3** *(incompleto)* incompleto **4** LING. imperfecto; ***pretérito imperfeito*** pretérito imperfecto ■ *s.m.* LING. imperfecto
imperial *adj.2g.* **1** imperial **2** *fig.,col.* autoritario, arrogante ■ *s.f.* [LUS.] (cerveja) caña
imperialismo *s.m.* imperialismo
imperialista *adj.,s.2g.* imperialista
império *s.m.* imperio
impermeabilizar *v.* impermeabilizar
impermeável *adj.2g.* impermeable; ***impermeável à água*** impermeable al agua; ***tecido impermeável*** tejido impermeable ■ *s.m.* impermeable, chubasquero
impertinente *adj.2g.* impertinente
impessoal *adj.2g.* impersonal
ímpeto *s.m.* ímpetu
impetuosidade *s.f.* impetuosidad
impetuoso *adj.* impetuoso
impiedade *s.f.* impiedad
impiedoso *adj.* **1** despiadado, inhumano **2** cruel
impingir *v.* **1** (contra a vontade) imponer; ***impingir alguma coisa a alguém*** imponer algo a alguien, obligar a alguien a aceptar algo **2** *(pespegar)* asestar
implacável *adj.2g.* implacable
implantação *s.f.* implantación
implantar *v.* implantar
implante *s.m.* implante
implementar *v.* implementar
implicância *s.f.* antipatía, tirria
implicar *v.* **1** discutir **2** *(envolver)* implicar **3** llevar la contraria (com, -); ***implicar com alguém*** llevarle la contraria a alguien **4** *(acarretar)* conllevar, entrañar; ***isso implica um grande investimento*** eso conlleva una gran inversión **5** *(pressupor)* implicar
implícito *adj.* implícito
implodir *v.* demoler con implosión
implorar *v.* implorar, suplicar; ***implorar perdão*** implorar perdón
implosão *s.f.* implosión
imponência *s.f.* grandeza, imponencia[AM.]
imponente *adj.2g.* imponente
impopular *adj.2g.* impopular
impopularidade *s.f.* impopularidad
impor *v.* **1** (condições, regras, castigo) imponer **2** imponer, infundir; ***impor respeito*** imponer respeto ■ **impor se 1** imponerse; ***impor-se como chefe*** imponerse como jefe **2** *(obrigar-se)* imponerse, obligarse
importação *s.f.* importación
importador, -a *adj.,s.m.,f.* importador, -a
importância *s.f.* **1** importancia, relevancia; ***dar importância a alguma coisa*** dar importancia a algo; ***não tem importância*** no tiene importancia **2** (quantia monetária) importe*m.* ♦ **sem importância** sin importancia
importante *adj.2g.* **1** importante; ***uma quantia importante*** una cantidad importante; ***papel importante*** papel importante **2** importante, influyente; ***uma personalidade importante*** una personalidad importante **3** *pej.* presumido ■ *s.m.* importante; ***o importante é que não haja problemas*** lo importante es que no haya problemas
importar *v.* **1** *(ter importância)* importar; ***não importa*** no importa **2** importar **3** ser necesario ■ **importar-se 1** dar importancia **2** *(preocupar-se)* importar, preocuparse; ***parece não se importar com os filhos*** parece que no le importan sus hijos ♦ **não importa!** ¡no importa!; **se não se importa** si no le importa; **importa-se que...?** ¿le importa si...?; **não me importo** no me importa
importunar *v.* importunar, molestar
imposição *s.f.* imposición ♦ **imposição das mãos** imposición de manos
impossibilidade *s.f.* imposibilidad
impossibilitar *v.* **1** imposibilitar, impedir **2** incapacitar
impossível *adj.2g.* **1** imposible, irrealizable, impracticable **2** *fig.,col.* imposible, insoportable, inaguantable ■ *s.m.* imposible; ***pedir o impossível*** pedir lo imposible ♦ **fazer o impossível** hacer lo imposible
imposto (*p.p. de* impor) *adj.* impuesto ■ *s.m.* impuesto, tributo; ***estar isento de impostos*** estar libre de impuestos; ***imposto alfandegário*** arancel; ***imposto de renda*** impuesto sobre la renta
impostor, -a *s.m.,f.* impostor, -a

impotência *s.f.* **1** impotencia **2** MED. impotencia (sexual)
impotente *adj.2g.* **1** impotente; ***sentir-se impotente para fazer alguma coisa*** sentirse impotente para hacer algo **2** MED. impotente (sexualmente)
impraticável *adj.2g.* **1** *(irrealizável)* impracticable, irrealizable, imposible **2** (caminho, lugar) impracticable, intransitable
imprecisão *s.f.* imprecisión
impregnar *v.* impregnar (de, de), empapar (de, de) ▪ **impregnar-se** impregnarse (de, de), empaparse (de, de)
imprensa *s.f.* **1** *(publicações periódicas)* prensa, periódicos*m. pl.*; ***imprensa cor-de-rosa*** prensa del corazón/rosa; ***imprensa sensacionalista*** prensa amarilla/sensacionalista **2** *(jornalistas)* prensa, periodistas*m. pl.*; ***conferência de imprensa*** conferencia/rueda de prensa **3** (máquina) prensa **4** (arte, técnica) imprenta; ***a invenção da imprensa*** la invención de la imprenta **5** (oficina) imprenta, tipografía
imprescindível *adj.2g.* imprescindible
impressão *s.f.* **1** (processo) impresión; ***erro de impressão*** error de impresión **2** INFORM. impresión; ***impressão a cores*** impresión en color **3** *(repugnância)* impresión, repelús*m.2n.*; ***os ratos fazem-me impressão*** los ratones me dan una impresión... **4** *(sensação)* impresión; ***tenho a impressão que*** tengo la impresión (de) que ◆ **causar boa/má impressão** causar buena/mala impresión; **impressão digital** huella dactilar/digital, impresión dactilar/digital; **troca de impressões** intercambio de impresiones
impressionante *adj.2g.* **1** impresionante **2** *(comovente)* conmovedor
impressionar *v.* **1** impresionar **2** *(comover)* conmover ▪ **impressionar-se** impresionarse
impresso *(p.p. de* imprimir*) adj.* impreso ▪ *s.m.* **1** (obra) impreso **2** *(formulário)* impreso, formulario; ***preencher um formulário*** rellenar un formulario
impressora *s.f.* INFORM. impresora; ***impressora a jato de tinta*** impresora de chorro de tinta; ***impressora a laser*** impresora láser
imprevisível *adj.2g.* imprevisible
imprevisto *adj.* imprevisto, inesperado; ***despesas imprevistas*** gastos imprevistos ▪ *s.m.* imprevisto; ***surgiu um imprevisto*** ha surgido un imprevisto
imprimir *v.* **1** (documento, estampa) imprimir; ***imprimir um jornal*** imprimir un periódico **2** (marca) imprimir
improdutivo *adj.* improductivo
impróprio *adj.* **1** *(inadequado)* impropio, inadecuado **2** *(indecente)* indecoroso, indecente
improvável *adj.2g.* improbable
improvisação *s.f.* improvisación; ***ter capacidade de improvisação*** tener capacidad de improvisación
improvisar *v.* improvisar
improviso *s.m.* improvisación*f.* ◆ **de improviso** de improviso
imprudência *s.f.* imprudencia
imprudente *adj.2g.* imprudente
impugnar *v.* impugnar
impulsionar *v.* **1** impulsar, impeler **2** *fig.* impulsar, estimular, promover; ***impulsionar a economia*** impulsar la economía
impulsivo *adj.* impulsivo
impulso *s.m.* **1** impulso, empuje; ***dar impulso a alguma coisa*** impulsar algo **2** *fig.* impulso, estímulo **3** (chamada telefônica) paso
impune *adj.2g.* impune; ***ficar/sair impune*** quedar/salir impune
impunidade *s.f.* impunidad
impureza *s.f.* impureza
imputar *v.* (culpa, delito, responsabilidade) achacar, atribuir, imputar; ***imputar a culpa a alguém*** achacar la culpa a alguien
imundice *s.f.* ⇒ **imundície**
imundície *s.f.* inmundicia, suciedad, porquería
imundo *adj.* inmundo, sucio
imune *adj.2g.* inmune (a, a); ***é imune ao sarampo*** es inmune al sarampión
imunidade *s.f.* **1** inmunidad **2** (encargo, obrigação) exención
imunitário *adj.* inmunitario
imunizar *v.* inmunizar
imunologia *s.f.* inmunología
inabalável *adj.2g.* **1** firme, tajante **2** inflexible, implacable
inabilitar *v.* inhabilitar, incapacitar
inacabado *adj.* inacabado, incompleto
inacabável *adj.2g.* inacabable, interminable
inaceitável *adj.2g.* inaceptable
inacessível *adj.2g.* **1** (lugar) inaccesible **2** (pessoa) inaccesible, intratable **3** (preço) inasequible
inacreditável *adj.2g.* increíble
inadequado *adj.* inadecuado
inadiável *adj.2g.* inaplazable
inadimplência *s.f.* incumplimiento*m.* de una obligación
inadimplente *adj.,s.2g.* (dívidas) moros|o, -a*m.f.*
inadmissível *adj.2g.* inadmisible, inaceptable
inadvertência *s.f.* inadvertencia
inadvertidamente *adv.* inadvertidamente
inadvertido *adj.* inadvertido
inalação *s.f.* inhalación
inalador *s.m.* inhalador
inalar *v.* inhalar
inalterado *adj.* inalterado
inalterável *adj.2g.* inalterable
inanimado *adj.* inanimado
inapto *adj.* inepto
inatingível *adj.2g.* **1** *(inalcançável)* inalcanzable, inaccesible **2** *(incompreensível)* incomprensible
inativo *adj.* inactivo
inato *adj.* innato, congénito
inauguração *s.f.* **1** (de evento) inauguración; ***inauguração da exposição*** inaguración de la exposición

2 (de estabelecimento) inauguración, apertura al público
inaugurar *v.* 1 (monumento, edifício) inaugurar 2 (estabelecimento) inaugurar, abrir al público 3 *(estrear)* estrenar
incalculável *adj.2g.* incalculable
incansável *adj.2g.* incansable, infatigable
incapacidade *s.f.* incapacidad, ineptitud
incapacitar *v.* incapacitar, inhabilitar
incapaz *adj.2g.* incapaz (de, de); *é incapaz de matar uma mosca* es incapaz de matar una mosca
incendiar *v.* 1 incendiar 2 *fig.* encender ■ **incendiar-se** 1 incendiarse 2 *fig.* encenderse
incêndio *s.m.* incendio, fuego
incenso *s.m.* incienso
incentivar *v.* 1 (pessoa) incentivar, estimular, motivar; *incentivar alguém a fazer alguma coisa* incentivar a alguien para que haga algo 2 (atividade) incentivar, promover, impulsar
incentivo *s.m.* incentivo
incerteza *s.f.* incertidumbre, duda
incerto *adj.* 1 *(duvidoso)* incierto, dudoso 2 *(vago)* incierto, vago 3 (tempo) inestable, variable
inchaço *s.m.* hinchazón*f.*
inchado *adj.* 1 hinchado 2 *fig.,pej.* (pessoa) hinchado, estirado
inchar *v.* 1 hinchar, inflamar 2 *fig.* (pessoa) hincharse, engreírse ■ **inchar se** hincharse
incidência *s.f.* 1 *(acontecimento)* incidencia, acontecimiento*m.*, suceso*m.* 2 *(frequência)* incidencia 3 GEOM. incidencia
incidente *s.m.* incidente
incidir *v.* incidir (sobre, en)
incineração *s.f.* 1 (de cadáveres) incineración, cremación 2 (de lixo) incineración
incinerador *s.m.* incinerador
incinerar *v.* 1 (cadáveres) incinerar, cremar 2 (lixo) incinerar
incisão *s.f.* incisión, corte*m.*
inciso *s.m.* inciso
incitar *v.* incitar (a, a), instigar (a, a), estimular (a, a); *incitar à violência* incitar a la violencia
inclinação *s.f.* 1 inclinación 2 *fig.* inclinación, propensión, tendencia
inclinado *adj.* 1 inclinado 2 *fig.* inclinado (a, a), propenso (a, a)
inclinar *v.* 1 inclinar 2 *fig. (predispor)* inclinar (a, a) ■ **inclinar se** 1 *(curvar-se)* inclinarse, doblarse; *inclinar-se para trás* inclinarse hacia atrás 2 *fig.* inclinarse (por, por)
incluído *adj.* incluido; *com tudo incluído* con todo incluido
incluir *v.* incluir ■ **incluir se** incluirse
inclusão *s.f.* inclusión
inclusive *adv.* 1 inclusive; *do dia 1º ao dia 30 inclusive* del día 1º al 30, ambos inclusive 2 *(até)* incluso
incoerência *s.f.* incoherencia
incoerente *adj.2g.* incoherente
incógnita *s.f.* 1 incógnita 2 *fig.* incógnita, misterio*m.*, enigma*m.*
incolor *adj.2g.* incoloro
incomodado *adj.* 1 incomodado, molestado 2 *(indisposto)* indispuesto
incomodar *v.* incomodar, molestar ■ **incomodar-se** incomodarse, molestarse
incômodo *adj.* 1 incómodo 2 *fig.* (assunto) desagradable, embarazoso ■ *s.m.* molestia*f.*, incomodidad*f.*, trastorno; *causar incômodo a alguém* causar molestias a alguien
incomparável *adj.2g.* incomparable
incompatibilidade *s.f.* incompatibilidad
incompatibilizar *v.* ser incompatible
incompatível *adj.2g.* incompatible (com, con)
incompetência *s.f.* incompetencia
incompetente *adj.,s.2g.* incompetente
incompleto *adj.* incompleto
incompreendido *adj.* incomprendido
incompreensão *s.f.* incomprensión, falta de comprensión
incompreensível *adj.2g.* incomprensible
incomunicável *adj.2g.* 1 incomunicable 2 (pessoa) insociable
inconcebível *adj.2g.* inconcebible
incondicional *adj.2g.* incondicional
inconfidência *s.f.* indiscreción; *cometer uma inconfidência* cometer una indiscreción
inconformado *adj.* inconformista
inconformismo *s.m.* inconformismo
inconfundível *adj.2g.* inconfundible
inconsciência *s.f.* inconsciencia
inconsciente *adj.2g.* 1 inconsciente; *o homem continua inconsciente* el hombre sigue inconsciente 2 *(irresponsável)* inconsciente, irresponsable ■ *s.m.* PSIC. inconsciente
inconsequência *s.f.* inconsecuencia
inconsequente *adj.2g.* inconsecuente
inconsistência *s.f.* inconsistencia
inconsistente *adj.2g.* inconsistente
inconsolável *adj.2g.* inconsolable
inconstância *s.f.* inconstancia
inconstante *adj.2g.* inconstante
inconstitucional *adj.2g.* inconstitucional
incontável *adj.2g.* incontable, innumerable
incontestável *adj.2g.* incontestable
incontinência *s.f.* incontinencia
incontrolável *adj.2g.* incontrolable
inconveniência *s.f.* 1 inconveniencia 2 *(grosseria)* grosería, inconveniencia 3 *(indelicadeza)* indelicadeza
inconveniente *adj.2g.* 1 inconveniente 2 indecente ■ *s.m.* inconveniente
incorporação *s.f.* 1 incorporación 2 trance*m.*

incorporar *v.* incorporar (em, a), integrar (em, en) ■ **incorporar se** incorporarse (em, a)
incorreção *s.f.* incorrección
incorrer *v.* **1** incurrir (em, en) **2** exponerse (em, a)
incorreto *adj.* incorrecto
incorrigível *adj.2g.* incorregible
incrédulo *adj.* **1** *(sem fé)* incrédulo, descreído **2** *(cético)* escéptico
incrementar *v.* incrementar, aumentar
incriminar *v.* incriminar, acusar, inculpar; ***incriminou a própria irmã*** incriminó a su propia hermana ■ **incriminar se** culparse
incrível *adj.2g.* **1** increíble **2** extraordinario ♦ **por incrível que pareça** por increíble que parezca
incrustar *v.* **1** incrustar **2** *(embutir)* encastrar, empotrar
incubadora *s.f.* incubadora
incubar *v.* **1** (ovos) incubar, empollar **2** (doença, vírus) incubar
inculcar *v.* (ideia, sentimento) inculcar (em, en)
inculpar *v.* inculpar
inculto *adj.* **1** (terreno) inculto, baldío **2** (pessoa) inculto, ignorante
incumbência *s.f.* **1** *(competência)* incumbencia, competencia **2** *(encargo)* cometido*m.*, encargo*m.*
incumbir *v.* encargar ■ **incumbir-se** encargarse (de, de)
incurável *adj.2g.* **1** incurable **2** *fig.* incurable, incorregible
incutir *v.* **1** inculcar (em, en); ***incutir o sentido da responsabilidade em alguém*** inculcar el sentido de la responsabilidad en alguien **2** (respeito, medo) suscitar
indagação *s.f.* indagación
indagar *v.* **1** informarse **2** indagar **3** *(perguntar)* interrogar, preguntar
indecência *s.f.* indecencia
indecente *adj.2g.* indecente; ***isso foi indecente da parte dela*** eso ha sido una indecencia por su parte
indecifrável *adj.2g.* **1** indescifrable **2** *fig.* indescifrable, incomprensible
indecisão *s.f.* indecisión
indeciso *adj.* **1** (pessoa) indeciso **2** *(indistinto)* indeterminado, vago
indeferir *v.* (pedido, requerimento) denegar
indefeso *adj.* indefenso
indefinido *adj.* **1** *(indeterminado)* indefinido, indeterminado; ***por tempo indefinido*** por tiempo indefinido **2** *(impreciso)* indefinido, impreciso; ***uma cor indefinida*** un color indefinido **3** LING. indefinido, indeterminado; ***artigo/pronome indefinido*** artículo/pronombre indefinido/indeterminado
indelicadeza *s.f.* indelicadeza, descortesía
indelicado *adj.* indelicado
indenização *s.f.* **1** *(compensação)* indemnización, compensación; ***indenização por perdas e danos*** indemnización por daños y perjuicios; ***ter direito a indenização*** tener derecho a indemnización **2** (montante) indemnización; ***receber uma indenização*** recibir una indemnización
indenizar *v.* indemnizar, compensar; ***indenizar as vítimas do acidente*** indemnizar las víctimas del accidente
independência *s.f.* independencia
independente *adj.2g.* **1** independiente **2** (trabalhador) autónomo
indescritível *adj.2g.* **1** indescriptible **2** *fig.* (como intensificador) indescriptible, increíble
indesejável *adj.2g.* indeseable
indestrutível *adj.2g.* indestructible
indeterminado *adj.* **1** *(indefinido)* indeterminado, indefinido; ***por tempo indeterminado*** por tiempo indeterminado **2** *(impreciso)* indeterminado, impreciso, vago
indevidamente *adj.* **1** *(de forma imprópria)* de forma inapropiada; ***tomar um medicamento indevidamente*** tomar un medicamento de forma inapropiada **2** *(injustamente)* indebidamente, injustamente
indevido *adj.* indebido
indexação *s.f.* indexación
indexar *v.* (dados) indexar
Índia *s.f.* India
indian|o, -a *adj.,s.m.,f.* indi|o, -a, hindú*2g.*
indicação *s.f.* **1** *(sinal)* indicación, señal **2** *(instrução)* indicación, instrucción; ***por indicação do médico*** por recomendación facultativa; ***seguir as indicações*** seguir las instrucciones **3** *(dica)* consejo*m.* **4** (prêmio) nominación **5** *(indício)* indicio*m.*; ***não há indicação de que...*** no hay indicios de que...
indicador *adj.* indicativo (de, de); ***a subida de preços é um fator indicador de crise*** la subida de los precios es un factor indicativo de crisis ■ *s.m.* **1** indicador **2** (dedo) índice
indicar *v.* **1** *(mostrar)* indicar, mostrar **2** *(assinalar)* señalar; ***indicar as razões*** señalar las razones **3** *(demonstrar)* indicar, demostrar; ***tudo indica que...*** todo indica que...; ***isso indica falta de conhecimentos*** eso demuestra falta de conocimientos **4** *(aconselhar)* indicar, aconsejar **5** *(recomendar)* recomendar; ***indicar um bom restaurante*** recomendar un buen restaurante **6** (cargo) designar **7** (prêmio) nominar ♦ **ao que tudo indica** por lo visto
indicativo *adj.* indicativo ■ *s.m.* **1** indicativo **2** LING. modo indicativo
índice *s.m.* **1** (publicação) índice **2** *(indício)* indicio; ***índice de álcool no sangue*** tasa de alcohol en la sangre; ***índice de desemprego*** tasa de paro **3** *(nível)* tasa*f.* **4** MAT. índice
indiciar *v.* indiciar
indício *s.m.* **1** *(sinal)* indicio (de, de), señal*f.* (de, de) **2** *(vestígio)* indicio (de, de), vestigio (de, de)
índico *adj.* índico; ***oceano Índico*** océano Índico
indiferença *s.f.* indiferencia, desinterés*m.*
indiferente *adj.2g.* indiferente
indígena *adj.,s.2g.* indígena
indigência *s.f.* indigencia, miseria
indigente *adj.,s.2g.* indigente, mendig|o, -a*m.f.*

indigestão *s.f.* indigestión, empacho*m.*
indigesto *adj.* (alimento) indigesto
indigitar *v.* **1** indicar, señalar **2** (cargo, função) proponer
indignação *s.f.* indignación
indignado *adj.* indignado (com, por/con)
indignar *v.* indignar ■ **indignar-se** indignarse
indignidade *s.f.* indignidad
indigno *adj.* **1** indigno (de, de) **2** *(desprezível)* indigno, despreciable, rastrero
índigo *s.m.* QUÍM. índigo; añil
índi|o, -a *adj.,s.m.,f.* indi|o, -a, amerindi|o, -a ■ *s.m.* QUÍM. indio
indireta *s.f. col.* indirecta; ***mandar uma indireta*** lanzar/soltar una indirecta
indireto *adj.* indirecto
indisciplina *s.f.* indisciplina
indisciplinado *adj.* **1** *(insubordinado)* indisciplinado, insubordinado **2** *(desordenado)* desordenado, desorganizado
indiscret|o, -a *s.m.,f.* indiscret|o, -a ■ *adj.* indiscreto; ***pergunta indiscreta*** pregunta indiscreta
indiscrição *s.f.* indiscreción
indiscriminado *adj.* indiscriminado, indistinto
indiscutível *adj.2g.* indiscutible
indispensável *adj.2g.* indispensable, imprescindible
indisponível *adj.2g.* **1** (mercadoria) no disponible **2** (pessoa) ocupado
indispor *v.* **1** indisponer **2** *(incomodar)* molestar ■ **indispor se** indisponerse, enemistarse
indisposição *s.f.* **1** (saúde) indisposición **2** *fig.* aversión
indisposto ⟨*p.p. de* indispor⟩ *adj.* **1** *(maldisposto)* indispuesto, destemplado; ***estar indisposto*** estar indispuesto **2** *(zangado)* enfadado
individual *adj.2g.* individual; ***quarto individual*** habitación individual; ***doses individuais*** raciones individuales
individualidade *s.f.* individualidad
individualismo *s.m.* **1** individualismo **2** *pej.* individualismo, egoísmo
individualista *adj.,s.2g.* individualista
individualizar *v.* individualizar
individualmente *adv.* individualmente
indivíduo *s.m.* individuo
indivisível *adj.2g.* indivisible
índole *s.f.* **1** índole, carácter*m.*; ***de boa/má índole*** de buena/mala índole **2** *fig.* índole, naturaleza, tipo*m.*
indolência *s.f.* indolencia
indolente *adj.2g.* indolente
indolor *adj.2g.* indoloro
indomável *adj.2g.* indomable
Indonésia *s.f.* Indonesia
indubitável *adj.2g.* indudable, indubitable
indução *s.f.* inducción
indulgência *s.f.* indulgencia
indulgente *adj.2g.* indulgente (com, con)
indumentária *s.f.* indumentaria
indústria *s.f.* industria
industrial *adj.2g.* industrial ■ *s.2g.* industrial, empresari|o, -a*m.f.*
industrialização *s.f.* industrialización
industrializar *v.* industrializar
induzir *v.* **1** *(instigar)* inducir (a, a), incitar (a, a), instigar (a, a) **2** (parto) inducir ♦ **induzir em erro** inducir a error
inédito *adj.* **1** (obra) inédito **2** *fig.* inédito, original
ineficácia *s.f.* ineficacia
ineficaz *adj.2g.* ineficaz
ineficiente *adj.* ineficiente
inegável *adj.2g.* innegable
inepto *adj.* (pessoa) inepto
inércia *s.f.* inercia
inerente *adj.2g.* inherente (a, a)
inerte *adj.2g.* inerte
inesgotável *adj.2g.* inagotable
inesperado *adj.* inesperado, imprevisto
inesquecível *adj.2g.* inolvidable
inevitável *adj.2g.* inevitable
inexistência *s.f.* inexistencia
inexistente *adj.2g.* inexistente
inexperiência *s.f.* inexperiencia
inexperiente *adj.2g.* **1** inexperto **2** *(ingênuo)* ingenuo
inexplicável *adj.2g.* inexplicable
infalível *adj.2g.* infalible
infamar *v.* infamar, difamar
infame *adj.2g.* **1** infame, vil **2** desacreditado, malmirado, impopular
infâmia *s.f.* infamia
infância *s.f.* infancia, niñez
infantaria *s.f.* infantería
infantário *s.m.* guardería*f.* infantil
infant|e, -a *s.m.,f.* infant|e, -a ■ **infante** *s.m.* MIL. infante
infantil *adj.2g.* infantil
infantilidade *s.f.* infantilidad
infantojuvenil *adj.2g.* infantil juvenil
infarte *s.m.* ⇒ **infarto**
infarto *s.m.* infarto
infecção *s.f.* infección
infeccionar *v.* **1** infectarse **2** infectar **3** contagiar
infectado *adj.* infectado; contagiado
infectar *v.* **1** infectarse **2** infectar ■ **infectar-se** contagiarse
infectocontagioso *adj.* infectocontagioso
infelicidade *s.f.* **1** infelicidad, desdicha **2** desgracia
infeliz *adj.,s.2g.* infeliz, desdichad|o, -a*m.f.*, desgraciad|o, -a*m.f.*
infelizmente *adv.* infelizmente
inferior *adj.* **1** (espaço) inferior **2** (hierarquia) inferior; ***ser inferior a alguém*** ser inferior a alguien **3** (em comparações) inferior (a, a) ■ *s.2g.* (pessoa) inferior

inferioridade *s.f.* inferioridad
inferiorizar *v.* rebajar, menospreciar, desdeñar, despreciar ■ **inferiorizar se** rebajarse
inferir *v.* inferir (de, de), deducir (de, de)
infernal *adj.2g.* **1** infernal **2** *fig.* infernal, insoportable
infernizar *v.* **1** atormentar; ***infernizar a vida de alguém*** convertir en un infierno la vida de alguien **2** exasperar, irritar
inferno *s.m.* infierno ◆ *col.* **no quinto dos infernos** en el quinto pino/infierno; *col.* **para o inferno** al infierno con; ***o trabalho que vá para o inferno!*** ¡al infierno con el trabajo!; **vai para o inferno!** ¡vete al infierno!
Inferno *s.m.* REL. Infierno
infértil *adj.2g.* infértil, estéril
infertilidade *s.f.* infertilidad
infestar *v.* **1** infestar, invadir, plagar **2** MED. (parasitas) infestar
infidelidade *s.f.* infidelidad
infiel *adj.2g.* infiel (a, a)
infiltração *s.f.* infiltración
infiltrad|o, -a *adj.,s.m.,f.* infiltrad|o, -a
infiltrar *v.* infiltrar ■ **infiltrar-se** *v.* **1** (líquido) infiltrarse, empaparse **2** *fig.* (pessoa) infiltrarse
infinidade *s.f.* **1** infinidad **2** (quantidade) infinidad (de, de); ***uma infinidade de gente*** una infinidad de gente
infinitivo *s.m.* modo infinitivo
infinito *adj.* infinito ■ *s.m.* infinito; ***olhar o infinito*** mirar al infinito
inflação *s.f.* inflación
inflacionar *v.* **1** desvalorizarse **2** provocar inflación
inflamação *s.f.* **1** MED. inflamación **2** (substância inflamável) inflamación, combustión
inflamado *adj.* **1** inflamado, en llamas **2** inflamado **3** *fig.* acalorado, entusiasmado
inflamar *v.* **1** inflamar **2** MED. inflamarse **3** *fig.* inflamarse, acalorarse, entusiamarse ■ **inflamar se** **1** inflamarse **2** MED. inflamarse **3** *fig.* inflamarse, acalorarse
inflamatório *adj.* inflamatorio
inflamável *adj.2g.* inflamable
inflável *adj.2g.* inflable, hinchable; ***colchão inflável*** colchón inflable
inflexibilidade *s.f.* **1** inflexibilidad **2** *fig.* constancia
inflexível *adj.2g.* **1** inflexible **2** *fig.* inflexible, implacable
infligir *v.* **1** (pena, castigo) infligir, imponer **2** (dano, prejuízo) infligir, causar; ***infligir danos*** infligir daños
influência *s.f.* influencia, influjo*m.*
influenciar *v.* **1** influir, influenciar **2** influir, afectar, cambiar
influenciável *adj.2g.* influenciable
influente *adj.2g.* influyente
influenza *s.f.* MED. influenza
influir *v.* **1** influir **2** tener importancia
informação *s.f.* **1** información **2** explicación, aclaración
informado *adj.* informado; ***estar bem/mal informado*** estar bien/mal informado
informal *adj.2g.* informal
informante *s.2g.,adj.2g.* informante*s.2g.*
informar *v.* **1** informar **2** formar, enseñar ■ **informar se** **1** informarse, documentarse **2** informarse
informática *s.f.* informática
informátic|o, -a *s.m.,f.* informátic|o, -a ■ *adj.* informático
informativo *adj.* informativo; ***boletim/folheto informativo*** boletín/folleto informativo
informatizar *v.* informatizar
informe *adj.2g.* informe ■ *s.m.* información*f.*, parecer
infortúnio *s.m.* infortunio, adversidad*f.*, infelicidad*f.*
infração *s.f.* infracción, transgresión
infraestrutura *s.f.* (*pl.* infraestruturas) **1** infraestructura **2** infraestructuras*pl.*
infrator, -a *adj.,s.m.,f.* infractor, -a, transgresor, -a
infravermelho *adj.* infrarrojo, ultrarrojo
infringir *v.* infringir, transgredir
infundado *adj.* infundado
infundir *v.* **1** (líquido) verter, derramar **2** *(incutir)* infundir, inspirar
infusão *s.f.* infusión
ingenuidade *s.f.* ingenuidad, inocencia
ingênuo *adj.* ingenuo, inocente
ingerir *v.* ingerir
ingestão *s.f.* ingestión, ingesta [ESP.]
Inglaterra *s.f.* Inglaterra
ingl|ês, -esa *adj.,s.m.,f.* ingl|és, -esa ■ **inglês** *s.m.* (língua) inglés ◆ **para inglês ver** salvar las apariencias
ingratidão *s.f.* ingratitud, desagradecimiento*m.*
ingrato *adj.* **1** (pessoa) ingrato, desagradecido, malagradecido **2** (tarefa, trabalho) ingrato, desagradecido
ingrediente *s.m.* ingrediente
íngreme *adj.2g.* **1** empinado, escarpado, abrupto **2** *fig.* arduo, trabajoso, difícil
ingressar *v.* ingresar (em, en), entrar (em, en); ***ingressar na universidade*** entrar en la universidad
ingresso *s.m.* ingreso, entrada*f.*
inhame *s.m.* ñame
inibir *v.* **1** impedir, inhibir*ant.* **2** avergonzar
iniciação *s.f.* **1** iniciación, comienzo*m.*, principio*m.* **2** (organização, seita) iniciación, admisión **3** (arte, ciência) iniciación, aprendizaje*m.*
inicial *adj.2g.* inicial ■ *s.f.* (letra) inicial
inicialmente *adv.* inicialmente
iniciar *v.* **1** *(começar)* iniciar, empezar, comenzar **2** iniciar (em, en), enseñar **3** INFORM. iniciar ■ **iniciar-se** iniciarse; ***iniciou-se no mundo da política*** se inició en el mundo de la política
iniciativa *s.f.* iniciativa; ***por iniciativa própria*** por propia iniciativa; ***tomar a iniciativa de*** tomar la iniciativa de

início *s.m.* inicio, principio, comienzo; ***desde o início*** desde el inicio; ***no início*** al principio
inigualável *adj.2g.* inigualable
inimaginável *adj.2g.* inimaginable
inimig|o, -a *adj.,s.m.,f.* enemig|o, -a
inimizade *s.f.* enemistad, odio*m.*
inimizar *v.* enemistar
ininterrupto *adj.* ininterrumpido, continuo
injeção *s.f.* inyección; ***levar/tomar uma injeção*** recibir una inyección
injetar *v.* inyectar (em, en) ▪ **injetar se** (drogas) inyectarse, picarse*cal.*
injúria *s.f.* **1** injuria, insulto*m.*, ofensa; ***lançar injúrias contra alguém*** lanzar injurias contra alguien **2** *(injustiça)* injusticia **3** *(dano)* daño*m.*
injuriar *v.* **1** injuriar **2** *(causar danos)* dañar
injustiça *s.f.* injusticia
injustificado *adj.* injustificado
injusto *adj.* injusto
inocência *s.f.* inocencia
inocentar *v.* declarar inocente
inocente *adj.,s.2g.* inocente ♦ **fazer-se de inocente** hacerse el inocente
inocular *v.* (substância) inocular
inodoro *adj.* inodoro
inofensivo *adj.* inofensivo
inoportuno *adj.* inoportuno, importuno, inconveniente
inovação *s.f.* innovación
inovador *adj.* innovador
inovar *v.* **1** innovar **2** *(tornar novo)* renovar
inox *s.m.* acero inoxidable
inoxidável *adj.2g.* inoxidable; ***aço inoxidável*** acero inoxidable
input *s.m.* INFORM., ECON. input
inquebrantável *adj.2g.* inquebrantable
inquebrável *adj.2g.* irrompible
inquérito *s.m.* **1** investigación*f.*; ***abrir/instaurar um inquérito*** abrir una investigación **2** (opinião pública) encuesta*f.*; sondeo
inquietação *s.f.* inquietud
inquietar *v.* inquietar ▪ **inquietar se** inquietarse (por, por)
inquieto *adj.* **1** *(agitado)* inquieto, agitado **2** *(preocupado)* inquieto, preocupado
inquilin|o, -a *s.m.,f.* inquilin|o, -a
inquirir *v.* **1** *(investigar)* inquirir, investigar **2** *(perguntar)* preguntar, interrogar **3** (sondagem) encuestar
Inquisição *s.f.* Inquisición
insaciável *adj.2g.* insaciable
insalubridade *s.f.* insalubridad
insanidade *s.f.* **1** *(loucura)* locura, demencia, insania*lit.* **2** *(insensatez)* insensatez
insano *adj.* **1** *(demente)* insano, loco, demente **2** *(insensato)* insensato
insatisfação *s.f.* insatisfacción
insatisfatório *adj.* insatisfactorio
insatisfeito *adj.* insatisfecho (com, con), descontento (com, con); ***insatisfeito com a atual situação*** insatisfecho con la actual situación
inscrever *v.* **1** inscribir **2** inscribir, matricular, apuntar ▪ **inscrever-se** **1** inscribirse, matricularse, apuntarse **2** inscribirse
inscrição *s.f.* **1** inscripción **2** *(matrícula)* inscripción; matrícula
insegurança *s.f.* **1** inseguridad **2** inseguridad, inquietud **3** miedo*m.*
inseguro *adj.* **1** *(perigoso)* inseguro, peligroso **2** *(instável)* inseguro, inestable **3** (pessoa) inseguro, indeciso; ***sentir-se inseguro*** sentirse inseguro
inseminação *s.f.* inseminación ♦ **inseminação artificial** inseminación artificial
inseminar *v.* inseminar
insensatez *s.f.* insensatez
insensato *adj.* insensato
insensível *adj.2g.* insensible (a, a); ***insensível à dor*** insensible al dolor
inseparável *adj.2g.* inseparable
inserir *v.* **1** insertar (em, en) **2** (pessoa) integrar ▪ **inserir-se** (órgão) insertarse (em, en)
inseticida *adj.2g.,s.m.* insecticida
inseto *s.m.* insecto
insígnia *s.f.* **1** insignia **2** *(estandarte)* insignia, enseña
insignificância *s.f.* insignificancia
insignificante *adj.2g.* insignificante
insinuação *s.f.* insinuación; ***fazer uma insinuação*** hacer una insinuación
insinuar *v.* insinuar; ***o que você está insinuando?*** ¿qué estás insinuando? ▪ **insinuar se** insinuarse (a, a); ***insinuar-se para alguém*** insinuarse a alguien
insípido *adj.* insípido
insistência *s.f.* insistencia
insistente *adj.2g.* insistente
insistir *v.* insistir (em, en)
insociável *adj.2g.* insociable
insolação *s.f.* insolación
insolente *adj.2g.* insolente
insolúvel *adj.2g.* **1** insoluble, indisoluble **2** *fig.* irresoluble, insoluble
insônia *s.f.* insomnio*m.*; ***ter insônias*** tener insomnio
insosso *adj.* **1** (alimento) soso, insulso, insípido **2** *fig.* insulso, soso
inspeção *s.f.* inspección; ***inspeção sanitária*** inspección sanitaria ♦ **Inspeção Veicular Obrigatória** Inspección Técnica de Vehículos (ITV)
inspecionar *v.* inspeccionar, examinar
inspetor, -a *s.m.,f.* inspector, -a
inspiração *s.f.* **1** (respiração) inspiración **2** (criação) inspiración; ***estar sem inspiração*** no estar inspirado, no tener inspiración
inspirar *v.* **1** (ar) inspirar **2** (sentimento) inspirar, infundir; ***inspirar confiança a alguém*** inspirar confianza a alguien ▪ **inspirar se** inspirarse (em, en)

instabilidade *s.f.* inestabilidad ♦ **instabilidade atmosférica** inestabilidad atmosférica
instalação *s.f.* instalación ■ **instalações** *s.f.pl.* (edifício) instalaciones
instalar *v.* instalar, colocar, acomodar ■ **instalar-se** 1 acomodarse; *instalar-se no sofá* acomodarse en el sofá 2 instalarse
instância *s.f.* 1 *(pedido)* instancia 2 DIR. instancia; *tribunal de primeira instância* juzgado de primera instancia ♦ **em última instância** en última instancia
instantâneo *adj.* 1 *(imediato)* instantáneo, inmediato; *a reação foi instantânea* la reacción fue instantánea 2 *(súbito)* instantáneo, súbito; *morte instantânea* muerte instantánea 3 (produto) instantáneo; *café/pudim instantâneo* café/flan instantáneo
instante *s.m.* instante, momento ♦ **no mesmo instante** al instante; **num instante** en un instante
instar *v.* 1 solicitar 2 instar, insistir 3 cuestionar
instauração *s.f.* instauración
instaurar *v.* 1 instaurar 2 DIR. (processo) abrir, incoar
instável *adj.2g.* inestable
instigação *s.f.* instigación (a, a), incitación (a, a)
instigar *v.* instigar (a, a), incitar (a, a)
instintivo *adj.* instintivo
instinto *s.m.* instinto; *instinto maternal* instinto maternal; *agir por instinto* reaccionar por instinto; *seguir os seus instintos* seguir sus instintos
institucional *adj.2g.* institucional
institucionalizar *v.* institucionalizar ■ **institucionalizar se** institucionalizarse
instituição *s.f.* 1 institución, establecimiento*m.*; *instituição de novas regras* establecimiento de nuevas reglas 2 *(organização)* institución, organismo*m.*; *instituição de caridade* institución de caridad
instituir *v.* 1 *(criar)* instituir, crear, establecer 2 (para missão, tarefa) nombrar 3 DIR. (herdeiro) instituir
instituto *s.m.* 1 estatuto 2 instituto ♦ **instituto de beleza** instituto de belleza; **instituto de línguas** academia de idiomas
instrução *s.f.* 1 instrucción, educación 2 *(saber)* instrucción 3 DIR. sumario*m.* ■ **instruções** *s.f.pl.* (aparelho) instrucciones ♦ **instrução primária** enseñanza primaria
instruir *v.* 1 instruir, enseñar, aleccionar 2 orientar, dar instrucciones ■ **instruir se** 1 instruirse 2 enterarse, instruirse
instrumental *adj.2g.* instrumental ■ *s.m.* instrumental
instrumentista *s.2g.* instrumentista
instrumento *s.m.* 1 *(utensílio, ferramenta)* instrumento, utensilio, herramienta*f.* 2 MÚS. instrumento; *instrumento de corda* instrumento de cuerda; *instrumento de percussão* instrumento de percusión; *instrumento de sopro* instrumento de viento; *tocar um instrumento* tocar un instrumento 3 *fig.* instrumento, medio
instrutor, -a *s.m.,f.* instructor, -a, profesor, -a; *instrutor de autoescola* profesor de autoescuela
insubordinar *v.* insubordinar, sublevar ■ **insubordinar se** insubordinarse, sublevarse
insubstituível *adj.2g.* irreemplazable, insustituible
insuficiência *s.f.* insuficiencia, escasez, carencia ♦ **insuficiência cardíaca** insuficiencia cardiaca
insuficiente *adj.2g.* 1 *(escasso)* insuficiente, escaso 2 *(medíocre)* mediocre ■ *s.m.* insuficiente, suspenso; *tirei nota insuficiente no teste* he sacado un insuficiente en el examen
insuflar *v.* 1 insuflar 2 inflar, hinchar
insulina *s.f.* insulina
insultar *v.* insultar, ofender
insulto *s.m.* insulto, ofensa*f.*
insuperável *adj.2g.* insuperable
insuportável *adj.2g.* insoportable
insurgir *v.* amotinar ■ **insurgir se** rebelarse (contra, contra)
insurreição *s.f.* insurrección, sublevación
insustentável *adj.2g.* 1 insostenible 2 *(indefensável)* insostenible, indefendible
intacto *adj.* intacto
íntegra *s.f.* 1 integridad, todo*m.*, totalidad 2 *(texto completo)* texto*m.* íntegro ♦ **na íntegra** íntegramente, completamente
integração *s.f.* integración
integrado *adj.* 1 incluido 2 asimilado; integrado
integral *adj.2g.* 1 (total) integral, íntegro, total, completo 2 (alimento) integral; *arroz/pão integral* arroz/pan integral 3 (leite) entero ■ *s.f.* MAT. integral
integrante *adj.2g.* 1 integrante 2 LING. completivo
integrar *v.* integrar (em, en); *integrar na sociedade* integrar en la sociedad ■ **integrar se** integrarse, adaptarse
integridade *s.f.* integridad
íntegro *adj.* 1 *(inteiro)* íntegro, entero, completo 2 *fig.* (pessoa) íntegro, honrado
inteiramente *adv.* enteramente, completamente
inteirar *v.* 1 *(completar)* completar 2 *(informar)* informar, contar ■ **inteirar-se** enterarse
inteiro *adj.* 1 entero 2 *(intacto)* entero, intacto 3 *(inteiriço)* entero, enterizo 4 MAT. (número) entero ♦ **por inteiro** por entero
intelectual *adj.,s.2g.* intelectual
inteligência *s.f.* 1 inteligencia 2 *(perspicácia)* agudeza, perspicacia 3 (pessoa) eminencia ♦ INFORM. **inteligência artificial** inteligencia artificial; **inteligência emocional** inteligencia emocional
inteligente *adj.2g.* inteligente
intenção *s.f.* intención, propósito*m.*; *com a melhor das intenções* bienintencionadamente, con buena intención; *com intenção* intencionadamente, adrede; *com segundas intenções* con segunda/doble intención
intencional *adj.2g.* intencional, deliberado
intensidade *s.f.* intensidad
intensificar *v.* intensificar ■ **intensificar-se** intensificarse
intensivo *adj.* intensivo
intenso *adj.* intenso
interação *s.f.* interacción

interagir *v.* interactuar
interativo *adj.* interactivo
intercalar *v.* intercalar
intercâmbio *s.m.* **1** *(troca)* intercambio, cambio **2** (entre entidades, países) intercambio
interceder *v.* interceder (por, por); *interceder por alguém* interceder por alguien
interceptar *v.* **1** (correspondência) interceptar **2** interceptar, interrumpir
intercomunicador *s.m.* **1** intercomunicador, interfono, telefonillo [ESP.] **2** (babá eletrônica) escuchabebés *2n.*
intercostal *adj.2g.* ANAT. intercostal
interdição *s.f.* **1** *(proibição)* interdicción, prohibición **2** DIR. interdicción (civil)
interditar *v.* **1** prohibir, impedir **2** (estrada, rua) cortar
interessad|o, -a *s.m.,f.* interesad|o, -a ▪ *adj.* interesado; *estar interessado em alguém/alguma coisa* estar interesado en alguien/algo; *ser interessado* ser un interesado ♦ DIR. **as partes interessadas** las partes interesadas
interessante *adj.2g.* interesante
interessar *v.* **1** interesar; *isso não me interessa* eso no me interesa **2** interesar, atañer, concernir, incumbir ▪ **interessar se** interesarse
interesse *s.m.* interés; *fazer alguma coisa por interesse* hacer algo por interés; *perder o interesse* perder el interés; *sem interesse* sin interés; *ter interesse em alguma coisa* tener interés en algo
interesseir|o, -a *adj.,s.m.,f.* interesad|o, -a
interferência *s.f.* **1** *(intervenção)* interferencia, intervención **2** (telefone, rádio, etc.) interferencia; *fazer interferência* hacer interferencia
interferir *v.* **1** *(intervir)* interferir, intervenir **2** (telefone, rádio) interferir, hacer interferencia
interfone *s.m.* intercomunicador, interfono, telefonillo [ESP.]
interino *adj.* interino, provisional
interior *s.m.* interior ▪ *adj.* **1** interior, interno **2** (compartimento) interior ♦ **no interior** en el interior/adentro
interiorização *s.f.* interiorización
interiorizar *v.* **1** (sentimento) interiorizar **2** (crença, ideia, pensamento) interiorizar, asimilar
interjeição *s.f.* interjección
interligado *adj.* interconectado; *tudo está interligado* todo está interconectado
interligar *v.* conectar
interlocutor, -a *s.m.,f.* interlocutor, -a
intermediári|o, -a *adj.,s.m.,f.* intermediari|o, -a
intermédio *adj.* intermedio ▪ *s.m.* intermedio ♦ **por intermédio de alguém** por intermedio de alguien
interminável *adj.2g.* interminable, inacabable
intermitente *adj.2g.* intermitente
internacional *adj.2g.* internacional
internacionalizar *v.* internacionalizar ▪ **internacionalizar se** internacionalizarse
internado *adj.* internado
internar *v.* **1** internar **2** (doente) ingresar, internar
internato *s.m.* internado
internauta *s.2g.* internauta
Internet *s.f.* Internet
interno *adj.* **1** interno, interior **2** (estudante) interno
interpelar *v.* interpelar
interplanetário *adj.* interplanetario
interpor *v.* **1** interponer **2** oponerse **3** DIR. interponer ▪ **interpor se** interponerse
interpretação *s.f.* **1** *(explicação)* interpretación; *interpretação dos sonhos* interpretación de los sueños **2** *(sentido)* interpretación, sentido *m.*; *interpretação simultânea* interpretación simultánea **3** CIN., TEAT., TV. interpretación, representación **4** MÚS. interpretación, ejecución
interpretar *v.* **1** interpretar; *interpretar mal alguma coisa* interpretar mal algo **2** interpretar, juzgar, entender **3** interpretar, traducir **4** MÚS. interpretar, ejecutar **5** CIN., TEAT., TV. interpretar, representar
intérprete *s.2g.* **1** (música, representação) intérprete **2** *(tradutor)* intérprete, traductor, -a *m.f.*; *intérprete juramentado* intérprete jurado
interrogação *s.f.* interrogación, pregunta ♦ **ponto de interrogação** (signo de) interrogación
interrogar *v.* **1** interrogar **2** DIR. interrogar ▪ **interrogar se** preguntarse
interrogativo *adj.* interrogativo
interrogatório *s.m.* interrogatorio
interromper *v.* interrumpir
interrupção *s.f.* interrupción, corte *m.*; *interrupção voluntária da gravidez* interrupción voluntaria del embarazo ♦ **sem interrupção** sin interrupción
interruptor *s.m.* interruptor
interseção *s.f.* intersección
intersectar *v.* **1** interceptar **2** (linha, superfície) cortar **3** interceptar, cortar el paso ▪ **intersectar-se** (linhas, superfícies) intersecarse
interurbano *adj.* **1** (serviço, transporte) interurbano; *ônibus interurbanos* autobuses interurbanos; *serviço interurbano* servicio interurbano **2** (telefone) interprovincial; *chamada interurbana* llamada interprovincial
intervalo *s.m.* **1** intervalo, transcurso, espacio de tiempo, hueco; *nesse intervalo* en ese espacio de tiempo **2** *(pausa)* intervalo, descanso; *fazer um intervalo* hacer un intervalo/una pausa **3** (cinema, espetáculo) intermedio, descanso **4** espacio, intervalo; *deixar um intervalo entre alguém/alguma coisa* dejar un espacio entre alguien/algo **5** MÚS. intervalo
intervenção *s.f.* **1** intervención; participación; actuación **2** MED. intervención, operación quirúrgica; *intervenção cirúrgica* intervención quirúrgica
intervir *v.* **1** intervenir, participar, actuar **2** intervenir, interceder, terciar, mediar
intestinal *adj.2g.* intestinal
intestino *s.m.* ANAT. intestino; *intestino delgado/grosso* intestino delgado/grueso ▪ *adj.* intestino
intimação *s.f.* **1** orden *m.* **2** DIR. citación

intimamente *adv.* íntimamente
intimar *v.* **1** ordenar, exigir **2** DIR. citar
intimidade *s.f.* intimidad
intimidar *v.* **1** intimidar; ***deixar-se intimidar por alguém/alguma coisa*** dejarse intimidar por alguien/algo **2** *(inibir)* reprimir, inhibir ▪ **intimidar se 1** intimidarse **2** reprimirse, inhibirse
íntimo *adj.* **1** íntimo **2** (pessoa) íntimo **3** privado, íntimo ▪ *s.m.* **1** esencia*f.*, centro **2** adentros*pl.col.*
intitular *v.* (obra) titular ▪ **intitular-se** (obra) titularse
intolerância *s.f.* intolerancia
intolerante *adj.2g.* intolerante
intolerável *adj.2g.* intolerable
intoxicação *s.f.* intoxicación; ***intoxicação alimentar*** intoxicación alimenticia
intoxicar *v.* intoxicar ▪ **intoxicar se** intoxicarse
intragável *adj.2g.* **1** intragable **2** *fig.,pej.* intragable, insoportable
intranquilidade *s.f.* intranquilidad, inquietud
intranquilo *adj.* intranquilo, inquieto
intransigência *s.f.* intransigencia
intransigente *adj.2g.* intransigente
intransitável *adj.2g.* (caminho, lugar) intransitable, impracticable
intransitivo *adj.* (verbo) intransitivo
intransmissível *adj.2g.* intransmisible
intrauterino *adj.* intrauterino
intravenoso *adj.* intravenoso; ***injeção intravenosa*** inyección intravenosa
intriga *s.f.* **1** intriga, maquinación **2** intriga, enredo*m.*
intrigado *adj.* intrigado; ***estar intrigado com alguma coisa*** estar intrigado con algo
intrigante *adj.2g.* intrigante
intrigar *v.* **1** intrigar **2** confundir ▪ **intrigar se** confundirse, dudar
intriguista *adj.,s.2g.* intrigante
intrínseco *adj.* intrínseco
introdução *s.f.* introducción
introduzir *v.* introducir ▪ **introduzir se** introducirse
intrometer-se *v.* entrometerse (em, en), entremeterse (em, en), inmiscuirse (em, en); ***intrometer-se na vida dos outros*** entrometerse en la vida de los demás
intrometido *adj.* entrometido, entremetido, metichón*col.*
intromissão *s.f.* intromisión
introspecção *s.f.* introspección
introspectivo *adj.* introspectivo
introvertido *adj.* (pessoa) introvertido
intrujar *v.* timar, estafar, engañar
intrus|o, -a *s.m.,f.* intrus|o, -a
intuição *s.f.* **1** intuición **2** presentimiento*m.*, corazonada
intuir *v.* intuir
intuitivo *adj.* intuitivo
intuito *s.m.* objetivo, intención*f.*; ***com o intuito de*** con el objetivo de
inumerável *adj.2g.* innumerable, incontable
inúmero *adj.* innumerable, innúmero*lit.*
inundação *s.f.* inundación
inundado *adj.* **1** inundado, anegado **2** *fig.* inundado
inundar *v.* **1** inundar, anegar **2** *fig.* inundar, llenar completamente ▪ **inundar-se** inundarse, anegarse
inusitado *adj.* inusitado
inútil *adj.2g.* **1** inútil, inservible **2** *pej.* (pessoa) inútil
inutilidade *s.f.* inutilidad
inutilizado *adj.* **1** inutilizable, inservible **2** *pej.* (pessoa) inútil
inutilizar *v.* **1** inutilizar **2** *(danificar)* estropear **3** (por deficiência física, mental) incapacitar
invadir *v.* **1** invadir **2** (casa) allanar
invalidar *v.* invalidar, anular
invalidez *s.f.* invalidez, discapacidad, minusvalía
inválid|o, -a *s.m.,f.* inválid|o, -a, minusválid|o, -a, persona*f.* con discapacidad ▪ *adj.* **1** *(nulo)* inválido, nulo **2** (pessoa) inválido, minusválido
invariável *adj.2g.* **1** invariable, constante **2** (palavra) invariable
invasão *s.f.* invasión ♦ **invasão da privacidade** violación de la intimidad; **invasão de domicílio/propriedade** allanamiento de morada, violación de domicilio [VEN.]
invasor, -a *adj.,s.m.,f.* invasor, -a
inveja *s.f.* envidia; ***morrer de inveja*** morirse de envidia; ***ter inveja de alguma coisa/alguém*** tener envidia de algo/alguien
invejar *v.* envidiar
invejos|o, -a *adj.,s.m.,f.* envidios|o, -a
invenção *s.f.* **1** invención **2** *(mentira)* invención, mentira, rollo*m.*; ***isso é pura invenção*** eso es una invención, eso es un rollo
invencível *adj.2g.* invencible
inventar *v.* **1** inventar **2** *(mentir)* inventar, mentir; ***inventar uma desculpa*** inventar una excusa
inventariar *v.* **1** inventariar **2** catalogar
inventário *s.m.* inventario; ***fazer o inventário*** hacer (el) inventario
inventivo *adj.* **1** *(criativo)* inventivo, creativo **2** *(engenhoso)* ingenioso
invento *s.m.* invento
inventor, -a *adj.,s.m.,f.* inventor, -a
inverno *s.m.* invierno
inversão *s.f.* inversión, alteración, cambio*m.*; ***inversão de marcha*** cambio de sentido
inverso *adj.* **1** inverso; ***em ordem inversa*** en orden inverso **2** *(oposto)* opuesto ▪ *s.m.* **1** *(contrário)* contrario **2** *(reverso)* reverso, revés
invertebrado *adj.,s.m.* invertebrado
inverter *v.* (ordem, posição) invertir
invertido *adj.* **1** (ordem, posição) invertido **2** alterado, cambiado ▪ *s.m. pej.* invertido, homosexual*2g.*

invés *s.m.* envés, revés ◆ **ao invés de** **1** al revés, al contrario **2** en vez de

investidor, -a *s.m.,f.* inversor, -a, inversionista *2g.*

investigação *s.f.* **1** *(averiguação)* investigación, averiguación; ***estar sob investigação*** estar bajo investigación; ***investigação policial*** investigación policial **2** *(pesquisa)* investigación; ***investigação científica*** investigación científica; ***trabalho de investigação*** trabajo de investigación

investigador, -a *s.m.,f.* **1** (polícia) investigador, -a **2** *(pesquisador)* investigador, -a **3** agente *2g.* de policía

investigar *v.* **1** *(averiguar)* investigar, indagar, averiguar; ***investigar um caso*** investigar un caso **2** *(pesquisar)* investigar

investimento *s.m.* **1** ECON. inversión *f.* **2** (de tempo) inversión *f.*

investir *v.* **1** *(atacar)* embestir, arremeter, atacar **2** (dinheiro) invertir (**em**, **en**); ***investir na Bolsa*** invertir en bolsa **3** (cargo, título) investir (**em**, **con**); ***investir alguém num cargo*** investir a alguien con un cargo **4** (tempo, esforço) invertir (**em**, **en**)

inviável *adj.2g.* **1** (projeto) inviable **2** (caminho) impracticable, intransitable

invicto *adj.* invicto

inviolável *adj.2g.* inviolable

invisível *adj.2g.* invisible

invocado *adj. col.* enojado [AM.], enfadado [ESP.]

invocar *v.* **1** (divindade) invocar **2** *(pedir auxílio)* recurrir, pedir ayuda; ***invocar a ajuda dos amigos*** pedir ayuda a los amigos **3** (lei, autoridade) invocar, alegar

invólucro *s.m.* envoltorio, envoltura *f.*; ***invólucro do preservativo*** envoltorio del preservativo

involuntariamente *adv.* involuntariamente

involuntário *adj.* involuntario

iodo *s.m.* yodo, iodo

ioga *s.m.* yoga

iogurte *s.m.* yogur

ioiô *s.m.* yoyó

ípsilon *s.m.* **1** (letra y) i griega *f.*, ye *f.* **2** (alfabeto grego) ípsilon *f.*

ir *v.* **1** *(deslocar-se)* ir, irse, seguir; ***ir de avião/carro*** ir en avión/coche; ***ir a pé*** ir a pie; ***ir sempre em frente*** seguir todo recto **2** *(estar)* ir, estar; ***como é que vai o trabalho?*** ¿cómo va el trabajo?; ***as crianças vão bem*** los niños están bien **3** *(destinar-se)* ir (**para**, **para**), ser (**para**, **para**); ***metade do dinheiro vai para o banco*** la mitad del dinero es para el banco **4** *(opor-se)* ir (**contra**, (**en**) **contra** (**de**)); ***ir contra a lei*** ir contra la ley **5** *(chocar)* ir (**contra**, **contra**); ***o carro foi contra a árvore*** el coche ha chocado contra el árbol ■ **ir se** **1** *(partir)* irse, marcharse; ***ir-se (embora)*** marcharse **2** *(extinguir-se)* irse, desaparecer; ***o dinheiro foi-se num instante*** el dinero se fue en un instante ◆ (saudação) **como vai?** ¿qué tal?; **ir** [+*inf.*] ir [+*inf.*]; ***ia sair, mas mudei de ideia*** iba a salir pero me cambié de opinión; **ir** [+*ger.*] ir [+*ger.*]; ***os convidados iam chegando*** los invitados iban llegando; **ir a** [+*inf.*] estar a punto de [+*inf.*]; ***ia sair, quando ele entrou*** estaba a punto de salir cuando él ha entrado; *col.,irôn.* **ir desta para melhor** pasar a mejor vida; **ir longe demais** pasarse de rosca, ir demasiado lejos, pasarse dos pueblos; (lugar) **ir ter a** irse a; *col.* **ir ter com alguém** encontrarse con alguien; (despedida) **vai/vá com Deus** que Dios te/le guíe

ira *s.f.* ira, cólera

Irã *s.m.* Irán

iranian|o, -a *adj.,s.m.,f.* iraní *2g.*

Iraque *s.m.* Irak

iraquian|o, -a *adj.,s.m.,f.* iraquí *2g.*

irar *v.* airar, enfurecer, encolerizar ■ **irar-se** airarse, enfurecerse, encolerizarse

íris *s.f./m.2n.* iris *m.*

Irlanda *s.f.* Irlanda ◆ **Irlanda do Norte** Irlanda del Norte

irland|ês, -esa *adj.,s.m.,f.* irland|és, -esa ■ **irlandês** *s.m.* (língua) irlandés

irmandade *s.f.* **1** (parentesco) hermandad **2** *(confraternidade)* hermandad, confraternidad **3** *(confraria)* hermandad, cofradía

irm|ão, -ã *s.m.,f.* herman|o, -a; ***irmão de leite*** hermano de leche; ***irmão gêmeo*** hermano gemelo; ***irmão mais novo/velho*** hermano pequeño/mayor; ***irmão por parte da mãe/pai*** hermano de madre/padre

ironia *s.f.* ironía

irônico *adj.* irónico

ironizar *v.* ironizar

irracional *adj.2g.* irracional

irradiação *s.f.* **1** (de luz, calor, etc.) irradiación; ***irradiação solar*** irradiación solar **2** *fig.* (de ideia, pensamento, etc.) irradiación, difusión, propagación

irradiar *v.* **1** (calor, luz, etc.) irradiar **2** (sensação, sentimento) irradiar, derrochar **3** (ideias, opiniões) difundir, propagar **4** (por rádio) radiar

irreal *adj.2g.* irreal

irreconhecível *adj.2g.* irreconocible

irrecuperável *adj.2g.* irrecuperable

irrecusável *adj.2g.* irrecusable

irredutível *adj.2g.* **1** irreducible **2** (pessoa) irreductible

irregular *adj.2g.* irregular

irregularidade *s.f.* irregularidad

irrelevância *s.f.* irrelevancia

irrelevante *adj.2g.* irrelevante

irremediável *adj.2g.* irremediable

irreparável *adj.2g.* irreparable

irrequieto *adj.* inquieto

irresistível *adj.2g.* irresistible

irresponsabilidade *s.f.* irresponsabilidad

irresponsável *adj.2g.* irresponsable

irreverência *s.f.* irreverencia

irreverente *adj.2g.* irreverente

irreversível *adj.2g.* irreversible

irrigação *s.f.* **1** *(rega)* irrigación, riego *m.* **2** MED. irrigación, riego *m.*

irrigar *v.* **1** (terreno) irrigar, regar **2** MED. irrigar

irrisório *adj.* **1** (quantia, preço) irrisorio, insignificante; ***salário irrisório*** salario/sueldo irrisorio **2** *(ridículo)* irrisorio, ridículo; cómico

irritabilidade *s.f.* irritabilidad

irritação *s.f.* **1** irritación, enfado*m.* **2** (pele, olhos) irritación

irritante *adj.2g.* irritante

irritar *v.* **1** (pessoa) irritar **2** (pele, olhos) irritar ■ **irritar se** irritarse; ***ele se irrita com facilidade*** se irrita con facilidad

irromper *v.* irrumpir (em, en)

isca *s.f.* **1** (pesca) cebo*m.* **2** (de fígado) filete*m.* **3** CUL. [fritura de bacalao rebozada] ◆ **morder a isca** morder el anzuelo

isenção *s.f.* exención; ***isenção de impostos*** exención de impuestos; ***isenção de matrícula*** matrícula gratuita; ***isenção fiscal*** exención fiscal

isentar *v. (dispensar)* eximir (de, de), librarse (de, de); ***isentar do serviço militar*** librase del servicio militar

isento *adj.* **1** exento (de, de), libre (de, de); ***isento de impostos*** libre de impuestos **2** *(imparcial)* imparcial, ecuánime; ***um juiz isento*** un juez imparcial

Islândia *s.f.* Islandia

isolamento *s.m.* aislamiento

isolante *adj.2g.* aislante; ***fita isolante*** cinta aislante ■ *s.m.* aislante

isolar *v.* **1** (separar) aislar **2** (do frio, som) aislar ■ **isolar se** aislarse (de, de), apartarse (de, de)

isopor *s.m.* poliestireno*m.*

isósceles *adj.2g.2n.* isósceles; ***triângulo isósceles*** triángulo isósceles

isqueiro *s.m.* encendedor, mechero[ESP.]; ***isqueiro a gás*** encendedor de gas; ***isqueiro a gasolina*** encendedor de gasolina

isquemia *s.f.* isquemia

Israel *s.m.* Israel

israelita *adj.,s.2g.* israelí

isso *pron.dem.* eso; ***me dá isso!*** ¡dáme eso!; ***o que é isso?*** ¿qué es eso? ■ *interj.* ¡bien!; ¡correcto!; ¡eso es! ◆ **é isso aí** ¡bien!; **é isso mesmo!** ¡eso mismo!; **é só isso?** ¿sólo eso?; **por isso** por eso

isto *pron.dem.* esto; ***o que é isto?*** ¿qué es esto? ◆ **isto é** esto es; es decir

Itália *s.f.* Italia

italian|o, -a *adj.,s.m.,f.* italian|o, -a ■ **italiano** *s.m.* (lingua) italiano

itálico *s.m.* (letra) cursiva*f.*, bastardilla*f.*; ***em itálico*** en cursiva ■ *adj.* **1** (letra) itálico **2** *(italiano)* italiano, itálico

item *s.m.* (de documento, lista) ítem, artículo, punto; (de contrato) cláusula*f.*

itinerário *s.m.* itinerario

Iugoslávia *s.f.* Yugoslavia (actualmente, Serbia y Montenegro)

IVA (*sigla de* Imposto sobre o Valor Agregado) IVA (*sigla de* Impuesto sobre el Valor Añadido)

J

j *s.m.* (letra) j*f.*
já *adv.* **1** (tempo presente) ya, ahora, inmediatamente; *você já pode começar* ya puedes empezar; *vem aqui já!* ¡ven aquí inmediatamente! **2** (tempo passado) ya; *já falei com ele* ya he hablado con él ♦ **já agora** a propósito; **já, já** enseguida; **já que** ya que
jacarandá *s.m.* BOT. jacarandá
jacaré *s.m.* caimán, yacaré [AM.]
jactar-se *v.* jactarse (de, de), vanagloriarse (de, de)
jade *s.m.* jade
jaguar *s.m.* jaguar, yaguar
jagunço *s.m. col.* matón, guardaespaldas*2g.2n.*, gorila*2g.*
Jamaica *s.f.* Jamaica
jamaican|o, -a *adj.,s.m.,f.* jamaican|o, -a
jamais *adv.* **1** *(nunca)* jamás, nunca **2** *(alguma vez)* jamás; *é algo que eu jamais vi* es algo que jamás he visto
janeiro *s.m.* enero
janela *s.f.* **1** (casa, edifício) ventana; *janela dupla* doble ventana **2** (veículo) ventanilla **3** (envelope) ventanilla **4** INFORM. ventana ♦ **jogar pela janela fora** tirar por la ventana
jangada *s.f.* balsa
janta *s.f. pop.* cena
jantar *s.m.* cena*f.*; *no jantar* en la cena; *fazer o jantar* hacer la cena ■ *v.* **1** cenar; *vamos jantar fora* vamos a cenar fuera **2** cenar; *jantamos sopa* hemos cenado sopa
Japão *s.m.* Japón
japona *s.f.* chaquetón*m.*
japon|ês, -esa *adj.,s.m.,f.* japon|és, -esa ■ **japonês** *s.m.* (língua) japonés
jaqueta *s.f.* chaquetilla; *jaqueta jeans* chaqueta vaquera
jararaca *s.f.* **1** [especie de culebra muy venenosa] **2** *fig.* víbora
jardim *s.m.* jardín ♦ **jardim botânico** jardín botánico; **jardim zoológico** jardín/parque zoológico
jardim de infância *s.m.* (*pl.* jardins de infância) jardín de infancia
jardinagem *s.f.* jardinería
jardinar *v.* **1** (jardim) cultivar **2** (pessoa) dedicarse a la jardinería
jardineira *s.f.* **1** jardinera **2** guiso*m.* a la jardinera; *à jardineira* a la jardinera ■ **jardineiras** *s.f.pl.* (vestuário) pantalones*m.* con peto, peto*m.*
jardineir|o, -a *s.m.,f.* jardiner|o, -a
jargão *s.m.* argot, jerga*f.*
jarra *s.f.* **1** (para flores) jarrón*m.*, florero*m.* **2** (para líquidos) jarra
jarro *s.m.* **1** jarro, jarra*f.* **2** *(cântaro)* cántaro
jasmim *s.m.* jazmín
jato *s.m.* **1** (líquido) chorro; *jato de água* chorro de agua **2** jet, avión a reacción, reactor ♦ **de jato** súbitamente, de repente; **de um (só) jato** de un tirón
jaula *s.f.* **1** jaula **2** *col. (prisão)* jaula, cárcel, prisión
javali *s.m.* ZOOL. jabalí; *cria do javali* jabato
jazer *v.* **1** (pessoa) yacer, estar tumbado **2** (cadáver) yacer, estar sepultado; *aqui jaz* aquí yace
jazida *s.f.* **1** *(sepultura)* tumba, sepultura **2** GEOL. yacimiento*m.* ♦ **jazida arqueológica** yacimiento arqueológico
jazigo *s.m.* **1** (monumento funerário) panteón; *jazigo de família* panteón familiar **2** *(sepultura)* tumba*f.* **3** yacimiento
jazz *s.m.* (*pl.* jazzes) jazz
jeans *s.m.pl.* tela*f.* vaquera
jeca *s.2g.* campesin|o, -a*m.f.* ■ *adj.* hortera
jegue *s.m.* ZOOL. asno, jumento
jeito *s.m.* **1** *(habilidade)* habilidad*f.*, maña*f.*; *ter jeito para* tener habilidad para **2** *(maneira)* manera*f.*, modo, forma*f.* **3** *(gesto)* movimiento, gesto **4** *(aspecto)* aspecto **5** (lesão) torcedura*f.*, distensión*f.* ♦ **a jeito** oportunamente; **ao jeito de** a la manera de, al modo de; **com jeito** con cuidado, con habilidad; **dar jeito** venir bien; **dar um jeito 1** (casa) arreglar; ordenar; limpiar **2** (problema) solucionar; **de jeito nenhum** de modo alguno; **de qualquer jeito 1** de todos modos **2** de cualquier manera; **pegar o jeito** coger el tranquillo
jeitoso *adj.* **1** *(habilidoso)* habilidoso, desenvuelto **2** (pessoa) atractivo **3** *(adequado)* adecuado (para, para), apropiado (para, para)
jejuar *v.* **1** ayunar **2** *fig.* abstenerse (-, de), privarse (-, de)
jejum *s.m.* **1** ayuno; *em jejum* en ayunas; *quebrar o jejum* romper el ayuno **2** *fig.* abstinencia*f.*
jérsei *s.m.* tejido de poliéster
jesuíta *s.m.* REL. jesuita ■ *adj.2g.* jesuita
Jesus *s.m.* Jesus; *o menino Jesus* el niño Jesús ■ *interj.* ¡Jesús!
jiboia *s.f.* ZOOL. boa
jipe *s.m.* jeep
joalheir|o, -a *s.m.,f.* joyer|o, -a
joalheria *s.f.* (arte, estabelecimento) joyería
joanete *s.m.* juanete
joaninha *s.f.* mariquita
joão-ninguém *s.m.* (*pl.* joões-ninguém) *pej.* don nadie
joça *s.f. col.,pej.* trasto*m.*
jocoso *adj.* jocoso, gracioso, chistoso
joelhada *s.f.* rodillazo*m.*

joelheira *s.f.* rodillera

joelho *s.m.* rodilla*f.* ◆ **de joelhos** de rodillas; **fazer em cima do joelho** hacer algo de prisa y corriendo; **pedir de joelhos** pedir de rodillas; **pôr-se de joelhos** ponerse de rodillas, arrodillarse

jogada *s.f.* **1** jugada **2** *col.* jugada, faena, mala pasada

jogador, -a *s.m.,f.* jugador, -a

jogar *v.* **1** jugar **2** (jogo, esporte) jugar; *jogar cartas* jugar a las cartas; *jogar futebol* jugar a fútbol; *jogar xadrez* jugar al ajedrez **3** (jogos de azar) jugar, apostar **4** (dados) echar, tirar **5** *fig. (pôr em risco)* arriesgar **6** [BRAS.] tirar, lanzar, echar ◆ **jogar fora** tirar, botar AM.; *fig.* **jogar algo na cara de alguém** echarle algo en cara a alguien; **jogar limpo/sujo** jugar limpio/sucio

jogo *s.m.* **1** (diversão) juego; *jogo de tabuleiro* juego de mesa **2** (jogos de azar) juego, apuesta*f.*; *há muito dinheiro em jogo* hay mucho dinero en juego **3** ESPOR. partido; *jogo de tênis* partido de tenis **4** *(conjunto)* juego; *jogo de lençóis* juego de sábanas; *jogo de mesa* mantelería ◆ **abrir o jogo** poner las cartas sobre el tapete, hablar abiertamente; **entregar o jogo** rendirse; **estar em jogo** estar en juego; **jogo da verdade** juego de la verdad; **jogo de palavras** juego de palabras; **jogo da velha** tres en raya; **jogo limpo/sujo** juego limpio/sucio; **Jogos Olímpicos** juegos olímpicos; **pôr em jogo** poner en juego; **ter jogo de cintura** ser flexible

jogral *s.m.* juglar

joia *s.f.* **1** (adorno) joya **2** (quantia) cuota de ingreso/inscripción **3** *fig.* (pessoa) joya, perla ■ *adj.2g. col.* macanudo, estupendo

jóquei *s.m.* yóquey, yoqui, jockey

Jordânia *s.f.* Jordania

jornada *s.f.* **1** (viagem) jornada, caminada **2** (de trabalho) jornada laboral **3** ESPOR. jornada

jornal *s.m.* **1** (publicação, instituição) periódico **2** TV telediario, informativo

jornaleir|o, -a *s.m.,f.* **1** vendedor, -a de periódicos **2** entregador, -a de periódicos

jornalismo *s.m.* periodismo

jornalista *s.2g.* periodista

jorrar *v.* chorrear, salir a chorros

jota *s.m.* (letra j) jota*f.* ■ *s.f.* jota

jovem *adj.,s.2g.* joven

jovial *adj.2g.* jovial, alegre

joystick *s.m.* (*pl.* joysticks) joystick

juba *s.f.* **1** (de leão) melena **2** *fig.* (cabelo) mata de pelo

jubilar-se *v.* jubilarse, retirarse

judaico *adj.* judaico

jud|eu, -ia *adj.,s.m.,f.* judí|o, -a ■ *adj.* judío, judaico

judiação *s.f.* maltrato*m.*

judiar *v.* **1** maltratar **2** *col. (troçar)* burlarse (**com**, de), mofarse (**com**, de)

judicial *adj.2g.* judicial

judiciário *adj.* judicial; *polícia judiciária* policía judicial

judô *s.m.* judo, yudo

judoca *s.2g.* yudoca, judoca

ju|iz, -íza *s.m.,f.* juez*2g.* ◆ DIR. **juiz de paz** juez de paz

juizado *s.m.* juzgado

juízo *s.m.* **1** *(sensatez)* juicio, tino, sensatez*f.*; *perder o juízo* perder el juicio; *ter juízo* tener juicio **2** *(opinião)* juicio, opinión*f.*; *formar um juízo sobre* formar un juicio sobre **3** *(sentença)* sentencia*f.*, fallo ◆ **fazer bom juízo de alguém** tener en buen concepto a alguien; REL. **Juízo Final** Juicio Final; *col.* **moer o juízo** comer la moral, molestar

julgamento *s.m.* **1** DIR. *(audiência)* juicio **2** DIR. *(sentença)* sentencia*f.*, fallo **3** *(opinião)* juicio, opinión*f.*, parecer

julgar *v.* **1** fallar, pronunciar sentencia **2** (acusado) juzgar **3** (opinião, parecer) juzgar **4** *(crer)* creer; *julgo que não/sim* creo que no/sí ■ **julgar se** creerse; *julga-se capaz de tudo* se cree capaz de todo

julho *s.m.* julio

jumento *s.m.* jumento, burro, asno

junção *s.f.* **1** *(união)* unión; *junção de tubos* unión de tubos **2** (estradas, linhas) empalme*m.*, cruce*m.*; (rios) confluencia **3** ELETR. empalme*m.*

junho *s.m.* junio

júnior *adj.2g.* **1** junior, júnior **2** ESPOR. junior, júnior ■ *s.2g.* ESPOR. junior, júnior

junta *s.f.* **1** *(comissão)* junta, comisión **2** *(ligação)* junta, juntura **3** (bois, vacas) yunta

juntamente *adv.* **1** *(em conjunto)* juntamente **2** *(ao mesmo tempo)* juntamente, al mismo tiempo

juntar *v.* **1** *(unir)* juntar, unir **2** *(reunir)* juntar, reunir **3** *(acrescentar)* añadir ■ **juntar se** **1** *(unir-se)* juntarse, unirse **2** *(reunir-se)* juntarse, reunirse **3** (casal) juntarse (**com**, con)

junto *adj.* **1** *(unido)* junto **2** *(próximo)* cercano, próximo **3** *(reunido)* junto, reunido ■ *adv.* junto ◆ **junto a/de** junto a, al lado de; **por junto** en total, en junto

Júpiter *s.m.* MIT., ASTRON. Júpiter

jura *s.f.* **1** juramento*m.* **2** promesa **3** maldición

jurado *s.m.* jurado, miembro del jurado

juramentado *adj.* jurado

juramento *s.m.* juramento, promesa*f.*; *prestar juramento* prestar juramento; *sob juramento* bajo juramento ◆ **juramento de bandeira** jura de bandera

jurar *v.* **1** prestar juramento **2** jurar ◆ **jurar em falso** jurar en falso; **juro por Deus!** ¡lo juro por Dios!; **jurar que nunca mais** hacer cruz y raya

Jurássico *s.m.* Jurásico

júri *s.m.* **1** DIR. jurado **2** (concurso) jurado **3** (exame) tribunal

jurídico *adj.* jurídico

jurisdição *s.f.* **1** jurisdicción **2** *(competência)* ámbito*f.* de competencias

juro *s.m.* ECON. interés; *pagar com juros* pagar con intereses; *sem juros* sin intereses; *taxa de juros* tipo de interés

jururu *adj.2g.* tristón, melancólico

jus *s.m.* *(justiça)* justicia*f.*; *(direito)* derecho ◆ **fazer jus a 1** hacer justicia a **2** hacer méritos para, merecer

justamente *adv.* justamente

justapor *v.* yuxtaponer

justiça *s.f.* **1** *(equidade)* justicia, equidad **2** (organismo) justicia ◆ **fazer justiça pelas próprias mãos** tomarse la justicia por su mano

justiceiro *adj.* justiciero

justificação *s.f.* justificación

justificar *v.* justificar ▪ **justificar-se** justificarse

justificativa *s.f.* justificante*m.*, prueba

justo *adj.* **1** justo **2** (calçado, roupa) ajustado, justo, estrecho, apretado ▪ *adv.* justo, justamente

juta *s.f.* **1** BOT. yute*m.* **2** (fibra, tecido) yute*m.*

juvenil *adj.2g.* juvenil

juventude *s.f.* **1** (período) juventud **2** *(jovens)* juventud, jóvenes*m. pl.*

K

k *s.m.* (letra) k*f.*
kaiser *s.m.* (*pl.* kaiseres) kaiser
kamikaze *adj.2g.,s.m.* (*pl.* kamikazes) kamikaze, camicace
karaoke *s.m.* karaoke
kart *s.m.* (*pl.* karts) kart
kartódromo *s.m.* kartódromo
KB INFORM. (*símbolo de* quilobyte) KB (*símbolo de* kilobyte)
ketchup *s.m.* ketchup, salsa*f.* de tomate
kg (*símbolo de* quilograma) kg (*símbolo de* kilogramo)
kilobyte *s.m.* kilobyte
kilt *s.m.* kilt, falda*f.* escocesa
kirsch *s.m.* kirsch
kitchenette *s.f.* cocina americana, kitchenette [ARG., URUG.]
kiwi *s.m.* **1** BOT. (planta, fruto) kiwi, quivi **2** ZOOL. (ave) kiwi, quivi
km (*símbolo de* quilômetro) km (*símbolo de* kilómetro)
know-how *s.m.* **1** saber hacer, maña*f.*, destreza*f.* **2** (*experiência*) experiencia*f.*, conocimiento práctico, pericia*f.*
Kuwait *s.m.* Kuwait
kW (*símbolo de* quilowatt) kW (*símbolo de* kilovatio)
kWh (*símbolo de* quilowatt-hora) kWh (*símbolo de* kilovatios/hora)

L

l *s.m.* (letra) l*f.*
lá *adv.* **1** allá; *o rio fica lá embaixo* el río está allá abajo **2** allí; *estarei lá às duas* estaré allí a las dos ■ *s.m.* lá ♦ **lá para** allá por; **para lá de** más allá de
lã *s.f.* lana ♦ **ir buscar lã e sair/vir tosquiado** ir por lana y volver trasquilado
labareda *s.f.* llamarada
lábia *s.f. col.* labia, parla
labial *adj.2g.* labial
lábio *s.m.* labio ♦ **lábio leporino** labio leporino
labirinto *s.m.* laberinto
laboral *adj.2g.* laboral; *horário laboral* horario laboral
laborar *v.* **1** (*trabalhar*) trabajar **2** (terra) laborar **3** (erro, engano) incurrir (**em**, en), caer (**em**, en); *laborar num erro* incurrir en un error
laboratorial *adj.2g.* de laboratorio
laboratório *s.m.* laboratorio; *laboratório de análises clínicas* laboratório de análisis clínicos; *laboratório de línguas* laboratorio de idiomas/lenguas; *laboratório farmacêutico* laboratorio farmacéutico; *laboratório fotográfico* laboratorio fotográfico
lacar *v.* lacar, laquear
laçarote *s.m.* lazo grande
laço *s.m.* **1** (*nó*) lazo, nudo **2** (para o pescoço) pajarita*f.* **3** *fig.* lazo, vínculo; *laços de amizade* lazos de amistad
lacraia *s.f.* ciempiés*m.2n.*
lacrar *v.* lacrar
lacre *s.m.* lacre
lacrimejar *v.* lagrimear
lacrimogêneo *adj.* lacrimógeno; *gás lacrimogêneo* gas lacrimógeno
lactação *s.f.* **1** (*amamentação*) lactación, amamantamiento*m.* **2** (período) lactancia
lácteo *adj.* lácteo
lactose *s.f.* lactosa
lacuna *s.f.* laguna; *preencher uma lacuna* rellenar una laguna
ladainha *s.f.* (prece) letanía ■ **ladainhas** *s.f.pl. fig.* monserga
ladeira *s.f.* cuesta, pendiente*m.*; (de montanha) ladera
lado *s.m.* **1** lado, banda*f.* **2** (*lugar*) lado, sitio, lugar **3** (*aspecto*) lado, aspecto **4** (de disco, fita, papel) cara*f.* ♦ **ao lado de** al lado de; **deixar de lado** dejar a un lado; **estar do lado de alguém** estar de parte de alguien; **lado a lado** codo con codo; **olhar de lado** mirar de reojo; **para os lados de** en dirección a; **pôr de lado** dejar de lado; **por outro lado** por otro lado
ladr|ão, -a *adj.,s.m.,f.* ladr|ón, -ona
ladrar *v.* **1** (cão) ladrar **2** *fig.,col.* (pessoa) ladrar, chillar, gritar
ladrilhar *v.* embaldosar
ladrilho *s.m.* baldosa*f.*

lagarta *s.f.* **1** ZOOL. oruga, larva de los insectos **2** MEC. oruga
lagartixa *s.f.* lagartija
lagarto *s.m.* lagarto
lago *s.m.* **1** lago **2** (jardim, parque) estanque
lagoa *s.f.* laguna
lagosta *s.f.* langosta
lágrima *s.f.* lágrima; ***desfazer-se/desmanchar-se em lágrimas*** deshacerse en lágrimas; ***vir as lágrimas aos olhos de alguém*** saltársele a alguien las lágrimas ◆ **chorar lágrimas de sangue** llorar (con) lágrimas de sangre; **lágrimas de crocodilo** lágrimas de cocodrilo
laia *s.f. pej.* calaña; ***gente da sua laia*** gente de su calaña ◆ **à laia de** a la manera de
laje *s.f.* **1** losa **2** (sepultura) losa, lápida
lama *s.f.* lodo*m.*, barro*m.*, fango*m.* ■ *s.m.* REL. (budismo) lama ◆ **arrastar pela lama** arrastrar por los suelos
lamaçal *s.m.* lodazal, barrizal
lamacento *adj.* cenagoso, fangoso
lambada *s.f.* **1** lambada **2** *col. (bofetada)* galleta, torta **3** *col. (surra)* paliza, tunda, soba
lambe-botas *s.2g.2n.* pelota, adulador,-a*m.f.*, cobista*col.*
lamber *v.* **1** lamer **2** *fig.* devorar **3** *fig.* rozar, lamer ■ **lamber se** lamerse
lambuzar *v.* embadurnar ■ **lambuzar se** embadurnarse
lamentação *s.f.* lamentación, queja
lamentar *v.* lamentar; ***lamento-o*** lo lamento ■ **lamentar se** lamentarse (de, de), quejarse (de, de)
lamentável *adj.2g.* lamentable
lâmina *s.f.* **1** (instrumento cortante) cuchilla, hoja; ***lâmina de barbear*** cuchilla/hoja de afeitar **2** (de metal) lámina **3** (microscópio) portaobjetos*m.2n.*
laminar *v.* laminar
lâmpada *s.f.* lámpara; bombilla; ***lâmpada de halógeno*** lámpara halógena; ***lâmpada elétrica*** bombilla eléctrica; ***lâmpada fluorescente*** lámpara/tubo fluorescente
lamparina *s.f.* lamparilla
lampião *s.m.* farol, farola*f.*
lamuriar-se *v.* lamentarse (de, de), quejarse (de, de)
lança *s.f.* lanza
lançador, -a *s.m.,f.* ESPOR. lanzador,-a; ***lançador de dardo*** lanzador de jabalina
lançamento *s.m.* **1** *(arremesso)* lanzamiento **2** (foguetão, satélite, etc.) lanzamiento **3** (produto) lanzamiento, presentación*f.* **4** (futebol, basquetebol) tiro **5** ECON. asiento **6** ESPOR. lanzamiento; ***lançamento do disco/dardo/martelo/peso*** lanzamiento de disco/jabalina/martillo/peso
lançar *v.* **1** *(atirar)* lanzar, tirar **2** (foguetão, satélite) lanzar **3** (produto) lanzar **4** (livro, filme) presentar **5** (bomba) arrojar, lanzar **6** (leilão) pujar **7** (em conta) asentar ■ **lançar se** lanzarse
lance *s.m.* **1** *(lançamento)* lanzamiento **2** *(episódio)* lance, episodio, incidente **3** (leilão) puja*f.* **4** (jogos) lance
lancha *s.f.* lancha motora
lanchar *v.* merendar
lanche *s.m.* **1** (à tarde) merienda*f.* **2** *(refeição rápida)* tentempié, piscolabis*2n.*
lancheira *s.f.* fiambrera, lonchera[AM.]
lanchonete *s.f.* bar*m.*, cafetería
lantejoula *s.f.* lentejuela
lanterna *s.f.* **1** farol*m.* **2** (de pilhas) linterna ◆ **lanterna mágica** linterna mágica; *col.* (competição) **lanterna vermelha** farolillo rojo
lanterninha *s.2g.* **1** ESPOR. farolillo*m.* rojo **2** (cinema, teatro) acomodador,-a*m.f.*
lapela *s.f.* solapa (de prenda de vestir) ◆ (flor) **na lapela** en el ojal
lapidar *v.* **1** *(apedrejar)* lapidar, apedrear **2** (pedras preciosas) tallar **3** *(aperfeiçoar)* pulir, perfeccionar ■ *adj.2g.* **1** lapidario; ***inscrição lapidar*** inscripción lapidaria **2** *fig.* perfecto
lápide *s.f.* **1** lápida **2** (sepultura) losa, lápida
lápis *s.m.2n.* **1** lápiz, lapicero; ***lápis de carvão*** carboncillo; ***lápis de cor*** lápiz de colores **2** (cosmética) lápiz; ***lápis de lábios/olhos*** lápiz de labios/ojos; ***lápis para as sobrancelhas*** lápiz de cejas
lapiseira *s.f.* portaminas*m.2n.*
lapso *s.m.* **1** lapso; ***lapso de tempo*** lapso de tiempo **2** *(descuido)* lapsus*2n.*, despiste
laptop *s.m.* ordenador portátil
laquê *s.m.* laca*f.*
laqueação *s.f.* ⇒ **laqueadura**
laqueadura *s.f.* MED. ligadura; ***laqueadura de trompas*** ligadura de trompas
laquear *v.* ligar
lar *s.m.* **1** *(casa)* hogar, casa*f.* **2** *(família)* hogar, familia*f.* ■ **lares** *s.m.pl.* MIT. lares ◆ **do lar** ama de casa; **lar de terceira idade** residencia de ancianos; **lar doce lar** hogar dulce hogar; **lar para crianças** hogar para niños
laranja *s.f.* naranja ■ *adj.2g.2n.,s.m.* (cor) naranja
laranjada *s.f.* naranjada
laranjeira *s.f.* naranjo*m.*
larapiar *v. col.* mangar, afanar, birlar
lareira *s.f.* chimenea
largada *s.f.* **1** ESPOR. salida; ***dar a largada*** dar la salida **2** TAUR. encierro*m.*
largar *v.* **1** soltar **2** abandonar **3** *col.* (emprego, estudos) abandonar, dejar
largo *adj.* **1** (medida) ancho **2** (roupa) holgado ■ *s.m.* plaza*f.*

> Não confundir com a palavra espanhola largo *(comprido)*.

largura *s.f.* anchura, ancho*m.*
laringe *s.f.* laringe
laringite *s.f.* laringitis*2n.*

larva *s.f.* larva
lasanha *s.f.* lasaña
lasca *s.f.* **1** (de madeira, metal) astilla; (de pedra) lasca; ***espetar uma lasca no dedo*** clavarse una astilla en el dedo **2** *(fatia)* loncha, raja
lascar *v.* **1** astillarse **2** astillar, rajar
laser *s.m.* láser
lástima *s.f.* **1** *(compaixão)* lástima, compasión **2** *(desgraça)* desgracia, infortunio*m.*
lastimar *v.* lamentar, deplorar ■ **lastimar se** lamentarse (de, de), quejarse (de, de)
lastimável *adj.2g.* lamentable, deplorable
lastimoso *adj.* **1** lastimoso, lastimero **2** lamentable **3** *(choroso)* lloroso
lastro *s.m.* **1** NÁUT. lastre **2** *pop.* aperitivo
lata *s.f.* **1** (recipiente) lata, bote*m.*; ***lata de atum*** lata de atún; ***sardinha em lata*** sardinas en lata **2** *(folha de flandres)* hojalata, lata **3** *col.* (carro) cacharro*m.*
latão *s.m.* latón
latejar *v.* **1** palpitar **2** *(arfar)* jadear
lateral *adj.2g.* lateral ■ *s.m.* lateral
látex *s.m.* látex*2n.*
laticínio *s.m.* lacticinio
latido *s.m.* (cão) ladrido
latifundiári|o, -a *s.m.,f.* latifundista*2g.*
latifúndio *s.m.* latifundio
latim *s.m.* latín; ***latim clássico/popular/vulgar*** latín clásico/popular/vulgar ◆ **gastar/perder o seu latim** perder el tiempo
latin|o, -a *adj.,s.m.,f.* latin|o, -a
latino-american|o, -a *adj.,s.m.,f.* (*pl.* latino-americanos) latinoamerican|o, -a
latir *v.* (cão) ladrar
latitude *s.f.* latitud
latrina *s.f.* letrina
laudo *s.m.* dictamen
laurear *v.* laurear, premiar, galardonar
lava *s.f.* lava
lavabo *s.m. (lavatório)* lavabo ■ **lavabos** *s.m.pl.* servicio
lavadeira *s.f.* **1** lavandera **2** (inseto) libélula
lavado *adj.* lavado, limpio; ***roupa lavada*** ropa lavada
lavagem *s.f.* lavado*m.*; ***lavagem à mão/a seco*** lavado a mano/en seco; ***lavagem automática*** lavado automático ◆ *col.* **lavagem cerebral** lavado de cerebro; **lavagem estomacal** lavado de estómago; **lavagem de dinheiro** lavado/blanqueo de dinero
lavanda *s.f.* lavanda, espliego*m.*
lavanderia *s.f.* **1** (estabelecimento) lavandería **2** (casa) cuarto*m.* de la ropa, lavadero*m.*; (hotel) lavandería
lava-pés *s.m.2n.* REL. lavatorio
lavar *v.* **1** lavar; ***lavar a roupa*** lavar la ropa; ***lavar o cabelo*** lavarse el pelo; ***lavar a louça*** fregar los platos; ***lavar as mãos*** lavarse las manos **2** *col.* (dinheiro) blanquear, lavar[AM.] ■ **lavar se** lavarse
lavatório *s.m.* lavabo
lavável *adj.2g.* lavable
lavoura *s.f.* labranza
lavrador, -a *s.m.,f.* **1** labrador, -a, labrieg|o, -a **2** cortijer|o, -a ■ *adj.* labrador
lavrar *v.* **1** (terra) labrar, cultivar **2** (madeira, metal) labrar **3** *(bordar)* bordar **4** (documento) redactar; ***lavrar uma ata*** redactar (y firmar) un acta
laxante *adj.2g.,s.m.* laxante
lazer *s.m.* **1** *(ócio)* ocio **2** *(tempo livre)* tiempo libre **3** *(descanso)* reposo, descanso
leal *adj.2g.* leal (a, a), fiel (a, a)
lealdade *s.f.* lealtad, fidelidad
le|ão, -oa *s.m.,f.* le|ón, -ona
Leão *s.m.* **1** ASTROL., ASTRON. Leo **2** (província) León
leão-marinho *s.m.* (*pl.* leões-marinhos) león marino
lebre *s.f.* liebre ◆ **levantar a lebre** levantar la liebre
lecionar *v.* **1** dar clase **2** enseñar
legado *s.m.* **1** DIR. legado **2** *(herança)* legado, herencia*f.* **3** (pessoa) legado, emisario
legal *adj.2g.* **1** legal **2** *col.* guay, estupendo
legalidade *s.f.* legalidad
legalização *s.f.* legalización
legalizar *v.* **1** legalizar **2** (assinatura, documento) legalizar
legalmente *adv.* legalmente
legar *v.* **1** legar **2** *fig.* legar, transmitir
legenda *s.f.* **1** *(lenda)* leyenda **2** (de filme) subtítulo*m.* **3** (de fotografia) pie*m.* de foto **4** (de imagem, mapa) leyenda
legendagem *s.f.* (filme, gravura, etc.) introducción de subtítulos/leyendas
legendar *v.* (filme, documentário) subtitular; (gravura, imagem) poner leyendas
legião *s.f.* **1** legión **2** *fig.* legión, multitud
legionário *s.m.* legionario
legislação *s.f.* legislación
legislar *v.* legislar
legislativo *adj.* legislativo
legislatura *s.f.* legislatura
legista *s.2g.* **1** legista **2** forense, médic|o, -a*m.f.* forense
legitimação *s.f.* DIR. legitimación
legítimo *adj.* **1** legítimo, legal **2** *(autêntico)* auténtico **3** (filho) legítimo
legível *adj.2g.* legible
légua *s.f.* legua; ***légua marítima*** legua marina/marítima ◆ **à légua** a la legua
legume *s.m.* legumbre*f.*
leguminoso *adj.* (planta) leguminoso
lei *s.f.* **1** (autoridade) ley; ***infringir a lei*** infringir la ley **2** *(regra)* ley, regla, norma **3** (teoria) ley; ***lei de Newton*** ley de Newton ◆ (ouro, prata) **de lei** de ley; DIR. **lei básica** ley fundamental; ECON. **lei da oferta e da procura** ley de la oferta y la demanda; **lei da selva** ley de la selva; (aforismo) **lei de Murphy** ley de Murphy; **lei do menor esforço** ley del mínimo esfuerzo; **lei marcial** ley marcial; DIR. **lei orgânica** ley orgánica

leig|o, -a *s.m.,f.* **1** *(laico)* laic|o, -a, leg|o, -a **2** (assunto) leg|o, -a; ***ser leigo na matéria*** ser lego en la materia ■ *adj.* laico

leilão *s.m.* subasta*f.*

leiloar *v.* subastar

leiloeir|o, -a *s.m.,f.* subastador, -a

leitão *s.m.* cochinillo, lechón

leite *s.m.* **1** leche*f.*; ***leite condensado*** leche condensada; ***leite em pó*** leche en polvo; ***leite integral/desnatado/semidesnatado*** leche entera/desnatada/semidesnatada **2** (cosmético) leche*f.*; ***leite hidratante*** leche hidratante; ***leite de limpeza*** leche limpiadora

leiteira *s.f.* **1** (recipiente) lechera **2** cazo*m.* (de leche)

leiteir|o, -a *s.m.,f.* lecher|o, -a ■ *adj.* lechero; ***vaca leiteira*** vaca lechera

leito *s.m.* **1** *(cama)* lecho **2** (rio) lecho, cauce

leitor, -a *s.m.,f.* **1** lector, -a **2** (universidade) lector, -a ■ *adj.* lector ■ **leitor** *s.m.* lector; ***leitor óptico*** lector óptico

leitoso *adj.* lechoso

leitura *s.f.* lectura

lema *s.m.* **1** lema **2** (dicionário, enciclopédia) lema, entrada*f.*

lembrança *s.f.* **1** *(memória)* recuerdo*m.*, memoria **2** *(presente)* regalo*m.*, recuerdo*m.*; (turistas) souvenir*m.* ■ **lembranças** *s.f.pl.* recuerdos*m.*; ***dê lembranças minhas à sua mãe*** dele recuerdos a su madre de mi parte

lembrar *v.* **1** recordar, acordarse **2** recordar ■ **lembrar se** acordarse (de, de), recordar (de, -); ***lembre-se disto*** acuérdate de esto, recuerda esto; ***não me lembro do número*** no me acuerdo del número, no recuerdo el número ◆ **se bem me lembro** si bien lo recuerdo; **tanto quanto me lembro** hasta donde recuerdo

lembrete *s.m.* **1** recordatorio **2** *fig.* reprimenda*f.*, regañina*f.*

leme *s.m.* AERON.,NÁUT. timón; ***homem do leme*** timonel

lenço *s.m.* **1** (de mão) pañuelo; ***lenço de papel*** pañuelo de papel, clínex **2** (do pescoço) pañuelo de cuello, fular; (da cabeça) pañuelo de cabeza

lençol *s.m.* (tecido) sábana*f.*; ***dobra do lençol*** embozo de la sábana; ***lençol de baixo/cima*** sábana bajera/encimera ◆ *col.* **estar em maus lençóis** estar en apuros

lenda *s.f.* **1** leyenda **2** *fig.* cuento*m.*, patraña, mentira

lendário *adj.* legendario

lêndea *s.f.* liendre

lenga-lenga *s.f.* monserga

lenha *s.f.* leña ◆ **deitar lenha na fogueira** echar leña al fuego

lenhador, -a *s.m.,f.* leñador, -a

lenitivo *s.m.* **1** FARM. lenitivo **2** *fig.* lenitivo, alivio

lentamente *adv.* lientamente

lente *s.f.* lente*m./f.* ◆ **lente de contato** lentilla, lente de contacto; ***usar lentes de contato*** usar/llevar lentillas

lentidão *s.f.* lentitud

lentilha *s.f.* lenteja

lento *adj.* **1** lento **2** (inteligência) torpe, tardo; ***você foi lento para entender a piada*** te ha costado coger la broma

leoa *s.f.* (*m.* leão) leona

leonin|o, -a *adj.,s.m.,f.* leonin|o, -a

leopardo *s.m.* leopardo

lepra *s.f.* lepra

lepros|o, -a *adj.,s.m.,f.* lepros|o, -a

leque *s.m.* **1** *(abano)* abanico **2** *fig.* abanico, serie*f.*, conjunto; ***um leque de opções*** un abanico de opciones

ler *v.* **1** leer; ***ele não sabe ler*** no sabe leer **2** leer(se); ***ler um livro*** leer un libro **3** INFORM. leer

lerdo *adj.* **1** lento **2** (pessoa) lerdo, torpe, tardo

lero-lero *s.m.* (*pl.* lero-leros) *col.* charloteo, parloteo, palique

lesão *s.f.* **1** lesión **2** daño*m.*, perjuicio*m.*

lesar *v.* **1** lesionar **2** perjudicar

lésbica *s.f.* lesbiana

lésbico *adj.* lésbico

lesionar *v.* lesionar ■ **lesionar se** lesionarse

lesma *s.f.* babosa

leste *s.m.* este

letal *adj.2g.* letal

letivo *adj.* lectivo; ***ano letivo*** año lectivo

letra *s.f.* **1** letra; ***letra de imprensa*** letra de imprenta **2** *(caligrafia)* letra, caligrafía **3** (canção, música) letra ■ **letras** *s.f.pl.* (humanidades) letras ◆ **à letra** a la letra; **com todas as letras** con todas las letras; **letra de câmbio** letra de cambio; **letra de médico** garabato, letra poco legible

letreiro *s.m.* letrero

letrista *s.2g.* MÚS. letrista

leucemia *s.f.* leucemia

leva *s.f.* **1** (pessoas) bandada **2** MIL. leva **3** NÁUT. leva

levantamento *s.m.* **1** (ação) levantamiento **2** *(motim)* levantamiento, amotinamiento **3** (cheque) cobro ◆ **levantamento de pesos** levantamiento de pesas

levantar *v.* **1** levantar **2** (dinheiro) sacar **3** (cheque) cobrar ■ **levantar se** levantarse

levar *v.* llevar ◆ **levar algo/alguém a sério** tomar algo/alguien en serio; **levar algo na brincadeira** tomar algo a broma

leve *adj.2g.* **1** ligero, leve **2** *(leviano)* ligero, liviano ◆ **de leve** con delicadeza; **ter o sono leve** ter el sueño ligero

leveza *s.f.* ligereza, levedad

leviandade *s.f.* ligereza, irreflexión

leviano *adj.* **1** *(inconstante)* liviano, inconstante **2** *(irrefletido)* irreflexivo

levitação *s.f.* levitación

levitar *v.* (corpo) levitar

lhama *s.f.* llama

lhe *pron.pess.* le; ***lhe contei tudo*** le he contado todo; ***já lhe disse que sim*** ya le he dicho que sí

libélula *s.f.* libélula
liberação *s.f.* (obrigação, dívida) liberación
liberal *adj.2g.* **1** *(generoso)* liberal, generoso **2** *(tolerante)* liberal, tolerante **3** (profissão) liberal **4** POL. liberal ■ *s.2g.* POL. liberal
liberalidade *s.f.* **1** liberalidad **2** *(generosidade)* generosidad
liberalismo *s.m.* liberalismo
liberalização *s.f.* liberalización
liberalizar *v.* liberalizar ■ **liberalizar-se** liberalizarse
liberar *v.* **1** libertar, liberar **2** (obrigação) liberar, librar, relevar
liberdade *s.f.* libertad ♦ **liberdade condicional** libertad condicional; **liberdade mediante fiança** libertad bajo fianza; **tomar a liberdade de** tomarse la libertad de
libertação *s.f.* liberación
libertador, -a *adj.,s.m.,f.* libertador, -a
libertar *v.* libertar, liberar ■ **libertar-se** liberarse (de, de), librarse (de, de)
libertinagem *s.f.* libertinaje*m.*
libertin|o, -a *adj.,s.m.,f.* libertin|o, -a
Líbia *s.f.* Líbia
libido *s.f.* libido, deseo*m.* sexual
libra *s.f.* **1** (moeda) libra; ***libra esterlina*** libra esterlina **2** (antiga moeda irlandesa) libra **3** (peso) libra
Libra *s.f.* ASTROL., ASTRON. Libra
librian|o, -a *adj.,s.m.,f.* ASTROL. libra*2g.2n.*
lição *s.f.* **1** *(aula)* lección, clase **2** *(tema)* lección, tema **3** *fig.* lección, reprimenda **4** *fig.* lección, enseñanza
licença *s.f.* **1** permiso*m.*, licencia **2** (documento) licencia ♦ **com licença** con permiso; **estar de licença** estar de permiso; **licença maternidade** baja por maternidad/baja maternal; **licença de porte de armas** licencia de armas
licenciad|o, -a *s.m.,f.* licenciad|o, -a ■ *adj.* licenciado (em, en)
licenciand|o, -a *s.m.,f.* estudiante*2g.* universitari|o, -a
licenciar *v.* **1** (soldado) licenciar **2** (estudante) licenciar ■ **licenciar se** licenciarse (em, en); ***licenciar-se em Direito*** licenciarse en derecho
licenciatura *s.f.* licenciatura
licitação *s.f.* licitación
licitar *v.* (leilão) licitar
lícito *adj.* lícito
licor *s.m.* licor
lidar *v.* lidiar
lide *s.f.* **1** *(trabalho)* faena **2** *(luta)* lucha **3** DIR. litigio*m.*, pleito*m.* **4** TAUR. faena
líder *s.2g.* líder
liderança *s.f.* liderazgo*m.*, liderato*m.*
liderar *v.* liderar
liga *s.f.* **1** *(associação)* liga **2** (meia) liga **3** QUÍM. (metais) aleación **4** MEC. aleación; ***jantes de liga leve*** rodas de aleación ligera **5** ESPOR. liga
ligação *s.f.* **1** conexión, unión **2** ligación **3** trabazón, nexo*m.* **4** (entre pessoas) relación, ligazón **5** conexión **6** (metais) liga, aleación **7** (telefone) llamada ♦ (veículo) **ligação direta** puente
ligadura *s.f.* venda, vendaje*m.*
ligamento *s.m.* **1** ligazón*f.*, vínculo, trabazón*f.* **2** ANAT. ligamento
ligar *v.* **1** (metais) ligar **2** *(unir)* ligar, unir **3** conectar **4** vendar **5** dar importancia **6** (telefone) llamar **7** QUÍM. (metal) alear, ligar **8** ligar, relacionar **9** (computador, rádio, televisão, etc.) encender **10** (tomada) enchufar ■ **ligar se 1** asociarse **2** ligarse, unirse ♦ **não ligar a** pasar de
ligeiro *adj.* **1** ágil, desenvuelto **2** (peso) ligero, leve **3** *(vago)* ligero **4** *(rápido)* ligero, rápido ■ *adv.* ligero ■ *s.m.* turismo
light *adj.2g.2n.* light
lilás *s.m.* **1** BOT. (arbusto) lila*f.* **2** BOT. (flor) lilo **3** (cor) lila, malva ■ *adj.2g.* (cor) lila, malva
lima *s.f.* **1** (ferramenta) lima **2** BOT. lima
limão *s.m.* limón
limar *v.* **1** (metal, madeira, unhas) limar **2** *fig.* perfeccionar, limar
limitação *s.f.* **1** limitación **2** restricción **3** fallo*m.*, defecto*m.* ■ **limitações** *s.f.pl.* limitaciones; ***todos temos as nossas limitações*** todos tenemos nuestras limitaciones
limitar *v.* **1** limitar, delimitar **2** *(restringir)* limitar, restringir ■ **limitar se 1** limitarse, ceñirse **2** contentarse
limite *s.m.* **1** límite **2** (fim) límite, fin, final **3** (velocidade) límite **4** *(fronteira)* límite, linde ♦ **passar dos limites** pasarse de la raya; **sem limites** sin fronteras
limo *s.m.* **1** BOT. musgo **2** BOT. limo
limoeiro *s.m.* limonero
limonada *s.f.* limonada
limpar *v.* **1** (tempo) despejarse **2** limpiar **3** (chão) fregar **4** purificar **5** secar, escurrir **6** *col.* limpiar
limpeza *s.f.* limpieza; ***limpeza a seco*** limpieza en/a seco; ***limpeza de pele*** limpieza de cutis; ***limpeza geral*** limpieza general
límpido *adj.* **1** límpido **2** (céu) despejado
limpo *adj.* **1** limpio **2** (honesto) limpio, honrado **3** (dinheiro) limpio, neto ■ *adv.* limpio ♦ **tirar a limpo** sacar en claro; **passar a limpo** pasar a limpio
limusine *s.f.* limusina
lince *s.m.* lince
linchar *v.* (criminoso) linchar
lindo *adj.* **1** lindo, hermoso, bonito **2** elegante
linear *adj.2g.* **1** lineal **2** *fig.* claro, sencillo
linfa *s.f.* **1** BIOL. linfa **2** BOT. savia
linfócito *s.m.* BIOL. linfocito
lingerie *s.f.* lencería, ropa interior femenina
língua *s.f.* **1** ANAT. lengua **2** *(idioma)* lengua, idioma*m.*; ***língua estrangeira*** lengua extranjera; ***língua materna*** lengua materna; ***língua morta*** lengua muerta; ***língua oficial*** lengua oficial ♦ *col.* **com a língua de fora** con la lengua fuera; *col.* **dar à língua** darle a la len-

gua; **dar com a língua nos dentes** irse de la lengua; *col.* **dobrar a língua** morderse la lengua; *col.* **morder a língua** morderse la lengua; **soltar a língua** irse de la lengua; **ter alguma coisa debaixo da língua** tener algo en la (punta de la) lengua; *col.* **ter a língua afiada/comprida** tener la lengua muy larga/suelta

língua de sogra *s.f.* (*pl.* línguas de sogra) matasuegras*m.2n.*

linguado *s.m.* lenguado

linguagem *s.f.* lenguaje*m.*

linguajar *v.* cascar, parlotear, darle a la lengua ■ *s.m.* habla, modo de hablar

linguarud|o, -a *s.m.,f.* bocazas*2g.2n.* ■ *adj.* hablador, parlanchín

lingueirão *s.m.* ZOOL. ⇒ **longueirão**

linguiça *s.f.* longaniza ♦ *col.* **encher linguiça** enrollarse

linguista *s.2g.* lingüista

linguística *s.f.* lingüística

linguístico *adj.* lingüístico

linha *s.f.* **1** *(traço)* línea, trazo*m.* **2** *(fio)* hilo*m.* **3** (texto) línea, renglón*m.* **4** (telefone) línea **5** (trem, bonde) vía **6** *(rota)* línea **7** (pesca) sedal*m.*, hilo*m.* de pescar **8** (produtos) línea **9** (forma física) línea; ***manter a linha*** mantener la línea ♦ **andar/entrar na linha** entrar en vereda; **em linha** en línea; **linha de montagem** cadena de montaje; *col.* **meter na linha** meter en vereda; **na linha** a raya; **por linhas transversas** de manera indirecta

linhaça *s.f.* linaza

linhagem *s.f.* linaje*m.*

linho *s.m.* lino

link *s.m.* (*pl.* links) enlace

liofilizar *v.* liofilizar

lipoaspiração *s.f.* liposucción

liquefazer *v.* licuar

liquidação *s.f.* **1** (contas, dívidas) liquidación **2** *(desconto)* liquidación, rebaja **3** *fig. (aniquilação)* aniquilación

liquidar *v.* **1** (contas) liquidar, saldar, pagar **2** (mercadoria) liquidar, rematar **3** *fig.* liquidar, cargarse

liquidificador *s.m.* licuadora*f.*

liquidificar *v.* licuar

líquido *adj.* **1** líquido **2** (quantia) líquido, neto **3** (peso) neto ■ *s.m.* **1** líquido **2** líquido, bebida*f.* ♦ **líquido amniótico** líquido amniótico

lira *s.f.* **1** MÚS. lira **2** (antiga moeda italiana) lira

lírio *s.m.* lirio, lis*2n.*

liso *adj.* **1** (superfície) liso **2** suave **3** (tecido) liso **4** (cabelo) lacio, liso **5** *col.* tieso

lisonjear *v.* lisonjear, halagar

lista *s.f.* **1** lista, listado*m.*; ***lista de casamento*** lista de boda; ***lista telefônica*** guía telefónica, listín telefónico **2** (restaurante) carta; ***lista de vinhos*** carta de vinos

listagem *s.f.* listado*m.*

listar *v.* **1** alistar, hacer una lista **2** INFORM. listar

listra *s.f.* raya, lista

listrado *adj.* listado; ***tecido listrado*** tela listada

literal *adj.2g.* literal

literatura *s.f.* literatura

litigar *v.* **1** DIR. litigar **2** DIR. litigar, pleitear **3** *(disputar)* litigar, disputar, reñir

litoral *adj.2g.* litoral ■ *s.m.* litoral

litro *s.m.* litro

liturgia *s.f.* liturgia

livrar *v.* **1** libertar, liberar, poner en libertad **2** (dificuldade, perigo) librar ■ **livrar-se 1** librarse **2** escaparse

livraria *s.f.* (estabelecimento) librería

livre *adj.2g.* **1** libre **2** libre, autónomo **3** independiente **4** libre, exento; ***livre de impostos*** libre de impuestos **5** libre, absuelto **6** libre, desocupado ■ *s.m.* ESPOR. (futebol) tiro libre

livre-arbítrio *s.m.* (*pl.* livres-arbítrios) libre albedrío

livro *s.m.* libro; ***livro de bolso*** libro de bolsillo; ***livro de cabeceira*** libro de cabecera; ***livro de estilo*** libro de estilo; ***livro de ponto*** libro de asistencia; ***livro de reclamações*** libro de reclamaciones ♦ **livro de bordo** cuaderno de bitácora; (correio eletrônico) **livro de endereços** libreta de direcciones; **livro didático** libro de texto; **ser um livro aberto** ser un libro abierto

lixa *s.f.* **1** lija **2** ZOOL. pintarroja, lija ♦ **lixa de unha** lima de uñas

lixar *v.* **1** lijar, pulir **2** *cal.* fastidiar, joder*vulg.* ■ **lixar-se** *cal.* fastidiarse, joderse*vulg.* ♦ **que se lixe!** ¡da igual!

lixeira *s.f.* vertedero*m.* (de basura), basurero*m.*

lixeir|o, -a *s.m.,f.* basurer|o, -a

lixo *s.m.* basura*f.*; ***lata de lixo*** cubo de la basura; ***jogar no lixo*** tirar a la basura; ***homem do lixo*** basurero; ***saco do lixo*** bolsa de la basura

lobisomem *s.m.* hombre lobo

lob|o, -a *s.m.,f.* lob|o, -a ♦ **um lobo com pele de cordeiro** un lobo con piel de cordero

lobo *s.m.* ANAT. lóbulo; ***lobo da orelha*** lóbulo de la oreja

lobo-cerval *s.m.* (*pl.* lobos-cervais) ZOOL. lobo cerval/cervario

local *adj.2g.* local ■ *s.m.* lugar

localidade *s.f.* **1** *(lugar)* lugar*m.* **2** *(povoação)* localidad, población

localização *s.f.* **1** *(ação de localizar)* localización **2** *(local)* localización, ubicación

localizado *adj.* **1** ubicado, situado **2** (dor) localizado

localizar *v.* ubicar, localizar ■ **localizar-se** ubicarse (em, en), localizarse (em, en)

loção *s.f.* loción; ***loção de barbear*** loción de afeitar; ***loção capilar*** loción capilar; ***loção facial*** loción facial; ***loção após-barba/pós-barba*** loción para después de afeitarse/del afeitado, aftershave

locatári|o, -a *s.m.,f.* locatari|o, -a, arrendatari|o, -a

locomoção *s.f.* locomoción

locomotiva *s.f.* locomotora

locução *s.f.* **1** *(dicção)* dicción, pronunciación **2** DIR. locución

locutor, -a *s.m.,f.* locutor, -a ■ **locutor** *s.m.* emisor

lodo *s.m.* lodo; fango; barro

lógica *s.f.* lógica
lógico *adj.* lógico
logística *s.f.* logística
logístico *adj.* logístico
logo *adv.* **1** pronto **2** luego **3** enseguida, en seguida ▪ *conj.* luego ♦ **logo mais** más tarde; **logo que** apenas, en cuanto
logomarca *s.f.* logotipo*m.*
logotipo *s.m.* logotipo
lograr *v.* **1** lograr, alcanzar, conseguir **2** *(obter)* lograr, conseguir **3** engañar
loir|o, -a *adj.,s.m.,f.* ⇒ **louro**
loja *s.f.* tienda, comercio*m.*; *loja de brinquedos* juguetería; *loja de conveniência* tienda 24 horas; *loja de flores* floristería; *loja de lembranças* tienda de recuerdos/souvenirs
lombada *s.f.* lomo*m.*
lombar *adj.2g.* lumbar
lombo *s.m.* **1** *(dorso)* lomo, dorso **2** (carne) lomo; *lombo de porco* lomo de cerdo
lombriga *s.f.* lombriz*2n.* (intestinal)
lona *s.f.* lona ♦ *col.* **estar nas lonas** no tener un duro
longa-metragem *s.m.* (*pl.* longas-metragens) largometraje
longe *adv.* lejos; *a estação ainda fica longe* la estación está bastante lejos ▪ *adj.2g.* lejano ♦ **ao longe** a lo lejos; **de longe** de/desde lejos; **de longe a longe** de tarde en tarde; de uvas a peras; **ir longe** llegar lejos; **ir longe demais** ir demasiado lejos; **longe de** lejos de; **nem de longe nem de perto** ni de lejos
longevidade *s.f.* longevidad
longínquo *adj.* lejano, distante, apartado
longitude *s.f.* longitud
longitudinal *adj.2g.* longitudinal
longo *adj.* largo; *a reunião foi longa* la reunión ha sido larga; *cabelos longos* pelo largo ♦ **ao longo de** a lo largo de
longueirão *s.m.* ZOOL. navaja*f.*
lontra *s.f.* nutria
lorota *s.f. pop.* trola, mentira, cuento*m.*, embuste*m.*
losango *s.m.* rombo
lotação *s.f.* aforo, cabida*f.*, capacidad*f.*; *lotação esgotada* aforo completo
lote *s.m.* **1** (leilão) lote **2** *(porção)* lote, parte*f.* **3** (terreno) lote, parcela*f.* **4** (produto) tipo
loteamento *s.m.* (terreno) parcelación*f.*
lotear *v.* (terreno) lotear, parcelar
loteria *s.f.* lotería; *ganhar a loteria* caer/tocar la lotería; *jogar na loteria* jugar a la lotería; *loteria esportiva* quiniela
loto *s.m.* BOT. loto ▪ *s.f.* especie de lotería
lótus *s.m.2n.* BOT. loto
louça *s.f.* **1** loza **2** (serviço de mesa) vajilla
louc|o, -a *s.m.,f.* loc|o, -a, demente*2g.*, pirad|o, -a*col.*, chiflad|o, -a*col.*, chalad|o, -a*col.*, majara*2g.col.* ▪ *adj.* **1** loco (**por**, por); *estar louco por alguém* estar loco por alguien **2** loco, imprudente, insensato
loucura *s.f.* **1** MED. locura, demencia **2** *(insensatez)* locura, insensatez; *fazer uma loucura* hacer una locura; *isso é uma loucura!* ¡eso es una locura!
lour|o, -a *adj.,s.m.,f.* rubi|o, -a ▪ **louro** *s.m.* **1** *(loureiro)* laurel **2** *(papagaio)* loro ▪ **louros** *s.m.pl. fig.* laureles
lousa *s.f.* **1** MIN. *(ardósia)* pizarra **2** (escolar) pizarra, encerado*m.* **3** (sepultura) losa
louva-a-deus *s.m.2n.* mantis*f.* religiosa, santateresa*f.*
louvar *v.* alabar, elogiar, loar
louvável *adj.2g.* loable, laudable
louvor *s.m.* alabanza*f.*, elogio
LSD *sigla* (droga alucinógena) LSD (droga alucinógena)
lua *s.f.* luna; *lua cheia/nova* luna llena/nueva ♦ **estar no mundo da lua** estar en babia, estar en la luna; **ser de lua** tener humor inestable, ser alunado(a)
lua de mel *s.f.* (*pl.* luas de mel) luna de miel
luar *s.m.* luz*f.* de la luna; *ao luar* a la luz de la luna
lubrificação *s.f.* lubricación, lubrificación
lubrificante *adj.2g.,s.m.* lubricante, lubrificante
lubrificar *v.* **1** (mecanismo) lubricar, lubrificar **2** engrasar
lucidez *s.f.* lucidez
lúcido *adj.* lúcido
Lucina *s.f.* MIT. Lucina
lucrar *v.* **1** lucrarse, sacar provecho; *lucrarás muito com esse negócio* te lucrarás mucho con ese negocio **2** *(ganhar)* ganar, lograr
lucrativo *adj.* lucrativo; *sem interesse lucrativo* sin ánimo de lucro
lucro *s.m.* lucro, ganancia*f.*
ludibriar *v.* **1** burlar, engañar **2** burlarse (-, de), pitorrearse (-, de), mofarse (-, de)
lúdico *adj.* lúdico
lugar *s.m.* **1** lugar, sitio **2** plaza*f.* **3** pueblo, aldea*f.*, lugar **4** lugar, posición*f.* **5** lugar, empleo ♦ **dar lugar a** dar lugar a; **em lugar de** en lugar de; **ter lugar** tener lugar; **um lugar ao sol** una posición destacada
lugarejo *s.m.* casar
lula *s.f.* calamar*m.*
luminária *s.f.* luminaria; lámpara
luminosidade *s.f.* luminosidad
luminoso *adj.* **1** (sala) luminoso, con mucha luz **2** brillante **3** *fig.* (ideia) luminoso, brillante
lunátic|o, -a *s.m.,f.* lunátic|o, -a, maniátic|o, -o ▪ *adj.* *(aluado)* lunático, maniático
luneta *s.f.* binóculo*m.*
lupa *s.f.* lupa
lusitan|o, -a *adj.,s.m.,f.* **1** lusitan|o, -a **2** *(português)* lusitan|o, -a, portugu|és, -esa
luso *adj.* luso, lusitano, portugués
lusofonia *s.f.* **1** [países que tienen como lengua predominante el portugués] **2** hablantes*m. pl.* de portugués
lusófono *adj.* **1** [que tiene el portugués como lengua oficial] **2** [que habla portugués]
lustrar *v.* lustrar, abrillantar, pulir

lustre *s.m.* **1** *(brilho)* lustre, brillo **2** (luminária) lámpara*f.* (de techo), araña*f.*

luta *s.f.* lucha ◆ **dar luta** dar guerra; **ir à luta** buscarse la vida; **luta de classes** lucha de clases; **luta livre** lucha libre

lutador, -a *adj.,s.m.,f.* luchador, -a

lutar *v.* **1** *(combater)* luchar, pelear, combatir **2** *fig. (esforçar-se)* luchar, batallar

luto *s.m.* luto

luva *s.f.* **1** guante*m.*; (com separação para o polegar) manopla; *luva de crina/forno* manopla de crin/cocina; *luvas de borracha/lã/pele* guantes de goma/lana/piel; *luvas de boxe* guantes de boxeo **2** *fig. (suborno)* soborno*m.* ◆ **assentar como uma luva** sentar como un guante; **atirar a luva** arrojar el guante; **cair como uma luva** sentar como un guante

luxação *s.f.* luxación, dislocación

luxar *v.* dislocar, descoyuntar

Luxemburgo *s.m.* Luxemburgo

luxo *s.m.* lujo, ostentación*f.* ◆ **dar-se ao luxo de** permitirse el lujo de; **de luxo** de lujo

luxuoso *adj.* lujoso

luxúria *s.f.* lujuria

luz *s.f.* **1** luz; *acender/apagar a luz* encender/apagar la luz **2** (veículo) luz, faro*m.*; *luz do freio* luz de freno; *luzes dianteiras/traseiras* faros delanteros/traseros **3** *col. (eletricidade)* luz, electricidad; *ontem cortaram a luz* ayer cortaron la luz ■ **luzes** *s.f.pl. fig.* nociones ◆ **à luz de** a la luz de; **dar à luz** dar a luz; **dar/ter luz verde** dar luz verde; **vir à luz** salir a la luz

luzir *v.* lucir, brillar

lycra *s.f.* lycra, licra

M

m *s.m.* (letra) m*f.*
maca *s.f.* camilla, parihuela
maçã *s.f.* manzana ♦ **maçã do rosto** pómulo
macabro *adj.* macabro
macaca *s.f.* mona ♦ *col.* **estar com a macaca** estar enojado
macacão *s.m.* **1** pantalón de peto, peto **2** (de trabalho) mono [ESP.], overol [AM.]
macac|o, -a *s.m.,f.* mon|o, -a ■ **macaco** *s.m.* **1** MEC. gato, cric **2** *pop. (muco)* albondiguilla*f.*, moco ♦ *col.* **cada macaco no seu galho** cada mochuelo a su olivo; *col.* **macaco de imitação** mono de imitación, imitamonos; *col.* **mandar pentear macacos** mandar a freír espárragos/monas; (pessoa experiente) **ser macaco velho** ser perro viejo
maçaneta *s.f.* (de porta) pomo*m.*; (de porta, janela) picaporte*m.*, manilla; (de gaveta) tirador*m.*
maçante *adj.* pesado
macaquinho *s.m.* mono pequeño ♦ *col.* **ter macaquinhos no sótão** tener pájaros en la cabeza
maçar *v.* **1** *(aborrecer)* aburrir **2** *(importunar)* fastidiar, molestar
maçaric|o, -a *s.m.,f. col.* (pessoa) novat|o, -a*m.f.*, principiante*2g.* ■ **maçarico** *s.m.* soplete (para soldar)
macarrão *s.m.* macarrón
Macau *s.m.* Macao
macerar *v.* macerar
macete *s.m. col.* treta*f.*, estratagema*f.*
machado *s.m.* hacha*f.*
machismo *s.m.* machismo
machista *adj.,s.2g.* machista
macho *s.m.* **1** ZOOL. macho **2** (de colchete, rosca, etc.) macho **3** *fig. (homem)* macho ■ *adj.* **1** (animal) macho **2** *fig.* macho, viril, varonil
machucado *adj.* lastimado ■ *s.m.* herida*f.*
machucar *v.* **1** *(ferir)* herir **2** *(esmagar)* machacar, aplastar **3** (cereais) desgranar **4** *(amarrotar)* chafar, arrugar
maciço *adj.* **1** *(sólido)* macizo; *ouro maciço* oro macizo **2** (floresta) espeso, cerrado **3** *(em massa)* masivo; *difusão maciça* difusión masiva **4** *fig.* sólido ■ *s.m.* **1** macizo, conjunto montañoso **2** bosque cerrado
macieira *s.f.* manzano*m.*
macio *adj.* **1** suave **2** blando **3** *fig.* cariñoso
maço *s.m.* **1** (tabaco) paquete, cajetilla*f.* **2** (folhas de papel) taco, paquete **3** (notas) fajo, taco **4** (martelo) mazo
maçonaria *s.f.* masonería
maconha *s.f.* marihuana, mariguana
má-criação *s.f.* ⟨*pl.* más-criações⟩ **1** *(falta de educação)* mala educación, malcriadez [AM.] **2** *(grosseria)* grosería
macular *v.* **1** *(manchar)* manchar, ensuciar **2** *(desonrar)* manchar, deshonrar

macumba *s.f.* **1** macumba **2** hechicería, brujería
madalena *s.f.* **1** CUL. magdalena **2** *fig.* (mulher) magdalena ♦ *col.* **chorar como uma Madalena** llorar como una Magdalena; llorar a moco tendido
madame *s.f.* señora, dama
madeira *s.f.* madera ■ *s.m.* (vinho) madeira ♦ **bater/tocar na madeira** tocar madera
madeixa *s.f.* (cabelo) mechón*m.*
madrasta *s.f.* madrastra
madre *s.f.* **1** REL. madre superiora **2** REL. *(freira)* monja, madre, hermana **3** ANAT. *(útero)* matriz, útero*m.* **4** ARQ. durmiente*m.*
madrepérola *s.f.* **1** ZOOL. madreperla **2** (substância) nácar*m.*; *brincos de madrepérola* pendientes de nácar
Madri *s.m.* Madrid
madrigal *s.m.* **1** LIT., MÚS. madrigal **2** *(galanteio)* piropo, galantería*f.*
madrinha *s.f.* ⟨*m.* padrinho⟩ **1** madrina; *madrinha de batizado/casamento* madrina de bautizo/boda **2** (de associação, instituição, etc.) madrina
madrugada *s.f.* madrugada ♦ **de madrugada** de madrugada
madrugar *v.* madrugar
maduro *adj.* **1** (fruto) maduro **2** (pessoa) maduro, mayor **3** (ato, decisão) maduro, reflexivo
mãe *s.f.* **1** madre; *mãe de aluguel* madre de alquiler; *mãe adotiva* madre adoptiva; *mãe de família* madre de familia; *col. mãe coruja* madraza; *mãe solteira* madre soltera **2** madre **3** *fig.* madre, causa **4** *fig.* cuna
mãe de santo *s.f.* ⟨*pl.* mães de santo, *m.* pai de santo⟩ santera
maestro *s.m.* ⟨*f.* maestrina⟩ **1** MÚS. (orquestra) director de orquesta, maestro **2** MÚS. *(compositor)* maestro, compositor
má-fé *s.f.* ⟨*pl.* más-fés⟩ mala fe
máfia *s.f.* mafia
mafios|o, -a *adj.,s.m.,f.* mafios|o, -a
magia *s.f.* **1** *(feitiçaria)* magia, hechicería **2** *(ilusionismo)* magia, prestidigitación, ilusionismo*m.* ♦ **por magia** por arte de magia
mágica *s.f.* magia
magicar *v.* cavilar, reflexionar
mágic|o, -a *s.m.,f.* **1** mag|o, -a **2** *(ilusionista)* prestidigitador, -a, ilusionista*2g.* ■ *adj.* mágico
magistério *s.m.* **1** (cargo, profissão) magisterio **2** *(ensino)* enseñanza*f.*
magistrad|o, -a *s.m.,f.* magistrad|o, -a
magnata *s.2g.* magnate
magnésio *s.m.* magnesio
magnético *adj.* magnético
magnetismo *s.m.* magnetismo

magnetizar *v.* **1** (corpo) magnetizar **2** *fig.* (pessoa) magnetizar, fascinar, atraer
magnífico *adj.* magnífico
magnitude *s.f.* magnitud
magnório *s.m.* [LUS.] níspero
mag|o, -a *s.m.,f.* mag|o, -a
mágoa *s.f.* **1** pena, disgusto*m.*, pesar*m.* **2** *(rancor)* rencor*m.*; resquemor*m.*
magoado *adj.* **1** apenado **2** ofendido, disgustado **3** resentido, dolido; ***está muito magoado com o seu filho*** está muy resentido con su hijo **4** lesionado **5** lastimado, magullado
magoar *v.* **1** magullar, herir **2** ofender, lastimar **3** hacer daño **4** disgustar ■ **magoar se 1** lastimarse, magullarse **2** hacerse daño **3** disgustarse
magrel|o, -a *s.m.,f.* palillo ■ *adj.* flaco
magreza *s.f.* **1** delgadez **2** *fig.* penuria, miseria
magricela *adj.,s.2g. pej.* flacuch|o, -a*m.f.*, palillo*m.*, tirillas*pl.*
magro *adj.* **1** (pessoa) delgado **2** (carne) magro
maia *s.f.* BOT. maya ■ *adj.,s.2g.* maya ■ *s.m.* (língua) maya
maio *s.m.* mayo
maiô *s.m.* **1** (de esportistas) maillot **2** bañador, traje de baño, maillot
maionese *s.f.* **1** mayonesa, mahonesa **2** ensaladilla rusa ♦ **viajar na maionese** divagar
maior *adj.2g.* ⟨*comp. de* grande⟩ mayor; ***maior que*** mayor que ♦ *col.* **estar na maior** estar en la gloria; **maior de idade** mayor de edad; **ser o maior** ser el mejor
maioral *s.2g.* **1** mayoral **2** jefe, líder
Maiorca *s.f.* Mallorca
maioria *s.f.* **1** mayoría; ***a maioria de*** la mayoría/mayor parte de; ***estar em maioria*** estar en mayoría **2** (votação) mayoría; ***maioria absoluta*** mayoría absoluta; ***maioria relativa*** mayoría relativa/simple ♦ **maioria silenciosa** mayoría silenciosa; **por maioria de razão** con más razón
maioridade *s.f.* **1** mayoría de edad, mayoridad; ***atingir a maioridade*** llegar/alcanzar la mayoría de edad **2** plenitud, apogeo*m.*
mais *pron.indef.* **1** más; ***tenho mais trabalho*** tengo más trabajo **2** demás ■ *s.m.* **1** resto **2** MAT. más ■ *adv.* **1** (comparativo) más; ***o Pedro é mais alto (do) que a Ana*** Pedro es más alto que Ana **2** (superlativo) más; ***o edifício mais antigo da cidade*** el edificio más antiguo de la ciudad **3** (quantidade) más **4** *(além disso)* además **5** (preferência) más; ***gosto mais de ler*** más me gusta leer **6** (adicional) más; ***não tenho mais dinheiro*** no tengo más dinero **7** (negativa) más; ***não quero mais*** no quiero más **8** *(de sobra)* de más; ***estar a mais*** estar de más **9** (com pron.interr.,indef.) más; ***quem/que mais?*** ¿quién/qué más? ■ *prep.* **1** MAT. más; ***dois mais dois são quatro*** dos más dos igual a cuatro **2** (companhia) con; ***o rapaz saiu mais a irmã*** el muchacho salió con su hermana ♦ **até mais** hasta luego; **de mais** demasiado; **mais ou menos** más o menos; **mais cedo ou mais tarde** más tarde o más temprano; **mais uma vez** una vez más; **por mais que** por más que; **sem mais nem menos** sin más ni menos
maisena *s.f.* maicena
maiúscula *s.f.* mayúscula
maiúsculo *adj.* mayúsculo
majestade *s.f.* **1** *(grandeza)* majestad, grandeza **2** *(imponência)* majestuosidad **3** (tratamento) majestad
Majestade *s.f.* Majestad; ***Sua Majestade*** Su Majestad
major *s.m.* comandante, mayor
majoritário *adj.* mayoritario
mal *adv.* mal ■ *conj.* apenas ■ *s.m.* **1** mal; ***o bem e o mal*** el bien y el mal **2** *(desgraça)* mal, desgracia*f.* **3** *(defeito)* mal **4** *(doença)* mal, enfermedad*f.* **5** *(ofensa)* mal, daño moral ♦ **arrancar o mal pela raiz** atajar de raíz; **cortar o mal pela raiz** cortar de raíz; **de mal a pior** de mal en peor; *col.* **dividir/repartir o mal pelas aldeias** sacudirse las moscas; **ficar de mal com alguém** enfadarse con alguien; **há males que vêm para bem** no hay mal que por bien no venga; **levar a mal** tomar a mal; **mal por mal** mal menor
mala *s.f.* **1** maleta; ***fazer/desfazer a mala*** hacer/deshacer la maleta **2** *(bolsa de mão)* bolso*m.*, cartera*pop.* **3** (veículo) maletero*m.*, portaequipaje*m.* **4** (de correio) valija ♦ **mala de medicamentos** botiquín; **mala diplomática** valija diplomática
malabarismo *s.m.* malabarismo ♦ **fazer malabarismos** hacer malabarismos
malabarista *s.2g.* **1** malabarista, equilibrista **2** *fig.* estafador, -a*m.f.*
Málaga *s.f.* Málaga
malagueta *s.f.* guindilla
malandragem *s.f.* pillería
malandr|o, -a *s.m.,f.* **1** tunant|e, -a **2** holgaz|án, -ana **3** granuja*2g.* ■ *adj.* **1** granuja, pícaro, bromista **2** vago, perezoso
malária *s.f.* malaria, paludismo*m.*
mala sem alça *s.2g.* persona*f.* pesada/aburrida
Malásia *s.f.* Malasia
mal-assombrado *adj.* encantado
malcheiroso *adj.* maloliente
malcomportado *adj.* maleducado, desobediente
malcriado *adj.* malcriado, maleducado
maldade *s.f.* maldad
maldição *s.f.* maldición
maldisposto *adj.* **1** indispuesto, maldispuesto **2** enfadado
maldito *adj.* maldito ♦ **maldito seja!** ¡maldito sea!
maldizer *v.* **1** maldecir **2** echar una maldición, maldecir
maldoso *adj.* **1** malo, malvado, malévolo **2** malicioso, malpensado
maleável *adj.2g.* maleable
mal-educado *adj.* maleducado, malcriado
malefício *s.m.* **1** *(dano)* perjuicio, daño **2** *(feitiço)* maleficio, sortilegio, hechizo
maléfico *adj.* **1** maléfico, perjudicial **2** maligno, malvado

mal-encarado *adj.* **1** ceñudo, malcarado, malhumorado; ***um tipo mal-encarado*** un tipo malcarado **2** *(antipático)* antipático
mal-estar *s.m.* (*pl.* mal-estares) malestar
maleta *s.f.* maletín*m.*
malfeitor, -a *s.m.,f.* malhechor, -a
malfeitoria *s.f.* fechoría
malha *s.f.* **1** malla **2** malla, punto*m.*; ***fazer malha*** hacer punto; ***tecido de malha*** tejido de punto **3** *(camisa)* jersey*m.* **4** (animal) mancha **5** (jogo) marro*m.* **6** (peça) marrón*m.*
malhado *adj.* **1** (animal) manchado **2** (cereal) majado, trillado
malhar *v.* **1** (cereais) trillar **2** *col.* hacer gimnasia **3** *(bater)* golpear
malho *s.m.* mazo ◆ **meter/descer o malho** criticar negativamente
mal-humorado *adj.* malhumorado
malícia *s.f.* **1** malicia **2** astucia, ardid*m.*
malicioso *adj.* malicioso
maligno *adj.* **1** maligno **2** (indício, sinal) mala señal
má-língua *s.f.* (*pl.* más-línguas) chismorreo*m.*, maledicencia ■ *s.2g.* (*pl.* más-línguas) chismos|o, -a*m.f.*, maldiciente; ***dizem as más-línguas que...*** dicen las malas lenguas que...
mal-intencionado *adj.* malintencionado
malmequer *s.m.* margarita*f.*
malograr *v.* malograr, frustrar ■ **malograr-se** malograrse
malote *s.m.* maletín
maltrapilho *adj.* (pessoa) desarrapado, andrajoso, harapiento, zarrapastroso*col.*
maltratar *v.* maltratar
maluc|o, -a *adj.,s.m.,f.* **1** loc|o, -a **2** loc|o, -a, chiflado, disparatad|o, -a
maluquice *s.f.* **1** *(disparate)* locura, disparate*m.* **2** *(tolice)* tontería, idiotez **3** *(extravagância)* extravagancia
malvadeza *s.f.* maldad
malvad|o, -a *adj.,s.m.,f.* malvad|o, -a
malvisto *adj.* **1** malmirado; desacreditado; mala fama **2** malquisto
mama *s.f.* **1** (animal) mama **2** (mulher) pecho*m.*, teta*vulg.* **3** *(período da amamentação)* lactancia
mamada *s.f.* mamada
mamadeira *s.f.* biberón*m.*, mamadera[AM.]
mamado *adj. col.* borracho
mamãe *s.f. col.* mamá, mami*infant.*
mamão *adj.* mamón ■ *s.m.* BOT. papaya*f.*
mamar *v.* **1** mamar; ***dar de mamar ao bebê*** dar de mamar al bebé **2** *pop.* (dinheiro) extorsionar
mamífero *adj.,s.m.* mamífero
mamilo *s.m.* pezón
mamografia *s.f.* mamografía
manada *s.f.* **1** manada, rebaño*m.* **2** *fig.* rebaño*m.*
manar *v.* manar (de, de)
mancada *s.f. col.* metida de pata[AM.], metedura de pata
mancar *v.* **1** cojear, renquear **2** [BRAS.] faltar ■ **mancar se** *coloq., fig.* notar la inconveniencia de su propio acto
mancha *s.f.* mancha
manchar *v.* **1** manchar, ensuciar **2** *fig.* (honra, reputação) mancillar ■ **manchar se** mancharse
manchete *s.f.* **1** (de revista, jornal) titular*m.* **2** noticia más destacada
manco *adj.* cojo
mandachuva *s.2g.* (*pl.* mandachuvas) **1** mandamás*2n.*, pez gordo **2** cacique
mandado *s.m.* **1** mandamiento, orden; ***mandado de prisão*** orden de prisión **2** DIR. mandamiento, orden
mandamento *s.m.* **1** *(ordem)* mandamiento, orden **2** mandamiento, mandato **3** REL. mandamiento; ***os Dez mandamentos*** los Diez Mandamientos
mand|ão, -ona *adj.,s.m.,f.* mand|ón, -ona*col.*
mandar *v.* **1** mandar **2** *(ordenar)* mandar, ordenar **3** *(enviar)* mandar, enviar **4** *(encarregar)* mandar, encargar ◆ (funcionário) **mandar embora** echar, despedir
mandarim *s.m.* (língua) mandarín
mandato *s.m.* **1** *(ordem)* mandato, orden **2** POL. mandato
mandíbula *s.f.* mandíbula
mandinga *s.f.* hechizo*m.*
mandioca *s.f.* mandioca
mando *s.m.* **1** mando **2** autoridad*f.*, mando ◆ **a mando de** al mando de
mané *s.m. col.,pej.* bob|o, -a*m.f.*, tont|o, -a*m.f.*
maneira *s.f.* manera, modo*m.* ■ **maneiras** *s.f.pl.* maneras, modales*m.* ◆ *col.* **à maneira** en condiciones; **à maneira de** a la manera de; **de maneira a/que** para que; **de maneira nenhuma** de ninguna manera; **de qualquer maneira** de todas maneras; **ter maneiras** tener modales
maneiro *adj.* **1** *col.* (pessoa) simpático **2** estupendo
manejar *v.* **1** manejar **2** maniobrar, manipular **3** manejar, controlar
manequim *s.2g.* maniquí, modelo ■ *s.m.* (vitrine) maniquí
manga *s.f.* **1** (roupa) manga; ***arregaçar as mangas*** (ar)remangarse; ***de manga curta/comprida*** de manga corta/larga **2** *téc.* (para cabos) manguito*m.* **3** (aeroporto) pasarela **4** (fruto) mango*m.*
mangar *v. col.* burlarse (com, de), mofarse (com, de)
mangueira *s.f.* **1** manguera, manga **2** BOT. (árvore) mango*m.*
manguito *s.m.* **1** manguito **2** *pop.* corte de mangas*col.* **3** MED. abrazadera*f.*
manha *s.f.* **1** maña, astucia, ardid*m.* **2** maña, destreza
manhã *s.f.* **1** mañana; ***às sete da manhã*** a las siete de la mañana; ***a manhã foi dura*** la mañana ha sido dura; ***da manhã à noite*** de la mañana a la noche **2** amanecer*m.*, madrugada, mañana ◆ **de manhã** por la mañana; **pela manhã** por la mañana
manhoso *adj.* **1** mañoso, diestro, habilidoso **2** astuto **3** malo **4** *pop.* cutre

mania *s.f.* **1** MED. manía **2** *(obsessão)* manía, obsesión*m.*; ***ter mania de limpeza*** tener la manía de la limpieza **3** capricho*m.*, terquedad, cabezonería; ***ter mania de grandeza*** tener delirios de grandeza ♦ **mania de perseguição** manía persecutoria

maníac|o, -a *adj.,s.m.,f.* **1** maniátic|o, -a, neurótico **2** obsesionado

manicômio *s.m.* manicomio

manicure *s.f.* (pessoa) manicur|o, -a*m.f.*

manifestação *s.f.* **1** manifestación, expresión; ***manifestação de desejos*** manifestación de deseos **2** *(concentração pública)* manifestación; ***convocaram uma manifestação*** han convocado una manifestación

manifestante *s.2g.* manifestante

manifestar *v.* **1** (ponto de vista, opinião) manifestar, declarar **2** (ideia, sentimento) manifestar, poner de manifiesto ■ **manifestar-se 1** (pessoa) manifestarse **2** (doença, sintoma) manifestarse

manifesto *s.m.* manifiesto ■ *adj.* **1** manifiesto, patente **2** irrefutable

manipulação *s.f.* **1** manipulación **2** FARM. confección **3** MED. palpación

manipulador, -a *adj.,s.m.,f.* manipulador, -a

manipular *v.* **1** manipular **2** manejar **3** confeccionar

manivela *s.f.* manivela, manubrio*m.*

manjado *adj. col.* consabido

manjar *s.m.* manjar ■ *v.* **1** comer **2** *col.* ver **3** *col.* entender

manjedoura *s.f.* comedero*m.*, pesebre*m.*

manjericão *s.m.* albahaca*f.*

man|o, -a *s.m.,f. col.* herman|o, -a

manobra *s.f.* **1** maniobra **2** *fig.* maniobra, estrategia ■ **manobras** *s.f.pl.* MIL. maniobras

manobrar *v.* **1** (mecanismo) manejar **2** (veículo) maniobrar **3** (pessoa) manipular, manejar

mansão *s.f.* mansión

manso *adj.* **1** (pessoa) manso, dócil **2** (mar) tranquilo **3** (animal) manso **4** (pinheiro) cultivado

manta *s.f.* manta; (de bebê) toquilla, mantilla, chal*m.* ♦ **pintar a manta 1** hacer diabluras **2** correrse una juerga

manteiga *s.f.* mantequilla; ***manteiga com/sem sal*** mantequilla con/sin sal; ***pôr manteiga em*** untar con mantequilla ♦ **manteiga de cacau** manteca de cacao

> Não confundir com a palavra espanhola **manteca** (*banha*).

manteigueira *s.f.* mantequera, mantequillera [AM.]

manter *v.* mantener ■ **manter se** mantenerse; ***manter-se de pé*** mantenerse en pie

mantimentos *s.m.pl.* víveres, provisiones*f.*

manto *s.m.* **1** manto **2** *fig.* capa*f.*, manto; ***um manto de neve*** una capa de nieve **3** *fig.* velo **4** GEOL. manto

manual *adj.2g.* manual; ***trabalhos manuais*** trabajos manuales ■ *s.m.* **1** manual; ***manual de instruções*** manual de instrucciones **2** (escolar) libro de texto

manufatura *s.f.* **1** manufactura **2** *(fábrica)* manufactura, fábrica

manufaturar *v.* **1** fabricar manualmente **2** manufacturar, fabricar

manuscrever *v.* manuscribir

manuscrito *adj.* manuscrito, escrito a mano ■ *s.m.* manuscrito

manusear *v.* **1** manosear **2** (livro) hojear

manutenção *s.f.* **1** *(conservação)* manutención **2** administración **3** mantenimiento*m.*

mão *s.f.* **1** ANAT. mano **2** (utensílio) asa, mango*m.* **3** (rua) sentido*m.* **4** *(demão)* mano **5** ESPOR. vuelta ♦ **abrir mão de** renunciar a; **à mão** a mano; (assalto, ataque) **à mão armada** a mano armada; **com as mãos na massa** con las manos en la masa; **dar a mão à palmatória** darse por vencido; **dar uma mão a alguém** echar una mano a alguien; **de mão em mão** de mano en mano; **de mãos dadas** cogidos de la mano; **de mão beijada** con los ojos cerrados; ***dar/receber alguma coisa de mão beijada*** dar/recibir algo con los ojos cerrados; **esfregar as mãos de contente** frotarse las manos; *col.* **estar com as mãos na massa** estar metido en harina; **estar em boas mãos 1** estar en buenas manos **2** a buen recaudo; **ficar abanando as mãos** perder todo; **fora de mão** no coger de camino; a desmano; **mãos à obra!** ¡manos a la obra!; **meter a mão** meter la mano; **não ter mãos a medir** estar hasta arriba de trabajo; **passar de mão em mão** pasar de mano en mano; **pedir a mão** pedir la mano; **pôr as mãos no fogo por (alguém)** poner la mano en el fuego por (alguien); **pôr mãos à obra** ponerse manos a la obra; **ter mãos de fada** tener buena mano; tener manos de ángel; **uma mão na roda** una gran ayuda

mão de obra *s.f.* (*pl.* mãos de obra) **1** mano de obra **2** dificultad

mão de vaca *s.f.* avaro

mapa *s.m.* **1** mapa, carta; ***mapa de estradas*** mapa de carreteras **2** gráfico*m.*, diagrama*m.* **3** catálogo*m.* **4** (cidade) plano **5** (de ruas) callejero ♦ *col.* **desaparecer do mapa** desaparecer del mapa; **mapa astral** carta astral

mapeamento *s.m.* INFORM. mapeamiento

mapear *v.* mapear

maquete *s.f.* maqueta

maquiador, -a *s.m.,f.* maquillador, -a

maquiagem *s.f.* maquillaje*m.*; ***pôr maquiagem*** ponerse maquillaje

maquiar *v.* maquillar ■ **maquiar se** maquillarse

maquiavélico *adj.* maquiavélico

máquina *s.f.* **1** máquina; ***máquina a vapor*** máquina de vapor; ***máquina de barbear*** maquinilla de afeitar eléctrica; ***máquina de calcular*** calculadora; ***máquina de cortar grama*** cortacésped; ***máquina de costura*** máquina de coser; ***máquina de escrever*** máquina de escribir; ***máquina de lavar louça*** lavavajillas, lavaplatos, friegaplatos; ***máquina de lavar roupa*** lavadora; ***máquina de secar (roupa)*** secadora; ***máquina de tricotar*** tricotosa; ***máquina fotográfica*** máquina fotográfica; *máquina registradora* caja registradora **2** mecanismo*m.* ◆ **à máquina** a máquina; **à máquina zero** al rape; *cortar o cabelo à máquina zero* cortar el pelo al rape

maquinar *v.* maquinar, tramar

maquinista *s.2g.* maquinista

mar *s.m.* mar; *mar alto* alta mar ◆ **mar de rosas** mar de leche; **nem tanto ao mar nem tanto à terra** ni tanto ni tan calvo; **por mar** por mar

maracujá *s.m.* **1** (fruto) maracuyá **2** (planta) pasionaria*f.*

marajá *s.m.* marajá

marasmo *s.m.* **1** marasmo, apatía*f.* **2** melancolía*f.*; tristeza*f.* **3** desánimo **4** MED. marasmo

maratona *s.f.* **1** ESPOR. maratón*m./f.* **2** *fig.* (atividade) maratón*m.*

maravilha *s.f.* maravilla ◆ **às mil maravilhas** a las mil maravillas; de maravilla; **dizer maravilhas de** decir maravillas de; **fazer maravilhas** hacer maravillas; **oitava maravilha (do mundo)** la octava maravilla (del mundo)

maravilhado *adj.* maravillado

maravilhar *v.* maravillar ■ **maravilhar-se** maravillarse

maravilhoso *adj.* maravilloso

marca *s.f.* **1** *(sinal)* marca **2** (produtos) marca; *marca registrada* marca registrada **3** marca **4** marco*m.* finés

marcação *s.f.* **1** marcaje*m.*; señalización **2** (espetáculo, transporte) reserva; *fazer uma marcação* hacer una reserva **3** fijación, cita **4** *(marca)* marca, señal **5** (médico) cita **6** ESPOR. marcaje*m.* **7** ESPOR. saque*m.* de falta

marcador *s.m.* **1** marcador; *marcador de livro* marcador, punto de lectura, marcapáginas*2n.* **2** (caneta) rotulador; *marcador de texto* rotulador fosforescente **3** ESPOR. marcador **4** ESPOR. goleador **5** ESPOR. marcador, tanteador

marcante *adj.2g.* **1** impresionante **2** (acontecimento) importante, inolvidable

marcar *v.* **1** *(assinalar)* marcar, señalar **2** marcar, delimitar **3** marcar **4** (bilhete, lugar) reservar **5** (consulta, compromisso) concertar; *marcar um encontro com alguém* concertar un cita con alguien **6** (número de telefone) marcar **7** ESPOR. marcar **8** (ponto, gol) marcar, anotar; *marcar um gol* marcar un gol

marcenaria *s.f.* ebanistería

marceneir|o, -a *s.m.,f.* ebanista*2g.*

marcha *s.f.* **1** ESPOR. marcha **2** *(andamento)* marcha **3** *(caminhada)* marcha, caminaria **4** MIL. marcha **5** MÚS. marcha; *marcha fúnebre* marcha fúnebre; *marcha nupcial* marcha nupcial ◆ **marcha à ré** marcha atrás; **pôr alguma coisa em marcha** poner algo en marcha

marchar *v.* **1** marchar **2** marchar, caminar, andar **3** marchar, progresar

marcian|o, -a *adj.,s.m.,f.* marcian|o, -a

marco *s.m.* **1** (terreno) hito, mojón **2** (antiga moeda alemã) marco **3** *fig.* hito

março *s.m.* marzo

maré *s.f.* **1** marea; *maré alta* marea alta; *maré baixa/vaza* marea baja; *maré-cheia* pleamar **2** *fig.* trancurso*m.*, devenir*m.* **3** *fig. (etapa)* racha; *maré de azar* mala racha; *maré de sorte* buena racha ◆ **maré negra/vermelha** marea negra/roja; **nadar/remar contra a maré** ir contra (la) corriente

marechal *s.m.* mariscal

maremoto *s.m.* maremoto

maresia *s.f.* olor*m.* del mar

marfim *s.m.* marfil

margarida *s.f.* margarita

margarina *s.f.* margarina

margem *s.f.* **1** margen*m./f.*, orilla **2** (página) margen*m.* **3** *(pretexto)* margen, pretexto ◆ **à margem de** al margen de; **margem de erro** margen de error; **margem de manobra** margen de maniobra; ECON. **margem de lucro** margen de ganancia; **pôr à margem** dejar al margen

marginal *adj.2g.* **1** marginal **2** ribereño ■ *s.2g.* marginal ■ *s.f.* **1** paseo*m.* marítimo **2** [carretera situada a lo largo de un curso de agua]

marginalidade *s.f.* **1** marginalidad **2** marginación

marginalização *s.f.* marginación

marginalizado *adj.* (pessoa) marginado

marginalizar *v.* (pessoa) marginar

maria-chiquinha *s.f.* (*pl.* marias-chiquinhas) (cabelo) coleta*f.*

maria vai com as outras *s.2g.2n. col.* pelele

marido *s.m.* marido

marimbar-se *v. col.* [LUS.] pasar (para, de); *ela está a marimbar-se para ele* pasa de él; *ele está a marimbar-se para o trabalho* pasa del trabajo

marimbondo *s.m.* avispón

marinar *v.* marinar

marinha *s.f.* marina; *marinha de guerra* marina de guerra; *marinha mercante* marina mercante

marinheir|o, -a *s.m.,f.* mariner|o, -a, marino*m.* ◆ **marinheiro de água doce** marinero de agua dulce

marinho *adj.* **1** marino **2** (cor) azul marino

marionete *s.f.* marioneta, títere*m.*; *espetáculo de marionetas* teatro de marionetas

mariposa *s.f.* ZOOL. mariposa

mariquinhas *adj.2g.,s.m.2n.* marica

marisco *s.m.* marisco

marítimo *adj.* marítimo

marmanj|o, -a *s.m.,f.* **1** *pop.* chicarr|ón, -ona **2** *pop.* brib|ón, -ona, pill|o, -a

marmelada *s.f.* CUL. carne de membrillo, membrillo*m.*

marmelo *s.m.* (fruto) membrillo

marmita *s.f.* fiambrera, tartera; (soldado) marmita

mármore *s.m.* mármol

marmota *s.f.* **1** ZOOL. (mamífero) marmota **2** ZOOL. (peixe) pescadilla

marquês *s.m.* (*f.* marquesa) marqués

marquesa *s.f.* **1** (*m.* marquês) marquesa **2** camilla

marquise *s.f.* marquesina

marrar *v.* **1** (animal) cornear **2** *gír.* aprender de memoria
marreta *s.f.* almádena
Marrocos *s.m.pl.* Marruecos
marrom *adj.,s.m.* marrón, castaño
marroquin|o, -a *adj.,s.m.,f.* marroquí*2g.*
marsupial *adj.2g.,s.m.* marsupial
marsúpio *s.m.* ZOOL. marsupio, bolsa*f.* marsupial
Marte *s.m.* MIT.,ASTRON. Marte
martelada *s.f.* martillazo*m.*
martelar *v.* **1** martillear, martillar **2** (piano) aporrear **3** *fig. (insistir)* machacar, martillear
martelo *s.m.* **1** martillo **2** (tribunal, leilão) mazo ♦ **martelo pneumático** martillo neumático
mártir *s.2g.* mártir
martírio *s.m.* martirio
martirizar *v.* martirizar ■ **martirizar-se** martirizarse
marujo *s.m.* marinero
mas *conj.* **1** pero **2** a base de bien **3** entonces ■ *s.m.* **1** pero, objeción*f.* **2** pero, defecto ♦ **mas sim** pero; **nem mas nem meio mas!** no hay pero que valga
mascar *v.* **1** mascar; *mascar chiclete* mascar un chicle **2** (palavras) mascar, mascullar*col.*
máscara *s.f.* **1** (aparelho) máscara, antifaz*m.* **2** (de cirurgia) mascarilla **3** máscara, disfraz*m.* **4** semblante*m.*, aspecto*m.* **5** *fig.* máscara, careta; *deixar cair a máscara* caérsele (a alguien) la máscara **6** (cosmética) mascarilla; *máscara de argila* mascarilla de arcilla **7** (pestanas) máscara de pestañas, rímel*m.* ♦ **máscara antigás** máscara/careta antigás; **máscara de oxigênio** mascarilla de oxígeno; **máscara de mergulho** gafas de bucear
mascarado *adj.* **1** enmascarado **2** disfrazado ■ *s.m.* máscara*f.*
mascarar *v.* **1** enmascarar **2** disfrazar(se), enmascarar, disimular ■ **mascarar se** enmascararse
mascote *s.f.* **1** *(amuleto)* mascota **2** (figura) mascota
masculinidade *s.f.* masculinidad
masculino *adj.* masculino ■ *s.m.* masculino
másculo *adj.* viril
masoquismo *s.m.* masoquismo
masoquista *adj.,s.2g.* masoquista, masoca*col.*
massa *s.f.* **1** masa; *massa de bolo* masa para tarta; *massa folhada* masa de hojaldre **2** *(macarrão)* pasta **3** *(argamassa)* argamasa **4** FÍS. masa **5** *col. (dinheiro)* pasta, plata [AM.]; *ele está cheio de massa* está forrado, tiene mucha pasta ♦ **em massa** en masa; *col.* **massa cinzenta** materia gris; cerebro
massacrar *v.* **1** masacrar **2** *fig.* fastidiar, jorobar
massacre *s.m.* masacre*f.*, matanza*f.*
massagear *v.* masajear, dar un masaje
massagem *s.f.* masaje*m.*; *fazer massagens* dar masajes
massagista *s.2g.* masajista
massaroca *s.f. col.* pasta, guita, parné*m.*
massificar *v.* masificar
massinha *s.f.* plastilina, plastelina
mastectomia *s.f.* mastectomía
mastigação *s.f.* masticación
mastigar *v.* **1** (alimento) masticar **2** *fig.* (palavras) mascullar
mastim *s.m.* ZOOL. (cão) mastín
mastro *s.m.* **1** NÁUT. mástil, palo **2** (bandeira) asta*f.*, mástil
masturbação *s.f.* masturbación
masturbar-se *v.* masturbarse
mata *s.f.* **1** selva; *mata virgem* selva virgen **2** *(floresta)* bosque*m.*
mata-borrão *s.m.* (*pl.* mata-borrões) papel secante
matador, -a *s.m.,f.* matador, -a
matadouro *s.m.* matadero, macelo
matagal *s.m.* **1** matorral **2** *fig.* maraña*f.*
mata-moscas *s.m.2n.* (substância, utensílio) matamoscas
matança *s.f.* **1** (pessoas) matanza, masacre*m.*, carnicería **2** (porco) matanza
matar *v.* **1** matar **2** destruir **3** (fome, sede) matar **4** (tempo) matar ■ **matar se** **1** suicidarse **2** desvivirse, matarse ♦ **matar aula** hacer novillos/pellas
mate *adj.2g.2n.* mate ■ *s.m.* **1** (xadrez) mate, jaque mate **2** BOT. yerba*f.* mate **3** (infusão) mate
matemática *s.f.* matemática(s)
matemátic|o, -a *adj.,s.m.,f.* matemátic|o, -a
matéria *s.f.* **1** FÍS. materia **2** (substância) materia; *matéria orgânica* materia orgánica **3** *(assunto)* materia, asunto*m.*; *ser perito na matéria* ser experto en la materia ♦ **em matéria de** en materia de
material *adj.2g.* material; *bens materiais* bienes materiales; *danos materiais* daños materiales ■ *s.m.* **1** material; *materiais de construção* materiales de construcción **2** (atividade, serviço) material; *material de escritório* material de oficina; *material desportivo* material deportivo; *material escolar* material escolar
materialismo *s.m.* materialismo
materialista *adj.,s.2g.* materialista
materializar *v.* **1** materializar **2** *(concretizar)* concretar ■ **materializar se** **1** materializarse **2** *(concretizar-se)* concretarse
matéria-prima *s.f.* (*pl.* matérias-primas) materia prima
maternal *adj.2g.* maternal
maternidade *s.f.* **1** maternidad **2** embarazo*m.*
materno *adj.* materno
matina *s.f. col.* mañana
matinal *adj.2g.* matinal
matinê *s.f.* matiné
mato *s.m.* monte [terreno inculto]
matriarca *s.f.* matriarca
matrícula *s.f.* **1** *(inscrição)* matrícula, matriculación, inscripción; *fazer a matrícula* hacer la matrícula **2** (veículo) matrícula
matricular *v.* matricular ■ **matricular-se** matricularse (em, en); *matriculei-me na Faculdade de Medicina* me matriculé en la Facultad de Medicina
matrimonial *adj.2g.* matrimonial
matrimônio *s.m.* matrimonio

matriz *s.f.* **1** ANAT. matriz, útero*m.* **2** MAT. matriz **3** *(molde)* matriz, molde*m.* ■ *adj.2g.* matriz; ***igreja matriz*** iglesia matriz
maturidade *s.f.* madurez
matutar *v. col.* cavilar
mau *adj.* malo; (antes *s.m.sing.*) mal ♦ **ser o mau da história** ser el malo de la película
mau-olhado *s.m.* (*pl.* maus-olhados) mal de ojo; ***pôr mau-olhado em alguém*** echarle (el) mal de ojo a alguien
mauricinho *s.m. col.* pijo
mausoléu *s.m.* mausoleo
maxilar *s.m.* maxilar
maximizar *v.* **1** maximizar **2** engrandecer **3** INFORM. maximizar
máximo (*superl. de* grande) *adj.* máximo ■ *s.m.* máximo; ***ao máximo*** al máximo ♦ **ao máximo** a tope; **no máximo** como mucho/máximo; *col.* **ser o máximo** ser el no va más
meado *s.m.* medio; ***em meados de março*** a mediados de Marzo
mecânica *s.f.* mecánica
mecânic|o, -a *s.m.,f.* mecánic|o, -a ■ *adj.* **1** mecánico **2** *fig.* mecánico, automático
mecanismo *s.m.* mecanismo ♦ (psicanálise) **mecanismo de defesa** mecanismo de defensa
mecanizar *v.* mecanizar
mecha *s.f.* **1** (vela) mecha, pabilo*m.* **2** (cabelo) mechón*m.*; mecha **3** (explosivos) mecha **4** (cabelo pintado) mechas, reflejos*m.*; ***fazer mechas*** ponerse mechas
medalha *s.f.* **1** medalla; ***medalha de bronze/ouro/prata*** medalla de bronce/oro/plata **2** medalla, galardón*m.* **3** (joia) medallón*m.*
medalhão *s.m.* medallón
média *s.f.* **1** media, promedio*m.* **2** nota media **3** *col.* café*m.* con leche
mediador, -a *s.m.,f.* mediador, -a
mediante *prep.* **1** *(por meio de)* mediante, por medio de **2** *(em troca de)* a cambio de **3** *(de acordo com)* mediante, de acuerdo con
mediar *v.* mediar (em, en)
mediatizar *v.* mediatizar
medicação *s.f.* medicación
medicamento *s.m.* medicamento, medicina*f.*
medicar *v.* medicar
medicina *s.f.* medicina; ***medicina do trabalho*** medicina del trabajo; ***medicina geral*** medicina general; ***medicina interna*** medicina interna; ***medicina legal*** medicina forense/legal; ***medicina popular*** medicina popular; ***medicina preventiva*** medicina preventiva; ***medicina alternativa*** medicina alternativa
medicinal *adj.2g.* medicinal
médic|o, -a *s.m.,f.* MED. médic|o, -a, facultativ|o, -a; ***médico de família*** médico de cabecera/familia ■ *adj.* médico; ***atestado médico*** certificado médico; ***exame médico*** reconocimiento médico, chequeo; ***receita médica*** receta médica
medida *s.f.* **1** *(grandeza)* medida **2** *(medição)* medida **3** intención, plan*m.*, decisión **4** *fig.* grado*m.* **5** *fig.* medida, moderación ♦ **à medida de** a la medida de; **à medida que** a medida que; **em certa medida** en cierta medida, hasta cierto punto; **encher as medidas** molar *col.*, satisfacer plenamente; **na medida do possível** en la medida de lo posible; **na medida em que** en la medida de; **sob medida** a la medida; **passar das medidas** pasarse de la raya; **tomar medidas** tomar medidas
medidor *s.m.* **1** (instrumento) medidor, instrumento de medición **2** (copo) vaso graduado ♦ **medidor de altura** medidor de altura
medieval *adj.2g.* medieval
médio *adj.* **1** medio **2** mediano ■ *s.m.* **1** medio **2** dedo corazón
medíocre *adj.2g.* **1** mediocre **2** regular, normal ■ *s.m.* **1** mediocre **2** *gír.* suspenso, insuficiente
mediocridade *s.f.* mediocridad
medir *v.* **1** medir **2** evaluar **3** calcular **4** *fig.* medir ■ **medir se 1** pegarse con **2** competir
meditação *s.f.* meditación
meditar *v.* meditar
mediterrâneo *adj.* mediterráneo; ***sabores mediterrâneos*** sabores mediterráneos
Mediterrâneo *s.m.* Mediterráneo
mediterrânico *adj.* mediterráneo
médium *s.2g.* (*pl.* médiuns) médium
mediúnico *adj.* mediúmnico
medo *s.m.* **1** miedo, recelo **2** miedo ♦ **a medo** dudando; **morrer de medo** morirse de miedo
medonho *adj.* **1** *(assustador)* horrible, horrendo, terrorífico **2** *(horrível)* horroroso
medroso *adj.* **1** miedoso, temeroso **2** tímido, cortado
medula *s.f.* **1** ANAT. médula, tuétano*m.* **2** ANAT. médula; ***medula espinal/óssea*** médula espinal/ósea ♦ **até a medula** hasta la médula
Medusa *s.f.* MIT. Medusa
megafone *s.m.* megáfono
mega-hertz *s.m.* megahercio, megahertz
megera *s.f. pej.* arpía, mujer cruel
meia *s.f.* (até meio da perna) media; (curta) calcetín*m.* ♦ **a meias** a medias
meia-calça *s.f.* (*pl.* meias-calças) panty*m.*, medias*pl.*; (de lã) leotardos*m. pl.*
meia-idade *s.f.* (*pl.* meias-idades) edad madura, mediana edad
meia-irmã *s.f.* (*pl.* meias-irmãs, *m.* meio-irmão) hermanastra
meia-lua *s.f.* (*pl.* meias-luas) **1** ASTRON. media luna **2** (forma) medialuna, semicírculo*m.* **3** (unhas) selenosis*2n.*, mentira*col.*
meia-noite *s.f.* (*pl.* meias-noites) medianoche; ***à meia--noite*** a medianoche
meia-tigela *s.f.* objeto*m.* de poco valor o utilidad; ***de meia-tigela*** de morondanga, de poco valor
meigo *adj.* cariñoso, tierno, afectuoso, mimoso

meio *adj.* **1** *(metade)* medio; *meio litro* medio litro **2** medio ■ *s.m.* **1** medio **2** *(metade)* mitad*f.* **3** medio, modo **4** medio, ambiente; *meio rural* medio rural ■ *adv.* medio ■ **meios** *s.m.pl.* medios ♦ **a meias 1** mitad y mitad **2** a medias; **meio de comunicação** medio de comunicación; **meio ambiente** medio ambiente; **meio de transporte** medio de transporte; **no meio de 1** en medio de **2** en mitad de **3** a mitad de; **por meio de** por medio de

meio-campo *s.m.* (*pl.* meios-campos) **1** ESPOR. (zona) centro del campo, medio campo **2** ESPOR. (jogadores) centrocampistas*pl.*

meio-dia *s.m.* (*pl.* meios-dias) mediodía; *ao meio-dia* al mediodía

meio-fio *s.m.* (*pl.* meios-fios) bordillo

meio-irmão *s.m.* (*pl.* meios-irmãos, *f.* meia-irmã) hermanastro, medio hermano

meio-tempo *s.m.* (*pl.* meios-tempos) **1** ESPOR. descanso, medio tiempo[AM.] **2** *(intervalo)* pausa*f.*, descanso

meio-termo *s.m.* (*pl.* meios-termos) término medio

meio-tom *s.m.* (*pl.* meios-tons) **1** MÚS. semitono **2** *(cor)* color intermedio

mel *s.m.* miel*f.*

melado *adj.* pegajoso, pringoso

melancia *s.f.* sandía

melancolia *s.f.* melancolía

melancólico *adj.* melancólico

melanina *s.f.* melanina

melão *s.m.* (fruto) melón

meleca *s.f.* **1** (nariz) moco*m.* reseco **2** porquería, inmundicia **3** insignificancia, chuchería

melga *s.f.* **1** ZOOL. mosquito*m.* **2** *col.* (pessoa) pelmaz|o, -a*m.f.*, pelma*2g.*

melhor *adj.2g.* **1** (*comp. de* bom) mejor **2** (*superl. de* bom) mejor ■ *s.m.* mejor ■ *adv.* (*comp. de* bem) mejor ♦ **ir desta para uma melhor** morir; **ou melhor** mejor dicho

melhora *s.f.* mejora ■ **melhoras** *s.f.pl.* mejoría (de salud); *melhoras!* ¡que se mejore!, ¡que te mejores!

melhoramento *s.m.* mejoramiento, mejoría*f.*

melhorar *v.* **1** mejorar **2** mejorar; *melhorar o seu recorde pessoal* mejorar su marca personal **3** (doença) mejorar(se); *o doente melhorou bastante* el enfermo ha mejorado bastante **4** (tempo) mejorar; *o tempo melhorou* el tiempo ha mejorado

melhoria *s.f.* **1** mejoría **2** *(vantagem)* ventaja

melindrar *v.* **1** molestar, ofender **2** entristecerse ■ **melindrar se** molestarse, ofenderse

melodia *s.f.* melodía

melodrama *s.m.* **1** melodrama **2** *pej.* dramón **3** *col.* melodrama, drama

melodramático *adj.* melodramático

meloso *adj.* meloso

melquetrefe *s.2g. col.* ⇒ **mequetrefe**

membrana *s.f.* membrana

membro *s.m.* **1** ANAT. miembro; *membro inferior/superior* membro inferior/superior **2** miembro; *membros do júri* miembros del jurado **3** (estado, país) estado miembro **4** MAT. miembro

memorando *s.m.* **1** memorándum, nota*f.*, apunte **2** (diplomacia) memorándum

memorável *adj.2g.* memorable

memória *s.f.* **1** (de pessoa) memoria; *fig. memória de elefante* memoria de elefante; *memória visual* memoria fotográfica; *perder a memória* perder la memoria **2** *(lembrança)* memoria, recuerdo*m.* **3** INFORM. memoria ■ **memórias** *s.f.pl.* LIT. memorias ♦ **de memória** de memoria, de carrerilla; **em memória de** en/a la memoria de; **trazer alguma coisa à memória** traer algo a la memoria; **varrer da memória** borrar de la memoria

memorial *s.m.* memorial

memorização *s.f.* memorización

memorizar *v.* memorizar

menção *s.f.* mención, referencia; *fazer menção de alguma coisa* hacer mención de algo; *ser digno de menção* ser digno de mención ♦ (gesto) **fazer menção de ...** hacer ademán de ...; (concurso) **menção honrosa** mención honorífica

mencionar *v.* mencionar, citar, nombrar

mendigar *v.* **1** pordiosear, pedir **2** mendigar, pedir limosna

mendig|o, -a *s.m.,f.* mendig|o, -a, pordioser|o, -a

menina *s.f.* **1** ⇒ **menino 2** (tratamento) señorita

meninge *s.f.* meninge

meningite *s.f.* meningitis*2n.*

menin|o, -a *s.m.,f.* niñ|o, -a, chic|o, -a ♦ **a menina dos olhos (de alguém)** la niña de los ojos (de alguien); **Menino Jesus** Niño Jesús

menisco *s.m.* menisco

menopausa *s.f.* menopausia

menor *adj.2g.* **1** (*comp. de* pequeno) más pequeño, menor **2** menor ■ *s.2g.* menor; *menor de idade* menor de edad

menos *pron.indef.* menos; *tenho menos trabalho* tengo menos trabajo; *tenho cinco balas, mas tu tens menos* tengo cinco caramelos, pero tú tienes menos ■ *s.m.* **1** *(mínimo)* menos; *isso é o de menos!* ¡eso es lo de menos! **2** MAT. menos ■ *adv.* **1** (comparativo) menos; *este livro é menos interessante do que o anterior* este libro es menos interesante que el anterior **2** (superlativo) menos; *o menos inteligente* el menos inteligente **3** (quantidade) menos; *hoje chove menos* hoy llueve menos ■ *prep.* **1** menos, excepto; *estamos abertos todos os dias, menos às segundas-feiras* abrimos todos los días, menos los lunes **2** MAT. menos; *cinco menos três são dois* cinco menos tres son dos ♦ **a menos que** a menos que; **ao menos** al menos; **nem mais nem menos** ni más ni menos; **pelo menos** por lo menos; siquiera; **quando menos se espera** cuando menos se espera

menosprezar *v.* **1** menospreciar, infravalorar, subvalorar **2** *(desprezar)* menospreciar, despreciar, desdeñar

menosprezo *s.m.* menosprecio

mensageir|o, -a *s.m.,f.* mensajer|o, -a

mensagem *s.f.* **1** mensaje*m.* **2** INFORM. mensaje, e mail **3** mensaje*m.* **4** felicitación*f.*

mensal *adj.2g.* mensual
mensalidade *s.f.* mensualidad, mes*m.*
mensalmente *adv.* mensualmente
menstruação *s.f.* menstruación, regla, periodo*m.*
menstrual *adj.2g.* menstrual; *ciclo menstrual* ciclo menstrual
menstruar *v.* menstruar
mensurar *v.* mensusar, medir
menta *s.f.* menta
mental *adj.2g.* mental
mentalidade *s.f.* mentalidad
mentalizar *v.* **1** imaginar **2** mentalizar, concienciar ■ **mentalizar se** mentalizarse, concienciarse
mente *s.f.* **1** *(intelecto)* mente; *ele tem uma mente brilhante* él tiene una mente brillante **2** memoria ◆ **ter em mente** tener en mente
mentir *v.* mentir; *mentiu para mim* me has mentido
mentira *s.f.* mentira; *contar mentiras* decir mentiras; *grande mentira!* ¡vaya mentira!; *mentira deslavada* mentira podrida/cochina; *mentira piedosa* mentira piadosa ◆ **parecer mentira** parecer mentira
mentiros|o, -a *adj.,s.m.,f.* mentiros|o, -a
mentol *s.m.* mentol
mentolado *adj.* mentolado
menu *s.m.* **1** (restaurante) menú; *menu do dia* menú del día **2** *(cardápio)* carta*f.*, menú **3** INFORM. menú
mequetrefe *s.2g. col.* mequetrefe
mercado *s.m.* **1** mercado; mercadillo **2** ECON. demanda, salida, mercado*m.* ◆ **mercado negro** mercado negro
mercadoria *s.f.* mercancía
mercante *adj.2g.* mercante; *marinha mercante* marina mercante
mercantil *adj.2g.* mercantil
mercantilismo *s.m.* mercantilismo
mercantilista *adj.,s.2g.* mercantilista
mercearia *s.f.* **1** tienda de ultramarinos, tienda de comestibles, colmado*m.* **2** *(gêneros alimentícios)* comestibles*m. pl.*
mercenári|o, -a *adj.,s.m.,f.* mercenari|o, -a
mercúrio *s.m.* mercurio
Mercúrio *s.m.* MIT.,ASTRON. Mercurio
merda *s.f. vulg.* mierda ■ *interj. vulg.* ¡mierda!
merecedor *adj.* merecedor (de, de), digno (de, de); *é merecedor da nossa consideração* es merecedor de nuestra consideración
merecer *v.* **1** merecer; *o time de vocês mereceu ganhar* vuestro equipo mereció ganar **2** merecer, merecerse; *ele merece o nosso respeito* él se merece nuestro respeto ◆ **ter o que se merece** tener lo que se merece
merecimento *s.m.* mérito
merenda *s.f.* merienda
merendar *v.* merendar
merengue *s.m.* **1** CUL. merengue **2** MÚS. merengue
mergulhador, -a *s.m.,f.* **1** (pessoa) buceador, -a **2** (profissional) buzo*m.*, submarinista*2g.*
mergulhar *v.* **1** bucear **2** sumergir, meter; *ele mergulhou no rio* él se sumergió en el río **3** sumergir; tirarse (al agua), bañarse; *ele mergulhou no rio* él se bañó/se ha bañado en el río **4** caer en picado **5** *fig.* meterse de lleno **6** *fig.* envolver
mergulho *s.m.* **1** (piscina, praia) salto **2** chapuzón, zambullida*f.*; *de mergulho* de cabeza; (por brincadeira) ahogadilla **3** ESPOR. buceo, submarinismo **4** en picado
meridiano *s.m.* meridiano
mérito *s.m.* mérito ◆ **por mérito próprio** por mérito propio
mero *adj.* mero, simple; *por mero acaso* por mera casualidad ■ *s.m.* mero
mês *s.m.* **1** mes; *daqui a um mês* dentro de un mes; *no mês passado/que vem* el mes pasado/que viene; *o mês em curso* este mes; *uma vez por mês* una vez al mes **2** *(mensalidade)* mes, mensualidad*f.*
mesa *s.f.* mesa; *mesa de centro* mesa de centro; *pôr/tirar a mesa* poner/quitar la mesa ◆ *col.* **virar a mesa** volverse la tortilla
mesada *s.f.* (dinheiro que se recebe) paga, sueldo*m.*, mesada; (dinheiro que se paga) mensualidad, mesada
mesa de cabeceira *s.f.* mesilla, mesa de noche
mesa-redonda *s.f.* (*pl.* mesas-redondas) (debate) mesa redonda
mescla *s.f.* **1** mezcla; *uma mescla de sabores* una mezcla de sabores **2** (tecido) mezcla
mesclado *adj.* **1** matizado **2** mezclado
mesinha de cabeceira *s.f.* mesilla, mesa de noche
mesmo *pron.dem.* **1** *(não outro)* mismo; *as mesmas pessoas* las mismas personas; *via sempre o mesmo filme* veía siempre la misma película **2** *(idêntico)* mismo; *é a mesma coisa* es lo mismo; *eles são da mesma idade* ellos son de la misma edad; *eles vivem na mesma casa* ellos viven en la misma casa **3** *(parecido, semelhante)* mismo; *os mesmos gostos* los mismos gustos **4** (já referido) mismo; *na mesma ocasião* en la misma ocasión **5** *(próprio)* mismo; *ele mesmo o fez* él mismo lo ha hecho **6** mismo; *o rapaz era o mesmo da academia* el muchacho era el mismo del gimnasio; *somos sempre os mesmos* somos siempre los mismos ■ *s.m.* mismo; *estás sempre dizendo o mesmo* estás siempre diciendo lo mismo; *eu voltaria a fazer o mesmo* yo volvería a hacer lo mismo ■ *adv.* **1** *(exatamente)* mismo, exactamente; *ele saiu agora mesmo* él ha salido ahora mismo; *era isso mesmo que eu queria* era esto exactamente lo que yo quería **2** *(até)* incluso; *mesmo ele não concordou* inclusó él no estuvo de acuerdo **3** *(realmente)* de verdad; *vens mesmo à festa?* ¿de verdad que vienes a la fiesta? ◆ **dar no mesmo** dar igual; **é isso mesmo!** ¡eso mismo!; **ficar na mesma** quedarse igual; **mesmo assim** incluso así; **mesmo que** [+*conj.*] aunque [+*conj.*]; **por isso mesmo** por eso mismo
mesófrio *s.m.* ANAT. entrecejo
mesquinharia *s.f.* mezquindad
mesquinho *adj.* **1** *(avarento)* mezquino, avaro, tacaño **2** *(desprezível)* mezquino, despreciable
mesquita *s.f.* mezquita

Messias *s.m.2n.* REL. Mesías*2n.*

mestiç|o, -a *s.m.,f.* mestiz|o, -a ■ *adj.* **1** (pessoa) mestizo **2** (animal) mestizo, cruzado

mestrado *s.m.* máster, maestría*f.* [AM.]

mestr|e, -a *s.m.,f.* maestr|o, -a, profesor, -a ■ *s.2g.* máster (persona que ha concluido el máster)

mestre-cuca *s.m.* (*pl.* mestres-cucas) cocinero

mestre de cerimônias *s.2g.* (*pl.* mestres de cerimônias) **1** maestro de cereminonias **2** TV. presentador, -a*m.f.*

meta *s.f.* **1** (corrida) meta, llegada **2** *fig.* (*objetivo*) meta, objetivo*m.*, fin*m.*

metabolismo *s.m.* metabolismo

metade *s.f.* **1** mitad; *a metade do preço* a mitad de precio **2** mitad, medio*m.* ♦ **deixar as coisas pela metade** hacer las cosas a medias

metáfora *s.f.* metáfora

metal *s.m.* metal; *metal nobre* metal noble; *metal precioso* metal precioso ■ **metais** *s.m.pl.* MÚS. metales ♦ *col.* **o vil metal** el vil metal

metalepse *s.f.* LING. metalepsis*2n.*

metálico *adj.* metálico

metalizado *adj.* metalizado

metalizar *v.* metalizar

metalurgia *s.f.* metalurgia

metalúrgic|o, -a *adj.,s.m.,f.* metalúrgic|o, -a

metamorfose *s.f.* metamorfosis*2n.*

meteórico *adj.* meteórico

meteoro *s.m.* meteoro

meteorologia *s.f.* meteorología

meteorológico *adj.* meteorológico; *boletim meteorológico* parte meteorológico

meteorologista *s.2g.* meteorólog|o, -a*m.f.*

meter *v.* **1** meter, introducir **2** (medo, pena) meter, dar ■ **meter-se 1** meterse **2** dirigirse a **3** (desafiar) meterse; *meter-se com* meterse con

meticuloso *adj.* meticuloso

metido *adj.* **1** metido **2** entrometido

metódico *adj.* metódico

método *s.m.* método

metodologia *s.f.* metodología

metodológico *adj.* metodológico

metodólog|o, -a *s.m.,f.* expert|o, -a en metodología

metralhadora *s.f.* ametralladora, metralleta

métrico *adj.* **1** (sistema de medidas) métrico **2** (versificação) métrico

metro *s.m.* **1** (unidade) metro **2** (objeto) metro **3** (verso) metro

metrô *s.m. col.* metro, subte [ARG.]; *andar de metrô* viajar en metro; *pegar o metrô* coger el metro

metrópole *s.f.* **1** (cidade) metrópoli, metrópolis*2n.* **2** (colônias) metrópoli, metrópolis*2n.*

metropolitano *adj.* metropolitano; *área metropolitana* área metropolitana ■ *s.m.* metropolitano, metro; *pegar o metropolitano* coger el metropolitano

meu *pron.poss.m.* (*f.* minha) **1** (anteposto) mi; (posposto) mío; *o meu carro* mi coche; *é um amigo meu* es un amigo mío **2** mío; *o livro é meu* el libro es mío ♦ *col.* **que aconteceu, meu?** ¿qué ha pasado, tío?

mexer *v.* **1** moverse **2** mover **3** remover **4** mover, menear **5** retocar **6** (café, sopa) revolver, remover **7** conmover; *o acidente mexeu comigo* el accidente me conmovió ■ **mexer-se 1** moverse **2** espabillar, moverse, menearse, espabilarse **3** esforzarse

mexericar *v.* cotillear, chismorrear

mexeriqueir|o, -a *adj.,s.m.,f.* cotilla*2g.*, chismos|o, -a

mexican|o, -a *adj.,s.m.,f.* mejican|o, -a, mexican|o, -a

México *s.m.* Méjico, México

mexilhão *s.m.* mejillón

MHz FÍS. (*símbolo de* mega-hertz) MHz (*símbolo de* megahercio)

mi *s.m.* **1** MÚS. mi **2** (alfabeto grego) mi*f.*

miado *s.m.* maullido

miar *v.* (gato) maullar

miau *s.m.* **1** (*miado*) miau, maullido **2** *infant.* (*gato*) miau, minin|o, -a*m.f.*

mica *s.f.* **1** MIN. mica **2** migaja **3** [LUS.] cabra

miçanga *s.f.* abalorio*m.*

micção *s.f.* micción

mico *s.m.* ZOOL. mico ♦ **pagar mico** experienciar situación embarazosa

micose *s.f.* micosis*2n.*

micro *s.m. col.* micro

micróbio *s.m.* microbio

microcomputador *s.m.* microordenador

microfone *s.m.* micrófono

micro-ondas *s.m.2n.* microondas

microscópio *s.m.* microscopio

mictório *s.m.* mingitorio, urinario

migalha *s.f.* (alimento) migaja, miga ■ **migalhas** *s.f.pl.* (*restos*) migajas; restos*m.*; sobras

migração *s.f.* (pessoas, animais) migración

migrar *v.* (pessoas, animais) migrar

migratório *adj.* migratorio

mijada *s.f. col.* meada*vulg.*

mij|ão, -ona *adj.,s.m.,f. col.* me|ón, -ona

mijar *v. pop.* mear*vulg.*, orinar ♦ *pop.* **mijar-se de rir** mearse de risa, mearse; *pop.* **mijar-se de medo** cagarse de miedo

mijo *s.m. pop.* meados*pl.vulg.*, orines*pl.*, pipí*col.*, orina, pis*col.*

mil *s.m.* mil ♦ **já te disse mais de mil vezes** te lo he dicho más de mil veces; **mil e um** muchísimos, miles

milagre *s.m.* milagro; *fazer milagres* hacer milagros ♦ **por milagre** de milagro

milagroso *adj.* **1** milagroso **2** (*extraordinário*) milagroso, extraordinario, maravilloso

milanesa *s.f.* [comida empanada] ♦ **à milanesa** apanado AM., empanado

milenar *adj.2g.* milenario

milênio *s.m.* milenio

milésim|o, -a *s.m.* milésim|o, -a

mil-folhas *s.m.2n.* milhojas

milha *s.f.* milla ♦ **estar a milhas** estar a años luz
milhão *s.m.* millón ♦ **um milhão de vezes** millones de veces
milho *s.m.* **1** maíz **2** *pop. (dinheiro)* pasta*f.*, guita*f.* ♦ *irôn.* **catar milho** mecanografiar muy despacio
miligrama *s.m.* miligramo
milímetro *s.m.* milímetro
milionári|o, -a *adj.,s.m.,f.* millonari|o, -a
militante *s.2g.* militante
militar *adj.2g.* militar; *serviço militar* servicio militar ▪ *s.2g.* militar ▪ *v.* militar
militarismo *s.m.* militarismo
militarista *adj.,s.2g.* militarista
militarizar *v.* militarizar
mim *pron.pess.* mí; *esqueceram-se de mim* se han olvidado de mí; *trouxe-o para mim* lo he traído para mí
mimar *v.* **1** mimar; consentir **2** TEAT. practicar mimo **3** *fig.* malcriar, consentir, mimar
mímica *s.f.* **1** mímica **2** TEAT. mimo*m.*, pantomima
mímico *adj.* mímico
mimo *s.m.* **1** mimo **2** *(presente)* regalo, recuerdo **3** primor, monada*f.* **4** TEAT. (ator) mimo
mimosa *s.f.* mimosa
mimoso *adj.* **1** *(delicado)* delicado **2** *(meigo)* mimoso
mina *s.f.* **1** mina **2** (água) manantial **3** mina **4** (lapiseira) mina; *a mina da lapiseira* la mina del portaminas **5** MIL. mina; *mina antipessoal* mina antipersona **6** *fig.* mina ♦ **ser uma mina de ouro** ser una mina de oro
minar *v.* **1** minar, excavar **2** MIL. minar **3** *fig.* (saúde) minar, debilitar **4** *fig.* perder **5** *fig.* aruinar
mindinho *s.m.* (dedo) meñique
mineir|o, -a *adj.,s.m.,f.* miner|o, -a
mineral *adj.2g.* mineral; *água mineral* agua mineral; *sais minerais* sales minerales ▪ *s.m.* mineral
mineralizar *v.* **1** QUÍM. mineralizar **2** buscar minerales en la tierra
mineralogia *s.f.* mineralogía
mineralogista *s.2g.* mineralogista
minério *s.m.* mena*f.*
mingau *s.m.* gachas*f. pl.*
minguante *adj.2g.* menguante; *lua em quarto minguante* luna en cuarto menguante
minguar *v.* **1** menguar, mermar, encoger **2** escasear
minhoca *s.f.* lombriz (de tierra), gusano*m.* ♦ **ter minhocas na cabeça** ser un maniático
miniatura *s.f.* miniatura ♦ **em miniatura** en miniatura
mínima *s.f.* **1** MET. mínima **2** MÚS. mínima **3** *col.* mínima (importancia), menor (importancia) ♦ *col.* **não dar/ligar a mínima** no hacer caso a, pasar de
minimizar *v.* **1** minimizar, reducir **2** infravalorar, subestimar
mínimo *adj.* **1** (*superl. de* pequeno) mínimo **2** (salário, valor) mínimo (interprofesional) ▪ *s.m.* **1** mínimo **2** (dedo) meñique ♦ **no mínimo** como mínimo
minissérie *s.f.* miniserie
ministério *s.m.* ministerio ♦ **Ministério Público** Ministerio fiscal, Ministerio público
ministrar *v.* **1** (medicamento) administrar **2** impartir, enseñar, dar clase
ministr|o, -a *s.m.,f.* ministr|o, -a; *ministro sem grana* ministro sin cartera
minoria *s.f.* **1** minoría; *estar em minoria* estar en minoría **2** (votação) minoría ♦ **minoria étnica** minoría étnica
minoritário *adj.* minoritario
Minotauro *s.m.* MIT. Minotauro
minucioso *adj.* minucioso
minúscula *s.f.* (letra) minúscula
minúsculo *adj.* minúsculo
minuta *s.f.* **1** DIR. minuta **2** minuta, borrador*m.* ♦ **à la minuta** enseguida
minuto *s.m.* **1** minuto **2** *fig.* instante, momento
miocárdio *s.m.* miocardio
miolo *s.m.* **1** (de pão) miga*f.* **2** (de frutos) pulpa*f.* **3** *fig.* meollo, sesera*f.* ▪ **miolos** *s.m.pl. fig.* sesos ♦ *col.* **de miolo mole** chiflado; **queimar os miolos** devanarse los sesos
míope *adj.,s.2g.* miope
miopia *s.f.* miopía
mira *s.f.* **1** (arma) mira **2** *fig.* objetivo*m.*, miras*pl.* ♦ **à mira** al acecho
mirabolante *adj.2g.* estrafalario, estrambótico, extravagante
miragem *s.f.* **1** espejismo*m.* **2** *fig.* espejismo*m.*, ilusión
mirante *s.m.* mirador
mirar *v.* mirar, observar
mirrado *adj.* **1** (planta) mustio **2** (pessoa) esmirriado
mirrar *v.* **1** enflaquecer, demacrarse **2** *(emagrecer)* adelgazar, enflaquecer
miscigenação *s.f.* mestizaje*m.*
miserável *adj.2g.* miserable ▪ *s.2g.* **1** pobre **2** miserable
miséria *s.f.* **1** miseria **2** miseria, desgracia **3** miseria, tacañería **4** miseria, ridiculez **5** birria ♦ **fazer miséria** hacer cosas fantásticas
misericórdia *s.f.* **1** misericordia **2** *(caridade)* caridad
mísero *adj.* **1** mísero **2** *(insignificante)* mísero, insignificante **3** mísero
miss *s.f.* (*pl.* misses) **1** (forma de tratamento) señorita **2** (concurso de beleza) miss
missa *s.f.* REL. misa; *missa campal* misa de campaña; *missa de corpo presente* misa de cuerpo presente; *missa de requiem* misa de difuntos; *missa de sétimo dia* misa del séptimo día; *missa do galo* misa del gallo ♦ *col.* **não saber da missa a metade** no saber de la misa la media/mitad
missão *s.f.* **1** misión **2** *(encargo)* misión, encargo*m.* **3** obligación ▪ **missões** *s.f.pl.* REL. misiones
míssil *s.m.* misil, mísil
missionári|o, -a *s.m.,f.* misioner|o, -a
mistério *s.m.* misterio, enigma
misterioso *adj.* misterioso

misticismo *s.m.* misticismo
místico *adj.* místico
misto *adj.* **1** mixto **2** (escola, equipe) mixto ▪ *s.m.* mezcla*f.*
misto-quente *s.m.* (*pl.* mistos-quentes) bocadillo de jamón de york y queso
mistura *s.f.* **1** mezcla **2** CIN.,TV. mezcla **3** (raças) mezcla
misturar *v.* **1** mezclar **2** CIN.,TV. mezclar ▪ **misturar-se** mezclarse
mito *s.m.* mito
mitologia *s.f.* mitología
mitológico *adj.* mitológico
mitral *adj.2g.* mitral ▪ *s.f.* ANAT. mitral
miúdo *adj.* **1** menudo, diminuto **2** (gado) menor **3** (dinheiro) calderilla **4** minucioso ▪ **miúdos** *s.m.pl.* *(vísceras)* menudos ♦ **trocar em miúdos** explicar detalladamente
mobilar *v.* amueblar
mobília *s.f.* mobiliario*m.*
mobiliado *adj.* amueblado; *apartamento mobiliado* piso/apartamento amueblado
mobiliar *v.* amueblar
mobilidade *s.f.* **1** movibilidad **2** mutabilidad **3** *fig.* inconstancia
mobilização *s.f.* movilización
mobilizar *v.* movilizar ▪ **mobilizar se** movilizarse
moçada *s.f.* *col.* muchachada
moçambican|o, -a *adj.,s.m.,f.* mozambiqueñ|o, -a
Moçambique *s.m.* Mozambique
mochila *s.f.* mochila; (de soldado) macuto*m.*
mocho *s.m.* **1** ZOOL. mochuelo **2** *(tamborete)* taburete
mocidade *s.f.* mocedad, juventud
moç|o, -a *s.m.,f.* joven*2g.*, chic|o, -a, muchach|o, -a, moz|o, -a
moda *s.f.* **1** moda; *estar fora de moda* estar pasado de moda; *estar na moda* estar de moda; *ser o último grito da moda* ser el último grito, estar a la última **2** MÚS. cantiga ♦ **à moda de** al estilo de
modalidade *s.f.* modalidad
modelar *v.* moldear ▪ *adj.2g.* ejemplar
modelo *s.m.* modelo; *andar modelo* piso piloto ▪ *s.2g.* modelo
modem *s.m.* módem
moderação *s.f.* moderación, comedimiento*m.*
moderado *adj.* **1** moderado, comedido **2** POL. moderado
moderador, -a *s.m.,f.* moderador, -a
moderar *v.* **1** moderar **2** (debate) moderar **3** (custos, despesas) moderar ▪ **moderar se 1** moderarse **2** contenerse
modernidade *s.f.* **1** modernidad **2** *(atualidade)* actualidad
modernismo *s.m.* modernismo
modernista *adj.,s.2g.* modernista
modernização *s.f.* modernización
modernizar *v.* modernizar ▪ **modernizar-se** modernizarse
moderno *adj.* moderno
modéstia *s.f.* modestia ♦ **modéstia à parte** modestia aparte
modesto *adj.* modesto
modificação *s.f.* modificación
modificar *v.* modificar ▪ **modificar se** modificarse
modo *s.m.* **1** modo **2** posibilidad*f.* ▪ **modos** *s.m.pl.* modales, ademanes; *aprender a ter modos* aprender a tener modales ♦ **de certo modo** en cierto modo; **de modo nenhum** de ningún modo; de ninguna manera; **de modo que** de modo que; **de qualquer modo** de todos modos; **desse modo** de esta manera; **modo de articulação** modo de articulación
modular *v.* modular ▪ *adj.2g.* modular
módulo *s.m.* módulo
moeda *s.f.* moneda; *moeda corrente* moneda corriente; *moeda única* moneda única ♦ **pagar na mesma moeda** pagar con la misma moneda
moela *s.f.* (aves) molleja
moer *v.* **1** moler, triturar **2** aplastar **3** *col.* dar la vara
mofar *v.* **1** *(criar mofo)* enmoherse **2** *(troçar)* burlarse
mofo *s.m.* **1** moho; *cheirar a mofo* oler a moho **2** *(bolor)* moho **3** (cheiro) olor a humedad
moinho *s.m.* **1** molino; *moinho de água/vento* molino de agua/viento **2** (máquina) molinillo; *moedor de café* molinillo de café
moita *s.f.* matojo*m.*
mola *s.f.* **1** (peça elástica) muelle*m.*, resorte*m.*; *colchão de molas* colchón de muelles **2** (mecanismo) automático*m.* **3** broche*m.* **4** (para papéis) sujetapapeles*m.2n.* **5** *fig.* chispa **6** *fig.* impulso*m.*, incentivo*m.*
molambento *adj.* harapiento
molar *adj.2g.* molar; *dente molar* muela, diente molar; *pedra molar* piedra molar ▪ *s.m.* (dente) muela*f.*
moldar *v.* **1** (material, peça) moldear **2** (metal) fundir **3** *fig.* adaptar, amoldar ▪ **moldar-se** amoldarse
molde *s.m.* **1** molde **2** (vestuário) patrón **3** *fig.* modelo
moldura *s.f.* **1** (espelho, fotografia, quadro) marco*m.* **2** ARQ. moldura
mole *adj.2g.* **1** (objeto) blando, tierno **2** *fig.* (pessoa) flojo **3** *fig.* (pessoa) sensiblero **4** vago, indolente
molecada *s.f.* **1** *col.* (grupo) muchachería, chiquillería **2** *col.* chiquillería, muchachada
molécula *s.f.* molécula
moleira *s.f.* (bebê) fontanela
molenga *adj.,s.2g.* perezos|o, -a*m.f.*, remol|ón, -ona*m.f.*
moleque *s.m.* **1** niño **2** niño de la calle
molestar *v.* **1** (dor) molestar **2** molestar, ofender
moletom *s.m.* (tecido) muletón
moleza *s.f.* **1** blandura, elasticidad **2** *fig.* apatía **3** *fig.* indolencia, vagancia, galbana
molhar *v.* mojar ▪ **molhar se** mojarse ♦ *fig.* **molhar a mão** sobornar
molho[1] /ô/ *s.m.* **1** salsa*f.*; *molho picante* salsa picante **2** remojo; *pôr o bacalhau de molho* poner a/en re-

mojo el bacalao ◆ (pessoa) **estar/ficar de molho** estar/quedarse enfermo

molho[2] /ó/ *s.m.* **1** (de palha, cereais) gavilla*f.* **2** (de lenha) haz **3** (de papéis) fajo **4** (de objetos) manojo; ***um molho de chaves*** un manojo de llaves

molusco *s.m.* molusco

momentâneo *adj.* momentáneo

momento *s.m.* **1** momento, instante **2** momento, ocasión*f.* ◆ **a todo momento** a cada momento; **até o momento** hasta ahora; **no momento** por el momento; **de um momento para o outro** de un momento a otro; de golpe; **num momento** en un momento

Mônaco *s.m.* Mónaco

monarca *s.m.* monarca

monarquia *s.f.* monarquía

monárquic|o, -a *adj.,s.m.,f.* monárquic|o, -a

monarquismo *s.m.* monarquismo

monarquista *s.2g.* monárquic|o, -a*m.f.*

monção *s.f.* MET. monzón

monetário *adj.* monetario

monge *s.m.* (*f.* monja) **1** monje **2** *fig.* ermitaño

mongoloide *adj.2g.* **1** mongoloide **2** mongólico ■ *s.2g.* mongólic|o, -a*m.f.*

monitor, -a *s.m.,f.* monitor, -a ■ **monitor** *s.m.* **1** monitor **2** INFORM. monitor, pantalla*f.*

monitoramento *s.m.* monitorización*f.*

monitorar *v.* monitorizar

monitorizar *v.* monitorizar

monogamia *s.f.* monogamia

monografia *s.f.* monografía

monólogo *s.m.* monólogo, soliloquio ◆ **monólogo interior** monólogo interior

monopólio *s.m.* monopolio

monopolizar *v.* **1** monopolizar **2** *fig.* (atenção) monopolizar, acaparar

monotonia *s.f.* monotonía

monótono *adj.* monótono

monstro *s.m.* monstruo

monstruosidade *s.f.* monstruosidad

monstruoso *adj.* monstruoso

montagem *s.f.* **1** montaje*m.* **2** maquetación

montanha *s.f.* **1** montaña **2** *fig.* *(pilha)* montón*m.*; ***uma montanha de livros*** un montón de libros

montanha-russa *s.f.* (*pl.* montanhas-russas) montaña rusa

montanhoso *adj.* montañoso

montante *s.m.* montante, importe ■ *s.f.* **1** GEOG. nacimiento*m.* **2** (maré) montante **3** (dinheiro) importe ◆ **a montante** contra corriente

montão *s.m.* montón, pila*f.*; ***um montão de coisas*** un montón de cosas

montar *v.* **1** montar; ***montar a cavalo*** montar a caballo **2** (equipamento, máquina) montar **3** (animal, cavalo) montar **4** (loja, empresa) montar **5** (exposição, peça de teatro) montar

monte *s.m.* **1** monte **2** *(montão)* montón **3** *(povoado)* cortijo ◆ **a monte** mezclado, revuelto; **aos montes** a mogollón, a patadas

monumental *adj.2g.* monumental

monumento *s.m.* monumento

moradia *s.f.* chalé*m.*, casa

morador, -a *s.m.,f.* morador, -a, residente*2g.*

moral *s.f.* **1** (ética) moral **2** (conto, fábula, etc.) moraleja ■ *adj.2g.* **1** moral; ***princípios morais*** principios morales **2** *(instrutivo)* aleccionador, instructivo ■ *s.m.* *(ânimo)* moral*f.*; ***levantar o moral*** levantar la moral ◆ **falsa moral** moralina; **moral da história** moraleja

morango *s.m.* (fruto) fresa*f.*

morar *v.* vivir, morar, residir

mórbido *adj.* **1** mórbido, morboso **2** (corpo, estado) agotado, cansado **3** (gosto, sentimento) morboso

morcego *s.m.* murciélago

mordaça *s.f.* **1** mordaza; ***pôr uma mordaça em alguém*** poner una mordaza a alguien **2** *(açaime)* bozal*m.*

morder *v.* **1** morder **2** cortar con los dientes **3** (inseto) picar **4** *fig.* hacer daño

mordiscar *v.* **1** mordisquear, roer **2** *fig.* picar a alguien

mordomia *s.f.* mayordomía

mordomo *s.m.* mayordomo

moreia *s.f.* **1** GEOL. morrena **2** ZOOL. morena

moren|o, -a *s.m.,f.* moren|o, -a ■ *adj.* **1** trigueño **2** moreno

morfina *s.f.* morfina

morfologia *s.f.* morfología

morfológico *adj.* morfológico

morgue *s.f.* depósito*m.* de cadáveres, morgue*col.*

moribund|o, -a *adj.,s.m.,f.* moribund|o, -a

moringa *s.f.* botijo*m.*

mormaço *s.m.* bochorno

morno *adj.* **1** *(tépido)* templado, tibio **2** *fig.* decaído, flojo **3** *fig.* aburrido, monótono **4** *fig.* tranquilo

morrer *v.* **1** (ser vivo) morir, morirse **2** (curso de água) morir **3** *fig.* (sensação, sentimento) morir ◆ **morrer de frio/fome** morirse de frío/hambre; **morrer por (alguma coisa/alguém)** morir (por algo/alguien); **não morrer de amores por** no desvivirse por

morro *s.m.* monte; colina*f.*

morsa *s.f.* morsa

mortadela *s.f.* mortadela

mortal *adj.2g.* **1** mortal, letal **2** mortal, perecedero **3** (ossada, resto) restos mortales **4** (salto) mortal **5** *fig.* horroroso, coñazo*vulg.* ■ **mortais** *s.m.pl.* mortales ■ *s.2g.* mortal

mortalha *s.f.* (cadáver) mortaja

mortalidade *s.f.* mortalidad; ***taxa de mortalidade*** tasa/índice de mortalidad

mortandade *s.f.* mortandad

morte *s.f.* muerte ◆ ESPOR. **morte súbita** muerte súbita; *col.* **pensar na morte da bezerra** estar en las nubes; pensar en las musarañas

morteiro *s.m.* **1** MIL. mortero **2** (recipiente) mortero

mortífero *adj.* mortífero
morto *adj.* **1** muerto, fallecido **2** muerto, apagado **3** inerte **4** *fig.* *(exausto)* muerto **5** *fig.* deseoso ■ *s.m.,f.* muert|o, -a ♦ **estar morto e enterrado** estar muerto y enterrado, criar/estar criando malvas *col.*; **estar morto/mortinho por** tener muchas ganas de; **não ter onde cair morto** no tener dónde caerse muerto; **nem morto** en la vida
mortuário *adj.* mortuorio, fúnebre
mosaico *s.m.* mosaico
mosca *s.f.* **1** ZOOL. mosca **2** *fig.* moscardón*m.*, moscón*m.* ♦ *fig.* **acertar na mosca** dar en el blanco; (espaço, lugar) **estar às moscas** no haber ni un alma; **não fazer mal a uma mosca** no matar una mosca; *col.* **não se ouvir uma mosca** no oírse una mosca
mosca-morta *s.2g.* (*pl.* moscas-mortas) *col.* (pessoa) mosquita/muesca muerta
moscatel *adj.2g.,s.m.* moscatel
mosqueteiro *s.m.* mosquetero
mosquiteiro *s.m.* mosquitero, mosquitera*f.*
mosquito *s.m.* mosquito
mostarda *s.f.* **1** BOT. mostaza **2** CUL. mostaza ♦ **subir a mostarda ao nariz** hinchársele a alguien las narices, echar humo, subírsele a alguien el humo a las narices
mosteiro *s.m.* monasterio
mostra *s.f.* **1** muestra **2** exposición **3** muestra, indicio*m.* ♦ **à mostra** a la vista; **dar mostras de** dar muestras de
mostrador *s.m.* **1** (relógio) esfera*f.* **2** (estabelecimento) mostrador
mostrar *v.* **1** mostrar, enseñar **2** enseñar, demostrar **3** mostrar ■ **mostrar-se** mostrarse
mostruário *s.m.* muestrario
motel *s.m.* motel
motim *s.m.* motín
motivação *s.f.* motivación
motivado *adj.* **1** motivado, fundamentado **2** motivado
motivador *adj.* motivador
motivar *v.* **1** *(provocar)* motivar, causar, provocar **2** *(estimular)* motivar, estimular, animar
motivo *s.m.* **1** motivo, causa*f.*, razón*f.*; ***não ter motivos para*** no tener motivos para; ***por motivo de força maior*** por motivo de fuerza mayor **2** (arte, música) motivo
moto *s.f. col.* moto
motocicleta *s.f.* motocicleta
motociclismo *s.m.* motociclismo
motociclista *s.2g.* motorista, motociclista
motoqueir|o, -a *s.m.,f. col.* motociclista*2g.*
motor *adj.* motor ■ *s.m.* motor; ***motor de explosão*** motor de explosión; ***motor de pesquisa*** motor de búsqueda; ***motor de reação*** motor de reacción
motorista *s.2g.* conductor, -a*m.f.*, chófer*m.*; ***motorista de ônibus*** conductor de autobús
motorizado *adj.* motorizado
motricidade *s.f.* motricidad
mouro *adj.* **1** HIST. moro **2** REL. moro*pej.*, musulmán ■ **mouro** *s.m.* **1** HIST. moro **2** REL. musulmán **3** *fig.* negro, currante*2g.col.* ♦ **trabalhar como um mouro** trabajar como un negro
mouse *s.m.* INFORM. ratón
mousse *s.f.* **1** mousse; ***mousse de chocolate*** mousse de chocolate **2** (cabelo) espuma **3** *(espuma de barbear)* espuma de afeitar
movediço *adj.* **1** movedizo; ***areias movediças*** arenas movedizas **2** *fig.* inconstante, movedizo
móvel *s.m.* **1** mueble **2** *(móbil)* móvil ■ *adj.2g.* **1** móvil **2** movedizo
mover *v.* **1** mover **2** mover, empujar **3** conmover ■ **mover-se 1** moverse, menearse **2** reaccionar
movimentado *adj.* **1** (filme, narrativa) dinámico **2** (rua, lugar) animado; agitado
movimentar *v.* **1** mover, desplazar **2** (bens, dinheiro) transferir ■ **movimentar-se** moverse, desplazarse
movimento *s.m.* **1** *(deslocamento)* movimiento, desplazamiento **2** (pessoas, veículos) movimiento **3** ASTRON. movimiento **4** POL. movimiento **5** MÚS. movimiento **6** (artes) movimiento ♦ **movimento de rotação** movimiento de rotación; **movimento de translação** movimiento de traslación
mozarela *s.m.* mozzarella*f.*
MP3 *sigla* MPEG audio layer 3 ♦ **leitor de MP3** reproductor MP3
MPB (*abrev. de* Música Popular Brasileira) Música Popular Brasileña
muamba *s.f.* contrabando*m.*
muçulman|o, -a *adj.,s.m.,f.* musulm|án, -ana
muda *s.f.* **1** (roupa) muda **2** (animal) muda (de piel, pelaje, follaje)
mudança *s.f.* **1** *(alteração)* cambio*m.*, modificación **2** (de casa) mudanza; (de emprego) traslado*m.* **3** marcha, velocidad
mudar *v.* **1** cambiar **2** (casa) mudarse **3** *(variar)* cambiar, variar ■ **mudar se 1** (lugar) mudarse **2** (roupa) cambiarse
mudo *s.m.,f.* mud|o, -a ■ *adj.* **1** (pessoa) mudo **2** (protesto, sentimento) silencioso **3** (cinema) mudo **4** *(silencioso)* callado **5** LING. mudo
mugido *s.m.* mugido
mugir *v.* (animal bovídeo) mugir
muit|o, -a *pron.indef.* **1** much|o, -a; ***há muita comida*** hay mucha comida; ***tenho muito trabalho*** tengo mucho trabajo **2** much|o, -a; ***muitos dos meus amigos desistiram*** muchos de mis amigos lo han dejado; ***sorte, não tem muita*** suerte, no tiene mucha ■ *adv.* **1** mucho; muy; ***comeu muito*** ha comido mucho; ***é muito difícil*** es muy difícil; ***estão muito bem*** están muy bien **2** (comparativo) mucho; ***assim é muito melhor!*** ¡así está mucho mejor!; ***és muito mais velho do que ela*** eres mucho mayor que ella ♦ **por muito que** por mucho que; **quando muito** como mucho
mula *s.f.* **1** mula **2** *fig.* *(teimoso)* mula ■ *adj.2g.* terco
mulat|o, -a *adj.,s.m.,f.* mulat|o, -a
muleta *s.f.* **1** (para andar) muleta; ***andar de muletas*** andar con muletas **2** muleta **3** *fig.* muleta, apoyo*m.*

mulher *s.f.* **1** mujer **2** *pop.* mujer, esposa ◆ **mulher da vida** mujer de mala vida

mulherengo *adj.* **1** mujeriego **2** *pej. (efeminado)* afeminado, amanerado

multa *s.f.* multa; ***levar uma multa*** ser multado; ***pagar multa*** pagar una multa

multar *v.* multar

multicultural *adj.2g.* multicultural

multidão *s.f.* multitud, muchedumbre

multidisciplinar *adj.2g.* multidisciplinar

multinacional *adj.2g.,s.f.* multinacional

multiplicação *s.f.* **1** multiplicación, reproducción **2** propagación, difusión

multiplicador *adj.,s.m.* multiplicador

multiplicando *s.m.* multiplicando

multiplicar *v.* **1** multiplicar **2** MAT. multiplicar (por, por); ***multiplicar dois por quatro*** multiplicar dos por cuatro ▪ **multiplicar-se** (espécie, seres vivos) multiplicarse

multiplicativo *adj.* (numeral) multiplicativo

multiplicável *adj.* multiplicable

múltiplo *adj.* **1** múltiple; ***múltipla escolha*** elección múltiple **2** (número) múltiplo ▪ *s.m.* múltiplo

múmia *s.f.* momia

mundano *adj.* mundano

mundial *adj.2g.* mundial; ***guerras mundiais*** guerras mundiales ▪ *s.m.* mundial; ***mundial de futebol*** mundial de fútbol

mundo *s.m.* mundo ◆ **coisa do outro mundo** de alucine; **correr mundo** ver mundo; **estar/viver no mundo da lua** estar/vivir en la luna; **meio mundo** el ciento y la madre; **o mundo é pequeno** el mundo es un pañuelo; **o outro mundo** el otro mundo; **por nada deste mundo** por nada del/en el mundo; **prometer mundos e fundos** prometer el oro y el moro; **vir ao mundo** venir al mundo

munheca *s.f. (pulso)* muñeca

munição *s.f.* munición

municipal *adj.2g.* municipal

município *s.m.* municipio

munir *v.* proveer (de, de), abastecer (de, de) ▪ **munir se** proveerse (de, de); ***munir-se dos fundos necessários*** proveerse de los fondos necesarios

mural *s.m.* **1** ART.PL. mural **2** tablón de anuncios, tablero

muralha *s.f.* muralla

murar *v.* murar; tapiar

murchar *v.* **1** (planta) marchitarse, secarse **2** (cor) desteñirse, decolorarse **3** *fig.* (pessoa, voz) marchitarse

murcho *adj.* **1** (planta) marchito, mustio **2** (cor) desteñido **3** *fig.* (pessoa) mustio, triste, melancólico

murmurar *v.* **1** murmurar **2** *(sussurrar)* cuchichear, susurrar **3** *(resmungar)* refunfuñar, gruñir

murmúrio *s.m.* murmullo

muro *s.m.* muro ◆ **ficar em cima do muro** estar entre dos aguas

murro *s.m.* puñetazo; ***dar um murro em alguém*** darle/pegarle un puñetazo a alguien

musa *s.f.* **1** musa **2** *fig.* musa, inspiración

musaranho *s.m.* ZOOL. musaraña*f.*

musculação *s.f.* musculación

muscular *adj.2g.* muscular

musculatura *s.f.* musculatura

músculo *s.m.* músculo

museu *s.m.* museo

musgo *s.m.* musgo

música *s.f.* **1** música; ***música ambiente*** música ambiental; ***música clássica*** música clásica; ***música de câmara*** música de cámara; ***música de fundo*** música de fondo; ***música ligeira*** música ligera **2** *(canção)* canción ◆ *col.* **dançar conforme a música** bailar al son que tocan

musical *adj.2g.* **1** musical **2** *(harmonioso)* armonioso ▪ *s.m.* (filme, espetáculo) musical

músic|o, -a *s.m.,f.* músic|o, -a

mutação *s.f.* mutación

mutante *adj.,s.2g.* mutante

mutilação *s.f.* **1** mutilación **2** *fig.* deterioro*m.*

mutilado *adj.* **1** mutilado **2** *fig.* deteriorado

mutilar *v.* **1** (membro) mutilar, amputar **2** (texto) mutilar, cortar, truncar ▪ **mutilar se** mutilarse

mutirão *s.m.* [trabajo voluntario hecho en grupo]

mutreta *s.f. gír.* ardid*m.*, treta

mutuamente *adv.* mutuamente

mútuo *adj.* mutuo, recíproco; ***por mútuo acordo*** por mutuo acuerdo

muvuca *s.f. col.* multitud de personas

N

n *s.m.* (letra) n*f.* ◆ *col.* **n vezes** n veces

nab|o, -a *s.m.,f. col.* (pessoa) zoquete*2g.*, tarugo*m.*, estúpid|o, -a ■ **nabo** *s.m.* nabo

nação *s.f.* nación ◆ **Nações Unidas** Naciones Unidas

nacional *adj.2g.* nacional

nacionalidade *s.f.* nacionalidad

nacionalismo *s.m.* nacionalismo

nacionalista *adj.,s.2g.* nacionalista

nacionalização *s.f.* **1** (pessoas) nacionalización, naturalización **2** ECON. nacionalización

nacionalizar *v.* **1** (pessoa) nacionalizar, naturalizar **2** (empresa, serviço) nacionalizar ■ **nacionalizar-se** (pessoa) nacionalizarse, naturalizarse

nada *pron.indef.* nada; *não quero nada* no quiero nada ■ *adv.* nada; *isso não me agrada nada* eso no me agrada nada ■ *s.m.* nada*f.*; *começar do nada* empezar de la nada ◆ **antes de mais nada** antes de/que nada; **como quem não quer nada** como quien no quiere la cosa; **como se nada fosse** como si nada, como si no fuese nada; **nada a ver com (algo)** nada que ver con (algo); **nada de** nada de; *coragem, nada de pânico!* ¡valor, nada de miedo!; **nada de mais** nada especial; **nada de novo** sin novedad; **nada disso** de eso nada; de ninguna manera; **nada feito** nada de nada; **nada mais nada menos que** nada más y nada menos que; **não dar em nada** acabar en nada; **não dar nada por** no dar valor a; **não dar por nada** no darse cuenta; **por tudo e por nada** por nada

nadadeira *s.f.* **1** ZOOL. aleta **2** (mergulho, natação) aleta

nadador, -a *s.m.,f.* nadador, -a

nadar *v.* **1** nadar, recorrer nadando **2** nadar; *está aprendendo a nadar* está aprendiendo a nadar; *nadar de peito/de costas* nadar a braza/espalda **3** (líquido) nadar, flotar **4** *fig.* nadar (em, en); *o empresário nadava em dinheiro* el empresario nadaba en dinero ◆ **ficar a nadar 1** (assunto) no pillar/entender nada **2** (roupa) nadar

nádega *s.f.* nalga ■ **nádegas** *s.f.pl.* nalgas, trasero*m.*, culo*m.*

nado ◆ **a nado** a nado; **nado sincronizado** natación sincronizada

naftalina *s.f.* naftalina

náilon *s.m.* nailon, nylon

naipe *s.m.* palo (de la baraja)

namoradeiro *adj.* (pessoa) ligón

namorad|o, -a *s.m.,f.* novi|o, -a

namorador, -a *adj.,s.m.* ligón; galanteador; conquistador

namorar *v.* **1** tener novio **2** salir con **3** *fig.* codiciar

namorico *s.m.* ligue, flirteo, amorío

namoriscar *v.* flirtear (com, con), salir (com, con)

namoro *s.m.* **1** *(relação)* relación **2** (antes de compromisso) noviazgo **3** *pop. (namorado)* novi|o, -a*m.f.*

nanar *v. infant.* dormir

nandu *s.m.* ñandú

nanismo *s.m.* enanismo

nanquim *s.m.* tinta*f.* china

não *adv.* **1** (negação) no; *não gosto disso* no me gusta eso **2** (interrogativa) no; *posso ir contigo, não?* puedo ir contigo, ¿no? ■ *s.m.* no; *respondeu-me com um não redondo* me ha contestado con un no rotundo ◆ **a não ser que** a no ser que; **levar um não** tener una negativa; **pelo sim, pelo não** por si acaso; **pois não!** ¡cómo no!; **quando não** cuando no

napa *s.f.* napa

naquele *contr. da prep.* em + *pron.dem.m.* aquele en aquel

naquilo *contr. da prep.* em + *pron.dem.* aquilo en aquello

narcisismo *s.m.* narcisismo

narcisista *adj.,s.2g.* narcisista

narcótico *adj.,s.m.* narcótico

narcotraficante *s.2g.* narcotraficante

narcotráfico *s.m.* narcotráfico, tráfico de drogas

narigudo *adj.* narigudo, narigón

narina *s.f.* ventana (de la nariz), narina

nariz *s.m.* nariz*f.*; *nariz aquilino* nariz aguileña; *nariz arrebitado* nariz respingona ◆ **bater/dar com o nariz na porta** darse con la puerta en las narices; **meter o nariz em/onde não é chamado** meter las narices en; **torcer o nariz** torcer el morro

narração *s.f.* narración

narrador, -a *s.m.,f.* narrador, -a

narrar *v.* narrar, contar, relatar

narrativa *s.f.* **1** *(narração)* narración, relato*m.* **2** LIT. narrativa

narrativo *adj.* narrativo

nasal *adj.2g.* nasal

nascença *s.f.* **1** *(nascimento)* nacimiento*m.* **2** *(origem)* origen*m.* ◆ **de nascença** de nacimiento; *é cego de nascença* es ciego de nacimiento

nascente *adj.2g.* naciente ■ *s.m.* naciente, este ■ *s.f.* **1** *(fonte)* fuente, manantial*m.* **2** (rio) nacimiento*m.*

nascer *v.* **1** (ser animado) nacer; *o nosso filho nasceu em 2002* nuestro hijo nació en 2002 **2** (planta) nacer, brotar **3** (rio) nacer **4** (Sol, astro) nacer, salir **5** *(surgir)* nacer, surgir, salir **6** *(provir)* nacer (de, de), provenir (de, de) **7** (aptidão) nacer (para, para); *nasci para a música* he nacido para la música ■ *s.m.* **1** *(nascimento)* nacimiento **2** (sol) salida*f.*; *nascer do Sol* salida del sol ◆ **não ter nascido ontem** no haber nacido ayer; **nascer de novo** volver a nacer;

nascer em berço de ouro nacer entre algodones; **nascer um para o outro** nacer el uno para el otro

nascimento *s.m.* **1** nacimiento; *certidão de nascimento* partida de nacimiento; *data de nascimento* fecha de nacimiento **2** (de astro) salida*f.* **3** *fig.* nacimiento, origen, principio

nata *s.f.* **1** (leite) nata, crema **2** *(natas batidas)* nata montada **3** *fig.* élite, crema, flor y nata; *a nata da sociedade* la flor y nata de la sociedad ▪ **natas** *s.f.pl.* pastel*m.* de crema

natação *s.f.* natación

natal *adj.2g.* natal

Natal *s.m.* Navidad*f.*, Navidades*f. pl.*; *feliz Natal!* ¡feliz Navidad!

natalício *adj.* **1** *(do dia de nascimento)* natalicio, del día del nacimiento **2** (terra, local) natal

natalidade *s.f.* natalidad; *taxa de natalidade* tasa/índice de natalidad

natalino *adj.* navideño

nativ|o, -a *s.m.,f.* **1** nativ|o, -a, natural*2g.* **2** [persona nacida bajo un determinado signo del zodiaco] ▪ *adj.* nativo

nato *adj.* **1** nato, congénito **2** (cargo, título) nato

natural *adj.2g.* **1** natural; *fenômenos naturais* fenómenos naturales **2** (alimento, fruta, etc.) natural; *iogurte natural* yogur natural **3** (gesto, pessoa) natural, espontáneo **4** (bebida) natural, a temperatura ambiente **5** *(inato)* natural, innato **6** *(normal)* natural, normal, lógico; *é natural que* [+*conj.*] es natural que [+*conj.*] **7** *(provável)* probable; *é natural que* [+*conj.*] es probable que [+*conj.*] **8** *(originário)* natural (de, de), nativo (de, de) ▪ *s.2g.* natural, nativ|o, -a*m.f.* ▪ *s.m.* natural ♦ **ao natural** al natural

naturalidade *s.f.* **1** *(simplicidade)* naturalidad, sencillez, simplicidad **2** *(espontaneidade)* naturalidad, espontaneidad **3** *(local de nascimento)* lugar*m.* de nacimiento

naturalismo *s.m.* naturalismo

naturalista *adj.,s.2g.* naturalista

naturalização *s.f.* naturalización

naturalizar *v.* naturalizar, nacionalizar ▪ **naturalizar se** naturalizarse, nacionalizarse

naturalmente *adv.* naturalmente, de manera natural ▪ *interj.* ¡naturalmente!, ¡por supuesto!, ¡claro!

natureza *s.f.* naturaleza ♦ **por natureza** por naturaleza; **natureza-morta** naturaleza muerta

naturista *adj.,s.2g.* naturista

nau *s.f.* **1** NÁUT. nao **2** NÁUT. navío*m.*

naufragar *v.* **1** (embarcação) naufragar, hundirse **2** (tripulante) naufragar, sufrir naufragio **3** *fig.* (assunto, negócio, plano) naufragar, fracasar, salir mal

naufrágio *s.m.* naufragio

náufrag|o, -a *s.m.,f.* náufrag|o, -a

náusea *s.f.* náusea

nauseabundo *adj.* **1** (cheiro) nauseabundo **2** (aparência, aspecto) asqueroso, repugnante

náuseas *s.f.* náuseas

náutica *s.f.* náutica

náutico *adj.* náutico

navalha *s.f.* **1** navaja **2** (barba) navaja de afeitar **3** ZOOL. navaja

nave *s.f.* **1** (veículo) nave; *nave espacial* nave espacial, astronave **2** ARQ. nave; *nave central* nave central

navegação *s.f.* **1** navegación; *navegação costeira* navegación costera; *navegação em alto-mar* navegación de altura **2** *(viagem sobre águas)* navegación, viaje*m.* **3** INFORM. navegación; *navegação na Internet* navegación por Internet ♦ **navegação aérea** navegación aérea

navegador, -a *s.m.,f.* navegador, -a ▪ *adj.* navegador ▪ **navegador** *s.m.* INFORM. navegador, buscador

navegante *adj.,s.2g.* navegante

navegar *v.* **1** navegar **2** INFORM. navegar

navegável *adj.2g.* navegable

navio *s.m.* navío, barco, buque; *navio cargueiro* buque de carga, carguero; *navio de guerra* buque/barco de guerra ♦ *col.* **ficar a ver navios** quedarse con las ganas, quedarse a la luna de Valencia

nazi *adj.,s.2g.* nazi

nazismo *s.m.* nazismo

NBA *sigla* (Associação Nacional de Basquetebol) NBA (Asociación Nacional de Baloncesto)

neblina *s.f.* neblina

nebulização *s.f.* nebulización

nebulizador *s.m.* nebulizador

nebulosidade *s.f.* **1** nebulosidad **2** nubosidad; *nebulosidade variável* nubosidad variable

nebuloso *adj.* **1** (céu) nebuloso, brumoso **2** *fig.* nebuloso, vago **3** *fig.* misterioso, enigmático

nécessaire *s.m.* neceser

necessário *adj.* **1** *(indispensável)* necesario, indispensable; *o ar é necessário à vida* el aire es necesario para la vida **2** *(inevitável)* necesario, inevitable, forzoso **3** *(obrigatório)* necesario, obligatorio ♦ **se for necessário** si fuera/fuese necesario; **ser necessário (que)** [+*inf.*] ser necesario (que) [+*inf.*]

necessidade *s.f.* **1** necesidad; *dormir é uma necessidade* dormir es una necesidad **2** *(impulso irresistível)* necesidad (de, de); *sentir necessidade de abraçar o bebê* sentir la necesidad de abrazar al bebé **3** *(privação)* necesidad, privación; *passar necessidades* pasar necesidades ▪ **necessidades** *s.f.pl.* necesidades; *fazer as necessidades* hacer sus necesidades ♦ **de primeira necessidade** de primera necesidad; **não há necessidade de** no hay necesidad de; **por necessidade** por necesidad

necessitad|o, -a *adj.,s.m.,f.* necesitad|o, -a

necessitar *v.* **1** necesitar (de, -) **2** necesitar

necrosar *v.* necrosar

necrotério *s.m.* depósito de cadáveres, morgue*f.*

néctar *s.m.* **1** néctar **2** *fig.* *(bebida)* néctar

negação *s.f.* negación ♦ (falta de aptidão) **ser uma negação a** ser un negado para

negar *v.* **1** negar **2** *(rejeitar)* negar, rechazar **3** *(desmentir)* desmentir, negar ▪ **negar se** negarse (a, a)

negativo *adj.* negativo ■ *s.m.* negativo, cliché ■ *adv.* no ♦ **três graus negativos** tres grados bajo cero
negligência *s.f.* negligencia, dejadez, descuido*m.*
negligenciar *v.* descuidar, desatender
negligente *adj.,s.2g.* negligente
negociação *s.f.* negociación ■ **negociações** *s.f.pl.* (por via diplomática) negociaciones
negociador, -a *s.m.,f.* negociador, -a
negociar *v.* negociar
negociável *adj.2g.* negociable
negócio *s.m.* **1** negocio, transacción*f.* **2** tienda*f.*, comercio; ***abrir um negócio*** abrir un comercio **3** cosa*f.*; asunto ♦ **negócio da China** negocio redondo; **negócio fechado!** ¡trato hecho!
negrito *s.m.* negrita*f.*
negr|o, -a *s.m.,f.* negr|o, -a ■ *adj.* **1** (cor) negro **2** (pessoa) negro **3** (olho) morado ■ **negro** *s.m.* **1** (cor) negro **2** negrita*f.*
nela *contr. da prep.* em + *pron.pess.f.* ela en ella
nele *contr. da prep.* em + *pron.pess.m.* ele en él
nem *conj.* ni; ***não bebe nem fuma*** no bebe ni fuma ■ *adv.* ni; ***nem me fale disso*** ni me hables de eso ♦ **nem mais, nem menos** ni más, ni menos; **nem que** aunque; **nem um** por lo menos; **que nem** como
nenê *s.2g. col.* bebé*m.*
neném *s.2g.* bebe*m.* [AM.], bebé*m.*
nenhum, -a *pron.indef.* **1** (depois de *s.*) ningun|o, -a; (antes de *s.m.sing.*) ningún; ***isso não tem graça nenhuma*** eso no tiene ninguna gracia **2** ningun|o, -a ♦ **não fazer nenhum** no dar (alguien) palo al agua
néon *s.m.* neón
Nereida *s.f.* MIT.,ASTRON. ⇒ **Nereide**
Nereide *s.f.* MIT. Nereida
nervo *s.m.* nervio ■ **nervos** *s.m.pl.* (sensação) nervios ♦ **andar com os nervos à flor da pele** tener los nervios a flor de piel; **causar/meter nervos** poner los nervios de punta, crispar los nervios; **ter os nervos à flor da pele** tener los nervios de punta
nervosismo *s.m.* nerviosismo
nervoso *adj.* nervioso; ***ficar nervoso*** ponerse nervioso; ANAT. ***sistema nervoso*** sistema nervioso
nessa *contr. da prep.* em + *pron.dem.f.* essa en esa
nesse *contr. da prep.* em + *pron.dem.m.* esse en ese
nesta *contr. da prep.* em + *pron.dem.f.* esta en esta
neste *contr. da prep.* em + *pron.dem.m* este en este
net|o, -a *s.m.,f.* niet|o, -a
Netuno *s.m.* MIT.,ASTRON. Neptuno
neurocirurgia *s.f.* neurocirugía
neurocirurgi|ão, -ã *s.m.,f.* neurocirujan|o, -a
neurologia *s.f.* neurología
neurologista *s.2g.* neurólog|o, -a*m.f.*
neurônio *s.m.* neurona*f.*
neurose *s.f.* neurosis*2n.*
neurótic|o, -a *adj.,s.m.,f.* neurótic|o, -a
neutralidade *s.f.* **1** (pessoa) neutralidad, imparcialidad **2** (país) neutralidad
neutralização *s.f.* neutralización
neutralizar *v.* neutralizar ■ **neutralizar-se** neutralizarse
neutro *adj.* **1** *(imparcial)* neutral, imparcial **2** (país) neutral **3** (cor) neutro **4** *(indefinido)* neutro, indefinido, impreciso **5** LING. (gênero) neutro **6** QUÍM. neutro; ***xampu/sabonete neutro*** champú/jabón neutro ■ *s.m.* **1** LING. neutro **2** ELETR. cable de tierra
nevar *v.* nevar
neve *s.f.* MET. nieve; ***bola de neve*** bola de nieve; ***boneco de neve*** muñeco de nieve; ***floco de neve*** copo de nieve
neviscar *v.* neviscar
névoa *s.f.* **1** niebla, bruma **2** (olhos) nube
nevoeiro *s.m.* niebla*f.* (densa)
nevralgia *s.f.* neuralgia
nexo *s.m.* **1** *(conexão)* nexo, conexión*f.* **2** *(sentido)* sentido; ***com/sem nexo*** con/sin sentido
nhoque *s.m.* ñoqui
Nicarágua *s.f.* Nicaragua
nicaraguense *adj.,s.2g.* nicaragüense
nicotina *s.f.* nicotina
Nigéria *s.f.* Nigeria
ninfa *s.f.* **1** MIT. ninfa **2** ZOOL. ninfa, crisálida
ninfomania *s.f.* MED. ninfomanía
ninguém *pron.indef.* nadie; ***mais ninguém*** nadie más; ***não há ninguém aqui*** no hay nadie aquí; ***ninguém sabe*** nadie lo sabe
ninharia *s.f.* bagatela, nimiedad, pequeñez, niñería
ninho *s.m.* **1** (de aves) nido; (de galinhas) nidal **2** *col.* *(cama)* piltra*f.*; ***passar o dia enfiado no ninho*** pasarse el día metido en la piltra
nissei *s.2g.* [hijo de japoneses nacido en América]
nisso *contr. da prep.* em + *pron.dem.* isso en eso
nisto *contr. da prep.* em + *pron.dem.* isto en esto
nitidamente *adv.* nítidamente
nitidez *s.f.* **1** *(clareza, transparência)* nitidez, claridad, transparencia **2** *(precisão, exatidão)* nitidez, precisión, exactitud
nítido *adj.* **1** nítido **2** evidente
nitrato *s.m.* nitrato
nitrogênio *s.m.* nitrógeno
nível *s.m.* nivel; ***nível de vida*** nivel de vida ♦ **a todos os níveis** a todos los niveles
nivelamento *s.m.* **1** nivelación*f.*, aplanamiento, allanamiento **2** nivelación*f.*, equiparación*f.*
nivelar *v.* nivelar ■ **nivelar-se** nivelarse, igualarse
no *contr. da prep.* em + *art.def.m.* o en el; ***no trabalho*** en el trabajo; ***no domingo*** el domingo; ***o mês passado*** el mes pasado
nó *s.m.* **1** nudo; ***nó cego*** nudo ciego **2** (plantas) nudo, tallo **3** nudillo (de los dedos) **4** (vias de comunicação) nudo; ***nó de ligação*** nudo de enlace **5** *(laço)* nudo, lazo **6** *fig.* quid; ***o nó da questão*** el quid de la cuestión **7** *(dificuldade)* dificultad*f.* **8** NÁUT. nudo **9** (tecido) mota*f.* ♦ **dar o nó** casarse; **nó na garganta** nudo en la garganta
nobre *adj.2g.* **1** noble **2** noble, digno **3** (horário) de máxima audiencia, estelar **4** QUÍM. noble ■ *s.2g.* noble

nobreza *s.f.* **1** nobleza **2** *(generosidade)* generosidad, nobleza
noção *s.f.* noción
nocaute *s.m.* (pugilismo) fuera de combate
nocautear *v.* ESPOR. noquear
nocivo *adj.* nocivo, perjudicial
nódoa *s.f.* **1** *(mancha)* mancha; (roupa) lamparón*m.* **2** *fig.* mancha, deshonra **3** *col.* inepto ♦ **nódoa negra** cardenal, morado, moratón
nódulo *s.m.* nódulo
noitada *s.f.* velada
noite *s.f.* noche ♦ **à noite** por la noche; **altas horas da noite** altas horas de la madrugada; **ao cair da noite** al anochecer; **a noite é uma criança** la noche no ha hecho más que empezar, la noche acaba de empezar; **boa noite!** ¡buenas noches!; **da noite para o dia** de la noche a la mañana; **de noite** por la noche; *col.* **ir para a noite** salir de marcha; **noite de Ano-Novo** Nochevieja; **noite de Natal** Nochebuena; **noite e dia** día y noche; **noite de núpcias** noche de bodas; **passar a noite em claro/branco** pasar la noche en blanco/vela
noivado *s.m.* compromiso (matrimonial); ***anel de noivado*** anillo de compromiso
noiv|o, -a *s.m.,f.* (para casar) prometid|o, -a, comprometid|o, -a [AM.] ■ **noivos** *s.m.pl.* (no casamento) novios*m.*; (depois da cerimônia) recién*m.* casados
nojento *adj.* asqueroso, repugnante
nojo *s.m.* **1** asco, repulsa*f.*; ***meter nojo*** dar asco; ***que nojo!*** ¡qué asco! **2** *(luto)* luto
nômade *adj.,s.2g.* nómada
nome *s.m.* **1** nombre; ***nome de batismo*** nombre de pila; ***nome de família*** apellido **2** *(fama)* renombre, nombre, reputación*f.* **3** *(apelido)* apodo, mote **4** LING. nombre, sustantivo; ***nome coletivo*** nombre colectivo; ***nome comum de dois*** nombre común en cuanto al género; ***nome comum/próprio*** nombre común/propio ♦ **ganhar nome** hacerse famoso; **em nome de** en nombre de; **nome de guerra** nombre de guerra; **nome feio** taco, palabrota
nomeação *s.f.* **1** (cargo, função) nombramiento*m.* **2** (documento) nombramiento*m.* **3** (prêmio) nominación
nomear *v.* **1** (pessoa, coisa) nombrar, denominar **2** (cargo, função) nombrar, designar **3** (prêmio) nominar
nomenclatura *s.f.* **1** nomenclatura **2** *(catálogo, lista)* nomenclátor*m.*
nominal *adj.2g.* **1** nominal **2** (cheque) nominativo
nominalismo *s.m.* nominalismo
nominativo *adj.* **1** (cheque) nominativo **2** (caso) nominativo ■ *s.m.* nominativo
nonagenári|o, -a *s.m.,f.* nonagenari|o, -a
nonagésim|o, -a *s.m.* nonagésim|o, -a
non|o, -a *s.m.* noven|o, -a
nora *s.f.* **1** nuera **2** (máquina) noria
nordeste *s.m.* nordeste, noreste
nórdic|o, -a *adj.,s.m.,f.* nórdic|o, -a
norma *s.f.* norma, regla; ***normas da escola*** reglas de la escuela; ***normas de segurança*** normas de seguridad
normal *adj.2g.* normal ■ *s.f.* GEOM. normal
normalidade *s.f.* normalidad
normalizar *v.* **1** *(regularizar)* normalizar, regularizar **2** *(uniformizar)* uniformizar ■ **normalizar-se** normalizarse
normalmente *adv.* normalmente
normativo *adj.* normativo
nor-nordeste *s.m.* (*pl.* nor-nordestes) nornordeste, nornoreste
nor-noroeste *s.m.* (*pl.* nor-noroestes) nornoroeste
noroeste *s.m.* noroeste
norte *s.m.* norte ♦ **norte magnético** norte magnético; **perder o norte** perder el norte
norte-american|o, -a *adj.,s.m.,f.* (*pl.* norte-america-n|os, -as) **1** (América do Norte) norteamerican|o, -a **2** (EUA) estadounidense*2g.*, norteamerican|o, -a
nortear *v.* **1** NÁUT. nortear **2** *fig.* orientar ■ **nortear-se** orientarse
Noruega *s.f.* Noruega
norueg|ês, -esa *adj.,s.m.,f.* norueg|o, -a ■ **norueguês** *s.m.* (língua) noruego
nos *pron.pess.* nos; ***já nos conhecia*** ya nos conocía; ***ele chamou-nos*** nos ha llamado él; ***pediu-nos um favor*** nos ha pedido un favor
nós *pron.pess.* nosotr|os, -as; ***isso é para nós?*** ¿eso es para nosotros?; ***nós trabalhamos aqui*** nosotros trabajamos aquí
noss|o, -a *pron.poss.* **1** nuestr|o, -a; ***o nosso carro*** nuestro coche; ***a nossa casa*** nuestra casa **2** nuestr|o, -a; ***o livro é nosso*** el libro es nuestro; ***a casa é nossa*** la casa es nuestra ♦ *col.* **minha nossa!** ¡Dios mío!
nostalgia *s.f.* nostalgia; añoranza
nostálgico *adj.* nostálgico
nota *s.f.* **1** *(apontamento)* nota, apunte*m.* **2** *(comentário)* nota, comentario*m.* **3** *gír.* (exame, trabalho) calificación, nota **4** (dinheiro) billete*m.* **5** MÚS. nota ♦ *col.* **estar cheio da nota** estar forrado; **nota de rodapé** nota a pie de pagina; *col.* (dinheiro) **nota preta** pasta gansa; **tomar nota de** tomar (buena) nota de
notabilizar *v.* afamar, hacer famoso ■ **notabilizar-se** afamarse, hacerse famoso
notar *v.* **1** anotar, apuntar **2** anotar, señalar **3** notar
notári|o, -a *s.m.,f.* notari|o, -a ■ **notário** *s.m.* notaría*f.*
notícia *s.f.* **1** noticia; ***notícia de última hora*** noticia de última hora, avance **2** *(recordação)* recuerdo*m.* **3** *(novidade)* noticia, novedad ♦ **dar notícia de** dar noticia; **ser notícia** ser noticia
noticiar *v.* (notícia) informar
noticiário *s.m.* noticiario, noticias*f. pl.*
notificação *s.f.* notificación
notificar *v.* **1** (notícia, acontecimento) notificar **2** *(avisar)* avisar
notoriedade *s.f.* notoriedad
notório *adj.* **1** *(evidente)* notorio, evidente, claro **2** *(conhecido)* notorio, conocido, público
noturno *adj.* nocturno ■ *s.m.* MÚS. nocturno

noutro *contr. da prep.* em + *pron.indef.m.* outro en otro

novamente *adv.* nuevamente

novat|o, -a *s.m.,f.* **1** novat|o, -a **2** *(caloiro)* novat|o, -a ▪ *adj.* novato

nove *s.m.* nueve

novecent|os, -as *s.m.* novecient|os, -as

nove-horas *s.f.pl.* susceptibilidad, melindres*m. pl.* ♦ **cheio de nove-horas** más chulo que un ocho, melindroso, remilgado, escrupuloso

novela *s.f.* **1** LIT. novela corta **2** (televisão) telenovela; (rádio) radionovela

> Não confundir com a palavra espanhola **novela** (*romance*).

novelo *s.m.* **1** ovillo; ***novelo de lã*** ovillo de lana **2** *fig.* enredo

novembro *s.m.* noviembre

novena *s.f.* novena

noventa *s.m.* noventa

noviç|o, -a *s.m.,f.* novici|o, -a

novidade *s.f.* novedad ▪ **novidades** *s.f.pl. col.* cotilleo*m.*, chisme*m.*

novo *adj.* **1** *(recente)* nuevo, reciente **2** (pessoa) joven **3** *(desconhecido)* nuevo, desconocido **4** *(que está começando)* nuevo, novel*2g.* **5** (filho) menor; ***é a filha mais nova*** es la hija menor ▪ *s.m.* nuevo, novedad*f.* ♦ **de novo** de nuevo; **novo em folha** recién salido del horno, completamente nuevo

noz *s.f.* nuez

noz-moscada *s.f.* (*pl.* nozes-moscadas) nuez de especia/moscada

nu *adj.* **1** desnudo **2** *(descoberto)* desnudo, descubierto **3** *(verdadeiro)* desnudo, verdadero ▪ *s.m.* **1** desnudo **2** ART.PL. desnudo ♦ **pôr a nu** al desnudo; poner al descubierto; **visível a olho nu** visible a simple vista

nublado *adj.* (céu) nublado, nuboso

nublar *v.* **1** (céu) nublar **2** *fig.* nublar, entristecer ▪ **nublar se** nublarse

nuca *s.f.* nuca

nuclear *adj.2g.* nuclear

núcleo *s.m.* núcleo

nudez *s.f.* desnudez

nudismo *s.m.* nudismo

nudista *adj.,s.2g.* nudista

nulo *adj.* **1** nulo **2** *(nenhum)* ninguno **3** (resultado) nulo **4** DIR. nulo

num *contr. da prep.* em + *art.indef.m.* um en un

numeração *s.f.* numeración

numerado *adj.* numerado

numerador *s.m.* numerador

numeral *adj.2g.* numeral ▪ *s.m.* numeral; ***numeral cardinal/ordinal*** numeral cardinal/ordinal

numerar *v.* numerar

numérico *adj.* numérico

número *s.m.* **1** número; ***número de telefone*** número de teléfono; ***número par/ímpar*** número par/impar **2** (de calçado, vestuário) talla*f.*, número **3** (publicação periódica) número **4** (espetáculo) número **5** LING. número ♦ **em números redondos** en números redondos

numerologia *s.f.* numerología

numerólog|o, -a *s.m.,f.* numerólog|o, -a

numeroso *adj.* numeroso

nunca *adv.* nunca ♦ **dia de S. Nunca** nunca, jamás; **mais do que nunca** más que nunca; **nunca jamais** nunca jamás; **nunca mais** nunca más; **quase nunca** casi nunca

nupcial *adj.2g.* nupcial

núpcias *s.f.pl.* nupcias ♦ **casar em segundas núpcias** casarse en segundas nupcias

nutrição *s.f.* nutrición

nutricionista *s.2g.* nutricionista

nutriente *adj.2g.* nutriente, nutritivo ▪ *s.m.* nutriente

nutrir *v.* **1** nutrir, alimentar **2** *fig.* (ideia, plano, sugestão) alimentar ▪ **nutrir-se** nutrirse (de, de)

nutritivo *adj.* nutritivo

nuvem *s.f.* **1** MET. nube **2** (de insetos, poeira, etc.) nube **3** *fig.* nube, multitud ♦ **andar nas nuvens** estar en las nubes; **cair das nuvens** como caído de las nubes

nylon *s.m.* nailon, nylon

O

o[1] /ó/ *s.m.* (letra) o*f.*

o[2] /u/ *art.def.m.* (antes de *s.m.*) el; (antes de *adj./adv.*) lo; ***o avião*** el avión; ***os aviões*** los aviones; ***o melhor é estar calado*** lo mejor es estar callado ■ *pron.pess.m.* lo; (leísmo) le; ***você não o viu hoje?*** ¿no lo has visto hoy? ■ *pron.dem.m.* lo; ***este casaco não é o que eu queria*** este abrigo no es el que yo quería

O QUÍM. (*símbolo de* oxigênio) O (*símbolo de* oxígeno) ■ (*símbolo de* Oeste) W (*símbolo de* Oeste)

ó *interj.* ¡eh!

obcecado *adj.* **1** obcecado, ciego *fig.* **2** *(obstinado)* obstinado, testarudo, tozudo

obcecar *v.* obcecar

obedecer *v.* **1** (pessoa) obedecer (a, -) **2** (lei, regra, ordem) obedecer (a, -); ***obedecer às leis*** obedecer las leyes

obediência *s.f.* obediencia ♦ **em obediência a** en conformidad con, de acuerdo con

obediente *adj.2g.* obediente

obelisco *s.m.* obelisco

obesidade *s.f.* obesidad, adiposis *2n.*

obeso *adj.* obeso

óbito *s.m.* óbito, defunción *f.*, fallecimiento ♦ **certidão de óbito** certificado de defunción

objeção *s.f.* objeción ♦ **objeção de consciência** objeción de conciencia

objetiva *s.f.* objetivo *m.*

objetividade *s.f.* objetividad

objetivo *adj.* objetivo ■ *s.m.* objetivo, objeto, fin; ***com o objetivo de*** al/con objeto de

objeto *s.m.* **1** *(coisa)* objeto, cosa *f.*; ***objeto de arte*** objeto de arte **2** *(assunto)* objeto, asunto, tema **3** *(propósito)* objeto, fin, blanco **4** FIL. objecto ♦ LING. **objeto direto/indireto** objeto/complemento directo/indirecto; **objetos pessoais** efectos personales

objetor, -a *s.m.,f.* objetor, -a ♦ **objetor de consciência** objetor de conciencia

oblíqua *adj.* GEOM. oblicua

oblíquo *adj.* **1** oblicuo **2** (olhar) bizco **3** LING. (pronome) oblicuo

obliterar *v.* **1** *(apagar)* obliterar, borrar **2** (bilhete, selo) validar; picar el billete, introducir el bonobús **3** MED. obliterar ■ **obliterar se** obliterarse

obra *s.f.* **1** (literária, científica, artística) obra **2** *(edifício em construção)* obra, edificio *m.* **3** (ação) obra; ***isso é obra dele*** eso es obra de él ■ **obras** *s.f.pl.* obras; ***obras públicas*** obras públicas ♦ **estar em obras** estar en obras; **obras beneficentes** obras benéficas/de caridad/de misericordia; **por obra e graça de** por obra y gracia de

obra-prima *s.f.* (*pl.* obras-primas) obra maestra

obrar *v. pop.* obrar, hacer de vientre, defecar

obrigação *s.f.* **1** *(imposição)* obligación **2** *(dever)* obligación, deber *m.*; ***ter a obrigação de fazer alguma coisa*** tener la obligación de hacer algo **3** ECON. obligación, valor *m.* **4** (moral) deuda

obrigado *adj.* obligado (a, a); ***ser obrigado a fazer alguma coisa*** estar obligado a hacer algo ♦ **muito obrigado(a)!** ¡muchas gracias!; **obrigado(a)!** ¡gracias!

obrigar *v.* obligar, forzar, imponer; ***isso obriga a mais despesas*** eso obliga a más gastos; ***obrigar alguém a fazer alguma coisa*** obligar a alguien a hacer algo ■ **obrigar se** obligarse, someterse, hacerse responsable, encargarse

obrigatoriedade *s.f.* obligatoriedad

obrigatório *adj.* obligatorio; ***sentido obrigatório*** sentido obligatório

obsceno *adj.* obsceno, indecente

obscurecer *v.* **1** *(escurecer)* oscurecer, obscurecer **2** *fig.* oscurecer, obscurecer, confundir

obscuro *adj.* **1** oscuro, obscuro, sombrío, borroso **2** *fig.* oscuro, confuso, impreciso **3** *fig.* oscuro, desconocido

obsequiar *v.* obsequiar (com, con)

obséquio *s.m.* **1** favor, servicio; ***fazer um obséquio a alguém*** hacerle un favor a alguien **2** *(bondade)* amabilidad *f.*, cortesía *f.* ♦ **por obséquio** por gentileza

observação *s.f.* **1** *(exame)* observación; ***o doente está em observação*** el paciente está en observación **2** (de ordem, regulamento) observancia, cumplimiento *m.* **3** *(comentário)* observación, comentario *m.*, nota; ***fazer uma observação*** hacer una observación **4** *(reparo)* observación, advertencia, indicación

observador, -a *adj.,s.m.,f.* **1** observador, -a **2** (regra, costume, prática) cumplidor, -a

observância *s.f.* **1** (ordem, regulamento) observancia, cumplimiento *m.* **2** REL. práctica *f.* religiosa

observar *v.* **1** *(examinar)* observar, mirar, examinar **2** (ordem, regulamento) observar, cumplir **3** *(notar)* observar, advertir, notar

observatório *s.m.* observatorio; ***observatório astronômico*** observatorio astronómico

obsessão *s.f.* obsesión, idea fija, manía

obsoleto *adj.* obsoleto, anticuado

obstaculizar *v.* obstaculizar, dificultar

obstáculo *s.m.* **1** obstáculo, dificultad *f.*, impedimento; ***ultrapassar um obstáculo*** superar un obstáculo **2** obstáculo, valla *f.*; ***corrida de obstáculos*** carrera de obstáculos

obstante *adj.2g.* obstante; ***não obstante*** sin embargo/a pesar de

obstetra *s.2g.* obstetra, tocólog|o, -a *m.f.*

obstetrícia *s.f.* obstetricia, tocología

obstinado *adj.* obstinado, terco, cabezota, tozudo, testarudo

obstinar-se *v.* obstinarse (em, en), empecinarse (em, en)
obstipar *v.* estreñir
obstrução *s.f.* obstrucción
obstruir *v.* **1** obstruir, atascar, atrancar **2** *(estorvar)* obstruir, obstaculizar, dificultar, estorbar ■ **obstruir-se** obstruirse, atascarse
obter *v.* obtener, adquirir, conseguir, conquistar
obturação *s.f.* (dente) empaste*m.*
obturar *v.* **1** (dente) empastar **2** *(obstruir)* obturar, obstruir
obtuso *adj.* **1** obtuso **2** *fig.,pej.* (pessoa) obtuso, torpe, romo
obviamente *adv.* evidentemente
óbvio *adj.* obvio, claro, evidente; ***é óbvio que...*** es obvio que...; ***por razões óbvias*** por razones obvias
oca *s.f.* (jogo de tabuleiro) oca
ocasião *s.f.* **1** *(momento)* ocasión, momento*m.*, tiempo*m.* **2** *(oportunidade)* ocasión, oportunidad **3** *(circunstância)* ocasión, circunstancia **4** (lazer) tiempo*m.* libre, ocio*m.* ♦ **a ocasião faz o ladrão** la ocasión hace al ladrón; **dar ocasião a** dar lugar a; (preço, negócio) **de ocasião** de ocasión; **perder a ocasião** perder la oportunidad; **por ocasião de** con motivo de, con ocasión de
ocasional *adj.2g.* ocasional
ocasionar *v.* ocasionar, causar, producir, acarrear
occipício *s.m.* ANAT. occipucio
occipital *adj.2g.* ANAT. occipital
Oceania *s.f.* Oceanía
oceânico *adj.* oceánico
oceano *s.m.* océano
oceanografia *s.f.* oceanografía
ocidental *adj.,s.2g.* occidental
ocidente *s.m.* occidente, oeste
Ocidente *s.m.* Occidente
ócio *s.m.* **1** *(lazer)* ocio, holganza*f.* **2** *(tempo livre)* día libre, ocio, asueto **3** *(preguiça)* ocio, ociosidad*f.*
ociosidade *s.f.* ociosidad
ocioso *adj.* ocioso, holgazán, gandul, vago
oclusão *s.f.* **1** oclusión, obstrucción **2** LING. oclusión
oco *adj.* **1** *(cavo)* hueco, vacío **2** *fig.* hueco, vacío, insustancial, vano
ocorrência *s.f.* suceso*m.*, ocurrencia
ocorrer *v.* **1** ocurrir, pasar, suceder, acontecer **2** ocurrirse, venir a la cabeza; ***agora não me ocorre nada*** ahora no se me ocurre nada
octana *adj.* MED. octana ■ *s.f.* QUÍM. octano*m.*
octogenári|o, -a *s.m.,f.* octogenari|o, -a
octogésim|o, -a *s.m.* octogésim|o, -a
octógono *s.m.* octógono, octágono
ocular *adj.2g.* ocular; ***infecção ocular*** infección ocular; ***testemunha ocular*** testigo ocular ■ *s.f.* ocular*m.*
oculista *s.2g.* **1** (fabricante, vendedor) óptic|o, -a*m.f.* **2** *(oftalmologista)* oculista, oftalmólog|o, -a*m.f.*
óculos *s.m.pl.* gafas*f.*; ***óculos escuros/de sol*** gafas de sol; ***óculos graduados*** gafas graduadas; ***usar óculos*** llevar gafas ♦ **óculos de mergulho/natação** gafas de bucear/natación; **óculos de proteção** gafas de seguridad
ocultar *v.* **1** *(esconder)* ocultar, esconder **2** (de modo fraudulento) ocultar, encubrir, escamotear ■ **ocultar-se** ocultarse, esconderse
oculto *adj.* **1** *(escondido)* oculto, cubierto, escondido **2** *(desconhecido)* oculto, misterioso, desconocido
ocupação *s.f.* **1** ocupación; empleo*m.*, trabajo*m.*, profesión **2** (posse) ocupación, toma **3** MIL. ocupación **4** *(tarefa)* ocupación, tarea, quehacer*m.*
ocupacional *adj.2g.* ocupacional
ocupar *v.* **1** (espaço, lugar) ocupar **2** (cargo, função) ocupar, desempeñar **3** (território) ocupar, invadir **4** *(entreter)* ocupar, dar quehacer ■ **ocupar-se** ocuparse (com/de, de), dedicarse (com/de, a)
odiar *v.* odiar, detestar, aborrecer; ***odeio que faças isso*** odio que hagas eso
ódio *s.m.* odio; ***ódio mortal*** odio mortal; ***ter ódio a alguém*** tenerle odio a alguien
odontologia *s.f.* odontología
odontológico *adj.* odontológico
odontologista *s.2g.* odóntolog|o, -a*m.f.*
odor *s.m.* olor; aroma
oés-noroeste *s.m.* (*pl.* oés-noroestes) oesnoroeste
oés-sudoeste *s.m.* (*pl.* oés-sudoestes) oesudoeste, oesuroeste
oeste *s.m.* oeste, poniente
ofegante *adj.2g.* jadeante; sin aliento
ofegar *v.* jadear; respirar con dificultad
ofender *v.* **1** *(injuriar)* ofender, insultar **2** *(magoar)* ofender, herir ■ **ofender se** ofenderse, molestarse, indignarse, agraviarse
ofendido *adj.,s.m.* ofendido, molesto, indignado, agraviado
ofensa *s.f.* ofensa, insulto*m.*, afrenta, agravio*m.*
ofensiva *s.f.* ofensiva ♦ **tomar a ofensiva** tomar la ofensiva
ofensivo *adj.* ofensivo
ofensor, -a *adj.,s.m.,f.* ofensor, -a
oferecer *v.* **1** (presente) regalar, dar **2** *(proporcionar)* ofrecer, proporcionar ■ **oferecer-se** ofrecerse (para, a/para); ***oferecer-se para ajudar*** ofrecerse para ayudar
oferecimento *s.m.* ofrecimiento
oferenda *s.f.* **1** ofrenda **2** *(presente)* regalo*m.*
oferta *s.f.* **1** *(presente)* regalo*m.*, ofrenda, presente*m.* **2** *(donativo)* donativo*m.*, donación **3** *(preço oferecido)* oferta, precio*m.* ofrecido **4** ECON. oferta; ***lei da oferta e da procura*** ley de la oferta y la demanda ♦ **em oferta** en liquidación, rebajado
ofertar *v.* ofertar
office boy *s.m.* mensajero
off-line *adj.2g.2n.,adv.* offline
oficial *adj.2g.* **1** oficial **2** (namorado) formal ■ *s.2g.* MIL. oficial
oficializar *v.* **1** oficializar **2** (noivado) formalizar
oficiar *v.* (missa) oficiar, celebrar

oficina *s.f.* **1** (de fábrica) taller*m.*; ***oficina tipográfica*** taller tipográfico **2** (de veículos) taller*m.*; ***levar o carro à oficina*** llevar el coche al taller

> Não confundir com a palavra espanhola **oficina** (*escritório*).

ofício *s.m.* **1** *(profissão)* oficio, profesión*f.* **2** *(função)* oficio, función*f.*, papel **3** *(carta oficial)* oficio **4** REL. oficio

oftálmico *adj.,s.m.* MED.,VET. oftálmico

oftalmologia *s.f.* oftalmología

oftalmológico *adj.* MED.,VET. oftatmológico

oftalmologista *s.2g.* oftalmólog|o, -a*m.f.*

ofuscante *adj.2g.* ofuscador

ofuscar *v.* **1** ofuscar, turbar **2** *fig.* ofuscar, deslumbrar, perturbar

ogro *s.m.* (contos infantis) ogro, coco

oi *interj.* **1** (saudação, chamamento) ¡hola! **2** (pergunta) ¿qué?; ¿cómo?

oitav|o, -a *s.m.* octav|o, -a

oitenta *s.m.* ochenta

oito *s.m.* ocho ◆ *col.* **nem oito nem oitenta** ni tanto ni tan calvo; **ou oito ou oitenta** **1** o todo o nada **2** (pessoa) extremista

oitocent|os, -as *s.m.* ochocient|os, -as

olá *interj.* (saudação) ¡hola!, ¡buenas! *col.*

olé *interj.* **1** (saudação) ¡hola! **2** (entusiasmo, alegria) ¡ole!, ¡olé!

óleo *s.m.* **1** (para cozinhar) aceite; ***óleo de amendoim/girassol/soja*** aceite de cacahuete/girasol/soja **2** (máquinas, motores) aceite **3** (pele) aceite; ***óleo de amêndoas doces*** aceite de almendras; ***óleo hidratante/solar*** aceite hidratante/solar **4** ART.PL. óleo; ***pintura a óleo*** pintura al óleo ◆ REL. **santos óleos** santos óleos

oleosidade *s.m.* oleosidad

oleoso *adj.* **1** (cabelo, pele) graso **2** (alimento) aceitoso, grasiento

olfato *s.m.* **1** (sentido) olfato **2** *(faro)* olfato

olhada *s.f.* ojeada; vistazo*m.*; mirada; ***dar uma olhada*** echar una ojeada

olhar *v.* **1** mirar **2** *(pôr os olhos em)* mirar, fijar **3** *(velar)* cuidar (por, de) ■ *s.m.* mirada*f.* ◆ **não olhar para trás** no mirar atrás; **olha!** ¡mira!

olheiras *s.f.pl.* ojeras

olho *s.m.* **1** ojo **2** BOT. cogollo ■ *interj. pop.* ¡ojo! ◆ **abrir os olhos** abrir los ojos; **andar de olho em alguém** tenerle el ojo echado a alguien; **de olho** a ojo/bulto; **a olho nu** a simple vista; **a olhos vistos** a ojos vistas; **botar olho-grande** envidiar; **custar os olhos da cara** costar un ojo de la cara, costar un triunfo; **estar de olho** estar al quite; **ficar de olho** andar con cien ojos; **não tirar os olhos de** no quitarle el ojo a; **num abrir e fechar de olhos** en un abrir y cerrar de ojos; **não pregar os olhos** no pegar ojo; *col.* **olho da rua** calle; **olho-grande/olho gordo** envidia; **olho por olho, dente por dente** ojo por ojo, diente por diente; **olho vivo** buen ojo; *col.* **pôr no olho da rua** poner de patitas/patas en la calle; **ter o olho maior que a barriga** llenar antes el ojo que la tripa

olho de sogra *s.m.* dulce de ciruela seca rellena

oligarquia *s.f.* oligarquía

olímpico *adj.* olímpico; ***Jogos Olímpicos*** juegos olímpicos

olimpo *s.m.* MIT. olimpo

Olimpo *s.m.* MIT. Olimpo

oliveira *s.f.* olivo*m.*, aceituno*m.*

olmeiro *s.m.* BOT. olmo

ombreira *s.f.* **1** (janela, porta) umbral*m.* **2** (vestuário) hombrera

ombro *s.m.* hombro ◆ **encolher os ombros** encogerse de hombros, encoger los hombros; **ombro a/com ombro** hombro con hombro

omelete *s.f.* tortilla francesa

omissão *s.f.* omisión

omitir *v.* omitir

omoplata *s.f.* omóplato*m.*, omoplato*m.*

OMS (*sigla de* Organização Mundial de Saúde) OMS (*sigla de* Organización Mundial de la Salud)

onça *s.f.* onza

oncologia *s.f.* oncología

oncologista *s.2g.* oncólog|o, -a*m.f.*

onda *s.f.* **1** *(vaga)* ola, onda **2** onda; ***onda curta/longa/média*** onda corta/larga/media **3** (cabelo) onda **4** MET. ola; ***onda de calor/frio*** ola de calor/frío **5** *fig.* ola, oleada; ***uma onda de violência*** una ola de violencia ◆ **fazer ondas** armar un lío; **ir na onda** dejarse llevar por la corriente

onde *adv.interr.* ¿dónde?; ***onde estiveste ontem?*** ¿dónde estuviste ayer? ■ *adv.* donde; ***o gabinete onde trabalho é grande*** el despacho donde trabajo es grande ◆ **onde quer que** donde quiera que, dondequiera que

ondulação *s.f.* **1** (mar, rio, etc.) ondulación **2** (cabelo) ondulación, rizado*m.*

ondulado *adj.* ondulado, rizado

ondular *v.* **1** (água) ondular **2** (cabelo) ondular, rizar

ondulatório *adj.* ondulatorio

ONG (*sigla de* Organização Não Governamental) ONG (*sigla de* Organización No Gubernamental)

ônibus *s.m.2n.* autobús, bus; (de longos trajetos) autocar

on-line *adj.2g.2n.* on line, en línea ■ *adv.* on line

ontem *adv.* ayer; ***ontem de manhã/à noite/à tarde*** ayer por la mañana/noche/tarde; ***ontem à noite*** anoche ◆ **de ontem para hoje** de ayer a hoy; **eu não nasci ontem!** ¡no he nacido ayer!; **parece que foi ontem!** ¡parece que fue ayer!

ONU (*sigla de* Organização das Nações Unidas) ONU (*sigla de* Organización de las Naciones Unidas)

ônus *s.m.2n.* **1** carga*f.*, peso **2** *(imposto)* gravamen, tributo

onze *s.m.* once

opaco *adj.* opaco

opção *s.f.* **1** *(escolha)* opción, elección **2** *(alternativa)* opción, alternativa; ***não ter outra opção*** no tener

otra opción **3** *(direito)* opción, derecho*m.* **4** INFORM. opción
opcional *adj.2g.* opcional
open *s.m.* ESPOR. abierto, open
ópera *s.f.* ópera
operação *s.f.* **1** MED. operación, intervención quirúrgica **2** ECON. operación, transacción **3** MAT. operación, cálculo*m.* **4** MIL. operación ◆ (trânsito rodoviário) **operação de regresso** operación retorno
operacional *adj.2g.* operacional; *sistema operacional* sistema operativo
operador, -a *s.m.,f.* **1** cirujan|o, -a **2** cámara*2g.*, operador, -a ■ *adj.* operador ■ **operador** *s.m.* MAT. operador, signo
operadora *s.f.* operadora*m./f.*
operar *v.* **1** MED. operar **2** *(atuar)* operar, actuar, realizarse **3** *(realizar)* operar, realizar ◆ **ser operado** operarse
operári|o, -a *s.m.,f.* obrer|o, -a, operari|o, -a ■ *adj.* obrero
opinar *v.* opinar
opinião *s.f.* opinión, parecer*m.*, juicio*m.*; *mudar de opinião* cambiar de opinión; *em minha opinião* en mi opinión, a mi juicio, a mi parecer ◆ **opinião pública** opinión pública
opor *v.* **1** oponer, afrontar, impedir **2** (argumento) oponer, refutar, contrariar ■ **opor-se** oponerse, rebelarse, enfrentarse
oportunamente *adv.* oportunamente
oportunidade *s.f.* oportunidad; *aproveitar/perder uma oportunidade* aprovechar/perder una oportunidad
oportunismo *s.m. pej.* oportunismo
oportunista *adj.,s.2g. pej.* oportunista
oportuno *adj.* oportuno, conveniente, adecuado
oposição *s.f.* **1** oposición **2** POL. oposición; *partido da oposição* partido de la oposición
oposto (*p.p. de* opor) *adj.* opuesto, contrario
opressão *s.f.* opresión
opressor, -a *s.m.,f.* opresor, -a; tiran|o, -a
oprimir *v.* **1** *(apertar)* oprimir, apretar, comprimir **2** *(tiranizar)* oprimir, tiranizar
optar *v.* optar (por, por)
óptica *s.f.* **1** FÍS. óptica **2** (assunto) óptica, punto*m.* de vista
óptico *adj.* óptico; *fibra óptica* fibra óptica; *nervo óptico* nervio óptico
oração *s.f.* **1** REL. oración, plegaria **2** LING. oración; *oração coordenada/subordinada* oración coordinada/subordinada; *oração simples/composta* oración simple/compuesta
oráculo *s.m.* oráculo
orador, -a *s.m.,f.* orador, -a
oral *adj.2g.* oral ■ *s.f. gír.* examen*m.* oral
oralidade *s.f.* oralidad
orangotango *s.m.* orangután
orar *v.* orar
oratória *s.f.* **1** oratoria **2** MÚS. oratorio*m.*
oratório *adj.* oratorio; *arte oratória* arte oratorio ■ *s.m.* **1** REL. oratorio **2** MÚS. oratorio
órbita *s.f.* **1** ASTRON. órbita **2** (olhos) órbita, cuenca **3** *fig.* órbita, ámbito*m.*, área ◆ *col.* **entrar em órbita** estar en la luna; **pôr em órbita** poner en órbita
orbital *adj.2g.* orbital
orca *s.f.* orca
orçamentar *v.* presupuestar
orçamento *s.m.* presupuesto; *pedir um orçamento* pedir un presupuesto
ordem *s.f.* **1** *(sequência)* orden*m.*, secuencia; *ordem alfabética* orden alfabético **2** *(organização social)* orden*m.* **3** *(arrumação)* orden*m.*, arreglo*m.* **4** *(disciplina)* orden*m.*; *ordem pública* orden público **5** *(mandado, lei)* orden*m.*, mandato*m.*; *dar ordens a alguém* darle órdenes a alguien; *ordem de pagamento* orden de pago **6** ARQ. orden*m.*, estilo*m.*; *ordem jônica/dórica/coríntia* estilo jónico/dórico/corintio **7** REL. orden*m.* **8** BIOL. orden*m.* ◆ (cheque) **à ordem** a la orden; **da/na ordem de** del orden de; **em ordem** en orden; **meter na ordem** ordenar; **ordem de despejo** desahucio; **ordem do dia** orden del día; **ordem de pagamento** libramiento; **pôr em ordem** poner en orden
ordenado *adj.* **1** *(posto por ordem)* ordenado, organizado, dispuesto **2** *(disciplinado)* ordenado, disciplinado ■ *s.m. (salário)* sueldo, paga*f.*
ordenar *v.* **1** *(pôr por ordem)* ordenar, organizar, disponer **2** *(mandar)* ordenar, mandar **3** REL. ordenar, conferir órdenes sagradas ■ **ordenar se** ordenarse
ordenhar *v.* ordeñar
ordinal *adj.2g.* (numeral) ordinal
ordinário *adj.* **1** *(regular)* ordinario, habitual, corriente, normal **2** (qualidade) ordinario **3** *pej. (mal-educado)* ordinario, grosero
orégano *s.m.* orégano
orelha *s.f.* oreja ◆ **até às orelhas** hasta las narices; **de orelhas baixas/murchas** con las orejas caídas/gachas; **de orelhas em pé** con las antenas paradas; **detrás da orelha** de rechupete; **estar/ficar com uma pulga atrás da orelha** estar con la mosca/pulga detrás de la oreja; **orelhas de abano** orejas de soplillo
orelhão *s.m. col.* cabina*f.* (telefónica)
orelheira *s.f.* **1** (animal) oreja; *orelha de porco* oreja de cerdo **2** (boné, gorro) orejera **3** CUL. [plato hecho con oreja de cerdo]
orelhudo *adj.* orejudo, orejón
orfanato *s.m.* orfanato
órf|ão, -ã *s.m.,f.* huérfan|o, -a; *ficar órfão* quedarse huérfano
Orfeu *s.m.* MIT. Orfeo
orgânico *adj.* orgánico
organismo *s.m.* organismo
organização *s.f.* **1** organización, ordenación **2** *(instituição)* organización, institución, organismo*m.*
organizado *adj.* organizado, ordenado, estructurado

organizar *v.* organizar, disponer, establecer, preparar ▪ **organizar se** organizarse, disponerse, prepararse
organograma *s.m.* organigrama
órgão *s.m.* **1** ANAT. órgano **2** *(entidade)* órgano, organismo, entidad*f.* **3** MÚS. órgano; *tocar órgão* tocar el órgano ♦ **órgãos de comunicação social** medios de comunicación
orgasmo *s.m.* orgasmo
orgia *s.f.* orgía
orgulhar *v.* enorgullecer ▪ **orgulhar se** enorgullecerse (de, de); *orgulha-se do seu trabalho* se enorgullece de su trabajo
orgulho *s.m.* **1** *(brio)* orgullo, dignidad*f.* **2** *(altivez)* orgullo, soberbia*f.*, arrogancia*f.*
orgulhoso *adj.* **1** *(satisfeito)* orgulloso, satisfecho **2** *(arrogante)* orgulloso, arrogante, soberbio
orientação *s.f.* orientación; ♦ **orientação profissional** orientación profesional
orientador, -a *s.m.,f.* orientador, -a; (mestrado, doutorado) director, -a; *orientador de doutorado* director de doctorado ▪ *adj.* orientador
oriental *adj.,s.2g.* oriental
orientar *v.* orientar, dirigir, guiar ▪ **orientar-se** orientarse, encaminarse
oriente *s.m.* oriente, este
Oriente *s.m.* Oriente ♦ **Extremo Oriente** Extremo Oriente; **Oriente Médio** Oriente Medio; **Próximo Oriente** Oriente Próximo
orifício *s.m.* orificio
origem *s.f.* **1** *(princípio)* origen*m.*, principio*m.*, comienzo*m.* **2** *(causa)* origen*m.*, causa **3** *(procedência)* origen*m.*, procedencia **4** (de pessoa) origen*m.*, ascendencia **5** (de palavra) origen*m.*, etimología
original *adj.2g.* original ▪ *s.m.* original
originalidade *s.f.* originalidad
originar *v.* originar, causar, producir ▪ **originar se** originarse (de, -), proceder (de, de)
originário *adj.* originario (de, de), oriundo (de, de)
oriundo *adj.* oriundo (de, de), originario (de, de)
orixá *s.m.* [divinidad de cultos afrobrasileños]
orla *s.f.* **1** (de rio, mar) orilla, margen*m.* **2** (de tecido, papel) orla, tira, franja **3** (de superfície) borde*m.*
ornamentação *s.f.* ornamentación
ornamental *adj.2g.* ornamental
ornamentar *v.* ornamentar, adornar
ornar *v.* ornar, adornar
orquestra *s.f.* orquesta
orquestrar *v.* orquestar
orquídea *s.f.* orquídea
ortodoxo *adj.* ortodoxo
ortoépia *s.f.* **1** LING. ortoepía, ortología **2** ortología, pronunciación correcta
ortografia *s.f.* ortografía
ortopedia *s.f.* ortopedia
ortopédico *adj.* ortopédico
ortopedista *s.2g.* ortopeda, ortopedista
orvalhar *v.* rociar
orvalho *s.m.* rocío
oscilação *s.f.* **1** oscilación, balanceo*m.* **2** *fig.* vacilación, titubeo*m.*
oscilar *v.* **1** oscilar, balancear **2** *fig.* vacilar, titubear
ossada *s.f.* **1** (de cadáver) osamenta, esqueleto*m.* **2** *fig.* (de edifício) esqueleto*m.*
ósseo *adj.* óseo; *consistência óssea* consistencia ósea; *tecido ósseo* tejido óseo
osso *s.m.* hueso ▪ **ossos** *s.m.pl.* *(restos mortais)* restos (mortales) ♦ **ossos do ofício** gajes del oficio; **ser osso duro de roer** ser un hueso duro de roer

Não confundir com a palavra espanhola **oso** (*urso*).

ostensivo *adj.* ostensivo
ostentação *s.f.* ostentación
ostentar *v.* **1** ostentar, alardear **2** *(exibir)* exhibir
osteoporose *s.f.* osteoporosis*2n.*
ostra *s.f.* ostra
Otan (*sigla de* Organização do Tratado do Atlântico Norte) Otan (*sigla de* Organización del Tratado del Atlántico Norte)
otári|o, -a *s.m.,f. pop.* pringad|o, -a; papanatas*2g.2n.*
ótica *s.f.* (técnica, estabelecimento) óptica
otimismo *s.m.* optimismo
otimista *adj.,s.2g.* optimista
ótimo (*superl. de* bom) *adj.* óptimo, buenísimo ▪ *interj.* ¡estupendo!
otite *s.f.* otitis*2n.*
otorrino *s.2g. col.* otorrino, otorrinolaringólog|o, -a*m.f.*
otorrinolaringologista *s.2g.* otorrinolaringólog|o, -a*m.f.*
ou *conj.* o; (antes de palavras começadas por *o* ou *ho*) u; *ou você vem ou você fica* o te vienes o te quedas; *um minuto ou sessenta segundos* un minuto o sesenta segundos ♦ **ou seja** o sea
ouriço *s.m.* **1** (frutos) erizo **2** (mamífero) erizo
ouriço-do-mar *s.m.* (*pl.* ouriços-do-mar) erizo de mar
ourives *s.2g.2n.* orfebre
ouro *s.m.* oro ▪ **ouros** *s.m.pl.* (baralho espanhol) oros; (baralho francês) diamantes ♦ **de ouro** de oro, muy bueno; **nem tudo que reluz é ouro** no es oro todo lo que reluce; **ouro de lei** oro de ley; **ouro negro** oro negro, petróleo; **ouro sobre azul** como anillo al dedo; *col.* **valer ouro** valer un império
ousadia *s.f.* osadía, audacia
ousado *adj.* osado, audaz
ousar *v.* osar, atreverse (-, a); *ousar fazer alguma coisa* atreverse a hacer algo
outono *s.m.* otoño
outorgar *v.* **1** *(conceder)* otorgar, conceder **2** (lei) otorgar, promulgar
outr|o, -a *pron.indef.* **1** otr|o, -a; *outros tempos* otros tiempos **2** *(mais um)* otr|o, -a; *quero outro café* quiero otro café **3** otr|o, -a; *tanto um como outro* tanto el

uno como el otro ♦ *pop.* **como diz o outro** como dijo el otro; **no outro dia** al otro día

outrora *adv.* antaño, antiguamente

outubro *s.m.* octubre

ouvido *s.m.* oído ♦ **ao ouvido** al oído; **chegar aos ouvidos de alguém** llegar a oídos de alguien; **dar ouvidos a** prestar oídos a; **de ouvido** de oído; **duro de ouvido** duro de oído; **entrar por um ouvido e sair pelo outro** entrar por un oído y salir por otro; **fazer ouvidos de mercador** hacer oídos sordos; **ouvido absoluto** oído absoluto; **ouvido apurado** oído fino; **ser todo ouvidos** ser todo oídos; **tapar os ouvidos** no hacer caso a, no dar oídos a; **ter bom ouvido** tener buen oído; **ter ouvido de tuberculoso** tener un oído muy fino

ouvinte *s.2g.* oyente

ouvir *v.* **1** oír **2** oír; ***não ouço nada*** no oigo nada; ***ouve lá!*** ¡oye!; ***já ouviu falar de...?*** ¿ya ha oído que...?; ***ouvi dizer que*** he oído que...; ***ouvir alguém falar/rir*** oír a alguien hablar/reír **3** *fig.,col.* (repreensão) oír, llevarse una bronca **4** *(escutar)* escuchar; ***ouvir rádio/música*** oír la radio/música **5** *fig.* *(prestar atenção)* oír, atender ♦ **de ouvir falar** de oídas; **ouvir falar de** oír hablar de

ova *s.f.* (peixe) hueva ♦ *pop.* **uma ova!** ¡y un huevo!; ¡ni hablar!

ovacionar *v.* ovacionar, aclamar, aplaudir

oval *adj.2g.* oval, ovalado ▪ *s.f.* GEOM. óvalo*m.*

ovar *v.* (peixe) frezar, desovar

ovário *s.m.* ovario

ovelha *s.f.* oveja ♦ **ovelha negra** oveja negra

overdose *s.f.* sobredosis*2n.*

OVNI (*sigla de* Objeto Voador não Identificado) OVNI (*sigla de* Objeto Volador no Identificado)

óvni *s.m.* ovni

ovo *s.m.* **1** (de ave, réptil) huevo **2** CUL. huevo; ***ovo cozido*** huevo cocido/duro; ***ovo escalfado*** huevo escalfado; ***ovo estrelado*** huevo frito; ***ovo pouco cozido*** huevo pasado por agua; ***ovos mexidos*** huevos revueltos **3** BIOL. huevo ♦ *col.* **estar de ovo virado** estar malhumorado; **ovo de Colombo** huevo de Colón; **pisar em ovos** andar con pies de plomo

ovulação *s.f.* ovulación

ovular *v.* ovular

óvulo *s.m.* óvulo

oxidação *s.f.* oxidación

oxidar *v.* **1** oxidar **2** (metal) oxidarse **3** (fruta) oxidarse ▪ **oxidar se** (metal) oxidarse

oxigenado *adj.* oxigenado

oxigenar *v.* **1** QUÍM. oxigenar **2** (cabelo) oxigenar, decolorar

oxigênio *s.m.* oxígeno

ozônio *s.m.* ozono

P

p *s.m.* (letra) p*f.*

pá *s.f.* **1** pala; ***pá de lixo*** recogedor **2** (hélice, remo) pala, aspa **3** (reses) paletilla ■ *interj.* (queda, choque) ¡paf! ♦ **ser da pá-virada** ser (de) la piel del diablo

Pã *s.m.* MIT. Pan

pacato *adj.* **1** (lugar) tranquilo, sosegado **2** (pessoa) tranquilo, sereno

paciência *s.f.* **1** paciencia; ***perder a paciência*** perder la paciencia; ***encher a paciência de alguém*** poner a prueba la paciencia de alguien; ***ter uma paciência de Jó*** tener la paciencia del santo Job **2** (jogo de cartas) solitario*m.* **3** CUL. paciencia

paciente *adj.2g.* paciente; ***ser paciente com alguém*** ser paciente con alguien ■ *s.2g.* paciente, enferm|o, -a*m.f.*

pacificar *v.* pacificar

pacífico *adj.* pacífico

Pacífico *s.m.* Pacífico

pacifismo *s.m.* pacifismo

pacifista *adj.,s.2g.* pacifista

pacote *s.m.* **1** *(embrulho)* paquete, bulto **2** (embalagem) cartón; ***pacote de leite*** cartón de leche **3** (turismo) viaje organizado (con todo incluido) ♦ ECON. **pacote de medidas** paquete de medidas

pacto *s.m.* pacto; ***pacto de não agressão*** pacto de no agresión; ***pacto de sangue*** pacto de sangre; ***pacto social*** pacto social; ***fazer um pacto com alguém*** hacer un pacto con alguien

pactuar *v.* pactar

padaria *s.f.* **1** panadería **2** *col.* nalgas*pl.*, culo*m.*

padecer *v.* **1** padecer, soportar, sufrir, aguantar **2** padecer (de, de)

padeir|o, -a *s.m.,f.* panader|o, -a

padrão *s.m.* **1** (modelo) patrón **2** *(norma)* estándar, norma*f.* **3** *(protótipo)* prototipo **4** (tecido) estampado; (noutro material) diseño, dibujo **5** LING. normativo

padrasto *s.m.* padrastro

padre *s.m.* sacerdote, cura ♦ **o Santo Padre** el Santo Padre

padrinho *s.m.* (*f.* madrinha) **1** padrino **2** *fig.* padrino, protector ■ **padrinhos** *s.m.pl.* (casal) padrinos

padroeir|o, -a *s.m.,f.* patr|ón, -ona, patron|o, -a

padronizar *v.* uniformar, estandarizar

pagamento *s.m.* **1** pago; ***pagamento a prazo/em prestações*** pago a plazos; ***pagamento à vista*** pago en efectivo/al contado; ***pagamento antecipado/adiantado*** pago por adelantado; ***pagamento por transferência bancária*** domiciliación; ***condições de pagamento*** condiciones de pago; ***forma de pagamento*** modo de pago **2** *(remuneração)* paga*f.*, sueldo

pag|ão, -ã *adj.,s.m.,f.* pagan|o, -a

pagar *v.* **1** (com dinheiro) pagar; ***pagar a prestações*** pagar a plazos; ***pagar à vista*** pagar al contado **2** (dívida, encargo) pagar, abonar **3** *fig. (sofrer castigo)* pagar (por, por) **4** *(remunerar)* pagar, gratificar, remunerar **5** (culpas) pagar, expiar ♦ *col.* **pagar sem reclamar** pagar sin rechistar; **pagar mico** pasar vergüenza

página *s.f.* **1** página; ***página de rosto*** primera página; ***página em branco*** página en blanco; ***na página 1*** en la página 1 **2** INFORM. (Internet) página (web); ***página pessoal*** página personal **3** *fig.* página, etapa ♦ (lista telefônica) **páginas amarelas** páginas amarillas; (jornal) **primeira página** primera plana; **virar a página** pasar página

paginação *s.f.* **1** TIP. *(numeração)* paginación **2** TIP. (disposição gráfica) maquetación

paginar *v.* **1** TIP. (numeração) paginar **2** TIP. (disposição gráfica) maquetar

pagode *s.m.* **1** pagoda*f.* **2** *col. (borga)* juerga*f.*, jarana*f.*

pai *s.m.* padre; ***pai adotivo/biológico*** padre adoptivo/biológico; ***pai de família*** padre de familia ♦ **tal pai, tal filho** de tal palo, tal astilla

Pai *s.m.* Padre

pai de santo *s.m.* (*pl.* pais de santo, *f.* mãe de santo) santero

pai dos burros *s.m. col.* diccionario

painel *s.m.* **1** (pintura) panel, cuadro **2** (obra artística) retablo **3** (de porta, parede) panel **4** (publicidade) panel; (grande) valla*f.* **5** (mecanismo, veículo) panel, cuadro; ***painel de instrumentos*** salpicadero, cuadro de mandos **6** (banheira) mampara*f.* **7** (de pessoas) panel ♦ **painel solar** panel solar

pai-nosso *s.m.* (*pl.* pais-nossos) padrenuestro ♦ **ensinar o pai-nosso ao vigário** pretender enseñarle a alguien lo que ya sabe

paiol *s.m.* polvorín

pairar *v.* **1** (ave, inseto) revolotear **2** *(planar)* planear **3** *(ameaçar)* cernerse, amenazar

país *s.m.* país; ***país desenvolvido*** país desarrollado; ***país em vias de desenvolvimento*** país en vías de desarrollo; ***país subdesenvolvido*** país subdesarrollado ♦ **País Basco** País Vasco; **Países Baixos** Países Bajos; **país das maravilhas** país de las maravillas; **país natal** patria

paisagem *s.f.* paisaje*m.*

paixão *s.f.* **1** *(amor)* pasión, amor*m.*; ***paixão desenfreada*** pasión desenfrenada **2** *(entusiasmo)* pasión, entusiasmo*m.*

Paixão *s.f.* Pasión

pajem *s.m.* paje

palácio *s.m.* palacio ♦ **Palácio da Justiça** Palacio de Justicia

paladar *s.m.* **1** (sentido) gusto **2** *(sabor)* paladar, gusto, gustillo

palanque *s.m.* **1** (plataforma) tribuna*f.*; tarima*f.* **2** (para espectadores) estrado

palatino *adj.* palatino; ARQ. ***abóbada palatina*** bóveda palatina; ANAT. ***osso palatino*** hueso palatino

palavra *s.f.* palabra ♦ **a palavras loucas, orelhas moucas** a palabras necias, oídos sordos; **cumprir (com) a sua palavra** cumplir su palabra; **dar a sua palavra (de honra)** dar su palabra (de honor); **dirigir a palavra a alguém** dirigir la palabra a alguien; **faltar à palavra (dada)** faltar a su palabra; **medir/pesar as palavras** medir las palabras; **numa palavra** en dos palabras; **palavras cruzadas** crucigrama, palabras cruzadas; **palavra por palavra** palabra por palabra; **pedir a palavra** pedir la palabra; **em outras palavras** en otras palabras; **ser de poucas palavras** ser de pocas palabras; **ser uma pessoa de palavra** ser una persona de palabra; **tirar as palavras da boca** quitar la palabra de la boca; **voltar com a palavra atrás** volverse atrás

palavra-chave *s.f.* (*pl.* palavras-chave) **1** (texto) palabra clave **2** INFORM. contraseña

palavrão *s.m.* **1** palabrota*f.*, taco **2** *(palavra difícil)* trabalenguas*2n.*

palavra-ônibus *s.f.* (*pl.* palavras-ônibus) [palabra de uso coloquial que expresa numerosas ideas de un mismo campo semántico]

palavreado *s.m.* **1** *(palavras sem importância)* palabrería*f.* **2** *(lábia)* labia*f.*, parla*f.*

palco *s.m.* **1** escenario, tablado **2** *(arte teatral)* teatro **3** *fig.* (acontecimento) escenario, lugar

> Não confundir com a palavra espanhola **palco** (*camarote*).

palerma *adj.2g.* tonto, lelo, bobo, idiota ■ *s.2g.* **1** *(idiota)* tont|o, -a*m.f.*, bob|o, -a*m.f.*, lel|o, -a*m.f.*, idiota **2** *(lorpa)* pringad|o, -a*m.f.*

Palestina *s.f.* Palestina

palestin|o, -a *adj.,s.m.,f.* palestin|o, -a

palestra *s.f.* **1** *(conferência)* conferencia, charla; ***dar uma palestra sobre literatura*** dar una conferencia sobre literatura **2** *(conversação)* charla, conversación **3** HIST. palestra

paleta *s.f.* (pintura) paleta

paletó *s.m.* chaqueta*f.* ♦ *col.* **abotoar o paletó** estirar la pata; **paletó de madeira** cajón, ataúd

palha *s.f.* **1** paja **2** (para beber) paja, pajita **3** *col.* paja, insignificancia **4** *gír.* embuste ♦ **não mexer uma palha** no dar un palo al agua; no dar/pegar ni clavo

palhaçada *s.f.* payasada ♦ *col.* **fazer palhaçadas** hacer el ganso/indio

palhaç|o, -a *s.m.,f.* **1** (artista) payas|o, -a **2** *fig.* (pessoa) payas|o, -a, gans|o, -a ♦ **fazer alguém de palhaço** burlarse de alguien

palidez *s.f.* palidez

pálido *adj.* **1** (cara, pessoa) pálido; ***você está um pouco pálido*** estás un poco pálido **2** (luz) tenue **3** (cor) desvaído

palitar *v.* escarbarse los dientes

palito *s.m.* **1** palillo, mondadientes*2n.* **2** *col.* (pessoa) palillo, fideo ♦ **palitos la reine** soletillas; **palito de fósforo** fósforo, cerilla

palma *s.f.* **1** (mão) palma **2** (árvore) palma, palmera **3** (folha) palma ■ **palmas** *s.f.pl.* *(aplausos)* palmas, aplausos*m.*; ***bater palmas*** batir/dar palmas; ***uma salva de palmas*** una salva de aplausos ♦ **conhecer (algo/alguém) como a palma da sua mão** conocer (algo/a alguien) como la palma de la mano; **levar a palma** llevarse la palma

palmada *s.f.* palmada, manotazo*m.*; ***dar palmadas nas costas*** dar palmadas en la espalda

palmatória *s.f.* palmeta, palmatoria ♦ **dar a mão à palmatória** admitir un error

palmeira *s.f.* palmera, palma

palmilha *s.f.* plantilla (de calzado)

palmito *s.m.* palmito

palmo *s.m.* palmo; ***um palmo de terra*** un palmo de tierra ♦ **não ver um palmo à frente do nariz 1** no ver más allá de sus narices **2** no tener dos dedos de frente; **palmo a palmo** palmo a palmo; **sete palmos de terra** tumba, sepultura

palpar *v.* palpar

pálpebra *s.f.* párpado*m.*

palpitação *s.f.* (do coração) palpitación, latido*m.* del corazón; (do pulso) pulsación

palpitar *v.* **1** (coração) palpitar, latir **2** (pressentimento) presentir, tener el presentimiento; ***palpita-me*** tengo el presentimiento

palpite *s.m.* **1** *(pressentimento)* corazonada*f.*, presentimiento, pálpito **2** (jogo) pronóstico **3** *col.* opinión*f.*

palrar *v.* **1** (bebê) balbucear **2** *col.* *(tagarelar)* parlotear, cotorrear

pamonha *s.2g.* **1** CUL. [tarta de maíz cocido] **2** *col.* gandul, -a*m.f.*

panaca *s.2g.* *col.* simpl|ón, -ona*m.f.*, inocente

panaché *s.m.* [LUS.] (bebida) clara*f.*

Panamá *s.m.* Panamá

panamenh|o, -a *adj.,s.m.,f.* panameñ|o, -a

panamense *adj.,s.2g.* ⇒ **panamenho**

pança *s.f.* **1** *col.* (de pessoa) panza, barriga **2** (de animal) panza

pancada *s.f.* **1** golpe*m.* **2** *(paulada)* palo*m.*, porrazo*m.* **3** *(surra)* paliza **4** *col.* *(panca)* manía ♦ **pancada de chuva** chaparrón

pancadaria *s.f.* **1** *(tumulto)* riña, pelea **2** *(surra)* paliza

pâncreas *s.m.2n.* páncreas

pançudo *adj.* panzudo, barrigón, barrigudo

panda *s.m.* panda

pandeiro *s.m.* **1** pandero **2** *col.* pandero, culo

pane *s.f.* descompostura [AM.], avería

panela *s.f.* **1** olla, cazuela, cacerola; ***panela de pressão*** olla a presión, olla exprés **2** silenciador*m.* (de escape)

panelinha *s.f.* **1** *fig.* *(grupo)* camarilla **2** *col.* *(tramoia)* artimaña

panfleto *s.m.* **1** *(folheto)* octavilla*f.* **2** (de propaganda política) panfleto

pânico *s.m.* pánico; ***entrar em pânico*** entrar en pánico

panificação *s.f.* panificadora
pano *s.m.* **1** *(tecido)* paño, tela*f.*; (toalhas) ***pano turco*** rizo americano **2** *(trapo)* paño, trapo; ***pano do pó*** trapo del polvo **3** (para esfregar, limpar, secar) bayeta*f.*, gamuza*f.* **4** telón; ***pano de fundo*** telón de fondo **5** NÁUT. vela*f.* ♦ *fig.* **panos quentes** paños calientes; **por baixo do pano** por lo bajinis, en secreto; **ter pano para mangas** haber tela que cortar; **pano de prato** repasador[AM.], paño de cocina
panorama *s.m.* **1** *(vista)* panorama, vista*f.*, paisaje **2** *fig.* panorama, perspectiva*f.*
panorâmica *s.f.* panorámica
panorâmico *adj.* panorámico
panqueca *s.f.* crepe*m.*, panqueque*m.*[AM.]
pantanal *s.m.* pantanal
pântano *s.m.* pantano, ciénaga*f.*
pantanoso *adj.* pantanoso
pantera *s.f.* pantera ♦ **pantera-negra** pantera negra
pantufa *s.f.* zapatilla, pantufla
pão *s.m.* **1** pan; ***pão com alho*** pan con ajo; ***pão de centeio*** pan de centeno; ***pão de forma*** pan de molde; ***pão de mistura*** pan moreno; ***pão integral*** pan integral; ***pão ralado*** pan rallado **2** *fig. (sustento)* pan, alimento, comida*f.* **3** *fig.* (homem) bombón ♦ *col.* **pão pão, queijo queijo** al pan, pan y al vino, vino; **comer o pão que o Diabo amassou** pasarlas canutas; **estar a pão e água** estar a pan y agua; **ser o pão (nosso) de cada dia** ser el pan (nuestro) de cada día
pão de ló *s.m.* (*pl.* pães de ló) [bizcocho típico de Semana Santa a base de huevos, azúcar y harina]
pão-duro *s.2g.* (*pl.* pães-duros) *col.* roñica, avar|o, -a*m.f.*, tacañ|o, -a*m.f.* ■ *adj.2g.* roñica, agarrado, tacaño, avaro
papa *s.f.* **1** (para bebês, doentes) papilla **2** (de cereais, farinha) gachas*pl.*; ***papas de aveia*** gachas de avena ♦ *col.* **não ter papas na língua** no tener pelos en la lengua
Papa *s.m.* Papa
papa-figos *s.m.2n.* coco
papagaio *s.m.* **1** ZOOL. loro, papagayo **2** (de papel) cometa*f.*; ***lançar um papagaio*** echar una cometa a volar **3** *fig.* (pessoa) loro, cotorra*f.*
papai *s.m.* papá ♦ **Papai Noel** Papá Noel
papaia *s.f.* papaya
papamóvel *s.m.* papamóvil
papanicolau *s.m.* citología*f.* (del cuello uterino), frotis cervical, prueba*f.* del Pap, papanicolau[AM.]
papar *v. col.* comer
paparicar *v.* mimar
papel *s.m.* **1** (tipo) papel **2** *(folha)* papel, hoja*f.* **3** (de ator) papel; ***papel principal/secundário*** papel principal/secundario **4** *fig.* papel, función*f.* ■ **papéis** *s.m.pl.* papeles, documentos; ***você tem os papéis em ordem?*** ¿tienes los papeles en regla? ♦ **de papel passado** por lo legal; de conformidad con la ley; **papel almaço** pliego de papel; **papel-alumínio** papel de alumínio, papel de plata
papelada *s.f.* **1** (quantidade) montón de papeles **2** *(documentos)* papeleo*m.*
papelão *s.m.* **1** *(cartão)* cartón; ***caixas de papelão*** cajas de cartón **2** (depósito público) contenedor de papel reciclable **3** *fig., col.* papelón; ***fazer um papelão*** hacer un papelón
papelaria *s.f.* papelería
papel-carbono *s.m.* (*pl.* papéis-carbonos, papéis-carbono) papel carbón
papo *s.m.* **1** (de ave) buche, papo **2** (de pessoa) papada*f.* **3** *col.* charla*f.*; ***bater/levar um papo com alguém*** charlar con alguien ♦ *col.* **de papo para o ar** sin hacer nada; **e fim de papo** sanseacabó; *col.* **estar no papo** estar chupado
papo-furado *s.m.* (*pl.* papos-furados) *col.* habladuría*f.*
papoula *s.f.* amapola
paquera *s.f. col.* ligue*m.* ■ *s.2g. col.* lig|ón, -ona*m.f.*
paquerador, -a *adj., s.m.,f. col.* lig|ón, -ona
paquerar *v. col.* ligar, coquetear
paquete *s.m.* **1** NÁUT. (mercadorias) buque; (correspondência, passageiros) paquebote **2** *(moço de recados)* mozo de los recados; (hotel) botones*2n.*
Paquistão *s.m.* Pakistán
par *adj.* **1** par, igual, semejante **2** (número) par ■ *s.m.* **1** par **2** (dança) pareja*f.* **3** (vestuário) par; ***um par de calças*** un par de pantalones ■ **pares** *s.m.pl.* ESPOR. (tênis) dobles ♦ **aberto de par em par** abierto de par en par; **aos pares** a pares; **estar a par de alguma coisa** estar al tanto de; **pôr a par de** poner al corriente de
para *prep.* **1** (direção, destino) hacia, a; ***voltado para norte*** mirando hacia el/al norte; ***viajou para Marrocos*** ha viajado a Marruecos; ***para onde?*** ¿a dónde?; ***vou para casa*** (me) voy a casa **2** (intenção, objetivo) para, a, de; ***saiu para passear*** ha salido a pasear; ***não servir para nada*** no servir para/de nada **3** (tempo) para; ***para o ano que vem*** (para) el año que viene; ***lá para as dez horas*** sobre las diez **4** (destinatário) para; ***trouxe-o para você*** lo ha traído para ti **5** (finalidade) para; ***texto para rever*** texto para revisar; ***para quê?*** ¿para qué? **6** (perspectiva) para; ***para mim, isso é fundamental*** para mí, eso es fundamental **7** (distribuição) para; ***duas balas para cada um*** dos caramelos para cada uno ♦ **para com** con, para con; ***foi muito amável para com os colegas*** ha sido muy amable con los compañeros; **para já** por ahora; **para que** para que
parabenizar *v.* felicitar
parabéns *s.m.pl.* enhorabuena*f.*; ***dar os parabéns a alguém por alguma coisa*** dar la enhorabuena a alguien por algo ■ *interj.* ¡enhorabuena! ♦ **cantar os parabéns (a você)** cantar el cumpleaños feliz; **parabéns (pelo aniversário)!** ¡feliz cumpleaños!
parabólica *s.f.* (antena) parabólica
para-brisa *s.m.* parabrisas*2n.*
para-choque *s.m.* parachoques*2n.*
parada *s.f.* **1** MIL. parada **2** (transportes públicos) parada
paradeiro *s.m.* paradero; ***estar em paradeiro desconhecido*** estar en paradero desconocido
paradisíaco *adj.* paradisíaco, paradisiaco
paradoxo *s.m.* paradoja*f.*

parafina *s.f.* parafina

parafuso *s.m.* **1** (peça) tornillo **2** (avião) barrena*f.*; *entrar em parafuso* entrar en barrena ♦ *col.* **ter um parafuso a menos** faltarle un tornillo

parágrafo *s.m.* **1** (de texto) párrafo; *abrir parágrafo* sangrar; *ponto-final e parágrafo* punto y aparte **2** (de artigo, lei) párrafo, artículo **3** (símbolo) símbolo de punto y aparte

Paraguai *s.m.* Paraguay

paraguai|o, -a *adj.,s.m.,f.* paraguay|o, -a

paraíso *s.m. fig.* paraíso, éden ♦ **paraíso fiscal** paraíso fiscal

Paraíso *s.m.* REL. Paraíso

para-lama *s.m.2n.* guardabarros, salvabarros, aleta*f.*

paralela *s.f.* paralela ■ **paralelas** *s.f.pl.* (barras) paralelas

paralelepípedo *s.m.* **1** GEOM. paralelepípedo **2** (rua) adoquín

paralelismo *s.m.* paralelismo

paralelo *adj.* paralelo, semejante ■ *s.m.* **1** paralelo, comparación*f.* **2** (rua) adoquín

paralisação *s.f.* **1** paralización, interrupción, parada **2** *(greve)* paro*m.*, huelga

paralisar *v.* **1** (pessoa) paralizarse **2** paralizar **3** (músculo) agarrotarse, entumecerse **4** (atividade, processo) interrumpirse, paralizarse **5** (atividade, processo) interrumpir

paralisia *s.f.* **1** parálisis*2n.* **2** *fig.* estancamiento*m.*

paralític|o, -a *adj.,s.m.,f.* paralític|o, -a

paramédic|o, -a *s.m.,f.* **1** paramédic|o, -a **2** ambulancer|o, -a

parâmetro *s.m.* parámetro

paranoia *s.f.* paranoia ♦ *col.* **entrar em paranoia** perder el control

paranoic|o, -a *adj.,s.m.,f.* paranoic|o, -a

paranormal *adj.2g.* paranormal

paraolimpíada *s.f.* paralimpiada, paralimpíada

paraolímpico *adj.* paralímpico, paraolímpico; *Jogos Paraolímpicos* Juegos Paralímpicos

parapeito *s.m.* (de janela) alféizar; antepecho, parapeto; (varanda) barandilla*f.*; (de ponte) pretil

parapente *s.m.* parapente

paraplégic|o, -a *adj.,s.m.,f.* parapléjic|o, -a

parapsicologia *s.f.* parapsicología

parapsicólog|o, -a *s.m.,f.* parapsicólog|o, -a

paraquedas *s.m.2n.* paracaídas ♦ *col.* **cair de paraquedas** aterrizar

paraquedismo *s.m.* (*pl.* paraquedismos) paracaidismo

paraquedista *s.2g.* (*pl.* paraquedistas) paracaidista

parar *v.* **1** parar(se) **2** *(deter)* parar, detener **3** (processo, atividade) parar, suspender ♦ **parar de** parar de; **sem parar** sin parar

para-raios *s.m.2n.* pararrayos

parasita *s.2g. fig., pej.* (pessoa) parásit|o, -a*m.f.* ■ *s.m.* BIOL. parásito ■ *adj.2g.* parásito; *insetos parasitas* insectos parásitos

parasitar *v.* parasitar

parassíntese *s.f.* parasíntesis*2n.*

para-vento *s.m.* (*pl.* para-ventos) *(guarda-vento)* contraventana*f.*

Parca *s.f.* MIT. Parca

parceir|o, -a *s.m.,f.* **1** soci|o, -a; (jogo) pareja, compañer|o, -a **2** *pop.* consuegr|o, -a

parcela *s.f.* **1** parcela **2** MAT. parcela

parcelado *adj.* **1** (terreno) parcelado **2** (pagamento) fraccionado

parcelar *v.* (pagamento) fraccionar

parceria *s.f.* **1** colaboración, asociación **2** colectivo*m.* **3** ECON. sociedad; asociación

parcial *adj.2g.* **1** parcial **2** (pagamento, resultado) parcial, tendencioso **3** (pessoa) parcial, partidario

parcialidade *s.f.* parcialidad

parcialmente *adv.* **1** parcialmente **2** en parte

pardal *s.m.* gorrión, pardal

pardo *adj.* (cor) pardo

parecer *s.m.* **1** *(opinião)* parecer, opinión*f.* **2** *(aparência física)* parecer ■ *v.* parecer ■ **parecer-se** parecerse (a/com, a); *ela se parece com a tia* ella se parece a la tía

parecido *adj.* parecido; *ser parecido com* ser parecido a

parede *s.f.* **1** pared; *parede-mestra/parede-meia* pared maestra/medianera **2** *(sebe)* seto*m.* **3** *(tabique)* tabique*m.* **4** ANAT. pared ♦ **as paredes têm ouvidos** las paredes oyen; **conversar/falar com as paredes** consultar con la almohada; *col.* **encostar (alguém) à parede** poner (a alguien) contra la pared; *col.* **subir pelas paredes** subirse por las paredes

parente *s.2g.* pariente, familiar; *parentes afastados/próximos* parientes lejanos/cercanos

parentesco *s.m.* **1** parentesco; *laços de parentesco* lazos familiares **2** *fig.* parecido, semejanza*f.*

parêntese *s.m.* paréntesis*2n.*; *abrir/fechar parênteses* abrir/cerrar paréntesis; *entre parênteses* entre paréntesis

parêntesis *s.m.2n.* ⇒ **parêntese**

páreo *s.m.* **1** carrera*f.* de caballos **2** *fig.* competición*f.*

paridade *s.f.* **1** *(igualdade)* paridad, igualdad **2** *(semelhança)* paridad, semejanza **3** ECON. paridad

parietal *adj.2g.* ANAT. parietal

parir *v.* parir

parlamentar *s.2g.* parlamentari|o, -a*m.f.* ■ *adj.2g.* parlamentario

parlamento *s.m.* parlamento

parmesão *s.m.* parmesano

Parnaso *s.m.* MIT. Parnaso

paródia *s.f.* **1** parodia **2** *col.* juerga, diversión

parodiar *v.* parodiar

paróquia *s.f.* **1** (território) parroquia **2** (comunidade) parroquia, feligreses*m. pl.*, feligresía

parque *s.m.* **1** (terreno) parque **2** (para bebês) parque, corral ♦ **parque aquático** parque acuático; **parque de atrações/diversões** parque de atracciones/diversiones; **parque infantil** parque infantil; **parque natural** parque natural

parte *s.f.* **1** parte **2** *(lugar)* parte, sitio*m.*, lugar*m.* **3** ESPOR. tiempo*m.* ■ **partes** *s.f.pl. col.* partes, genitales*m.* ◆ **à parte** aparte; **de minha parte** por mi parte; **da parte de** de parte de; **dar parte de** dar parte; **de parte a parte** mutuamente, recíprocamente; **em parte** en parte; **em toda parte** en todas partes; **fazer parte de** formar parte de; **pela parte que me toca** por la parte que me toca; **pôr de parte** dejar aparte; **tomar parte em** tomar parte en; **vamos por partes!** ¡vamos por partes!

parteira *s.f.* comadrona, partera

participação *s.f.* **1** participación **2** atestado*m.* **3** ECON. (financeira) participación **4** aviso*m.*

participante *s.2g.* participante

participar *v.* **1** participar (em, en) **2** participar, informar **3** denunciar, atestiguar

particípio *s.m.* participio

partícula *s.f.* **1** *(corpúsculo)* partícula **2** LING. partícula **3** FÍS. partícula; *partícula elementar* partícula elemental

particular *adj.* **1** *(privado)* particular, privado, propio **2** particular **3** *(pessoal)* particular, personal **4** particular ■ *s.m.* **1** persona **2** entidad privada ◆ **em particular** en particular

particularidade *s.f.* particularidad

particularizar *v.* **1** *(detalhar)* particularizar, detallar **2** *(distinguir)* particularizar, distinguir ■ **particularizar se** particularizarse, distinguirse

particularmente *adv.* particularmente, en particular, especialmente

partida *s.f.* **1** partida, salida **2** ESPOR. partido*m.* **3** (xadrez) partida ◆ **estar de partida** estar a punto de marcharse

partido *adj.* **1** *(quebrado)* roto, partido **2** *(fragmentado)* dividido **3** *col.* roto, hecho polvo ■ *s.m.* **1** POL. partido **2** partido, decisión*f.* **3** *(vantagem)* partido, ventaja*f.* ◆ **ser um bom partido** ser un buen partido; **tirar partido** sacar partido de; **tomar partido de** tomar partido

partilha *s.f.* **1** (de herança) partición; *partilha de heranças* partición de herencias **2** *(quinhão)* parte **3** *(divisão)* división

partilhar *v.* **1** (gostos, sentimentos, opiniões) participar (de, de) **2** compartir (com, con)

partir *v.* **1** romperse **2** *(quebrar)* romper, partir **3** partir **4** *(dividir)* partir, dividir **5** *(distribuir)* repartir **6** *(danificar)* dañar **7** (braço, perna) romper; (da própria pessoa) romperse ■ **partir se 1** romperse, partirse **2** dañarse **3** partir, marcharse ◆ **a partir de** a partir de

partitura *s.f.* partitura

parto *s.m.* parto; *parto assistido* parto asistido; *parto induzido/provocado* parto inducido; *parto natural/normal* parto natural; *parto prematuro* parto prematuro; *parto sem dor* parto sin dolor; *entrar em trabalho de parto* entrar en trabajo de parto; *estar em trabalho de parto* estar de parto/en trabajo de parto; *induzir o parto* inducir/provocar el parto

Páscoa *s.f.* Pascua

pascoal *adj.2g.* pascual

pasmar *v.* **1** pasmarse, asombrarse **2** pasmar, asombrar

pasmo *s.m.* pasmo, asombro ◆ **ficar pasmo** quedarse anonadado

passa *s.f.* (uva) pasa

passada *s.f.* **1** paso*m.*; (largo) zancada **2** *fig.* oportunidad **3** *fig.* medida, decisión*m.*

passado *adj.* **1** pasado **2** (alimento) hecho **3** (fruta) pachucho **4** (a ferro) planchado **5** *col.* loco, chalado **6** *col.* admirado **7** *col. (drogado)* colocado, flipado **8** *col.* flipado ■ *s.m.* pasado ◆ **nem muito nem pouco passado** en su punto; **um bife bem/malpassado** un bistec muy/poco hecho

passageir|o, -a *s.m.,f.* pasajer|o, -a, viajer|o, -a; *passageiro clandestino* polizón ■ *adj.* pasajero; *moda passageira* moda pasajera; *nuvens passageiras* nubes pasajeras

passagem *s.f.* **1** paso*m.*; *tapar a passagem* obstruir el paso **2** pasadizo*m.*; *passagem secreta* pasadizo secreto **3** *(bilhete)* pasaje*m.*; billete*m.*; *quanto custou a passagem?* ¿cuánto ha costado el billete? **4** (obra) pasaje*m.*, fragmento*m.* **5** episodio*m.*; *passagem de ano* nochevieja; *passagem de nível* paso a nivel; *passagem proibida* prohibido el paso; *passagem subterrânea* paso subterráneo; *passagem para peões* pasarela ◆ **de passagem** de pasada; **estar de passagem** estar de paso

passaporte *s.m.* pasaporte; *tirar o passaporte* sacar el pasaporte

passar *v.* **1** *(atravessar)* pasar, atravesar, cruzar; *passar a fronteira* pasar la frontera; *passar o rio* cruzar el río **2** pasar; *passa lá em casa!* ¡pásate por casa! **3** *(ir além de)* pasar; *já passamos a sua casa?* ¿ya hemos pasado tu casa? **4** (tempo) pasar; *o tempo passa depressa* el tiempo pasa corriendo **5** *(chegar)* pasar, acercar; *passe-me o sal, por favor* pásame la sal, por favor **6** *gír.* (exame) aprobar; *todos os alunos passaram no exame* todos los alumnos han aprobado el examen **7** *(transferir)* traspasar, transferir; *passou o carro para o nome do filho* ha traspasado el coche a nombre del hijo **8** (saúde) pasar, estar, encontrarse; *como você tem passado?* ¿como te encuentras?; *passou mal ontem à noite* lo pasó mal anoche **9** (jogo) pasar; *eu passo!* ¡yo paso! **10** *(transportar)* cambiar (para, a); *passou a mobília para o outro quarto* ha cambiado los muebles a la otra habitación **11** *(enfiar)* pasar, meter; *passar a linha pelo buraco da agulha* pasar el hilo por el ojo de la aguja **12** *(expirar)* pasar, terminar, acabar; *o prazo já passou* el plazo ya ha pasado **13** (tempo) pasar (de, de); *passar de ano* pasar de curso **14** (tempo, fase) pasar; *passar as férias no Brasil* pasar las vacaciones en Brasil **15** (roupa) planchar; *passou a roupa a ferro* ha planchado la ropa **16** (opinião, partido) cambiarse (para, a); *passou para o partido oposto* se ha cambiado al partido opuesto **17** *(tornar-se)* pasar; *passou a chefe de vendas* ha pasado a jefe de ventas **18** *(ultrapassar)* pasar, adelantar; *no final passou o adversário* al final adelantó al adversario **19** *(coar)* pasar, colar; *passar o leite no coador* colar la leche por el colador **20** *(sofrer)* pasar, sufrir; *passar fome* pasar hambre **21** (doença) contagiar, pegar; *passou o resfriado ao amigo* le ha pegado el resfriado al amigo **22** (filme, programa) echar, poner; ***o que vai passar na televisão?*** ¿qué van a echar en la tele? **23** *(experimentar)* pasar; ***passamos bons momentos*** hemos pasado muy buenos momentos **24** (alimento) hacer, freír; ***passe mais o meu bife*** hazme mejor el bistec **25** *col.* (droga) pasar, traficar, vender, trapichear **26** (chamada telefônica) pasar; ***vou passar a chamada*** voy a pasar(le,te) la llamada **27** (texto) pasar; ***passar um texto a limpo*** pasar un texto a limpio **28** (cheque, recibo) extender; ***passar um cheque*** extender un cheque **29** (atestado, certidão) firmar, hacer; ***passar um atestado médico*** hacer un parte médico ■ **passar-se 1** *(acontecer)* pasar; ***o que é que se passa?*** ¿qué (es lo que) pasa? **2** *(decorrer)* pasar, transcurrir; ***passaram-se semanas sem notícias*** han pasado semanas sin noticias ♦ **não passar de** no ser más que; no pasar de; ***não passa de um zé-ninguém*** no pasa de un don nadie; **passar a** [+*inf.*] *(começar)* empezar a [+*inf.*]; ***passou a chegar na hora*** ha empezado a ser puntual; **passar ao largo** pasar de largo; **passar por** [+*adj.*] pasar por [+*adj.*], ser confundido con [+*adj.*]; ***passou por vigarista*** le han confundido con un chorizo; **passar por cima de** pasar por encima, pisotear; **passar sem** pasar sin

passarela *s.f.* **1** (ponte) paso*m.* elevado **2** (desfile de moda) pasarela

passarinho *s.m.* pajarito ♦ (fotografia) **olha o passarinho!** ¡mira el pajarito!

pássaro *s.m.* pájaro ♦ **mais vale um pássaro na mão do que dois voando** más vale pájaro en mano que ciento volando

passatempo *s.m.* pasatiempo, hobby, afición*f.* ■ **passatempos** *s.m.pl.* pasatiempos

passe *s.m.* **1** *(permissão)* pase **2** (passagem, bilhete) bono, abono **3** ESPOR. pase **4** ESPOR. contrato ♦ **num passe de mágica** por arte de magia

passear *v.* **1** pasear(se) **2** pasear **3** *fig.* deslizar **4** *fig.* exhibir ♦ **levar para passear** sacar de paseo; **mandar passear** enviar/mandar a paseo

passeata *s.f.* paseo*m.* corto

passeio *s.m.* **1** *(caminhada)* paseo; ***dar um passeio*** dar(se) un paseo **2** (rua) acera*f.*, vereda*f.*[AM.S.,CUB.] ♦ **passeio marítimo** paseo marítimo

passivo *adj.* **1** *(inativo)* pasivo, inactivo, indiferente **2** (pessoa) pasivo; ***fumante passivo*** fumador pasivo **3** LING. pasivo; ***voz passiva*** voz pasiva ■ *s.m.* ECON. pasivo

passo *s.m.* **1** (ao andar) paso; ***dar os primeiros passos*** hacer los primeros pinos **2** *(pegada)* paso, huella*f.* **3** MIL. paso **4** *(etapa)* paso **5** (dança) paso ♦ **a dois passos** a un paso; **a passo** paso a paso; **ao passo que** mientras que; **a passo de tartaruga** a paso de tortuga; **dar um passo em falso** dar un paso en falso; **marcar passo** estancarse; **passo a passo** paso a paso

pasta *s.f.* **1** (documentos) portafolio*m.*; (pequena) carpeta; (objetos variados) maletín*m.*; ***fichário*** carpeta de anillas **2** (com asa) cartera **3** POL. cartera **4** INFORM. carpeta, directorio*m.* **5** *(massa)* pasta **6** maletín*m.*

pastagem *s.f.* **1** (terreno) pastizal*m.* **2** (erva) pasto*m.*

pastar *v.* **1** pacer, pastar **2** pastar, apacentar **3** *col.* remolonear, racanear

pastel *s.m.* **1** (doce) pastel; (salgado) empanadilla*f.*; ***pastéis de carne*** pasteles de carne; ***pastéis de massa tenra*** empanadillas **2** (lápis) pastel **3** pintura a pastel **4** *col.,pej.* remolón, flojo, vago ■ *adj.2g.2n.* (cor) pastel

pastelão *s.m.* **1** *col., pej.* harag|án, -ana*m.f.*, vag|o, -a*m.f.* **2** CUL. [empanada de hojaldre con relleno]

pastelaria *s.f.* pastelería, repostería

pasteurizado *adj.* pasteurizado; ***leite pasteurizado*** leche pasteurizada

pasteurizar *v.* pasteurizar

pastilha *s.f.* **1** caramelo*m.* **2** pastilla, tableta; ***pastilha para a garganta*** pastilla para la garganta **3** *col.* rollo*m.* **4** *col. (bofetada)* galleta, tortazo*m.*

pasto *s.m.* **1** (erva) pasto, forraje, hierba*f.* **2** (terreno) pasto, pastizal

pastor, -a *adj.,s.m.,f.* pastor, -a

pastoral *adj.2g.* pastoral ■ *s.f.* REL. (carta) pastoral

pastor-alemão *s.m.* (*pl.* pastores-alemães) pastor alemán

pastoril *adj.2g.* **1** pastoril **2** rústico

pastoso *adj.* pastoso

pata *s.f.* **1** ⇒ **pato 2** (de animal) pata **3** *col. (mão)* zarpa **4** *pej.* pie*m.* muy grande ♦ *col.* **à pata** a mano; *col.* **meter a pata** meter la pata

patada *s.f.* patada

patamar *s.m.* **1** (escadas) descansillo, rellano **2** *fig.* nivel

patavina *s.f. col.* nada; ***não entender patavina*** no entender ni jota

patê *s.m.* paté

patego *s.m.* **1** *col. (simplório)* simplón **2** *col. (grosseiro)* patán

patela *s.f.* **1** disco*m.* de hierro **2** [juego que consiste en lanzar a ras del suelo unos discos con la finalidad de derribar unas pequeñas estacas colocadas verticalmente] **3** ANAT. rótula

patente *adj.2g.* **1** patente **2** accesible ■ *s.f.* **1** DIR. patente **2** MIL. grado*m.*, graduación **3** MIL. grado*m.*

patentear *v.* **1** *(mostrar)* patentizar, mostrar **2** (invenção, marca) patentar **3** *(evidenciar)* evidenciar

paternal *adj.2g.* paternal

paternidade *s.f.* **1** paternidad **2** (obra) autoría

paterno *adj.* paterno

pateta *adj.2g.* memo, lelo ■ *s.2g.* mem|o, -a*m.f.*, lel|o, -a*m.f.*

patetice *s.f.* **1** idiotez, estupidez, necedad **2** *(disparate)* tontería; ***não diga patetices!*** ¡no digas tonterías!

patético *adj.* patético

patíbulo *s.m.* patíbulo, cadalso

patifaria *s.f.* guarrada, mala pasada

patif|e, -a *s.m.,f.* canalla, granuja, brib|ón, -ona*m.f.*

patim *s.m.* patín (de ruedas); ***patim de gelo*** patín de cuchilla; ***patins in line*** patines en línea; ***andar de patins*** patinar

patinação *s.f.* patinaje*m.*; ***patinação artística*** patinaje artístico; ***patinação no gelo*** patinaje sobre hielo

patinador, -a *s.m.,f.* patinador, -a

patinar *v.* **1** patinar **2** (veículo) patinar **3** *fig.* (pessoa) dudar, titubear

patinete *s.f.* patinete *m.*, patín *m.*

patinho *s.m. col.* bobo ♦ **cair que nem um patinho** engañar como a un chino

pátio *s.m.* patio

pat|o, -a *s.m.,f.* pat|o, -a ♦ *col.* **cair como um pato** caer como un tonto

patogênico *adj.* patógeno

patola *s.f. col.* pata grande

patologia *s.f.* patología

patológico *adj.* patológico

patologista *s.2g.* patólog|o, -a *m.f.*

patr|ão, -oa *s.m.,f.* patr|ón, -ona, patron|o, -a, jefe *2g.*

pátria *s.f.* patria

patriarca *s.m.* patriarca

patriarcal *adj.2g.* **1** patriarcal; *sociedade patriarcal* sociedad patriarcal **2** *fig.* respetable

patricinha *s.f. col.* pija

patrimonial *adj.2g.* patrimonial

patrimônio *s.m.* patrimonio ♦ **patrimônio artístico/cultural** patrimonio artístico/cultural; **patrimônio da humanidade** patrimonio de la humanidad

patriota *s.2g.* patriota

patriotismo *s.m.* patriotismo

patroa *s.f.* **1** patrona, jefa **2** *pop.* santa, parienta

patrocinador, -a *s.m.,f.* patrocinador, -a, espónsor *2g.*

patrocinar *v.* patrocinar

patrocínio *s.m.* patrocinio

patronal *adj.2g.* patronal; *entidade patronal* entidad patronal

patronato *s.m.* **1** patronato **2** patronal

patrono *s.m.* **1** patrono, patrón **2** patrón

patrulha *s.f.* patrulla

patrulhamento *s.m.* patrullaje

patrulhar *v.* **1** patrullar **2** *fig.* inspeccionar, controlar

patuscada *s.f.* **1** francachela, cuchipanda **2** *(farra)* parranda

patusco *adj.* **1** *(pândego)* juerguista **2** *(brincalhão)* bromista

pau *s.m.* palo ▪ **paus** *s.m.pl.* **1** (baralho francês) tréboles; (baralho espanhol) bastos **2** *col.* (antiga moeda) escudos ♦ *gír.* (esporte) **dar pau** dar leña; *col.* **ficar pau da vida** ponerse furioso; *col.* **mostrar com quantos paus se faz uma canoa** cantar las cuarenta; *col.* **nem a pau** ni a palos; **canela em pau** canela en rama; **pau de virar tripas** hecho un palillo; **pau para toda obra** comodín; **ser pau para toda colher/obra** servir tanto para un roto como para un descosido

pau-brasil *s.m.* (*pl.* paus-brasil) palo brasil

paulada *s.f.* porrazo *m.*, garrotazo *m.*

pau-mandado *s.m.* (*pl.* paus-mandados) pelele

pausa *s.f.* **1** pausa; *fazer uma pausa* hacer una pausa **2** LING. pausa **3** MÚS. pausa

pausado *adj.* **1** pausado **2** pausado, acompasado

pau-santo *s.m.* (*pl.* paus-santos) **1** BOT. palo santo **2** (madeira) palo santo

pauta *s.f.* **1** MÚS. pentagrama *m.* **2** (caderno, folha) renglón *m.*

pautado *adj.* **1** (papel) pautado **2** metódico, regular

pautar *v.* pautar ▪ **pautar-se** guiarse

pauzinho *s.m.* palo pequeño ▪ **pauzinhos** *s.m.pl.* palillos chinos

pavão *s.m.* (*f.* pavoa) pavo real

pavilhão *s.m.* **1** pabellón **2** pabellón, carpa *f.*

pavimentação *s.f.* pavimentación

pavimentar *v.* (estrada, rua) pavimentar

pavimento *s.m.* **1** pavimento, piso **2** pavimento

pavio *s.m.* pabilo; ***pavio de uma vela*** pabilo de una vela ♦ **ter pavio curto** irritarse con facilidad

pavor *s.m.* pavor, miedo; ***ter pavor de insetos*** tener pavor a los insectos

paz *s.f.* paz ♦ **deixar em paz** dejar en paz; **descansar em paz** descansar/reposar en paz; **fazer as pazes** hacer las paces

PC *sigla* (computador pessoal) PC (ordenador personal)

PDA *sigla* (agenda eletrônica) PDA (agenda electrónica)

pé *s.m.* **1** ANAT. pie; ***pé chato*** pie plano **2** (animal) pata *f.* **3** (móvel, objeto) pata *f.*, pie **4** (folha) pecíolo, rabillo **5** *(planta)* planta *f.*; ***dois pés de alface*** dos lechugas **6** (medida) pie ♦ **ao pé da letra** al pie de la letra; **ao pé de** cerca de, al pie de; **a pé** a pie; *col.* **bater o pé** no dar el brazo a torcer, estar/mantenerse en sus trece; (convite) **continuar de pé** seguir en pie; **de pé** de pie; **dos pés à cabeça** de pies a cabeza; **em pé** en pie; **em pé de igualdade** estar en igualdad de condiciones; **entrar com o pé direito** entrar con el pie derecho, empezar con buen pie; **estar com o pé na cova** tener un pie en la tumba; **estar de pé atrás com** estar con la mosca detrás de la oreja; **jurar de pés juntos** jurar a pie juntillas; **meter os pés pelas mãos** hacerse un lío, liarse, hacerse la picha un lío *vulg.*; **não chegar aos pés de** no llegar a los zancajos; **não ter pés nem cabeça** no tener (ni) pies ni cabeza; **pé de página** pie de página; **pé na bunda** despido; **pôr-se de pé** levantarse

pê *s.m.* (letra) pe *f.*

peão *s.m.* **1** (xadrez) peón **2** persona *f.* que conduce el ganado **3** trabajador rural **4** soldado de infantería

peça *s.f.* **1** pieza; ***peça de museu*** pieza de museo **2** (jogo de tabuleiro) pieza; ficha **3** (roupa) prenda **4** TEAT. obra, pieza **5** MÚS. pieza ♦ **peça sobressalente** recambio; **pregar uma peça em alguém** gastar una broma a alguien, hacer una jugarreta; **ser má peça** tener malas pulgas, no ser trigo limpio

pecado *s.m.* **1** pecado; ***pecado capital/mortal/original/venial*** pecado capital/mortal/original/venial **2** *fig.* *(pena)* pecado, lástima *f.*; ***jogar comida fora é um pecado*** tirar comida es un pecado

pecador, -a *s.m.,f.* pecador, -a

pecar *v.* 1 REL. pecar 2 pecar; *pecar por excesso de* pecar por exceso de
pechincha *s.f. col.* ganga, chollo*m.*
pechinchar *v.* regatear
pechisbeque *s.m.* 1 latón 2 baratija*f.*
pecíolo *s.m.* peciolo, pecíolo
peçonha *s.f.* ponzoña, veneno*m.*
pecuária *s.f.* ganadería
pecuário *adj.* ganadero, pecuario
peculato *s.m.* DIR. peculato
peculiar *adj.2g.* peculiar
peculiaridade *s.f.* peculiaridad
pecuniário *adj.* pecuniario
pedaço *s.m.* 1 *(bocado)* pedazo, trozo 2 (tempo) rato ♦ *col.* **estar caindo aos pedaços** caerse a pedazos
pedágio *s.m.* peaje; *estrada com pedágio* autopista de peaje
pedagogia *s.f.* pedagogía
pedagógico *adj.* pedagógico
pedagog|o, -a *s.m.,f.* pedagog|o, -a
pedal *s.m.* pedal
pedalar *v.* 1 pedalear 2 *(andar de bicicleta)* andar en bicicleta
pedalinho *s.m.* (barco) patín
pedante *adj.,s.2g.* pedante
pé de atleta *s.m.* (*pl.* pés de atleta) pie de atleta
pé de cabra *s.m.* (*pl.* pés de cabra) pie de cabra
pé de galinha *s.m.* (*pl.* pés de galinha) (ruga) pata*f.* de gallo
pé-de-meia *s.m.* (*pl.* pés-de-meia) ahorros*pl.*, economías*f.pl.*
pé de pato *s.m.* aleta*f.*
pedestal *s.m.* pedestal ♦ **pôr alguém num pedestal** poner a alguien en un pedestal
pedestre *adj.2g.* pedestre; *percurso pedestre* recorrido pedestre
pé de vento *s.m.* (*pl.* pés de vento) bocanada*f.* de aire, ráfaga*f.* de viento, ventolera*f.*
pediatra *s.2g.* pediatra
pediatria *s.f.* pediatría
pediátrico *adj.* pediátrico
pedicure *s.f.* pedicura
pedicur|o, -a *s.m.,f.* pedicur|o, -a, callista*2g.*
pedido *s.m.* 1 petición*f.*; *pedido de casamento* petición de mano 2 petición*f.*, ruego 3 *(encomenda)* pedido 4 *col.* pedida*f.*
pedigree *s.m.* pedigrí
pedinchar *v. pej.* pordiosear, mendigar
pedinte *s.2g.* pordioser|o, -a*m.f.*, mendig|o, -a*m.f.*
pedir *v.* 1 pedir 2 pedir, encargar
peditório *s.m.* 1 colecta*f.*, recaudación*f.*, cuestación*f.* 2 *fig.* petición*f.* insistente
pedofilia *s.f.* pedofilia
pedófil|o, -a *s.m.,f.* pedófil|o, -a
pedonal *adj.2g.* peatonal
pedra *s.f.* 1 piedra; *atirar pedras* arrojar piedras 2 *(calhau)* guijarro*m.* 3 (de gelo) cubo*m.*, cubito*m.* 4 (de açúcar) terrón 5 (jogos de tabuleiro) ficha, pieza; *pedras do dominó* fichas del dominó 6 (túmulo) lápida (sepulcral) 7 (isqueiro) piedra 8 *(granizo)* piedra, granizo*m.* 9 *gír.* (haxixe) china ♦ **atirar a primeira pedra** tirar la primera piedra; **com duas pedras na mão** con la escopeta cargada; *col.* **dormir como uma pedra** dormir como un tronco; dormir a pierna suelta/tendida; **pedra de amolar** piedra afiladora; **pôr uma pedra sobre o assunto** echar tierra a un asunto
pedrada *s.f.* 1 pedrada 2 *col.* (por álcool, droga) colocón*m.*
pedrado *adj.* (droga) colocado, flipado, ciego; (álcool) ahumado, mamado*vulg.*, borracho
pedra-pomes *s.f.* (*pl.* pedras-pomes) piedra pómez, pumita
pedregulho *s.m.* pedrejón
pedreira *s.f.* cantera, pedrera
pedreir|o, -a *s.m.,f.* pedrer|o, -a
pega *s.f.* 1 (mala, panela) asa 2 (tecido) agarrador*m.* 3 (artefato antitérmico) manopla de cocina 4 TAUR. [parte de la corrida donde el toro es agarrado con las manos] ■ *s.m.* 1 pelea*f.* 2 *col.* [carrera de automóviles no autorizada, generalmente realizada de madrugada]
pegada *s.f.* 1 huella, pisada 2 *fig.* (pista) huella ♦ **seguir as pegadas de alguém** seguirle los pasos a alguien
pegado *adj.* 1 al lado de, cercano 2 pegado 3 *fig.* enfadado, cabreado*vulg.*
pegajoso *adj.* 1 pegajoso 2 *fig.* (pessoa) empalagoso, pegajoso, sobón*col.*
pegar *v.* 1 pegarse 2 *(colar)* pegar 3 (doença) pegar 4 (veículo) arrancar 5 (fogo) pegar, prender 6 (hábito, moda) funcionar 7 TAUR. coger al toro por los cuernos 8 (planta) agarrar, arraigar 9 (mentira) colar ■ **pegar-se** 1 (doença) pegarse 2 (pessoas) pelearse
Pégaso *s.m.* MIT., ASTRON. Pegaso
peidar *v. vulg.* echarse un pedo
peido *s.m. cal.* pedo; *dar/soltar um peido* echarse un pedo
peito *s.m.* 1 pecho 2 *(seio)* pecho, seno 3 (animal) pecho; (ave) pechuga*f.* 4 *fig.* fortaleza*f.*, coraje ♦ **dar o peito a** dar el pecho a; **de peito** de teta; **peito do pé** empeine; *fig.* **ter peito para fazer algo** tener cojones de hacer algo; **tomar a peito** tomar a pecho
peitoral *adj.2g.* pectoral
peitoril *s.m.* 1 (janela) alféizar, antepecho 2 *(parapeito)* parapeto
peixaria *s.f.* pescadería
peixe *s.m.* 1 ZOOL. pez 2 (para alimentação) pescado; *peixe fresco* pescado fresco ♦ **estar como peixe na água** estar como pez en el agua*col.*; *col.* (pessoa) **peixe graúdo** pez gordo; **vender o seu peixe** vender la moto*col.*
peixe-espada *s.m.* (*pl.* peixes-espada) pez espada, emperador
peixeir|o, -a *s.m.,f.* pescader|o, -a

Peixes *s.m.pl.* ASTROL., ASTRON. Piscis

pejorativo *adj.* peyorativo

pelada *s.f.* **1** alopecia **2** (floresta) claro*m.*

pelado *adj.* **1** *col.* desnudo **2** (pelos) pelado

pelar *v.* **1** (animal) esquilar **2** (fruta, legume) pelar; mondar **3** estar muy caliente; *a sopa está pelando* la sopa está muy caliente ■ **pelar se 1** pelarse; (pele) descamarse **2** *col.* pirrarse, encantar

pele *s.f.* **1** (de pessoa, animal) piel **2** (de fruta, legumes) piel; *pele de pêssego* piel de melocotón; *pele de tomate* piel de tomate **3** *(couro curtido)* piel; *um casaco de peles* un abrigo de piel **4** *(couro)* cuero*m.* **5** *fig.* cuerpo*m.* ♦ **arriscar a pele** jugarse/arriesgar el pellejo; **estar/ficar só pele e osso** estar/quedarse en los (puros) huesos; estar/quedarse en el chasis; **estar na pele de alguém** estar en el pellejo de alguien; **pele da unha** cutícula; **pele de galinha** carne/piel de gallina; **sentir na (própria) pele** sufrir en su (propia) carne

peleja *s.f.* **1** batalla, contienda **2** pelea, riña

pele-vermelha *s.2g.* (*pl.* peles-vermelhas) piel roja

pelica *s.f.* (pele) cabritilla; *luvas de pelica* guantes de cabritilla

pelicano *s.m.* pelícano

película *s.f.* **1** película **2** CIN., FOT. película ♦ **película aderente** film/película adherente

pelintra *adj.2g.* **1** harapiento, andrajoso **2** fantasma, fanfarrón

pelo *s.m.* **1** (de humano) vello; (de animal) pelo **2** plumón; pelaje **3** pelo ■ *contr. da prep.* por + *art.def.m.* o por el; *pelo menos* por lo menos ♦ **em pelo** en cueros, en pelota(s), en pelota picada (viva)

pelotão *s.m.* **1** MIL. pelotón **2** (ciclismo, corridas) pelotón **3** (pessoas) pelotón

pelourinho *s.m.* picota*f.*

pelouro *s.m.* **1** concejalía*f.* **2** cargo, competencia*f.*

pelúcia *s.f.* (tecido) peluche*m.*

peludo *adj.* **1** peludo **2** aterciopelado

pélvico *adj.* ANAT. pélvico

pélvis *s.f.2n.* pelvis

pena *s.f.* **1** pena, condena; *pena de morte* pena de muerte; *pena de prisão* condena; *pena suspensa* suspensión de condena **2** pena; dolor*m.* **3** lástima; pena **4** (ave) pluma **5** (de escrever) pluma **6** (badminton) volante*m.* ♦ **dar pena** dar lástima; **que pena!** ¡qué lástima!; **sob pena de** so pena de; **ter pena** sentir lástima, compadecer; **valer a pena** valer la pena

penacho *s.m.* **1** (ave) penacho **2** (capacete, chapéu) penacho, plumero

penado *adj.* **1** plumado **2** penado; *alma penada* alma en pena

penal *adj.2g.* penal; *código/direito penal* código/derecho penal

penalidade *s.f.* **1** DIR. penalidad **2** penalidad, castigo*m.*; ESPOR. (futebol) *penalidade máxima* pênalti

penalização *s.f.* penalización

penalizar *v.* **1** penalizar, castigar, condenar **2** apenar

pênalti *s.m.* (futebol) penalti

penar *v.* penar, sufrir

penca *s.f.* **1** BOT. col **2** *col.* (nariz) napias*pl.*

pendente *adj.2g.* **1** pendiente, colgado **2** (assunto, problema) pendiente **3** (processo) pendiente **4** (decisão, fato) inminente

pender *v.* **1** colgar, pender **2** tender (a, a)

pendular *adj.2g.* pendular ■ *s.m.* [tren cuya característica es tener una suspensión oscilante, como la del péndulo, y que alcanza gran velocidad]

pêndulo *s.m.* péndulo

pendurado *adj.* **1** colgado, suspenso **2** *col.* fiado **3** *col.* endeudado, entrampado **4** *col.* colgado

pendurar *v.* **1** colgar **2** *col.* empeñar; pignorar **3** *col.* dejar a deber

penduricalho *s.m.* **1** colgante **2** *irôn.* condecoración*f.* **3** *pej.* colgajo

penedo *s.m.* **1** peñasco **2** *fig.* testarudo, tozudo

peneira *s.f.* **1** (objeto) criba, cedazo*m.*, tamiz **2** *col.* chulería, vanidad; humos*m.pl.*

peneirar *v.* cribar, tamizar

peneirento *adj. col., pej.* engreído, creído, presumido

penetra *s.2g.* niñat|o, -a*m.f.*, petulante

penetração *s.f.* **1** penetración, entrada **2** penetración **3** *fig.* agudeza, penetración **4** *fig.* aceptación

penetrante *adj.2g.* penetrante

penetrar *v.* penetrar

penhasco *s.m.* peñasco; (costa marítima) acantilado

penhor *s.m.* prenda*f.* (objeto empeñado); *casa de penhores* casa de empeños

penhora *s.f.* embargo*m.*

penhorado *adj.* **1** empeñado **2** embargado

penhorar *v.* **1** empeñar, pignorar **2** DIR. embargar

penicilina *s.f.* penicilina

penico *s.m. pop.* orinal, bacín

península *s.f.* península

peninsular *adj.,s.2g.* peninsular

pênis *s.m.2n.* pene

penitência *s.f.* **1** penitencia, arrepentimiento*m.* **2** confesión

penitenciar *v.* **1** REL. penitenciar **2** (castigo) castigar **3** (culpa, erro) expiar ■ **penitenciar se** arrepentirse

penitenciária *s.f.* penitenciaría

penitenciário *adj.* penitenciario

penoso *adj.* **1** penoso, doloroso **2** penoso, costoso, trabajoso

pensador, -a *s.m.,f.* pensador, -a

pensamento *s.m.* **1** pensamiento **2** inteligencia*f.* **3** fantasía*f.*, imaginación*f.*

pensão *s.f.* **1** *(hospedaria)* hostal*m.*, pensión **2** (renda) pensión ♦ DIR. **pensão alimentícia** pensión alimenticia

pensar *v.* **1** pensar **2** creer, pensar ♦ **nem pensar!** ¡ni hablar!, ¡ni pensarlo!; **nem pense nisso!** ¡no se te ocurra!; **sem pensar** sin pensar

pensativo *adj.* pensativo

pênsil *adj.2g.* colgante; *ponte pênsil* puente colgante

pensionista *s.2g.* **1** (que recebe pensão) pensionista; *(aposentado)* jubilad|o, -a*m.f.* **2** (estudante) becari|o, -a*m.f.*
pentágono *s.m.* pentágono
pente *s.m.* **1** peine **2** peineta*f.* **3** peine, carda*f.* ♦ **passar a pente-fino** peinar, mirar con lupa
penteadeira *s.f.* peinador [AM.], tocador
penteado *s.m.* peinado
pentear *v.* peinar ▪ **pentear se** peinarse
Pentecostes *s.m.2n.* Pentecostés
pentelho *s.m.* **1** *vulg.* vello pubiano **2** *vulg.* (pessoa) pesado
penugem *s.f.* **1** (ave) plumón*m.* **2** (pessoa) vello*m.*, pelusa **3** (fruta, planta) pelusa, vello*m.*
penúltimo *adj.* penúltimo
penumbra *s.f.* penumbra
pepino *s.m.* (fruto) pepino
pepita *s.f.* **1** (de ouro) pepita **2** (de cereal, chocolate) trocito*m.*, pedacito*m.*; ***pepitas de chocolate*** trocitos de chocolate
pequenada *s.f.* niños*m.pl.*, peques*m.pl.*
pequenez *s.f.* **1** pequeñez **2** *fig.* mezquindad **3** *fig.* pequeñez, insignificancia
pequenin|o, -a *s.m.,f.* chiquit|o, -a, muchach|o, -a ▪ *adj.* pequeñito
pequen|o, -a *s.m.,f.* pequeñ|o, -a, niñ|o, -a ▪ *adj.* pequeño
pé-quente *s.m.* (*pl.* pés-quentes) persona*f.* afortunada
pequerruch|o, -a *s.m.,f. col.* pituf|o, -a, niñ|o, -a
pera *s.f.* pera
peralta *adj.* travieso
perambular *v.* deambular, vagar
perante *prep.* **1** *(diante de)* ante, en presencia de, delante de; ***estamos perante um grave problema*** estamos ante un grave problema; ***o testamento foi assinado perante duas testemunhas*** el testamento ha sido firmado delante de/en presencia de dos testigos **2** *(face a)* ante, frente a; ***ela mostrou muita determinação perante a adversidade*** ella ha demostrado mucha determinación ante la adversidad
pé-rapado *s.m.* (*pl.* pés-rapados) *pop.* pobretón
perca *s.f.* **1** perca **2** *pop.* pérdida
percalço *s.m.* percance; contratiempo
perceber *v.* **1** entender, comprender **2** enterarse, darse cuenta
percentagem *s.f.* ⇒ **porcentagem**
percentil *s.m.* **1** porcentual **2** (estatística) porcentual
percentual *adj.2g.* porcentual
percepção *s.f.* **1** percepción **2** comprensión **3** noción
perceptível *adj.2g.* perceptible
perceptivo *adj.* perceptivo
percevejo *s.m.* **1** chinche*f.* **2** (prego) chincheta*f.*
percorrer *v.* **1** recorrer; ***percorremos trinta quilômetros num dia*** recorrimos treinta kilómetros en un día **2** *(examinar)* examinar, investigar
percurso *s.m.* **1** recorrido **2** *(trajeto)* recorrido, trayecto **3** recorrido **4** recorrido, ruta*f.*, itinerario
percussão *s.f.* percusión
percussionista *s.2g.* percusionista
perda *s.f.* **1** pérdida **2** falta **3** pérdida, daño*m.* **4** *fig.* (morte) pérdida ♦ **que perda de tempo!** ¡vaya pérdida de tiempo!
perdão *s.m.* perdón ♦ **perdão, posso entrar?** ¿perdón, puedo pasar?
perdedor, -a *adj.,s.m.,f.* perdedor, -a
perder *v.* **1** perder **2** (ação, dinheiro) bajar **3** llegar tarde, perder **4** (oportunidade) perder, malograr **5** (tempo) perder, malgastar ▪ **perder-se 1** (no caminho) perderse **2** *fig.* perderse
perdição *s.f.* perdición
perdido *adj.* **1** (objeto) perdido **2** (correspondência) extraviado **3** (recordação) olvidado **4** (estado de saúde) terminal **5** (pessoa) perdido ♦ (seção) **achados e perdidos** departamento de objetos perdidos
perdigão *s.m.* perdiz*f.* macho
perdigoto *s.m.* **1** *col.* perdigón, salivazo; ***expelir perdigotos*** soltar salivazos **2** ZOOL. perdigón
perdiz *s.f.* perdiz
perdoar *v.* perdonar
perdoável *adj.2g.* perdonable
perdulári|o, -a *s.m.,f.* derrochador, -a, despilfarrador, -a, manirrot|o, -a
perdurar *v.* **1** perdurar **2** perdurar, persistir
perdurável *adj.2g.* perdurable, imperecedero
perecer *v.* **1** perecer **2** (costume, cultura) perecer, desparecer
perecível *adj.* perecedero
peregrinação *s.f.* peregrinación
peregrinar *v.* peregrinar
peregrin|o, -a *adj.,s.m.,f.* peregrin|o, -a, romer|o, -a
peremptório *adj.* perentorio, decisivo
perene *adj.2g.* **1** perenne **2** BOT. perenne
perestroica *s.f.* perestroika
perfazer *v.* **1** sumar, completar **2** rematar, concluir, acabar
perfeccionismo *s.m.* perfeccionismo
perfeccionista *adj.,s.2g.* perfeccionista
perfeição *s.f.* **1** perfección **2** esmero*m.* ♦ **na perfeição** a la perfección
perfeito *adj.* perfecto ▪ *s.m.* LING. perfecto
perfídia *s.f.* perfidia, deslealtad, traición
pérfido *adj.* pérfido, desleal, traidor
perfil *s.m.* perfil ♦ **de perfil** de perfil; **perfil psicológico** perfil psicológico
perfilhar *v.* **1** prohijar **2** (doutrina, ideia) prohijar, adoptar
performance *s.f.* **1** performance*m./f.*, actuación, representación*f.* **2** (função, cargo) desempeño*m.*
perfumado *adj.* perfumado
perfumar *v.* perfumar
perfumaria *s.f.* perfumería
perfume *s.m.* **1** (produto) perfume **2** *(aroma)* perfume; aroma; fragancia*f.*

perfuração *s.f.* perforación
perfurar *v.* **1** perforar, agujerear **2** escavar **3** (parte do corpo) perforar
pergaminho *s.m.* (pele, documento) pergamino
pergunta *s.f.* pregunta; ***pergunta de algibeira*** pregunta capciosa; ***fazer uma pergunta a alguém*** hacer/plantear una pregunta a alguien
perguntar *v.* **1** preguntar (por, por); ***perguntar por alguém*** preguntar por alguien **2** preguntar ■ **perguntar se** preguntarse; ***pergunto-me se virá*** me pregunto si vendrá
perícia *s.f.* pericia
periclitante *adj.2g.* **1** *(em perigo)* que está en peligro **2** *(arriscado)* arriesgado, peligroso **3** *(instável)* inestable
periculosidade *s.f.* **1** peligrosidad **2** potencial*m.* tóxico
periferia *s.f.* **1** periferia **2** GEOM. circunferencia
periférico *adj.* periférico ■ *s.m.* INFORM. periférico
perigo *s.m.* peligro; ***correr perigo*** correr peligro; ***estar em perigo*** estar en peligro; ***estar fora de perigo*** estar fuera de peligro; ***pôr em perigo*** poner en peligro
perigosidade *s.f.* **1** peligrosidad **2** presunto*m.* peligro
perigoso *adj.* peligroso
perímetro *s.m.* perímetro
periódico *adj.* **1** periódico; ***avaliação periódica*** evaluación periódica; ***publicações periódicas*** publicaciones periódicas **2** MAT. periódico ■ *s.m.* (jornal, revista, etc.) periódico
período *s.m.* **1** periodo, período **2** trimestre **3** LING. periodo, período **4** ASTRON. periodo, período
peripécia *s.f.* peripecia
periquito *s.m.* periquito
periscópio *s.m.* periscopio
perit|o, -a *s.m.,f.* perit|o,-a; expert|o,-a
permanecer *v.* **1** permanecer **2** mantenerse
permanência *s.f.* **1** *(continuidade)* permanencia **2** *(estada)* permanencia, estancia
permanente *adj.2g.* **1** permanente **2** (dentição) permanente, definitivo ■ *s.f.* permanente; ***fazer uma permanente*** hacerse la permanente
permeabilidade *s.f.* permeabilidad
permear *v.* **1** *(atravessar)* atravesar **2** *(traspassar)* traspasar
permeável *adj.2g.* **1** permeable **2** *fig.* (pessoa) permeable, influenciable
permissão *s.f.* permiso*m.*; (ao entrar) ***com a sua permissão*** con su permiso; ***pedir permissão para fazer alguma coisa*** pedir permiso para hacer algo
permissível *adj.2g.* permisible
permissivo *adj.* permisivo
permitido *adj.* permitido, autorizado; ***não é permitido fumar*** no está permitido fumar
permitir *v.* permitir ■ **permitir se** permitirse
permuta *s.f.* permuta, permutación, trueque*m.*, canje*m.*
perna *s.f.* **1** pierna **2** (animais) pata **3** (mesas, cadeiras, etc.) pata **4** (calças) pernera, pernil*m.* ♦ **com uma perna às costas** con los ojos cerrados; **de pernas para o ar** patas arriba; ***o quarto está de pernas para o ar*** la habitación está patas arriba; **passar a perna em alguém** jugar una mala pasada a alguien; (peça de madeira) **perna de pau** pata de palo; **pernas para que te quero!** ¡pies para qué os quiero!
perna de pau *s.2g.* ESPOR. *col.,pej.* mal jugador*m.*
pernalta *adj.2g.* **1** zancudo; ***aves pernaltas*** aves zancudas **2** *col.* (pessoa) zancudo (que tiene piernas largas)
perneta *s.2g.* coj|o, -a*m.f.* ■ *adj.2g.* con una sola pierna, cojo
pernicioso *adj.* pernicioso, nocivo
pernil *s.m.* **1** (porco, outros animais) pernil **2** *fig.* pierna*f.* delgada ♦ *col.* **esticar o pernil** estirar la pata
pernilongo *s.m.* zancudo[AM.], mosquito
pernoitar *v.* pernoctar
pérola *s.f.* perla; ***um colar de pérolas*** un collar de perlas ♦ **dar pérolas aos porcos** echar margaritas a los cerdos
perpendicular *adj.2g.* perpendicular ■ *s.f.* GEOM. perpendicular
perpetuação *s.f.* perpetuación
perpetuar *v.* perpetuar ■ **perpetuar-se** perpetuarse
perpétuo *adj.* **1** perpetuo; ***prisão perpétua*** cadena perpetua **2** (cargo, função) vitalicio
perplexidade *s.f.* perplejidad
perplexo *adj.* perplejo; ***ficar perplexo*** quedarse perplejo
persa *adj.,s.2g.* persa ■ *s.m.* **1** (língua) persa **2** (gato) persa
perseguição *s.f.* persecución
perseguidor, -a *s.m.,f.* perseguidor, -a
perseguir *v.* perseguir
perseverança *s.f.* perseverancia
perseverante *adj.2g.* perseverante
perseverar *v.* perseverar (em, en)
persiana *s.f.* persiana; ***abrir/fechar as persianas*** abrir/cerrar las persianas
pérsico *adj.* persa, pérsico
persistência *s.f.* persistencia
persistente *adj.2g.* persistente
persistir *v.* **1** persistir **2** persistir, insistir, obstinarse, empecinarse
personagem *s.m./f.* personaje*m.*
personalidade *s.f.* personalidad
personalizado *adj.* **1** (serviço, atendimento) personalizado **2** (cartão, documento) personal
personalizar *v.* personalizar
personificação *s.f.* **1** personificación **2** LING. personificación, prosopopeya
personificar *v.* personificar
perspectiva *s.f.* **1** perspectiva **2** *(ponto de vista)* perspectiva, punto*m.* de vista **3** *fig.* perspectiva; ***em perspectiva*** en perspectiva

perspicácia *s.f.* perspicacia
perspicaz *adj.2g.* perspicaz
persuadir *v.* persuadir, convencer
persuasão *s.f.* **1** persuasión **2** *(convicção)* convicción
persuasivo *adj.* persuasivo
pertença *s.f.* **1** pertenencia **2** privilegio*m.*
pertencente *adj.2g.* **1** perteneciente (a, a) **2** *(relativo)* relativo (a, a), concerniente (a, a)
pertencer *v.* **1** pertenecer (a, a) **2** hacer referencia **3** pertenecer, corresponder
pertences *s.m.pl.* **1** pertenencias*f.* **2** enseres
pertinência *s.f.* pertinencia
pertinente *adj.2g.* pertinente
perto *adv.* cerca ■ *adj.2g.* cercano ♦ **ao perto** de cerca; **perto de** cerca de
perturbação *s.f.* perturbación
perturbado *adj.* **1** *(transtornado)* perturbado, trastornado **2** *(comovido)* conmovido
perturbador, -a *adj.,s.m.,f.* perturbador, -a
perturbar *v.* **1** perturbar **2** trastornar **3** perturbar, estorbar, entorpecer ■ **perturbar-se 1** perturbarse **2** avergonzarse, abochornarse
peru *s.m.* (*f.* perua) pavo
Peru *s.m.* Perú
perua *s.f.* (*m.* peru) pava
peruan|o, -a *adj.,s.m.,f.* peruan|o, -a
peruca *s.f.* peluca, cabellera postiza
perversão *s.f.* perversión ♦ **perversão sexual** perversión sexual
perversidade *s.f.* perversidad
pervers|o, -a *adj.,s.m.,f.* pervers|o, -a
perverter *v.* **1** pervertir, corromper **2** desvirtuar, deformar
pesadelo *s.m.* **1** pesadilla*f.*; *ter pesadelos* tener pesadillas **2** *fig.* pesadilla*f.*, angustia*f.*
pesado *adj.* **1** (objeto, pessoa) pesado **2** (trabalho) duro, arduo **3** (sono) pesado **4** (ambiente) cargado; irrespirable **5** (ar, expressão) grave **6** (filme, livro) pesado, tostón **7** (veículo) pesado
pêsames *s.m.pl.* pésame, condolencias*f.*; *dar os pêsames* dar el pésame; *os meus pêsames* le acompaño en el sentimiento
pesar *s.m.* **1** *(tristeza)* pesar **2** *(arrependimento)* pesar, remordimiento ■ *v.* **1** pesar; *ele pesa muito* él pesa mucho **2** (objeto, pessoa) pesar; *ela pesa 52 quilos* ella pesa 52 kilos **3** *(influenciar)* pesar, influir **4** *fig.* ponderar **5** *(recair)* recaer ♦ **apesar dos pesares** a pesar de los pesares
pesaroso *adj.* **1** *(triste)* pesaroso, triste **2** *(arrependido)* pesaroso, arrepentido
pesca *s.f.* pesca; *ir à pesca* ir de pesca ♦ **pesca em alto-mar** pesca de altura/en alta mar; **pesca submarina** pesca submarina
pescada *s.f.* merluza, pescada
pescado *s.m.* pescado
pescador, -a *s.m.,f.* pescador, -a
pescar *v.* **1** pescar **2** pescar **3** *col.* pillar, entender
pescaria *s.f.* **1** *(pesca)* pesca **2** *(grande quantidade de peixe)* gran cantidad de pescado
pescoço *s.m.* **1** cuello **2** *(cachaço)* nuca*f.*, cerviz*f.* ♦ **até o pescoço** hasta el cuello
peso *s.m.* **1** peso **2** pesadez*f.* **3** (balança) pesa*f.* **4** (moeda) peso **5** (ginástica) pesa*f.*; *levantar pesos* levantar pesas **6** peso; *peso pena* peso pluma; *peso pesado* peso pesado ♦ **em peso** en total; **peso líquido** peso neto; **peso na consciência** cargo de consciencia; **ter dois pesos e duas medidas** tener/usar dos varas de medir; **tirar um peso de cima de** quitarse un peso de encima; **valer o seu peso em ouro** valer su peso en oro
pesqueiro *adj.* pesquero; *indústria pesqueira* industria pesquera ■ *s.m.* (barco) pesquero
pesquisa *s.f.* **1** investigación, pesquisa **2** investigación **3** INFORM. búsqueda; *pesquisa avançada* búsqueda avanzada ♦ (marketing) **pesquisa de mercado** estudio de mercado
pesquisador, -a *s.m.,f.* investigador, -a
pesquisar *v.* **1** investigar **2** sondear, realizar un sondeo, investigar **3** (Internet) buscar
pêssego *s.m.* melocotón, durazno; *pêssegos em calda* melocotón en almíbar
pessegueiro *s.m.* melocotonero
pessimismo *s.m.* pesimismo
pessimista *adj.,s.2g.* pesimista
péssimo (*superl. de* mau) *adj.* pésimo
pessoa *s.f.* **1** persona **2** LING. persona; *primeira/segunda/terceira pessoa* primera/segunda/tercera persona ♦ **em pessoa** en persona; DIR. **pessoa física** persona física; DIR. **pessoa jurídica** persona jurídica/social
pessoal *adj.2g.* personal ■ *s.m.* **1** personal **2** *col.* gente*f.* **3** *(staff)* staff, equipo directivo, plana*f.* mayor
pessoalmente *adv.* personalmente
pestana *s.f.* pestaña ♦ *col.* **queimar as pestanas** quemarse las pestañas
pestanejar *v.* pestañear ♦ **sem pestanejar** sin pestañear
pestanejo *s.m.* pestañeo
peste *s.f.* **1** MED. peste; *peste bubônica* peste bubónica; *peste negra* peste negra **2** peste **3** *fig.* peste, calamidad **4** *fig.* peste, hedor*m.*; VET. *peste suína* peste porcina
pesticida *s.m.* pesticida; (pragas agrícolas) plaguicida
pestilência *s.f.* **1** pestilencia, peste **2** epidemia, plaga
pestilento *adj.* **1** *(fedorento)* pestilento, hediondo **2** *fig.* degradante
peta *s.f. col.* trola, bola, mentira
pétala *s.f.* pétalo*m.*
petardo *s.m.* **1** (fogo de artifício) petardo **2** *col.* (futebol) cañonazo
petição *s.f.* **1** petición, solicitud **2** instancia
petiscar *v.* **1** picar, picotear **2** comer sin apetito
petisco *s.m.* tapa*f.*, pincho

petiz *s.m. col.* niño, chico, muchacho ■ *adj.2g. col.* niño, crío
petrificar *v.* petrificar ■ **petrificar se** petrificarse
petroleiro *adj.* petrolero ■ *s.m.* NÁUT. petrolero
petróleo *s.m.* petróleo
petrolífero *adj.* petrolífero; ***indústria petrolífera*** industria petrolera
petulância *s.f.* petulancia, insolencia
petulante *adj.2g.* petulante, insolente
peugada *s.f.* **1** *(pegada)* huella, pisada **2** *fig.* huella
pevide *s.f.* pepita, semilla; (de abóbora, melão, etc.) pipa
pez *s.m.* **1** *(piche)* pez*f.* **2** (pinheiros) brea*f.*
pH (*sigla de* potencial hidrogeniônico) pH (*sigla de* potencial de hidrógeno)
pi *s.m.* **1** (alfabeto grego) pi*f.* **2** MAT. pi*f.*
pia *s.f.* **1** (cozinha) fregadero*m.*, pila **2** (para lavar a roupa) lavadero*m.* **3** *(lavatório)* lavabo*m.* ♦ **pia batismal** pila bautismal
piaçaba *s.f.* escobilla del wáter
piada *s.f.* chiste*m.* ♦ **piada de mau gosto** broma de mal gusto
pianista *s.2g.* pianista
piano *s.m.* piano; ***piano de cauda*** piano de cola; ***piano vertical*** piano vertical ■ *adv.* piano
pião *s.m.* **1** peonza*f.*, trompo **2** *col.* (de automóvel) trompo **3** headspin
piar *v.* **1** (ave) piar **2** *col.* hablar
piastra *s.f.* piastra
PIB (*sigla de* Produto Interno Bruto) PIB (*sigla de* Producto Interior Bruto)
pica *s.f.* **1** *col.* pico*m.* **2** *gír.* porro*m.*, canuto*m.*, petardo*m.*
picada *s.f.* **1** (de inseto, réptil) picadura, picotazo*m.*; ***picada de abelha/mosquito*** picadura de abeja/mosquito **2** (com objeto pontiagudo) pinchazo*m.*; ***picada de agulha*** pinchazo de aguja **3** *pop.* (dor) punzada
picadeiro *s.m.* picadero
picadela *s.f.* picadura
picadinho *s.m.* picadillo
picado *adj.* **1** (por inseto, cobra) picado **2** (alimento, papel) picado, triturado; ***carne picada*** carne picada; ***cebola picada*** cebolla picada **3** (mar) picado **4** *fig.* picado, ofendido **5** (voo) en picado ■ *s.m.* picadillo
picadura *s.f.* picadura
picanha *s.f.* filete*m.* de cadera
picante *adj.2g.* **1** (comida) picante **2** *fig. (malicioso)* picante **3** (anedota, conversa) verde
pica-pau *s.m.* (*pl.* pica-paus) pájaro carpintero
picar *v.* **1** picar **2** (bilhete, senha) picar **3** (mar) picar **4** *fig.* (espicaçar) picar **5** (com objeto pontiagudo) picar, pinchar, punzar **6** (inseto, serpente) picar **7** (ave) picar **8** (alimento) picar **9** TAUR. picar **10** (trabalho) fichar ■ **picar se 1** pincharse **2** (mar) picarse **3** *cal.* (droga) picarse, pincharse ♦ *fig.,col.* **picar a mula** marcharse
picareta *s.f.* pico*m.*, zapapico*m.*
pichação *s.f.* (muro, parede) pintada
pichar *v.* (muros, paredes, etc.) dibujar graffitis
piche *s.m.* pez*f.*
picles *s.m.pl.* encurtidos, picles[AM.]
pico *s.m.* **1** (montanha, monte) pico **2** *(ponta aguda)* pico **3** (planta) espina*f.* ♦ **e picos** y pico
picolé *s.m.* polo
picotado *s.m.* línea*f.* de puntos; ***destacar pelo picotado*** recortar por la línea de puntos
picotar *v.* **1** agujerear **2** perforar
pictograma *s.m.* pictograma
pictórico *adj.* pictórico
picuinha *s.f.* jugarreta, canallada
pidão *adj.* pedigüeño
piedade *s.f.* **1** piedad, compasión **2** piedad, devoción
piedoso *adj.* piadoso
piegas *adj.2g.2n.* **1** (pessoa) sensiblero **2** (filme) sentimental
pieguice *s.f. pej.* sensiblería
piercing *s.m.* (*pl.* piercings) piercing; ***fazer um piercing*** hacerse un piercing
pifar *v.* **1** *col.* (mecanismo, veículo) escacharrarse, averiarse, estropearse, romperse, joderse*vulg.*; ***o rádio pifou*** la radio se ha escacharrado **2** *col. (roubar)* mangar, birlar, afanar
pigarro *s.m.* carraspera*f.*; ***estar com pigarro*** tener carraspera
pigmentação *s.f.* pigmentación
pigmento *s.m.* pigmento
pijama *s.m.* pijama
pilantra *s.2g. col.* sinvergüenza, golfo, granuja
pilão *s.m.* mano*f.* de mortero
pilar *s.m.* pilar
pilastra *s.f.* pilastra
pilates *s.m.2n.* pilates
pileque *s.m.* borrachera*f.*, cogorza*f.*
pilha *s.f.* **1** *(monte)* pila, montón*m.*; ***uma pilha de roupa*** una pila de ropa **2** ELETR. pila; ***pilha alcalina/recarregável*** pila alcalina/recargable **3** *col. (lanterna)* linterna ♦ **ser uma pilha de nervos** ser un manojo de nervios
pilhagem *s.f.* pillaje*m.*, robo*m.*, saqueo*m.*
pilhar *v.* **1** *(agarrar)* pillar, agarrar **2** *(roubar)* pillar, robar **3** *(saquear)* saquear
pilim *s.m. gír.* pasta*f.*, guita*f.*
pilotagem *s.f.* pilotaje*m.*
pilotar *v.* pilotar
piloto *s.2g.* **1** piloto **2** (automobilismo) piloto de carreras **3** *fig.* guía ■ *adj.2g.* piloto ♦ **piloto automático** piloto automático
pilriteiro *s.m.* BOT. espino
pílula *s.f.* **1** *(contraceptivo oral)* píldora, anticonceptivo*m.* oral; ***pílula do dia seguinte*** píldora del día (de) después; ***tomar a pílula*** tomar la píldora **2** *(comprimido)* píldora, pastilla ♦ *col.* **dourar a pílula** dorar la píldora; *col.* **engolir a pílula** tragarse la píldora
pimba *interj.* ¡toma!, ¡toma ya!

pimenta *s.f.* **1** (planta) pimentero*m.* **2** (especiaria, fruto) pimienta; ***pimenta-branca/preta*** pimienta blanca/negra; ***pimenta-malagueta*** guindilla

pimenta-do-reino *s.f.* pimienta negra

pimentão *s.m.* (fruto) pimiento; ***pimentão vermelho/verde*** pimiento rojo/verde

pimenteira *s.f.* BOT. pimentero

pimenteiro *s.m.* **1** (recipiente) pimentero **2** (planta) pimiento

pináculo *s.m.* **1** (de edifício) pináculo; (de igreja, torre) aguja*f.* **2** (monte, montanha) cumbre*f.*, cima*f.*

pinça *s.f.* **1** pinzas*pl.* **2** (artrópodes, outros animais) pinza, tenaza ◆ (natação) **pinça para nariz** pinza para la nariz

píncaro *s.m.* **1** pináculo **2** cima*f.*, cumbre*f.* **3** *fig.* apogeo, auge

pincel *s.m.* **1** (para pintar) pincel **2** (para maquiar) brocha*f.* **3** *col.* *(maçada)* tabarra*f.*, lata*f.* ◆ **pincel de barbear** brocha de afeitar; **pincel para lábios** pincel de labios

pincelada *s.f.* **1** pincelada **2** retoque*m.* ◆ **dar a última pincelada** dar la última pincelada

pincelar *v.* pincelar

pinchar *v.* **1** *(saltar)* brincar, dar brincos, saltar, botar **2** (bola) botar

pincho *s.m.* brinco, salto

pinga *s.f.* aguardiente*m.* de caña ◆ **ficar sem pinga de sangue** quedarse blanco como el papel/la pared

pingar *v.* **1** *(gotejar)* gotear, chorrear **2** (gotas) verter **3** (chuva) gotear, lloviznar **4** *(estar encharcado)* pingar

pingente *s.m.* colgante

pingo *s.m.* **1** *(pinga)* gota*f.* **2** [LUS.] (bebida) cortado **3** *col.* (nariz) moqueo ◆ **pôr os pingos nos is** poner los puntos sobre las íes

pingue-pongue *s.m.* ping pong, pimpón, tenis de mesa

pinguim *s.m.* pingüino, pájaro bobo

pinha *s.f.* piña

pinhão *s.m.* piñón

pinheiro *s.m.* pino

pinho *s.m.* (madeira) pino

pino *s.m.* **1** *(prego)* clavillo **2** (ginástica) pino **3** (boliche) bolo **4** ELETR. clavija*f.* **5** *fig.* *(auge)* auge, apogeo

pinote *s.m.* **1** *(salto)* brinco, salto **2** *(coice)* salto, coz*f.*

pinta *s.f.* **1** pinta, mota **2** salpicadura, gota **3** (jogos de cartas) pinta **4** *col.* estilo*m.*, clase, gancho*m.* ◆ **ter (muita) pinta** tener clase

pintado *adj.* **1** pintado; ***pintado de fresco*** recién pintado **2** colorido, pintado **3** (cabelo) teñido ◆ (pessoa) **não querer ver nem pintado** no querer ver ni en pintura

pintainho *s.m.* pollito, polluelo (de gallina)

pintar *v.* **1** surgir, aparecer **2** pintar **3** (unhas) pintarse **4** (cabelo) teñirse ■ **pintar se** pintarse

pinto *s.m.* polluelo (de gallina), pollito ◆ *col.* **estar como um pinto** estar calado/empapado hasta los huesos

pintor, -a *s.m.,f.* pintor, -a

pintura *s.f.* **1** pintura; ***pintura a óleo*** pintura al óleo **2** *(quadro)* pintura **3** (de objeto, casa, carro) pintura **4** *(maquiagem)* maquillaje*m.*

pio *adj.* **1** *(devoto)* pío, devoto **2** *(caridoso)* caritativo ■ *s.m.* **1** (ave) pío **2** *col.* *(fala)* habla*f.* ◆ *col.* **não dar um pio** no decir ni pío; **perder o pio** quedarse mudo

piolhento *adj.* piojoso

piolho *s.m.* piojo; ***catar piolhos*** espulgar piojos

pioneir|o, -a *s.m.,f.* pioner|o, -a

pior *adj.2g.* (*comp./superl. de* mau) peor ■ *adv.* (*comp. de* mal) peor ◆ **ir de mal a pior** ir de mal en peor

piorar *v.* empeorar; ***não piore as coisas*** no empeores las cosas; ***o tempo piorou*** el tiempo ha empeorado

piorio *s.m.* [LUS.] *col.* lo peor; ***ser do piorio*** ser de lo peor

pipa *s.f.* **1** tonel*m.*, cuba, pipa **2** *col.* mogollón*m.* **3** *fig., pej.* tonel*m.*

pipeta *s.f.* FÍS. pipeta

pipi *s.m.* **1** *infant.* *(pássaro)* pipi **2** *infant.* *(urina)* pipí; ***fazer pipi*** hacer pipí

pipo *s.m.* barril, cuba*f.*

pipoca *s.f.* palomitas*pl.*

pipocas *s.f.* palomitas

pique *s.m.* pica*f.* ◆ **a pique** a plomo; verticalmente; **ir a pique** irse a pique

piquenique *s.m.* picnic

pira *s.f.* pira, hoguera

pirado *adj.* *col.* loco, chiflado, pirado; ***ficou meio pirado*** se volvió medio loco

pirâmide *s.f.* pirámide

piranha *s.f.* **1** piraña **2** *pej.* mujer de mala vida **3** *pej.* mujer de vida alegre **4** *col., pop.* (cabelo) pinza

pirar *v. col.* volverse loco, enloquecer

pirata *s.2g.* pirata; ***pirata do ar*** pirata aéreo; ***pirata informático*** pirata informático ■ *adj.2g.2n.* pirata; ***edição pirata*** edición pirata

pirataria *s.f.* piratería

piratear *v.* **1** piratear, robar **2** (filme, música, etc.) piratear

pires *s.m.2n.* platillo

pirex *s.m.* pyrex, pírex

pirilampo *s.m.* *(vaga-lume)* luciérnaga*f.*, gusano de luz

piripiri *s.m.* **1** BOT. cayena*f.* **2** CUL. [salsa hecha con pimentón picante]

piroga *s.f.* piragua

pirotecnia *s.f.* pirotecnia

pirotécnic|o, -a *adj.,s.m.,f.* pirotécnic|o, -a

pirralho *s.m.* renacuajo

pirueta *s.f.* pirueta

pirulito *s.m.* (esférico) chupachup(s); (cônico) pirulí; (circular e plano) piruleta*f.*

pisada *s.f.* *(pegada)* pisada, huella

pisadela *s.f.* **1** *(calcadela)* pisadura, pisotón*m.* **2** *(nódoa negra)* cardenal*m.*, morado*m.*

pisadura *s.f.* cardenal*m.*, moradura, moratón*m.col.*

pisão *s.m.* pisotón

pisar *v.* 1 pisar 2 andar 3 (azeitonas, uvas) pisotear; hollar 4 *fig.* pisotear, pisar

pisca *s.m.* (veículo) intermitente, direccional*f.* [ARG., MÉX.]

piscadela *s.f.* 1 guiño*m.* 2 parpadeo*m.*

pisca-pisca *s.m.* (*pl.* pisca(s)-piscas) (veículo) intermitente, direccional*f.* [ARG., MÉX.]

piscar *v.* 1 parpadear, pestañear 2 guiñar; ***piscar os olhos*** guiñar los ojos 3 (luz) parpadear ♦ **num piscar de olhos** en un abrir y cerrar de ojos

piscian|o, -a *s.m.,f.* piscis*2g.2n.*

piscina *s.f.* piscina; ***piscina ao ar livre*** piscina al aire libre; ***piscina coberta*** piscina cubierta; ***piscina olímpica*** piscina olímpica

piso *s.m.* 1 *(chão)* suelo, piso, pavimento 2 (edifício) piso, planta*f.* 3 (pneu) cubierta*f.*

pisotear *v.* pisotear

pista *s.f.* 1 (aeroporto) pista 2 *(faixa de rodagem)* carril*m.* 3 (cavalos) pista 4 (automóveis) pista 5 (danças) pista; ***pista de dança*** pista de baile 6 ESPOR. pista; (natação, atletismo) calle; ***pista de esqui/gelo*** pista de esquí/hielo 7 *fig. (vestígio, indício, dica)* pista

pistache *s.m.* pistacho

pistácio *s.m.* pistacho

pistão *s.m.* 1 MEC. pistón, émbolo 2 MÚS. pistón

pistola *s.f.* 1 (arma) pistola 2 (para pintar) pistola; ***pintar à pistola*** pintar a pistola

pistolão *s.m. col.* enchufe

pitada *s.f.* pizca, chispa; ***uma pitada de sal*** una pizca de sal ♦ *col.* **não perder pitada** no perder ripio

pitéu *s.m. col.* manjar exquisito, gollería*f.*

pito *s.m.* 1 pipa*f.* 2 pito, cigarrillo, pitillo 3 *col.* reprimenda*f.*

pitoresco *adj.* pintoresco

pivete *s.m.* 1 *col.* (criança) pilluel|o, -a*m.f.* 2 *col.* hedor, peste*f.*, mal olor

pivô *s.m.* 1 TV. presentador de informativos que establece la conexión con los reporteros 2 ESPOR. pívot 3 implante; diente postizo 4 *fig.* móvil 5 *fig.* principio fundamental

pixel *s.m.* píxel

pizza *s.f.* pizza ♦ *fig., col.* **acabar em pizza** quedarse sin castigo/punición

pizzaria *s.f.* pizzería

placa *s.f.* 1 placa 2 (de sinalização) señal 3 *(dentadura postiça)* dentadura postiza 4 INFORM. tarjeta; ***placa de som*** tarjeta de sonido ♦ **placa bacteriana** placa bacteriana; **placa da matrícula** matrícula; (fogão) **placa vitrocerâmica** placa vitrocerámica

placa-mãe *s.f.* (*pl.* placas-mãe) placa madre

placar *v.* aplacar ▪ *s.m.* cartel

placar *s.m.* 1 (competição esportiva) marcador 2 (publicidade) valla*f.* publicitaria, cartel 3 (avisos, informações, etc.) tablón de anuncios, tablero

placebo *s.m.* placebo

placenta *s.f.* placenta

plácido *adj.* 1 *(sossegado)* plácido, sosegado 2 *(brando, suave)* blando; suave

plafond *s.m.* (*pl.* plafonds) 1 ECON. límite de gastos autorizados por el presupuesto de Estado 2 ECON. límite de crédito autorizado por un banco a un cliente

plagiador, -a *s.m.,f.* plagiari|o, -a

plagiar *v.* plagiar

plágio *s.m.* plagio

planador *s.m.* planeador

planalto *s.m.* altiplanicie*f.*, altiplano

planar *v.* 1 (ave) planear 2 (aeronave) planear

planejamento *s.m.* planificación*f.*; ***planejamento familiar*** planificación familiar

planejar *v.* 1 *(projetar)* planear, proyectar 2 *(programar)* planear, programar

planeta *s.m.* planeta

planetário *adj.,s.m.* planetario; ***sistema planetário*** sistema planetario

planície *s.f.* llanura, planicie, llano*m.*

planificar *v.* planificar

planisfério *s.m.* planisferio

plano *adj.* plano, llano ▪ *s.m.* 1 (superfície) plano 2 *(nível)* plano, nivel 3 *(projeto)* plan 4 CIN., TV. plano; ***primeiro plano*** primer plano 5 MAT. plano

planta *s.f.* 1 planta 2 ARQ. plano*m.* de la planta ♦ (pessoa) **planta de estufa** rosa de pitiminí; **planta do pé** planta del pie

plantação *s.f.* 1 *(cultivo)* plantación, cultivo*m.*; ***plantação de árvores*** plantación de árboles 2 (terreno) plantación; ***plantações de cana-de-açúcar*** plantaciones de caña de azúcar

plantão *s.m.* guardia*f.*; ***estar de plantão*** estar de guardia; ***fazer plantão*** estar de guardia

plantar *v.* 1 plantar 2 abonar 3 plantar, hincar 4 *fig.* plantar 5 *fig.* implantar 6 *fig.* inspirar ♦ *fig.* **plantar bananeira** hacer el pino

plantio *s.m.* plantío

plaqueta *s.f.* plaqueta, trombocito*m.*

plasma *s.m.* FISIOL. plasma; ***plasma sanguíneo*** plasma sanguíneo

plástica *s.f.* 1 (arte) plástica 2 (operação) cirugía plástica

plasticidade *s.f.* plasticidad

plástico *adj.* 1 (material) plástico; ***sacos plásticos*** bolsas plásticas 2 (artista) plástico 3 (cirurgia) plástico; ***cirurgião plástico*** cirujano plástico ▪ *s.m.* plástico

plastificado *adj.* plastificado; ***cartão plastificado*** tarjeta plastificada

plastificar *v.* (cartão, capa de livro) plastificar

plataforma *s.f.* 1 plataforma 2 (estação de comboios) andén*m.* 3 *(terraço)* terraza, azotea 4 (projétil) plataforma; ***plataforma de lançamento*** plataforma de lanzamiento 5 (microscópio) platina 6 INFORM. plataforma

plateia *s.f.* 1 (sala de espetáculos) patio*m.* de butacas, platea 2 *(espectadores)* público*m.*

platina *s.f.* platino*m.*

platinado *adj.* platinado ▪ *s.m.* MEC. platino

platônico *adj.* platónico

plausível *adj.2g.* plausible
playback *s.m.* (*pl.* playbacks) playback
playboy *s.m.* (*pl.* playboys) playboy, conquistador, donjuán
plebe *s.f.* **1** (*povo*) plebe, populacho*m.* **2** HIST. plebe
plebe|u, -ia *adj.,s.m.,f.* plebey|o, -a
plebiscito *s.m.* plebiscito
pleitear *v.* pleitear, litigar
pleito *s.m.* pleito, litigio
plenamente *adv.* plenamente
plenário *s.m.* pleno ■ *adj.* plenario
plenitude *s.f.* plenitud
pleno *adj.* **1** pleno; ***plenos poderes*** plenos poderes **2** (ênfase) pleno; ***em pleno dia*** en pleno día; ***em plena luz do dia*** a plena luz del día; ***em pleno verão*** en pleno verano
pleonasmo *s.m.* pleonasmo
pleura *s.f.* pleura
plissado *adj.* (tecido) plisado; ***saia plissada*** falda plisada ■ *s.m.* plisado
plissar *v.* (tecido) plisar
plugue *s.m.* enchufe
pluma *s.f.* **1** (para escrever) pluma **2** (aves) pluma
plumagem *s.f.* plumaje*m.*
plural *adj.2g.* **1** plural; ***uma sociedade plural*** una sociedad plural **2** LING. plural ■ *s.m.* LING. plural ♦ LING. **plural de modéstia** plural de modestia; LING. **plural majestático** plural mayestático
pluralidade *s.f.* pluralidad
pluralismo *s.m.* pluralismo
pluricelular *adj.* BOT. pluricelular
pluridisciplinar *adj.2g.* pluridisciplinar
Plutão *s.m.* ASTRON., MIT. Plutón
pluvial *adj.2g.* pluvial
pluviosidade *s.f.* pluviosidad
pluvioso *adj.* pluvioso, lluvioso
p.m. (*abrev. de* post meridiem (depois do meio-dia)) p.m. (*abrev. de* post meridiem (después del mediodía))
pneu *s.m.* **1** (veículo) neumático, rueda*f.*; ***pneu sobressalente*** neumático de recambio/repuesto; ***pneu furado*** neumático pinchado **2** *col.* (gordura) michelín, molla
pneumático *adj.* neumático
pneumologia *s.f.* neumología
pneumonia *s.f.* neumonía, pulmonía
pó *s.m.* **1** polvo; ***limpar o pó*** limpiar el polvo **2** (cosmética) polvos*pl.*; ***pó compacto*** polvos compactos; ***pó de talco*** polvos de talco **3** *gír.* cocaína ♦ **em pó** en polvo
pô *interj. col., vulg.* ¡joder!
pobre *adj.2g.* **1** pobre **2** (terra) pobre, estéril, yermo **3** (país) pobre ■ *s.2g.* pobre
pobreza *s.f.* pobreza
poça *s.f.* (pequena) charco*m.*; (grande) balsa, poza
poção *s.f.* poción; ***poção mágica*** poción mágica
pocilga *s.f.* **1** pocilga, cochiquera, gorrinera **2** *col.* pocilga, cuchitril*m.*
poço *s.m.* **1** pozo **2** cueva*f.*, gruta*f.*; ***poço de ar*** pozo de aire **3** (rio) poza*f.* ♦ **ser um poço de sabedoria** ser un pozo de sabiduría; **um poço sem fundo** un pozo sin fondo
poda *s.f.* poda
podar *v.* (planta) podar
pó de arroz *s.m.* (*pl.* pós de arroz) polvo de arroz
poder *v.* **1** (*ter poder*) poder; ***quem pode pode*** el que puede, puede **2** (*ter força*) aguantar; ***ainda pode com 50 quilos*** todavía aguanta con 50 kilos **3** *fig., col.* (*suportar*) poder (com, con), soportar (com, con); ***não posso com ele!*** ¡no puedo con él! ■ *s.m.* **1** (*autoridade*) poder, autoridad*f.*; ***ter poder para*** tener poder para **2** (*capacidade*) poder, capacidad*f.*, facultad*f.*; ***ter um grande poder de persuasão*** tener un gran poder de persuasión; ***poder aquisitivo/de compra*** poder adquisitivo **3** (*domínio*) poder; ***estar no poder*** estar en el poder; ***exercer poder sobre alguém*** ejercer poder sobre alguien **4** (*posse*) poder, posesión*f.*; ***ter alguma coisa em seu poder*** tener algo en su poder **5** (*influência*) poder, influencia*f.* **6** POL. poder; ***poder executivo/judicial/legislativo*** poder ejecutivo/judicial/legislativo ♦ **até não poder mais** a más no poder; DIR. **plenos poderes** plenos poderes; **poder** [+*inf.*] **1** (autorização) poder [+*inf.*]; ***aqui não se pode fumar*** aquí no se puede fumar **2** (faculdade, possibilidade) poder [+*inf.*]; ***não posso falar*** no puedo hablar **3** (pedido) poder [+*inf.*] **4** (obrigação moral) poder [+*inf.*]; ***não podemos deixá-la sozinha*** no podemos dejarla sola **5** (sugestão) poder [+*inf.*]; ***podíamos ir ao cinema*** podríamos ir al cine **6** (suposição) poder [+*inf.*]; ***pode ser que ela venha*** puede ser que venga; **pode ser!** ¡vale!; **pode ser que** [+*conj.*] puede que [+*conj.*]; ***pode ser que ainda venha*** puede ser que venga todavía; **posso entrar?** ¿se puede?, ¿puedo?
poderoso *adj.* poderoso
pódio *s.m.* podio; ***subir ao pódio*** subir al podio
podologia *s.m.* podología
podólog|o, -a *s.m.,f.* podólog|o, -a
podre *adj.* podrido ♦ *col.* **estar podre de** estar podrido de; ***está podre de rico*** está podrido de dinero
podridão *s.f.* **1** putrefacción; podredumbre; descomposición **2** *fig.* (moral) podredumbre, corrupción
poeira *s.f.* polvo*m.*
poeirento *adj.* **1** polvoriento **2** *fig.* rancio, anticuado
poema *s.m.* poema
poente *s.m.* **1** GEOG. poniente **2** (*pôr do sol*) puesta*f.* del sol, ocaso
poesia *s.f.* poesía
poeta *s.m.* (*f.* poetisa) poeta
poética *s.f.* poética
poético *adj.* poético
poetisa *s.f.* (*m.* poeta) poetisa
poial *s.m.* banco de piedra, poyo
poio *s.m. col.* plasta*f.*, excremento
pois *conj.* **1** pues **2** por lo tanto **3** entonces **4** sin embargo ■ *adv.* **1** sí, claro, por supuesto **2** pues ♦ **pois não?** ¿verdad?, ¿no?

poisar *v.* ⇒ **pousar**
polaco *adj.,s.m.* ⇒ **polonês**
polaina *s.f.* polaina
polar *adj.2g.* polar; ***estrela polar*** estrella polar; ***urso-polar*** oso polar ■ *s.m.* polar, sudadera*f.* polar
polaridade *s.f.* polaridad
polarizar *v.* **1** FÍS. polarizar **2** *fig.* (atenção) polarizar, atraer
polegada *s.f.* (medida) pulgada
polegar *s.m.* (dedo) pulgar
poleiro *s.m.* **1** palo de gallinero **2** gallinero **3** *fig.* cargo de responsabilidad
polêmica *s.f.* polémica, controversia
polêmico *adj.* polémico, controvertido
pólen *s.m.* polen
polícia *s.f.* (instituição) policía; ***polícia de intervenção*** policía antidisturbios; ***polícia judiciária*** policía judicial; ***polícia municipal*** policía municipal/urbana; ***polícia secreta*** policía secreta; ***chamar a polícia*** llamar a la policía ■ *s.2g.* (agente) policía; ***polícia à paisana*** policía de paisano; ***polícia sinaleiro*** policía de tráfico
policial *adj.2g.* **1** policial, policiaco, policíaco **2** (filme, romance) policiaco, policíaco ■ *s.m.* novela*f.* policiaca, película*f.* policiaca ■ *s.2g.* (agente) policía
policiamento *s.m.* **1** vigilancia*f.* policial **2** control, represión*f.*
polidesportivo *adj.* polideportivo
polidez *s.f.* **1** cortesía **2** lustre, brilho
polido *adj.* **1** (superfície) pulido, bruñido **2** *fig.* (pessoa) cortés, educado
poliéster *s.m.* poliéster
poliestireno *s.m.* poliestireno
polietileno *s.m.* polietileno
poligamia *s.f.* poligamia
poliglota *adj.,s.2g.* poliglota
polígono *s.m.* polígono
polimento *s.m.* **1** (superfície) pulimento, pulido **2** lustre **3** *fig.* delicadeza*f.*
poliomielite *s.f.* poliomielitis*2n.*
polir *v.* **1** pulir; barnizar **2** pulir **3** (pessoa) pulir **4** (superfície) bruñir
polissemia *s.f.* polisemia
polissílabo *adj.,s.m.* polisílabo
politécnico *adj.* politécnico
política *s.f.* **1** política **2** *col., pej.* politiqueo*m.*
politicagem *s.f. pej.* politiqueo*m.*
polític|o, -a *s.m.,f.* polític|o, -a ■ *adj.* político
polivalente *adj.2g.* polivalente
polo *s.m.* **1** ASTRON. polo **2** GEOG. polo **3** ESPOR. polo **4** (roupa) polo, niqui
polo aquático *s.m.* waterpolo
polon|ês, -esa *adj.,s.m.,f.* polac|o, -a ■ **polonês** *s.m.* (língua) polaco
Polônia *s.f.* Polonia
polpa *s.f.* **1** (de fruta, legume) pulpa, carne **2** (dedos) yema ♦ **polpa dentária** pulpa dentaria
poltrona *s.f.* sillón*m.*, butaca
polução *s.f.* polución, eyaculación
poluente *adj.2g.,s.m.* contaminante
poluição *s.f.* contaminación, polución; ***poluição acústica/sonora*** contaminación acústica/sonora; ***poluição atmosférica*** contaminación atmosférica
poluir *v.* **1** contaminar **2** *fig.* manchar, corromper
polvilhar *v.* espolvorear (com, con)
polvo *s.m.* pulpo

> Não confundir com a palavra espanhola **polvo** (*pó*).

pólvora *s.f.* pólvora
polvorosa *s.f.* agitación, alboroto*m.*, tumulto*m.* ♦ **em polvorosa** al rojo vivo
pomada *s.f.* **1** FARM. pomada **2** *pop.* vino*m.* de buena calidad
pomar *s.m.* **1** (terreno) huerto (de árboles frutales), vergel **2** (loja) frutería*f.*
pomba *s.f.* paloma
pombinho *s.m.* pichón ■ **pombinhos** *s.m.pl. (casal de namorados)* tortolitos
pombo *s.m.* palomo
pombo-correio *s.m.* (*pl.* pombos-correio, pombos-correios) paloma*f.* mensajera
pomo de adão *s.m.* (*pl.* pomos de adão) *pop.* nuez, manzana de Adán [AM.]
pompa *s.f.* pompa, aparato*m.*, ostentación ♦ **com pompa e circunstância** con pompa y circunstancia
pompom *s.m.* **1** pompón **2** (para aplicar pó de arroz) borla*f.*
pomposo *adj.* **1** *(ostentoso)* pomposo, ostentoso **2** (estilo) pomposo
ponche *s.m.* (bebida) ponche
poncho *s.m.* poncho
ponderação *s.f.* **1** *(avaliação)* ponderación **2** *(reflexão)* reflexión; *(meditação)* meditación **3** *(prudência)* ponderación, prudencia; *(bom senso)* sentido*m.* común **4** *(importância)* importancia*f.*
ponderado *adj.* **1** ponderado **2** (pessoa) ponderado, tranquilo
ponderar *v.* **1** *(refletir)* reflexionar **2** *(avaliar)* ponderar
pônei *s.m.* poni
ponta *s.f.* **1** *(bico)* punta **2** *(canto)* esquina **3** GEOG. punta **4** *(chifre)* cuerno*m.* **5** (cigarro, charuto) colilla ♦ **aguentar as pontas** tener paciencia; **de ponta a ponta** de punta a punta; **hora de ponta** hora punta; **ponta de estoque** rebajas; **ponta do icebergue** punta del iceberg; **saber na ponta da língua** saber al dedillo; **segurar as pontas** tener que apechugar/apencar; **ter na ponta da língua** tener en la punta de la lengua
pontada *s.f.* (dor) punzada, dolor*m.* agudo; ***deu-me uma pontada nas costas*** me ha dado una punzada en la espalda
ponta-direita *s.2g.* (*pl.* pontas-direitas) (futebol) extremo*m.* derecho

ponta-esquerda *s.2g.* (*pl.* pontas-esquerdas) (futebol) extremo*m.* izquierdo

pontal *s.m.* punta*f.*

pontão *s.m.* (plataforma) pontón

pontapé *s.m.* **1** puntapié, patada*f.*; ***dar um pontapé em alguém*** darle/pegarle un puntapié a alguien **2** ESPOR. tiro; (futebol) ***pontapé de saída*** saque inicial **3** *fig.* afrenta*f.* ♦ **aos pontapés** a puntapiés

pontaria *s.f.* puntería; ***tem muita pontaria*** tiene mucha puntería

ponte *s.f.* **1** puente*m.*; ***ponte aérea*** puente aéreo; ***ponte levadiça/móvel*** puente levadizo; ***ponte pênsil/suspensa*** puente colgante **2** (dia) puente; ***fazer ponte*** hacer puente; ***na segunda-feira é ponte*** el lunes es puente **3** (dentes) puente **4** (ginástica) puente **5** NÁUT. puente

pontear *v.* (costura) hilvanar

ponteiro *s.m.* **1** (quadro, mapa, etc.) puntero **2** (de relógio) manecilla*f.*, aguja*f.*; ***ponteiro das horas*** aguja de la hora **3** (de gasolina) aguja*f.*, chivato

pontiagudo *adj.* **1** puntiagudo **2** (objeto) punzante

pontífice *s.m.* **1** REL. *(Papa)* pontífice, Papa; ***Sumo Pontífice*** Sumo Pontífice, Papa **2** REL. *(bispo)* pontífice, obispo

pontilhar *v.* puntear

pontilheiro *s.m.* puntillero, cachetero

pontinha *s.f. col.* pizca, chispa

ponto *s.m.* **1** (sinal) punto **2** (costura) puntada*f.*, punto **3** *(lugar)* punto, sitio, lugar **4** *(assunto)* punto, asunto **5** (escala) escalón **6** (pergunta, prova) punto **7** (jogos) punto, tanto **8** *gír.* *(teste)* punto **9** TEAT. apuntador **10** MED. punto **11** LING. punto, signo; ***ponto de exclamação*** signo de exclamación/admiración; ***ponto de interrogação*** signo de interrogación; ***ponto-final parágrafo*** punto y aparte **12** GEOM. punto ♦ **a ponto de** a punto de; **até certo ponto** hasta cierto punto; **em ponto** en punto; *col.* **entregar os pontos** darse por vencido; **estar a ponto de** estar a punto de; *col.* **não dar ponto sem nó** no dar puntada sin hilo; (funcionário) **bater o ponto** fichar; **ponto cardeal** punto cardinal; **ponto colateral** punto semicardinal; **ponto de apoio** punto de apoyo; **ponto de articulação** lugar de articulación; **ponto de ônibus** parada de autobús; **ponto de referência** punto de referencia; **ponto de vista** punto de vista; **ponto forte** punto fuerte; **ponto fraco** punto débil/flaco; **ponto morto** punto muerto; **ponto por ponto** punto por punto; **pôr os pontos nos "is"** poner los puntos sobre las ies; **ser ponto assente** estar decidido, y punto

pontuação *s.f.* **1** puntuación **2** *gír.* (exame, exercício) nota

pontual *adj.2g.* **1** puntual **2** *(exato)* puntual, exacto, preciso

pontualidade *s.f.* puntualidad; ***pontualidade britânica*** puntualidad inglesa

pontuar *v.* **1** (frase, texto) puntuar **2** (exercício, prova) puntuar, calificar (con puntos)

pontudo *adj.* pontiagudo

pop *adj.2g.2n.,s.m.* pop

popa *s.f.* popa

popelina *s.f.* popelín*m.*, popelina

popó *s.m. infant.* coche

população *s.f.* **1** *(habitantes)* población **2** BIOL. población ♦ ECON. **população ativa** población activa

populacional *adj.2g.* poblacional

popular *adj.* **1** *(do povo)* popular **2** (pessoa) popular, famoso

popularidade *s.f.* popularidad

popularizar *v.* popularizar ■ **popularizar-se** popularizarse

populoso *adj.* (lugar) populoso

pop-up *s.m./f.* ventana*f.* emergente, ventana*f.* pop-up

pôquer *s.m.* póquer ♦ **pôquer de dados** póquer de dados

por *prep.* **1** (lugar) por; ***passamos por Lisboa*** pasamos por Lisboa **2** (agente da passiva) por; ***feito por mim*** hecho por mí **3** (fim) por; ***esforçou-se por vencer*** se ha esforzado por vencer **4** (direção) por; ***por ali/aqui*** por allí/aquí **5** (localização) por; ***por baixo/cima*** debajo (de)/encima (de); ***por perto*** cerca **6** (tempo) por, durante; ***por algum tempo*** durante un/por algún tiempo; ***por enquanto*** por ahora; ***viajar por uns dias*** viajar unos días; ***uma vez por mês*** una vez al mes **7** (consequência) por; ***por medo*** por miedo **8** (tempo aproximado) a; ***pelas quatro da manhã*** a las cuatro de la mañana **9** (frequência) por; ***duas vezes por ano*** dos veces por año **10** (autoria) por; ***isto foi feito por mim*** esto ha sido hecho por mí **11** (modo) por; ***enviar por e-mail*** enviar por e mail/correo electrónico **12** (causa, motivo) por; ***por isso*** por eso; ***sofrer por amor*** sufrir por amor **13** (distribuição) por; ***um bilhete por pessoa*** una entrada por persona ♦ **por bem ou por mal** por las buenas o por las malas; **por mim** por mí; **por entre** a través; **um por um** uno a uno

pôr *v.* **1** *(colocar)* poner, colocar; ***pôr à venda*** poner a la venta; ***pôr em perigo*** poner en peligro; ***pôr na rua*** poner en la calle; ***pôr uma pergunta*** preguntar **2** *(instalar)* poner, instalar; ***você pôs Internet em casa?*** ¿has puesto Internet en casa? **3** *(programar)* poner, programar; ***pôs o despertador para as 8 da manhã*** ha puesto el despertador a las 8 de la mañana **4** *(escrever)* poner, escribir; ***põe o teu nome aqui*** pon tu nombre aquí **5** *(incluir)* poner, incluir; ***pus o nome dela na lista*** he puesto su nombre en la lista **6** (problema, questão) suscitar, sugerir; ***a sua tese põe novas questões*** su tesis suscita nuevas cuestiones **7** (combustível) echar; ***pôr gasolina*** echar gasolina **8** (ingrediente) echar, poner; ***pôr sal na sopa*** echar sal a la sopa **9** (ovos) poner; ***a galinha pôs um ovo*** la gallina ha puesto un huevo **10** (roupa, acessórios) ponerse; ***pôs uma gravata*** se ha puesto una corbata **11** *(guardar)* poner, guardar; ***pus os papéis na pasta*** he puesto los papeles en la carpeta **12** (dinheiro) ingresar, meter; ***pôr o dinheiro no banco*** ingresar dinero en el banco **13** *(aplicar)* ponerse, echarse; ***pôr maquiagem*** ponerse maquillaje **14** *(preparar)* poner; ***pôr a mesa*** poner la mesa **15** *(deixar)* poner, dejar; ***a notícia pôs***

todos alegres la noticia ha puesto todos alegres **16** (defeitos) poner, sacar; ***punha defeitos em tudo*** le pone/saca defectos a todo **17** (instituição, posto) meter; ***pôs os filhos no colégio*** ha metido a los hijos en el colegio **18** *(deitar)* echar; ***pôr as cartas no correio*** echar las cartas al buzón ■ **pôr-se 1** (posição) ponerse; ***pôr-se de pé/joelhos*** ponerse de pie/rodillas; ***pôr-se à vontade*** ponerse cómodo **2** *(imaginar-se)* ponerse; ***ponha-se no meu lugar*** ponte en mi lugar **3** (sol) ponerse **4** *(ficar)* ponerse, volverse ♦ **pôr-se a** [+*inf.*] ponerse a [+*inf.*]; ***pôs se a gritar*** se puso a gritar; **sem tirar nem pôr** sin quitar ni poner

porão *s.m.* **1** (avião, navio) bodega*f.* **2** sótano

porca *s.f.* **1** (parafuso) tuerca **2** ZOOL. ⇒ **porco** ♦ **é aí que a porca torce o rabo** esa es la madre del cordero

porcalh|ão, -ona *adj.,s.m.,f. col., pej.* guarr|o, -a

porção *s.f.* **1** *(parte)* porción **2** trozo*m.*, pedazo*m.*, ración

porcaria *s.f.* **1** *(sujidade)* porquería, sujidade, guarrada **2** *col. (insignificância)* porquería **3** *col. (coisa desagradável)* birria **4** *fig.* (palavra) palabrota, taco*m.*

porcelana *s.f.* porcelana

porcentagem *s.f.* porcentaje*m.*

porc|o, -a *s.m.,f.* **1** cerd|o, -a, puerc|o, -a **2** *pej.* (pessoa) cerd|o, -a, puerc|o, -a ■ *adj. (sujo)* cerdo, guarro, sucio

porco-espinho *s.m.* (*pl.* porcos-espinhos) puerco espín/espino

pôr do sol *s.m.* (*pl.* pores do sol) puesta*f.* del sol, ocaso

porém *conj.* pero

pormenor *s.m.* pormenor ♦ **em pormenor** en detalle; **entrar em pormenores** entrar en detalles

pormenorizado *adj.* pormenorizado, detallado

pormenorizar *v.* pormenorizar, detallar

pornô *adj.2g.2n.* porno, pornográfico; ***filme pornô*** película porno

pornografia *s.f.* pornografía, porno*m.*

pornográfico *adj.* pornográfico

poro *s.m.* poro

porosidade *s.f.* porosidad

poroso *adj.* **1** poroso **2** *fig.* propenso (a, a)

porquanto *conj.* visto que; ya que

porque *conj.* porque ■ *adv.* por qué

Reparar que **porque** é diferente de **por que**: *ele se molhou* ***porque*** *estava chovendo se ha mojado porque estaba lloviendo; a professora explicou* ***por que*** *faltou la profesora ha explicado porque ha faltado;* ***por que*** *você chegou tão cedo? ¿por qué has llegado tan temprano?*

porquê *adv.* por qué ■ *s.m.* porqué, motivo, razón*f.*, causa*f.*

Reparar que **porquê** é diferente de **por quê**: *o* ***porquê*** *das coisas el* ***porqué*** *de las cosas; não sei* ***por quê*** *no sé* ***porque***.

porquinho-da-índia *s.m.* (*pl.* porquinhos-da-índia) conejillo de Indias, cobaya*f.*, cobayo

porra *interj. vulg.* ¡coño!, ¡joder!

porrada *s.f.* **1** *pop. (sova)* somanta, soba, paliza **2** *pop.* mogollón*m.* (de, de)

porre *s.m.* **1** borrachera*f.*; ***tomar um porre*** emborracharse **2** *col.* (coisa) pesadez*f.*, lata*f.*; (pessoa) pesad|o, -a*m.f.*, latos|o, -a*m.f.*

porreiro *adj.* **1** [LUS.] *col.* (pessoa) legal **2** [LUS.] *col.* (coisa) guay, macanudo

porta *s.f.* **1** puerta; ***porta automática*** puerta automática; ***porta giratória*** puerta giratoria **2** INFORM. puerto*m.*; ***porta de infravermelhos*** puerto de infrarrojos; ***porta de série*** puerto de serie; ***porta paralela*** puerto paralelo; ***porta USB*** puerto USB ♦ **à porta fechada** a puerta cerrada; **de porta em porta** de puerta en puerta; **levar com a porta na cara** dar con la puerta en las narices; **por portas travessas** por medios ilícitos; **ser surdo como uma porta** estar sordo como una tapia

porta-aviões *s.m.2n.* portaaviones

porta-bagagem *s.m.* **1** (suporte) portaequipajes*2n.*, baca*f.* **2** *(mala)* maletero

porta-bandeira *s.2g.* (*pl.* porta-bandeiras) abanderad|o, -a*m.f.*

porta-chaves *s.m.2n.* llavero

portada *s.f.* **1** (janela) contraventana, postigo*m.* **2** *(portal)* portal*m.* **3** *(página de rosto)* portada

portador, -a *s.m.,f.* **1** portador, -a **2** (cheque) portador, -a; ***um cheque ao portador*** un cheque al portador **3** (letra de câmbio) tenedor, -a

porta-estandarte *s.2g.* (*pl.* porta-estandartes) portaestandarte

porta-guardanapos *s.m.2n.* servilletero

porta-joias *s.m.2n.* joyero

portal *s.m.* **1** (edifício) puerta*f.* principal **2** ARQ. portada*f.* **3** INFORM. portal

porta-lápis *s.m.2n.* portalápiz

porta-luvas *s.m.2n.* (automóvel) guantera*f.*

porta-malas *s.m.2n.* maletero, portaequipajes

porta-moedas *s.m.2n.* monedero, portamonedas

portanto *conj.* por (lo) tanto, así que, por consiguiente; ***já estou pronta, portanto não se atrase*** ya estoy lista, así que no te retrases

portão *s.m.* puerta*f.*

porta-retratos *s.m.2n.* portarretratos

porta-revistas *s.m.2n.* revistero

portaria *s.f.* **1** portería **2** [documento oficial gubernamental firmado por un ministro]

portar-se *v.* portarse, comportarse; ***portar-se bem/mal*** portarse bien/mal

portátil *adj.2g.* portátil

porta-voz *s.2g.* (*pl.* porta-vozes) portavoz

porte *s.m.* porte ♦ **porte de arma** tenencia de armas; **porte ilegal de arma** tenencia ilícita de armas; **porte pago** franqueo pagado

porteir|o, -a *s.m.,f.* porter|o, -a ♦ **porteiro eletrônico** portero automático/eléctrico

portfólio *s.m.* **1** *(pasta)* portafolios*2n.*, portafolio, cartera*f.* **2** (de projetos, trabalhos) carpeta*f.* de trabajo **3** (de modelo) book

pórtico *s.m.* pórtico

porto *s.m.* puerto ◆ **chegar a bom porto** llegar a buen puerto

Porto Rico *s.m.* Puerto Rico

porto-riquenh|o, -a *adj.,s.m.,f.* puertorriqueñ|o, -a

porto-riquense *adj.,s.2g.* ⇒ **porto-riquenho**

portuário *adj.* portuario

portuense *s.2g.* natural/habitante de Oporto (en Portugal) ■ *adj.2g.* de Oporto

Portugal *s.m.* Portugal

portugu|ês, -esa *adj.,s.m.,f.* portugu|és, -esa ■ **português** *s.m.* (língua) portugués

porventura *adv.* **1** *(por acaso)* por casualidad **2** *(talvez)* quizá(s), tal vez, a lo mejor

porvir *s.m.* porvenir, futuro

pós *prep.* ⇒ **após**

posar *v.* posar (para, para); ***a família posou para a fotografia*** la familia posó para la fotografía

pós-doutorado *s.m.* posdoctorado

pose *s.f.* **1** (para retrato) pose, postura **2** *(afetação)* pose, afectación

pós-graduação *s.f.* (*pl.* pós-graduações) posgrado*m.*, postgrado*m.*

pós-graduad|o, -a *adj.,s.m.,f.* (*pl.* pós-graduad|os, -as) posgraduad|o, -a, postgraduad|o, -a

posição *s.f.* **1** *(situação)* posición, situación **2** *(lugar)* posición, sitio*m.* **3** *(postura)* posición, postura **4** *(opinião)* posición, opinión ◆ **marcar posição** ponerse en su sitio; (socorrismo) **posição lateral de segurança** posición lateral de seguridad

posicionar *v.* posicionar ■ **posicionar-se** posicionarse

positivismo *s.m.* positivismo

positivista *adj.,s.2g.* positivista

positivo *adj.* **1** positivo **2** (pessoa) positivo, optimista **3** MAT. (número) positivo ■ *s.m.* FOT. positivo

pós-meridiano *adj.* posmeridiano, postmeridiano

pós-nupcial *adj.2g.* después de las nupcias/del matrimonio

posologia *s.f.* posología

pós-operatório *adj.,s.m.* (*pl.* pós-operatórios) posoperatorio, postoperatorio

pós-parto *s.m.* (*pl.* pós-partos) posparto

possante *adj.2g.* **1** *(robusto)* robusto **2** *(poderoso)* poderoso **3** *(potente)* potente

posse *s.f.* **1** *(propriedade)* posesión, propiedad **2** (cargo) investidura ■ **posses** *s.f.pl.* posesiones ◆ **tomar posse** tomar posesión

possessão *s.f.* **1** (território, colônia) posesión **2** REL. posesión

possessivo *adj.* (pessoa) posesivo ■ *s.m.* LING. posesivo; ***pronome possessivo*** pronombre posesivo

possesso *adj.* **1** poseso, poseído, endemoniado **2** poseso, furioso

possibilidade *s.f.* posibilidad ■ **possibilidades** *s.f.pl.* posibilidades

possibilitar *v.* posibilitar

possível *adj.2g.* posible ◆ **fazer o possível** hacer todo lo posible; **o mais cedo possível** lo antes posible; **se (for) possível** de ser posible

possivelmente *adv.* posiblemente, probablemente, quizá

possuído *adj.* **1** poseído (por, por) **2** *col.* creído, presumido

possuidor, -a *s.m.,f.* poseedor, -a

possuir *v.* poseer

post *s.m.* mensaje

posta *s.f.* tajada (de pescado o carne)

postal *s.m.* tarjeta*f.* postal, postal*f.* ■ *adj.2g.* postal, de correos; ***vale postal*** giro postal

postar *v.* **1** apostar **2** (correspondência) echar al correo/buzón ■ **postar se** apostarse

poste *s.m.* **1** poste **2** ESPOR. poste, palo de la portería ◆ **poste de alta tensão** poste de alta tensión; **poste de iluminação pública** farola, poste de farol; **poste de luz** farola; **poste telefônico** poste telefónico

poster *s.m.* ⇒ **pôster**

pôster *s.m.* póster, cartel

posteridade *s.f.* posteridad

posterior *adj.2g.* **1** (tempo) posterior, ulterior; ***ser posterior a*** ser posterior a **2** (espaço) posterior, trasero; ***na parte posterior*** en la parte posterior

posteriormente *adv.* posteriormente

postiço *adj.* postizo; ***dentadura postiça*** dentadura postiza

postigo *s.m.* **1** postigo **2** *(guichê)* ventanilla*f.*

posto *adj.* (*p.p. de* pôr) puesto ■ *s.m.* **1** (lugar) puesto; ***posto de trabalho*** puesto de trabajo **2** *(emprego)* puesto, empleo ◆ **estar a postos** estar listo; **posto de gasolina** gasolinera, estación de servicio; **posto de saúde** ambulatorio, dispensario; **posto médico** ambulatorio, dispensario; **posto que** aunque, a pesar de que

postulado *s.m.* **1** postulado **2** *(premissa)* premisa*f.*

póstumo *adj.* póstumo

postura *s.f.* **1** (corpo) postura **2** (comportamento) postura, actitud **3** (ovos) puesta

potássio *s.m.* potasio

potável *adj.2g.* potable; ***água potável*** agua potable

pote *s.m.* **1** *(bacio)* orinal, bacín **2** (recipiente) tarro

potência *s.f.* **1** *(capacidade)* potencia; ***de grande potência*** de gran potencia **2** *(nação, país)* potencia; ***potências mundiais*** potencias mundiales **3** FÍS. potencia **4** MAT. potencia; ***elevar à terceira potência*** elevar a la tercera potencia ◆ **em potência** en potencia

potencial *adj.2g.* potencial ■ *s.m.* **1** potencial **2** ELETR. potencial

potencialidade *s.f.* potencialidad

potenciar *v.* **1** potenciar **2** MAT. elevar a la potencia

potente *adj.2g.* **1** potente; ***motor potente*** motor potente **2** *(poderoso)* potente, poderoso; ***nação potente*** nación potente

pot-pourri *s.m.* MÚS. popurrí

potr|o, -a *s.m.,f.* potr|o, -a ■ **potro** *s.m.* (tortura) potro

pouc|o, -a *pron.indef.* **1** poc|o, -a; ***você tomou pouca sopa*** has comido poca sopa **2** poc|o, -a; ***satisfaz-se com pouco*** se contenta con poco ■ *adv.* poco; ***lê muito pouco*** lee muy poco; ***trabalhei pouco*** he trabajado poco ■ *s.m.* poco; ***espera um pouco*** espera un poco; ***um pouco de*** un poco de ■ *adj.* poco; ***foi pouca gente à festa*** fue poca gente a la fiesta ♦ **aos poucos** poco a poco; **daqui a pouco** dentro de poco; **dentro em pouco** dentro de poco; **fazer pouco de alguém** tomarle el pelo a alguien; **por pouco** por poco; **poucas vezes** pocas veces; **pouco a pouco** poco a poco; **pouco depois de** poco después de, a poco de

pouco-caso *s.m.* (*pl.* poucos-casos) indiferencia*f.*

poupa *s.f.* **1** (aves) penacho*m.* **2** (penteado) cresta, mechón*m.* **3** ZOOL. abubilla

poupador *adj.* (pessoa) ahorrador, ahorrativo

poupança *s.f.* ahorro*m.* ■ **poupanças** *s.f.pl.* ahorros*m.*

poupar *v.* **1** economizar **2** ahorrar ■ **poupar se** esquivarse, excusarse

pousada *s.f.* parador*m.* ♦ **pousada da juventude** albergue juvenil

pousar *v.* **1** (avião) posarse, aterrizar **2** posar, dejar **3** (ave) posarse **4** mirar fijamente

pouso *s.m.* **1** lugar donde se posa algo **2** albergue, alojamiento, refugio **3** estancia*f.*

povinho *s.m. pop.* pueblo, gente*f.*

povo *s.m.* pueblo

povoação *s.f.* **1** (lugar) población, poblado*m.* **2** *(população)* población

povoado *adj.* poblado ■ *s.m.* poblado, población*f.*

povoamento *s.m.* poblamiento

povoar *v.* **1** (lugar, território) poblar **2** *fig. (encher)* poblar, llenar ■ **povoar se 1** (lugar, território) poblarse **2** *fig. (encher-se)* poblarse, llenarse

poxa *interj. col.* ¡caramba!

praça *s.f.* **1** *(largo)* plaza **2** *(mercado)* mercado*m.* **3** *(leilão)* subasta ■ *s.2g.* soldad|o, -a*m.f.* ras|o, -a ♦ **carro de praça** taxi; MIL. **sentar praça** alistarse; **praça de alimentação** patio de comidas; **praça de touros** plaza de toros

praceta *s.f.* plazoleta

pradaria *s.f.* pradera

praga *s.f.* **1** *(calamidade)* plaga, calamidad **2** *(maldição)* maldición ♦ **rogar praga** echar pestes

pragmática *s.f.* pragmática

pragmático *adj.* pragmático

praguejar *v.* maldecir, jurar

praia *s.f.* playa; ***praia fluvial*** playa fluvial; ***ir à praia*** ir a la playa

prancha *s.f.* **1** *(tábua)* tablón*m.* **2** (desportos aquáticos) tabla; ***prancha de surfe*** tabla de surf **3** (piscina) trampolín*m.* **4** (espada, sabre) hoja

prancheta *s.f.* **1** tablón*m.* pequeño **2** (para desenhar) tablero/mesa*m.* de dibujo

pranto *s.m.* **1** *(choro)* llanto, lloro **2** *(queixume)* quejido, queja*f.*, lamento

praseodímio *s.m.* praseodimio

prata *s.f.* **1** plata **2** (objetos) plata **3** *col.* pasta, plata [AM.]

prateado *adj.* plateado

pratear *v.* platear

prateleira *s.f.* **1** *(estante)* estantería **2** (tábua) balda, repisa, anaquel*m.*, estante*m.* ♦ **estar/ficar na prateleira** estar/quedar en el baúl de los recuerdos; **pôr na prateleira** pasar de

prática *s.f.* **1** práctica; ***pôr em prática*** poner en práctica **2** (atividade, trabalho) práctica, experiencia; ***ter prática*** tener práctica **3** *(exercício)* práctica, ejercicio*m.* ♦ **na prática** en la práctica

praticamente *adv.* prácticamente

praticante *adj.2g.* practicante; ***católico praticante*** católico practicante ■ *s.2g.* (de atividade) aprendiz, -a*m.f.*; (de esporte) aficionad|o, -a*m.f.* al deporte, deportista

praticar *v.* **1** practicar **2** (atividade, esporte) practicar **3** *(exercitar-se)* ejercitarse, entrenarse **4** *(exercitar)* ejercitar, practicar **5** (profissão) ejercer

praticável *adj.2g.* **1** practicable, realizable **2** (caminho, estrada) practicable, transitable

prático *adj.* **1** práctico **2** (pessoa) práctico, desenvuelto **3** *(experiente)* experimentado, ducho

prato *s.m.* **1** plato; ***prato de sobremesa*** plato de postre; ***prato de sopa*** plato sopero; ***prato fundo*** plato hondo; ***prato raso*** plato llano **2** (refeição) plato; ***prato regional*** comida típica **3** (balança) platillo **4** (toca-discos) giradiscos*2n.* ■ **pratos** *s.m.pl.* MÚS. platillos ♦ **limpar o prato** rebañar el plato; **pôr em pratos limpos** poner las cartas sobre la mesa

praxe *s.f.* uso*m.*, costumbre

prazenteiro *adj.* **1** *(alegre)* alegre **2** *(simpático)* simpático

prazer *s.m.* placer; ***foi um prazer*** ha sido un placer; ***tenho o prazer de lhe comunicar que...*** me es grato comunicarle que... ♦ **com muito prazer** con mucho gusto; **muito prazer!** ¡encantado(a)!, mucho gusto

prazo *s.m.* plazo; ***em curto/longo/médio prazo*** a corto/largo/medio plazo; ***o prazo terminou/expirou*** el plazo ha expirado; ***prorrogar o prazo*** exceder/prorrogar el plazo ♦ **prazo de validade** fecha de caducidad

pré-aviso *s.m.* (*pl.* pré-avisos) **1** aviso previo; ***sem pré-aviso*** sin previo aviso **2** previo aviso (anticipado)

precariedade *s.f.* precariedad

precário *adj.* precario

precaução *s.f.* precaución; ***conduzir com precaução*** conducir con precaución; ***medidas de precaução*** medidas de precaución; ***por precaução*** por precaución; ***tomar precauções*** tomar precauciones

precaver *v.* precaver, prevenir ■ **precaver-se** precaverse (**de/contra**, de/contra)

precavido *adj.* precavido, previsor

prece *s.f.* **1** REL. oración, plegaria **2** *(súplica)* súplica

precedência *s.f.* precedencia; ***dar precedência a*** dar precedencia a

precedente *adj.2g.* precedente, antecedente, anterior ▪ *s.m.* precedente, antecedente; ***abrir/criar um precedente*** sentar precedente ♦ **sem precedente** sin precedente

preceder *v.* preceder, anteceder

preceito *s.m.* precepto ♦ **a preceito** como tiene que ser, rigorosamente

preceptor, -a *s.m.,f.* preceptor, -a

preceptora *s.f.* institutriz

preciosismo *s.m. pej.* preciosismo, afectación*f.*

precioso *adj.* **1** precioso; ***pedra preciosa*** piedra preciosa **2** *fig.* (tempo) precioso **3** *fig.* (informação) valioso

precipício *s.m.* **1** precipicio, abismo **2** *fig.* precipicio

precipitação *s.f.* **1** precipitación **2** *(pressa)* prisa **3** *(imprudência)* precipitación **4** MET. precipitación

precipitado *adj.* **1** precipitado **2** (pessoa) precipitado, imprudente ▪ *s.m.* precipitado

precipitar *v.* **1** *(lançar)* precipitar, lanzar, arrojar **2** *(apressar)* precipitar ▪ **precipitar-se 1** *(lançar-se)* precipitarse, lanzarse **2** (ao agir) precipitarse

precisamente *adv.* estrictamente

precisão *s.f.* **1** *(exatidão)* precisión, exactitud **2** *(pontualidade)* precisión, puntualidad **3** *(rigor)* precisión

precisar *v.* **1** precisar **2** precisar, puntualizar

preciso *adj.* **1** *(necessário)* preciso, necesario **2** *(exato)* preciso ♦ **ser preciso (que)** [+*inf.*] haber que, ser necesario (que) [+*inf.*]

preço *s.m.* **1** precio; ***preço de compra*** precio de compra; ***preço de custo*** precio de coste; ***preço de fábrica*** precio de fábrica; ***preço de venda ao público*** precio de venta al público; ***preço fixo*** precio fijo; ***preço recomendado*** precio recomendado **2** *fig.* precio; ***pagou um preço muito alto para obter os seus direitos*** pagó un precio muy alto para obtener sus derechos ♦ **a qualquer preço** a toda costa; a cualquier precio; a ultranza; **a preço de banana** muy barato; **não ter preço** no tener precio

precoce *adj.2g.* precoz

preconceber *v.* **1** preconcebir **2** *(supor)* suponer

preconcebido *adj.* preconcebido

preconceito *s.m.* prejuicio

preconceituoso *adj.* **1** que manifiesta prejuicios **2** parcial **3** intolerante

preconizar *v.* preconizar

precursor, -a *adj.,s.m.,f.* precursor, -a

predador, -a *adj.,s.m.,f.* depredador, -a

pré-datado *adj.* (cheque) prefechado

predecessor, -a *s.m.,f.* **1** *(antecessor)* predecesor, -a, antecesor, -a **2** *(antepassado)* predecesor, -a, antepasad|o, -a, antecesor, -a

predestinação *s.f.* predestinación

predestinado *adj.* predestinado

predestinar *v.* **1** predestinar **2** REL. predestinar

predeterminação *s.f.* predeterminación

predial *adj.2g.* de los bienes inmuebles; ***imposto predial*** impuesto sobre bienes inmuebles

predicado *s.m.* **1** cualidad*f.*, característica*f.* **2** mérito, virtud*f.* **3** LING. predicado

predicativo *adj.,s.m.* predicativo

predileção *s.f.* predilección, preferencia

predileto *adj.* predilecto, preferido

prédio *s.m.* edificio ♦ **prédio rústico/urbano** predio rústico/urbano

predispor *v.* predisponer ▪ **predispor-se** predisponerse

predisposição *s.f.* **1** *(tendência)* predisposición, tendencia, inclinación **2** *(vocação)* vocación, aptitud

predisposto *adj.* **1** predispuesto, propenso **2** preparado, listo

predizer *v.* predecir, pronosticar

predominante *adj.2g.* predominante

predominar *v.* **1** predominar **2** *(sobressair)* predominar, sobresalir

predomínio *s.m.* predominio

preencher *v.* **1** llenar **2** (ficha, impresso) rellenar, cumplimentar **3** tener (un cargo, función) **4** (objetivo, requisito) cumplir **5** ocupar

preenchimento *s.m.* **1** (impresso, formulário) acto de rellenar los espacios en blanco **2** (cargo, vaga) ocupación*f.*

pré-escolar *adj.2g.,s.m.* preescolar

preestabelecer *v.* preestablecer, establecer de antemano

preestabelecido *adj.* preestablecido

pré-estreia *s.f.* preestreno*m.*

preexistente *adj.2g.* preexistente

pré-fabricado *adj.* prefabricado

prefácio *s.m.* prefacio

prefeit|o, -a *s.m.,f.* alcalde, -sa

prefeitura *s.f.* ayuntamiento*m.*

preferência *s.f.* **1** *(predileção)* preferencia, predilección **2** *(prioridade)* preferencia, prioridad ♦ **de preferência** de preferencia

preferencial *adj.2g.* preferencial

preferencialmente *adv.* preferentemente, de preferencia

preferid|o, -a *s.m.,f.* favorit|o, -a, preferid|o, -a ▪ *adj.* preferido, favorito, predilecto; ***é um dos meus filmes preferidos*** es una de mis películas preferidas

preferir *v.* **1** preferir **2** preferir, elegir

preferível *adj.2g.* preferible

prefixação *s.f.* prefijación

prefixo *s.m.* prefijo

prega *s.f.* **1** *(dobra)* pliegue*m.*, doblez*m.* **2** *(ruga)* arruga

pregadeira *s.f.* acerico*m.*

pregador *s.m.* **1** (discurso religioso) predicador **2** (roupa) pinza*f.*

pregão *s.m.* pregón

pregar *v.* **1** (prego) clavar **2** (botão) pegar **3** (discurso religioso) predicar

prego *s.m.* **1** clavo; ***pregar um prego*** clavar un clavo **2** *col.* casa*f.* de empeño; ***pôr no prego*** empeñar ♦ **dar**

o prego cansarse; **nadar como um prego** nadar como un pez de plomo

preguiça *s.f.* 1 pereza; fraca [ARG.]; *dar preguiça* dar pereza 2 ZOOL. perezoso *m.*

preguiços|o, -a *adj.,s.m.,f.* perezos|o, -a, vag|o, -a, holgaz|án, -ana

pré-história *s.f.* prehistoria

pré-histórico *adj.* prehistórico

prejudicado *adj.* 1 (pessoa) perjudicado 2 (saúde) deteriorado

prejudicar *v.* perjudicar ▪ **prejudicar-se** perjudicarse

prejudicial *adj.2g.* perjudicial (para, para); *o tabaco é prejudicial para a saúde* el tabaco es perjudicial para la salud

prejuízo *s.m.* 1 perjuicio 2 (lucro) pérdidas *f.pl.*

preliminar *adj.2g.,s.m.* preliminar ▪ **preliminares** *s.f.pl.* (sexo) carícias estimulantes

prelo *s.m.* prensa *f.*; *estar no prelo* estar en prensa

prelúdio *s.m.* 1 preludio; introducción *f.* 2 MÚS. preludio

prematuro *adj.* 1 prematuro 2 (bebê) prematuro 3 (decisão) prematuro

premeditação *s.f.* premeditación

premeditado *adj.* premeditado

premeditar *v.* premeditar, planear

premente *adj.2g.* urgente, imperioso

premer *v.* pulsar

premiação *s.f.* premiación [AM.], entrega de premios

premiar *v.* premiar, galardonar

prêmio *s.m.* 1 premio; *prêmio de consolação* premio de consolación; *prêmio Nobel* premio Nobel; (loteria) *primeiro prêmio* premio gordo 2 (seguro) prima 3 *(gratificação)* gratificación *f.*

premir *v.* ⇒ **premer**

premissa *s.f.* premisa

premonição *s.f.* 1 *(pressentimento)* premonición, presentimiento *m.* 2 aviso *m.*, advertencia

pré-natal *adj.2g.* prenatal

prenda *s.f.* regalo *m.*

prendedor *s.m.* 1 (cabelo) prendedor 2 (roupa) pinza *f.*

prender *v.* 1 prender 2 (ladrão) arrestar, prender 3 (cabelo) recoger 4 *fig.* cautivar

prenha *adj. col.* preñada

prenhe *adj.2g.* preñado

prensa *s.f.* 1 (para comprimir) prensa 2 prensa, imprenta

prensar *v.* prensar; comprimir; apretar

prenúncio *s.m.* 1 *(presságio)* presagio 2 *(indício)* indicio

pré-nupcial *adj.2g.* prenupcial

preocupação *s.f.* preocupación

preocupado *adj.* 1 (pessoa) preocupado (com, por); *estar preocupado com alguém/alguma coisa* estar preocupado por alguien/algo 2 (olhar) de preocupación 3 *(pensativo)* pensativo

preocupante *adj.2g.* preocupante

preocupar *v.* preocupar ▪ **preocupar-se** preocuparse (com, por); *preocupo-me muito contigo* me preocupo por tí

pré-operatório *adj.,s.m.* (*pl.* pré-operatórios) preoperatorio

preparação *s.f.* 1 preparación 2 QUÍM. preparación 3 CUL. cocina

preparado *adj.* preparado ▪ *s.m.* FARM. preparado

preparador, -a *s.m.,f.* preparador, -a, entrenador, -a

preparar *v.* 1 preparar 2 preparar, cocinar ▪ **preparar se** prepararse

preparativos *s.m.pl.* preparativos

preparatório *adj.* preparatorio

preponderância *s.f.* preponderancia

preponderante *adj.2g.* preponderante

preponderar *v.* preponderar

preposição *s.f.* preposición

preposicional *adj.2g.* preposicional

prepotência *s.f.* prepotencia

prepotente *adj.2g.* prepotente

prepúcio *s.m.* prepucio

pré-requisito *s.m.* (*pl.* pré-requisitos) requisito previo, condición *f.* previa

prerrogativa *s.f.* prerrogativa, privilegio *m.*

presa *s.f.* 1 aprehensión 2 presa 3 (dente) colmillo *m.* 4 garra; zarpa 5 *fig.* persona sometida por algo o por alguien

presbiteran|o, -a *adj.,s.m.,f.* presbiterian|o, -a

presbiteriano *s.m.* ⇒ **presbiterano**

presbitério *s.m.* 1 casa *f.* parroquial 2 iglesia *f.* parroquial

presbítero *s.m.* presbítero

prescindir *v.* prescindir (de, de)

prescrever *v.* 1 DIR. prescribir 2 prescribir 3 (medicamento) recetar

prescrição *s.f.* 1 prescripción 2 (medicamento) prescripción, receta 3 DIR. prescripción

presença *s.f.* 1 presencia 2 asistencia 3 personalidad, carácter *m.* ◆ **na presença de** en presencia de; **presença de espírito** presencia de ánimo; **ter presença** tener buena presencia

presenciar *v.* presenciar

presente *adj.2g.* 1 *(atual)* presente 2 (comparência) presente; *não estar presente* no estar presente ▪ *s.m.* 1 *(atualidade)* presente 2 *(prenda)* regalo; *presente de aniversário* regalo de cumpleaños 3 LING. presente ▪ **presentes** *s.m.pl.* (pessoa) presentes ◆ (ao fazer chamada) **presente!** ¡presente!; (na memória) **ter alguma coisa presente** tener algo presente

presentear *v.* regalar

presépio *s.m.* belén, nacimiento, pesebre

preservação *s.f.* 1 preservación 2 protección; *preservação da natureza* protección de la naturaleza

preservar *v.* preservar ▪ **preservar se** preservarse

preservativo *s.m.* condón, preservativo, profiláctico

presidência *s.f.* presidencia

presidenciais *s.f.pl.* elecciones a la presidencia de la República
presidencial *adj.2g.* presidencial
presidente *s.2g.* president|e, -a*m.f.* ♦ **presidente da câmara municipal** alcalde, -sa*m.f.*; **Presidente da República** Presidente de la República
presidiári|o, -a *s.m.,f.* presidiari|o, -a, convict|o, -a
presídio *s.m.* **1** (estabelecimento) presidio, penitenciaría*f.* **2** (pena) presidio
presidir *v.* **1** presidir **2** gobernar, dirigir **3** orientar
presilha *s.f.* **1** presilla **2** (de cinto) hebilla
pres|o, -a *s.m.,f.* reclus|o, -a, pres|o, -a ■ *adj.* **1** preso, recluso **2** *(unido)* atado
pressa *s.f.* prisa; *estar com pressa* tener prisa ♦ **a toda a pressa** a toda prisa; **feito à pressa** de prisa y corriendo
pressagiar *v.* presagiar
presságio *s.m.* presagio
pressão *s.f.* **1** presión **2** FÍS. presión **3** *fig. (coação)* presión **4** FISIOL. presión arterial ♦ **estar sob pressão** estar bajo presión; **fazer pressão** hacer presión; **pressão dos pneus** presión del neumático
pressentimento *s.m.* presentimiento, corazonada*f.*; *ter um pressentimento* tener un presentimiento
pressentir *v.* presentir (que, que)
pressionar *v.* **1** (objeto) presionar, comprimir **2** (pessoa) presionar, coaccionar **3** (time, jogador) presionar
pressupor *v.* **1** presuponer **2** *(supor)* suponer
pressuposição *s.f.* presuposición
pressuposto *s.m.* **1** principio **2** *(suposição)* presupuesto, suposición*f.*; *partir do pressuposto que* suponer que **3** objetivo
prestação *s.f.* **1** prestación **2** (quantia) plazo*m.*; *pagar a prestações* pagar a plazos **3** cuota
prestar *v.* **1** (objeto) servir **2** prestar ■ **prestar-se** prestarse ♦ **ele não presta** él es una mala persona
prestável *adj.2g.* **1** (objeto) útil **2** (pessoa) servicial; complaciente
prestes *adj.2g.2n.* **1** a punto de **2** presto, dispuesto, preparado ♦ **estar prestes a** estar a punto de
prestidigitação *s.f.* prestidigitación, ilusionismo*m.*
prestígio *s.m.* prestigio
prestigioso *adj.* prestigioso
préstimo *s.m.* **1** utilidad*f.* **2** valor
presumido *adj.* presumido, engreído
presumir *v.* presumir, suponer
presumível *adj.2g.* presumible
presunção *s.f.* **1** presunción **2** prensunción, suposición **3** *(vaidade)* presunción, vanidad
presunçoso *adj.* presuntuoso, vanidoso
presunto *s.m.* jamón de York
pretendente *s.2g.* **1** (cargo, trono) aspirante **2** (casamento) pretendiente
pretender *v.* **1** pretender, aspirar **2** pretender
pretensão *s.f.* **1** pretensión **2** intención
pretensioso *adj.* pretencioso, presumido
pretenso *adj.* **1** pretendido **2** pretendido, supuesto
pretérito *s.m.* LING. pretérito ■ *adj.* pretérito, pasado
pretexto *s.m.* pretexto; *com o pretexto de* con el pretexto de
pret|o, -a *s.m.,f. pej.* (pessoa) negr|o, -a ■ **preto** *s.m.* negro ■ *adj.* negro ♦ (a situação) **estar preta** (la situación) pasar de castaño oscuro; **pôr o preto no branco** poner claro algo; **preto no branco** a las claras
prevalecer *v.* prevalecer
prevenção *s.f.* prevención ♦ **estar de prevenção** de prevención
prevenido *adj.* **1** prevenido **2** prevenido, precavido
prevenir *v.* **1** *(advertir)* prevenir **2** (mal, doença) prevenir, precaver ■ **prevenir-se** prevenirse
preventivo *adj.* preventivo
prever *v.* **1** prever **2** prever, suponer **3** prever, predecir
prévio *adj.* **1** previo; *sem aviso prévio* sin previo aviso **2** *(preliminar)* preliminar
previsão *s.f.* **1** previsión, predicción; *previsão do tempo* predicción del tiempo **2** pronóstico*m.* **3** *(pressentimento)* presentimiento*m.*
previsível *adj.2g.* previsible
previsto (*p.p. de* prever) *adj.* previsto
prezado *adj.* estimado ♦ (carta) **prezado senhor** estimado señor
prezar *v.* apreciar ■ **prezar-se** estimarse
primar *v.* **1** primar **2** *(sobressair)* sobresalir, distinguirse
primário *adj.* primario
primata *s.m.* primate
primavera *s.f.* primavera ■ **primaveras** *s.f.pl.* (idade) primaveras, abriles*m.*
primaveril *adj.2g.* **1** primaveral **2** *fig.* juvenil
primazia *s.f.* primacía
primeira *s.f.* **1** (mudança de velocidade) primera (marcha, velocidad); *meter a primeira* meter la primera **2** (meios de transporte) primera (clase); *viajar em primeira* viajar en primera
primeir|o, -a *s.m.* primer|o, -a; (antes de *s.m.sing.*) primer; *primeiro capítulo* capítulo primero; *o primeiro dia* el primer día; *a primeira vez* la primera vez; *em primeiro lugar* en primer lugar; *vive no primeiro andar* vive en el primer piso ■ *adj.* primero ■ *s.m.,f.* primer|o, -a ■ *adv.* primero, en primer lugar ♦ *col.* **à primeira** al vuelo; **à primeira vista** a primera vista; **em primeira mão** de primera mano; (documento) **primeira via** original; **primeiro plano** primer plano; **primeiro que tudo** ante todo, antes que nada; **primeiros socorros** primeros auxilios
primitivo *adj.* primitivo
prim|o, -a *s.m.,f.* prim|o, -a; *primo afastado* primo lejano; *primo direto* primo hermano; *primo de segundo grau* primo segundo ■ *adj.* **1** *(primeiro)* primo, primero **2** MAT. (número) primo
primogênit|o, -a *adj.,s.m.,f.* primogénit|o, -a
primor *s.m.* primor
primordial *adj.2g.* primordial
primórdio *s.m.* origen, principio

primoroso *adj.* primoroso
prímula *s.f.* BOT. prímula
princesa *s.f.* (*m.* príncipe) princesa
principado *s.m.* principado
principal *adj.* principal ■ *s.m.* prelado
príncipe *s.m.* (*f.* princesa) príncipe ♦ **príncipe encantado** príncipe azul; **príncipe das trevas** príncipe de las tinieblas
principiante *adj.,s.2g.* principiante
principiar *v.* principiar, empezar, comenzar
princípio *s.m.* **1** principio, comienzo **2** (valores) principios*pl.* ♦ **a princípio** al principio; **em princípio** en principio; **por princípio** por norma
prioridade *s.f.* **1** prioridad **2** preferencia, prioridad; *ter prioridade* tener preferencia
prioritário *adj.* prioritario
prisão *s.f.* **1** *(cadeia)* prisión, cárcel; *prisão de alta segurança* cárcel de alta seguridad; *prisão domiciliar* arresto domiciliario; *prisão perpétua* cadena perpetua; *prisão preventiva* prisión preventiva **2** *(clausura)* prisión ♦ **prisão de ventre** estreñimiento
prisional *adj.2g.* penitenciario, carcelario; *estabelecimento prisional* centro penitenciario; *regime prisional* régimen penitenciario/carcelario
prisioneir|o, -a *s.m.,f.* prisioner|o, -a
prisma *s.m.* **1** prisma **2** *fig.* prisma, punto de vista, perspectiva*f.*
privação *s.f.* *(perda)* privación, pérdida ■ **privações** *s.f.pl.* *(carência)* privación, carencia
privacidade *s.f.* privacidad
privada *s.f.* **1** váter*m.*, inodoro*m.* **2** servicios*m.pl.*, cuarto*m.* de baño
privado *adj.* privado ♦ **em privado** en privado
privar *v.* **1** privar **2** tratar con amistad ■ **privar se** privarse
privativo *adj.* privativo
privatização *s.f.* privatización
privatizar *v.* privatizar
privilegiad|o, -a *adj.,s.m.,f.* privilegiad|o, -a
privilegiar *v.* privilegiar
privilégio *s.m.* privilegio
pró *prep.* pro, a favor de ■ *s.m.* pro, ventaja*f.*; *os prós e os contras* los pros y los contras ♦ **em pró de** en pro de, en favor de
proa *s.f.* proa
probabilidade *s.f.* probabilidad
probidade *s.f.* probidad, honradez
problema *s.m.* **1** (questão) problema; *ter problemas com* tener problemas con; *colocar um problema* plantear un problema **2** MAT. problema **3** MED. problema; *problemas de coração* problemas de corazón
problemático *adj.* problemático
procedência *s.f.* **1** *(origem)* procedencia, proveniencia, origen*m.* **2** *(ponto de partida)* procedencia, punto*m.* de partida
procedente *adj.2g.* procedente (de, de), proveniente (de, de); *procedente das Canárias* procedente de Canarias
proceder *v.* **1** *(agir)* proceder **2** *(provir)* proceder
procedimento *s.m.* **1** *(método)* procedimiento, método **2** *(comportamento)* proceder, comportamiento
processador *s.m.* procesador ♦ **processador de texto** procesador de textos
processamento *s.m.* procesamiento
processar *v.* procesar
processo *s.m.* **1** proceso **2** (documentos) expediente **3** DIR. proceso, juicio, pleito
procissão *s.f.* procesión
proclama *s.m.* admonestaciones
proclamação *s.f.* proclamación
proclamar *v.* proclamar, anunciar ■ **proclamar se** proclamarse
proclítico *adj.* proclítico
procriação *s.f.* procreación
procriar *v.* **1** reproducirse **2** procrear
procura *s.f.* **1** *(busca)* búsqueda, busca; *à procura de* en busca de; *ir à procura de alguém/alguma coisa* ir en busca de alguien/algo **2** ECON. demanda; *lei da oferta e da procura* ley de la oferta y la demanda
procuração *s.f.* poderes*m.pl.* notariales
procurador, -a *s.m.,f.* **1** procurador, -a **2** *(mediador)* mediador, -a, intermediari|o, -a
procuradoria *s.f.* (cargo, local) procuraduría
procurar *v.* **1** buscar; *estava procurando as chaves* estaba buscando las llaves **2** investigar **3** procurar; *procurou ser uma pessoa melhor* intentó ser una persona mejor
prodígio *s.m.* prodigio, portento
prodigioso *adj.* prodigioso, portentoso
produção *s.f.* **1** producción **2** *(produto)* producto **3** producción, obra **4** CIN., TV. producción
produtividade *s.f.* productividad
produtivo *adj.* **1** (solo) productivo, fértil, rico **2** (negócio) productivo, lucrativo **3** (experiência) productivo, provechoso
produto *s.m.* **1** producto; *produtos agrícolas* productos agrícolas; *produtos de beleza* productos de belleza; *produtos de limpeza* productos de limpieza; *produtos químicos* productos químicos **2** *(resultado)* produto, resultado **3** ECON. producto; *produto interno/nacional bruto* producto interior/nacional bruto **4** MAT. producto
produtor, -a *s.m.,f.* **1** *(fabricante)* productor, -a, fabricante*2g.* **2** CIN., TV. productor, -a ■ *adj.* productor
produtora *s.f.* productora
produzir *v.* **1** producir **2** *(fabricar)* producir **3** producir, crear **4** CIN., TV. producir **5** mostrar ■ **produzir -se** **1** producirse **2** arreglarse
proeminência *s.f.* **1** *(saliência)* prominencia, saliente*m.* **2** *fig.* *(superioridade)* superioridad
proeminente *adj.2g.* **1** *(saliente)* prominente, saliente **2** *fig.* (pessoa) prominente, ilustre
proeza *s.f.* proeza, hazaña

prof *s.2g. col.* profe, profesor, -a*m.f.*
profanar *v.* profanar
profano *adj.* profano
profecia *s.f.* profecía
proferir *v.* **1** proferir, pronunciar en voz alta **2** (sentença) dictar
professar *v.* **1** (ordem religiosa) profesar, ingresar **2** (crença, religião) profesar
professor, -a *s.m.,f.* profesor, -a; (de ensino básico) maestr|o, -a; (na universidade) profesor, -a (universitari|o, -a); (de cátedra) catedrátic|o, -a
profeta *s.m.* (*f.* profetisa) profeta
profético *adj.* profético
profetizar *v.* profetizar, vaticinar
profilaxia *s.f.* profilaxis*2n.*
profissão *s.f.* profesión
profissional *adj.,s.2g.* profesional
profissionalismo *s.m.* **1** (exercício) profesionalidad*f.* **2** (prática) profesionalismo
profissionalizar *v.* profesionalizar ▪ **profissionalizar se** profesionalizarse
profundeza *s.f.* ⇒ **profundidade**
profundidade *s.f.* profundidad
profundo *adj.* **1** (mistério) profundo, incomprensible **2** (sono) profundo **3** (cor) fuerte **4** (voz) grave **5** (dor, sentimento) profundo
profusão *s.f.* profusión, abundancia
profuso *adj.* profuso, abundante
progenitor, -a *s.m.,f.* progenitor, -a
progesterona *s.f.* progesterona
prognosticar *v.* **1** *(predizer)* pronosticar, predecir **2** MED. pronosticar
prognóstico *s.m.* pronóstico
programa *s.m.* **1** programa **2** *gír.* programa **3** *gír.* temario, programa **4** plan **5** INFORM. programa **6** *col.* cita*f.* sexual a cambio de dinero; *fazer programa* prostituirse; *garota de programa* prostituta
programação *s.f.* programación
programador, -a *s.m.,f.* programador, -a
programar *v.* **1** *(planificar)* programar, planificar **2** (máquina, mecanismo) programar **3** INFORM. programar
progredir *v.* **1** (veículo) avanzar **2** (conhecimento, pessoa) progresar **3** (doença, problema) agravarse
progressão *s.f.* progresión
progressismo *s.m.* progresismo
progressista *adj.,s.2g.* progresista
progressivo *adj.* progresivo
progresso *s.m.* progreso
proibição *s.f.* **1** prohibición **2** (caça, pesca) veda
proibido *adj.* prohibido; *proibida a passagem* prohibido el paso; *proibido estacionar* prohibido aparcar; *proibido fumar* prohibido fumar; (lago, rio) *proibido tomar banho* prohibido bañarse
proibir *v.* **1** prohibir **2** (caça, pesca) vedar
proibitivo *adj.* **1** prohibitivo **2** *col.* (preço) prohibitivo, caro

projeção *s.f.* **1** *(lançamento)* proyección **2** (de imagens) proyección **3** PSIC. proyección
projetar *v.* **1** proyectar **2** *(lançar)* proyectar **3** *(planejar)* proyectar, planear **4** ARQ. proyectar ▪ **projetar-se** **1** afamarse, hacerse famoso **2** *(lançar-se)* lanzarse
projétil *s.m.* proyectil
projeto *s.m.* **1** proyecto **2** *(plano)* proyecto, plan **3** ARQ. proyecto, plano ♦ POL. **projeto de lei** proyecto de ley
projetor *s.m.* **1** proyector; *projetor de diapositivos* proyector de diapositivas **2** *(holofote)* proyector, foco
prol *s.m.* pro ♦ **em prol de** **1** en defensa de **2** en pro de, en favor de
prole *s.f.* prole, descendencia
proletariado *s.m.* proletariado
proletári|o, -a *adj.,s.m.,f.* proletari|o, -a
proliferação *s.f.* proliferación
proliferar *v.* **1** proliferar, multiplicarse **2** BIOL. proliferar, reproducirse
prolixo *adj.* prolijo
prólogo *s.m.* prólogo
prolongado *adj.* prolongado
prolongamento *s.m.* **1** prolongación*f.* **2** ampliación*f.* **3** prolongación*f.*, aumento **4** prórroga*f.*
prolongar *v.* prolongar ▪ **prolongar-se** prolongarse
promécio *s.m.* prometio, promecio
promessa *s.f.* promesa
prometedor *adj.* prometedor
prometer *v.* **1** prometer; *este rapaz promete* este chico promete **2** prometer
prometido *adj.* prometido ▪ *s.m.* prometido; *cumprir o prometido* cumplir lo prometido ♦ **o prometido é devido** lo prometido es deuda
promiscuidade *s.f.* **1** promiscuidad **2** *fig.* promiscuidad, mezcla, confusión
promíscuo *adj.* promiscuo
promissor *adj.* (futuro) prometedor; *um futuro promissor* un futuro promissor
promissória *s.f.* pagaré*m.*
promoção *s.f.* **1** (profissional) ascenso*m.* **2** (marketing) promoción **3** rebaja; oferta; *em promoção* de rebaja
promocional *adj.2g.* promocional
promotor, -a *s.m.,f.* **1** promotor, -a **2** DIR. fiscal
promover *v.* **1** promover, impulsar **2** (profissionalmente) ascender, promover, promocionar **3** (produto, serviço) promocionar
promulgar *v.* promulgar
pronome *s.m.* LING. pronombre; *pronome demonstrativo* pronombre demostrativo; *pronome indefinido* pronombre indefinido; *pronome interrogativo* pronombre interrogativo; *pronome pessoal* pronombre personal; *pronome possessivo* pronombre posesivo; *pronome relativo* pronombre relativo
pronominal *adj.2g.* pronominal
prontamente *adv.* prontamente, con prontitud

prontidão *s.f.* prontitud; ***com prontidão*** con prontitud
prontificar *v.* **1** aprontar; disponer **2** *(oferecer)* ofrecer ■ **prontificar se** ofrecerse (a, a)
pronto *adj.* **1** listo **2** preparado **3** (resposta) pronto, rápido ■ *interj.* **1** vale **2** venga, no pasa nada ♦ **de pronto** de contado
pronto-socorro *s.m.* (*pl.* prontos-socorros) **1** urgencias*f.pl.* **2** (para doentes, feridos) ambulancia*f.*
prontuário *s.m.* prontuario
pronúncia *s.f.* **1** pronunciación **2** acento*m.* **3** DIR. pronunciamiento*m.*
pronunciar *v.* **1** pronunciar **2** DIR. pronunciar; (réu) acusar ■ **pronunciar-se** pronunciarse
propagação *s.f.* **1** propagación **2** (doença) contagio*m.*
propaganda *s.f.* **1** propaganda; ***propaganda eleitoral*** propaganda electoral **2** *(publicidade)* propaganda, publicidad
propagar *v.* propagar ■ **propagar se** propagarse
proparoxítono *adj.* proparoxítono, esdrújulo
propensão *s.f.* propensión, inclinación, tendencia
propenso *adj.* **1** propenso (a, a), proclive (a, a) **2** propicio
propiciar *v.* **1** favorecer **2** propiciar, proporcionar
propício *adj.* propicio (a, a), favorable (a, a)
propina *s.f.* **1** soborno*m.*, coima **2** propina, gratificación
propor *v.* **1** proponer, sugerir **2** proponer, presentar ■ **propor se** proponerse
proporção *s.f.* **1** proporción **2** *(dimensão)* proporción, dimensión **3** MAT. proporción
proporcional *adj.2g.* proporcional
proporcionar *v.* **1** proporcionar **2** (argumento, prova) aportar
proposição *s.f.* **1** proposición **2** FIL. proposición **3** LIT. proposición **4** LING. oración
propositado *adj.* ⇒ **proposital**
proposital *adj.* deliberado, intencionado
propósito *s.m.* **1** *(intenção)* propósito, intención*f.* **2** *(objetivo)* propósito, objetivo ♦ **a propósito** a propósito; **a propósito de** a propósito de; **de propósito** a propósito; adrede; **fora de propósito** fuera de propósito
proposta *s.f.* **1** *(sugestão)* propuesta, proposición; ***apresentar uma proposta*** presentar una propuesta; ***fazer uma proposta a alguém*** hacerle una propuesta a alguien **2** *(oferta)* oferta; ***proposta de trabalho*** oferta de trabajo ♦ POL. **proposta de lei** proyecto de ley
proposto (*p.p. de* propor) *adj.* propuesto
propriamente *adv.* **1** en sentido estricto **2** propiamente, exactamente
propriedade *s.f.* **1** *(característica)* propiedad, cualidad, atributo*m.* **2** (terreno) propiedad; hacienda, finca **3** *(posse)* propiedad, posesión ♦ **propriedade intelectual** propiedad intelectual; **propriedade privada/pública** propiedad privada/pública
proprietári|o, -a *s.m.,f.* propietari|o, -a
próprio *adj.* propio ♦ **o próprio** (em relação a quem fala) el mismo

propulsão *s.f.* **1** propulsión, impulso*m.* **2** *fig.* impulso*m.* ♦ AERON. **propulsão a jato** propulsión a reacción/chorro
prorrogação *s.f.* **1** aplazamiento*m.* **2** (prazo) prórroga **3** ESPOR. (futebol) prórroga
prorrogar *v.* **1** *(adiar)* prorrogar, aplazar **2** *(prolongar)* prorrogar, prolongar, alargar
prosa *s.f.* **1** prosa **2** *col.* *(palavreado)* prosa, palabrería; ***deixa de prosa*** déjate de prosa **3** conversación, charla
prosador, -a *s.m.,f.* prosista*2g.*
prosaico *adj.* prosaico
prosápia *s.f.* **1** prosapia; ascendencia; linaje*m.* **2** *fig.* jactancia, vanidad
proscrever *v.* **1** (pessoa) proscribir, desterrar, deportar, expatriar **2** proscribir, prohibir
proscrit|o, -a *adj.,s.m.,f.* proscrit|o, -a, exiliad|o, -a
prosódia *s.f.* prosodia
prosódico *adj.* prosódico
prosopopeia *s.f.* prosopopeya, personificación
prospecção *s.f.* **1** investigación, indagación **2** *(sondagem)* prospección, sondeo*m.* **3** prospección
prospecto *s.m.* prospecto; *(folheto)* folleto
prosperar *v.* (negócio, atividade) prosperar
prosperidade *s.f.* prosperidad
próspero *adj.* próspero
prosseguimento *s.m.* proseguimiento
prosseguir *v.* proseguir
próstata *s.f.* próstata
prostíbulo *s.m.* prostíbulo, burdel
prostituição *s.f.* prostitución
prostituir *v.* prostituir ■ **prostituir-se** prostituirse
prostitut|o, -a *s.m.,f.* prostitut|o, -a
prostração *s.f.* postración
protactínio *s.m.* protactinio
protagonismo *s.m.* protagonismo
protagonista *s.2g.* **1** (filme, obra) protagonista, personaje*m.* principal **2** (acontecimento) protagonista
protagonizar *v.* protagonizar
proteção *s.f.* protección ♦ **proteção do meio ambiente** protección del medio ambiente
proteger *v.* proteger ■ **proteger-se** protegerse (de/contra, de/contra)
protegido *adj.* protegido
proteína *s.f.* proteína
protelação *s.f.* **1** *(adiamento)* aplazamiento*m.*, prórroga **2** *(demora)* retraso*m.*, dilación
protelar *v.* **1** *(adiar)* prorrogar, aplazar **2** *(demorar)* retrasar, demorar
prótese *s.f.* prótesis*2n.*
protestante *adj.,s.2g.* protestante
protestantismo *s.m.* protestantismo
protestar *v.* protestar (contra, contra)
protesto *s.m.* protesta*f.*
protétic|o, -a *s.m.,f.* protésic|o, -a*f.*
protetor, -a *adj.,s.m.,f.* protector, -a ■ *s.m.* protector ♦ **protetor solar** protector solar, crema protectora

protocolo *s.m.* **1** *(cerimonial)* protocolo, ceremonial **2** (documento) protocolo **3** INFORM. protocolo
protótipo *s.m.* prototipo
protuberância *s.f.* protuberancia
protuberante *adj.2g.* protuberante
prova *s.f.* **1** *(demonstração)* prueba, muestra **2** *(experiência)* prueba, experimento*m.* **3** *(exame)* examen*m.*, prueba; ***prova de admissão*** examen de ingreso; ***prova escrita*** examen escrito; ***prova oral*** examen oral **4** (alimento, vinho) cata, prueba, degustación; ***prova de vinhos*** degustación/cata de vinos **5** (roupa) prueba **6** *(provação)* prueba **7** prueba **8** galerada, prueba tipográfica ♦ **à prova de 1** a prueba de; ***à prova de água*** a prueba de agua **2** antibalas; ***colete à prova de bala*** chaleco antibalas; ***vidro à prova de bala*** cristal antibalas; **pôr à prova** poner a prueba; **prova de fogo** prueba de fuego; MAT. **prova dos noves** la prueba del nueve
provação *s.f.* **1** *(prova)* prueba **2** *(sofrimento)* sufrimiento*m.*
provador, -a *s.m.,f.* catador, -a; ***provador de vinhos*** catador de vinos, catavinos ■ **provador** *s.m.* (loja de roupa) probador
provar *v.* **1** *(demonstrar)* probar, demostrar **2** (alimento, vinho) probar, catar **3** (calçado, roupa) probarse **4** *(experimentar)* probar
provável *adj.2g.* **1** *(possível)* probable, posible **2** *(demonstrável)* probable, demostrable
provedor, -a *s.m.,f.* proveedor, -a, abastecedor, -a ■ **provedor** *s.m.* INFORM. proveedor ♦ POL. **provedor da Justiça** defensor del Pueblo
provedoria *s.f.* **1** cargo de defensor del Pueblo **2** despacho del defensor del Pueblo ♦ POL. **provedoria da Justiça** defensoría del Pueblo
proveito *s.m.* provecho ♦ **bom proveito!** ¡buen provecho!; **em proveito de** en provecho de; **em proveito próprio** en provecho propio; **sem proveito** sin provecho; **tirar proveito de** sacar provecho de
proveitoso *adj.* **1** *(útil)* provechoso, beneficioso **2** *(vantajoso)* ventajoso
proveniência *s.f.* proveniencia, procedencia, origen*m.*
proveniente *adj.* proveniente (de, de), procedente (de, de); ***proveniente de Paris*** proveniente de París
prover *v.* proveer (de, de), abastecer (de, de), suministrar (-, de)
proverbial *adj.2g.* proverbial
provérbio *s.m.* proverbio, refrán
proveta *s.f.* probeta
providência *s.f.* providencia; ***tomar providências*** tomar providencias
Providência *s.f.* Providencia
providencial *adj.2g.* **1** providencial **2** *fig.* providencial, oportuno
providenciar *v.* **1** *(tomar medidas)* encargarse **2** *(dispor)* disponer **3** *(fornecer)* proveer
providente *adj.* providente, precavido, prudente
provido (*p.p. de* provir) *adj.* provisto
província *s.f.* provincia
provincial *adj.2g.* provincial
provincianismo *s.m.* **1** provincianismo **2** LING. provincialismo
provincian|o, -a *adj.,s.m.,f.* **1** provincian|o, -a **2** *pej.* provincian|o, -a
provir *v.* provenir (de, de)
provisão *s.f.* **1** *(abastecimento)* provisión, abastecimiento*m.*, suministro*m.* **2** (documento) nombramiento*m.* ■ **provisões** *s.f.pl.* provisiones, víveres*m.* ♦ (cheque) **sem provisão** sin fondos
provisório *adj.* **1** provisional **2** (cargo) accidental
provocação *s.f.* provocación
provocador, -a *adj.,s.m.,f.* provocador, -a
provocante *adj.2g.* provocativo
provocar *v.* **1** *(desafiar)* provocar **2** *(causar)* provocar, causar, ocasionar **3** (sexualmente) provocar
provocatório *adj.* provocativo, provocador
proxeneta *s.2g.* proxeneta
proximidade *s.f.* proximidad, cercanía ■ **proximidades** *s.f.pl.* proximidades, cercanías
próximo *adj.* **1** (espaço) próximo, cercano; ***a farmácia mais próxima*** la farmacia más próxima **2** (tempo) próximo, siguiente; ***na próxima semana*** la próxima semana **3** (parentesco) cercano ■ *s.m.* prójimo; ***ajudar/amar o próximo*** ayudar/amar al prójimo ■ *adv.* cerca
prudência *s.f.* prudencia
prudente *adj.2g.* prudente
prumo *s.m.* plomada*f.* ♦ **a prumo** a plomo; **perder o prumo** perder la cabeza; volverse loco
prurido *s.m.* **1** picazón, picor, comezón, prurito **2** *fig.* *(desejo)* deseo; *(tentação)* tentación*f.*
pseudônimo *s.m.* seudónimo
psicanálise *s.f.* psicoanálisis*m.2n.*
psicanalista *s.2g.* psicoanalista
psicanalítico *adj.* psicoanalítico
psicodélico *adj.* psicodélico
psicologia *s.f.* psicología
psicológico *adj.* psicológico
psicólog|o, -a *s.m.,f.* psicólog|o, -a
psicopata *s.2g.* psicópata
psicose *s.f.* psicosis*2n.*
psicotécnico *adj.* psicotécnico; ***exame/teste psicotécnico*** examen/test psicotécnico
psicoterapeuta *s.2g.* psicoterapeuta
psicoterapia *s.f.* psicoterapia
psique *s.f.* psique, mente humana
psiquiatra *s.2g.* psiquiatra
psiquiatria *s.f.* psiquiatría
psíquico *adj.* psíquico
psiu *interj.* **1** (para impor silêncio) ¡chis!, ¡chitón!, ¡silencio! **2** (para chamar) ¡chis!
psoríase *s.f.* psoriasis*2n.*
puberdade *s.f.* pubertad
púbico *adj.* pubiano; ***pelos púbicos*** vello pubiano
púbis *s.m./f.2n.* **1** (osso) pubis*m.* **2** (baixo abdômen) pubis*m.*

publicação *s.f.* **1** (obra) publicación; ***publicação mensal*** publicación mensual **2** (informação, notícia) publicación, divulgación
publicar *v.* **1** (obra) publicar, editar **2** (informação) publicar, difundir **3** (fato, notícia) hacer público, divulgar
publicidade *s.f.* publicidad ♦ **fazer publicidade a** dar publicidad a
publicitar *v.* **1** (produto) publicitar **2** (campanha, evento) hacer público, divulgar, publicitar
publicitári|o, -a *s.m.,f.* publicista*2g.* ■ *adj.* publicitario; ***anúncio publicitário*** anuncio publicitario
público *adj.* público; ***funcionário público*** funcionário público; ***transportes públicos*** transportes públicos ■ *s.m.* **1** público; ***aberto ao público*** abierto al público **2** *(audiência)* público, audiencia*f.*, auditorio ♦ **em público** en público; ***falar em público*** hablar en público; **o grande público** el gran público
púcaro *s.m.* pote, jarra*f.*, jarro
pudera *interj.* ¡claro!
pudico *adj.* **1** *(recatado)* púdico, pudoroso, recatado **2** *(envergonhado)* vengonzoso
pudim *s.m.* CUL. pudin, budín; ***pudim de ovos*** pudín de huevos; ***pudim flã*** flan
pudor *s.m.* pudor; ***atentado ao pudor*** atentado al pudor
puericultura *s.f.* puericultura
pueril *adj.2g.* **1** pueril, infantil **2** *fig.* ingenuo
puf *interj.* (enfado, cansaço) ¡puf!
pufe *s.m.* puf
pugilismo *s.m.* pugilismo, boxeo
pugilista *s.2g.* boxeador, -a*m.f.*, púgil*m.*
pugna *s.f.* pugna, lucha
pugnar *v.* pugnar, luchar
pujança *s.f.* **1** *(vigor, força)* pujanza, brío*m.*, vigor*m.*, fuerza **2** *(exuberância)* exuberancia
pular *v.* saltar, brincar
pulga *s.f.* pulga ♦ *col.* **com a pulga atrás da orelha** con la mosca detrás de la oreja
pulha *adj.2g.* **1** *pop. (desprezível)* despreciable **2** *pop. (indecente)* indecente ■ *s.2g. pop.* bellac|o, -a*m.f.*, brib|ón, -ona*m.f.*
pulmão *s.m.* pulmón
pulmonar *adj.2g.* pulmonar
pulo *s.m.* salto, brinco ♦ *col.* (lugar) **dar um pulo** dejarse caer por, hacer una escapada
pulôver *s.m.* pulóver, jersey
pulsação *s.f.* pulso*m.*, pulsación
pulsar *v.* (coração, artérias) latir, palpitar ■ *s.m.* latido, palpitación*f.*
pulseira *s.f.* **1** pulsera, brazalete*m.* **2** (relógio) pulsera ♦ (recém nascido) **pulseira de identificação** pulsera de identificación
pulso *s.m.* **1** ANAT. muñeca*f.*, pulso **2** FISIOL. pulso, pulsación*f.*; ***tomar o pulso de alguém*** tomarle el pulso a alguien **3** *fig.* fuerza*f.*
pulular *v.* pulular, abundar
pulverização *s.f.* pulverización
pulverizador *s.m.* pulverizador, vaporizador; rociador
pulverizar *v.* pulverizar, vaporizar; rociar
pum *interj.* (ruído) ¡pum!■ *s.m. col.* ventosidad
puma *s.m.* puma
pumba *interj.* ¡pumba!
punção *s.f.* **1** MED. punción **2** (instrumento) punzón*m.*
pundonor *s.m.* pundonor, amor propio
pungente *adj.2g.* **1** (dor, sensação) punzante **2** *(agudo)* agudo **3** (sabor) picante; ácido; amargo
punhado *s.m.* **1** *(mão-cheia)* puñado **2** *(pequena quantidade)* puñado
punhal *s.m.* puñal
punhalada *s.f.* **1** puñalada **2** *fig.* puñalada trapera
punheta *s.f. vulg.* paja
punho *s.m.* **1** *(pulso)* muñeca*f.* **2** *(mão fechada)* puño, mano*f.* cerrada **3** (camisa) puño **4** (arma branca) puño; ***punho da espada*** puño de la espada **5** (raquete) mango ♦ (texto) **de próprio punho** de puño y letra de alguien; **punho elástico** muñequera
punição *s.f.* punición, castigo*m.*
punir *v.* punir, castigar
pupila *s.f.* pupila, niña (del ojo)
pupil|o, -a *s.m.,f.* **1** *(aluno)* pupil|o, -a **2** *(protegido)* protegid|o, -a
purê *s.m.* **1** puré **2** *(sopa)* crema*f.*
pureza *s.f.* pureza
purgante *adj.2g.,s.m.* purgante
purgar *v.* purgar
purgatório *s.m.* purgatorio
purificação *s.f.* purificación
purificador *adj.,s.m.* purificador
purificante *adj.2g.* purificante
purificar *v.* purificar ■ **purificar-se** purificarse
purismo *s.m.* purismo
puritan|o, -a *adj.,s.m.,f.* puritan|o, -a
puro *adj.* **1** puro; ***cavalo de pura raça*** caballo de pura raza; ***respirar ar puro*** respirar aire puro **2** *(casto)* puro **3** *(mero)* mero; ***por puro acaso*** por mera casualidad
puro-sangue *s.m.* (*pl.* puros-sangues) purasangre
púrpura *adj.2g.,s.m.* (cor) púrpura
pus *s.m.2n.* pus
puta *s.f. vulg.* puta, prostituta
putrefação *s.f.* putrefacción
puxa *interj.* ¡vaya!; ¡caramba!
puxado *adj.* **1** *(esticado)* estirado **2** (teste) difícil **3** (preço) caro **4** (trabalho) cansado **5** (alimento) picante; salado
puxador *s.m.* **1** (porta, gaveta) tirador; (porta, janela) manilla*f.*; (redondo) pomo **2** (veículo) tirador
puxão *s.m.* tirón; *(esticão)* estirón; ***dar um puxão de orelhas em alguém*** dar un tirón de orejas a alguien
puxar *v.* **1** salir (a, a); ***puxa muito à mãe*** sale a la madre **2** (porta, objeto, pessoa) tirar **3** *(arrancar)* sacar, arrancar **4** (cortinas) correr **5** *fig.* (um assunto) sacar el tema **6** *col.* (cigarro) chupar
puxa-saco *s.2g.* (*pl.* puxa-sacos) pelota

Q

q s.m. (letra) q*f.*
QI (*sigla de* Quociente Intelectual) CI (*sigla de* Cociente Intelectual)
quadra *s.f.* **1** cuarteto*m.*, cuarteta **2** *(quarteirão)* manzana, cuadra[AM.] **3** ESPOR. cancha **4** *fig.* *(época)* época, periodo*m.*; ***quadra natalina*** (época de) Navidades
quadrado *s.m.* **1** GEOM. cuadrado **2** MAT. (potência) cuadrado; ***elevar um número ao quadrado*** elevar un número al cuadrado ■ *adj.* **1** (objeto, polígono) cuadrado **2** *fig.* (pessoa) retaco, rechoncho, achaparrado **3** *fig.,pej.* (mentalidade) cuadriculado, conservador
quadragésim|o, -a *s.m.* cuadragésim|o, -a
quadrangular *adj.2g.* cuadrangular
quadrângulo *s.m.* cuadrángulo
quadrante *s.m.* **1** cuadrante **2** (relógio) esfera*f.*
quadrícula *s.f.* cuadrícula
quadriculado *adj.* a/de cuadros, cuadriculado; ***papel quadriculado*** papel cuadriculado
quadril *s.m.* cadera*f.*
quadrilátero *s.m.* cuadrilátero
quadrilha *s.f.* **1** (de ladrões, bandidos) cuadrilla, banda **2** TAUR. cuadrilla
quadrinhos *s.m.pl.* viñeta*f.*; ***história em quadrinhos*** tira, historieta, tebeo
quadro *s.m.* **1** (pintura) cuadro, pintura*f.*; (desenho) dibujo; (fotografia) fotografía*f.*, foto*f.* **2** *(caixilho)* marco **3** (escola) pizarra*f.*, pizarrón[AM.], encerado; ***ir ao quadro*** salir a la pizarra **4** *(tabela)* tablón; ***quadro de avisos*** tablón de anuncios **5** (funcionários) plantilla*f.*, personal, cuadro; ***quadro de professores*** cuadro de profesores, profesorado, personal docente; (empresa) ***quadro de pessoal*** plantilla, nómina **6** *(painel)* cuadro; ***quadro elétrico*** cuadro/suministro eléctrico **7** *(panorama)* cuadro, escena*f.*, panorama **8** (bicicleta) cuadro ♦ **quadro clínico** cuadro clínico; **quadro de resultados** marcador
quadrúpede *adj.2g.,s.m.* ZOOL. cuadrúpedo ■ *s.2g.* *fig.,col.* (pessoa) bestia*f.*, brut|o, -a*m.f.*
quadruplicar *v.* cuadruplicar, cuadriplicar
quádrupl|o, -a *s.m.* cuádruple, cuádrupl|o, -a
qual *pron.rel.* cual; ***este é o poema do qual falei*** éste es el poema del cual hablé; ***falaram da casa, na qual tinham vivido*** han hablado de la casa, en la cual habían vivido; ***vi a Ana, a qual fazia anos*** vi a Ana, la cual cumplía años ■ *pron.interr.* **1** cuál; ***qual foi a razão?*** ¿cuál ha sido el motivo?; ***de qual você gosta mais?*** ¿cuál te gusta más?; ***qual dos dois?*** ¿cuál de los dos? **2** qué; ***qual filme?*** ¿qué película? ■ *conj.* cual, como; ***calou-se, qual criança mimada*** se quedó callado, cual niño mimado ■ *interj.* ¡cómo!; ¡qué!; ***qual (o) quê!*** ¡cómo que! ♦ **cada qual** cada cual; **seja qual for** sea cual sea; **tal e qual** tal cual; como; tal como
qualidade *s.f.* **1** *(virtude)* cualidad, virtud **2** *(característica)* cualidad **3** (produto) calidad **4** (representação) calidad, condición ♦ **qualidade de vida** calidad de vida
qualificação *s.f.* **1** (profissional, esportiva) calificación, capacidad, aptitud **2** (exame, teste) calificación, puntuación **3** *(habilitação)* cualificación
qualificado *adj.* **1** (funcionário) cualificado; ***trabalhador qualificado*** trabajador cualificado **2** (jogador, time) clasificado, seleccionado
qualificar *v.* **1** *(avaliar)* calificar, evaluar **2** *(classificar)* clasificar, catalogar ■ **qualificar-se** (competição, exame) clasificarse
qualificativo *adj.* calificativo; ***adjetivo qualificativo*** adjetivo calificativo ■ *s.m.* calificativo, epíteto
qualquer *adj.* (antes de *s.*) cualquier; (depois de *s.*) cualquiera; ***qualquer dia*** cualquier día; ***qualquer pessoa*** cualquier persona; ***uma razão qualquer*** un motivo cualquiera ■ *pron.indef.* (antes de *s.*) cualquier; (depois de *s.*) cualquiera; ***usa qualquer um*** usa cualquiera; ***qualquer te serve*** cualquiera te sirve ♦ **qualquer que seja** sea lo que sea; **qualquer um(a)** cualquiera; *pej.* **um(a) qualquer** cualquiera
quando *adv.rel.* cuando; ***às segundas é quando há feira*** los lunes es cuando hay mercadillo ■ *adv.interr.* cuándo; ***até quando?*** ¿hasta cuándo?; ***quando chegaste?*** ¿cuándo has llegado? ■ *conj.* **1** (temporal) cuando; ***quando eu for, vais comigo*** cuando yo vaya, vienes conmigo **2** (condicional) cuando, si **3** (concesiva) a pesar de, aunque ♦ **de vez em quando** de vez en cuando; **quando muito** como mucho; **quando não** si no
quantia *s.f.* **1** (dinheiro) cantidad, suma, importe*m.* **2** *(quantidade)* cuantía, cantidad
quântico *adj.* cuántico
quantidade *s.f.* cantidad
quantificação *s.f.* cuantificación
quantificador *s.m.* cuantificador
quantificar *v.* cuantificar
quantitativo *adj.* cuantitativo
quant|o, -a *pron.indef.* cuánt|o, -a; ***quantos anos tens?*** ¿cuántos años tienes?; ***quantas vezes já te disse?*** ¿cuántas veces ya te dije? ■ *pron.interr.* cuánt|o, -a; ***quanto custa?*** ¿cuánto cuesta?; ***quantos são hoje?*** ¿qué día es hoy?, ¿a qué día estamos? ■ *pron.rel.* cuanto; ***tens tudo quanto querias*** tienes todo cuanto querías ■ *conj.* cuanto; ***quanto mais cedo melhor*** cuanto antes mejor ■ *adv.* cuanto; ***quanto mais você adiar, mais difícil será*** cuanto más lo dejes, más difícil será ♦ **não saber a quantas anda** no saber cómo anda; **(o) quanto antes** cuanto antes, lo antes posible; **quanto a** en cuanto a

quão *adv.* cuán; como; qué; ***quão longe estás!*** ¡cuán lejos estás!; ***quão difícil é viver sem ti!*** ¡cuán difícil es vivir sin ti!

quarenta *s.m.* cuarenta

quarent|ão, -ona *s.m.,f. col.* cuarent|ón, -ona

quarentena *s.f.* cuarentena ♦ **estar/pôr de quarentena** estar/poner en cuarentena

Quaresma *s.f.* cuaresma

quarta *s.f.* **1** *col. (quarta-feira)* miércoles *m.2n.* **2** (mudança de velocidade) cuarta (marcha, velocidad); ***meter a quarta*** meter la cuarta **3** MÚS. cuarta

quarta de final *s.f.* cuartos *m.* de final

quarta-feira *s.f.* (*pl.* quartas-feiras) miércoles *m.2n.*; ***às quartas-feiras*** los miércoles; ***hoje é quarta-feira*** hoy es miércoles; ***na quarta-feira de manhã/à tarde/à noite*** el miércoles por la mañana/tarde/noche; ***na próxima quarta-feira*** el próximo miércoles; ***na quarta-feira passada*** el miércoles pasado; ***todas as quartas-feiras*** todos los miércoles ♦ **Quarta-Feira de Cinzas** Miércoles de Ceniza

quarteirão *s.m.* **1** (casas) manzana *f.*, cuadra *f.* [AM.]; ***a dois quarteirões de distância*** a dos manzanas de aquí **2** (unidades) veinticinco

quartel *s.m.* **1** MIL. cuartel **2** *(quarta parte)* cuartel **3** *(quarta parte)* cuarto; ***no primeiro quartel do século*** en el primer cuadro del siglo ♦ **quartel dos bombeiros** parque de bomberos

quarteto *s.m.* **1** LIT. *(quadra)* cuarteto **2** MÚS. cuarteto

quart|o, -a *s.m.* cuart|o, -a ■ *s.m.* **1** (horas) cuarto, quince minutos **2** (de dormir) habitación *f.*, dormitorio; ***quarto de casal*** habitación de matrimonio; ***quarto de hóspedes*** habitación para invitados; ***quarto de vestir*** vestidor **3** cuarto de Luna; ***quarto crescente*** cuarto creciente; ***quarto minguante*** cuarto menguante

quartzo *s.m.* cuarzo

quase *adv.* casi; ***estou quase pronto*** estoy casi listo ♦ **quase não** casi no, apenas

quaternário *adj.* cuaternario

quatorze *s.m.* catorce

quatrilhão *s.m.* MAT. cuatrillón

quatro *s.m.* cuatro ♦ **de quatro** a cuatro patas; a gatas; *col.* **estar/ficar de quatro** estar enamorado

quatrocentista *adj.2g.* cuatrocentista ■ *s.2g.* **1** artista del siglo XV **2** escritor, -a *m.f.* del siglo XV

quatrocent|os, -as *s.m.* cuatrocient|os, -as

que *pron.rel.* que; ***este é o livro de que eu te falei*** este es el libro del que te hablé ■ *pron.indef.* que; ***que carro você comprou?*** ¿que coche te has comprado? ■ *pron.interr.* ¿qué?; ***o que você quer?*** ¿qué quieres?; ***por que (é que) você não telefona?*** ¿por qué no llamas? ■ *conj.* **1** (integrante) que; ***disse que não sabia*** dijo que no sabía **2** (comparação) que; ***ele é mais alto (do) que o primo*** él es más alto que su primo **3** (causa) que; ***não saia que está chovendo muito*** no salgas, que está lloviendo mucho **4** (consecutiva) que; ***foi tão rápido que ganhou o prêmio*** fue tan rápido que ganó el premio **5** (ênfase) qué; ***tão simpático que ele é!*** ¡qué simpático es! ■ *adv.* ¡qué!; ***que jogo!*** ¡qué juego!; ***que magnífica paisagem!*** ¡qué paisaje magnífico!

quê *pron.interr.* ¿qué?; ***para quê?*** ¿para qué?; ***por quê?*** ¿por qué?; ***quê?... não percebi*** ¿qué?... no he entendido ■ *s.m.* **1** *(alguma coisa)* qué, algo, no sé qué; ***há um quê de estranho no teu vizinho*** hay algo de raro en tu vecino **2** *(dificuldade)* dificultad *f.*, problema; ***a matemática tem os seus quês*** las matemáticas tienen sus dificultades **3** (letra q) cu *f.* ■ *interj.* ¡qué!; ***quê, não posso acreditar!*** ¡qué, no me lo puedo creer! ♦ (agradecimento) **não tem de quê** no hay de qué; **sem quê nem por quê** sin más nin más; **um não sei quê** un no sé qué

quebra *s.f.* **1** *(interrupção)* interrupción, ruptura **2** *(falência)* quiebra, bancarrota **3** *(redução)* disminución, reducción

quebra-cabeça *s.m.* **1** (jogo) rompecabezas *2n.* **2** *(problema)* quebradero de cabeza, rompecabezas *2n.*

quebradiço *adj.* quebradizo, frágil

quebrado *adj.* **1** *(partido)* roto, quebrado, partido **2** (lei, regra) infringido, quebrantado, transgredido **3** (acordo, promessa) quebrantado, incumplido **4** *fig.* (pessoa) agotado, abatido, cansado **5** estropeado, roto ■ **quebrados** *s.m.pl.* suelto, cambio

quebra-galho *s.m.* (*pl.* quebra-galhos) *col.* arreglo, parche, apaño

quebra-molas *s.m.2n.* badén

quebra-nozes *s.m.2n.* cascanueces

quebrar *v.* **1** *(partir-se)* romperse, partirse **2** romper, quebrar, partir **3** *fig.* (pessoa) debilitarse **4** (osso) fracturar, romper **5** (acordo, promessa) quebrantar, incumplir, romper **6** *(diminuir)* disminuir, reducir **7** (lei, regra) infringir, quebrantar, transgredir **8** *(falir)* quebrar

queda *s.f.* **1** *(trambolhão)* caída, porrazo *m.*, trompazo *m.* **2** *(desvalorização)* caída, desvalorización, bajada; ***a queda dos preços*** la caída de los precios **3** (regime, partido) caída, cesación **4** (prestígio, poder) caída, decadencia **5** *fig.* inclinación, tendencia ♦ **queda livre** caída libre

quede *adv. pop.* ¿dónde está?

queijada *s.f.* quesada, quesadilla

queijaria *s.f.* quesería

queijo *s.m.* queso; ***queijo às fatias*** queso en lonchas; ***queijo flamengo*** queso de bola

queima *s.f.* **1** quema **2** incineración ♦ *col.* **queima de arquivo** [asesinato de quien podría denunciar los delitos de alguien] ; *col.* **queima de estoque** rebajas

queimada *s.f.* quema; ***fazer queimadas*** hacer quemas

queimad|o, -a *s.m.,f.* quemad|o, -a; ***unidade de queimados*** unidad de quemados ■ *adj.* **1** (pessoa, floresta) quemado **2** (alimento) quemado, tostado, torrado **3** *col.* (pele) quemado (por el sol), bronceado, moreno **4** *col. (tramado)* jodido *vulg.*

queimador *s.m.* quemador

queimadura *s.f.* quemadura

queimar *v.* **1** quemar **2** (pelo fogo) quemar, incendiar **3** (alimento) quemar, tostar, torrar **4** *col.* (pele) quemar, broncear, tostar ■ **queimar-se** (pelo fogo) quemarse, incendiarse

queima-roupa ♦ **à queima-roupa** a quemarropa

queixa *s.f.* **1** *(lamentação)* queja, lamentación **2** *(protesto)* queja, protesta, reclamación; *fazer queixa de* quejarse de **3** (polícia) denuncia; *apresentar/dar queixa* presentar una denuncia, denunciar

queixada *s.f.* quijada

queixar-se *v.* **1** *(reclamar)* quejarse (**de**, de), reclamar (**de**, contra), protestar (**de**, contra) **2** *(lamentar-se)* quejarse (**de**, de), lamentarse (**de**, de)

queixo *s.m.* barbilla*f.*, mentón ♦ (frio, febre) **bater/tremer o queixo** castañetear los dientes, tiritar; *col.* **ficar de queixo caído** quedarse boquiabierto

queixos|o, -a *s.m.,f.* DIR. querellante*2g.*, demandante*2g.* ■ *adj.* quejoso

queixume *s.m.* **1** *(gemido)* quejido, gemido **2** *(lamento)* queja*f.*, lamento

quelha *s.f.* calleja, callejuela, callejón*m.*

quem *pron.rel.* quien; *foi você quem ganhou o campeonato* fuiste tú quien ganó el campeonato; *o senhor com quem falei era simpático* el señor con el que hablé era simpático; *quem quiser pode vir* quien quiera puede venir ■ *pron.indef.* **1** quien, el que; *quem mentiu foi castigado* el que mintió fue castigado **2** *(alguém que)* alguien que; *há sempre quem o ature* siempre hay alguien que lo aguante ■ *pron.interr.* ¿quién?; *quem chegou?* ¿quién ha llegado? ♦ **como quem não quer nada** como quien no quiere la cosa; **quem dera!** ¡ojalá!; **quem quer que seja** quienquiera que sea; **quem tudo quer tudo perde** quien mucho abarca poco aprieta

Quênia *s.m.* Kenia, Kenya

quenian|o, -a *adj.,s.m.,f.* keniata*2g.*

quente *adj.2g.* **1** (água, comida, roupa) caliente **2** (tempo) caluroso **3** (cor) cálido, caliente **4** (notícia) fresco, reciente ♦ **a quente** en caliente

quepe *s.m.* quepis*2n.*

quer *conj.* o, tanto... como; *quer chova, quer faça sol* llueva o haga sol; *quer este, quer o outro* tanto este, como el otro; *quer queira, quer não* quiera o no quiera ♦ **onde quer que** dondequiera; **o que quer que** sea lo que sea

querela *s.f.* **1** DIR. querella **2** *(discórdia)* querella **3** *(briga)* pelea, riña

querer *v.* **1** *(desejar)* querer, desear; *queria uma casa grande* querría una casa grande **2** *(ambicionar)* gustar; *eu queria ser médica* me gustaría ser médica **3** *(ter afeto)* amar, querer; *querer bem/mal a alguém* querer bien/mal a alguien **4** (convite) querer, apetecer; *você quer entrar?* ¿quieres entrar? **5** *(exigir)* querer, exigir, ordenar; *quero isto pronto agora!* ¡quiero esto terminado ya! **6** (pedido) querer; *você quer café?* ¿quieres café? ■ **querer se** quererse; *eles se querem muito* se quieren mucho ♦ **como queira/quiser** como quiera; **não querer nada com** no querer nada con; **por querer** queriendo, adrede; **quer dizer** **1** *(significar)* quiere decir **2** (explicação) mejor dicho, es decir; **sem querer** sin querer

querid|o, -a *s.m.,f.* (pessoa) querid|o, -a, cariño*m.* ■ *adj.* caro, querido

quermesse *s.f.* kermés, quermés

querosene *s.m.* queroseno, keroseno

querubim *s.m.* querub, querube, querubín

quesito *s.m.* **1** *(pergunta)* cuestión*f.*, pregunta*f.* **2** *(requisito)* requisito

questão *s.f.* **1** *(pergunta)* pregunta; *colocar uma questão* hacer una pregunta **2** *(assunto)* cuestión, asunto*m.*, tema*m.* ♦ **em questão** en cuestión; **fazer questão de** insistir en; **fora de questão** imposible, impensable; **pôr alguma coisa em questão** poner algo en cuestión; **questão de vida ou morte** cuestión de vida o muerte

questionar *v.* **1** *(interrogar)* preguntar, interrogar **2** *(pôr em questão)* cuestionar ■ **questionar-se** preguntarse, interrogarse

questionário *s.m.* cuestionario; *preencher um questionário* rellenar/cumplimentar un cuestionario

questionável *adj.2g.* cuestionable

quetzal *s.m.* **1** (moeda) quetzal **2** (ave) quetzal

quiçá *adv.* quizá, quizás, a lo mejor, tal vez; *quiçá venha amanhã* quizá venga mañana

quiche *s.f.* quiche

quieto *adj.* **1** *(imóvel)* quieto, parado, inmóvil; *está quieto!* ¡estate quieto! **2** *(sossegado)* tranquilo, sosegado, pacífico

quietude *s.f.* quietud

quilate *s.m.* **1** (medida) quilate **2** *fig.* excelencia*f.*, superioridad*f.*

quilo *s.m.* **1** kilo, quilo **2** FISIOL. quilo

quilocaloria *s.f.* kilocaloría

quilograma *s.m.* kilogramo, quilogramo

quilolitro *s.m.* kilolitro, quilolitro

quilometragem *s.f.* kilometraje*m.*

quilométrico *adj.* quilométrico, kilométrico

quilômetro *s.m.* kilómetro, quilómetro; *quilômetros à/por hora* kilómetros por hora ♦ **quilômetro quadrado** kilómetro cuadrado

quilowatt *s.m.* kilovatio

Quimera *s.f.* MIT. Quimera

química *s.f.* **1** química **2** *fig.* química, entendimiento*m.*, afinidad

químic|o, -a *adj.,s.m.,f.* químic|o, -a

quimioterapia *s.f.* quimioterapia

quimono *s.m.* quimono

quina *s.f.* **1** *(canto)* esquina **2** (brasão) escudo*m.*

quingentésim|o, -a *s.m.* quingentésim|o, -a

quinhão *s.m.* parte*f.*, porción*f.*, parcela*f.*

quinhentista *adj.2g.* quinientista ■ *s.2g.* **1** artista del siglo XVI **2** escritor, -a*m.f.* del siglo XVI

quinhent|os, -as *s.m.* quinient|os, -as

quinquagenári|o, -a *s.m.,f.* quincuagenari|o, -a

quinquagésim|o, -a *s.m.* quincuagésim|o, -a

quinquilharia *s.f.* quincalla, quincallería, baratija

quinta *s.f.* **1** (propriedade) finca, hacienda[AM.] **2** (mudança de velocidade) quinta (marcha, velocidad) **3** *col.* *(quinta-feira)* jueves*m.2n.*

quinta-feira *s.f.* (*pl.* quintas-feiras) jueves*m.2n.*; *às quintas-feiras* los jueves; *hoje é quinta-feira* hoy es jueves; *na quinta-feira de manhã/à tarde/à noite* el jueves por la mañana/tarde/noche; *na próxima quinta-feira* el próximo jueves; *na quinta-feira passada* el jueves pasado; *todas as quintas-feiras* todos los jueves ♦ **Quinta-Feira Santa** Jueves Santo

quintal *s.m.* **1** *(horta)* huerto; *(jardim)* jardín **2** (medida) quintal

quinteto *s.m.* quinteto

quintilião *s.m.* MAT. quintillón

quint|o, -a *s.m.* quint|o, -a ♦ *col.* **ir para os quintos dos infernos** ir al quinto infierno/pino

quintuplicar *v.* quintuplicar

quíntupl|o, -a *s.m.* quíntupl|o, -a

quinze *s.m.* quince

quinzena *s.f.* quincena

quinzenal *adj.2g.* quincenal

quiosque *s.m.* quiosco, kiosco

quiproquó *s.m.* **1** *(equívoco)* confusión*f.*, equivocación*f.* **2** *(mal-entendido)* malentendido

quiromancia *s.f.* quiromancia, quiromancía

quisto *s.m.* quiste

quitanda *s.f.* tienda de comestibles

quitar *v.* (conta, dívida) saldar, liquidar

quite *adj.2g.* libre de deudas ♦ **estamos quites** estamos/quedamos en paz

quitinete *s.f.* kitchenette, cocina americana

quitute *s.m. col.* exquisitez*f.*, manjar

quivi *s.m.* **1** BOT. (fruto) kiwi, quivi **2** ZOOL. (ave) kiwi, quivi

quociente *s.m.* cociente ♦ **quociente de inteligência** cociente/coeficiente intelectual

quota *s.f.* ⇒ **cota**

quotidiano *adj.,s.m.* ⇒ **cotidiano**

R

r *s.m.* (letra) r*f.*
rã *s.f.* rana
rabanada *s.f.* **1** torrija **2** *col.* (vento) ráfaga
rabanete *s.m.* rábano (pequeño)
rábano *s.m.* rábano
rabeca *s.f.* **1** MÚS. *(violino)* violín*m.* **2** (bilhar) diablo*m.*
rabecada *s.f. col.* regañina
rabi *s.m.* rabí, rabino
rabicho *s.m.* **1** *(rabo de cavalo)* coleta*f.* **2** *(trança)* trenza*f.*
rabino *s.m.* rabino
rabiola *s.f.* (pipa) cola
rabiscar *v.* **1** garabatear, emborronar **2** garabatear, hacer garabatos
rabisco *s.m.* garabato, garrapato
rabo *s.m.* **1** (animal) rabo, cola*f.* **2** (pessoa) culo, trasero*col.* ◆ *col.* **olhar com o rabo do olho** mirar con el rabillo del ojo, mirar de reojo; *col.* **meter o rabo entre as pernas** irse/salir con el rabo entre las piernas; **rabo de cavalo** (penteado) cola*f.* de caballo, coleta*f.*; *col.* **rabo de saia** mujer*f.*; chica*f.*; *col.* **ter o rabo preso** estar comprometido
rabugento *adj.* **1** (animal) sarnoso **2** (pessoa) gruñón
rabugice *s.f.* mal humor*m.*, mala leche
rábula *s.m.* **1** (pessoa) parlanch|ín, -ina*m.f.* **2** *pej.* (advogado) picapleitos*2n.* ■ *s.f.* TEAT. papel*m.* secundario
raça *s.f.* raza ◆ *col.* (pessoa) **acabar com a raça de** cargarse; matar; (animal) **de raça** de raza; ***cão/cavalo de raça*** perro/caballo de raza
ração *s.f.* **1** (de alimento) ración, porción **2** (animais) comida, pienso*m.*
racha *s.f.* **1** *(fenda)* raja, grieta, hendidura **2** *(lasca)* astilla, viruta **3** (vestuário) raja **4** *vulg. (vulva)* chocho*m.*
rachadura *s.f.* grieta
rachar *v.* **1** agrietarse; ***a parede rachou*** se agrietó la pared **2** (cabeça) rajarse la cabeza; (lábio) agrietearse los labios **3** (lenha) cortar ■ **rachar se** agrietarse
racial *adj.2g.* racial
raciocinar *v.* razonar
raciocínio *s.m.* raciocinio, razonamiento
racional *adj.2g.* racional
racionalismo *s.f.* racionalismo
racionalista *adj.,s.2g.* racionalista
racionalização *s.f.* racionalización
racionalizar *v.* **1** racionalizar **2** (atividade, trabalho) racionalizar, organizar
racionamento *s.m.* racionamiento
racionar *v.* racionar
racismo *s.m.* racismo
racista *adj.,s.2g.* racista
radar *s.m.* radar
radiação *s.f.* radiación
radiador *s.m.* **1** *(aquecedor)* radiador; ***radiador a óleo*** radiador de aceite **2** MEC. radiador
radiante *adj.2g.* **1** radiante, brillante **2** *fig.* radiante, contento, alegre
radiatividade *s.f.* radiactividade
radiativo *s.f.* radiactivo
radicado *adj.* **1** arraigado **2** (pessoa) residente (em, en)
radical *adj.2g.* **1** radical **2** *fig.* radical, drástico, profundo **3** *fig.* (pessoa) radical, inflexible, intransigente **4** (atividade) extremo, de alto riesgo; ***desportos radicais*** deportes extremos ■ *s.2g.* radical ■ *s.m.* LING.,MAT. radical
radicalismo *s.m.* radicalismo
radicalista *adj.,s.2g.* radical
radicalizar *v.* radicalizar ■ **radicalizar-se** radicalizarse
radicando *s.m.* radicando
radicar *v.* (planta) enraizar ■ **radicar se** radicarse (em, en), establecerse (em, en); ***radicou-se no campo*** se radicó en el campo
rádio *s.m.* **1** (aparelho) radio*f.* **2** ANAT. radio **3** QUÍM. radio ■ *s.f.* radio, emisora de radio
radioamador, -a *s.m.,f.* radioaficionad|o, -a
radioatividade *s.f.* radiactividad
radioativo *adj.* radiactivo
radiodifusão *s.f.* radiodifusión
radiografar *v.* radiografiar
radiografia *s.f.* radiografía
radiogravador *s.m.* radiocasete
radiologia *s.f.* radiología
radiologista *s.2g.* radiólog|o, -a*m.f.*
radioso *adj.* **1** radioso **2** *fig.* radiante, rebosante
radiotáxi *s.m.* radiotaxi
radioterapia *s.f.* radioterapia
radiouvinte *s.2g.* radioyente
rafeiro *s.m. col.* (cachorro) chucho
ráfia *s.f.* rafia
raia *s.f.* **1** *(traço)* raya, línea **2** *(fronteira)* frontera **3** *fig.* límite*m.* **4** ZOOL. raya ◆ *col.* **passar as raias** pasar(se) de la raya
raiar *v.* (dia) rayar, amanecer
rainha *s.f.* (*m.* rei) **1** reina **2** (jogo de cartas) reina **3** (xadrez) reina, dama **4** *fig.* reina; ***rainha da festa*** reina de la fiesta **5** ZOOL. (abelha) reina
raio *s.m.* **1** (luz) rayo; ***raio solar*** rayo de sol **2** MET. rayo, centella*f.* **3** GEOM. radio; ***raio da circunferência*** radio de la circunferencia **4** (espaço, distância) radio; ***num raio de 5 quilômetros*** en un radio de 5 kilómetros **5** (bicicleta) radio ◆ **como um raio** como un rayo; **raio de ação** radio de acción; *col.* **raios o partam!** ¡mal rayo

le parta!, ¡que le parta un rayo!; **raios ultravioleta** rayos ultravioleta; **raios X** rayos X

raiva *s.f.* **1** rabia, hidrofobia; *pegar raiva* coger la rabia **2** *(ira)* rabia, ira **3** *col.* rabia, manía, antipatía

raivoso *adj.* **1** (cão) rabioso **2** *fig. (furioso)* rabioso, furioso, colérico **3** *fig. (rancoroso)* rencoroso

raiz *s.f.* **1** BOT. raíz **2** (de cabelo, dente, unha.) raíz **3** *fig.* raíz, causa, origen*m.* **4** MAT. raíz; *raiz quadrada/cúbica* raíz cuadrada/cúbica **5** LING. raíz ♦ **até a raiz dos cabelos** a más no poder; **criar/lançar raízes** echar raíces; **pela raiz** de raíz; *cortar o mal pela raiz* cortar el mal de raíz

rajada *s.f.* **1** (de vento) ráfaga, racha; *vento com rajadas fortes* viento racheado **2** (de tiros) ráfaga

ralado *adj.* **1** rallado **2** *col.* (pessoa) preocupado (com, por)

ralador *s.m.* rallador

ralar *v.* (alimento) rallar

ralé *s.f. pej.* gentuza, chusma

ralhar *v.* regañar, reñir; *ralhar com alguém* regañar a alguien

rali *s.m.* rally

ralo *s.m.* (de pia) sumidero; (de banheira, lavatório) desagüe ■ *adj.* **1** (barba, vegetação) ralo **2** (café) flojo

rama *s.f.* ramaje*m.* ♦ **em rama** en rama; *algodão em rama* algodón en rama

ramada *s.f.* **1** *(ramagem)* enramada **2** (para sombra) sombrajo*m.* **3** *col.* mona, tajada, pedo*m.*, cogorza

ramal *s.m.* **1** (rede telefônica) extensión*f.*, supletorio **2** (estrada, ferrovia) ramal

ramalhete *s.m.* ramillete

rameira *s.f. pej.* ramera, prostituta

ramificação *s.f.* ramificación

ramificar *v.* dividir ■ **ramificar-se** ramificarse (em, en)

ramo *s.m.* **1** (árvore) rama*f.*; *ramo de oliveira* rama de olivo **2** (flores) ramo **3** (ervas) mata*f.*, ramita*f.*; *ramo de salsa* mata de perejil **4** (ciência, arte) rama*f.* **5** (atividade, negócio) ramo **6** (família) rama*f.*, línea*f.*

rampa *s.f.* **1** rampa **2** (passeio) vado*m.* ♦ **rampa de acesso** rampa de acceso; **rampa de lançamento** rampa de lanzamiento

rancho *s.m.* **1** grupo; *rancho folclórico* grupo folclórico **2** *(herdade)* rancho **3** CUL. [comida con garbanzos, pasta y carnes variadas]

ranço *s.m. (mofo)* moho; *cheirar a ranço* oler a moho

rancor *s.m.* rencor, resentimiento

rancoroso *adj.* rencoroso, resentido

rançoso *adj.* **1** (alimento) rancio; *manteiga rançosa* mantequilla rancia **2** *fig.* rancio, anticuado, obsoleto

ranger *v.* **1** (porta) crujir, rechinar **2** (dentes) rechinar

rangido *s.m.* crujido

rango *s.m. col.* papeo, comida*f.*

ranheta *s.f. pop.* moco*m.*, gruñon*m.*

ranho *s.m.* moco

ranhoso *adj.* mocoso

ranhura *s.f.* ranura

ranking *s.m.* (*pl.* rankings) ranking, lista*f.*

ranzinza *adj.,s.2g.* malhumorad|o, -a*m.f.*

rapadura *s.f.* [dulce hecho de azúcar no refinado]

rapar *v.* **1** *(raspar)* raspar **2** (barba, cabelo) rapar; *rapar a cabeça* raparse la cabeza **3** (prato) rebañar ■ **rapar-se** afeitarse ♦ *col.* **rapar fome/frio** pasar hambre/frío

rapaz *s.m.* (*f.* rapariga) (adolescente) muchacho, chico, chaval; (criança) niño

rapaziada *s.f.* muchachada

rapazola *s.m.* **1** muchacho **2** *fig.,pej.* mocoso

rapel *s.m.* rápel

rapidez *s.f.* rapidez

rápido *adj.* **1** *(veloz)* rápido, veloz **2** *(breve)* rápido, corto, breve **3** *(superficial)* rápido, ligero, superficial ■ *s.m.* **1** (trem) tren rápido/expreso **2** (rio) rabión, rápido ■ *adv.* rápido, deprisa

rapina *s.f.* rapiña, robo*m.*, saqueo*m.* ♦ (ave) **de rapina** de rapiña

rapinar *v.* robar, pillar, hurtar

raposa *s.f.* **1** (macho) zorro*m.*; (fêmea) zorra **2** *fig.* (pessoa) zorr|o, -a*m.f.*, rapos|o, -a*m.f.*

raposeira *s.f.* zorrera

raptar *v.* raptar

rapto *s.m.* **1** rapto, secuestro **2** *fig.* éxtasis*2n.*

raptor, -a *s.m.,f.* raptor, -a

raqueta *s.f.* raqueta

raquete *s.f.* **1** (tênis, badminton) raqueta **2** (tênis de mesa) pala **3** (para andar na neve) raqueta

raquítico *adj.* raquítico

raquitismo *s.m.* raquitismo

rarefazer *v.* (ar, gás) rarefacer ■ **rarefazer-se** enrarecerse, escasear

rarefeito (*p.p. de* rarefazer) *adj.* (ar) enrarecido

raridade *s.f.* **1** rareza **2** (objeto) objeto*m.* raro, curiosidad

raro *adj.* **1** *(invulgar)* raro, extraño, curioso **2** *(escasso)* raro, escaso **3** *(ralo)* ralo

rasante *adj.* rasante; *tiro/voo rasante* tiro/vuelo rasante

rasar *v.* **1** *(nivelar)* rasar, nivelar, igualar **2** *(roçar)* rasar, rozar

rasca *adj.2g.* **1** *pop.,pej.* cutre, de mala calidad **2** *col.* rasca, ordinario ♦ *pop.* **à rasca** estar apurado

rascunho *s.m.* (de texto) borrador; (de desenho) bosquejo, esbozo

rasgado *adj.* **1** (roupa, tecido) roto, rasgado **2** (janela, varanda) rasgado, grande **3** (boca, olhos) rasgado, alargado

rasgão *s.m.* (roupa, tecido) descosido, rasgón, desgarrón, rasgadura*f.*

rasgar *v.* **1** romper, partir **2** (superfície) rasgar, romper **3** (papel) rasgar, despedazar **4** *(ferir)* golpear, herir **5** (terra, solo) cavar ■ **rasgar-se 1** rasgarse, romperse **2** *(desfazer-se)* despedazarse

rasgo *s.m.* **1** *(rasgão)* rasgón **2** *(ímpeto)* empuje **3** *fig.* rasgo; *rasgo heroico* rasgo heroico ♦ **de um rasgo** de una sola vez

raso *adj.* **1** *(plano)* llano, raso; ***prato raso*** plato llano **2** (soldado) raso **3** (sapato) plano **4** GEOM. (ângulo) llano

raspa *s.f.* **1** raspadura, ralladura; ***raspa de limão*** raspadura de limón **2** *(lasca)* viruta **3** (utensílio) raspador*m.*

raspagem *s.f.* **1** raspado*m.*, raspadura **2** MED. raspado*m.*, legrado*m.*

raspão *s.m.* **1** (ferimento) raspón, rasponazo; *(arranhão)* arañazo **2** (superfície) raspadura*f.* ♦ **de raspão** rozando

raspar *v.* **1** rozar, restregar **2** (superfície) raspar, rascar, raer **3** (casca) rallar **4** (cenoura, batata) rallar, picar **5** *(arranhar)* arañar **6** *(roçar)* raspar **7** *(ferir de raspão)* rasguñar, arañar ▪ **raspar se** *col.* huir; escabullirse

rasteira *s.f.* **1** zancadilla **2** *fig.* jugarreta, jugada ♦ *fig.* **dar/passar uma rasteira** jugar una mala pasada

rasteiro *adj.* **1** (planta) rastrero **2** *fig.,pej.* (atitude, pessoa) rastrero, despreciable

rastejante *adj.2g.* **1** (animal, planta) rastrero **2** *fig.,pej.* rastrero, despreciable

rastejar *v.* **1** (pelo chão) reptar, ratear **2** (planta) reptar **3** *fig.* arrastrarse, humillarse

rastilho *s.m.* **1** (fio) mecha*f.* (con pólvora); ***atear o rastilho*** encender la mecha **2** *fig.* causa*f.*, motivo

rasto *s.m.* **1** *(pegada)* huella*f.*, rastro **2** *(sinal)* huella*f.* ♦ **andar de rastos** arrastrarse; **de rastos** por los suelos

rastrear *v.* **1** rastrear **2** *(investigar)* rastrear **3** MED. examinar, someter a una revisión médica

rastreio *s.m.* **1** rastreo **2** MED. detección*f.* (precoz), revisión*f.* médica

rastro *s.m.* rastro, huella*f.*; ***sem deixar rastro*** sin dejar rastro

rasura *s.f.* tachadura, borrón*m.*

rasurar *v.* tachar, borrar

rata *s.f.* **1** (*m.* rato) ratona **2** *vulg. (vulva)* chocho*m.*

ratar *v.* roer

ratazana *s.f.* **1** ZOOL. rata **2** ZOOL. *(fêmea do rato)* ratona

raticida *s.m.* raticida, matarratas*2n.*

ratificação *s.f.* ratificación

ratificar *v.* **1** (promessa, ato, declaração, etc.) ratificar **2** *(comprovar)* comprobar

rat|o, -a *s.m.,f.* rat|ón, -ona

ratoeira *s.f.* **1** ratonera **2** *fig. (armadilha)* ratonera, trampa; ***cair na ratoeira*** caer en la ratonera

ravina *s.f.* **1** *(barranco)* barranco*m.*, quebrada **2** (de água) torrente*m.*

ravióli *s.m.* raviolis*pl.*

razão *s.f.* **1** (faculdade) razón **2** *(motivo)* razón, causa, motivo*m.* **3** *(sensatez)* razón; ***chamar/trazer alguém à razão*** hacer entrar en razón a alguien **4** MAT. razón ♦ **dar razão a** dar la razón a; **perder a razão** perder la razón; **ter razão** tener razón

razia *s.f.* **1** devastación **2** *col.* (exame) escabechina

razoável *adj.2g.* **1** razonable **2** (pessoa) sensato, prudente

ré *s.f.* **1** (*m.* réu) reo*2g.*, acusada **2** marcha atrás ▪ *s.m.* re

reabastecer *v.* **1** (despensa, quartel) repostar **2** (veículo) repostar **3** (mantimentos) abastecer, aprovisionar ▪ **reabastecer-se** repostarse

reabastecimento *s.m.* **1** (mantimentos, estoque) reabastecimiento, suministro, suministración*f.* **2** (combustível) repostaje

reabertura *s.f.* reapertura

reabilitação *s.f.* rehabilitación

reabilitar *v.* rehabilitar ▪ **reabilitar-se** rehabilitarse

reabrir *v.* **1** reabrirse **2** reabrir

reabsorver *v.* reabsorber

reação *s.f.* reacción ♦ **reação em cadeia** reacción en cadena; **reação nuclear** reacción nuclear

reacender *v.* **1** volver a encender **2** estimular, renovar

readaptar *v.* readaptar ▪ **readaptar-se** readaptarse (a, a)

readmitir *v.* readmitir

readquirir *v.* readquirir

reafirmar *v.* reafirmar

reagente *s.m.* reactivo

reagir *v.* **1** reaccionar (a, a) **2** QUÍM. reaccionar

reagrupar *v.* reagrupar

reajustar *v.* reajustar

reajuste *s.m.* reajuste; ***reajuste salarial*** reajuste de sueldo

real *adj.2g.* **1** *(verdadeiro)* real, verdadero; ***na vida real*** en la vida real **2** *(régio)* real, regio; ***família real*** familia real ▪ *s.m.* **1** *(realidade)* realidad*f.* **2** (moeda brasileira) real ♦ *col.* **cair na real** volver a la realidad

realçar *v.* realzar ▪ **realçar se** realzarse, destacarse

realce *s.m.* realce

realeza *s.f.* realeza

realidade *s.f.* realidad ♦ **na realidade** en realidad; **realidade virtual** realidad virtual

realismo *s.m.* realismo

realista *adj.,s.2g.* realista

realização *s.f.* **1** *(execução)* realización, ejecución; ***realização de um trabalho*** realización de un trabajo **2** (objetivo, sonho) realización; ***realização pessoal/profissional*** realización personal/profesional **3** CIN.,TV. realización

realizador, -a *s.m.,f.* realizador, -a ▪ *adj.* realizador, ejecutor

realizar *v.* realizar ▪ **realizar-se** realizarse

realizável *adj.2g.* realizable

realmente *adv.* realmente

reanimação *s.f.* reanimación

reanimar *v.* reanimar ▪ **reanimar se** reanimarse

reaparecer *v.* reaparecer

reaparecimento *s.m.* reaparición*f.*

reaprender *v.* volver a aprender

reaproveitamento *s.m.* reutilización*f.*

reaproveitar *v.* reutilizar

reatar *v.* **1** *(retomar)* reanudar; ***reatar a conversa*** reanudar la charla **2** *(restabelecer)* reanudar; ***reatar uma relação*** reanudar una relación

reativar *v.* reactivar
reator *s.m.* **1** (motor) reactor, motor de reacción **2** FÍS. reactor
reaver *v.* recuperar, recobrar
reavivar *v.* **1** reavivar **2** (memória) desempolvar
rebaixa *s.f.* (preço) rebaja, descuento*m.*
rebaixar *v.* **1** rebajar **2** *fig.* rebajar, humillar ■ **rebaixar-se** rebajarse, humillarse
rebanho *s.m.* rebaño
rebate *s.m.* **1** ataque repentino, acceso **2** *(sinal de alarme)* rebato; ***tocar a rebate*** tocar a rebato ♦ **rebate de consciência** remordimiento(s); **rebate falso** bulo
rebater *v.* **1** (argumento, ideia) rebatir, refutar **2** *(repelir)* repeler, rechazar
rebatível *adj.2g.* abatible, rebatible [AM.]
rebelar-se *v.* rebelarse (contra, contra), sublevarse (contra, contra)
rebelde *adj.,s.2g.* rebelde
rebeldia *s.f.* rebeldía
rebelião *s.f.* rebelión
rebentar *v.* **1** (balão) reventar **2** *(estourar)* estallar, reventar **3** (gravidez) romper; ***rebentar as águas*** romper aguas **4** (onda) romper **5** (planta) retoñar
rebento *s.m.* **1** retoño, brote; ***rebentos de soja*** brotes de soja **2** *fig. (filho)* retoño, vástago
rebobinar *v.* (filme, fita) rebobinar
rebocador *s.m.* remolcador
rebocar *v.* **1** (veículo) remolcar **2** (parede) enlucir, revocar
reboco *s.m.* revoque, revoco, enlucido
rebolar *v.* (corpo, quadris) contonear ■ **rebolar se** **1** (ancas, corpo) contonearse **2** *fig. (empenhar-se)* hacer magia
reboque *s.m.* **1** (ato) remolque **2** (veículo) remolque; (com grua) grúa*f.*; ***chamar o reboque*** llamar a la grúa ♦ **a reboque** a remolque
rebordo *s.m.* reborde
rebuliço *s.m.* alboroto, bullicio, revoltijo
rebuscado *adj.* **1** rebuscado **2** *fig.* refinado, selecto **3** *fig.,pej.* rebuscado
rebuscar *v.* **1** (bolsos, gavetas) rebuscar **2** *fig.* pulir, refinar
recado *s.m.* **1** *(mensagem)* recado, mensaje; ***dar um recado a alguém*** dar un recado a alguien **2** *(tarefa)* recado; ***dar conta do recado*** estar a la altura de las circunstancias
recaída *s.f.* recaída
recair *v.* **1** recaer, reincidir **2** (doença) recaer **3** (responsabilidade) recaer (**sobre**, **sobre**); ***a culpa recai sobre nós*** la culpa recae sobre nosotros **4** (erro, vício) recaer (**em**, **en**); ***recair na droga*** recaer en la droga **5** (acento) recaer; ***o acento recai na última sílaba*** el acento recae en la última sílaba
recalcado *adj.* **1** recalcado **2** PSIC. reprimido
recalcar *v.* **1** (terra) apisonar **2** *fig.* recalcar **3** PSIC. reprimir
recambiar *v.* **1** *(mandar de volta)* mandar de vuelta **2** *(devolver)* devolver, restituir **3** *(reenviar)* reenviar
recanto *s.m.* **1** *(canto afastado)* rincón **2** *(esconderijo)* escondrijo
recapitulação *s.f.* recapitulación
recapitular *v.* recapitular
recarga *s.f.* **1** (de produto) recambio*m.*; (de caneta) repuesto*m.* **2** (de celular) recarga
recarregar *v.* recargar
recarregável *adj.2g.* recargable
recatado *adj.* **1** *(cauteloso)* recatado, cauto **2** *(modesto)* recatado, modesto
recato *s.m.* **1** *(cautela)* recato, cautela*f.*, prudencia*f.* **2** *(pudor)* recato, pudor
recauchutagem *s.f.* recauchutado*m.*
recauchutar *v.* (pneu) recauchutar
recear *v.* **1** *(sentir receio)* sentir temor **2** temer **3** *(preocupar-se)* preocuparse (**por**, **por**); ***recear pelo futuro dos filhos*** preocuparse por el futuro de los hijos
receber *v.* **1** recibir invitados **2** (oferta, sugestão) recibir, aceptar **3** atender al público **4** (notícia) recibir **5** (hóspedes) hospedar; (visitas) recibir **6** (paciente) receber, atender **7** (salário) cobrar, percibir
recebimento *s.m.* (ato de receber) recepción, recibimiento*m.*; ***acusar recebimiento de*** acusar recibo de
receio *s.m.* recelo, temor, miedo
receita *s.f.* **1** CUL. receta **2** ECON. ingresos*m. pl.*; ***receita do Estado*** ingresos del Estado **3** FARM. receta, fórmula; ***passar uma receita*** extender una receta
receitar *v.* (medicamento) recetar
receituário *s.m.* recetario
recém-casad|o, -a *adj.,s.m.,f.* (*pl.* recém-casad|os, -as) recién casad|o, -a
recém-chegado *adj.* recién llegado
recém-nascid|o, -a *adj.,s.m.,f.* (*pl.* recém-nascid|os, -as) recién nacid|o, -a
recenseamento *s.m.* censo; ***recenseamento da população*** censo de población; ***recenseamento eleitoral*** censo electoral
recensear *v.* censar
recente *adj.2g.* reciente
recentemente *adv.* recientemente
receoso *adj.* **1** receloso, temeroso, desconfiado **2** *(acanhado)* tímido, cortado, apocado
recepagem *s.f.* **1** tala **2** poda
recepção *s.f.* **1** (hotel, empresa) recepción **2** (cerimônia) recepción
recepcionar *v.* recepcionar
recepcionista *s.2g.* recepcionista
receptáculo *s.m.* receptáculo
receptar *v.* DIR. receptar
receptividade *s.f.* receptividad
receptivo *adj.* receptivo (a, a)
receptor, -a *s.m.,f.* receptor, -a ■ *adj.* receptor ■ **receptor** *s.m.* receptor
recessão *s.f.* **1** ECON. recesión **2** *(retrocesso)* retroceso*m.*, recesión
recessivo *adj.* recesivo

rechamada *s.f.* rellamada
recheado *adj.* **1** (alimento) relleno **2** *fig.* repleto, lleno
rechear *v.* **1** (alimento) rellenar **2** *fig.* abarrotar
recheio *s.m.* **1** relleno; ***o recheio das almofadas*** el relleno de las almohadas **2** CUL. relleno; ***recheio de camarão*** relleno de gambas
rechonchudo *adj.* rechoncho, regordete
recibo *s.m.* recibo; ***passar um recibo*** hacer/extender un recibo
reciclado *adj.* reciclado
reciclagem *s.f.* **1** (de matérias usadas) reciclaje*m.*; ***reciclagem do papel*** reciclaje del papel **2** (de conhecimentos) reciclaje*m.*; ***curso de reciclagem*** curso de reciclaje **3** INFORM. papelera de reciclaje
reciclar *v.* **1** (matérias usadas) reciclar **2** (conhecimentos) reciclar
reciclável *adj.2g.* reciclable
recidivar *v.* (doença) recidivar
recife *s.m.* GEOL. arrecife; ***recife de coral*** arrecife de coral
recinto *s.m.* recinto
recipiente *s.m.* recipiente
reciprocidade *s.f.* reciprocidad
recíproco *adj.* recíproco, mutuo
recitação *s.f.* recitación
recital *s.m.* **1** (composições literárias) recital **2** MÚS. recital; ***recital de piano*** recital de piano
recitar *v.* recitar
reclamação *s.f.* reclamación
reclamar *v.* **1** *(protestar)* reclamar **2** reclamar **3** *(queixar-se)* quejarse (de, de)
reclame *s.m.* reclamo publicitario, anuncio; ***reclame luminoso*** anuncio luminoso
reclinar *v.* (banco, encosto) reclinar, recostar ■ **reclinar se** reclinarse, recostarse
reclinável *adj.2g.* reclinable; (veículo) ***banco reclinável*** asiento reclinable/abatible; ***poltrona reclinável*** sillón/butaca reclinable
reclusão *s.f.* reclusión
reclus|o, -a *s.m.,f.* **1** *(preso)* reclus|o, -a, pres|o, -a **2** REL. religios|o, -a de clausura ■ *adj.* **1** REL. de clausura **2** *(isolado)* aislado
recobrar *v.* recobrar, recuperar; ***recobrar a consciência*** volver en sí ■ **recobrar se** recobrarse, recuperarse, restablecerse
recolha *s.f.* **1** *(colheita)* recogida, recolección **2** (de lixo) recogida **3** (de assinaturas) recogida **4** (para automóveis) garaje*m.*; (para autocarros) terminal*m.* **5** (de dados) regogida **6** (donativo, dinheiro) recolección
recolher *v.* **1** *(apanhar)* recoger **2** *(guardar)* recoger, guardar **3** (informação, dinheiro) recoger, recolectar **4** (pessoas, animais) acoger, recoger ■ **recolher-se 1** *(retirar-se)* recogerse, retirarse **2** *(abrigar-se)* cobijarse, guarecerse **3** *(isolar-se)* recogerse, aislarse ♦ **recolher obrigatório** toque de queda
recolhido *adj.* **1** recogido **2** cobijado, guarecido, acogido **3** recogido, aislado
recolhimento *s.m.* recogimiento

recomeçar *v.* **1** (atividade, trabalho) recomenzar, retomar **2** (aulas) reanudar
recomeço *s.m.* **1** (atividade, trabalho) recomienzo **2** (aulas) reanudación*f.*
recomendação *s.f.* **1** *(conselho)* recomendación, consejo*m.* **2** *(indicação, sugestão)* recomendación; ***por recomendação de*** por recomendación de ■ **recomendações** *s.f.pl.* saludos*m.*
recomendado *adj.* recomendado, aconsejado
recomendar *v.* **1** *(aconselhar)* recomendar, aconsejar **2** (para emprego) recomendar
recomendável *adj.2g.* recomendable
recompensa *s.f.* recompensa, premio*m.*
recompensar *v.* recompensar (por, por)
recompor *v.* **1** *(reparar)* recomponer **2** *(reorganizar)* reorganizar **3** *(restabelecer)* restablecer, recuperar ■ **recompor-se** restablecerse (de, de)
recôncavo *s.m.* **1** *(gruta)* cueva*f.* **2** *(enseada)* ensenada*f.*
reconciliação *s.f.* reconciliación
reconciliar *v.* reconciliar ■ **reconciliar-se** reconciliarse (com, con); ***reconciliar-se com alguém*** reconciliarse con alguien
recôndito *adj.* recóndito, escondido, oculto
reconduzir *v.* **1** reconducir **2** DIR. prorrogar
reconfortante *adj.2g.* reconfortante
reconfortar *v.* reconfortar
reconforto *s.m.* consuelo
reconhecer *v.* **1** *(identificar)* reconocer **2** *(admitir)* reconocer, admitir **3** *(perfilhar)* reconocer **4** (terreno) reconocer **5** (assinatura, documento) compulsar ■ **reconhecer-se 1** reconocerse **2** reconocerse, declararse
reconhecido *adj.* **1** *(identificado)* reconocido **2** *(agradecido)* reconocido **3** *(reputado)* renombrado, reputado **4** (assinatura, documento) compulsado
reconhecimento *s.m.* **1** reconocimiento **2** (erro, culpa) confesión*f.* **3** *(gratidão)* reconocimiento, gratitud*f.*
reconquista *s.f.* reconquista
reconquistar *v.* reconquistar
reconsiderar *v.* **1** (decisão) recapacitar; ***reconsiderei e vou ao casamento*** he recapacitado y voy a la boda **2** (assunto, questão) reconsiderar
reconstituição *s.f.* reconstitución
reconstituir *v.* **1** (acontecimento, cena) reconstruir **2** *(reconstruir)* reconstituir, reconstruir **3** (alimentos) reconstituir
reconstrução *s.f.* reconstrucción
reconstruir *v.* reconstruir
reconstrutivo *adj.* reconstructivo
recontagem *s.f.* recuento*m.*; ***recontagem dos votos*** recuento de los votos
reconverter *v.* reconvertir
recordação *s.f.* **1** *(memória)* recuerdo*m.*, memoria **2** (presente) recuerdo*m.*, souvenir*m.*
recordar *v.* recordar ■ **recordar se** acordarse, recordar

recorde *s.m.* récord ▪ *adj.2g.* récord; ***em tempo recorde*** en (un) tiempo récord
recordista *s.2g.* plusmarquista
recorrente *adj.2g.* recurrente
recorrer *v.* **1** recurrir (a, a), acudir (a, a) **2** DIR. recurrir (de, contra)
recortado *adj.* recortado
recortar *v.* recortar
recorte *s.m.* **1** (de jornal) recorte **2** *(contorno)* contorno
recostar *v.* recostar ▪ **recostar se** recostarse
recrear *v.* recrear, divertir ▪ **recrear se** recrearse, divertirse
recreativo *adj.* recreativo
recreio *s.m.* **1** *(divertimento)* recreo, diversión*f.* **2** (escola) *(intervalo)* recreo, descanso **3** (local) patio de recreo
recriar *v.* recrear
recriminação *s.f.* recriminación
recriminar *v.* **1** *(censurar)* recriminar, reprochar **2** *(culpabilizar)* acusar, inculpar
recruta *s.f.* instrucción básica ▪ *s.2g.* MIL. recluta
recrutamento *s.m.* reclutamiento
recrutar *v.* **1** MIL. reclutar, enrolar **2** (pessoa, trabalhador) reclutar
recuar *v.* **1** retroceder, recular **2** recular **3** remontarse
recuo *s.m.* **1** *(retrocesso)* retroceso **2** (arma) retroceso
recuperação *s.f.* **1** recuperación **2** (saúde) recuperación
recuperar *v.* **1** (saúde) recobrar **2** *(reaver)* recuperar, recobrar **3** *(restaurar)* restaurar ▪ **recuperar-se** (saúde) recuperarse
recurso *s.m.* **1** *(meio)* recurso, resorte **2** recurso de apelación; ***interpor um recurso*** apelar, interponer un recurso de apelación ▪ **recursos** *s.m.pl.* (meios) recursos ♦ **recursos humanos** recursos humanos
recusa *s.f.* rechazo*m.*
recusar *v.* rechazar, rehusar ▪ **recusar se** negarse (a, a), resistirse (a, a)
recusável *adj.2g.* recusable
redação *s.f.* **1** (ação) redacción **2** (exercício escolar) redacción, composición **3** (jornal, revista) redacción
redator, -a *s.m.,f.* redactor, -a
rede *s.f.* **1** *(malha)* red **2** (caça, pesca) red **3** (para descansar) hamaca **4** (comunicações, transportes) red **5** (lojas, organizações) red, cadena **6** (telecomunicações) cobertura; ***estar sem rede*** no tener cobertura **7** INFORM. red; ***conexão com a rede*** conexión a la red **8** *(Internet)* red ♦ **cair na rede** caer en la red; **rede de esgoto** alcantarillado
rédea *s.f.* rienda, brida ♦ **à rédea solta** a rienda suelta; **com rédea curta** apretar las clavijas; **soltar as rédeas** aflojar/soltar las riendas; **tomar as rédeas** tomar las riendas
redemoinho *s.m.* ⇒ **remoinho**
redenção *s.f.* **1** REL. redención **2** *(resgate)* redención, recaste*m.*
redentor, -a *adj.,s.m.,f.* redentor, -a
Redentor *s.m.* Redentor
redigir *v.* redactar, escribir
redimensionar *v.* redimensionar
redimir *v.* **1** (cativos) redimir **2** *(perdoar)* perdonar ▪ **redimir-se** redimirse
redistribuir *v.* redistribuir
redobrar *v.* redoblar
redoma *s.f.* campana de cristal ♦ *fig.* **pôr numa redoma** proteger demasiado; **viver numa redoma** vivir en una burbuja
redondel *s.m.* **1** (praça de touros) redondel, ruedo **2** *(arena)* arena*f.*
redondezas *s.f.pl.* cercanías, alrededores*m.*
redondo *adj.* **1** redondo, circular; ***a Terra é redonda*** la Tierra es redonda **2** *fig. (gordo)* rechoncho **3** (número) redondo, pelado **4** *col.* categórico, claro; ***respondeu com um não redondo*** respondió con un no redondo
redor ♦ **ao/em redor de** alrededor de
redução *s.f.* **1** reducción, disminución **2** *(desconto)* rebaja **3** (veículo) reducción
redundância *s.f.* redundancia
redundante *adj.2g.* redundante
redutível *adj.2g.* reductible
redutor *adj.* reductor; ***cinta redutora*** faja reductora
reduzido *adj.* reducido
reduzir *v.* **1** (veículo) reducir marchas **2** reducir, disminuir **3** sintetizar **4** (gastos) recortar ▪ **reduzir-se** reducirse (a, a)
reedição *s.f.* reedición
reeditar *v.* reeditar
reeducação *s.f.* reeducación
reeducar *v.* reeducar
reeleger *v.* reelegir
reeleição *s.f.* reelección
reeleito (*p.p. de* reeleger) *adj.* reelecto
reembolsar *v.* reembolsar
reembolso *s.m.* reembolso ♦ (encomenda) **contra reembolso** contra reembolso
reencarnação *s.f.* reencarnación
reencarnar *v.* reencarnar(se)
reencontrar *v.* reencontrar
reencontro *s.m.* reencuentro
reentrância *s.f.* hueco*m.*, cavidad
reenviar *v.* reenviar
reenvio *s.m.* reenvío
reescrever *v.* reescribir
reescrito (*p.p. de* reescrever) *adj.* reescrito, escrito de nuevo
reestruturação *s.f.* reestructuración
reestruturar *v.* reestructurar
refazer *v.* **1** rehacer **2** *(corrigir)* corregir **3** *(reparar)* reparar ▪ **refazer se** rehacerse
refeição *s.f.* comida; ***refeição principal*** comida principal ♦ **entre as refeições** entre horas
refeitório *s.m. (cantina)* comedor; (em convento) refectorio

refém *s.2g.* rehén
referência *s.f.* **1** *(menção, alusão)* referencia, mención, alusión; ***fazer referência a alguma coisa*** hacer referencia a algo **2** (como modelo) orientación ▪ **referências** *s.f.pl.* informes*m.*, referencias
referendo *s.m.* referéndum, referendo
referente *adj.2g.* referente (a, a) ▪ *s.m.* referente
referir *v.* **1** *(relatar)* relatar, referir*lit.* **2** *(citar)* citar, mencionar ▪ **referir se** referirse (a, a)
refestelar-se *v.* **1** *(comprazer-se)* complacerse, recrearse, deleitarse **2** *(recostar-se)* repanchingarse, tumbarse, tenderse
refinação *s.f.* **1** refino*m.*, refinado*m.* **2** *(requinte)* refinamiento*m.*
refinado *adj.* refinado
refinamento *s.m.* **1** *(requinte)* refinamiento, finura*f.* **2** *(refinação)* refinamiento
refinar *v.* **1** *(purificar)* refinar **2** *(aperfeiçoar)* refinar ▪ **refinar-se** refinarse, perfeccionarse
refinaria *s.f.* refinería; ***refinaria de açúcar/petróleo*** refinería de azúcar/petróleo
refletir *v.* **1** reflexionar (sobre, sobre) **2** reflejar **3** *fig.* reflejar ▪ **refletir se** **1** reflejarse (em, en) **2** repercutir (em, en)
refletivo *adj.* (moto) captafaros*2n.*
refletor *adj.* reflector ▪ *s.m.* reflector
reflexão *s.f.* **1** reflexión **2** *(ricochete)* rebote*m.* **3** FÍS. (calor, luz) reflexión
reflexivo *adj.* reflexivo
reflexo *s.m.* **1** (luz, imagem) reflejo **2** FISIOL. reflejo **3** *fig.* muestra*f.*, reflejo ▪ *adj.* **1** reflejo **2** *(involuntário)* reflejo **3** (verbo) reflexivo ▪ **reflexos** *s.m.pl.* *(reação)* reflejos
reflexologia *s.f.* reflexología
reflorestamento *s.m.* reforestación*f.*
reflorestar *v.* (terreno) reforestar
refluxo *s.m.* reflujo
refogado *adj.* rehogado, sofrito ▪ *s.m.* sofrito
refogar *v.* sofreír, rehogar
reforçar *v.* **1** reforzar **2** entonar ▪ **reforçar se** reforzarse, fortalecerse
reforço *s.m.* refuerzo, fortalecimiento ▪ **reforços** *s.m.pl.* refuerzos
reforma *s.f.* **1** reforma; ***reforma agrária*** reforma agraria; ***reforma ortográfica*** reforma ortográfica **2** MIL. jubilación, retiro*m.* **3** (pensão) jubilación, pensión
Reforma *s.f.* Reforma
reformad|o, -a *s.m.,f.* MIL. jubilad|o, -a, retirad|o, -a ▪ *adj.* **1** reformado, modificado **2** MIL. jubilado
reformar *v.* **1** *(reconstruir)* reformar **2** MIL. jubilar ▪ **reformar se** **1** MIL. (funcionário) jubilarse, retirarse **2** *(corrigir-se)* enmendarse
reformatório *s.m.* reformatorio
reformular *v.* reestructurar; reorganizar
refrão *s.m.* **1** estribillo **2** *(provérbio)* refrán
refrear *v.* **1** (cavalo) frenar **2** *(reprimir)* refrenar, contener ▪ **refrear se** refrenarse, contenerse
refrescante *adj.2g.* refrescante
refrescar *v.* **1** refrescarse **2** refrescar, enfriar, refrigerar **3** *fig.* (memória) refrescar
refresco *s.m.* **1** refresco **2** *fig.* alivio
refrigeração *s.f.* refrigeración
refrigerador *adj.* refrigerador ▪ *s.m.* **1** refrigerador **2** frigorífico, nevera*f.*
refrigerante *adj.2g.* refrigerante ▪ *s.m.* (bebida) refresco (con gas)
refrigerar *v.* **1** refrigerar, enfriar **2** refrescar
refrigério *s.m.* **1** alivio, consuelo **2** *fig.* bálsamo, soplo de aire fresco
refugiad|o, -a *s.m.,f.* refugiad|o, -a
refugiar-se *v.* refugiarse (de, de)
refúgio *s.m.* **1** (lugar) refugio, abrigo **2** *(amparo)* refugio
refugo *s.m.* paja*f.*, sobras*f. pl.*, hojarasca*f.*
refutar *v.* refutar, rebatir
regador *s.m.* regadera*f.*
regalado *adj.* **1** satisfecho **2** (vida) regalado
regalar-se *v.* regalarse (com, con), deleitarse (com, con)
regalia *s.f.* **1** regalía **2** ventaja, privilegio*m.*, regalía
regalo *s.m.* **1** *(prazer)* regalo, placer **2** regalo, vidorra*f.col.*
regar *v.* (plantas) regar
regata *s.f.* regata
regatear *v.* (preço) regatear
regateir|o, -a *adj.,s.m.,f.* **1** regatero, regatón **2** *col.* soez, verdulero
regato *s.m.* regato, arroyo
regelar *v.* **1** congelarse **2** congelar **3** helar
regência *s.f.* **1** regencia, gobierno*m.*, dirección **2** (universidade) dirección de una asignatura/de un departamento **3** MÚS. dirección **4** LING. régimen*m.*
regeneração *s.f.* regeneración
regenerar *v.* regenerar ▪ **regenerar-se** regenerarse
regente *adj.2g.* regente, reinante, dirigente ▪ *s.2g.* **1** gobernante **2** regente **3** MÚS. director*m.* de orquesta **4** (universidade) jefe de departamento
reger *v.* **1** *(governar)* regir, dirigir, gobernar **2** (universidade) ejercer la función de jefe de departamento **3** (orquestra, banda) dirigir **4** LING. regir ▪ **reger-se** regirse, guiarse
reggae *s.m.* reggae
região *s.f.* región ♦ **região autônoma** comunidad autónoma; ANAT. **região lombar** zona lumbar; ANAT. **região toráxica** región torácica
regime *s.m.* **1** POL. régimen **2** *(regulamento)* régimen **3** *(dieta)* régimen ♦ (casamento) **regime de comunhão de bens** régimen de bienes gananciales
regimento *s.m.* **1** regimiento **2** *col.* *(multidão)* regimiento, batallón
régio *adj.* **1** regio, real **2** *fig.* regio, magnífico
regional *adj.2g.* regional
regionalismo *s.m.* regionalismo
regionalizar *v.* regionalizar
registrador *adj.* registrador; ***caixa registradora*** caja registradora

registrar *v.* **1** registrar **2** *(apontar)* anotar **3** *(memorizar)* guardar **4** (invento, marca comercial) registrar **5** (carta, encomenda) certificar ▪ **registrar-se** matricularse, inscribirse

registro *s.m.* **1** *(anotação)* registro, anotación*f.* **2** (documento) registro **3** (carta, encomenda) certificación*f.* **4** (instrumento, voz) registro **5** LING. registro ◆ **registro civil** registro civil; **registro comercial** registro mercantil; **registro criminal** antecedentes; **registro predial/de propriedade** registro de la propiedad

rego *s.m.* **1** (terreno) surco, zanja **2** (pele) arruga*f.*, raja*f.*

regozijar *v.* regocijar, alegrar ▪ **regozijar-se** regocijarse

regozijo *s.m.* regocijo

regra *s.f.* regla, norma; *cumprir as regras* cumplir las reglas ◆ **em regra** por regla general; en principio; **regra de três** regla de tres

regrado *adj.* (pessoa) reglado, disciplinado

regredir *v.* retroceder, ir hacia atrás

regressão *s.f.* **1** *(regresso)* regreso*m.*, vuelta **2** *(retrocesso)* regresión, retroceso*m.* **3** BIOL. regresión

regressar *v.* regresar, volver; *regressou cedo a casa* volvió temprano a casa

regressivo *adj.* **1** regresivo **2** *(retroativo)* retroactivo ◆ **contagem regressiva** cuenta atrás

regresso *s.m.* regreso

régua *s.f.* (instrumento) regla; *régua de cálculo* regla de cálculo

regulação *s.f.* regulación

regulador *adj.* regulador ▪ *s.m.* *téc.* regulador

regulamentação *s.f.* reglamentación

regulamentar *v.* regular, reglamentar ▪ *adj.2g.* reglamentario

regulamento *s.m.* reglamento, normativa*f.*

regular *adj.2g.* **1** regular **2** *(mediano)* regular, mediano, razonable **3** *(uniforme)* regular, uniforme **4** LING. regular; *particípio regular* participio regular; *verbo regular* verbo regular **5** REL. regular ▪ *v.* **1** carburar, funcionar **2** *(regulamentar)* regular, regularizar **3** *col.* carburar, razonar **4** *(ajustar)* regular, ajustar ▪ **regular se** orientarse, guiarse ◆ *col.* **não regular bem (da cabeça)** no carburar muy bien

regularidade *s.f.* regularidad ◆ **com regularidade** con regularidad, regularmente

regularização *s.f.* regulación, regularización

regularizar *v.* **1** regularizar, regular **2** *(regulamentar)* reglamentar

regularmente *adv.* regularmente

regulável *adj.2g.* regulable

regurgitação *s.f.* regurgitación

regurgitar *v.* regurgitar; *fig.* desbordarse

rei *s.m.* (*f.* rainha) **1** rey **2** (cartas, xadrez) rey ◆ **rei morto, rei posto** a rey muerto, rey puesto; **sem rei nem roque** a tontas y a locas; **ter/trazer o rei na barriga** darse aires de grandeza

reimpressão *s.f.* reimpresión

reinado *s.m.* reinado

reinante *adj.2g.* **1** reinante **2** *(dominante)* reinante, dominante

reinar *v.* **1** *(governar)* reinar **2** *(predominar)* persistir, prevalecer **3** *col.* *(troçar)* bromear, pitorrearse*col.*, cachondearse*col.*

reincidente *adj.2g.* reincidente

reincidir *v.* reincidir (em, en)

reiniciar *v.* reiniciar, reinicializar

reinício *s.m.* reinicio

reino *s.m.* reino

Reino Unido *s.m.* Reino Unido

reinserção *s.f.* reinserción; *reinserção social* reinserción social

reinstalar *v.* reinstalar ▪ **reinstalar se** reinstalarse

reintegração *s.f.* (em grupo) reintegración; (em sociedade) reinserción

reiteração *s.f.* reiteración, repetición

reiterativo *adj.* reiterativo, repetitivo

reitor, -a *s.m.,f.* rector, -a

reitorado *s.m.* (cargo, tempo) rectorado

reitoria *s.f.* **1** (edifício) rectorado*m.* **2** (cargo) rectorado*m.*

reivindicação *s.f.* reivindicación

reivindicar *v.* **1** *(reclamar)* reivindicar, reclamar, exigir; *reivindicar melhores condições de trabalho* reivindicar mejores condiciones laborales **2** (responsabilidade) reivindicar, asumir; *os terroristas reivindicaram o atentado* los terroristas reivindicaron el atentado

reivindicativo *adj.* reivindicativo

rejeição *s.f.* **1** (convite, proposta) rechazo*m.* **2** MED. rechazo*m.*

rejeitar *v.* **1** *(desprezar)* rechazar **2** *(recusar)* rehusar **3** tirar **4** *(expelir)* echar, expeler, expulsar

rejuvenescedor *adj.* rejuvenecedor

rejuvenescer *v.* rejuvenecer

relação *s.f.* **1** (entre pessoas) relación **2** (entre coisas) relación, conexión **3** *(lista)* relación, lista, listado*m.* **4** *(trato social)* relación ▪ **relações** *s.f.pl.* **1** (conhecimentos) relaciones **2** (ato sexual) relaciones ◆ **com relação a** con relación a; **em relação com** en relación con

relacionamento *s.m.* relación*f.*, vínculo, lazo

relacionar *v.* (fatos, ideias, pessoas) relacionar, asociar ▪ **relacionar se** relacionarse (com, con)

relâmpago *s.m.* relámpago ▪ *adj.2g.* relámpago; *viagem/visita-relâmpago* viaje/visita relámpago ◆ **num relâmpago** en un abrir y cerrar de ojos

relampejar *v.* relampaguear

relance *s.m.* mirada*f.* rápida, ojeada*f.* ◆ **de relance** de prisa

relatar *v.* **1** relatar, narrar; (de forma breve) reseñar **2** (notícia, programa) retransmitir

relatividade *s.f.* relatividad

relativismo *s.m.* **1** relativismo, relatividad*f.* **2** FIL. relativismo

relativizar *v.* (assunto) relativizar

relativo *adj.* relativo

relato *s.m.* **1** relato **2** (rádio, televisão) retransmisión*f.*

relatório *s.m.* **1** informe **2** (de autoridade) dictamen **3** (médico) parte
relaxado *adj.* **1** (músculo) relajado **2** (pessoa) tranquilo, relajado
relaxamento *s.m.* **1** (de pessoa, músculo) relajación*f.* **2** *(desleixo)* dejadez*f.*, negligencia*f.*
relaxante *adj.2g.,s.m.* relajante
relaxar *v.* **1** aflojar, frenar **2** *(afrouxar)* relajar, distender **3** relajar **4** *(descontrair)* relajar, distraer ■ **relaxar se** relajarse, distraerse
relegar *v.* **1** relegar, apartar, posponer **2** (responsabilidade, decisão) delegar **3** *(desprezar)* despreciar
relembrar *v.* rememorar, recordar
relento *s.m.* relente; *(orvalho)* rocío ◆ **ao relento** al sereno
reler *v.* releer
reles *adj.2g.2n.* **1** ordinario **2** cutre **3** insignificante
relevância *s.f.* **1** *(importância)* relevancia **2** saliente*m.*
relevante *adj.2g.* **1** relevante, importante **2** sobresaliente, notable ■ *s.m.* lo importante
relevar *v.* **1** convenir, importar **2** ensalzar, relevar, destacar **3** *(perdoar)* perdonar ■ **relevar se** distinguirse
relevo *s.m.* **1** *(saliência)* relieve; *alto-relevo* altorrelieve, alto relieve; *baixo-relevo* bajorrelieve, bajo relieve **2** GEOG. relieve; *relevo terrestre* relieve terrestre **3** *fig.* realce, relieve ◆ **dar relevo a/pôr em relevo** poner de relieve
religião *s.f.* religión
religiosidade *s.f.* religiosidad
religios|o, -a *adj.,s.m.,f.* religios|o, -a
relinchar *v.* (cavalo) relinchar
relíquia *s.f.* reliquia
relógio *s.m.* reloj; *relógio de bolso* reloj de bolsillo; *relógio de cuco* reloj de cucú; *relógio de pulso* reloj de pulsera; *relógio de sol* reloj de sol; *relógio digital* reloj digital ◆ *col.* **como um relógio** como un reloj, muy bien; **relógio biológico** reloj biológico; **relógio de ponto** reloj para fichar
relojoaria *s.f.* (arte, establecimento) relojería
relojoeir|o, -a *s.m.,f.* relojer|o, -a
relutância *s.f.* **1** oposición, resistencia **2** FÍS. reluctancia
relutante *adj.2g.* **1** reacio **2** dudoso, vacilante
reluzente *adj.2g.* reluciente
reluzir *v.* relucir, brillar
relva *s.f.* **1** *(erva)* hierba*f.*, césped*m.* **2** *(relvado)* césped*m.*
remador, -a *s.m.,f.* remer|o, -a
remake *s.m.* remake, nueva versión*f.*
remar *v.* remar
remarcar *v.* **1** remarcar **2** reajustar precios
rematar *v.* **1** rematar, terminar **2** *(terminar)* concluir, rematar **3** ESPOR. (futebol) rematar; *rematar de cabeça* rematar de cabeza; (hóquei) golpear **4** (costura) rematar
remate *s.m.* **1** *(conclusão)* remate, conclusión*f.* **2** *(acabamento)* remate **3** ESPOR. remate **4** (costura) remate
remedar *v.* ⇒ **arremedar**
remedeio *s.m.* recurso/medida*f.* provisional
remediado *adj. pop.* ni pobre ni rico
remediar *v.* **1** remediar; *remediar os danos causados* remediar los daños causados **2** arreglar, enmendar ■ **remediar se** abastecerse
remédio *s.m.* **1** medicamento, medicina*f.*, remedio **2** *(solução)* remedio, medicina*f.*; *não ter remédio* no tener remedio **3** *(correção)* enmienda*f.* ◆ **para grandes males, grandes remédios** a grandes males, grandes remedios; **que remédio!** ¡qué remedio!; **ser um santo remédio** ser mano de santo
remela *s.f.* legaña, pitaña
remeloso *adj.* legañoso, pitañoso
remendão *adj.,s.m.* **1** remendón **2** *fig.,pej.* chapucero
remendar *v.* **1** (tecido) remendar **2** *(consertar)* arreglar
remendo *s.m.* **1** (roupa) remiendo **2** (pneu) parche
remessa *s.f.* remesa
remetente *adj.2g.* remitente; *entidade remetente* entidad remitente ■ *s.2g.* remitente ■ *s.m.* remite
remeter *v.* **1** remitir (para, a) **2** (correspondência) remitir, mandar **3** *(adiar)* remitir, aplazar, posponer **4** *(confiar)* remitir, confiar ■ **remeter-se** remitirse (a, a)
remexer *v.* **1** remover **2** revolver **3** sacudir, agitar ■ **remexer-se** moverse, menearse
reminiscência *s.f.* **1** *(recordação)* reminiscencia, recuerdo*m.* **2** *(influência)* reminiscencia, influencia
remissão *s.f.* **1** (obra, texto) remisión **2** DIR. (pena) remisión, indulgencia **3** REL. *(perdão)* remisión, absolución
remo *s.m.* remo
remoção *s.f.* traslado*m.*, mudanza
remoçar *v.* **1** rejuvenecer **2** remozar, renovar
remodelação *s.f.* remodelación
remodelar *v.* remodelar
remoer *v.* **1** remoler **2** rumiar **3** *fig. (cismar)* rumiar
remoinho *s.m.* **1** remolino; torbellino **2** (mar, rio) remolino **3** (cabelo) remolino
remontar *v.* **1** remontarse **2** remontarse, fechar
remorso *s.m.* remordimiento
remoto *adj.* **1** (no tempo, no espaço) remoto, distante **2** (recordação) vago, impreciso
remover *v.* **1** *(mudar de lugar)* remover **2** *(mexer)* remover, agitar **3** (nódoas) quitar **4** (funcionário) destituir
removível *adj.2g.* removible
remuneração *s.f.* **1** *(salário)* remuneración, sueldo*m.* **2** *(prêmio)* recompensa
remunerado *adj.* remunerado, pago
remunerar *v.* remunerar, pagar
rena *s.f.* reno*m.*
renal *adj.2g.* renal
Renascença *s.f.* Renacimiento*m.*
renascentista *adj.2g.* renacentista
renascer *v.* renacer
renascimento *s.m.* renacimiento

Renascimento *s.m.* Renacimiento
renda *s.f.* **1** (tecido) encaje*m.* **2** *(rendimento)* renta
rendado *adj.* de encaje; como de encaje
render *v.* **1** cundir, rendir **2** rendir, derrotar **3** *(substituir)* sustituir **4** (homenagem) rendir, ofrecer; *render homenagem* rendir homenaje **5** *(dar lucro)* rendir, rentar ▪ **render se** rendirse; *render-se perante a(s) evidência(s)* rendirse ante la evidencia
rendez-vous *s.m.2n.* **1** *(encontro)* cita*f.*, encuentro **2** *(ponto de encontro)* lugar de la cita
rendição *s.f.* **1** MIL. rendición, capitulación **2** MIL. cambio*m.* de guardia
rendimento *s.m.* **1** rendimiento **2** *(lucro)* ganancia*f.* **3** provecho, eficacia*f.* ♦ **rendimento fixo/variável** renta fija/variable; **rendimento per capita** renta per cápita; *col.* **viver dos rendimentos** vivir de las rentas
renegar *v.* **1** (ideias, crenças) renegar; *renegou a fé cristã* renegó de su fe cristiana **2** *(negar)* renegar
renhido *adj.* reñido, disputado
renitente *adj.2g.* reacio, terco, obstinado
renome *s.m.* renombre, fama*f.*; *de renome* renombrado
renovação *s.f.* **1** (edifício) renovación, modernización **2** (documento) renovación, sustitución
renovador *adj.* renovador
renovar *v.* **1** (edifício) reformar, renovar **2** (equipamento) modernizar, renovar **3** (documento) renovar, cambiar, sustituir ▪ **renovar-se** renovarse
renovável *adj.2g.* renovable; *energias renováveis* energías renovables
renovo *s.m.* retoño, vástago
rentabilidade *s.f.* rentabilidad
rentabilização *s.f.* rentabilización
rentabilizar *v.* rentabilizar
rentável *adj.2g.* rentable
rente *adj.2g.* **1** (cabelo) al rape, muy corto **2** *(contíguo)* contiguo ▪ *adv.* cercano, muy ceca ♦ **rente a** a ras de
renúncia *s.f.* renuncia
renunciar *v.* **1** (cargo, função) desistir (a, de) **2** *(abdicar de)* renunciar (a, a); *renunciou à sua herança* renunció a su herencia
reocupar *v.* reocupar
reordenar *v.* reordenar
reorganização *s.f.* reorganización
reorganizar *v.* reorganizar
reparação *s.f.* **1** reparación **2** *(indenização)* compensación, indemnización
reparador *adj.* reparador
reparar *v.* **1** fijarse (em, en), reparar (em, en) **2** (aparelho, máquina) reparar, arreglar **3** (erro, falta) enmendar, corregir **4** (ofensa) desagraviar **5** *(indenizar)* compensar
reparo *s.m.* **1** *(conserto)* reparo, arreglo **2** *(objeção)* reparo, objeción*f.*, pero
repartição *s.f.* **1** *(divisão)* reparto*m.*, repartición **2** *(distribuição)* distribución, repartimiento*m.* **3** (de Estado) repartición, jefatura
repartir *v.* **1** (alimentos, bens) repartir, dividir **2** (pessoas, recursos) distribuir **3** (sentimento) compartir ▪ **repartir-se** (pessoas, recursos) distribuirse
repatriação *s.f.* repatriación
repatriar *v.* repatriar
repelente *adj.2g.* **1** repelente, repulsivo **2** *(asqueroso)* repugnante, asqueroso ▪ *s.m.* repelente
repelir *v.* **1** *(afastar)* repeler, rechazar **2** *(rejeitar)* repeler ▪ **repelir se** repelerse
repensar *v.* recapacitar
repente *s.m.* repente ♦ **de repente** de repente; **num repente** en un momento
repentinamente *adv.* repentinamente
repentino *adj.* repentino, súbito
repercussão *s.f.* repercusión
repercutir *v.* (luz, som) repercutir, reverberar
repertório *s.m.* repertorio
repescagem *s.f.* *gír.* repesca; *exame de repescagem* examen de repesca
repescar *v.* *gír.* (exame, prova) repescar
repetente *s.2g.* repetidor, -a*m.f.*
repetição *s.f.* repetición
repetir *v.* repetir; *você pode repetir a frase?* ¿puedes repetir la frase? ▪ **repetir se** repetirse
repetitivo *adj.* repetitivo
repicar *v.* (sinos) repicar, tocar a vuelo
repisar *v.* **1** repisar **2** *fig.* machacar
repleto *adj.* repleto (de, de), atestado (de, de), lleno (de, de)
réplica *s.f.* **1** *(cópia)* réplica, copia **2** *(resposta)* réplica, contestación **3** (sismo) réplica
replicar *v.* replicar
repolho *s.m.* repollo
repor *v.* **1** reponer **2** devolver ▪ **repor-se** reponerse, restablecerse
reportagem *s.f.* reportaje*m.*
reportar-se *v.* referirse (a, a), aludir (a, a)
repórter *s.2g.* **1** reporter|o, -a*m.f.* **2** presentador, -a*m.f.* de reportajes
reposição *s.f.* **1** reposición **2** *(restituição)* devolución, restitución **3** (de peças) recambio*m.* **4** TV.,TEAT. reposición
repositório *adj.* repositorio ▪ *s.m.* **1** repositorio **2** compilación*f.* **3** REL. sagrario*m.*
repousar *v.* **1** reposar **2** relajar **3** asentarse
repouso *s.m.* **1** reposo, descanso; *em repouso* en reposo **2** (terreno) barbecho
repovoar *v.* **1** (região) repoblar **2** (árvores, plantas) repoblar, reforestar
repreender *v.* reprender, regañar
repreensão *s.f.* reprimenda, reprensión, regañina
repreensível *adj.2g.* reprensible
repreensivo *adj.* reprensor
represa *s.f.* presa, embalse*m.*
represália *s.f.* represalia

representação *s.f.* **1** representación **2** (imagem, desenho, pintura) representación, figura, imagen; *representação gráfica de uma função* representación gráfica de una función **3** *(delegação)* representación; *representação diplomática* representación diplomática **4** CIN.,TEAT.,TV. representación ◆ **em representação de** en representación de

representante *adj.,s.2g.* **1** representante **2** (artista, atleta) manager, representante

representar *v.* **1** CIN.,TEAT.,TV. actuar **2** representar **3** *(ter significado)* representar, significar **4** (ter importância) significar, representar **5** CIN.,TEAT.,TV. repre - sentar

representativo *adj.* representativo

repressão *s.f.* represión

reprimenda *s.f.* reprimenda, reprensión, regañina*col.*

reprimir *v.* **1** (ato, impulso) reprimir, contener, refrenar **2** (sentimento) reprimir, ocultar **3** (direito, manifestação) prohibir, reprimir ▪ **reprimir se** reprimirse, contenerse

reprisar *v.* (filme, novela) volver a exhibir/echar

reprise *s.f.* (filme, novela) acto de volver a exhibir/echar

reprodução *s.f.* **1** reproducción **2** BIOL. reproducción **3** (informação, notícia) reproducción, difusión **4** (obra de arte) copia, imitación ◆ MED. **reprodução medicamente assistida** reproducción médicamente asistida

reprodutivo *adj.* reproductivo

reprodutor *adj.* reproductor

reproduzir *v.* **1** reproducir **2** copiar, fotocopiar **3** repetir **4** procrear ▪ **reproduzir-se** reproducirse

reprovação *s.f.* **1** reprobación **2** (exame, cadeira, disciplina) suspenso*m.*

reprovado *adj.* **1** denegado **2** (exame, prova) suspenso, suspendido; *ficar reprovado* suspender **3** reprobado, censurado

reprovar *v.* **1** suspender, catear*col.* **2** reprobar, reprochar **3** censurar **4** (exame, cadeira, disciplina) suspender, catear*col.*

reprovável *adj.2g.* reprobable

réptil *s.m.* reptil

repto *s.m.* reto; *lançar um repto a alguém* lanzar un reto a alguien

república *s.f.* **1** república **2** residencia universitaria, colegio*m.* mayor ◆ *pej.* **república das bananas** república bananera

República Tcheca *s.f.* República Checa

República Dominicana *s.f.* República Dominicana

republicanismo *s.m.* republicanismo

republican|o, -a *adj.,s.m.,f.* republican|o, -a

repudiar *v.* repudiar

repugnância *s.f.* repugnancia, aversión

repugnante *adj.2g.* **1** repugnante, repulsivo **2** repugnante, asqueroso

repugnar *v.* **1** repugnar **2** asquear, dar asco

repulsa *s.f.* repulsa

repulsivo *adj.* repulsivo, repugnante

reputação *s.f.* **1** reputación; *ter boa/má reputação* tener buena/mala reputación **2** *(fama)* reputación, fama

reputado *adj.* reputado, renombrado, afamado; *um político reputado* un reputado político

repuxar *v.* **1** (líquido) chorrear **2** *(esticar muito)* estirar

requalificação *s.f.* recalificación

requeijão *s.m.* requesón

requentar *v.* (alimento) recalentar

requerente *adj.,s.2g.* requirente

requerer *v.* **1** (por meio de requerimento) requerir, solicitar, pedir **2** *(exigir)* requerir, exigir **3** *(necessitar)* requerir, necesitar

requerimento *s.m.* **1** *(petição)* petición*f.* **2** (segundo as formalidades legais) solicitud*f.*, instancia*f.* **3** DIR. *(pedido)* requerimiento

requintado *adj.* **1** (pessoa) refinado, exquisito **2** (gosto, ambiente) selecto

requinte *s.m.* refinamiento

requisição *s.f.* solicitud; *requisição de material* solicitud de material

requisitar *v.* **1** requerir, cursar una instancia, solicitar **2** citar, convocar

requisito *s.m.* **1** requisito, condición*f.* sine qua non; *preencher os requisitos* cumplir los requisitos **2** requisito, formalidad*f.*

rescindir *v.* rescindir, anular; *rescindir um contrato* rescindir un contrato

rescisão *s.f.* rescisión, anulación; *rescisão do contrato* rescisión del contrato

resenha *s.f.* reseña

reserva *s.f.* **1** reserva, provisión **2** (bilhetes, mesa, quarto) reserva **3** MIL. reserva **4** reserva; *reserva natural* parque/reserva natural **5** *fig.* restricciones*pl.* **6** *fig.* recato*m.* ◆ **sem reservas** sin reservas

reservado *adj.* **1** *(guardado)* reservado **2** *(discreto)* reservado **3** *(particular)* particular

reservar *v.* **1** reservar, apartar **2** limitar, restringir **3** (bilhete, passagem) reservar **4** (segredo) ocultar **5** (destino) deparar ▪ **reservar se** reservarse

reservatório *s.m.* **1** depósito; *reservatório de gasolina* depósito de gasolina **2** (de água) estanque

resfriado *adj.* resfriado, acatarrado, constipado ▪ *s.m.* resfriado, catarro, constipado; *pegar um resfriado* coger un resfriado

resfriar *v.* **1** resfriarse **2** enfriar ▪ **resfriar-se** acatarrarse, resfriarse, constiparse

resgatar *v.* **1** rescatar **2** pagar ▪ **resgatar-se** libertarse, librarse, liberarse

resgate *s.m.* **1** rescate **2** (dívida) reintegro, liquidación*f.*

resguardar *v.* resguardar, proteger ▪ **resguardar - -se** resguardarse, protegerse

resguardo *s.m.* **1** resguardo, refugio **2** *(proteção)* resguardo, protección*f.* **3** abrigo

residência *s.f.* residencia, domicilio*m.*, morada ◆ **residência universitária** colegio mayor, residencia universitaria

residencial *adj.2g.* residencial ▪ *s.f.* hostal*m.*

residente *adj.2g.* **1** residente; ***residente em Madri*** residente en Madrid **2** (funcionário) residente ■ *s.2g.* residente
residir *v.* **1** *(morar)* residir, vivir, morar **2** *(consistir)* radicar (em, en), residir (em, en)
residual *adj.2g.* residual
resíduo *s.m.* residuo ■ **resíduos** *s.m.pl.* (lixo) residuos, desechos
resignação *s.f.* **1** (problema, sofrimento) resignación, conformidad **2** *(renúncia)* renuncia, abdicación
resignar *v.* renunciar ■ **resignar-se** resignarse (com, con), conformarse (com, con)
resina *s.f.* resina
resistência *s.f.* **1** resistencia; ***resistência do ar*** resistencia del aire **2** aguante*m.*, resistencia; ***tem muita resistência física*** tiene mucha resistencia física **3** ELETR. resistencia **4** resistencia, oposición; ***o ladrão ofereceu resistência à polícia*** el ladrón mostró resistencia a la policía
resistente *adj.2g.* resistente
resistir *v.* **1** resistir (a, a) **2** resistir (a, a), reaccionar (a, contra) **3** resistir, pervivir, durar
resma *s.f.* **1** (de papel) resma **2** *col.* (de objetos) pila (de, de), montón*m.* (de, de)
resmung|ão, -ona *adj.,s.m.,f.* refunfuñ|ón, -ona, gruñ|ón, -ona*col.*
resmungar *v.* **1** mascullar **2** refunfuñar, rumiar
resolução *s.f.* **1** *(decisão)* resolución, decisión **2** *(solução)* resolución, solución **3** INFORM.,TV. definición, resolución
resoluto *adj.* (pessoa) decidido, resoluto
resolver *v.* **1** decidirse **2** resolver ■ **resolver-se** resolverse, decidirse
resolvido *adj.* resuelto
respectivo *adj.* respectivo
respeitado *adj.* **1** respetable **2** venerable
respeitante *adj.2g.* concerniente (a, a), referente (a, a), relativo (a, a) ♦ **no respeitante a** (con) respecto a/de
respeitar *v.* **1** incumbir **2** respetar **3** acatar, cumplir ■ **respeitar se** hacerse respetar
respeitável *adj.2g.* respetable
respeito *s.m.* respeto ♦ **a respeito de** (con) respecto a/de; **dizer respeito a 1** concernir, ser de (mi/tu/su, etc.) incumbencia **2** en lo que se refiere; **no que diz respeito a** en lo que respecta a, por lo que respecta a
respeitoso *adj.* respetuoso
respingar *v.* **1** (líquido) salpicar **2** (fogo) chispear
respiração *s.f.* **1** FISIOL. respiración **2** *(fôlego)* aliento*m.* ♦ **respiração artificial** respiración artificial; **respiração assistida** respiración asistida; **respiração boca a boca** respiración boca a boca
respirar *v.* respirar
respiratório *adj.* respiratorio
resplandecer *v.* resplandecer
resplendor *s.m.* **1** resplandor **2** *fig.* esplendor
respond|ão, -ona *adj.,s.m.,f.* respond|ón, -ona, contest|ón, -ona

responder *v.* **1** contestar; ***responder torto*** dar un corte **2** contestar, responder **3** responder, responsabilizarse; ***responder por si*** defenderse **4** *(retorquir)* replicar
responsabilidade *s.f.* **1** responsabilidad; ***falta de responsabilidade*** falta de responsabilidad; ***senso de responsabilidade*** sentido de responsabilidad **2** *(culpa)* responsabilidad, falta
responsabilizar *v.* responsabilizar (por, de) ■ **responsabilizar se** responsabilizarse (por, de); ***não me responsabilizo por isso*** no me responsabilizo de eso
responsável *adj.,s.2g.* responsable ♦ **ser o responsável por** ser responsable de
resposta *s.f.* **1** (a pergunta) respuesta, contestación **2** (a terapia, tratamento) respuesta, reacción **3** (a problema) solución, explicación
resquício *s.m.* vestigio
ressabiado *adj.* **1** *(desconfiado)* resabiado **2** disgustado, ofendido, susceptible
ressaca *s.f.* **1** (mar) resaca **2** *col.* (bebedeira) resaca
ressaibo *s.m.* **1** resabio, dejo **2** *fig.* señal*f.* **3** *fig.* resentimiento
ressaltar *v.* **1** resaltar **2** destacar **3** realzar
ressalva *s.f.* **1** *(correção)* corrección **2** (documento) certificado*m.* de exención del servicio militar **3** *(exceção)* excepción ♦ **sem ressalva** sin reservas
ressalvar *v.* **1** enmendar **2** acautelar **3** licenciar **4** eximir ■ **ressalvar-se** acautelarse
ressarcimento *s.m.* resarcimiento, indemnización*f.*
ressarcir *v.* resarcir, indemnizar, compensar ■ **ressarcir se** resarcirse
ressecar *v.* resecar
ressentido *adj.* resentido, ofendido; ***estar ressentido com alguém*** estar resentido con alguien; ***estar ressentido por alguma coisa*** estar resentido por algo
ressentimento *s.m.* resentimiento
ressentir-se *v.* **1** *(melindrar-se)* resentirse **2** *(sentir os efeitos)* resentirse (de, de)
ressequir *v.* resecar
ressoar *v.* resonar
ressonância *s.f.* **1** resonancia **2** *(eco)* eco*m.*, resonancia ♦ MED. **ressonância magnética** resonancia magnética
ressonar *v.* roncar
ressurgimento *s.m.* resurgimiento
ressurgir *v.* resurgir
ressurreição *s.f.* resurrección
Ressurreição *s.f.* REL. Resurrección, Pascua de Resurrección
ressuscitar *v.* **1** resucitar **2** *fig.* (perigo, doença) salvarse **3** *fig.* resucitar, reanimar
restabelecer *v.* restablecer ■ **restabelecer-se** restablecerse
restabelecimento *s.m.* restablecimiento
restante *adj.2g.* restante, sobrante ■ *s.m.* resto, sobrante
restar *v.* **1** *(subsistir)* quedar, permanecer **2** *(sobejar)* sobrar

restauração *s.f.* **1** (edifício, obra de arte) restauración **2** (regime político) restauración; ***restauração da república*** restauración de la república **3** (atividade) restauración, hostelería **4** (ordem, paz) restablecimiento*m.*
restaurante *s.m.* restaurante; (típico) mesón
restaurar *v.* **1** (edifício, obra de arte) restaurar, arreglar **2** (ordem, paz) restaurar, restablecer **3** (regime político) restaurar, restablecer
restauro *s.m.* **1** restauración*f.* **2** *(conserto)* arreglo, reparación*f.*
réstia *s.f.* **1** (de luz) haz*m.* (de luz); rayo*m.* **2** (cebola) ristra
restituição *s.f.* **1** *(devolução)* restitución, devolución **2** *(restabelecimento)* restablecimiento*m.*
restituir *v.* **1** *(devolver)* devolver, restituir **2** *(restabelecer)* restablecer
resto *s.m.* **1** resto **2** *(subtração)* resta*f.*, sustracción*f.* ▪ **restos** *s.m.pl. (sobras)* restos ♦ **de resto** por lo demás; **restos mortais** restos (mortales)
restolho *s.m.* **1** AGR. rastrojo **2** *fig.* bullicio
restrição *s.f.* restricción
restringir *v.* restringir ▪ **restringir-se** limitarse (a, a)
restritivo *adj.* restrictivo
restrito *adj.* **1** *(limitado)* restringido, limitado **2** *(reduzido)* pequeño, reducido
resultado *s.m.* resultado, efecto, consecuencia*f.*
resultante *adj.2g.* resultante
resultar *v.* resultar ♦ **resultar em** resultar en
resumido *adj.* resumido
resumir *v.* resumir ▪ **resumir se** limitarse (a, a)
resumo *s.m.* resumen, síntesis*f.2n.*; ***fazer um resumo*** hacer un resumen ♦ **em resumo** en resumen
resvés *adj.2g.* al rape ▪ *adv.* justo, exacto
reta *s.f.* recta
retaguarda *s.f.* retaguardia ♦ **à retaguarda** en/a retaguardia; detrás
retal *adj.2g.* ANAT. rectal
retalhar *v.* **1** cortar en retales **2** dividir (en partes)
retalhista *adj.2g.* (comércio) minorista ▪ *s.2g.* minorista, detallista
retalho *s.m.* (de tecido) retal, retazo; (de outro material) retal; ***uma colcha de retalhos*** una colcha de retales
retaliação *s.f.* represalia
retaliar *v.* tomar represalias
retangular *adj.2g.* rectangular
retângulo *s.m.* rectángulo
retardad|o, -a *adj.,s.m.,f.* retrasad|o, -a
retardar *v.* **1** retardar **2** *(adiar)* posponer, aplazar ▪ **retardar se** retrasarse
retardatári|o, -a *adj.,s.m.,f.* tard|ón, -ona
retenção *s.f.* **1** (memória) retención, conservación; ***proteção e retenção de dados pessoais*** protección y retención de datos personales **2** MED. retención; ***retenção de urina*** retención de orina; ***retenção de líquidos*** retención de líquidos **3** ECON. (imposto, salário) retención; ***retenção na fonte*** retención en la fuente; ***quanto você ganha, descontando as retenções?*** ¿cuánto ganas, descontando las retenciones? **4** (trânsito) retención, atasco*m.*
reter *v.* **1** retener **2** detentar **3** obstruir **4** detener, retener **5** contener, reprimir **6** (memória) retener ▪ **reter se** retrasarse
reticências *s.f.pl.* puntos*m.* suspensivos
reticente *adj.2g.* **1** *(reservado)* reticente **2** *(hesitante)* indeciso
retido *adj.* **1** detenido **2** retenido
retificação *s.f.* rectificación, corrección
retificar *v.* **1** (erro) rectificar, corregir **2** (linha, traçado) rectificar **3** ELETR. rectificar
retilíneo *adj.* rectilíneo
retina *s.f.* retina
retirada *s.f.* **1** retirada **2** MIL. repliegue*m.*, retirada ♦ MIL. **bater em retirada 1** batirse en retirada, replegarse **2** irse (para evitar algo)
retirado *adj.* **1** retirado **2** apartado
retirar *v.* **1** retirar, apartar **2** (recursos) extraer, retirar **3** (acusação, denúncia) retirar **4** (tropas) replegar ▪ **retirar-se 1** retirarse **2** retirarse, apartarse
retiro *s.m.* **1** *(isolamento)* retiro **2** (lugar) retiro, encierro ♦ **retiro espiritual** retiro espiritual
reto *adj.* **1** *(direito)* recto, derecho **2** (pessoa) recto, íntegro ▪ *s.m.* ANAT. recto
retocar *v.* **1** retocar **2** repasar
retomar *v.* **1** (atividade, conversa) retomar, reanudar **2** (cargo, função) retomar, recuperar
retoque *s.m.* retoque
retorcer *v.* **1** retorcer **2** torcer varias veces ▪ **retorcer se** retorcerse
retórica *s.f.* retórica, oratoria ▪ **retóricas** *s.f.pl.* **1** *pej.* palabrería **2** *col.* sofistería
retórico *adj.* retórico
retornar *v.* retornar (a, a), regresar (a, a); ***retornou à pátria*** retornó a su patria
retorno *s.m.* **1** *(regresso)* retorno, vuelta*f.*, regreso **2** retribución*f.*, retorno **3** vuelta*f.*, cambio
retorquir *v.* **1** oponerse **2** replicar
retraído *adj.* **1** retraído **2** *fig.* tímido, cortado, introvertido
retrair *v.* retraer ▪ **retrair se 1** retraerse, encogerse **2** *fig.* contenerse
retransmissão *s.f.* **1** *(repetição)* retransmisión, repetición **2** TV. retransmisión
retransmitir *v.* **1** retransmitir **2** TV. repetir, volver a transmitir
retrasado *adj.* antepasado; ***a noite retrasada*** anteanoche; ***o ano retrasado*** el anteaño
retratar *v.* **1** *(reproduzir)* retratar **2** *(descrever)* describir, retratar ▪ **retratar se** retratarse
retrato *s.m.* **1** retrato **2** *fig. (descrição)* retrato ♦ **retrato falado** retrato robot; **ser o retrato vivo de alguém** ser el vivo retrato de alguien
retribuição *s.f.* **1** retribución **2** paga **3** propina, gratificación
retribuir *v.* **1** retribuir, recompensar **2** devolver **3** (favor, visita) devolver

retroativo *adj.* retroactivo
retroceder *v.* retroceder, recular
retrocesso *s.m.* **1** *(recuo)* retroceso **2** *(regressão)* retroceso, regresión*f.*
retroprojetor *s.m.* retroproyector
retrospectiva *s.f.* **1** *(recapitulação)* retrospección, mirada retrospectiva **2** (livros, obras de arte, filmes, etc.) retrospectiva, exposición ♦ **em retrospectiva** mirando hacia atrás, en retrospectiva
retrospectivo *adj.* retrospectivo
retrovisor *s.m.* (exterior) retrovisor; (interior) espejo retrovisor
retrucar *v.* replicar
retumbante *adj.2g.* **1** retumbante **2** *fig.* (sucesso) rimbombante
retumbar *v.* retumbar
réu *s.m.* (*f.* ré) reo*2g.*
reumátic|o, -a *adj.,s.m.,f.* reumátic|o, -a
reumatismo *s.m.* reumatismo, reúma*m./f.*, reuma*m./f.*
reumatologia *s.f.* reumatología
reumatologista *s.2g.* reumatólog|o, -a*m.f.*
reunião *s.f.* **1** reunión; *reunião do condomínio* reunión de la comunidad (de vecinos); *convocar uma reunião* convocar una reunión **2** *(reencontro)* reunión, reencuentro*m.* **3** (de dados, informação) reunión
reunificar *v.* reunificar
reunir *v.* **1** reunir, recoger, recopilar **2** convocar ▪ **reunir se** reunirse
reutilizar *v.* reutilizar
reutilizável *adj.2g.* **1** reutilizable **2** (embalagem, recipiente) retornable
revalorizar *v.* revalorizar
revanche *s.f.* revancha
réveillon *s.m.* (*pl.* réveillons) cotillón, fiesta*f.* de Nochevieja
revelação *s.f.* **1** (segredo) revelación, descubrimiento*m.* **2** (pessoa) revelación **3** FOT. revelado*m.*
revelar *v.* **1** revelar **2** FOT. revelar ▪ **revelar-se** **1** mostrarse uno tal y como es **2** revelar **3** revelarse
revelia *s.f.* rebeldía ♦ **à revelia** a lo loco, a tontas y a locas
revenda *s.f.* reventa
revendedor, -a *s.m.,f.* reventa*2g.*, revendedor, -a
rever *v.* **1** volver a ver **2** revisar **3** examinar **4** recordar ▪ **rever se** **1** volver a verse **2** llenarse de alegría, tener el placer de
reverência *s.f.* **1** *(respeito)* reverencia, respecto*m.* **2** *(vênia)* reverencia; *fazer uma reverência* hacer una reverencia ♦ **Sua Reverência** Su Reverencia
reverenciar *v.* **1** *(respeitar)* reverenciar, respetar **2** *(cumprimentar)* cumplimentar
reverendo *s.m.* reverendo
reversível *adj.2g.* reversible
reverso *s.m.* reverso ♦ **o reverso da medalha** el reverso de la medalla, cara mala de la moneda
reverter *v.* **1** *(regressar)* regresar, volver **2** (posse) revertir **3** (lucro, ganho) destinar **4** *(resultar)* resultar (em, -)
revés *s.m.* **1** *(reverso)* revés **2** *(contratempo)* revés, contratiempo ♦ **ao revés** al revés; **de revés** del revés; oblicuamente
revestimento *s.m.* revestimiento
revestir *v.* revestir
revezamento *s.m.* **1** *(substituição)* relevo, sustitución*f.* **2** *(alternância)* alternancia*f.*
revezar *v.* **1** *(substituir)* relevar, reemplazar, sustituir **2** *(trocar)* cambiar ▪ **revezar-se** turnarse, alternarse
revidar *v.* **1** (ofensa, agressão) vengar **2** (resposta) replicar
revigorante *adj.2g.* reconfortante, vigorizador, reconstituyente
revigorar *v.* **1** vigorizar **2** (organismo) entonar, tonificar
revirado *adj.* **1** revirado, retorcido **2** vuelto, hacia arriba **3** desordenado, patas arriba
revirar *v.* **1** revirar **2** *(virar do avesso)* volver del revés **3** revolver **4** (corpo) girar **5** (olhos) revirar
reviravolta *s.f.* **1** pirueta, voltereta **2** vuelta sobre sí mismo **3** *fig.* bandazo*m.*, giro*m.*
revisão *s.f.* **1** revisión, repaso*m.* **2** *(exame)* revisión, chequeo*m.* **3** TIP. corrección
revisar *v.* revisar
revisor, -a *s.m.,f.* revisor, -a
revista *s.f.* **1** (em pessoa) cacheo*m.* **2** *(inspeção)* revista, inspección; *passar em revista* pasar revista **3** *(publicação)* revista; (história em quadrinhos) cómic*m.*; tebeo*m.* **4** TEAT. revista
revistar *v.* **1** (pessoa) cachear; *todas as pessoas foram revistadas* todas las personas fueron cacheadas **2** *(inspecionar)* registrar
revisto (*p.p. de* rever) *adj.* revisado
revitalização *s.f.* revitalización
revitalizar *v.* revitalizar
reviver *v.* **1** revivir **2** *(relembrar)* revivir, recordar, evocar
revogação *s.f.* revocación, anulación
revogar *v.* (lei, norma) revocar, anular
revogável *adj.2g.* revocable, anulable
revolta *s.f.* **1** *(rebelião)* revuelta, rebelión; *(motim)* motín*m.* **2** *(indignação)* indignación
revoltado *adj.* **1** *(insubmisso)* revoltoso **2** *(indignado)* indignado
revoltante *adj.2g.* **1** revoltoso **2** indignante
revoltar *v.* **1** causar indignación **2** *(sublevar)* sublevar **3** *(indignar)* indignar ▪ **revoltar-se** **1** *(sublevar-se)* sublevarse (contra, contra), rebelarse (contra, contra) **2** *(indignar-se)* indignarse (com, con)
revolto *adj.* **1** *(remexido)* revuelto **2** (tempo) revuelto, desabrido **3** (mar) revuelto
revoltos|o, -a *adj.,s.m.,f.* revoltos|o, -a, rebelde*2g.*
revolução *s.f.* revolución ♦ **Revolução Industrial** Revolución Industrial
revolucionar *v.* revolucionar
revolucionári|o, -a *adj.,s.m.,f.* revolucionari|o, -a

revolver *v.* **1** *(remexer)* revolver; ***revolver a terra*** remover la tierra **2** *(desarrumar)* revolver, desordenar ▪ **revolver-se** revolverse
revólver *s.m.* revólver
reza *s.f.* oración, rezo*m.*
rezar *v.* **1** rezar, orar **2** (missa) celebrar, decir
rezingar *v. col.* refunfuñar
ria *s.f.* ría
riacho *s.m.* riachuelo
ribaldaria *s.f. pop.* faena, jugada, mala pasada
ribalta *s.f.* **1** TEAT. batería **2** *fig.* teatro*m.* **3** *fig.* mundo*m.* del espectáculo
ribanceira *s.f.* **1** orilla **2** terraplén*m.*, despeñadero*m.*
ribeira *s.f.* **1** *(ribeiro)* riachuelo*m.*, arroyo*m.* **2** (rio) ribera del río, margen*m.*
ribeirinho *adj.* ribereño
ribeiro *s.m.* arroyo, riachuelo, regato
ricaç|o, -a *s.m.,f. col.* ricach|ón, -ona
rícino *s.m.* ricino
ric|o, -a *s.m.,f.* ric|o, -a ▪ *adj.* **1** *(endinheirado)* rico, adinerado; ***podre de rico*** podrido en dinero **2** valioso **3** (terra) rico, fértil **4** *fig.* bueno ♦ **rico em** rico en; ***alimentos ricos em fibra*** alimentos ricos en fibra
ricochete *s.m.* rebote; ***fazer ricochete*** rebotar
ridicularizar *v.* ridiculizar ▪ **ridicularizar se** hacer el ridículo
ridículo *adj.* **1** ridículo **2** (quantidade, quantia) ridículo, irrisorio, insignificante ▪ *s.m.* ridiculez*f.* ♦ **prestar-se ao ridículo** hacer el ridículo
rifa *s.f.* **1** *(sorteio)* rifa, sorteo*m.* **2** (bilhete) número de rifa; boleto*m.*
rifar *v.* **1** rifar, sortear **2** *pop.* *(desfazer-se de)* deshacerse (de, de)
rifle *s.m.* rifle
rigidez *s.f.* **1** rigidez **2** *fig.* rigidez, inflexibilidad, severidad
rígido *adj.* **1** *(teso)* rígido, tieso **2** *(severo)* rígido, inflexible
rigor *s.m.* rigor ♦ **em/a rigor** en verdad; ***traje a rigor*** traje de gala
rigoroso *adj.* riguroso
rijo *adj.* tieso
rim *s.m.* riñón ▪ **rins** *s.m.pl.* (região lombar) riñones ♦ **rim artificial** riñón artificial
rima *s.f.* rima
rimar *v.* rimar
rímel *s.m.* máscara*f.* de pestañas, rímel
ringue *s.m.* cuadrilátero, ring
rinite *s.f.* rinitis*2n.*
rinoceronte *s.m.* rinoceronte
rinque *s.m.* ESPOR. pista*f.*; ***rinque de hóquei no gelo*** pista de hockey sobre hielo
rio *s.m.* río ♦ **chorar rios de lágrimas** llorar a lágrima viva/moco tendido
ripa *s.f.* (madeira) listón*m.*
riqueza *s.f.* **1** (bens, dinheiro) riqueza **2** (qualidades, recursos) abundancia **3** (ideias, resultados) fertilidad
rir *v.* reír ▪ **rir-se** reírse (de, de) ♦ **quem ri por último, ri melhor** el que ríe (el) último ríe mejor; **morrer de rir** mondarse/partirse/matarse de risa; **rir às gargalhadas** reírse a carcajadas
risada *s.f.* carcajada, risotada
risca *s.f.* **1** raya, lista; *(traço)* trazo*m.* **2** (cabelos) raya, crencha ♦ **à risca** al pie de la letra; a rajatabla
riscado *adj.* rayado ♦ *col.* **entender do riscado** conocer el percal
riscar *v.* **1** trazar **2** (superfície polida) rayar **3** *(apagar)* tachar
risco *s.m.* **1** *(traço)* trazo, rasgo **2** arañazo, raspón **3** *(perigo)* riesgo; ***correr o risco*** correr el riesgo **4** (cabelo) raya*f.*
riso *s.m.* risa*f.*; ***um ataque de riso*** un ataque de risa
risonho *adj.* **1** (pessoa) risueño **2** (futuro) risueño, halagüeño
risota *s.f.* **1** *(riso)* risa **2** *pop.* coña*col.*
risoto *s.m.* [plato a base de arroz con legumbres y carne o marisco]
rispidez *s.f.* severidad
ríspido *adj.* severo
rissole *s.m.* CUL. empanadilla*f.* (con relleno de carne, pescado, etc.); ***rissole de frango*** empanadilla de pollo
ritmado *adj.* rítmico, acompasado
rítmico *adj.* rítmico
ritmo *s.m.* ritmo
rito *s.m.* rito
ritual *adj.2g.* ritual ▪ *s.m.* ritual
ritualismo *s.m.* ritualismo
rival *adj.,s.2g.* rival
rivalidade *s.f.* rivalidad
rivalizar *v.* rivalizar, competir
rixa *s.f.* riña, disputa, pelea
roaming *s.m.* roaming
robalo *s.m.* lubina*f.*, róbalo
robe *s.m.* ropón
roble *s.m.* BOT. roble
robô *s.m.* robot
robótica *s.f.* robótica
robustez *s.f.* robustez
robusto *adj.* robusto
roca *s.f.* **1** rueca **2** *(guizo)* sonajero*m.*
roça *s.f.* **1** campo*m.* **2** plantación, terreno*m.* de cultivo
roçado *adj.* **1** rozado **2** (tecido) rozado, desgastado
roçar *v.* **1** *(tocar levemente)* rozar **2** (terreno) despejar, rozar, desmatar **3** (tecido) rozar, desgastar, estropear ▪ **roçar se** rozarse
rocha *s.f.* roca
rochedo *s.m.* **1** *(penhasco)* peñasco; *(rocha)* roca*f.* **2** (costa marítima) acantilado
rochoso *adj.* rocoso
rocinante *s.m.* rocín matalón, rocinante
roda *s.f.* **1** rueda, círculo*m.* **2** vuelta, giro*m.* **3** (pessoas) corro*m.*, rueda **4** (saia) vuelo*m.* **5** (jogo infantil) corro*m.* **6** (veículo) rueda; ***roda dianteira/traseira***

rueda delantera/trasera **7** (ginástica) voltereta ♦ MEC. **roda dentada** rueda dentada; *col.* **sobre rodas** sobre ruedas, muy bien

rodada *s.f.* (bebidas) ronda; *pagar uma rodada* pagar una ronda

rodado *adj.* **1** de/con ruedas **2** (saia, vestido) de vuelo **3** (automóvel) que ha hecho el rodaje **4** con experiencia

rodagem *s.f.* **1** CIN.,TV. rodaje*m.*, filmación **2** MEC. rodaje*m.*

roda-gigante *s.f.* (*pl.* rodas-gigantes) noria

rodapé *s.m.* **1** (de parede) rodapié, zócalo, friso **2** (de página) pie de página

rodar *v.* **1** rodar **2** rodar, girar **3** CIN.,TV. (filme) rodar

rodear *v.* **1** *(circundar)* rodear, circundar **2** *(envolver)* rodear ■ **rodear se** rodearse, codearse

rodeio *s.m.* **1** rodeo **2** *(evasiva)* rodeo, evasiva*f.*; *deixar de rodeios* dejarse de rodeos; *estar com rodeios* andar con rodeos; *sem rodeios* sin rodeos, sin ambages **3** (modalidade) rodeo

rodela *s.f.* rodaja, loncha; *rodela de ananás* rodaja de piña

rodilha *s.f.* **1** dodilla, trapo*m.*; estropajo **2** tela arrugada

rodízio *s.m.* **1** (mesas, camas) rueda*f.* pequeña, ruedecilla*f.* **2** [bufé libre con carne a la brasa]

rodo *s.m.* [utensílio para remover el agua del suelo] ♦ *col.* **a rodo** a montones

rodopiar *v.* girar, dar vueltas

rodopio *s.m.* **1** (movimento) giro **2** *(tontura)* mareo (producido por girar)

rodovia *s.f.* carretera

rodoviária *s.f.* terminal de autobuses

rodoviário *adj.* **1** (transporte) rodado **2** (estação) de autobuses **3** *(da rodovia)* vial; *segurança rodoviária* seguridad vial

roedor *adj.,s.m.* roedor

roer *v.* **1** (com os dentes) roer **2** *(corroer)* corroer ■ **roer -se** consumirse ♦ **duro de roer** (ser un hueso) duro de roer; **roer as unhas** comerse/morderse las uñas

rogado *adj.* rogado, suplicado

rogar *v.* rogar, suplicar

rogo *s.m.* **1** *(súplica)* ruego, súplica*f.* **2** *(prece)* plegaria*f.*

roído *adj.* **1** roído **2** *(corroído)* carcomido **3** *fig.* reconcomido, roído

rojão *s.m.* cohete

rol *s.m.* rol, lista*f.*

rola *s.f.* tórtola

rolamento *s.m.* rodamiento

rolante *adj.2g.* rodante

rolar *v.* **1** (bola, pedra) rodar **2** hacer rodar, girar

roldana *s.f.* polea

roleta *s.f.* ruleta ♦ **roleta russa** ruleta rusa

rolha *s.f.* **1** (de cortiça) corcho*m.*; (de plástico, metal) tapón*m.*; *a rolha da garrafa* el corcho de la botella **2** *fig.* punto*m.* en boca; *meter uma rolha na boca* ordenar punto en boca

roliço *adj.* **1** (objeto) cilíndrico **2** (pessoa) rollizo

rolo *s.m.* **1** (de papel) rollo **2** (para pintar) rodillo **3** (cabelo) rulo, bigudí **4** FOT. carrete, rollo **5** (pão) panecillo **6** *(encrenca)* lío **7** (ave) tórtolo ♦ **rolo compressor** apisonadora; **rolo de pastel** rodillo de cocina

romã *s.f.* granada

romance *s.m.* **1** LIT. novela*f.*; *romance cor-de-rosa* novela rosa; *romance histórico* novela histórica; *romance policial* novela policíaca **2** *(relação amorosa)* romance, affaire[AM.] **3** CIN. película*f.* romántica

romancear *v.* **1** novelar, escribir novelas **2** novelar

romancista *s.2g.* novelista

romanesco *adj.* novelesco

românico *adj.,s.m.* románico

roman|o, -a *adj.,s.m.,f.* roman|o, -a

romântic|o, -a *s.m.,f.* romántic|o, -a ■ *adj.* **1** romántico **2** *fig.* (pessoa) romántico, enamorado

romantismo *s.m.* romanticismo

romaria *s.f.* **1** *(peregrinação)* romería **2** *(festa popular)* romería **3** *fig.* romería, multitud

romãzeira *s.f.* granado*m.*

rombo *s.m.* **1** *(buraco)* agujero **2** *fig.* desfalco **3** *fig.* pérdida*f.* **4** *(losango)* rombo ■ *adj.* romo

Romênia *s.f.* Rumanía

romen|o, -a *adj.,s.m.,f.* ruman|o, -a ■ **romeno** *s.m.* (língua) rumano

romeu e julieta *s.m.* (*pl.* romeus e julietas) [queso con dulce de guayaba]

rompante *s.m.* ímpetu, repente ♦ **de rompante** de repente

romper *v.* **1** (sol) romper **2** *(quebrar)* romper, quebrar **3** (flor) romper, abrirse **4** (papel) rasgar **5** (dente) salir **6** (roupa, sapatos) romper, gastar, estropear **7** (acordo, relação) romper (com, con) **8** (acordo, relação) romper **9** (norma, tradição) quebrar, romper ■ **romper -se** romperse ♦ **romper a** [+*inf.*] empezar [+*inf.*], comenzar [+*inf.*]

rompimento *s.m.* rompimiento; (de relações) ruptura*f.*

roncar *v.* **1** *(ressonar)* roncar **2** *(grunhir)* gruñir

ronco *s.m.* **1** ronquido **2** *(grunhido)* gruñido

ronda *s.f.* ronda (de vigilancia); *fazer a ronda* hacer la ronda

rondar *v.* **1** rondar **2** rondar, merodear ■ **rondar se** deambular, rodar

ronrom *s.m.* ronroneo

ronronar *v.* ronronear

roque *s.m.* (xadrez) enroque; *fazer roque* enrocar

roqueir|o, -a *s.m.,f.* rocker|o, -a

ror *s.m. pop.* gran cantidad*f.*; *um ror de* la tira de, una gran cantidad de

rosa *s.f.* rosa; *botão de rosa* capullo de rosa ■ *adj.2g.2n.* (cor) rosa ♦ **não há rosa sem espinhos** no hay rosa sin espinas

rosado *adj.* rosado

rosa dos ventos *s.f.* (*pl.* rosas dos ventos) rosa de los vientos

rosário *s.m.* **1** (oração, objeto) rosario **2** *fig.* *(série)* rosario, serie*f.*

rosbife *s.m.* rosbif

rosca *s.f.* **1** (parafuso) rosca **2** (pequena) rosca; (grande) rosco*m.* **3** *pop.* pedo*m.*, mona
roseira *s.f.* rosal*m.*
roseiral *s.m.* rosaleda*f.*
roseta *s.f.* **1** roseta **2** escarapela **3** MED.,VET. roséola
rosnadela *s.f.* **1** (cão) gruñido*m.* **2** *fig.* gruñido, refunfuño*m.*
rosnar *v.* **1** (cão) gruñir **2** *fig.* gruñir, refunfuñar
rosquinha *s.f.* rosquilla
rosto *s.m.* **1** *(cara)* rostro, cara*f.*, faz*f.*; ***expressão do rosto*** expresión del rostro **2** *(fisionomia)* fisonomía*f.*, expresión*f.* **3** (livro) portada*f.*
rota *s.f.* **1** ruta, vía **2** dirección, orientación
rotação *s.f.* rotación ♦ **rotação de culturas** rotación de cultivos
rotativo *adj.* **1** rotativo **2** *(giratório)* rotatorio
roteiro *s.m.* **1** itinerario **2** guión
rotina *s.f.* rutina; ***rotina diária*** rutina diaria ♦ **de rotina** de rutina; ***consulta de rotina*** consulta de rutina
rótula *s.f.* rótula
rotular *v.* **1** (com rótulo) etiquetar, rotular **2** *fig.* (pessoa) etiquetar (**de**, de); (negativamente) tildar (**de**, de)
rótulo *s.m.* **1** etiqueta*f.*, rótulo **2** *fig.* (para pessoa) etiqueta*f.*
rotunda *s.f.* rotonda, glorieta
roubalheira *s.f.* *col.* robo*m.*; ***estes preços são uma roubalheira*** estos precios son un robo
roubar *v.* robar
roubo *s.m.* **1** robo **2** *fig.* (preço, valor) robo
rouco *adj.* **1** (pessoa) ronco; ***ficar rouco*** quedarse ronco **2** (voz, som) ronco, áspero
round *s.m.* (*pl.* rounds) (boxe) round, asalto
roupa *s.f.* ropa; ***roupa branca*** ropa blanca; ***roupa de cama*** ropa de cama; ***roupa esportiva*** ropa sport; ***roupa interior*** ropa interior ♦ *col.* **lavar a roupa suja** lavar los trapos sucios
roupão *s.m.* bata*f.*, salto; ***roupão de banho*** albornoz
roupeiro *s.m.* (móvel) armario (para la ropa), ropero
rouquidão *s.f.* ronquera
rouxinol *s.m.* ruiseñor
roxo *adj.,s.m.* morado
rua *s.f.* calle; ***rua de mão única/de sentido único*** calle de dirección única/de sentido único ■ *interj.* ¡fuera! ♦ **rua da amargura** calle de la amargura
rubéola *s.f.* rubeola, rubéola
rubi *s.m.* **1** MIN. rubí **2** (cor) rojo rubí
rubor *s.m.* (face) rubor, sonrojo
ruborescer *v.* ruborizarse, sonrojarse, ponerse colorado
ruborizar-se *v.* ruborizarse, sonrojarse, ponerse colorado
rubrica *s.f.* **1** firma abreviada **2** (traço) rúbrica **3** (artigo, livro) rúbrica, título*m.*
rubricar *v.* rubricar
rubro *adj.* rojo vivo
rude *adj.* **1** (material, superfície) rudo **2** (pessoa) rudo, grosero
rudimentar *adj.2g.* rudimentario
rudimento *s.m.* **1** *(origem)* origen **2** rudimento ■ **rudimentos** *s.m.pl.* rudimentos, nociones*f.*
ruela *s.f.* calleja, callejuela
rufar *v.* (tambor) redoblar
rufo *s.m.* **1** (tambor) redoble **2** (tecido) frunce, pliegue
ruga *s.f.* **1** (pele) arruga **2** (tecido) arruga, pliegue*m.*
rúgbi *s.m.* rugby
rugido *s.m.* (leão) rugido
rugir *v.* (leão) rugir
rugosidade *s.f.* rugosidad
rugoso *adj.* rugoso
ruído *s.m.* **1** ruido; ***ruído de fundo*** ruido de fondo **2** *fig.* rumor, bulo
ruidoso *adj.* ruidoso
ruim *adj.* malvado, ruin
ruína *s.f.* **1** (construção) ruina; ***estar em ruínas*** estar en ruinas **2** *fig.* ruina, decadencia **3** *fig.* perdición ■ **ruínas** *s.f.pl.* ruinas
ruindade *s.f.* ruindad, maldad
ruir *v.* desmoronarse, derrumbarse
ruiv|o, -a *adj.,s.m.,f.* pelirroj|o, -a
rum *s.m.* ron
rumar *v.* dirigirse (para, hacia)
rumba *s.f.* rumba
ruminação *s.f.* rumia
ruminante *adj.2g.,s.m.* rumiante
ruminar *v.* **1** rumiar **2** *fig.* *(matutar)* rumiar
rumo *s.m.* **1** *(direção)* rumbo, dirección*f.*; ***sem rumo fixo*** sin rumbo fijo **2** NÁUT. derrotero ♦ **mudar de rumo** cambiar de rumo; **perder o rumo** perder el rumbo; **rumo a** rumbo a
rumor *s.m.* **1** *(barulho)* rumor, ruido **2** (de vozes) rumor; (de insetos) zumbido **3** *fig.* *(boato)* rumor; ***correr o rumor*** correr la voz
rupestre *adj.2g.* rupestre; ***pintura rupestre*** pintura rupestre
rupia *s.f.* rupia
ruptura *s.f.* **1** *(corte)* rotura, corte*m.* **2** (acordo, relacionamento) ruptura; ***ruptura das negociações*** ruptura de negociaciones **3** MED. rotura; ***ruptura de ligamentos*** rotura de ligamentos
rural *adj.2g.* rural
rusga *s.f.* (policial) redada, batida
Rússia *s.f.* Rusia
russ|o, -a *adj.,s.m.,f.* rus|o, -a ■ **russo** *s.m.* (língua) ruso
rústico *adj.* **1** rústico **2** *fig.* rústico, tosco, grosero

S

s s.m. (letra) s f.

sábado s.m. sábado; *aos sábados* los sábados; *hoje é sábado* hoy es sábado; *no próximo sábado* el próximo sábado; *no sábado de manhã/à tarde/à noite* el sábado por la mañana/tarde/noche; *no sábado passado* el sábado pasado; *todos os sábados* todos los sábados ◆ REL. **Sábado de Aleluia/Santo** Sábado de Gloria

sabão s.m. jabón; *sabão em pó* jabón en polvo; *sabão líquido* jabón líquido; *barra de sabão* pastilla de jabón

sabático adj. sabático; *ano sabático* año sabático

sabedoria s.f. **1** sabiduría; *sabedoria popular* sabiduría popular **2** *(sensatez)* sabiduría, sensatez, prudencia

saber v. **1** saber; *não sei onde está* no sé dónde está; *saber de cor* saber de memoria **2** *(ter conhecimento)* saber **3** (sabor) saber (a, a) **4** conocer, saber **5** saber **6** (capacidade, jeito) saber; *sabes nadar?* ¿sabes nadar? **7** *(descobrir)* enterarse; *eu soube isso ontem* yo me enteré de eso ayer ■ s.m. saber, sabiduría f. ◆ **a saber** a saber; **dar a saber** hacer saber; informar; **não saber a quantas anda** no saber lo que se pesca; **saber bem/mal** saber bien/mal, estar bueno/malo; **não querer saber** importarle a uno un bledo/pimiento; **sei lá!** y yo qué sé, no sé

sabich|ão, -ona adj.,s.m.,f. col. sabihond|o, -a, sabiond|o, -a, sabelotodo 2g.

sabido adj. **1** sabido **2** (pessoa) experto, perito, entendido **3** fig. astuto

sábi|o, -a adj.,s.m.,f. sabi|o, -a

sabonete s.m. jabón (de tocador); *sabonete líquido* jabón líquido

saboneteira s.f. jabonera

sabor s.m. **1** sabor **2** (sentido) gusto, paladar **3** fig. capricho ◆ **ao sabor da maré** a la aventura; a la buena de Dios; **ao sabor de** al gusto de

saborear v. **1** saborear, paladear **2** fig. saborear, gozar, recrearse

saboroso adj. **1** (sabor) sabroso, exquisito, rico **2** fig. sabroso, agradable

sabotador, -a s.m.,f. saboteador, -a

sabotagem s.f. sabotaje m.

sabotar v. sabotear; *sabotaram o nosso projeto* han saboteado nuestro proyecto

sabugo s.m. **1** (milho) raspa f., mazorca f. de maíz sin granos **2** (unhas) raíz f. de la uña

sacada s.f. **1** (construção) voladizo m. **2** *(varanda)* balcón m.

sacador, -a s.m.,f. librador, -a

sacana adj.,s.2g. canalla, sinvergüenza

sacanagem s.f. sinvergonzonería, canallada, sinvergüencería, desvergüenza

sacanear v. **1** col. bromear **2** col. jugar una mala pasada

sacar v. **1** desenfundar (el arma) **2** *(tirar à força)* sacar **3** (informação, etc.) sacar, obtener **4** (cheque, letra de câmbio) librar, extender **5** arrancar

sacarina s.f. sacarina

saca-rolhas s.m.2n. sacacorchos, descorchador

sacarose s.f. sacarosa

sacerdócio s.m. sacerdocio

sacerdotal adj.2g. sacerdotal

sacerdote s.m. **1** (f. sacerdotisa) sacerdote; *sumo sacerdote* sumo sacerdote **2** *(padre)* cura, sacerdote

saciar v. (fome, sede) saciar, satisfacer ■ **saciar se** saciarse

saciedade s.f. saciedad ◆ **até a saciedade** hasta la saciedad, hasta no poder más

saco s.m. **1** bolsa f.; *saco de compras* bolsa de la compra; *saco de plástico* bolsa de plástico; *saco de lixo* bolsa de basura **2** saco; *saco de batatas* saco de patatas **3** (de chá) bolsita f. ◆ col. **encher o saco** tocar las narices; col. **estar de saco cheio (de algo/alguém)** estar hasta la coronilla (de algo/alguien); col. **estar sem saco** no tener paciencia; col. **puxar o saco** hacer la pelota, dar coba; **saco de dormir** saco de dormir

sacralizar v. sacralizar

sacramental adj.2g. sacramental

sacramento s.m. sacramento ◆ **Santíssimo Sacramento** Santísimo Sacramento; **últimos sacramentos** últimos sacramentos

sacrário s.m. sagrario

sacrificar v. sacrificar ■ **sacrificar se** sacrificarse (por, por); *sacrificou-se muito por ti* se sacrificó mucho por ti

sacrifício s.m. sacrificio

sacrilégio s.m. sacrilegio

sacríleg|o, -a adj.,s.m.,f. sacríleg|o, -a

sacristão s.m. **1** sacristán **2** monaguillo

sacristia s.f. sacristía

sacro adj. **1** sacro, sagrado; *arte sacra* arte sacro **2** fig. respetable, venerable ■ s.m. (osso) sacro

sacudida s.f. sacudida

sacudidela s.f. sacudida

sacudir v. sacudir, agitar, tambalear ■ **sacudir se** menearse, moverse, tambalearse

sádic|o, -a adj.,s.m.,f. sádic|o, -a

sadio adj. sano, saludable

sadismo s.m. sadismo

sadomasoquismo s.m. sadomasoquismo

sadomasoquista adj.,s.2g. sadomasoquista

safa s.f. col. goma (de borrar), borrador m. ■ interj. ¡uf!

safadeza *s.f. col.* cara dura, frescura, sinvergonzonería, sinvergüencería
safado *adj. col.* desvergonzado, caradura, descarado
safanão *s.m.* **1** *col. (empurrão)* empujón **2** *col. (abanão)* sacudida*f.* **3** *col. (bofetão)* bofetón
safar *v.* **1** (com borracha) borrar **2** (de perigo) salvarse, librarse ▪ **safar se 1** zafarse (de, de), librarse (de, de) **2** escaparse
safári *s.m.* safari
safa-safa *s.f.* (*pl.* safa(s)-safa(s)) NÁUT. zafarrancho*m.*
safira *s.f.* zafiro*m.*
safo *adj.* libre, sano y salvo, salvado
safra *s.f.* cosecha
saga *s.f.* saga
sagacidade *s.f.* sagacidad, astucia
sagaz *adj.2g.* sagaz, astuto
sagitarian|o, -a *adj.,s.m.,f.* sagitario*2g.*
Sagitário *s.m.* ASTROL.,ASTRON. Sagitario
sagrado *adj.* **1** sagrado, sacro **2** consagrado **3** respetable
sagrar *v.* consagrar
saguão *s.m.* vestíbulo
saia *s.f.* **1** falda **2** (automóvel) alerón*m.* **3** (mesa) falda ♦ **agarrado à barra da saia da mãe** pegado a las faldas de la madre
saia-calça *s.f.* (*pl.* saias-calças) falda pantalón
saída *s.f.* **1** *(partida)* salida **2** (lugar, porta, passagem) salida; ***saída de emergência*** salida de emergencia/incendios **3** (momento) salida; ***à saída do cinema*** a la salida del cine **4** *(solução)* salida, solución ♦ **estar de saída** estar saliendo; **não ter outra saída** no tener otra salida; TEAT. **saída de cena** mutis; **ter saída** tener salida
saído *adj.* **1** salido, saliente **2** aparecido, surgido **3** *pop.* resabido, listo
saiote *s.m.* enagua*f.*, viso
sair *v.* **1** salir **2** alejarse **3** ausentarse **4** dejar, abandonar **5** soltarse ♦ **sair de fininho** escabullirse; **sair-se bem/mal** salir airoso, acabar mal; TEAT. **sair de cena** hacer mutis
sal *s.m.* **1** sal*f.*; ***sal grosso*** sal gorda **2** *fig. (graça)* salero, sal ▪ **sais** *s.m.pl.* sales; ***sais de banho*** sales de baño; ***sal de fruta*** sales de fruto
sala *s.f.* salón*m.*; sala; ***sala de aula*** aula, clase; ***sala de jantar*** comedor; ***sala de operações*** quirófano; ***sala de parto*** paritorio ♦ **fazer sala** entretener a las visitas
salada *s.f.* **1** ensalada; ***salada de alface*** ensalada de lechuga; ***salada mista*** ensalada mixta **2** *fig. (mistura)* mezcolanza, ensalada ♦ **salada de frutas** macedonia, ensalada de frutas; **salada russa 1** ensaladilla rusa **2** *fig. (mistureba)* revoltijo, batiburrillo
saladeira *s.f.* ensaladera
Salamanca *s.f.* Salamanca
salamandra *s.f.* **1** ZOOL. salamandra **2** (fogão) salamandra
salame *s.m.* **1** salami **2** [bizcocho de chocolate y galleta]
salão *s.m.* salón; ***salão de beleza*** salón de belleza; ***salão de festas*** salón de fiestas ♦ **salão de cabeleireiro** peluquería
salariad|o, -a *s.m.,f.* asalariad|o, -a
salarial *adj.2g.* salarial
salário *s.m.* salario, sueldo; ***salário-base*** salario base; ***salário mínimo*** salario mínimo
salazarista *adj.2g.* salazarista ▪ *s.2g.* POL. salazarista (partidario del salazarismo)
saldar *v.* (conta, dívida) saldar, liquidar
saldo *s.m.* (conta bancária) saldo ▪ **saldos** *s.m.pl.* (comércio) rebajas*f.*
saleiro *s.m.* (recipiente) salero
salgadinho *s.m.* entremeses*pl.*, aperitivo, tapa*f.*
salgado *adj.* **1** salino, salobre **2** aliñado (con sal), condimentado (con sal), sazonado (con sal) **3** salado **4** *fig.* picante ▪ *s.m.* alimento salado (como croquetas)
salgalhada *s.f. pop.* lío*m.*, embrollo*m.*, ensalada; ***este trabalho está uma salgalhada*** este trabajo es un lío
salgar *v.* **1** (alimento) salar **2** *(temperar)* sazonar, condimentar
saliência *s.f.* relieve*m.*, saliente*m.*
salientar *v.* resaltar, poner de relieve
saliente *adj.2g.* **1** saliente **2** *fig.* destacado, distinguido
salina *s.f.* salina
salino *adj.* salino
salitre *s.m.* salitre, nitrato de potasio
saliva *s.f.* saliva ♦ *col.* **gastar saliva** gastar saliva
salivar *v.* salivar ▪ *adj.2g.* salival
salmão *s.m.* **1** (peixe) salmón; ***salmão defumado*** salmón ahumado **2** (cor) salmón ▪ *adj.2g.2n.* (cor) salmón
salmo *s.m.* salmo
salmonela *s.f.* salmonella
salmonete *s.m.* salmonete, barbo de mar
salmoura *s.f.* salmuera; ***em salmoura*** en salmuera
saloi|o, -a *adj.,s.m.,f. pej.* palet|o, -a, catet|o, -a, palurd|o, -a
salpicão *s.m.* lomo embuchado
salpicar *v.* salpicar ▪ **salpicar-se 1** salpicar **2** mancharse con salpicaduras
salpico *s.m.* salpicadura*f.*
salsa *s.f.* **1** BOT. perejil*m.* **2** MÚS. salsa

> Não confundir com a palavra espanhola **salsa** (*molho*).

salsada *s.f.* ensalada, batiburrillo*m.*, revoltijo*m.*, mezcolanza
salsicha *s.f.* **1** CUL. salchicha **2** *col.* (cão) perro*m.* salchicha
salsichão *s.m.* salchichón
saltada *s.f.* **1** visita rápida **2** *(salto)* salto*m.*, brinco*m.*
salta-pocinhas *s.m.2n.* **1** saltacharquillos **2** culo de mal asiento

saltar *v.* **1** *(pular)* saltar, brincar **2** (barreira, obstáculo) saltar **3** *(lançar-se)* saltar **4** *fig.* saltar
salteado *adj.* CUL. salteado ▪ *s.m.* CUL. revuelto
saltear *v.* **1** saltear, robar **2** (alimento) saltear
saltimbanco *s.m.* saltabanqui
saltitar *v.* brincar, dar saltos, saltar
salto *s.m.* **1** *(pulo)* salto, brinco **2** (calçado) tacón; *sapatos de salto alto* zapatos de tacón alto **3** ESPOR. salto; *salto com vara* salto con pértiga; *salto em altura* salto de altura **4** (natação) salto; *salto de cabeça* salto de cabeza ◆ (crescimento) **dar um salto** dar un estirón
salubre *adj.2g.* salubre, saludable
salubridade *s.f.* salubridad
salutar *adj.2g.* saludable
salva *s.f.* **1** *(bandeja)* bandeja **2** (de tiros) salva **3** BOT. salvia ◆ **salva de palmas** salva de aplausos
salvação *s.f.* salvación
salvador, -a *adj.,s.m.,f.* salvador, -a
Salvador *s.m.* Salvador
salvadorenh|o, -a *adj.,s.m.,f.* salvadoreñ|o, -a
salvaguarda *s.f.* **1** *(proteção)* salvaguardia, protección **2** *(salvo-conduto)* salvoconducto*m.*
salvaguardar *v.* salvaguardar (de, de), proteger (de, de)
salvamento *s.m.* salvamento
salvar *v.* **1** salvar **2** salvar, rescatar **3** REL. salvar, redimir ▪ **salvar-se 1** salvarse **2** REL. salvarse
salva-vidas *s.m.2n.* bote salvavidas ▪ *s.2g.2n.* (praia) socorrista
salvo *adj.* **1** salvo; *estar a salvo* estar a salvo **2** *(ileso)* salvo, ileso ▪ *prep.* salvo, excepto; *salvo se* salvo que (si) ◆ **a salvo** a salvo; **são e salvo** sano y salvo; **pôr a salvo** poner a salvo
samambaia *s.f.* helecho*m.*
samário *s.m.* samario
samaritano *adj.* samaritano
samba *s.m.* samba*f.*
sambar *v.* bailar la samba
sambista *s.2g.* **1** bailar|ín, -ina*m.,f.* de samba **2** compositor, -a*m.,f.* de samba
samurai *s.m.* samurái
sanatório *s.m.* sanatorio
sanção *s.f.* sanción
sancionar *v.* sancionar
sandália *s.f.* sandalia
sanduíche *s.m.* sándwich, emparedado, bocadillo
saneamento *s.m.* saneamiento
sanear *v.* sanear
sanfona *s.m.* MÚS. zanfonía
sangramento *s.m.* hemorragia*f.*
sangrar *v.* **1** *(tirar sangue)* sangrar, desangrar **2** *(verter sangue)* sangrar, echar sangre
sangrento *adj.* **1** sangriento **2** ensangrentado
sangria *s.f.* sangría
sangue *s.m.* **1** BIOL.,MED. sangre*f.* **2** *fig.* sangre*f.*, linaje, familia*f.*; *fig. sangue azul* sangre azul; *laços de sangue* lazos de sangre; *subir o sangue à cabeça* subírsele la sangre a la cabeza ◆ **ter sangue de barata** tener sangre de horchata
sangue-frio *s.m.* (*pl.* sangues-frios) sangre*f.* fría, tranquilidad*f.*; *a sangue-frio* a sangre fría
sanguessuga *s.f.* sanguijuela ▪ *s.2g. fig.,pej.* (pessoa) sanguijuela*f.*
sanguinário *adj.* sanguinario
sanguíneo *adj.* sanguíneo
sanidade *s.f.* salubridad, sanidad
sanita *s.f.* [LUS.] váter*m.*, inodoro*m.*, retrete*m.*
sanitário *adj.* sanitario
sanitários *s.m.pl.* aseos, servicios, lavabos públicos
sansei *s.2g.* [nieto de japoneses nacido en America]
santidade *s.f.* santidad ◆ (Papa) **Sua/Vossa Santidade** Su/Vuestra Santidad
santificar *v.* santificar
sant|o, -a *s.m.,f.* **1** REL. sant|o, -a **2** *fig.* (pessoa) sant|o, -a ▪ *adj.* santo ◆ **santo de casa não faz milagres** nadie es profeta en su tierra
santuário *s.m.* santuario
são *adj.* (*f.* sã) **1** sano **2** saludable **3** honrado, cabal, sano **4** (apócope de santo) san; *São João* San Juan ◆ **são e salvo** sano y salvo
São Tomé e Príncipe *s.m.* Santo Tomé y Príncipe
sapata *s.f.* zapata
sapatada *s.f.* **1** zapatazo*m.*; *deu-lhe uma sapatada* le dio un zapatazo **2** *col.* *(bofetada)* tortazo*m.*, torta
sapatão *s.m. col.* lesbiana*f.*
sapataria *s.f.* zapatería, tienda de calzado
sapateado *s.m.* **1** zapateado **2** claqué
sapatear *v.* taconear
sapateira *s.f.* **1** nécora **2** (móvel) zapatero*m.*
sapateir|o, -a *s.m.,f.* zapater|o, -a
sapatilha *s.f.* (para balé) zapatilla
sapato *s.m.* zapato; *sapato de lona* playera, zapatilla de lona; *sapato de salto* zapato de tacón ◆ *pop.* **saber onde aperta o sapato** saber dónde aprietan los zapatos
sapiência *s.f.* sapiencia, sabiduría
sapo *s.m.* sapo ◆ *col.* **engolir sapo** tragar sapos/saliva
saque *s.m.* **1** saqueo, rapiña*f.* **2** libranza*f.*, libramiento **3** (dinheiro) reintegro; retirada*f.* **4** (tênis, voleibol, etc.) saque, servicio
saquê *s.m.* sake
saquear *v.* saquear
saracotear *v.* contonearse
sarado *adj. col.* cachas
saraiva *s.f.* granizo*m.*
saraivada *s.f.* granizada
saraivar *v.* granizar
sarampo *s.m.* sarampión
sarapatel *s.m.* [plato típico de Bahia a base de menudos de cerdo]

sarar *v.* **1** sanar **2** sanar, curar **3** (ferida) cicatrizar
sarau *s.m.* sarao, velada*f.*
sarcasmo *s.m.* sarcasmo
sarcástico *adj.* sarcástico
sarcófago *s.m.* sarcófago
sarda *s.f.* peca
sardento *adj.* pecoso
sardinha *s.f.* sardina ♦ *col.* **como sardinhas em lata** como sardinas en lata
sardinhada *s.f.* sardinada
sargento *s.2g.* sargento
sarigueia *s.f.* ZOOL. mofeta
sarjeta *s.f.* alcantarilla, sumidero*m.*
sarna *s.f.* sarna ♦ *col.* **procurar/arranjar sarna para se coçar** meterse en líos
sarnento *adj.* sarnoso
sarrabisco *s.m.* garabato, garrapato
sarrabulho *s.m.* **1** sangre de cerdo coagulada **2** [guisado hecho con la sangre y los menudos del cerdo]
sarro *s.m.* **1** sedimento **2** (dentes) sarro, tártaro
Satanás *s.m.* Satanás
satânico *adj.* satánico
satélite *s.m.* satélite ■ *adj.2g.2n.* satélite; ***cidade satélite*** ciudad satélite
sátira *s.f.* sátira
satírico *adj.* satírico
satirizar *v.* satirizar
satisfação *s.f.* **1** satisfacción **2** *(explicação)* explicación; *(justificação)* justificación; ***pedir/tirar satisfações*** pedir explicaciones
satisfatório *adj.* satisfactorio
satisfazer *v.* **1** satisfacer, bastar **2** satisfacer **3** proporcionar satisfacción **4** satisfacer, agradar **5** satisfacer, saciar ■ **satisfazer se 1** satisfacerse, contentarse **2** satisfacerse, saciarse
satisfeito *adj.* **1** *(contente)* satisfecho, contento, complacido **2** *(saciado)* satisfecho, saciado, harto **3** cumplido, realizado
saturação *s.f.* saturación
saturado *adj.* **1** *(cheio)* saturado, colmado, lleno **2** *(farto)* harto (de, de); ***estar saturado de alguém/alguma coisa*** estar harto de alguien/alguna cosa **3** QUÍM. saturado; ***gorduras saturadas*** grasas saturadas
saturar *v.* **1** saturar **2** saturar, colmar **3** saturar, saciar **4** hartar, cansar **5** QUÍM. saturar
Saturno *s.m.* MIT.,ASTRON. Saturno
saudação *s.f.* saludo*m.*, salutación
saudade *s.f.* añoranza, nostalgia; (da terra natal) morriña; ***sentir/ter saudade*** echar de menos, extrañar, añorar; ***estar com saudade de algo/alguém*** echar de menos algo/a alguien; ***estou com saudade de ti*** te echo de menos
saudar *v.* **1** *(cumprimentar)* saludar **2** *(felicitar)* felicitar
saudável *adj.2g.* **1** saludable, sano **2** higiénico
saúde *s.f.* **1** salud; ***saúde de ferro*** salud de hierro **2** sanidad; ***saúde pública*** sanidad pública
saudita *adj.,s.2g.* saudí, saudita
saudosista *adj.* nostálgico
saudoso *adj.* **1** nostálgico **2** añorado
sauna *s.f.* sauna
savana *s.f.* sabana
savoir-faire *s.m.2n.* habilidad*f.*, savoir faire
saxofone *s.m.* saxofón, saxófono, saxo*m.col.*
saxofonista *s.2g.* saxofonista, saxo*m.col.*
sazonal *adj.2g.* **1** estacional **2** (vegetais) de temporada
scanner *s.m.* (*pl.* scanners) escáner
script *s.m.* guión; (discurso) texto ♦ *col.* **não estar no script** no estar previsto
se *pron.pess.* se; (reflexividade) ***ela vestiu-se*** ella se ha vestido; (reciprocidade) ***eles se amam*** se quieren mucho; (indeterminação) ***fala-se nisso*** se habla de eso; (partícula apassivadora) ***vendem-se apartamentos*** se venden pisos; (valor enfático) ***lá se vão*** allá van ■ *conj.* **1** si; ***como se fosse possível*** como si fuera/fuese posible; ***se estiveres interessado*** si estás interesado; ***se puder, vou lá*** si puedo, paso por allí **2** (causal) si; ***se sabes, diz*** si lo sabes, dilo **3** (condicional) si; ***se não durmo, fico irritado*** si no duermo, me pongo de mal humor **4** (interrogativa indireta) si; ***diz-me se estás de acordo*** dime si estás de acuerdo; ***ele pergunta se queres vir*** él ha preguntado si quieres venir; ***não sei se ele vem*** no sé si ellos van a venir
sé *s.f.* sede (episcopal) ♦ **Santa Sé** Santa Sede
seabórgio *s.m.* QUÍM. seaborgio
seara *s.f.* mieses*pl.*
sebáceo *adj.* **1** sebáceo; ***glândulas sebáceas*** glándulas sebáceas **2** *(seboso)* seboso **3** *(gorduroso)* grasiento
sebenta *s.f.* **1** apuntes*m. pl.* de clase **2** bloc*m.*
sebento *adj.* **1** seboso **2** mugriento
sebista *s.2g.* librer|o,-a*m.f.* (de libros antiguos o usados)
sebo *s.m.* **1** sebo **2** (alfarrábio) librería de viejo
seborreia *s.f.* seborrea
seboso *adj.* seboso
seca *s.f.* **1** MET. sequía **2** secado*m.*
secador *s.m.* secador; ***secador de cabelo*** secador de pelo; ***secador de mãos*** secador de manos
secadora *s.f.* secadora
secagem *s.f.* secado*m.*
secante *adj.2g.* **1** secante, que seca **2** GEOM. secante ■ *s.f.* GEOM. secante ■ *s.m.* (produto) secante
seção *s.f.* sección
secar *v.* **1** secar **2** secarse, marchitarse ■ **secar se 1** secarse **2** (planta) secarse, quemarse **3** (rio) desecarse, secarse
secessão *s.f.* secesión
secionar *v.* seccionar
seco *adj.* **1** seco **2** (rio) seco, desecado **3** (tempo) seco **4** (planta) seco, marchito, mustio **5** *(magro)* seco, delgado **6** *fig.* (pessoa) seco, huraño ♦ **engolir em seco** callarse
secreção *s.f.* **1** secreción **2** FISIOL. secreción, sustancia segregada
secretaria *s.f.* secretaría

secretária *s.f.* (funcionário) ⇒ **secretário ♦ secretária eletrônica** contestador automático
secretariado *s.m.* **1** (cargo, função) secretaría*f.*, secretariado **2** (curso) secretariado
secretári|o, -a *s.m.,f.* secretari|o, -a ♦ **secretário de Estado** secretario de Estado
secreto *adj.* secreto
sectári|o, -a *adj.* **1** sectario **2** *fig.* sectario, intransigente ■ *s.m.,f.* **1** sectari|o, -a **2** *fig.,pej.* sectari|o, -a, fanátic|o, -a
secular *adj.2g.* **1** secular **2** centenario, antiguo **3** laico **4** lego ■ *s.2g.* seglar, secular
século *s.m.* siglo ♦ **há séculos que não o vejo** hace siglos que no lo veo
secundário *adj.* secundario ■ *s.m.* secundaria*f.*, enseñanza*f.* secundaria
secura *s.f.* **1** sequedad **2** *fig.* *(frieza)* frialdad, sequedad
seda *s.f.* seda ♦ (fibra) **seda artificial** seda artificial
sedativo *adj.,s.m.* calmante, sedante
sede[1] /é/ *s.f.* sede; (de escritório) oficina central
sede[2] /ê/ *s.f.* **1** sed; *estar com sede* tener sed **2** *fig.* *(ânsia)* sed; *sede de vingança* sed de venganza
sedentário *adj.* sedentario
sedentarismo *s.m.* sedentarismo
sedento *adj.* **1** *(sequioso)* sediento **2** *fig.* *(ávido)* sediento (de, de), ávido (de, de), deseoso (de, de); *sedento de poder* sediento de poder
sediado *adj.* con sede (em, en); *sediado em Londres* con sede en Londres
sedição *s.f.* sedición
sedimentação *s.f.* sedimentación
sedimentar *adj.2g.* sedimentario; *rocha sedimentar* roca sedimentaria ■ *v.* sedimentar
sedimento *s.m.* **1** sedimento **2** *(borra)* poso, sedimento
sedoso *adj.* sedoso
sedução *s.f.* seducción
sedutor, -a *adj.,s.m.,f.* seductor, -a
seduzir *v.* **1** seducir **2** *(fascinar)* seducir
segmentação *s.f.* segmentación
segmentar *adj.2g.* segmentario ■ *v.* segmentar ■ **segmentar se** segmentarse
segmento *s.m.* segmento ♦ **segmento de mercado** segmento de mercado; **segmento de reta** segmento de recta
segredar *v.* **1** contar secretos **2** decir en secreto, secretear*col.*, cuchichear
segredo *s.m.* **1** secreto **2** *(confissão)* secreto, confesión*f.*; *segredo de Estado* secreto de Estado; DIR. *segredo de Justiça* secreto de sumario **3** (cofre, fechadura) clave*f.*; combinación*f.* ♦ **em segredo** en secreto
segregação *s.f.* segregación, separación; *segregação racial* segregación racial
segregar *v.* **1** segregar, separar, apartar **2** discriminar **3** segregar ■ **segregar se** arrinconarse, aislarse

seguida ♦ de seguida enseguida, seguidamente, pronto; **em seguida** enseguida, inmediatamente
seguido *adj.* **1** seguido, continuo, ininterrumpido **2** inmediato **3** seguido, acompañado
seguidor, -a *adj.,s.m.,f.* seguidor, -a
seguimento *s.m.* **1** seguimiento **2** *(continuidade)* continuidad*f.* **3** control (médico), supervisión **4** consecuencia*f.*, resultado **5** *(continuação)* continuación*f.*
seguinte *adj.2g.* siguiente
seguir *v.* **1** seguir, proseguir **2** seguir **3** irse **4** seguir, perseguir **5** seguir, ir detrás de **6** controlar, supervisar **7** seguir, imitar **8** seguir, ser partidario de **9** seguir ■ **seguir-se 1** seguirse **2** seguir (su evolución); *a seguir* a continuación; *a seguir a* después de
segunda *s.f.* **1** *col.* *(segunda-feira)* lunes*m.2n.* **2** (mudança de velocidade) segunda (marcha, velocidad); *engatar a segunda* meter la segunda **3** (meios de transporte) segunda (clase); *viajar na segunda* viajar en segunda **4** MÚS. segunda ♦ (qualidade) **de segunda** de segunda categoría, de calidad inferior
segunda-feira *s.f.* (*pl.* segundas-feiras) lunes*m.2n.*; *às segundas-feiras* los lunes; *hoje é segunda-feira* hoy es lunes; *na próxima segunda-feira* el próximo lunes; *na segunda-feira passada* el lunes pasado; *todas as segundas-feiras* todos los lunes
segund|o, -a *s.m.* segund|o, -a; *vive no segundo andar* vive en el segundo piso ■ **segundo** *s.m.* **1** (tempo) segundo **2** *fig.* *(instante)* segundo, momento, instante; *é só um segundo* un momento ■ *prep.* según; *segundo a lei* según la ley ♦ **de segunda mão** de segunda mano
segurad|o, -a *s.m.,f.* asegurad|o, -a
segurador, -a *s.m.,f.* asegurador, -a
seguradora *s.f.* aseguradora
segurança *s.f.* **1** seguridad **2** firmeza **3** amparo*m.*, confianza **4** garantía **5** certeza, convencimiento*m.* **6** protección ■ *s.2g.* **1** guarda jurado **2** guardia de seguridad ♦ **segurança rodoviária** seguridad vial; **segurança social** seguridad social
segurar *v.* **1** *(agarrar)* sujetar **2** *(fixar)* fijar, clavar **3** *(prender)* coger **4** *(fazer seguro)* asegurar ■ **segurar-se 1** sujetarse, agarrarse **2** (contrato de seguro) asegurar
seguro *adj.* **1** seguro **2** garantizado **3** fiable **4** firme, estable **5** protegido, asegurado ■ *s.m.* seguro; *seguro de vida* seguro de vida
seguro-desemprego *s.m.* (*pl.* seguros-desemprego, seguros-desempregos) subsidio de desempleo
seio *s.m.* **1** *(peito)* seno, pecho **2** (cavidade) seno **3** *(colo)* pecho, regazo **4** *fig.* *(interior)* seno; *no seio da família* en el seno de la familia
seis *s.m.* seis
seiscentésim|o, -a *s.m.* sexcentésim|o, -a
seiscentista *adj.2g.* del siglo XVII ■ *s.2g.* **1** artista del siglo XVII **2** escritor, -a*m.f.* del siglo XVII
seiscent|os, -as *s.m.* seiscient|os, -as
seita *s.f.* secta
seiva *s.f.* savia
sela *s.f.* silla de montar

selar *v.* **1** ensillar **2** sellar, timbrar **3** sellar, cerrar, lacrar **4** compulsar, cotejar
seleção *s.f.* **1** *(escolha)* selección, elección; ***fazer uma seleção*** hacer una selección **2** ESPOR. selección; ***seleção nacional*** selección nacional **3** BIOL. selección; ***seleção natural*** selección natural
selecionador, -a *s.m.,f.* **1** selector, -a **2** ESPOR. seleccionador, -a ■ *adj.* seleccionador
selecionar *v.* seleccionar
seletivo *adj.* selectivo
seleto *adj.* selecto
self-service *s.m.* autoservicio, self-service
selim *s.m.* **1** (bicicleta) sillín, asiento **2** (cavalgadura) sillín, silla*f.* de montar
selo *s.m.* **1** (correspondência) sello, estampilla*f.* [AM.] **2** (produto) sello, cuño; ***selo de qualidade*** sello de calidad **3** *fig.* señal*f.*, marca*f.* ♦ **selo fiscal** póliza
selva *s.f.* jungla, selva
selvagem *adj.,s.2g.* salvaje
sem *prep.* sin; ***sem avisar*** sin previo aviso, sin avisar; ***sem demora*** enseguida, sin tardanza; ***sem dúvida*** sin duda, sin duda alguna ♦ **sem quê nem pra quê** sin saber ni cómo ni por qué; **sem que** sin que; **sem tirar nem pôr** sin quitar ni poner
semáforo *s.m.* **1** (trânsito) semáforo, disco **2** NÁUT. semáforo
semana *s.f.* semana; ***daqui a uma semana*** de aquí a una semana; ***durante a semana*** entre semana, por la semana; ***na semana passada*** la semana pasada; ***na semana que vem*** la semana que viene; ***semana sim, semana não*** semana tras semana
semanada *s.f.* paga (semanal)
semanal *adj.2g.* semanal
semanário *s.m.* semanario
semântica *s.f.* semántica
semântico *adj.* semántico
semblante *s.m.* semblante, rostro
sêmea *s.f.* **1** salvado*m.* **2** pan*m.* de salvado
semear *v.* **1** sembrar **2** *fig.* sembrar, esparcir
semelhança *s.f.* semejanza, parecido*m.*
semelhante *adj.2g.* semejante ■ *s.m.* semejante
sêmen *s.m.* semen, esperma
semental *s.m.* ZOOL. semental
semente *s.f.* **1** semilla, simiente **2** (de frutos) pepita; (de abóbora, girassol) pipa **3** *fig.* semilla, causa, origen*m.*; ***lançar a semente da discórdia*** lanzar la semilla de la discordia
semestral *adj.2g.* semestral
semestre *s.m.* semestre
semicírculo *s.m.* semicírculo
semicircunferência *s.f.* semicircunferencia
semidesnatado *adj.* semidesnatado
semifinal *s.f.* semifinal
semifinalista *s.2g.* semifinalista
seminal *adj.2g.* seminal
seminário *s.m.* seminario
seminarista *s.m.* seminarista
seminu *adj.* medio desnudo
sem-número *s.m.2n.* sinnúmero, infinidad*f.*
sêmola *s.f.* sémola
sempre *adv.* **1** siempre **2** al final ♦ **até sempre!** ¡hasta siempre!; **sempre que** siempre que
sem-teto *s.2g.2n.* (pessoa) sin techo
sem-vergonha *adj.,s.2g.2n.* sinvergüenza
senado *s.m.* senado
senador, -a *s.m.,f.* senador, -a
senão *prep.* nada más (que), sino; ***não come senão bolachas*** no come nada más que galletas ■ *conj.* si no; ***corre senão você chega tarde*** corre, si no, llegarás tarde; ***faz o que te dizem, senão...*** haz lo que te dicen, si no... ■ *s.m.* pero; ***pôr senãos em tudo*** ponerle peros a todo
senectude *s.f. lit.* senectud, vejez
senha *s.f.* **1** seña **2** INFORM. contraseña **3** (mercado) número*m.*; ***pegar uma senha*** coger un número
senhor, -a *s.m.,f.* **1** (tratamento) señor, -a **2** *(homem, senhora)* señor, -a **3** *(dono)* señor **4** dueño y señor; ***ser senhor do seu nariz*** ser dueño y señor; ***ser senhor de si*** ser alguien dueño de sí mismo ♦ **o(a) senhor(a)** usted; ***o senhor tem horas?*** ¿tiene usted hora?; **ser senhor do seu nariz** ser dueño de sí mismo
Senhor *s.m.* Señor
senhoria *s.f.* (tratamento) señoría; ***Sua Senhoria*** Su Señoría
senhori|o, -a *s.m.,f.* **1** arrendador, -a **2** caser|o, -a ■ **senhorio** *s.m.* señorío, dominio
senhorita *s.f.* (tratamento) señorita
senil *adj.2g.* senil
senilidade *s.f.* senilidad
sênior *adj.2g.* sénior
sensação *s.f.* **1** *(impressão)* sensación, impresión **2** sensación, emoción **3** *(furor)* sensación; ***causar sensação*** causar sensación
sensacional *adj.2g.* sensacional
sensacionalismo *s.m.* sensacionalismo
sensacionalista *adj.2g.* sensacionalista
sensatez *s.f.* sensatez
sensato *adj.* sensato, cuerdo
sensibilidade *s.f.* sensibilidad
sensibilizar *v.* **1** sensibilizar **2** volverse sensible a ■ **sensibilizar se 1** conmoverse **2** volverse sensible a
sensitivo *adj.* sensitivo
sensível *adj.2g.* **1** sensible **2** (pessoa) sensible, sensiblero **3** *(impressionável)* impresionable **4** *(compreensivo)* comprensivo, solidario **5** (assunto) delicado
sensivelmente *adv.* sensiblemente
senso *s.m.* **1** juicio **2** sentido; entendimiento; ***bom-senso*** buen sentido, sentido común; ***senso comum*** sentido común; ***senso de humor*** sentido del humor
sensor *s.m.* sensor
sensorial *adj.2g.* sensorial
sensual *adj.2g.* sensual
sensualidade *s.f.* sensualidad
sensualismo *s.m.* sensualismo

sentar *v.* sentar ■ **sentar-se** sentarse; *não quer sentar-se?* ¿no quiere sentarse?; *senta-te direito!* ¡siéntate derecho!

sentença *s.f.* **1** sentencia **2** DIR. sentencia, fallo*m.*

sentenciad|o, -a *adj.,s.m.,f.* juzgad|o, -a

sentenciar *v.* **1** DIR. fallar **2** sentenciar, dictar sentencia **3** condenar **4** *fig.* decidir

sentencioso *adj.* sentencioso

sentido *s.m.* **1** sentido **2** *(significado)* sentido, significado **3** *(objetivo)* sentido, objetivo **4** *(direção)* sentido; *sentido único* dirección única ■ *adj.* **1** sentido, resentido **2** sentido, triste; *não fazer sentido* no tener sentido; *sem sentidos* sin sentido; *sentido!* ¡formen filas! ♦ **perder os sentidos** perder el sentido

sentimental *adj.2g.* **1** sentimental **2** sensiblero **3** romántico ■ *s.2g.* **1** sentimental **2** romántico

sentimentalismo *s.m.* **1** sentimentalismo **2** *pej.* sensiblería*f.*

sentimentalista *adj.2g.* **1** sentimental **2** sensiblero ■ *s.2g.* sensibler|o, -a*m.f.*

sentimento *s.m.* sentimiento ■ **sentimentos** *s.m.pl.* pésame; *meus sentimentos* mi más sentido pésame

sentinela *s.f.* **1** centinela*m.* **2** *(vigilante)* centinela*2g.*, vigilante*2g.*, guardia*2g.*; *estar de sentinela* estar de guardia

sentir *v.* **1** *(ter sensibilidade)* tener sensibilidad **2** sentir **3** *(lamentar)* sentir, lamentar **4** *(pressentir)* presentir ■ **sentir-se** **1** sentirse; *sentir-se bem/mal* sentirse bien/mal **2** *(ofender-se)* ofenderse, resentirse ♦ **sinto muito** lo siento

senzala *s.f.* [alojamiento o lugar reservado a los esclavos negros en las antiguas haciendas o casas señoriales]

separação *s.f.* **1** separación **2** *(afastamento)* separación, alejamiento*m.* **3** *(divisória)* divisoria **4** *(ruptura)* ruptura **5** *(divórcio)* separación, divorcio*m.* ♦ DIR. **separação de bens** separación de bienes

separadamente *adv.* separadamente

separado *adj.* **1** separado, apartado, aislado **2** alejado, apartado **3** (cônjuges) separado ♦ **em separado** por separado

separador *s.m.* **1** tabique, división*f.* **2** valla*f.* metálica de protección; *separador central* mediana **3** (caderno, fichário) separador ■ *adj.* separador

separar *v.* **1** *(isolar)* separar, aislar **2** *(afastar)* separar, apartar, alejar ■ **separar se** **1** *(afastar-se)* separarse (de, de), apartarse (de, de), alejarse (de, de) **2** *(desligar-se)* separarse, desligarse **3** (cônjuges) separarse

separatismo *s.m.* separatismo

separatista *adj.,s.2g.* separatista

separável *adj.2g.* separable

sépia *s.f.* sepia, jibia ■ *adj.2g.2n.* (cor) sepia

séptico *adj.* séptico

septo *s.m.* ANAT. tabique; *septo nasal* tabique nasal

septuagenári|o, -a *adj.,s.m.,f.* septuagenari|o, -a

septuagésim|o, -a *s.m.* septuagésim|o, -a

sepulcro *s.m.* sepulcro, túmulo, sepultura*f.* ♦ **Santo Sepulcro** Santo Sepulcro

sepultar *v.* sepultar, enterrar

sepultura *s.f.* **1** sepultura, tumba **2** *(cova)* sepultura, hoyo*m.*, fosa ♦ **cavar a própria sepultura** cavar su propia tumba/su propia fosa

sequela *s.f.* **1** *(consequência)* secuela, consecuencia, resultado*m.* **2** MED. secuela, lesión; *deixar sequelas* dejar secuelas

sequência *s.f.* **1** *(série)* secuencia, serie, sucesión **2** CIN.,TV. secuencia

sequenciar *v.* secuenciar

sequer *adv.* siquiera, por lo menos ♦ **nem sequer** ni siquiera

sequestrador, -a *adj.,s.m.,f.* secuestrador, -a

sequestrar *v.* **1** (pessoa) secuestrar, raptar **2** (avião, ônibus, etc.) secuestrar **3** DIR. secuestrar

sequestro *s.m.* **1** secuestro, rapto **2** DIR. secuestro

sequidão *s.f.* sequedad

sequioso *adj.* **1** (pessoa) que tiene sed, sediento **2** *(sem água)* seco **3** *fig.* sediento (de, de); *sedento de vingança* sediento de venganza

séquito *s.m.* séquito, comitiva*f.*

ser *v.* **1** (característica, qualidade) ser; *ser alto/baixo* ser alto/bajo; *ser loiro* ser rubio; *ser português* ser portugués **2** (estado civil) estar; *sou casada* estoy casada **3** (regras) estar; *não é permitido fumar aqui* no está permitido fumar aquí **4** *(situar-se)* estar; *os correios são perto da câmara* los correos están cerca del ayuntamiento **5** *(ocorrer)* ser; *o S. João é em junho* las fiestas de S. Juan son en junio **6** (posse) ser (de, de), pertenecer; *estes óculos são meus* estas gafas son mías **7** (preço) ser, valer; *quanto é?* ¿cuánto es? **8** (horas, datas) ser; *são duas horas* son las dos; *hoje é domingo* hoy es domingo **9** (origem) ser (de, de); *és do Brasil?* ¿eres de Brasil? **10** (matéria) ser (de, de); *isso é de ferro* eso es de hierro **11** *(ser próprio de)* ser (de, de); *essas palavras não são de um cavalheiro* esas palabras no son de un caballero ■ *s.m.* ser ♦ **a não ser que** [+*conj.*] a no ser que [+*conj.*]; (assentimento) **é assim mesmo!** ¡eso es!; **é que** es que; **era uma vez** érase una vez; (interrogativas) **...não é/foi/era?** ¿...no?; *vens conosco, não é?* vienes con nosotros, ¿no?; **seja o que for** sea lo que sea; (voz passiva) **ser** [+*p.p.*] ser [+*p.p.*]; *o jornalista foi bastante criticado* el periodista fue bastante criticado; **ser contra algo/alguém** estar en contra de algo/alguien; **ser por algo/alguém** estar a favor de algo/alguien; *somos pela democracia* estamos a favor de la democracia

serão *s.m.* **1** (trabalho) horas*f. pl.* extra por la noche **2** *(sarau)* velada*f.*

serapilheira *s.f.* arpillera; *um saco de serapilheira* un saco de arpillera

sereia *s.f.* sirena

serenata *s.f.* serenata

serenidade *s.f.* serenidad

sereno *adj.* sereno, tranquilo, sosegado

série *s.f.* serie ♦ **em série** en serie; **fora de série** fuera de serie

seriedade *s.f.* seriedad

serigrafia *s.f.* serigrafía
seringa *s.f.* jeringa, jeringuilla
seringueira *s.f.* cauchoₘ.
sério *adj.* serio ♦ **a sério** en serio; **levar a sério** tomar en serio; **tirar alguém do sério** buscarle las cosquillas a alguien
sermão *s.m.* **1** sermón **2** *pop. (repreensão)* sermón, bronca*f.*, reprimenda*f.*; *pregar um sermão em alguém* echar un sermón a alguien
serpente *s.f.* serpiente
serpentear *v.* serpentear
serpentina *s.f.* serpentina
serra *s.f.* **1** (ferramenta) sierra; *serra de mão* sierra de mano; *serra elétrica* sierra eléctrica **2** GEOG. sierra
serração *s.f.* **1** aserradura **2** (oficina) serrería, aserradero*m.*
serrador, -a *adj.,s.m.,f.* aserrador, -a, serrador, -a
serradura *s.f.* serrín*m.*, aserrín*m.*, serraduras*pl.*
serragem *s.f.* serrín*m.*
serralharia *s.f.* cerrajería
serralheir|o, -a *s.m.,f.* cerrajer|o, -a
serralheria *s.f.* (ferro) herrería; (ferro, fechadura) cerrajería
serrania *s.f.* serranía, cordillera
serran|o, -a *adj.,s.m.,f.* serran|o, -a
serrar *v.* serrar, aserrar
serraria *s.f.* serrería, aserradero*m.*
serrim *s.m.* serrín, aserrín
serrote *s.m.* serrucho
sertã *s.f.* [LUS.] sartén
sertão *s.m.* **1** [región interior alejada de la costa y de otras poblaciones] **2** bosque (alejado del mar)
servente *s.2g.* sirvient|e, -a*m.f.*, criad|o, -a*m.f.*
serventia *s.f.* **1** utilidad **2** uso*m.*
Sérvia *s.f.* Serbia
serviçal *adj.2g.* servicial
serviço *s.m.* **1** servicio; *estar de serviço* estar de servicio **2** servicio, ocupación*f.* **3** (de louça) servicio; *serviço de jantar* servicio de mesa **4** *(emprego)* empleo, trabajo **5** servicio; *serviço de quartos* servicio de habitaciones; *serviço de entregas* mensajería; *serviço de limpeza* servicio de limpieza **6** (tênis, voleibol, etc.) saque, servicio ♦ **fora de serviço** fuera de servicio; **serviço militar (obrigatório)** servicio militar (obligatorio); **serviço meteorológico** servicio meteorológico; **serviço noturno** servicio nocturno; **serviço pós-venda** servicio de pos(t)venta; **serviços secretos** servicios secretos
servidão *s.f.* servidumbre
servidor *s.m.* servidor
servil *adj.2g.* **1** servil **2** *(subserviente)* servil, sumiso
servilismo *s.m.* servilismo
sérvi|o, -a *adj.,s.m.,f.* serbi|o, -a, servi|o, -a ■ **sérvio** *s.m.* (língua) serbio, servio
servir *v.* **1** servir, valer **2** servir **3** ser suficiente **4** ayudar **5** (roupa, calçado) quedar bien; entrar **6** servir, atender **7** ESPOR. (tênis, voleibol, etc.) servir, sacar ■ **servir-se 1** servirse (de, de) **2** servirse
serv|o, -a *s.m.,f.* **1** (feudalismo) sierv|o, -a **2** criad|o, -a, sirviente*2g.*
sésamo *s.m.* sésamo
sessão *s.f.* **1** sesión **2** (cinema, espetáculos) sesión
sessenta *s.m.* sesenta
sessent|ão, -ona *adj.,s.m.,f. col.* sesent|ón, -ona
sesta *s.f.* siesta; *dormir a sesta* dormir/echarse la siesta, sestear
seta *s.f.* **1** saeta, flecha **2** (sinal) flecha **3** (relógio) saeta, manecilla
sete *s.m.* siete
setecentista *adj.2g.* del siglo XVIII ■ *s.2g.* **1** artista del siglo XVIII **2** escritor, -a*m.f.* del siglo XVIII
setecent|os, -as *s.m.* setecient|os, -as
setembro *s.m.* septiembre
setenta *s.m.* setenta
setentrional *adj.2g.* septentrional
sétim|o, -a *s.m.* séptim|o, -a
setor *s.m.* sector ♦ **setor primário/secundário/terciário** sector primario/secundario/terciario; **setor privado/público** sector privado/público
seu *pron.poss.m.* (*f.* sua) **1** suyo; *este carro é seu* este coche es suyo **2** (antes de *s.*) su; (depois de *s.*) suyo; *o seu carro* su coche; *um amigo seu* un amigo suyo ♦ *col.* **seu palerma!** ¡so tonto!
severidade *s.f.* severidad
severo *adj.* severo
Sevilha *s.f.* Sevilla
sevilhanas *s.f.pl.* sevillanas
sevilhan|o, -a *adj.,s.m.,f.* sevillan|o, -a
sexagenári|o, -a *adj.,s.m.,f.* sexagenari|o, -a
sexagésim|o, -a *s.m.* sexagésim|o, -a
sex-appeal *s.m.* sex-appeal
sexcentésim|o, -a *s.m.* sexcentésim|o, -a
sexismo *s.m.* sexismo
sexista *adj.,s.2g.* sexista
sexo *s.m.* sexo ♦ **sexo fraco/forte** sexo débil/fuerte
sexologia *s.f.* sexología
sexólog|o, -a *s.m.,f.* sexólog|o, -a
sexta *s.f.* **1** *col. (sexta-feira)* viernes*m.2n.* **2** MÚS. sexta
sexta-feira *s.f.* (*pl.* sextas-feiras) viernes*m.2n.*; *às sextas-feiras* los viernes; *hoje é sexta-feira* hoy es viernes; *na próxima sexta-feira* el próximo viernes; *na sexta-feira de manhã/à tarde/à noite* el viernes por la mañana/tarde/noche; *na sexta-feira passada* el viernes pasado; *todas as sextas-feiras* todos los viernes ♦ **Sexta-Feira Santa** Viernes Santo
sextante *s.m.* sextante
sexteto *s.m.* sexteto
sext|o, -a *s.m.* sext|o, -a
sêxtupl|o, -a *s.m.* séxtupl|o, -a
sexuado *adj.* sexuado

sexual *adj.2g.* sexual; ***atração sexual*** atracción sexual; ***órgãos sexuais*** órganos sexuales; ***relação sexual*** relación sexual
sexualidade *s.f.* sexualidad
sexy *adj.2g.2n.* sexy
shampoo *s.m.* champú
shiatsu *s.m.* shiatsu
shopping *s.m.* (*pl.* shoppings) centro comercial
short *s.m.* shorts*pl.*, pantalones*pl.* cortos
show *s.m.* (*pl.* shows) **1** show, espectáculo **2** *fig.,col.* show, número ♦ **dar um show 1** actuar en forma ejemplar **2** armar un escándalo
si *s.m.* si ▪ *pron.pess.* sí; ***ele quer tudo para si*** él lo quiere todo para él ♦ **cheio de si** *fig.* creído; **fora de si** fuera de sí; **por si só** por sí solo; **voltar a si** volver en sí
siam|ês, -esa *s.m.,f.* siam|és, -esa ▪ *adj.* siamés
sicilian|o, -a *adj.,s.m.,f.* sicilian|o, -a
sicran|o, -a *s.m.,f.* mengan|o, -a
siderado *adj.* **1** fulminado **2** *fig.* perplejo, flipado
sideral *adj.2g.* sideral
siderar *v.* **1** fulminar **2** *fig.* flipar
siderurgia *s.f.* siderurgia
siderúrgica *s.f.* empresa siderúrgica
siderúrgico *adj.* siderúrgico
sidra *s.f.* sidra
sifão *s.m.* **1** (garrafa) sifón **2** (tubo) sifón
sífilis *s.f.2n.* sífilis
sigilo *s.m.* sigilo; ***sigilo profissional*** sigilo profesional
sigiloso *adj.* sigiloso
sigla *s.f.* sigla
signatári|o, -a *adj.,s.m.,f.* signatari|o, -a
significação *s.f.* **1** significación **2** significado*m.*
significado *s.m.* **1** (palavra, frase) significado, sentido; ***qual é o significado de...?*** ¿cuál es el significado de...? **2** LING. significado
significante *s.m.* significante
significar *v.* significar, querer decir; ***o que significa esta palavra?*** ¿qué significa esta palabra?
significativo *adj.* significativo
signo *s.m.* **1** ASTROL. signo (del zodiaco) **2** LING. signo; ***signo linguístico*** signo lingüístico **3** *(sinal, símbolo)* signo, señal*f.*, símbolo
sílaba *s.f.* sílaba
silábico *adj.* silábico
silenciador *s.m.* (arma, motor) silenciador
silenciar *v.* **1** *(omitir)* silenciar, omitir **2** *(fazer calar)* silenciar, acallar
silêncio *s.m.* silencio ♦ **fazer silêncio** guardar silencio
silencioso *adj.* **1** silencioso **2** (pessoa) callado
silhueta *s.f.* silueta
sílica *s.f.* sílice
silicato *s.m.* silicato
silício *s.m.* silicio
silicone *s.m.* silicona*f.*
silo *s.m.* silo
silogismo *s.m.* silogismo
silva *s.f.* zarza
silvar *v.* silbar
silvestre *adj.2g.* silvestre
sim *adv.* sí; ***penso que sim*** creo que sí ▪ *s.m.* sí, consentimiento ♦ **claro que sim!** ¡claro que sí!; **dia sim, dia não** día sí, día no; **pelo sim, pelo não** por si acaso
simbólico *adj.* simbólico
simbolismo *s.m.* simbolismo
simbolista *adj.,s.2g.* simbolista
simbolizar *v.* simbolizar
símbolo *s.m.* símbolo
simbologia *s.f.* simbología
simetria *s.f.* simetría
simétrico *adj.* simétrico
similar *adj.2g.* similar
símile *s.m.* **1** *(comparação)* símil, comparación*f.* **2** LING. símil, comparación*f.*
similitude *s.f.* similitud, semejanza
simpatia *s.f.* **1** simpatía **2** *(amabilidade)* amabilidad ♦ (pessoa) **ser uma simpatia** ser encantador
simpático *adj.* **1** (pessoa) simpático, amable **2** (ambiente) agradable **3** ANAT. (sistema nervoso) simpático
simpatizante *adj.,s.2g.* simpatizante
simpatizar *v.* simpatizar (com, con)
simples *adj.2g.2n.* **1** sencillo, modesto **2** espontáneo, llano, natural **3** *(ingênuo)* simple, simplón **4** *(fácil)* sencillo, simple **5** normal
simplesmente *adv.* simplemente
simplicidade *s.f.* **1** sencillez, simplicidad **2** simplicidad, facilidad **3** sencillez, modestia **4** (naturalidade) llaneza **5** (ingenuidade) simpleza
simplicíssimo (*superl. de* simples) *adj.* simplicísimo
simplificação *s.f.* simplificación
simplificar *v.* simplificar
simplismo *s.m.* simplismo
simplista *adj.,s.2g.* simplista
simplóri|o, -a *adj.,s.m.,f.* simpl|ón, -ona, ingenu|o, -a
simpósio *s.m.* simposio
simulação *s.f.* simulación ♦ **simulação de voo** simulación de vuelo
simulacro *s.m.* simulacro
simulador, -a *adj.,s.m.,f.* simulador, -a ▪ **simulador** *s.m.* simulador; ***simulador de voo*** simulador de vuelo
simular *v.* simular
simultaneidade *s.f.* simultaneidad
simultâneo *adj.* simultáneo
sina *s.f. pop.* sino*m.*, destino*m.*
sinagoga *s.f.* sinagoga
sinal *s.m.* **1** *(marca)* señal*f.* **2** (com aviso, indicação) señal*f.*; ***sinal de trânsito*** señal de tráfico **3** *(indício)* señal*f.*, indicio **4** (pele) lunar, antojo **5** (dinheiro) señal*f.* **6** (atitude, gesto) seña*f.* **7** MAT. signo ♦ **não dar sinal de vida** no dar señales de vida; **por sinal** a

propósito; REL. **sinal da cruz** señal de la cruz; (telefone) **sinal de ocupado** señal de comunicando
sinalização *s.f.* señalización
sinalizar *v.* señalizar
sinceiro *s.m.* BOT. sauce
sinceridade *s.f.* sinceridad, franqueza
sincero *adj.* sincero, franco
síncope *s.f.* **1** MED. síncope*m.* **2** LING. síncopa
sincronia *s.f.* sincronía
sincrônico *adj.* sincrónico
sincronização *s.f.* sincronización
sincronizar *v.* **1** (movimento, ação, etc.) sincronizar **2** (fatos) narrar
sindical *adj.2g.* sindical
sindicalismo *s.m.* sindicalismo
sindicalista *adj.,s.2g.* sindicalista
sindicalizar *v.* sindicar ▪ **sindicalizar-se** sindicarse
sindicância *s.f.* investigación, inquérito
sindicato *s.m.* sindicato
síndrome *s.f.* síndrome*m.* ♦ **síndrome de abstinência** síndrome de abstinencia; **síndrome de Down** síndrome de Down, mongolismo; **síndrome de imunodeficiência adquirida** (sida, aids) síndrome de inmunodeficiencia adquirida, sida
sinfonia *s.f.* sinfonía
sinfônico *adj.* sinfónico; *orquestra sinfônica* orquesta sinfónica
singelo *adj.* sencillo, simple
singrar *v.* **1** NÁUT. navegar a vela **2** *fig.* progresar
singular *adj.2g.* **1** singular **2** raro **3** extraordinario, notable **4** LING. (número) singular ▪ *s.m.* LING. singular
singularizar *v.* **1** singularizar **2** especificar ▪ **singularizar se** singularizarse
sinistrad|o, -a *adj.,s.m.,f.* siniestrad|o, -a
sinistro *adj.* **1** (pessoa) zurdo, zocato, izquierdo **2** *(funesto)* siniestro, funesto **3** malintencionado, malo; *um homem de aspecto sinistro* un hombre de aspecto siniestro ▪ *s.m.* **1** *(desastre)* siniestro, accidente **2** *(prejuízo)* daño, perjuicio
sino *s.m.* campana*f.* ♦ **sino de mergulho** campana de buzo
sinônimo *s.m.* sinónimo
sinopse *s.f.* sinopsis*2n.*
sintagma *s.m.* LING. sintagma; *sintagma nominal/verbal* sintagma nominal/verbal
sintagmático *adj.* sintagmático
sintático *adj.* sintáctico
sintaxe *s.f.* sintaxis*2n.*
síntese *s.f.* **1** síntesis*2n.* **2** *(resumo)* síntesis*2n.*, resumen*m.*
sintético *adj.* sintético
sintetizar *v.* **1** (substância) sintetizar **2** *(resumir)* sintetizar, resumir
sintoma *s.m.* **1** síntoma **2** *(indício)* síntoma, indicio, señal*f.*
sintonia *s.f.* sintonía
sintonização *s.f.* sintonización
sintonizador *s.m.* sintonizador
sintonizar *v.* sintonizar
sinuca *s.f.* billar*m.* (que se juega con 8 bolas en una mesa que tiene 6 agujeros)
sinuoso *adj.* sinuoso
sinusite *s.f.* sinusitis*2n.*
sirene *s.f.* (barco, veículo, fábrica) sirena
sirgo *s.m.* ZOOL. gusano de seda
s|írio, -iria *adj.,s.m.,f.* siri|o, -a
sísmico *adj.* sísmico
sismo *s.m.* seísmo, terremoto
sismólog|o, -a *s.m.,f.* sismólog|o, -a
siso *s.m.* *(juízo)* juicio, tino; *(bom-senso)* sentido común; *perder o siso* perder el juicio
sistema *s.m.* **1** sistema **2** *(estrutura organizada)* sistema; *sistema de som* megafonía **3** POL. sistema **4** ANAT. sistema **5** INFORM. sistema ♦ **por sistema** por sistema; MEC. **sistema de ignição** encendido; **sistema métrico** sistema métrico decimal; INFORM. **sistema operativo** sistema operativo; ASTRON. **sistema solar** sistema solar
sistemático *adj.* sistemático
sistematização *s.f.* sistematización
sistematizar *v.* sistematizar
sístole *s.f.* sístole
sisudo *adj.* **1** *(carrancudo)* ceñudo **2** *(sério)* serio
site *s.m.* (*pl.* sites) (Internet) sitio
sitiar *v.* sitiar, cercar
sítio *s.m.* **1** (propriedade) finca*f.*, hacienda*f.* [AM.] **2** MIL. sitio
sito *adj.* sito (em, en), situado (em, en), ubicado (em, en)
situação *s.f.* **1** situación **2** *(posição)* situación, posición **3** situación, estado*m.* **4** *(conjuntura)* situación, coyuntura
situado *adj.* situado
situar *v.* situar ▪ **situar se** situarse
skate *s.m.* (*pl.* skates) monopatín; *andar de skate* montar en monopatín
sketch *s.m.* ⇒ **esquete**
slide *s.m.* (*pl.* slides) diapositiva*f.*, filmina*f.*
slogan *s.m.* (*pl.* slogans) eslogan, slogan
smoking *s.m.* (*pl.* smokings) esmoquin
só *adj.* **1** *(sem companhia)* solo **2** *(afastado)* apartado **3** *(solitário)* solitario; *sentir-se só* sentirse solo **4** *(único)* solo; *um só sobrevivente* un único superviviente; *uma só vez* una sola vez ▪ *adv.* **1** (restrição) sólo; *é só isso?* ¿solamente es eso?, ¿sólo es eso? **2** (temporal) sólo; *ele só chega às duas* él no llega hasta las dos; *só ontem o vi* no lo ví hasta ayer ♦ **a sós** a solas; **não só... mas também** so sólo eso...sino que también; **nem um só** ni tan solo uno
soalheiro *adj.* **1** soleado **2** *(quente)* caliente ▪ *s.m.* solana*f.*
soalho *s.m.* suelo, piso

soar *v.* **1** hacer sonar **2** sonar; ***soar bem/mal*** sonar bien/mal; ***soar familiar*** sonar

sob *prep.* **1** (posição inferior) bajo, debajo de; ***sob o guarda-sol*** debajo de la sombrilla **2** (período de tempo) bajo, durante; ***sob o seu governo*** bajo su gobierno **3** (perspectiva) bajo, desde; ***sob esse ponto de vista*** bajo/desde ese punto de vista **4** (estado, condição) bajo; ***sob pressão*** bajo presión

soberania *s.f.* soberanía

soberan|o, -a *s.m.,f.* soberan|o, -a ■ *adj.* **1** soberano **2** *fig.* poderoso

soberba *s.f.* soberbia, altivez

soberbo *adj.* **1** *(altivo)* soberbio, arrogante, altivo **2** *(magnífico)* soberbio, magnífico, estupendo

sobra *s.f.* sobra, desperdicio*m.* ■ **sobras** *s.f.pl.* sobras, restos*m.* ◆ **de sobra** de sobra

sobrado *adj.* **1** sobrado **2** excesivo ■ *s.m.* sobrado, piso

sobranceiro *adj.* **1** altanero, soberbio **2** sobresaliente **3** *(orgulhoso)* altanero, orgulloso

sobrancelha *s.f.* ceja ◆ **franzir as sobrancelhas** frunzir el entrecejo

sobrar *v.* sobrar; ***não sobrou nada*** no ha sobrado nada

sobre *prep.* **1** *(em cima de)* sobre, encima; ***sobre a mesa*** sobre de la mesa **2** *(por cima de)* sobre, por encima; ***voar sobre a cidade*** volar sobre la ciudad **3** *(acima de)* sobre, por encima; ***sobre todos*** por encima de todos **4** *(a respeito de)* sobre, acerca de; ***falar sobre o problema*** hablar sobre el problema **5** *(ao longo de)* por; ***caminhar sobre as dunas*** caminar por las dunas **6** *(na direção de)* hacia; ***janela sobre o rio*** ventana hacia el/al río

sobreaquecer *v.* sobrecalentar

sobreaquecimento *s.m.* sobrecalentamiento

sobreaviso *s.m.* precaución*f.*, cuidado ◆ **estar de sobreaviso** estar sobre aviso

sobrecapa *s.f.* (livro) sobrecubierta

sobrecarga *s.f.* sobrecarga

sobrecarregar *v.* sobrecargar

sobreloja *s.f.* entresuelo*m.*

sobrelotação *s.f.* aforo*m.* completo, abarrotamiento

sobrelotado *adj.* repleto, abarrotado, atestado

sobremesa *s.f.* postre*m.*

sobrenatural *adj.2g.* **1** sobrenatural; ***poder sobrenatural*** poder sobrenatural **2** *fig.* extraordinario ■ *s.m.* hecho sobrenatural

sobrenome *s.m.* apellido, sobrenombre

sobrepor *v.* **1** sobreponer, superponer **2** *(acrescentar)* añadir **3** (dar preferência a) superponer, anteponer ■ **sobrepor se** **1** ponerse encima **2** superponerse, anteponerse

sobreposição *s.f.* superposición

sobrescrito *s.m.* **1** *(envelope)* sobre **2** (o que se escreve) remite; (nome) destinatario; (endereço) dirección*f.*

sobressair *v.* sobresalir

sobressalente *adj.2g.* **1** sobresaliente **2** (peça) de recambio/repuesto; ***pneu sobressalente*** rueda de recambio/repuesto ■ *s.m.* repuesto

sobressaltar *v.* sobresaltar ■ **sobressaltar-se** sobresaltarse

sobressalto *s.m.* sobresalto

sobrestimar *v.* sobreestimar

sobretaxa *s.f.* recargo*m.*; (dos correios) sobretasa, porte*m.* adicional

sobretudo *s.m.* *(casaco)* abrigo; trenca*f.*; ***vestir o sobretudo*** ponerse el abrigo ■ *adv.* sobre todo

sobrevir *v.* sobrevenir

sobrevivência *s.f.* supervivencia

sobrevivente *adj.,s.2g.* sobreviviente, superviviente

sobreviver *v.* sobrevivir (a, a); ***sobreviveu ao naufrágio*** sobrevivió al naufragio

sobrevoar *v.* sobrevolar

sobriedade *s.f.* **1** *(moderação)* sobriedad, moderación **2** *(simplicidade)* sobriedad, sencillez

sobrinh|o, -a *s.m.,f.* sobrin|o, -a

sóbrio *adj.* **1** sobrio, moderado, comedido **2** (sem álcool) sobrio, que no ha bebido **3** (decoração, estilo) sobrio, sencillo

sobrolho *s.m.* ceja*f.* ◆ **carregar/franzir o sobrolho** fruncir el ceño

socapa *s.f.* **1** disfraz*m.* **2** *fig.* disimulo*m.* ◆ **à socapa** a hurtadillas; **rir à socapa** reír disimuladamente

socar *v.* **1** *(dar socos)* golpear, dar puñetazos **2** *(guardar espremendo)* meter, aplastar **3** (massa de pão) amasar, sobar

sociabilizar *v.* sociabilizar ■ **sociabilizar-se** sociabilizarse

social *adj.2g.* **1** social; ***classe social*** clase social **2** (pessoa) sociable

socialismo *s.m.* socialismo

socialista *adj.,s.2g.* socialista

socialização *s.f.* socialización

socializar *v.* sociabilizar

sociável *adj.2g.* sociable

sociedade *s.f.* **1** sociedad **2** alta sociedad, jet set **3** (esportiva, recreativa) peña ◆ DIR.,ECON. **sociedade anônima** sociedad anónima; **sociedade civil** sociedad civil; **sociedade de consumo** sociedad de consumo; **sociedade secreta** sociedad secreta

sóci|o, -a *s.m.,f.* **1** soci|o, -a **2** *(cúmplice)* cómplice*2g.* **3** *col.* soci|o, -a, compañer|o, -a

sociocultural *adj.2g.* sociocultural

socioeconômico *adj.* socioeconómico

sociologia *s.f.* sociología

sociológico *adj.* sociológico

sociólog|o, -a *s.m.,f.* sociólog|o, -a

soco /ô/ *s.m.* puñetazo; ***dar um soco em alguém*** darle un puñetazo a alguien

socó *s.m.* hocó

soçobrar *v.* NÁUT. zozobrar

soçobro *s.m.* NÁUT. zozobra*f.*

socorrer *v.* **1** *(acudir)* socorrer **2** *(prestar auxílio)* ayudar, auxiliar ■ **socorrer-se** recurrir (de, a)
socorrista *s.2g.* socorrista
socorro *s.m.* socorro, ayuda*f.* ■ *interj.* ¡socorro!; ¡auxilio! ♦ **primeiros socorros** primeros auxilios
soda *s.f.* **1** (bebida) soda **2** QUÍM. sosa; *soda cáustica* sosa cáustica
sódio *s.m.* QUÍM. sodio
sofá *s.m.* sofá; *sofá de dois lugares* sofá de dos plazas
sofá-cama *s.m.* (*pl.* sofás-camas) sofá cama
sofisma *s.m.* **1** sofisma **2** *pop.* engaño, falacia*f.*
sofista *adj.,s.2g.* sofista ■ *s.m.* sofista
sofisticado *adj.* **1** (comportamento, pessoa) sofisticado **2** (aparelho, técnica) sofisticado, complejo
sofisticar *v.* sofisticar
sôfrego *adj.* **1** ávido **2** *fig.* deseoso (de, de), ansioso (de, de)
sofreguidão *s.f.* avidez
sofrer *v.* **1** (doença) sufrir, padecer; *ele sofre do coração* él sufre del corazón **2** sufrir; *sofrer uma derrota* sufrir una derrota **3** *(ter sofrimento)* resignarse
sofrimento *s.m.* **1** sufrimiento, dolor **2** sufrimiento, amargura*f.*
software *s.m.* (*pl.* softwares) software
soga *s.f.* soga, cuerda (gruesa)
sogr|o, -a *s.m.,f.* suegr|o, -a
soja *s.f.* soja
sol *s.m.* **1** sol; *sol abrasador* sol de justicia; *pegar sol* tomar el sol; *está sol* hace sol; *nascer do sol* salida del sol **2** MÚS. sol ♦ **de sol a sol** de sol a sol; **tapar o sol com a peneira** negar la evidencia
Sol *s.m.* Sol
sola *s.f.* suela ♦ *col.* **dar à sola** salir por piernas/pies
solar *adj.* solar; *protetor solar* crema solar; *sistema solar* sistema solar ■ *s.m.* casa*f.* solariega
solarengo *adj.* **1** (lugar) soleado **2** (casa) solariego
solário *s.m.* solario, solárium
solavanco *s.m.* sacudida*f.*
solda *s.f.* **1** soldadura **2** *fig.* adherencia, unión
soldado *s.2g.* soldado; *soldado raso* soldado raso
soldador *s.m.,f.* soldador, -a
soldadura *s.f.* soldadura
soldar *v.* soldar
solene *adj.2g.* solemne
solenidade *s.f.* solemnidad
solenizar *v.* solemnizar
soletração *s.f.* deletreo*m.*
soletrar *v.* **1** deletrear **2** *fig.* leer mal
solfejar *v.* solfear
solha *s.f.* **1** platija **2** *col.* *(bofetada)* cachete*m.*, torta
solicitação *s.f.* **1** súplica, ruego*m.* **2** invitación, sugerencia
solicitador, -a *s.m.,f.* **1** solicitante*2g.* **2** procurador, -a
solicitante *adj.,s.2g.* solicitante
solicitar *v.* **1** solicitar **2** suplicar, rogar **3** (atenção) buscar
solícito *adj.* solícito
solicitude *s.f.* **1** *(diligência)* diligencia, solicitud; *(prontidão)* prontitud **2** *(empenho)* empeño*m.*
solidão *s.f.* soledad
solidariedade *s.f.* solidaridad
solidário *adj.* solidario
solidarizar *v.* solidarizar ■ **solidarizar-se** solidarizarse (com, con)
solidez *s.f.* solidez
solidificação *s.f.* solidificación
solidificar *v.* **1** solidificar **2** *fig.* consolidar, afianzar
sólido *adj.* sólido ■ *s.m.* sólido
solilóquio *s.m.* soliloquio, monólogo
solitária *s.f.* **1** *(cela)* calabozo*m.*, celda de aislamiento **2** ZOOL. *(tênia)* solitaria, tenia
solitário *adj.* **1** solitario **2** (lugar) alejado, desértico ■ *s.m.* (anel, joia) solitario
solo *s.m.* **1** suelo **2** (terreno) suelo **3** GEOL. suelo **4** MÚS. solo
solstício *s.m.* ASTRON. solsticio; *solstício de inverno* solsticio hiemal/de invierno; *solstício de verão* solsticio vernal/de verano
solta *s.f.* suelta ♦ **à solta** libremente; **andar à solta** andar suelto, estar en libertad
soltar *v.* **1** *(libertar)* liberar **2** *(desprender)* soltar, desprender **3** *(largar)* soltar, dejar; *solta-me!* ¡suéltame! **4** (palavra, som) emitir, largar **5** (aroma, cheiro) desprender **6** (cabelo) soltar ■ **soltar-se** soltarse
solteir|ão, -ona *adj.,s.m.,f.* solter|ón, -ona
solteir|o, -a *adj.,s.m.,f.* solter|o, -a
solto *adj.* **1** suelto **2** *(livre)* libre
soltura *s.f.* soltura, desembarazo*m.*, destreza
solução *s.f.* **1** solución **2** MAT. solución, resolución **3** FÍS.,QUÍM. solución
soluçar *v.* **1** *(ter soluços)* tener hipo, hipar **2** (choro) sollozar, hipar
solucionar *v.* (assunto) solucionar, resolver, solventar
soluço *s.m.* **1** hipo; *um ataque de soluços* un ataque de hipo **2** (choro) sollozo
solúvel *adj.2g.* soluble
solvente *adj.2g.,s.m.* solvente
som *s.m.* **1** sonido **2** (musical) son
soma *s.f.* **1** suma, adición **2** (dinheiro) suma, montante*m.*
somar *v.* **1** sumar, adicionar **2** *(juntar)* sumar, recopilar
somatório *s.m.* **1** *(soma total)* suma*f.*, total **2** *(totalidade)* totalidad*f.*
sombra *s.f.* **1** sombra **2** ART.PL. sombreado*m.* **3** (cosmética) sombra (de ojos) ♦ **à sombra de** a la sombra de; *col.* **dormir à sombra da bananeira** dormirse en los laureles; *fig.* **fazer sombra a** hacer sombra a; **nem por sombra** ni por asomo
sombreado *s.m.* sombreado
sombrear *v.* (pintura, desenho) sombrear
sombrinha *s.f.* sombrilla

sombrio *adj.* **1** (lugar) sombrío, oscuro **2** *fig.* sombrío, melancólico **3** *fig.* taciturno
somente *adv.* solamente, sólo, únicamente
somític|o, -a *adj.,s.m.,f.* avar|o, -a, tacañ|o, -a
sonambulismo *s.m.* sonambulismo
sonâmbul|o, -a *adj.,s.m.,f.* sonámbul|o, -a
sonar *s.m.* sonar
sonata *s.f.* sonata
sonda *s.f.* **1** MED. sonda, catéter*m.* **2** NÁUT. sonda ♦ **sonda espacial** sonda espacial
sondagem *s.f.* **1** (com sonda) sondeo*m.* **2** sondeo*m.*, encuesta; ***sondagem da opinião pública*** sondeo de la opinión pública **3** (estatística) encuesta
sondar *v.* **1** sondear, sondar **2** *fig. (investigar)* sondear, tantear
soneca *s.f.* sueñecito*m.*; ***dormir uma soneca*** echarse un sueñecito
sonegar *v.* **1** (pagamento) defraudar; ***sonegar impostos*** evadir impuestos **2** (objetos, informação) ocultar
soneira *s.f.* modorra; ***depois do almoço, me dá uma soneira*** después de la comida, me entra una modorra
soneto *s.m.* soneto
sonhador, -a *adj.,s.m.,f.* soñador, -a
sonhar *v.* soñar
sonho *s.m.* **1** sueño; ***tive um sonho*** tuve un sueño **2** *(fantasia, ilusão)* ensueño; ***não se pode viver de sonhos*** no se puede vivir de sueños **3** *(aspiração)* sueño; ***o seu sonho era ser astronauta*** su sueño era ser astroanuta; ***realizar todos os sonhos*** cumplirse todos los sueños **4** CUL. buñuelo de viento ♦ **de sonho** de ensueño, de película; **parecer um sonho** parecer un sueño; **um sonho** muy bonito
sônico *adj.* sónico
sonífero *s.m.* somnífero
sono *s.m.* sueño; ***sono de pedra/pesado*** sueño pesado ♦ **com sono** somnoliento; **dormir a sono solto** dormir a pierna suelta/tendida; **espantar o sono** espantar el sueño; **pegar no sono** dormirse; **perder o sono** desvelarse
sonolência *s.f.* somnolencia
sonolento *adj.* somnoliento, soñoliento
sonoplastia *s.f.* efectos*m. pl.* de sonido
sonorização *s.f.* **1** (técnica) megafonía **2** sonorización
sonorizar *v.* sonorizar
sonoro *adj.* sonoro; LING. ***consoante sonora*** consonante sonora; ***filme sonoro*** película sonora
sonso *adj.* **1** disimulado, fingido, hipócrita **2** *(ingênuo)* ingenuo ♦ **fazer-se de sonso** hacerse el tonto
sopa *s.f.* CUL. sopa; ***sopa de ervilhas*** sopa de guisantes; ***sopa de legumes*** sopa de verduras; ***sopa de pacote*** sopa de sobre; ***sopa instantânea*** sopa instántanea ♦ **cair como a sopa no mel** como anillo al dedo; *col.* **numa sopa** como una sopa, empapado; **prato de sopa** plato sopero
sopapo *s.m.* sopapo, tortazo
sopé *s.m.* (montanha) falda*f.*
sopeira *s.f.* sopera
sopeiro *adj.* sopero; ***prato sopeiro*** plato sopero
soporífero *adj.,s.m.* soporífero, somnífero
soprano *s.2g.* (pessoa) soprano
soprar *v.* **1** soplar **2** (balão, saco) inflar
sopro *s.m.* **1** soplo **2** aliento, vaho **3** soplo ■ **sopros** *s.m.pl.* MÚS. instrumentos de viento
soquete(é) *s.m.* calcetín*m.* corto
soquete(ê) *s.m.* portalámparas
sórdido *adj.* **1** repugnante **2** miserable, vil **3** *(sujo)* sórdido, sucio
sorna *s.f.* vagancia, gandulería, desgana ■ *s.2g.* vag|o, -a, gandul, -a
soro *s.m.* suero ♦ **soro fisiológico** suero fisiológico
soropositiv|o, -a *adj.,s.m.,f.* seropositiv|o, -a
sorrateiro *adj.* taimado, ladino, zorro, pillo
sorridente *adj.2g.* **1** sonriente **2** afable **3** *fig.* (futuro) prometedor
sorrir *v.* sonreír
sorriso *s.m.* sonrisa*f.*; ***sorriso amarelo*** sonrisa forzada
sorte *s.f.* **1** *(fortuna)* suerte, fortuna **2** *(destino)* suerte, sino **3** suerte, clase, especie **4** suerte, azar; ***à sorte*** a la suerte, al azar; ***boa sorte!*** ¡buena suerte!; ***por sorte*** por suerte ♦ **a sorte lhe sorriu** la suerte le ha sonreído; **sorte grande** el gordo, primer premio
sortear *v.* sortear
sorteio *s.m.* sorteo; ***sorteio da loteria*** sorteo de lotería
sortido *adj.* surtido, variado ■ *s.m.* surtido; ***um sortido de bolachas*** un surtido de galletas
sortilégio *s.m.* **1** *(feitiço)* sortilegio, hechizo **2** embrujo, atractivo, encanto **3** trama*f.*, confabulación*f.*, conspiración*f.*
sortud|o, -a *adj.,s.m.,f. col.* suertud|o, -a
sorumbático *adj.* taciturno; sombrío; triste
sorver *v.* sorber
sorvete *s.m.* helado
SOS *sigla* (pedido de socorro numa emergência) SOS (pedido de auxilio en una emergencia)
sósia *s.2g.* sosia*m.*, doble
soslaio ♦ **de soslaio** de reojo/soslayo
sossegado *adj.* sosegado, tranquilo, calmado
sossegar *v.* **1** sosegarse, tranquilizarse, calmarse **2** sosegar, tranquilizar, calmar
sossego *s.m.* sosiego, tranquilidad*f.*
sótão *s.m.* desván, ático, buhardilla*f.*
sotaque *s.m.* acento, deje
soterrar *v.* soterrar, enterrar
soturno *adj.* **1** sombrío **2** taciturno
sova *s.f.* paliza, tunda; ***dar uma sova em alguém*** darle una paliza a alguien
sovaco *s.m.* sobaco, axila*f.*
sovar *v.* **1** (massa) amasar **2** *(surrar)* dar una paliza a
soviétic|o, -a *adj.,s.m.,f.* soviétic|o, -a
sovina *adj.,s.2g.* avar|o, -a*m.f.*, tacañ|o, -a*m.f.*, cutre
sovinice *s.f.* avaricia
sozinho *adj.* **1** solo **2** por mí/sí mismo; ***fiz tudo sozinho*** por mí mismo **3** abandonado **4** vacío

spam *s.m.* spam, correo basura
spray *s.m.* (*pl.* sprays) spray
sprint *s.m.* (*pl.* sprints) **1** ESPOR. esprint **2** ESPOR. carrera*f.* corta
sprinter *s.2g.* esprínter
squash *s.m.* squash
Sr. (*abrev. de* Senhor) Sr. (*abrev. de* señor)
Srª (*abrev. de* Senhora) Srª (*abrev. de* señora)
stand *s.m.* (*pl.* stands) ⇒ **estande**
standard *adj.2g.,s.m.* estándar
status *s.m.2n.* estatus, status
stress *s.m.* estrés, tensión*f.* (nerviosa)
striptease *s.m.* (*pl.* stripteases) striptease
suado *adj.* sudado, sudoroso
suar *v.* sudar
suástica *s.f.* esvástica, cruz gamada
suave *adj.2g.* suave
suavidade *s.f.* suavidad
suavizar *v.* **1** suavizar **2** (dor) mitigar, aliviar
subalimentado *adj.* desnutrido
subaltern|o, -a *adj.,s.m.,f.* subaltern|o, -a, subordinad|o, -a
subaquático *adj.* subacuático
subchefe *s.2g.* subjef|e, -a*m.f.*
subconsciente *adj.2g.* subconsciente ■ *s.m.* PSIC. subconsciente
subcontratação *s.f.* subcontratación
subcontratar *v.* subcontratar
subdelegad|o, -a *s.m.,f.* subdelegad|o, -a
subdesenvolvido *adj.* subdesarrollado
subdesenvolvimento *s.m.* subdesarrollo
subdiretor, -a *s.m.,f.* subdirector, -a
subdividir *v.* **1** subdividir **2** (*fracionar*) dividir, fraccionar
subdivisão *s.f.* subdivisión
subentender *v.* sobreentender, sobrentender
subestimar *v.* subestimar
subida *s.f.* **1** subida **2** (*encosta*) cuesta, pendiente **3** (preços, temperatura) subida, aumento*m.*
subir *v.* **1** (escadas, monte, rua) subir **2** subir(se) **3** (preços, ordenados) subir **4** (preço, salário, temperatura) subir, aumentar **5** (persiana, cortina) subir **6** (categoria, posição social) subir, ascender **7** (voz) levantar
súbito *adj.* súbito, repentino, inesperado ◆ **de súbito** de súbito, de repente
subjacente *adj.2g.* subyacente
subjetividade *s.f.* subjetividad
subjetivismo *s.m.* subjetivismo
subjetivo *adj.* **1** subjetivo **2** (*pessoal*) personal
subjugação *s.f.* subyugación
subjugar *v.* subyugar
subjuntivo *s.m.* (modo) subjuntivo
sublevação *s.f.* sublevación, rebelión
sublimado *s.m.* QUÍM. sublimado
sublimar *v.* sublimar
sublime *adj.2g.* sublime
sublinhar *v.* **1** (palavra) subrayar, rayar **2** *fig.* subrayar, realzar
submarino *adj.* submarino ■ *s.m.* submarino
submergir *v.* **1** sumergirse **2** sumergir
submergível *adj.2g.* submergible ■ *s.m.* submarino
submersão *s.f.* sumersión, sumergimiento*m.*
submersível *adj.2g.* sumergible ■ *s.m.* NÁUT. submarino, sumergible
submerso (*p.p. de* submergir) *adj.* **1** (em água) inmerso, sumergido **2** *fig.* (em pensamentos) enfrascado
submeter *v.* someter (a, a) ■ **submeter se 1** (*sujeitar-se*) someterse (a, a) **2** (tratamento, operação, etc.) someterse (a, a); ***submeteu-se a muitas intervenções cirúrgicas*** se ha sometido a numerosas intervenciones quirúrgicas
submissão *s.f.* sumisión
submisso *adj.* sumiso
submundo *s.m.* submundo; ***o submundo da droga*** el submundo de la droga
subnutrição *s.f.* malnutrición
subnutrido *adj.* malnutrido
subordinação *s.f.* **1** subordinación, sumisión **2** LING. subordinación, hipotaxis*2n.*
subordinad|o, -a *s.m.,f.* subordinad|o, -a, subaltern|o, -a ■ *adj.* subordinado
subordinar *v.* subordinar ■ **subordinar se** someterse (a, a)
subornador, -a *adj.,s.m.,f.* sobornador, -a
subornar *v.* sobornar; ***tentou subornar um policial*** intentó sobornar a un policía
suborno *s.m.* soborno
subscrever *v.* **1** (opinião, ações) suscribir **2** (*assinar*) firmar, suscribir **3** (jornal, revista) subscribirse ■ **subscrever se** suscribirse
subscrição *s.f.* **1** (*assinatura*) firma **2** (revista, jornal, etc.) suscripción
subscrito (*p.p. de* subscrever) *adj.* suscrito
subscritor, -a *s.m.,f.* **1** (de jornal, revista) suscriptor, -a; (de serviço) abonad|o, -a **2** (de carta, documento) firmante*2g.*
subsecretári|o, -a *s.m.,f.* subsecretari|o, -a
subsequente *adj.2g.* subsiguiente, subsecuente
subsidiar *v.* subvencionar, subsidiar
subsídio *s.m.* subsidio; (para empresas, coletividades) subvención*f.*; ***subsídio de férias*** paga de vacaciones; ***subsídio de Natal*** paga/gratificación de Navidad
subsistência *s.f.* subsistencia; ***meios de subsistência*** medios de subsistencia
subsistir *v.* subsistir
subsolo *s.m.* subsuelo
substância *s.f.* sustancia, substancia
substancial *adj.2g.* **1** sustancial **2** (*nutritivo*) sustancioso, nutritivo
substantivo *s.m.* sustantivo, substantivo
substituição *s.f.* sustitución, reemplazo*f.*
substituir *v.* sustituir, reemplazar

substituível *adj.2g.* sustituible, reemplazable
substitut|o, -a *adj.,s.m.,f.* sustitut|o, -a, substitut|o, -a
substrato *s.m.* sustrato
subterfúgio *s.m.* subterfugio, escapatoria*f.*, pretexto
subterrâneo *adj.* subterráneo ■ *s.m.* subterráneo
subtração *s.f.* **1** *(furto, roubo)* sustracción; hurto*m.*; robo*m.* **2** MAT. resta, sustracción
subtrair *v.* **1** *(roubar)* sustraer, hurtar, robar **2** restar, sustraer
suburbano *adj.* suburbano
subúrbio *s.m.* suburbio, periferia*f.*
subvenção *s.f.* subvención, subsidio*m.*
subversão *s.f.* subversión
subversivo *adj.* subversivo
subverter *v.* subvertir
sucata *s.f.* **1** (objetos) chatarra **2** (local) chatarrería
sucção *s.f.* succión
suceder *v.* **1** *(seguir-se)* suceder, ocurrir, acontecer **2** *(acontecer)* suceder, acontecer, ocurrir **3** (emprego, cargo) reemplazar, suceder ■ **suceder-se** seguir
sucedido *s.m.* suceso, sucedido*pop.* ♦ **ser bem-sucedido** tener éxito, triunfar
sucessão *s.f.* **1** *(série)* sucesión, serie **2** *(herança)* sucesión, herencia **3** (cargo, função) sucesión; *sucessão ao trono* sucesión al trono
sucessivo *adj.* sucesivo
sucesso *s.m.* **1** *(êxito)* éxito; *fazer sucesso* tener éxito **2** *(acontecimento)* suceso, acontecimiento
sucessor, -a *s.m.,f.* **1** (cargo, funções) sucesor, -a **2** *(herdeiro)* sucesor, -a, hereder|o, -a
sucinto *adj.* sucinto, breve
suco *s.m.* jugo ♦ **suco gástrico** jugo gástrico
suculência *s.f.* suculencia
suculento *adj.* **1** jugoso **2** suculento
sucumbir *v.* **1** ceder al peso **2** sucumbir, rendirse **3** *fig.* desanimarse
sucursal *s.f.* sucursal
sudeste *s.m.* sudeste, sureste
súdit|o, -a *s.m.,f.* súbdit|o, -a
sudoeste *s.m.* sudoeste, suroeste
Suécia *s.f.* Suecia
suec|o, -a *adj.,s.m.,f.* suec|o, -a ■ **sueco** *s.m.* (língua) sueco
sueste *s.m.* sudeste, sureste
suéter *s.f.* suéter*m.*, jersey*m.*
suficiência *s.f.* **1** suficiencia **2** *(aptidão)* suficiencia, aptitud
suficiente *adj.2g.* suficiente ■ *s.m.* **1** *gír.* (classificação) aprobado, suficiente **2** *(o que basta)* bastante; *mais do que o suficiente* más que suficiente
sufixação *s.f.* sufijación
sufixo *s.m.* sufijo
suflê *s.m.* soufflé, suflé
sufocante *adj.2g.* **1** agobiante, sofocante **2** (clima, ar) sofocante, bochornoso
sufocar *v.* **1** ahogar **2** sofocar, ahogar; (calor) agobiar, sofocar **3** ahogar, asfixiar ■ **sufocar se** ahogarse
sufoco *s.m.* **1** ahogo, sofoco **2** *col.* agobio, angustia*f.* **3** *col.* prisa*f.*, urgencia*f.*
sufrágio *s.m.* POL. sufragio; *sufrágio direto/universal* sufragio directo/universal
sugar *v.* **1** *(sorver)* chupar, sorber **2** *fig.* *(extorquir)* extorsionar
sugerir *v.* sugerir
sugestão *s.f.* **1** *(proposta)* sugerencia, sugestión **2** sugestión
sugestionar *v.* sugestionar ■ **sugestionar-se** sugestionarse
sugestivo *adj.* **1** sugerente **2** sugestivo
Suíça *s.f.* Suiza
suicida *adj.,s.2g.* suicida
suicidar-se *v.* suicidarse, quitarse la vida
suicídio *s.m.* suicidio
suíç|o, -a *adj.,s.m.,f.* suiz|o, -a
suíno *adj.* porcino ■ *s.m.* cerdo
suíte *s.f.* **1** (hotel) suite **2** MÚS. suite
sujar *v.* **1** ensuciar; *sujou a camisa* se ha ensuciado la camisa **2** *fig.* (nome, honra) manchar, deshonrar ■ **sujar se** ensuciarse
sujeição *s.f.* sumisión, supeditación, dependencia
sujeira *s.f.* suciedad
sujeitar *v.* **1** someter (a, a), sujetar (a, a) **2** *(obrigar)* obligar (a, a) ■ **sujeitar se** someterse (a, a), sujetarse (a, a)
sujeito *(p.p. de* sujeitar*)* *adj.* sujeto (a, a) ■ *s.m.* **1** sujeto, individuo **2** LING. sujeto
sujidade *s.f.* suciedad
sujo *adj.* **1** sucio **2** *fig.* (dinheiro, jogo) sucio
sul *s.m.* sur
sul-african|o, -a *adj.,s.m.,f.* *(pl.* sul-africanos*)* sudafrican|o, -a
sul-american|o, -a *adj.,s.m.,f.* *(pl.* sul-american|os, -as*)* sudamerican|o, -a, suramerican|o, -a
sulcar *v.* (terra) surcar, hacer surcos
sulco *s.m.* **1** (na terra) surco **2** (na água) estela*f.* **3** *(ranhura)* ranura*f.* **4** (pele) surco, arruga*f.*
sulfamida *s.f.* sulfamida
sulfatar *v.* (plantas) sulfatar
sulfato *s.m.* sulfato
sultana *s.f.* **1** sultana **2** BOT. pasa sultana
sultão *s.m.* sultán
suma *s.f.* suma, resumen*m.* ♦ **em suma** en suma/resumen
sumário *adj.* sumario, breve, resumido ■ *s.m.* sumario, resumen
sumiço *s.m.* desaparecimiento ♦ **dar sumiço** hacer desaparecer; **levar sumiço** perderse
sumidade *s.f.* **1** *(cume)* cumbre, cima **2** *fig.* (pessoa) eminencia, autoridad
sumir *v.* **1** *(fazer desaparecer)* hacer desaparecer **2** *(esconder)* ocultar, esconder ■ **sumir se** desaparecer

sumo *s.m.* **1** zumo, jugo **2** ESPOR. sumo ■ *adj.* sumo ♦ **Sumo Pontífice** Sumo Pontífice
sunga *s.f.* **1** (praia, piscina) bañador*m.*, slip*m.* **2** *(cueca)* canzoncillo*m.*
suntuoso *adj.* suntuoso, lujoso
suor *s.m.* **1** sudor **2** *fig.* sudor; esfuerzo; *com o suor do rosto* con el sudor de la frente
súper *adv. col.* súper ■ *adj.2g. col.* súper, muy bueno
superabundante *adj.2g.* **1** superabundante **2** *(excessivo)* excesivo, superfluo
superar *v.* **1** (dificuldade, obstáculo) superar **2** (expectativas) exceder, superar **3** (capacidade) desbordar ■ **superar se** superarse
superável *adj.2g.* superable
supercílio *s.m.* ceja*f.*
superdotad|o, -a *adj.,s.m.,f.* superdotad|o, -a
superficial *adj.2g.* superficial
superfície *s.f.* **1** superficie **2** *fig.* apariencia ♦ (comércio) **grandes superfícies** grandes superficies
supérfluo *adj.* superfluo
superintender *v.* **1** (obra, empresa, repartição) dirigir **2** *(fiscalizar)* inspeccionar, supervisar
superior *adj.* **1** superior **2** (qualidade, quantidade) superior (a, a) ■ *s.m.* superior, jefe*2g.*
superioridade *s.f.* superioridad
superlativo *adj.,s.m.* superlativo
superlotação *s.f.* aforo*m.* completo, abarrotamiento*m.*
superlotado *adj.* abarrotado, repleto, atestado
superlotar *v.* abarrotar
supermercado *s.m.* supermercado
superpotência *s.f.* superpotencia
superprodução *s.f.* sobreproducción, superproducción
supersônico *adj.* supersónico
superstição *s.f.* superstición
supersticios|o, -a *adj.,s.m.,f.* supersticios|o, -a
supervalorizar *v.* sobrevalorar
supervisão *s.f.* supervisión
supervisionar *v.* supervisar
supervisor, -a *s.m.,f.* supervisor, -a
supetão ♦ **de supetão** de sopetón
suplantar *v.* **1** (obstáculo, dificuldade) vencer, derrotar **2** (pessoa) suplantar **3** *(superar)* superar
suplementar *adj.2g.* **1** supletorio **2** *(adicional)* suplementario
suplemento *s.m.* **1** *(complemento)* suplemento, complemento **2** (jornal, revista) suplemento
suplente *s.2g.* **1** *(substituto)* suplente, sustitut|o, -a*m.f.* **2** ESPOR. reserva, suplente ■ *adj.2g.* suplente
súplica *s.f.* **1** *(pedido)* súplica, ruego*m.* **2** *(oração)* oración, rezo*m.*
suplicar *v.* suplicar, implorar, rogar
suplício *s.m.* **1** *(tortura)* suplicio, tortura*f.* **2** *(sofrimento)* suplicio, sufrimiento **3** *(pena de morte)* pena*f.* capital/de muerte

supor *v.* suponer; *supondo que...* suponiendo que...; *suponho que sim/não* supongo que sí/no
suportar *v.* **1** *(sustentar)* soportar, sostener **2** (pessoa, situação) soportar, sufrir; *não posso suportar o barulho* no puedo soportar el ruido; *não suportar uma pessoa* no soportar a una persona **3** (peso) aguantar
suportável *adj.2g.* soportable
suporte *s.m.* **1** soporte, apoyo, sostén **2** (bicicleta, moto) soporte ♦ INFORM. **suporte de informação** soporte informático
suposição *s.f.* suposición
supositório *s.m.* supositorio
supracitado *adj.* anteriormente mencionado, antedicho, susodicho
supranumerári|o, -a *s.m.,f.* **1** supernumerari|o, -a, excedente*2g.* **2** numerari|o, -a ■ *adj.* excedente
supremacia *s.f.* supremacía
supremo *adj.* supremo
supressão *s.f.* **1** *(eliminação)* supresión, eliminación **2** *(omissão)* supresión, omisión
suprimir *v.* **1** *(eliminar)* suprimir, eliminar, quitar **2** *(cortar)* suprimir, cortar **3** *(omitir)* suprimir, omitir
suprir *v.* **1** (falta) suplir **2** *(substituir)* suplir, sustituir, reemplazar
surdez *s.f.* sordera
surdina *s.f.* sordina ♦ **em surdina** con/en sordina
surd|o, -a *s.m.,f.* sord|o, -a ■ *adj.* **1** (pessoa) sordo; *ficar surdo* quedarse sordo; *ser surdo de nascença* ser sordo de nacimiento **2** (som, barulho) sordo, insonoro **3** (instrumento) surdo **4** *fig.* sordo, insensible, indiferente ♦ *col.* **ser surdo como uma porta** estar más sordo que una tapia
surd|o-mudo, -a-muda *adj.,s.m.,f.* (*pl.* surdos-mudos) sordomud|o, -a
surfar *v.* **1** ESPOR. surfear **2** INFORM. (Internet) surfear, navegar; *surfar na Internet* surfear en Internet
surfe *s.m.* surf, surfing
surfista *s.2g.* surfista
surgimento *s.m.* surgimiento
surgir *v.* **1** *(aparecer)* surgir, aparecer **2** asomar, despuntar **3** (ideia) surgirle/ocurrírsele a alguien una cosa
surpreendente *adj.2g.* sorprendente
surpreender *v.* **1** *(causar surpresa)* sorprender, anonadar **2** *(pegar em flagrante)* sorprender, pillar ■ **surpreender se** sorprenderse, asombrarse
surpreendido *adj.* **1** *(admirado)* sorprendido **2** *(apanhado em flagrante)* cogido/pillado de sorpresa
surpresa *s.f.* **1** sorpresa; *fazer uma surpresa para alguém* darle una sorpresa a alguien **2** *(presente)* sorpresa, regalo*m.*; *tenho uma surpresa para ti* tengo una sorpresa para ti ♦ **de surpresa** por sorpresa; *pegar alguém de surpresa* coger/tomar a alguien de sorpresa
surpreso (*p.p. de* surpreender) *adj.* sorprendido
surra *s.f.* **1** paliza, tunda; *dar uma surra em alguém* darle una paliza a alguien **2** *col.* (competição, jogo) paliza

surrado *adj.* (roupa, calçado) muy gastado, raído
surrar *v.* **1** (peles) zurrar **2** (pessoa) zurrar, azotar, pegar
surreal *adj.2g.* **1** *(irreal)* irreal **2** *(estranho)* extraño, raro
surrealismo *s.m.* surrealismo
surripiar *v. col.* mangar, choricear, hurtar
surrupiar *v. col.* robar
surtir *v.* **1** (resultados) obtener, conseguir **2** causar; originar; producir ♦ **surtir efeito** surtir efecto
surto *s.m.* brote; ***surto de gripe*** brote de gripe; ***surto de violência*** brote de violencia
sururu *s.m.* **1** desorden, alboroto, jaleo **2** riña*f.*, bronca*f.*
suscetibilidade *s.f.* **1** susceptibilidad, quisquillosidad; ***ferir a suscetibilidade*** herir la susceptibilidad **2** (a doenças) propensión
suscetibilizar *v.* herir, ofender, picar
suscetível *adj.2g.* **1** *(sensível)* susceptible (a, a) **2** *(passível)* susceptible (de, de); ***um comportamento suscetível a crítica*** un comportamiento susceptible de crítica **3** susceptible, quisquilloso, picajoso
suscitar *v.* suscitar, provocar
sushi *s.m.* sushi
suspeita *s.f.* sospecha ♦ **acima de qualquer suspeita** sin lugar a dudas
suspeitar *v.* **1** sospechar (de, de), desconfiar (de, de); ***suspeita dos seus colegas*** sospecha de sus compañeros; ***sem suspeitar de nada*** sin sospechar nada **2** *(desconfiar)* sospechar, creer; ***suspeito que eles estejam mentindo*** creo que están mintiendo
suspeit|o, -a *adj.,s.m.,f.* sospechos|o, -a
suspender *v.* **1** *(pendurar)* colgar, suspender **2** *(interromper)* suspender, interrumpir **3** (atividade) aplazar, posponer **4** (cargo, função) suspender **5** expulsar; ***o meu irmão foi suspenso da escola durante um mês*** mi hermano ha sido expulsado un mes del colegio
suspensão *s.f.* **1** suspensión **2** MEC. suspensión; ***suspensão dianteira/traseira*** suspensión delantera/trasera **3** QUÍM. suspensión
suspense *s.m.* suspense
suspenso ⟨*p.p. de* suspender⟩ *adj.* **1** *(pendurado)* suspenso, colgado **2** *(interrompido)* suspenso, suspendido
suspensórios *s.m.pl.* tirantes*pl.*
suspirar *v.* **1** suspirar; ***suspirar de alívio*** suspirar de alivio **2** *fig. (ter saudades)* añorar, echar de menos, extrañar[AM.] ♦ **suspirar por** suspirar por, anhelar
suspiro *s.m.* **1** suspiro; ***soltar um suspiro de alívio*** soltar un suspiro de alivio **2** CUL. merengue ♦ **último suspiro** exhalar el último suspiro
sussurrar *v.* **1** musitar, susurrar **2** susurrar, cuchichear **3** (vento) susurrar, runrunear
sussurro *s.m.* susurro, murmullo
sustentação *s.f.* **1** *(apoio)* sustento*m.*, apoyo*m.*, sostén*m.* **2** *(manutenção)* sustentación, mantenimiento*m.*
sustentáculo *s.m.* **1** *(suporte)* sustentáculo, apoyo, sostén **2** *fig.* pilar, fundamento, base*f.*
sustentar *v.* **1** *(suster)* sostener, aguantar **2** (economicamente) sustentar, mantener **3** (ideia, opinião) sostener, defender ■ **sustentar-se 1** *(segurar-se)* sostenerse **2** (financeiramente) sustentarse (com, con); ***eu sustento-me com o (meu) trabalho*** me sustento con mi trabajo
sustentável *adj.2g.* sostenible
sustento *s.m.* **1** *(apoio)* sustento, apoyo, sostén **2** *(alimento)* sustento
suster *v.* **1** *(sustentar)* sostener, sustentar **2** *(deter)* parar, detener **3** (respiração, riso) contener
susto *s.m.* susto; ***levar um grande susto*** darse/pegarse/llevarse un gran susto; ***pregar um susto em alguém*** dar/pegar un susto a alguien; ***que susto!*** ¡qué susto!
sutiã *s.m.* sujetador, sostén; ***sutiã de amamentação*** sujetador para la lactancia
sutil *adj.2g.* sutil
sutileza *s.f.* sutileza
sutura *s.f.* sutura
suturar *v.* suturar
suvenir *s.m.* souvenir, recuerdo

T

t *s.m.* (letra) t*f.*
taba *s.f.* aldea indígena
tabacaria *s.f.* estanco*m.*
tabaco *s.m.* **1** BOT. tabaco; ***plantações de tabaco*** plantaciones de tabaco **2** (produto) tabaco; ***tabaco para cachimbo*** tabaco de pipa **3** *(cigarros)* tabaco, cigarrillos*pl.*; ***um maço de tabaco*** un paquete/una cajetilla de tabaco
tabagismo *s.m.* tabaquismo
tabaqueira *s.f.* tabaquera, petaca
tabefe *s.m. col.* torta*f.*, bofetada*f.*, bofetón
tabela *s.f.* **1** *(quadro)* tabla, cuadro*m.* **2** *(lista)* lista; ***tabela de preços*** lista de precios **3** *(horário)* horario*m.* **4** (bilhar) tablilla **5** (futebol) pared **6** (basquetebol) tablero*m.* ♦ *col.* **apanhar por tabela** pagar el pato; *col.* **cair pelas tabelas** estar para el arrastre; **tabela periódica** tabla periódica
tabelar *v.* (preços) tarifar, tasar
tabelião *s.m.* (*f.* tabeliã) notario, escribano
tabelionato *s.m.* notaría*f.*
taberna *s.f.* taberna, tasca, bodegón*m.*; (de vinho) bodega
tabernáculo *s.m.* **1** (templo) tabernáculo **2** *(sacrário)* sagrario, tabernáculo
tabique *s.m.* **1** tabique **2** ⇒ **septo**
tablado *s.m.* tablado
tablete *s.f.* tableta; ***tablete de chocolate*** tableta de chocolate
tabloide *s.m.* (jornal) tabloide, periódico de formato pequeño
tabu *s.m.* tabú
tábua *s.f.* tabla ♦ **fazer tábua rasa de** hacer tabla rasa de; *col.* **levar tábua** dar calabazas; **tábua de cozinha** tabla para cortar; **tábua de passar roupa** tabla de planchar
tabuada *s.f.* tabla de multiplicar
tabuleiro *s.m.* **1** *(bandeja)* bandeja*f.* **2** (fotocopiadora, impressora) bandeja*f.* **3** (forno) bandeja*f.* **4** (jogos de mesa) tablero; ***tabuleiro de xadrez/damas*** tablero de ajedrez/damas **5** (ponte, viaduto) tablero ♦ (forma) **tabuleiro de queques** molde para magdalenas
tabuleta *s.f.* letrero*m.*
taça *s.f.* **1** *(copo)* copa; ***taça de champanhe*** copa de champán **2** (para sobremesas) copa; ***taça de sorvete*** copa de helado **3** *(tigela)* bol*m.* **4** *(troféu)* copa, trofeo*m.* **5** ESPOR. copa; ***taça dos campeões europeus*** copa de la liga de campeones europea
tacada *s.f.* **1** (bilhar) tacada; ***tacada em falso*** pifia **2** (golfe) golpe*m.* ♦ **de uma tacada** de una tacada, de un tirón, de una sola vez
tacanhez *s.f.* tacañería, mezquindad
tacanho *adj.* **1** *(sovina)* tacaño, avaro, agarrado*col.*, rácano*col.* **2** *pej.* estrecho de miras, limitado
tacha *s.f.* tachuela
tachar *v. (rotular)* tachar (de, de), tildar (de, de); ***tacham-no de irresponsável*** lo tachan de irresponsable
tachinha *s.f.* tachuela
tacho *s.m.* (recipiente) cazo, cazuela*f.*, olla*f.*
tácito *adj.* tácito, implícito
taco *s.m.* **1** (de bilhar) taco; (de golfe, hóquei) palo; (de basebol, críquete) bate **2** (soalho) tabla*f.*, tablilla*f.* **3** (pedaço de madeira) palo
tafetá *s.m.* (tecido) tafetán; glasé
tagarela *adj.,s.2g.* charlat|án, -ana*m.f.*, parlach|ín, -ina*m.f.*
tagarelar *v.* parlotear, charlar, estar de palique
tagarelice *s.f.* parloteo*m.*, cháchara, palique*m.*
tailand|ês, -esa *adj.,s.m.,f.* tailand|és, -esa
Tailândia *s.f.* Tailandia
tailleur *s.m.* (*pl.* tailleurs) traje sastre, tailleur
tainha *s.f.* ZOOL. tenca; mújol
tal *adj.2g. (igual)* tal; ***nunca vi tal coisa*** nunca he visto tal cosa ■ *pron.dem.* tal; ***eu não disse tal*** yo no dije tal; ***houve um sismo e tal fato provocou muita destruição*** hubo un seísmo y tal hecho provocó mucha destrucción; ***na rua tal*** en la calle tal; ***tal foi a conclusão a que chegamos*** tal fue la conclusión a que llegamos ■ *adv.* tal, tanto; ***teve um sucesso tal que todos o aplaudiram*** tuvo tal éxito que todos le aplaudieron ■ *s.2g.* (pessoa) tal, fulan|o, -a*m.f.*; ***assim que o viu, ela percebeu que ele era o tal*** en cuanto lo vio, se dio cuenta que era el tal; ***conheci o tal que casou com a Maria*** he conocido al fulano que se casó con María; ***esta é a tal de que te falei*** esta es la tal de la que te hablé ♦ **como tal** como tal; **o tal** el no va más; **que tal?** ¿qué tal?; ¿qué te parece?; ***que tal irmos ao cinema?*** ¿qué tal si vamos al cine?; **tal como** tal (y) como; **tal e qual** tal cual; **um tal de** un tal de
tala *s.f.* tablilla, férula
talão *s.m.* (recibo) talón ♦ **talão de cheques** talonario, chequera AM.
talassoterapia *s.f.* MED.,VET. talasoterapia
talco *s.m.* talco
talento *s.m.* **1** talento, habilidad*f.*, aptitud*f.*; ***ter talento para*** tener talento para **2** *fig.* (pessoa) talento
talentoso *adj.* talentoso
talha *s.f.* talla; ***talha dourada*** talla dorada
talhada *s.f.* **1** tajada; (de melão, melancia) raja; (de pão) rebanada **2** *fig.,col.* rapapolvo*m.*, reprensión
talhado *adj.* **1** (madeira, melão) tallado; tajado, cortado **2** (leite) cuajado; (sangue) coagulado **3** *fig.* (pessoa) hecho (para, para); ***ele não é talhado para a advocacia*** él no está hecho para la abogacía

talhar *v.* **1** (leite) cuajarse; (sangue) coagularse **2** *(cortar)* tajar, cortar **3** (tecido) entallar **4** (madeira, pedra) tallar, esculpir, entallar
talhe *s.m.* **1** (peça de roupa) talle **2** (obra de arte) talla*f.* **3** *(forma)* forma*f.*, hechura*f.*
talher *s.m.* cubierto ■ **talheres** *s.m.pl.* (conjunto) cubiertos ♦ *col.* **ser um bom talher** ser de buen comer, tener buen saque
talibã *s.2g.* talibán
tálio *s.m.* talio
talismã *s.m.* talismán, amuleto
talo *s.m.* tallo; (de hortaliças) troncho
talvez *adv.* **1** *(possivelmente)* quizá, quizás; ***você quer vir conosco? – talvez*** ¿quieres venir con nosotros? – quizá **2** *(acaso)* tal vez [+*conj.*]; a lo mejor [+*ind.*]; ***talvez chegue mais tarde*** tal vez llegue más tarde, a lo mejor llego más tarde
tamanco *s.m.* zueco
tamanho *adj.* tamaño, tal; ***nunca vi tamanha confusão*** nunca había visto tal follón ■ *s.m.* **1** tamaño **2** (roupa) talla*f.*
tâmara *s.f.* dátil*m.*
tamareira *s.f.* datilera, palmera datilera
também *adv.* también; ***eu sou alto e tu também*** yo soy alto y tú también; ***também tenho um livro desses*** también tengo un libro de esos ♦ **não só... mas também** no solamente... sino también; **também não** tampoco; ***eu não fui à festa e a Ana também não*** yo no he ido a la fiesta y Ana tampoco
tambor *s.m.* tambor
tamboril *s.m.* **1** ZOOL. rape **2** MÚS. tamboril
tamborilar *v.* (com os dedos) tamborilear
tamborim *s.m.* [pequeño tambor que se cuelga de una mano y se toca con un solo palillo]
tampa *s.f.* **1** tapa; ***tampa do vaso sanitário*** tapa del váter **2** (garrafa) tapón*m.* **3** (caneta) capuchón*m.*, capucha
tampão *s.m.* **1** (para vedar) tapón **2** (depósito de gasolina) tapón **3** (ouvidos) tapón (para los oídos) **4** parche, compresa*f.*
tampo *s.m.* **1** *(cobertura)* tapa*f.* **2** (mesa) tablero **3** (cadeira) asiento
tampouco *adv.* tampoco
tanga *s.f.* **1** (de banho, roupa interior) tanga*m.* **2** (roupa indígena) taparrabo*m.*
tangente *adj.2g.,s.f.* (linha, superfície) tangente ♦ *col.* **sair pela tangente** salirse/escaparse por la tangente; *col.* (exame, prova) **passar na tangente** pasar por los pelos
tanger *v.* (instrumento) tañer, tocar
tangerina *s.f.* mandarina
tangível *adj.2g.* **1** tangible, palpable **2** *fig.* tangible, perceptible
tango *s.m.* tango
tanorexia *s.f.* tanorexia
tanque *s.m.* **1** (água) estanque, alberca*f.* **2** (líquidos, gases) tanque **3** (para lavar a roupa) lavadero, pila*f.* **4** MIL. tanque, carro de combate
tantã *s.m.* MÚS. gong
tântalo *s.m.* tantalio, tántalo
tant|o, -a *pron.indef.* **1** tal cantidad; ***não comprei a bolsa; já tenho tantas!*** no he comprado el bolso; ¡ya tengo más de la cuenta!; ***eram tantos que não havia lugares para todos*** eran tantos, que no había asientos para todos **2** tant|o, -a; ***não coma tantas bolachas*** no comas tantas galletas ■ *adv.* tanto; ***demoraste tanto*** has tardado tanto; ***estuda tanto quanto eu*** estudia tanto como yo; ***não coma tanto*** no comas tanto ■ *s.m.* tanto; poco; ***deu-lhe um tanto*** le dio un tanto ♦ **às tantas** (horas) a las tantas; **e tanto** y pico ***são dez e tanto*** son las diez y pico; **não é caso para tanto!** ¡no es para tanto!; **outro tanto** otro tanto; **tanto... como** tanto... como; ***tanto eu como meu irmão gostamos muito de cinema*** tanto a mí como a mi hermano nos gusta mucho el cine; **tanto faz!** ¡da igual!; ¡es igual!; **tanto melhor** tanto mejor; **tanto faz** ¡(me) da igual!; **se tanto** como mucho; ***durou meia hora, se tanto*** duró media hora, como mucho
tão *adv.* **1** (intensidade) tan; ***é um menino tão lindo*** es un niño tan guapo; ***não é assim tão grave*** no es tan grave **2** (comparativo de igualdade) tan; ***é tão bonito como o pai*** es tan guapo como el padre
tapa *s.m.* bofetada*f.*, galleta*f.col.*, torta*f.col.*
tapado *adj.* **1** (local) vedado, cercado **2** (buraco) taponado **3** (nariz) atascado, taponado **4** *fig.,pej.* (pessoa) tonto, memo, obtuso
tapar *v.* **1** (recipiente) tapar **2** (buraco, entrada) cerrar, taponar, obstruir **3** (agasalhar) taparse, abrigar ■ **tapar-se** taparse, abrigarse
tapear *v. col.* engañar
tapeçaria *s.f.* tapicería; alfombrado*m.*
tapete *s.m.* **1** alfombra*f.*; ***tapete de banho*** alfombrilla de baño **2** (grama, flores) alfombra*f.* **3** (ginástica) colchoneta*f.*
tapioca *s.f.* tapioca
tapume *s.m.* **1** tapia*f.* **2** cerca*f.*, cercado, valla*f.*, vallado
taquicardia *s.f.* taquicardia
taquigrafia *s.f.* taquigrafía, estenografía
tara *s.f.* **1** (veículo) tara **2** *col.* manía, psicosis, obsesión, tara
tarado *adj.* **1** (pessoa) maníaco, maniaco, loco, tarado **2** *col.* (pessoa) fanático, fascinado ■ *s.m.* **1** *(anormal)* maniaco, tarado, loco **2** (sexual) pervertido
tarântula *s.f.* tarántula
tardança *s.f.* tardanza
tardar *v.* **1** retrasarse, demorarse **2** tardar ♦ **o mais tardar** a más tardar; **sem mais tardar** sin más demora, enseguida
tarde *s.f.* tarde ■ *adv.* tarde; ***volte mais tarde*** vuelva más tarde ♦ **antes tarde do que nunca** más vale tarde que nunca; **à/de tarde** por la tarde; **boa tarde!** ¡buenas tardes!; **tarde demais** demasiado tarde
tardio *adj.* tardío
tareco *s.m. (traste)* trasto
tarefa *s.f.* **1** *(trabalho)* tarea, trabajo*m.*, faena, quehacer*m.* **2** *(empreitada)* destajo*m.*

tarifa *s.f.* tarifa
tarifar *v.* tarifar
tarifário *s.m.* tarifa*f.*, lista*f.* de precios
tarimbado *adj.* muy experiente
tarô *s.m.* tarot; ***um baralho de tarô*** una baraja de tarot
tarraxa *s.f.* tornillo*m.*
tartamudear *v.* tartamudear
tártaro *s.m.* **1** (vasilhas de vinho) tártaro **2** (dentes) sarro ♦ **molho tártaro** salsa tártara
tartaruga *s.f.* tortuga
tasco *s.m. pop.* bodegón, tasca*f.*, taberna*f.*
tatear *v.* **1** tantear, andar a tientas **2** *(apalpar)* tantear **3** *fig.* tantear, sondear
tática *s.f.* **1** táctica, estrategia; ***temos de mudar de tática*** tenemos que cambiar de táctica **2** MIL. táctica
tático *adj.* táctico
tato *s.m.* **1** (sentido) tacto; ***sentido do tato*** sentido del tacto **2** *fig.* tacto, delicadeza*f.* **3** *fig.* tacto, habilidad*f.*
tatu *s.m.* armadillo
tatuagem *s.f.* tatuaje*m.*
tatuar *v.* tatuar, hacerse un tatuaje
tau *s.m.* (alfabeto grego) tau*f.*
taurin|o, -a *adj.,s.m.,f.* taurin|o, -a
tauromaquia *s.f.* tauromaquia
taverna *s.f.* ⇒ **taberna**
taxa *s.f.* **1** tasa, tarifa **2** impuesto*m.* **3** tasa, índice*m.*; ***taxa de desemprego*** tasa/índice de desempleo **4** tipo*m.*; ***taxa de juro*** tipo de interés
taxar *v.* **1** (imposto) gravar **2** (preço) tasar
taxativamente *adv.* taxativamente
taxativo *adj.* taxativo, tajante
táxi *s.m.* taxi
taxímetro *s.m.* taxímetro
taxista *s.2g.* taxista
tchau *interj.* (despedida) ¡chao!, ¡adiós!
te *pron.pess.* te; ***amanhã te telefono*** mañana te llamo; ***te trouxe um bolo de chocolate*** te he traído una tarta de chocolate; ***te vi ontem*** te vi ayer
tê *s.m.* (letra) te*f.*
tear *s.m.* telar
teatral *adj.2g.* teatral
teatralidade *s.f.* teatralidad
teatro *s.m.* teatro ♦ *col.* **fazer teatro** hacer la/una comedia
tecelagem *s.f.* tejedura
tecel|ão, -ã *s.m.,f.* tejedor, -a
tecer *v.* **1** tejer **2** *fig.* tejer, tramar
tecido *adj.* urdido, preparado, tramado ■ *s.m.* tejido
tecla *s.f.* tecla ♦ *col.* **bater/tocar na mesma tecla** estar erre que erre
tecladista *s.2g.* teclista
teclado *s.m.* **1** teclado **2** MÚS. teclado
teclar *v.* **1** (dados, informações) teclear, escribir **2** teclear, pulsar las teclas
técnica *s.f.* técnica
técnic|o, -a *s.m.,f.* **1** técnic|o, -a; ***técnico de informática*** técnico en informática; ***técnico de som*** técnico de sonido **2** *(treinador)* técnic|o, -a, entrenador, -a ■ *adj.* técnico
tecnologia *s.f.* tecnología; ***tecnologia de ponta*** tecnología punta ♦ **tecnologias de informação** tecnologías de información
tecnológico *adj.* tecnológico
tectônica *s.f.* tectónica
tectônico *adj.* tectónico
tédio *s.m.* tedio, aburrimiento
teia *s.f.* **1** tela **2** *fig.* tela, enredo*m.*, lío*m.*; maraña ♦ **teia de aranha** telaraña, tela de araña
teima *s.f.* **1** perseverancia **2** perra, terquedad, capricho*m.*, manía
teimar *v.* porfiar (em, en), insistir, encapricharse, emperrarse
teimosia *s.f.* terquedad, cabezonería*col.*, cabezonada*col.*, tozudez
teimos|o, -a *adj.,s.m.,f.* terc|o, -a, testarud|o, -a, cabezota*2g.*, cabez|ón, -ona
tela *s.f.* **1** (tecido) tela **2** (de pintura) lienzo*m.*, tela **3** (de cinema) pantalla ♦ *col.* **telinha** la pequeña pantalla, la televisión
telão *s.m.* pantalla*f.* gigante
telecomandar *v.* teledirigir
telecomando *s.m.* mando a distancia, control remoto, telemando
telecompra *s.f.* telecompra
telecomunicação *s.f.* telecomunicación
telecomunicações *s.f.pl.* telecomunicaciones
teleconferência *s.f.* videoconferencia
teleférico *s.m.* teleférico; ***teleférico de cadeira*** telesilla
telefonada *s.f. col.* telefonazo*m.*; ***dar uma telefonada para alguém*** dar un telefonazo a alguien
telefonar *v.* llamar por teléfono, telefonear
telefone *s.m.* **1** (aparelho) teléfono; ***atender o telefone*** coger el teléfono; ***desligar o telefone*** colgar el teléfono; ***estar ao telefone*** estar hablando por teléfono; ***por telefone*** por teléfono; ***telefone analógico*** teléfono analógico; ***telefone celular*** móvil, celular[AM.]; ***telefone de cartão*** teléfono de tarjeta; ***telefone fixo*** teléfono fijo; ***telefone público*** teléfono público; ***telefone sem fio*** teléfono inalámbrico **2** *(número de telefone)* teléfono, número de teléfono
telefonema *s.m.* llamada*f.* (telefónica)
telefonia *s.f.* telefonía; ***telefonia sem fios*** telefonía sin hilos/inalámbrica
telefônico *adj.* telefónico
telefonista *s.2g.* telefonista
telegrafar *v.* telegrafiar
telegráfico *adj.* **1** telegráfico **2** *fig.* telegráfico, conciso, breve
telégrafo *s.m.* telégrafo
telegrama *s.m.* telegrama
teleguiado *adj.* teledirigido
teleguiar *v.* (aparelho, veículo) teledirigir

telejornal *s.m.* telediario, noticias*f. pl.*
telemarketing *s.m.* telemarketing
telenovela *s.f.* telenovela; (muito sentimental) culebrón*m.col.*
teleobjetiva *s.f.* teleobjetivo*m.*
teleósteo *adj.* ZOOL. teleósteo; *peixe teleósteo* pez teleósteo
telepatia *s.f.* telepatía
telescópio *s.m.* telescopio
telespectador, -a *s.m.,f.* telespectador, -a, televidente*2g.*
teletexto *s.m.* teletexto
televenda *s.f.* teletienda
televisão *s.f.* **1** TV. (sistema) televisión **2** (aparelho) televisión, televisor*m.*; *televisão em cores* televisión en color; *televisão de tela panorâmica* televisión de pantalla panorámica; *televisão a cabo* televisión por cable
televisivo *adj.* televisivo
televisor *s.m.* televisor, televisión*f.*
telha *s.f.* **1** (telhado) teja **2** *fig.,col.* manía; *ter telhas* tener manías **3** *fig.,col. (cabeça)* azotea, coco*m.*; *não estar bom/boa da telha* estar mal de la azotea ♦ *col.* **dar na telha** dar la gana
telhado *s.m.* tejado
telhudo *adj. pop.* malhumorado
telúrio *s.m.* telurio, teluro
tema *s.m.* **1** *(assunto)* tema, asunto, materia*f.* **2** LING. tema
temática *s.f.* temática
temático *adj.* temático
temer *v.* temer, ponerse en lo peor
temerário *adj.* **1** temerario, valiente **2** arriesgado
temeridade *s.f.* temeridad
temeroso *adj.* **1** (pessoa) temeroso, miedoso **2** (situação) temible
temível *adj.2g.* temible
temor *s.m.* temor, miedo
têmpera *s.f.* **1** témpera, pintura al temple **2** *fig.* temple*m.*, temperamento*m.*
temperado *adj.* **1** (alimento) aliñado, condimentado, sazonado **2** (clima) templado, suave **3** *(morno)* templado, tibio
temperamental *adj.2g.* temperamental
temperamento *s.m.* temperamento, carácter, manera*f.* de ser
temperar *v.* **1** (alimento) condimentar, aliñar, aderezar, sazonar; *temperar a salada* aliñar la ensalada **2** (metal) templar **3** *fig. (moderar)* moderar
temperatura *s.f.* **1** temperatura **2** *(febre)* temperatura, fiebre; *estar com temperatura* tener temperatura; *tirar a temperatura* tomar la temperatura
tempero *s.m.* **1** condimento, aliño, aderezo **2** sazón
tempestade *s.f.* tempestad, tormenta ♦ **depois da tempestade, (vem) a bonança** después de la tempestad, viene la calma; **uma tempestade num copo d'água** una tormenta en un vaso de agua
tempestivo *adj.* tempestivo, oportuno
tempestuoso *adj.* tempestuoso
templo *s.m.* templo
tempo *s.m.* tiempo; ***há muito tempo*** hace mucho tiempo ♦ **ao mesmo tempo** al mismo tiempo; **a tempo e horas** a tiempo; **com tempo** con tiempo; **dar tempo ao tempo** dar tiempo al tiempo; **de tempos em tempos** de tiempo en tiempo; **em dois tempos** en dos patadas; *col.* **fechar o tempo 1** nublar **2** iniciarse una pelea; **matar o tempo** matar el tiempo; **tempo das vacas gordas/magras** tiempo/época de vacas gordas/flacas; **passar o tempo** pasar el rato; **tempo de antena** tiempo de antena; **vir a tempo** llegar a tiempo
têmpora *s.f.* sien
temporada *s.f.* **1** temporada, época **2** temporada; *temporada alta/baixa* temporada alta/baja
temporal *adj.2g.* temporal ■ *s.m.* temporal, tormenta*f.*, tempestad*f.*
temporão *adj.* (fruto) temprano
temporário *adj.* **1** temporal, transitorio, provisional **2** (trabalho) temporal, eventual
temporizador *s.m.* temporizador
tenacidade *s.f.* tenacidad, persistencia
tenaz *adj.2g.* tenaz ■ *s.f.* **1** (ferramenta) tenaza **2** (pinça) pinzas*pl.*
tenção *s.f.* intención, propósito*m.*
tencionar *v.* pretender, tener (la) intención (-, de), intentar
tenda *s.f.* **1** (acampamento) tienda de campaña; *tenda de acampamento* tienda de campaña **2** (feira) barraca, caseta; puesto **3** (circo) carpa
tendão *s.m.* tendón
tendência *s.f.* **1** tendencia; inclinación **2** POL. tendencia; doctrina **3** (moda) tendencia
tendencioso *adj.* tendencioso, parcial
tender *v.* tender (a, para, a), inclinarse (a, para, a, por)
tendinite *s.f.* tendinitis*2n.*
tenebroso *adj.* **1** tenebroso, oscuro, sombrío **2** *fig.* tenebroso, temible, perverso
tenente *s.2g.* teniente
tenente-coronel *s.2g.* (*pl.* tenentes-coronéis) teniente coronel
tênia *s.f.* tenia, solitaria
tênis *s.m.2n.* tenis ■ **tênis** *s.m.pl.* (calçado) tenis, zapatillas*f.* de deporte
tenista *s.2g.* tenista
tenor *s.m.* tenor
tenro *adj.* **1** (alimento) tierno, blando; *a carne é tenra* la carne está tierna **2** *fig. (jovem)* tierno, reciente; *tenra idade* tierna edad
tensão *s.f.* **1** tensión, emoción **2** *(conflito)* tensión, conflicto*m.*, violencia **3** *(incerteza, medo)* tensión, angustia, intranquilidad **4** ELETR. tensión, voltaje*m.* ♦ ELETR. **alta-tensão** alta tensión; **tensão arterial** tensión arterial; **tensão pré-menstrual** tensión premenstrual

tenso *adj.* **1** (objeto) tenso, tirante, estirado **2** (músculo) tenso, contraído, rígido **3** *fig.* (pessoa) tenso, preocupado
tentação *s.f.* tentación; *cair em tentação* caer en la tentación
tentáculo *s.m.* tentáculo
tentador *adj.* tentador
tentar *v.* **1** (tentativa) intentar; *tentar fazer alguma coisa* intentar hacer algo **2** (tentação) tentar, aliciar, seducir
tentativa *s.f.* intento*m.*, tentativa
tentilhão *s.m.* **1** ZOOL. pinzón **2** ZOOL. *(pintassilgo)* jilguero
tento *s.m.* **1** tiento, cuidado, tacto **2** discernimiento, sensatez*f.*, cautela*f.* ♦ **tento na língua!** ¡ojo con lo que dices!
tênue *adj.2g.* tenue
teocracia *s.f.* teocracia
teocrático *adj.* teocrático
teologia *s.f.* teología
teólog|o, -a *s.m.,f.* teólog|o, -a
teor *s.m.* **1** (texto) contenido **2** (substância) grado; proporción*f.*; contenido; (bebida) *teor alcoólico* grado de alcohol **3** *fig.* modo, manera*f.*
teorema *s.m.* teorema
teoria *s.f.* teoría ♦ **em teoria** en teoría
teóric|o, -a *adj.,s.m.,f.* teóric|o, -a
tépido *adj.* templado, tibio
tequila *s.f.* tequila
ter *v.* **1** *(possuir)* tener; *ela tem cabelo preto* ella tiene pelo negro **2** (cargo, função, ocupação) tener; *amanhã tenho aula* mañana tengo clases **3** *(conter)* tener; *este artigo tem erros* este artículo tiene errores **4** *(sofrer)* tener; *teve gripe* tuvo la gripe **5** *(estar com)* tener; *tenho fome* tengo hambre **6** *(dar à luz)* tener; *teve uma menina* ha tenido una niña **7** (medida) tener; *tem 4 m de comprimento e 2 m de largura* tiene 4 m de largo y 2 m de ancho **8** (idade) tener; *tenho 27 anos* tengo 27 años **9** *(usar)* llevar; *hoje tinha uma saia branca* hoy llevaba una falda blanca **10** *(considerar)* considerar, tener; *têm-no por engraçado* lo tienen por gracioso **11** *(haver)* haber; *tem leite na geladeira* hay leche en la nevera ▪ **ter se** *(considerar-se)* tenerse (em, por), creerse; *tenho-me por sério* me tengo por serio ♦ **ir ter a** irse a; **ir ter com alguém** encontrarse con; **não tem de quê** no hay de qué; *col.* **o que é que você tem?** ¿qué pasa?; **que é que tem?** ¿qué hay de malo?; (tempos compostos) **ter** [+*p.p.*] haber [+*p.p.*]; *você já o tinha visto antes?* ¿ya lo habías visto antes?; **ter a ver com** tener que ver con; (necessidade, obrigação) **ter de/que** [+*inf.*] tener que [+*inf.*], deber [+*inf.*]; *você tem de dizer a ele* tienes que decírselo
terapeuta *s.2g.* terapeuta
terapêutica *s.f.* terapéutica
terapêutico *adj.* terapéutico
terapia *s.f.* terapia ♦ **terapia da fala** terapia del habla; **terapia de grupo** terapia de grupo; **terapia ocupacional** terapia ocupacional
terça *s.f. col.* martes*m.2n.*
terça-feira *s.f.* (*pl.* terças-feiras) martes*m.2n.*; *às terças-feiras* los martes; *hoje é terça-feira* hoy es martes; *na próxima terça-feira* el próximo martes; *na terça-feira de manhã/à tarde/à noite* el martes por la mañana/tarde/noche; *na terça-feira passada* el martes pasado; *todas as terças-feiras* todos los martes
terceira *s.f.* tercera ♦ **terceira idade** tercera edad
terceiro-mundista *adj.2g.* tercermundista
terceto *s.m.* **1** LIT. terceto **2** MÚS. terceto, trío
terciário *adj.* terciario
terço *s.m.* **1** tercio **2** REL. tercio, una*f.* tercera parte del rosario
terçol *s.m.* MED. orzuelo
terçolho *s.m.* orzuelo
termal *adj.2g.* termal; *águas termais* aguas termales
termas *s.f.pl.* termas, caldas
térmico *adj.* **1** térmico **2** (garrafa) isotérmico
terminação *s.f.* **1** término*m.*, conclusión, fin*m.* **2** LING. terminación, sufijo*m.*
terminal *adj.2g.* terminal, final ▪ *s.m.* **1** terminal, fin, término **2** (linhas de transporte) terminal*f.* **3** ELETR. terminal, enchufe
terminantemente *adj.* terminantemente
terminar *v.* **1** terminarse, acabarse, finalizarse **2** terminar, acabar, finalizar
término *s.m.* término, fin
termo *s.m.* **1** *(limite)* término, fin, límite **2** *(vocábulo)* término, vocablo, palabra*f.* ▪ **termos** *s.m.pl.* **1** buenas*f. pl.* maneras **2** (contrato, etc.) términos ♦ **em termos de** en cuanto a; **pôr termo a** poner término a
termodinâmica *s.f.* termodinámica
termodinâmico *adj.* termodinámico
termômetro *s.m.* termómetro
termostato *s.m.* termostato
ternário *adj.* ternario; *compasso ternário* compás ternario
terno *adj.* tierno, dulce, cariñoso ▪ *s.m.* **1** (carta) tres **2** traje; (mulher) traje de chaqueta
ternura *s.f.* ternura, cariño*m.*
terra *s.f.* **1** (planeta) tierra, mundo*m.* **2** *(terreno)* tierra, finca, terreno*m.*, parcela, solar*m.* **3** *(localidade)* tierra, pueblo*m.*; *terra natal* tierra natal, terruño*m.* **4** ELETR. masa ♦ **cair por terra** echar por tierra; **ficar em terra** quedarse en tierra; **lançar por terra** caer por tierra
Terra *s.f.* Tierra
terraço *s.m.* **1** (edifício) terraza*f.*, azotea*f.* **2** *(varanda)* balcón*m.*
terracota *s.f.* **1** (argila) terracota **2** (escultura) terracota
terraplenagem *s.f.* terraplén*m.*, terrapleno*m.*
terraplenar *v.* terraplenar
terráque|o, -a *s.m.,f.* terrícola*2g.* ▪ *adj.* terráqueo; *globo terrestre* globo terráqueo
terreiro *s.m.* plaza; terrado ▪ *adj.* térreo
terremoto *s.m.* terremoto, temblor de tierra, seísmo

terreno *s.m.* **1** terreno, parcela*f.*, solar, campo **2** *fig.* terreno, campo ▪ *adj.* **1** *(terrestre)* terreno, terrestre **2** *(mundano)* terreno, terrenal, mundano ♦ **apalpar terreno** **1** tantear el terreno **2** tantear el terreno, reconocer el terreno; **perder terreno** perder terreno
térreo *adj.* **1** térreo **2** (andar) bajo*m.* **3** (casa) de una sola planta ▪ *s.m.* planta*f.* baja
terrestre *adj.2g.* terrestre
terrífico *adj.* terrorífico, pavoroso
territorial *adj.2g.* territorial; ***águas territoriais*** aguas territoriales
território *s.m.* territorio
terrível *adj.2g.* **1** (situação) terrible, espantoso, horrible **2** (esforço, vontade) enorme, grandísimo
terrivelmente *adv.* terriblemente
terror *s.m.* **1** terror, pavor **2** *fig.* (pessoa) terror ♦ (filme) **de terror** de miedo, de terror
terrorismo *s.m.* terrorismo
terrorista *adj.,s.2g.* terrorista
tesão *s.m.* **1** *vulg.* erección*f.* **2** *vulg.* (pessoa) bombón **3** *vulg.* excitación*f.*
tese *s.f.* **1** tesis*2n.* **2** (doutorado, mestrado) tesis*2n.*; ***tese de doutorado*** tesis de doctorado/tesis doctoral
tesoura *s.f.* tijera, tijeras*pl.*; ***tesoura de poda*** tijeras de podar, podadera; ***tesoura de unhas*** tijeras de uñas
tesourada *s.f.* tijeretazo*m.*, tijeretada
tesouraria *s.f.* tesorería
tesoureir|o,-a *s.m.,f.* tesorer|o,-a
tesouro *s.m.* **1** tesoro **2** ECON. tesoro; ***tesouro público*** tesoro público, erario **3** *fig.* (pessoa) tesoro; joya*f.*
testa *s.f.* frente ♦ **à testa de** a la cabeza de, al frente de
testa de ferro *s.2g.* (*pl.* testas de ferro) testaferro
testamento *s.m.* **1** testamento; ***fazer um testamento*** hacer testamento **2** *fig.* testamento ♦ **Antigo/Velho Testamento** Antiguo Testamento; **Novo Testamento** Nuevo Testamento
testar *v.* **1** (pessoa) examinar **2** (máquina, aparelho) probar, experimentar, testar
teste *s.m.* **1** *(prova)* test, prueba*f.*, examen; ***teste de álcool/alcoolemia*** prueba del alcohol/de alcoholemia; ***teste de gravidez*** prueba del embarazo **2** (equipamento, mecanismo) ensayo
testemunha *s.f.* DIR. testigo*2g.*; ***testemunha auricular*** testigo de oídas; ***testemunha de acusação*** testigo de cargo; ***testemunha de defesa*** testigo de descargo; ***testemunha ocular*** testigo ocular ♦ REL. **testemunha de Jeová** testigo de Jehová
testemunhal *adj.2g.* testimonial
testemunhar *v.* **1** testificar, atestiguar, testimoniar **2** presenciar, ver
testemunho *s.m.* **1** DIR. testimonio, declaración*f.* testimonial; ***falso testemunho*** falso testimonio **2** ESPOR. (estafeta) testigo
testículo *s.m.* testículo
testosterona *s.f.* testosterona
testudo *adj.* cabezudo
teta[1] /é/ *s.m.* (alfabeto grego) zeta*f.*
teta[2] /ê/ *s.f.* (animal) teta, mama, ubre
tetânico *adj.* tetánico
tétano *s.m.* tétanos*2n.*
teto *s.m.* **1** techo; ***teto falso*** falso techo **2** *fig.* techo, casa*f.*; ***viver debaixo do mesmo teto*** vivir bajo el mismo techo ♦ (automóvel) **teto solar** techo solar
tetraplegia *s.f.* tetraplejia
tetraplégic|o,-a *adj.,s.m.,f.* tetrapléjic|o,-a
tetravó *s.f.* madre de la tatarabuela, tataratatarabuela*pop.*
tetravô *s.m.* padre del tatarabuelo, tataratatarabuelo*pop.*
tétrico *adj.* tétrico, triste
teu *pron.poss.m.* (*f.* tua) **1** tuyo; ***o livro é teu*** el libro es tuyo **2** (antes de *s.*) tu; (depois de *s.*) tuyo; ***o teu carro*** tu coche; ***um amigo teu*** un amigo tuyo
têxtil *adj.2g.* textil
texto *s.m.* texto
textual *adj.2g.* textual
textura *s.f.* **1** (tecido) textura **2** GEOL. textura, estructura
tez *s.f.* tez
ti *pron.pess.* ti; ***me falou de ti*** me ha hablado de ti; ***isto é para ti*** esto es para ti; ***não sei viver sem ti*** no se vivir sin ti
tia *s.f.* **1** tía **2** *pop.,pej.* solterona ♦ *col.* **ficar para tia** quedarse para vestir imágenes/santos
tia-avó *s.f.* (*pl.* tias-avós) tía abuela
tiara *s.f.* tiara
tibetan|o,-a *adj.,s.m.,f.* tibetan|o,-a
Tibete *s.m.* Tíbet, Tibet
tíbia *s.f.* tibia
tiete *s.2g.* *col.* fan, admirador,-a*m.f.*
tifo *s.m.* tifus*2n.*
tifoide *adj.2g.* tifoideo; ***febre tifoide*** fiebre tifoidea
tigela *s.f.* cuenco*m.*; (para fruta, salada) bol*m.*; (para sopa) taza ♦ *col.* **de meia-tigela** de medio pelo
tigre *s.m.* tigre
tijoleira *s.f.* baldosa, loseta
tijolo *s.m.* **1** ladrillo **2** *fig.,col.* (livro) tocho
til *s.m.* (*pl.* tiles) tilde*f.* (~), acento nasal
tília *s.f.* **1** BOT. (árvore) tilo*m.*, tila **2** (flor, infusão) tila
timão *s.m.* NÁUT. timón
timbrado *adj.* **1** (papel) timbrado **2** (voz) melodioso, agradable
timbrar *v.* timbrar
timbre *s.m.* **1** timbre, sello **2** MÚS. tono **3** (papel de carta) membrete
timidez *s.f.* timidez
tímido *adj.* (pessoa) tímido
tímpano *s.m.* **1** tímpano **2** timbal **3** tímpano, témpano ▪ **tímpanos** *s.m.pl.* *pop.* oídos
tim-tim *interj.* ¡salud! ▪ *s.m.* tintín ♦ **tim-tim por tim-tim** con pelos y señales
tina *s.f.* **1** (recipiente) tina **2** *(banheira)* tina, bañera
tingir *v.* teñir

tinhoso *adj.* **1** MED. tiñoso **2** *col.* tiñoso, repugnante **3** *pop.* de mala leche

tinir *v.* **1** (vidro, metal) tintinear **2** (ouvidos) zumbar **3** *pop.* temblar

tino *s.m.* tino, sensatez*f.*, prudencia*f.* ♦ **perder o tino** perder el norte

tinta *s.f.* (para pintar) pintura; (para escrever) tinta; (para tingir) tinte*m.*; *a tinta de cabelo* el tinte para el pelo

tinteiro *s.m.* tintero ♦ **ficar no tinteiro** dejar(se) en el tintero

tinto *adj.* **1** (cor) teñido **2** (vinho) tinto ■ *s.m.* (vinho) tinto

tintura *s.f.* **1** (para tingir) tinte*m.* **2** tintura; *tintura de iodo* tintura de yodo

tinturaria *s.f.* tintorería, tinte*m.col.*

ti|o, -a *s.m.,f.* tí|o, -a

tio-avô *s.m.* (*pl.* tios-avôs) tío abuelo

típico *adj.* típico

tipo *s.m.* **1** *(classe)* tipo, clase*f.* **2** *pop. (indivíduo)* tipo, tío **3** TIP. tipo ♦ *col.* **ele não é o meu tipo** no es mi tipo

tipografia *s.f.* tipografía

tipográfico *adj.* tipográfico

tipógraf|o, -a *s.m.,f.* tipógraf|o, -a

tipoia *s.f.* cabestrillo*m.*

tipologia *s.f.* tipología

tique *s.m.* **1** (som) tic **2** (espasmo) tic; *tique nervoso* tic nervioso **3** *fig.,pej.* manía*f.*

tique-taque *s.m.* (*pl.* tique-taques) tictac

tira *s.f.* **1** tira, cinta **2** (história em quadrinhos) tira cómica, historieta ■ *s.m. cal.* madero

tiracolo *s.m.* bandolera ♦ **a tiracolo** en bandolera

tirada *s.f.* **1** tirada **2** ocurrencia ♦ **de uma ~** de una tirada, de una vez

tiragem *s.f.* **1** TIP. tirada, tiraje*m.* [AM.] **2** (chaminé) tiro*m.*

tira-gosto *s.m.* (*pl.* tira-gostos) aperitivo, tentempié, tapa*f.*

tiramisù *s.m.* tiramisú

tirania *s.f.* tiranía

tiran|o, -a *s.m.,f.* tiran|o, -a, déspota*2g.*

tira-nódoas *s.m.2n.* quitamanchas

tiranossauro *s.m.* tiranosaurio

tirar *v.* **1** *(retirar)* quitar; *tirou a louça da mesa* ha quitado los platos de la mesa **2** *(retirar de dentro)* sacar; *tirou o celular da bolsa* ha sacado el móvil del bolso **3** (classificação) sacar; *tirou muito boa nota* ha sacado muy buena nota **4** (dúvidas) sacar de (dudas) **5** *(apontamentos)* coger (apuntes), tomar (apuntes) **6** (roupa, calçado) quitarse **7** (fotografia) hacer; *tiramos muitas fotografias* hemos hecho muchas fotos **8** (mancha) quitar **9** *(roubar)* quitar ♦ **sem tirar nem pôr** sin quitar ni poner; **tirar a limpo** sacar en claro/limpio; **tirar a sorte** echar a suerte(s); **tirar partido** sacar partido

tira-teimas *s.m.2n.* **1** argumento irrefutable **2** *pop.* diccionario

tireoide *s.f.* tiroides*m.2n.*

tiro *s.m. (disparo)* tiro; ESPOR. tiro; *tiro ao alvo* tiro al blanco; *tiro ao/com arco* tiro al/con arco ♦ *col.* **o tiro sair pela culatra** salir el tiro por la culata; ESPOR. **tiro de meta** saque de portería

tiroide *s.f.* tiroides*m.2n.*

tiroteio *s.m.* tiroteo

tisana *s.f.* tisana, infusión

titã *s.m.* MIT. titán, gigante

Titã *s.m.* MIT.,ASTRON. Titán

titânio *s.m.* titanio

titubear *v.* titubear

titular *s.2g.* titular ■ *v.* titular

titularidade *s.f.* titularidad

título *s.m.* **1** (livro, jornal, artigo) título **2** (função, cargo) título; *título acadêmico/universitário* título académico/universitario **3** DIR.,ECON. título; *título de propriedade* título de propiedad ♦ **a título de** a título de; **a título pessoal** a título personal

toa *s.f.* sirga ♦ **à toa 1** sin rumbo **2** en vano **3** sin razón **4** a tontas y a locas **5** al (buen) tuntún

toalete *s.f.* **1** *(higiene pessoal)* toilette; *fazer a toalete* hacerse la toilette **2** (vestuário) traje de ceremonia **3** toilette, aseo, cuarto de baño; *ir ao toalete* ir a la toilette

toalha *s.f.* **1** toalla; *toalha de mão* toalla de manos; *toalha de banho* toalla de baño; *toalha de praia* toalla de playa; *toalha de rosto* toalla de cara **2** (mesa) mantel*m.*

toalheiro *s.m.* toallero

toalhete *s.m.* toallita*f.* (húmeda)

tobogã *s.m.* tobogán, trineo bajo

toca *s.f.* **1** madriguera, guarida, cavo*m.*, cubil*m.* **2** *fig.* escondrijo*f.*, madriguera, refugio*m.*

toca-discos *s.m.2n.* tocadiscos

tocado *adj.* **1** (fruta, legume) tocado **2** (assunto, tema) tocado, mencionado **3** (álcool) contento, alegre, acocullado

toca-fitas *s.m.2n.* tocacintas [AM.], grabador

tocante *adj.2g.* **1** *(concernente)* concerniente (a, a), relativo (a, a); *no tocante a* en lo tocante a **2** *(comovente)* conmovedor

tocar *v.* **1** *(caber a alguém)* tocar, afectar, referirse **2** (tato) tocar **3** (assunto, tema) tocar, mencionar **4** (instrumento musical) tocar; *ele toca piano* él toca el piano **5** (telefone, etc.) sonar **6** *(estar perto de)* tocar, lindar, rayar **7** *fig.* conmover, impresionar

tocha *s.f.* **1** *(facho)* antorcha, tea; *tocha olímpica* antorcha olímpica **2** (vela) cirio*m.*

toco *s.m.* tocón

todavia *conj.* sin embargo, no obstante, pero

tod|o, -a *pron.indef.* tod|o, -a; *já chegaram todos?* ¿han llegado ya todos? ■ *adv.* todo, completamente, totalmente; *estou todo molhado* está todo mojado ■ *adj.* todo; *você bebeu o leite todo?* ¿te has tomado toda la leche?; *todo mundo* toda la gente; *trabalhei o dia todo* he trabajado el día todo ■ *s.m.* todo; *o todo e as partes* el todo y las partes ♦ **ao todo** en total; **de todo** del todo

todo-poderoso *adj.* todopoderoso
toga *s.f.* toga
toilette *s.f.* ⇒ **toalete**
tola *s.f. pop.* coco*m.*
toldar *v.* **1** tapar, cubrir **2** encubrir, disimular **3** *fig.* turbar, alterar, transtornar ▪ **toldar-se** (céu) entoldarse, encapotarse
toldo *s.m.* toldo
tolerância *s.f.* tolerancia ♦ **tolerância de ponto** jornada flexible; **tolerância religiosa** tolerancia religiosa
tolerante *adj.2g.* tolerante
tolerar *v.* **1** (opinião contrária) tolerar, respetar **2** (coisa desagradável) tolerar, aguantar, soportar **3** MED. (organismo) tolerar
tolerável *adj.2g.* tolerable
tolher *v.* tullir, dificultar, impedir, estorbar
tolice *s.f.* tontería, bobada
tol|o, -a *adj.,s.m.,f.* tont|o, -a, bob|o, -a, mem|o, -a
tom *s.m.* **1** (som, voz) tono **2** *(estilo)* tono, estilo, carácter **3** (cor) tono, color **4** MÚS. tono **5** LING. tono ♦ **dar o tom** dar el tono; **sair do tom** desentonar; **sem tom nem som** sin ton ni son
toma *s.f.* **1** (medicamento) toma **2** *(conquista)* toma, conquista
tomada *s.f.* **1** ELETR. toma de corriente, enchufe*m.* hembra **2** *(conquista)* toma, conquista, ocupación ♦ **tomada de consciência** toma de conciencia; **tomada de posição** toma de posición; **tomada de posse** toma de posesión
tomar *v.* **1** *(agarrar)* tomar, coger **2** (alimento, bebida) tomar, ingerir **3** (ar, sol, banho) tomar **4** (tempo) llevar **5** (território) tomar, conquistar, ocupar **6** (decisão) tomar; *tomar medidas* tomar medidas ♦ **tomar conta** cuidar
tomara *interj.* ¡ojalá! ♦ *col.* **tomara que caia 1** (blusa) top palabra de honor **2** (sutiã) sujetador sin asa
tomate *s.m.* tomate ▪ **tomates** *s.m.pl. vulg. (testículos)* huevos ♦ *cal.* **ter tomates** tener los cojones/huevos bien puestos, tenerlos bien puestos
tombadilho *s.m.* NÁUT. tumbadillo
tombar *v.* **1** caerse **2** tumbar **3** derribar, tirar
tombo *s.m.* caída*f.*, tumbo; *levar um tombo* caerse ♦ *col.* **andar aos tombos** dar tumbos
tomo *s.m.* (obra) tomo, volumen
tomografia *s.f.* tomografía; *tomografia axial computorizada* tomografía axial computarizada
tona *s.f.* superficie ♦ **à tona** a la superficie; **vir à tona 1** salir a la superficie **2** *col.* sacar a colación
tonalidade *s.f.* (cor) tonalidad, matiz*m.*, tono*m.*
tonel *s.m.* tonel
tonelada *s.f.* tonelada
toner *s.m.* (*pl.* toners) (fotocopiadora, impressora) tóner
tônica *s.f.* **1** LING. (vogal, sílaba) tónica **2** MÚS. tónica **3** *fig.* tónica, relieve*m.*; *pôr a tônica em* dar relieve
tônico *adj.* **1** (bebida, medicamento) tonificante, tonificador, reconstituyente **2** LING. tónico ▪ *s.m.* tónico
tonificar *v.* tonificar, entonar
tonsila *s.f.* tonsila, amígdala
tonto *adj.* **1** *(atordoado)* mareado; atontado **2** *(babaca)* tonto, idiota **3** aturdido
tontura *s.f.* **1** (estado) mareo*m.*; vahído*m.*; *estou com tontura* estoy mareado; *sentir uma tontura* sentir un mareo **2** *(vertigem)* vértigo*m.*
top *s.m.* (*pl.* tops) **1** tope, punto máximo, primera posición **2** (roupa feminina) top ♦ **top model** top model
topar *v.* **1** *(deparar-se com)* toparse (-, con), encontrar (-, con) **2** *col. (aceitar)* apuntarse
topázio *s.m.* topacio
topete *s.m.* **1** (cabelo) tupé **2** *fig.* atrevimiento, desfachatez*f.*, tupé, copete
tópico *adj.* tópico ▪ *s.m.* **1** tópico, asunto, tema **2** FARM. tópico
topless *s.m.* (*pl.* toplesses) topless; *fazer topless* hacer topless
topo *s.m.* **1** (de montanha) cumbre*f.*, cima*f.* **2** *fig.* cumbre*f.*, apogeo **3** tope
topônimo *s.m.* topónimo
toque *s.m.* **1** *(contato)* toque **2** (instrumentos) toque **3** *gír.* toque, timbre **4** *fig.* rasgo ♦ **a toque de caixa** a toda prisa; **dar um toque** dar un toque; **toque de recolher** toque de queda
torácico *adj.* torácico; *caixa torácica* caja torácica
toranja *s.f.* pomelo*m.*, toronja
tórax *s.m.* tórax*2n.*
torção *s.f.* **1** torción **2** MED. torcedura, distorsión, esguince*m.*
torcedor, -a *s.m.,f.* foro|fo, -a, hincha*2g.*
torcer *v.* **1** torcer **2** (roupa, articulação) retorcer, estrujar, torcer **3** *fig.* (sentido de palavra) retorcer, tergiversar ▪ **torcer-se** (corpo) torcerse ♦ **torcer por** animar a, ser un fan de; **torcer para que** hacer votos por, desear
torcicolo *s.m.* tortícolis*f.2n.*
torcida *s.f.* **1** mecha, torcida[ESP.], pabilo*m.* **2** afición, hinchada
torcido *adj.* **1** (fio, arame) torcido **2** (articulação, osso) dislocado
tormenta *s.f.* **1** tormenta, tempestad **2** *fig.* tormenta, intranquilidad **3** *fig.* tormento*m.*, sufrimiento*m.*
tormento *s.m.* tormento; tortura*f.*
tornado *s.m.* tornado
tornar *v.* **1** dejar, hacer, poner **2** *(regressar)* volver (a, a), regresar (a, a), retornar (a, a) **3** *(responder)* decir, contestar ▪ **tornar-se 1** *(transformar-se)* hacerse, volverse **2** *(ficar)* volverse, convertirse **3** *(vir a ser)* erigirse (-, en); *tornou-se o diretor da empresa* se erigió en director de la empresa ♦ **tornar a** [+ *inf.*] volver a [+ *inf.*]; *tornou a telefonar* ha vuelto a llamar por teléfono; *não torne a fazer isso* no vuelvas a hacer eso; **tornar público** hacer público
tornassol *s.m.* **1** QUÍM. tornasol **2** BOT. girasol, tornasol
tornear *v.* **1** (peça, objeto) tornear **2** *(arredondar)* redondear **3** (espaço, lugar) rondar **4** *fig.* (obstáculo) sortear, evitar, eludir

torneio *s.m.* torneo
torneira *s.f.* grifo*m.*; *torneira de água fria/quente* grifo de agua fría/caliente; *abrir/fechar a torneira* abrir/cerrar el grifo
torniquete *s.m.* torniquete
torno *s.m.* torno; *torno de oleiro* torno de alfarero ♦ **em torno de** en torno a, alrededor de
tornozelo *s.m.* tobillo
toró *s.m. pop.* chubasco, aguacero
torpe *adj.2g.* **1** *(desonesto)* infame, canalla **2** *(nojento)* repugnante, asqueroso
torpedear *v.* torpedear
torpedeiro *s.m.* torpedero
torpedo *s.m.* torpedo
torpor *s.m.* **1** sopor, entumecimiento **2** *fig.* apatía*f.*, indiferencia*f.*, desgana*f.*
torrada *s.f.* tostada; *torradas com manteiga* tostadas con mantequilla
torradeira *s.f.* tostador*m.*, tostadora
torrado *adj.* tostado, torrado
torrão *s.m.* **1** (terra) terrón **2** CUL. turrón ♦ **torrão de açúcar** terrón de azúcar, azucarillo
torrar *v.* **1** tostar **2** (alimento) quemar **3** *col.* tostarse, torrarse ■ **torrar-se** tostarse
torre *s.f.* **1** (construção) torre **2** (edifício) torre **3** (xadrez) torre, roque*m.* ♦ (aeroporto) **torre de controle** torre de control; **torre de marfim** torre de marfil
torrencial *adj.2g.* torrencial
torrencialmente *adv.* torrencialmente
torrente *s.f.* **1** torrente **2** *fig.* montón*m.*
torresmo *s.m.* torrezno
tórrido *adj.* tórrido
torta *s.f.* [masa enrollada con relleno dulce o salado]
tortilha *s.f.* tortilla; (com batata) tortilla española/de patatas
torto *adj.* torcido, retorcido ■ *adv.* mal, con grosería; *responder torto* dar una mala respuesta ♦ **a torto e a direito** a diestro y siniestro
tortuosidade *s.f.* tortuosidad, sinuosidad
tortuoso *adj.* tortuoso, sinuoso
tortura *s.f.* **1** tortura, padecimiento*m.* **2** *fig.* tortura, tormento*m.*, angustia
torturar *v.* **1** torturar **2** *fig.* atormentar, mortificar ■ **torturar se** torturarse, afligirse, mortificarse
tosco *adj.* **1** tosco **2** *fig.* (pessoa) tosco, basto, grosero
tosquia *s.f.* **1** (animal) esquila, esquileo*m.* **2** *col.* corte*m.* de pelo
tosquiadela *s.f.* esquileo*m.*, esquila
tosquiar *v.* esquilar, trasquilar
tosse *s.f.* tos ♦ **tosse convulsa** tos ferina
tossir *v.* toser
tosta *s.f. (torrada)* tostada
tostado *adj.* **1** (alimento) tostado, torrado **2** (pessoa) torrado, bronceado, moreno
tostão *s.m.* tostón ♦ **não ter um tostão** no tener (ni) un duro; **não valer um tostão (furado)** no valer un pito
tostar *v.* tostar, torrar ■ **tostar-se** tostarse, torrarse
total *adj.2g.* total, completo ■ *s.m.* total, totalidad*f.*
totalidade *s.f.* totalidad
totalista *s.2g.* (jogos) máximo acertante
totalitário *adj.* totalitario
totalizar *v.* totalizar
totalmente *adv.* totalmente
totó *s.m.* **1** *col. (cãozinho)* perrito **2** futbolín
touca *s.f.* **1** gorra **2** (de banho, natação) gorro*m.* **3** (de enfermeira) cofia **4** (de freira) toca
toucinho *s.m.* tocino; *toucinho defumado* tocino ahumado, beicon
toupeira *s.f.* topo*m.*
tour *s.m.* gira*f.*, tournée*f.*
tourada *s.f.* **1** TAUR. corrida (de toros) **2** *fig.* jaleo*m.*
toureador *s.m.* torero, lidiador
tourear *v.* **1** torear **2** provocar, desafiar
toureio *s.m.* toreo
toureir|o, -a *s.m.,f.* torer|o, -a
touro *s.m.* **1** ZOOL. toro **2** *fig.* (pessoa) toro ♦ *col.* **agarrar o touro pelos cornos** coger el toro por los cuernos
Touro *s.m.* ASTROL.,ASTRON. Tauro
toxicidade *s.f.* toxicidad
tóxico *adj.,s.m.* tóxico
toxicodependência *s.f.* drogodependencia, drogadicción
toxicodependente *adj.,s.2g.* drogodependiente, drogadict|o, -a*m.f.*
toxicologia *s.f.* toxicología
toxicomania *s.f.* toxicomanía
toxicomaníac|o, -a *adj.,s.m.,f.* toxicóman|o, -a
toxina *s.f.* toxina
toxoplasmose *s.f.* toxoplasmosis*2n.*
trabalhador, -a *adj.,s.m.,f.* trabajador, -a ♦ **trabalhador autônomo** trabajador autónomo
trabalhão *s.m.* trabajera*f.*
trabalhar *v.* **1** trabajar, currar*col.*, currelar*col.* **2** (madeira, metal) trabajar **3** (motor, carro, máquina) trabajar, funcionar **4** (terra) trabajar, cultivar **5** (língua, disciplina) trabajar, perfeccionar ♦ **pôr a trabalhar** poner en marcha
trabalheira *s.f.* trabajera
trabalhismo *s.m.* laborismo
trabalhista *adj.,s.2g.* laborista
trabalho *s.m.* **1** *(atividade)* trabajo, labor, ocupación*f.*; *ter muito trabalho* tener mucho trabajo **2** (emprego, local de trabalho) trabajo, tajo*col.*, curro*col.*; *chegar tarde ao trabalho* llegar tarde al trabajo **3** *(obra feita)* trabajo, obra*f.* ■ **trabalhos** *s.m.pl.* trabajos, penalidades*f.*, dificultades*f.* ♦ **dar trabalho** dar guerra, dar/costar trabajo; **dar-se ao trabalho de** tomarse el trabajo de; **trabalho de campo** trabajo de campo; **trabalho de parto** trabajo/labor de parto; **trabalhos forçados** trabajos forzados/forzosos; **trabalhos manuais** trabajos manuales, manualidades
trabalhoso *adj.* trabajoso
traça *s.f.* **1** polilla **2** *col. (fome)* gusa

traçado *s.m.* trazado ■ *adj.* **1** (plano, projeto) trazado, esbozado **2** *(roído por traça)* apolillado **3** (destino) destinado

tração *s.f.* tracción ◆ **tração nas quatro rodas** tracción a las cuatro ruedas

traçar *v.* **1** *(riscar)* trazar **2** (plano, projeto, figura) esbozar, delinear **3** (tecido, papel) apolillar, apolillarse **4** *(determinar)* destinar

tracejado *adj.,s.m.* trazo discontinuo

tracejar *v.* **1** delinear **2** rayar **3** esbozar, delinear

traço *s.m.* **1** *(risco)* trazo, rasgo, línea*f.* **2** *fig. (sinal)* rasgo, señal*f.* ■ **traços** *s.m.pl.* (rosto) rasgos, facciones*f.* ◆ **a traços largos** a grandes rasgos; **traço fonológico** trazo fonológico

tradição *s.f.* tradición

tradicional *adj.2g.* tradicional

tradicionalismo *s.m.* tradicionalismo

tradicionalista *adj.,s.2g.* tradicionalista

tradução *s.f.* **1** traducción; ***tradução juramentada*** traducción oficial/jurada; ***tradução literal*** traducción literal; ***tradução livre*** traducción libre; ***tradução simultânea*** traducción simultánea **2** *fig.* reflejo*m.* **3** *fig.* interpretación

tradutor, -a *s.m.,f.* traductor, -a

traduzir *v.* traducir (de, para, de, a)

tráfego *s.m.* tráfico; ***tráfego aéreo/marítimo/rodoviário*** tráfico aéreo/marítimo/rodado

traficante *adj.,s.2g.* traficante

traficar *v.* **1** comerciar, negociar **2** (comércio ilegal) traficar, contrabandear

tráfico *s.m.* **1** comercio **2** *pej.* tráfico, contrabando; ***tráfico de drogas*** tráfico de drogas, narcotráfico

tragada *s.f.* **1** (cigarro) calada **2** trago*m.*

tragar *v.* tragar, engullir

tragédia *s.f.* **1** tragedia **2** *fig.* tragedia, desgracia

trágico *adj.* trágico

tragicomédia *s.f.* tragicomedia

tragicômico *adj.* tragicómico

trago *s.m.* trago, sorbo ◆ **de um trago** de un trago

traição *s.f.* **1** traición, deslealtad **2** *(adultério)* infidelidad, traición ◆ **à traição** a traición

traiçoeiro *adj.* traicionero, desleal, falso

traidor, -a *adj.,s.m.,f.* traidor, -a

trailer *s.m.* tráiler

traineira *s.f.* trainera, barco*m.* para la pesca de la sardina

trair *v.* **1** traicionar, engañar **2** (juramento, promessa) no cumplir, fallar **3** (amor) engañar, traicionar, ser infiel

trajar *v.* vestir traje ■ **trajar se** trajearse, vestirse

traje *s.m.* **1** traje; ***traje acadêmico*** traje universitario; ***traje de cerimônia*** traje de cerimonia; ***traje de gala*** traje de gala **2** *(veste)* indumentaria*f.* ◆ **em trajes menores** en paños menores

trajeto *s.m.* trayecto, recorrido; ***fim do trajeto*** final de trayecto

trajetória *s.f.* **1** trayectoria **2** *fig.* recorrido*m.*

tralha *s.f.* **1** red **2** *pop.* quincalla, trastos*m. pl.*

trama *s.f.* **1** (tecido) trama **2** (história) trama, argumento*m.* **3** *fig.* trama, intriga

tramar *v.* **1** tramar, urdir **2** *fig.* tramar, maquinar, urdir ◆ **andar a tramar alguma** tener entre manos

trambique *s.m. col.* trampa*f.*

trambolhão *s.m.* **1** tropezón; ***deu um trambolhão*** se cayó **2** *(contratempo)* contratiempo ◆ **andar aos trambolhões** a trancas y barrancas, andar a tropezones/trompicones; **dar um trambolhão** dar un tropezón

trambolho *s.m.* **1** (objeto) mamotreto **2** *fig.* persona gorda (que anda con dificultad)

trâmite *s.m.* trámite, vía*f.* ■ **trâmites** *s.m.pl.* (via legal) trámites

tramoia *s.f. pop.* tramoya, intriga, trama, engaño*m.*

trampolim *s.m.* trampolín

tranca *s.f.* **1** (porta) tranca, cerrojo*m.* **2** (automóvel) barra antirrobo

trança *s.f.* trenza

trancar *v.* **1** (porta, janela) atrancar, echar el cerrojo **2** (pessoa, animal) encerrar ◆ **trancar matrícula** [abandonar temporariamente un curso]

trançar *v.* trenzar, hacer trenzas

tranco *s.m.* **1** sacudida*f.* **2** empujón ◆ **aos trancos e barrancos** a trancas y barrancas

tranquilamente *adv.* tranquilamente

tranquilidade *s.f.* tranquilidad, serenidad

tranquilizador *adj.* tranquilizador

tranquilizante *adj.,s.m.* tranquilizante

tranquilizar *v.* tranquilizar, calmar ■ **tranquilizar -se** tranquilizarse, calmarse

tranquilo *adj.* tranquilo

transa *s.f.* **1** *col.* transacción **2** *col.* relación sexual

transação *s.f.* **1** transacción, negocio*m.*, trato*m.* **2** *(acordo)* transacción, acuerdo*m.*, convenio*m.*

transacionar *v.* negociar

transar *v. col.* coger[AM.], copular

transatlântico *adj.* transatlántico

transbordar *v.* **1** (passageiros, mercadorias) trasbordar, hacer trasbordo **2** (líquido) desbordarse, derramarse

transbordo *s.m.* (passageiros, mercadorias) transbordo; ***fazer transbordo*** hacer transbordo, transbordar

transcendência *s.f.* **1** FIL. trascendencia, transcendencia **2** *(importância)* trascendencia, relevancia, importancia

transcendental *adj.2g.* trascendental, transcendental

transcendente *adj.2g.* trascendente, transcendente

transcender *v.* trascender, transcender, superar, exceder

transcontinental *adj.2g.* transcontinental

transcorrer *v.* transcurrir

transcrever *v.* transcribir

transcrição *s.f.* **1** *(cópia)* transcripción, copia **2** LING. transcripción; ***transcrição fonética*** transcripción fonética

transcrito (*p.p. de* transcrever) *adj.* transcrito
transe *s.m.* **1** trance, ocasión*f.* difícil **2** (hipnose) trance
transeunte *adj.,s.2g.* transeúnte, peatón, viandante
transexual *adj.,s.2g.* transexual
transferência *s.f.* **1** (de funcionário) traslado*m.* **2** (de estudante) cambio*m.* de expediente **3** ECON. transferencia **4** transferencia, trasferencia **5** (de jogador) transferencia
transferidor *s.m.* transportador
transferir *v.* **1** transferir, trasferir **2** ECON. transferir **3** (cargo, posto) trasladar ▪ **transferir se** trasladarse, mudarse
transferível *adj.2g.* transferible
transfiguração *s.f.* transfiguración, trasfiguración
transfigurar *v.* transfigurar ▪ **transfigurar-se** transfigurarse
transformação *s.f.* transformación, cambio*m.*
transformador *s.m.* transformador
transformar *v.* transformar, cambiar ▪ **transformar-se** transformarse, cambiarse
transformável *adj.2g.* transformable
transformismo *s.m.* **1** BIOL. transformismo **2** (ator, palhaço) transformismo **3** (travesti) travestismo
transfusão *s.f.* transfusión, trasfusión; *transfusão de sangue* transfusión de sangre
transgênico *adj.* (animal, planta) transgénico
transgredir *v.* (lei, regra) transgredir, trasgredir, infringir, violar
transgressão *s.f.* transgresión, trasgresión, infracción
transgressor, -a *adj.,s.m.,f.* transgresor, -a, trasgresor, -a, infractor, -a
transição *s.f.* transición
transigência *s.f.* transigencia, tolerancia
transigente *adj.2g.* transigente, tolerante
transitar *v.* transitar, andar
transitável *adj.2g.* transitable
transitivo *adj.* (verbo) transitivo
trânsito *s.m.* (rua) tránsito, circulación*f.*, tráfico
transitório *adj.* transitorio, pasajero, temporal
translação *s.f.* traslación
transladação *s.f.* traslado*m.*, desplazamiento*m.*
transladar *v.* trasladar, desplazar
translúcido *adj.* translúcido, traslúcido
transluzir *v.* traslucirse, transparentarse, clarearse
transmissão *s.f.* **1** transmisión, comunicación; *transmissão de conhecimentos* transmisión de conocimientos **2** MED. transmisión, contagio*m.* **3** (televisão, rádio) transmisión, retransmisión; *transmissão ao vivo* transmisión en directo
transmissível *adj.2g.* transmisible
transmissor, -a *adj.,s.m.,f.* transmisor, -a ▪ *s.m.* transmissor
transmitir *v.* **1** (mensagem, notícia) transmitir, comunicar **2** (bens) transmitir, traspasar **3** (conhecimentos) enseñar, transmitir **4** (doença) transmitir, contagiar **5** (rádio, televisão) transmitir, retransmitir, emitir; (rádio) radiar; (televisão) televisar ▪ **transmitir se** transmitirse, comunicarse; propagarse
transparecer *v.* **1** transparentarse, dejar entrever, traslucir **2** *fig.* manifestarse, transparentar, dejar notar
transparência *s.f.* **1** transparencia **2** *(acetato)* transparencia
transparente *adj.2g.* **1** transparente, traslúcido, cristalino **2** *fig.* evidente, claro
transpiração *s.f.* **1** transpiración **2** *(suor)* sudor*m.*
transpirar *v.* **1** (pessoa) transpirar, sudar **2** *fig.* (notícia) divulgarse
transplantar *v.* **1** (planta) trasplantar **2** MED. trasplantar, hacer un trasplante
transplante *s.m.* trasplante
transpor *v.* transponer, pasar; superar
transportador *adj.,s.m.,f.* transportador, -a
transportadora *s.f.* compañía/empresa de transportes
transportar *v.* transportar, conducir, llevar
transportável *adj.2g.* transportable
transporte *s.m.* transporte; *transporte aéreo* transporte aéreo; *transporte de mercadorias* transporte de mercancías; *transporte público* transporte público; *transporte rodoviário* transporte por carretera
transposição *s.f.* transposición, trasposición
transtornado *adj.* **1** (ordem) desordenado **2** (pessoa) trastornado, perturbado
transtornar *v.* **1** *(desorganizar)* desordenar **2** *fig. (incomodar)* molestar **3** *fig.* trastornar, perturbar
transtorno *s.m.* **1** desorden **2** *fig.* trastorno, contratiempo **3** *fig. (perturbação)* trastorno
transvasar *v.* transvasar, trasvasar, trasegar
transversal *adj.2g.* transversal; *linha transversal* línea transversal; *rua transversal* calle transversal
transviado *adj.* descarriado
transviar *v.* **1** desviar, desencaminar **2** *fig.* descarriarse, perderse
trapaça *s.f.* trampa, trapacería, chanchullo*m.col.*
trapacear *v.* **1** trapacear, timar **2** timar, usar trapacerías, engañar
trapaceir|o, -a *adj.,s.m.,f.* timador, -a, trapacer|o, -a, trampos|o, -a
trapalhada *s.f.* lío*m.*, confusión
trapalh|ão, -ona *s.m.,f.* manazas*pl.*, desmañad|o, -a, embarullador, -a; *você é tão trapalhão!* ¡eres un/una manazas!
trapalhice *s.f.* lío*m.*, confusión
trapézio *s.m.* trapecio
trapezista *s.2g.* trapecista
trapo *s.m.* **1** *(farrapo)* trapo, harapo, andrajo; *boneca de trapos* muñeca de trapo **2** *fig.* piltrafa*f.*; *estar um trapo* estar hecho un trapo ♦ *pop.* **juntar os trapos** casarse
traque *s.m. col.* cuesco, pedo, ventosidad*f.*
traqueia *s.f.* tráquea

traquejo *s.m. pop.* tablas*f. pl.*, práctica*f.*; *ter muito traquejo* tener muchas tablas
traqueostomia *s.f.* traqueostomía
traqueotomia *s.f.* traqueotomía
traquina *adj.2g.* travieso, revoltoso, zarandillo ▪ *s.2g.* torbellino
traquinice *s.f.* travesura, diablura
trás *prep.* atrás, detrás; *de trás* de atrás; *para trás* hacia atrás ▪ *interj.* (queda, pancada) ¡pum!, ¡chas! ♦ **saber de trás para a frente** saberse algo al dedillo
traseira *s.f.* trasera, retaguarda ▪ **traseiras** *s.f.pl.* parte trasera de la casa
traseiro *adj.* trasero ▪ *s.m.* trasero, culo, pompis*2n.col.*, nalgas*f. pl.*
trasladação *s.f.* traslado*m.*
trasladar *v.* trasladar, desplazar
trasorelho *s.m. pop.* paperas*f. pl.*
traste *s.m.* **1** trasto, mamotreto, cachivache **2** *pej. (inútil)* trasto **3** *pej. (velhaco)* canalla, sinvergüenza **4** MÚS. traste
trasto *s.m.* MÚS. traste
tratado *s.m.* **1** (obra) tratado **2** *(acordo)* tratado, acuerdo, convenio; *tratado de paz* tratado de paz
tratador, -a *s.m.,f.* cuidador, -a (de animales)
tratamento *s.m.* **1** tratamiento, trato; *fazer um tratamento* hacer un tratamiento; *tratamento de beleza* tratamiento de belleza **2** *(terapia)* tratamiento, terapia*f.* **3** (de lixo, resíduos) tratamiento ♦ INFORM. **tratamento de informação** tratamiento de la información
tratante *s.2g.* trampos|o, -a*m.f.*
tratar *v.* **1** *(cuidar)* tratar, cuidar; *tratar de um doente* cuidar a un enfermo **2** tratar; *tratar bem/mal alguém* tratar bien/mal a alguien **3** *(encarregar-se)* encargarse; *eu trato disso* yo me encargo de eso **4** MED. tratar **5** *(versar)* tratar; *o livro trata de literatura moderna* el libro trata de literatura moderna **6** (por tu, por você) tratar (**por**, de); *tratar alguém por tu* tratar a alguien de tú, tutear **7** (tema) tratar, hablar (-, de) **8** (lixo, resíduo) tratar ▪ **tratar se 1** *(curar-se)* tratarse, curarse **2** *(ser o caso de)* tratarse (de, de), ser cuestión de
trato *s.m.* **1** *(tratamento)* trato; *sofrer maus-tratos* sufrir malos tratos **2** *(convivência)* convivencia*f.*, relación*f.* **3** *(acordo)* trato, acuerdo, contrato
trator *s.m.* tractor
trauma *s.m.* **1** PSIC. trauma; *trauma de infância* trauma infantil **2** MED. traumatismo, trauma
traumático *adj.* traumático
traumatismo *s.m.* traumatismo; *traumatismo craniano* traumatismo craneal
traumatizar *v.* (trauma) traumatizar; (traumatismo) lesionar
traumatologia *s.f.* traumatología
travado *adj.* **1** (veículo) frenado **2** (saia) ceñido, ajustado **3** (porta de veículo) cerrado
travagem *s.f.* frenado*m.*; frenazo*m.*; *fazer uma travagem brusca* dar un frenazo
trava-língua *s.m.* (*pl.* trava-línguas) trabalenguas*2n.*
travar *v.* **1** (aparelho) frenar **2** (movimento, ação) impedir, detener **3** (conversa, batalha) trabar **4** (porta) cerrar **5** *fig.* refrenar **6** (luta) trabar, empezar; *travar uma batalha* trabar una batalla
trave *s.f.* **1** (baliza) travesaño*m.*, larguero*m.* **2** *(viga)* viga; *trave-mestra* viga maestra **3** ESPOR. barra de equilibrio
través *s.m.* través, soslayo ♦ **de través** de soslayo, de lado
travessa *s.f.* **1** (rua) bocacalle, travesía **2** (comida) fuente **3** (cabelo) peineta **4** (peça de madeira) larguero*m.* **5** *(trave)* travesaño*m.*
travessão *s.m.* **1** (cabelo) pinza*f.* **2** (sinal gráfico) guión; (diálogos) raya*f.* **3** (balança) astil, brazo
travesseira *s.f.* **1** almohada **2** *(fronha)* almohada, funda
travesseiro *s.m.* **1** almohada*f.* **2** *(fronha)* funda*f.* ♦ **consultar o travesseiro** consultar con la almohada
travessia *s.f.* travesía, viaje*m.*
travesso *adj.* **1** *(atravessado)* atravesado, de través; *(oblíquo)* transversal **2** (criança) travieso, revoltoso
travessura *s.f.* travesura, diablura, trastada*col.*
travesti *s.2g.* travesti*m.*, travestí*m.*
travo *s.m.* **1** (sabor) amargor **2** *fig.* amargura*f.*, aflicción*f.*
trazer *v.* **1** *(transportar)* traer, transportar; *traz isso contigo* tráete eso; *eu não trouxe dinheiro* no he traído dinero **2** (roupa) llevar puesto, traer; *ele traz um casaco vermelho* él trae un abrigo/una chaqueta rojo/roja **3** (informações) traer; *trazer más notícias* traer malas noticias **4** (consequências) traer, producir, causar
trecho *s.m.* **1** (obra) apartado **2** (tempo, lugar) trecho
treco *s.m.* **1** (objeto) chisme **2** *pop.* soponcio, indisposición*f.*; *ter um treco* darle patatús
trégua *s.f.* tregua ♦ **não dar trégua** no dar tregua(s)
treinador, -a *s.m.,f.* entrenador, -a; *treinador adjunto* entrenador ayudante
treinar *v.* **1** entrenarse **2** entrenar; (animais) adiestrar **3** ESPOR. entrenar
treino *s.m.* **1** *(preparação física)* entrenamiento; (animais) adiestramiento **2** *(prática)* práctica*f.* **3** *(ensaio)* ensayo
trejeito *s.m.* **1** tic nervioso **2** (gesto) mohín, mueca*f.*
trela *s.f.* **1** (cão) correa **2** *col. (conversa)* palique*m.* ♦ *col.* **dar trela a alguém** dar cuerda a alguien
trem *s.m.* **1** batería*f.*; *col. trem de cozinha* batería de cocina **2** tren; *ir de trem* ir en tren ♦ **trem de aterrissagem** tren de aterrizaje
trema *s.m.* diéresis*f.2n.*
tremelicar *v.* **1** tiritar **2** temblar
tremendo *adj.* **1** tremendo, terrible **2** *fig.* tremendo, enorme, extraordinario
tremer *v.* **1** (tremura) temblar; *tremer de frio/medo* temblar de frío/miedo **2** (terra) temblar **3** *fig.* temblar, asustarse

tremido *adj.* **1** (voz) tembloroso, trémulo **2** (imagem) movido **3** (negócio) arriesgado **4** *col.* (relação) incierto, inseguro
tremoço *s.m.* altramuz, chocho
tremor *s.m.* temblor ♦ **tremor de terra** temblor de tierra, terremoto
trêmulo *adj.* **1** trémulo, tembloroso **2** (voz) tembloroso, entrecortado **3** *fig.* indeciso, vacilante
trenó *s.m.* trineo
trepa *s.f. col.* paliza, tunda
trepadeira *s.f.* planta trepadora, enredadera ■ *adj.* (planta) trepadora
trepador *adj.* trepador
trepar *v.* **1** *(subir)* trepar, subir **2** trepar (em, a) **3** (planta) trepar **4** *vulg.* echar un polvo
trepidação *s.f.* trepidación
trepidante *adj.2g.* trepidante
trepidar *v.* trepidar, temblar
três *s.m.* tres
tresloucado *adj.* alocado, loco
tresnoitar *v.* trasnochar
trespassar *v.* **1** (estabelecimento) traspasar **2** (bala, seta) traspasar, perforar
trespasse *s.m.* **1** (estabelecimento) traspaso **2** cruzado; *saia de trespasse* falda cruzada
treta *s.f. fig. (estratagema)* treta, artimaña, ardid*m.*
trevas *s.f.pl.* tinieblas
trevo *s.m.* trébol
trevo-de-quatro-folhas *s.m.* (*pl.* trevos-de-quatro-folhas) trébol de cuatro hojas
treze *s.m.* trece
trezent|os, -as *s.m.* trescient|os, -as
triagem *s.f.* selección, criba*fig.*
triangular *adj.2g.* triangular
triângulo *s.m.* **1** GEOM. triángulo **2** MÚS. triángulo ♦ (relação) **triângulo amoroso** triángulo amoroso
triatlo *s.m.* triatlón
tribal *adj.2g.* tribal
tribalismo *s.m.* tribalismo
tribo *s.f.* tribu
tribulação *s.f.* tribulación, preocupación, pena
tribuna *s.f.* **1** (para oradores) tribuna **2** (templos religiosos) púlpito*m.* **3** (desfiles, competições desportivas) tribuna **4** (sala de espetáculos) platea alta ♦ (tribunal) **tribuna de jurados** tribuna del jurado
tribunal *s.m.* tribunal
tributar *v.* **1** *(taxar)* imponer tributos, cotizar **2** *(pagar)* tributar
tributário *adj.* tributario
tributável *adj.2g.* sujeto a impuestos, imponible
tributo *s.m.* **1** *(imposto)* tributo, impuesto **2** *(homenagem)* tributo, homenaje
tricentenário *s.m.* tricentenario
triciclo *s.m.* **1** triciclo **2** (para cargas) motocarro
tricô *s.m.* tricot, punto; *fazer tricô* hacer punto, tricotar
tricolor *adj.2g.* tricolor
tricotar *v.* tricotar, hacer punto
tridimensional *adj.2g.* tridimensional
trienal *adj.2g.* trienal
trifásico *adj.* trifásico
trigêmeo *s.m.,f.* trilliz|o, -a ■ **trigêmeo** *s.m.* ANAT. trigémino
trigésim|o, -a *s.m.* trigésim|o, -a
trigo *s.m.* trigo ♦ **separar o trigo do joio** separar el grano de la paja
trigonometria *s.f.* trigonometría
trigueiro *adj.* **1** *(do trigo)* triguero **2** *(moreno)* trigueño, moreno
trilha *s.f.* **1** *(caminho)* sendero*m.*, senda **2** *(rasto)* huella, rastro*m.* **3** AGR. trilla ♦ **trilha sonora** banda sonora
trilhão *s.m.* billón
trilhar *v.* **1** *(entalar)* pillar; *trilhar os dedos na porta* pillarse los dedos con la puerta **2** (caminho) recorrer **3** (cereais) trillar
trilho *s.m.* **1** (trem, bonde) carril, riel; *sair do trilho* descarrilar **2** *(caminho)* sendero, senda*f.*, camino **3** AGR. trillo ♦ **andar nos trilhos** andar a derechas, portarse bien; **sair dos trilhos** portarse mal
trilíngue *adj.2g.* trilingüe
trilogia *s.f.* trilogía
trimestral *adj.2g.* trimestral
trimestre *s.m.* trimestre
trinado *s.m.* **1** (aves) trino, gorjeo **2** MÚS. trino
trinca *s.f.* **1** mordida, bocado*m.*, mordisco*m.*, mordedura **2** [LUS.] bocado*m.*
trincadela *s.f.* dentellada, mordisco*m.*, bocado*m.*
trincar *v.* **1** morder **2** *(morder)* masticar; morder; *trincar a língua* morderse la lengua **3** *pop.* matiscar, comer
trincha *s.f.* brocha
trinchar *v.* (carne) trinchar, cortar
trincheira *s.f.* **1** MIL. trinchera, parapeto*m.* **2** (praça de touros) burladero*m.*
trinco *s.m.* **1** (de porta, janela) picaporte **2** (de veículo) pestillo
trindade *s.f.* trinidad
Trindade *s.f.* REL. Trinidad; *Santíssima Trindade* Santísima Trinidad
trinet|o, -a *s.m.,f.* tataraniet|o, -a
trinta *s.m.* treinta
trinta e um *s.m.2n.* (jogo) treinta*f.* y una
trio *s.m.* trío
tripa *s.f.* **1** (animal) tripa **2** *pop.* intestino*m.*, tripa ♦ **fazer das tripas coração** hacer de tripas corazón
tripartir *v.* tripartir
tripé *s.m.* trípode
tripeir|o, -a *s.m.,f.* [LUS.] *col.* natural*2g.*/habitante*2g.* de Oporto ■ *adj.* [LUS.] *col.* de Oporto
triplicado *adj.* triplicado ■ *s.m.* triplicado ♦ **em triplicado** por triplicado

triplicar *v.* triplicar

triplo *s.m.* triple ■ *adj.* triple ■ *s.m.* (basquetebol) triple ♦ **salto triplo** triple salto

tripulação *s.f.* tripulación

tripulante *s.2g.* tripulante

tripular *v.* (avião, embarcação) tripular, conducir

trisavó *s.f.* (*m.* trisavô) tatarabuela

trisavô *s.m.* (*f.* trisavó) tatarabuelo

trissílabo *adj.,s.m.* trisílabo

triste *adj.2g.* **1** (pessoa) triste **2** (acontecimento, atitude) triste, lamentable

tristeza *s.f.* tristeza, congoja

tristonho *adj.* tristón, melancólico

Tritão *s.m.* MIT., ASTRON. Tritón

tritongo *s.m.* triptongo

triturado *adj.* triturado, molido

trituradora *s.f.* trituradora

triturar *v.* **1** triturar, moler, machacar **2** (alimento na boca) triturar, mascar, masticar

triunfal *adj.2g.* triunfal

triunfante *adj.2g.* triunfante

triunfar *v.* triunfar (sobre, sobre); *triunfar sobre alguém/algo* triunfar sobre alguien/algo

triunfo *s.m.* **1** *(vitória)* triunfo, victoria*f.* **2** *(êxito)* triunfo, éxito

trivial *adj.2g.* trivial, banal

trivialidade *s.f.* trivialidad, banalidad

trivializar *v.* trivializar, banalizar

triz *s.m.* momento, instante ♦ **por um triz** por un tris

troca *s.f.* **1** *(transferência)* trueque*m.*, cambio*m.* **2** *(mudança)* cambio*m.* **3** (experiências, ideias) intercambio*m.*; *troca de impressões* intercambio de impresiones ♦ **em troca** a cambio; **pedir (algo) em troca** pasar factura

troça *s.f.* **1** burla, mofa; *fazer troça de alguém/alguma coisa* burlarse de alguien/algo; *ser alvo de troça* ser el hazmerreír **2** *(escárnio)* escarnio*m.*

trocadilho *s.m.* juego de palabras

trocado *s.m.* (dinheiro) suelto, monedas*f. pl.*

trocar *v.* **1** cambiar **2** (experiências, ideias) intercambiar **3** alterar ■ **trocar se** (roupa) cambiarse ♦ *fig.* **trocar as bolas** confundirse

troçar *v.* burlarse (de, de), mofarse (de, de)

trocista *adj.,s.2g.* bromista, guas|ón, -ona*m.f.*, burl|ón, -ona*m.f.*

troco *s.m.* **1** (dinheiro) vuelta*f.*, cambio; *fique com o troco* quédese con la vuelta **2** *(resposta)* réplica*f.* ♦ **a troco de** a cambio de; **não dar troco** no hacer caso

troço *s.m.* **1** *(pedaço)* trozo **2** (estrada) tramo, trecho **3** (planta) tallo

troféu *s.m.* trofeo

troglodita *adj.,s.2g.* **1** troglodita, cavernícola **2** *fig.,pej.* troglodita

trólei *s.m.* **1** (dispositivo) trole **2** (veículo) trolebús*2n.*

tromba *s.f.* **1** (elefante) trompa **2** (insetos) trompa **3** MET. tromba **4** *pop.* cara, jeta, morro*m.* ♦ *col.* **estar/ficar de tromba** estar de morro; *col.* **fazer tromba** poner cara fea

trombada *s.f.* **1** (pancada) trompazo*m.* **2** *(colisão)* choque*m.*, colisión

trombadinha *s.2g. col.* ladronzuel|o, -a*m.f.*

trombeta *s.f.* trompeta

trombo *s.m.* trombo, coágulo de sangre

trombone *s.m.* trombón de varas ♦ **botar a boca no trombone 1** denunciar **2** quejarse

trombonista *s.2g.* trombonista, trombón

trombose *s.f.* trombosis*2n.*

trombudo *adj.* **1** que tiene trompa **2** *(carrancudo)* ceñudo

trompa *s.f.* **1** MÚS. trompa **2** ANAT. trompa; *trompa de Eustáquio/Falópio* trompa de Eustaquio/Falopio

trompete *s.f.* trompeta

trompetista *s.2g.* trompetista, trompeta

tronco *s.m.* **1** tronco **2** *fig.* (genealogia) tronco, linaje*f.*

trono *s.m.* trono

tropa *s.f.* **1** tropa, ejército*m.* **2** *col.* *(serviço militar)* mili, servicio*m.* militar; *ir à tropa* hacer la mili **3** *(multidão)* tropa, muchedumbre

tropeção *s.m.* tropezón, traspié, trompicón

tropeçar *v.* **1** *(embater com o pé)* tropezar (em, con), darse de narices (em, contra), darse de bruces (em, con) **2** *(deparar-se com)* tropezar (em, con), toparse (em, con), darse de bruces, darse de narices (em, con)

tropeço *s.m. fig.* tropiezo

trôpego *adj.* entorpecido, entumecido, torpe

tropical *adj.2g.* tropical

trópico *s.m.* trópico; *trópico de Câncer/Capricórnio* trópico de Cáncer/Capricornio

trotar *v.* (cavalo) trotar

trote *s.m.* **1** trote **2** (universidade) novatada*f.*

trotineta *s.f.* [LUS.] patinete*m.*, patín*m.*

trotinete *s.f.* [LUS.] ⇒ **trotineta**

trouxa *s.f.* (roupa) atado*m.*, lío*m.*, hato*m.*, hatillo*m.* ■ *s.2g. col.* (pessoa) tont|o, -a*m.f.*, bob|o, -a*m.f.*, panoli ♦ *col.* **fazer a trouxa** liar el petate/hatillo

trovador *s.m.* trovador

trovadoresco *adj.* trovadoresco

trovão *s.m.* trueno

trovar *v.* trovar

trovejar *v.* tronar

trovoada *s.f.* tronada

trovoar *v.* tronar

trucidar *v.* **1** *(assassinar)* trucidar, matar **2** *(mutilar)* mutilar

truculento *adj.* truculento, cruel

trufa *s.f.* **1** (cogumelo) trufa **2** (bombom) trufa; *trufas de chocolate* trufas de chocolate

truncar *v.* **1** (tronco) truncar, cortar **2** (obra, texto) truncar, omitir **3** *(mutilar)* mutilar **4** GEOM. truncar

trunfa *s.f.* melena, greña

trunfar *v.* triunfar
trunfo *s.m.* **1** (jogo de cartas) triunfo; ***o trunfo é copas*** triunfan corazones, los corazones son triunfo **2** *fig.* ventaja*f.*, superioridad*f.*
truque *s.m.* **1** truco, juego; ***um truque de magia*** un truco de magia **2** *fig.* truco, ardid, trampa*f.*
truta *s.f.* trucha
tsunami *s.m.* tsunami
tu *pron.pess.* tú, vos[AM.]; ***tu és amiga dele?*** ¿tú eres su amiga?; ***tu não sabes nada*** tú no sabes nada; ***tratar alguém por tu*** tratar a alguien de tú
tua *det.poss.f.* (*m.* teu) (anteposto) tu; (posposto) tuya; ***tua casa*** tu casa; ***uma amiga tua*** una amiga tuya ■ *pron.poss.f.* (*m.* teu) tuya; ***a casa é tua*** la casa es tuya
tubagem *s.f.* tubería, cañería
tubarão *s.m.* tiburón
tubérculo *s.m.* **1** BOT. tubérculo **2** MED. tubérculo, tumor
tuberculose *s.f.* tuberculosis*2n.*
tuberculos|o, -a *adj.,s.m.,f.* tuberculos|o, -a
tubo *s.m.* **1** *(cano)* tubo, caño **2** (bisnaga) tubo; ***tubo de pasta de dentes*** tubo de pasta de dientes ♦ **tubo de ensaio** tubo de ensayo; **tubo de escape** tubo de escape; **tubo digestivo/digestório** tubo digestivo
tubulação *s.f.* tubería, cañería
tucano *s.m.* tucán
tudo *pron.indef.* **1** todo; ***contei-lhe tudo*** le he contado todo; ***pensar em tudo*** pensar en todo; ***tudo depende de ti*** todo depende de ti **2** *(todas as coisas)* todo; ***já está tudo nas malas*** ya está todo en la maletas; ***tudo é possível*** todo es posible! ♦ **acima de tudo** ante todo; por encima de todo; **contra tudo e contra todos** contra viento y marea; **dar tudo por tudo** jugarse el todo por el todo; **e tudo** y todo; **ele/ela é tudo que mais quero** él/ella es lo que más quiero; **estar por tudo** ir a por todas; **meter-se em tudo** meterse en todo; **tudo bem?** ¿qué tal/hay?; **tudo ou nada** todo o nada
tufo *s.m.* **1** (plantas, penas) penacho **2** (cabelos) mechón
tugir *v.* murmurar, susurrar ♦ *col.* **sem tugir nem mugir** no decir ni mu
tule *s.m.* tul
túlio *s.m.* tulio
tulipa *s.f.* **1** BOT. tulipán*m.* **2** (chope, cerveja) vaso*m.* alto y cónico
tumba *s.f.* tumba, sepultura ■ *interj.* (queda, pancada) ¡pumba!
tumor *s.m.* tumor; ***tumor benigno/maligno*** tumor benigno/maligno
túmulo *s.m.* túmulo, tumba*f.* ♦ **ser um túmulo** ser una tumba*col.*
tumulto *s.m.* tumulto, alboroto, motín
tumultuar *v.* **1** alborotar **2** *(atrapalhar)* turbar
tumultuoso *adj.* tumultuoso
tuna *s.f.* [LUS.] tuna
túnel *s.m.* túnel
tungstênio *s.m.* tungsteno
túnica *s.f.* túnica
Tunísia *s.f.* Túnez
tunisian|o, -a *adj.,s.m.,f.* tunecin|o, -a
tupi *adj.,s.2g.* tupí ■ *s.m.* (língua) tupí
turba *s.f.* turba, muchedumbre
turbante *s.m.* turbante
turbilhão *s.m.* **1** (vento) torbellino **2** (água) remolino **3** *fig. (agitação)* vorágine*f.*
turbina *s.f.* turbina
turbo *s.m.* turbo
turbodiesel *s.m.* turbodiésel
turbogerador *s.m.* turbogenerador
turbulência *s.f.* turbulencia
turbulento *adj.* **1** (ação, situação) turbulento, agitado **2** (pessoa) pendenciero
turc|o, -a *s.m.,f.* turc|o, -a ■ *adj.* **1** turco **2** (roupão, toalha) de rizo americano ■ **turco** *s.m.* (língua) turco
turismo *s.m.* turismo; ***posto de turismo*** oficina de turismo
turista *s.2g.* turista
turístico *adj.* turístico; (avião) ***classe turística*** clase turista
turma *s.f.* **1** (estudantes) clase, grupo*m.* de alumnos **2** (pessoas) pandilla, panda*col.*
turnê *s.f.* gira, tournée
turno *s.m.* **1** (trabalho, serviço) turno; ***turno da noite*** turno de noche **2** *(vez)* turno, vez*f.*, tanda*f.* **3** ronda*f.* ♦ **por seu turno 1** *(por sua vez)* a su vez, por su parte **2** *(por outro lado)* por otro lado
turquesa *adj.2g.2n.,s.m.* (cor) turquesa ■ *s.f.* turquesa
Turquia *s.f.* Turquía
turra *s.f. pop.* *(cabeçada)* cabezazo*m.*, cabezada; ***dar uma turra a alguém*** darle un cabezazo a alguien ♦ *col.* **andar às turras com alguém** estar de morros con alguien
turr|ão, -ona *adj.,s.m.,f.* testarud|o, -a
turvação *s.f.* **1** *(opacidade)* enturbiamiento*m.* **2** *(perturbação)* turbación, perturbación, confusión
turvar *v.* **1** enturbiar **2** *(escurecer)* oscurecer **3** *(perturbar)* turbar, perturbar ■ **turvar-se 1** enturbiarse, oscurecerse **2** (vista) nublarse
turvo *adj.* (líquido) turbio
tutano *s.m.* **1** tuétano, médula*f.* **2** *fig.* médula*f.*, meollo ♦ **até ao tutano** hasta los tuétanos/la médula*col.*
tutela *s.f.* tutela ♦ **estar sob a tutela de alguém** estar bajo la tutela de alguien
tutelar *v.* **1** tutelar **2** *fig.* proteger ■ *adj.2g.* tutelar
tutor, -a *s.m.,f.* tutor, -a
tutti frutti *adj.2g.2n.* tutti-frutti
tutu *s.m.* **1** (de bailarina) tutú **2** *infant.* culín
TV (*sigla de* televisão) TV (*sigla de* televisión)

U

u *s.m.* (letra) u*f.*
úbere *adj.2g.* **1** *(fértil)* fértil, rico **2** *(abundante)* abundante, copioso ■ *s.m.* (mamífero) ubre*f.*, teta*f.*
ubiquidade *s.f.* ubicuidad, omnipresencia
ubíquo *adj.* ubicuo, omnipresente
Ucrânia *s.f.* Ucrania
ucranian|o, -a *adj.,s.m.,f.* ucranian|o, -a, ucrani|o, -a ■ **ucraniano** *s.m.* (língua) ucraniano, ucranio
UE (*sigla de* União Europeia) UE (*sigla de* Unión Europea)
ufa *interj.* (cansaço, alívio) ¡uf!
ufanar *v.* envanecer ■ **ufanar-se 1** envanecerse **2** *(gabar-se)* ufanarse (de, de), jactarse (de, de); *ufanava-se das suas vitórias* se ufanaba de sus victorias
ufano *adj.* **1** ufano **2** *(vaidoso)* vanidoso
uh *interj.* **1** (desdém, desilusão) ¡uh! **2** (para assustar) ¡uh!
UHF *sigla* (frequência ultraelevada) UHF (frecuencia ultra alta)
ui *interj.* **1** (surpresa, susto) ¡huy! **2** (dor, lamento) ¡huy!, ¡ay!
uísque *s.m.* whisky, güisqui; *uísque com/sem gelo* whisky con/sin hielo
uivar *v.* (cão, lobo) aullar
uivo *s.m.* (cão, lobo) aullido
úlcera *s.f.* úlcera; *úlcera no estômago* úlcera de estómago
ulterior *adj.2g.* ulterior, posterior
última *s.f. col.* (notícia) última, novedad; *já sabes da última?* ¿ya sabes cuál es la última?
ultimamente *adv.* últimamente, recientemente
ultimar *v.* **1** ultimar, terminar, acabar **2** (acordo, negócio) cerrar
ultimato *s.m.* ultimátum; *fazer um ultimato* dar un ultimátum
último *adj.* último ◆ **em último caso** en último caso; *col.* **estar nas últimas** estar en las últimas; **pela última vez** por última vez; *quando o viu pela última vez?* ¿cuándo lo viste por última vez?; **por último** por último
ultra *s.2g.* ultra
ultrajante *adj.2g.* ultrajante, ofensivo
ultrajar *v.* ultrajar, ofender, insultar
ultraje *s.m.* ultraje, ofensa*f.*, insulto
ultraleve *adj.2g.,s.m.* ultraligero
ultramar *s.m.* ultramar
ultramarino *adj.* ultramarino, de ultramar
ultrapassado *adj.* **1** (veículo, pessoa) adelantado **2** (dificuldade) superado **3** *(antiquado)* pasado de moda, anticuado, obsoleto; *ideias ultrapassadas* ideas pasadas de moda
ultrapassagem *s.f.* (veículo) adelantamiento*m.*; *faixa de ultrapassagem* carril de adelantamiento; *fazer uma ultrapassagem* adelantar; *proibição de ultrapassagem* prohibición de adelantar
ultrapassar *v.* **1** (veículo, pessoa) adelantar; *o carro ultrapassou o caminhão* el coche ha adelantado al camión; *proibido ultrapassar* prohibido adelantar **2** *(exceder)* sobrepasar, exceder, rebasar; *a reunião não ultrapassou os quinze minutos* la reunión no sobrepasó los quince minutos; *ultrapassar os nossos próprios limites* exceder nuestros propios límites **3** *(passar além de)* pasar, atravesar; *já ultrapassamos a tua casa* ya nos hemos pasado tu casa
ultrassom *s.m.* (*pl.* ultrassons) **1** ultrasonido **2** ecografía*f.*, prueba*f.* de ultrasonido
ultrassonografia *s.f.* (*pl.* ultrassonografias) ecografía
ultravioleta *adj.2g.2n.* ultravioleta; *raios ultravioleta* rayos ultravioleta(s)
ulular *v.* **1** (vento) ulular **2** (ave noturna) ulular; (cão, lobo) aullar
um, -a *s.m.* un|o, -a; (antes de *s.m.sing.*) un; *só temos um filho* tenemos sólo un hijo ■ *art.indef.* **1** un|o, -a; (antes de *s.m.,f.sing.* iniciado por *a* ou *ha* tônicos) un; *um livro* un libro; *uma igreja* una iglesia; *uns cães* unos perros; *umas casas* unas casas; *uma águia* un águila; *uma fada* un hada **2** (ênfase) un, -a; *está um calor!* ¡hace un calor!; *tem um gênio!* ¡tiene un genio! ■ *pron.indef.* un|o, -a, una persona*f.*; *uns ficam e outros vão embora* unos se quedan y otros se van ■ *art.indef.pl.* un|os, -as; *uns anos depois* unos años después; *umas dez pessoas* unas diez personas ◆ *col.* **não acerto uma** no doy una; **um por todos e todos por um** uno para todos y todos para uno
umbigo *s.m.* ombligo
umbilical *adj.2g.* umbilical; *cordão umbilical* cordón umbilical
umedecer *v.* humedecer, mojar ligeramente
úmero *s.m.* húmero
umidade *s.f.* humedad
umidificador *s.m.* humidificador
úmido *adj.* húmedo
unânime *adj.2g.* unánime
unanimidade *s.f.* unanimidad ◆ **por unanimidade** por unanimidad
unção *s.f.* (*pl.* unções) unción
undécim|o, -a *s.m.* undécim|o, -a
Unesco *sigla* (Organização das Nações Unidas para a Educação, Ciência e Cultura) Unesco (Organización de las Naciones Unidas para la Educación, la Ciencia y la Cultura)
ungir *v.* **1** (superfície) ungir, untar **2** REL. ungir
unguento *s.m.* ungüento

unha *s.f.* **1** uña; ***unha encravada*** uñero, uña encarnada; ***fazer as unhas*** arreglarse/hacerse las uñas; ***cortar/pintar as unhas*** cortarse/pintarse las uñas; ***roer as unhas*** comerse las uñas **2** (de animal) uña; (de ave rapina) garra ♦ **à unha** con las manos; *col.* **com unhas e dentes** con uñas y dientes; **mostrar as unhas** enseñar/sacar las uñas

unhada *s.f.* uñada

unhas de fome *s.2g.2n. col.* avar|o,-a*m.f.*, tacañ|o,-a*m.f.*, agarrad|o,-a*m.f.*

unheiro *s.m.* uñero

união *s.f.* **1** (países, pessoas) unión; ***a união dos partidos*** la unión de los partidos **2** *(concórdia)* unión, entendimiento*m.*; ***há uma grande união na nossa família*** nuestra familia está muy unida **3** *(casamento)* unión, matrimonio*m.*; ***união conjugal*** unión conyugal ♦ **a união faz a força** la unión hace la fuerza; DIR. **união de fato** pareja de hecho; POL. **União Europeia** Unión Europea

unicamente *adv.* **1** únicamente, sólo, solamente **2** exclusivamente

Unicef *sigla* (Fundo das Nações Unidas para a Infância) Unicef (Fondo de las Naciones Unidas para la Infancia)

único *adj.* **1** único; ***ser filho único*** ser hijo único; ***tamanho único*** talla única **2** *fig.* único, excepcional, extraordinario, inigualable; ***ter um talento único*** tener un talento extraordinario ♦ **nem um único** ni siquiera uno/un

unicolor *adj.2g.* unicolor

unicórnio *s.m.* unicornio

unidade *s.f.* **1** *(unanimidade)* unidad, unanimidad **2** *(união)* unidad, unión **3** *(número um)* unidad, uno*m.* **4** (medida) unidad; ***unidade de tempo*** unidad de tiempo; ***unidade monetária*** unidad monetaria **5** *(peça)* unidad; ***a caixa contém seis unidades*** la caja contiene seis unidades; ***comprar à unidade*** comprar a unidad **6** (entidade) unidad; MED. ***unidade de cuidados intensivos*** unidad de cuidados intensivos; MIL. ***unidade militar*** unidad militar ♦ INFORM. **unidade de entrada/saída** unidad de entrada/salida

unido *adj.* unido

unificação *s.f.* unificación

unificar *v.* unificar, aunar

uniforme *adj.2g.* uniforme ■ *s.m.* uniforme; ***usar uniforme*** llevar uniforme

uniformidade *s.f.* uniformidad

uniformização *s.f.* uniformización

uniformizar *v.* **1** (coisas) uniformar, estandarizar **2** (pessoas) uniformar, poner uniforme ■ **uniformizar se** uniformarse

unilateral *adj.2g.* unilateral

unir *v.* **1** unir, juntar, ligar **2** (esforços, forças) aunar, unir ■ **unir se** unirse

unissex *adj.2g.2n.* unisex

unissexual *adj.2g.* unisexual

uníssono *adj.* **1** (som, voz) unísono **2** *fig.* unánime, acorde ♦ **em uníssono** al unísono

unitário *adj.* unitario

universal *adj.2g.* universal

universalidade *s.f.* universalidad

universalizar *v.* universalizar, generalizar

universidade *s.f.* (instituição, edifícios) universidad

universitári|o, -a *adj.,s.m.,f.* universitari|o, -a

universo *s.m.* **1** universo, cosmos*2n.* **2** *(mundo, Terra)* universo; mundo; Tierra*f.* **3** (estatística) universo **4** *fig.* universo, ámbito

univitelino *adj.* univitelino; ***gêmeos univitelinos*** gemelos univitelinos

uno *adj.* uno, único

untar *v.* untar; ***untar uma forma com manteiga*** untar un molde con mantequilla

unto *s.m.* **1** *(banha de porco)* manteca*f.* de cerdo **2** *(gordura)* grasa*f.*, unto, gordura*f.*

upa *interj.* ¡aúpa!, ¡arriba!

upgrade *s.m.* actualización*f.*

urânio *s.m.* uranio ♦ **urânio enriquecido** uranio enriquecido

Urano *s.m.* ASTRON.,MIT. Urano

urbanidade *s.f.* urbanidad

urbanismo *s.m.* urbanismo

urbanista *adj.2g.* urbanista, urbanístico ■ *s.2g.* urbanista

urbanização *s.f.* urbanización

urbanizar *v.* (terreno) urbanizar

urbano *adj.* **1** urbano **2** (comportamento) urbano, cortés

urbe *s.f.* urbe, ciudad

urdir *v.* **1** (fios) urdir **2** (teia, tecido) tejer **3** *fig.* (plano) urdir, tramar, maquinar

ureia *s.f.* urea

ureter *s.m.* uréter

uretra *s.f.* uretra

urgência *s.f.* **1** *(pressa)* urgencia, prisa; ***com urgência*** con urgencia; ***ter urgência em*** correr mucha prisa **2** *(emergência)* urgencia, emergencia; ***casos de urgência*** casos de urgencia **3** (hospital) urgencias*pl.*

urgente *adj.2g.* **1** *(imediato)* urgente; ***um assunto urgente*** un asunto urgente **2** *(imprescindível)* imprescindible; ***solução urgente*** solución imprescindible

urgir *v.* urgir, ser urgente

úrico *adj.* úrico

urina *s.f.* orina

urinar *v.* orinar

urinário *adj.* urinario

urinol *s.m.* (*pl.* urinóis) **1** *(mictório)* urinario, mingitorio **2** *(penico)* orinal

urna *s.f.* **1** (eleições) urna; ***urna eleitoral*** urna electoral; ***à boca das urnas*** a pie de urna; ***ir às urnas*** acudir a las urnas, votar **2** (cinzas de cadáver) urna **3** *(caixão)* ataúd*m.*, féretro*m.* ■ **urnas** *s.f.pl.* elecciones

urologia *s.f.* urología

urologista *s.2g.* urólog|o, -a*m.f.*

urrar *v.* (animal) rugir, bramar

urro *s.m.* rugido, bramido

Ursa Maior *s.f.* Osa Mayor

Ursa Menor *s.f.* Osa Menor
urs|o, -a *s.m.,f.* os|o, -a; ***urso-panda/urso-polar*** oso panda/polar
urso-formigueiro *s.m.* ZOOL. oso hormiguero
urticária *s.f.* urticaria
urtiga *s.f.* ortiga
urubu *s.m.* buitre negro, urubú [AM.]
urucubaca *s.f.* mala suerte
Uruguai *s.m.* Uruguay
uruguai|o, -a *adj.,s.m.,f.* uruguay|o, -a
usado *adj.* **1** *(utilizado)* usado **2** (carro) usado, de segunda mano **3** usado, gastado, raído **4** *(habitual)* usual, habitual
usar *v.* **1** servirse (-, de) **2** *(utilizar)* usar, utilizar **3** (roupa, calçado, estilo) usar, llevar, tener; ***ela usa sempre calças*** ella siempre se pone/usa pantalones; ***usa botas de cano alto*** lleva unas botas de caña alta; ***usar cabelo curto*** tener el pelo corto; ***usar óculos*** tener gafas **4** *pej.* (pessoas) utilizar, aprovecharse (-, de); ***ele usa todo mundo*** utiliza a toda la gente ■ **usar-se** (moda) usarse, llevarse, estar de moda; ***isso já não se usa*** eso ya no se lleva
usina *s.f.* fábrica
uso *s.m.* **1** *(utilização)* uso, utilización *f.*, empleo; ***estar fora de uso*** estar fuera de uso **2** *(costume)* uso, costumbre *f.*; ***usos e costumes*** usos y costumbres **3** *(utilidade)* uso; utilidad *f.* ◆ (roupa) **ter muito uso** estar raído, estar gastado por el uso
usual *adj.2g.* usual, común, frecuente
usualmente *adv.* usualmente
usuári|o, -a *s.m.,f.* usuari|o, -a
usufruir *v.* **1** *(desfrutar)* disfrutar (de, de); ***usufruir de privilégios*** disfrutar de privilegios **2** DIR. usufructuar, tener el usufructo
usufruto *s.m.* usufructo
usurpador, -a *adj.,s.m.,f.* usurpador, -a
usurpar *v.* usurpar
utensílio *s.m.* *(instrumento)* utensilio, instrumento; *(ferramenta)* herramienta *f.*
utente *s.2g.* usuari|o, -a *m.f.*
uterino *adj.* uterino
útero *s.m.* matriz *f.*, útero
UTI (*abrev. de* Unidade de Terapia Intensiva) UCI (*abrev. de* Unidad de Cuidados Intensivos)
útil *adj.2g.* **1** útil **2** (dia) hábil, laborable; ***as lojas estão abertas nos dias úteis*** las tiendas están abiertas los días laborables ◆ **em que posso ser útil?** ¿en qué puedo serle útil?
utilidade *s.f.* utilidad
utilitário *adj.* útil, de utilidad ■ *s.m.* (coche) utilitario
utilização *s.f.* utilización, uso *m.*
utilizador, -a *s.m.,f.* usuari|o, -a
utilizar *v.* **1** utilizar, usar **2** utilizar, aprovechar
utopia *s.f.* utopía
utópico *adj.* utópico
Uun QUÍM. *ant.* (*símbolo de* ununnílio) Uun (*símbolo de* ununnilio)
uva *s.f.* uva; ***um cacho de uvas*** un racimo de uvas
uva-passa *s.f.* (*pl.* uvas-passas) (uva) pasa
úvula *s.f.* úvula, campanilla

V

v *s.m.* (letra) v*f.*
vá *interj.* ¡vamos! ♦ **vá lá!** ¡anda ya!, ¡venga!
vaca *s.f.* (*m.* boi) **1** ZOOL. vaca; ***vaca leiteira*** vaca lechera; *col.* ***vaca louca*** vaca loca **2** (carne) vaca; ***um bife de vaca*** un filete de vaca ♦ *col.* **nem que a vaca tussa!** ¡y un jamón (con chorreras)!; **tempo das vacas gordas/magras** tiempo de (las) vacas gordas/flacas; **voltar à vaca-fria** volver al tema principal
vacante *adj.2g.* (cargo) vacante
vacaria *s.f.* **1** (instalação) vaquería **2** (curral) establo*m.* (para las vacas) **3** (manada) vacada
vacilação *s.f.* vacilación
vacilar *v.* **1** *(oscilar)* vacilar, oscilar **2** *(cambalear)* tambalearse **3** *fig.* *(hesitar)* vacilar, dudar, hesitar
vacina *s.f.* MED. vacuna; ***vacina do tétano*** antitetánica, vacuna del tétanos
vacinação *s.f.* vacunación
vacinado *adj.* vacunado ♦ **ser maior e vacinado** ser adulto
vacinar *v.* **1** vacunar (contra, contra); ***vacinar o cão contra a raiva*** vacunar al perro contra la rabia **2** *fig.* (situações desagradáveis) vacunar, inmunizar ■ **vacinar se** vacunarse (contra, contra); ***vacinar-se contra a hepatite*** vacunarse contra la hepatitis
vácuo *adj.* vacuo, vacío ■ *s.m.* FÍS. vacío ♦ (embalagem) **a vácuo** al vacío
vadiação *s.f.* harragenería
vadiagem *s.f.* **1** vagabundeo*m.* **2** (ócio) holgazanería, haraganería, vagancia
vadiar *v.* **1** vagabundear; ***vadiar pelas ruas*** vagabundear por las calles **2** (ócio) holgazanear, haraganear, vaguear
vadi|o, -a *s.m.,f.* **1** vagabund|o, -a **2** (ócio) holgaz|án, -ana, harag|án, -ana, vag|o, -a ■ *adj.* **1** (pessoa) vagabundo, vago, ocioso **2** (cão) callejero
vaga *s.f.* **1** *(onda)* ola grande **2** *(lugar livre)* plaza **3** (hotel) plaza **4** (cargo, função) plaza, vacante; ***preencher uma vaga*** cubrir una vacante **5** *fig.* *(grande quantidade)* oleada, ola; ***uma vaga de imigrantes*** una oleada de emigrantes **6** *fig.* *(aumento)* aumento*m.*; ***uma vaga de novos investimentos*** un repentino aumento de nuevas inversiones ♦ **vaga de calor/frio** ola de calor/frío
vagabundagem *s.f.* vagabundeo*m.*
vagabundear *v.* **1** *(errar)* vagar **2** *(vadiar)* vaguear
vagabund|o, -a *s.m.,f.* **1** *(vadio)* vagabund|o, -a **2** *(ocioso)* holgaz|án, -ana, harag|án, -ana, vag|o, -a ■ *adj.* vagabundo
vaga-lume *s.m.* (*pl.* vaga-lumes) ZOOL. luciérnaga*f.*
vagamente *adv.* vagamente
vagão *s.m.* vagón
vagar *v.* *(ficar vago)* quedar vacante ■ *s.m.* **1** *(lentidão)* lentitud*f.*, calma*f.*; ***com vagar*** con calma **2** *(ócio)* ocio **3** *(tempo livre)* tiempo libre; ***não ter vagar para*** no tener tiempo libre para
vagarosamente *adv.* vagarosamente
vagaroso *adj.* **1** *(lento)* lento, pausado **2** *(sereno)* sereno, sosegado
vagem *s.f.* **1** BOT. vaina **2** BOT. *(feijão-verde)* judía/alubia verde
vagina *s.f.* vagina
vaginal *adj.2g.* vaginal
vago *adj.* **1** (lugar, cargo) vacante, libre; desocupado, vacío **2** (tempo) libre; ***nas horas vagas*** en las horas libres **3** *fig.* vago, impreciso; ***ter uma vaga ideia*** tener una vaga idea
vaguear *v.* vagar, vagabundear, deambular; (ruas) callejear
vaia *s.f.* abucheo*m.*, bronca, silba
vaiar *v.* abuchear, abroncar, silbar
vaidade *s.f.* vanidad
vaidoso *adj.* vanidoso, presumido
vaipe *s.m.* *col.* repente, impulso; ***deu-lhe um vaipe e foi-se embora*** le dio un repente y se marchó
vaivém *s.m.* (*pl.* vaivéns) **1** *(balanço)* vaivén, balanceo; ***o vaivém de um pêndulo*** el vaivén de un péndulo **2** transbordador; ***vaivém espacial*** transbordador espacial **3** ajetreo, revuelo, agitación*f.*
vala *s.f.* **1** (terreno) zanja **2** *(sepultura)* fosa, hoya, sepultura
Valanginiano *s.m.* GEOL. (andar) Valanginiano
vale *s.m.* **1** (montanhas) valle **2** (rio) valle, cuenca*f.* **3** (documento) vale ♦ **vale de lágrimas** valle de lágrimas; **vale postal/do correio** giro postal
valencian|o, -a *adj.,s.m.,f.* valencian|o, -a
Valenciano *s.m.* GEOL. (andar) Valenciano
valent|ão, -ona *adj.,s.m.,f.* valent|ón, -ona
valente *adj.2g.* valiente, bravo, valeroso, intrépido
valentia *s.f.* valentía, coraje*m.*
valer *v.* **1** *(ser válido)* valer, ser válido; ***isso não vale!*** ¡eso no vale **2** *(ter valor)* valer; ***quanto vale o relógio?*** ¿cuánto vale el reloj? **3** *(prestar)* valer, tener valor; ***isto não vale nada*** esto no vale nada **4** *(equivaler)* valer, equivaler; ***valer o mesmo que*** valer lo mismo que **5** *(ter validade)* valer, tener validez **6** *(ter merecimento)* merecer, tener mérito **7** *(compensar)* valer, merecer; ***(não) vale a pena*** (no) vale/merece la pena **8** *(ajudar)* ayudar, servir, valer ■ **valer se** valerse (de, de), servirse (de, de) ♦ **fazer valer alguma coisa** hacer valer algo; **isso não vale!** ¡eso no vale!; **mais vale tarde do que nunca** más vale tarde que nunca; **para valer** en serio; de verdad; **vale tudo!** ¡vale todo!; **valha-me, Deus!** ¡válgame, Dios!

valeta *s.f.* cuneta; alcantarilla
valete *s.m.* (baralho francês) valet; (baralho espanhol) sota*f.*
Valhala *s.m.* MIT. Valhala
valia *s.f.* **1** *(valor)* valía, valor*m.*, precio*m.* **2** (pessoa) valía; ***uma pessoa de grande valia*** una persona de gran valía
validação *s.f.* validación
validade *s.f.* validez
validar *v.* validar
válido *adj.* válido
valioso *adj.* valioso
valor *s.m.* **1** *(quantia)* valor **2** *(preço)* valor, precio; ***saber o valor exato*** saber el valor/precio exacto **3** *(importância)* valor, importancia*f.*; ***ela dá muito valor à família*** ella le da mucho valor a la familia **4** *(mérito)* valor, valía*f.*, mérito **5** *(coragem)* valor, valentía*f.*, coraje **6** ECON. valor; ***valor agregado/declarado*** valor añadido/declarado; ***valor nominal*** valor nominal **7** (exame) punto ▪ **valores** *s.m.pl.* **1** (moral) valores **2** ECON. valores ♦ **dar valor a alguém** dar valor a alguien; **de valor** de valor, valioso
valorização *s.f.* **1** (pessoa) valoración **2** *(aumento)* valorización **3** *(revalorização)* revalorización
valorizar *v.* **1** (valor, mérito) valorar **2** *(aumentar o valor)* valorizar **3** *(revalorizar)* revalorizar ▪ **valorizar-se** valorizarse
valsa *s.f.* vals*m.*
valva *s.f.* BOT., ZOOL. valva
válvula *s.f.* **1** *téc.* válvula; ***válvula de escape/segurança*** válvula de escape/seguridad **2** válvula ♦ *fig.* **válvula de escape** válvula de escape; ***a dança é a sua válvula de escape*** el baile es su válvula de escape
vampir|o, -a *s.m.,f.* (ser fantástico) vampiro*m.* ▪ **vampiro** *s.m.* ZOOL. vampiro, murciélago
vanádio *s.m.* vanadio
vandalismo *s.m.* vandalismo
vandalizar *v.* (bem, propriedade) destruir, destrozar
vândal|o, -a *s.m.,f.* vándal|o, -a, salvaje*2g.*
vanglória *s.f.* vanagloria; jactancia; presunción
vangloriar-se *v.* vanagloriarse (de, de), jactarse (de, de)
vanguarda *s.f.* vanguardia
vanguardismo *s.m.* vanguardismo
vanguardista *adj.,s.2g.* vanguardista
vantagem *s.f.* **1** *(superioridade)* ventaja, superioridad; ***estar em vantagem*** estar en ventaja **2** *(proveito)* ventaja, ganancia, provecho*m.*; ***tirar vantagem de alguma coisa*** sacar ventajas de algo **3** *(lucro)* beneficio*m.* **4** ESPOR. ventaja ♦ **contar vantagem** vanagloriarse; **levar vantagem sobre alguém** **1** (superioridade) sacarle ventaja a alguien **2** aprovercharse de alguien
vantajoso *adj.* **1** ventajoso, provechoso **2** *(rentável)* rentable, lucrativo
vão *s.m.* **1** hueco; ***vão da escada*** hueco de la escalera **2** ARQ. vano ▪ *adj.* **1** vano, inútil **2** *(oco)* vacío; ***espaço vão*** hueco **3** *(falso)* vano, infundado, irreal ♦ **em vão** en vano, en balde
vapor *s.m.* **1** vapor **2** (embarcação) vapor, buque/barco de/a vapor ♦ **a todo o vapor** a toda a máquina; **cozer a vapor** cocer al vapor
vaporização *s.f.* vaporización
vaporizador *s.m.* **1** (recipiente) vaporizador, pulverizador, rociador **2** (aparelho) vaporizador
vaporizar *v.* **1** *(pulverizar)* vaporizar, pulverizar **2** *(evaporar)* vaporizar, evaporar
vaqueir|o, -a *s.m.,f.* vaquer|o, -a
vaquinha *s.f.* vaquita ♦ *col.* **fazer uma vaquinha** hacer caja común, juntar dinero
vara *s.f.* **1** *(pau)* vara, palo*m.* **2** (porcos) piara **3** ESPOR. pértiga; ***salto com vara*** salto con pértiga **4** DIR. jurisdicción ♦ **tremer como vara verde** temblar como una hoja/un flan; **vara de pescar** caña de pescar
varadouro *s.m.* NÁUT. varadero
varal *s.m.* tendedero
varanda *s.f.* balcón*m.*; (com vidro) galería
varandim *s.m.* **1** *(varanda estreita)* balcón estrecho **2** (grade) barandilla*f.*
varão *s.m.* **1** (pessoa) varón, hombre **2** (escadas) pasamanos*2n.*, barandilla*f.*; (de varanda) barandal **3** (cortinas) riel ▪ *adj.* varón
vareja *s.f.* moscarda
varejar *v.* (árvore) varear
varejeira *s.f. pop.* ⇒ **vareja**
varejo *s.m.* menudeo ♦ **vender a varejo** vender al por menor
vareta *s.f.* **1** (de guarda-chuva, leque) varilla **2** (de arma de fogo) baqueta ♦ (automóvel) **vareta do nível de óleo** varilla del nivel del aceite
variação *s.f.* **1** *(mudança)* variación, cambio*m.* **2** (níveis) variación, fluctuación; ***variação de preços*** variación de precios **3** (temperatura) cambio*m.* **4** MÚS. variación
variado *adj.* variado, diverso
variante *s.f.* **1** *(diferença)* variante **2** (estrada) variante **3** (curso universitário) especialidad **4** LING. variante, variedad
variar *v.* **1** cambiar; ***variar em tamanho*** cambiar de tamaño **2** *(mudar)* variar, cambiar; ***ele gosta de variar*** a él le gusta cambiar; ***variar de cor*** cambiar de color **3** *(ser diferente)* variar, diferir, diferenciarse; ***isso varia de pessoa para pessoa*** eso cambia según la persona **4** *col.* desvariar, delirar ♦ **para variar** para variar
variável *adj.2g.* **1** variable **2** LING. (palavra) variable ▪ *s.f.* MAT. variable
varicela *s.f.* varicela
variedade *s.f.* *(diversidade)* variedad, diversidad ▪ **variedades** *s.f.pl.* (espetáculo) variedades
varinha *s.f.* varita ♦ (contos populares) **varinha mágica/de condão** varita mágica
varíola *s.f.* viruela
vários *adj.* varios, diversos
variz *s.f.* variz
varonil *adj.2g.* varonil
varredor, -a *s.m.,f.* barrender|o, -a

varrer *v.* **1** (com vassoura) barrer; ***varrer o chão*** barrer el suelo **2** (jardinagem) rastrillar **3** (vento) barrer, arrastrar **4** *fig.* borrar, eliminar ■ **varrer se** *fig.* desvanecerse, disiparse; ***varreu-se-me da ideia/memória*** se me ha ido de la memoria

varrido *adj.* (chão) barrido, limpio ♦ *col.* **doido varrido** majareta perdido, chalado, loco

várzea *s.f.* vega

vascular *adj.2g.* vascular

vasculhar *v.* **1** *(esquadrinhar)* escudriñar, rebuscar; ***vasculhei o quarto todo*** rebusqué en toda la habitación **2** *(revistar)* registrar; ***a polícia vasculhou a casa toda*** la policía registró toda la casa **3** *(varrer)* barrer

vasectomia *s.f.* MED. vasectomía

vaselina *s.f.* vaselina

vasilha *s.f.* **1** vasija **2** *(pipa)* barril*m.*, tonel*m.*

vasilhame *s.m.* casco

vaso *s.m.* **1** (plantas) maceta*f.*, tiesto **2** *(jarro)* jarrón; *(floreira)* florero, búcaro **3** ANAT. vaso; ***vasos sanguíneos*** vasos sanguíneos ♦ **vaso sanitário** váter, inodoro

> Não confundir com a palavra espanhola vaso (*copo*).

vassalagem *s.f.* vasallaje*m.* ♦ **prestar vassalagem** rendir vasallaje

vassal|o, -a *s.m.,f.* vasall|o, -a

vassoura *s.f.* escoba

> Não confundir com a palavra espanhola basura (*lixo*).

vassourada *s.f.* escobazo*m.*

vastidão *s.f.* vastedad, extensión

vasto *adj.* vasto, amplio, extenso

Vaticano *s.m.* Vaticano

vaticínio *s.m.* vaticinio, profecía*f.*, pronóstico

vátio *s.m.* vatio, watt

vau *s.m.* vado; ***passar um rio a vau*** vadear, atravesar un río a pie

vazão *s.f.* **1** (pessoas) vaciamiento*m.*, evacuación **2** (produtos) venda ♦ **dar vazão 1** (produto) despachar **2** (cliente) atender

vazar *v.* **1** (líquido) vaciarse **2** *(esvaziar)* vaciar **3** (maré) desaguar **4** (líquido) verter **5** *col. (ir embora)* largarse; ***vaza daqui!*** ¡fuera!, ¡lárgate! **6** *(furar)* atravesar

vazio *adj.* **1** *(oco)* vacío, hueco **2** *(desocupado)* vacío, desocupado **3** *fig.* vacío, frívolo ■ *s.m.* vacío

vê *s.m.* (letra) uve*f.*, ve*f.*, ve*f.* corta[AM.]

veado *s.m.* **1** ciervo, venado **2** *vulg.* maricón

vedação *s.f.* valla, cerca; (de sebe) seto*m.*

vedado *adj.* **1** (terreno) cercado, vallado **2** (garrafa, recipiente) taponado **3** (entrada, passagem) vedado, prohibido; ***vedado ao trânsito*** prohibido el paso

vedar *v.* **1** (torneira) cerrar **2** (terreno) cercar, vallar; ***vedar um recinto*** vallar un recinto **3** (garrafa, recipiente) taponar **4** (acesso, passagem) vedar, prohibir **5** (água, sangue) estancar, detener **6** (buraco, cano) tapar, sellar **7** (janela, porta) cegar

vedete *s.f.* (espetáculo, filme) estrella; (espetáculo de variedades) vedette; ***vedete de cinema*** estrella de cine

veemência *s.f.* vehemencia

veemente *adj.2g.* vehemente

vegetação *s.f.* vegetación

vegetal *adj.2g.* vegetal ■ *s.m.* vegetal, planta*f.* ■ **vegetais** *s.m.pl. (legumes)* legumbres*f.*, hortalizas*f.*

vegetar *v. col.* (pessoa) vegetar

vegetarianismo *s.m.* vegetarianismo

vegetarian|o, -a *adj.,s.m.,f.* vegetarian|o, -a

vegetativo *adj.* vegetativo

veia *s.f.* **1** ANAT. vena **2** MIN. veta, filón*m.*, vena **3** *fig.* vena, talento*m.*; ***tem veia de poeta*** tiene vena de poeta

veicular *v.* vehicular, transmitir

veículo *s.m.* **1** *(viatura)* vehículo; ***veículo ligeiro*** vehículo ligero/turismo; ***veículo pesado*** vehículo pesado **2** *(carro)* coche, automóvil, vehículo **3** *fig. (meio de transmissão)* vehículo; ***ser um veículo de*** ser un vehículo de

veio *s.m.* **1** (mineral) veta*f.* **2** (madeira, pedra) veta*f.*, vena*f.* **3** (mármore, rocha) veta*f.* **4** (fio de água) arroyuelo

vela *s.f.* **1** (barco) vela; ***arriar/içar as velas*** arriar/izar velas **2** (de cera) vela, candela; ***velas de aniversário*** velas de cumpleaños; ***acender/apagar uma vela*** encender/apagar una vela; ***jantar à luz de velas*** cena a la luz de las velas **3** (moinho) aspa **4** MEC. bujía **5** ESPOR. vela; ***praticar vela*** hacer vela ♦ *col.* **segurar vela** ir de carabina, ir de non

velado *adj.* **1** (rosto) cubierto con un velo **2** (luz) tenue **3** *fig.* oculto **4** *fig.* velado, disimulado

velar *v.* **1** *(cuidar)* velar (por, por); ***velar pelos bons costumes*** velar por las buenas costumbres **2** *(cobrir com véu)* velar **3** *(ocultar)* velar, ocultar **4** (doente) velar

velcro *s.m.* velcro

veleiro *s.m.* buque de vela, velero

velejador, -a *s.m.,f.* navegador, -a a vela

velejar *v.* navegar a vela

velhacaria *s.f.* bellaquería

velhac|o, -a *s.m.,f.* bellac|o, -a, granuja*2g.*

velharia *s.f.* **1** *pej.* trasto*m.* (viejo), antigualla, cachivache*m.* **2** *(antiguidades)* antigüedades

velhice *s.f.* vejez

velh|o, -a *s.m.,f.* viej|o, -a ■ *adj.* **1** viejo **2** (pessoa) mayor, viejo; ***ficar velho*** hacerse viejo/mayor; ***o irmão mais velho*** el hermano mayor **3** *(antiquado)* viejo, anticuado **4** *(usado)* viejo, gastado, usado ♦ **mais velho que 1** más viejo que **2** (idade) mayor que

velhot|e, -a *s.m.,f.* **1** *pop.* viejales*2g.2n.*, viej|o, -a **2** *col.* (pais) viej|o, -a ■ *adj.* viejo

velocidade *s.f.* **1** velocidad; ***excesso de velocidade*** exceso de velocidad **2** *(rapidez)* velocidad, rapidez, ligereza **3** (veículo) marcha, velocidad, cambio*m.*; ***caixa de velocidades*** caja de cambios ♦ FÍS. **veloci-**

dade da luz velocidad de la luz; FÍS. **velocidade do som** velocidad del sonido
velocímetro *s.m.* velocímetro, indicador de velocidad
velocípede *s.m.* velocípedo
velocista *s.2g.* velocista
velório *s.m.* velatorio
veloz *adj.2g.* veloz, rápido, ligero
velozmente *adv.* velozmente
veludo *s.m.* terciopelo
vencedor, -a *adj.,s.m.,f.* vencedor, -a, ganador, -a
vencer *v.* **1** vencer **2** *(derrotar)* vencer, derrotar; *vencer o inimigo* vencer al enemigo **3** (prazo) vencer, finalizar **4** (dificuldade, problema) vencer, superar
vencido *adj.* **1** (pessoa) vencido, derrotado **2** (prazo) vencido ◆ **dar-se por vencido** darse por vencido
vencimento *s.m.* **1** *(salário)* sueldo, salario **2** (prazo) vencimiento
venda *s.f.* **1** venta; *venda a prazo* venta a plazos; *venda à vista* venta al contado; *estar à venda* estar en venta; *para venda* para vender; *pôr alguma coisa à venda* poner algo en venta; *preço de venda ao público* precio de venta al público **2** (olhos, rosto) venda ◆ (medicamento) **de venda livre** sin receta
vendar *v.* vendar, tapar (los ojos)
vendaval *s.m.* vendaval
vendável *adj.2g.* vendible
vendedor, -a *s.m.,f.* vendedor, -a; (loja) dependient|e, -a
vender *v.* **1** vender; *vender alguma coisa de porta em porta* vender algo por las casas; *vender a prazo* vender a plazos; *vender à vista* vender al contado **2** *fig.* vender, traicionar ■ **vender-se** venderse ◆ **vende-se** se vende
veneno *s.m.* veneno
venenoso *adj.* **1** venenoso, tóxico **2** *fig.* venenoso, malicioso
veneração *s.f.* veneración, respeto*m.*, reverencia
venerando *adj.* venerando
venerar *v.* venerar, respeitar, reverenciar
venerável *adj.2g.* venerable
venéreo *adj.* venéreo; *doença venérea* enfermedad venérea
veneta *s.f.* ventolera ◆ *col.* **dar na veneta** dar la vena
veneziana *s.f.* persiana veneciana
venezian|o, -a *adj.,s.m.,f.* venecian|o, -a ■ **veneziano** *s.m.* (dialeto) veneciano
Venezuela *s.f.* Venezuela
venezuelan|o, -a *adj.,s.m.,f.* venezolan|o, -a
venoso *adj.* venoso
venta *s.f. col. (narina)* ventana ■ **ventas** *s.f.pl. pop. (nariz)* narias
ventania *s.f.* ventolera
ventar *v.* ventear (soplar el viento)
ventilação *s.f.* ventilación
ventilador *s.m.* ventilador
ventilar *v.* ventilar, airear
vento *s.m.* viento; *está vento* hace viento ◆ **aos quatro ventos** a los cuatro vientos; **contra ventos e marés** contra viento y marea; **de vento em popa** viento en popa; **quem semeia ventos colhe tempestades** quien siembra vientos recoge tempestades; **ver de que lado sopra o vento** ver por dónde van los tiros
ventoinha *s.f.* **1** (aparelho) ventilador*m.*; *ventoinha de teto* ventilador de techo; *ventoinha elétrica* ventilador **2** *(cata-vento)* veleta **3** (brinquedo) molinete*m.*
ventosa *s.f.* ventosa
ventosidade *s.f.* ventosidad
ventoso *adj.* ventoso, expuesto al viento
ventre *s.m.* **1** vientre **2** *(útero)* seno
ventricular *adj.* ANAT. ventricular
ventrículo *s.m.* ventrículo
ventríloqu|o, -a *s.m.,f.* ventrílocu|o, -a
ventura *s.f.* ventura, felicidad, dicha ◆ **à ventura** a la ventura; **por ventura** por ventura, acaso
Vênus *s.f.* **1** ASTRON. Venus*m.* **2** MIT. Venus
ver *v.* **1** ver; *ver bem/mal* ver bien/mal **2** ver; *não vejo nada* no veo nada; *ver televisão* ver la televisión **3** *(tentar)* ver, intentar **4** *(olhar)* ver, mirar **5** *(notar)* notar, darse cuenta **6** *(assistir)* ver **7** *(entender)* ver, entender, percibir **8** *(visitar)* ver, visitar **9** *(procurar)* buscar **10** *(verificar)* ver; *vê se é esse o caso* hay que ver si ese es el caso **11** *(encontrar-se)* verse, encontrarse ■ **ver-se 1** *(encontrar-se)* verse, encontrarse, estar; *ver-se numa situação difícil* estar en una situación difícil **2** *(imaginar-se)* verse, figurarse, imaginarse; *não me vejo fazendo isso* no me veo haciendo eso ◆ **a meu ver** en mi opinión; **até mais ver!** ¡hasta la vista!; *col.* **eu vi logo** yo me di cuenta enseguida; **não posso ver isto à (minha) frente!** ¡no puedo ni ver esto!; **ter a ver com** tener que ver con; **vê lá o que fazes!** ¡mira a ver lo que haces!; **ver para crer** hay que verlo para creerlo
veracidade *s.f.* veracidad
veranear *v.* veranear
verão *s.m.* verano, estío; *no verão* en verano
verba *s.f.* **1** *(quantia)* asignación, presupuesto*m.*; *destinar verba* asignar fondos/recursos **2** (quantia) plazo*m.* **3** (dinheiro) importe*m.* **4** (testamento) cláusula
verbal *adj.2g.* verbal
verbalizar *v.* verbalizar
verbalmente *adv.* verbalmente
verbena *s.f.* BOT. verbena
verbete *s.m.* (dicionário, enciclopédia) entrada*f.*, lema
verbo *s.m.* LING. verbo; *verbo auxiliar/principal* verbo auxiliar/principal ◆ *col.* **abrir/soltar o verbo** decir todo lo que piensa
verdade *s.f.* verdad; *dizer a verdade* decir la verdad ◆ **dizer umas verdades a alguém** decir las verdades del barquero, decir cuatro verdades a alguien; **é verdade!** ¡es verdad!; **faltar à verdade** faltar a la verdad; **na verdade** la verdad; **não é verdade?** ¿verdad?; **para dizer a verdade** a decir verdad; **verdade nua e crua** la cruda realidad

verdadeiro *adj.* **1** verdadero **2** auténtico

verde *adj.2g.* **1** (cor) verde **2** (fruta) verde; *os figos ainda estão verdes* los higos todavía están verdes **3** (vinho) verde **4** *fig.* (pessoa) verde, inexperto, inmaduro; *estar verde* estar en pañales ▪ *s.m.* verde ▪ **verdes** *s.m.pl.* POL. verdes ♦ *col.* **jogar verde para colher maduro** tirar de la lengua a alguien

verde-claro *adj.* (*pl.* verde-claros) verde claro ▪ *s.m.* (*pl.* verdes-claros) verde claro

verde-escuro *adj.* (*pl.* verde-escuros) verde oscuro ▪ *s.m.* (*pl.* verdes-escuros) verde oscuro

verdejante *adj.2g.* verdeante; *campos verdejantes* campos verdeantes

verdete *s.m.* cardenillo, verdín

verdor *s.m.* verdor

verdura *s.f.* **1** (plantas) verdura, verdor *m.* **2** *(hortaliça)* verdura, hortaliza

vereador, -a *s.m.,f.* concejal, -a, edil, -a

vereda *s.f.* vereda, sendero *m.*, senda

veredicto *s.m.* **1** DIR. veredicto, fallo, sentencia *f.* **2** *fig.* veredicto, opinión *f.*, juicio; *o veredicto da crítica* el veredicto de la crítica

verga *s.f.* **1** *(vime)* mimbre *m.*; *uma cadeira de verga* una silla de mimbre **2** *vulg.* *(pênis)* verga, pene *m.* **3** NÁUT. verga

vergar *v.* **1** *(curvar-se)* encorvarse, inclinarse **2** *(dobrar)* encorvar, doblegar **3** (com peso) ceder **4** *fig.* someter, subyugar, sujetar ▪ **vergar se 1** (corpo) agacharse **2** *fig.* someterse (a, a)

vergonha *s.f.* **1** *(timidez)* vergüenza, encogimiento *m.*, timidez; *corar de vergonha* ponerse colorado de vergüenza; *estar com vergonha* pasar vergüenza; *ter vergonha de* dar vergüeza a alguien algo **2** *(pudor)* vergüenza, pudor *m.* **3** *col.* *(ato reprovável)* vergüenza, escándalo *m.*; *o que fizeram é uma vergonha* lo que han hecho es una vergüenza ♦ **(não) ter vergonha na cara** tener mucha cara, (no) tener vergüenza

vergonhoso *adj.* vergonzoso

vergôntea *s.f.* vástago *m.*, retoño *m.*, renuevo *m.*

verídico *adj.* verídico

verificação *s.f.* verificación

verificar *v.* **1** *(comprovar)* verificar, comprobar **2** (conta) repasar, verificar ▪ **verificar se** verificarse, realizarse, suceder

verme *s.m.* gusano

vermelhidão *s.f.* **1** rojez **2** *fig.* (rosto) rubor *m.*

vermelho *adj.* **1** (cor) rojo **2** *fig.* colorado, rojo; *ficar vermelho* ponerse muy colorado/rojo **3** *fig.* avergonzado ▪ *s.m.* rojo

vermicida *adj.2g.,s.m.* vermicida, vermífugo

vermute *s.m.* (licor) vermú, vermut

vernáculo *adj.* vernáculo ▪ *s.m.* lengua *f.* vernácula

vernissage *s.f.* (exposição de arte) inauguración

verniz *s.m.* **1** barniz **2** (couro) charol

verosímil *adj.2g.* **1** *(credível)* verosímil, creíble **2** *(provável)* verosímil, probable

verossímil *adj.2g.* **1** *(credível)* verosímil, creíble **2** *(provável)* verosímil, probable

verossimilhança *s.f.* verosimilitud

verruga *s.f.* verruga

versado *adj.* (pessoa) versado (em, en), ducho (em, en)

versão *s.f.* versión ♦ **em versão original** en versión original

versar *v.* (assunto, tema) versar (sobre, sobre)

versátil *adj.2g.* **1** *(inconstante)* versátil, inconstante **2** (pessoa) polifacético; *um artista versátil* un artista polifacético

versatilidade *s.f.* versatilidad

versículo *s.m.* versículo

versificar *v.* **1** (versos) versificar, componer **2** versificar, poner en verso

verso *s.m.* **1** LIT. verso **2** (página) reverso; *as fotocópias são frente e verso* las fotocopias son a dos caras **3** (objeto) cara *f.* posterior

vértebra *s.f.* vértebra

vertebrado *adj.* (animal) vertebrado

vertebral *adj.2g.* vertebral

vertente *s.f.* **1** (por onde corre água) vertiente **2** (montanha) cuesta, pendiente *m.* **3** (assunto) vertiente, punto *m.* de vista

verter *v.* **1** (líquido) verter, derramarse **2** (líquido) verter, derramar **3** *(traduzir)* traducir

vertical *adj.2g.,s.f.* vertical

vértice *s.m.* **1** *(ápice)* vértice, ápice; *vértice da montanha* vértice de la montaña **2** GEOM. vértice

vertigem *s.f.* **1** vértigo *m.*; *dar vertigens* dar vértigo; *ter vertigens* tener vértigo **2** *(tontura)* mareo *m.*, vahído *m.* **3** *fig.* *(desvario)* desvarío *m.*

vesgo *adj.* bizco; *ser vesgo* bizquear, ser bizco

vesícula *s.f.* vesícula; *vesícula biliar* vesícula biliar

vespa *s.f.* avispa

vespão *s.m.* ZOOL. vispón

véspera *s.f.* víspera; *véspera de Ano-Novo* Nochevieja; *véspera de Natal* Nochebuena ♦ **às vésperas de** en vísperas de

vespertino *adj.* vespertino

veste *s.f.* **1** traje *m.*; atuendo *m.*; vestimenta **2** hábito *m.*; *vestes sacerdotais* hábitos sacerdotales

vestiário *s.m.* vestuario

vestibular *s.m.* selectividad *f.*

vestíbulo *s.m.* **1** (casa, edifício) vestíbulo **2** (ouvido) vestíbulo

vestido *s.m.* vestido; *vestido de baile* vestido de fiesta; *vestido de noite* vestido de noche; *vestido de noiva* vestido de novia ▪ *adj.* vestido; *estar vestido de preto* estar vestido de negro

vestígio *s.m.* **1** *(sinal)* vestigio, señal *f.* **2** *(pegada)* huella *f.*; *(rastro)* rastro ▪ **vestígios** *s.m.pl.* vestigios

vestimenta *s.f.* vestimenta ▪ **vestimentas** *s.f.pl.* vestiduras sacerdotales, vestimentas

vestir *v.* vestir, ponerse; *vestir o casaco* ponerse el abrigo ♦ **vestir a camisa de (time, instituição)** dar la vida por, empeñarse ▪ **vestir-se** vestirse; *vestir-se de branco* vestirse de blanco

vestuário *s.m.* vestuario, vestido, ropa*f.*, indumentaria*f.*

vetar *v.* **1** (projeto, proposta) vetar **2** *(proibir)* vetar, prohibir

veteran|o, -a *s.m.,f.* **1** veteran|o, -a **2** *gír.* [estudiante universitario que cursó más de cuatro años en la facultad] ■ *adj.* veterano

veterinária *s.f.* veterinaria

veterinári|o, -a *s.m.,f.* veterinari|o, -a ■ *adj.* veterinario

veto *s.m.* veto; ***direito de veto*** derecho a veto

vetor *s.m.* **1** FÍS. vector **2** BIOL. vector, portador

véu *s.m.* velo; ***véu de noiva*** velo de novia ♦ **tirar o véu** descorrer el velo; **tomar o véu** tomar el velo; **véu palatino** velo del paladar

vexação *s.f.* **1** *(vexame)* vejación **2** *(maus-tratos)* malos tratos*m. pl.* **3** *(vergonha)* vergüenza

vexame *s.m.* **1** *(humilhação)* vejación*f.*, humillación*f.* **2** *(ofensa)* ultraje

vexar *v.* vejar, humillar

vez *s.f.* **1** *(ocasião)* vez, ocasión; ***a maior parte das vezes*** la mayoría de las veces; ***chegou a sua vez*** ha llegado tu hora; ***da próxima vez*** la próxima vez **2** *(turno)* vez, turno*m.* ■ **vezes** *s.f.pl.* MAT. por; ***5 vezes 5 são 25*** 5 por 5 son veinticinco ♦ **às vezes** a veces; **cada vez mais** cada vez más; **de uma vez** de una vez; **de uma vez por todas** de una vez por todas; **de vez** definitivamente; **de vez em quando** de vez en cuando; **em vez de** en vez de; (contos infantis) **era uma vez** era/érase/había una vez; **fazer as vezes de** hacer las veces de; **por vezes** algunas veces, alguna vez que otra; **ser a vez de** tocar; **tirar a vez** quitar la vez; *fig.,col.* **uma vez na vida, outra na morte** contadas veces; **uma vez que** visto que, una vez que

VHF *sigla* (frequência muito elevada) VHF (frecuencia muy alta)

via *s.f.* **1** *(caminho)* vía, camino*m.*; ***via de acesso*** vía de acceso **2** (documento) duplicado*m.*; ***pedir uma segunda via*** pedir un duplicado **3** *fig.* *(meio)* vía, medio*m.* **4** ANAT. vía ■ *prep.* vía; ***transmissão via satélite*** retransmisión vía satélite; ***voo via Lisboa*** vuelo vía Lisboa ♦ **chegar às vias de fato 1** llegar a las manos **2** enrollarse (con alguien); **estar em vias de** estar en vías de; **por via das dúvidas** por si acaso

viabilidade *s.f.* viabilidad

viabilizar *v.* viabilizar, hacer viable

viação *s.f.* **1** *(rede rodoviária)* red de carreteras **2** *(trânsito)* tráfico*m.*, circulación, tránsito*m.*; ***acidente de viação*** accidente de tráfico

viaduto *s.m.* **1** viaducto **2** paso elevado

viagem *s.f.* viaje*m.*; ***viagem de ida e volta*** viaje de ida y vuelta; ***viagem de lua de mel*** viaje de novios; ***viagem de negócios*** viaje de negocios; ***boa viagem!*** ¡buen viaje!; ***fazer uma viagem*** hacer un viaje; ***ir de viagem*** irse de viaje

viajante *adj.,s.2g.* viajer|o, -a*m.f.*

viajar *v.* **1** viajar; ***gosto muito de viajar*** me encanta viajar **2** viajar; ***viajar de avião/trem*** viajar en avión/tren; ***viajar em primeira classe*** viajar en primera (clase) **3** *(percorrer, visitar)* viajar, recorrer, visitar; ***já viajou por toda a Europa*** ya ha recorrido toda Europa

viático *s.m.* REL. viático

viatura *s.f.* vehículo*m.*; coche*m.*; ***a viatura da polícia*** el coche de policía

viável *adj.2g.* **1** *(possível)* viable, posible **2** (caminho) viable, transitable

víbora *s.f.* víbora

vibração *s.f.* vibración

vibrador *s.m.* vibrador

vibrante *adj.2g.* vibrante

vibrar *v.* **1** *(entrar em vibração)* vibrar, oscilar **2** hacer vibrar **3** *(soar)* vibrar, sonar **4** *fig.* vibrar, conmover, emocionar

vibratório *adj.* vibratorio

vice-campe|ão, -ã *s.m.,f.* (*pl.* vice-campeões) subcampe|ón, -ona

vice-presidente *s.2g.* (*pl.* vice-presidentes) vicepresident|e, -a*m.f.*

vice-reitor, -a *s.m.,f.* (*pl.* vice-reitor|es, -as) vicerrector, -a

vice-versa *adv.* viceversa

viciad|o, -a *s.m.,f.* adict|o, -a ■ *adj.* **1** (pessoa) adicto (em, a); ***viciado em heroína*** adicto a la heroína; ***viciado no jogo*** adicto al juego **2** (concurso, sistema) corrompido, adulterado **3** (ar) viciado, cargado **4** (documento) falsificado, falso **5** *col.* enviciado (em, con); ***sou viciado em chocolates*** estoy enviciado con el chocolate

viciante *adj.2g.* vicioso

viciar *v.* **1** (vícios) enviciar, viciar **2** (costumes) viciar, corromper ■ **viciar-se** viciarse, enviciarse; ***viciar-se no jogo*** enviaciarse con el juego

vício *s.m.* **1** *(mau hábito)* vicio, mala costumbre*f.* **2** (drogas, álcool) adicción*f.*, dependencia*f.*; ***vício da droga*** la adicción a la droga **3** *(defeito)* defecto ♦ **vício de linguagem** vicio de dicción

vicioso *adj.* vicioso

viço *s.m.* (plantas) lozanía*f.*

viçoso *adj.* **1** (planta) lozano **2** (vegetação) exuberante

vida *s.f.* vida ♦ **dar a vida por** dar la vida por; **entre a vida e a morte** entre la vida y la muerte; **falar da vida alheia** cotillear, chismorrear; **ganhar a vida** ganarse la vida; **meter-se na vida dos outros** meterse en la vida de los demás; **para toda a vida** para toda la vida; **puxa vida!** ¡jolín!, ¡vaya!, ¡coño! *vulg.*; **qualidade de vida** calidad de vida; **subir na vida** subir en la vida; **vida de cão** vida de perros; **na vida real** en la vida real

vide *s.f.* **1** BOT. (ramo) sarmiento*m.* **2** BOT. *(videira)* vid

videira *s.f.* vid

vidente *s.2g.* vidente

vídeo *s.m.* **1** (aparelho) vídeo; ***gravar em vídeo*** grabar en vídeo **2** (cassete) vídeo, videocinta*f.*, videocasete

videoamador, -a *s.m.,f.* videoaficionad|o, -a

videocassete *s.m.* **1** cinta*f.* de vídeo, videocinta*f.*, videocasete, vídeo **2** (grabadora*f.* de) vídeo

videochamada *s.f.* videollamada
videoclipe *s.m.* videoclip
videoconferência *s.f.* videoconferencia
videogravador *s.m.* (grabadora*f.* de) vídeo
videoteca *s.f.* videoteca
videovigilância *s.f.* videovigilancia
vidoeiro *s.m.* BOT. abedul
vidraça *s.f.* **1** *(lâmina de vidro)* lámina de vidrio **2** (caixilho) vidriera
vidração *s.f. col.* pasión
vidraçaria *s.f.* vidriería
vidraceir|o, -a *s.m.,f.* cristaler|o, -a, vidrier|o, -a
vidrado *adj.* **1** (olhos) vidrioso **2** *(apaixonado)* loco (em, por)
vidraria *s.f.* vidriería, cristalería
vidrilho *s.m.* cañutillo
vidro *s.m.* **1** (material) vidrio **2** (lâmina) cristal **3** (carro, janela, vitrine) ventanilla*f.*; *vidros elétricos* ventanillas eléctricas
viela *s.f.* callejuela, calleja
viés *s.m.* **1** oblicuidad*f.* **2** (pano) bies ♦ **de viés** al bies
Vietnã *s.m.* Vietnam
vietnamita *adj.,s.2g.* vietnamita
viga *s.f.* viga; *viga-mestra* viga maestra, jácena
vigarice *s.f.* estafa, timo*m.*
vigário *s.m.* vicario, párroco
vigarista *s.2g.* estafador, -a*m.f.*, timador, -a*m.f.*
vigarizar *v.* estafar, timar
vigência *s.f.* vigencia; *entrar em vigência* entrar en vigencia; *ter vigência* tener vigencia
vigente *adj.2g.* vigente
vigésim|o, -a *s.m.* vigésim|o, -a
vigia *s.f.* **1** vigilancia; *estar de vigia* estar de guardia **2** (navio) ojo*m.* de buey **3** (porta) mirilla **4** vigía, atalaya ■ *s.2g.* vigía, vigilante, guarda
vigiar *v.* **1** vigilar, estar de guardia **2** vigilar
vigilância *s.f.* **1** (serviço) vigilancia; *estar sob vigilância* estar bajo vigilancia **2** *(cuidado)* vigilancia, atención, cuidado*m.*
vigilante *adj.2g.* vigilante, atento ■ *s.2g.* **1** vigilante, guarda **2** (exames) vigilante
vigília *s.f.* **1** vigilia **2** *(insônia)* insomnio*m.*
vigor *s.m.* vigor ♦ **entrar/estar em vigor** entrar/estar en vigor; **pôr em vigor** entrar en vigor
vigorar *v.* **1** estar en vigor **2** vigorizar, fortalecer
vigoroso *adj.* vigoroso, robusto, fuerte
viking *adj.,s.2g.* (*pl.* vikings) viking|o, -a*m.f.*
vil *adj.2g.* vil, despreciable, infame
vila *s.f.* **1** (povoação) pueblo*m.*, villa **2** (casa) villa
vil|ão, -ã *s.m.,f.* (personagem) villan|o, -a, mal|o, -a ■ *adj.* villano, despreciable, vil
vileza *s.f.* **1** (qualidade) vileza **2** (ato) vileza, bajeza
vime *s.m.* mimbre*m./f.*
vimeiro *s.m.* mimbre*m./f.*, mimbrera*f.*
vinagre *s.m.* vinagre
vinagrete *s.m.* vinagreta*f.*
vincar *v.* **1** (papel, tecido) doblar, plegar **2** (pele) arrugar **3** *fig.* (argumento) enfatizar; realzar
vinco *s.m.* **1** (calças) raya*f.* (del pantalón) **2** (papel, tecido) pliegue, doblez*f.* **3** (pele) surco; (cara) arruga*f.*
vincular *v.* **1** *(ligar)* vincular, atar, unir **2** *(obrigar)* vincular, obligar ■ **vincular-se** vincularse (a, a)
vínculo *s.m.* vínculo
vinda *s.f.* **1** *(chegada)* venida, llegada; *a vinda dele à cidade foi inesperada* su llegada a la ciudad fue inesperada **2** *(regresso)* vuelta, regreso*m.*; *à vinda da escola* a la vuelta de la escuela
vindima *s.f.* vendimia
Vindoboniano *s.m.* GEOL. (andar) Vindoboniano
vindouro *adj.* venidero, futuro; *gerações vindouras* generaciones venideras
vingador, -a *adj.,s.m.,f.* vengador, -a
vingança *s.f.* venganza
vingar *v.* **1** (plano, negócio) tener éxito, prosperar **2** vengar ■ **vingar-se** vengarse (de, de), desquitarse (de, de); *vingar-se de alguém* vengarse de alguien
vingativo *adj.* vengativo
vinha *s.f.* viña, viñedo*m.*
vinheta *s.f.* (livro) viñeta, estampa
vinho *s.m.* vino; *vinho branco/rosê/tinto/verde* vino blanco/rosado/tinto/verde; *vinho de mesa* vino de mesa; *vinho doce/seco* vino dulce/seco; *vinho do Porto* oporto; *vinho espumante* vino espumoso
vinícola *adj.2g.* vinícola
vinicultor, -a *s.m.,f.* vinicultor, -a
vinicultura *s.f.* vinicultura
vinil *s.m.* vinilo
vinoterapia *s.f.* vinoterapia
vinte *s.m.* veinte ♦ **dar no vinte** dar en el clavo
viola *s.f.* **1** MÚS. guitarra (acústica) **2** MÚS. viola (de la familia del violín) ♦ *col.* **meter a viola no saco** callarse
violação *s.f.* **1** (lei, norma) violación, transgresión, infracción **2** (pessoa) violación, estupro*m.*
violador, -a *s.m.,f.* **1** violador, -a **2** (local sagrado) profanador, -a
violão *s.m.* guitarra*f.*
violar *v.* **1** violar **2** (local sagrado) profanar
violência *s.f.* violencia ♦ **violência doméstica** violencia doméstica
violentar *v.* **1** *(forçar)* violentar, forzar **2** (fechadura) forzar
violento *adj.* **1** (pessoa) violento, agresivo, bruto **2** (emoções) violento, fuerte, intenso
violeta *s.f.* violeta ■ *adj.2g.2n.,s.m.* (cor) violeta
violinista *s.2g.* violinista
violino *s.m.* violín
violoncelista *s.2g.* violonchelista, chelista*col.*
violoncelo *s.m.* violonchelo, chelo*col.*
violonista *s.2g.* violinista
VIP *sigla* (personalidade muito importante) VIP (persona muy importante)

viperino *adj.* viperino

vir *v.* **1** *(dirigir-se)* venir(se); *vem cá!* ¡ven acá! **2** *(chegar)* venir, llegar; *não venha tarde* no vengas tarde **3** *(voltar)* venir, regresar, volver; *venho já* vuelvo enseguida **4** *(surgir)* venir, aparecer, llegar; *você vem à festa?* ¿vienes a la fiesta? **5** *(provir)* venir (de, de), proceder (de, de), provenir (de, de); *de onde vens?* ¿de dónde vienes? **6** *(estar escrito)* venir, estar, salir; *isso vinha no jornal* eso ha salido en el periódico **7** (tempo) venir, llegar; *no mês que vem* el mes que viene; *vêm aí as férias* las vacaciones están llegando ♦ **isso não vem ao caso** eso no viene al caso; **mandar vir alguma coisa** encargar algo; *mandei vir o jantar* he encargado la cena; **que vem a ser isto?** ¿qué viene a ser esto?; (progressão) **vir** [+*ger.*] venir [+*ger.*]; *a crise política vem-se agravando* la crisis política viene empeorándose; **vir a** venir a; *vir à memória* venir a la memoria; *vim a São Paulo para ver um espetáculo* he venido a São Paulo para ver un espectáculo; **vir a** [+*inf.*] venir [+*ger.*]; *eu vinha pensando nisso* yo venía pensando en eso; **vir com** (razões, argumentos) venir con; *não me venha com desculpas* no me vengas con excusas; **vir de** (meios de transporte) venir en; *eu venho de avião/trem* yo vengo en avión/tren; **vir em 1** (transporte específico) venir en; *venho no trem das 8* vengo en el tren de las 8 **2** (publicação) salir en; *vem no jornal de hoje* ha salido en el periódico de hoy; **vir por** venir por; *viemos pela beira mar* hemos venido por la orilla del mar; **vir ter com** acercarse a; *veio ter comigo* se ha acercado a mí

vira *s.m.* [música y baile popular portugués]

vira-casaca *s.2g.* (*pl.* vira-casacas) *col.* chaqueter|o, -a*m.f.*

viragem *s.f.* **1** *(mudança)* cambio*m.* **2** (veículo) viraje*m.*, cambio*m.* de dirección **3** *(transição)* giro*m.*

vira-lata *s.m.* (*pl.* vira-latas) **1** perro callejero; *(rafeiro)* chucho **2** *fig.,pej.* sinvergüenza*2g.*

virar *v.* **1** (direção) girar **2** *(inverter)* dar la vuelta, virar **3** *(pôr do avesso)* poner al revés; *virar uma camisa do avesso* darle la vuelta a la blusa **4** *(entornar)* volcar, derribar; *virar o copo de água* tirar el vaso de agua **5** *(fazer girar)* volver ▪ **virar se 1** (corpo) volverse **2** *col.* (problema) arreglárselas **3** *col.* dirigirse (a, -); *virar-se a alguém* dirigirse a alguien

viravolta *s.f.* **1** (movimento) giro*m.* completo **2** *(cambalhota)* voltereta **3** *(contratempo)* contratiempo*m.*, revés*m.*

virgem *adj.,s.2g.* virgen

Virgem *s.f.* **1** REL. Virgen **2** ASTROL., ASTRON. Virgo*m.*

virgindade *s.f.* virginidad

virginian|o, -a *s.m.,f.* virgo*2g.*

Virgloriano *s.m.* GEOL. (andar) Virgloriano

vírgula *s.f.* coma

viril *adj.2g.* viril

virilha *s.f.* ingle

virilidade *s.f.* virilidad

virologia *s.f.* virología

virologista *s.2g.* virólog|o, -a*m.f.*

virose *s.f.* virosis*2n.*

virtual *adj.2g.* virtual

virtualidade *s.f.* virtualidad

virtude *s.f.* virtud ♦ **em virtude de** en virtud de

virtuoso *adj.* virtuoso

vírus *s.m.2n.* virus

visagem *s.f.* **1** *(careta)* mueca **2** aparición; fantasma*m.*

visão *s.f.* visión

visar *v.* **1** (documento, passaporte) visar **2** *(ter em vista)* mirar (a, -)

víscera *s.f.* víscera, entraña

visceral *adj.2g.* visceral

visco *s.m.* **1** BOT. muérdago **2** (substância) liga*f.*

viscose *s.f.* viscosa

viscosidade *s.f.* viscosidad

viscoso *adj.* viscoso, pegajoso

Viseano *s.m.* GEOL. (época) Viseano

viseira *s.f.* (boné, capacete) visera

visibilidade *s.f.* visibilidad

visionári|o, -a *s.m.,f.* visionari|o, -a

visita *s.f.* **1** visita; *fazer uma visita a alguém* hacerle una visita a alguien, ir a ver a alguien **2** (pessoa) visita, visitante*2g.*; *tenho visitas em casa* tengo visitas en casa ♦ **de visita** de visita/paso; **visita de estudo** viaje de estudio; **visita de médico** visita de médico; (médico) **visita domiciliar** visita a domicilio; **visita guiada** visita con guía

Visitação *s.f.* REL. Visitación

visitante *adj.,s.2g.* visitante

visitar *v.* **1** (pessoa) visitar, ir a ver **2** (local) viajar, visitar; *visitamos o litoral do Nordeste* viajamos por la costa del nordeste de Brasil

visível *adj.2g.* visible

visivelmente *adv.* visiblemente

vislumbrar *v.* vislumbrar, atisbar

vislumbre *s.m.* vislumbre*m./f.*

visor *s.m.* **1** (máquina fotográfica) visor **2** (computador) monitor, pantalla*f.*

vista *s.f.* **1** vista **2** *pop.* ojos*m. pl.* ♦ **a perder de vista** perder de vista; **à primeira vista** a primera vista; **até a vista!** ¡hasta la vista!; **à vista** a la vista; *vender à vista* vender al contado; **à vista desarmada** a simple vista; **conhecer alguém de vista** conocer de vista a alguien; **dar nas vistas** saltar a la vista; **fazer vista grossa** hacer la vista gorda; **longe da vista, longe do coração** ojos que no ven, corazón que no siente; **saltar à vista** saltar a la vista; **vista aérea** a vista de pájaro; **vista-d'olhos** vistazo; *dar uma vista-d'olhos em alguma coisa* dar/echar un vistazo a algo; **vista para o mar** vistas al mar

visto (*p.p. de* ver) *adj.* visto ▪ *s.m.* (documento, escrito) visto bueno; (por funcionário público) visado, visa*f.*[AM.]; *visto de trabalho* permiso de trabajo ♦ **bem-visto/malvisto** bien/mal visto; **pelo visto** por lo visto; **visto que** visto que, dado que

vistoria *s.f.* inspección

vistoriar *v.* inspeccionar

vistoso *adj.* vistoso

visual *adj.2g.* visual ▪ *s.m.* aspecto, apariencia*f.*, look

visualização *s.f.* visualización

visualizar *v.* visualizar

vital *adj.2g.* vital
vitalício *adj.* vitalicio
vitalidade *s.f.* vitalidad
vitamina *s.f.* **1** BIOL. vitamina **2** *col.* (bebida) batido*m.*
vitaminado *adj.* vitaminado
vitamínico *adj.* vitamínico
vitela *s.f.* **1** ZOOL. ⇒ **vitelo** **2** (carne) ternera
vitel|o, -a *s.m.,f.* terner|o, -a
vitícola *adj.2g.* vitícola
viticultor, -a *s.m.,f.* viticultor, -a
viticultura *s.f.* viticultura
vítima *s.f.* víctima ♦ **fazer-se de vítima** hacerse la víctima
vitimar *v.* **1** *(matar)* matar; ***o acidente vitimou dez pessoas*** el accidente mató a cinco personas **2** *(sacrificar)* sacrificar, inmolar **3** *(prejudicar)* perjudicar
vitória *s.f.* victoria, triunfo*m.* ♦ **cantar vitória** cantar victoria
vitorioso *adj.* victorioso
vitral *s.m.* vitral, vidriera*f.* de colores
vitrine *s.f.* **1** (estabelecimento) escaparate*m.*, vidriera[CUB.,MÉX.] **2** (móvel) vitrina, vidriera[AM.C.,MÉX.]
vitrola *s.f.* tocadiscos*2n.*
viuvez *s.f.* **1** viudez, viudedad **2** (pensão) viudedad
viúv|o, -a *adj.,s.m.,f.* viud|o, -a
viva *interj.* **1** (alegria, entusiasmo) ¡viva! **2** (cumprimento) ¡hola! **3** (após espirro) ¡salud! ■ *s.m.* viva
vivacidade *s.f.* vivacidad
vivaço *adj.* (pessoa) vivaz, astuto, listo
vivalma *s.f.* (em frases negativas) nadie; ***não se via vivalma*** no se veía nadie/ni un alma
viveiro *s.m.* **1** vivero, criadero; (de peixes, mariscos) piscifactoría*f.* **2** cantera*f.*
vivência *s.f.* **1** *(existência)* existencia **2** *(experiência de vida)* vivencia, experiencia personal
vivencial *adj.2g.* vivencial
vivenciar *v.* vivir, experimentar
vivenda *s.f.* vivienda, casa
viver *v.* **1** (experiência) vivir, experimentar **2** *(ter vida)* vivir; ***enquanto eu viver*** mientras yo viva **3** *(morar)* vivir (em/com, en/con), habitar (em/com, en/con); ***viver com os pais*** vivir con los padres **4** *(subsistir)* vivir (de, de); ***viver da caridade alheia*** vivir de la caridad; ***viver de expedientes*** vivir de limosnas **5** *(estar sempre, permanecer)* vivir; ***vivia estudando*** vivia estudiando
víveres *s.m.pl.* víveres, comestibles, provisiones*f.*
vivido *adj.* experimentado, con mucha experiencia de la vida
vivo *adj.* **1** vivo **2** (cor) chillón, vivo ♦ **ao vivo** en vivo (y en directo)
vizinhança *s.f.* **1** *(vizinhos)* vecindario*m.*, vecindad, vecinos*m. pl.* **2** *(proximidade)* vecindad, cercanía, proximidad ■ **vizinhanças** *s.f.pl.* cercanías, alrededores*m.*
vizinh|o, -a *s.m.,f.* vecin|o, -a ■ *adj.* vecino, cercano, próximo; ***países vizinhos*** países vecinos

voador *adj.* volador, volante ■ *s.m.* (para crianças) tacatá
voar *v.* **1** (ave, avião) volar **2** *fig.* (tempo) volar, pasar muy deprisa
vocabulário *s.m.* vocabulario
vocábulo *s.m.* vocablo, palabra*f.*
vocação *s.f.* vocación ♦ **ter vocação para** tener vocación para
vocacional *adj.2g.* vocacional; ***orientação vocacional*** orientación vocacional
vocal *adj.2g.* vocal; ANAT. ***cordas vocais*** cuerdas vocales
vocálico *adj.* vocálico
vocalista *s.2g.* vocalista, cantante
vocativo *adj.,s.m.* vocativo
você *pron.pess.* **1** tú; vos[AM.]; ***falamos de você*** hablamos de ti ■ *pron.pess.pl. (vós)* vosotr|os, -as; ***quando é que vocês chegaram?*** ¿cuándo llegasteis vosotros?
vociferar *v.* vociferar, gritar
vodca *s.f.* vodka*m./f.*
vodu *s.m.* vudú
voga *s.f.* moda; ***estar em voga*** estar de moda/en boga
vogal *s.f.* LING. vocal ■ *s.2g.* (pessoa) vocal
volante *s.m.* **1** (veículo) volante; ***ir ao volante*** ir al volante **2** (bicicleta) manillar **3** (badmínton) volante, plumilla*f.*
volátil *adj.2g.* **1** volátil **2** *fig.* volátil, inconstante
volatilizar *v.* volatilizar
vôlei *s.m.* ⇒ **voleibol**
voleibol *s.m.* voleibol, balonvolea
voleibolista *s.2g.* jugador, -a*m.f.* de voleibol
volfrâmio *s.m.* QUÍM. *(tungstênio)* wolframio, volframio, tungsteno
volt *s.m.* (*pl.* volts) voltio, volt
volta *s.f.* **1** *(movimento circular)* vuelta, giro*m.*; ***dar uma volta na chave*** darle una vuelta a la llave **2** *(regresso)* vuelta, regreso*m.* **3** *(passeio)* vuelta, paseo*m.*, recorrido*m.*; ***dar uma volta*** dar una vuelta; ***dar uma volta pela Europa*** recorrer Europa/viajar por Europa **4** *(mudança)* cambio*m.*, viraje*m.*, giro*m.*; ***a minha vida deu uma grande volta*** mi vida ha dado un gran giro **5** *(colar fino)* collar*m.* **6** (eleições) vuelta **7** ESPOR. vuelta; ***volta de aquecimento*** vuelta de calentamiento ♦ **dar a volta por cima** dar la vuelta; superar una situación difícil; **em volta de** alrededor de; en torno a; **fazer meia-volta** dar vuelta atrás; (tempo, horas) **por volta de** alrededor de; hacia; sobre; *col.* **vai dar uma volta!** ¡vete por ahí!; **volta e meia** **1** cada dos por tres **2** a cada paso
voltagem *s.f.* voltaje*m.*
voltar *v.* **1** *(virar)* volver, girar **2** *(regressar)* volver, regresar; ***voltar de uma viagem*** volver de un viaje; ***volto já!*** ¡vuelvo enseguida!; ***volto no sábado*** vuelvo el sábado **3** *(pôr do avesso)* volver, poner del revés **4** (direção) girar, volver; ***voltar à direita*** girar a la derecha; ***voltar para trás*** volver atrás **5** *(dirigir)* dirigir ■ **voltar se** volverse, girarse, darse la vuelta ♦ **voltar a** [+*inf.*] volver a [+*inf.*]; ***ele voltou a fumar*** él ha vuelto a fumar; ***voltar ao assunto*** volviendo al tema; ***voltar a tentar*** volver a intentarlo; **voltar a si**

volver en sí; **voltar para** volver a; ***voltou para a Espanha*** ha vuelto a España; **voltar-se contra alguém** volverse contra alguien; **voltar-se para** volverse hacia; ***voltou-se para ela e sorriu*** se volvió hacia ella y le sonrió

volume *s.m.* **1** volumen **2** (tabaco) cartón

volumoso *adj.* voluminoso

voluntariado *s.m.* voluntariado

voluntariamente *adv.* voluntariamente

voluntári|o, -a *s.m.,f.* voluntari|o, -a ▪ *adj.* voluntario

voluntarioso *adj.* **1** *(caprichoso)* caprichoso **2** *(teimoso)* terco, obstinado

voluntarismo *s.m.* voluntarismo

volúpia *s.f.* voluptuosidad, sensualidad

voluptuoso *adj.* voluptuoso, sensual

volúvel *adj.2g.* voluble, inconstante

volver *v.* **1** *(regressar)* volver (a, a), regresar (a, a); ***volver à terra natal*** volver a la tierra natal **2** *(virar)* volver; ***volver a cabeça*** volver la cabeza **3** *(remexer)* revolver, remover; ***volver a terra*** remover la tierra

vomitado *s.m.* vómito, devuelto *col.*

vomitar *v.* vomitar, devolver *col.*

vômito *s.m.* vómito, devuelto *col.*; ***ter vômitos*** tener vómitos

vontade *s.f.* voluntad ◆ **à vontade** a gusto; **de boa/má vontade** de buena/mala gana; **força de vontade** fuerza de voluntad; **ficar à vontade** ponerse cómodo; **ter boa/má vontade** tener buena/mala voluntad; **ter vontade de fazer alguma coisa** tener ganas de hacer algo

voo *s.m.* **1** (ave, avião) vuelo; ***voo doméstico*** vuelo nacional; ***voo picado/em mergulho*** vuelo en picado; ***voo rasante*** vuelo rasante **2** *(trajeto)* vuelo, trayecto ◆ **de altos voos** de altos vuelos

voracidade *s.f.* voracidad

voraz *adj.2g.* **1** voraz, ávido **2** *fig.* voraz, destructor

vos *pron.pess.* os; ***já vos disse isso*** ya os lo dije; ***não vos vou mentir*** no os voy a mentir; ***peço-vos um favor*** os pido un favor

vós *pron.pess.* vosotr|os, -as; ***vós sois meus amigos*** vosotros sóis mis amigos; ***isto foi feito por vós*** esto fue hecho por vosotros; ***quem sois vós?*** ¿quienes sóis vosotros?

voss|o, -a *pron.poss.* vuestr|o, -a; ***o livro é vosso*** el libro es vuestro; ***a casa é vossa*** la casa es vuestra; ***a vossa casa*** vuestra casa; ***o vosso carro*** vuestro coche

votação *s.f.* votación; ***por votação*** por votación

votar *v.* **1** votar, aprobar; ***votar contra/ a favor*** votar en contra de/ a favor de **2** votar ▪ **votar se** dedicarse (a, a), consagrarse (a, en)

voto *s.m.* **1** POL. voto **2** (boletim) voto, papeleta *f.* **3** REL. voto, promesa *f.* ▪ **votos** *s.m.pl.* votos, deseos ◆ **(não) ter voto na matéria** (no) tener (ni) voz y (ni) voto; **voto de confiança** voto de confianza

vovó *s.f.* (*m.* vovô) *infant.* yaya, abuelita

vovô *s.m.* ⇒ **avô**

voyeur *s.2g.* voyeur

voz *s.f.* **1** voz; ***em voz baixa/alta*** en voz baja/alta; ***ficar sem voz*** quedarse sin voz **2** (direito a opinar) voz, opinión; ***ter voz ativa*** tener voz y voto **3** LING. voz; ***voz ativa/passiva*** voz activa/pasiva **4** MÚS. voz ◆ **a meia voz** a media voz; **a uma só voz** al unísono; **de viva-voz** de viva voz; **levantar a voz a alguém** levantarle la voz a alguien; **voz de comando** voz de mando

vozearia *s.f.* vocerío *m.*, griterío *m.*

vozeirão *s.m.* vozarrón

vudu *s.m.* vudú

vulcânico *adj.* volcánico

vulcanismo *s.m.* vulcanismo

vulcão *s.m.* **1** GEOL. volcán **2** *fig.* (pessoa) volcán

vulgar *adj.2g.* **1** *(comum)* vulgar, común, corriente **2** *(grosseiro)* vulgar, ordinario, grosero

vulgaridade *s.f.* vulgaridad

vulgarismo *s.m.* **1** *(vulgaridade)* vulgaridad *f.* **2** LING. vulgarismo

vulgarizar *v.* vulgarizar ▪ **vulgarizar-se** vulgarizarse

vulgarmente *adv.* vulgarmente

vulgo *s.m.* vulgo, pueblo, plebe *f.*

vulnerar *v.* vulnerar, herir

vulnerável *adj.2g.* vulnerable

vulto *s.m.* **1** (figura, imagem) bulto **2** *(rosto)* cara *f.*, rostro **3** *(importância)* importancia *f.*, relevancia *f.*; ***de vulto*** de relevancia, muy importante

vulva *s.f.* vulva

w *s.m.* (letra) w *f.*
waffle *s.m.* ⟨*pl.* waffles⟩ gofre [ESP.], wafle [AM.]
watt *s.m.* ⟨*pl.* watts⟩ vatio, watt
WC *sigla* (banheiro) WC (váter, cuarto de baño)
Wealdiano *s.m.* GEOL. (divisão) Wealdiano
webcam *s.f.* ⟨*pl.* webcams⟩ webcam, cámara web
Werfeniano *s.m.* GEOL. (época) Werfeniano
whisky *s.m.* ⟨*pl.* whiskies⟩ whisky, güisqui
windsurfe *s.m.* windsurf, windsurfing
windsurfista *s.2g.* windsurfista
wireless *s.m.* red *f.* inalámbrica, red *f.* sin hilos
workshop *s.m.* ⟨*pl.* workshops⟩ taller; seminario
WWW *sigla* (rede mundial de computadores), web WWW (red informática mundial)

x *s.m.* (letra) x*f.*

xadrez *s.m.* **1** (jogo) ajedrez; ***jogar xadrez*** jugar al ajedrez **2** (tabuleiro) ajedrez **3** (tecido) tela*f.* a/de cuadros **4** *col.* chirona*f.*, cárcel*f.* ■ *adj.2g.2n.* (tecido) a/de cuadros

xadrezista *s.2g.* ajedrecista

xale *s.m.* chal, mantón, rebozo [AM.]

xamã *s.m.* chamán

xamanismo *s.m.* chamanismo

xamanístico *adj.* chamanístico

xampu *s.m.* champú

xará *s.2g.* **1** tocay|o, -a*m.f.* **2** *col.* tí|o, -a*m.f.*

xarope *s.m.* **1** jarabe; ***xarope para a tosse*** jarabe para la tos **2** (bebida) jarabe; ***xarope de groselha*** jarabe de grosella ■ *adj.2g. col.* aburrido, pesado

xelim *s.m.* chelín

xenofilia *s.f.* xenofilia

xenófil|o, -a *adj.,s.m.,f.* xenófil|o, -a

xenofobia *s.f.* xenofobia

xenofobismo *s.m.* ⇒ **xenofobia**

xenófob|o, -a *adj.,s.m.,f.* xenófob|o, -a

xeque *s.m.* **1** (xadrez) jaque; ***dar xeque ao rei*** dar jaque al rey **2** (Arábia) jeque **3** *fig.* peligro ♦ **pôr em xeque** poner en jaque

xeque-mate *s.m.* (jogo de xadrez) jaque mate

xereta *s.2g. col.* curios|o, -a*m.f.*, cotilla, fisg|ón, -ona*m.f.*, entrometido

xeretar *v. col.* curiosear, cotillear, fisgonear, entrometerse

xerez *s.m.* (vinho) jerez

xerife *s.m.* **1** (América) sheriff **2** (muçulmanos) jerife

xerocar *v.* fotocopiar

xerocópia *s.f.* xerocopia

xeroftalmia *s.f.* xeroftalmia, xeroftalmía

xerox *s.2g.2n.* **1** fotocopia*f.*; ***tirar xerox de*** hacer/sacar fotocopias **2** fotocopiadora*f.*

xérox *adj.,s.2g.2n.* ⇒ **xerox**

xexé *adj.2g. col.* chocho, senil; ***ficar xexé*** chochear

xícara *s.f.* taza

xilindró *s.m. pop.* chirona*f.*, cárcel*f.*, prisión*f.*

xilofone *s.m.* xilófono, xilofón

xilografia *s.f.* xilografía

xingamento *s.m.* insulto, injuria*f.*

xingar *v.* insultar, ofender, injuriar; decir palabrotas

xis *s.m.2n.* **1** (letra x) equis*f.* **2** MAT. equis*f.*

xisto *s.m.* **1** GEOL. esquisto **2** GEOL. (ardósia, lousa) pizarra*f.*

xixi *s.m. col.* pipí, pis*2n.*; ***fazer xixi*** hacer pipí

xixica *s.f. pop.* propina

xô *interj.* **1** (para afugentar) ¡os! **2** (para pessoas) ¡fuera!; ¡largo!

xodó *s.m.* **1** amor **2** afecto; aprecio, cariño; estima*f.*; ***tem xodó pela avó*** le tiene mucho cariño a la abuela ♦ **ser o xodó de alguém** ser el ojo derecho de alguien

xonar *v. col.* dormir

xoxota *s.f. vulg.* coño*m.*

Y

y *s.m.* (letra) y*f.*
Y QUÍM. (*símbolo de* ítrio) Y (*símbolo de* itrio)
yang s.m. yang
Yb QUÍM. (*símbolo de* itérbio) Yb (*símbolo de* iterbio)
yen *s.m.* yen
yin *s.m.* yin
yuppie *s.2g.* (*pl.* yuppies) yuppie

Z

z *s.m.* (letra) z*f.*
zabumba *s.f.* zambomba
zaga *s.f.* (futebol) zaga, defensa
zagueir|o, -a *s.m.,f.* (futebol) zaguer|o, -a, defensa*2g.*
zairense *adj.,s.2g.* zaireñ|o, -a*m.f.*
zambian|o, -a *adj.,s.m.,f.* zambian|o, -a
zanga *s.f.* enfado*m.* [ESP.], enojo*m.* [AM.]
zangado *adj.* enfadado [ESP.] (**com**, con), enojado [AM.] (**com**, con); ***estar zangado com alguém*** estar enfadado/enojado con alguien
zangão *s.m.* zángano
zangar *v.* enfadar, enojar ■ **zangar se** enfadarse (**com**, con), enojarse (**com**, con)
zanzar *v.* deambular, vagar
zarabatana *s.f.* cerbatana
zaragata *s.f.* **1** *(desordem)* zaragata, gresca, alboroto*m.*, desorden*m.* **2** *(briga)* riña, pelea
zarolho *adj.* **1** *(vesgo)* bizco, ojituerto **2** *(cego)* tuerto
zarpar *v.* **1** NÁUT. zarpar **2** *col.* (pessoa) largarse, irse
zás *interj.* ¡zas!
zê *s.m.* (letra) zeta*f.*
zebra *s.f.* cebra
zelador, -a *s.m.,f.* celador, -a, conserje*2g.*
zelar *v.* velar (**por**, por), cuidar (**por**, -); vigilar (**por**, -); ***zelar pelos seus direitos*** velar por sus derechos
zelo *s.m.* celo, cuidado, desvelo ■ **zelos** *s.m.pl.* celos
zeloso *adj.* celoso, diligente, cuidadoso
zen *s.m.* zen
zé-ninguém *s.m.* (*pl.* zés-ninguém) *pej.* don nadie
zepelim *s.m.* zepelín
zero *s.m.* cero ■ *s.m.* **1** *fig.* nada*f.* de nada, nada*f.* **2** *gír.* cero, rosco; ***tirou zero no exame*** sacó un rosco en el examen ♦ **abaixo de zero** bajo cero; **começar do zero** partir de cero; *col.* **estar a zero** estar pez; *col.* **ser um zero à esquerda** ser un cero a la izquierda
zeta *s.m.* (alfabeto grego) dseda*f.*
zeugma *s.m.* zeugma
zigoto *s.m.* cigoto, zigoto
zigue-zague *s.m.* zigzag ♦ **em zigue-zague** en zigzag
ziguezaguear *v.* zigzaguear
zimbabuan|o, -a *adj.,s.m.,f.* zimbabuense*2g.*
Zimbábue *s.m.* Zimbabwe
zimbro *s.m.* enebro, junípero
zinco *s.m.* cinc, zinc
zip *s.m.* zip
zipar *v.* (arquivo) zipear, comprimir
zíper *s.m.* (*pl.* zíperes) cremallera*f.*
ziquizira *s.f.* *col.* mala suerte
zircônio *s.m.* circonio, zirconio
zodiacal *adj.2g.* zodiacal
zodíaco *s.m.* zodiaco, zodíaco
zombar *v.* burlarse (**de**, de), mofarse (**de**, de); ***zombar de algo/alguém*** burlarse de algo/alguien
zombaria *s.f.* burla, mofa
zombie *s.m.* zombi
zona *s.f.* zona ♦ **zona equatorial** zona ecuatorial; **zona franca** zona franca; **zona glacial** zona glacial; **zona industrial** zona industrial; **zona de pedestres** zona peatonal; **zona protegida** zona protegida; **zona residencial** zona residencial; **zona temperada** zona templada; **zona tropical** zona tropical; **zona urbana** zona urbana; **zona verde** zona verde
zonzo *adj.* **1** (tontura, vertigem) mareado **2** aturdido, atontado
zoo *s.m.* zoo, zoológico
zoofilia *s.f.* zoofilia
zoófil|o, -a *adj.,s.m.,f.* zoofílic|o, -a
zoologia *s.f.* zoología

zoológico *adj.* zoológico; ***jardim zoológico*** parque zoológico, zoológico, zoo
zoologista *s.2g.* zoológ|o, -a*m.f.*
zoólog|o, -a *s.m.,f.* ⇒ **zoologista**
zoom *s.m.* (*pl.* zooms) zum, zoom
zorro *s.m.* ZOOL. zorro
zumbi *s.m.* zombi
zumbido *s.m.* **1** (inseto) zumbido **2** (ouvidos) zumbido
zumbir *v.* zumbar ■ *s.m.* zumbido
zunir *v.* zuñir; (vento) silbar
zuriquenh|o, -a *adj.,s.m.,f.* zuriqu|és, -esa
zurrar *v.* (burro) rebuznar
zurro *s.m.* (burro) rebuzno